LAVAZZA COFFEE EXPERIENCE

CULTURA, TRADIZIONE E AVANGUARDIA DEL CAFFÈ

La cultura del caffè è studiarne il passato, viverne il presente e immaginarne il futuro: ecco perché solo Lavazza può offrire una vera Coffee Experience, un'esperienza completa nel mondo del caffè. E dal rispetto per le radici più profonde del caffè nasce la passione per le sue evoluzioni più creative e sperimentali: quelle che hanno origine nei laboratori del Training Centre Lavazza, in collaborazione con l'audace chef catalano Ferran Adrià.

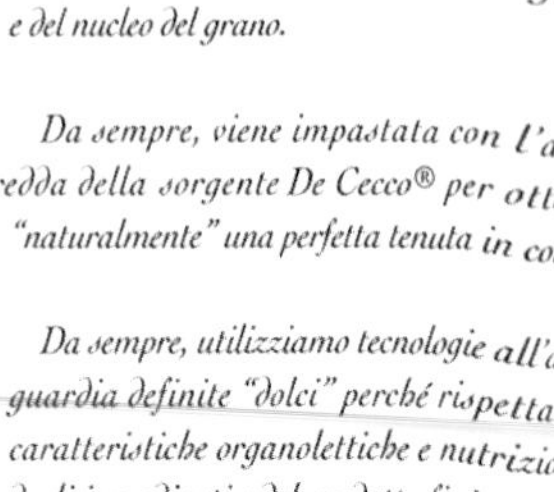

OSTERIE D'ITALIA

Sussidiario
del mangiarbere all'italiana
2009

Slow Food Editore

Osterie d'Italia 2009

Dunque il tema del 2008 è stato il cibo *low cost* (che sarebbe come dire a buon prezzo). *Maîtres à penser* del settore fulminati sulla via di Damasco, servizi sui giornali non solo specializzati, guide dedicate ai locali economici. Persino la Michelin, la bibbia delle stelle, scopre le trattorie. E ancora. Locali di gran nome propongono menù a prezzo stracciato (per i loro standard). Addirittura il Billionaire ha il suo menù turistico. A 200 euro.

Ora, a parte il senso del ridicolo, evidentemente non proporzionale al conto in banca, l'argomento non è proprio nuovo se è vero che già Brillat-Savarin, un paio di secoli orsono, ne parlava nella sua *Fisiologia del gusto* (siamo nel 1825). Nella Meditazione 28 infatti, "Dei ristoratori", scrive che «Alcuni ristoratori si prefissero di unire la buona tavola all'economia e avvicinandosi alle persone di condizione modesta, che necessariamente sono le più numerose, si assicuravano così la folla degli avventori». Non solo: «I ristoratori [...] hanno reso un importante servizio a quell'importante parte della popolazione di ogni grande città che è formata di stranieri, di militari e di impiegati e sono stati condotti dal loro interesse alla soluzione di un problema che all'interesse pareva contrario, cioè fare una buona tavola a un prezzo moderato, anzi addirittura a buon mercato». Del resto: «I ristoratori che hanno battuto questa via ne sono stati ricompensati non meno bene che i loro colleghi: essi non hanno avuto affatto più rovesci di fortuna di quelli che erano al vertice della scala e la loro fortuna, benché raggiunta più lentamente, è stata più sicura, perché se guadagnavano meno volta per volta, guadagnavano tutti i giorni...»[1]. Il buon Jean-Anthelme aveva già toccato il cuore di un problema che oggi, complice la situazione economica non proprio brillante, è diventato un tema giornalistico alla moda. Con il tipico effetto-cascata molto italiano basato sul principio dell'imitazione. Ne parla uno, ne parlano tutti.

D'altra parte, dopo che le compagnie aeree hanno indicato la via, la tendenza a offrire merci e servizi a prezzi stracciati ha dilagato e non è qui il caso, né la sede, di ricordare la marea montante di *hard discount* e *outlet* di ogni specie che stanno ridisegnando il paesaggio delle nostre periferie, insieme al profilo consumeristico degli italiani.

Detto questo, non sarebbe neppure il caso di intervenire nel dibattito, se non fosse che da più d'uno siamo stati tirati in ballo – Slow

Food e *Osterie d'Italia* – come iniziatori di una tendenza in tempi non sospetti, dato che dal 1991 (*nouvelle cuisine* e rucola imperanti) pubblichiamo questa guida. Intanto grazie, dato che essere riconosciuti come capiscuola fa sempre piacere. Ma anche qualche precisazione. Partendo da un sottotitolo che dice tutto. *Sussidiario del mangiarbere all'italiana* significa: agli albori degli anni Novanta del Novecento qualcuno ha detto basta con stili di ristorazione estranei alla tradizione nostrana, fossero modelli "alti" che privilegiavano la forma alla sostanza o minacciose e omologanti americanate (*low cost ante litteram*) che facevano dello sfamarsi un atto frettoloso piuttosto che un gesto di piacere consapevole e conviviale. Questo qualcuno ha continuato: riscopriamo le nostre tante e belle cucine regionali, sono un patrimonio che sarebbe criminale disperdere, frutto di saperi e produzioni locali, dispensatrici di sapori originali, vari, stimolanti. Questo qualcuno ha concluso: per consumare un pasto piacevole e soddisfacente non dovrebbe essere necessario pagare conti da sceicchi. Esistono locali di qualità, semplici e accoglienti, capaci di ospitare e ben accudire «quell'importante parte della popolazione che è formata di stranieri, di militari e di impiegati», ma anche di famiglie, di giovani, di viaggiatori «che necessariamente sono i più numerosi», dice Brillat. Ma anche, sempre più spesso – aggiungevamo noi –, i più attenti e curiosi. Cerchiamoli questi locali. Raccontiamoli. Valorizziamoli.
Questa è la storia, già tante volte raccontata, della genesi di *Osterie d'Italia*, da cui si evince che non ci mettemmo, in quell'ormai lontano 1990, alla ricerca di locali a buon prezzo. Piuttosto di luoghi testimoni dell'identità gastronomica nazionale, luoghi della socialità, del cibo e del vino, luoghi che il nostro immaginario identificava con gli ambienti e l'atmosfera di una vecchia osteria. Così in questo volume trovate, da sempre, osterie tradizionali (sempre meno, ahimè) e trattorie, enoteche e agriturismi, ristoranti familiari e *wine bar*. Tipologie e ambienti diversi per illustrare una sola filosofia, che si chiama Slow Food. Molto più di un prezzo basso. Perché, come dice il poeta, «un uomo è quello che mangia ma anche i sogni che si porta nel cuore»[2].

Giovanni Ruffa

1. Jean-Anthelme Brillat-Savarin, *Fisiologia del gusto*, Slow Food Editore, Bra (Cn) 2008
2. Il poeta è un cantautore, Luigi Grechi, la canzone *Pastore di nuvole*.

Sommario

Curatrice
Paola Gho

Coordinamento editoriale
Maria Vittoria Negro

Segretaria di redazione
Daniela Battaglio

Redazione
Elisa Azzimondi,
Federica Cammarata,
Simona Luparia, Bianca Minerdo,
Alessandro Monchiero,
Grazia Novellini, Carlo Petrini,
Gigi Piumatti, Giovanni Ruffa,
Angelo Surrusca

Coordinamento regionale
Piero Arnaudo, Antonio Attorre,
Mauro Bagni, Paolo Battimelli,
Marco Brogiotti,
Giancarlo Capacchione, Carlo Casti,
Massimo Di Cintio, Sergio Consigli,
Antonello Del Vecchio, Giorgio Dri,
Alberto Adolfo Fabbri,
Giampiero Giordani,
Carmelo Maiorca, Nereo Pederzolli,
Diego Soracco, Anna Sulis,
Mariagrazia Tomaello, Vito Trotta,
Gabriele Varalda

Impaginazione
Maurizio Burdese

Art director
Dante Albieri

In copertina
Foto di Anne Smith, Corbis
Foto di Diane Bigda, Corbis

Finito di stampare nell'ottobre 2008
da Rotolito Lombarda, Pioltello (Mi)

Slow Food® Editore srl
Via della Mendicità Istruita, 14-45
12042 Bra (Cn)
Tel. 0172 419611-419670
Fax 0172 411218
E-mail: ost.info@slowfood.it

Per inserzioni pubblicitarie
Slow Food Promozione srl
Gabriele Cena, Erika Margiaria,
Ivan Piasentin
Tel. 0172 419611-419606
Fax 0172 413640
E-mail: promozione@slowfood.it

Siti internet:
www.slowfood.it
www.slowfood.com

ISBN 978-888499-165-2

Collaboratori e segnalatori

Valle d'Aosta: Loredana Aprato, Edi Bevilacqua, Bruno Boveri, Fulvio Brizio, Marco Cicerone, Flavio Martino, Letizia Palesi, Franco Pippione.

Piemonte: Sandra Abbona, Piercarlo Albertazzi, Loredana Aprato, Michele Arione, Silvio Arena, Stefano Barolo, Maria Edi Bevilacqua, Maura Biancotto, Carlo Bogliotti, Bernardino Borri, Bruno Boveri, Dario Bragaglia, Fulvio Brizio, Luigino Bruni, Roberto Burdese, Roberta Linda Calza, Alberto Campo, Luigi Carbonero, Davide Cavagnero, Silvia Ceriani, Bruno Chionetti, Marco Cicerone, Graziano Cipriano, Giuseppe Clementino, Enzo Codogno, Mario Colombo, Lorenzo Conterno, Paolo D'Abramo, Bruno Darò, Marco Del Brocco, Francesca Farkas, Gianni Ferrero, Giancarlo Gariglio, Giovanni Iacolino, John Irving, Augusto Lana, Alberto Meliga, Serena Milano, Giovanni Norese, Walter Oleastro, Marco Peirotti, Nicola Piccinini, Franco Pippione, Leopoldo Rieser, Gabriele Varalda, Eric Vassallo.

Canton Ticino: Daniele Bigger, Luca Cavadini, Lucia Pollini, Giorgio Romana.

Lombardia: Enrica Agosti, Alberto Alfano, Luca Amodeo, Francesco Amonti, Elena Barusco, Annabella Bassani, Carlo Casti, Massimo Castrini, Valerio Cherubini, Giovanni Ciceri, Livia Galletti, Dino Mangili, Ezio Marossi, Alessandra Mastrangelo, Teresa Mazzina, Francesca Molteni, Marisa Monesi, Marco Monzeglio, Daniele Naranzoni, Silvano Nember, Maddalena Onofri, Federico Passi, Claudio Rambelli, Daniela Rubino, Massimo Scarlatti, Alberto Segalini, Maria Pia Sparla, Ivan Spazzini, Silvia Tropea, Massimo Truzzi, Gilberto Venturini, Carla Verzeletti, Nadia Vighi, Fabio Zanetti.

Trentino: Elisabetta Alberti, Alda Baglioni, Gianfranco Bettega, Paola Chiesa, Mario Demattè, Roberto Degasperi, Silvano Mattedi, Enzo Merz, Andrea Paternoster, Nereo Pederzolli.

Alto Adige: Alda Baglioni, Peter Di Poli, Karin Huber, Dieter Karadar, Enzo Merz, Filippo Pitscheider, Nereo Pederzolli, Helmut Riebschlaeger, Angelo Zaninelli.

Veneto: Roberto Agosti, Giuseppe Bedin, Alessia Benini, Gino Bortoletto, Luigi Boscolo, Enrico Bovo, Mariano Braggion, Marco Brogiotti, Gianni Breda, Andrea Donà, Ornella Fadda, Sanzio Folli, Roberto Gasparin, Paola Giagulli, Paolo Giolo, Renato Grando, Massimo Marchini, Eliana Pasotti, Mauro Pasquali, Valeria Pavan, Matteo Peretto, Renato Peron, Angelo Peretti, Fabio Pogacini, Silvio Redaelli, Paolo Rigoni, Rebecca Roveda, Morena Sacchetto, Silvano Sguoto, Leopoldo Simonato, Cinzia Tomasi, Mariagrazia Tomaello.

Friuli Venezia Giulia: Lorenzo Amat, Giuliano Bardi, Luisella Bellinaso, Piero Bertossi, Gianna Buongiorno, Eleonora Carletti, Giulio Colomba, Laura Costaglione, Pier Eliseo De Luca, Giorgio

Dri, Egidio Fedele Dell'Oste, Alberto Fiascaris, Renzo Marinig, Michele Mellano, Karen Miniutti, Roberto Monticolo, Sergio Nesich, Luca Olivi, Massimiliano Plett, Renzo Scarso, Renato Tedesco, Massimo Toffolo, Rosetta Toniolo, Giles Watson, Pierpaolo Zanchetta, Franco Zanini, Massimo Zecchin.

Liguria: Piero Arnaudo, Luciano Barbieri, Gianpaolo Barrani, Sandro Biavaschi, Livio Caprile, Ettore Casagrande, Cristina Cavallo, Paolo Fardini, Pietro Garibbo, Monica Maroglio, Gabriella Molli, Enrico Sala, Fulvio Santorelli, Alessandro Scarpa, Barbara Schiffini, Diego Soracco, Maurizio Stagnitto, Sergio Tron, Attilio Venerucci.

Emilia Romagna: Lamberto Albonetti, Artemio Assiri, Corrado Astrua, Vittorio Barbieri, Alessandro Barzaghi, Paolo Berardi, Antonio Cherchi, Alberto Adolfo Fabbri, Roberto Ferranti, Piero Fiorentini, Monica Fornasari, Gigi Frassanito, Sonia Galli, Romualdo Ghigi, Giampiero Giordani, Laura Giorgi, Fabio Giavedoni, Albano Gozzi, Nico Lusoli, Stefano Maestri, Enrico Maltoni, Vittorio Molinari, Stefania Pampolini, Simone Rosti, Gianni Sacchetti, Maurizio Tassinari, Pierluigi Tedeschi, Andrea Venturi, Luisella Verderi, Massimo Volpari, Mauro Zanarini.

Toscana: Susanna Angeleri, Pier Alberto Antolini, Filippo Aurigi, Bruno Bacci, Mauro Bagni, Alberto Baraldi, Gabriele Bartalena, Marco Bechi, Mario Benvenuti, Luciano Bertini, Adolfo Bertolotti, Piero Bianchi, Elisa Buti, Catia Bovi Campeggi, Paolo Bracci, Andrea Brogiotti, Fabrizio Calastri, Roberta Cavallini, Marco Cavellini, Luciano Ciarini, Fausto Costagli, Massimo Curradi, Fabio D'Avino, Leonardo Dell'Aiuto, Carlo Eugeni, Gianrico Fabbri, Simone Falorni, Francesca Romana Farina, Giovanni Fattori, Daniela Filippi, Francesco Funaioli, Sergio Gatteschi, Paolo Gramigni, Ingrid Krueger, Duccio Lazzeretti, Marino Lencioni, Giovanna Licheri, Alessio Lombardini, Alberto Lorenzini, Cristiano Maestrini, Stefano Mambrini, Fabrizio Marcacci, Marco Mucci, Marco Nardi, Roberto Neri, Renato Nesi, Nicola Perullo, Giuditta Presenti, Daniele Proietti, Ettore Salti, Paolo Scialla, Sandra Soldani, Ivana Strozzalupi, Delfino Tavanti, Susanna Tonini, Franco Utili, Pasquale Varriale.

Umbria: Cinzia Borgonovo, Marco Braganti, Maria Rita Battistacci, Isabella Ceccarelli, Sonia Chellini, Federico Ciarabelli, Sergio Consigli, Salvatore De Iaco, Mauro Masci, Monica Petronio, Gianluca Polidori, Franco Proietti, Maria Teresa Scarpato, Maurizio Sparanide, Gabriele Violini.

Marche: Antonio Attorre, Renzo Ceccacci, Valerio Chiarini, Alessia Consorti, Stefano Consorti, Nicola De Angelis, Antonella Di Leo, Franco Frezzotti, Tiziano Luzi, Alessandro Morichetti, Ugo Pazzi, Francesca Piantoni, Francesco Quercetti, Pierpaolo Rastelli.

Lazio: Enrico Amatori, Stefano Asaro, Paolo Battimelli, Roberto Bianchi, Ugo Bonomolo, Antonio Chichierchia, Beatrice Capoferri,

Roberto Cardella, Dionisio Castello, Alberico Ciccarelli, Goffredo De Andreis, Paola Fattibene, Mirella Filigno, Mario Fiorillo, Fabio Fusina, Paolo Luxardo, Daniele Maestri, Raffaele Marchetti, Patrizio Mastrocola, Roberto Perrone, Lelio Pugliese, Alessandro Ragni, Paola Rocchi, Giancarlo Rolandi, Matteo Rugghia, Massimiliano Sbarra, Maria Rosaria Specchio, Dosolina Tonti, Fabio Turchetti.

Abruzzo e Molise: Davide Acerra, Francesco Agostini, Paolo Castignani, Raffaele Cavallo, Massimo Di Cintio, Rizziero Di Sabatino, Eliodoro D'Orazio, Erminia Gatti, Franco Gizzi, Vittorio Perfetto, Loredana Pietroniro, Fabio Riccio.

Puglia: Paolo Benegiamo, Francesco Biasi, Nicola De Corato, Antonello Del Vecchio, Andrea De Palma, Giancarlo Granaldi, Giuseppe Incampo, Fancesco Paolo Lauriola, Marcello Longo, Leonardo Manganelli, Francesco Muci, Salvatore Pulimeno, Flora Saponari, Federica Sgazzutti, Salvatore Taronno.

Campania: Michele Amoruso, Franco Archidiacono, Nerio Baratta, Giancarlo Capacchione, Giustino Catalano, Michele Cinque, Marco Contursi, Antonino Corcione, Enzo Crivella, Giorgio Del Grosso, Patrizia Della Monica, Maria Giovanna De Lucia, Clemente Gaeta, Sergio Galzigna, Giorgio Del Grosso, Pino Mandarano, Giuseppe Paladino, Antonio Pasqua, Angelo Petillo, Italo Picciau, Sabatino Santacroce, Nicola Sorbo, Mario Stingone, Erasmo Timoteo, Vito Trotta, Antonio Valentino.

Basilicata: Michele Calabrese, Emilia Cascella, Paride Leone, Francesco Linzalone, Francesco Martino, Mario Melucci.

Calabria: Giuseppe Antonini, Elvira Chiefali, Pino Giordano, Marisa Gigliotti, Raffaele Riga, Vincenzo Nava.

Sicilia: Nino Aiello, Aldo Bacciulli, Stefano Barolo, Alfredo Bordone, Damiano Chiaramonte, Ignazio De Francisci, Nino Gentile, Rosario Gugliotta, Giancarlo Lo Sicco, Carmelo Maiorca, Franco Motta, Francesco Pensovecchio, Pippo Priviteгa, Franco Saccà, Pasquale Tornatore, Sabina Zuccaro.

Sardegna: Sonia Congiu, Fabrizia Fiori, Luca Galassi, Mario Galasso, Carla Marcis, Massimiliano Piras, Nicoletta Piras, Antonello Raimondi, Anna Sulis, Roberta Ventura.

Come leggere la guida

Ordinamento

Ogni esercizio è classificato sotto il comune di appartenenza, in ordine alfabetico all'interno delle singole regioni. È inoltre indicata la frazione (o località, contrada, sobborgo, quartiere) dove il locale ha sede.

Tipologia

Le principali sono: osteria tradizionale o di recente fondazione, trattoria, ristorante, azienda agrituristica, enoteca con mescita e cucina.

Informazioni

Giorno di chiusura settimanale, orario di servizio, periodo di ferie sono dichiarati dai titolari degli esercizi.

Prezzi

Sono indicati secondo fasce calcolando il costo di tre portate oppure come costo unitario di un menù tipo o a prezzo fisso. Quando non compare la dizione «vini esclusi», il prezzo è comprensivo delle bevande, per lo più vini della casa.

NOVITÀ Segnalazione nuova rispetto all'edizione 2008.

Simboli

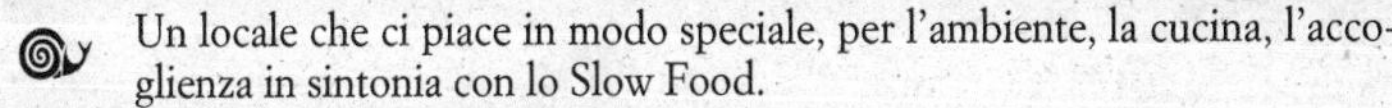

Un locale che ci piace in modo speciale, per l'ambiente, la cucina, l'accoglienza in sintonia con lo Slow Food.

«Locale del buon formaggio», con una selezione di prodotti caseari particolarmente ricca per quantità e/o interessante per tipologie.

Proposta dei vini ricca e qualificata.

Un negozio, un artigiano, un'azienda dove acquistare specialità gastronomiche locali e prodotti di qualità.

Un bar, un caffè, una mescita, una pasticceria per una sosta piacevole.

La prenotazione, salvo diverse indicazioni contenute nella scheda, è sempre consigliabile.

Osteria accessibile ai disabili

Locale in possesso dei requisiti di accessibilità per quanti si muovono in carrozzella. La dichiarazione del titolare, su propria responsabilità, è il risultato di una indagine condotta da Slow Food sui locali presenti in *Osterie d'Italia* 2008 in collaborazione con P.M. Vissani AISCRIS dis-SI di Confindustria e Bureau Veritas Italia.

Locale segnalato dall'Associazione italiana celiachia

La cucina prepara piatti senza glutine.

La guida è stata chiusa in redazione il 31 agosto 2008.
Le segnalazioni non possono tenere conto di mutamenti intervenuti dopo tale data.

VALLE D'AOSTA

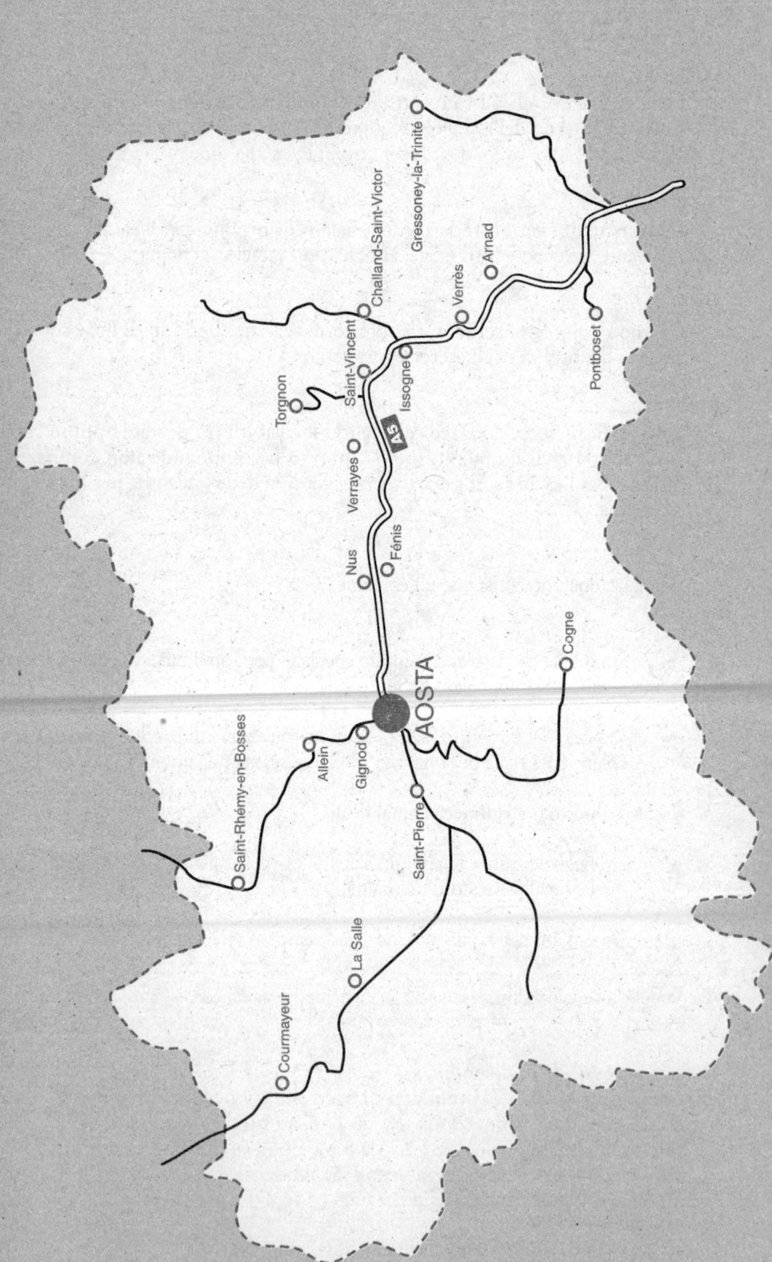

Gressoney-la-Trinité
Challand-Saint-Victor
Arnad
Verrès
Saint-Vincent
Torgnon
Issogne
Pontboset
A5
Verrayes
Nus
Fénis
Cogne
AOSTA
Saint-Rhémy-en-Bosses
Allein
Gignod
Saint-Pierre
La Salle
Courmayeur

Aosta

Trattoria degli Artisti

Ristorante
Via Maillet, 5-7
Tel. 0165 40960
Chiuso domenica e lunedì
Orario: mezzogiorno e sera
Ferie: 2 settimane in giugno, 2 in novembre
Coperti: 50 + 30 esterni
Prezzi: 28-32 euro vini esclusi
Carte di credito: tutte, Bancomat

Da molti anni è un posto sicuro, raccomandabile per la piacevolezza dell'ambiente, la simpatia di chi lo gestisce e l'affidabilità della cucina. Arredi in legno, oggetti e opere grafiche di buon gusto rendono calde e accoglienti le salette interne; nella bella stagione sono disponibili anche alcuni tavoli nel vicoletto. In cucina Susi prepara buoni piatti della tradizione valligiana accanto a qualche escursione fuori porta; in sala Iris, Corrado e Abramo vi guideranno nelle scelte. Tra gli antipasti, un ottimo assortimento di salumi tipici (**mocetta** e prosciutto da favola), il **lardo di Arnad con timballo di castagne**, la pampanella (focaccetta calda) al prosciutto crudo di Saint-Rhémy. A seguire una classica ***vapellenentse*** e un delizioso **risotto con lardo, cavolo verza e fontina**. Come secondo, un imperdibile **capriolo in *civet*** (al Pinot Nero), la **polenta grassa** e quella dell'Arpian (con panna fresca), il **brasato al Blanc de Morgex et de La Salle**. Un occhio di riguardo merita il tagliere di formaggi valligiani. Notevoli anche alcuni piatti più originali, come lo zuccotto di prosciutto e fichi in salsa di melone o gli gnocchi al pesto di menta, pinoli e fagiolini. Per finire, la coppa di gelato Pam Pam è un cavallo di battaglia del locale.
Buona la carta dei vini con etichette regionali e nazionali.

Due indirizzi in centro storico per degustare ottimi vini, salumi e formaggi: La Cave, via De Tillier 3 A, nel cortile, e Le Grand Paradis, via Sant'Anselmo 121. Per acquisti caseari, l'Angolo del Formaggio, via Trottechien 13, e Bottega degli Antichi Sapori, via Porta Pretoria 63. In via Sant'Anselmo 76, la Salumeria La Vallée vende tra l'altro l'ottimo cotechino di Quart prodotto dal gestore, Maurizio Gallucci.

Arnad
Champagnolaz

42 km a SE di Aosta SS 26 o A 5 uscita Verrès

L'Arcaden

Osteria di recente fondazione
Località Champagnolaz, 1
Tel. 0125 966928
Chiuso lunedì e giovedì
Orario: 12.00-20.00
Ferie: 2 settimane in giugno, 2 in novembre
Coperti: 45 + 20 esterni
Prezzi: 16-20 euro vini esclusi
Carte di credito: tutte, Bancomat

Arnad, comune sparso della bassa Valle, è base di partenza per belle escursioni e sede di alcune delle più frequentate palestre di roccia della regione. È noto anche come patria di un celebre lardo, che con gli altri ottimi prodotti del salumificio Bertolin rappresenta il fulcro dei menù di questo luogo di ristoro flessibile e informale, aperto con orario continuato anche per spuntini. I reduci del *free climbing*, come delle sciate e delle più tranquille marce sui sentieri, trovano qui di che sfamarsi, in un conviviale ambiente di montagna. L'offerta di piatti caldi è limitata a un paio di **minestre – di orzo, di castagne** – cui si aggiungono, la domenica, polenta e salsiccia o la *carbonade*; su prenotazione, anche carni alla *losa* e, nei periodi giusti, selvaggina. Ricchissimo il tagliere dei salumi: **lardo di Arnad**, **mocetta**, ***teteun*** (mammella di vacca), *bon bocon* di puro suino, ***boudin***, pancetta, **coppa al ginepro**, *boc* (salame cotto di capra), cacciatorini di asino. Inoltre, **cotechino con le patate, lingua al verde**, peperoni con le acciughe, verdure sott'olio o in agrodolce. Ottima anche la selezione di latticini e formaggi locali: fontina, tome, tomini con salse piccanti, *fromadzo* e il **salignon** delle vallate del Rosa.
Da bere ci sono buoni sfusi locali e ottimi vini in bottiglia, ma anche birre e, per il brindisi finale, un corroborante liquore alle erbe.

I salumi dell'Arcaden, tra cui il lard d'Arnad dop in varie stagionature, si acquistano nello spaccio dello stabilimento Bertolin, località Champagnolaz 10. In località **Glair** di Arnad, formaggi tipici nello spaccio del caseificio cooperativo Evançon. Ad **Arnad-Le-Vieux**, panificio Cargnino: pane con castagne e uvetta e grissini alle noci.

Challand-Saint-Victor
Vervaz

43 km a est di Aosta SR 45 uscita A 5 Verrès

Locanda ai Ponti Romani

Ristorante
Frazione Vervaz, 10-11
Tel. 0125 967608
Chiuso il martedì e giovedì sera
Orario: mezzogiorno e sera
Ferie: 3 settimane in gennaio, 2 in giugno, 1 in ottobre
Coperti: 40
Prezzi: 25-30 euro vini esclusi
Carte di credito: tutte tranne AE, Bancomat

Ai margini del bosco una vecchia baita ristrutturata ospita questo piccolo ristorante nascosto tra le montagne all'imbocco della val d'Ayas. Per raggiungerlo si devono seguire i cartelli per Chataignère, Viran e Vervaz, proseguendo poi in direzione dei ponti romani, due belle strutture in pietra a cavallo del torrente Evançon. Dopo il sapiente recupero la baita è stata arricchita di oggetti e attrezzi un tempo di impiego quotidiano, disposti qua e là come se fossero appena stati usati. Corrado e i suoi collaboratori vi accoglieranno con cordialità e potranno tenervi compagnia fino a tardi, magari davanti a una bottiglia di grappa.
Il menù si apre con una serie di antipasti, quasi tutti tradizionali: un assaggio di **lardo di Arnad**, **mocetta** e altri salumi regionali, in stagione la **zucca grigliata in carpione**, mousse di formaggio con fettine di polenta alla griglia, castagne e burro. Per i primi la scelta è tra zuppa valdostana o di verdure, legumi e cereali, **risotto** (al vino Gamay o **alla crema di fontina**, in stagione ai funghi) o **polenta**, servita **con il salignon**, la ricotta piccante della tradizione walser. Tra i secondi, carni arrosto, alla griglia o in umido, **cotechino con patate** (sempre presente), petto d'anatra con mele caramellate, in stagione **selvaggina** (cinghiale – Manuela lo cucina anche con birra e senape –, braciole di cervo con la polenta), **lumache** e **funghi**. C'è una discreta selezione di formaggi valdostani e tra i dolci si propone frequentemente il *bonet*. È fatto in casa anche il pane, accuratamente cotto nel vecchio forno a legna. Buona la selezione dei vini, con le migliori etichette valdostane e nazionali.

Cogne

27 km a sud di Aosta SR 47

La brasserie du Bon Bec

Osteria di recente fondazione
Rue Bourgeois, 72
Tel. 0165 749288
Chiuso il lunedì, mai luglio-agosto e Natale
Orario: mezzogiorno e sera
Ferie: variabili
Coperti: 47
Prezzi: 24-28 euro vini esclusi
Carte di credito: tutte, Bancomat

Si conferma come il modello – o uno dei possibili modelli – dell'"osteria nuova" questo locale aperto da parecchi anni nel cuore della bella Cogne come tassello dell'articolata offerta ricettiva dei Jeantet-Roullet, proprietari dello storico hotel Bellevue. Concepita quale alternativa flessibile e informale al ristorante del grande albergo, ne rispecchia i caratteri di fascinoso buon gusto ed è in grado di soddisfare le diverse esigenze degli escursionisti, dal pasto completo all'unica portata allo spuntino, da accompagnare con un calice di vino o, per i salutisti, con una tisana.
Alle comitive numerose si adattano piatti conviviali e scenografici come la ***braserade*** (salumi, formaggio reblochon, patate, crêpes) e la ***pierrade*** (misto di carni alla piastra) – cotte in tavola l'una sul braciere, l'altra sulla *losa*, una lastra di pietra –, la *bourguignonne*, la *fondue chinoise*, la piemontese *bagna caoda*. Altrimenti, oltre ai taglieri di **salumi** e **formaggi** tipici, frutto di un'appassionata ricerca, ci sono corroboranti **zuppe**, la ***favò*** (pasta con le fave, specialità di Cogne), **crespelle** variamente farcite. In estate il menù propone anche ricche insalate, mentre è invernale la ***frecacha***, delizioso tortino di carne bovina e patate. Poi, **cervo al vino rosso con polenta**, lombatine di agnello impanate, **trota gratinata alle erbe**. Come dessert, la **fonduta di cioccolato** o la **crema di Cogne** con le tegole.
Vini e liquori sono soprattutto valdostani e piemontesi.

Osteria accessibile ai disabili.

Il Bar à Fromage, dépendance della Brasserie, in rue du Grand Paradis 21: formaggi e salumi, un paio di primi e grigliate di carne o pesce. La Cave de Cogne, via Bourgeois 50: buon assortimento di vini e distillati valdostani e nazionali.

27 KM A SUD DI AOSTA SR 47

LES PERTZES 

Brasserie-enoteca con cucina
Via Grappein, 93
Tel. 0165 749227
Chiuso martedì e mercoledì
Orario: mezzogiorno e sera
Ferie: novembre e seconda metà di maggio
Coperti: 50 + 20 esterni
Prezzi: 28-33 euro vini esclusi
Carte di credito: tutte tranne DC, Bancomat

Un tipico chalet è la sede di questo simpatico locale, condotto da 15 anni da una coppia che con rara professionalità si cimenta da oltre un ventennio nella ristorazione: Emanuele Comiotto, il patron ai fornelli, e Luisella Biolcati, la consorte in sala. La scelta dell'insegna riflette una caratteristica originaria della strada, che intorno al 1920 era sterrata e delimitata da *pertzes*, gli steccati in *patois*, mentre la tipologia della brasserie-enoteca deriva da influssi di scuola francese e dalla grande passione per il vino.
Seduti tra *boiseries*, camini, divanetti e tendaggi particolari, potrete aprire il pasto con l'***assiette alla cogneintze*** (mocetta di Cogne, lardo di Arnad, salsiccia, crudo di Saint-Marcel e castagne), il carpaccio di vitello in *bagna caoda*, il **tortino di patate e porri con fonduta**, la **trota salmonata di Lillaz**. Tra i primi, **gnocchi** al *seirass* o **alla toma di Gressoney**, tagliolini ai funghi porcini, **ravioli di capretto al timo**, polenta alla valdostana, ***seupetta cogneintze*** (risotto con pane e fontina), **zuppa di cipolle gratinata**. Per i secondi la scelta è tra ***carbonade* con polenta**, guancetta di vitello brasata al vino rosso, **costolette di agnello** alla provenzale e vari tipi di carne alla griglia. Molto ampia la selezione di **formaggi**, valdostani ma anche di altre regioni ed esteri. Terminando il pasto con il dolce, da non perdere la **crema di Cogne**; in alternativa torte, bavaresi e semifreddi.
Incredibile la scelta enologica: oltre 600 etichette ospitate, per un quantitativo che può toccare le 12 000 bottiglie, in una straordinaria cantina di recente costruzione, da visitare; ottima anche la presenza di birre e distillati.
Sempre aperto, per pasti e per spuntini, in alta stagione.

27 KM A SUD DI AOSTA SR 47

LOU RESSIGNON 

Ristorante con alloggio
Rue des Mines, 22
Tel. 0165 74034
Chiuso lunedì sera e martedì, mai in agosto
Orario: mezzogiorno e sera
Ferie: 10-30 novembre, 15-30 maggio
Coperti: 75
Prezzi: 25-30 euro vini esclusi
Carte di credito: tutte tranne AE e DC, Bancomat

C'è una novità nel tradizionalissimo ristorante di Elisabetta e Davide Allera, figli del compianto Arturo, grande animatore della vita sociale valdostana: l'apertura, all'ultimo piano dell'edificio, di cinque confortevoli camere per il pernottamento. Per il resto tutto è come sempre, in questa solida casa di montagna ai margini del centro storico. A cominciare dal menù, che coniuga la cultura gastronomica della Vallée con quella del vicino Piemonte.
Come antipasto, in alternativa alla classica *assiette* di **salumi** e formaggi della regione, potrete ordinare la **carne cruda alla gressonara**, il carpaccio di sottofiletto con *bagna caoda*, lo speck d'oca. Poi, oltre all'immancabile **polenta**, la ***seupetta cogneintze***, le **crespelle** di farina di segale o di grano saraceno, i ravioli di carne al sugo d'arrosto, gli **gnocchetti di spinaci con fonduta** o di patate con crema di zucca. Di secondo, o come piatto unico, ***carbonade*** con polenta o patate lesse, camoscio o **cinghiale in umido**, **sella di agnello al forno** in crosta di pane con salsa al vino rosso, **trota alla mugnaia**, carni e verdure alla griglia e le conviviali **fondute** (valdostana, *bourguignonne*, *chinoise*). I dessert spaziano dalla **crema di Cogne** con le tegole al piemontese *bonet*, dall'*île flottante* ai semifreddi.
La cantina è ben fornita di vini nazionali e non solo; valida anche la selezione dei distillati, che si possono centellinare fino a tarda ora in taverna.

Sfornano un fragrante mecoulin (pane dolce di Cogne) il panificio Gerard situato in via Bourgeois 51, e la pasticceria Perret, al 57 della stessa via. In via Grappein 38, macelleria Marco Jeantet: carni e ottimi salumi, tra cui mocetta, tetetta, sanguinacci.

Cogne
Lillaz

30 km a sud di Aosta SR 47

Lou tchappé

Ristorante
Frazione Lillaz, 126
Tel. 0165 74379
Chiuso il lunedì, mai in luglio e agosto
Orario: mezzogiorno e sera
Ferie: 15/5-15/6 e 15/10-30/11
Coperti: 50 + 25 esterni
Prezzi: 25-30 euro vini esclusi
Carte di credito: tutte tranne DC, Bancomat

Paradiso degli amanti dello sci di fondo e delle escursioni di vario impegno (di qua si parte per la Finestra di Champocher, almeno quattro ore di marcia, ma a 10 minuti ci sono le cascate del Valeille, torrente generoso di trote), Lillaz è un piccolo borgo di vecchie case, in una soleggiata conca prativa. Sempre affollato, ma con un servizio efficiente e cortese, il ristorante della famiglia Artini non ha l'austerità un po' opprimente dei locali di montagna: è in uno chalet arredato con mobili di legno chiaro e tessuti dai colori allegri, e d'estate ci si può accomodare all'aperto, all'ombra di grandi gazebo.

Per aprire il pasto avrete i tipici salumi valdostani (**mocetta**, lardo di Arnad, prosciutto di Bosses), **caprini al ginepro** e altri buoni formaggi, sformati di verdure o paté. Tra i primi, oltre ai "malfatti du Tchappé" (maltagliati conditi con pancetta affumicata e poco pomodoro) troverete ***seupetta cogneintze***, crespelle alla valdostana, **gnocchi di pane** o, in autunno, di castagne, in stagione di funghi la **crêpe di orzo e porcini**, **zuppe**. Un secondo che può fare da piatto unico è la ***soça***, antica ricetta della cucina famiiare di Cogne a base di carne, cavolo, patate e fontina, che lo chef-patron Giuseppe Artini ha riportato in auge. In alternativa, fonduta, ***carbonade* con polenta**, **agnello arrosto**, **scaloppa** alla valdostana, **trota** di Lillaz alla griglia o **con le mandorle**, petto d'anatra al forno con le mele; in stagione **selvaggina**, spesso cucinata **al *civet***. Lasciate un posticino per i dolci: **crema di Cogne** con le tegole, panna cotta, torte di frutta, bavaresi e il casalingo **gelato alla cannella**.

Buona la scelta di vini, con i migliori valdostani e alcuni di altre regioni italiane.

Courmayeur
Ermitage

40 km a NO di Aosta SS 26 D

Baita Ermitage

Ristorante
Località Ermitage
Tel. 0165 844351
Chiuso il mercoledì, mai in luglio e agosto
Orario: mezzogiorno e sera
Ferie: giugno e novembre
Coperti: 50 + 40 esterni
Prezzi: 25-30 euro vini esclusi
Carte di credito: tutte tranne AE e DC, Bancomat

È sempre piacevole sostare in questa località appartata dal centro mondano di Courmayeur (era, come dice il nome, un antico romitaggio), anche se comodamente raggiungibile in auto con una breve salita da Villair per Plan-Gorret. Da qui si possono ammirare in tranquillità i ghiacciai del Bianco, godendo – secondo stagione ed esigenze – del sole o del fresco, e ci si può rifocillare con piena soddisfazione, anche per la borsa, nel ristorantino di Piero Savoye. Il posto, una bella baita ai margini di un grande prato, è semplice ma curato, la cucina di Valentina Pellissier, madre di Piero, schiettamente montanara. Quando la temperatura lo consente ci si può accomodare all'aperto, e a mezzogiorno, se anche terrazza e dehors sono al completo, entra in funzione una sorta di self-service, che consente, fino a esaurimento scorte, di approvvigionarsi al banco per poi sedersi con il vassoio sul prato. La sera l'atmosfera diventa più intima, la cura del servizio raddoppia e il menù si arricchisce.

Dopo un assaggio di **salumi** tipici, con l'alternativa dei **tomini al verde**, degli **involtini caldi di prosciutto con ripieno di fonduta**, di fresche insalate, potrete scegliere tra primi brodosi (specialità del locale è la **zuppa** dell'Eremita **di pane nero, spinaci e fontina**) o di pasta casalinga: **tagliatelle** condite in stagione con funghi, lasagne al forno con verdure, **crespelle farcite di formaggio**. Immancabile la **polenta**, **concia** o servita con varie pietanze: ***carbonade***, salsicce, **coniglio**, in stagione **capriolo** o **camoscio in umido**, **lumache**, **funghi**. Tra i secondi, anche **scaloppa** alla valdostana e *paillard*. Come dessert, torte, crostate, frutti di bosco con gelato o panna.

La carta dei vini comprende buone etichette valdostane e piemontesi.

Courmayeur
Val Veny-Peindeint

41 km a NO di Aosta ss 26 d

La grolla

Ristorante con alloggio
Località Peindeint
Tel. 0165 869095-869783
Non ha giorno di chiusura
Orario: mezzogiorno e sera
Aperto 1/12-15/4 – 15/6-10/9
Coperti: 85 + 75 esterni
Prezzi: 30-35 euro vini esclusi
Carte di credito: tutte tranne AE, Bancomat

A breve distanza dalle celebri piste della Val Veny, che di qua si possono raggiungere anche con gli sci ai piedi o in motoslitta, la famiglia Truchet gestisce da decenni questo piacevole ristorantino cui sono annessi, nelle baite vicine, cinque miniappartamenti per un tranquillo soggiorno. All'ingresso dello chalet c'è il bar, al piano di sopra una bella sala in stile alpino, che nei mesi caldi si prolunga nella grande terrazza aperta sullo spettacolare panorama delle cime e dei ghiacciai del Bianco.
La cucina della signora Lillia è tradizionale e attenta alle qualità delle materie prime, alcune delle quali procurate dal marito, appassionato cercatore di **funghi**, che in stagione – fritti, in umido, alla piastra – recitano da protagonisti nel menù. Come antipasto potrete gustare **mocetta**, **lardo** e altri salumi tipici, un carpaccio o l'**insalata di tomino caldo**. Immancabile poi la **polenta**, **concia** o servita, secondo i periodi, con i funghi, con il latte, con la ***carbonade*** o con umidi di **selvaggina**. Inoltre, ravioli di carne ed erbe, crêpes, **risotti** alle verdure o ai funghi, la ***vapellenentse*** o altre zuppe, la bistecca alla valdostana, il filetto all'aceto balsamico; su ordinazione, fonduta, *fondue chinoise* e *sorça* (carne di maiale cotta con cavolo, patate e salsiccia). In chiusura crostate, bavaresi o la deliziosa **composta di mele**.
La carta dei vini elenca soprattutto etichette valdostane.
Col bel tempo, il ristorante apre nei fine settimana anche in bassa stagione.

A **Courmayeur** (6 km) fontina, tome e altri prodotti caseari della Valle alla Maison du Fromage, via Roma 120, e dai fratelli Panizzi, via Circonvallazione 41.

Courmayeur

38 km a NO di Aosta ss 26 d

Le vieux pommier

Ristorante con alloggio
Piazzale Monte Bianco, 25
Tel. 0165 842281
Chiuso il lunedì
Orario: mezzogiorno e sera
Ferie: due settimane in maggio, ottobre
Coperti: 180 + 40 esterni
Prezzi: 20-35 euro vini esclusi
Carte di credito: tutte tranne AE, Bancomat

Dal grande piazzale di fronte al Monte Bianco si accede a questo storico locale gestito dalla famiglia Casale Brunet, che senza troppe smancerie sa evitare i rischi di una cucina acchiappaturisti e affrontare con efficienza l'affollamento dei grandi numeri. Nella più grande delle tre sale, con i tavoli suddivisi da tramezzi, adocchiando gli antipasti e i dolci esposti nell'ampia vetrina circolare vi accorgerete dell'antico albero di mele che dà il nome al ristorante.
Mocetta e altri tipici salumi valdostani anticipano l'inevitabile **polenta**, **concia** oppure come contorno alle carni (***carbonade***, in stagione **selvaggina**); in alternativa, gnocchi con fonduta, saporite zuppe come quella di cipolle, la ***vapellenentse***, la ***seupetta courmayeurentse*** (verdure, fontina, fette di pane nero), ottimi **risotti** alla valdostana o ai funghi porcini. Di secondo la **scaloppa** impanata e farcita, i ***tournedos alla losa*** (cotti sulla lastra di ardesia), il **petto di pollo** alla Vieux Pommier **con frittelle di mele**. Piacevoli da consumare in comitiva la *raclette* (servita con mocetta valdostana), la *fondue savoyarde*, la *reblochonnade*, la *tartiflette*, la *pierrade*, il mont d'or gratinato. C'è anche una **fonduta al cioccolato**, in cui si intingono pezzetti di frutta e le tegole, tipici biscotti regionali, mentre le mele si ripresentano sotto forma di torte e sfogliatine, affiancate da crostate ai frutti di bosco.
Buona scelta di vini e liquori, per lo più regionali. Linea corretta nei prezzi, con la proposta di un menù a 20 euro che comprende un primo, un secondo e un dolce a scelta dalla carta.
Sempre aperto in luglio, agosto e nel periodo natalizio.

A **La Thuile** (16 km) La maison du Fromage, via Collomb 10, vende i migliori prodotti caseari della Vallée e non solo; ottimi anche i salumi.

GIGNOD
La Clusaz

21 KM A NORD DI AOSTA SS 27

LOCANDA LA CLUSAZ

Ristorante con alloggio
Frazione La Clusaz, 1
Tel. 0165 56075-56426
Chiuso il martedì
Orario: mezzogiorno e sera, inverno solo sera
Ferie: 3 settimane tra maggio e giugno, 5-30 novembre
Coperti: 40
Prezzi: 32-35 euro vini esclusi
Carte di credito: tutte, Bancomat

Siamo sulla strada per il Gran San Bernardo: montagne e boschi, aria fresca e frizzante. Per secoli sono passati di qui viandanti ed eserciti provenienti dal Nordeuropa o là diretti: dalle legioni romane a Carlo Magno, dal Barbarossa a Napoleone. Ancora oggi il passaggio è costante ma, per fortuna, meno bellicoso.
Sevi e Maurizio Grange hanno saputo mantenere la bellezza austera dell'antichissimo locale (risale almeno al 1140) ingentilendola con sapienti tocchi moderni (non ultimo, a fine cena, la possibilità di passeggiare nel bosco con le luci che si accendono al vostro passaggio, illuminando il sentiero). Oltre ai piatti alla carta, sono proposti un menù di tradizione (32 euro), uno intitolato alle erbette (35) e uno di stagione (40). Da non perdere assolutamente la **polenta**: granulosa, delicatamente affumicata, una delle migliori non solo della regione. Altro piatto eccezionale è il **tortino di castagne con pancetta, lardo e pane di segale**, come pure la ***tartrà* alle erbette con salsa al blu d'Aosta**. E poi pappardelle di pasta fresca ai finferli, ***seupa à la vapellenetse***, straccetti di farina di segale con verza e crema alla toma, **raviolone di piedino di maiale con crema di cavolfiori, risotto alla *cogneintze***. A seguire **fricandò** o ***carbonade* con polenta**, petto d'anatra con verdure, piccione, cosciotto di maialino da latte. Grande selezione di **formaggi** e una carta dei dolci che da sola vale il viaggio.
Monumentale la carta dei vini, tra valdostani, nazionali e grandi francesi.
Sempre aperto in agosto e nel perioo natalizio.

Per i salumi, a Gignod, macelleria Pomat-Bal, località Plan Château 1 D; per i formaggi caprini, Giuseppe Henriet, regione Crou (4 km: indicazioni in località Planet, sulla statale).

GRESSONEY-LA-TRINITÉ
Tschaval

85 KM A NE DI AOSTA, 33 KM DA PONT-SAINT-MARTIN

CAPANNA CARLA

Ristorante
Località Tschaval, 33
Tel. 0125 366130
Chiuso il lunedì, mai d'estate
Orario: pranzo e sera, inverno feriali solo sera
Ferie: variabili
Coperti: 50
Prezzi: 25-30 euro vini esclusi
Carte di credito: tutte tranne AE, Bancomat

Un antico *stadel* – baita in larice su basamento di pietra, caratteristica dell'architettura walser – è la sede di questo locale a 1860 metri di altitudine, che troverete, salendo dal fondovalle, prima dell'abitato di Gressoney-La-Trinité, seguendo le indicazioni per le funivie Staffal. L'edificio, molto suggestivo per struttura e arredo, ha forse quattro secoli e anche il ristorante è storico, famoso già negli anni Sessanta del Novecento. I coniugi Barozzi lo hanno rilevato mantenendone intatto l'ambiente e apportando poche innovazioni in cucina, che innesta sul classico filone *montagnard* valdostano le peculiarità della componente germanica, walser appunto, delle tradizioni del Rosa.
Le castagne lessate, immerse nel miele e servite con il burro, possono aprire il pasto in alternativa, o in aggiunta, al tagliere di salumi o al **tomino con salsa al radicchio**. Susanna prepara sempre almeno una zuppa, oppure la **minestra di riso, latte e castagne**, la **polenta concia**, le **crêpes con fonduta** e piatti più stagionali come i ravioli di cinghiale. Poi, secondo i periodi, **carbonada**, arrosto ai mirtilli, stinco di vitello o di maiale al vino rosso, carré di maiale al latte, cervo arrosto, camoscio o **cinghiale in salmì, salsiccia alla cacciatora**. In chiusura formaggi valligiani, torte, gelati o frutta di stagione e il caffè "rinforzato" servito nella conviviale coppa dell'amicizia.
Il patron vi illustrerà con competenza la carta dei vini, una cinquantina di etichette soprattutto valdostane e piemontesi. In bassa stagione il locale è aperto di norma solo nel fine settimana.

Issogne

40 km a SE di Aosta SS 26 o A 5 uscita Verrès

Al maniero

Ristorante con alloggio
Frazione Pied de Ville, 58
Tel. 0125 929219
Chiuso il lunedì, mai in agosto
Orario: mezzogiorno e sera
Ferie: 15-30 giugno
Coperti: 50 + 30 esterni
Prezzi: 20-28 euro vini esclusi
Carte di credito: tutte tranne AE, Bancomat

Quando la strada inizia a salire per accedere all'abitato, troverete sulla sinistra, in una frazione ai piedi del paese, la via che vi condurrà dopo poche decine di metri in questo bell'edificio a due piani con giardino e parcheggio. Da parecchi anni i coniugi Paladini – lui in cucina, la moglie in sala – gestiscono con mano sicura il Maniero, ristorante (con alloggio) composto da due sale – una più piccola con camino – dai soffitti a cassettoni in legno chiaro.

La cucina, schiettamente valdostana, propone per iniziare ottimi **salumi** locali (mocetta, prosciutto di Saint-Marcel, lardo di Arnad), **flan** di melanzane e **di ajucche** (un'erba spontanea caratteristica della bassa Valle e del Canavese), strudel di zucchine o altre verdure di stagione, involtini di carne cruda. I primi, in linea con le peculiarità della cucina locale, non possono che essere sapidi e sontuosi: ***seupa vapellenentse***, gnocchi con fonduta o pomodoro, **crespelle** e qualche piatto di pasta fatta in casa. Tra i secondi troverete spesso la ***carbonade* con polenta**, la **scaloppa valdostana** o un bell'**agnello alle erbe**. Accurata la scelta dei formaggi e buoni i dolci: mousse al cioccolato, bavarese alle fragole, una particolare **torta di mele meringata** e lo zabaione "vivre" preparato in sala, al momento, da Emanuela.

Un'ode di Baudelaire introduce alla carta dei vini, prevalentemente valdostana con alcune interessanti etichette di altre regioni italiane. Prezzi assolutamente equilibrati, con menù degustazione di territorio a 20 euro.

A **Hône** (7 km) la distilleria Alpe, via Stazione 28, produce e vende amari, infusi, grappe aromatizzate e il genepì Herbetet. A **Clapey di Donnas** (9 km) troverete farina integrale per polente e ottimi biscotti e dolci a La Bonne Vallée.

Saint-Pierre
Vetan

21 km a ovest di Aosta

Vetan

Bar-ristorante
Frazione Vetan Dessous, 77
Tel. 0165 908830
Chiuso il martedì
Orario: mezzogiorno e sera
Ferie: novembre
Coperti: 50 + 30 esterni
Prezzi: 25 euro vini esclusi
Carte di credito: tutte tranne AE, Bancomat

Sta per compiere mezzo secolo il bar-trattoria omonimo della borgata più alta (poco meno di 1700 metri) di Saint-Pierre: si avvale infatti di una licenza del 1940, la prima rilasciata da quel Comune a un esercizio pubblico. E fin da allora è gestito dalla famiglia Montrosset, titolare anche di un'azienda agricola e, nell'edificio adiacente, dell'agriturismo L'abri. Dell'accoglienza si occupa ora Antonella, brava cuoca e valente sommelier. Prenotando – per avere la certezza di usufruire di un menù completo – potrete gustare, in un ambiente semplice e rilassante, piatti della più schietta tradizione montanara.

La cucina fa largo uso di prodotti coltivati nell'orto e nel frutteto di casa. Sono di questa provenienza le verdure servite come antipasto o come contorno (**insalata di barbabietole e patate**, flan di spinaci o di cardi, in estate **fiori di zucca fritti**), cotte nelle zuppe (***seupa vapellenentse***, minestre di orzo e legumi) o con il "riso della nonna", arricchito da fontina. La frutta è usata come ingrediente di ogni tipo di piatto (da assaggiare l'**insalata di mele delizia** e le castagne che accompagnano, in apertura, **lardo** e altri salumi). Tra i piatti più frequentati ci sono la **polenta concia** e preparazioni di carne come la ***carbonade***, il **fricandò**, il **brasato**; in stagione, selvaggina. Casalinghi anche i dolci: **torta di mele** con lo zabaione, bavaresi, pere al vino, **panna cotta** fatta con crema di latte d'alpeggio.

Per il bere c'è una buona scelta di vini valdostani, con qualche sconfinamento in Piemonte. In estate il servizio si allarga alla terrazza. Da gennaio a marzo il locale è aperto solo sabato e domenica.

Saint-Rhémy-en-Bosses
Bourg

22 km a NO di Aosta, 13 km dal Colle del Gran San Bernardo ss 27

Suisse

Ristorante annesso all'albergo
Via Roma, 26
Tel. 0165 780906
Chiuso il lunedì, sempre aperto in estate
Orario: mezzogiorno e sera
Ferie: maggio, ottobre e novembre
Coperti: 45
Prezzi: 33-35 euro vini esclusi
Carte di credito: tutte, Bancomat

L'insegna è un omaggio alla vicinissima Svizzera, che comincia dove finisce il territorio di Saint-Rhémy-en-Bosses, ultimo comune italiano prima del valico coincidente dal 1964 con il traforo del Gran San Bernardo. L'hotel Suisse ha riaperto con questo nome pochi anni fa, ma è locanda fin dal Seicento, e nel 1860 Edoardo Aubert lo citava come l'«ottimo albergo del buon Marcoz». La gestione attuale discende direttamente dalla vecchia: la signora Alberta, che con il marito Pierluigi ha ristrutturato il bell'edificio in pietra, è nipote di Anselmo Marcoz, albergatore e ultimo capitano dei *Soldats de la neige* di scorta ai viandanti diretti al passo.
Paese di confine, Saint-Rhémy è anche la patria del **prosciutto di Bosses** (dop) cui spetta il posto d'onore tra i salumi tipici che aprono il pasto; in alternativa, carne salata, **flan di erbette con fonduta**, **frittate alle erbe**, verdure grigliate o la *ratatouille* in cestino di toma. Tra i primi piatti, tagliolini con la fonduta, i ***seuppa vapellenentse*** o quelli di trota, gli **gnocchi alla zucca**, risotti, **zuppe**. La **polenta** accompagna la **carbonada dei *marronniers*** (le prime guide alpine, antenati dei *Soldats*), il **brasato** al Pinot Noir, la **trota al vino rosso di Chambave**. Altri secondi ricorrenti sono lo stinco di vitello alla salvia, il tacchino in crosta di mandorle, il **rognone al Fumin** (vino da vitigno autoctono). I dolci, come il pane, sono fatti in casa.
Si può scegliere alla carta o optare per uno menù (tre portate a 30, due a 19). Buona scelta di vini valdostani e piemontesi.

Il prosciutto di Bosses si acquista in estate nello stabilimento di fronte all'hotel Suisse, tutto l'anno nel negozio accanto al distributore di carburanti.

Saint-Vincent

27 km a est di Aosta ss 26 o uscita A 5

Trattoria degli Amici

Trattoria
Via Biavaz, 11
Tel. 0166 513472
Chiuso il mercoledì, mai d'estate
Orario: mezzogiorno e sera
Ferie: 15 giorni in marzo, 15 in ottobre
Coperti: 35 + 40 esterni
Prezzi: 20-25 euro vini esclusi
Carte di credito: tutte tranne AE, Bancomat

L'opposto di quello che ci si aspetterebbe nella città del Casinò: una trattoria molto semplice, con un arredo da fiera del modernariato e un'impronta casereccia ed essenziale. La segnaliamo come antidoto "spinto" alle false osterie, perché la cucina, per quanto imperfetta, parla il linguaggio della genuinità: Pina Baudin sta ai fornelli con lo spirito non dello chef ma della massaia, le verdure sono raccolte nell'orto di famiglia, i funghi nei boschi poco lontani.
Premurosamente assistiti, in sala o in veranda, dalla stessa signora Pina e dalla figlia, Barbara Ternavasio, potrete gustare piatti della tradizione valdostana e piemontese e altri di più generica cucina casalinga. A **lardo di Arnad** e **mocetta** si affiancano, tra gli antipasti, **lingua in salsa verde** e insalata russa, tributo al vicino Piemonte che è anche la terra di origine dei Ternavasio; inoltre, melanzane alla parmigiana, vol-au-vent con fonduta, **tortino di frittata al forno**. Tra i primi, **polenta concia**, **risotto con fonduta**, **crespelle**, tagliatelle con porcini (in stagione), gnocchi al pomodoro e basilico. Poi, stufato di manzo, ***carbonade***, scaloppine o **rolata di coniglio** con polenta e funghi, la **trippa con fagioli** (tutto l'anno), la tagliata alle erbe. Semplici e casalinghi anche i dolci: panna cotta, crème caramel, in estate le pesche ripiene. A mezzogiorno con 15 euro si può consumare un pasto completo.
Per i vini, l'alternativa allo sfuso è rappresentata dalla produzione della Cave des Onze Communes.

Pasticceria Morandin, via Chanoux 105: ottime le tegole e la crema chantilly. Les Saveurs d'Antan, via Roma 103: salumi, formaggi e altre specialità valdostane. A **Bosses di Châtillon** (15 km), La Douce Vallée produce aceti di lamponi e frutti di bosco.

Verrayes
Grangeon

17 km a est di Aosta ss 26 o A 5 uscita Nus

La vrille

Azienda agrituristica-trattoria
Località Grangeon, 1
Tel. 0166 543018-347 1165945
Non ha giorno di chiusura
Orario: sera, pranzo su prenotazione, solo fine settimana in bassa stagione
Coperti: 30 + 30 esterni
Prezzi: 28 euro vini esclusi
Carte di credito: nessuna

Il ristoro di Hervé e Luciana Deguillame non è una novità per la nostra guida, dato che fino all'anno scorso era segnalato nell'inserto degli agriturismi valdostani. Il "passaggio di grado" si deve a due circostanze, una burocratica e l'altra di merito: dal settembre 2007 ne può usufruire anche chi non pernotta (è però vivamente consigliata la prenotazione); la cucina può considerarsi una delle più interessanti del settore in regione. Siamo a 650 metri di quota, in un anfiteatro naturale dove, esposte *all'adret* (sud), maturano le uve delle vigne di Hervé. Il cuore della Vrille (il viticcio in francese e in *patois*) è una bella baita, ristrutturata secondo le regole della bioarchitettura in modo da ricavare sei confortevoli camere per gli ospiti. Nelle giornate calde si può pranzare in cortile.
Quella di Luciana è una cucina di montagna rispettosa delle tradizioni ma decisamente ingentilita, di tono un po' francese, con molte erbe, mousses, crêpes. Il menù è fisso e si articola di norma in tre antipasti, un primo, un secondo con contorno, formaggi e dolce: i piatti cambiano ogni giorno, in dipendenza di ciò che offrono l'orto, l'aia e l'estro della cuoca. Nella nostra ultima visita, estiva, dopo gli immancabili **salumi** ci sono toccati una delicata **mousse di melanzane con crema di peperoni**, spiedini di verdura e frutta, **crêpes al crescione** con verdure, un profumato **coniglio alla lavanda** con fagiolini, tre tipi di tome, il tortino con crema pasticciera e frutti di bosco. In una precedente serata invernale avevamo invece avuto mousse di lenticchie, **spezzatino con polenta**, frittelle di mele. Il pane è fatto in casa e il caffè arriva in tavola nella moka.
I vini aziendali sono solo in bottiglia, ma se ne avanzate potrete portarvela a valle, ben ritappata.

Verrès
Omens

38 km a SE di Aosta ss 26 o uscita A 5

Omens

Bar-trattoria
Località Omens, 1
Tel. 0125 929410-347 4775334
Chiuso il lunedì; ott-giu aperto sab, dom e festivi
Orario: mezzogiorno e sera
Ferie: 7 gennaio-28 febbraio
Coperti: 60 + 15 esterni
Prezzi: 18-20 euro
Carte di credito: nessuna

Avete letto bene, qui si fa un pasto completo, vino sfuso incluso, con meno di 20 euro. E che pasto: in sequenza, tutti i "fondamentali" valdostani, dai salumi con riccioli di burro e castagne caramellate alla crema di Cogne, carni in umido e polenta – naturalmente – comprese. Non solo: ci sono un menù di due portate a 11 euro e una sostanziosa merenda (servita dalle 9 a mezzanotte) a 9,50. Accade a Omens, poche baite a 800 metri di altitudine e a quattro chilometri dall'imponente fortezza di Verrès; artefice del miracolo, la famiglia Bertolin, prima (dagli anni Settanta) con lo zio Pino, oggi con Elvia, coadiuvata dai genitori Netto e Carla, da Anna e da Andrea. Il locale è semplice e un po' rétro. Si può sostare al bar per un amaro, una grappa o una partita a carte. Oppure accomodarsi in sala o in veranda, preparandosi a una *full immersion* nella cucina valligiana più tradizionale.
Alcuni salumi – **mocetta**, salami e un ottimo **cotechino**, servito **con le patate** lesse che scortano anche il **salignon** – sono prodotti dai Bertolin, il **lardo** è quello dop **di Arnad**. Tra le zuppe spicca la *soupe d'Omens*, una ***vapellenentse*** "rinforzata" con zucchine; il primo asciutto più frequente è il **risotto con la fontina**. Difficile resistere al bis della sontuosa **polenta concia** che accompagna di volta in volta la ***carbonade***, il **coniglio in umido**, il **pollo alla cacciatora**, la **salsiccia**. Semplici e casalinghi i dolci, per lo più al cucchiaio.
In alternativa al decoroso sfuso, si può scegliere un vino in bottiglia da una piccola carta. La prenotazione, obbligatoria per le serate gastronomiche a tema, è sempre consigliabile.

AGRITURISMI NELLA VALLÉE

Al 30 giugno 2007, le aziende agricole valdostane praticanti attività agrituristiche erano 59, distribuite in 35 comuni, ad altitudini variabili dai 325 metri di Donnas (Comunità Monte Rosa) ai 2100 dell'Alpe Mitsan di Ayas (Comunità Evançon). Di queste aziende, 19 affittano alloggi, 9 offrono solo servizio di bed and breakfast, 5 di pensione, 14 sia di pensione sia di somministrazione pasti non collegata al pernottamento, 12 solo di ristoro. Poiché nel complesso esse rappresentano appena l'1% delle aziende agricole della regione, è opinione diffusa che esistano ancora consistenti margini di sviluppo per un tipo di accoglienza che nella Vallée può considerarsi tradizionale.

Antesignani del moderno agriturismo furono infatti, per certi versi, i montanari che già a fine Settecento fungevano contemporaneamente da guide e da rustici albergatori per i pionieri dell'alpinismo, soprattutto inglesi. Oggi si avverte la duplice esigenza (ispiratrice della legge regionale 4 dicembre 2006 n. 29, "Nuova disciplina dell'agriturismo", e delle relative norme di attuazione, approvate tra il giugno 2007 e il gennaio 2008) di incrementare il settore e di elevarne il livello, a tutela dell'agricoltura e dell'ambiente, senza entrare in rotta di collisione con altre forme di ricettività che costituiscono una voce anch'essa importante, e altrettanto tradizionale, dell'economia valdostana.

Gli agriturismi che presentiamo praticano tutti attività di ristorazione, con modalità diverse: in alcuni casi pranzo e cena sono riservati a chi pernotta, in altri vanno prenotati, in altri ancora ci sono forti restrizioni nei periodi o negli orari di apertura. Segnaliamo questi locali soprattutto come posti da spuntini, per degustare i prodotti aziendali, anche se più di uno offre – ma con le limitazioni di cui si diceva – eccellenti menù completi. Tenendo conto delle specificità dell'accoglienza agrituristica, accertatevi sempre con una telefonata che il locale sia aperto e la cucina in funzione.

Letizia Palesi

ALLEIN
LO RATELÉ
Località Ville, 2
Tel. 0165 78265
Aperto su prenotazione da Pasqua a settembre, nei feriali solo per chi pernotta
Coperti: 20

Alle pendici del monte Chénaille, tra la valle del Gran San Bernardo e la Valpelline, la famiglia Conchâtre alleva mucche, capre, pecore, polli, conigli, coltiva con metodi biologici ortaggi e frutta, produce burro, uova, formaggi, marmellate. Sono quindi di provenienza aziendale gli ingredienti della *seupa vapellenentse*, degli gnocchi, dell'agnello con patate, dello spezzatino e di molti dei dolci preparati dalla signora Paola. Il ristoro è aperto agli esterni solo la domenica, anche per merende (12-15 euro). Pasto completo a 20-25 euro vini esclusi; mezza pensione 40-50 euro.

ARNAD
LO DZERBY
Frazione Machaby
Località Pied de Ville, 13
Tel. 0125 966067-329 2240573
Aperto da maggio a ottobre solo nel fine settimana a pranzo e per merende
Coperti: 70

Questo agriturismo a quota non elevata (720 metri, vicino a un frequentato santuario) si raggiunge solo a piedi, con una passeggiata di 15-20 minuti su un comodo sentiero. Per avere piatti caldi (cotechino con purea di patate o fonduta, carni in umido con polenta) occorre prenotare, mentre, anche senza preavvertire, il sabato e la domenica si possono fare gustosi spuntini con salumi, formaggi e rustici dolci, bevendo i vini dell'azienda Bonin. Menù turistico 10-15 euro. Non c'è possibilità di pernottare.

FÉNIS
LE BONHEUR
Località Chez Croiset, 53 A
Tel. 0165 764117
Aperto tutto l'anno
Coperti: 30

Nell'agriturismo di Luigina Voyat (8 camere, mezza pensione 42-50 euro) il

4x4
Sedici

ESSENZE
Barolo
Denominazione di Origine
Controllata e Garantita
TERREDAVINO
PREMIER
VINEYARDS
dalla complessità dei terreni,
l'equilibrio
TERREDAVINO
Cantine in Barolo

pasto completo (sui 25 euro vini esclusi) va prenotato e comprende cinque-sei antipasti, due primi, un secondo e il dolce. Carni e ortaggi di propria produzione sono trasformati in piatti variabili secondo stagione: crespelle alla valdostana, gnocchi di verdure, polenta e spezzatino, *carbonade*, arrosti. Anche i formaggi sono prodotti in azienda. Discreta scelta di vini regionali.

La Salle
Le cadran solaire
Località Challancin, 38
Tel. 0165 863935
Chiuso il lunedì, luglio e novembre, negli altri mesi aperto solo su prenotazione
Coperti: 30

A oltre 1600 metri di altitudine, l'agriturismo della famiglia Pascal offre solo servizio di ristoro. Si possono consumare spuntini (a base soprattutto di salumi e formaggi) e i piatti cucinati dalla signora Eliana: torte salate, gnocchi, minestroni di verdura, manzo in umido, capretto con polenta, budini e crostate. Merenda 12-15, pasto completo 25-30 euro.

Nus
Maison rosset
Via Risorgimento, 39
Tel. 0165 767176
Chiuso il lunedì e tre settimane in gennaio
Aperto su prenotazione solo la sera, domenica (e sabato d'estate) anche a pranzo
Coperti: 60

Camillo Rosset orchestra il servizio di un pasto lucculliano: mezza dozzina di antipasti, polenta con la fonduta, passato di verdura, bollito di carne sotto sale o *carbonade*, dolce e tisana, il tutto per 24 euro, vino compreso. Si può pernottare nel ben ristrutturato edificio adiacente, ospiti della sorella di Camillo, Lorenzina.

Pontboset
Le moulin des aravis
Frazione Savin, 55
Tel. 0125 809831-329 8013184
Aperto da venerdì a domenica, luglio-agosto e periodo natalizio tutti i giorni
Coperti: 30

Nella valle di Champorcher, l'agriturismo di Mauro e Piera Gontier (quattro camere, mezza pensione 45-50 euro) ha sede in un mulino ad acqua del Seicento. Il menù tipo include salignon, castagne con il burro, verdure in agrodolce, minestra di ortiche, polenta e spezzatino. Vini valdostani. Merenda 12-15, pasto 25-27 euro.

Saint-Pierre
Les écureuils
Località Homené Dessus, 8
Tel. 0165 903831
Aperto da febbraio a novembre
Ristorazione solo per chi pernotta o su prenotazione, nei festivi aperto per spuntini
Coperti: 25

Nell'agriturismo di Glory Gontier Moniotto chi usufruisce della mezza pensione (37-45 euro) potrà gustare zuppe di erbe, gnocchi di castagne, bollito misto, brasato di capra, faraona al vino, crostate o sorbetti. Altrimenti, nei pomeriggi festivi, merende (12-15 euro) con paté e prosciutti d'oca, splendidi caprini e tome, marmellate da spalmare su pane fatto in casa.

Torgnon
Boule de neige
Frazione Mazod, 11
Tel. 0166 540617
Chiuso in giugno
Ristorazione solo per chi pernotta o su prenotazione
Coperti: 30

Dalla signora Elsa Gal, a 1300 metri di altitudine, si possono gustare, a prezzi variabili dai 22 ai 25 euro vini esclusi, piatti di tradizione valdostana tra cui la *vapellenentse*, la fonduta, la carne salata cucinata in umido, la polenta concia, il coniglio. Per il soggiorno ci sono due camere doppie, un bilocale e un trilocale (mezza pensione 36-40 euro al giorno, appartamento 350-800 euro la settimana).

PIEMONTE

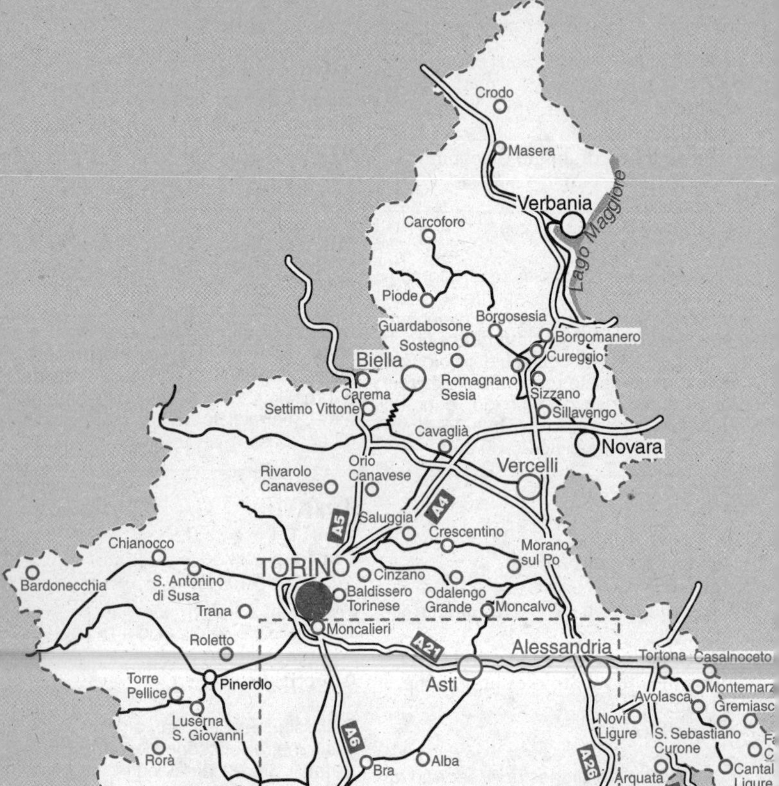

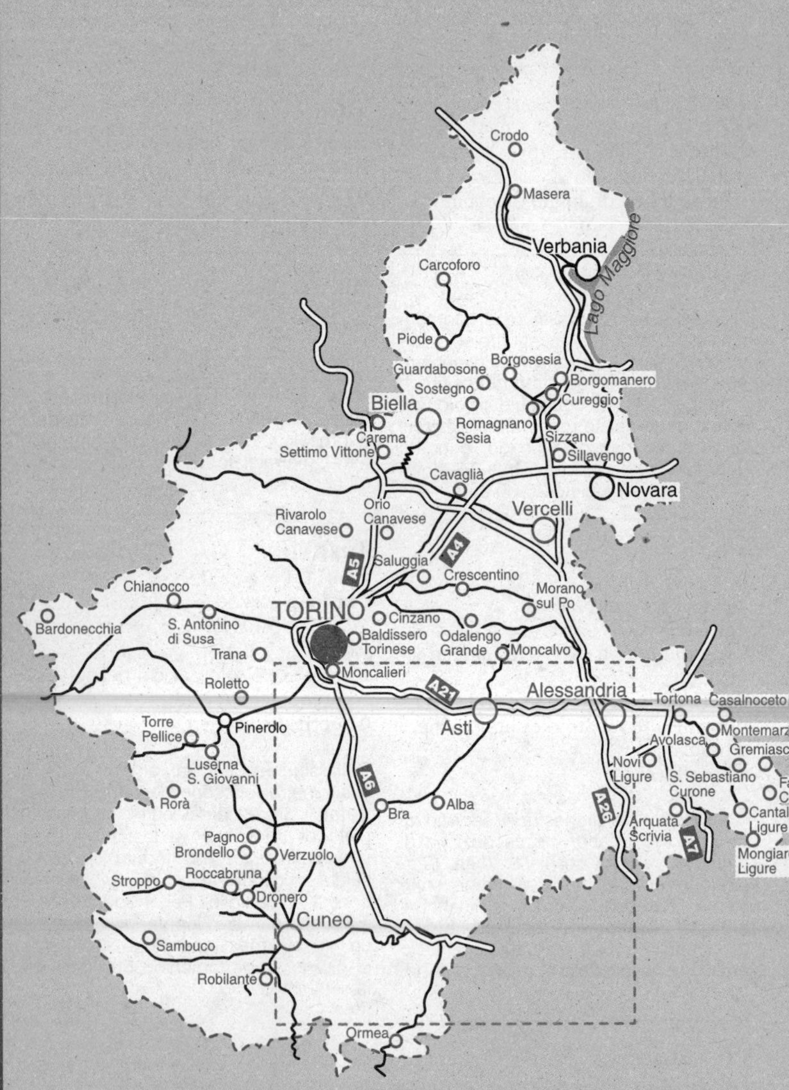

Crodo
Masera
Verbania
Lago Maggiore
Carcoforo
Piode
Borgosesia
Guardabosone
Borgomanero
Sostegno
Cureggio
Biella
Romagnano Sesia
Sizzano
Carema
Settimo Vittone
Sillavengo
Cavaglià
Novara
Orio Canavese
Vercelli
Rivarolo Canavese
A4
A5
Saluggia
Crescentino
Chianocco
Morano sul Po
TORINO
Bardonecchia
S. Antonino di Susa
Cinzano
Baldissero Torinese
Odalengo Grande
Moncalvo
Trana
Moncalieri
Roletto
A21
Alessandria
Tortona
Casalnoceto
Asti
Torre Pellice
Pinerolo
Montemarz
Avolasca
Gremiasc
Luserna S. Giovanni
Novi Ligure
S. Sebastiano Curone
A6
Rorà
Bra
Alba
A26
Cantal Ligure
Arquata Scrivia
A7
Pagno
Mongiar Ligure
Brondello
Verzuolo
Stroppo
Roccabruna
Dronero
Cuneo
Sambuco
Robilante
Ormea

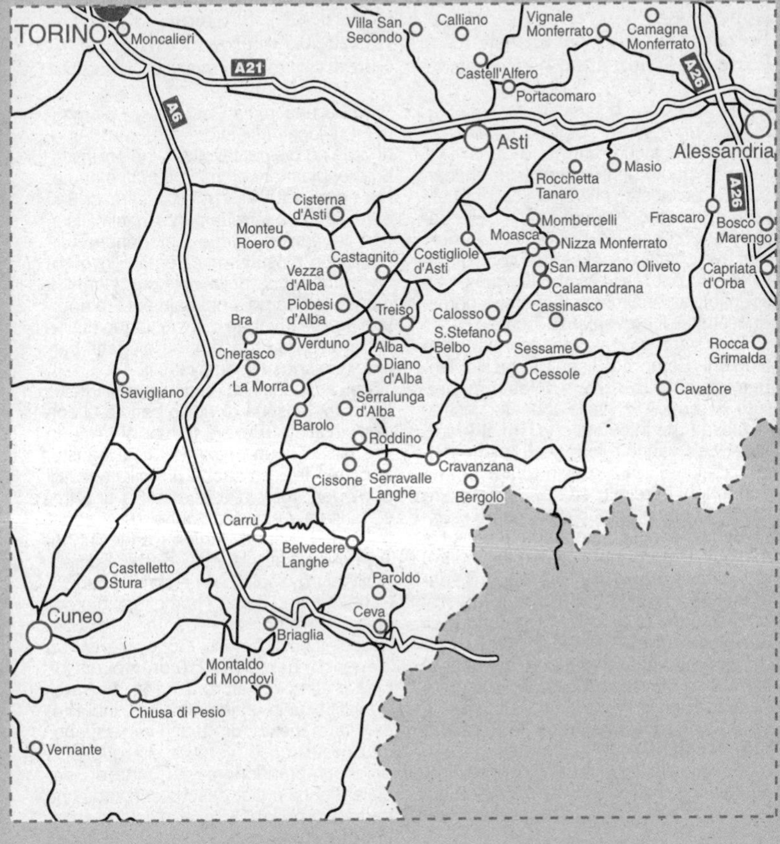

TORINO
Moncalieri
A21
A6
Villa San Secondo
Calliano
Vignale Monferrato
Camagna Monferrato
A26
Castell'Alfero
Portacomaro
Asti
Alessandria
Masio
Rocchetta Tanaro
Cisterna d'Asti
Monteu Roero
Mombercelli
Frascaro
Bosco Marengo
Moasca
Nizza Monferrato
Castagnito
Costigliole d'Asti
Vezza d'Alba
San Marzano Oliveto
Capriata d'Orba
Calamandrana
Piobesi d'Alba
Treiso
Calosso
Cassinasco
Bra
Verduno
Alba
S.Stefano Belbo
Sessame
Rocca Grimalda
Cherasco
Diano d'Alba
Cessole
Savigliano
La Morra
Cavatore
Serralunga d'Alba
Barolo
Roddino
Cravanzana
Cissone
Serravalle Langhe
Bergolo
Carrù
Belvedere Langhe
Castelletto Stura
Paroldo
Ceva
Cuneo
Briaglia
Montaldo di Mondovì
Chiusa di Pesio
Vernante

LALIBERA

Osteria di recente fondazione
Via Pertinace, 24 A
Tel. 0173 293155
Chiuso la domenica e lunedì a pranzo
Orario: mezzogiorno e sera
Ferie: 15 gg in febbraio, 15 in estate
Coperti: 40
Prezzi: 35-40 euro vini esclusi
Carte di credito: tutte, Bancomat

È una moderna osteria un po' ricercata, con un servizio spigliato e cordiale. Lalibera da alcuni anni si è consolidata come punto di riferimento per chi cerca una proposta gastronomica di qualità, capace di coniugare i piatti della tradizione con sensate rivisitazioni e pochi piacevoli piatti di pesce. L'autore di tutto questo è il bravo Marco Forneris, che sceglie personalmente le materie prime, quasi tutte di provenienza locale.
Il menù varia sovente, assecondando le stagioni. Sempre presenti i classici langaroli quali **carne cruda di fassone battuta al coltello**, vitello tonnato, insalata russa (che in estate con l'**involtino di peperone** vanno a formare il "piatto della tradizione"), la lingua in salsa, **testina** con funghi porcini (perfetta), *batsoà*. Tra i primi le paste fatte in casa come i *tajarin* conditi con un ottimo ragù di coniglio, maltagliati con sugo di porcini, **ravioli dal *plin* al burro e salvia** oppure spaghetti di Gragnano con seppie e fagiolini e minestrone di verdura con gamberi di San Remo. Tra le carni la **trippa in umido**, la **finanziera**, il **maialino da latte al forno con cipolline glassate**, lo scamone ai capperi di Pantelleria e la **coscia di coniglio farcita alle animelle**. Una **frittura di calamari di lampara** eseguita in modo eccellente e il trancio di ricciola alla piastra era l'offerta di pesce durante la nostra visita estiva. Ottima la selezione di **formaggi**.
Per concludere *gratin* di fichi con zabaione alla cannella, **scodella di tiramisù**, tortino al cioccolato, **cremino di panna** e sorbetto di albicocche. Se vorrete, Flavia vi aiuterà nella scelta dei vini elencati nella bella carta dove è riportato il meglio della produzione locale e nazionale.

ALBA

62 KM DA CUNEO, 29 KM DA ASTI SS 231

LA PIOLA

Osteria
Piazza Risorgimento, 4
Tel. 0173 442800
Chiuso dom sera e lun, estate dom e lun
Orario: mezzogiorno e sera
Ferie: 20 gg tra gennaio e febbraio
Coperti: 42 + 40 esterni
Prezzi: 30-35 euro vini esclusi
Carte di credito: tutte tranne DC, Bancomat

Più che una *piola* ("osteria" in piemontese), il locale, situato nel cuore di Alba, ricorda un *bistrot*: tavoli con ripiani in zinco, bei piatti di ceramica firmati e numerati (in vendita alla modica cifra di 300 euro l'uno) e arredamento minimalista, con le ampie vetrate del dehors (climatizzato d'estate, riscaldato d'inverno) che offrono una bella vista sul duomo. Il menù, che cambia giornalmente, è riportato su una lavagna e, in tre lingue (italiano, inglese e tedesco), su eleganti cartoncini disposti su tutti i tavoli.
Tra gli antipasti non mancano mai **vitello tonnato**, fassona di vitello battuta al coltello, insalata russa e formaggi misti. In occasione di un pranzo di metà agosto, abbiamo trovato anche un millefoglie di pomodori, robiola e basilico, e una fresca insalata estiva di tonno, uovo sodo, pomodori, patate, fagiolini e acciughe. Tra i primi, sotto la voce "sempre disponibili" si trovano ***tajarin*** e sontuosi **agnolotti**, mentre, come "primo del giorno" ci è stato proposto risotto al pomodoro fresco, timo e limone. Sono previsti un "secondo del giorno" (**coniglio all'Arneis** o alla cacciatora, **brasato al Barolo**, salsiccia in umido, insalata di bollito) e, nota di merito, un "piatto vegetariano" (nel nostro caso, verdure alla griglia). I dolci comprendono ***bonet***, torta di nocciole, panna cotta, pesche con zabaione freddo, zuppa inglese, e, d'estate, semifreddi e frutti rossi con gelato al fior di latte (superlativo). La carta dei vini valorizza i prodotti di Langa e Roero, emergenti ma non solo, tutti disponibili anche a bicchiere.
Il locale organizza anche serate a tema: dal menù della vendemmia alla cena di Natale, dalla cena dedicata al fritto misto alla piemontese alla "maialata" a base di carne suina.

62 KM DA CUNEO, 29 KM DA ASTI SS 231

OSTERIA DELL'ARCO

Ristorante
Piazza Savona, 5
Tel. 0173 363974
Chiuso domenica e lunedì
Orario: mezzogiorno e sera
Ferie: variabili
Coperti: 50
Prezzi: 28-34 euro vini esclusi
Carte di credito: tutte, Bancomat

È diverso dal locale del circuito Arcigola di vicolo dell'Arco – ambiente semplice e atmosfera familiare – ritrovo abituale di produttori e appassionati di vino; ma anche se la cornice è più elegante, rimangono il bancone all'ingresso e la folta schiera di bottiglie ben scelte, molte delle quali in vetrine a temperatura controllata, che danno a chi entra la sicurezza che berrà bene. Accanto ai tavoli apparecchiati con cura ci sono alcuni tavoloni; la cucina è la stessa di sempre, curata nei particolari ed eseguita con mano leggera, partendo da superbe materie prime, tra cui spiccano alcuni Presìdi Slow Food.
Ci si può affidare al menù degustazione – a pranzo due menù di lavoro con tre piatti – oppure scegliere alla carta. Noi abbiamo assaggiato, tra gli antipasti, **carne cruda battuta al coltello**, girello di vitello cotto al sale, **tonno di galletto**, **lingua con giardiniera**, peperoni con acciughe. Abbiamo proseguito con ***tajarin* al burro e salvia** – erano disponibili anche con sugo di salsiccia –, risotto con funghi e tartufi, gnocchi con pomodorini, olive e pinoli. Come secondo ci è stato proposto un superbo **coniglio** all'Arneis, **faraona al rosmarino**, tagliata di fassone, polpo con melanzane grigliate. Per finire ottimi **formaggi** e, tra i dolci, **panna cotta**, semifreddo al torrone con cioccolato, crostata di pesche e amaretti. Molto altro esce dalla cucina e tutto preparato con buoni ingredienti e secondo ricette classiche: **paté di fegato**, creme di verdure di stagione, oca arrosto, **brasato al Barolo**, carré di agnello al timo, in autunno insalata di selvaggina, in inverno **zuppe** di ceci, lenticchie e fagioli.
A ottobre e novembre, in occasione della Fiera del tartufo, l'Osteria è sempre aperta.

CAPPELVERDE

Trattoria
Via San Pio V, 26-angolo via Plana
Tel. 0131 251265
Chiuso il martedì
Orario: mezzogiorno e sera
Ferie: variabili
Coperti: 50
Prezzi: 25-28 euro vini esclusi
Carte di credito: le principali, Bancomat

Nel centro di Alessandria una storica trattoria continua, grazie a giovani entusiasti, a proporre una cucina casalinga che coniuga l'alessandrino e il ligure, senza invenzioni ma con perfetta aderenza alle due origini. La qualità e il prezzo sono interessanti.
Ecco quindi che accanto agli **agnolotti con sugo di stufato** potrete trovare trenette o ***mandilli*** (larghe e sottili lasagne) al pesto oppure, dopo il coniglio alla ligure, il fritto misto alla piemontese o la carne in carpione. Tra gli antipasti, **acciughe in salsa verde**, ***tartrà***, carne cruda battuta a coltello, insalata russa, vitello tonnato, peperone in *bagna caoda*, insalata di testina con fagioli, **frittelle di bianchetti**; poi i *tajarin* al ragù di carne, la pasta alla chitarra con le vongole veraci, i gnocchetti di ricotta (tutto fatto in casa), senza dimenticare gli **agnolotti di brasato** e, qualche volta, i ***rabatòn***. Stoccafisso e totani si alternano poi allo stinco di maiale al forno, ai ***caponet*** o ai salamini di vacca, tipico prodotto del mandrogno. Una accurata ricerca di formaggi di piccole produzioni locali, soprattutto di capra e di pecora, in diverse stagionature, costituiscono una interessante alternativa ai classici secondi.
Per finire semifreddo al croccante e zabaione, ***bonet***, torta di mele, tortino di cioccolato e panna cotta. Per i vini potrete scegliere, guidati da Matteo, in una ampia lista di produzioni alessandrine, completata da ottime etichette regionali e nazionali.

Quattro ottime pasticcerie in città: Giraudi (via San Lorenzo 102) per il cioccolato e la crema gianduia; Gallina (via Vochieri 46) per gli eccellenti baci; Pittatore (corso Roma 11) per le torte tartufate e le praline glassate; Zoccola (corso Lamarmora 61) per i magnifici cannoli ripieni.

ALESSANDRIA
Spinetta Marengo

5 KM DAL CENTRO DELLA CITTÀ

LE CICALE

Ristorante
Via Pineroli, 33
Tel. 0131 216130
Chiuso la domenica
Orario: solo la sera
Ferie: gennaio
Coperti: 40 + 20 esterni
Prezzi: 30-35 euro esclusi vini
Carte di credito: tutte, Bancomat

In questo locale aperto da circa due anni a Spinetta Marengo, a pochi chilometri da Alessandria, in mezzo ai prati della piana alessandrina, traspare subito la volontà di Raffaele Biancardi, con Carla e Roberto Molinari, di trasferire la passione per la ristorazione di qualità nella proposta quotidiana: nella preparazione dei piatti, la cucina segue con rigore la tradizione e la stagione, pur senza disdegnare qualche innovazione. Il menù varia dunque in base al periodo dell'anno e alla disponibilità delle materie prime e non di rado si possono trovare piatti di pesce, molto apprezzati dalla clientela.
Cominciando dagli antipasti, ci è parsa ottima la **milanese in carpione** delicato, come pure la **terrina di coniglio** marinato o quella di fagiano. Fra i primi sono senz'altro da apprezzare i tipicissimi ***rabatòn***, a base di erbette di stagione, ricotta, uova e parmigiano, cotti nel brodo e gratinati al forno, ma sono molto buoni anche i cavatelli al ragù di manzo e salamino di vacca e gli **agnolotti monferrini**. Tra i secondi ci sono il **bollito misto** e l'immancabile **pollo alla Marengo**, che proprio da queste parti, secondo la tradizione, fu creato dal cuoco di Napoleone; su prenotazione la **finanziera**, in stagione **funghi** e **tartufi**. Per quanto riguarda il pesce, da segnalare le losanghe di pesce spada con pomodorini, ma le proposte sono dettate dalla disponibilità giornaliera.
Buona scelta di dessert (noi abbiamo apprezzato la *tartare* di mele caramellate con gelato alla crema) e cantina ben fornita, con un buon numero di etichette italiane e prevalenza di vini piemontesi.

ALESSANDRIA

RAZMATAZ

Trattoria
Via Bellini, 24
Tel. 0131 223249
Chiuso sabato a pranzo e domenica
Orario: mezzogiorno e sera
Ferie: luglio
Coperti: 40
Prezzi: 28-30 euro vini esclusi
Carte di credito: tutte, Bancomat

Troverete questa trattoria dal nome curioso (prende spunto da un libro di Paolo Conte) proprio vicino allo stadio e non lontano dal Tanaro, uno dei due fiumi che abbracciano la città di Alessandria. Le tovaglie a quadri, il menù scritto sulla lavagna e la cordialità del personale ricordano molto le vecchie osterie: ti aspetteresti quasi di vedere qualche anziano ai tavoli che gioca a carte; in realtà i posti non sono molti e quindi interamente dedicati ai commensali.
Potrete iniziare con i classici antipasti: acciughe con bagnetto, **polpettine in carpione** delicato, carne cruda battuta a coltello, e un vitello tonnato preparato all'antica maniera, con tuorlo d'uova, tonno, acciughe. Invitanti i primi: **agnolotti allo stufato**, gnocchi e risotti che troverete preparati in maniera diversa secondo le stagioni; molto buono in estate il minestrone tiepido. Tra i secondi segnaliamo gli arrosti, lo stinco al forno, l'altrove rara **coda al Barbera**, l'insalata di patate e baccalà e due piatti che troverete solo in determinati giorni della settimana nei mesi invernali: la **trippa** al giovedì e la ***bagna caoda*** il venerdì. Per gli amanti dei formaggi c'è la possibilità di optare per un invitante plateau che spazia tra freschi e stagionati. Ampia la scelta dei dolci che comprende le crostate preparate con i frutti di stagione (noi abbiamo trovato quella di pesche), panna cotta, biscotti con il Moscato Passito, lo **zuccotto della casa** servito con la crema di zabaione.
Nella lista dei vini prevalgono produttori della zona e piemontesi, con qualche divagazione in altre regioni; scelta non ampia, ma di buona qualità.

Osteria accessibile ai disabili.

34 KM A SE DI ALESSANDRIA, 15 KM DA NOVI LIGURE

LO CASALE

Azienda agrituristica
Strada per Pratolungo, 59
Tel. 0143 635654
Aperto venerdì sera, sabato e domenica mezzogiorno e sera
Ferie: gennaio e febbraio
Coperti: 30
Prezzi: 25 euro vini esclusi
Carte di credito: nessuna

Per arrivare da Anna Rivera, la splendida cuoca de Lo Casale, occorre salire per una strada tortuosa e stretta da Arquata Scrivia, svoltando a destra all'inizio del paese. Nell'agriturismo tre donne, Anna con mamma e zia, curano orto, frutteto e allevamento per rifornire una cucina che segue puntualmente stagione e territorio. Quello che non è prodotto in proprio è fornito da selezionatissimi produttori locali. **Coniglio grigio di Carmagnola** e agnello sambucano sono il fiore all'occhiello di Anna che li alleva e poi li cucina con sapienza. I **funghi**, in stagione, arrivano dai boschi che circondano l'azienda, dai campi le erbe spontanee che insaporiscono piatti e insalate.
Due stanze molto semplici con altrettanto semplice arredo vi accoglieranno per permettervi di gustare quello che è stato preparato espressamente per voi, dato che tutto è subordinato alla prenotazione. Tra gli antipasti la **testa in cassetta** fatta in casa, fiori di zucca ripieni, flan e carpioni di verdure, **insalata di porcini crudi** con olio e limone per poi passare ai **ravioli al sugo di stufato** o "a culo nudo" con il vino, alle tagliatelle e ai ***rabatòn*** per rispettare le origini alessandrine di Anna Rivera. **Coniglio alla ligure, agnello sambucano ai capperi**, funghi impanati e fritti in modo mirabile sono i secondi. Tutto è cucinato con semplicità e non comune attenzione all'uso delle erbe che esaltano la qualità dei prodotti utilizzati.
Mousse, crostate di frutta e dolci a cucchiaio, bavaresi alla frutta sono il dessert, tutto ancora una volta realizzato in casa. Non c'è una grande scelta di vini ma quelli proposti sono di ottima qualità, prodotti generalmente da uve a coltivazione biologica.

DA ALDO DI CASTIGLIONE

Ristorante
Via Giobert, 8
Tel. 0141 354905
Chiuso il giovedì
Orario: mezzogiorno e sera
Ferie: variabili in estate
Coperti: 70
Prezzi: 30-35 euro vini esclusi
Carte di credito: tutte, Bancomat

Quella di Aldo è una cucina piemontese non banale e ben eseguita, capace di affiancare le più classiche preparazioni della tradizione popolare a qualche piatto più "nobile", come una **zuppa di funghi porcini**, l'ormai rara **finanziera**, una lepre o un fagiano in salmì, se la caccia è stata felice. Un repertorio consolidato che è frutto dell'esperienza che il cuoco ha maturato negli anni a Castiglione (ecco spiegato il nome del locale) e, prima ancora, nelle cucine di storici ristoranti astigiani. Qui, nel centro storico della città, in un ambiente raccolto e confortevole, ha una valida collaboratrice in cucina nella figlia Milena, mentre la moglie Franca si occupa della sala.
Inizierete con una selezione di salumi, con l'**insalata russa**, la carne cruda battuta a coltello, il **paté di selvaggina**, il **vitello tonnato**, i peperoni con *bagna caoda*, sformati di verdure di stagione con fonduta. Come primi, secondo stagione, **minestrone di fagioli**, **agnolotti** ripieni di fonduta oppure classici di carne, **gnocchi di patate**, *tajarin*, entrambi conditi con vari sughi. Poi buoni **risotti** – ai fegatini, al Barbera e altri. Molti e interessanti i secondi: **anatra al forno**, roastbeef, capretto, agnello, brasati, arrosti, **trippa gratinata**. In stagione ci sono **funghi**, tartufi e selvaggina, di cui Aldo è un appassionato. Ma qualche sorpresa c'è sempre, secondo l'epoca e la disponibilità del mercato.
Si conclude con **mousse di torrone** e di cioccolato, bavarese alla vaniglia, **torta monferrina**. Si bevono vini astigiani e piemontesi, da pescare direttamente sugli scaffali in sala.

Buoni dolci da Barbero, in via Brofferio 34; al 159 Daniella offre torta di nocciole e pasticcini secchi; al 154 di corso Alfieri, polentina e astigiani da Giordanino.

Asti
Mombarone

10 km dal centro della città

Osteria ai Binari

Osteria-trattoria
Frazione Mombarone, 145-SS Asti-Chivasso
Tel. 0141 294228
Chiuso domenica sera e lunedì
Orario: sera, sabato e festivi anche pranzo
Ferie: tra gennaio e febbraio, Ferragosto
Coperti: 70
Prezzi: 25-30 euro vini esclusi
Carte di credito: le principali, Bancomat

Il nome del locale non è stato scelto a caso. Siamo infatti negli spazi di quella che fu una stazione ferroviaria, ampliati e riadattati con gusto per ospitare questa vineria-trattoria che fin dalla fondazione, alcuni anni orsono, si caratterizza per l'ambiente simpatico, la cucina di buona qualità, la qualificata selezione di vini.
A dirigere il tutto è Mara, garbata ed efficiente, mentre il treno ritorna nel nome dei due menù, quello "della Littorina" – 27 euro per cinque piatti – e quello "della littorina allegra" che aggiunge tre degustazioni di vino proposte dal "capostazione", ossia la citata Mara, che di vino è appassionata ed esperta. Potrete dunque cominciare con la **carne cruda di fassone**, il vitello tonnato alla maniera antica, le **acciughe con i bagnetti**, l'insalata alle tre carni, la **trota in carpione**, l'arista con pinoli e uvetta; passare quindi agli **agnolotti ai tre arrosti**, agli gnocchi di patata e farina di farro, ai ***tajarin*** con sughi secondo stagione, al **risotto con salsiccia** di Bra e verdure. Molta carne come secondo, dallo stinco di maiale al forno alla **rolata di coniglio nostrano**, dall'**arrosto di vitello alle nocciole** a stracotti a base di cinghiale o **asino**. Semifreddi, bavaresi, sorbetti, ***bonet*** per finire.
Per un pasto meno impegnativo, potrete scegliere un tagliere di salumi e formaggi, scelti con attenzione, come tutte le materie prime alla base dei piatti, reperite presso fornitori di fiducia elencati nella carta.

Ad **Asti**, in piazza Statuto: Tre Bicchieri per un calice di qualità. Fucci formaggi per l'ottima selezione di prodotti caseari e specialità piemontesi e nazionali.

Asti

Osteria del Diavolo

Trattoria
Piazza San Martino, 6
Tel. 0141 30221-339 4286857
Chiuso lunedì e martedì
Orario: solo la sera
Ferie: variabili
Coperti: 40 + 25 esterni
Prezzi: 25-32 euro vini esclusi
Carte di credito: tutte, Bancomat

Nella rinnovata gestione di questo locale non è cambiato il doppio binario di tradizione culinaria. I piatti di Claudio Peglia, infatti, alternano Piemonte e Liguria, come già i passati patron del locale avevano proposto. D'estate si mangia nel dehors allestito nell'accogliente piazza San Martino. All'interno, i tavoli occupano tre salette, linde. Puntale e affabile, il servizio è appannaggio delle due titolari, Emanuela e Paola.
Il menù varia tenendo conto della disponibilità e delle stagioni. Immancabile quella che è diventata la firma d'autore del locale, il **cappon magro**. Per un piatto unico così elaborato è opportuno informarsi preventivamente sulla presenza in carta. Non mancano le *fugasette* calde per aprire il pasto, che ben si sposano con gli affettati. Buoni gli sformati e i peperoni di Carmagnola *à la* Goria, sempre interessante lo **stoccafisso alla *brandacujun***. **Agnolotti dal *plin* al sugo di arrosto**, trenette con il pesto, **minestrone di verdure** alla ligure e zuppe di cereali (d'inverno) per un'attenta scelta dei primi. Si prosegue, sempre fra terra e mare, con **stinco di vitello al forno, acciughine fritte con cicorino** o polenta, galletto tonchese alle erbe e **trippa in umido**. Interessante la selezione dei **formaggi**. Si chiude con dolci semplici e saporiti: ***bonet***, panna cotta, torte di mele, semifreddo ai frutti di bosco. Corretta la carta dei vini, con predominanza di etichette locali e regionali. Nella carta sarà presente almeno uno dei Presìdi Slow Food.
La trattoria deve il nome al vicino e frizzante Diavolo Rosso, dedicato allo storico ciclista Giovanni Gerbi.

In corso Alfieri 151, Caffè-Torrefazione Ponchione: espresso eccellente, miscele da amatore, gastronomia, bottiglie astigiane, nazionali ed estere.

AVOLASCA

42 KM A SE DI ALESSANDRIA, 18 KM DA TORTONA

LA VECCHIA POSTA

Azienda agrituristica
Via Montebello, 2
Tel. 0131 876254
Aperto venerdì e sabato sera, domenica a pranzo
Ferie: gennaio e settembre
Coperti: 36
Prezzi: 32 euro vini inclusi
Carte di credito: nessuna

Prenotate in anticipo: non è facile trovare posto in questo agriturismo e non è facile neppure raggiungerlo. Arrivati qui, comunque, godrete di una splendida vista sui colli della Val Grue. Roberto Semino gestisce l'azienda curando la produzione biologica di frutta e verdura e di vini Cortese, Timorasso, Dolcetto e Barbera, l'unica scelta enologica ad accompagnare il pranzo. La moglie Annemie, di origine belga, si occupa della cucina che impiega molte erbe selvatiche e aromatiche, in particolare le ortiche e i papaveri ("le donnette"), spesso presenti nel menù. La cucina interpreta fedelmente la gastronomia locale, ma qualche volta capita di trovare un piatto che tradisce l'origine della cuoca, come il vitello o il coniglio cotti nella birra trappista con prugne secche.
Il menù usuale si compone di tre antipasti: aspic di verdura del tempo, verdura o fiori fritti o ripieni, **minestrone al tartufo** servito in piccolissime zuppiere lionesi, e l'immancabile tagliere di **salumi** di produzione propria. Fra i primi (ve ne saranno serviti un paio), troverete i tagliolini o le **lasagne al basilico e crusca** con pesto di ortiche (ottimi), **gnocchi di patate con peperoni** e pancetta oppure un risotto alla zucca e aceto balsamico, ai topinambur e *bagna caoda*, alle erbe selvatiche. Fra i secondi sceglierete fra due proposte che variano quasi settimanalmente: **lingua** o bollito freddo **ai bagnetti**, agnello al limone, **brasato al Barbera** ma anche **cacciagione** (capriolo o daino), sempre accompagnati dalle verdure dell'orto dell'azienda.
I dolci sono spesso a base di frutta della Val Grue: budino di fragole e yogurt, **pesche e amaretti**, ciliegie di Garbagna, **crostata** con la frutta dell'azienda (anche in vendita).
I vini, come detto, sono quelli dell'agriturismo e sono serviti anche a bicchiere.

BALDISSERO TORINESE
Superga

14 KM A EST DI TORINO

BEL DEUIT

Trattoria
Via Superga, 58
Tel. 011 9431719
Chiuso il mercoledì
Orario: sera, sabato e domenica anche pranzo
Ferie: tra settembre e ottobre
Coperti: 60 + 60 esterni
Prezzi: 32-35 euro vini esclusi
Carte di credito: le principali, Bancomat

Ai piedi della Basilica di Superga troverete questa simpatica trattoria a gestione familiare in attività da 16 anni. La coppia formata da Aurelio e Paola si occupa della sala, mentre Marisa, la mamma di Paola, domina in cucina. Fin dalle prime battute, noterete l'ampio l'impiego di materie prime reperite direttamente da piccoli produttori dei dintorni.
Accomodati in una delle due accoglienti salette, o nel dehors quando il tempo lo permette, gusterete un aperitivo cui farà subito seguito una serie di antipasti, quali il salame di *giora*, la trippa di Moncalieri, i peperoni di Carmagnola stufati con il tonno, un'ottima **insalata russa** e la mousse di gorgonzola. Al momento dei primi si può spaziare tra i ***tajarin* alla Freisa**, i ravioli al *cevrin* di Coazze o alla toma di Lanzo, gli **agnolotti dal *plin*** al burro e salvia e quelli quadrati ripieni di gallina bionda di Villanova. Per secondo ecco invece il **fritto**, che secondo il periodo può essere di funghi, carciofi o fiori di zucchine, la **tinca gobba** del Pianalto **dorata in carpione**, il **brasato al Nebbiolo**, l'arrosto di maiale con mele caramellate, lo stracotto di vitello con i funghi porcini. Sempre disponibile un buon tagliere di formaggi piemontesi. I patiti del dolce sceglieranno fra torta gianduia con crema chantilly, lo **zabaione** con canestrelli o paste di *meliga* e, quand'è stagione, le fragoline di bosco di Rivodora abbinate a un bicchiere di Cari, vino dolce locale.
Disponibili un centinaio di etichette piemontesi, con una interessante selezione dedicata alla Freisa; presenti anche grappe di qualità.

A **Torino** (14 km) un bicchiere e stuzzichini al Caffè Elena di piazza Vittorio Veneto 5 o alla Vinicola al Sorij in via Pescatore 10. Torcetti secondo la ricetta di Agliè al biscottificio Mautino di via Vittore 20.

BARDONECCHIA

90 KM A OVEST DI TORINO

ETABLE

NOVITÀ

Ristorante
Via Medail, 82 B
Tel. 0122 96973
Chiuso il mercoledì, mai d'estate
Orario: sera, festivi ed estate anche pranzo
Ferie: variabili
Coperti: 40
Prezzi: 28-30 euro vini esclusi
Carte di credito: tutte, Bancomat

Arrivati in quel di Bardonecchia, affrontando via Medail, arteria centrale del capoluogo valsusino, per l'inevitabile "struscio" di rito, vi imbatterete quasi immediatamente in questo piccolo ristorante. Il grazioso locale dispone di due salette arredate con gusto mediante l'utilizzo di mobili della valle, vecchie madie, armadi antichi, tini, disposti con equilibrio in maniera da non appesantire l'ambiente. La gestione, di carattere squisitamente familiare, è affidata a due coppie: da 19 anni Nicola Avvantaggiao e Stefania Milic si occupano dei fornelli, Giuseppe Russelli detto Peppo e Antonella Milic curano il servizio in sala.
Potrete scegliere per antipasto i **salumi** della valle, tra i quali spiccano quelli di cacciagione (cinghiale e cervo), sformati di verdure di stagione con toma in fusione, l'ottima **salsiccia al Barbera**. Tra i primi piatti spiccano le **zuppe**: da provare la crema di porri con dadini di toma e la minestra di lenticchie e grano saraceno; molto buoni anche i **tagliolini al ragù di cervo**. Arrivando ai secondi troverete lo **spezzatino di capriolo**, le **costolette di cervo** alla frutta e aceto di mele, lo **stufato d'asino**; d'inverno è disponibile anche il **baccalà con olive e cipollotti**. Se c'è ancora posto potrete cimentarvi con un tagliere di **formaggi** valligiani, prima dell'approccio con i dolci che spaziano tra i classici del Piemonte, *bonet* e panna cotta, alla buonissima torta di nocciole e cioccolato tiepido con panna liquida e cacao.
Interessante la selezione dei vini, curata personalmente da Peppo: la fanno da padroni i piemontesi, ma non mancano etichette toscane, pugliesi e siciliane.

BAROLO

51 KM A NE DI CUNEO, 14 KM A SO DI ALBA

LA CANTINELLA

Trattoria
Via Acquagelata, 4 A
Tel. 0173 56267
Chiuso lunedì e martedì
Orario: mezzogiorno e sera
Ferie: 2 settimane in agosto
Coperti: 36 + 25 esterni
Prezzi: 27-32 euro vini esclusi
Carte di credito: tutte tranne AE, Bancomat

Alla Cantinella, nel centro di Barolo, ai piedi del Castello, con un comodo parcheggio nelle vicinanze, troverete tradizione (nell'ambiente e nei piatti), ambiente famigliare, cortesia e professionalità. Caratteristiche impersonate al meglio da Nella Cravero, la padrona di casa. All'interno del locale, un'unica sala; nella stagione estiva, approfittate del nuovo accogliente spazio esterno dove una lavagna offre un sunto di quello che potete trovare.
Ma veniamo ai piatti. Tra gli antipasti, a seconda della stagione, **carne cruda battuta a coltello**, insalata russa, vitello tonnato, **cipolla al forno**; o ancora **peperoni con *bagna caoda***, carpionata di petti di pollo, acciughe al verde. Quindi la pasta fatta in casa. *Tajarin* sia al ragù che con verdure (variabili secondo la stagione), e così i maltagliati. Tra i primi sono da ricordare anche l'ottimo **risotto al Barolo**, le zuppe e le lasagne. Interessante la presenza periodica (segnata da cartelli giornalieri fuori e dentro il locale) di "proposte extra" di giornata. Nel periodo del **tartufo** alcuni primi piatti possono essere arricchiti dal prezioso tubero. Fra i secondi troverete brasato al Barolo, coniglio alle olive, **testina brasata**, salsiccia, **faraona al forno**, nel periodo invernale spesso accompagnati dalla polenta. Ampia selezione di formaggi; fra i dolci, ottima la **torta di nocciole**, buoni ***bonet*** e panna cotta. Il tutto è offerto in porzioni davvero abbondanti, alla carta o in tre menù (27, 32, 39 euro).
Nella carta dei vini, grande attenzione per il Barolo, con ampia e qualificata proposta di produttori e annate e molte mezze bottiglie.

Pane, grissini stirati a mano e paste di meliga alla panetteria Cravero, via Roma 62. Insaccati (salamini al Barolo) alla macelleria di Franco Sandrone, via Roma 39.

Belvedere Langhe

44 km a NE di Cuneo

Trattoria del peso

NOVITÀ

Trattoria
Via Merlati, 36
Tel. 0173 743009
Chiuso il sabato
Orario: solo a mezzogiorno
Ferie: variabili
Coperti: 45
Prezzi: 10-30 euro
Carte di credito: nessuna

La trattoria della famiglia Schellino – con annessi alloggio, bar, commestibili, tabaccheria, peso pubblico – è un frammento di Langa autentica, punto di aggregazione, servizio sociale, mensa apprezzata per la comunità. In cucina c'è Mauro, al fianco mamma Piera (84 anni, dal 1948 ai fornelli dell'attività fondata dallo suocero nel 1912), in sala i fratelli Ezio e Ilde. Quella del Peso è un'osteria fedele a se stessa, forte del suo servizio a mezzogiorno per generazioni di operai, impiegati, artigiani, ristorati da un menù casalingo che varia ogni giorno in base a quel che offrono orto e mercato.
A Belvedere, con 10-12 euro, si hanno antipasto (**salumi locali**, frittata), primo (pasta al sugo, riso, **gnocchi**), secondo e contorno (carni piemontesi; il venerdì **merluzzo**, tonno e piselli), frutta e formaggi: il tutto accompagnato da un bicchiere di Dolcetto. Una rarità, nel panorama gastronomico della zona, per l'ottimo rapporto tra qualità e prezzo. Il clou, però, arriva la domenica a pranzo, con il gran menù piemontese: per 30 euro vini inclusi (scelti tra i migliori Dolcetti, Moscati e bianchi di Langa), vi vengono serviti con solerzia sette-otto antipasti, due primi, due secondi, tris di dolci e *tume* di Murazzano di diverse stagionature. Tra i piatti invernali, il leggendario **paté di tonno** di Piera, risotto ai funghi, **piccolo fritto alla piemontese**; in estate, ***subric* di patate** (altro classico della cuoca), **fiori di zucca panati**, ***tajarin* alle erbe**, tenerone al Dolcetto. Poi, secondo stagione, **pesche ripiene**, pere madernassa al vino, zabaione, panna cotta.
Un'ultima annotazione: raramente gli Schellino fanno deroghe alla propria filosofia. A Belvedere si pranza: solo a discrezione di Mauro e famiglia si può prenotare, con buon anticipo, per cena.

Bergolo

78 km a NE di Cuneo, 37 km da Alba ss 29

'L bunet

Ristorante annesso all'albergo
Via Roma, 24
Tel. 0173 87013
Chiuso il martedì, mai aprile-novembre
Orario: mezzogiorno e sera
Ferie: gennaio
Coperti: 50
Prezzi: 33-35 euro vini esclusi
Carte di credito: tutte tranne DC, Bancomat

Appollaiato sul crinale tra la Valle Uzzone e la Valle Bormida, Bergolo è un paese minuscolo: case di pietra, giardini curati e opere di artisti contemporanei sui muri. Il Bunet si raggiunge macinando curve e chilometri, ma la strada che si arrampica sull'alta Langa è magnifica e la meta si conferma una delle migliori osterie del Piemonte, che stupisce per la costante attenzione alle materie prime e per piacevoli novità (come la recente carta degli extravergini o il menù per i bambini a 10 euro).
Con discrezione e competenza, Emilio Banchero vi guida nella scelta dei piatti: ricette della tradizione che si caratterizzano per l'uso sapiente di erbe aromatiche e spezie. Alcune materie prime provengono dai boschi dei dintorni: i **porcini** (proposti in cocotte), i finferli (ingrediente per diversi sughi), il **cinghiale**, cucinato da ottobre ad aprile. Segnaliamo, fra gli antipasti, il **vitello tonnato all'antica** (con una delicata salsa a base di acciughe, capperi e tuorlo d'uovo), i ***caponet***, il flan di cardi con la fonduta, la ***tartrà*** e (in estate) il carpione. Come primo potrete scegliere fra **ravioli dal *plin***, mezzelune verdi ripiene di *seirass*, ***macaron del frèt***. Quindi, oltre al già citato cinghiale, troverete **rolata di coniglio**, arrosto alle nocciole, lonza di maiale al forno, **stinco marinato**. Infine, una grande selezione di formaggi a latte crudo (circa settanta) e ottimi dolci: il ***bonet*** è proposto in una versione particolare, senza cioccolato e con le nocciole tonde gentili delle Langhe. Secondo stagione, troverete anche la mousse al Moscato con gelato di latte di capra alla nocciola e la panna cotta al miele biologico d'alta Langa.
Bella selezione di vini, giustamente attenta al territorio e a prezzi corretti.

BIELLA

BARACCA

Ristorante
Via Sant' Eusebio, 12
Tel. 015 21941
Chiuso sabato e domenica
Orario: mezzogiorno e sera
Ferie: 15 giugno-15 luglio
Coperti: 35 + 15 esterni
Prezzi: 20-25 euro vini esclusi
Carte di credito: nessuna

Nei pressi del centro della città, al pian terreno di una casa del primo Ottocento, troverete uno dei più tradizionali ristoranti della città, con una sala principale e un'altra più raccolta e intima.
Consigliati dai titolari Patrizia e Paolo Mancastroppa, sarete guidati nella degustazione di piatti della tradizione biellese e piemontese. Potrete iniziare con **salumi** tipici – tra cui il ***salam d'la douja*** e il prosciuttino crudo prodotto in un paesino a pochi chilometri da Biella –, un carrello di antipasti freddi sul quale, oltre alle fantasie giornaliere della cucina, sono sempre presenti **vitello tonnato**, **lingua in salsa rossa**, tomini di Biella e insalata russa. Se siete amanti degli antipasti potrete chiudere la serie con i caldi: tortini salati, frittatine, **peperoni con la *bagna caoda***. Tra i primi piatti vari **risotti**: assaggio d'obbligo per quello **in cagnone** (con tome biellesi e burro fuso) e per la ***panissa***; inoltre ci sono gli agnolotti al sugo di arrosto, i ravioli di ricotta e erbette, gli **gnocchi alla bava**. Un altro carrello per i **bolliti misti**, piatto forte del locale, con i vari tagli (testina, lingua, manzo, cotechino e gallina) accompagnati dalle loro salse; in alternativa, **brasato al vino rosso**, oppure la **trota** cucinata al burro o alla griglia.
Per gli amanti dei formaggi ecco gli assaggi di tome biellesi, con il ***macagn*** Presidio Slow Food. Il dessert propone una serie di dolci fatti in casa: *bonet*, panna cotta, torta di mele e le **pesche ripiene** con amaretti e cioccolato. Una ricca carta di vini piemontesi, curata da Paolo, vi consentirà di gustare al meglio tutte queste specialità.

In via San Filippo 1, provate il pan d'Oropa e i canestrelli dell'antica pasticceria Ferrua. La mia Crota, in via Torino 36, è enoteca e vineria dove si può mangiare qualcosa e acquistare vini e prodotti.

BORGOMANERO

32 KM A NO DI NOVARA SS 229

TRATTORIA DEI COMMERCIANTI

Trattoria
Via Cornice, 35-37
Tel. 0322 841392
Chiuso il martedì
Orario: mezzogiorno e sera
Ferie: 3 settimane in agosto
Coperti: 40
Prezzi: 30-32 euro vini esclusi
Carte di credito: tutte, Bancomat

Ricavata dalla ristrutturazione di una casa del 1500 nel centro storico di Borgomanero, la Trattoria dei Commercianti offre un ambiente caldo e raffinato. Lo chef Mauro Agazzone, coadiuvato in sala da Lucia, la moglie, e Milena, prepara per lo più piatti legati al territorio, con prodotti freschi e stagionali.
Piatti forti della trattoria sono la ***paniscia* novarese** "alla Commercianti" e il **tapulone** della casa, spesso servito con polenta. Gli antipasti: tortini di verdura, ricotta di bufala e melanzane all'aceto e menta, **peperoni in *bagna caoda***, salumi locali, misto di **pesce di acqua dolce** affumicato con timballo di crescione, terrina di coniglio, insalata di faraona, **carpaccio di cavallo**. Passando ai primi troverete diversi **risotti**: all'Arneis e fiori di zucca, al Ghemme, **alla polpa di piccione**; poi la zuppa di cipolle con crostini, i tagliolini con zucchine e zafferano, gli **gnocchetti di patate e castelmagno**. Molta carne fra i secondi, con il **filetto di cavallo** al rosmarino o al ginepro, il cosciotto di coniglio con capperi di Pantelleria e Arneis, il muscolo di manzo stufato al Nebbiolo, lo **stufato d'asino**. Funghi e tartufo in stagione. Lasciatevi tentare dai formaggi: tome delle valli valsesiane e ossolane, pecorino di fossa, **bettelmat**, castelmagno, gorgonzola stagionato, bitto di oltre 24 mesi.
Semplici ma buoni i dolci, con *bonet*, crème caramel, torta di pere e cioccolato, pesche al forno con cioccolato, tortino caldo di cioccolato fondente, meringata. Importante la carta dei vini, con risalto per i produttori di Novarese e Vercellese, e dolci e passiti da abbinare a formaggi e dessert.

Pasticceria Caffè Savoini, via Brunelli Maioni 82: brutti e buoni, ossi da mordere e altri biscottini secchi; in stagione anche marron glacé e semifreddi.

Borgomanero

32 km a NO di Novara SS 229

Trattoria del Ciclista

Trattoria
Via Rosmini, 34
Tel. 0322 81649
Chiuso il mercoledì
Orario: mezzogiorno e sera
Ferie: 3 settimane in settembre
Coperti: 60 + 30 esterni
Prezzi: 28 euro vini esclusi
Carte di credito: nessuna

Luogo di riposo per viandanti e cavalli, all'epoca definito "alloggio con stallazzo", il locale fu acquistato nel 1925 dai fratelli Giovanni e Nazzaro Mora. Trasformato in trattoria, è oggi gestito da Maria, figlia di Nazzaro, coadiuvata dai figli Tiziano e Sergio e dalla sorella Armanda. Nella sala rustica, un ambiente casalingo e accogliente in cui si respira un'atmosfera d'altri tempi, si possono degustare piatti del territorio, molti dei quali a base di carni equine. Tra questi spicca il **tapulone**, realizzato con polpa di asino macinata grossa: la tradizione popolare ricollega questo piatto alla leggendaria vicenda di tredici pellegrini, fondatori del borgo, i quali per vincere la fame non poterono fare altro che sacrificare l'asino che conduceva il loro carretto.
Ma andiamo con ordine: partendo dagli antipasti, troviamo i **salumi** e la bresaola **di cavallo**, i "formaggini", l'**insalata russa**, i sottaceti casalinghi, il **vitello tonnato**. Tra i primi, imperdibile la classica ***paniscia*** novarese, ma meritano anche gli agnolotti di carne, i ravioli di magro, gli gnocchi di patate al gorgonzola. Sostanziosi i secondi: brasato o stufato di cavallo, ***buseca*** (trippa), bolliti e, in stagione, selvaggina. Discreta la selezione di tome delle valli piemontesi, buoni dolci casalinghi tra i quali l'affogato al caffè e la panna cotta.
Tiziano vi guiderà alla scoperta della carta dei vini: 600 etichette nazionali e regionali, con scelta di bottiglie delle Colline Novaresi e Coste della Sesia.

In via Rosmini, Il Tagliere di Carmen Mora e Luigino Villa, è un locale storico: carni di cavallo e asino, salami e bresaole.

Borgosesia
Agnona

51 km a NO di Vercelli

Belvedere

Trattoria
Via Solferino, 31
Tel. 0163 24095
Chiuso il martedì
Orario: mezzogiorno e sera
Ferie: 3 settimane tra febbraio e marzo
Coperti: 40 + 12 esterni
Prezzi: 30-32 euro vini esclusi
Carte di credito: tutte, Bancomat

Agnona, frazione di Borgosesia, è posta sulla destra orografica del fiume Sesia, all'imbocco dell'omonima valle con vista sul "panettone" del monte Fenera, ricco di storia per antichissimi insediamenti umani e oggi parco regionale. La famiglia Mussini gestisce da quasi trent'anni la trattoria Belvedere: in cucina Marinella tiene salda la barra della tradizione senza cedimenti alle mode o alle fantasie; Francesco cura la cantina, che annovera oltre 100 interessanti etichette locali e regionali, e ricerca le migliori materie prime, sia tra i produttori locali sia nell'ambito dei Presìdi Slow Food. Negli ultimi tempi si è aggiunta la simpatia della giovane Simona che accoglie in sala la clientela.
Sono ottimi i classici antipasti piemontesi: insalata russa, **vitello tonnato**, zucchine in carpione, acciughe al verde, e soprattutto la gustosa **carne cruda battuta al coltello**. Se capita di trovarsi qui in primavera, un primo piatto imperdibile è costituito dagli gnocchi con le patate di montagna e le ortiche; altrimenti assaggiate gli **agnolotti al sugo d'arrosto**, la pasta e fagioli, i **risotti**, gli gnocchi di zucca. Nei mesi freddi spiccano fra i secondi i **bolliti misti** e i funghi valsesiani con la polenta; buoni altrimenti i pesciolini di fiume fritti, i ***caponet***, il coniglio ripieno, l'**insalata di gallina** con fagioli e cipolle.
Per concludere, formaggi valsesiani e nazionali, o dolci come torte di mirtilli, pere martin sec cotte al vino rosso e crème caramel.

A **Borgosesia**, Pianeta Ortofrutta di Peraldi: frutta, verdura, ottimi formaggi e alcuni prodotti dei Presìdi Slow Food. A **Civiasco** (15 km) il biscottificio Zicchinèe prepara biscotti con ottime materie prime.

Bosco Marengo

13 km a SE di Alessandria, 8 km da Novi Ligure

Locanda dell'Olmo

Ristorante
Piazza Mercato, 7
Tel. 0131 299186
Chiuso il lunedì e martedì sera
Orario: mezzogiorno e sera
Ferie: 26/12-06/1, ultima sett di luglio-prime 3 di agosto
Coperti: 40 + 10 esterni
Prezzi: 30-34 euro vini esclusi
Carte credito: tutte tranne AE, Bancomat

In provincia di Alessandria, lungo la strada tra Frugarolo a Novi, ecco Bosco Marengo. Qui, sulla piazza del mercato, si affaccia la Locanda dell'Olmo dei fratelli Bondi: in sala Andrea illustra piatti e vini, in cucina Gianni con la moglie Michela. La cucina è quella tipica della piana della Fraschetta alessandrina, con qualche divagazione ligure.
I prodotti sono tutti del territorio (eccezion fatta ovviamente per acciughe, stoccafisso e baccalà) e le paste fatte in casa. Accomodati a tavola, Andrea racconta il menù (non c'è la carta), caratterizzato da piatti di stagione. Per cominciare, carne cruda, acciughe sotto sale con burro, **verdure ripiene**, salumi, fiori di zucchine impanati e fritti, peperoni in *bagna caoda* o in salsa tonnata, flan di ricotta, **frittatine di verdure**. Primi: **agnolotti al sugo di stufato**, al burro o al vino e qualche volta fritti (come antipasto o con l'aperitivo), ***rabatòn***, **corzetti al sugo di funghi** o al pesto di maggiorana, gnocchi di patate al pesto, al ragù di salsiccia o al formaggio, **crema di fagiolane e trippa** e, specie in inverno, pasta e fagioli. Varia la scelta tra i secondi, con **lingua in salsa verde**, cima alla ligure, **coniglio disossato al Gavi** o ai peperoni, **coniglio al Grignolino**, acciughe fritte, **stoccafisso in umido**, baccalà, capretto, guanciotto di fassone brasato al Barbera, *bagna caoda* e, nel periodo natalizio, cappone ripieno. Ottima la scelta di formaggi, tra cui montébore, robiola di Roccaverano, castelmagno, gorgonzola naturale, bitto, *seirass dal fen*. Fra i dolci, *bonet*, polentina boschese (torta di farina di mais con pere cotte nel vino), sformato di cacao, mousse di cioccolato fondente, crostata di pesche e amaretti.
Nella carta dei vini più di 200 etichette, con molti prodotti del territorio e del Piemonte, senza trascurare i nazionali.

Bra

45 km a NE di Cuneo ss 231, 48 km a sud di Torino

Battaglino

Ristorante
Piazza Roma, 18
Tel. 0172 412509
Chiuso domenica sera e lunedì
Orario: mezzogiorno e sera
Ferie: 2 settimane in gennaio, 3 in agosto
Coperti: 80 + 30 esterni
Prezzi: 30 euro vini esclusi
Carte di credito: tutte tranne DC, Bancomat

Avere novant'anni e non sentirli: Battaglino nacque nel lontano 1919, un anno dopo la fine della Grande Guerra. Da allora tante cose sono cambiate, ma rimangono alcuni punti fermi imprescindibili. La gestione è, da sempre, nelle salde mani della famiglia Battaglino, rappresentata ai giorni nostri dal vulcanico Beppe e dalla moglie Maria Teresa. Nelle calde serate estive, avrete la fortuna di mangiare sotto le fronde di un monumentale glicine, presente in questo cortile da ben prima della fondazione. Altro punto forte della casa è una cucina senza fronzoli, fatta di materie prime eccellenti – i **funghi** e le **lumache** sono sensazionali – e di cotture azzeccate.
Il menù segue le stagioni, proponendo tutti i più importanti classici piemontesi: tra gli antipasti il vitello tonnato, la **salsiccia di Bra**, l'insalata di coniglio con il castelmagno, il **tortino di topinambur e formaggio fuso**, e in estate i celebri **carpioni**. Le paste sono realizzate a mano: **agnolotti dal *plin*** con burro e salvia, ***tajarin* con il sugo di salsiccia**, risotti – in stagione da provare quello ai funghi. Anche i secondi sono un inno al tipico regionale con l'immancabile – anche in estate – **brasato al Barolo**, e poi roastbeef, lumache in guazzetto, trippa con i porri, **finanziera**. Nel periodo autunnale e invernale non bisogna farsi scappare l'occasione di provare l'ottimo **bollito misto**. I dolci presentano una bella varietà: crème caramel, *bonet*, pesche all'amaretto, panna cotta, tiramisù.
La carta dei vini presenta tutti i classici di Langa, con un'attenzione particolare per alcune firme storiche che hanno reso celebri le vicine colline piemontesi.

Osteria accessibile ai disabili.

Bra

45 km a NE di Cuneo SS 231, 48 km a sud di Torino

Boccondivino 

Osteria di recente fondazione
Via Mendicità Istruita, 14
Tel. 0172 425674
Chiuso domenica, mai in ottobre, e lunedì
Orario: mezzogiorno e sera
Ferie: non ne fa
Coperti: 60
Prezzi: 28-34 euro vini esclusi
Carte di credito: tutte, Bancomat

Al Boccone (com'è chiamato dai clienti più assidui) quest'anno si festeggia il quarto di secolo. Tanti auguri dunque al luogo che da sempre rappresenta la casa-madre di Slow Food nonché all'affiatato gruppo di lavoro che ne porta avanti la filosofia: in sala l'inossidabile patron Gepis insieme a Lella e Monica, in cucina Masa e Andrea. Spesso nelle guide si incorre nella parola "maniacale" a proposito della cura nella scelta delle materie prime: definizione in questo caso più che giustificata, non solo per l'ampio utilizzo di prodotti dei Presìdi (contrassegnati nel menù con una chiocciolina) ma anche per l'impegno a rispettare il più possibile il principio della "filiera corta". Sono disponibili, oltre alla carta, due menù degustazione (29 e 34 euro) e due colazioni di lavoro.
Potrete cominciare con l'antipasto di lardo, **salsiccia di Bra** e carne cruda battuta al coltello, con il **vitello tonnato**, il merluzzo mantecato, il brandalis (versione freschissima della robiola di Roccaverano). Seguono eccellenti ***tajarin*** (al burro e salvia, al ragù di salsiccia o di fegatini di coniglio), **agnolotti dal *plin***, risotti di stagione, **gnocchi al raschera** e, sempre, una zuppa. Per secondo, ottimi il **coniglio grigio di Carmagnola all'Arneis**, il filetto di maiale in crosta di nocciole, le cosce d'oca al forno, la faraona al rosmarino, l'**agnello sambucano** al forno. Sempre attenta la selezione dei **formaggi**, validi i dolci tra cui il *bonet*, lo zabaione al Moscato, la torta di nocciole ma, soprattutto, la **panna cotta**, uno dei classici del locale.
Davvero monumentale la carta dei vini, ma vale la pena di curiosare fra le belle vetrine refrigerate; un plauso per la bella selezione (circa venti) di proposte al bicchiere.

Briaglia

34 km da Cuneo, 7 km a est di Mondovì

Marsupino 

Ristorante con alloggio
Via Roma, 20
Tel. 0174 563888
Chiuso il mercoledì e giovedì a pranzo
Orario: mezzogiorno e sera
Ferie: 2 settimane in estate
Coperti: 80
Prezzi: 30-35 euro vini esclusi
Carte di credito: le principali, Bancomat

Quel che ci piace, da Marsupino, è l'impressione di essere colti di sorpresa, pur nella rassicurante certezza di prepararci a un pasto pienamente appagante. Non a caso, più volte nell'anno percorriamo la fondovalle, che da Bra conduce alle colline del Monregalese, per poterla assaporare, questa sorpresa, e scoprire di che si tratta. L'ultima volta è stato un dolce, il ***bonet* alle pesche**, fresco e di giusta consistenza.
Ci ha raccontato l'estate, insieme al peperone ripieno al forno su caviale di melanzane e al trancio di salmerino su funghi porcini con fiori di zucchina al forno; così, fra i primi, hanno fatto anche i saporitissimi **ravioli di gallo** conditi con un sugo di finferli e, poi, la faraona al grano. Un'altra volta erano stati i **funghi** a determinare la nostra meraviglia, dall'antipasto al secondo: l'insalata di ovoli, come sugo dei ***tajarin*** (ottenuti con 40 tuorli) e infine i porcini fritti, presentati nel loro cartoccio. Vi consigliamo in ogni caso il menù degustazione a 33 euro (due antipasti, primo, secondo e dolce), nel quale potrete trovare, ad esempio, l'**insalata di trippa** con verdure in agrodolce, il prosciutto al forno, la **carne cruda *ciapolà*** (tritata), il risotto mantecato con le beccacce, il **coniglio alla contadina**, il maialino con le bacche di ginepro, le **costolette di agnello**, oltre a qualche proposta di pesce (le tagliatellone con pachino e alici o il polpo), se le colline vi stanno strette. Se poi non vi va di ordinare un dolce – d'estate, oltre al *bonet* c'è una bella scelta di gelati e sorbetti –, provate almeno la piccola pasticceria che accompagna il caffè.
I formaggi e la grande carta dei vini sono un'altra certezza di piacere, a prezzi più che corretti.

Brondello

41 km a NO di Cuneo, 10 km da Saluzzo SP 47

La torre

Ristorante
Via Villa, 35
Tel. 0175 76198
Chiuso lunedì sera e martedì
Orario: mezzogiorno e sera
Ferie: tra gennaio e febbraio
Coperti: 70 + 30 esterni
Prezzi: 25-29 euro vini esclusi
Carte di credito: tutte tranne DC, Bancomat

Da Saluzzo si sale per pochi chilometri in una stretta e lussureggiante valle fino a questo borgo che è caratterizzato da un'antica torre (XII secolo). Il ristorante dispone di due sale: una ampia e con vetrate panoramiche, l'altra più intima. In estate si può mangiare nel cortile, avvalendosi anche qui della vista sul rudere del castello. Il patron Ivano Maero vi accoglierà con allegria e professionalità, raccontandovi un menù tradizionale preparato con grande maestria dallo chef giapponese Mikio Komuro.
Si può partire con un ottimo **vitello tonnato**, la trota di montagna affumicata in proprio, i fiori di zucca farciti ai sapori dell'orto, le girandoline di erbette di montagna con mousse di *toumin dal Mel* (formaggio locale). Per primo si segnalano i ***tajarin*** ottenuti con 34 rossi d'uovo o le ***coujètte*** (gnocchetti tipici valligiani) ai formaggi di malga. Valide alternative possono essere i ravioli di carne di vitello stufata all'anice stellato e il riso venere con straccetti di trota affumicata. Non manca mai l'**agnello sambucano** in umido, ma anche il suo cosciotto farcito di erbe selvatiche. In stagione, i **funghi porcini** si possono gustare fritti, trifolati, nel risotto o con i *tajarin*. Su prenotazione si può ordinare il **fritto misto alla piemontese** o, con uno strappo in onore alle origini dello chef, il sushi. Ivano è anche un affinatore di **formaggi**, per cui ci sono ottime selezioni accompagnate da un bicchiere di vino scelto dal patron in una carta che valorizza il territorio (buono il Pelaverga dell'azienda di famiglia) e comprende anche bottiglie nazionali e francesi.
Per dessert, buoni la variante del ***persi pien*** (la pesca ripiena tradizionale), il tortino di cioccolato con crema di albicocche, i dolci con i frutti di bosco.

Calamandrana
San Vito

25 km a SE di Asti

Bianca Lancia dal Baròn

Ristorante annesso all'albergo
Regione San Vito, 14
Tel. 0141 718400
Chiuso il martedì
Orario: mezzogiorno e sera
Ferie: in febbraio
Coperti: 60 + 50 esterni
Prezzi: 25-35 euro vini esclusi
Carte di credito: tutte, Bancomat

Da quando il Baròn, e sono già alcuni anni, si è spostato in questa tranquilla locanda, in parte adibita a comodo albergo, si direbbe che la sua competenza gastronomica – già molto convincente – ne abbia guadagnato. Autentica e appassionata anima del locale, patron dalla carica umana trascinante, molto bravo a stuzzicare la gola dei suoi clienti attraverso piatti elaborati con sapienza e mano sicura da lui stesso – Beppe Gallese – e dalla moglie Giovanna. Nelle due ampie e luminose sale, una adibita ai fumatori, i tavoli sono ben distribuiti; il servizio, cortese e svelto, è affidato ai bravissimi Antonio e Alessandro che illustrano a voce le tante proposte.
Uno stuzzichino precede i classici antipasti della tradizione piemontese – carne cruda, **vitello tonnato**, **peperoni ripieni** con salsina di tonno – cui si affiancano tortini con verdure stagionali (ottimo quello con melanzane e zucchine), timballo di merluzzo con patate e asparagi e, in estate quasi sempre, un antipasto a base di pesce. Gli **agnolotti** estivi arrivano in tavola al verde conditi con raschera e zucchine, quelli **dal *plin*** (di carne, di zucca, di carciofi) sono al burro e salvia. Seguono **tagliolini** e gnocchi con sughi di stagione e una buona **pasta e fagioli**. Tra i secondi **scaramella al forno**, **coniglio arrosto alle erbe**, stracotto di vitello, arista di maiale, **capretto** e **trippa con fagioli** cannellini. In stagione **funghi**, **tartufi** e cacciagione come cinghiale e **lepre in salmì**; piatti inconsueti come la fricassea di capretto o di coniglio fanno capolino di tanto in tanto.
Ottimi anche i dolci: semifreddo al torrone, *bonet*, **panna cotta** e crème caramel. Conto onesto come il prezzo dei vini, gran parte di Langa e Monferrato.

Calamandrana
Valle San Giovanni

25 km a SE di Asti

Violetta 

Ristorante
Via Valle San Giovanni, 1
Tel. 0141 769011
Chiuso martedì sera, mercoledì e domenica
Orario: mezzogiorno e sera
Ferie: gennaio
Coperti: 80
Prezzi: 30-35 euro vini esclusi
Carte di credito: le principali, Bancomat

A pochi chilometri da Nizza Monferrato, sulla strada che porta a San Marzano Oliveto, dopo aver costeggiato vigne di barbera e campi di meli, trovate il ristorante Violetta. Un cortiletto pieno di fiori vi consentirà il parcheggio. Il locale offre la possibilità di pranzare in un'ampia sala dall'arredo sobrio o in una saletta più accogliente. La gestione è famigliare: Carlo e la moglie provvedono alle ordinazioni descrivendo i piatti e consigliando i vini in abbinamento. Un attento cameriere sorveglierà costantemente il livello del vostro bicchiere.
I piatti in menù sono quelli consueti di queste terre: **carne cruda battuta a coltello**, peperone ripieno, **flan di verdure** secondo stagione che si sciolgono in bocca, vitello tonnato e, in estate, un **aspic di verdure in gelatina** o rotoli di zucchine in pasta sfoglia. La cuoca Maria cucina con apparente semplicità ma reale sapienza. I primi piatti da segnalare sono i finissimi **taglierini** conditi con sughi di stagione, gli agnolotti dalla sfoglia sottilissima conditi con il sugo d'arrosto, gli **gnocchi al sugo di salsiccia**. Fra i secondi piatti potrete assaggiare le carni farcite o rollate (anatra o coniglio), il **brasato al Barbera** e, da non perdere quando disponibile, la rara **finanziera**. Se siete fortunati potrete gustare anche il **fritto misto**. L'assortimento dei dolci è nella tradizione locale: ***bonet***, semifreddo al torrone, mousse di frutti di stagione, torta di ricotta o frutta raccolta in zona. È disponibile un menù degustazione che consente di assaggiare diversi piatti del menù.
Siete nella patria del Barbera e da Violetta potrete sceglierlo giovane, vivace, invecchiato o affinato in barrique, spaziando fra quelli prodotti dalle innumerevoli cantine locali.

Osteria accessibile ai disabili.

Calliano
San Desiderio

15 km a nord di Asti

Santisè

Ristorante
Strada Castelletto, 2
Tel. 0141 928747
Chiuso il lunedì
Orario: mezzogiorno e sera
Ferie: non ne fa
Coperti: 70 + 30 esterni
Prezzi: 28-32 euro vini esclusi
Carte di credito: le principali, Bancomat

La frazione San Desiderio di Calliano (in piemontese Santisè) si raggiunge da Asti percorrendo la statale che porta a Casale e svoltando per il paese di Portacomaro; subito dopo il cavalcavia della tangenziale si volta a sinistra; dopo qualche chilometro si trova il locale, una struttura dei primi dell'Ottocento adibita a ristorante dopo un sapiente restauro. La gestione è della famiglia Scanavino: in cucina mamma Silvana (esperta sostenitrice della cucina del territorio) coadiuvata dalla figlia Marzia che si alterna nella sala con il fratello Marco (è lui che cura il bel giardino ricco di erbe aromatiche, spezie e piante, nel quale nella bella stagione è possibile mangiare).
Definiscono la loro cucina "piemontese contemporanea" per i pochi grassi impiegati e per qualche misurata rivisitazione. Il menù segue le stagioni e noi, in primavera, abbiamo assaggiato, tra gli antipasti, la **carne cruda battuta al coltello**, il vitello tonnato, la **torta di carciofi** con formaggio fresco di capra e gli involtini di peperoni; in estate potrete trovare **carpionate** miste di verdure, carne e pesce. Tra i primi ricordiamo gli **gnocchi di patate con ragù di salsiccia** o gorgonzola, gli **agnolotti ai tre arrosti** (nel periodo invernale anche con ripieno e ragù di carne asinina, tipica della zona, utilizzata pure nella preparazione di insaccati, salumi e secondi di carne), **tagliolini** allo zafferano con ragù bianco d'agnello (o anche **con porcini** o verdure di stagione). Tra i secondi, lo **stinco di agnello arrosto**, la **guancia d'asino al forno**, la **finanziera**, il coniglio con pomodori secchi e olive.
In chiusura dolci casalinghi: la crema gelata al Moscato Passito, il classico *bonet* e il millefoglie con crema pasticcera. La carta dei vini propone un'adeguata selezione di etichette regionali e nazionali offerte a prezzi onesti.

Calosso
Piana del Salto

23 km a SO di Asti

Osteria della Gallina Sversa

Trattoria
Via Battibò, 9
Tel. 0141 853483
Chiuso il lunedì
Orario: mezzogiorno e sera
Ferie: 1 settimana in gennaio, 1 a Ferragosto
Coperti: 40 + 20 esterni
Prezzi: 25-30 euro vini esclusi
Carte di credito: nessuna, Bancomat

Dietro un comodo bancone bar vi accoglierà l'eclettico Ediliano Boursier che, imprenditore "ritirato dal lavoro", come testimonia la sua carta d'identità esposta all'ingresso, con schiettezza dichiara la sua nuova passione per la ristorazione. Sotto la guida attenta della sua maestra Maria Rosaria, cuoca dalle origini napoletane ma di autentica formazione sabauda, prepara un menù tradizionale che non annovera tra i suoi piatti la gallina, né lessa, né tanto meno *sversa*, nome giocoso affibbiato al locale come portafortuna.
In un ambiente curato e rilassante, i commensali possono cominciare con i classici: vitello tonnato (tenero e rosato), **peperoni in *bagna caoda***, insalata russa, carne cruda battuta al coltello oppure **tortino di uovo e robiola**, frittatine o **insalata di galletto**. Tra i primi **agnolotti** dal *plin* o **quadrati alle tre carni**, *tajarin* al ragù di salsiccia o al pomodoro fresco, risotti con verdure di stagione, gustosi garganelli ai carciofi e speck oppure la tradizionale **pasta e fagioli** (preparata con farine del mulino Marino). Tra i secondi indichiamo l'arista alla nocciola, l'**arrosto casalese con senape e acciughe**, la trippa in umido e il **coniglio arrosto**. In inverno brasati e piatti a base di *bagna caoda* e, su prenotazione, il **fritto misto**. Sul plateau di formaggi scelta non ricca, ma qualificata.
Nel fine settimana, in menù troverete un piatto di origine napoletana, come una delicata pastiera o la torta caprese. Di onesta esecuzione casalinga gli altri dolci: panna cotta, **semifreddo allo zabaione**, meringata al caffè. La carta dei vini valorizza in particolare i produttori della zona, con in più alcune proposte regionali.

Camagna Monferrato

25 km a NO di Alessandria, 20 km da Casale Monferrato

Taverna di campagna dal 1997

Ristorante
Vicolo Gallina, 20
Tel. 0142 925645
Chiuso il lunedì
Orario: sera, fine settimana anche pranzo
Ferie: ultime 2 sett di febbraio, prime 2 di settembre
Coperti: 30
Prezzi: 30 euro vini esclusi
Carte di credito: le principali, Bancomat

Vedrete da lontano questo paesino del Monferrato Casalese, caratterizzato dalla cupola della parrocchiale. In un vicolo scosceso e quasi nascosto troverete il parcheggio, il ristorante in una casa in mattoni e tufo ben ristrutturata. Pranzerete in una saletta arredata con quadri, fiori e tappeti; in estate in una tavernetta tappezzata di bottiglie di vino (piemontesi e francesi), da cui pendono cartellini che indicano, fra l'altro, il prezzo.
Roberto Miglietta, cuoco da tutti conosciuto come "Titti" nonostante la robusta mole, è un infaticabile creatore di piatti originali e innovativi, ma al contempo fortemente caratterizzati dalla cucina monferrina. Difficile indicare le portate che troverete in lista, perché cambiano continuamente. Vi sarà proposto un menù degustazione composto di tre antipasti, due primi, fra cui gli immancabili **agnolotti** fatti a mano e conditi **con il fondo bruno**, un secondo e un dolce a sorpresa diverso per ogni commensale. La moglie di Titti, Paola, vi servirà con gentilezza e professionalità, illustrando i piatti e proponendovi, fuori menù, una "ruota" di formaggi piemontesi e francesi. Fra i piatti che potreste trovare, citiamo il manzo su letto di patate e salsa di verdura, uno **sformatino di asparagi** o carciofi o zucca, un aspic o terrina o **insalata di gallina** o coniglio. Come primi, oltre agli agnolotti, troverete tagliolini o **maltagliati** di pasta fresca conditi con verdure di stagione o **funghi**, o ragù, magari d'anatra. In inverno la **polentina di mais ottofile** o saracena, **arrosti alle nocciole** o brasati. I dolci, tutti a sorpresa, possono essere caldi e al cioccolato amaro, a base di frutta o al cucchiaio.
La cucina di Titti è improntata alla ricerca, rivisita i piatti di cucina monferrina ma mantiene i sapori della tradizione grazie all'utilizzo di ingredienti locali di qualità.

Cantalupo Ligure
Pessinate

55 km a SE di Alessandria SS 35 bis

Belvedere

Ristorante
Località Pessinate, 53
Tel. 0143 93138
Chiuso il lunedì
Orario: mezzogiorno e sera
Ferie: 26/12-06/01, ultima sett di luglio, prime 3 di agosto
Coperti: 40
Prezzi: 32-35 vini esclusi
Carte credito: le principali, Bancomat

Risalendo la Val Borbera, a Cantalupo Ligure si imbocca la strada, piuttosto impervia, che porta alla frazione di Pessinate. Nato nel 1958, il ristorante dal 1984 è gestito dalla mamma Marisa e oggi in cucina ci sono i figli Fabrizio e Serena. Il locale è accogliente, con la cucina che si affaccia sulla sala da pranzo. La proposta è ricca di fantasia, ma legata alla stagione e al territorio, in una zona dove si incontrano varie tradizioni – piacentina, lombarda, ligure, piemontese; i prodotti utilizzati, a parte il pesce, sono della valle; il pane e i grissini fatti in casa come le paste e alcuni salumi; gli ortaggi e la frutta prodotti in proprio.
Scegliendo da una carta articolata che prevede anche un menù degustazione potrete cominciare con **lumache di vigna alle erbe**, tagliere di salumi con *fersula* di patate e rosmarino, crostata di *topinambur* e formaggio con carré di maialino, scaloppa di *foie gras* d'anatra tostata, cannolo di peperoni in *bagna caoda*, **stoccafisso alla *brandacujun***. Primi piatti: **pappardelle con ragù di cinghiale**, **risotto al montebore** con mostarda di mele carle, gnocchi di patate con zuppetta di pesce, **agnolotti a culo nudo** o in brodo, zuppa di ceci, ***mandilli* di farina di castagne al pesto**. Tra i secondi, sapori di mare (**stoccafisso accomodato**, baccalà in umido, rombo alla mugnaia o al forno, gamberi fritti) e di terra: **bollito di testa con bagnetto verde**, tagliata di vitello con purè al limone, **capriolo brasato**, stufato di agnello, **cosciotto di coniglio alla cacciatora**. In stagione **funghi** e tartufi.
Ottima scelta di formaggi. Sorbetto di mandarino, strudel di mele carle con gelato alla vaniglia, sorbetto ai fiori di sambuco e yogurt di capra, semifreddo all'amaretto sono alcuni dei dolci. Sulla carta dei vini più di 200 etichette: del territorio, piemontesi e nazionali.

Capriata d'Orba

23 km a sud di Alessandria, 10 km da Novi Ligure

Il moro

Ristorante-enoteca
Piazza Garibaldi, 6
Tel. 0143 46157
Chiuso il lunedì, domenica sera su prenotazione
Orario: mezzogiorno e sera
Ferie: marzo
Coperti: 40 + 30 esterni
Prezzi: 35 euro vini esclusi
Carte di credito: le principali, Bancomat

Trovate questo ristorante-enoteca in un palazzotto secentesco nella piazza centrale del borgo alto. Simona e Claudio propongono piatti del basso Piemonte e della vicina Liguria. Il locale, semplice ma elegante, è disposto su diverse salette cui, in estate, si aggiunge un piacevole porticato circondato da roseti. Una sala è dedicata a mescita e vendita delle bottiglie locali, piemontesi e nazionali che troverete nella ricca carta dei vini.
Il pasto inizia con sformato di peperoni e acciughe, tonno di coniglio, **carne cruda battuta al coltello**, torta pasqualina, verdure ripiene, salumi locali come la testa in cassetta di Gavi (Presidio Slow Food) e il filetto baciato di Ponzone. Gli **agnolotti**, fatti a mano, sono serviti nelle tre versioni: **"a culo nudo"**, al tocco e nel vino rosso. In alternativa, **corzetti di Novi** con pesto di pinoli e maggiorana o, in inverno, con salsiccia e funghi, risotto con ortiche e gamberi di fiume, con carciofi o con asparagi. Per secondo arrivano la tagliata di fassone, lo **stoccafisso alla ligure**, i **salamini di vacca** di Mandrogne, il coniglio ripieno di *ratatouille*, la cima e, in inverno, un sontuoso **bollito misto** e il guanciale di fassone stufato. Molto ricca e legata al territorio la selezione di **formaggi**. Per finire tortino di pere al cioccolato, crema di latte con le fragole, *crème brûlée*, fragole con gelato al Roccaverano.
Dal martedì al venerdì, a pranzo, menù a 18 euro con due piatti, acqua e caffè, che sale a 20 euro con un calice di vino. Ricco il menù degustazione a 35.

A 3 km, direzione San Cristoforo, il laboratorio Bodrato si segnala per il cioccolato e per gli ottimi boeri preparati con le ciliegie bella di Garbagna (Presidio Slow Food).

CARCOFORO

80 KM A NO DI VERCELLI, 28 KM DA VARALLO

SCOIATTOLO

Ristorante
Via Casa del Ponte, 3 B
Tel. 0163 95612
Chiuso lunedì e martedì, mai d'estate e festivi
Orario: mezzogiorno e sera
Ferie: febbraio, 1 settimana in giugno, 1 in settembre
Coperti: 30 + 6 esterni
Prezzi: 35 euro vini esclusi
Carte di credito: tutte, Bancomat

Il villaggio di Carcoforo si trova a 1304 metri di altitudine, nel Parco naturale Alta Valsesia. Di origini walser, è uno dei più piccoli comuni d'Italia. Qui relax e contatto con la natura sono a portata di mano, tanto che è stato nominato Villaggio ideale d'Italia. In una baita troverete lo Scoiattolo, locale caldo e accogliente in cui legno, pietra, fiori e un tocco raffinato si fondono per invitare a un'ottima cucina fatta di piatti della tradizione locale e di proposte innovative. Saranno Pier Aldo Manetta in sala e la moglie Mariangela in cucina a prendersi cura di voi.
Potrete iniziare con le **trote affumicate** da Pier Aldo, la trota in gelatina di melone, la *tartare* di trota e verdure, la terrina di gorgonzola e fichi, la **carne salata con salsa al latte**, il cappuccino di topinambur e *bagna caoda*, la bavarese di pollo e verdure. In inverno il **cotechino cotto nel Barbera** con le cipolle di Tropea, la **trippa con i fagioli di Saluggia**, la **crema di zucca** con la mousse di merluzzo. I primi piatti prevedono gli agnolotti di asparagi selvatici (in primavera), il riso venere con fonduta di peperoni, i tagliolini al cacao con ragù di salsiccia, gli **gnocchi di pane**. Tra i secondi spiccano il cosciotto di maialino glassato con salsa di mele, il **coniglio disossato** al caffè, la **faraona ripiena**, in autunno la **selvaggina**. Da non perdere la proposta di **formaggi** vaccini e caprini accompagnati da marmellate e mieli.
Poi i dolci: la crostata con la marmellata di rabarbaro, la gelatina di frutta, la torta di riso nero e mele, il tronchetto con le ciliegie, lo **zabaione agli amaretti**. Per finire il caffè della nonna, fatto con il vino rosso e le bacche di alloro, molto piacevole e digestivo. Bella la lista dei vini, con importanti etichette piemontesi e italiane e qualche francese.

CAREMA

64 KM A NORD DI TORINO, 22 KM DA IVREA

RAMO VERDE

Trattoria
Via Torino, 42
Tel. 0125 811327
Chiuso lunedì e martedì, sabato pranzo e domenica sera
Orario: mezzogiorno e sera
Ferie: 2 settimane in giugno, 1 in settembre
Coperti: 35
Prezzi: 30-35 euro vini esclusi
Carte di credito: tutte tranne AE, Bancomat

Fabrizio e Graziella Vairetto gestiscono da circa vent'anni questa simpatica trattoria ubicata in una piccola costruzione risalente agli anni Venti del secolo scorso. Facile raggiungerla: si trova sulla strada principale di Carema, ultimo paese piemontese prima di entrare in terra valdostana. Superato l'ingresso con il classico bancone del bar, entrerete in una sala da pranzo appena un po' rumorosa e arredata con sobrietà. Non ci sono un menù scritto né la carta dei vini: le proposte gastronomiche, enunciate a voce, valorizzano le materie prime locali e variano secondo la disponibilità del mercato.
Si potrebbe iniziare con **carne cruda al coltello**, peperone con mousse di tonno, ***caponet***, fiori di zucchine ripieni di ricotta, sformatino di verdure con le erbette. Se d'inverno la fanno da padrone le specialità più tipiche, come la ***tofeja*** canavesana, la zuppa di ajucche o quella di cavolo verza, il resto dell'anno valgono l'assaggio gli ottimi **ravioli di borragine** con burro e salvia, le linguine con zucchine, menta e pecorino, le crespelle con crescenza e fiori di zucca. Il sostanzioso **guanciale di vitello al vino rosso** spicca sui pur buoni coniglio al vino bianco e costolette di agnello; quand'è stagione non fatevi sfuggire i diversi piatti a base di **funghi**. Si chiude con alcune valide tome d'alpeggio, la composta di pesche con salsa all'amaretto, la *crème brûlée*, la bavarese di torrone, lo zabaione con i nocciolini di Chivasso.
Le poche etichette locali sono esposte sulla madia. La prenotazione è sempre consigliabile.

A **Pont-Saint-Martin** (5 km), in via Chanoux 73, Gaudenzio Porté macella carni piemontesi certificate e produce salami, mocette, lardo.

Carrù

31 km a NE di Cuneo ss 22

Osteria del borgo

Osteria di recente fondazione
Via Garibaldi, 19
Tel. 0173 759184
Chiuso martedì sera e mercoledì
Orario: mezzogiorno e sera
Ferie: giugno
Coperti: 45
Prezzi: 27-30 euro vini esclusi
Carte di credito: tutte tranne AE, Bancomat

Carrù è la patria del bue grasso – in piazza gli è stato dedicato un monumento in marmo e da quasi un secolo si svolge in paese a dicembre la tradizionale fiera – e anche se siamo capitati nell'osteria del vecchio borgo del paese in piena estate ci siamo lasciati tentare dal ricco carrello, assaggiando tutti i tagli del **bollito misto** e tutte le salse (*cognà*, *bagnet ross* e *verd*, *avije*, rubra, mostarda, senape). Questo dopo avere gustato in apertura ottimi **peperoni in salsa tonnata antica**, **carne cruda battuta al coltello**, zucchine e fiori di zucca ripieni, e avere continuato con **ravioli dal *plin*** al burro e salvia, ***tajarin* con ragù di carne**, gnocchi di patate con un profumato sugo di funghi. E, nonostante le portate, a dir poco robuste, non siamo riusciti a dire di no ai dolci: ***bonet***, panna cotta, pesche ripiene con amaretti e cioccolato.
L'osteria – tre sale arredate con gusto – è piacevole e accogliente e la famiglia Lubatti offre ai suoi ospiti una cucina schiettamente piemontese. Menù degustazione a 30 euro e molti altri piatti, qualora decidiate di scegliere alla carta: vitello tonnato e ***caponet*** tra gli antipasti, d'inverno il **minestrone di trippe** e, come secondo, oltre al **bollito**, un ottimo **coniglio in umido** cucinato dalla signora Pinuccia. Vale la pena assaggiare la **scaramella arrosto**, lo stinco, quando disponibile la punta di vitello cotta nel forno a legna, i formaggi.
Curata e ricca la carta dei vini che privilegia le produzioni di Langa, distinguendosi per i ricarichi contenuti.

Chiappella Salumi, via Mazzini 1: salami crudi (speciale quello al Barolo), cotechini, zamponi, lardo al rosmarino e paste fresche preparate in proprio.

Casalnoceto
Cascina Bossola

30 km a est di Alessandria

La bossola

NOVITÀ

Ristorante
Località Cascina Bossola, 10
Tel. 0131 809356
Chiuso lunedì e martedì
Orario: mezzogiorno e sera
Ferie: prima settimana di giugno, Natale-Epifania
Coperti: 22
Prezzi: 32-35 euro vini esclusi
Carte di credito: le principali, Bancomat

Enzo Marchetti, dopo un'esperienza in due noti ristoranti della zona, ha deciso con la moglie di ristrutturare la bella cascina di famiglia nella piana tortonese e ha aperto questo piccolo ristorante in una frazione di Casalnoceto. Enzo è in cucina e la moglie nella bella sala con soffitto in legno al piano superiore della casa.
Il menù varia con le stagioni e con i prodotti che Enzo e la moglie vanno cercando. Così negli antipasti potrete trovare **lingua salmistrata in salsa verde**, vitello tonnato, **petto d'oca con insalatina**; oppure prosciutto di Norcia o *jamon serrano* o ancora spada affumicato o sgombro con pomodori e fichi (ci sono anche alcune proposte di pesce). Come primo buonissimi **tagliolini**, conditi **con il sugo di salciccia** o, d'estate, al pesto, **risotti** di stagione – **con funghi porcini**, asparagi, carciofi –, fettuccine di farro con pomodori secchi e zucchine, **gnocchetti di melanzane** al pomodoro e basilico; in autunno-inverno ci sono gli agnolotti. Tra i secondi, da non perdere la vera **milanese** con l'osso e la leggera impanatura, di carne tenerissima di vitello da latte. Poi filetti di manzo e altre carni di vitello e di maiale con accostamenti diversi, sempre azzeccati, e **costolette di agnello**. Importante la proposta di verdure fresche in abbinamento ai piatti, condite da ottimi extravergini dalle zone italiane più vocate. Bella selezione di **formaggi** tra cui spicca il roccaverano da latte di capra.
Finirete con dolci deliziosi come la meringata con albicocche, la cassata, la bavarese di mandorle con salsa di fragole, la millefoglie con crema pasticcera e frutta. Carta dei caffè e nutrita lista di vini da tutte le regioni italiane e un occhio di riguardo per i Colli Tortonesi. Servizio molto attento, con qualche formalismo di troppo.

Cassinasco

34 km a SE di Asti, 10 km da Canelli

La casa nel bosco

Ristorante
Regione Galvagno, 23
Tel. 0141 851305
Chiuso il martedì
Orario: sera, festivi e su prenotazione anche pranzo
Ferie: in febbraio
Coperti: 35 + 25 esterni
Prezzi: 25-29 euro vini esclusi
Carte di credito: tutte tranne DC, Bancomat

Salendo da Canelli, poco prima di entrare in Cassinasco troverete sulla sinistra una chiesetta bianca dedicata a San Sebastiano: svoltate e imboccate la strada più in basso e, mantenendo sempre la destra, sarete guidati da una puntuale segnaletica in questo piccolo paradiso immerso tra le colline. Mina è in cucina e Vanni in sala, aiutato da due cameriere puntuali nell'illustrare il menù. Un menù che varia quotidianamente ed è davvero trasparente: nessuna sorpresa al momento del conto e non si paga il coperto.
Dopo la scelta del vino da una carta discretamente fornita, soprattutto di etichette locali, è servito un apribocca: per noi *friciulin* verdi di carne e spinaci e un peperoncino farcito con tonno, acciughe, capperi e prezzemolo. Il menù può continuare con **carne cruda di fassone piemontese** battuta a coltello con scaglie di parmigiano, sformato di fave con vellutata di pomodoro, involtino di melanzane, **sformato di roccaverano**. I primi: deliziosi **gnocchi di roccaverano con burro fuso e menta**, *tajarin* con ragù monferrino, crema di piselli con pancetta croccante, **ravioli al ragù**, crespelle. Tra i secondi, le ottime **cotolette di coniglio** impanate e **carpionate** con cipolle, il petto d'anatra cotto nel Moscato con uva passa, il coniglio alle olive, lo **stinco di vitello al forno**, la tagliata di manzo con pepe verde.
Dolci eccellenti: il gelato alla crema della pasticceria Giovine di Canelli con il latte crudo dell'azienda agricola Robba, servito con le fragole provenienti dall'orto di casa, **semifreddo al torrone di Cassinasco**, tiramisù al caffè, zabaione freddo con salsa all'amaretto. Menù completo a 29 euro, piccolo menù a 25.

Lo storico torronificio Faccio, in via Colla 2, produce artigianalmente torrone e nisulin.

Castagnito

61 km da Cuneo, 11 km da Alba SS 231

Ostu di Djun

Osteria-trattoria
Via San Giuseppe, 1
Tel. 0173 213600
Chiuso la domenica
Orario: solo la sera
Ferie: 1 settimana in agosto, tra Natale e Epifania
Coperti: 40 + 100 esterni
Prezzi: 30-33 euro
Carte di credito: nessuna

Luciano – che con Sonia gestisce la sala – è una sorta di giocoliere. Invece delle palline usa bottiglie magnum, che nelle sue mani saltellano da un tavolo all'altro, un bicchiere qui, poi un altro là, e nel frattempo la bottiglia che c'era nei tuoi pressi non c'è più, e al suo posto è stata lasciata un'altra magnum proveniente da due tavoli più in là. Si beve così nel festoso locale della famiglia Marsaglia, sempre vini di pregio ma proposti in modo spontaneo e rilassato, senza quella sacralità da sommelier paludati che spesso mette a disagio.
Ma se la forma è allegra e giocosa, la sostanza c'è tutta, grazie a mamma Francesca e a Gabriella, che ai fornelli si cimentano, con mano sicura, in un ruspante ricettario piemontese. Si parte con le **bagasce** (frittelle di pane salate) accompagnate dal lardo; poi largo a carne cruda, **vitello tonnato**, topinambur con fonduta, ratatouille di verdure, formaggetta gratinata al forno con rosso d'uovo e, quand'è stagione, **insalata di funghi porcini**. I primi, a base di pasta fatta in casa, sono i classici di Langa, dai ***tajarin*** al burro o **al ragù di carne** ai ravioli dal *plin*, con qualche zuppa di verdura nei mesi più freddi a completare il quadro. Tempo di cambiare il terzo vino della serata ed ecco i secondi: il coniglio, lo **scamone di vitello**, lo stinco di bue, il **carré d'agnello** e le **quaglie al *babi*** ("rospo", in dialetto), cioè schiacciate e arrostite in padella.
Bel carrello di formaggi e casalinghi dessert per concludere, dal ***bonet*** allo zabaione, dalla **torta di nocciole** alle bavaresi alla frutta, con un particolare gelato "allo gnugnu" (arricchito con frutta secca) a fare capolino nei mesi estivi.

L'OSTERIA DEL CASTELLO

Ristorante
Piazza al Castello, 1
Tel. 0141 204115
Chiuso lunedì e martedì
Orario: mezzogiorno e sera
Ferie: in gennaio
Coperti: 70 + 50 esterni
Prezzi: 35-40 euro vini esclusi
Carte di credito: tutte tranne AE, Bancomat

In tutti questi anni, sono cambiate due sole cose alla corte di Marisa Torta: il nome del suo ristorante (da "Dirce" a quello attuale) e l'indirizzo (dal fondovalle, a Caniglie, alla sommità del castello che domina il paese astigiano). Il resto è mirabilmente immutato: la cucina è solida, rassicurante e impeccabile, come il servizio. Sotto le volte dell'osteria, sottili tracce di stucchi e tovagliato bianco, tavoli ampi e confortante cucina del territorio e, d'estate, la possibilità di mangiare sulla terrazza aperta alle colline circostanti del Monferrato astigiano.
Non c'è niente da scoprire nel menù: tutto quello che bisogna fare è trovare solide conferme di una qualità che non viene mai meno, da tanti anni. C'è chi si muove da Asti solo per il **vitello tonnato** dell'Osteria o per l'**insalata russa** alla moda antica, servite da un ampio vassoio da cui è facile cadere nella tentazione di un bis. Tra gli altri antipasti, ancora tanta tradizione astigiana nella **carne cruda** con vaghi sentori di aglio, nei **peperoni al forno** con *bagna caoda* o nel **tortino caldo di patate e carciofi** (altra pietra angolare della cucina). Non esiste di fatto la carta, gli antipasti sono serviti in progressione: sarà invece possibile scegliere il primo tra **gnocchi al sugo di salsiccia**, **pasta e fagioli**, agnolotti al sugo d'arrosto e *tajarin*. Da Marisa è ancora possibile mangiare l'ormai rara **finanziera**, ma anche gli altri secondi non deludono mai: lo stracotto al Barbera, il **coniglio all'Arneis con patate e rosmarino** e il capretto al forno. Arrivati in fondo, ci deve essere ancora spazio per la **mousse al cioccolato Gobino**, per l'immancabile panna cotta o per il *bonet.*
Valida la carta dei vini, che guarda esclusivamente al Piemonte.

CASTELL'ALFERO

12 KM A NORD DI ASTI

RISTORANTE DEL CASOT

NOVITÀ

Ristorante
Frazione Serra Perno, 76
Tel. 0141 204118
Chiuso lunedì e martedì
Orario: mezzogiorno e sera
Ferie: tra gennaio e febbraio
Coperti: 40
Prezzi: 25-35 euro vini esclusi
Carte di credito: tutte, Bancomat

A seguire le peregrinazioni di ristoranti e ristoratori da una sede all'altra, da un ammodernamento all'altro, capita che a perdere la bussola sia la qualità o la stessa fama del locale. Non è questo il caso della famiglia Cussotti. Lo spostamento dalla statale Asti-Casale al *buen ritiro* di Serra Perno ha avuto solo risvolti positivi. La qualità non ne ha risentito, le idee sulla ristorazione non sono cambiate, i locali sono ancora più di pregio.
Al fresco dehors esterno (c'è anche una bella e luminosa sala all'interno), le proposte si articolano in diversi menù: il degustazione (35 euro), quello vegetariano (a 25 euro), quello per i piccoli ospiti (10 euro), con un occhio di attenzione per i pranzi di lavoro (12 euro) e per chi soffre di celiachia. Tra gli antipasti, dettati anche dall'estate in occasione della nostra ultima visita, terrina di salmone e spada con pomodori pachino, olive taggiasche con pan brioche e seppie, **sfogliatina di zucchine e melanzane** su vellutata di pomodori e basilico, **carne cruda battuta al coltello** con filetto scottato, **robiola di roccaverano e giardiniera** di verdure. Si mangia pane fatto in casa, in tante varianti, dalle noci all'uvetta, passando per il cioccolato. Tra i primi interessanti e filologicamente corretti gli **agnolotti gobbi d'Asti** serviti al tovagliolo, i **tagliolini al ragù di Ruchè** di Castagnole Monferrato, gli **gnocchi**, il risotto **al Castelmagno** d'alpeggio. Qualche proposta di pesce tra i secondi, con il branzino al cartoccio, e poi le carni: tagliata di filetto alla griglia, **carré di capretto**, **trippa**, bocconcini di vitello. Buona selezione di formaggi.
I dolci: crème caramel, crema catalana, tortino caldo al gianduia, *bonet* al cioccolato, zabaione caldo al Moscato d'Asti. Buona la carta dei vini, con proposte locali, piemontesi e italiane.

Castelletto Stura

11 km a NE di Cuneo, 12 km da Fossano

Roma

Trattoria
Via Roma, 3
Tel. 0171 791007
Chiuso sabato a pranzo, lunedì sera e martedì
Orario: mezzogiorno e sera
Ferie: variabili
Coperti: 40 + 30 esterni
Prezzi: 28-30 euro vini esclusi
Carte di credito: le principali

Castelletto Stura è un piccolo comune alle porte di Cuneo, all'inizio della pianura. L'osteria, tra allevamenti e campi di mais e di grano, è lì, sempre uguale a se stessa, dal 1939, con i mobili e i guardaroba per piatti e bicchieri e la bicicletta appesa al muro. «La bici del prete», precisa Davide Rabbia che con la moglie Annalisa Brizio gestisce da otto anni il locale. Davide, buon conoscitore di vini, rum e whisky, in sala, e Annalisa, in cucina, vi mettono a vostro agio: il menù è quello tipico di un'osteria, genuinità e territorio sono una costante (c'è anche la carta dei fornitori).
Si comincia con le **acciughe al verde**, il vitello tonnato, l'**insalata di trota di montagna** (dell'azienda Monte Matto di Valdieri), la carne battuta a coltello, la ***tartrà*** con salsa al raschera, le **anguille in carpione**; meritano un assaggio gli antipasti *"d'le bùrnie"* (salamini, tomini, verdure messe sott'olio da Annalisa). Fra i primi, oltre agli **agnolotti** (ripieni con tre arrosti, con la trota, con i formaggi), meritano considerazione i ***tajarin* 40 tuorli** e, davvero eccellente, la pasta fresca di produzione propria trafilata al bronzo. Fra i secondi il trionfo della carne: carne di vitello della Granda e altri Presìdi Slow Food – il **coniglio grigio di Carmagnola**, la **gallina bianca di Saluzzo** –, ma in carta troverete anche lo **stracotto di cavallo**, la trota fario al vapore, la **finanziera**, le trippe. Carta a parte per i dolci e una selezione di vini a bicchiere per accompagnare il cremoso al miele, il gelato di latte di capra, il sorbetto alla mela, la **torta di noci e amaretti** con fondente al rum.
Buona la carta dei vini, regionali e di altre realtà produttive, proposti a un giusto prezzo; ottima selezione di rum e whisky che Davide vi aiuterà a scegliere e apprezzare.

Cavaglià

19 km a SE di Biella, 28 km da Vercelli ss 11 e 143

Osteria dell'Oca Bianca

Ristorante
Via Umberto I, 2
Tel. 0161 966833
Chiuso il martedì
Orario: mezzogiorno e sera
Ferie: 2 sett in gennaio, 2 tra giugno-luglio
Coperti: 45
Prezzi: 35 euro vini esclusi
Carte di credito: tutte tranne AE, Bancomat

Nel centro di Cavaglià, proprio sulla piazza di fronte alla chiesa, troverete l'Oca Bianca: tre accoglienti piccole sale e una cantina che vale la pena di visitare. Informati sui prezzi delle portate dalla grande lavagna all'ingresso, affidatevi a Monica, moglie dell'oste, che con coinvolgente entusiasmo illustrerà l'offerta del giorno e vi guiderà nella scelta. Monumentale la carta dei vini, nell'aspetto e nell'offerta, soprattutto dei rossi, grande amore di Paolo Mazzia, oste nell'aspetto e nella mentalità, professionista attento guidato e ispirato da autentica passione per il proprio lavoro.
La cucina, opportunamente influenzata dalle stagioni, è quella tradizionale piemontese, con particolare attenzione ai piatti dei territori limitrofi: Biellese, Canavese e Vercellese.
Sono sempre presenti tra gli antipasti ottimi salumi, **insalata russa**, carne cruda al coltello, vitello tonnato, frittate, giardiniera. Seguono agnolotti dal *plin*, ravioli e altra pasta fresca tutta fatta in casa, risotti, ***panissa***, ma anche ottime minestre. Per secondo spiccano la costata e gli umidi; in stagione, da non perdere le **lumache** e l'**oca**, emblema del locale proposto in diverse ricette. Particolare attenzione meritano i **formaggi**: tra le tante tipologie, non manca qualche rarità scovata in Italia o nella vicina Francia da Paolo e Monica. Dolce conclusione con panna cotta, ***bonet***, *crème brûlèe*, gelati e torta al cioccolato.
Ancora un suggerimento: la grande credenza nell'ultima saletta custodisce grappe, distillati e infusi di incredibile varietà e qualità, approfittatene.

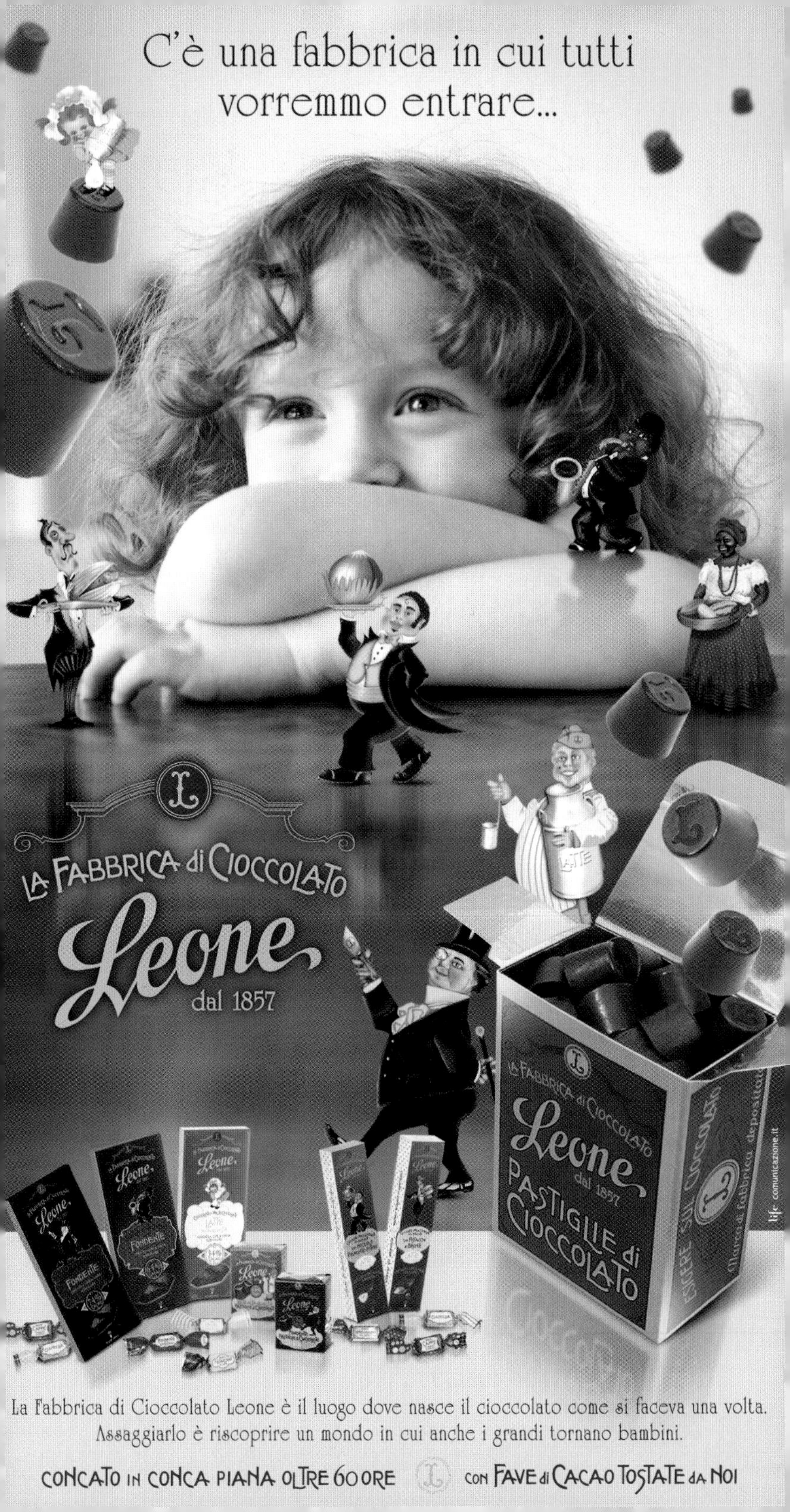
C'è una fabbrica in cui tutti vorremmo entrare...
LA FABBRICA di CIOCCOLATO
Leone
dal 1857
LA FABBRICA di CIOCCOLATO
Leone
dal 1857
PASTIGLIE di CIOCCOLATO
LATTE
FONDENTE
life comunicazione.it
La Fabbrica di Cioccolato Leone è il luogo dove nasce il cioccolato come si faceva una volta.
Assaggiarlo è riscoprire un mondo in cui anche i grandi tornano bambini.
CONCATO IN CONCA PIANA OLTRE 60 ORE
CON FAVE di CACAO TOSTATE da NOI

Cavatore

40 km a SO di Alessandria, 11 km da Acqui Terme

Da fausto

Ristorante
Località Valle Prati, 1
Tel. 0144 325387
Chiuso lunedì e martedì
Orario: mezzogiorno e sera
Ferie: 1 gennaio-10 febbraio
Coperti: 55 + 50 esterni
Prezzi: 28-35 euro vini esclusi
Carte di credito: tutte, Bancomat

Nella Valle Erro, Cavatore è un piccolo comune a pochi chilometri da Acqui Terme. Il ristorante gestito da Fausto e Rossella è appena fuori dal centro; può contare su di un ambiente accogliente e su una posizione che consente di apprezzare il panorama delle colline di questa terra fra Piemonte e Liguria; anche la cucina è tipica della zona, e rivela quindi influenze liguri.

Dunque potrete trovare, tra gli antipasti, le **acciughe fritte** oppure in abbinamento con i peperoni in salsa, o ancora, rimanendo ai sapori di mare, il pesce spada marinato oppure i gamberi di Sanremo; in alternativa, ci sono buoni tortini di verdura, il **tonno di coniglio**, l'insalata russa, la carne cruda, la **terrina d'anatra**. I primi sono costituiti da paste ripiene (i delicati tortelli ripieni di *seirass*, i classici **agnolotti dal *plin***), oppure **tagliatelle**, magari condite **con il pesto di basilico di Prà** oppure, in stagione, **con funghi** (porcini e ovuli) o selvaggina (lepre e cinghiale). Per quanto riguarda i secondi potrete trovare la **trippa con purè di borlotti**, il **coniglio disossato** alla ligure, il baccalà in insalata con le patate oppure in crosta, lo **stoccafisso all'acquese**. Buoni formaggi prima di dolci di ottima fattura: semifreddo al torrone, millefoglie alla frutta, soufflé di cioccolato.

Interessante la selezione dei vini, con particolare attenzione per le etichette locali e piemontesi e una qualificata presenza da altre regioni, con qualche tocco internazionale. Oltre al menù alla carta sono disponibili tre menù, più o meno ricchi in rapporto al prezzo.

Cessole
Madonna della Neve

45 km a sud di Asti, 26 km da Acqui Terme

Madonna della neve

Trattoria con alloggio
Località Madonna della Neve, 2
Tel. 0144 850402
Chiuso il venerdì
Orario: mezzogiorno e sera
Ferie: 23 dicembre-31 gennaio
Coperti: 100
Prezzi: 28-32 euro vini esclusi
Carte di credito: tutte, Bancomat

Accanto al santuario della Madonna della Neve la famiglia Cirio da due generazioni ha il suo ristorante, da qualche tempo con alloggio. Dal parcheggio uno spettacolare panorama sulla Langa Astigiana, da gustare prima di entrare nelle ampie sale. L'accoglienza è premurosa e discreta in questo classico ristorante piemontese che con la sua cucina richiama da sempre soprattutto gli appassionati degli **agnolotti del *plin* alla *curdunà***: gli agnolotti cotti in acqua e sale sono adagiati su un tovagliolo di lino grezzo e gustati senza alcun condimento. Poi li potrete assaggiare anche al sugo, al burro e salvia e, per finire, affogati nell'ottima Barbera della casa.

Si può però naturalmente partire dagli antipasti – gli ottimi **salumi**, la carne cruda, il vitello tonnato, pomodori ripieni di tonno e uova, ***caponet***, crostone con *seirass* ed erba cipollina e uno splendido **sformato di zucchine con Roccaverano**: Fra i primi, oltre agli agnolotti, ci sono ravioli magri in salsa di noci, ***tajarin* con** sugo di carne e funghi o **ragù di capriolo**, zuppa di cipolle. Tra i secondi, **capretti** e **agnelli** locali al forno, coniglio, **stufato di cinghiale** con salsa di mirtilli, stracotto di manzo al Barbera, cervo con porcini e nelle stagioni giuste **porcini** e **cardi**. Segue la proposta di **robiole di Roccaverano** di vari produttori, in una straordinaria sequenza di stagionature: da non perdere.

Come dessert ***bonet* al Moscato**, crostate, castagne glassate al miele, tiramisù al Moscato e **torta di nocciole**. Nella carta dei vini bottiglie per lo più piemontesi, ma per gli agnolotti, e non solo, la loro Barbera andrà benissimo.

A **Bubbio** (5 km), via Consortile 18, L'Arbiora seleziona, stagiona e vende le migliori robiole di Roccaverano a latte crudo e altri formaggi di qualità.

Ceva

61 km a SE di Cuneo, 50 km da Savona a 6

Italia

Ristorante
Via Moretti, 19
Tel. 0174 701340
Chiuso domenica sera e lunedì
Orario: mezzogiorno e sera
Ferie: 2 settimane in luglio, 2 in gennaio
Coperti: 70
Prezzi: 20-27 euro vini esclusi
Carte di credito: tutte, Bancomat

Quello di Ceva è un indirizzo prezioso, per le cure riservate e i tanti piccoli particolari, come la carta dei pani (di patate e porri, di castagne garessine, di ceci di Nucetto) o dei mieli (di tarassaco, castiglio, millefiori e acacia), abbinati, oltre che la *cognà*, ai formaggi. Il menù è spesso arricchito dalle tante materie prime che i generosi boschi del Cebano offrono tutto l'anno: funghi, frutti estivi (ottima la **crostata di fragoline e mirtilli** con crema pasticciera) e autunnali (le castagne che, a settembre e ottobre, rientrano nella preparazione dei primi, delle carni e, ovviamente, dei dolci).
Ma passiamo in rassegna il menù degustazione che a 27 euro vi darà modo di gustare quattro antipasti, un primo, un secondo e il dolce: abbiamo provato un ottimo **millefoglie di melanzane e *tuma***, la torta di riso e zucchine trombette con salsa di peperoni, il trancio di trota con riso nero, l'insalata russa. Buona l'originale zuppetta di fagioli con gnocchi, gamberi, pomodori e tartufo, ottima la **trippa in umido**. In alternativa, provate il **risotto alla piemontese** (con vino rosso, pomodoro e funghi) o gli gnocchi verdi (con impasto di spinaci e raschera), i ***tajarin*** o gli **agnolotti** con vari condimenti. Ottimi i **funghi porcini fritti**, in alternativa ai quali potrete scegliere, secondo la proposta del giorno, il filetto di maiale lardellato ai grissini torinesi, lo **stracotto**, le costolette di agnello o la costata. Fra i dolci, segnaliamo le pesche ripiene, il *bonet* e il semifreddo di zabaione con le paste di *meliga*.
La carta dei vini si affida a proposte regionali, vendute a ricarichi corretti.

Cherasco

45 km a NE di Cuneo, 17 km da Alba

La torre 

Osteria di recente fondazione
Via Garibaldi, 13
Tel. 0172 488458
Chiuso il lunedì
Orario: mezzogiorno e sera
Ferie: variabili
Coperti: 40 + 10 esterni
Prezzi: 25-30 euro vini esclusi
Carte di credito: le principali, Bancomat

Tra le tante qualità de La Torre – situata sotto i portici nel bel centro storico di Cherasco, cittadina immortalata da Mario Soldati nel suo pionieristico documentario televisivo degli anni Cinquanta, *Viaggio nella valle del Po* – quella che più ci piace è l'originalità del menù, recitato a voce dal simpatico caposala Gabriele Falco. Anche se le materie prime sono tutte locali, anche se le ricette classiche del posto – dalle **lumache** (**fritte**, alla parigina, **in umido**) al **vitello tonnato alla maniera antica**, dai ***tajarin*** agli agnolotti – sono eseguite a regola d'arte, il repertorio della cucina, guidata da Marco, fratello di Gabriele, "va oltre", trovando nei ricordi d'infanzia, nel susseguirsi delle stagioni, nell'amore per la natura, lo spunto per abbinamenti convincenti, mai banali.
Tra i piatti che abbiamo assaggiato e apprezzato, ricordiamo un semplicissimo **brodo di gallina** che sembrava fatto in paradiso. Altri sono la **lingua in giardino**, la trota affumicata con piccole verdure, i **cardi con l'uovo affogato**, e, tra i secondi, il **guanciale al vino rosso**, le animelle con funghi, la **coda in umido**, il **baccalà alla *bergera***, ovvero cotto con latte e cipolla. Tra i dolci, uno in particolare ci pare emblematico della filosofia del locale: un primaverile **gelato ai fiori di gelso**, frutto di un'idea venuta a Marco durante una passeggiata in campagna.
La cantina, infine, è ben fornita con tutte le migliori etichette del Roero e della Langa, ma non solo. Alla Torre, oltre a mangiare divinamente a prezzi onestissimi, si impara anche un'importante lezione: che "territorialità" non significa per forza piatti uguali tutti i giorni.

Cherasco
Moglia

47 km ne da Cuneo, 17 km da Alba

Pane e vino

Trattoria con alloggio
Via Moglia, 12
Tel. 0172 489108
Chiuso lunedì e martedì
Orario: mezzogiorno e sera
Ferie: 2 settimane in inverno, 2 in agosto
Coperti: 50
Prezzi: 30-35 euro vini esclusi
Carte di credito: tutte, Bancomat

Trovate questo locale subito prima di affrontare la salita che porta nel centro storico di Cherasco, a qualche centinaia di metri dalla nuova uscita dell'autostrada. Qui Emiliana e Flavio hanno ripreso e rimodernato una vecchia trattoria (con annessa locanda con quattro accoglienti camere affacciate sul tranquillo cortile interno) con l'obiettivo di proporre una cucina locale che segue il ritmo delle stagioni. La lumaca, il prodotto di eccellenza di Cherasco, ha un menù dedicato: **lumache in umido**, fritte o **alla parigina**, gratinate, in **zuppetta** o come condimento per le tagliatelle.
Potrete scegliere il menù degustazione (tre antipasti, primo, secondo e dolce a 35 euro) o alla carta, iniziando con un interessante tris di vitello alla piemontese che comprende la classica **carne cruda** battuta al coltello, carne sottosale con crema di formaggio e vitello tonnato, oppure il flan di verdure di stagione, il **peperone ripieno** o un estivo carpione di pesci (trota, anguilla e acquadella). A seguire ***tajarin* al sugo di salsiccia**, **agnolotti dal *plin*** al sugo d'arrosto o con burro e salvia e degli estivi gnocchi al pesto fatto in casa. Tra i secondi l'invernale **brasato al Barolo**, lo **stinco di maiale** alla Barbera e l'arista di maiale al latte. I **formaggi** del territorio, da scegliere tra una quindicina di proposte, possono essere una valida alternativa alle carni. Tra i dolci **semifreddo al torrone**, ***bonet***, tortino di cioccolato, panna cotta.
Ricca carta dei vini con una bella selezione di etichette locali e nazionali.

Locale segnalato
dall'Associazione italiana celiachia.

Proprio accanto all'osteria, c'è Duvert, locale piacevole e multiforme per "mangé, cafè, beive, caté...".

Chianocco
Baritlera

47 km a ovest di Torino a 32 o ss 25

La baritlera

Trattoria
Via Baritlera, 10
Tel. 0122 647614-339 2530403
Chiuso lunedì, martedì, mercoledì
Orario: solo sera, domenica anche pranzo
Ferie: 2 sett in settembre, 2 prima di Pasqua
Coperti: 50
Prezzi: 22-25 euro vini esclusi
Carte di credito: MC, Visa, Bancomat

Raggiungere questa trattoria è oramai diventato molto comodo: dall'autostrada Torino-Frejus uscite a Chianocco e, una volta raggiunto il centro, seguite le indicazioni per la frazione Baritlera. Ad accoglervi Giorgia e Andrea Chianale, marito e moglie che da qualche anno si sono trasferiti in questa graziosa casetta: potrete accomodarvi in una delle due accoglienti sale o, d'estate, in veranda. Dopo uno stuzzichino e un calice di spumante, proseguirete con quella che oramai è la formula collaudata del locale: un menù degustazione molto ricco (quattro antipasti, due primi, un secondo e un dolce a scelta) che cambia settimanalmente al prezzo di soli 22 euro. Piatti del territorio e nuovi accostamenti sono frutto dell'elaborazione di materie prime locali e, quando possibile, delle verdure del proprio orto.
Noi abbiamo assaggiato tartara di vitello con composta di mele e cipolle rosse, straccetti di **vitello in carpione** di Arneis, farinata con peperoni e acciughe con crema di nocciola, tortino di melanzane con composta di pomodoro. Tra i primi segnaliamo il **risotto con salsiccia e Barolo** e i **tagliolini con ragù di cinghiale**. Per secondo potrete scegliere fra almeno tre tipologie di carni. Qualche esempio: cervella di vitello sfumata al Marsala, **coniglio cotto nel fieno**, filetto di maiale alla piastra con erbe aromatiche di montagna, **muscolo di vitello brasato al Carcherion** (vino tipico della valle), agnello caramellato al forno. I dolci, tutti casalinghi, chiudono degnamente il pasto.
La carta dei vini, completa e ben strutturata, vi permette di assaggiare ottime etichette con ricarichi davvero onesti. Nella variegata scelta dei distillati, da assaggiare il genepì fatto in casa.

Osteria accessibile ai disabili.

CHIANOCCO
Pavaglione

53 KM A OVEST DI TORINO

L'OSTU ED PAVAJON

NOVITÀ

Osteria
Borgata Pavaglione, 140
Tel. 0122 49158-347 4285133
Chiuso il lunedì
Orario: mezzogiorno e sera
Ferie: in febbraio e in settembre
Coperti: 30
Prezzi: 20-25 euro vini esclusi
Carte di credito: nessuna

Quando sarete giunti a Chianocco, paesino della bassa val di Susa noto per il suo famoso orrido, dovrete percorrere ancora sei chilometri discretamente tortuosi per raggiungere la borgata di Pavaglione e questa piacevole e minuscola osteria. Superata una balconata che si affaccia sulla vallata, entrerete nella zona bar con il bancone e la cucina; una scala vi condurrà in una saletta, con pochissimi tavoli, arredata in maniera essenziale, ma molto luminosa. L'anima del locale è lo chef e patron Luca Serminato che, dopo varie esperienze in altri ristoranti, ha aperto L'Ostu tre anni fa proponendo una cucina di territorio che varia secondo le stagioni.
Per iniziare, giovani camerieri cortesi e attenti vi suggeriranno salame di capra, bresaola alla menta, ricotta fresca, tomino con salsa di cipolle di Tropea, ***caponet***, carne di vitello fredda al *bagnet verd*, trota e **zucchine in** un delicatissimo **carpione**. La proposta dei primi comprende **tagliolini ai funghi** o al ragù di selvaggina, di cinghiale o di cervo, **agnolotti alla piemontese**, lasagne classiche o di verdure. Per il prosieguo potrete scegliere tra la "saccoccia", il **cervo al *civet***, l'arrosto di capriolo, il **brasato al Barbera**. Dopo un assaggio di formaggi della valle, si chiude con *bonet*, panna cotta, strudel di mele, ***pomme bruslente*** (mele ruggine cotte nel vino).
La piccola carta dei vini si compone di sole etichette piemontesi, con una discreta rappresentanza valsusina. Per chi esagerasse nelle libagioni, il locale dispone anche di qualche camera.

CHIUSA DI PESIO
San Bartolomeo

22 KM A SE DI CUNEO

LA LOCANDA ALPINA

Ristorante con alloggio
Via Provinciale, 71
Tel. 0171 738287
Chiuso martedì e mercoledì a pranzo, mai d'estate
Orario: mezzogiorno e sera
Ferie: febbraio
Coperti: 45
Prezzi: 24-26 euro vini esclusi
Carte di credito: tutte tranne AE, Bancomat

Luogo ideale per rifocillarsi dopo una passeggiata nel Parco naturale Alta Valle Pesio, il locale della famiglia Lebra si trova lungo la strada che, scorrendo tra boschi di castagni e mille altre varietà di piante, sale fino alla Certosa di Pesio (1173 metri). Si accede alla sala ristorante superando un bar dove, come nelle osterie di una volta, si possono incontrare accaniti giocatori di carte. Tutta la famiglia è occupata nella gestione del locale: Gianfranco in cucina, la sorella Natascia e la mamma Dina in sala, al bar d'ingresso papà Filippo.
Il menù, proposto a voce, comprende **lingua in salsa verde**, insalata di musetto con fagioli locali, **vitello tonnato**, mousse di trota fario. Tra i primi, *tajarin* e **agnolotti al ragù** o al burro e salvia, lasagne di grano saraceno con le *orle* (spinaci di montagna), **gnocchi al raschera**, risotto al basilico, con fonduta o ai funghi. La carne proviene dalla macelleria dello zio, ché si approvvigiona da produttori locali; le erbe sono quelle della montagna circostante: da provare il **coniglio in umido** (preparato secondo l'antica ricetta della nonna), il **brasato all'Arneis**, la trota, la **trippa in umido**, petto d'anatra con cipolle (in stagione con castagne). A seguire, o in alternativa, buoni formaggi caprini e pecorini locali. Tra i dessert più riusciti, **pere *martin sec*** in salsa di cannella, montebianco, torta di pesche.
Piccola carta dei vini con etichette prevalentemente piemontesi e qualche bottiglia di altre regioni.

A **Boves** (17 km), in via Roma 7, macelleria Martini: vitelli di montagna, capponi di Morozzo, capretti della Bisalta, bue grasso di Carrù e salumi di produzione propria.

Cissone

51 km da Cuneo, 22 km a sud di Alba

Locanda dell'Arco 

Ristorante annesso alla locanda
Piazza dell'Olmo, 1
Tel. 0173 748200
Chiuso il martedì e mercoledì a pranzo
Orario: sera, pranzo su prenotazione
Ferie: 10 gennaio-15 febbraio
Coperti: 30
Prezzi: 26-36 euro vini esclusi
Carte di credito: CartaSi, Visa, Bancomat

Poco sopra Monforte d'Alba, continua a essere un ottimo punto di riferimento per la cucina di Langa la Locanda di Giuseppe Giordano e Maria Piera Querio, abile cuoca, che seleziona con cura i prodotti che elabora: farina di mais macinata a pietra, cinghiale langarolo, nocciola tonda gentile, trote pescate nei laghi di montagna, tome locali.
Abbiamo affrontato il viaggio per Cissone una calda domenica di giugno ed è stato un piacere accomodarsi ai tavoli ben apparecchiati della saletta arredata con gusto. Sono arrivati in tavola gli antipasti della casa – trota salmonata marinata, un'invitante insalata di porcini e ovoli, un flan di verdure servito con una profumata salsa di pomodoro – seguiti dai primi, tra cui abbiamo assaggiato ***tajarin*** al sugo di funghi (in alternativa **con sugo di carne e di fegatini**), gnocchi di patate al burro e salvia, **ravioli *al plin*** dalla sfoglia sottile con molto ripieno. Tra i secondi Giuseppe ci ha proposto un saporito **agnello alle erbe** cotto in forno, coniglio con lamponi, **arrosto alle nocciole**, funghi trifolati. Ottimi, per finire, i formaggi e, come dolce, semifreddo al torrone, torta di mele, ***bonet*** e pesca melba con gelato. Nella stagione fredda potrete, invece, apprezzare carne cruda di vitello tagliata al coltello con tartufo, ***tartrà* al Murazzano**, **risotto al Barolo**, **cinghiale con castagne**, **brasato al vino**, **coniglio all'Arneis** e molto altro. Fornitissima la carta dei vini, con grandi etichette di Langa e del Piemonte e le migliori annate di Barolo e Barbaresco.
Sempre disponibile un menù degustazione – tre antipasti, un primo, un secondo e un dolce – a 36 euro. Nel caso vogliate fermarvi per la notte, al piano superiore ci sono alcune camere.

Cisterna d'Asti

25 km a SO di Asti

Garibaldi

Ristorante annesso all'albergo
Via Italia, 3
Tel. 0141 979118
Chiuso il mercoledì
Orario: mezzogiorno e sera
Ferie: 2 settimane dopo Ferragosto, 2 in gennaio
Coperti: 100
Prezzi: 20-35 euro vini esclusi
Carte di credito: tutte, Bancomat

Dagli anni Quaranta del secolo scorso la famiglia Vaudano gestisce con passione e rispetto delle tradizioni questo ristorante con albergo. Addentrandovi nelle salette interne, arredate con elementi risalenti all'esercizio originario, respirerete l'aria della trattoria di un tempo; a tavola vi accorgerete di come anche la cucina abbia mantenuto una chiara impronta tradizionale, curando in particolare la ricerca e la proposta di ricette legate al territorio. Le proposte gastronomiche vi saranno elencate a voce e, dopo una carrellata di antipasti (di solito quattro-cinque), sceglierete fra due o tre primi e altrettanti secondi.
Potrete ingannare l'attesa chiedendo al patron, Bartolomeo, di farvi assaggiare i **salumi** di produzione propria, frutto di una autentica lavorazione artigianale. Poi comincerete con la trota salmonata affumicata in proprio, il **prosciutto cotto** in forno con salsa alle erbette (anche questo di produzione casalinga), la **terrina di coniglio**, il tortino di asparagi con salsa di pomodoro e baccalà, l'**insalata di gallina**. Tra i primi piatti troverete gli **agnolotti con sugo di carne**, i *tajarin* alla cisternese (con ragù di salsiccia cotto nel vino Cisterna) e i **tagliolini alle 22 erbe**, specialità del locale. Succulenti i secondi: il **carré di agnello alla cacciatora**, il coniglio arrosto, quaglie, **anatre** e il **fritto misto** alla piemontese, sempre disponibile su prenotazione. Potrete anche assaggiare i formaggi prodotti dal patron selezionando latte e materie prime locali, disponibili in diverse varietà e stagionature.
Per finire i dolci: il classico **salame di cioccolato**, il gelato alla mostarda d'uva, il *bonet* con cioccolato fondente, la mousse allo zabaione. Sulla carta dei vini, oltre alle proposte della zona, una buona gamma di prodotti di Langhe e Monferrato.

COSTIGLIOLE D'ASTI

15 KM A SUD DI ASTI

CAFFÈ ROMA

Enoteca con cucina
Piazza Umberto I, 14
Tel. 0141 966544
Chiuso il lunedì
Orario: mezzogiorno e sera
Ferie: 1 settimana in febbraio, 1 in luglio
Coperti: 50
Prezzi: 20-25 euro vini esclusi
Carte di credito: tutte, Bancomat

Bar, osteria, trattoria, bottega di specialità. Il locale di Anna e Gino è tutto questo. Un luogo *slow*, senza dubbio. Buono per una sosta a qualunque ora del giorno, dal caffè del mattino al bicchiere della staffa e della buona notte. E questo da sempre, da ben prima che i locali non stop diventassero di moda.
Ma al Caffè Roma si viene sempre più volentieri per un pasto più o meno impegnativo. Un tagliere di **formaggi**, di cui Gino è appassionato ricercatore, un piatto di salumi o di **carne cruda e salsiccia**, con un bicchiere di vino (la cantina è ben fornita e non banale, con tutte le novità più interessanti di Costigliole e del suo territorio, uno dei più intensamente vitati del Piemonte). Oppure un pasto da godersi con calma, cominciando dagli antipasti: **insalata tiepida di galletto**, tonno di coniglio, **peperone quadrato al forno**, tortino di verdure, mousse di gorgonzola, il piatto di **pesci di acqua dolce**, tra cui spicca il **salmerino**. Si passa poi a primi di tradizione come gli agnolotti dal *plin*, i ***tajarin***, il minestrone di verdure o di **trippa** servito nella pagnotta di pane; quindi ai secondi: stracotto al Barbera, **agnello sambucano**, **capretto di Roccaverano**, rollata di coniglio, il singolare merluzzo al Moscato con purè di castagne. Infine dolci casalinghi come crostate e ***bonet*** e i gelati dei Presìdi Slow Food.
Ma tutto non si può dire, perché Gino (da qualche tempo sempre più spesso in cucina con il figlio Alessio) è curioso, attento a stagione e mercato, ama sperimentare. Quindi non è raro trovare qualche novità. Anna e Simone assicurano un servizio efficiente e informale.

Osteria accessibile ai disabili.

Locale segnalato dall'Associazione italiana celiachia.

CRAVANZANA

61 KM A NE DI CUNEO, 25 KM A SUD DI ALBA

RISTORANTE DEL MERCATO DA MAURIZIO

Trattoria annessa all'albergo
Via Luigi Einaudi, 3
Tel. 0173 855019
Chiuso il mercoledì e giovedì a pranzo
Orario: mezzogiorno e sera
Ferie: 7 gennaio-7 di febbraio, 29 giugno-10 luglio
Coperti: 50 + 20 esterni
Prezzi: 30-35 euro vini esclusi
Carte di credito: le principali, Bancomat

A Cravanzana si arriva percorrendo l'alta Langa che separa la valle Belbo da quella del Bormida di Millesimo, oppure salendo da Cortemilia. Maurizio è nel centro del paesino, dominato dall'imponente castello dei Marchesi Fontana. Una bella sala e, d'estate, un ventilato portichetto, accolgono i clienti offrendo una bella vista sui noccioleti e, più lontano, sui boschi di castagno.
In sala Maurizio, appassionato di vini, formaggi e della sua terra, propone come antipasti la carne cruda con scaglie di Maira, un delicatissimo **baccalà in agrodolce**, un tortino al Murazzano e funghi porcini con fonduta di Toma d'Elva. Poi i primi, con gli gnocchi di farina di kamut al pomodoro e basilico, gli **agnolotti verdi** di riso e asparagi con fonduta di toma d'Elva, i ***tajarin* ai funghi porcini**, gli agnolotti dal *plin*. La tradizione si ripropone nei secondi con la faraona alle erbe e ginepro, la **sottopaletta di vitello al forno** con porcini, l'agnello al timo e Cognac, il pollo alla cacciatora. Bella scelta di **formaggi**: i locali roccaverano e murazzano e i migliori delle valli cuneesi e piemontesi. Ai dolci, l'immancabile **panna cotta** e poi il trionfo della nocciola, con il **tortino alla nocciola con gelato al Moscato**, la bavarese alle nocciole con salsa di fragole, il *bonet* di nocciole e un magnifico **gelato alla nocciola**.
La carta dei vini, studiata con passione e competenza, offre il meglio dell'enologia delle Langhe, piemontese e italiana a prezzi corretti.

In via della Fontana, Bottega del Borgo Antico e in via Provinciale 1 I Dolci di Cascina Grangia, due piccoli laboratori di pasticceria che producono dolci a base di nocciola tonda gentile. In via San Pietro 2 il laboratorio di Angela Dotta: nocciole tostate e pasta di nocciole per gelati e dolci.

Crescentino

30 km a SO di Vercelli, 45 km da Torino

Archigusto

NOVITÀ

Ristorante
Via Mazzini, 41
Tel. 0161 842592
Chiuso il mercoledì
Orario: mezzogiorno e sera
Ferie: 1 settimana tra agosto e settembre
Coperti: 40
Prezzi: 30 euro vini esclusi
Carte di credito: tutte, Bancomat

Crescentino è una cittadina del Vercellese, nella zona dove la Dora Baltea incontra il Po. Qui, in pieno centro storico, da poco più di due anni, ha aperto i battenti il locale dei fratelli Bruera, giovani appassionati che si sono scoperti ristoratori. Enrico da perito informatico si è trasformato in cuoco, mentre Gianmarco in sala, oltre a raccontare piatti e vini, ci ha messo il suo tocco da architetto.

Il locale è suddiviso in due sale accoglienti – colori caldi, bottiglie e casse di vino qua e là, posate dal design ricercato. Le proposte variano con una cadenza quasi mensile e sono molto legate alla tradizione piemontese; qualche eccezione per abbinamenti innovativi e per piatti a base di pesce. Prenotando si può avere il grande **fritto misto** – servito in cinque portate intervallate dai cappelletti in brodo – e verificare così le influenze monferrine e vercellesi che si incontrano in cucina. Gli antipasti prevedono un buon **vitello tonnato** alla vecchia maniera, il carpaccio di testina, la **lingua salmistrata**, sformati di verdure, l'insalata di fagioli di Saluggia con tonno e ancora robiole e tomini e porcini sott'olio. Non possono mancare i **risotti**, dalla classica ***panissa*** a quelli con le verdure di stagione (asparagi, carciofi, zucca, basilico) o alle quaglie, **con le rane** o con salsiccia e Barbera. Tra le paste, i ***tajarin* al sugo di cinghiale**, i **ravioli d'asino**, gli gnocchi e la zuppa di verdure con la trippa. La **carne di fassone** è utilizzata per tagliate, costate e filetti, ma ci sono anche arrosti, pollo alla cacciatora, salsiccia e peperoni, **merluzzo con polenta**, con possibilità di accompagnarli a fresche verdure al burro o grigliate.

Si chiude con i dolci casalinghi, dal ***bonet*** alla crostata di nocciole, o con i gelati dei Presìdi.

Crodo
Viceno

33 km a NO di Verbania, A 26 e E 62 fino al confine, SS 659

Edelweiss

Ristorante annesso all'albergo
Frazione Viceno, 7
Tel. 0324 618791
Chiuso il mercoledì, mai d'estate
Orario: mezzogiorno e sera
Ferie: 2 settimane in gennaio, 3 in novembre
Coperti: 80
Prezzi: 28-33 euro vini esclusi
Carte di credito: tutte, Bancomat

Arrivati a Crodo, sulla sinistra svoltate verso la frazione di Viceno: pochi chilometri ma, data la salita irta e ricca di curve, non impiegherete meno di un quarto d'ora. L'Edelweiss, gestito dalla famiglia Facciola da quasi cinquant'anni, è anche albergo e centro benessere. L'ambiente ricorda le pensioni di montagna di una volta, in sala simpatiche ragazze illustrano un menù con diversi piatti della tradizione ossolana e grande ricorso ai prodotti del posto, dai **salumi** come la mocetta di cervo e la bresaola di torello, ai formaggi quali il **bettelmatt**, la ricotta di Viceno, il burro d'alpeggio, dalle verdure degli orti dei dintorni ai funghi e alla selvaggina.

Negli antipasti oltre ai citati salumi, frittate alle erbe, strudel e torte salate. Le paste, fatte in casa, comprendono tagliolini ai fiori di zucca, gnocchetti con ricotta e spinaci, **agnolotti** al burro e salvia; nei mesi freddi il menù si arricchisce di **polenta**, **zuppe** e risotti, come quello al bettelmatt e Prunent, il nervoso Nebbiolo del posto. Carni locali e piemontesi sono alla base dei secondi: filetto di torello, **cosciotto d'agnello**, coniglio, grigliata mista, **cervo in umido**, tutti accompagnati da patate o verdure. I formaggi della valle sono serviti con miele e noci. Nel solco della tradizione regionale i dolci: *bonet*, panna cotta, crostate e torte rustiche.

La carta dei vini conta una cinquantina di buone etichette dagli onesti ricarichi: se non la si conosce, è da provare la piccola produzione ossolana.

A Viceno, al numero 81, buoni salumi, bettelmatt, ricotta e burro da Massimo Bernardini. A **Crodo** (5 km), in via Roma 10, Gianpietro Crosetti vende prosciutti della Val Vigezzo, violini di capra, bresaola, lardo; la Latteria Sociale Antigoriana in via Circonvallazione: tome e formaggi freschi.

CUNEO

BOTTEGA VINI DELLE LANGHE

Osteria di recente fondazione
Via Dronero, 8
Tel. 0171 698178
Chiuso la domenica
Orario: pranzo, giovedì-sabato anche sera
Ferie: in agosto
Coperti: 40
Prezzi: 15-30 euro vini esclusi
Carte di credito: tutte, Bancomat

La Bottega, situata in una traversa di via Roma, ha aperto i battenti sei anni fa e a tutt'oggi è uno dei migliori e più sicuri luoghi del buon bere e del buon cibo nel capoluogo della Granda. Merito dei fratelli Meinero: Maurizio (in cucina) e Michele (in sala) sanno coniugare simpatia e professionalità in un locale accogliente formato da due salette (una con il soffitto a cassettoni, l'altra con volte a crociera) in cui compaiono un bel bancone per la mescita, tavoli con piano di legno o di marmo, specchiere. Il menù è esposto all'esterno e una lavagna dietro la vetrina segnala il piatto del giorno. A mezzodì piatti unici e preparazioni semplici ma curate per pranzi di lavoro; a cena un menù più articolato che presenta piatti tipici e non solo.
Dopo una piacevole "entratina" (crostini di burro e salame affettato o frittatine), potrete scegliere fra vitello tonnato, **carne cruda battuta al coltello**, insalata di carni bianche, lingua in salsa verde, **flan di verdura con fonduta**, aspic di verdure e faraona, sformato di melanzane, baccalà mantecato. Tra i primi c'è sempre una zuppa (ad esempio di patate e zucca) e poi ***tajarin* integrali**, gnocchi alla *ratatouille* e acciughe, **ravioli di patate e porri**. Per secondo ecco il **coniglio al ginepro**, il filetto di maiale in padella, il roastbeef, la trota salmonata alla salvia e rosmarino e, in stagione, polenta con *civet* di cervo e **trippe con porri di Cervere**. Su prenotazione si preparano la *bagna caoda* e il bollito misto. Si conclude con *bonet*, **torta di mele farcita** con marmellata di arancia, semifreddo al torrone e miele.
Breve ma dignitosa carta dei vini con una quarantina di rossi piemontesi, una decina di bianchi e qualche vino da dessert.

OSTERIA DELLA CHIOCCIOLA

Enoteca-ristorante
Via Fossano, 1
Tel. 0171 66277
Chiuso la domenica
Orario: mezzogiorno e sera
Ferie: 1-15 gennaio e Ferragosto
Coperti: 60
Prezzi: 30-35 euro vini esclusi
Carte di credito: tutte tranne DC, Bancomat

L'osteria gestita da Gigi e Loredana si trova a poca distanza dalla trecentesca torre civica e dal palazzo del Comune. Appena superato l'ingresso, vi troverete in enoteca: un bancone, qualche tavolo, ma soprattutto casse e mobili colmi di bottiglie. Sì, alla Chiocciola la parte "alcolica" del pasto ha un ruolo decisamente importante: la voluminosa carta dei vini comprende un'esaustiva panoramica piemontese, oltre a grandi e piccoli produttori italiani e internazionali. Fatta una rampa di scale, vi troverete nella sala da pranzo vera e propria: ampia e curata, ma priva delle leziosità di certe "osterie di nuova concezione". E di lezioso non troverete nulla neanche nella proposta gastronomica: la cucina è in gran parte tradizionale, fatta eccezione per qualche pietanza di pesce presente soprattutto in estate, e per pochi accostamenti creativi che non vanno mai sopra le righe.
Scegliendo alla carta o tra due menù degustazione (da 30 e da 35 euro), potrete così iniziare con la **carne cruda battuta al coltello**, il vitello tonnato, i fiori di zucca fritti, le cipolle ripiene. A seguire, immancabili i ***tajarin* ai funghi** (ottimi) o al burro e salvia, il **risotto al raschera**, gli gnocchi al castelmagno. Per secondo, se disponibili, valgono l'assaggio i **funghi fritti**; in alternativa, **scamone alle olive taggiasche**, stinco di vitello, coniglio all'Arneis, **agnello sambucano**. In autunno non manca il **tartufo d'Alba**, d'inverno sono varie le preparazioni a base di **lumache**.
Classici i dessert: **panna cotta**, pesche ripiene, *bonet*.

In corso Nizza, al 52, Tuttocarni vende carni de La Granda e prodotti dei Presìdi; al 16 gli ottimi gelati della gelateria Il Corso. Da Arione, piazza Galimberti 14, cuneesi al rum e meringhe.

Cureggio

30 km a NO di Novara, SS 142

La capuccina

Azienda agrituristica
Via Novara, 19 B
Tel. 0322 839930-335 6283827
Chiuso lunedì, martedì e mercoledì
Orario: sera, domenica su prenotazione
Ferie: non ne fa
Coperti: 45 + 20 esterni
Prezzi: 26 euro vini esclusi
Carte di credito: tutte, Bancomat

Raffaella Fortina e Gianluca Zanetta, marito e moglie, gestiscono questo agriturismo ubicato in un edificio del Cinquecento: ex convento di frati, ex opificio, è oggi un ristorante con alloggio (nove camere al piano superiore), ma anche un'azienda in cui si producono miele, verdura, frutta e si allevano capre bianche svizzere di razza saneen. La si raggiunge percorrendo la strada che da Fontaneto d'Agogna va verso Cureggio, pochi chilometri dopo l'uscita autostradale di Borgomanero. Il menù è fisso e comprende sette portate (tre antipasti, due primi, un secondo e un dolce), il servizio è forse un po' troppo sbrigativo.
Aprono solitamente il pasto i formaggi freschi e i salumi prodotti in azienda (da provare il ***salam dla doja***), cui seguono zucchine trifolate, **carne cruda battuta al coltello**, rotolo di coniglio. Il riso del Novarese è utilizzato per la preparazione di buoni **risotti** alle verdure (molto buono quello con fiori di zucca e zucchine); in alternativa, gnocchetti di ricotta e tagliolini con le verdure. Classiche cotture per i secondi di carne: arrosto o **brasato di vitello**, agnello cotto su fondo bruno, **capretto al forno**. Come contorno, le verdure dell'orto oppure (in inverno) polenta da farina macinata a mano. Si chiude con formaggi caprini dell'azienda e con dolci casalinghi: torta di mele con zabaione, torta al cioccolato con gelato alla vaniglia, torta della nonna.
La bella selezione di vini promuove soprattutto i produttori della zona, anche quelli poco conosciuti. La prenotazione è consigliata.

Diano d'Alba

70 km da Cuneo, 8 km a sud di Alba

Locanda Rizieri

Osteria annessa alla locanda
Cascina Ricchino
Tel. 0173 468540
Chiuso domenica sera, lunedì e martedì
Orario: sera, sabato e festivi anche pranzo
Ferie: 20 gg dopo l'Epifania, ultime 2 sett di agosto
Coperti: 40 + 40 esterni
Prezzi: 25-35 euro vini esclusi
Carte di credito: tutte, Bancomat

Semplice e piacevole giungere fin qui: superato Diano d'Alba, in direzione Montelupo Albese una ripida stradina conduce a una cascina ben ristrutturata. Qui Ivan Milani, aiutato da Roberto Pia in cucina, dalla sorella Michela e da Luisa Ferrero in sala, ha aperto qualche anno fa una bella locanda. Particolare la cura nella scelta delle materie prime, provenienti dall'azienda di famiglia o acquistate presso piccoli produttori locali. La proposta gastronomica si caratterizza per un duplice filone: al ricco menù tradizionale da 25 euro si affianca un menù dichiaratamente creativo.
Per cominciare, rientrano spesso all'interno del primo il **vitello tonnato**, l'agliata monferrina, la **carne cruda battuta al coltello**, cui seguono il **risotto alla salsiccia di Bra**, i ***tajarin* al ragù** o ai funghi, i **ravioli dal *plin*** in tre versioni (nel tovagliolo, al sugo d'arrosto e burro e salvia). Al momento del secondo, ampio spazio è riservato ad arrosti di agnello e capretto; da provare anche il **coniglio grigio di Carmagnola** (Presidio Slow Food) glassato al miele e lo **stinco di vitello**. Gli accostamenti arditi della seconda carta potrebbero far storcere il naso ai puristi, eppure risultano convincenti, ad esempio, il risotto agli stimmi di zafferano con code di gamberi saltate nel Cognac o la *ganache* di *foie gras* con gelatina di frutto della passione. Al tutto si accompagna il buon pane fatto in casa. Si può concludere il pasto con validi formaggi o dessert per lo più tradizionali: pesche ripiene, panna cotta, *bonet*, mousse di cioccolato fondente.
La cantina è spiccatamente territoriale, ma per bianchi e spumanti si rivolge verso zone storicamente più vocate: Friuli, Franciacorta, Champagne.

Osteria accessibile ai disabili.

Diano d'Alba

70 km da Cuneo, 8 km a sud di Alba

Trattoria nelle vigne

Trattoria
Via Santa Croce, 17
Tel. 0173 468503
Chiuso il lunedì
Orario: sera, sabato e domenica anche pranzo
Ferie: gennaio
Coperti: 80 + 50 esterni
Prezzi: 22-25 euro vini esclusi
Carte di credito: tutte

L'ultima volta abbiamo cenato alla Trattoria nelle vigne in una sera di mezza estate. L'abbiamo raggiunta da Grinzane attraverso Valle Talloria (ma si arriva facilmente seguendo le indicazioni anche da Diano), attraversando il tipico paesaggio di vigneti e noccioleti. Capirete che il nome non inganna quando la vedrete come su un palcoscenico che si apre su filari di dolcetto a perdita d'occhio. Ai tavoli, ben sistemati e illuminati da candele a creare un'atmosfera raccolta, tanti commensali, tra cui molti giovani. Gli interni, divisi in due sale, sono ugualmente accoglienti. Il menù fisso è costruito sui piatti tradizionali di Langa, di buona qualità e serviti in porzioni abbondanti: si fa quindi apprezzare anche per il prezzo conveniente.
Fatte salve le variazioni stagionali, le specialità della casa si trovano con regolarità, a cominciare dalle ottime **acciughe in salsa alle nocciole**, che introducono i vassoi di antipasti: pane fritto (o ***subrich* di patate) con il lardo**, un'insalata langarola con sedano, *toma* e pollo, la **carne cruda battuta a coltello**, i **peperoni in agrodolce** con il tonno, un perfetto vitello tonnato all'antica (d'estate servito come secondo). Poi le buone paste fresche, con notevoli ravioli dal *plin* al burro e rosmarino e ***tajarin* con ragù** di carne o **di salsiccia**. Come secondo potrete avere coniglio alla piemontese, **bocconcini al Dolcetto** e, nei mesi freddi, **stinco di bue al forno**. Dolci che ruotano seguendo le stagioni: semifreddo al torrone (o alle castagne), **panna cotta**, *bonet*, **torta di nocciole con zabaione**, mattone, **pesche ripiene**.
Buona selezione di etichette della zona, in una carta dai prezzi corretti.
In inverno il locale resta chiuso anche il mercoledì.

Dronero

20 km a NO di Cuneo SS 22

Rosso rubino

Ristorante
Piazza Marconi, 2
Tel. 0171 905678
Chiuso il lunedì
Orario: mezzogiorno e sera
Ferie: 15 gg in marzo, 15 in novembre
Coperti: 30
Prezzi: 30-35 euro vini esclusi
Carte di credito: le principali, Bancomat

Dronero è un bel paesino all'imbocco della Val Maira, stretto intorno al fiume che lo attraversa e orgoglioso della discendenza occitana che ancora anima le insegne delle botteghe affacciate sulle vie cittadine. Qui, Roberto Eandi ha aperto un locale accogliente, raccolto in un'unica sala dai colori pastello, con mobili sobri, tovagliati e apparecchiatura accurati. La gestione del locale è familiare, attenta anche a locale pieno: unico neo una certa rumorosità nei giorni di maggiore affluenza. Il menù offre un ventaglio abbastanza ampio fra piatti del territorio e qualche proposta di pesce, in linea con la vicina Liguria e l'esperienza maturata dal patron in prestigiose scuole.
Fra gli antipasti abbiamo trovato: **insalata russa**, terrina di coniglio, **carne cruda battuta al coltello**, *tartrà* di basilico, ma anche un'ottima frittura di calamaretti con verdure. Seguono primi piatti che spaziano dall'immancabile **risotto mantecato alla Bergese**, al **minestrone di verdura** (in inverno di trippe), fino ai classici **agnolotti dal *plin* con sugo di arrosto** e qualche piatto più estivo come gli agnolotti di melanzane al pomodoro fresco. Nei secondi domina la carne, bianca e rossa: **galletto alla cacciatora**, stinco di maiale al forno, tagliata di controfiletto di cavallo e, ottimo, il **millefoglie di filetto di fassone ai funghi porcini**; in alternativa, buoni formaggi locali. I dolci, con qualche tocco creativo, sono tutti di ottima fattura. Tre i menù degustazione: uno della tradizione a 30 euro (bis di antipasti, primo, secondo, dolce), uno di pesce a 45 euro e uno turistico a 15,50 (solo a pranzo, nei giorni feriali).
Completa la carta dei vini, con una corposa selezione di etichette nazionali e del territorio.

Fabbrica Curone
Selvapiana

62 km a SE di Alessandria, 32 km da Tortona

La Genzianella

Ristorante annesso all'albergo
Via Forotondo, 7
Tel. 0131 780135
Chiuso lunedì e martedì, mai d'estate
Orario: mezzogiorno e sera
Ferie: settembre
Coperti 60 + 15 esterni
Prezzi: 30-35 euro vini esclusi
Carte di credito: tutte, Bancomat

Usciti dal paese di Fabbrica, si imbocca la strada per Forotondo e ci si inerpica per una strada panoramica immersa nel verde per arrivare sul piazzale della frazione Selvapiana, in posizione dominante sulla Val Curore. L'albergo ristorante La Genzianella è molto accogliente e dire che qui troviamo specialità legate alla tradizione, al territorio e alla stagione non è un luogo comune: tutto o quasi è fatto in casa. La famiglia Tosi provvede alla preparazione dei salumi, alla raccolta di funghi, fiori, erbe selvatiche e ci si approvvigiona in valle perché Vania e la sorella Cristiana che serve in sala (una vera "militante" dello Slow Food) non trascurano i prodotti dei Presìdi delle valli vicine.
Fra gli antipasti assaggiate i **salumi** di papà Angelo – salame crudo e cotto, **testa in cassetta**, lardo –, il **vitello tonnato all'antica**, gli sformati di verdure di stagione, il rotolo di frittata con germogli o erbe o fiori e *seirass*; sempre disponibile un piccolo cartoccio di formaggio alle erbe. Fra i primi, i **ravioli** (di ortiche, di borragini, di brasato, di *seirass*) o le **zuppe** autunnali **di** ceci, **funghi porcini** della valle e **castagne**. Ancora con le castagne si preparano polente da accompagnare alle carni in umido con funghi preparate da mamma Vanda e alla cacciagione. Fra i dolci troverete un delizioso flan di cioccolato fondente, **bavaresi di pesche di Volpedo** o panna cotta aromatizzata.
La carta dei vini, ricca, è concentrata sui vini del Tortonese, dell'Oltrepò e del Piemonte, con qualche importante etichetta nazionale. Da segnalare la possibilità di trascorrere nelle poche, ma curatissime camere, un rilassante soggiorno.

A **Fabbrica Curone**, salumeria Fittabile, via Roma 47: tra l'altro, il salume delle valli tortonesi Presidio Slow Food.

Frascaro

15 km da Alessandria, 20 km da Acqui Terme

Hosteria de' ferrari

Ristorante
Via Cavour, 3
Tel. 0131 278556
Chiuso il lunedì
Orario: sera, domenica e festivi anche pranzo
Ferie: prima metà di giugno
Coperti: 40
Prezzi: 26-30 euro vini esclusi
Carte di credito: tutte, Bancomat

Lucio Ferrari gestisce questo ristorante da una quindicina d'anni; la sua cucina è quella tipica del basso Piemonte, con alcune rivisitazioni e interpretazioni innovative, ma sempre nel rispetto del territorio. Lucio cura in particolare la scelta di vini e **formaggi**: nella sua carta ci sono un centinaio di etichette, fra cui una buona selezione di piemontesi, e c'è pure una selezione di birre artigianali. Anche per quanto riguarda i formaggi troverete un'ottima scelta, a cominciare dal montébore e dalla robiola di Roccaverano (la parte finale dell'affinamento in alcuni casi è condotta da Lucio).
A tavola si comincia con un tris di antipasti che variano in base alla stagione: vi segnaliamo la ***tartrà***, gli sformati di verdure, gli **involtini di peperone** o di melanzane; ottimi anche il **tonno di coniglio** e l'insalata di gallina e patate. Per quanto riguarda i primi potrete trovare i **risotti**, che cambiano insieme alla stagione, paste fresche e **zuppe di legumi**. Non mancano gli **agnolotti dal *plin***, conditi con burro e timo oppure **con burro e maggiorana**, e i ravioli, accompagnati da un pesto di maggiorana e pinoli. Interessante la scelta dei secondi che, in base alle giornata e alla stagione, possono essere a base di carne o di pesce; nel primo caso, da segnalare la **tagliata di manzo**, nel secondo, i **filetti di trota al cartoccio** e il merluzzo ai pomodori e salsa di basilico. Potrete infine apprezzare un bell'assortimento di dessert, tra i quali citiamo la panna cotta, abbinata al caffè o al caramello, e il semifreddo alla salsa di Barbera.
Serate a tema sono mensilmente organizzate e agli iscritti alla *mailing list* sono inviati periodicamente i menù e la lista dei vini del locale.

FRASCARO
Tacconotti

18 KM DA ALESSANDRIA, 20 KM DA ACQUI TERME

TRATTORIA DEI TACCONOTTI

Trattoria
Frazione Tacconotti, 17
Tel. 0131 278488
Chiuso il mercoledì
Orario: sera, sab dom festivi anche pranzo
Ferie: in gennaio
Coperti: 40 + 30 esterni
Prezzi: 30-32 euro vini esclusi
Carte credito: tutte tranne AE, Bancomat

Sulla piazzetta di Tacconotti, frazione di poche case di Frascaro, ecco la trattoria, locale confortevole che Anna e Carlo gestiscono da una decina d'anni. La cucina è legata al territorio e sposa, insieme alle tradizioni piemontesi, quelle della vicina Liguria, con un menù che varia in base alla stagione.
Cominciando con gli antipasti, potrete avere formaggette di capra, salumi, ***subric* alle erbe**, peperoni con ***bagna caoda***, torta di riso, cipolle in agrodolce, zucchine fritte e frittatine di verdure. Fra i primi non mancano mai gli **agnolotti** al burro e formaggio o nel vino, i ***rabatòn*** (a base di ricotta ed erbette di stagione); poi i panigacci con pesto di basilico, i **corzetti al pesto di maggiorana**, gli stricchetti con sugo di carciofi e salsiccia, i pansotti ripieni di asparagi selvatici, i **tagliolini al sugo di frattaglie di pollo**, il minestrone di verdure. Tra i secondi, cipolle e zucchine ripiene, vitello tonnato caldo all'antica, asparagi con zabaione salato, **punta di vitello arrosto**, cinghiale bollito, fegato all'aglio con purè, acciughe ripiene fritte, **baccalà ai ferri**, stoccafisso in umido, le ***tomaxelle*** liguri (involtini di carne ripieni) fino al suntuoso **fritto misto alla piemontese** (su prenotazione). Notevole la scelta di formaggi: robiola di Roccaverano, murianengo, tome, gorgonzola naturale, *seirass dal fen* e formaggette di capra, tutti accompagnati da marmellate di uva fragola, cachi, peperoncino, giuggiole o prugne ramassine.
Molto curati anche i dolci: ciliege giulebbate cotte nel vino, salame di cioccolato, zabaione con i biscotti, semifreddo al caramello, bavarese al cioccolato, alla lavanda o ai fiori di tiglio. Si finisce con gli infusi e i liquori di Anna e si sceglie fra un centinaio di bottiglie di vino, con forte presenza di Barbera. Pane e focaccia fatti in casa.

GREMIASCO

45 KM A SE DI ALESSANDRIA, 27 KM DA TORTONA

BELVEDERE

Ristorante
Via Dusio, 5
Tel. 0131 787159
Chiuso il martedì
Orario: mezzogiorno e sera
Ferie: variabili
Coperti: 100 + 35 esterni
Prezzi: 28-30 euro vini esclusi
Carte di credito: tutte, Bancomat

Si arriva a Gremiasco, a pochi chilometri da San Sebastiano, risalendo la Val Curone. Il ristorante, all'ingresso del paese, è gestito dalla famiglia Delucchi; la sala da pranzo è accogliente, semplice ma curata, illuminata da un'ampia vetrata che offre una bella vista sulle colline intorno. In un'atmosfera familiare sarà piacevole ascoltare i fratelli Giuliano e Alberto che propongono un menù in cui le stagioni, il territorio e i suoi prodotti sono in primo piano: alla base della cucina, infatti, ci sono frutta, verdure, salumi, formaggi, funghi e tartufi, carni e selvaggina di provenienza locale.
Si comincia con un'ampia scelta di antipasti, tra i quali sempre il **salame crudo** delle valli tortonesi, paté di fegato di coniglio con mela caramellata all'aceto, sformati di verdure di stagione, **timballo di riso con spugnole** o porcini, boraggine ripiena in pastella, o ancora **insalata russa** casalinga, crostatina di cipolle; e in tavola sempre focaccia e pane fatti in casa. Anche i primi variano con le stagioni quindi avremo i classici **ravioli al brasato** o al sugo di funghi, **gnocchetti di ortiche al montébore**, i tortelli di verdure, la sontuosa **pasta dei Gonzaga** (tagliatelle mantecate al montébore, carni bianche con tartufo, avvolte in pasta *brisée*) e la polenta. Tra i secondi: il **coniglio al Timorasso**, il brasato, lo stracotto alle verdure e vino rosso oppure cinghiale e **selvaggina**. In stagione è frequente il **tartufo**. Per finire, mousse di fragole di Volpedo, bavaresi al gianduia o alle pesche di Volpedo, crostate. Nella carta dei vini una cinquantina di etichette, in prevalenza dei Colli Tortonesi.
Il ristorante in inverno, dal lunedì al giovedì, apre solo a mezzogiorno.

In via Dusio 16 la macelleria di Lino Arsura propone, tra l'altro, il salame delle valli tortonesi.

Guardabosone

57 km a NO di Vercelli, ss 594 e ss 299

La barrique

Osteria di recente fondazione
Piazza Repubblica, 11
Tel. 015 761119
Chiuso il lunedì
Orario: mezzogiorno e sera
Ferie: seconda-terza sett di settembre, terza di gennaio
Coperti: 45 + 25 esterni
Prezzi: 27-30 euro vini esclusi
Carte di credito: tutte, Bancomat

Circondato dai boschi, Guardabosone è un paese pedemontano dal centro storico curato, un orto botanico e due piccoli musei. Qui, dal 2001, Leonardo in cucina e Simona in sala conducono con idee precise questo rustico locale con i tavoli in legno massiccio, suddiviso in due ambienti, uno più raccolto e l'altro più ampio con al centro un camino.
Il menù varia ogni 15 giorni e propone piatti tipici preparati con molte materie prime delle vicine valli Sesia e Sessera, del Biellese e del Vercellese: il ***macagn***, Presidio Slow Food, è ingrediente per la fonduta e gli **agnolotti alle erbe aromatiche**, oltre a essere presente nel tagliere dei caci; la **paletta di Coggiola**, altro Presidio, si degusta tra i salumi all'inizio del pasto insieme alla mocetta valsesiana, ma è pure coprotagonista nel **risotto alle castagne**. E sono davvero tanti i risotti che si alternano sulla carta: al Bramaterra, allo zafferano, con i porcini, alle erbe. Molto buona la carne fornita da una fidata e vicina macelleria: provate il carpaccio di manzo con *bagna caoda* e peperoni, il **gallo alla cacciatora**, il capretto valsesiano al forno, il coniglio arrosto, lo **stracotto di bue** con polenta, il **bollito misto**. Alternativa di pesce, il salmerino del Mastallone alle erbe aromatiche. Di buon livello la selezione dei formaggi locali, mentre tra i dolci sono da ricordare il ***palpiton***, la torta di mele, e, in estate, i semifreddi e il dissetante minestrone di frutta.
Ampia la selezione dei vini, con particolare attenzione a quelli delle colline vicine.

Locale segnalato dall'Associazione italiana celiachia.

In località La Burla l'omonima macelleria propone ottimi tagli di carne.

La Morra
Santa Maria

50 km a NE di Cuneo, 15 km a SO di Alba

L'osteria del Vignaiolo

Trattoria
Regione Santa Maria, 12
Tel. 0173 50335
Chiuso mercoledì e giovedì
Orario: mezzogiorno e sera
Ferie: in gennaio, ultime 2 settimane di luglio
Coperti: 40 + 20 esterni
Prezzi: 30-32 euro vini esclusi
Carte di credito: tutte, Bancomat

Il panorama vitato che si scorge durante la dolce salita che conduce a La Morra fa felice l'occhio e ben dispone alla sosta dal Vignaiolo. La trattoria si trova poco fuori dal centro del paese: semplice e curata, dispone anche di un piccolo, fresco dehors per i mesi estivi. Il ricco menù degustazione da 30 euro comprende due antipasti, un primo, un secondo e un dolce, ma i piatti, preparati con mano sapiente da Luciano Marengo, possono anche essere scelti alla carta.
Dopo una piccola entrée (nel nostro caso, una buona insalata russa), potrete trovare **carne cruda battuta al coltello**, anguilla in carpione, **vitello tonnato**, tortino di funghi porcini. Si prosegue con eccellenti **ravioli dal *plin*** al burro e salvia, tagliatelle al ragù di salsiccia, lasagne gratinate al ragù di verdure, **risotto con porcini e raschera** d'alpeggio. Al momento del secondo si fanno apprezzare lo stinco di agnello al forno, lo **stracotto di vitello all'Arneis**, il carré di agnello dorato, il tegamino di porcini trifolati. Presente, di tanto in tanto, qualche pietanza di pesce. Piccola ma interessante la selezione di formaggi, serviti con la ***cognà*** e un bicchiere di Passito. Validi i dessert, fra i quali tortino caldo al gianduia, *tarte tatin*, meringhe, panna cotta; in estate l'offerta è completata da semifreddi, gelati, sorbetti.
La carta dei vini, più che esaustiva per quello che riguarda le etichette locali e piemontesi, comprende anche interessanti digressioni nazionali. Un plauso particolare va al servizio, rapido ma attento, informale eppure curato.

A La Morra, via Roma 110, la farina macinata a pietra del Molino Sobrino. Per degustare e comprare vini: Cantina Comunale, via Carlo Alberto 2, e Vin bar, via Roma 46.

Luserna San Giovanni

49 km a SO di Torino SR 589 e SP 161

Lou chardoun

Azienda agrituristica
Via Vecchia di San Giovanni, 99
Tel. 0121 90761
Aperto venerdì sera, sabato e domenica mezzogiorno e sera
Ferie: variabili
Coperti: 40
Prezzi: 30 euro
Carte di credito: nessuna

Un vero fiore all'occhiello della Val Pellice questa realtà agrituristica gestita da quasi un ventennio dalla famiglia Cardon, ricavata in una struttura settecentesca debitamente ristrutturata. Naturalmente, molte materie prime utilizzate in cucina sono prodotte in azienda. La piccola sala da pranzo, sobria, accogliente e luminosa, è ricavata in quello che un tempo era il fienile. Alberto Cardon si occupa della cucina, mentre in sala la modenese Manuela Loschi vi riceverà e servirà con cortesia e cordialità. Da quest'anno, in suo onore, oltre al consueto menù fisso a 30 euro, si potrà fruire del menù gnocco fritto (22 euro) che consiste nell'assaggio di questa specialità emiliana in accompagnamento ad antipasti, salumi, formaggi e un secondo.
Gli antipasti più usuali sono lo **sformato di cardi e topinambur** con *bagna caoda* all'olio di noci, la terrina di coniglio, lo **sformato di zucchine con fonduta di toma**, il tortino di ceci con crema all'erba cipollina. Interessanti fra i primi le tagliatelle agli asparagi, i **ravioli all'ortica** con salsa ai fiori di zucchine, i maltagliati al basilico saltati con verdure fresche. Al momento dei secondi sceglierete tra il **coniglio disossato alle erbe aromatiche**, la coppa di maiale brasata alle verdure, i saltimbocca di petto di tacchino al timo serpillo. Per dessert ecco le crespelle di mele caramellate, la mousse di lamponi o di castagne e la particolare mousse alla menta fresca con salsa al cioccolato fondente.
La scelta enologica è limitata a un paio di vini sfusi e a qualche discreta etichetta regionale.

Il Consorzio Val Pellice d'Oc, via I Maggio 78, vende salumi, conserve e formaggi delle aziende della zona.

Masera
Cresta

44 km a NO di Verbania SS 34 e 33

Osteria del Divin Porcello

Osteria
Borgata Cresta, 11
Tel. 0324 35035
Chiuso il lunedì
Orario: mezzogiorno e sera
Ferie: 2 settimane in gennaio
Coperti: 60 + 20 esterni
Prezzi: 30 euro vini esclusi
Carte di credito: tutte, Bancomat

In frazione Cresta di Masera, nel centro del borgo, il Divin Porcello è ricavato in un casolare rustico del '600 con pietra a vista, travi in legno e, nella sala principale, un bel camino. Il locale è intimo e accogliente e Massimo in cucina prepara piatti ossolani. utilizzando per lo più materie prime del territorio.
Si comincia con i **salumi** tipici: salame nostrano, prosciutto crudo della Val Vigezzo, **mortadella ossolana** e salumi di selvaggina (cervo, camoscio, cinghiale), il tutto prodotto dalla sorella Mara nel laboratorio poco distante, dove è possibile fare acquisti. Tra i primi piatti le **zuppe**, che variano con la produzione dell'orto, una eccellente **pasta e fagioli**, **gnocchi** alla moda ossolana **con farina di castagne**. Poi il piatto tipico del locale, la ***lausciera***, filetto e lonza di maiale che ogni commensale si cuocerà direttamente al tavolo sulla pietra ollare, il tutto accompagnato da patate al forno e salsine, in stagione da **funghi**. Sempre disponibili anche le **grigliate di carne** – con **costatine di agnello** o di cervo, costate di manzo di razza chianina o piemontese –, la **sella di coniglio con i cipollotti** al Moscato, le **trote di fiume**. **Formaggi** prevalentemente ossolani e piemontesi, con la possibilità di effettuare tre tipi di assaggio (piccolo, medio e grande) con un vino passito in abbinamento.
I dolci sono tutti fatti in casa e sono molti, fra *tarte tatin* alle mele con il gelato di vaniglia, sfogliatina alle pere, semifreddi al torroncino o al caffè e la specialità della casa: la **torta di pane e latte**. Ottima carta dei vini, con circa 300 etichette dai ricarichi molto onesti; buona anche l'offerta di distillati di frutta.

A **Coimo di Druogno** (6 km), via Bonari 24, il panificio Conti produce pane nero di Coimo, da farina integrale di segale.

Masio

20 km a SO di Alessandria

Antica trattoria Losanna

Trattoria
Via San Rocco 36
Tel. 0131 799525
Chiuso domenica sera e lunedì
Ferie: in agosto, 15 giorni dopo Natale
Orario: mezzogiorno e sera
Coperti: 60
Prezzi: 25-29 euro vini esclusi
Carte di credito: tutte, Bancomat

Questa trattoria di campagna è meta da molti anni dei buongustai alessandrini e astigiani, oltre che di tanti che si trovano a passare nella zona per ragioni di lavoro (siamo nel triangolo industriale Masio-Felizzano-Quattordio). Come ben sanno gli *aficionados*, qui non troverete un menù scritto né la carta dei vini: le proposte del giorno vi saranno raccontate con consumata abilità da Peio, il gestore della sala, mentre per scegliere una buona bottiglia basterà sbirciare tra quelle esposte, che sono davvero tante e spaziano dal Piemonte al resto d'Italia, con un'ampia sezione dedicata alla Barbera. In cucina, Franco Barberis (detto Scarpetta), cuoco e patron, predilige da sempre la preparazione di piatti tradizionali del basso Monferrato. Più contenuta la proposta a pranzo, più ricca la sera e nei festivi.
Molto interessanti gli antipasti, che sono serviti in successione ma con i giusti tempi: non mancano la **carne cruda battuta al coltello**, le frittatine con erbette di stagione, i **peperoni ripieni**, l'insalata russa. Per quello che riguarda i primi, potrete trovare gli **agnolotti al sugo di arrosto**, i **tagliolini ai funghi** o alle verdure (secondo stagione), gli gnocchi al pomodoro e basilico. Ottima scelta anche per i secondi: si passa dalla **trippa stufata** al **coniglio**, allo stoccafisso; molto buono anche il filetto di maiale marinato.
I dolci sono la grande passione di Franco: tra i tanti, ***bonet***, panna cotta, **torta di nocciole** o con pere e cioccolato.

Moasca

18 km a SE di Asti

Nero di stelle

NOVITÀ

Osteria vineria
Piazza Castello, 8
Tel. 0141 856182-347 4000320
Chiuso lunedì, martedì e mercoledì
Orario: solo sera, festivi anche pranzo
Ferie: gennaio, una settimana in agosto
Coperti: 50 + 20 esterni
Prezzi: 25-30 euro vini esclusi
Carte di credito: tutte, Bancomat

Il trecentesco castello di Moasca è arroccato nel punto più alto e panoramico del piccolo paese del Monferrato: proprio sotto le stelle, che nelle notti d'estate attirano astrofili appassionati. La Bottega del vino e l'osteria annessa sono un'ottima ragione per visitare questo luogo suggestivo. "Nero di stelle" è un nome propiziatorio che evoca la tonalità corvina della Barbera, qui disponibile nelle sue molteplici versioni da abbinare alla cucina affidata all'esperienza di Cristina Pescio, che si ispira ai piatti della tradizione, ma recupera pure l'influenza che il Ponente ligure ha da sempre esercitato su questa terra. In sala il dinamico e premuroso Enrico anima con risultati incoraggianti questa osteria, con solo qualche lentezza nelle serata di grande afflusso.
Deliziose *fugasette* calde sono servite in apertura con il lardo; seguono **carne cruda al coltello**, vitello tonnato, peperoni alla Goria, **frittatine** e sformati **di verdure**, filetto di manzo marinato e una estiva **carpionata**; oppure il gustoso stoccafisso alla *brandacujun* o le delicate acciughine marinate. Poi **tagliatelle al ragù di salsiccia**, ai funghi, alle verdure e anche quelle al farro condite con il pesto e gli **agnolotti dal *plin* alle erbe fini**. Tra i secondi di carne, **brasato alla Barbera**, stinco di vitello e **capretto al forno**, arista di maiale, **coniglio al vino Cortese**. Ben rappresentano l'influenza ligure le croccanti acciughe fritte e il sontuoso cappon magro – di solito nel fine settimana – che con i suoi oltre 30 ingredienti diventa uno splendido piatto unico.
Attenta la selezione di formaggi curata da Arbiora, buoni i dolci – semifreddi, torta di mele su salsa di pere, cremino alla vaniglia con salsa di fragole, **pesche al Moscato** o al cioccolato. Nella carta dei vini interessanti prodotti regionali.

MOMBERCELLI

22 KM A SE DI ASTI

LOCANDA FONTANABUONA

Ristorante
Via Nizza, 595
Tel. 0141 955477
Chiuso martedì e mercoledì
Orario: sera, sabato e domenica anche pranzo
Ferie: 20 gg dopo Natale, 1 settimana tra giugno e luglio
Coperti: 70 + 40 esterni
Prezzi: 25-30 euro vini esclusi
Carte di credito: MC, Visa, Bancomat

In una campestre valletta poco distante da Mombercelli, una grande casa di campagna dagli ambienti ampi e luminosi dove, nella bella stagione, è piacevole pranzare nel dehors. La locanda è molto frequentata nel fine settimana – anche solo per uno spuntino con focaccine calde con lardo, **acciughe al verde**, *tuma e bagnet*, taglieri di salumi e formaggi – ma il servizio di Daniele e Lara è puntuale, la cura dei piatti costante.

La cucina diretta da Clea e mamma Marisa è all'insegna della tradizione, con ricche variazioni stagionali (c'è un menù degustazione a 30 euro con tre antipasti, primo, secondo e dessert a scelta tra le proposte presenti nella carta). Si comincia con **vitello tonnato**, carne cruda battuta al coltello, **filetto di gallina** aromatizzato **alle erbe**; poi il classico **peperone arrosto** con crema di tonno, ottimi tortini di asparagi, zucchine o melanzane con vellutata di parmigiano e, in estate, aspic di galletto e verdure grigliate o in carpione. I primi vanno dai classici **agnolotti dal *plin* al sugo d'arrosto**, ai tagliolini con condimenti stagionali (particolari quelli alle ortiche con burro e menta), dai ravioli di melanzane e zucchine al pomodoro fresco o con burro e basilico, agli **gnocchetti di patate al ragù di salsiccia**, al Castelmagno o al pesto leggero. Tra i secondi, stinco e **sella di maialino al forno**, coniglio nostrano alla ligure o al cartoccio, sottofiletto di vitello alla griglia e **stracotto al Barbera**, affiancati da altre proposte che variano periodicamente o, in alternativa, da una bella selezione di **formaggi**.

Per finire, **torta di nocciole** o di pere al cioccolato, semifreddo all'amaretto o al torrone, zabaione al Marsala e gelatina di fragole. Carta dei vini ricca e qualificata, con un valido assortimento di etichette anche internazionali a prezzi corretti. In inverno chiuso anche il lunedì.

MONCALIERI
Revigliasco

10 KM A SE DI TORINO

LA TAVERNA DI FRA FIUSCH

Trattoria
Via Beria, 32
Tel. 011 8608224
Chiuso il lunedì
Orario: sera, domenica anche pranzo
Ferie: variabili
Coperti: 50
Prezzi: 32-35 euro vini esclusi
Carte di credito: tutte tranne DC, Bancomat

A Revigliasco, fermo in una tranquillità senza tempo, il capoluogo sembra lontano, le luci della vicinissima Torino sembrano solo cornice del panorama. Qui Ugo Fontanone gestisce un locale di sicuro fascino, con salette separate da pochi gradini che si aprono a matrioska, fino alla terrazza coperta che si affaccia sulla vallata torinese. Il servizio è cordiale e preciso, per un pasto dove la fretta è bandita. Molte le proposte, con la possibilità di un menù degustazione di quattro piatti a scelta (con antipasto, primo, secondo, dolce) a 32 euro, escluse le bevande.

Si alternano piatti della tradizione con alcuni di maggiore estrosità: veramente ottimi i **peperoni con la *bagna caoda***, la salsiccia di Bra, il **vitello tonnato**, l'intramontabile **carne cruda battuta al coltello** ma anche il filetto di salmerino con melanzane e porcini. Fra i primi ecco i ***tajarin* ai funghi porcini** o al ragù langarolo, gli **agnolotti d'asino in salsa al Barbera** (da provare), i ravioli al raschera, e ancora il risotto con la toma e gli **gnocchi al castelmagno**. Interessanti i secondi che, oltre al **fritto misto** e alla ***bagna caoda*** (da prenotare), propongono la **finanziera**, le quaglie al Marsala, il **brasato al Nebbiolo**, il piccione al miele e aceto balsamico, il **tagliere di formaggi**, i porcini fritti, e tanto altro ancora.

Dolci e gelati reinterpretati con un pizzico di innovazione (a parte la tradizionale **panna cotta**); cantina davvero ottima, con molti vini, regionali e nazionali, dai ricarichi onesti.

Nella sua macelleria di **Moncalieri** (7 km), piazza Vittorio Emanuele 1, Tarcisio Costamagna vende le trippe preparate da un'azienda locale, buona carne di razza piemontese e lardo aromatizzato alle erbe.

20 KM A NE DI ASTI SS 457

IL CENTRALE

NOVITÀ

Ristorante
Piazza Romita, 10
Tel. 0141 917126
Chiuso domenica sera e lunedì
Orario: mezzogiorno e sera
Ferie: 3 settimane fra luglio e agosto
Coperti: 55
Prezzi: 25-35 euro vini esclusi
Carte di credito: tutte, Bancomat

Il Centrale è uno storico ristorante oggi gestito dalla famiglia Novo: Giorgio e Fabio ai fornelli; Cinzia, Michela e mamma Ivana in sala. Il luminoso locale, con cucina a vista, è rallegrato da un'ampia vetrata affacciata sulle colline. La clientela affezionata viene qui anche solo per il sontuoso carrello del **bollito misto**, collaudata specialità della casa e rinomato piatto di Moncalvo, cittadina in cui si svolge una tradizionale fiera del bue grasso. Viene servito nei suoi diversi tagli di carne di fassone piemontese, abbinato ai classici *bagnet* e salse.
La cucina offre, oltre alle proposte tipiche del territorio, qualche apprezzabile e misurata variazione sul tema. Così, tra gli antipasti, accanto alla classica **carne cruda** e al vitello con salsa tonnata, potrete trovare una delicata ***tartrà* di zucchine** su salsa di pomodoro, il **baccalà con fagioli** cannellini e olive taggiasche, la lasagnetta con carciofi e pomodori canditi. Tra i primi, **agnolotti monferrini** in brodo o al sugo d'arrosto, tagliolini con carbonara di favette e salsiccia di Bra, **gnocchetti con piselli e tartufo nero**, **risotto** di riso carnaroli **al Barbera**. Oltre al citato bollito, fra i secondi ci sono altre carni, come un ottimo filetto in crosta di pistacchi di Bronte oppure la selezione di formaggi piemontesi; su prenotazione, **fritto misto alla monferrina**. Buoni i dolci casalinghi: semifreddo al torrone con salsa mou, ***bonet***, tortino al cioccolato fondente su salsa alla menta e millefoglie all'ananas con gelato.
Sul menù è segnalata la provenienza delle materie prime o il nome dei fornitori; carta dei vini ricca e qualificata, con un valido assortimento di etichette a prezzi corretti.

MONCALVO

20 KM A NE DI ASTI SS 457

LA BELLA ROSIN

Trattoria-enoteca
Piazza Vittorio Emanuele II, 3
Tel. 0141 916098
Chiuso il lunedì
Orario: sera, sabato e domenica anche pranzo
Ferie prima metà di febbraio
Coperti: 50
Prezzi: 30-35 euro vini esclusi
Carte di credito: tutte tranne DC, Bancomat

Guarino Michelizio ha intitolato il suo ristorante alla moglie morganatica di Vittorio Emanuele II, nota anche per un piatto di uova che ne porta il nome. Il locale si trova all'angolo di una piazzetta appartata; sotto a un portico alcuni tavolini si propongono per un aperitivo mentre il ristorante è in un palazzo settecentesco, con volte in mattoni a vista e un sobrio arredo.
Una grande affettatrice consentirà di prepararvi, per cominciare, un misto di salumi di pregio. Moncalvo, una delle patrie del bue grasso, è al centro del Basso Monferrato e i piatti in menù sono prevalentemente quelli della tradizione locale: **carne cruda battuta a coltello**, **vitello tonnato all'antica**, sformati di verdure stagionali. Chi ama una cucina più leggera troverà insalatine di carciofi e grana o un **aspic di galletto**. I primi, inevitabilmente più robusti, comprendono **agnolotti alle tre carni** alla monferrina, gnocchi al castelmagno, **pasta e fagioli**. Nel periodo autunnale non mancano i **tartufi**, reperiti in zona anche nelle annate più difficili: vi saranno serviti con i tagliolini all'uovo con tuorlo crudo o con i ravioli di *seirass*, sempre con tuorlo crudo ricoperto di lamelle di tartufo bianco (piatto che è il vanto del bravo cuoco Piermario Monzeglio). Fra i secondi, una tagliata di ottimo manzo, le milanesine di costine d'agnello ma anche il classico brasato, il **merluzzo con polenta**, uno **stinco al forno** che si scioglie in bocca, il gustosissimo coniglio di cascina in casseruola. La domenica potrete trovare (meglio informarsi prima) il gran **bollito misto** o il **fritto misto**. Ottima selezione di formaggi piemontesi. Dolci casalinghi: *bonet*, **pesche ripiene**, torte di frutta, salame dolce detto del Papa.
La cantina è ricca, con una gran varietà di etichette prevalentemente piemontesi, e l'ambiente merita una visita.

Mongiardino Ligure

60 km a SE di Alessandria

Vallenostra

Azienda agrituristica
Cascina Valle, 1
Tel. 0143 94131
Aperto venerdì sera, sabato e domenica
Orario: mezzogiorno e sera
Ferie: gennaio-febbraio
Coperti: 60
Prezzi: 23-27 euro vini esclusi
Carte credito: le principali, Bancomat

Percorrendo la strada della Val Borbera si arriva alla frazione Sisola, da qui per una stradina laterale all'azienda agrituristica. Nata nel 2002 come caseificio per conservare la tradizione del montébore, ha poi aperto il ristorante e sono in fase di realizzazione alcune camere. Il locale è gestito da Roberto Grattone in sala, Agata Marchesotti con la figlia Alessandra è ai fornelli a proporre la cucina di un territorio che sposa le tradizioni piemontesi a quelle della vicinissima Liguria, utilizzando soprattutto prodotti dell'azienda: formaggi, salumi, ortaggi, carni di cinta senese e ovine, vini e mele carle. Le altre materie prime sono acquistate da aziende biologiche del territorio; pane, focaccia, dolci e le paste sono preparate in cucina con farine bio.
Il menù segue le stagioni; fra gli antipasti ci sono **salumi** con fersule calde (frittelle di farina e acqua) o con le fave, **verdure ripiene**, flan e tortini di verdure, budinetto di montébore, cipolle al sale con formaggio, tonno di maiale, insalata russa. Come primi **agnolotti al sugo** o al vino in inverno, ravioli alle verdure e ricotta in estate, **risotto al montébore** e asparagi, **gnocchi di patate quarantine** al montébore, trofie di castagne, ***rabatòn*** al formaggio, lasagne al forno, **minestrone alla ligure** con tagliatelle, maltagliati di castagne. Tra i secondi, **maialino al forno**, brasato di manzo alla mela carla borberina, magatello al sale, **cima alla genovese**, agnello in fricassea, arista di maiale con castagne. Ottima la scelta di formaggi vaccini e pecorini di loro produzione. Pinolata alla ricotta con gocce di cioccolato, gelato alla crema o al cioccolato, *bonet*, crostate, torta di fagiolane fra i dolci.
La carta dei vini conta sui vini dei vigneti aziendali (Timorasso e un uvaggio a base di Ciliegiolo e Pinot Nero) e su 15-20 etichette di Tortonese e Gaviese.

Montaldo di Mondovì
Corsaglia

38 km a SE di Cuneo, 18 km da Mondovì

Corsaglia

Ristorante annesso all'albergo
Località Corsaglia, 16
Tel. 0174 349109
Chiuso il martedì
Orario: mezzogiorno e sera
Ferie: non ne fa
Coperti: 60
Prezzi: 22-27 euro vini esclusi
Carte di credito: le principali, Bancomat

Montaldo è un piccolo paese a metà della Valle Corsaglia: lo raggiungerete dalla strada che da Mondovì va verso Ceva, seguendo le indicazioni per le grotte di Bossea. Nel grazioso ristorante-albergo condotto con maestria e simpatia dalla famiglia Dho (Sebastiano, Mauro e Margherita, con l'aiuto di Anna), respirerete un'atmosfera d'altri tempi. Le materie prime sono stagionali e di territorio, la proposta gastronomica è tradizionale. Prima di arrivare fin qui, però, verificate che il locale sia aperto e che sia disponibile il menù più ricco.
Buoni i **salumi** che aprono il pasto: tra questi il salame di capra, di cinghiale e di asina. Altri antipasti, i tradizionali **vitello tonnato** e **insalata russa**, l'interessante paté di capretto, il **tortino di funghi** (raccolti in zona, entrano nella composizione di diversi piatti). I primi variano secondo l'estro del cuoco: segnaliamo i morbidissimi **gnocchi alla bava**, le tagliatelle con il ragù di trota, i **ravioli quadri di ricotta** e spinaci al burro e salvia. Per quello che riguarda i secondi, spiccano le **trote del Corsaglia fritte**, il piatto più riuscito, semplice e croccante; in alternativa, agnello in umido, capretto al forno, scaloppa di faraona e, su prenotazione, lo **stufato di capra**. Si conclude con le fragranti **paste di *meliga* con lo zabaione** al Marsala, il semifreddo all'amaretto, le pesche ripiene.
La definizione di "enoteca" presente sull'insegna non tragga in inganno: la carta dei vini è limitata a poche etichette locali.

Montemarzino

38 km a est di Alessandria

Da giuseppe

NOVITÀ

Ristorante
Via IV Novembre, 7
Tel. 0131 878135
Chiuso martedì sera e mercoledì
Orario: mezzogiorno e sera
Ferie: gennaio
Coperti: 80
Prezzi: 35 euro vini esclusi
Carte di credito: tutte tranne DC, Bancomat

Usciti da Tortona, deviando dalla strada della Val Curone si sale a Montemarzino, piccolo comune sui colli tortonesi. Nel centro del paese, Giuseppe Davico con il figlio Silvio gestisce il ristorante di famiglia da oltre trent'anni. Vi accoglierà in una grande sala con un arredamento accattivante, quadri alle pareti, grande camino e tavole apparecchiate con semplicità. Giuseppe cura l'orto che fornisce le verdure alla cucina, Silvio coltiva con metodi naturali le vigne che producono Cortese, Croatina e Timorasso.
Carni locali e formaggi del territorio, in stagione **funghi** e **tartufi** costituiscono la base di una cucina gustosa e semplice che non concede nulla all'improvvisazione e resta fortemente legata alla tradizione della valle. Ottimo **salame crudo** di produzione propria, peperoni ripieni di mousse di tonno, **fiori di zucchino ripieni**, cotechino con fonduta tra gli antipasti; **tagliolini** alle verdure o **ai porcini**, **agnolotti allo stufato**, risotti, **zuppa di funghi porcini** e malfatti vi saranno proposti tra i primi, tenendo conto che nelle giuste stagioni compariranno carciofi e asparagi; su prenotazione lo **stoccafisso**. Come secondi filetto e tagliata di manzo con verdure, capretto e **coniglio al forno**, porcini impanati e fritti in foglia di vite, pollo in salsa di montébore e tartufo, **lepre con polenta** e cinghiale con le castagne. Prima di passare al dessert, è d'obbligo l'assaggio del formaggio **montébore**, Presidio Slow Food della zona.
Infine i dolci: semifreddo al torrone, *bonet*, **pesche sciroppate** prodotte in proprio, torta di mascarpone con ciliegie, bavarese al caffè. Ricca la carta dei vini che, oltre al meglio dei Colli Tortonesi, offre una scelta ampia e articolata dei vini d'Italia. Menù degustazione a 43 euro con quattro antipasti, primo, secondo, dolce e vino.

Monteu Roero
Villa Superiore

64 km da Cuneo, 15 km a no di Alba

Cantina dei cacciatori

Ristorante
Località Villa Superiore, 59
Tel. 0173 90815
Chiuso il lunedì e martedì a pranzo
Orario: mezzogiorno e sera
Ferie: 10 giorni in gennaio, 10 in luglio
Coperti: 45 + 25 esterni
Prezzi: 23-30 euro vini esclusi
Carte di credito: tutte tranne DC, Bancomat

Sarà una gradevole sosta nell'ampio casolare a due chilometri da Monteu, in direzione Ceresole, dove si mangia in un'ampia sala alla destra dell'ingresso e in due salette più raccolte, oltre che nell'enoteca del piano interrato e, durante la bella stagione, nel piccolo cortile. La conduzione famigliare di Bruno Forno e Paola Castigliano, con il figlio Fabrizio e la nuora Flavia, ha permesso di mantenere i prezzi costanti, pur senza compromessi sulle materie prime, a partire dagli ottimi pani e grissini. L'abbondante menù degustazione (due antipasti, primo, secondo, dessert) costa sempre 26 euro e alla carta si spende poco di più.
Nell'attesa vi sarà servita una entrée di *friceu* di patate e fiori di zucca o di bignè caldi al formaggio. Tra gli antipasti, piatti della tradizione quali l'**insalata russa all'antica**, il vitello tonnato, le **acciughe in bagnetto** verde e rosso, oppure sformati di verdure di stagione alla fonduta di raschera o una tenera **rollata di coniglio**. D'inverno non perdete i ***raminghin*** (vol au vent di polenta fritta con funghi o gorgonzola), specialità dei Forno. Eccellenti i ***tajarin*** all'uovo **alla salsiccia di Bra** oppure con asparagi e piselli, gli **agnolotti alla borragine** e gli gnocchi tricolore. Tra i secondi, lo **stinco di fassone al Nebbiolo**, il coniglio all'Arneis o il filetto di maialino al pepe rosa e verde. D'estate assaggiate il **carpione**. Ottimo il piatto di formaggi, per lo più della zona, accompagnato da marmellate e composte fatte in casa. Per i dolci c'è l'imbarazzo della scelta: il robusto zabaione con paste di *meliga*, il *bonet*, la **torta di nocciole** con il cioccolato caldo, il semifreddo alle fragole.
Nella carta dei vini i principali produttori del Roero, a prezzi contenuti, una selezione importante dal resto del Piemonte e qualche digressione fuori regione. Il servizio è attento ed efficiente.

Morano sul Po
Due Sture

38 km da Alessandria, 20 km da Vercelli, 8 km da Casale

Tre merli

Trattoria
Via Dante Alighieri, 18
Tel. 0142 85275
Sempre aperto su prenotazione
Orario: mezzogiorno e sera
Ferie: tra Natale e l'Epifania
Coperti: 40 + 20 esterni
Prezzi: 25-28 euro vini esclusi
Carte di credito: nessuna

Usciti da Casale Monferrato, percorrendo la strada per Torino arriverete a Morano sul Po; sulla destra ecco la deviazione per Due Sture, una frazione in mezzo alle risaie, proprio sul confine con la provincia di Vercelli. La storica trattoria Tre Merli, condotta da Massimo Bobba con la moglie Elena, si presenta semplice ed accogliente, e le poche modifiche fatte di recente hanno lasciato intatto il fascino della vecchia osteria di campagna. Il locale è piccolo e un po' fuori mano, quindi vi consigliamo di prenotare con discreto anticipo, anche perché la cucina è basata su materie prime di non facile reperibilità (come rane e lumache) e perché Massimo desidera garantire sempre freschezza e buona scelta di piatti.

Tra gli antipasti troverete lardo, **salame sotto grasso**, insalata di salsiccia, frittata di cipolle, **insalata russa** e tortini di verdure che variano con le stagioni. Per quanto riguarda il primo, è sempre disponibile la ***panissa***, piatto tipico del territorio che è quasi d'obbligo assaggiare, in alternativa i ravioli di magro o gli **agnolotti**. Tra i secondi scegliete senz'altro, se vi piace il genere, le **rane** (sono quelle di risaia, di cui si mangia tutto) e le **lumache al verde** o impanate. In alternativa ci sono gli arrosti, lo **stinco di maiale**, il cotechino, le **verze in *bagna caoda***; se siete in gruppo potete prenotare il classico **fritto misto alla piemontese**.

Per finire i dolci casalinghi di Elena: il **salame al cioccolato**, la torta di mele, la crostata, il budino al cioccolato con amaretti e le bavaresi alla frutta. La carta dei vini comprende, oltre ai prodotti del vicino Monferrato Casalese, alcune etichette piemontesi.

Nizza Monferrato

27 km a SE di Asti SS 592

Bun ben bun

NOVITÀ

Trattoria
Strada vecchia d'Asti, 66
Tel. 0141 726347
Chiuso il mercoledì, lunedì e martedì sera
Orario: mezzogiorno e sera
Ferie: 15 giorni dopo l'Epifania
Coperti: 36 + 30 esterni
Prezzi: 23-28 euro vini esclusi
Carte di credito: le principali, Bancomat

Arrivando da Asti, vedrete la freccia con il logo dell'Astesana sulla sinistra, poco dopo il cartello d'ingresso nel comune di Nizza. Attraversato il passaggio a livello girate a sinistra e troverete una casa color salmone: siete arrivati. Daniele Onesti, dopo vent'anni di esperienza in diversi locali della zona e non, ha deciso di mettersi in proprio, riattando il vecchio casale del nonno. Territorio, stagione, buone materie prime e abilità del cuoco danno vita alle proposte del menù, presentato ai tavoli da Daniela. A pranzo si mangia alla carta, a cena ci sono anche due menù: uno a 28 euro con tre antipasti, primo, secondo e dolce, uno ridotto a 23.

Tra gli antipasti, **vitello tonnato**, **sformati di verdure** di stagione (cardo gobbo, topinambur, cavolo), insalata di galletto, carne cruda battuta a coltello o in carpaccio con gorgonzola naturale calda. Eccellenti i primi: morbidissimi **gnocchi di patate**, al cui impasto Daniele può unire zucca, pomodoro o spinaci, **al ragù monferrino** o con crema di pomodoro e basilico. Immancabili i classici **agnolotti quadrati d'Asti ai tre arrosti** oppure di magro o verdi ripieni di fonduta. Quindi risotto al Castelmagno con ristretto di vitello. Il Piemonte più classico è presente nei secondi: con carne di fassone si preparano un ottimo **stinco**, brasato, bollito misto. Poi i **guanciotti di asino brasati** con polenta, il **coniglio** al limone **al Moscato e miele**. In stagione non mancano **tartufi**, funghi e **selvaggina**. Su prenotazione finanziera e fritto misto. Piccola e ma curata selezione di formaggi piemontesi.

Dolci classici: ***bonet***, **tortino di nocciole**, torta di nocciole, semifreddo al miele di tiglio, panna cotta. Carta dei vini con un centinaio di etichette, fra cui spicca la produzione locale; ricarichi ragionevoli e possibilità di bere al bicchiere.

Nizza Monferrato

27 km a SE di Asti SS 592

Le due lanterne

Ristorante
Piazza Garibaldi, 52
Tel. 0141 702480
Chiuso lunedì sera e martedì
Orario: mezzogiorno e sera
Ferie: 20 giorni tra luglio e agosto
Coperti: 80
Prezzi: 28-35 euro vini esclusi
Carte di credito: tutte, Bancomat

Proprio nel centro della cittadina che dà il nome alla nuova docg della Barbera e di fianco a un bar molto frequentato troverete questo angolo di buona cucina e di prezzi finalmente ragionevoli. Ricarichi onesti troverete anche nei vini della voluminosa lista, comprese alcune etichette rimaste "sole" offerte a prezzi davvero invitanti.
Per quanto riguarda la scelta gastronomica, alle Due Lanterne si rispetta appieno quello che è il patrimonio piemontese-monferrino, a cominciare dagli antipasti, aperti dalla classica **carne cruda battuta a coltello**, dal vitello tonnato, dai salumi misti e dai classici sformati di verdura (da non perdere in stagione quello di **cardo gobbo**, tipico di Nizza e Presidio Slow Food). Tipicità anche nei primi piatti, dove la fanno da padrone gli **agnolotti del *plin***, da condire **con il sugo d'arrosto**, ma anche al burro e salvia o al ragù. Quasi sempre troverete anche la pasta e fagioli e i ***tajarin*** fatti in casa. Tra i secondi segnaliamo la **faraona ai porcini**, le costolette d'agnello, lo **stinco di vitello** e, su prenotazione, fritto misto e **finanziera**. In alternativa, o a completamento del pasto, un invitante carrello di formaggi, su tutti una sublime **robiola di Roccaverano**. Dolci invitanti e sempre nel solco della tradizione: *bonet*, crème caramel, **pesche ripiene** e semifreddo al torrone.
Come già segnalato la lista dei vini è importante e prevede quasi tutti i produttori di Barbera Superiore Nizza, ma ci troverete pure molte etichette interessanti provenienti da tutto il territorio nazionale e qualche buona scelta straniera.

Le migliori carni piemontesi e altre specialità da Vittorio e Loredana, all'inizio di via Maestra.

Nizza Monferrato

27 km a SE di Asti

Vineria della Signora in rosso

Osteria-vineria
Via Crova. 2
Tel. 0141 793350
Chiuso lunedì e martedì
Orario: sera, sabato e domenica anche pranzo
Ferie: in gennaio
Coperti: 40 + 50 esterni
Prezzi: 20-25 euro vini esclusi
Carte di credito: tutte, Bancomat

Tullio Mussa, l'uomo che aveva creato tutto questo, non c'è più. Lo abbiamo salutato un pomeriggio di primavera proprio qui, nel bel giardino di Palazzo Crova, anch'esso rinato grazie alla sua lungimiranza e al suo impegno. Quello che ci consola, è il fatto che i collaboratori e gli amici hanno raccolto il testimone e lavorano con serietà, pur con il peso ingombrante dei ricordi, a portare avanti le sue tante iniziative.
Qui alla Signora in rosso Cristiano, con padre e madre in cucina, ripropone l'atmosfera e i sapori di un'osteria che da sempre fa del legame con questa terra – le produzioni orticole, i vini, gli usi in cucina – la sua ragion d'essere. Assecondando il ritmo delle stagioni vedrete dunque arrivare in tavola, in autunno-inverno, il **cardo gobbo** in diverse versioni, da quella sacramentale **con la *bagna caoda*** agli sformati con fonduta, dai *tajarin* con sugo di salsiccia al merluzzo in umido, alle **costine di maiale al Barbera**. Nei mesi più caldi, spazio a piatti più freschi come gli gnocchi al pesto d'erbe, le **verdure ripiene**, l'**insalata di galletto** o di bollito, il **tonno di coniglio**. Non mancano mai i salumi, le **acciughe con il *bagnèt***, la carne cruda battuta a coltello, il **vitello tonnato**, gli **agnolotti quadri**, una minestra di stagione. Come secondi, pollo alla cacciatora, bocconcini brasati, **rollata di coniglio**. ***Bonet***, panna cotta, torta di nocciole, budino di castagne i dolci più frequenti. Bella selezione di formaggi.
Palazzo Crova, che ospita la Vineria, è pure sede dell'Enoteca Regionale del Barbera: per il bere non c'è che l'imbarazzo della scelta. Tranquillo Tullio, la tua eredità è in buone mani.

Osteria accessibile ai disabili.

Novi Ligure

23 km a SE di Alessandria

Il banco

NOVITÀ

Osteria tradizionale
Via Monte di Pietà, 5
Tel. 0143 744690
Chiuso il lunedì
Orario: mezzogiorno e sera, estate solo sera
Ferie: 1 settimana a Pasqua e a Ferragosto
Coperti: 60
Prezzi: 20-25 euro vini esclusi
Carte credito: nessuna, Bancomat

Nella parte vecchia di Novi Ligure troverete questo locale che deve la sua notorietà alla farinata, preparazione ligure che ha solide radici anche in questo Piemonte di confine. Nato alla fine dell'Ottocento, il Banco è condotto da una ventina d'anni dai fratelli Rocco e Agostino Longo insieme alle mogli. Articolato in diverse sale, funziona non solo come ristoro ma anche come enoteca e wine bar (molto bella la cantina, visitabile, che custodisce più di 300 etichette di vino, importanti liquori e birre).
Appena entrati noterete il forno e il grande banco cui il locale deve il nome. L'arredamento è piuttosto spartano e l'offerta gastronomica si basa, come detto, sulla **farinata** che si può gustare in versione tradizionale o nelle varianti con lo stracchino o con la gorgonzola. Ancora a base di farina di ceci sono la ***panissa*** (impasto di farina di ceci tagliata a liste e fritta nell'olio) e la **zuppa di ceci** della Merella (varietà di cece coltivato in zona). In menù ci sono pure vari tipi di pizza, **salumi** del territorio, crespelle con formaggi o con prosciutto e formaggio, **pollo in carpione**, salmone e altri affumicati di pesce, **insalata russa**, prosciutto di Praga, formaggi, insalate, panini. Buona la scelta dei dolci, tra cui ricordiamo la **panna cotta**, il semifreddo, la torta di mele e i gelati.
Come già detto, comunque, il locale vale la visita per la farinata e gli altri piatti a base di ceci, mentre il resto dell'offerta di cucina è costituito da piatti piuttosto ordinari. Degna di menzione invece la fornita cantina che offre una notevole scelta di vini del territorio e dell'Italia intera.

Odalengo Grande
Vallestura

51 km a NO di Alessandria, 20 km da Casale Monferrato

Le corte

Osteria di recente fondazione
Via Odalengo Grande, 2
Tel. 0142 949044
Aperto venerdì, sabato e domenica
Orario: sera, domenica anche pranzo
Ferie: agosto
Coperti: 25 + 15 esterni
Prezzi: 27-35 euro vini esclusi
Carte di credito: tutte, Bancomat

Il Monferrato, i suoi saliscendi e le sue colline. E proprio risalendo una di queste potrete fare una piacevole sosta gastronomica nel locale nato dal desiderio di Anna Cortevesio di creare un angolo dove gustare una cucina di qualità. A Le Corte, che ha sede nei locali della ex scuola elementare della frazione, non troverete una carta molto ampia, ma i piatti variano spesso e il consiglio è quello di affidarsi a uno dei due menù degustazione, proposti rispettivamente a 27 e 35 euro. Le porzioni sono equilibrate e quindi potrete assaggiare diversi piatti con una spesa contenuta.
Inizierete il pasto con qualche fetta di salame e continuerete con stuzzicanti antipasti come il **carpaccio di manzo**, le acciughe in salsa di nocciole, le **polpettine in carpione**, tortini e sformati di verdure, la **faraona in *brusc*** e un ottimo tonno di coniglio. Il coniglio lo potrete ritrovare in quello che è forse il più riuscito fra i primi proposti, le **tagliatelle con coniglio, olive taggiasche e capperi**. In alternativa, il risotto con basilico e maccagno, i maltagliati, i tagliolini alle verdure o con fave e salsiccia e gli **agnolotti al sugo d'arrosto**. Fra i secondi, il coniglio e l'agnello al forno, lo **stracotto alla casalese** (in genere nel periodo autunno-inverno), il **merluzzo** preparato in vari modi.
Selezione di formaggi e dolci fatti in casa come la bavarese al caffè, la crema catalana, il semifreddo allo zabaione, il **timballo di pere martine** e la cupola di sorbetto al limone con le pesche. La lista dei vini, curata da Corrado, dedica la giusta attenzione ai vini del Monferrato, senza disdegnare interessanti divagazioni, con bottiglie che rappresentano tutto il territorio nazionale.

Orio Canavese

36 km a NO di Torino A 5, 22 km a sud di Ivrea

Barba toni

Ristorante
Via Torino, 9
Tel. 011 9898085
Chiuso domenica sera, il lunedì e martedì a pranzo
Orario: mezzogiorno e sera
Ferie: agosto, 2 settimane in gennaio
Coperti: 30 + 30 esterni
Prezzi: 32 euro vini esclusi
Carte di credito: MC, Visa, Bancomat

Nel centro di Orio, tranquillo paese a due passi dall'uscita autostradale di San Giorgio Canavese, troverete questo bel locale composto da due salette con i soffitti in legno e mattoni, e un terrazzo per l'estate. La *mise en place* è curata e senza inutili ostentazioni, il servizio è premuroso e attento, il menù, contenuto e stagionale, propone piatti semplici preparati con ingredienti locali. Tutte le verdure, le erbe officinali e gran parte della frutta utilizzate nel ristorante sono prodotte dai titolari nel loro orto biologico. Grazie alla vicinanza con il lago di Candia e la Valle d'Aosta, non mancano piatti di pesce e salumi di selvaggina.
Potrete assaggiare, tra gli antipasti, il **coregone in carpione**, la mocetta di cervo e il lardo di Arnad con castagne e miele, la **carne di fassone battuta al coltello**, il tomino paglierino al forno con salsa ai mirtilli. Per quanto riguarda i primi, troverete tagliatelle, **agnolotti dal *plin* al sugo di arrosto**, tagliatelle al ragù di agnello o con mocetta, radicchio e noci, vari **risotti**, tagliolini con funghi porcini, e la **zuppa di *aiucche***, pianta commestibile tipica della bassa montagna. Si prosegue con **filetto di vitello al Canavese rosso**, spiedino di agnello al rosmarino, coniglio, **filetto di maiale al Passito di Caluso**; tra i pesci di acqua dolce da provare la trota di montagna. Nei mesi invernali è possibile trovare fritto misto, bollito e ***tofeja* canavesana**. Ampia la scelta di formaggi biologici della Valchiusella raccontati con sincera passione e competenza dal patron. Per dessert, **zabaione al Passito di Caluso** in versione classica o come semifreddo, *bonet*, sorbetti.
Circa 700 le etichette piemontesi e nazionali proposte a prezzi corretti, compresi tanti piccoli produttori.

Ormea

84 km a SE di Cuneo, 49 km da Imperia SS 28

Il borgo

Trattoria
Via Roma, 120
Tel. 0174 391049
Chiuso lunedì e martedì, mai in agosto
Orario: mezzogiorno e sera
Ferie: 15 gg in giugno, 15 in settembre
Coperti: 35
Prezzi: 23-26 euro vini esclusi
Carte di credito: nessuna

Per raggiungere Ormea, in una terra dove Piemonte e Liguria si confondono, si sale dalla Valle Tanaro o dalla Liguria attraverso il Colle di Nava. La piacevole località, a 750 metri di quota, sul finire del 1800 ebbe un notevole sviluppo anche turistico, ancora percepibile dalla presenza di ville e grandi alberghi. Il suo fulcro storico è via Roma: qui, subito dopo la porta d'ingresso, troverete il Borgo, trattoria dall'ambiente famigliare.
Ad accogliere i clienti c'è Sandro che, con la moglie Gisella in cucina, gestisce il locale. La proposta gastronomica, rigorosamente di territorio, comincia dagli antipasti: ***tultea*** (raviolo di erbette cotto sulla stufa), ***fozza*** (focaccina cucinata anch'essa sulla stufa, servita tiepida con una fetta di lardo), ***panizza*** (ecco il richiamo ligure), **polentina di grano saraceno** con una *bagna caoda* molto leggera. Si passa quindi ai primi, con la pasta fatta in casa (**tagliatelle di grano saraceno**, di farina di castagne e di mais alle ortiche o alla boraggine), la **polenta di grano saraceno**, i tipicissimi **ravioli di Ormea** ripieni di patate ed erbette. Influenze liguri anche nei secondi: coniglio, maiale e vitello sono proposti in differenti preparazioni. La pregiata **patata di Ormea**, dalla consistenza e dal sapore unici in considerazione della quota a cui viene coltivata e della natura del terreno, trova diversi impieghi nel menù, compresa l'eccellente **cassata di patate**, singolare dessert.
Buona selezione di formaggi locali e di tutto rispetto la carta dei vini (piemontesi e liguri, ma lo sguardo va anche più lontano) proposti a un prezzo corretto. Panna cotta con frutti di bosco e creme diverse e **mousse di castagne** (solo in stagione) sono i dessert più frequenti. Si finisce con i distillati e gli infusi della casa. Menù degustazione a 25 euro vini esclusi.

Pagno

32 km a NO di Cuneo, 7 km da Saluzzo

Locanda del Centro

Ristorante
Via Caduti della Liberazione, 2
Tel. 0175 76140
Chiuso il mercoledì e giovedì a pranzo
Orario: mezzogiorno e sera
Ferie: 15 gg in gennaio, dopo Ferragosto
Coperti: 60 + 60 esterni
Prezzi: 23-28 euro vini esclusi
Carte di credito: tutte

La verde Valle Bronda (siamo nell'antica e nobile terra del Marchesato di Saluzzo, che visse un piccolo rinascimento prima di essere inglobata dai Savoia nello stato del Piemonte) offre una manciata di delizie enogastronomiche: il Pelaverga delle Colline Saluzzesi, le mele, le susine *ramassin*, i funghi. A Pagno, fresco paesino di 500 abitanti, il Centro è un altro richiamo per chi ama il piacere del gusto. Nella stagione calda ci si può accomodare sotto il fresco pergolato, altrimenti nelle due salette interne arredate con rustica semplicità.

Il cibo è servito con sobria professionalità dalla signora Gemma, qualità che si riscontra anche nella cucina curata da Marco Negri, rigorosamente rappresentativa del territorio. Gli antipasti – il **carpaccio di girello** con salsa di *toumin dal Mel*, lo sformato di mais e asparagi e la deliziosa **cipolla ripiena** di verdure e salmone con insalata rossa – promettono bene. Seguono i primi della tradizione: le **tagliatelle con ragù di verdurine**, i **ravioli di carne** con burro e salvia, teneri **gnocchi di patate con pomodoro fresco**, basilico e fiori di zucca. I secondi confermano la qualità della proposta con il **coniglio al Pelaverga**, la quaglia disossata con aceto balsamico, lo **stracotto di manzo** e la **lonza di maiale al latte**. L'offerta dei **formaggi** rappresenta egregiamente le produzioni di qualità della provincia di Cuneo. Da segnalare i *toumin dal Mel*, il castelmagno, il raschera, il *testun*, il murazzano, il gorgonzola naturale.

Per chiudere, il flan di cioccolato bianco con fragole e ciliegie caramellate, la crema cotta alla grappa, il semifreddo al caffè e la bavarese di fragole con crema alla vaniglia. Ampia la carta dei vini.

Da Marco Soleri, via Romani 7, mele e ramassin della Valle Bronda.

Paroldo

57 km a est di Cuneo, 8 km a nord di Ceva

Salvetti

Trattoria
Via Coste, 19
Tel. 0174 789131-347 8904709
Chiuso lunedì e martedì
Orario: mezzogiorno e sera
Ferie: prime due settimane di luglio
Coperti: 30 + 10 esterni
Prezzi: 26 euro vini esclusi
Carte di credito: le principali, Bancomat

A Paroldo si arriva da Ceva, nell'alta Valle Tanaro, oppure percorrendo la groppa di terra che da Castiglione Tinella e Mango arriva a Montezemolo, porta della Liguria. Nella via centrale del paesino la Trattoria Salvetti. La cucina è di Clelia, il menù è fisso (a 26 euro) e rappresenta le stagioni di questa terra. I piatti arrivano in tavola rapidamente, serviti con cortese professionalità da Gian Marco e Antonio.

Da non rifiutare l'offerta dell'aperitivo con i gonfiotti di pasta ripieni di Murazzano serviti con il salame cotto e crudo di Mario Fia di Belvedere Langhe. Seguono appetitosi antipasti: il **tonno di coniglio** con *tuma* dell'Alta Langa e valeriana, ottimi **peperoni con salsa tonnata** e con *bagna caoda*, il vitello con porcini e fonduta di *verzin*, il carpaccio di asparagi con spuma di raschera e gelatina al Porto, il ***caponet***, frittate con verdure di stagione. Poi gustosi assaggi di primi piatti con gli **gnocchetti di ricotta e ortica** con porcini e timo, i ravioli di asparagi e galletto nostrano con pomodoro e basilico, i *tajarin* di castagne, i *crusèt* con vari sughi. Trionfo di carni al secondo, con lo **stracotto di vitello**, lo **stinco di maiale al forno**, il bollito misto, il **galletto alla cacciatora**.

Meno riusciti ci sono parsi i dolci; semifreddo di nocciole e menta, fragole con gelatina al Moscato e la torta rustica. Interessante la carta dei vini, con bottiglie della vicina Langa e del resto d'Italia a prezzi contenuti.

In località Viora 19, Claudio Adami alleva pecore e produce ottimi formaggi tra cui la tuma di pecora delle Langhe Presidio Slow Food. A Montezemolo, via Padre Secco 14, Giovanni Minetti cuoce nel suo forno a legna grisse, altri pani e gradevoli paste di meliga.

Spiegelau

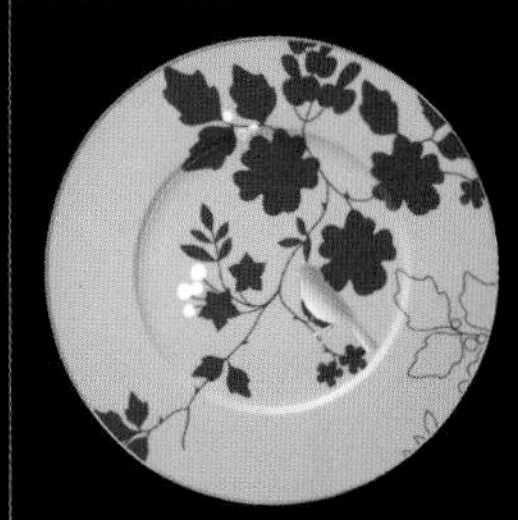

Sieger by

Hering

Fürstenberg

Enn

Figgjo

Piobesi d'Alba

59 km da Cuneo, 6 km a NO di Alba

Osteria dei Baci

Ristorante
Via Canoreto, 1
Tel. 0173 619014
Chiuso il lunedì
Orario: sera, domenica e festivi anche pranzo
Ferie: variabili
Coperti: 45 + 60 esterni
Prezzi: 25-30 euro vini esclusi
Carte di credito: tutte, Bancomat

L'ingresso è accanto alla chiesa di San Rocco: suonate, il cancelletto si apre, attraversate il grande giardino (che d'estate diventa una piacevolissima sala da pranzo supplementare) ed eccovi ai Baci, una bella villotta liberty nel centro di Piobesi. Magda e Roberto – intercambiabili ai fornelli, mentre del servizio si occupa spesso la sorella di lui – l'hanno trasformata in luogo di ristoro, praticandovi la classica cucina di Langa e Roero. All'interno, nell'ingresso e nelle due sale, sono stati conservati i pavimenti e parte degli arredi, accostandoli felicemente ad altri di gusto moderno. Ma il posto più fascinoso è il giardino, con i tavoli ben distanziati sull'erba, all'ombra di San Rocco e di alberi venerandi, alcuni rari.
Il menù tipo, elencato a voce, è composto da tre antipasti, un primo, un secondo e un dolce scelti tra quattro piatti per ognuna delle portate. In una domenica estiva noi abbiamo gustato **carne cruda battuta al coltello**, peperoni al forno, zucchine ripiene, ***tajarin* al ragù di salsiccia**, **scamone arrosto** con verdure e uno squisito aspic di pesche al Moscato; in lista c'erano anche **gnocchi al formaggio bra**, maltagliati con sugo di *garitole* (finferli), risotto con gamberi, **coniglio al forno**, tagliata alle erbe, parmigiana di melanzane, panna cotta, ***bonet*** e tortino di cioccolato fondente. In altre stagioni potrete trovare **sformato di cardi con fonduta**, **zuppa di ceci e fagioli con le costine**, stracotto o **coda di bue al Barolo**, talvolta la **trippa**. Tra i piatti ricorrenti anche il **vitello tonnato**, il **carpione di pollo e zucchine**, la trota marinata, le **tinche fritte**; in stagione, **funghi** e **tartufi**.
Vini quasi esclusivamente di territorio, con alcune etichette "quotidiane" disponibili anche a bicchiere.

Piode

82 km a NO di Vercelli, 20 km da Varallo ss 299

Giardini

Ristorante annesso all'albergo
Via Umberto I, 9
Tel. 0163 71157
Chiuso il lunedì, mai luglio e agosto
Orario: mezzogiorno e sera
Ferie: prime 2 settimane di settembre
Coperti: 40 + 15 esterni
Prezzi: 30-35 euro vini esclusi
Carte di credito: le principali, Bancomat

Il ristorante, locale sobrio ed elegante che si affaccia sul fiume Sesia, si trova a Piode, nell'alta Valle, sulla strada che da Varallo porta ad Alagna. Vi accoglierà il proprietario, Mauro Alberti, che con discrezione vi accompagnerà al tavolo e vi guiderà nella scelta del piatti, coadiuvato in sala da figlia e suocera. In cucina la moglie, Antonella, segue la tradizione di famiglia: prima di lei, ai fornelli, il papà e il fratello e, prima ancora, il nonno.
Tra gli antipasti, oltre a una buona scelta di **salumi** valsesiani (tra cui la mocetta), troverete un ottimo **vitello tonnato**, i ***capuneit* valsesiani** con la fonduta, la **trota affumicata** o in leggero carpione, le torte salate; in stagione, i **fiori di zucca ripieni** serviti con una fonduta di toma locale. Tra i primi, degni di menzione i **baci di Piode** (gnocchetti di semolino, ricotta e verdure), i ravioli di arrosto, il **risotto al Gattinara** e ottime **tagliatelle** fatte in casa **con ragù di salsiccia**. Come secondi potrete gustare **costolette di agnello**, ossobuco con polenta, bocconcini di filetto con asparagi, gorgonzola e pistacchi, coniglio all'Arneis e l'immancabile trota del torrente servita al burro con erbe di montagna; in stagione di caccia si prepara la **selvaggina con la polenta**.
Deliziosi i dessert, tra cui le fragole al Brachetto servite tiepide con gelato alla crema, il semifreddo al ratafià e varie torte casalinghe. Da non sottovalutare la carta dei vini, un vero e proprio volume che annovera circa 200 etichette nazionali.

In via Varallo 5, il caseificio Alta Valsesia produce e vende tome, ricotta, burro e altri formaggi locali.

PORTACOMARO
Cornapò

12 KM A NE DI ASTI

BANDINI

Trattoria
Via Cornapò, 135
Tel. 0141 299252
Chiuso il lunedì
Orario: mezzogiorno e sera
Ferie: tra dicembre e gennaio
Coperti: 65
Prezzi: 26-32 euro vini esclusi
Carte di credito: tutte, Bancomat

Il percorso iniziato qualche anno fa da Antonello Bera e Massimo Rivetti ha portato i suoi frutti, dando vita a una proposta gastronomica in continua evoluzione che, pur tenendo conto della tradizione, esplora strade meno battute, alla ricerca di modelli e sapori non convenzionali. Il menù offre una scelta ampia, articolata in quattro diverse offerte, tutte interessanti. Oltre alla carta, si può scegliere fra tre percorsi degustativi, uno a base di prodotti ittici (30 euro) e due legati alla cucina di territorio (il primo a 30 euro, l'altro, il Bandini plus, costa 90 euro per due persone, con una bottiglia di Champagne compresa nel prezzo).
La cucina, accurata e leggera, propone in apertura un piacevole stuzzichino a base di mousse di robiola con *cognà* oppure di **acciughe al verde**. Seguono, fra gli antipasti, il **vitello tonnato** e la **carne cruda di fassone**, i salumi, l'**anguilla in carpione** e il **tortino di sedano d'Asti** con fonduta. Tra i primi trovano spazio ottime zuppe e paste casalinghe: dai ***tajarin*** con crema di cavolo, acciuga e bottarga agli **agnolotti gobbi al sugo di arrosto**, dai gnocchi di patate e cagliata ai tortelli di zucca. I secondi propongono carni bianche (il **gallo nostrano alla *babì***) e rosse (carré di agnello e **guanciotti di vitello**), ma non rinunciano ad accontentare gli amanti del pesce con **polenta e baccalà** e rombo agli asparagi.
Fra i dolci, spesso alternati, il ***bonet* bianco**, la bavarese al Moscato, il gelato con arance speziate. Grande cura e passione per i vini, con etichette affatto scontate e particolare attenzione per i prodotti biologici e biodinamici.

Sullo slargo accanto al ristorante, la macelleria di Cornapò è un indirizzo sicuro per ottime carni piemontesi.

RIVAROLO CANAVESE

31 KM A NORD DI TORINO

ANTICA LOCANDA DELL'ORCO

NOVITÀ

Ristorante
Via Ivrea, 109
Tel. 0124 425101
Chiuso il lunedì
Orario: mezzogiorno e sera
Ferie: variabili
Coperti: 50
Prezzi: 22-35 euro vini esclusi
Carte di credito: MC, Visa, Bancomat

Siamo al limitare della via centrale di Rivarolo, nelle vicinanze del fiume Orco, da cui prende nome questo ristorante dall'arredamento semplice ma accogliente. In cucina, Giuseppe Randisi (che dispone di quattro collaboratori) prepara piatti della tradizione canavesana e piemontese; in sala, la moglie Monica vi aiuterà a scegliere il miglior abbinamento dalla ricca carta dei vini.
La proposta è molto articolata, con almeno tre o quattro menù degustazione: il tipico piemontese (**vitello tonnato**, l'insalata di **carne cruda di fassone**, il peperone ripieno, gli **agnolotti** ripieni di vitello, maiale e coniglio, un secondo e un dolce a scelta) per 32 euro, "il piccolo" (26 euro per un antipasto, un primo, un secondo, dolce e caffè), oppure il menù canavesano, disponibile il giovedì sera, con vitello tonnato e **fritto misto**. Tra gli antipasti, sempre disponibili la trota fario della vicina Val Chiusella in carpione di Brachetto o Moscato d'Asti, la cipolla ripiena alla canavesana. I **ravioli dal *plin* al *seirass*** con peperoni e crema d'acciuga, i ***tajarin*** fatti in casa con 30 tuorli d'uovo e qualche risotto particolare come quello con pompelmo rosa e cappesante oppure con mirtilli e funghi porcini costituiscono le alternative per quello che riguarda i primi. Spicca tra i secondi la quasi introvabile "**finanziera del re**", con tutti, ma proprio tutti, gli ingredienti canonici (creste e bargigli di gallo, filoni, fegatini di pollo, granelli, funghetti e uova non ancora mature); buone anche la guancia di vitella brasata al Gattinara e le **costolette di agnello sambucano** al Barolo Chinato.
Completano l'offerta un'ottima selezione di formaggi delle vicine valli montane e buoni dolci casalinghi come la particolare panna cotta.

Robilante

13 km a SO di Cuneo

Leon d'oro

Ristorante
Piazza Olivero, 10
Tel. 0171 78679
Chiuso il mercoledì
Orario: mezzogiorno e sera
Ferie: 1 settimana fine settembre, 2 dopo Carnevale
Coperti: 50 + 15 esterni
Prezzi: 25-28 euro vini esclusi
Carte di credito: tutte, Bancomat

Nel centro storico di Robilante, in una piazzetta dal sapore montano, troviamo questo grazioso locale con un minuscolo dehors. All'interno si respira un'aria da luogo di villeggiatura retrò; l'arredamento della sala principale è liberty. Sempre nell'ambiente più ampio, si trova anche il tavolo degli antipasti a buffet, che il cliente può scegliere accompagnato dai consigli e dalle spiegazioni del personale. Chi verrà qui a mangiare, magari sfuggendo dalla calca turistica del vicino Limone Piemonte, troverà una cucina che convince per la qualità delle materie prime e per un favorevole rapporto tra la qualità e il prezzo. Il menù è legato all'avvicendarsi delle stagioni e presenta anche alcune ricette tipiche della Sardegna, regione di origine di Marcella, moglie del titolare Marco.
Si parte con un'ampia offerta di antipasti: cipolle all'agrodolce, melanzane sott'olio, salumi tipici, insalata russa, peperone ripieno, tomini, il fiocco di vitello al sale. Passando ai primi si avverte maggiormente un'impronta meridionale con una bella scelta di paste artigianali di Gragnano e alcuni condimenti che prevedono la **bottarga**. Ma anche gli ingredienti più tipici come i **funghi** (porcini e finferli) fanno la loro comparsa nel menù, per continuare con **gnocchetti al castelmagno** e **tagliatelle alla salsiccia**. Fra i secondi la fanno da padrone le carni piemontesi: grigliate, **tagliate**, filetto al castelmagno e **muscolo al vino rosso**. Assortito carrello dei **formaggi**, buoni budini, crostate, torte al limone e gelati.
Molto onesti i ricarichi di una discreta carta dei vini.

Panetteria Antonio Ferrero, corso Umberto I 5: robatà, micconi, grisse di barbaria, pane di segale e orzo, croissant.

Roccabruna

20 km a NO di Cuneo SS 22

Locanda occitana ca' bianca

Trattoria annessa alla locanda
Strada Luisa Paulin, 53
Tel. 0171 918500-338 1974015
Chiuso le sere di domenica, lunedì e martedì
Orario: mezzogiorno e sera
Ferie: 8 gennaio-primi di febbraio
Coperti: 70 + 30 esterni
Prezzi: 26 euro vini esclusi
Carte di credito: le principali, Bancomat

Posto all'imbocco della val Maira, Roccabruna è un comune composto da ben 93 borgate che, partendo dalla piana, si arrampicano fino alle falde del monte Roccerè. La Locanda, che dispone anche di quattro camere per l'ospitalità, si trova nella parte bassa, a poche centinaia di metri dall'ingresso del paese: l'ambiente è semplice, la cucina di stretta osservanza territoriale, il servizio cordiale e tutto al femminile.
Come vuole la tradizione piemontese, appena seduti inizierà la sfilata degli antipasti: **acciughe** sotto sale accompagnate da ***bagnet* rosso** e **verde**, cipolle o fiori di zucca ripieni, frittatine, **vitello tonnato**, budini di ortaggi con la fonduta e peperoni con *bagna caoda*. L'ingresso dei primi sarà accompagnato da uno straordinario profumo di burro: burro di montagna, *ça va sans dire*, che qui, insieme alla panna, è utilizzato per condire gli ottimi ***ravioles***, gnocchi locali che sono l'autentica specialità della trattoria; molto buoni anche gli agnolotti al ragù e, d'inverno, il **minestrone di trippe** o di verdure. In inverno è spesso disponibile la ***supa mitonà***, piatto povero di queste valli, a base di brodo e pane, emblematico dell'antica arte di arrangiarsi. Altra pietanza classica dei mesi freddi è la ***doba***, un tipico stufato di origine provenzale; ottimo anche l'**agnello sambucano**; quand'è stagione, da provare le diverse preparazioni a base di **funghi porcini** e la cacciagione. Conservate un po' di posto per la piccola selezione di formaggi o per i buoni dessert casalinghi: flan di uova (sorta di rustico crème caramel), panna cotta, tiramisù, torta di nocciole, di mele o al cioccolato.
Chi non gradisce lo sfuso della casa (un Dolcetto piacevole e beverino), potrà attingere da una piccola selezione di vini piemontesi.

Rocca Grimalda

30 km a sud di Alessandria, 5 km dal casello di Ovada A 26

Alla rocca

Trattoria
Piazza Senatore Borgatta, 12
Tel. 0143 873333
Chiuso martedì e mercoledì
Orario: mezzogiorno e sera
Ferie: 8 gennaio-8 febbraio
Coperti: 40 + 16 esterni
Prezzi: 25 euro vini esclusi
Carte di credito: tutte tranne AE

Borgo medievale alto sulla valle dell'Orba, Rocca Grimalda è dominata dal potente castello dei Malaspina sotto il quale, nella piazza centrale, Alessandra Fossa e il marito Massimo hanno riaperto e attualmente gestiscono l'antica trattoria Alla Rocca. Attenta è la scelte delle materie prime, sia per quel che riguarda le verdure e la frutta sia per le carni da stalla o da cortile.
La posizione di confine consente alla cucina di attingere sia alle ricette locali del basso Alessandrino sia a quelle liguri, arrivando a proporre qualche classico piatto di mare come il fritto di acciughe o lo **stoccafisso alla ligure**. Sfuggono alla tradizione soltanto gli antipasti: carpaccio di fassone con cipollotti e fave, involtini di zucchini e caprino, culatello di Zibello con uva e melone, robiola al forno con miele e nocciole, petto d'oca affumicato con arancia. Piatto principe del locale, nonché di Rocca Grimalda, è la ***perbureira***, una gustosa zuppa di fagioli borlotti e lasagne su cui si versa a crudo un olio molto aromatizzato con aglio fresco. Fra gli altri primi: ravioli al tocco, trofie al pesto con fagiolini e patate, **tagliolini ai funghi porcini**, spaghetti alle acciughe fresche, gnocchi di ricotta alle erbe amare con salsa di zucchini, **risotti** con vari condimenti secondo stagione. Tutte le paste fresche sono fatte in casa. Seguono poi un ottimo **coniglio al vino rosso**, tagliata di fassone, **frittura di cervella** con melanzane e zucchini, **trippa**. In stagione **funghi** e **tartufi** la fanno da padrone. Tanti i dessert: bavaresi, crostate e torte casalinghe, tortino al cioccolato caldo con salsa di lamponi, frutta cotta caramellata, montebianco, semifreddo al torrone.
Onesta la carta dei vini, con prevalenza di Dolcetti di Ovada.

Rocchetta Tanaro

15 km a SE di Asti

Da Taschet

NOVITÀ

Osteria-vineria
Piazza Piacentino, 11
Tel. 0141 644424
Chiuso il mercoledì
Orario: sera, festivi anche pranzo
Ferie: in febbraio
Coperti: 30
Prezzi: 20-25 euro vini esclusi
Carte di credito: nessuna

Nella piazza principale di Rocchetta Tanaro, Taschet è luogo d'incontro e di convivialità. Si entra di fronte al grosso bancone e sulla sinistra c'è la sala, un ambiente semplice e piacevole, con tavoli in legno e tovaglie di carta. Alle pareti quadri e decorazioni fatte con etichette di vino e una serie di mensole per l'esposizione delle numerose bottiglie.
Vi accoglierà Carlo, il patron, che poi elencherà le proposte della cucina. Fra gli antipasti, un'**insalata russa** davvero buona, il girello di vitello con salsa tonnata (una salsa come quella di una volta), il peperone al forno con una salsa di carne e pomodoro, la torta con fagiolini, piselli e verdure di stagione, la **carne cruda all'albese**, la **torta rustica** al formaggio. Meritano l'assaggio anche le acciughe al verde, preparate con grande cura. Quindi la **pasta e fagioli**, la minestra di ceci, gli agnolotti monferrini, gli **gnocchi di patate al sugo di salsiccia**. Secondi di carne di ottima qualità: il carpaccio tiepido di scamone, il **bollito misto** con la testina accompagnato da un buon bagnetto rosso, il **coniglio al forno**, la **trippa alla piemontese**. **Crostata di mele** casalinga, torta di cioccolato e pere e altre torte fatte in casa con frutta di stagione come dolci. La carta dei vini è ben fornita di proposte locali, con ampio spazio dedicato alla Barbera d'Asti (orgoglio del paese) e ai vini piemontesi in genere, ma sono disponibili anche alcune bottiglie delle principali regioni vinicole italiane.
Una sosta consigliabile per l'ambiente piacevolmente informale, i piatti dai sapori schietti e genuini, le porzioni generose, i prezzi onesti.

Roddino

51 km da Cuneo, 7 km a sud di Alba

Osteria da Gemma

Osteria-trattoria
Via Marconi, 6
Tel. 0173 794252
Chiuso il lunedì
Orario: mezzogiorno e sera
Ferie: 4 settimane marzo-aprile, 1-15 agosto
Coperti: 80 + 20 esterni
Prezzi: 25 euro
Carte di credito: nessuna

Fin dal momento di prenotare, capirete che "chi detta il ritmo" è l'osteria stessa, che gode, per così dire, di un alone di nostalgica magia. Da Gemma, il menù è fisso, non c'è carta dei vini; le portate vi saranno servite su grandi piatti da una cameriera gentile ma un po' frettolosa.
Su ogni tavolo, prima che arriviate, saranno già presenti salame crudo e cotto a darvi il benvenuto. Poi un susseguirsi di piatti colmi: montagne di **insalata russa**, carne cruda e l'immancabile **vitello tonnato** (ottimo quello che abbiamo assaggiato). A meno che non siate insaziabili, i piatti non riuscirete a finirli e verranno riportati in cucina. I primi sono quelli classici langaroli: ***tajarin* al ragù** e **ravioli dal *plin***. Tra i secondi spiccano il **coniglio arrosto** e l'arrosto di maiale con castagne, insolito da queste parti. Quando arriveranno i dolci crederete che ci sia un errore: interi piatti di ***bonet***, meringata al torrone, strudel di mele. Il vino, proposto da Daniele, figlio di Gemma, è quello della casa, ma se vorrete potrete scegliere una bottiglia direttamente dalla piccola proposta di buoni vini di Langa.
Che aggiungere? Da Gemma si va perché si vuole andare: nostalgie per un passato che sembra non esserci più, pantagrueliche porzioni e certamente un prezzo più che popolare. Tuttavia continuiamo a ripensare alla dimensione più umana della vecchia sede, al fatto che un numero inferiore di coperti e un'abbondanza "più contenuta" gioverebbero a questo storico locale.

In borgata Corini 3, Il Forno del Buon Pane di Roberto Marcarino produce su ordinazione ottimo pane di forno a legna utilizzando lievito madre e farine biologiche di diversi cereali.

Roletto

34 km a SO di Torino, 7 km a nord di Pinerolo SS 589

Il ciabòt

Ristorante
Via Costa, 7
Tel. 0121 542132
Chiuso domenica sera e lunedì
Orario: mezzogiorno e sera
Ferie: 1 settimana in gennaio, 3 fra giugno e luglio
Coperti: 50 + 15 esterni
Prezzi: 25-35 euro vini esclusi
Carte di credito: le principali, Bancomat

Il Ciabòt è un grazioso locale situato nel centro di Roletto, paesino collinare a una trentina di chilometri da Torino, in direzione di Pinerolo, facilmente raggiungibile con la nuova autostrada completata in occasione delle Olimpiadi. L'atmosfera è calda e accogliente, grazie ai tavoli ben apparecchiati, al camino acceso e all'illuminazione soffusa: il pavimento è in cotto, le pareti, spugnate in una tonalità aranciata, sono interrotte da nicchie contenenti vini e superalcolici; a completare, i soffitti con travi in legno, qualche mobile scuro in arte povera e ricchi tendaggi.
Il servizio di Lorena Fenu è rapido e cortese, mentre Mauro Agù opera in cucina con grande competenza, scegliendo materie prime di qualità. Fra piatti che assecondano le stagioni potrete gustare un ottimo **vitello tonnato**, la **composta di gallina all'aceto** balsamico oppure sformati e soufflé. Tra i primi, **agnolottini** fatti in casa **al sugo di arrosto**, fagottini alle erbette e bianco di porri, **tagliolini con il ragù di coniglio e peperoni**, vari tipi di risotti (singolare quello mantecato alle fragole e aceto balsamico). Tra i secondi, la **noce di fassone al timo serpillo** e una proposta di tagli di carni piemontesi, compresi alcuni meno usuali come la **sella di torello in crosta**. Interessante plateau di formaggi, la cui selezione comprende ottimi prodotti piemontesi, tra i quali alcuni di capra prodotti dalla vicina Cascina Rossa. Si conclude con il **semifreddo al torroncino**, la sfoglia ripiena di pere con cioccolato fondente, l'ottima crema catalana. La buona carta dei vini propone piemontesi e anche etichette di altre zone d'Italia: da non sottovalutare il ricarico modesto. Disponibile un menù degustazione.

Romagnano Sesia

30 km a NO di Novara ss 299

Alla torre

Ristorante
Via I Maggio, 75
Tel. 0163 826411
Chiuso il lunedì
Orario: mezzogiorno e sera
Ferie: 27 dicembre-15 gennaio
Coperti: 60 + 20 esterni
Prezzi: 30-32 euro vini esclusi
Carte di credito: tutte, Bancomat

Il ristorante è nella torre di un castello del XIII secolo con, novità di quest'anno, il "giardino d'inverno", una nuova saletta creata nella veranda interna verso la corte. Lucia, coadiuvata in cucina da Marco e Denny, con Andrea prevalentemente in sala, conserva la passione e la voglia di creare una cucina legata al territorio, ma sempre con un tocco di novità.
Si comincia con una gradevole entrée, prima di passare agli antipasti: **vitello tonnato alla maniera antica**, insalatina tiepida di tacchinella all'aceto balsamico con cipolle rosse, uvetta e pinoli, **salame della *douja***, **fidighina** (tipico salume novarese), carpaccio di coniglio di Cellio disossato con crescione e zenzero, semifreddo al parmigiano reggiano profumato al pepe rosa, gli sformati di verdura e il **prosciutto crudo della Val Vigezzo**. Tra i primi, **cannelloni al *seirass del fen* e erbette**, riso Venere integrale con melanzane viola e pomodorini pachino, **ravioli di ricotta e vaniglia al burro** fuso della Valsesia; in inverno la ***paniscia* novarese** e, a richiesta, la ***bagna caoda***. Passando ai secondi, un ottimo **agnello valsesiano**, coniglio, il tipico **stufato di asino**, tacchino al sale con caponatina di melanzane, terrina di piccione con scalogni in agrodolce.
Buona scelta di **formaggi**, freschi e stagionati. Ampia scelta tra i dolci, semifreddi e torte fatte in casa come la torta di pere e cioccolato fondente, la crostata di albicocche e cannella, il semifreddo al cacao amaro e peperoncino. Cortese l'accoglienza, curato il servizio, bella la presentazione dei piatti. Importante la lista dei vini, con ampia scelta di Nebbioli del nord Piemonte.

Per i vini delle colline vercellesi e novaresi, Enoteca Regionale di Gattinara (2,5 km), corso Valsesia 112.

Rorà

57 km a SO di Torino

Ostu di brusapere

NOVITÀ

Ristorante
Piazza Fontana, 4
Tel. 0121 93163
Chiuso il mercoledì, mai d'estate
Orario: mezzogiorno e sera, inverno solo sera
Ferie: 1 settimana in novembre, 2 in gennaio
Coperti: 40 + 30 esterni
Prezzi: 22-28 euro vini esclusi
Carte di credito: tutte, Bancomat

Per raggiungere il ristorante, da Pinerolo seguite per la Val Pellice e, arrivati a Luserna, salite verso Rorà: sono solo sei chilometri, ma il dislivello è notevole (si passa da circa 500 metri a quasi 1000 di altitudine). La strada, che scorre in mezzo a boschi intatti, è sempre percorribile anche d'inverno, perché qui salgono i camion a caricare la tipica pietra, estratta nella cava poco sopra il paesino. Questo luogo appartato (ma davvero delizioso) hanno scelto due giovani di belle speranze, Sareeta Maurino e Marco Lussiana, per dare sbocco a quanto appreso nella loro esperienza presso locali di prestigio come il Flipot di Torre Pellice e il Garamond a Torino. Scelta coraggiosa, ma con tutte le carte in regola per avere successo. Il locale è accogliente e ti mette a tuo agio, d'estate ci si allarga su una piazzola antistante con una bellissima vista. Marco, in cucina, dimostra di avere mano buona e sicura, Sareeta in sala sa il fatto suo e vi seguirà con simpatia e competenza.
Menù e prodotti di territorio, con qualche digressione: si può iniziare con un ottimo **tonno di coniglio** al ginepro, un tris di **carpioni** gustoso e delicato, un **cartoccio di tomino** con millefoglie di melanzana e menta. Tra i primi piatti, **tagliatelle di mais al ragù di cervo**, **agnolotti dal *plin***, ravioli allo zafferano ripieni di storione al timo. A seguire, deliziose **rane** in due cotture, **guancia di vitello** con salsa di rafano, lardo con crostini di polenta e sauté di filoni e lumache. Si finisce in bellezza con un aspic di melone e Porto (originale e buonissimo), **zabaione** con le lingue di gatto, soufflé al cioccolato.
Buona carta dei vini a impronta soprattutto regionale, con ricarichi onestissimi.

Saluggia

40 km a SO di Vercelli, 37 km a NE di Torino

La piazzetta

Ristorante
Via Faldella, 2
Tel. 0161 480470
Chiuso sabato a pranzo e lunedì
Orario: mezzogiorno e sera
Ferie: agosto e una settimana in gennaio
Coperti: 30
Prezzi: 35 euro vini esclusi
Carte di credito: le principali, Bancomat

Nel centro del paese, accanto alla chiesa, da qualche anno Alessandro Zanella e Paolo Ugazio hanno aperto questo gradevole locale, la cui linea gastronomica è caratterizzata da un ampio utilizzo di prodotti del territorio, in un corretto equilibrio fra tradizione e creatività.
Si comincia con un calice di spumante accompagnato da fragranti panini ripieni di lardo. Nell'ampia carta potrete poi scegliere fra sette antipasti e altrettanti primi e secondi oppure mettervi nelle mani di Alessandro che vi proporrà un menù degustazione a 35 euro. Come antipasti troverete trote o **tinche in carpione**, il trittico di acciughe, sformati di verdura secondo stagione, una selezione di **salumi dei Presìdi Slow Food** e un ottimo **vitello tonnato**. Il primo per eccellenza è la ***panissa***, ottimamente eseguita, ma non sono da meno i **risotti**: con asparagi e toma, con formaggi o allo zafferano e capriolo. Ottime anche le paste ripiene, in particolare gli **agnolotti di fassone** con salsa alla Barbera e i ravioli di magro con burro di montagna e salvia. Si prosegue con lo **stinchetto di maiale salmistrato** con cipolline di Ivrea alla birra Menabrea, la **finanziera**, il coniglio al timo e, in stagione, la **polenta con lumache** all'Arneis. Molto curato il plateau di formaggi piemontesi.
Tra i dessert, oltre al *bonet*, alle **tegole al cioccolato fondente** e allo zabaione con frollini alla nocciole tonde gentili, preparato davanti a voi, assaggiate la **timbala di Cigliano** (pasta frolla, pere e vin brulè). Buoni i sorbetti fatti in casa. Carta dei vini molto ampia con etichette piemontesi e nazionali, una proposta di passiti a bicchiere e ampia selezione di birre artigianali. Valida anche l'offerta di caffè, con tre miscele di diverse provenienze. Servizio attento ed efficiente.

Osteria accessibile ai disabili.

Sambuco

46 km a ovest di Cuneo ss 21

Pace

Ristorante annesso all'albergo
Via Umberto I, 32
Tel. 0171 96628
Chiuso il lunedì, mai d'estate
Orario: mezzogiorno e sera
Ferie: 10 gg in giugno, 20 in ottobre
Coperti: 48
Prezzi: 27-30 euro vini esclusi
Carte di credito: tutte, Bancomat

La Valle Stura, che è una delle più suggestive vallate prealpine del Cuneese, vale certo una gita, magari spingendosi fino a Sambuco, grazioso villaggio a quota 1185 metri, ai piedi dell'imponente parete rocciosa del monte Bersajo. In questo grazioso centro di villeggiatura si trova, sulla piazzetta centrale, l'Albergo della Pace (osteria e locanda sin dal 1882), il cui ristorante è un indirizzo sicuro dove gustare al meglio alcuni piatti tipici del territorio. Il titolare è Bartolo Bruna, coadiuvato dai familiari più un giovane cuoco; l'ambiente è molto accogliente (curiosa la collezione di vecchi macinacaffè che occupa una parete del locale), il servizio professionale.
Tra i tanti antipasti, si segnalano il **rotolo di patate con porri e baccalà**, lo sformato di ricotta al basilico, la trota farcita alle erbe di montagna, l'involtino di coniglio, l'insalata di gallina. A seguire, i caratteristici ***crusèt*** (una pasta "trascinata" con il pollice fino a farle assumere l'aspetto di una conchiglia frastagliata), ravioli, gnocchi e un memorabile **minestrone di trippa**. Per secondo non può mancare l'ottimo **agnello sambucano** (Presidio Slow Food), ma troverete anche lo **stinco** o l'arrosto di vitello o di maiale, la selvaggina, il **bollito misto**, assieme a generosi contorni di verdure e, in stagione, di **funghi**.
Buoni dolci casalinghi e un liquore d'erbe chiudono un pasto che avrete sposato con un vino piemontese o nazionale tratto da una carta molto fornita, oppure con uno sfuso di buona qualità, il tutto a prezzi più che onesti.

Di fronte all'osteria, il bar La Meridiana offre merende, raclette, gelati, anche di latte di capra. In via Colle del Mulo, Battista Bruna vende miele di sua produzione.

San Marzano Oliveto
Valle Asinari

25 km a SE di Asti, 5 km da Canelli

Del Belbo da Bardon

Trattoria
Via Valle Asinari, 25
Tel. 0141 831340
Chiuso mercoledì e giovedì
Orario: mezzogiorno e sera
Ferie: tra dicembre e gennaio, 7 gg dopo Ferragosto
Coperti: 50 + 60 esterni
Prezzi: 30-38 euro vini esclusi
Carte di credito: tutte

Giunti davanti al locale, vi troverete di fronte a una classica trattoria piemontese, un luogo dove si bada alla sostanza, più che alla forma. Qui si viene per mangiare e bere bene e da Bardon avrete soddisfazione, nell'uno e nell'altro caso, dato che la cucina di Giuseppino e Anna è solida e collaudata e che la carta dei vini curata da Gino è più simile a una pubblicazione enciclopedica che a una lista.
Si comincia con antipasti classici come la carne cruda, il peperone cotto al forno ripieno, il filetto di maiale con carciofi e patate, l'insalata russa, il **vitello tonnato** e gli **sformati** preparati con le verdure di stagione. I primi vanno dalla pasta fatta in casa (ottimi i ***tajarin*** **con i porri**) agli gnocchi di patate – al pomodoro, al ragù o con i funghi; dalla **pasta e fagioli** alle paste ripiene – **agnolotti quadri monferrini** al ragù o i *plin* con burro e salvia. A questo punto dedicatevi al carrello delle carni, una serie di preparazioni da manuale con **stinco al forno**, capretto, **galletto**, pollo alla cacciatora, faraona, **coniglio al forno**, **trippa**, **costine di maiale al Barbera**, bollito misto. In stagione **funghi** e tartufi; sempre disponibile una bella selezione di formaggi che predilige il Piemonte (roccaverano in primis), ma con interessanti divagazioni in altre regioni. Potrete terminare con la selezione di dolci casalinghi: il tradizionale **mattone**, a base di crema di burro, il *bonet*, la torta con lo zabaione, le pesche al Moscato, le pere cotte nel vino.
Imponente, come detto, la scelta dei vini: particolare attenzione per le Barbere del territorio, ma anche vini quasi introvabili e di grandissimo valore, non solo monetario. Servizio cortese e puntuale con Gino, Andrea e Antonio.

San Sebastiano Curone

45 km a SE di Alessandria, 25 km da Tortona

Corona

Ristorante
Via Vittorio Emanuele, 14
Tel. 0131 786203
Chiuso lunedì e martedì
Orario: solo a mezzogiorno
Ferie: fine giugno-inizio luglio
Coperti: 60
Prezzi 30-35 euro vini esclusi
Carte di credito: tutte, Bancomat

Troverete questo ristorante all'ingresso del paese. L'aspetto esteriore è quello di un bar-gelateria, all'interno pare di entrare in un albergo appenninico. Tre sale accolgono i clienti, due al piano inferiore (la più piccola è un salottino per pochi intimi), al piano superione un salone più elegante. Ad accoglervi Matilde Fontana, la cui famiglia gestisce il locale da molte generazioni (ben tre secoli). Sarà lei a presentare il menù illustrandovi la sua teoria del "chilometro zero", qui intesa quasi alla lettera. I prodotti che utilizza – patate, fagiolane e verdura in generale; funghi e tartufi; pesche e frutta varia; salumi e formaggi – provengono dalla Valle Curone: sono coltivati e raccolti, dunque, a pochi chilometri.
Gli antipasti sono numerosi, forse eccessivi, e se li assaggiate tutti rischiate di dover rinunciare ai primi o ai secondi piatti. Vi saranno serviti salame crudo di Brignano, lardo con il miele, **salsiccia e peperoni**, mousse di tonno e prosciutto, torte salate, **verdure ripiene** e altro ancora. Da non perdere, poi, gli **gnocchi di patate alla crema di latte**, legati alla figura di Giovanni, padre di Matilde, famoso per i suoi gnocchi preparati con patate della zona e quasi senza farina. Le paste ripiene prevedono **ravioli di carne**, di zucca o di verdure di stagione e fagotti di carciofi al montébore. La vicina Liguria è rappresentata da un'ottima **cima**, gustosi pure la **trippa**, il brasato e il **capretto al rosmarino**. In autunno Matilde vi proporrà **funghi** e **tartufi** della valle (San Sebastiano è sede di una rinomata fiera novembrina).
I dolci sono quelli classici: ***bonet***, semifreddi ma anche montebianco o gelati di produzione propria; per finire, la piccola cioccolateria. Fra i vini numerose etichette soprattutto piemontesi e una vasta rassegna di Timorasso (il bianco locale), con quasi tutti i produttori.

Sant'Antonino di Susa
Cresto

35 km a NO di Torino ss 25 o A 32

Il sentiero dei Franchi

Ristorante
Borgata Cresto, 16
Tel. 011 9631747
Chiuso il martedì
Orario: mezzogiorno e sera
Ferie: variabili
Coperti: 25
Prezzi: 35 euro vini esclusi
Carte di credito: tutte, Bancomat

Per scoprire questo grazioso e piccolissimo ristorante dovete giungere in bassa val di Susa, poco oltre la Sacra di San Michele, inerpicandovi da Sant'Antonino fino alla borgata Cresto, costituita da un pugno di case. Il nome del locale si deve alla vicinanza dell'omonimo percorso di trekking, così chiamato in seguito allo storico passaggio nella valle dell'armata di Carlo Magno. L'ambiente, finemente rustico, è in pietra e legno. La gestione è familiare: ai fornelli c'è Renzo Andolfatto, coadiuvato da qualche tempo dalla figlia Ambra; la moglie Maria Pia si occupa della sala. Superato il bancone del bar, affrontando una dolce rampa di scale si accede alla sala da pranzo.
Si può iniziare con i salumi della valle e il lardo di Arnad, un'ottima **insalata russa**, la lingua salmistrata, i ***subric* di patate**, le melanzane marinate, i **crostini con fonduta e funghi**. Al momento dei primi la scelta spazia dagli **agnolotti al sugo d'arrosto** o di selvaggina (cinghiale o capriolo), agli gnocchi di spinaci e ricotta, dai panzerotti di magro al sugo di melanzane e pomodoro fresco alla classica **polenta** di farina gialla. Arrivando ai secondi troverete la *carbonade* alla valdostana, gli ottimi ***caponet***, il capriolo al vino bianco e un gustoso **cinghiale al *civet***. Per terminare, torta rustica, **pan del conte** (semifreddo fatto con i canestrelli di Vaie), oppure i ben interpretati classici piemontesi: *bonet*, panna cotta, tiramisù.
La discreta presenza enologica è quasi totalmente piemontese, con qualche interessante divagazione valdostana.

Nel centro di **Susa** (19 km), in piazza De Bartolomei 10, le dolci proposte di Aldo Pietrini: il pan d'la marchesa, le lose golose, le paste di meliga e i baci di Susa.

Santo Stefano Belbo
Valdivilla

81 km a NE di Cuneo, 25 km da Asti ss 292

Ca' d' gal

Azienda agrituristica
Strada Vecchia di Valdivilla, 1
Tel. 0141 847103
Sempre aperto su prenotazione
Orario: mezzogiorno e sera
Ferie: gennaio-metà febbraio e in vendemmia
Coperti: 40 + 15 esterni
Prezzi: 35 euro
Carte di credito: tutte, Bancomat

A una manciata di chilometri da Santo Stefano Belbo e da Coazzolo, fra belle colline vitate a moscato, ecco un'accogliente azienda agrituristica che saprà offrirvi il meglio, fra cibo, vino e ospitalità, che ci si può aspettare da una zona suggestiva come questa e da un territorio così ricco di storia enogastronomica. Come in ogni agriturismo che si rispetti, è indispensabile prenotare: solo in questo modo sarete sicuri di trovare in tavola i buoni e genuini piatti di una cucina familiare attenta e curata. Il gentile padrone di casa, Alessandro Boido, che coltiva le viti e produce un ottimo Moscato (e non solo, potrete assaggiare i suoi vini o sceglierne altri, per lo più piemontesi, da una breve carta) vi accompagnerà in una sala ben illuminata da grandi vetrate oppure ai tavoli all'esterno, dove potrete gustare i grandi piatti della tradizione.
Fra gli antipasti, ottimi **salumi** prodotti in proprio o di sicura provenienza, **peperoni con crema di tonno** e in ***bagna caoda***, frittatine di cipolle o zucchine, polenta e intingoli. I primi, preparati con la pasta fatta in casa dalla signora Rina, sono i **ravioli** quadrati o dal *plin*, i ***tajarin*** conditi in stagione con funghi, le fettucce primaverili al papavero o alle punte di ortiche. Passerete poi agli animali da cortile allevati in cascina: **coniglio al *civet***, in umido coi peperoni o in involtini, **pollo** arrosto o **alla cacciatora** e, su prenotazione, un lauto **fritto misto**.
Ottima la ***cognà* al Moscato** della casa in accompagnamento ai formaggi (o al gelato); per finire il pasto, ***bonet*** e la torta moscatella.

Savigliano

33 km a NE di Cuneo SS 20

Antica osteria dell'Orsa

Osteria di recente fondazione
Piazza Battisti, 5
Tel. 0172 717606
Chiuso mercoledì e giovedì
Orario: mezzogiorno e sera
Ferie: 3 sett in gennaio, 1 tra agosto e settembre
Coperti: 35 + 18 esterni
Prezzi: 25-30 euro vini esclusi
Carte di credito: tutte, Bancomat

Su piazza Santarosa, con i suoi mille anni ben portati a dispetto delle varie ristrutturazioni, insistono i principali monumenti saviglianesi: il Palazzo del Comune, l'Arco di Trionfo, la grande Torre Civica e Casa Pasero. A ridosso della principale, ecco una piazza più piccola, non meno antica, dove in locali settecenteschi oggi lavorano con passione Giorgia e Beppe Dalmazzo, la prima in sala e il secondo ai fornelli.

Il menù recita i classici della regione, con una speciale proposta dedicata alla razza bovina piemontese: **carne battuta al coltello**, **costata** e un dolce a scelta, a 30 euro. Alla carta, invece, si comincia con **carpioni** di verdure e di trota, **merluzzo**, robiola di Roccaverano, acciughe al verde e, nei mesi più freddi, uovo in cocotte ai tre formaggi e cipolla al forno ripiena di zabaione di parmigiano. A seguire, oltre agli immancabili *tajarin* e agli gnocchi con il mondolè (formaggio delle Frabose), troverete soprattutto paste ripiene: **cappelletti in brodo** di verdure, panserotti di castelmagno con burro e miele di castagno, tortelloni ripieni di parmigiano, **ravioloni di melanzane con pomodoro fresco**. Fra i secondi, oltre a bistecche, costate e scamone, ecco **coniglio all'Arneis**, costolette di agnello alla piastra, **trippa**, **coda**, **rognone** e, nei mesi freddi e su prenotazione, lo spezzatino d'oca. Dopo una buona scelta di formaggi locali ed esteri, si chiude con *bonet*, panna cotta, torta di pere e cioccolato, semifreddo al torroncino e cioccolato e i caratteristici *pnun* (dolcetti di mais).

Buona carta dei vini, locali e nazionali; ricarichi equi.

La macelleria Capellino, via Saluzzo 23, garantisce qualità assoluta sulla carne bovina piemontese.

Serralunga d'Alba

50 km da Cuneo, 12 km a SO di Alba

Cascina Schiavenza

Trattoria
Via Mazzini, 4
Tel. 0173 613115
Chiuso il martedì e la sera dei festivi
Orario: mezzogiorno e sera
Ferie: in gennaio, metà luglio-metà agosto
Coperti: 40 + 20 esterni
Prezzi: 30 euro vini esclusi
Carte di credito: le principali, Bancomat

Si arriva a Serralunga compiendo un percorso tra le più importanti vigne del Barolo, un breve viaggio che offre un vero e proprio concentrato di Langa fatto di dolci colline e di filari ordinati a perdita d'occhio, con lo slanciato castello-fortezza del 1500 come punto di riferimento. Arrivati nella piazzetta sottostante eccovi a Cascina Schiavenza, azienda agricola che produce vini importanti. Nelle serate estive potrete cenare sulla bella terrazza che si affaccia sull'alta Langa; in alternativa, per le altre stagioni, un'accogliente e ordinata sala interna.

Ma veniamo al cibo. Già gli antipasti sono quelli della tradizione: **involtini di peperone** con ripieno di tonno, carne cruda, un ottimo **vitello tonnato** e crespelle agli asparagi. I buoni primi confermano la filosofia gastronomica, con i ***tajarin* al ragù**, gli **agnolotti dal *plin*** al burro e salvia, davvero delicati e appetitosi, dalla sfoglia morbida e sottile. E pure i secondi non fanno eccezione: **faraona alle erbe**, un robusto brasato al Barolo, **coniglio ai peperoni** e, su prenotazione, anche bollito e fritto misto. Tra i dolci potrete avere il ***bonet*** al cacao, un insolito tiramisù con le nocciole, la **panna cotta**, il sorbetto alle fragole. Infine i gelati: sceglierete tra quello alla crema con Barolo Chinato e quello alla cannella, particolarmente aromatico.

Una cucina semplice e genuina, quella realizzata con cura da mamma Lucia e dalla figlia Maura; servizio discreto e carta dei vini essenziale, con, naturalmente, i prodotti dell'azienda e alcune etichette dei vignaioli locali.

Serralunga d'Alba
Parafada

50 km da Cuneo, 12 km a SO di Alba

La rosa dei vini 

Ristorante con alloggio
Località Parafada, 4
Tel. 0173 613219
Chiuso il mercoledì
Orario: mezzogiorno e sera
Ferie: tre settimane fra dicembre e gennaio
Coperti: 45 + 70 esterni
Prezzi: 25-30 euro vini esclusi
Carte di credito: tutte tranne AE, Bancomat

La descrizione della Rosa dei vini non può prescindere dalla panoramica balconata che la ospita: domina una distesa di vigne fra le quali spunta il castello di Castiglione Falletto e, nella stagione calda, assicura quella frescura serale capace di far tornare l'appetito anche dopo una giornata afosa. L'ideale per apprezzare le proposte elaborate da Giancarlo Vioglio, la moglie Elisa e il cognato Giorgio Fontana, che accolgono gli ospiti anche con sei camere.
Se gli occhi ci dicono che siamo in Langa, il menù conferma, a partire dagli antipasti: **vitello tonnato**, carpaccio di vitello, **lingua in salsa verde**, frittatine, **peperoni con *bagna caoda***, tortini agli asparagi o ai funghi, ***caponet*** (di fiori di zucchino in estate, di foglie di cavolo in inverno) con crema di castelmagno. E mentre li aspettate, un piattino di lardo, uno stuzzichino impanato o fritto in pastella. Si può scegliere poi fra ***tajarin* al ragù di carne e salsiccia**, **agnolotti dal *plin***, risotti che si insaporiscono di verdure o funghi in base alla stagione, ravioli (di ricotta e spinaci conditi con burro e salvia o di carne al sugo di arrosto) e, senza allontanarsi dalla tradizione, passare ad alcuni classici secondi di carne: **bocconcini di vitello al Barbaresco**, filetto di vitello al Barolo, costolette di agnello in crosta di nocciole o alla piastra, ossibuchi alla langarola, costata, **coniglio ai peperoni**. Fra i dolci – **torta di nocciole**, bavarese alla panna e pesche ripiene – spicca un ***bonet*** di cioccolato, immancabile nel tris del menù degustazione a 25 euro.
Nella carta dei vini spazio alla Langa, con altri italiani ed esteri e ricarichi ragionevoli.

Osteria accessibile ai disabili.

Locale segnalato dall'Associazione italiana celiachia.

Serravalle Langhe

54 km a NE di Cuneo, 22 km a sud di Alba

La coccinella 

Trattoria
Via Provinciale, 5
Tel. 0173 748220
Chiuso il martedì e mercoledì a pranzo
Orario: mezzogiorno e sera
Ferie: 1 mese dopo l'Epifania, 10 giorni a inizio luglio
Coperti: 45
Prezzi: 35-37 euro vini esclusi
Carte di credito: le principali, Bancomat

Proprio una trattoria di Langa, con una sala da pranzo cui si accede attraverso il bar; un bel posto, lindo e accogliente; i piatti in tavola sono tutti diversi e tutti belli. Si usano per l'aperitivo, una fetta di salame cotto e una di crudo, poi sono sostituiti da quelli "normali", uguali per tutti. I fratelli Dellaferrera i gestori: Massimo, il cuoco, Tiziano e Alessandro, gemelli con nulla in comune, in sala e in cantina. Una cantina ben fornita di vini di Langa ma con un occhio di riguardo al resto d'Italia e non solo.
Si mangia bene: piatti tradizionali ma con un tocco innovativo nelle cotture e nei condimenti, ben presentati. Fra gli antipasti c'è abitualmente anche un piatto di pesce – **involtino di trota fario**, baccalà alla *brandacujun* con patate e pesto di prezzemolo –, poi terrina di coda di bue, millefoglie di quaglia e polenta, **cotechino con purè di castagne**, insalata di galletto. Bella l'idea di proporre gli antipasti in degustazione. La pasta è fatta in casa (gli gnocchi di patate con nocciole sbriciolate nell'impasto sono una delizia), ***tajarin*** tagliati a mano ai carciofi, al pomodoro fresco o **con i fegatini di gallina**, **agnolotti dal *plin*** ripieni di capocollo di maiale o di gallina, zuppetta di polenta di farina di ottofile, tortelli di gorgonzola. Anche fra i secondi, sempre un piatto di pesce (salmerino in guazzetto di zucchine e porcini, baccalà alle tre cotture), ma la carne della macelleria di Rodello è una sinfonia: **scamone di vitello al lardo**, **agnello da latte arrosto**, rollata di capretto, costata di maialetto, **guanciale di vitello stracotto** al Dolcetto.
Per i dolci, lasciatevi guidare dai consigli dei "gemelli di sala" e alla fine fatevi portare un goccio dell'accattivante infuso di erbe di Langa che prepara la mamma: probabilmente non aiuta la digestione ma è proprio buono.

SESSAME
Giardinetto

39 KM A SE DI ASTI, 12 KM DA ACQUI TERME

IL GIARDINETTO

Trattoria
Strada Provinciale Valle Bormida, 24
Tel. 0144 392001
Chiuso il giovedì
Orario: mezzogiorno e sera
Ferie: 10 gg in febbraio, 2 settimane in luglio
Coperti: 60 + 20 esterni
Prezzi: 25-30 euro vini esclusi
Carte di credito: tutte tranne AE

Percorrendo la statale che da Cortemilia raggiunge Acqui Terme, in frazione Giardinetto di Sessame troverete questo piacevole ristorante. Un'ampia sala con soffitto e travi in legno e una vetrata che dà sulla terrazza esterna (in cui nella bella stagione è piacevole pranzare affacciati sul verde della Val Bormida); una saletta più intima al piano superiore. La famiglia Polo al completo è impegnata nella gestione del locale: Valentina con la mamma Clara studia e prepara le pietanze rifacendosi alle tradizioni langarole e liguri (da queste parti, quando soffia il *marìn*, si respira già aria salata), il papà Carlo pensa all'approvvigionamento e l'altra figlia Francesca si occupa dell'accoglienza, guidando nella scelta dei piatti e del vino, da pescare in un'ampia e variegata selezione.
Per ingannare l'attesa vi saranno servite focaccine calde con burro di fattura casalinga. Poi la serie di antipasti: affettati misti, **vitello tonnato**, torta salata con carciofi, **peperoni al forno con *bagna caoda***, farinata, **acciughe** e costolette di coniglio **fritte**. Quindi i primi: **agnolotti dal *plin*** con burro e salvia (ma anche in brodo o al vino rosso), **gnocchi di patate** al ragù o **al pesto** (fatti in casa come tutte le paste fresche), pasta e fagioli, **pasta e ceci con costine** di maiale. Tra i secondi lo stracotto di vitello al Barbera, il coniglio alla ligure, il **capretto di Roccaverano al forno** e il **carré di vitello alle nocciole**. Nella stagione fredda la **puccia** (polenta preparata in un minestrone di fagioli, lardo, verdure e condita con burro e formaggio) e le ***grive*** (fegato di maiale, salsiccia e ginepro avvolti nella rete del maiale e fritti).
Dolci casalinghi, tra cui la **torta di nocciole**, il *bonet* al cioccolato e un buon gelato. Nei giorni feriali pranzo a 12 euro con un primo, un secondo, un dolce e un bicchiere di vino.

SETTIMO VITTONE
Cornaley

60 KM A NORD DI TORINO A 5, 10 KM DA IVREA

LA BARACCA

NOVITÀ

Ristorante
Frazione Cornaley
Tel. 0125 658109
Chiuso il lunedì
Orario: mezzogiorno e sera
Ferie: 15 gennaio-15 febbraio
Coperti: 90 + 30 esterni
Prezzi: 30 euro vini esclusi
Carte di credito: tutte

Siamo immersi nel verde, a dieci minuti d'auto da Settimo Vittone, sulle pendici del Mombarone. Dopo aver percorso quattro chilometri di strada panoramica piuttosto ripida e tortuosa raggiungiamo la Baracca, a 606 metri di altitudine. All'inizio degli anni Settanta Franco Franceschina e la moglie Michelina rilevano la gestione della precedente struttura fino a farla diventare un tipico ristorante di montagna. L'ambiente piuttosto ampio, pensato per ospitare anche banchetti, è arredato in modo rustico e si avvale di una bella terrazza per l'estate. La cucina si ispira al territorio dell'alto Canavese, nel pieno rispetto della stagionalità, e non mancano piatti influenzati dalla cucina alpina: la Valle d'Aosta è a due passi. Nell'ampio menù si sceglie tra affettati della zona, lardo su pane nero di castagne, **cotechino caldo**, verdure in *bagna caoda*, paté di fegato e, in autunno, **castagne e burro**, davvero invitanti. Tra i primi: **polenta concia e *miasse*** in inverno, crespelle alla fontina, gnocchetti di patate e borragine e, in primavera, l'imperdibile **zuppa di ajucche**, dal sapore fresco e leggermente amaro. Si prosegue con la carne di **cervo** – in spezzatino **con i mirtilli** o le costate –, lo stracotto di vitello, il **carré di agnello con salsa di rafano**, le rane fritte, le lumache al prezzemolo o fritte e l'immancabile **trota** in più versioni. Spesso presenti i **funghi porcini**: in insalata, impanati, trifolati, in zuppa, in frittata, con i tagliolini o il risotto.
Si chiude con buone torte, crostate e dolci al cucchiaio della tradizione. Discreta la carta dei vini.

In frazione Cesnola, l'azienda agricola Nicoletta produce e vende formaggi tipici caseificati con il latte delle bovine del proprio allevamento. Ampio assortimento di tome, ricotta, salignun, murtret e reblec.

19 KM A NO DI NOVARA SS 299

TENIMENTO AL CASTELLO

Osteria di recente fondazione
Via San Giuseppe, 15
Tel. 0321 824221
Chiuso il lunedì
Orario: pranzo, ven sab e dom sera
Ferie: non ne fa
Coperti: 45
Prezzi: 33-35 euro vini esclusi
Carte di credito: tutte tranne AE, Bancomat

Nel mezzo della campagna novarese ben raccontata dai romanzi di Sebastiano Vassalli, a due passi dall'Abbazia di San Nazzaro Sesia, il Tenimento al Castello occupa un'area ampia del piccolo borgo, compreso un salone destinato a eventi e cerimonie: per questo potreste trovarvi a poca distanza da un matrimonio senza accorgervi (quasi) di nulla. La curata sala da pranzo dell'osteria ospita viaggiatori e clienti abituali del Milanese e del Novarese.
Buona la scelta degli antipasti, con molte specialità territoriali (specie quelle a base di oca) e salumi tra i quali la classica **fidighina** spalmata sul pane di *meliga*, il lardo, il ***salam dla duja***, i ciccioli. Tra i primi, accanto ai risotti come la ***paniscia*** novarese e quello allo zafferano, le diverse proposte di pasta variano secondo stagione. Si prosegue con il **fassone piemontese** preparato in modi diversi, la bistecca alla milanese, l'arrosto di cascina, il pollo alla diavola, gli straccetti di manzo al Nebbiolo e, quand'è stagione, le **rane**. Tipiche dei mesi freddi, le pietanze a base di **funghi**, la **polenta**, il **brasato**. Non manca qualche piatto di pesce per accontentare gli ospiti di città. Se piacciono i formaggi è proprio il caso di non lasciarsi scappare il gorgonzola nelle versioni naturale e dolce. Validi i dessert, tutti fatti in casa e presentati in modo originale: sorbetti di stagione, crostate, torte farcite e semifreddi.
La gran bella cantina annovera oltre 180 etichette.

In via Fiume Sesia 1, l'azienda agricola Valsesia produce ottimi salumi tipici.

22 KM A NO DI NOVARA 299

CAFFÈ RISTORANTE IMPERO

Ristorante
Via Roma, 13
Tel. 0321 820576
Chiuso domenica sera e lunedì
Orario: mezzogiorno e sera
Ferie: agosto e 26/12-7/01
Coperti: 40
Prezzi: 30-35 euro vini esclusi
Carte di credito: tutte, Bancomat

Nel cuore delle colline novaresi, il ristorante Impero vide le sue origini nel 1932: i fondatori furono nonno Vittorio e nonna Pia, la cui opera oggi continuano le sorelle Paola ed Emanuela che iniziarono negli anni Novanta a collaborare con la mamma Vittoria. Il locale è arredato con gusto, la sala da pranzo è famigliare e c'è la possibilità di avere, per piccole tavolate, una saletta appartata.
La cucina varia in base alla stagione e si può scegliere tra il menù alla carta e quello degustazione. Iniziando dagli antipasti, non possono mancare i salumi del territorio (il **salame sotto grasso** o la classica ***fidighina***), proseguendo con la formaggetta al basilico, gli sformatini di verdure, le **terrine di carni bianche**, il vitello tonnato e il flan con fonduta. Passando ai primi, ecco la classica ***paniscia* alla novarese**, i tortelloni alla toma, gli spaghetti al cipollotti; e ancora paste fresche fatte in casa e **risotti**. Fra i secondi piatti ci sono una vera **frittura alla novarese** con il semolino dolce, la **gallina bollita ripiena** con salsa verde e mostarda mantovana, il carpaccio di petto d'anatra, il **magatello di vitello** rosato con verdure dell'orto. Inoltre i piatti del giorno, che potranno essere il martedì il **fojolo in umido**, il mercoledì il gran misto di bolliti, il venerdì **merluzzo con cipolle** con polenta nostrana.
Prima di passare ai dolci potrete degustare un "orologio" di **formaggi**, tra cui il tipico **gorgonzola novarese** o tome delle valli del Biellese e della Valsesia. Fra i dolci, crostate, mousses e semifreddi. Nella carta dei vini buona selezione dei prodotti del territorio e interessanti etichette regionali e nazionali. A mezzogiorno menù a prezzo fisso sui 22-25 euro.

Sostegno

45 km a nord di Vercelli, 30 km a est di Biella

Locanda San Lorenzo

NOVITÀ

Trattoria
Via della Riva, 4 A
Tel. 015 762939
Chiuso il mercoledì
Orario: sera, domenica e festivi anche pranzo
Ferie: 15 giorni in luglio
Coperti: 40
Prezzi: 28-30 euro
Carte di credito: tutte tranne AE, Bancomat

Nel centro storico di Sostegno, tra vie strette e tortuose e vecchi edifici recuperati, trovate la locanda San Lorenzo. Vi si accede da un piccolo e verde cortile, in cui si cena nel periodo estivo, scendendo poi alcuni scalini fino alle tre salette dove si è accolti da Eleonora Tura. L'ambiente è caldo e accogliente, in cucina opera Dario Rossi, che utilizza materie prime locali (carni piemontesi, formaggi, verdure, frutta e miele di produttori del posto) quando non prodotte in casa.
Il pasto comincerà con la **paletta biellese** accompagnata da una tometta o da croccanti verdure agrodolci, il carpaccio con i carciofi, la **mocetta di manzo** con lattughino e primo sale, l'insalata di cereali, asparagi e fagioli cannellini e il delicato bianco di cappone. Fra i primi, buoni **agnolotti al sugo d'arrosto** con le erbe aromatiche, poi le paste fatte in casa con salsiccia, **con ragù di cinghiale**, con cipollotto e peperoncino, i **risotti al Bramaterra**, alla toma, con ortiche o spinaci. Da non perdere, tra i secondi, le **carni di fassone piemontese alla griglia**; in alternativa la **cervella fritta** di vitello. Il ricco piatto di **formaggi** (una decina, di vacca, pecora e capra), alcuni provenienti dal locale caseificio, accompagnati da mostarde caserecce, farà da prologo ai dolci casalinghi: **budino di miele d'acacia e lavanda**, torta di mele, semifreddo o il tortino tiepido di cioccolato fondente e gelato di vaniglia. Si può chiudere con un liquore alla mela verde (Sostegno è rinomato per le mele). Buona la scelta dei vini (con corretto ricarico), con il meglio della produzione del Nord del Piemonte e alcune bottiglie del resto d'Italia. I piatti abbondanti e il conto onesto completano il piacere di una sosta consigliabile.

Stroppo
Ruata Valle

43 km a NO di Cuneo SS 22, 25 km da Dronero

Codirosso

Trattoria annessa alla locanda
Frazione Ruata Valle, 8
Tel. 0171 999101
Chiuso il mercoledì
Orario: mezzogiorno e sera
Ferie: metà ottobre-marzo e 15 gg variabili
Coperti: 20
Prezzi: 22 euro vini esclusi
Carte di credito: le principali, Bancomat

Da Caraglio occorre continuare verso Elva, la Val Maira vi accoglierà con i suoi prati e i suoi boschi. Seguite la freccia verso destra che indica Codirosso, ed eccovi alla baita dove Annamaria e Nicola vi accoglieranno a pranzo con un servizio di piatti freddi (salumi, formaggi, **acciughe**, vitello tonnato, verdure grigliate, insalate di grano, orzo e ceci), a cena con il loro menù fatto di tre antipasti, un primo, un secondo o un piatto di formaggio.
Si può cominciare con un tagliere di buoni salumi (coppa e cacciatorini per esempio); quindi è la volta dei **tomini con salsa rossa** piccante, accompagnati da pomodorini secchi e olio extravergine profumatissimo; colorati **peperoni al forno** con acciughe, uvetta e pinoli, seguiti da un tortino di verdure con fonduta. Tra i primi potrete trovare gli ottimi **agnolotti gobbi di arrosto** al burro e salvia, con pasta sottile di colore giallo intenso, ripieno gustoso e condimento finemente aromatico; poi le tagliatelle con gli asparagi, freschissimi e croccanti, oppure le **fettuccine di farina di castagne** con patate e toma, i maccheroncini con farina di grano saraceno. Quindi i secondi: il **coniglio in casseruola**, lo spezzatino, il pollo alla cacciatora, l'**agnello sambucano al forno**. Infine i dolci: un intenso **salame al cioccolato**, una gustosa panna cotta e un fresco sorbetto alle fragole.
Si accompagna il tutto con il pane del forno a legna della vallata e si beve una fresca e leggerissima acqua di fonte. Ma il vino non manca: la selezione di prodotti italiani è essenziale ma attenta, con ricarichi ragionevoli. Servizio caldo e informale.

STROPPO
Bassura

43 KM A NO DI CUNEO SS 22, 25 KM DA DRONERO

LOU SARVANOT

Ristorante
Frazione Bassura, 64
Tel. 0171 999159
Chiuso da lunedì a giovedì
Orario: sera, sabato e festivi anche pranzo
Ferie: 7 gennaio-7 febbraio, ultima settimana di agosto
Coperti: 28
Prezzi: 21-29 euro vini esclusi
Carte di credito: le principali, Bancomat

Inerpicarsi per le strade panoramiche e anguste della valle Maira è davvero un'esperienza *slow*. Non ci sono impianti di risalita e il turismo qui non è mai stato troppo invasivo: una giornata in questi luoghi è molto rilassante e la ciliegina sulla torta sarà la tappa gastronomica da Lou Sarvanot, locale raccolto, gestito con perizia da Paolo e Silvia, maestri dell'accoglienza. La sala è ottenuta da un'ex stalla con le volte a botte, in una della tipiche case di questi luoghi difficili e affascinanti. Con un menù a 21 euro (due antipasti, secondo e dolci o tre antipasti, primo e dolci) e uno a 26 (tre antipasti, due assaggi di primo, secondo e dolci) potrete farvi un'idea completa della proposta del ristorante.
Insalata di zucchine e melanzane grigliate, budino ai peperoni, tortino di bietole ed erbette con fonduta di formaggio nostrale, sono il valido avvio. Per primo troverete i ***ravioles*** (gnocchetti di patate e toma) al burro e salvia, i maltagliati al genepy, la ***comaut*** (minestra di zucca e patate). Tra i secondi **culatta di vitello alle erbe**, trota alla Sarvanot con pomodoro, capperi, ribes, pinoli e uva passa, e l'immancabile (da queste parti) **agnello sambucano**, preparato al miele di castagno. Dopo un assaggio di formaggi locali, provate gli ottimi dolci: aspic di lamponi, torta allo zabaione, pere e Moscato, mousse al gianduia.
La carta dei vini, frutto di una buona ricerca personale, si segnala per i ricarichi molto contenuti anche sulle bottiglie più prestigiose.

Osteria accessibile ai disabili.

A **San Damiano Macra** (12 km) azienda Lou Puy (borgata Podio 3 A): ottimi caprini; per il pane, biscottato e in grandi forme, Pierino Nasari (via Berardi 10).

TORINO

ANTICHE SERE

Osteria tradizionale-trattoria
Via Cenischia, 9
Tel. 011 3854347
Chiuso la domenica
Orario: solo la sera
Ferie: 2 settimane in agosto, 2 a Natale
Coperti: 50 + 50 esterni
Prezzi: 30-35 euro vini esclusi
Carte di credito: nessuna, Bancomat

A 600 metri dalla fermata del metrò di piazza Rivoli, nel cuore del quartiere San Paolo, troviamo questa quasi centenaria trattoria ben nota ai buongustai torinesi. All'entrata troverete il bancone del bar e tre linde salette dal sapore *d'antan*, tavoli approntati con tovaglie bianche e bicchieri da osteria, piccoli e spessi. D'estate, nel cortile, sotto un curato pergolato si apprezzano la frescura e la buona tavola. Magari i titoli della lista delle vivande non saranno tantissimi, ma sicuramente i piatti escono da una cucina curata con una forte impronta piemontese e tradizionale. La gestione è familiare, l'accoglienza calorosa, il servizio rapido e cortese.
Potrete iniziare con tomini elettrici, salame cotto e di patate, **peperoni con *bagna caoda***, frittata verde, insalata russa, **carne all'albese**. A seguire, sono quasi sempre presenti gli **agnolotti al sugo d'arrosto**, i ***tajarin*** (ottimi quelli conditi **con un ragù bianco di fegatini di pollo**), gli gnocchi (con salsiccia o gorgonzola); valida alternativa invernale, una buona pasta e fagioli. Se d'estate ci si rinfresca con soavi **carpionate** (milanese e zucchine) e con verdure ripiene, nei mesi freddi la proposta è decisamente più impegnativa: **coniglio al vino bianco**, stinco di maiale al forno, polpettine con i piselli, **brasato** servito con la polenta. Molto buoni anche i dessert: il classico *bonet*, una soda **panna cotta**, torta al cioccolato e lo **zabaione al Moscato** con paste di *meliga*.
Ben strutturata e dai ricarichi onesti, la carta dei vini è prevalentemente piemontese, ma non mancano buone etichette nazionali.

CON CALMA

Ristorante
Strada Comunale del Cartman, 59
Tel. 011 8980229
Chiuso il lunedì
Orario: sera, domenica e festivi anche pranzo
Ferie: non ne fa
Coperti: 80 + 60 esterni
Prezzi: 30-35 euro vini esclusi
Carte di credito: tutte, Bancomat

Siamo nella parte bassa della collina torinese. Salendo da corso Casale, la strada si restringe tra un torrentello e gli alberi, e sembra di essere lontanissimi dalla città, col suo traffico e i rumori. Unica difficoltà: si parcheggia lungo la strada, già angusta di suo. Il locale, invece, è spazioso, con ambienti ricavati all'esterno grazie a strutture "solide" ma luminose. Ottimo lavoro, quindi, quello fatto da Renata Pristeri su questa osteria già frequentata nei decenni passati da un pubblico giovanile e movimentista (era conosciuta come "Stella Rossa"): ottimo lavoro per quel che riguarda l'aspetto del locale, ma anche e soprattutto per la qualità della cucina.
I piatti in menù, che partono sempre dalle tradizioni territoriali e variano stagionalmente, potranno essere manzo marinato con toma di Lanzo e miele, un delizioso salame di tonno con la maionese fatta in casa, il **carpione alla piemontese**, il fiore di zucchino ripieno, oltre a un buon assortimento di salumi. Tra i primi piatti (la pasta è fatta in casa), tagliolini e **agnolotti** (con vari ripieni, a seconda della stagione), lasagne alle verdure e diversi tipi di **risotti**, tra i quali, buonissimo, il timballo di riso venere alla salsa di basilico. Secondi molto classici: **bollito** e **fritto misto** invernali, **finanziera**, brasato al Barbera, tonno di coniglio con salsa di lamponi (al posto dell'ormai inflazionato aceto balsamico), nonché una buona selezione di formaggi. Per finire *bonet*, panna cotta alla menta di Pancalieri ricoperta di cioccolato fuso, pesche ripiene, **zabaione** con paste di *meliga* e altro ancora.
Carta dei vini ampia e intelligente, a base soprattutto regionale, con ricarichi onestissimi.

Locale segnalato dall'Associazione italiana celiachia.

TORINO

DAI SALETTA

Trattoria
Via Belfiore, 37
Tel. 011 6687867
Chiuso la domenica
Orario: mezzogiorno e sera
Ferie: agosto
Coperti: 50
Prezzi: 30-33 euro vini esclusi
Carte di credito: tutte, Bancomat

Quando si pensa alla trattoria è questo l'ambiente che si vorrebbe trovare: caldo, colorato, famigliare. Il locale dei coniugi Saletta è l'esempio di come in una grande città come Torino possano coesistere ristoranti importanti e semplici locali tradizionali in cui gustare la vera cucina piemontese. Come questo di cui parliamo, segnalato da anni dalla nostra guida per la sua solida gastronomia di territorio, che può contare su due sale contigue dai soffitti molto alti, arredate in modo semplice, con tavoli apparecchiati con tovagliato a quadrettoni e le sedie in legno scuro.
Si comincia con gli affettati misti, la **carne all'albese**, i **tomini elettrici**, il vitello tonnato e la **trippa di Moncalieri**, da gustare singolarmente o tutti insieme, in un appetitoso piatto rustico. Poi ecco i primi, con i **tagliolini alla langarola**, gli agnolotti dal *plin*, le ***ravioles* della Val Varaita**, le rustiche alla montanara e ancora gli **gnocchi**. Al momento dei secondi arriva l'indiscutibile specialità della casa: il **brasato al Barolo**. Ma non vanno dimenticati l'arrosto alla crema di nocciole, il magnifico **coniglio all'Arneis** o quello alle prugne. Per concludere ancora tanta tradizione, con ***bonet***, panna cotta, zabaione al Moscato e un'ottima **torta di nocciole** senza farina.
I vini? Etichette blasonate, ma anche nomi meno conosciuti, con una particolare attenzione per i prodotti piemontesi. In sintesi: tutto quello che una trattoria dovrebbe proporre.

A pochi passi, in corso Raffaello 6, l'enoteca Gabri propone vini, liquori, Champagne, spumanti, specialità dolci e salate delle Langhe. In via Lagrange 38, da Scanavino Primizie attenta selezione di specialità gastronomiche e prodotti freschi.

I VALENZA

Trattoria
Via Borgodora, 39
Tel. 011 5213914
Chiuso domenica e lunedì
Orario: mezzogiorno e sera
Ferie: agosto
Coperti: 40 + 20 esterni
Prezzi: 28-32 euro vini esclusi
Carte di credito: nessuna

Siamo nel cuore della Torino popolare, poco oltre il grande mercato di Porta Palazzo, nelle viuzze che ospitano il Balôn (mercatino dell'antiquariato, dove tra il ciarpame si possono fare grandi scoperte), vicino all'Arsenale, ora sede del Sermig. Un quartiere storico, una volta soprattutto operaio, ora multietnico. Qui, una cinquantina d'anni fa, Valter e Giuditta Braga (origini venete, venuti in città dopo l'alluvione del Polesine) hanno aperto questa osteria-trattoria, rimasta uguale nel tempo, sia negli arredi (tutto in legno... stagionato, collezione di pendole alle pareti) che nell'atmosfera, informale e piacevolmente "rumorosa".
Valter (sta in sala, coadiuvato dal figlio) è un vero oste d'altri tempi: affabile ma un po' irascibile, prorompente per vitalità e generosità, con propensioni canore, e infatti, al giovedì e al sabato, si esibisce come cantante confidenziale, accompagnato da due musicisti, datati ma affidabili. Giuditta, invece, è la regina della cucina e dalle sue abili mani escono piatti, anche loro (giustamente) datati ma (assolutamente) affidabili. Quindi non aspettatevi svolazzi di modernità, ma attaccamento alla tradizione e all'esperienza maturata nei decenni. Ed ecco, allora, tomini e **acciughe al verde**, peperoni con la *bagna caoda*, **insalata russa**, vitello tonnato e **carne cruda**. Poi una magnifica **pasta e fagioli**, ma anche **zuppa di ceci con le costine**, agnolotti al sugo d'arrosto, gnocchi e *tajarin*. Secondi piatti anche loro classicissimi: **bollito misto** (d'estate servito freddo) con le salse, **cotechino con i crauti**, **arrosto della vena**, coniglio.
Bonet e panna cotta, per finire, ma anche una buonissima macedonia di frutta cotta. Gran finale col caffè della casa, originale, da provare assolutamente. Vino sfuso accettabile e qualche buona etichetta piemontese.

L'AGRIFOGLIO

NOVITÀ

Ristorante
Via Provana, 7 E
Tel. 011 8136837
Chiuso domenica e lunedì a pranzo
Orario: mezzogiorno e sera
Ferie: una settimana a Ferragosto
Coperti: 40
Prezzi: 32-35 euro vini esclusi
Carte di credito: le principali, Bancomat

L'Agrifoglio era già meritatamente presente in guida, qualche anno fa, in un'altra sede, poi chiusa. Ora ha riaperto, non lontano, in via Provana, a due passi da via Mazzini e corso Vittorio. Il locale è raccolto, piacevole, accogliente: due piccole salette divise solo da un paio di colonne. Adriano Pistorio è gentilissimo e il servizio in sala, curato dalla moglie, è ottimo: ogni 10 minuti arrivano in tavola piccoli panini tenuti in caldo in cestini coperti con tovaglioli; la cucina, semplice e solida, propone un buon connubio fra tradizione e modernità.
Il cuoco prepara tutto al momento e la differenza si sente. Tutto è molto buono e curato, a cominciare dalla **carne cruda battuta al coltello** (davvero eccezionale), proseguendo con il **tonno di coniglio** e altri antipasti della tradizione, tra i quali una notevole **insalata di nervetti**. A seguire, **agnolotti dal *plin*** o alla borragine, risotto alla crema di peperone, ***tajarin*** langaroli. Si può continuare con una deliziosa scaloppa di fegato d'oca al Passito, un indimenticabile **agnello sambucano**, ma sono altrettanto notevoli la **trippa in umido** e il **fricandò di fassone**. Vale la pena di lasciare un po' di posto per la selezione di formaggi – che fanno bella mostra di sé su un ricco carrello –, magari da accompagnare con un buon vino passito. Per dessert, la frutta disidratata al passito, i sorbetti fatti in casa e uno splendido canestrino di nocciole con crema di zabaione.
Bella carta dei vini, con etichette non banali (un'ottantina in tutto) in prevalenza regionali, e intelligente offerta di buona birra in caraffa.

L'OCA FÒLA

Trattoria
Via Drovetti, 6 G
Tel. 011 4337422
Chiuso la domenica
Orario: solo la sera
Ferie: 20 giorni in agosto
Coperti: 60
Prezzi: 35 euro vini esclusi
Carte di credito: tutte tranne AE

Qualche lavoro recente, in questa bella trattoria a due passi dalla stazione ferroviaria di Porta Susa, ha aumentato lo spazio in sala e ha ampliato la cucina, dando modo a Dario Elia di svolgere meglio il suo lavoro. L'ambiente non è cambiato: le volte in mattoni e i bei mobili in legno rendono sempre l'atmosfera calda e accogliente. Anche l'impostazione gastronomica non ha subìto modifiche, con piatti fedeli alla tradizione regionale. Massimo Miglietta e Claudio Tencone, in sala, propongono un menù fisso che varia di giorno in giorno; è molto ampio e richiede un appetito robusto, ma prossimamente sarà affiancato da un menù più ridotto.
Si parte con gli antipasti misti, già pronti sul tavolo al vostro arrivo: **salame cotto** e crudo, frittata di verdure, crema di robiola con le noci e il tartufo, peperoni con salsa di tonno e uova, cipolline ripiene, **carne cruda battuta al coltello**. Segue un tris di primi, che possono essere **agnolotti** classici o al pomodoro fresco e basilico, un delizioso **risotto alla monferrina** (con la salsiccia), un indimenticabile **minestrone di trippa**, tagliolini e fettuccine con vari condimenti. Due gli assaggi di secondi: si spazia dal filetto di maiale con fonduta di gorgonzola alla scottata di sanato al forno, dai bocconcini di cinghiale alla **trippa con i fagioli** per arrivare, nella stagione giusta, al **bollito** e al **fritto misto piemontese**. Classici i dessert: *bonet*, panna cotta, tiramisù, pesche ripiene.
Bella carta dei vini, anch'essa di impronta regionale, con ricarichi corretti.

In piazza Statuto 13, il panificio Guala: grissini torinesi stirati, robatà di pasta dura e una focaccia in versione croccante.

PORTO DI SAVONA

NOVITÀ

Trattoria
Piazza Vittorio Veneto, 2
Tel. 011 8173500
Non ha giorno di chiusura
Orario: mezzogiorno e sera
Ferie: non ne fa
Coperti: 80 + 40 esterni
Prezzi: 23-25 euro vini esclusi
Carte di credito: tutte, Bancomat

Ci troviamo in uno degli edifici della Torino storica, in fondo a via Po, ultimata nel 1720, là dove sorgeva la Porta di Po, accesso alla città da cui partivano frequentemente le diligenze per Savona: da qui il nome del locale. Oggi il Porto di Savona è un ristorante di tradizione, semplice ma molto frequentato da torinesi e turisti, in un angolo di una delle più belle piazze della città, con godibile dehors nei mesi estivi.
La gestione dei fratelli Ferrari, valendosi della supervisione del sommelier Bruno Casetta, ha riportato l'offerta del ristorante a livelli consoni alla sua storia. La carta propone una buona scelta di piatti tipici della tradizione subalpina: si inizia con **vitello tonnato**, **acciughe al verde** e **in salsa rossa**, tomini, trippa di Moncalieri. Grande spazio alla pasta fatta in casa: **agnolotti al sugo d'arrosto**, gnocchi di patate al gorgonzola, ***tajarin* al castelmagno** e maltagliati al pomodoro fresco e robiola. D'inverno vanno assaggiati il **brasato con cipolline**, il **fritto misto** e la rara **finanziera**. In stagioni più miti non mancano gli asparagi con fonduta, la trota alle nocciole o la "novarese", declinazione targata Piemonte della milanese (con gorgonzola). Ampia la carta dei dessert tra cui l'immancabile ***bonet* langarolo** e la panna cotta, oppure la **gelatina di Moscato con frutti di bosco**.
Convenienti i prezzi dei buoni vini nella carta proposta da Casetta e piacevole la possibilità di assaggiare al bicchiere, con i dessert, oltre ai classici Moscati, Barolo Chinato o ratafià. Nota di merito, infine, per l'apertura domenicale che permette di risolvere l'annoso problema del ristorante festivo in centro città.

SOTTO LA MOLE

Ristorante
Via Montebello, 9
Tel. 011 8179398
Chiuso il mercoledì, la domenica d'estate
Orario: solo la sera, pranzo su prenotazione
Ferie: 3 sett in giugno, 10 gg tra dicembre e gennaio
Coperti: 40 + 20 esterni
Prezzi: 34-38 euro vini esclusi
Carte di credito: le principali, Bancomat

La Mole che dà il nome al ristorante è, ovviamente, quella Antonelliana, proprio di fronte. Nel centro della città, il locale, gestito da Simone Ferrero, in cucina, e dalla moglie Rosa Anna Grosso in sala, è un sicuro approdo gastronomico. Sala sobria e allungata, accoglienza e servizio senza intoppi. La cucina, a rotazione mensile, punta sulla qualità delle materie prime. Pasta, pane e dolci sono preparati in casa.

Si può scegliere fra un menù degustazione con 4 piatti a 34 euro o alla carta. Fra gli antipasti troverete sempre il **timballo di carne cruda** con salsa al rafano, nei mesi freddi il flan di topinambur su *bagna caoda*. Passando ai primi, gli **agnolotti dal *plin*** sono un altro piatto portante, come i ***tajarin***, conditi in vari modi: estivi quelli con peperoni arrostiti, zucchine e acciughe, invernale il ragù di fegatini. Poi i **risotti**, con diversi condimenti (in estate ai gamberi di fiume e fiori di zucchine). La *châteaubriand* di fassone piemontese è un classico del locale, ma fra le carni non mancano preparazioni più tipiche come l'**agnello sambucano al forno**, la **rollata di coniglio**, la **finanziera** alla piemontese, la **trippa in umido** all'Arneis. Anche in estate c'è sempre un piatto di frattaglie come la spadellata di rognone e animelle con **funghi porcini**. Eccellente selezione di formaggi, ottimi dessert fra i quali il ***gianduiot*** su fondente di cioccolato e il cremino fondente e lamponi. Le pere cotte al vino sono proposte in inverno, in estate le **pesche ripiene**.

Buona carta dei vini che privilegia i regionali, opportunità a bicchiere, interessante selezione di vini da dessert.

Per l'aperitivo: l'Enoteca del Borgo, via Monferrato 4 e il Vitel Etonné, via San Francesco da Paola 4; gelato al gianduia e la cioccolata calda da Fiorio, via Po 8.

51 KM A SO DI TORINO SS 23

LA CROTA DL'OURS

Osteria di recente fondazione
Via della Repubblica, 6
Tel. 0121 953539
Chiuso lunedì e martedì
Orario: mezzogiorno e sera
Ferie: variabili
Coperti: 30 + 12 esterni
Prezzi: 20-25 euro vini esclusi
Carte di credito: nessuna, Bancomat

Sono passati tre anni da quando Walter e Gisella Eynard hanno deciso di aprire un piccolo *bistrot* in centro paese. Questa gradevole "cantina dell'orso" prosegue il progetto di offrire prodotti del territorio, scelti con grande cura. Le due salette sono piccole, con pochi tavoli in legno; al centro troneggia una Berkel nera con cui affettare ottimi salumi, serviti su una *losa* in pietra di Luserna. L'ambiente è spartano, ma il servizio efficiente e cortese e non mancano i bicchieri adeguati al vino ordinato.

Se non sceglierete l'ottima **insalata di carne cruda** o uno dei flan di verdura (che cambiano a seconda della stagione), lasciatevi tentare dagli assaggi degli antipastini del giorno: noi abbiamo apprezzato squisite **acciughe al verde**, **insalata russa** e di riso, peperoni, melanzane e zucchini ripieni. Tra i primi, ottimi il **risotto di fegatini**, il *gratin* di tortellini e i **ravioli di patate con il salmerino** (questi ultimi presenti in un conveniente menù interamente dedicato ai pesci d'acqua dolce). A seguire **coniglio in casseruola**, tapulone d'asino alla Barbera, **lingua in salsa verde** oppure una abbondante selezione di formaggi valligiani, presentati come i salumi sulla pesante pietra lusernese. Tra i dolci, la classica **torta valdese** con la cannella, la torta sabbiosa al cioccolato, il *bonet* e la bavarese alla menta oppure al rabarbaro.

Buona la scelta di vini, in prevalenza piemontesi, da scegliere sullo scaffale. Manca purtroppo una carta aggiornata, ma ordinate con tranquillità: ricarichi, in linea con la politica del locale, di assoluta correttezza. Anche lo sfuso della casa è comunque apprezzabile.

In via della Repubblica 22, la macelleria Chiot dl'aiga propone mocetta, salame di pecora e mustardela.

TORTONA

21 KM A EST DI ALESSANDRIA USCITA A 21

VINERIA DERTHONA 

Trattoria-vineria
Via Perosi, 15
Tel. 0131 812468
Chiuso il lunedì, sabato e domenica a pranzo
Orario: mezzogiorno e sera
Ferie: agosto e la settimana dopo Natale
Coperti: 50 + 20 esterni
Prezzi: 30 euro vini esclusi
Carte di credito: le principali, Bancomat

Gianni Respighi, il titolare di questa vineria-trattoria, si occupa principalmente della sala e segue i clienti con passione e professionalità, in particolare quando consiglia gli abbinamenti fra cibo e vini. Di grande interesse è infatti la carta dei vini che ospita circa 400 etichette, che vanno dalle produzioni locali e piemontesi alla proposta di molte bottiglie delle altre regioni italiane; e non mancano una selezione di Champagne e produzioni internazionali.

Quanto al cibo, sono sempre disponibili, anche per spuntini e per accompagnare un calice di vino, selezioni di **salumi** e di **formaggi**, fra cui troverete, oltre al montébore (Presidio Slow Food prodotto a pochi chilometri da Tortona), molte altre tipologie, in particolare piemontesi, con diversi affinamenti e stagionature. Passando al menù, offre proposte tipiche di una zona dove alle basi gastronomiche piemontesi si sovrappongono influssi liguri da un lato, della pianura padana dall'altro. Ecco allora le acciughe, la cima, il polpo, le verdure di stagione ripiene e poi, tra i primi, i **tagliolini ai funghi porcini**, i ravioli al sugo Derthona, gli **agnolotti al sugo di arrosto**, pasta e fagioli. Per proseguire avrete il **vitello tonnato** alla piemontese, il **tonno di coniglio**, un particolarmente apprezzabile **baccalà al vapore** con purè di olio extravergine e acciughe; nella stagione più fredda potrete trovare la **trippa**, lo stinco di vitello con polenta oppure il **bollito misto** (in genere il martedì).

Per concludere i dolci, con le ciliegie di Garbagna cotte nel vino rosso, la *crème brûlée*, eccellenti **crostate di frutta** (come quella con le pesche di Volpedo).

La gastronomia La Casereccia di via Emilia 209, propone i migliori formaggi della zona tra cui il montébore, vini e le birre del birrificio Montegioco.

TRANA
San Bernardino

25 KM A OVEST DI TORINO

LA BETULLA 

Ristorante
Strada Giaveno, 29
Tel. 011 933106
Chiuso il lunedì
Orario: mezzogiorno e sera
Ferie: gennaio
Coperti: 60
Prezzi: 30-35 euro vini esclusi
Carte di credito: le principali

San Bernardino, frazione di Trana, è collegato a Torino da grandi vie di comunicazione; è adagiato sulle pendici delle Alpi Cozie ed è qui che Franco Giacomino da anni conduce con passione la sua attività. Non fatevi ingannare dalle apparenze che potrebbero far pensare a un ristorante dai toni fin troppo classici, la sostanza ci racconta di un legame molto profondo con il territorio. Da anni Franco tesse una fitta ragnatela di rapporti con i piccoli produttori della Val Sangone, contadini e allevatori.

Funghi, vanto della valle, pesci di acqua dolce, carni e formaggi sono protagonisti nei piatti. La **cipolla di Coazze ripiena** è l'antipasto storico del locale; poi ci sono il vitello tonnato, la battuta di fassone al coltello, la **terrina di lingua salmistrata** e le **lumache di vigna nel pane** d'erbe. Tra i primi, **agnolotti dal *plin* al sugo d'arrosto**, ottimi risotti, tagliolini con sughi diversi. La ricerca di Franco lo porta talvolta a proporre piatti dove quelle del territorio sono accostate ad altre eccellenti materie prime: è il caso dell'ottimo **risotto al midollo** con battuta di scampi (c'è anche una carta dedicata ai piatti di pesce). Poi si continua con i tagli di fassone di Piossasco, l'ottimo **capretto** della Val Sangone **allo spiedo**, il filetto di maiale da latte, l'agnello sambucano. Su prenotazione, **fritto misto alla piemontese**. Selezione di **formaggi** locali che merita attenzione. Invitanti dessert per finire, con una doverosa citazione per i dolci in cui la base è il cioccolato artigianale di un piccolo laboratorio di Giaveno.

Molto curata la carta dei vini piemontesi e nazionali, con la quale ci si può divertire spendendo il giusto.

Treiso

70 km da Cuneo, 7 km a est di Alba

Osteria dell'Unione

Trattoria
Via Alba, 1
Tel. 0173 638303
Chiuso domenica sera e lunedì
Orario: mezzogiorno e sera
Ferie: due settimane in febbraio
Coperti: 25
Prezzi: 30-35 euro vini esclusi
Carte di credito: nessuna

Treiso è uno dei tre paesi del vino Barbaresco e, negli anni, è diventato una delle mete più stimolanti delle Langhe, grazie a una straordinaria proposta di locali di qualità. L'Osteria dell'Unione è uno degli indirizzi migliori ed è la sola a possedere il fascino del mito per i soci di Slow Food. Ritrovo per la gente del posto negli anni Trenta (quando dietro il bancone c'era Cesarin), è diventata circolo Arci nel 1982, sotto la guida della coppia Beppe Marcarino e Pina Dongiovanni, ed è stata la sede delle prime riflessioni che hanno dato vita al movimento (qui è stato redatto il manifesto). Oggi è gestita da Rezarta Fino, la nuora albanese di Beppe e Pina, ma le ricette sono quelle di sempre, ancorate alla tradizione di Langa.
La sapienza che si cela dietro alcuni di questi piatti (frutto della competenza di Pina) fanno sì che sia un'esperienza indimenticabile gustare la più comune delle ricette, come la **lingua in salsa verde**, gli **agnolotti dal *plin*** (dalla sfoglia leggerissima e con un ripieno di magro sapido e delicato) e l'inarrivabile **coniglio con i peperoni**. Affidatevi senza timore anche alle altre proposte del menù: gli affettati (pancetta, salame cotto e crudo, lardo), le frittatine, l'insalata di carne cruda, il **vitello tonnato**, e, d'estate, la carpionata mista. Oltre agli agnolotti, come primo avrete ***tajarin*** e gnocchi. Tra i secondi, segnaliamo anche il brasato al Barolo e l'arrosto. Per concludere, formaggi serviti con la *cognà* e dolci classici: panna cotta, *bonet*, pesche sciroppate, **torta di nocciole con lo zabaione**.
La lista dei vini dell'osteria, affiliata all'Enoteca Regionale del Barbaresco, comprende i migliori della zona.

70 km da Cuneo, 7 km a est di Alba

Risorgimento

Trattoria
Viale Rimembranza, 14
Tel. 0173 638195
Chiuso il lunedì
Orario: pranzo, ven, sab, dom anche sera
Ferie: variabili
Coperti: 60 + 20 esterni
Prezzi: 25-30 euro vini esclusi
Carte di credito: MC, Visa, Bancomat

L'ambiente non sarà tra i più attraenti – il locale, composto da un bar, un'ampia sala da pranzo, e, nelle sere d'estate, un piccolo dehors, occupa il pianterreno di un'anonima palazzina moderna sulla non meno anonima via principale di Treiso –, ma, grazie alla bontà della cucina, una sosta al Risorgimento è sempre un'esperienza gradevole.
In una precedente edizione di questa guida, si era parlato di «un repertorio ricco che non esce mai dai confini del territorio regionale»: a queste definizioni non corrispondono il risotto con speck e cicoria e il merluzzo con patate, pomodorini e olive che ci sono stati proposti in occasione della nostra visita, ma tutti gli altri piatti sì. Ad antipasti classici come **insalata russa**, carne cruda all'albese, **vitello tonnato**, **flan di verdure con fonduta** e, d'estate, carpionata di zucchine, tacchino e uova, seguono primi altrettanto classici: ***tajarin*** e **agnolotti** al ragù o al burro e salvia, gnocchi con la salsiccia e vari **risotti**. Tra i secondi, coniglio ai peperoni, **brasato al Barbaresco**, agnello al forno, bocconcini di tacchino con funghi e zucchine, **cinghiale in umido** con la polenta. Per non citare il **fritto misto** – una ventina di pezzi, dal fegato alla cervella di vitello, dalle granelle alle cosce di rana, dai funghi porcini ai cavolfiori – preparato su prenotazione da Maria Settima Vola, cuoca e titolare del locale. Per chiudere, *bonet*, panna cotta, torta di mele, pesche ripiene, mousse ai frutti di bosco.
Buono il rapporto fra qualità e prezzo. Scegliendo alla carta, non si spendono più di 30 euro per un pasto completo. Il menù fisso, invece, comprendente tre antipasti, primo, secondo e dolce costa 25 euro, vini (che qui significa il meglio della Langa) esclusi.

Osteria accessibile ai disabili.

VECCHIA BRENTA

Ristorante
Via Morosone, 6
Tel. 0161 251230
Chiuso il giovedì
Orario: mezzogiorno e sera
Ferie: luglio
Coperti: 100
Prezzi: 20-30 euro vini esclusi
Carte di credito: tutte, Bancomat

In passato era ristorante da cerimonie senza concorrenti in zona, collocato com'è nel cuore della città vecchia, accanto a piazza Cavour; conobbe poi un declino verticale, da cui l'ha riscattato in epoca recente l'attuale gestione. Conduzione familiare a tutti gli effetti: titolare e cuoco è Massimo Magagnato, affiancato dalla moglie Michela, in sala, e da mamma e papà, rispettivamente in cucina e al bancone del bar. Atmosfera d'altri tempi anche nelle due sale, che conservano architetture e arredi *d'antan*. Sedendosi ai tavoli, la sensazione è confortevole e rassicurante, così come accade consultando il menù, che poco concede a smanie d'avventura ed eccentricità: solida tradizione piemontese, declinata su scala vercellese.
Domina dunque il riso, dai primi – **risotti** assortiti e soprattutto un'impeccabile ***panissa***, fierezza della cucina locale – ai dolci, tra cui sono consigliabili i soffiati. Trionfa fra gli antipasti il classico ***salam dla doja***, star incontrastata nella selezione degli affettati, benché le **acquadelle in carpione** – in lista insieme ad altri pesci d'acqua dolce: tinche, trote e carpe – rappresentino una stuzzicante alternativa. Tra i secondi, invece, le raccomandazioni riguardano bolliti, **fritto misto** o – secondo disponibilità – **rane** e **lumache**. Il menù alla carta varia due volte l'anno (tra i piatti fissi, classici quali **agnolotti** e *bonet*), mentre ogni tre mesi si rinnova quello stagionale.
Essenziale il repertorio dei vini, che premia anzitutto i tesori locali, dal Bramaterra al Ghemme.

Pasticcerie: Taverna e Tarnuzzer in piazza Cavour, fondata dal pasticcere svizzero Methier, rinomata per gli amaretti; Follis in corso Libertà per i bicciolani, tipici biscotti speziati; Twenty in via XX Settembre, per la torta tartufata e le bavaresi di riso.

CA' DEL RE

Azienda agrituristica
Via Umberto, 14
Tel. 0172 470281
Chiuso il martedì
Orario: sera, festivi anche pranzo
Ferie: 15 dicembre-13 febbraio
Coperti: 40 + 40 esterni
Prezzi: 28 euro vini esclusi
Carte di credito: tutte tranne AE, Bancomat

Materie prime locali e di qualità, preparazioni tradizionali, buona mano ai fornelli: sono il sacro ritornello delle circa duemila osterie presenti su questa guida. Ma per la chiocciola ci vuole qualcosa di speciale, che facciamo fatica perfino a definire: un'atmosfera, un modo di fare degli osti, un modo di stare degli avventori. In una parola: l'accoglienza. Gabriella Burlotto, il marito Franco Bianco e le figlie Giovanna e Marcella hanno questo di speciale: la capacità di trasformare una cena piacevole, dal punto di vista gastronomico, in qualcosa di più, che appaga non soltanto le papille.
Accomodati nei caldi ambienti interni o nel fresco giardino ombreggiato da un ciliegio gusterete classiche ricette piemontesi, cominciando, secondo stagione, con l'***oriot*** (piatto tradizionale a base di muso di maiale), i crostini di polenta con salsa piccante, il salame senza pepe con Pelaverga oppure i tomini al verde, la lingua in salsa, la *tartrà* e i consigliabili **pomodori ripieni con *bagnet* verde**, un classico dell'estate langarola. Passando ai primi, ecco le **tagliatelle** di farina di mais condite **con ragù** (in alternativa burro e menta o fegatini di coniglio), gli gnocchi con zucchine e pomodoro fresco, i ravioli, il minestrone di verdura, la **minestra di ceci con le costine**. A seguire si va sul sicuro con **bocconcini di vitello al Barolo** e **pollo alla cacciatora**, ma non sono da meno il filetto di maiale alla senape, la salsiccia al vino e il **carpione misto**. Si finisce con ***bonet***, panna cotta alla lavanda, semifreddo al torrone, pere al vino o alla cannella, pesche di vigna ripiene, semifreddo al caffè.
La carta, incentrata sui vini prodotti in famiglia, annovera il meglio delle tipologie di Langa, con ricarichi corretti.

Vernante

20 km a sud di Cuneo

Nazionale

Ristorante annesso all'albergo
Via Cavour, 60
Tel. 0171 920181
Chiuso il mercoledì
Orario: mezzogiorno e sera
Ferie: variabili
Coperti: 30 + 20 esterni
Prezzi: 33 euro vini esclusi
Carte di credito: tutte, Bancomat

Vernante è un piccolo centro della Val Vermenagna, tagliato in due dalla statale del Colle di Tenda per la Francia. Su questa strada assai battuta sorge il Nazionale. L'albergo, di proprietà della famiglia Macario fin dal 1850, è stato prima stazione di posta, poi luogo di soggiorno per gli amanti dello sci e delle camminate. Oggi, con l'avvento della quinta generazione (Christian in sala, il cugino Maurizio in cucina), la famiglia ha deciso di affiancare al classico albergo di montagna un relais (Andrea al ponte di comando) con poche curate camere, spazio relax, sauna, bagno turco e vasca idromassaggio. La sala osteria si trova al primo piano del vecchio complesso. Il menù varia secondo stagione ed è legato ai piatti tipici della zona.
Tra gli antipasti più invitanti il **vitello tonnato all'antica**, il **salmerino** (dall'adiacente Valle Gesso) **marinato**, il timballo con fonduta di toma di Palanfrè, l'**insalata** tiepida **di trippa e patate** di montagna (impareggiabili). **Ravioli**, risotti, ***tajarin*** e zuppe tra i primi, **agnello sambucano al sale** e fieno di montagna, filetto di **trota** fario con funghi gallinacci, **frattaglie** accomodate in vari modi tra i secondi. Il comparto del menù dedicato alla valle, esclusivamente invernale, si apre con la ***ula*** (minestrone di fagioli con zampino o costine di maiale) per passare ai **ravioli alla vernantina** (di patate e porri), alle **cipolle ripiene** di patate, porri e riso, alla **polenta di *furmentin*** (grano saraceno) **con crema alle acciughe**.
Ottimi i dolci e i **formaggi** del carrello, carta dei vini da Bottiglia.

A **Palanfrè** (8 km), frazione di Vernante in Valle Grande, l'azienda Isola propone ottimi formaggi, tra cui il blu di Palanfrè. Sulla stessa strada incontrerete il microbirrificio Troll, per una bevuta da intenditori.

Verzuolo

27 km da Cuneo, 6 km a sud di Saluzzo ss 589

San bernardo

Ristorante
Via San Bernardo, 63
Tel. 0175 85822
Chiuso martedì e mercoledì
Orario: mezzogiorno e sera
Ferie: variabili
Coperti: 50 + 60 esterni
Prezzi: 28-30 euro vini esclusi
Carte di credito: tutte, Bancomat

Nei mesi più freddi, perché in fondo la cucina piemontese dà il meglio di sé quando a sfidare le brume escono dalla cucina piatti ruspanti e sostanziosi, che hanno fatto la gloria di queste terre; e quando fa caldo, perché arrampicarsi fino al San Bernardo e accomodarsi nel suo fresco dehors a picco sulla pianura circostante è un sollievo per vista e palato. Insomma, ogni stagione è giusta per venire in questo rustico ristorante d'alta collina, gestito da Paolo Ponte e Alberto Melano, rispettivamente in sala e ai fornelli.
Sulla tavola trovate pane e grissini del vicino forno Gorzellino (ottimi) e nel frattempo vi arriveranno gli antipasti di stagione, dal **vitello tonnato** alla **carne cruda**, dalle carpionate miste ai tortini di ortaggi, e ancora millefoglie di bollito, insalata russa e una fresca divagazione estiva come i moscardini in umido con patate. In stagione, i **funghi** la fanno da padrone, come condimento di risotti e **agnolotti dal *plin*** oppure in accompagnamento (o in sostituzione) delle carni. In alternativa, minestrone di verdure a pezzi con il pesto, *ravioles* occitane, **minestra di trippa** fra i primi; e **stracotto di bue**, coniglio alla senape, tagliata di fassone, cacciagione e fritto misto alla piemontese (su prenotazione) fra i secondi. Si finisce con casalinghi dessert come *bonet*, torte di frutta e **pesche ripiene** passate al forno.
Nelle nostre ultime visite non abbiamo più trovato la carta dei vini, ma Paolo ha saputo consigliarci una buona bottiglia delle Colline Saluzzesi ad accompagnare il pasto. Ricarichi corretti.

Verzuolo
Villanovetta

27 km da Cuneo, 6 km a sud di Saluzzo ss 589

Trattoria Società

Trattoria
Via Griselda, 29
Tel. 0175 88743-85495
Chiuso il mercoledì
Orario: mezzogiorno e sera
Ferie: 1 settimana in febbraio, 2 in giugno
Coperti: 30
Prezzi: 25-28 euro vini esclusi
Carte di credito: tutte, Bancomat

Al bivio per Villanovetta, salite fino alla chiesa e prendete la strada che la fiancheggia, ornata da tableaux con la storia di Giselda e Gualtieri (decima novella del *Decameron*). La trattoria è sulla sinistra: una porticina antica, un breve corridoio, la veranda, il bar dove gli anziani del posto giocano a carte e la raccolta sala da pranzo, con mobili della nonna, quadri contemporanei e una grande "carta de l'Occitania". A questa "nazione negata" hanno votato la vita lo svizzero Charlie Zuchuat e la moglie Marcella Fiorina: lui in cucina, lei in sala, svolgono un'opera meritoria di supporto alle piccole economie montane.
Parlano francoprovenzale tutti i piatti in menù, dal *toumin dal Mel* che può aprire il pasto al flan alla lavanda servito come dessert, passando per il **filetto di trota con *aiolì***, l'insolito **prosciutto di agnello sambucano**, l'*anchoyade* e la *tapenade*, l'**insalata di gallina bianca di Saluzzo**, la *ratatouille*, le ***caillettes*** e le **tagliatelle di farina di castagne**, la **polenta *pinholet* al grigio di Becetto**, la *doba* (spezzatino) di vitello e l'**agnello sambucano** al forno, la bistecca di maiale in salsa di senape. Unica variante, ma siamo sempre a cavallo delle Alpi, qualche reminiscenza della terra d'origine del patron, come gli *spätzle* con zucchine e menta o con finanziera di agnello.
Sconfinano in Francia e in Svizzera anche la bella selezione di **formaggi** e la carta dei vini, esemplarmente chiara, che spazia dal Pelaverga delle Colline Saluzzesi (anche in mezze bottiglie) a grandi firme di tutta Italia e d'oltralpe.

In via IV Novembre 30, l'azienda dell'Ipsaa di **Verzuolo** vende prodotti dei Presìdi Slow Food: vecchie varietà di mele, gallina bianca saluzzese e bionda piemontese.

Vezza d'Alba

47 km da Cuneo, 17 km a SO di Alba

Di vin Roero

Osteria-trattoria con alloggio
Piazza San Martino, 5
Tel. 0173 65114
Chiuso il lunedì
Orario: sera, sabato e festivi anche pranzo
Ferie: 1 settimana in gennaio, 1 fine agosto
Coperti: 50 + 50 esterni
Prezzi: 22-25 euro vini esclusi
Carte di credito: tutte, Bancomat

D'estate come d'inverno, arrivare a Vezza d'Alba ha il sapore della gita fuori porta: percorrendo le strade che da Torino, Alba e Bra conducono attraverso il territorio del Roero, troverete dolci colline ricoperte di vigneti e frutteti. Nella parte alta del borgo, una vecchia casa situata sulla piazzetta centrale è stata trasformata dalla famiglia Grasso in osteria, vineria e locanda con camere. La saletta in cui cenerete si presenta con pavimento in cotto, pareti spugnate in giallo e decori a mano in alto e sul soffitto, bei tendaggi doppi, lampadari in vetro di Murano e appliques moderne, tavoli semplici apparecchiati con tovaglie bianche e sedie rustiche.
Il menù vi sarà raccontato a voce dal patron, i piatti sono quelli tipici della cucina piemontese: **frittatine**, peperone ripieno, vitello tonnato, **carne cruda marinata alle erbe**. I primi variano secondo stagione, la pasta è fatta in casa: ***tajarin*** e **ravioli dal *plin*** possono essere serviti con burro e salvia, al ragù di carne o, in autunno, con i funghi; di buona fattura anche gli **gnocchi al castelmagno** d'alpeggio. Per secondo sceglierete l'arrosto o lo **stracotto al Roero** preparati con vitello di razza piemontese, oppure la **rolata di coniglio**. Chiudono il pasto classici tiramisù, *bonet*, panna cotta, pesche ripiene, torta di nocciole.
La lista dei vini non è molto ampia ma comprende le migliori bottiglie del Roero e note etichette piemontesi proposte a prezzi encomiabili.

Vignale Monferrato

24 km NO da Alessandria, 17 km da Casale

Universo

Ristorante
Via Bergamaschino, 19
Tel. 0142 933052
Chiuso lunedì e martedì
Orario: sera, festivi anche pranzo
Ferie: due settimane in agosto
Coperti: 70
Prezzi: 30-35 euro vini esclusi
Carte di credito: CartaSi, Visa, Bancomat

Dall'alto del suo borgo antico, con il suo dedalo di strade e un castello (Palazzo Callori) che ospita l'Enoteca Regionale, Vignale merita una sosta. In estate, poi, diventa meta degli appassionati di danza: vi si svolge infatti un famoso festival internazionale. Il ristorante si trova in un vicolo che fiancheggia Palazzo Callori. Superato un ingresso poco appariscente, si arriva a un ambiente rétro, con arredi, affreschi e camini stile vecchio Piemonte. Abitualmente viene proposto un menù guidato che presenta poche variazioni, a parte quelle stagionali, e un insieme di specialità tutte squisitamente regionali.
Dopo una piccola entrée (a noi sono stati serviti focaccia calda di farina integrale e *friciulin vert*), gusterete salame crudo e cotto, la classica **carne cruda di fassone**, i tortini di ortaggi (ai porri, ad esempio), gli sformati (come quello al castelmagno), la crema di formaggio con cipollotti caramellati. Delicato ma gustoso il **risotto all'Arneis e rosmarino**; fra gli altri primi, agnolotti e **tagliolini** con basilico e noci oppure, in stagione, **al tartufo** o **al sugo di cacciagione**. Il carrello dei secondi può contemplare **stinco di vitello**, anatra al Grignolino, carré d'agnello, tenerone alle erbe, **cinghiale**. Dolci tradizionali: torronata, spuma di lampone, crostata di frutta, *bonet* e un'ottima **torta di mele**, che è la specialità della casa.
Purtroppo limitata a poche etichette (Barbera, Grignolino, Cortese) la proposta enologica che, in mancanza di una lista, vi sarà illustrata a voce.

Ad **Altavilla** (3 km) si consiglia la visita alla Distilleria Mazzetti (località Cittadella 1). Un altro buon indirizzo per acquistare grappe e distillati è la Distilleria Cooperativa di **Rosignano** (15 km).

Villa San Secondo
San Carlo

15 km a NO di Asti ss 458

Perbacco

Ristorante
Via Montechiaro, 26
Tel. 0141 905525-338 7130571
Aperto venerdì e sabato sera, domenica mezzogiorno e sera
Ferie: variabili
Coperti: 40
Prezzi: 30-35 euro vini esclusi
Carte di credito: tutte, Bancomat

Nato una quindicina di anni fa come osteria-vineria, sotto la guida dello chef e patron Fausto Rocchi il locale si è evoluto negli anni, fino ad arrivare a offrire una proposta di piatti che interpretano modernamente la tradizione piemontese, con uso di ottime materie prime.
Ad accogliervi Sara, che vi accompagnerà tra i pochi tavoli dell'accogliente saletta. Oltre alle classiche e sempre presenti proposte monferrine – **carne cruda battuta al coltello**, girello di vitello con salsa tonnata, **agnolotti dal *plin***, brasato al Barbera – troverete piatti che assecondano le stagioni. Tra gli antipasti crostatina di broccoli su fonduta d'alpeggio oppure di asparagi con crema di parmigiano, **tonno di coniglio** con salsa alle olive taggiasche, cestino caldo di fave e pecorino, **insalata di faraona**. La pasta fresca tirata a mano è il denominatore comune dei primi, dai buonissimi **agnolotti d'asino** ai *tajarin* al ragù di coniglio o al sugo di frattaglie, dagli gnocchi al Castelmagno ai ravioli di magro con asparagi o con zucca e amaretti. Tra i secondi, i **bocconcini di cinghiale in umido**, la tagliata di scamone, il **coniglio in casseruola** all'Arneis, gli ottimi **porcini fritti** e, nella stagione calda, la frittura di filetti di pesce; sempre interessante la selezione di formaggi, accompagnati da mostarde e mieli. Su prenotazione si prepara il **fritto misto alla piemontese**. I dolci: semifreddo al torrone con cioccolato, tortino caldo al gianduia, in estate ciliegie cotte nel vino e sorbetti di frutta. Nella carta dei vini buona selezione di prodotti della zona, i grandi piemontesi e ottime etichette nazionali e internazionali.
Il menù degustazione a 32 euro prevede un tris di antipasti, primo, secondo e dolce; in alternativa la carta. Il ristorante è sempre aperto su prenotazione per gruppi di almeno sei persone.

Cantone Ticino

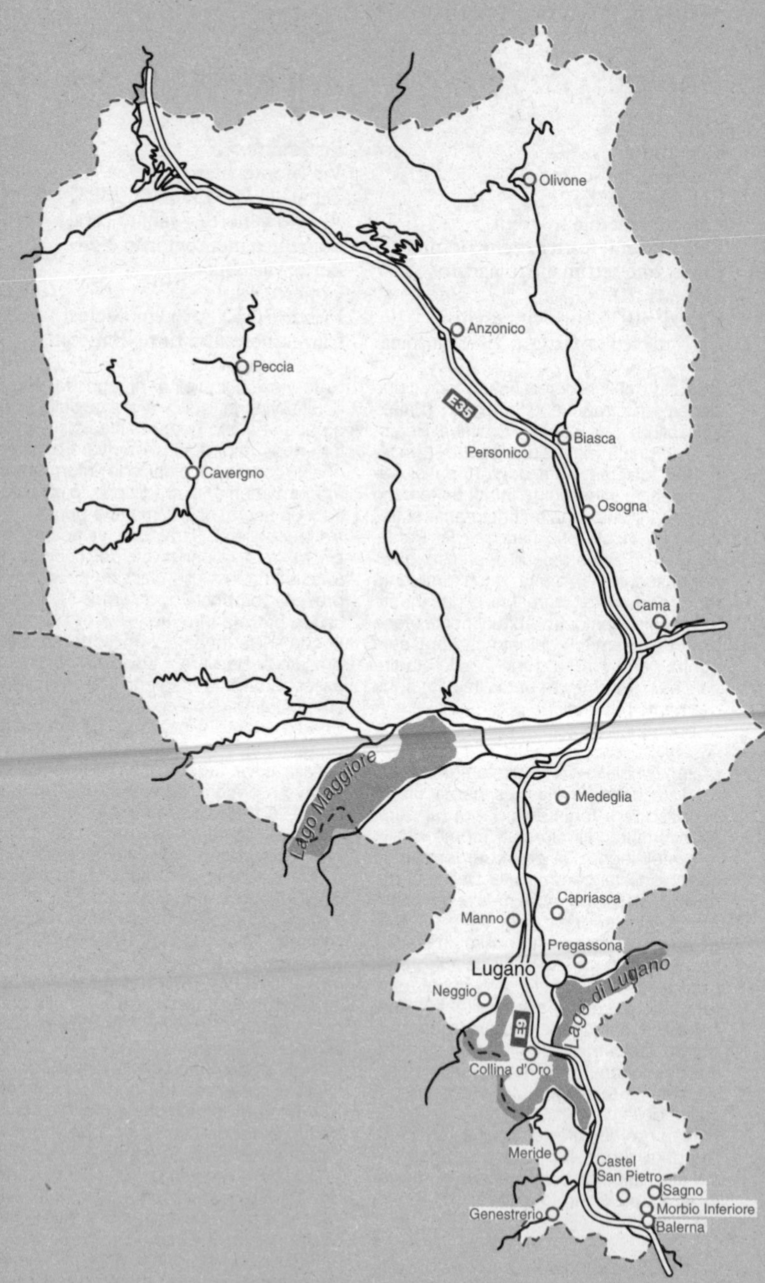

Anzonico

36 km a nord di Bellinzona, uscita Faido

Bellavista

Ristorante con alloggio
Anzonico
Tel. 0041 (0)91 8651110
Chiuso il martedì
Orario: mezzogiorno e sera
Ferie: gennaio
Coperti: 30 + 20 esterni
Prezzi: 40-50 franchi vini esclusi
Carte di credito: AE, MC, Visa

Anzonico, un gruppo di case raggiungibile percorrendo una stradina che si inerpica, con molti tornanti, sopra Lavorgo nella Valle Leventina. Questo piccolo villaggio è il punto di partenza di diverse interessanti escursioni, fra le quali il Ri di Laium, sentiero naturalistico nel bosco, e il sentiero d'arte in pineta a Cavagnago. Qui c'è il ristorante Bellavista, gestito dal 1982 dalla famiglia Maddalon: in sala troviamo Luciano, in cucina la moglie Rosa. L'ambiente è semplice ma curato e la terrazza panoramica permette di godere del paesaggio alpino circostante. I piatti più semplici sono sempre presenti, mentre per quelli più elaborati (i secondi e la **selvaggina**) bisogna prenotare e concordare il menù.

Si può iniziare con i **salumi** prodotti da un macellaio amico di Luciano e continuare con i ***fitri*** – tortelli di grano saraceno ripieni di formaggio e fritti, per i quali è d'obbligo la prenotazione perché la pasta fresca deve riposare almeno 2-3 ore – che sono serviti con insalata di cicoria. In a+lternativa ***pom e pasta***, pasta e patate con formaggio fuso e cipolle fritte, e tra i secondi, **maialino al forno**, **capretto** (nel periodo pasquale), agnello, **polenta e brasato**. Da settembre a novembre troverete la selvaggina e nel periodo invernale i **codegotti** (salsicce di maiale con cotiche) serviti con aceto balsamico, fagioli, sedano, mortadella e patate. Buoni i **formaggi** provenienti dagli alpeggi vicini.

Pochi i dessert, tra i quali vi consigliamo di assaggiare lo zabaione. Limitata la scelta dei vini.

Balerna

1 km a nord di Chiasso

Crotto dei Tigli

Osteria tradizionale
Via Tarchini, 53-Rione Sant'Antonio
Tel. 0041 (0)91 6833081
Chiuso lunedì e martedì
Orario: mezzogiorno e sera
Ferie: 3 settimane in agosto, 10 gg dopo Natale
Coperti: 60 + 100 esterni
Prezzi: 40-50 franchi vini esclusi
Carte di credito: tutte

Si entra in Svizzera a Chiasso e dopo poche centinaia di metri di strada principale (non autostrada) si arriva a Balerna. Antica sede di pieve, Balerna è stato il maggior centro ecclesiastico della regione e conta visibili testimonianze del suo passato. L'Oratorio ed eremo di Sant'Antonio del XVII secolo è ben visibile anche dall'autostrada e si raggiunge attraversando la stazione ferroviaria. Da molti anni la famiglia Caroccia ha aperto questo autentico crotto ticinese a fianco della chiesa. L'ambiente non è mutato: una sala confortevole e un giardino con una pergola di vite americana. D'estate è fresco, in autunno il profumo dell'uva matura invita ad assaggiare una tipica cucina nostrana.

Piatto forte è la ***rustisciada***, frattaglie e lombo di maiale con polenta: il piatto del giorno della *mazza* del maiale in Ticino. In autunno anche la ***cazöla*** e la selvaggina, in particolare l'ottimo **salmì di cervo**. Le specialità stagionali comprendono **maialino al forno**, capretto arrosto e **merluzzo in umido**. I piatti tipici offerti tutto l'anno sono gli affettati nostrani, la ***büsecca***, il **brasato con polenta**, una buona **mortadella cotta con i fagioli**. La **polenta** c'è sempre, con il latte (soprattutto per i bambini) o **con due uova fritte**. Piatti semplici ma gustosi. Tra i dessert da segnalare lo zabaione. Il cuoco offre anche un menù completo a 45 franchi (28 euro) chiamato "La cantinada". Si parte con la salumeria, poi *büsecca*, brasato, coniglio, mortadella e fagioli con polenta, formaggini della valle di Muggio e sorbetto al Merlot. Bella l'idea di servire le portate con uno scaldapiatti in mattone refrattario un tempo prodotto in una fabbrica di Balerna.

Nella carta dei vini a rotazione oltre 25 Merlot ticinesi bianchi e rossi, un Cabernet Franc del vicino paese di Novazzano e qualche etichetta italiana e francese.

Capriasca
Roveredo

10 km a nord di Lugano

Locanda del Giglio

Trattoria con alloggio
Località Roveredo
Tel. 0041 (0)91 9300933
Chiuso il martedì
Orario: mezzogiorno e sera
Ferie: 7 gennaio-fine febbraio
Coperti: 50 + 30 esterni
Prezzi: 40-50 franchi vini esclusi
Carte di credito: nessuna

Aperta nel 2005 in uno dei luoghi più incantevoli nella Capriasca, la Locanda del Giglio è diventata da subito un punto di riferimento nel Cantone Ticino. Costruito con materiali naturali, soprattutto il legno, il locale è raggiungibile solo a piedi. Ne guadagnano la tranquillità e soprattutto la stupenda vista: dalla terrazza del ristorante si può ammirare lo splendore del golfo di Lugano. Magnifiche anche le camere (senza radio e tv per godersi appieno il silenzio). Il riscaldamento centrale è a legna e l'acqua calda è prodotta a energia solare.
In un ambiente del genere anche la cucina segue gli stessi principî. Mina Bamert e Fausto Foletti, i proprietari, hanno una lunga esperienza nella gestione delle capanne alpine del Cantone Ticino, dove gli escursionisti chiedono tranquillità e cibi genuini. Ecco allora che Mina propone ricette locali con prodotti da colture biologiche. Si può iniziare con un **carpaccio di zucchine** o **di barbabietole** con rucola, scaglie di grana e olio, con dell'eccellene **salumeria nostrana**, insieme a sottaceti preparati in casa, con **ravioli ripieni di luccio del lago di Lugano**. Per quanto riguarda i primi la scelta è fra i tradizionali **gnocchi** (eccellenti, soprattutto quelli **all'aglio orsino**), paste e risotti. Quando è disponibile, si prepara anche un ottimo **lucioperca**. Come secondi segnaliamo il **brasato**, il coniglio, il **capretto** e altre carni **con polenta** o patate al rosmarino. Ampia scelta anche per i vegetariani, con lo sminuzzato di seitan, le polpette integrali al tofu e il tempeh alla piastra con insalata ai semi tostati.
Si finisce godendo dello stupendo panorama sul golfo di Lugano e assaggiando ottimi formaggi, in particolare lo ***zincarlin*** della valle di Muggio, e dessert freschissimi come la **panna cotta** e le crostate.

Castel San Pietro
Monte

26 km a sud di Lugano

La montanara

Osteria con alloggio
Frazione Monte
Tel. 0041 0(91) 6841479
Chiuso martedì e mercoledì
Orario: mezzogiorno e sera
Ferie: variabili
Coperti: 30 + 20 esterni
Prezzi: 50 franchi vini esclusi
Carte di credito: nessuna

Siamo in Valle Muggio, conosciuta per il primo Presidio Slow Food ticinese e svizzero, lo *zincarlin da la val da Mucc*, che potrete trovare alla Montanara, osteria di Monte, frazione di Castel San Pietro, sulla sponda destra del torrente Breggia. Il locale è una tipica osteria di paese aperta come un balcone sulla pianura padana. Il 2007 è stato un anno difficile perché, per un incidente, Lorella, che in cucina continua a proporre piatti casalinghi legati al territorio, è stata costretta a ridurre le giornate di apertura. Ora che tutto sembra a posto possiamo ritornare a gustare i suoi piatti.
Ecco dunque le **lumache trifolate** con *segrigiola* (timo selvatico), il capretto al forno e i piatti di **selvaggina** con la materia prima procurata, in autunno, dal marito Pio, provetto cacciatore. Tra le altre specialità, per il periodo dall'autunno alla primavera la **gallina bollita**, lo spezzatino di vitello, la **polenta con i funghi** e il **brasato d'asino**. Come detto, la selvaggina la fa da padrona nel periodo della caccia. In estate invece l'**arrosto freddo**, un piatto tipico come la ***pita e curnitt***, gallina bollita fredda, anche in gelatina, accompagnata da fagiolini in insalata. Pochi i formaggi a pasta dura, principalmente della zona. Troviamo i classici formaggini alti e bassi della valle e, come detto, lo ***zincarlin da la val da Mucc***.
Non vi proporranno antipasti o dessert. In attesa dei piatti vi offriranno piccole tartine e bruschette, ma se non vi sembra sufficiente potete richiedere un piatto di salumeria mista. A fine pasto assaggi di torte, **crostate** o cannoncini fatti in casa. Nella carta dei vini una buona scelta di prodotti locali.

A Castel San Pietro, nella macelleria-salumeria Fiorenzo Cereghetti, insaccati di maiale e formaggi della valle di Muggio.

Cavergno
Foroglio

30 km a nord di Locarno

La froda

Osteria tradizionale
Foroglio-Valle Bavona
Tel. 0041 (0)91 7541181
Non ha giorno di chiusura
Orario: mezzogiorno e sera
Ferie: 1 novembre-31 marzo
Coperti: 70 + 50 esterni
Prezzi: 25-50 franchi vini esclusi
Carte di credito: MC, Visa

Da Locarno bisogna risalire la Valle Maggia fino a Cavergno; dopo il ponte, girando a sinistra, si imbocca la Valle Bavona, meta di turisti provenienti da tutto il mondo. L'osteria Froda di Sara e Martino Giovanettina cattura l'avventore anche perché è ai piedi della grande cascata e ti invita a sederti a un tavolo di sasso per assaporare i piatti della tradizione ticinese. La gestione è fatta di dinamismo e ricerca di antichi valori e sapori della civiltà contadina.
Provate a iniziare con l'affettato a base di **salumi** fatti in casa e carne secca o con un bel minestrone di verdure dell'orto di Martino. Potete arrivare quando volete, ma un bel paiolo con la **polenta** cotta nel camino non manca mai. Usualmente trovate **brasato**, spezzatino, arrosto e **luganighe**, oppure le proposte specifiche del territorio, ricette tramandate che seguono il ritmo delle stagioni: la ***cazzöla***, costine di maiale al vino e verze, ***i oss in bögia*** (ossa di maiale salate e bollite), il **violino di capra** e i ***cicitt*** (Presidio Slow Food), che sembra siano nati proprio a Cavergno: una luganighetta di sola carne di capra molto saporita, cotta alla brace. Da segnalare anche la **capra bollita** e la selvaggina, di pelo e di piuma, tra cui primeggiano la **marmotta** e il **camoscio**. Per concludere, i formaggi locali: formaggini freschi e maturi di capra e di mucca, formaggi d'alpe freschi o stagionati, maturati nella paglia, formaggelle, **mascarpa** e **mascarpino** (due tipi di ricotta).
La carta dei vini offre ottime e varie proposte di vini del Cantone Ticino (Merlot), della Svizzera in generale, dell'Italia e della Francia, a prezzi ragionevoli.

Alla Fattoria di Ascona, in via Ferrera 87, l'azienda agricola Terreni alla Maggia propone vino, verdure, uova, pollame, marmellate, riso e pasta di grano duro.

Collina d'Oro
Bigogno d'Agra

5 km a sud di Lugano

Grotto flora

Osteria con alloggio
Frazione Bigogno
Tel. 0041 (0)91 9941567
Chiuso il lunedì
Orario: solo la sera
Ferie: non ne fa
Coperti: 35 + 40 esterni
Prezzi: 40-50 franchi
Carte di credito: tutte

Dal 1920 il Grotto Flora era conosciuto come "quello della stalla", perché si doveva passare in una stalla per raggiungere le due accoglienti sale. Per i ticinesi salire sulla Collina d'Oro nella frazione di Bigogno d'Agra significava anche andare a mangiare il risotto da Flora.
Adesso la stalla non c'è più ma il posto resta incantevole. Dalla casa colonica sono state ricavate tre salette e all'esterno i posti sono una quarantina, sistemati in una simpatica corte. Dal 2006 è stata ristrutturata sulla base dei principî della bioarchitettura una casa del Settecento adiacente al grotto e inaugurato un bed and breakfast con 8 camere. L'offerta culinaria è rimasta quella di sempre. I coniugi Enzo e Flora Macconi-Bettosini portano subito sul tavolo un invitante piatto di **verdure locali** e stagionali leggermente cotte e condite con olio d'oliva. La salumeria è ticinese (**salame**, pancetta, **mortadella di fegato** e coppa) ma la gran parte dei clienti aspetta il **risotto allo zafferano con funghi freschi**. Per chi non ne ha abbastanza (le porzioni sono abbondanti), ecco che Enzo nel suo spazioso camino cucina tutto l'anno sulla griglia diversi tagli di carne, in particolare piccole **costine di maiale** ben marinate, **filetti di manzo** e di puledro e **costate**. La **luganiga**, anch'essa arrostita **sulla brace**, si accompagna benissimo con il risotto.
Per quanto riguarda il dessert, da Flora si va per gustare uno **zabaione** veramente speciale. Infine i vini: si beve molto sfuso locale di ottima qualità, oltre ad alcune emergenti etichette di Merlot ticinesi; per terminare un grappino o un nocino di produzione propria.

GROTTI TICINESI

6 KM A NO DI CHIASSO, 2 KM A EST DI MENDRISIO

GROTTO VALLERA

Osteria tradizionale
Via Vallera
Tel. 0041 (0)91 6471891
Chiuso il lunedì e sabato a pranzo
Orario: 11.00-14.00/18.00-24.00
Ferie: non ne fa
Coperti: 30 + 80 esterni
Prezzi: 40 franchi vini esclusi
Carte di credito: nessuna

Dietro la chiesa di Genestrerio, la cui facciata è stata rifatta dal famoso architetto Mario Botta, nativo di questa località, tra alti platani e aceri, lungo la sponda del Laveggio, troviamo il ritrovo gestito da diversi anni dai fratelli Buzzi. Con la loro cucina semplice e senza fronzoli e con i loro piatti tradizionali sono riusciti a farsi conoscere e apprezzare dai buongustai locali e di passaggio.
Le preparazioni variano durante le stagioni, a seconda delle materie prime reperibili e dell'estro di chi sta in cucina. Segnaliamo, anzitutto, i due piatti che sono diventati i cavalli di battaglia del locale, lo **scamone di agnello** e i **troccoli del montanaro**, quest'ultimo preparato nel periodo invernale. Della lunga lista dei piatti offerti durante le varie stagioni, citiamo il **maialino intero al forno** in primavera e la ***cazzöla* d'oca** in autunno. D'estate si preparano piatti leggeri, anche a base di pesce, come il tonno "tic tac". Tra le paste fresche potrete trovare le **orecchiette** e i troccoli che nella stagione del basilico saranno conditi con il pesto di propria produzione. Sono inoltre spesso in menù la **luganiga con cipolle**, la **coda di vitello arrosto** o lessa e, nei mesi più freddi, la *cazzöla* nella versione classica. Potrete chiudere la vostra cena con del formaggio delle alpi della Leventina o con lo ***zincarlin* della valle di Muggio**, Presidio Slow Food.
La cantina offre un buon numero di etichette di Merlot ticinesi e di vini stranieri. La sera la prenotazione è gradita, specialmente nei fine settimana.
In inverno il locale rimane chiuso anche la domenica sera.

In tutte le valli del Ticino sono presenti i grotti, veri frigoriferi naturali che sfruttano i canali sotterranei di aria fredda: qui un tempo si conservavano vini, formaggi, salumi. Davanti a queste costruzioni, per ripararle dai raggi solari, si era soliti piantare alberi di alto fusto – faggi, querce, castagni – ai cui piedi si sistemavano tavoli e panchine di pietra: qui si potevano trascorrere interi pomeriggi in compagnia degli amici bevendo, mangiando e giocando a carte. Nel tempo, qualcuno ha visto la possibilità di trasformare questi ritrovi in luoghi di ristorazione, per avere una piccola rendita supplementare: i grotti sono man mano diventati vere e proprie osterie in cui degustare prevalentemente piatti freddi, accompagnati da vini locali, Barbera o il classico *mez e mez* (vino e gazzosa). Oggi, purtroppo, tanti grotti hanno perso la loro identità locale e cominciano a proporre piatti anonimi. Esistono però ancora quelli capaci di offrire un'ottima salumeria, una buona scelta di formaggi, pesci di fiume in carpione e una cucina calda legata al territorio, il tutto accompagnato da buone bottiglie ticinesi. Ecco alcuni grotti che a nostro parere corrispondono a queste caratteristiche.

Luca Cavadini

BIASCA
GROTTO PINI

Via ai Grotti, 34
Tel. 0041 (0)91 8621221
Chiuso lunedì, martedì e mercoledì a pranzo; sempre aperto da Pasqua a fine ottobre
Orario: mezzogiorno e sera
Coperti: 20 + 60 esterni

Il Grotto Pini di Biasca è uno dei più antichi del Ticino. Dal 2007 è stato ripreso da Maria e Walter Pini, eredi del fondatore. Lo si scopre sotto alberi di alto fusto, nei pressi del vecchio arsenale, all'interno di un nucleo di costruzioni analoghe. Piccoli i locali interni, spazioso e ombreggiato l'esterno con tavoli e panche in pietra. È un tipico grotto ticinese, con poca offerta di cibi caldi. Si comincia con salumeria da *mazza* casalinga (i maiali sono allevati da un contadino della vicina Semione). Poi buoni filetti di trota affumicati o in carpione e ricca offerta di formaggini, formaggella ed eccellenti formaggi d'alpe stagionati. Piatti freddi anche di arrosti e roastbeef. Tutti i giorni la signora Maria prepara il minestrone, al giovedi sera la *büsecca*. Su ordinazione patate e *mascarpa* (ricotta fresca delle alpi bleniesi). Da segnalare, come dessert, un gelato artigianale prodotto da un piccolo produttore locale: quello alla vaniglia vale da solo la visita.

Cama
Grotto prandi

Tel. 0041 (0)91 8301629
Non ha giorno di chiusura
Orario: mezzogiorno e sera
Ferie: novembre-febbraio
Coperti: 40 + 80 esterni

Cama è conosciuta per i suoi grotti e per questo è stata creata una fondazione che si occupa del recupero di queste costruzioni. La maggior parte sono usati dai proprietari nelle giornate estive e per conservarvi vini, salumi e formaggi. Tra quelli aperti al pubblico il Grotto Prandi, raggiungibile tramite scalinate di sasso che passano a fianco di altre costruzioni. Una volta arrivati vi saranno serviti, come avveniva nei tempi andati, spuntini freddi di salumeria prodotta dal proprietario e formaggi. È un grotto che merita una visita. Vi consigliamo di telefonare prima di presentarvi, per verificare che il locale sia aperto: il proprietario apre secondo le sue scorte di viveri da proporre agli avventori.

Osogna
Al pozzon

Tel. 0041 (0)76 2215607
Sempre aperto dal 1 aprile al 30 settembre
Orario: 11.00-24.00, lunedi 17.00-24.00
Coperti: 60 esterni

Osogna, paesino vicino a Biasca, è conosciuto per la pratica della discesa nei canyon: il Riale Nala è molto spettacolare e impegnativo. Alle spalle dell'abitato il riale termina con una ripida cascata. Il grotto, proprio a fianco, è raggiungibile al termine di una breve passeggiata dal centro del paese attraversando il riale su un ponticello pedonale. Tavoli e panche in sasso, nessun posto interno, molto bella e grande la cantina. Da quest'anno i proprietari, la famiglia Fazzini, hanno assunto la gestione. Si va al grotto per il piatto di salumeria (salame, pancetta, lardo e mortadella) e non si rimane delusi. Sono prodotti di piccole macellerie locali. Poi formaggini bassi, *buscön*, formaggella e formaggi d'Alpe delle valli ticinesi. Piatti caldi con polenta, mortadella fredda e gorgonzola e al giovedì minestrone di trippa. Ottimo il gelato artigianale locale.

Peccia
Grotto pozzasc

Val Lavizzara
Tel. 0041 (0)91 7551604
Chiuso il lunedì
Orario: 11.00-23.00
Aperto dal 1° maggio al 15 ottobre
Coperti: 40 + 80 esterni

Peccia è un piccolo comune in Val Lavizzara, a circa 40 minuti di automobile da Locarno, a 840 metri di quota. Arrivati in paese scendendo verso il fiume si incontra il Grotto Pozzasc, gestito da Fernando e Plinia. Un posto incantevole, isolato in riva al fiume. Salumeria nostrana (salame, pancetta, cotechino, mortadella) fatta in casa e un solo piatto caldo: polenta con spezzatino di vitello o mortadella. Formaggi della valle, nota per i suoi alpeggi: di mucca o di capra, formaggelle e formaggini freschi. Come dessert torta di pane, gelati e sorbetti a seconda della disponibilità. Vini sfusi della regione: Merlot, nostrano e americano, e qualche bianco. Prezzi modici e servizio cordiale.

Personico
Grotto val d'ambra

Tel. 0041(0)91 8641829
Chiuso il lunedì, mai d'estate
Orario: 11.00-24.00
Aperto da marzo a novembre
Coperti: 40 + 60 esterni

Dopo il paesino di Personico si scopre un mondo a parte. Aggrappate alle rocce molte piccole costruzioni con tetti in pietra: i vecchi grotti, quasi tutti privati e sempre funzionanti. Solo questo è pubblico. Molti i tavoli e le panche in granito, all'interno due salette e la cucina. L'attuale gerente è originaria del Canton Vallese, si sente spesso parlare francese e si organizzano di frequente serate con *raclette* e *fondue*. Remo organizza la *mazza* del maiale e offre ai clienti salumi eccellenti. Minestrone e *büsecca* ci sono tutti i giorni, mentre per capretto locale (in stagione) e maialino al forno è meglio prenotare. Si può trovare anche il tradizionale piatto di *ossit in bögia*. La torta di pane e il gelato alla frutta fatto dalla proprietaria sono i dessert favoriti, mentre per i vini, oltre a uno sfuso locale, troverete interessanti Merlot.

Manno

7 km a nord di Lugano, uscita n 2 Lugano nord

Grotto dell'Ortiga

Osteria tradizionale
Manno
Tel. 0041 (0)91 6051613
Chiuso domenica e lunedì
Orario: mezzogiorno e sera
Ferie: da Natale a fine gennaio
Coperti: 70 + 40 esterni
Prezzi: 30-50 franchi vini esclusi
Carte di credito: le principali

Manno, un paesino tra le colline circondato da vigneti e castagneti, è a pochi chilometri da Lugano, meta ideale per chi ama trascorrere vacanze tranquille, lontano dai centri affollati, fra passeggiate e buone letture. Il Grotto dell'Ortiga si trova nel nucleo antico del villaggio ed è gestito da Toto (Antonio Mazzoleni), con l'aiuto della moglie Barbara. L'ambiente è informale e rilassante, adatto a trascorrere una serata piacevole, gustando piatti tipici e bevendo un buon bicchiere di vino. Apprezzato da anni, il locale è frequentato sia dai clienti locali, sia da turisti di passaggio.
L'offerta culinaria è ricca e variegata. Si potrà cominciare con i **salumi** nostrani, per poi passare al classico **risotto allo zafferano** o alle verdure di stagione; sempre disponibili gli sformati di verdura di stagione. Quindi i piatti più consistenti e impegnativi: la polenta con **manzo brasato al Merlot** e gli **uccelli *scapati***, la **trippa in umido**, il **coniglio arrosto ripieno**, lo stinco di vitello al forno, la tagliata di manzo, l'**agnello alle erbette**; o ancora l'**insalata tiepida di foiolo**, che è la specialità della casa. Come contorno avrete verdure di stagione e patate al rosmarino. Eccellenti i **formaggi**, prodotti con latte dei pascoli delle valli vicine. Per concludere, assaggiate la squisita **torta di pane** o i sorbetti casalinghi alla frutta di stagione.
La carta dei vini propone, oltre ad alcuni ottimi Merlot del Ticino, qualche etichetta italiana.

Medeglia
Canedo

15 km a nord di Lugano, 5 dall'uscita autostradale

Canedo

Osteria tradizionale
Frazione Canedo
Tel. 0041 (0)91 9461191
Chiuso lunedì, martedì e mercoledì
Orario: mezzogiorno e sera
Ferie: una settimana in luglio
Coperti: 50
Prezzi: 50 franchi vini esclusi
Carte di credito: nessuna

Si esce dall'autostrada a Rivera e si imbocca la strada che porta a Medeglia e Isone; si sale fino a Medeglia e si svolta a sinistra per la frazione di Canedo; si sale ancora molto ma ne vale la pena. Infine, poche case e la tradizionale osteria di paese. È il regno di Emilia Lazzari, per tutti "Milietta". Una saletta all'entrata con il bar e un grande tavolo dove ci si siede, specialmente a mezzogiorno, tutti insieme. Poi una sala più accogliente, molte volte stracolma la sera (meglio riservare). Eppure la filosofia di cucina è semplice: si mangia quello che c'è. Meglio telefonare prima per qualcosa di speciale come il **maialino al forno**, la selvaggina o il **capretto** quando è stagione.
In realtà si sale fino a Canedo perché da Milietta c'è sempre una sorpresa. Iniziamo con le insalate prodotte dall'orto di famiglia, servite con una salsina alle noci e alle bucce di arancia e un buonissimo olio d'oliva. I salumi sono pochi ma scelti con cura. Quando cucina i **risotti** Milietta dà il meglio di sé: quello alle verdure, in particolare, merita un assaggio. In alternativa, lasagne di verdura e ravioloni di magro o alla ricotta. Al venerdì non può mancare il **merluzzo fritto** servito con una salsa alle cipolle e la polenta. Fra le carni, buone le **costine di maiale** marinate nel vino e cotte **alla griglia**. Sempre presenti la **polenta con il brasato** o lo spezzatino e, specialità della casa, un **roastbeef** molto delicato, con patatine e le verdure di stagione quasi crude.
Pochi i dessert. Il gelato è impreziosito da un Cognac all'uovo preparato da Milietta in base a una ricetta segreta, la figlia prepara delle crostate con la frutta e in autunno il **tiramisù alle castagne**.
I vini sono limitati a qualche etichetta di Merlot ticinese dei produttori più noti.

Meride

19 km a sud di Lugano, 5 km a no di Chiasso

Antico grotto Fossati

Osteria tradizionale
Meride
Tel. 0041 (0)91 6465606
Chiuso il lunedì
Orario: mezzogiorno e sera
Ferie: 15 dicembre-15 gennaio
Coperti: 60 + 100 esterni
Prezzi: 40-55 franchi vini esclusi
Carte di credito: le principali

Il piccolo comune di Meride diventa sempre più conosciuto da quando il monte San Giorgio è entrato a far parte dei patrimoni dell'umanità sotto l'egida dell'Unesco e il suo museo dei fossili è sempre più visitato. Questa nuova notorietà non ha certo cambiato la filosofia di Mario Lupi, gestore del Grotto Fossati, che continua a proporre i piatti che lo hanno fatto conoscere prima nel suo territorio e poi anche al di fuori. Quest'anno festeggia i trent'anni nel locale e saranno diverse le occasioni di ritrovarsi per il gruppo Amici del grotto.
Tra le serate speciali, da segnalare gli appuntamenti con il **bollito misto** con diverse carni (7-8 pezzi, dal manzo alla gallina) accompagnate da verdure e salse. Una decina di queste serate sono proposte a cavallo tra la fine e l'inizio dell'anno e in questi casi è assolutamente necessario prenotare con anticipo. Durante tutto l'anno, per iniziare viene proposta dell'ottima **salumeria**, mentre tra i primi segnaliamo il brasato, i **funghi trifolati**, gli **ossibuchi**, il coniglio, le quaglie, lo **spezzatino di cinghiale**. I piatti sono tutti accompagnati dalla **polenta** o dall'ottimo **risotto**, quest'ultimo apprezzato in tutta la regione. In periodi e serate particolari troverete il **maialino** e l'agnello **al forno** e il **capretto arrosto**. I formaggi proposti sono i classici formaggini locali e alcuni ticinesi d'alpeggio.
Per il vino è meglio lasciarsi consigliare: Mario è un appassionato e ha fornito la sua cantina di oltre 500 etichette. Oltre ai prodotti locali potrete spaziare dagli italiani ai francesi, tutti eccellenti.
Da novembre a Pasqua il locale rimane chiuso anche domenica sera e martedì a pranzo.

Morbio inferiore
Mulini

28 km a sud di Lugano

Grotto del mulino

Osteria tradizionale
Via ai Mulini, 2
Tel. 0041 (0)91 6831180
Chiuso il martedì, inverno domenica sera
Orario: sera, domenica pranzo; estate pranzo e sera
Ferie: gennaio
Coperti: 60 + 70 esterni
Prezzi: 40-50 franchi vini esclusi
Carte di credito: nessuna

Siamo in una conca all'interno del Parco delle Gole del Breggia. Oggi ci troviamo un cementificio in disuso, fino agli anni '50 c'era un laghetto tra i prati, con i grotti a ridosso della collina su cui sorge Morbio Inferiore. Per la gente era tradizione ritrovarsi qui la seconda domenica di luglio, mantenendo viva la tradizione di ***pita e curnitt***. Oggi non è più possibile, ma la tradizione rimane viva grazie al Manfre e al suo grotto. Lui propone regolarmente, ogni anno la seconda domenica di luglio, la *pita* (la chioccia, oggi soppiantata dalla normale gallina) bollita servita fredda, accompagnata dai *curnitt* (fagiolini verdi) lessati e fatti in insalata.
Angela, Manfre e Milena, che si occupano del locale, sono attenti ai prodotti del territorio e non hanno tralasciato di proporre anche il primo Presidio Slow Food svizzero, lo ***zincarlin* della valle di Muggio**. Accanto a proposte fredde da grotto che trovate regolarmente – affettati e formaggi –, la carta propone piatti giornalieri e stagionali. In estate ecco la **trota in carpione**, la **punta ripiena** e l'arrosto, il vitello tonnato. Fino a luglio ci sono gli **gnocchi di patate** fatti in casa. In autunno-inverno la **selvaggina**, il ***ganassin* di vitello** (guancetta in umido molto tenera), il **bollito misto** (7 tagli di carni), il risotto e le **polpette di carne**. Come detto, si possono assaggiare formaggi d'Alpe ticinesi secondo le disponibilità e i formaggini della valle di Muggio. In saletta separata e su prenotazione, serate speciali con *fondue* di formaggio e *raclette*.
I dessert sono preparati in casa e comprendono diverse torte, tra le quali quella di amaretti e quella di pane (***turta di mósch***); buoni anche i semifreddi. La carta dei vini presenta una buona scelta di prodotti locali, oltre a qualche etichetta italiana.

NEGGIO

10 KM DA LUGANO IN DIREZIONE PONTE TRESA

OSTERIA NOSTRANELLO

Osteria tradizionale
Regione Basso Malcantone
Tel. 0041 (0)91 6009894
Chiuso il lunedì
Orario: 10.00-14.00/17.00-24.00
Ferie: ultime 2 settimane di luglio-prima di agosto
Coperti: 22 + 22 esterni
Prezzi: 50 franchi
Carte di credito: tutte

Neggio è un piccolo nucleo nel Basso Malcantone raggiungibile da Caslano (rotonda del golf). Bisogna parcheggiare all'entrata del paese e camminare un centinaio di metri per trovare l'osteria in una vecchia casa, con una sola saletta dove si sta un po' stretti. Giorgio Caneva, il proprietario, è conosciuto in tutto il Ticino per le sue qualità di musicista popolare: mandolino, chitarra e tante canzoni. Così, ogni giorno qui c'è allegria e molti sono i turisti, soprattutto svizzeri tedeschi.
In cucina Liliana, la moglie, ha nelle paste fresche la sua specialità. Provate la **paglia e fieno con taglierini alla barba dei frati** e i ravioli alle verdure. La carta è limitata: ogni giorno sono proposti pochi piatti. Trovate però sempre delle **terrine di verdure** e, durante la stagione, dei notevoli carciofi al vapore. Sempre presente anche un roastbeef molto delicato, mentre bisogna avere fortuna (oppure chiamare prima) per gustare piatti come lo **stinco di vitello**, la **faraona ripiena**, il maialino al forno e il **capretto alle erbette**. Liliana però ha qualche asso nella manica, come la **capra bollita**, le **quaglie con polenta** o gli **ossetti di maiale** con le patate bollite (sono gli ossi della "mazza" del maiale con un poco di carne, fatti bollire per molto tempo): piatti tradizionali preparati di solito per piccoli gruppi di amici su prenotazione.
Tra una canzone in dialetto ticinese e una classica italiana si mangia il dessert: panna cotta, torta di pane o **torta di carote**. Pochi ma eccellenti i vini offerti.

OLIVONE

40 KM A NORD DI BELLINZONA

OSTERIA CENTRALE

Trattoria con alloggio
Olivone
Tel. 0041 (0)91 8721107
Chiuso il mercoledì
Orario: mezzogiorno e sera
Ferie: 1 dicembre-1 marzo
Coperti: 50 + 20 esterni
Prezzi: 45-50 franchi vini esclusi
Carte di credito: nessuna

Olivone lo trovate proprio ai piedi del passo del Lucomagno, meta di escursionisti e pic-nic. L'Osteria è un accogliente locale gestito con cortesia dalla signora Annemarie, aiutata in sala dal marito Tiziano. Ai lavoratori del luogo, a chi non prenota o, più semplicemente, a chi ha fretta, a pranzo si propone un piatto del giorno a prezzi modici: ottima salumeria locale e formaggi. Sono tanti i prodotti del territorio che Tiziano conserva nelle vecchie cantine: formaggi delle Alpi circostanti e salumi prodotti con carne di maiali allevati da contadini in zona.
Nemmeno la sera c'è una vera e propria carta. Annemarie e Tiziano propongono piatti della tradizione, soprattutto stagionali. Le verdure sono ticinesi e biologiche, la carne di maiale e bovino di piccole aziende della valle. Si può segnalare, oltre alla salumeria, con una **mortadella** profumata e stagionata, qualche primo piatto come le **tagliatelle con sugo di pomodoro** e gli **gnocchi di ricotta**. Tra le carni, da assaggiare l'ottimo **stracotto**, gli arrosti di maiale, i **teneroni di vitello** e, in estate, il **lesso di manzo freddo**, servito con una fresca salsa verde. Tra i dolci casalinghi spiccano la crema di yogurt e i parfait alla grappa o ai frutti di stagione (ricotta e yogurt provengono dagli alpeggi della valle di Blenio); in stagione ottime **crostate di frutta**, in particolare albicocche, prugne e mele.
La carta dei vini, limitata, comprende soprattutto buoni Merlot locali, anche di piccoli viticoltori.

In centro, la macelleria salumeria Vescovi produce e vende carne, salumi e insaccati. All'entrata sud del paese, l'osteria Bottani offre un'ottima salumeria di propria produzione e gelati. A **Malvaglia** (5 km) la macelleria-salumeria Maurizio Blotti vende carne e insaccati della valle di Blenio.

Pregassona

2 km a est di Lugano

Grotto al mulino

NOVITÀ

Osteria tradizionale
Via Ramello
Tel. 0041 (0)91 9416701
Chiuso lunedì, martedì e mercoledì
Orario: mezzogiorno e sera
Ferie: 15 dicembre-15 marzo
Coperti: 70 + 80 esterni
Prezzi: 50 franchi vini esclusi
Carte di credito: tutte tranne AE

Pregassona è un quartiere di Lugano alle pendici del monte Brè. Qui troviamo il Grotto Mulino, gestito dalla famiglia Moranti dopo aver lasciato il Cavetto Nostrano di Muzzano. La conduzione del locale vede coinvolti tutti, dai genitori alle figlie. Gli ambienti e l'arredamento sono tipici dei grotti ticinesi e in bella mostra nei diversi locali troviamo una collezione di gatti in tutte le fogge e materiali.
L'accoglienza è amichevole, tanto che il signor Morandi verrà a sedersi al tavolo con voi per proporvi i piatti e prendere le comande. Le specialità sono quelle della cucina del territorio: **coniglio arrosto con patate**, polenta e brasato, **fegatini di coniglio trifolati**; numerosi estimatori trova lo **stinco di maiale**, preparato solo la sera. Altri piatti sono le **polpette di carne** (il giovedì), la **trippa in umido**, diverse zuppe a seconda della disponibilità dei prodotti. I salumi presentati arrivano soprattutto da un salumiere di Bellinzona, ma anche da macellai della zona. Come formaggi ci sono i formaggini della valle di Muggio e un prodotto dell'alpe Geira. Discreta scelta di dessert preparati in casa come la classica **torta di pane**, il gratin di mele, sorbetti vari e lo ***strüss***, gelato alla vaniglia accompagnato da uvetta sultanina e albicocche secche irrorato con grappa. Al banco, come nelle vecchie osterie, troviamo le **ciambelle all'anice**, usate dai nonni e dai padri per addolcire le bevute di vino sfuso e come regalo ai bambini al ritorno a casa (ma anche per ingraziarsi le mogli).
Buona la scelta dei vini, essenzialmente Merlot ticinesi e un nostrano di uva americana prodotto da un contadino della zona, servito in fiaschetti da mezzo litro.

Sagno

5 km a NE di Chiasso

Ul furmighin 

Osteria con alloggio
Piazza Centrale
Tel. 0041 (0)91 6820175
Chiuso il martedì
Orario: mezzogiorno e sera
Ferie: 23 dicembre-31 gennaio
Coperti: 55 + 80 esterni
Prezzi: 50 franchi vini esclusi
Carte di credito: tutte

Sulla collina che sovrasta Chiasso troviamo, a Sagno, l'osteria Ul Furmighin, di proprietà di una cooperativa locale e gestita da diverso tempo da Annamaria Biffi. Grazie alla disponibilità di alloggio è diventato anche luogo per passare alcuni giorni di vacanza. I milanesi affetti da *saudade* potranno, con una breve passeggiata, scorgere la Madonnina del duomo. L'ambiente del locale è conviviale, specialmente nella sala con il camino e l'unico grande tavolone, dove ci si siede in compagnia.
Quelli che citiamo sono i piatti più frequenti, ma preparazioni di stagione saranno proposte a voce a seconda della disponibilità; **capretto** e **maialino da latte al forno** vanno prenotati. D'estate la fanno da padrone i piatti freddi, la salumeria locale, i fiori di zucca in pastella; verdure ed erbe aromatiche (**aglio orsino** e **ortiche**) condiscono **ravioli** e **gnocchi**. In autunno le pietanze diventano più corpose, si va dalla **zuppa di funghi e castagne** alla selvaggina. In inverno il piatto principale è la ***lorenzada***, preparata con polenta, patate, formaggio e cipolle. Da gustare anche la ***rustisciada*** di maiale. Su prenotazione lumache in umido, rane trifolate e **creste di gallo in umido** con riso o polenta. Polenta che troviamo tutto l'anno fatta generalmente con la mescolanza in parti uguali di tre farine: mais rosso, mais giallo e grano saraceno. Per uno spuntino consigliamo formaggi, formaggini e ***büscion*** della valle di Muggio, anche quelli lavorati con erbette. Tra i dessert fatti in casa, ottima la **torta di mele con mandorle e cannella**.
La carta dei vini presenta una buona scelta di vini regionali ma anche italiani.

A pochi passi dall'osteria il caseificio di Eraldo e Severina Biffi produce e vende formaggi tipici della valle di Muggio.

LOMBARDIA

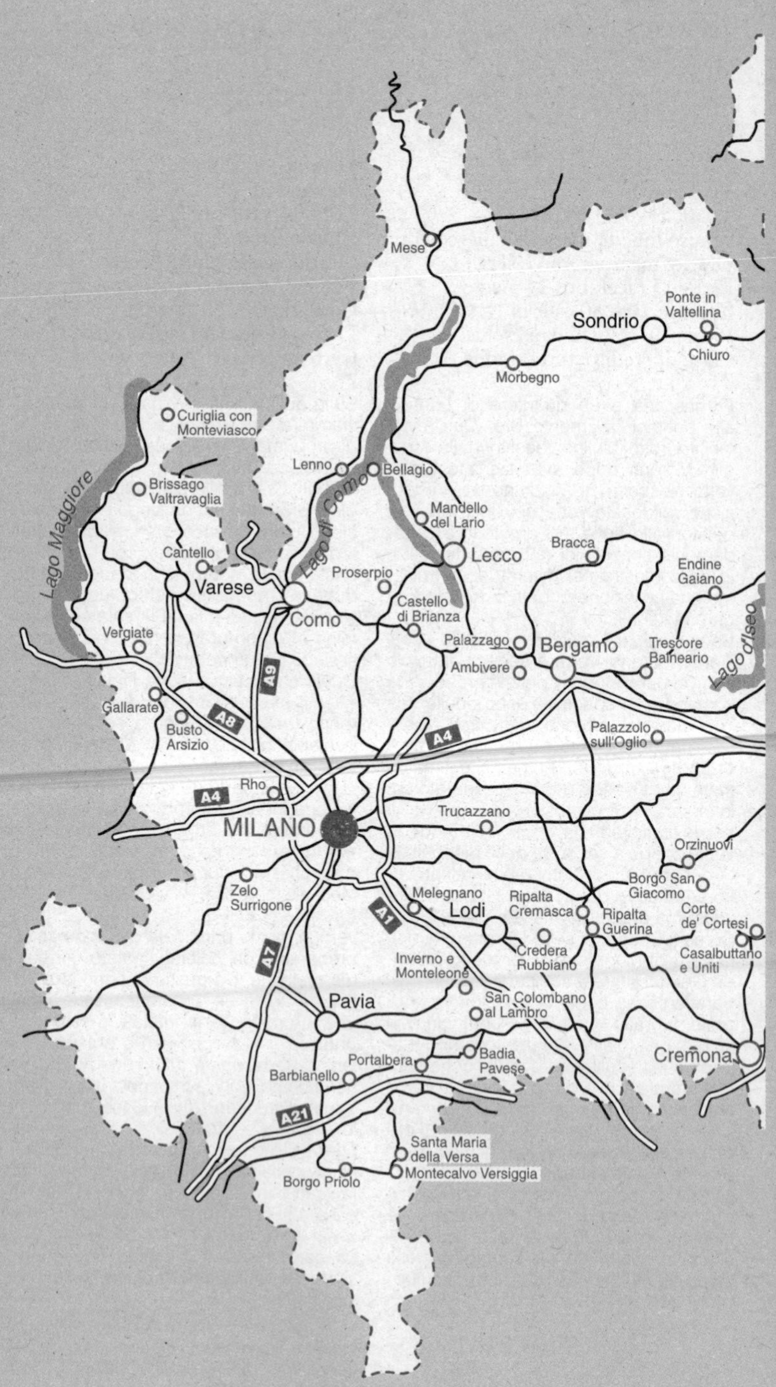

Mese
Sondrio
Ponte in Valtellina
Chiuro
Morbegno
Curiglia con Monteviasco
Lago Maggiore
Brissago Valtravaglia
Lenno
Bellagio
Lago di Como
Mandello del Lario
Lecco
Bracca
Cantello
Varese
Proserpio
Como
Castello di Brianza
Endine Gaiano
Vergiate
Palazzago
Bergamo
Trescore Balneario
Lago d'Iseo
Ambivere
A9
Gallarate
A8
Busto Arsizio
A4
Palazzolo sull'Oglio
Rho
A4
MILANO
Trucazzano
Orzinuovi
Borgo San Giacomo
Zelo Surrigone
Melegnano
Ripalta Cremasca
Lodi
Ripalta Guerina
Corte de' Cortesi
A1
Casalbuttano e Uniti
A7
Inverno e Monteleone
Credera Rubbiano
San Colombano al Lambro
Pavia
Cremona
Portalbera
Badia Pavese
Barbianello
A21
Santa Maria della Versa
Borgo Priolo
Montecalvo Versiggia

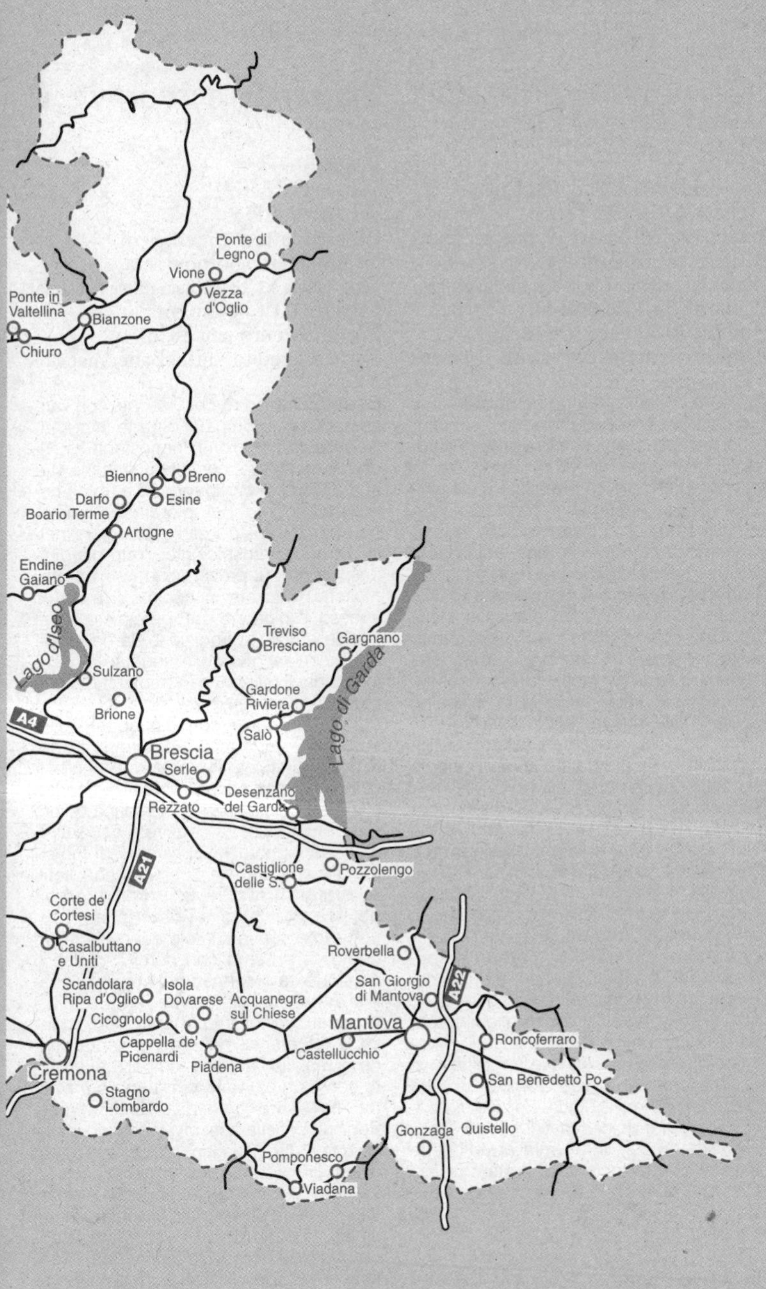

Ponte di
Legno
Vione
Vezza
d'Oglio
Ponte in
Valtellina
Bianzone
Chiuro
Bienno
Breno
Darfo
Boario Terme
Esine
Artogne
Endine
Gaiano
Lago d'Iseo
Treviso
Bresciano
Gargnano
Lago di Garda
Sulzano
Brione
Gardone
Riviera
Salò
A4
Brescia
Serle
Rezzato
Desenzano
del Garda
A21
Castiglione
delle S.
Pozzolengo
Corte de'
Cortesi
Casalbuttano
e Uniti
Roverbella
A22
Scandolara
Ripa d'Oglio
Isola
Dovarese
Acquanegra
sul Chiese
San Giorgio
di Mantova
Mantova
Cicognolo
Cappella de'
Picenardi
Piadena
Castellucchio
Roncoferraro
Cremona
San Benedetto Po
Stagno
Lombardo
Quistello
Gonzaga
Pomponesco
Viadana

ACQUANEGRA SUL CHIESE
Ponte sull'Oglio

33 KM A OVEST DI MANTOVA

AL PONTE

Trattoria
Via del Ponte Oglio, 1312
Tel. 0376 727182
Chiuso lunedì e martedì, mai nei festivi
Orario: mezzogiorno e sera
Ferie: due settimane in luglio, due in gennaio
Coperti: 35 + 20 esterni
Prezzi: 30-32 euro vini esclusi
Carte di credito: tutte tranne AE, Bancomat

Nella trattoria, un tempo semplicemente una piccola e lunga tettoia sotto cui ripararsi per una sosta, sembra ancora aleggiare l'anima del fondatore Sergio Zoppini, che prendeva le ordinazioni, serviva i clienti e li intratteneva con i suoi racconti, sempre con il sorriso sulle labbra. Confinante l'Oasi delle Bine, importante Riserva naturale regionale, con possibilità di visite guidate e pernottamento. Nel locale, gestito da Dario Martini e Vania Zoppini, con l'aiuto in cucina del marito Antonio Angelino, sembra tramandarsi l'antica tradizione locale dell'accoglienza familiare. Vania lamenta la difficoltà, creata dalle nuove norme di legge, di usare prodotti locali, quali salami nostrani, galline allevate dai contadini, luppolo raccolto nei campi.
La cucina è semplice e di territorio; per iniziare **frittura di zucchine con saltarelli**, **terrina di piccione e fegato d'anatra**, salumi, **anguilla in carpione**. Non sono da meno i **tortelli di zucca**, i **bigoli al torchio con le sardelle**, le **caramelle di luccio alle erbe**, gli gnocchi di patate e zucca, gli **agnolini in brodo di gallina**. A seguire piatti di carne e di pesce: **filetto di branzino di fiume alle erbe aromatiche**, involtini di coniglio al forno, luccio alla maniera di Vania e Dario, **bocconcini d'oca stufati** e le **anguilline al limone** che hanno reso famosa in tutta la provincia nonna Maria. Per finire, buoni formaggi e dolci casalinghi.
Nella carta dei vini le migliori etichette italiane con un occhio di riguardo per i Colli Gardesani e la Bassa mantovana.

A **Bozzolo** (6 km), in via XXV Aprile 15, la macelleria Donini macella e vende carni di qualità; a **Calvatone** (2,5 km) presso la cooperativa Iris, in località Cascina Cortegona 1, prodotti biologici.

AMBIVERE

12 KM A NO DI BERGAMO

TRATTORIA VISCONTI

Ristorante
Via De Gasperi, 12
Tel. 035 908153
Chiuso martedì e mercoledì
Orario: mezzogiorno e sera
Ferie: ultima sett di febbraio-prima di marzo
Coperti: 60 + 40 esterni
Prezzi: 35 euro vini esclusi
Carte di credito: tutte, Bancomat

La medievale torre dei Visconti, con l'annessa casa padronale, è parte integrante della trattoria che, nonostante qualche ricercatezza, conserva intatta la sua aria di casa di campagna. C'è un comodo parcheggio nel giardino d'ingresso e d'estate è possibile mangiare nella veranda prospiciente l'orto-giardino interno, da cui provengono le erbe aromatiche utilizzate in cucina. Il menù è spesso aggiornato con percorsi a tema – erbe e fiori, la tradizione, la selvaggina, menù medievale e vegetariano – e in cucina si utilizzano ingredienti di cui è indicata la provenienza.
Potrete iniziare con l'antipasto del Visconti – torta con verdure dell'orto, **ortaggi in agrodolce** e **salumi** di norcini locali –, con cannoli ripieni di caprino alle erbe, misticanza di insalatina e fiori, paté. Buonissimi, a seguire, i **casoncelli** – è la signora Ida, mamma di Fiorella, la custode della ricetta –, eccellenti la **zuppa di orzo e fave con borragine**, il **risotto con cime di ortiche e *strachitund*** o con la scarola dei colli di Bergamo, la **polenta** con porcini trifolati o con fonduta di formaggio, i tagliolini tirati a mano con ragù di selvaggina. Tra i secondi consigliamo **guanciale di manzo al Valcalepio rosso** con polenta, stinco di maialino al forno, timballo di erbette con fonduta, **gallina ripiena** e ***formai de mut* d'alpeggio** di diverse annate. Per finire, bavarese di cioccolato bianco e fiori di gelsomino, **crostata di mele renette** o **di frutti di bosco**.
La sera si serve un buon pane fatto in casa, e sono curate da Daniele, figlio dei titolari, la carta dei vini – con una sezione dedicata alle grandi riserve del secolo scorso –, dei distillati e degli oli. Serate a tema con musica jazz e degustazione di prodotti di qualità.

Osteria accessibile ai disabili.

Artogne

51 km a nord di Brescia ss 510 e 42

Le frise

Azienda agrituristica
Località Rive dei Balti, 12
Tel. 0364 598298-598285
Aperto sabato sera e domenica a pranzo, giovedì e venerdì sera solo per gruppi
Ferie: in gennaio
Coperti: 60 + 50 esterni
Prezzi: 30-35 euro vini esclusi
Carte di credito: nessuna, Bancomat

Qui inizia la Valcamonica, valle lunga e stretta in cui un tempo si allevava una razza autoctona di capre, la bionda dell'Adamello, ora a rischio di estinzione. Con il suo latte si produce il ***fatulì* della Val Saviore** (una delle valli laterali), formaggio a latte crudo affumicato dopo la salatura con il ginepro, recentemente diventato Presidio Slow Food. Gualberto Martini, uno dei sette produttori impegnato nel recupero, è il patron dell'agriturismo, a cui si arriva per una strada che sale in mezzo al bosco e che, nella bella stagione, può diventare occasione di passeggiate. Il locale, arredato in maniera semplice, dispone di tre camere.

Il menù, fisso, varia secondo le stagioni con piatti che sono l'elaborazione dei prodotti dell'azienda. In apertura non manca mai il *fatulì*, in uno sformato con verdure o in un'appetitosa insalata. Inoltre mousse o altri sformati con erbe spontanee, **salumi** e una selezione di **caprini** di diversa stagionatura serviti con mostarde e confetture di frutta o verdura. Poi **malfatti** (gnocchi irregolari di verdura), **ravioli** o altri formati di pasta con ripieno di *peruc* (uno spinacio selvatico), ortiche o di altre erbe spontanee alpine, **zuppe di verdure**, **risotti**. La qualità della materia prima è esaltata dai secondi, che si tratti del **capretto al forno** con patate al rosmarino, dello **stracotto d'asino**, della tagliata o, in inverno, del **cinghiale con polenta**. Insalate e verdure dell'orto come contorno e, a fine pasto, macedonie, crostate e sorbetti con frutta di stagione coltivata in azienda o con frutti di bosco dei dintorni, semifreddi.

Nella carta dei vini, che offre le migliori etichette della Lombardia, sono ben rappresentate la Franciacorta e il lago di Garda.

Badia Pavese

29 km a se di Pavia

Ai due taxodi

Azienda agrituristica
Cascina Pezzanchera, 2
Tel. 0382 728126-78094
Chiuso il martedì
Orario: sera, domenica solo pranzo
Ferie: ultime 2 sett. di luglio-prima di agosto, prime 2 di gennaio
Coperti: 40 + 70 esterni
Prezzi: 25 euro vini esclusi
Carte di credito: CartaSi, Bancomat

Il preavviso è d'obbligo se volete gustare la cucina casalinga offerta in questa bella cascina che prende il nome da due secolari esemplari di *Taxodium distichum*, alte conifere della famiglia delle sequoie. L'agriturismo appartiene dall'inizio del secolo scorso alla famiglia Capelli, che ha ristrutturato una parte della proprietà, ricavando oltre al ristorante alcune camere che consentono il pernottamento in ambienti arredati con mobili d'epoca. Nella bella stagione si può mangiare sotto il portico dalle belle colonne in cotto e un ombroso giardino accoglie i bambini, che possono usufruire di un'area giochi attrezzata. L'azienda produce quello che troverete in tavola, dai cereali, in primis il riso, agli ortaggi, alle carni.

Ecco allora **salumi** casalinghi, focaccine e frittate profumate, bocconi di **salsiccia** o di polenta avvolti **in pasta di pane** o **nella verza** o nella pancetta. Poi un'ampia scelta di **risotti**, cucinati con i prodotti dell'orto o quelli spontanei della campagna, e tra le paste all'uovo fatte in casa ottimi **ravioli** con ripieno **di carne**. Come secondo, animali da cortile – conigli, polli, **faraone** – cucinati in modo semplice ma ricchi di sapore, carni rosse di chianina proveniente da capi allevati allo stato brado, protagoniste di lessi, **brasati**, arrosti, costate cotte alla brace, che potrebbero far lievitare il conto finale. Per concludere **crostate** con confetture fatte in casa, soffici torte e **gelato di fiordilatte**.

In carta i vini della zona con un buon rapporto tra qualità e prezzo.

In località **Cardazzo di Bosnasco** (15 km), via Mandelli 57, Eugenio Maga sforna ottimo pane casereccio: da non perdere la treccia, il pane di zucca e le focacce (ottima quella con i ciccioli).

BARBIANELLO

20 KM A SUD DI PAVIA SS 35

DA ROBERTO

Trattoria
Via Barbiano, 21
Tel. 0385 57396
Chiuso domenica sera e lunedì
Orario: pranzo, venerdì e sabato anche sera
Ferie: luglio, una settimana in gennaio
Coperti: 30
Prezzi: 25-30 euro vini esclusi
Carte di credito: le principali, Bancomat

Nei primi anni del secolo scorso, locanda e osteria frequentata da mediatori del baco da seta, la trattoria è gestita oggi da Roberto Scovenna e da Maria Rosa che, in cucina e in sala, propongono dal 1986 i piatti del territorio a Barbianello, piccolo borgo del basso Oltrepò pavese, circondato da cascine e campi coltivati.

Protagonista del menù dall'autunno alla primavera è il **salame cotto** – il locale è sede della Confraternita del cotechino caldo – offerto spesso mettendo a confronto produzioni locali con altre del Piacentino e del Cremonese. Ma anche buoni **salumi**, che potrete assaggiare con sottaceti casalinghi, cipollotti rossi in agrodolce, cipolle al forno, frittate con erbe di campo. Tra i primi apprezzerete i **risotti** – allo Chardonnay, con il castelmagno, **con pasta di salame**, con asparagi o altre verdure – ma anche eccellenti **ravioli di erbette e ricotta**, **agnolotti di stufato**, **tagliatelle** fatte in casa **con ragù bianco di culatello**. A seguire la buona carne di razza piemontese, dalla coscia battuta al coltello alla tagliata presentata su pietra arroventata, e secondo stagione polli, anatre, **conigli**, **brasati** di maiale e **cacciagione**. Interessante selezione di **formaggi**, che spazia dall'Oltrepò al vicino Piemonte e, accanto al **salame di cioccolato** e al semifreddo al caffè di Roberto, alcuni dolci provenienti da una piccola pasticceria locale.

Nella sala principale sono in bella mostra pregiate etichette dell'Oltrepò e non solo, dai ricarichi corretti, grappe regionali e distillati.

A **Montù Beccaria** (16 km), in frazione Moriano 48, le confetture della solidarietà di Fausto Andi, titolare di un'azienda vitivinicola che trasforma frutta selvatica e non con l'ausilio di giovani portatori di handicap.

BELLAGIO
Loppia

30 KM A NE DI COMO, 21 KM DA LECCO

SILVIO

Ristorante annesso all'albergo
Via Carcano, 12
Tel. 031 950322
Non ha giorno di chiusura
Orario: mezzogiorno e sera
Ferie: variabili
Coperti: 150 + 100 esterni
Prezzi: 30-35 euro vini esclusi
Carte di credito: le principali, Bancomat

Silvio e il figlio Cristian pescano ogni giorno, garantendo tutto l'anno un prodotto fresco e genuino che, elaborato in modo semplice e secondo le ricette del Lario, assaggerete nell'accogliente sala interna del loro ristorante oppure, nella bella stagione, sulla terrazza panoramica, dopo l'aperitivo offerto in giardino, sotto il pergolato di uva fragola. Il locale del tranquillo borgo di Loppia, a pochi passi dal centro di Bellagio, garantisce una splendida vista sui giardini di Villa Melzi e sul lago.

Tra gli antipasti è solita la presenza dei classici **missoltini**, agoni salati, essiccati al sole e al vento, sotto la supervisione di Cristian, e poi scaldati sulla griglia o in padella, spellati, spruzzati con olio di oliva e aceto e serviti spesso **con polenta**. Inoltre filetti di agone alla griglia, **carpaccio di lavarello** e paté di coregone. Si continua con un buon **risotto con pesce persico** o con la pasta fatta in casa, che prevede ripieni e condimenti a base di pesce di lago: dunque **ravioli di pesce** al burro versato, **chitarra al missoltino**, **tagliolini al ragù di lago** o con il luccio. Ampia la scelta dei secondi, che dipendono dal pescato – consigliamo il filetto di persico alla senape, la trota marinata, la **bottatrice in guazzetto** – e dalla stagione: in periodo di caccia, in menù piatti con la selvaggina procurata da Silvio. Difficile la scelta, al momento del dolce, tra un assaggio di ***paradel***, sorta di frittata dolce di uova, latte e farina di frumento, servita calda cosparsa di zucchero, o di ***miascia***, una torta rustica di frutta, resa morbida dall'uva fragola.

La carta dei vini contiene circa 150 etichette locali e nazionali selezionate da Paola, fidanzata di Cristian.

Bergamo
Città Alta

Trattoria del Teatro

Trattoria
Piazza Mascheroni, 3
Tel. 035 238862
Chiuso il lunedì
Orario: mezzogiorno e sera
Ferie: 28 luglio-20 agosto
Coperti: 85
Prezzi: 32-35 euro vini esclusi
Carte di credito: nessuna, Bancomat

La Trattoria deve all'iniziale collocazione del 1963 a fianco del Teatro Sociale di Città Alta il nome che la famiglia Viganò ha mantenuto trasferendo, nel 1983, l'attività nell'attuale suggestiva sede. L'ambiente è semplice ma curato. Sarete guidati in sala dalla signora Adele, che vi proporrà i piatti cucinati dal marito Tranquillo e dal figlio Enrico, attento conoscitore delle materie prime locali. Il menù prevede i piatti del territorio cucinati in modo tradizionale ed elencati su una pergamena posta all'esterno del locale.
Tranquillo produce il profumato **salame** bergamasco servito come antipasto con la **polenta**. Potrete poi scegliere tra i **casoncelli** con ripieno d'arrosto e formaggio, le **tagliatelle** tirate a mano condite, secondo la stagione, con funghi porcini, piselli o sugo di pomodoro, e svariati risotti. Numerosi i secondi e tutti buoni: **brasato con polenta**, ossobuco con piselli, cotolette, **polenta taragna**, **baccalà mantecato**, **coda di vitello in umido**. A queste proposte si aggiungono in stagione **polenta e uccelli** e **lumache trifolate**, due piatti storici di Bergamo, ormai quasi introvabili. Imperdibili poi il **capretto** e il **coniglio** accompagnati dall'immancabile polenta, da sempre emblema del locale. Lasciate spazio per uno dei dolci preparati da Enrico, da scegliere tra la torta che porta il suo nome, il crème caramel, la crostata di mele, il tiramisù e il gelato alla crema.
In carta una cinquantina di etichette dai ricarichi corretti.

Da Ol Formager, in piazzale Oberdan 2, Giulio Signorelli, con i figli Simone e Luigi, offre una fornita rassegna di formaggi delle aree italiane più prestigiose, oltre allo strachitund d'alpeggio e a tutte le Dop bergamasche. In città alta, in via Gombito 17 A, Al Donizetti, enoteca – oltre 800 etichette italiane e non – con mescita e cucina.

Bianzone

21 km a est di Sondrio ss 38

Altavilla

Trattoria con alloggio
Via ai Monti, 46
Tel. 0342 720355
Chiuso domenica sera e lunedì
Orario: mezzogiorno e sera
Ferie: variabili, agosto sempre aperto
Coperti: 40 + 30 esterni
Prezzi: 30 euro vini esclusi
Carte di credito: tutte, Bancomat

A sei chilometri da Tirano, nel cuore della Valtellina, Bianzone è un punto di partenza ideale per escursioni estive e invernali. Percorrendo la strada che porta in cima all'abitato, troverete la trattoria con locanda, dove d'estate potrete sfruttare la terrazza, gustandovi la temperatura fresca e il panorama della valle ricoperta dai vigneti che producono le doc e docg della Valtellina. Negli altri mesi, vi potrete accomodare in una delle tre sale, di cui una per fumatori, arredate con buon gusto. Ad accogliervi Anna che, con il bravo cuoco Beppe, vi accompagnerà nella degustazione di specialità e vini della tradizione.
Dopo avere stimolato l'appetito con i prodotti dell'antica macelleria Poretti – **bresaola di manzo**, di cavallo e cervo, manzo affumicato –, oppure con il tagliere del cacciatore (**salumi di cervo** e di cinghiale), potrete assaggiare una delle tante e ricche zuppe in menù, tra cui consigliamo la **minestra di *dumega*** (orzo in dialetto valtellinese) e la **zuppa di pane di segale** con formaggi d'alpeggio oppure orientarvi su due primi piatti che da soli meritano la visita all'Altavilla: gli ***sciàtt***, frittelle di grano saraceno ripiene di casera, con il cicorino dell'orto, e i **pizzoccheri**. A seguire medaglioni di cervo allo Sforzato, invitanti rotolini di vitello ripieni di bitto giovane e pancetta, **polenta** di granturco e di grano saraceno. Per finire una curata selezione di **formaggi**, tra cui spiccano bitto e casera, dop valtellinesi, e *sciàtt* al cioccolato.
Il vino è una grande passione di Anna: nella cantina, che potrete visitare, oltre 500 etichette – le migliori della Valtellina ed eccellenti bottiglie regionali e nazionali – e una notevole scelta di distillati.

Bienno

66 km a nord di Brescia ss 42

Hostaria Vecchia Fontana

NOVITÀ

Osteria tradizionale
Via Fontana, 3
Tel. 0364 300022
Chiuso il mercoledì
Orario: sera, sabato e festivi anche pranzo
Ferie: seconda sett di settembre, una sett dopo l'Epifania
Coperti: 60
Prezzi: 28-30 euro vini esclusi
Carte di credito: le principali

Un centro medievale con edifici e torri in solida pietra, una pieve del Quattrocento con affreschi del Romanino, di Pietro Da Cemmo e Caylina il Giovane fanno di Bienno un luogo affascinante per una piacevole passeggiata prima o dopo avere gustato la cucina semplice e genuina della Vecchia Fontana. In attività da molti anni l'osteria ha riconquistato credito grazie all'impegno e alla passione di Fausto Sgabussi e Mario Della Noce che, l'uno in cucina e l'altro all'accoglienza, hanno fatto della qualità il filo conduttore del menù, che varia secondo stagione e disponibilità delle materie prime, reperite in loco (compreso un orto di proprietà) o da fornitori di fiducia.
Tra gli antipasti troviamo l'eccellente salame tradizionale camuno, il carpaccio di cervo, l'insalata del "Maister" con carne salata, cipolle, fagioli e funghi sott'olio. Tutta la pasta fresca è fatta in casa: i classici **casoncelli** nostrani, le crespelle di grano saraceno alle erbette, le tagliatelle ai funghi porcini, il **risotto al tartufo** della Valcamonica, le ***piode*** (gnocchi) di formaggio silter con fagiolini e uovo al tartufo locale. In inverno è da provare la **minestra di *scandela*** con orzo, verdure e piedino di maiale. Fra i secondi predominano le carni, accompagnate dalla tradizionale **polenta**: **stracotto d'asino**, pasticcio di porcini gratinato, **coniglio ripieno** di aromi e frattaglie, guanciale di vitello al caffè, **salsiccia di castrato**. Buona la selezione di formaggi locali vaccini e caprini serviti con confettura casalinga di pomodoro oppure con miele locale. Per finire alcuni dessert di propria produzione: strudel di mele, crostate di frutta, biscotti.
Carta dei vini ricca di proposte lombarde, buona offerta di distillati locali e non.

Borgo Priolo
Schizzola

33 km a sud di Pavia ss 35

Quaglini

NOVITÀ

Trattoria
Località Schizzola Alta
Tel. 0383 892840
Chiuso lunedì e martedì
Orario: mezzogiorno e sera
Ferie: 1-10 luglio
Coperti: 100
Prezzi: 30 euro vini esclusi
Carte di credito: tutte, Bancomat

Marco Quaglini ha aperto nel 1998 e rinnovato nel 2002 questa trattoria di campagna, posta in posizione assai panoramica sulla verde Valle Schizzola. Il locale è ampio e luminoso e riscuote un successo crescente: è quindi opportuno prenotare con buon anticipo, soprattutto nei fine settimana. Il personale di sala, agile e premuroso, racconta a voce un menù degustazione a prezzo fisso, che varia con le stagioni e comprende una lunga teoria di antipasti, assaggi di tre primi e tre secondi, un dolce: piatti validi e onesti, improntati alla tradizione dell'Oltrepò pavese.
Durante le ultime visite abbiamo apprezzato i **salumi**, in particolare un ottimo lardo al miele e una morbida coppa; buone anche la parmigiana di melanzane e l'insalata d'orzo perlato. Tra i primi piatti, i classici **agnolotti di brasato**, i ravioli di magro con i pomodorini freschi, il **risotto con zafferano e funghi**. Saporite le carni, a partire dalla tagliata di manzo per proseguire con l'**arrosto di maiale** accompagnato da frutti di bosco e con l'ottima **faraona ripiena**. Si chiude, già sazi, con qualche scaglia di parmigiano reggiano e un dessert, accompagnato magari da un calice di Zibibbo: nel nostro caso, semplici e gradevoli fragole con gelato. Con il caffè arrivano ottimi biscottini di pasta frolla, un bicchierino di mirto o di limoncello.
La carta dei vini comprende un'ampia selezione dell'Oltrepò, diverse etichette nazionali e qualche Champagne per le occasioni più importanti.

Ricco aperitivo e piatti unici nell'attiguo Prelibar. A **Torrazza Coste** (6 km), in via Schizzola 68, la fattoria I Gratèr di Marco e Giovanna Buzzi produce e vende caprini a latte crudo, miele, salumi.

Borgo San Giacomo
Padernello

33 km a SO di Brescia

Locanda del Vegnòt

Trattoria con alloggio
Via Fornello, 10
Tel. 030 9408045
Aperto dal venerdì al lunedì
Orario: sera, domenica e festivi anche pranzo
Ferie: ultima settimana di luglio-prime 2 di agosto
Coperti: 160 + 60 esterni
Prezzi: 25-26 euro vini esclusi
Carte di credito: le principali, Bancomat

Continua a offrire molto in termini di qualità di prodotti e cucina genuina la locanda di Omar Pansera e Natale Gallia, ricavata nel 2000 in un antico casolare della piccola frazione di Padernello, famosa per il castello che, edificato nel 1485, dominava l'antico borgo dei conti Martinengo. Nel podere circoscritto da cinta muraria che circonda l'edificio, si coltivava la vite per fornire di vino il castello e la sua corte.
Le specialità in menù valgono la sosta. Per cominciare un ricco tagliere di **salumi** locali seguito dalla **salamella con bocconcini di polenta**. Si continua con la pasta fatta a mano: **casoncelli**, il cui ripieno varia con la stagione, malfatti, **bigoli al ragù d'anatra**, **mariconde** – gnocchetti di pane raffermo in brodo – tagliatelle con funghi porcini o salmì di cacciagione, tortelli e gnocchi di zucca con crema di formaggi. Ampia la carrellata dei secondi, prevalentemente di carne e tutti eccellenti, dallo **spiedo bresciano**, che deve essere prenotato, allo **stracotto d'asino**, da brasati di vitello cotti a puntino al **capretto al forno**, dal **coniglio** disossato e **ripieno** al maialino dal latte al forno, al **manzo all'olio**, al cinghiale in umido, se capitate nel periodo giusto. Seguono una buona selezione di formaggi e dolci casalinghi, tra cui consigliamo la torta di mele, le crostate con frutta di stagione, i gelati artigianali. Ricca scelta di vini del territorio, serviti anche al bicchiere, molte etichette nazionali e distillati nazionali ed esteri.
Volendo, si può degustare un buon bicchiere di vino con salumi, formaggi e alcuni stuzzichini e per chi volesse fermarsi per la notte, in una struttura attigua c'è Il Fornello, con quattro camere accoglienti e funzionali.

Bracca

25 km a NE di Bergamo

Dentella

Trattoria
Via Dentella, 25
Tel. 0345 97105
Chiuso lunedì sera, mai d'estate
Orario: mezzogiorno e sera
Ferie: due settimane in giugno
Coperti: 80 + 35 esterni
Prezzi: 30 euro vini esclusi
Carte di credito: le principali, Bancomat

Le sorelle Dentella accolgono i loro ospiti con la cordialità e l'esperienza di ristoratrici di lunga data, accompagnandoli in un percorso gastronomico che prevede i piatti della tradizione bergamasca di montagna: **polenta taragna**, **casoncelli**, **foiade** con funghi e, in stagione, grandi abbuffate di **tartufi neri** in numerose preparazioni. Bracca infatti, oltre che rinomata sede di un'ottima sorgente d'acqua minerale, è il centro di raccolta del tartufo nero bergamasco.
La famiglia Dentella è orgogliosa del proprio territorio, nel quale da più generazioni gestisce la trattoria che conserva un'atmosfera semplice e familiare, nonostante la recente ristrutturazione abbia impresso un tocco di eleganza all'ampia sala (adibita anche a bar, con televisore e frigorifero a vista per i salumi) e alla terrazza coperta. Dall'alta Val Brembana provengono la selvaggina e le carni rosse impiegate per succulenti secondi cotti alla griglia o arrosto, per il **codone di manzo al vino rosso**, lo **stracotto d'asino**, le costolette d'agnello alle erbe; il tutto è accompagnato dall'immancabile **polenta** o da verdure di stagione. Ottimi i **formaggi** di piccoli produttori della valle, offerti accanto alle classiche dop *formai de mut* e taleggio, selezionati, raccolti e affinati da Giovanni, il marito di una delle sorelle, in apposite grotte non lontane dalla trattoria. I dolci, leggeri ma intriganti, sono opera del cuoco, il fratello Dentella: speciale il semifreddo di zabaione, soffice ma consistente la tradizionalissima **crema di mascarpone**.
La cantina raccoglie etichette lombarde, con un occhio di riguardo per le bergamasche e per alcune etichette regionali meno note.

68 KM A NE DI BRESCIA SS 42

VECCHIA TRATTORIA CÀ BIANCA

Trattoria
Via Cà Bianca, 3
Tel. 0364 320059
Chiuso lunedì sera e martedì
Orario: mezzogiorno e sera
Ferie: seconda sett di gennaio, ultima di giugno-prima di luglio
Coperti: 50 + 20 esterni
Prezzi: 27-33 euro vini esclusi
Carte di credito: le principali, Bancomat

Breno, paesino della Valcamonica, compreso nel Parco dell'Adamello, offre belle passeggiate su numerosi sentieri percorribili anche dai meno esperti. Lungo la strada che porta a Bienno, uno dei Borghi più Belli d'Italia, dopo qualche chilometro sarete a Cà Bianca, una trattoria accogliente, ricercata per la gastronomia camuna. Consigliamo due ricette di un suo noto interprete, Giacomo Ducoli, detto il Fio, padre di Grazia, cuoca del locale: lumache alla Ducoli e controfiletto alla brenese.
Nella nostra visita abbiamo optato per il menù di Breno – **salame con spongada** abbrustolita, ***caicc* al burro e salvia**, **salsiccia di castrato**, **spongada con zabaione** – a 27 euro vini esclusi. Per gli amanti dei prodotti e delle ricette camune, inoltre, **carne salata** con fagioli e cipolle, lardo con focaccine al rosmarino, ***formagel parat*** – formaggio semistagionato cotto con mele e cipolle –, ***fatulì* della** vicina **Val Saviore**, Presidio Slow Food, **zuppa del Seicento**, con orzo, patate e fagioli. In alternativa **orzotto al Baldamì** (Marzemino) con salsiccia di castrato e fonduta di silter, gnocchetti di ricotta di capra, in stagione, funghi e tartufi, e, per chi vuole altri sapori, carpaccio di baccalà, spaghetti alla chitarra, costolette d'agnello, trancio di storione. A fine pasto, formaggi con miele e confetture e, per chi volesse solo uno spuntino, dalle 11 alle 24 è previsto un servizio di vineria.
Lino, marito di Grazia, vi guiderà nella scelta fra le 200 etichette disponibili.

Osteria accessibile ai disabili.

In via Garibaldi 10, la macelleria Pedersoli è nota per la salsiccia di castrato; in via Romelli 13, la salumeria Domenighini per i formaggi e i salumi; in via Mazzini 33, la pasticceria Ferrari per la spongada.

LA GROTTA

Trattoria
Vicolo del Prezzemolo, 10
Tel. 030 44068
Chiuso il mercoledì
Orario: mezzogiorno e sera
Ferie: in agosto
Coperti: 80 + 40 esterni
Prezzi: 20-35 vini esclusi
Carte di credito: tutte tranne AE, Bancomat

Tra le osterie più vecchie di Brescia, La Grotta sarebbe stata aperta nel dopoguerra da tal Morando, pittore di origine ebrea con la passione di dipingere diavoli, che ancora si possono osservare sulla parete di fondo della sala ristorante. Nascosta in un vicoletto medievale nei pressi del Tribunale, continua a essere un punto d'incontro per i bresciani che vogliono bere del buon vino in un ambiente reso familiare dalla calda accoglienza di Luigi. Recentemente ristrutturata conserva alle pareti fotografie d'epoca e si compone di due belle sale: in una, sono in bella mostra in un frigorifero d'epoca una ricca selezione di formaggi del territorio, tra cui spicca il *bagòss*, Presidio Slow Food, **salumi** e prosciutti di prima qualità, mentre nell'altra sono esposte sul bancone verdure di stagione cotte e crude, con servizio self service.
Abbiamo iniziato con un antipasto di salumi, aspettando i **casoncelli al *bagòss*** – erano disponibili anche con ripieno di carne, di zucca, alle erbe – e la **zuppa paesana**, invece di **trippa** o **tagliatelle al salmì**. Come secondo abbiamo scelto costolette di vitello arrosto con **polenta di Storo** e tagliata di manzo con verdure cotte. Al venerdì è in menù il **baccalà**, secondo la migliore tradizione bresciana, d'inverno ci sono i **lessi misti** e, in estate, si approfitta del cortiletto interno per ricche grigliate di carne di manzo e di cavallo. Tra i dolci, una **torta di mele** che sembrava proprio quella della nostra nonna.
Al piano inferiore un accurato restauro ha reso la cantina un luogo piacevole dove gustare piatti freddi e bere buoni vini: ragionata scelta di etichette regionali, nazionali ed estere, una decina delle quali anche al bicchiere.

Brescia
Fornaci

6 KM DAL CENTRO DELLA CITTÀ

La lumaca

Trattoria
Via Fornaci, 2
Tel. 030 3583712
Chiuso domenica sera e lunedì
Orario: mezzogiorno e sera
Ferie: in agosto
Coperti: 60
Prezzi: 30 euro vini esclusi
Carte di credito: tutte, Bancomat

Situata nella prima periferia a sud della città, all'interno di un palazzo settecentesco sapientemente ristrutturato, la trattoria offre la possibilità di pranzare e cenare all'interno di salette suggestive, con volte in pietra a vista, antichi pavimenti e portali in marmo. Franco Beccarla guida uno staff di giovani motivati, con Paola che saprà mettervi a vostro agio nella scelta del menù, mentre Gianluca ed Enrico si occupano della cucina. Tra le proposte in carta, costantemente riviste secondo la stagionalità dei prodotti, non mancano mai alcuni classici della cucina bresciana.
Tra gli antipasti, oltre ai **salumi** tradizionali, abbiamo assaggiato un flan di cicorie di campo con crema di ***fatulì* della Val Saviore** e uno spiedino di lumache saltate in padella con il Lugana, pancetta e polenta. Poi **malfatti al *bagòss***, i classici **casoncelli**, le lumache in umido con erbette aromatiche, il **baccalà con polenta**, il risotto al Groppello con formaggella di Tremosine. Arrivati ai secondi, la scelta si è posta tra la carne – **manzo all'olio** con polenta, costolette di agnello con pomodori gratinati, costate e filetti di manzo alla griglia – e il pesce: noi abbiamo optato per **luccio gardesano mantecato** con polenta e coregone gratinato con patate. A seguire un buon carrello di formaggi delle valli bresciane, in primis *fatulì* e *bagòss* (Presidi Slow Food), accompagnati da confetture casalinghe, e dolci eccellenti, tra cui una variazione di tiramisù all'amarena, la **torta di riso e frutti di bosco**, il gelato alla crema.
Ampia scelta di vini, con un occhio di riguardo per la Franciacorta e la Valtenesi, una curata carta degli oli e una ricca selezione di distillati.

Brescia

Osteria al Bianchi

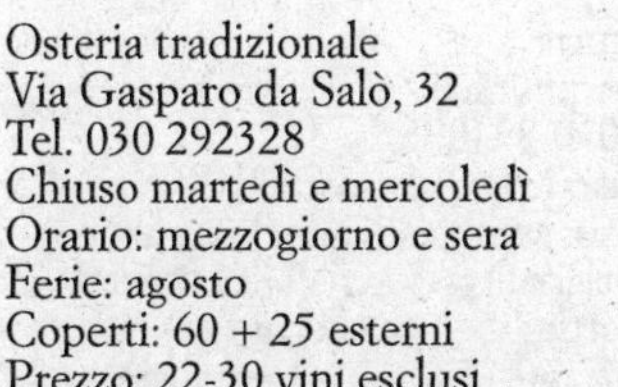

Osteria tradizionale
Via Gasparo da Salò, 32
Tel. 030 292328
Chiuso martedì e mercoledì
Orario: mezzogiorno e sera
Ferie: agosto
Coperti: 60 + 25 esterni
Prezzo: 22-30 vini esclusi
Carte di credito: tutte, Bancomat

Imboccando una piccola via nell'angolo a nordest della storica piazza della Loggia si arriva a questa vecchia osteria del centro di Brescia. La famiglia Masserdotti gestisce il locale da circa trent'anni. Ritroverete, quindi, le antiche abitudini: il bianchino e le **polpette** da gustare al bancone in compagnia all'ora dell'aperitivo e, nel pomeriggio, se è consentito dal giro di giocatori incalliti, una partita a briscola. Arrivando a sera inoltrata, potrete avere un buon bicchiere di vino con i formaggi e **salumi** del territorio bresciano.
All'ora di pranzo o a cena, anche se nel locale ci sono già molti avventori, si occuperanno di voi sette uomini d'oro – ci sono solo uomini in sala e in cucina –, seri, cordiali, efficienti. I piatti in menù si rifanno alla tradizione locale, anche se si possono trovare preparazioni legate a prodotti di stagione, come gli spaghetti con ravanelli e tonno. Nell'ultima visita abbiamo assaggiato **casoncelli** bresciani, **pappardelle al ragù di lepre**, **malfatti** agli spinaci con burro fuso e, come secondi, **stufato d'asino**, filetto al pepe rosa, **pancia di manzo ripiena** al forno e le classiche **lumache in umido**. Per finire, si può scegliere fra torta di mele, crostate con vari tipi di marmellata, spuma di zabaione e frutta di stagione.
La carta dei vini spazia tra i banchi e i rossi di tutte le regioni italiane, anche se prevalgono le etichette della provincia bresciana. Interessante la frequente offerta di prodotti di nuovi piccoli viticoltori a un prezzo decisamente consono.

L'azienda agricola Valpersane, in via Valle di Mompiano 90, alleva capre di razza camosciata, dal cui latte ricava caprini, acquistabili nello spaccio aziendale e serviti nei migliori ristoranti della città.

Brione

16 km a NO di Brescia SP 10

La Madia

Trattoria
Via Aquilini, 5
Tel. 030 8940937
Chiuso lunedì e martedì
Orario: sera, festivi anche pranzo
Ferie: ultimi 10 gg di agosto, primi 15 di febbraio
Coperti: 70 + 30 esterni
Prezzi: 30-35 euro vini esclusi
Carte di credito: tutte, Bancomat

Non si arriva per caso in questa trattoria, si viene per la bellezza della Val Trompia ma soprattutto per il menù impostato sui prodotti del territorio, dalle carni alle verdure, alle erbe selvatiche che crescono nei dintorni, ai pesci dei laghi vicini. I due gestori, Michele e Silvia, sono giovani e appassionati e un pranzo con loro si trasforma in un viaggio nei sapori valligiani e di lago.
Si comincia con **salumi** accompagnati da composta di cipolle e bacche di ginepro, **lumache al forno**, **giardiniera di verdure** scottate. Vi consigliamo di non esagerare con gli antipasti per dare spazio a primi eccellenti: **casoncelli** ripieni di frattaglie di pollo o di verdura, **risotto con cicoria e nostrano** della Val Trompia, **tagliolini** di farina di monococco **con sugo di pesce di lago**, **malfatti alle erbe con *bagòss*** d'alpeggio. Non da meno l'offerta dei secondi di carne – tagliata di controfiletto di cavallo, petto d'anatra alla brace, **manzo all'olio di Rovato, sarde secche all'uso di Monte Isola**, spiedini di pollo nostrano da agricoltura biologica, **brasato di capra** della Valcamonica – o di pesce: salmerino alla brace e **coregone ripieno al forno**. Interessante la carta dei **formaggi** a latte crudo con prodotti bresciani, nazionali e francesi e, a fine pasto, crostate con frutta di stagione e semifreddo con amaretti e cioccolato. La carta dei vini offre etichette della Franciacorta e del Garda bresciano.
Da segnalare i menù degustazione di cinque portate a 23-30 euro: i temi sono la campagna, il monte, il lago.

A **Rodengo Saiano** (3 km) la fattoria Paradello, via Paradello 9, alleva polli e galline e vende uova e farine, tutto biologico.

Brissago Valtravaglia

21 km a NO di Varese

Osteria del Gatto Rosso

Osteria tradizionale
Via Garibaldi, 15
Tel. 0332 575009
Chiuso lunedì, martedì, mercoledì
Orario: solo la sera
Ferie: variabili
Coperti: 30
Prezzi: 20-30 euro vini esclusi
Carte di credito: nessuna

Andare a trovare Maria Grazia e Rolando è sempre un piacere, per la buona tavola e per l'ospitalità dei padroni di casa che ti fanno sentire tra amici. Curiosi ricercatori enogastronomici – nel tempo libero amano girare per cantine e produttori – variano continuamente la carta, aggiungendo **salumi** e **formaggi** alla già ricca proposta. Il tagliere dei primi ne contempla una dozzina, tra cui segnaliamo salame d'oca di Mortara, violino di capra della Valchiavenna, coppiette romane, mortadella di fegato, salume tipico della fascia prealpina di Varese e Novara, purtroppo di difficile reperibilità. Strepitosa l'offerta dei formaggi: caprini della Valcuvia, formaggella del Luinese, *sarass del fen*, montébore, robiola di Roccaverano, bettelmatt, *zincarlin* della val di Muggio.
Ma veniamo ai piatti cucinati. Nella stagione fredda potrete scegliere tra **risotto con ossobuco** alla milanese, **polenta con selvaggina**, il gran **bollito misto**, comprensivo di 14 tagli, mentre in primavera-estate si lascia largo spazio al pesce del lago Maggiore con **lavarello in carpione** (ricetta del nonno di Maria Grazia), **risotto con filetti di persico**, lucioperca al vino rosso, **alborelle fritte** o in carpione, secondo la disponibilità del pescato. Per finire, pesche di Monate con gelato, torta di pane e zabaione.
I vini, prevalentemente di piccoli produttori piemontesi e toscani, sono rappresentati da una settantina di etichette, con molte mezze bottiglie. Interessanti le grappe di Rossi d'Angera, distilleria storica della provincia di Varese.

Interessante produzione di formaggi di capra a latte crudo a **Rancio Valcuvia** (6 km) presso l'azienda Caprivalcuvia, in via San Pietro 12, e a **Montegrino Valtravaglia** (8 km), presso Cascina Sciare, in via Roverpiano 4.

Busto Arsizio

30 km a sud di Varese, 35 km a NO di Milano

La rava e la fava

NOVITÀ

Osteria
Via Rossini, 29
Tel. 0331 683233
Chiuso il mercoledì
Orario: mezzogiorno e sera
Ferie: 10 gg tra febbraio e marzo, 15 tra luglio e agosto
Coperti: 40
Prezzi: 33 euro vini esclusi
Carte di credito: le principali, Bancomat

Ai primi del Novecento Busto Arsizio era nota come la Manchester d'Italia, grazie all'impetuoso sviluppo industriale tessile che è proseguito fino a oggi, a scapito dello sviluppo agricolo e spesso dell'attenzione alle tradizioni gastronomiche. Con l'osteria che ha rilevato e ristrutturato alcuni anni fa, Fabio Rivolta sta ritagliandosi uno spazio nel grigio panorama gastronomico cittadino, puntando sulla clientela del pranzo di lavoro, per la quale a mezzogiorno cucina un pasto a prezzo contenuto, ma soprattutto su quella serale, con un'offerta più ampia che, in autunno e inverno, vede protagonisti i principali piatti della tradizione bustocca.
Vi consigliamo la ***casoeula***, i ***bruscitt*** con polenta, la ***rustisciada***, l'**ossobuco con il risotto** secondo la ricetta meneghina. In primavera e estate, l'offerta verte su piatti di pasta, anche di grano kamut biologico, tra cui abbiamo assaggiato strozzapreti con ragù di cinta senese, insalata di uova di quaglia e gamberi di fiume, fiorentina di chianina alla griglia, polpo arrosto con misticanza. La scelta di formaggi include una selezione di piccoli produttori valdostani e **robiola di Roccaverano classica** (Presidio Slow Food). Buoni anche i **salumi**: quelli di cinta senese e di carne equina, la **mortadella di fegato** bustocca, il **prosciutto del Casentino**. I dolci, tutti casalinghi, sono proposti in alternativa a una degustazione di cioccolato.
La carta dei vini, dai ricarichi corretti, conta circa 140 etichette italiane, una decina delle quali sono offerte al bicchiere a rotazione settimanale.

In via Cardinal Tosi 2, la Casa del Parmigiano di Giovanni Frati offre un'attenta selezione dei migliori formaggi artigianali italiani da latte crudo.

Cantello

8 km a est di Varese

L'osteria di Nerito Valter

Osteria tradizionale
Via Roma, 4
Tel. 0332 417802
Chiuso il mercoledì
Orario: mezzogiorno e sera
Ferie: 3 settimane in agosto, 25/12-10/1, 10 gg in giugno
Coperti: 50
Prezzi: 30 euro vini esclusi
Carte di credito: tutte, Bancomat

L'ultima volta siamo andati da Nerito in primavera, stagione in cui a Cantello è quasi d'obbligo mangiare gli **asparagi bianchi** di Argenteuil. Li abbiamo assaggiati come antipasto **in agrodolce** con l'uvetta passa e in un appetitoso sformato, nel tris di primi – **risotto**, ravioli e crespelle – e come secondo **con le uova**. Unica eccezione, lo zuccotto di frutta fresca casalingo offerto in chiusura.
Nelle altre stagioni il menù segue l'offerta del mercato: in autunno si raccolgono i **funghi**, proposti in svariate preparazioni, e si cucinano piatti più corposi che si accompagnano con la **polenta**: ***bruscitt***, brasati, **maialino da latte al forno**, baccalà alla vicentina. Tra i primi trovano spazio **zuppe** – di cipolle, **di ceci e costine**, di lenticchie – risotti con il radicchio o con il vino rosso, **stracci di grano saraceno con cavolo cappuccio**, *pisaréi* con le verdure, **pappardelle con sugo d'anatra**. Le carni di manzo provengono da un allevatore della vicina Valceresio, le verdure dall'azienda di Federica Baj. A fine pasto una piccola selezione di formaggi del Nord Italia e i dolci di Nerito: *bonet*, crostata con le arance, bavarese al caffè.
Sempre discreta la scelta delle etichette – si privilegiano Piemonte e Toscana – e buona la selezione dei superalcolici: non solo eccellenti grappe ma anche whiskey e Calvados. Non c'è una carta degli oli, ma a richiesta la bottiglia dell'extravergine è portata in tavola: potrete scegliere tra quello pugliese di Vieste biologico, una tipologia ligure e una toscana.

Fuori dal centro abitato, in via Pianezzo 34, l'azienda agricola di Federica Baj, coltiva e vende asparagi e verdure bio.

Cappella de' Picenardi

17 km a est di Cremona

Locanda degli Artisti

Ristorante
Via XXV Aprile, 13
Tel. 0372 835576
Chiuso domenica sera e giovedì
Orario: mezzogiorno e sera
Ferie: primi 10 giorni di gennaio, due sett in agosto
Coperti: 70
Prezzi 30-35 euro vini esclusi
Carte di credito: tutte, Bancomat

Ci piace particolarmente questo locale, due sale al pianterreno e un soppalco ricavati in un bel cascinale ristrutturato nel rispetto dell'originale struttura, arredato con gusto e semplicità; dalla sala da pranzo una finestra fa intravedere la fornita cantina, dove riposano oltre 250 etichette italiane e straniere – da segnalare la selezione di vini al bicchiere –, accanto a una nutrita scelta di distillati e a mostarde e verdure sott'olio preparate in casa, che si possono anche acquistare. Oltre all'ambiente accogliente, un servizio accurato e professionale e un menù, presentato su una tavolozza di legno, incentrato sul territorio e sul pesce d'acqua dolce.

Si inizia con i **salumi** della casa, serviti con **giardiniera** e zucchine sott'olio, ma l'offerta della carta spazia su **carpione di fiume** con **verdure in agrodolce**, pomodori gratinati con erbe aromatiche, tortino di baccalà, alici con peperoni dolci. Il **risotto** ai sei formaggi, filante e saporito, oppure **con gamberi di fiume e zucchine**, i **bigoli con ragù di sarde e verdure**, gli **gnocchi verdi con crema di taleggio**, gli spaghetti alla mediterranea – piatto estivo leggero e gustoso –, sono alcuni dei primi proposti. Apre la carrellata dei secondi piatti il filetto rosa di maiale con capperi, seguito da **costolette di agnello con spugnole**, **lombatina di coniglio** con patate, carciofi ed erbe aromatiche, baccalà in umido con polentina bianca, storione con capperi e limone.

Ricca l'offerta di **formaggi** – vaccini, caprini, erborinati – freschi e stagionati: si servono piatti con una dozzina di tipologie scelte fra le trenta in offerta. In chiusura torta di cioccolato, panna cotta, semifreddi e sorbetti casalinghi.

Osteria accessibile ai disabili.

Casalbuttano ed Uniti

14 km a nord di Cremona SP 86

Il poeta contadino

Trattoria con alloggio
Via per Bordolano
Tel. 0374 361335
Chiuso il lunedì
Orario: mezzogiorno e sera
Ferie: ultime due sett di luglio, prima di febbraio
Coperti: 50 + 20 esterni
Prezzi: 25-30 euro vini esclusi
Carte di credito: le principali, Bancomat

Il nome della trattoria sintetizza lo spirito del locale con il contadino a simboleggiare il lavoro della campagna e il poeta che impersona la creatività, per cui troverete in menù piatti del territorio rielaborati in alcuni casi con fantasia. La trattoria, ricavata in una cascina risalente al Seicento, è stata ristrutturata negli anni Settanta e presa in gestione nel 2001 da Marco Nobile, lo chef, con l'aiuto della sorella Daniela e della moglie Claudia, che si alternano in cucina e in sala, e di Medardo, marito di Daniela, sommelier con esperienza di macelleria e salumeria. Il locale è dotato anche di cinque accoglienti camere.

Veniamo ora alla cucina. Tra gli antipasti, buoni **salumi** locali con verdure in agrodolce, culatello e prosciutto di cinghiale con terrina di pane, **filetto di luccio in carpione leggero** con cipolle di Tropea, **trota salmonata marinata** con insalata di finocchi, **insalata di faraona** con verdure marinate. Tra i primi, tutti stagionali, **orzotto** mantecato con salsiccia e funghi porcini, risotto al basilico con caponata di verdure, gnocchi di patate con crema di taleggio e petto d'oca affumicato, **tagliatelle con ragù d'anatra**. La carta dei secondi offre un'ampia scelta: **anguilla al forno**, petto di faraona farcito, **coppa di maiale arrosto** con composta di ciliegie, **carpaccio di manzo** con scaglie di grana e tartufo. Per finire una buona selezione di formaggi lombardi – grana, provolone, gorgonzola – e di altre regioni. Si chiude con l'ottima **sbrisolosa con zabaione** al Moscato d'Asti e una mousse al cioccolato o di mascarpone.

La carta dei vini rappresenta bene quasi tutto il territorio nazionale, con proposte al bicchiere da abbinare ai dolci e una ricca scelta di distillati.

Castello di Brianza Brianzola

18 km a SO di Lecco, 32 km a nord di Monza

La piana

Ristorante
Via San Lorenzo, 1
Tel. 039 5311553
Chiuso lunedì e martedì a pranzo
Orario: mezzogiorno e sera
Ferie: 15 giorni in gennaio, 10 in giugno
Coperti: 45
Prezzi: 32 euro, vini esclusi
Carte di credito: tutte tranne DC

Il triangolo lariano, territorio che comprende l'alta Brianza fino al lago di Lecco, è meta di gite fuori porta e, dal 1993, anno di nascita della Piana, di gite gastronomiche nel rispetto della tradizione culinaria lombarda. È da una cascina che Gilberto Farina, chef e patron del locale, ha ricavato il semplice ma curato ristorante, dove propone una cucina che esalta la stagionalità delle materie prime e ha un chiaro legame con il territorio, pur con qualche rielaborazione.
Icona del menù: i pesci d'acqua dolce, l'oca e il riso. Andiamo a cominciare con una buona selezione di **salumi** locali o con un'insalata di baccalà. Come primo, oltre al classicissimo **risotto con l'ossobuco**, sono molto richieste le **tagliatelle con la *borroeula*** e polpa di zucca e gli **agnolotti alle tre carni** con vellutata di porri. Pezzo forte del locale, i secondi prevedono brasato di manzo, ***busecca***, **stracotto d'asino al Barbera**, a novembre e dicembre ***casoeula* di maiale e d'oca**, manzo alla California (località vicino a Lesmo), cioè stufato con cipolle, aceto e latte. Infine i pesci del vicino Lario: **missoltini alla griglia con polenta**, lavarello alle erbe, **agone in carpione**, **lucioperca brasato**. Meritano una segnalazione i **formaggi** delle valli bergamasche, della Valsassina e del Piemonte, offerti con composte di frutta, miele, noci e nocciole. Si chiude con flan di cioccolato, tegamino gratinato alle castagne, *crème brûlée* e crème caramel.
Carta di vini sontuosa con 450 referenze, tutte nazionali.

Osteria accessibile ai disabili.

A **Sartirana di Merate** (10 km), in via Cavour 7 A, il macellaio Carlo Casati prepara il salame brianza di pura coscia e la borroeula secondo tradizione.

Castellucchio Ospitaletto

17 km a ovest di Mantova ss 10

La gargotta

Osteria di recente fondazione
Via Vittorio Veneto, 6
Tel. 0376 903125
Chiuso il lunedì
Orario: mezzogiorno e sera
Ferie: estive variabili, invernali 6-13 gennaio
Coperti: 80 + 20 esterni
Prezzi: 30-35 euro vini esclusi
Carte di credito: tutte, Bancomat

Sulla strada che da Mantova va a Cremona, all'inizio della frazione di Ospitaletto, troverete l'osteria arredata in modo rustico, con pentole di rame alle pareti e tavoli apparecchiati in modo impeccabile. Il servizio, professionale e solerte, è assicurato da Ivan Penitenti, alla guida del locale con l'aiuto in cucina di Cristina Zanardi e Paride Gialdini, che selezionano le materie prime locali, utilizzando solo il meglio. In menù si alternano preparazioni di pesce e di carne, in cui si apprezza un costante equilibrio di sapori, anche se qua e là si notano piccoli interventi di stravagante rielaborazione. Il pesce, in prevalenza di mare, è cucinato con verdure o accompagnato da salse complesse, ma in menù ci sono anche crudità e marinature, mentre tra i piatti di carne spiccano le specialità della tradizione.
Il benvenuto a tavola è dato da **lumache con erbette**, **frittura di saltarelli e zucchine** con polentina soffice di mais, culatello di Zibello, **petto d'oca** e ***sorbir* d'agnoli**. Proseguendo consigliamo **tortelli di zucca**, riso morbido – non risotto – al Lambrusco e pancetta, **ravioli** con ripieno di patate e funghi, **maccheroni** al torchio **con lo stracotto**. Protagoniste dei secondi le carni provenienti da piccoli allevamenti dei dintorni: **bocconcini di vitello all'aceto balsamico**, **stinco di maiale arrosto**, **costolette di agnello** con asparagi o altre verdure di stagione, grigliate miste. Nel finale **sbrisolona con zabaione al passito**, bavaresi, semifreddo all'amaretto in salsa di cioccolato, cannoli al mascarpone, frutta, gelato.
Carta dei vini con oltre 150 etichette locali e di tutta Italia e una selezione di birre con interessanti proposte provenienti da Germania e Belgio.

Osteria accessibile ai disabili.

Castiglione delle Stiviere
Fontane

36 km a NO di Mantova, 29 km da Brescia ss 236

Hostaria viola 

Ristorante
Via Verdi, 32
Tel. 0376 670000-638277
Chiuso domenica sera e lunedì
Orario: mezzogiorno e sera
Ferie: primi giorni di gennaio, in agosto
Coperti: 60
Prezzi: 30 euro vini esclusi
Carte di credito: tutte, Bancomat

Ricavato in un'accogliente vecchia casa delle colline gardesane, il locale, arredato, con semplicità e gusto, offre a chi arriva un'atmosfera piacevole. La conduzione è affidata a due giovani ragazze – Alessandra in cucina ed Erica in sala – che sanno coniugare con equilibrio tradizione, modernità e, perché no, in alcuni casi nuove mode.
Aprono il pranzo gli antipasti con i salumi della zona – ottimo il **salame tradizionale mantovano** – il **luccio in salsa** e il ***sorbir* d'agnoli**, confezionati con pasta sottile e ripieno saporito. L'equilibrio dei **tortelli di zucca** nelle componenti dolce, salata e speziata si confronta con l'originalità dei **tortelli amari di Castelgoffredo** dalle note balsamiche di menta e dal gusto gradevolmente amaro. **Risotto alla pilota** con le salamelle e profumate creme di zucca e di cipolle chiudono l'elenco dei primi. Tra i secondi uno **stinco di maiale** in arrosto morto davvero impeccabile, un tenero stracotto di cavallo e per finire il **pollo alla Stefani**, un bollito del famoso cuoco gonzaghesco dolce, salato e speziato. Chiudono il carrello dei **formaggi**, con una buona scelta fra esemplari spesso a latte crudo, e i dolci della tradizione – **crema al mascarpone**, **sbrisolona** e **crostata di mele** – accanto ad altri più attuali, fra cui spiccano cioccolatini di eccezionale fattura offerti con vini francesi ben abbinati.
La carta dei vini contiene le etichette migliori dei Colli Morenici mantovani, ma anche veronesi e bresciani, oltre a molte proposte provenienti da tutta Italia e da altri paesi.

A **Castel Goffredo** (5 km), I gusti vegetali della famiglia Ferri, in via Garibaldi 59: spezie da tutto il mondo, tè raffinati, legumi e frutta secca.

Chiuro
Castionetto

10 km a est di Sondrio ss 38

Da Silvio Fancoli

Ristorante
Via Madonnina, 2-4
Tel. 0342 563006
Non ha giorno di chiusura
Orario: mezzogiorno e sera
Ferie: non ne fa
Coperti: 120
Prezzi: 18-22 euro vini esclusi
Carte di credito: tutte, Bancomat

Nella piccola frazione di Castionetto, il ristorante Da Silvio Fancoli è molto lontano dal ricordare una tipica trattoria valtellinese ma articola un menù semplice, che ben si lega ai vigneti che a fatica insistono su questa terra e ai prodotti del territorio. Al vostro arrivo troverete sul tavolo il vino rosso sfuso prodotto dai contadini dei dintorni; in alternativa, potrete farvi consigliare una bottiglia della piccola selezione di rossi di Chiuro.
Il pasto si apre con alcuni prodotti che Renato, figlio di Silvio, acquista da piccoli fornitori della zona: così i **salumi** – dalla luganega alla pancetta, dalla bresaola al morbido salame non stagionato, prodotto aggiungendo vino rosso all'impasto –, i formaggi e le verdure dei sottoli confezionati in casa. Dal menù, che cambia con l'avvicendarsi delle stagioni, potrete scegliere, in autunno-inverno, le **pappardelle con funghi porcini**, i **ravioli con la selvaggina** e il **cervo in umido con funghi e polenta**, mentre con il bel tempo ci saranno **cervo alla brace**, costine e costate di maiale al forno, ricche grigliate miste di carne; non mancano mai i classici **pizzoccheri**, impastati a mano e dalla forma leggermente più arrotondata rispetto al solito, cucinati **con le verze** o con altre verdure di stagione, e gli ***sciàtt***, frittelle di grano saraceno ripiene di formaggio locale. Solo su prenotazione, Renato offre ai suoi ospiti due classici piatti poveri valtellinesi: i ***taròzz*** (fagiolini, patate e formaggio conditi con abbondante burro fuso e cipolla) e la **polenta taragna** di grano saraceno con burro e formaggio casera in quantità generose.
A fine pasto, non vi sarà portato il dolce, ma non ne sentirete la mancanza.

Cicognolo

14 km a est di Cremona ss 10

Osteria de l'Umbreleèr

Trattoria
Via Mazzini, 13
Tel. 0372 830509
Chiuso martedì sera e mercoledì
Orario: mezzogiorno e sera
Ferie: non ne fa
Coperti: 100 + 30 esterni
Prezzi: 30-35 euro vini esclusi
Carte di credito: tutte, Bancomat

L'osteria appartiene alla famiglia di Diego da tre generazioni e l'ombrellaio che dà il nome al locale, il nonno Giuseppe, nel dopoguerra era costretto dalla famiglia numerosa ad arrotondare girando la campagna con cavallo e carretto a vendere e aggiustare ombrelli e cappelli. Nel 1985 Diego decide con l'amico Pier di sistemare il locale con l'idea di avviare un'osteria in chiave moderna. Qualche anno dopo arriva Paolo e oggi tutti insieme offrono una cucina di qualità realizzata con prodotti della Bassa cremonese e delle province vicine.
Si comincia con un'ottima **culaccia** e un salame nostrano, serviti con frittata e **verdure all'agro** oppure con **filetto di maiale marinato** al timo, con caprino fresco o con carpaccio di manzo e verdure croccanti. Tra i primi, a noi sono piaciuti i **tortelli di zucca** e i **marubini in brodo**, ma erano ugualmente invitanti i maccheroncini al torchio con verdure e pomodorini secchi, i **tortelli di carne** o al provolone – la pasta è tutta fatta in casa – e il risotto alla parmigiana con stinco al forno. Tra i secondi, alcune proposte di pesce, quali l'orata al forno o il trancio di pesce spada alla siciliana, ma anche **lumache in umido con polenta**, **punta di vitello farcita** al forno, stufato di manzo, costine arrosto con patate. Molti i **formaggi** italiani e stranieri che, a fine pasto, secondo la tradizione cremonese si accompagnano a mostarde di frutta e verdura artigianali. Si chiude con i dolci: non manca mai la **sbrisolosa** e sono ottimi il semifreddo al torroncino e la torta margherita o quella al cioccolato, affogate in una morbida crema di mascarpone.
Ampia l'offerta dei vini con tutti i maggiori protagonisti della viticoltura italiana ed eccellenti etichette straniere.

Como
Lora

3 km dal centro della città

Crotto del Sergente

Ristorante
Via Crotto del Sergente,13
Tel. 031 283911
Chiuso il mercoledì
Orario: sera, festivi anche mezzogiorno
Ferie: settembre
Coperti: 70 + 20 esterni
Prezzi: 25-30 euro vini esclusi
Carte di credito: tutte, Bancomat

Sulla statale che porta a Como, svoltando nel borgo di Lora, troverete una viuzza che conduce al Crotto del Sergente, dove Anna e Gianni Castiglioni continuano a offrire una cucina che abbraccia il lago e la Brianza. Il ristorante è ricavato all'interno di un vecchio crotto; potrete mangiare nell'ampia sala dal soffitto a volta oppure, d'estate, sulla terrazza circondata da alberi secolari.
Il menù cambia ogni mese. Nella bella stagione, si può cominciare con il tris di lago – *sushi* di trota salmonata, spiedino di luccio, salmerino con verdure – o con lo sformato di zucchine. Tra i primi spiccano **linguine alla bottarga di lavarello e pigo affumicato**, gnocchi di ortica al burro fuso, **orzo mantecato con formaggio di capra** e verdure; seguono **lucioperca con cavolo rapa** o, per gli amanti della carne, un piatto che si compone di roastbeef di manzo, arrosto di coniglio, petto d'anatra e cosciotto di maiale al forno, il tutto servito con pinzimonio di verdure. Quando fa freddo l'inizio è con strudel di pizzoccheri e cervo con fonduta di bitto, **missoltino con polenta** o con il classico tagliere di **salumi** nostrani; a seguire **zuppa di cicerchie**, maltagliati integrali con crema di ceci, patate e verze, **tagliatelle di grano saraceno con ragù di cervo**. Da provare gli spiedoni di manzo al lardo. Ottimi i formaggi vaccini e caprini, con miele e confetture, e i dolci.
La carta dei vini è in grado di soddisfare ogni voglia e curiosità, spaziando dalle migliori etichette regionali a quelle nazionali.

Ad **Albate** (4 km), in via Canturina 166, Fulvio Luppi ha selezionato nell'Enoteca del Soccorso vini, formaggi e salumi.

Corte de' Cortesi

18 km a NE di Cremona SS 45 bis

Il Gabbiano

Trattoria
Piazza Vittorio Veneto, 10
Tel. 0372 95108
Chiuso il giovedì
Orario: mezzogiorno e sera
Ferie: luglio
Coperti: 60 + 40 esterni
Prezzi: 28-35 euro vini esclusi
Carte di credito: tutte tranne DC, Bancomat

Il locale della silenziosa e poco frequentata piazza di Corte de' Cortesi all'esterno ricorda le trattorie di paese di una volta, dove ci si intratteneva con un bicchiere di vino, giocando a carte. L'interno è stato, invece, rinnovato: attraversato l'ingresso con il bar, si entra in una sala accogliente, con una lavagna a muro, su cui sono elencati i piatti del giorno non presenti in carta. La gestione è affidata da più di vent'anni alla famiglia Fontana: in cucina Giusy e Giovanni rielaborano le specialità del territorio cremonese, realizzate con prodotti genuini, affidando l'accoglienza in sala ai figli Stefania e Andrea.

Potrete optare per il menù degustazione o scegliere alla carta, che cambia con le stagioni. Per iniziare il misto della casa, con **salumi** classici, quali il culatello di Zibello e il lardo, e **d'oca**, sottoli e ***gosa fer*** con verdure crude. Sono fatti in casa i **marubini** serviti **in brodo**, i **casoncelli alle erbette**, gli **gnocchi di patate** conditi **con ragù d'anatra** o con porcini. Tra i secondi spiccano la **faraona di nonna Bigina con mostarda**, la **coscia d'oca arrosto con marroni**, i **bocconcini di cinghiale con polenta**. Si termina con i **formaggi**, cui è dedicato un menù creativo, e con i dolci casalinghi.

La carta dei vini è degna di nota per il numero di bottiglie, con etichette divise per tipologia e zona, e per i "dolci da bere", come è scritto in menù, quasi tutti disponibili al bicchiere. Ampio l'assortimento di distillati e liquori nazionali ed esteri.

Osteria accessibile ai disabili.

A **Robecco d'Oglio** (4 Km), in località Pirolo, il salumificio Pirolo, noto per il salame cremonese.

Credera Rubbiano
Rubbiano

38 Km a NO di Cremona, 9 Km a sud di Crema

Il Postiglione

Trattoria
Via Boschiroli, 17
Tel. 0373 66114
Chiuso il lunedì
Orario: mezzogiorno e sera
Ferie: 2 settimane dopo Ferragosto, 1 settimana dopo l'Epifania
Coperti: 60 + 24 esterni
Prezzi: 30-35 vini esclusi
Carte di credito: tutte tranne AE, Bancomat

Al confine fra le pianure lombarde e quelle emiliane, la trattoria è il sogno, inseguito dai bravi Nadir e Juri sin dai banchi di scuola, che si è avverato. Dopo avere gestito per una quindicina di anni il vecchio Postiglione nel vicino centro di Montodine, si sono trasferiti in questa bella cascina, mantenendo del locale, oltre il nome, l'atmosfera, l'ospitalità discreta e la buona cucina. Una calda tonalità di giallo illumina le pareti dell'edificio, dai pavimenti in cotto, con una bella cantina a vista e un porticato adibito a ingresso e veranda, dove sono distribuiti rustici tavoli ben distanziati.

Il menù varia secondo il mercato e la fantasia di Nadir e Juri, che si alternano in cucina e all'accoglienza, e s'impernia su alcuni piatti classici, quali la **trippa di vitello in umido**, il risotto con pistilli di zafferano e ossobuco, il formaggio **salva in crosta di patate**. Noi abbiamo iniziato con prosciutto di Parma e salame nostrano, **galantina di coniglio**, una gustosa anguilla fritta e insalata di storione. Il riso è protagonista dei primi piatti: singolari il **risotto** con fegato di capretto e Marsala e quello con crema di zucca e mandorle tostate, ottimi quelli più casalinghi **con salsiccia e Barbera** e **con l'impasto del salame**. Inoltre **ravioli** e **pacchere con ragù bianco di verdure e lucioperca**. I secondi assecondano le influenze dei territori circostanti, quindi potrete scegliere tra **capretto da latte al forno**, **fegato grasso d'oca**, quaglia disossata alla piastra, **petto d'anatra con salsa al vino rosso**. Per finire, formaggi con salse e mostarde oppure un dolce casalingo.

La carta dei vini è ricca, con interessanti etichette dai ricarichi corretti. Curata la selezione dei distillati.

HOSTERIA 700

Ristorante
Piazza Gallina, 1
Tel. 0372 36175
Chiuso lunedì sera e martedì
Orario: mezzogiorno e sera
Ferie: una settimana a Ferragosto
Coperti: 80
Prezzi: 30-35 euro vini esclusi
Carte di credito: tutte tranne DC, Bancomat

Il ristorante, ubicato in un palazzo storico in un angolo di piazza Gallina, a 300 metri dal duomo, si compone di tre sale, abbellite da arredi d'epoca e specchi, in cui sono ancora visibili alle pareti e sui soffitti affreschi originali di pittori cremonesi. Valeria, Lina, Giambattista e Mauro vi offriranno specialità che nascono da una costante ricerca delle tradizioni del territorio cremonese.

I piatti, curati, variano spesso e seguono le stagioni. Oltre che con i **salumi** locali, potrete aprire con salva e provolone piccante con marmellata di zucca e sformati di verdura. Tra i primi, ci sono piaciuti i classici **marubini ai tre brodi** e il **riso con verze e pasta di salame** ma sono spesso in menù i tortelli di zucca e invitanti **risotti**, cui è dedicata la serata di ogni secondo giovedì del mese: **con petto d'oca affumicato**, con speck e scamorza, con zafferano e zucchine. Da segnalare, tra i secondi, il **guanciale di bue al vino rosso**, l'**anatra al forno**, il **filetto di maiale con mostarda**, in stagione il **cotechino** e i **bolliti misti**. Nei mesi estivi alcune proposte di pesce d'acqua dolce e di mare. Si conclude con formaggi nazionali e con ottimi dolci casalinghi: semifreddo al torrone con salsa di cioccolato, tiramisù, bavarese alle fragole.

In carta etichette nazionali ed estere e un graduale inserimento di vini ricavati da vitigni autoctoni. L'Hosteria aderisce al progetto Bio Nustran, utilizzando, quando possibile, prodotti biologici del territorio.

Osteria accessibile ai disabili.

In via Solferino 25, da Sperlari, con mobili e arredi dell'Ottocento, dolci indimenticabili e tutti i tipi di torrone di Cremona.

LA SOSTA

Trattoria
Via Sicardo, 9
Tel. 0372 456656
Chiuso domenica sera e lunedì
Orario: mezzogiorno e sera
Ferie: metà luglio-metà agosto
Coperti: 60
Prezzi: 35-37 euro vini esclusi
Carte di credito: tutte tranne AE, Bancomat

All'ombra del duomo e del torrazzo, insieme al torrone simboli di Cremona, La Sosta è qualcosa di più di un'osteria, è un posto dove si mangia bene, accolti con gentilezza da Claudio Nevi, patron e cultore della gastronomia cremonese. Le due belle sale sono arredate con cura, i tavoli ben distanziati, il servizio impeccabile.

Dal menù, che asseconda le stagioni, segnaliamo tra gli antipasti i **salumi** della pianura lombarda, con cui è quasi d'obbligo iniziare il pasto, il **luccio in salsa**, il **paté d'anatra**, il tortino di baccalà. Si fanno ricordare gli **gnocchi alla vecchia Cremona** e le **tagliatelle al ragù di salsiccia e creste di gallo** ma anche i classici **marubini ai tre brodi**, i tortelli di zucca e quelli di provolone valpadana al burro, le **zuppe** di verdure e legumi. A questo punto, in inverno, il gran **bollito** servito al carrello, con sei tagli di carne accompagnati da mostarde e salse di verdure. Poi **animelle di vitello dorate** con carciofi, **sella di coniglio con polenta**, guanciale di vitello con patate, costolette di agnello. In autunno porcini e funghi di pianura e, per chi non ama la carne, un gustoso **merluzzo in umido con polenta** gratinata o un filetto di storione o di rombo in crosta di pane con olive e pinoli. Interessanti degustazioni di **formaggi** con marmellate, confetture e mostarda e, a fine pasto, crema bruciata all'arancia o tortino di mele con crema alla cannella, con vini dolci al bicchiere.

Nutrita carta dei vini con centinaia di etichette dal corretto rapporto tra qualità e prezzo.

Presso la salumeria Stradivari, in corso Vittorio Emanuele 22, ottimi salumi cremonesi e il cotechino vaniglia.

Cremona

Porta mosa 

Osteria tradizionale
Via Santa Maria in Betlem, 11
Tel. 0372 411803
Chiuso la domenica
Orario: mezzogiorno e sera
Ferie: in agosto, nel periodo natalizio
Coperti: 36
Prezzi: 35 euro vini esclusi
Carte di credito: le principali, Bancomat

Da oltre vent'anni Roberto Bona e la mamma Annamaria conducono l'osteria ubicata un po' fuori dal centro, vicino alla ex piazza del bestiame. Il patron, oltre che attento selezionatore di materie prime di qualità, possibilmente da agricoltura biologica, con le quali la mamma elabora i piatti classici della tradizione padana, è anche un grande esperto di whisky e liquori ed è piacevole intrattenersi a discutere con lui su questi argomenti.
L'antipasto si apre con **salumi** tradizionali, tra i quali spiccano un ottimo culatello stagionato e il **salame cremonese all'aglio**, e con alcune specialità in cui l'**oca** la fa da padrona, dal salame al prosciutto al **paté di fegato**. Entra poi in scena la pasta preparata in casa e potrete scegliere tra **marubini in brodo**, **ravioli di zucca**, tagliatelle di farina di castagne; se volete però gustare qualcosa di eccezionale ordinate la **zuppa di scalogno**, ricetta segreta della signora Annamaria. Casalinghi i secondi, il **cotechino**, l'**oca in terragna**, il baccalà in umido, il **filetto di maialino** e, nel periodo giusto, la **cacciagione**. Potrete ordinare inoltre – tenete presente che il conto lieviterà – *foie gras* e agnello *pré-salé* di Normandia oppure aggiungere ai primi, in stagione, un velo di tartufo d'Alba. Concludono il pasto un'interessante selezione di **formaggi** italiani e francesi e i dolci di casa: **sbrisolosa**, tiramisù, mosto cotto, gelati di frutta.
Eccezionale la carta dei vini nazionali ed esteri, con oltre 2000 etichette per rispondere a tutte le richieste.

Di fronte all'osteria, Roberto gestisce l'enoteca Catullo con 3500 etichette da collezione (vini delle migliori annate e distillati) e nel reparto alimentare salumi, formaggi, foie gras e marmellate.

Curiglia con Monteviasco
Monteviasco

43 km a nord di Varese

Il camoscio

Trattoria
Via Da Vinci, 9
Tel. 0332 573366-561130
Chiuso mercoledì e giovedì, mai in agosto
Orario: mezzogiorno, sera su prenotazione
Ferie: tre settimane in dicembre
Coperti: 80
Prezzi: 25 euro vini esclusi
Carte di credito: nessuna

Arrivare a Monteviasco, località della Val Veddasca non raggiunta da alcuna strada, è una bella impresa: non volendo avventurarsi a piedi lungo la ripida scalinata occorre conoscere gli orari della funicolare e, se si sale per la cena, è indispensabile prenotare il viaggio di ritorno oppure pernottare in loco: disponibili 25 posti letto in uno stabile vicino. Arrivati alla trattoria di Gianni e della moglie Giuseppina viene da chiedersi come possano rimanere in un paesino, che d'inverno conta solo una dozzina di abitanti, professionisti così entusiasti del loro lavoro.
Oltre ai **salumi** insaccati e stagionati in casa – abbiamo assaggiato un filetto di maiale alle bacche di bosco e la quasi introvabile fidichella (mortadella di fegato tipica della fascia prealpina) – e alla classica **polenta con i funghi** della zona o **con la selvaggina**, l'offerta spazia tra **risotto con fiori di zucca e robiola** o con spugnole, cappellacci ripieni di ricotta di capra e punte di ortiche, medaglioni di capriolo con *spätzli* e asparagi, **sella di lepre** ancora **con spugnole** – la primavera piovosa di quest'anno ne ha consentito una buona raccolta – che abbiamo apprezzato; su prenotazione le beccacce nel paté e nel risotto. D'estate, potrete trovare, se lo prenotate, qualche piatto di pesce d'acqua dolce: agoni del Lago Maggiore e trote di corrente in diverse preparazioni, **filetto di salmerino affumicato**. I formaggi freschi e stagionati provengono dalla produzione del Luinese di Marisa Della Valle e sono accompagnati dalla marmellata di uva americana speziata preparata in casa. Concluderete con torte casalinghe, gelato di latte e di yogurt di capra, meringata.
Il vino è per lo più quello sfuso, ma di recente si è aggiunta qualche etichetta.

Darfo Boario Terme
Angone

54 km a nord di Brescia

Gabossi

Osteria-trattoria
Via Fratelli Bandiera, 9
Tel. 0364 534148
Chiuso martedì e mercoledì
Orario: solo la sera
Ferie: variabili
Coperti: 50
Prezzi: 24-26 euro vini esclusi
Carte di credito: tutte, Bancomat

Nel borgo di Angone, la famiglia Gabossi – Eugenia, il marito Oliviero e la figlia – può ritenersi soddisfatta di quanto ha realizzato ristrutturando l'antica casa, della quale si sono conservati tratti di pavimentazione e le colonne di pietra di Sarnico dell'ingresso. Due sale dai tavoli ben distanziati offrono a non più di 50 ospiti un menù che si articola in piatti della tradizione valligiana e in alcune proposte per turisti.

Si comincia con **salumi** artigianali – se siete fortunati, potrete trovare il violino di capra – carne *salada*, verdure grigliate e la **giardiniera** di nonna Brigida. Segue la **pasta** confezionata in casa e condita all'ortolana, alla pastora, **con ragù d'anatra**, **con salmì** di lepre o cinghiale. Non mancano i **casoncelli alla camuna**, le minestre di verdure, la **polenta**, spesso **taragna**, la **pasta e fagioli**, la **trippa**. In stagione, il tartufo scorzone della valle arricchisce i risotti, i sughi per la pasta, le carni bresciane scelte acquistate nella macelleria che affianca l'osteria, protagoniste dei secondi. Abbiamo apprezzato il filetto di manzo insaporito con prezzemolo e aglio, l'**anatra con le verze** e il pezzo forte di Oliviero, il **maialino** proveniente da un allevamento di proprietà e cucinato **arrosto** con le patate. Inoltre alcuni piatti di pesce d'acqua dolce e di mare, buoni formaggi e dolci al cucchiaio o crostate con vini passiti al bicchiere.

Grande varietà di vini italiani e stranieri, con una buona offerta di etichette locali, e una nutrita selezione di distillati.

Adiacente all'osteria, in via Fratelli Bandiera 11, la macelleria Forchini offre carni e salumi tipici, tra cui soppressa camuna, lardo stagionato, cotechino, slinzega, prosciutto di pecora, carne salada.

Desenzano del Garda

28 km a SE di Brescia

La contrada

Ristorante
Via Bagatta, 10-12
Tel. 030 9142514
Chiuso il mercoledì e giovedì a pranzo
Orario: mezzogiorno e sera
Ferie: 15 giorni in novembre
Coperti: 40
Prezzi: 35 euro vini esclusi
Carte di credito: tutte, Bancomat

Il 2008 è stato il decimo anniversario dell'attività di ristoratrice di Marta Zancarli. Dieci anni spesi a valorizzare, con l'aiuto in cucina di Federico, il pesce del lago di Garda, nella piccola via a pochi metri dal porto di Desenzano. Il locale è arredato con gusto e i tavoli, nelle due sale unite da un grande arco, sono ben distanziati.

Nella serie degli antipasti, consigliamo il **misto lago** – trota affumicata, luccio con polenta, terrina di lago –, il salmerino ai semi di finocchio e anice, il **coregone al profumo di limone**, il **luccio in salsa**. Chi non ama il pesce potrà avere **carne *salà*** con insalata e **salumi** di piccole aziende bresciane. Tra i primi piatti sono da citare i **risotti**, con il luccio, con funghi porcini, con l'Amarone, e i ravioli con pescato di lago; buoni anche i **tagliolini al *bagòss*** e i garganelli al sugo di trota con zucchine. Come secondo ancora pesce – filetti di persico al limone, **luccio alla pescatora con polenta**, **coregone al forno** e un'ottima **frittura di pesce di lago e gamberi di fiume** – oppure la carne: tagliata di manzo alla griglia, **rollata di coniglio** cotta al forno, filetto all'Amarone, **carré di agnello alle erbe aromatiche**. Se vorrete, invece, optare per un piatto unico, **ossobuco alla milanese con risotto allo zafferano**. *Crème brûlée*, *tarte tatin* e **biscotti alle noci con crema al mascarpone** possono concludere un ottimo pasto.

La carta dei vini offre una bella scelta di etichette regionali con il meglio di Valtenesi, Lugana e Valpolicella.

In via Castello 19, a due passi dal ristorante, la pescheria di Marco Cavallaro offre pesce di lago freschissimo.

Endine Gaiano
Valmaggiore

32 km a NE di Bergamo

Hostaria La Trisa

NOVITÀ

Ristorante
Via IV Novembre, 2 A
Tel. 035 825119
Chiuso lunedì sera e martedì
Orario: mezzogiorno e sera
Ferie: variabili
Coperti: 60
Prezzi: 35 euro vini esclusi
Carte di credito: le principali, Bancomat

Lungo la statale 42 diretta verso la Valcamonica e l'alto lago d'Iseo troverete ristoro nei paraggi di un altro lago, più piccolo ma non meno suggestivo, quello di Endine. Siamo a La Trisa, ristorante di ambiente rustico curato. Il menù, accanto a piatti senza particolare identità geografica, propone preparazioni tradizionali, alcune a base di pesce locale.
Guidati dai due affabili soci che si occupano degli ospiti in sala, potrete gustare tra gli antipasti la selvaggina affumicata, la terrina di fegato grasso d'oca, l'involtino di verze con luganega nostrana e crema di branzi, le **lumache trifolate**, la bresaola di Dorga, le **sardelle** e il **luccio** procurati da uno degli ultimi pescatori di Riva di Solto e serviti con polenta. Tra i primi, ecco i tipici **casoncelli con salvia e pancetta**, le lasagnette di pasta fresca con porri, taleggio e tartufo nero locale, le *foiade* fatte a mano **con porcini**, gli **gnocchi di polenta con verza e salsiccia**, il risotto allo zafferano con ragù di lumache e ortiche o al Valcalepio rosso con scamorza affumicata. L'onnipresente **polenta** (del resto con *trisa* si indicava una volta il bastone per mescolarla nel paiolo) accompagna lo **stufato d'asino al vino rosso**, gli uccelletti di vitello con pancetta e salvia, le costolette d'agnello alle erbe, l'arrotolato di galletto, i medaglioni di cavallo, i petti di quaglia. Dopo un'eventuale selezione di formaggi della valle non tralasciate gli ottimi dessert: bavarese al cocco con fragole, tortino ghiacciato al mango e lamponi, ananas tiepido e gelato alla crema, torta di mele con crema pasticciera.
La carta dei vini predilige le etichette regionali, in particolare della Valcalepio, ma non manca qualche bottiglia nazionale.

Esine

62 km a NE di Brescia ss 510, 8 km da Darfo e da Breno ss 42

La Cantina

Trattoria
Via IV Novembre, 7
Tel. 0364 466411-46317
Chiuso il mercoledì
Orario: sera, sabato e domenica anche pranzo
Ferie: 20 giugno-20 luglio
Coperti: 50 + 30 esterni
Prezzi: 25 euro vini esclusi
Carte di credito: le principali, Bancomat

A pochi passi della piazza principale del paese una casa del Cinquecento ospita la trattoria, un indirizzo sicuro per gustare i piatti della Valcamonica. Nell'insegna si legge "cucina tradizionale camuna" e l'interprete è Oriana Belotti, che ha una passione per le ricette quasi dimenticate, che lei prepara con materie prime di cui Giacomo Bontempi, marito di Oriana e supervisore della sala, racconta la provenienza.
Il menù cambia quasi ogni giorno. Vi saranno offerti, oltre ai **salumi**, **salsiccia**, **carne salata di cavallo**, verdure di stagione grigliate, **lumache al guanciale**, ricotta con miele e noci, **giardiniera agrodolce**. Davvero buone le paste fatte in casa – **casoncelli**, ***taedei*** di farina di castagne, **bigoli al salmì**, ***foiade*** di grano saraceno, gnocchi di patate o di pane e spinaci – e in alternativa **orzotto** (ai funghi, agli spinaci selvatici, al tartufo della valle), **polenta** con formaggella valligiana, **trippa** con verdure, zuppa di cipolle. Meritano di essere segnalati il formaggio fuso in padella con uovo e tartufo, lo **stracotto di asina**, la **salsiccia di castrato**, il bollito misto, le tettine di mucca impanate, la **polenta concia**, la **torta di rane**, la lepre in salmì, i gioielli di toro. In chiusura formaggi del territorio – *fatulì*, *silter*, *cadolèt* – con marmellata di cipolle o di mele cotogne, e torte (di frutta, ricotta, carote), crostate, **spongada**.
Coerentemente, la selezione dei vini è incentrata sui camuni, con alcune etichette regionali e nazionali.

Osteria accessibile ai disabili.

Al Mulino a pietra di via Mazzini 41 Francesco Tognali macina le farine per la tradizionale polenta camuna.

Esine

62 km a NE di Brescia SS 510, 8 km da Darfo e da Breno SS 42

Rosso di sera

NOVITÀ

Vineria con cucina
Via Faede, 2
Tel. 0364 360904
Chiuso il giovedì
Orario: solo la sera
Ferie: luglio
Coperti: 70
Prezzi: 30-32 euro vini esclusi
Carte di credito: tutte, Bancomat

Nel locale di Alberto Giurini l'ambiente è piacevole, in stile osteria vecchio stampo; i tavoli sono disposti su piani diversi per sfruttare meglio gli spazi occupati dagli scaffali delle numerose bottiglie di vino. La cucina è aperta fino alle 22.30, ma uno spuntino a base di affettati e formaggi d'alpeggio è possibile anche oltre. In cucina opera Simone Antonioli, la sala è affidata a Simonetta. Il menù varia periodicamente secondo stagione e disponibilità delle materie prime, molte reperite in zona da piccoli produttori e cercatori di funghi e tartufi.
Si comincia con **prosciutto di agnello**, salame, pancetta, crudo, lardo, **bresaola** di produzione locale, formaggi e verdure. Molti i **risotti**, tra cui quello al *bagòss* e Valcamonica rosso e quello con mele e speck mantecato al *fatulì* (Presidio Slow Food); in alternativa, **casoncelli al *bagòss***, tagliatelle di farina di castagne con guanciale croccante e funghi di stagione. Fra i secondi dominano le carni, in ossequio a una valle ricca di selvaggina e animali di corte: da provare il delicato **coniglio ripieno di porcini** accompagnato dalla **polenta**, l'eccellente **filetto di cervo al tartufo** scorzone di Valcamonica, il maialino croccante con porcini e mele, il fondente di manzo al vino rosso. Valida la selezione di formaggi: *silter*, *fatulì*, *bagòss*, quartirolo, gorgonzola di Novara e caprini delle Frise, abbinati a confetture di cipolle, pere e zafferano, o passata di castagne fatte in casa. Tra i dolci della casa, strudel di pere e mele al vino rosso speziato, tiramisù ai frutti di bosco, **torta di mele e uvetta**.
Ampia carta dei vini (oltre 300 referenze), importante selezione al bicchiere a rotazione mensile, birre artigianali italiane e ricca offerta di distillati.

Gallarate

19 km a sud di Varese, 42 km a NO di Milano

Osteria dei peccatori

NOVITÀ

Osteria di recente fondazione
Corso Colombo, 39
Tel. 0331 777115
Chiuso il lunedì
Orario: mezzogiorno e sera
Ferie: tre settimane in agosto
Coperti: 85
Prezzi: 30-35 euro vini esclusi
Carte di credito: tutte, Bancomat

A meno di un chilometro dall'uscita autostradale, lo chef Marco Colombo e Anna Mascolo, dopo molti anni di collaborazione presso altri ristoranti della zona, hanno rilevato e ristrutturato il vecchio circolo familiare di Cascinetta, trasformandolo nell'odierna osteria, accogliente e familiare.
La proposta di cucina è orientata sui piatti della tradizione locale, di derivazione popolare e di chiaro stampo contadino: in inverno vi consigliamo i **bruscitti** che Marco prepara secondo la ricetta depositata dal Magistero dei Bruscitti di Busto Arsizio, serviti con polenta; altre proposte, il **risotto con l'ossobuco alla milanese**, un'ottima ***casoeula***, o ancora i ***piscioeu in carpion*** (piedini di maiale in carpione) e i ***mondeghili***, polpettine di maiale speziate, impanate e fritte. In primavera o estate la cucina verte su sapori meno impegnativi, con le paste fatte in casa, il pesce persico, le **rane fritte**. È disponibile anche una selezione di salumi, alcuni di produzione locale come la **mortadella di fegato** bustocca e il salame prealpino, e di formaggi artigianali selezionati. Per finire un buon tiramisù con le pesche di Monate, paese sull'omonimo lago prealpino. La carta dei vini propone etichette nazionali con ricarichi corretti.
A rotazione mensile sono proposti alcuni menù degustazione, per i quali vi consigliamo di informarvi al momento della prenotazione.

In via Varese 17, presso la pasticceria Fratelli Gnocchi, gli amaretti di Gallarate prodotti artigianalmente ogni giorno.

Gardone Riviera
Gardone Sopra

34 km a NE di Brescia ss 45 bis

Trattoria agli Angeli

Trattoria con alloggio
Piazzetta Garibaldi, 2
Tel. 0365 20832
Chiuso il martedì tranne 15 gg in agosto e a Pasqua
Orario: mezzogiorno e sera
Ferie: 10 novembre-1° marzo
Coperti: 60 + 30 esterni
Prezzi: 35-37 euro vini esclusi
Carte di credito: le principali, Bancomat

È sempre piacevole sostare nella trattoria di Gardone Sopra, un locale che non manca mai di sorprenderci per l'accoglienza, curata da Patrizia ed Elisabetta, e per la cucina, di cui si occupa Enrico. Durante la conduzione della famiglia Pellegrini – oltre trent'anni di attività – abbiamo notato con piacere un crescente interesse per la tradizione gastronomica lacustre e la progressiva ristrutturazione della locanda, che dispone oggi di sedici camere.
Le stagioni qui hanno un senso e il menù le rispetta. Ecco allora che si apre con **magatello di manzo affumicato**, tortino di caprino con confettura di pere e cipolle, **sardine** e altri **pesci di lago marinati con polenta** preparata con la buona farina di Castegnato. Poi meritano l'assaggio le **fettuccine con anguilla affumicata**, i bigoli alla carbonara di lago, i **maccheroncini al *bagòss* e olive**, il risotto al ragù di quaglia, la zuppa di zucca e fagioli, le caramelle di pasta con formaggella e erbette. Passando ai secondi, ancora pesce del lago – **sardine**, lucci, **coregoni**, persici, tinche, anguille ai ferri, **in salsa**, fritti, in umido – oppure qualche pesce di mare, per esempio il branzino, o ancora la carne: una tenera coscia di maialino da latte oppure la **coscia d'anatra al pepe e uva**. Buoni i **formaggi** locali, offerti con confetture casalinghe, e i dolci fatti in casa.
L'attenzione al territorio è confermata dalla carta dei vini, che privilegia i prodotti del Garda, senza tralasciare valide etichette delle principali regioni vitivinicole italiane.

A **Gardone Riviera**, in via Roma 3, la pescheria Castellini offre i migliori pesci di lago: coregoni, alborelle, anguille e, talvolta, il raro carpione.

Gargnano
Bogliaco

45 km a NE di Brescia ss 45 bis

Allo scoglio

Ristorante
Via Barbacane, 3
Tel. 0365 71030
Chiuso il lunedì
Orario: mezzogiorno e sera
Ferie: gennaio-febbraio
Coperti: 60 + 50 esterni
Prezzi: 30-35 euro vini esclusi
Carte di credito: tutte, Bancomat

In un angolo tranquillo della piazza principale di Bogliaco, il ristorante offre ai suoi ospiti un bel giardino che guarda il lago, alle spalle le colline con le limonaie e proprio a due passi il Palazzo Bettoni Cazzago, che merita una visita. Nella bella stagione si può pranzare in giardino, altrimenti all'interno nelle due belle sale arredate con cura, di cui si occupa Mariska Piantoni, mentre troverete il marito Mauro Bonardelli ai fornelli.
La cucina utilizza materie prime locali, in primis il pesce di lago: si può optare per il menù degustazione a 27 euro, vini esclusi, oppure scegliere alla carta. Tra gli antipasti abbiamo assaggiato **carpaccio di lago** – tinca, luccio, trota –, **luccio in salsa** e **lavarello alla gardesana** ma c'erano anche appetitose insalate, quella di salmerino servita tiepida e un'altra di carciofi e prosciutto crudo. Passando ai primi, ottime le **tagliatelle** tirate a mano condite **con il coregone** e non da meno i **bigoli con le sarde**, i **tortelli di salmerino** e il **risotto con la tinca**. Per chi non ama il pesce di lago, **garganelli** con gamberi e seppie oppure **con il sugo d'anatra**. A seguire ricche grigliate, che variano con il pescato, **coregone in crosta di sale** o ai ferri, persico arrosto e, se preferite la carne, filetto di vitello ai funghi porcini e faraona al forno. Si può concludere con torta di pere e cioccolato, semifreddo al torroncino o all'amaretto, mousse di yogurt con salsa calda ai lamponi.
Da bere vini scelti con cura, che si abbinano bene ai piatti.

In via Libertà 2, presso la limonaia La malora di Giuseppe Gandossi – da visitare in quanto esempio di conservazione di un prezioso patrimonio culturale e artistico – ottimi limoni del lago e una versione gardesana di limoncello.

GONZAGA

27 KM A SUD DI MANTOVA

NEGRI

Ristorante
Largo Martiri della Libertà, 14
Tel. 0376 528182
Chiuso domenica sera e lunedì
Orario: mezzogiorno e sera
Ferie: agosto
Coperti: 40
Prezzi: 25-30 euro vini esclusi
Carte di credito: Visa, Bancomat

Sotto ai vecchi portici, nel centro della piazza principale di Gonzaga, un luogo che ricorderete per la qualità e l'originalità dei piatti ma anche per la luminosa sala e per la cordialità del patron Alberto Negri, che vi metterà a vostro agio, parlando dei suoi fornitori e degli ingredienti utilizzati in cucina dalla moglie Cristina, che li elabora semplicemente ma con grande cura. Salumi, ortaggi, frutta, carne e parmigiano reggiano provengono dal paese mentre sono di produzione propria la **mostarda mantovana**, offerta con i formaggi, e i dolci: **sbrisolona**, budino di gorgonzola con confettura di fichi e mele, crema di liquirizia e cioccolato, semifreddo al rum aromatizzato con la cannella.
Oltre alla mousse di parmigiano reggiano figurano in menù tra gli antipasti **salame *casalin*** e carpacci di carne all'aceto balsamico. Seguono, tra i primi, **nidi di rondine, *sorbir* di cappelletti** serviti in brodo di carne, ottimi **tortelli di zucca, tagliatelle** tirate a mano al lardo di Colonnata e radicchio rosso nella versione invernale, con il pesto di melanzane e i pomodorini d'estate. Quanto alle carni, tagliate di manzo, **petto d'anatra** al miele d'acacia e mandorle, **petto d'oca** scaloppato al Marsala e uva; in inverno, sempre il **cotechino con fagioli** stufati o purè di patate.
Curata lista dei vini con un occhio di riguardo per il Mantovano e il Nord Italia e ottimi distillati.

A Polesine di **Pegognaga** (4 km), in piazza Mazzini 13, Cose Buone, di Davide e Daniela: formaggi e salumi italiani, oli extravergini di oliva, pasta artigianale e oltre 300 etichette con frequenti degustazioni. A **Suzzara** (6 Km), La Boutique del Latte, in via Baracca 18: una grande selezione di formaggi italiani, francesi e del resto del mondo con mostarde, confetture e vini.

INVERNO E MONTELEONE
Monteleone

22 KM A EST DI PAVIA SS 235

RIGHINI

Trattoria
Via Miradolo, 108
Tel. 0382 73032
Chiuso lunedì e martedì
Orario: sera, sab anche pranzo, mer e dom solo pranzo
Ferie: agosto, 7-31 gennaio
Coperti: 90
Prezzi: 35 euro
Carte di credito: nessuna

Quella della famiglia Zanaboni Forni è la classica trattoria, ricavata in una cascina lombarda, che interpreta i sapori del Lodigiano e dei colli di San Colombano. Nel locale, dove anche il tempo sembra essersi preso una pausa, gusterete con calma in un ambiente gradevole e rilassante un'offerta gastronomica particolare, con una sequenza di piatti che può apparire interminabile ed è uguale per tutti. Menù fisso, quindi, e il prezzo è il classico tutto compreso.
Grissini, lardo e ***raspadura***, accompagnati da un bianco mosso di San Colombano, costituiscono l'aperitivo. Tra gli antipasti, ottimi **salumi**, serviti con **sottoli** e **sottaceti** di produzione casalinga, ma anche ***mondeghili*** caldi, frittate con erbe di stagione e, in inverno, il classico **cotechino**. Tra i primi prevalgono quelli asciutti e sono di pasta fatta in casa: **ravioli** di carne e di magro, serviti con svariati sughi e intingoli di stagione – ottimi nel periodo giusto ai porcini –, ma una menzione va rivolta anche agli ottimi **risotti** che seguono le disponibilità del mercato. Quindi le carni bianche dell'aia, in particolare una **coniglia** veramente buona e polli ruspanti cucinati in vari modi, ma anche filetti e arrosti di vitello con patate al forno e insalata dell'orto. Dopo il sorbetto di frutta ecco arrivare la **polenta**, proprio ben fatta, **con zuppa di castagne**, con gorgonzola, con funghi porcini trifolati o **con le lumache**. Per terminare con un dolce sarà una buona scelta la torta di cacao e nocciole della signora Ines, altrimenti potranno mettere la parola fine al vostro pasto macedonia di frutta, **crema di mascarpone**, gelato o cioccolata calda.
I vini sono i bianchi e i rossi in bottiglia dei colli di San Colombano.

Isola Dovarese

24 km a est di Cremona

Caffè la crepa

Osteria tradizionale
Piazza Matteotti, 14
Tel. 0375 396161
Chiuso lunedì e martedì
Orario: mezzogiorno e sera
Ferie: seconda settimana di settembre, 1 in gennaio
Coperti: 40 + 20 esterni
Prezzi: 35 euro vini esclusi
Carte di credito: le principali, Bancomat

Un locale d'altri tempi. È la prima impressione che si prova varcando la soglia di questa osteria dal fascino speciale anche per lo splendido Palazzo della Guardia, che le fa da cornice. Lo sguardo di Fausto e Franco Malinverno e del loro staff è rivolto costantemente al territorio; nel menù una sola eccezione, un ottimo *pata negra*, che potrete confrontare con il prosciutto di Parma, eccezionale. Attenzione, però, farà rincarare il vostro conto.
Accanto ai **salumi** padani segnaliamo, fra gli antipasti, il **luccio in salsa con polenta**, la frittata alle erbe di stagione, l'**anguilla marinata**, la terrina di fegato d'oca. Poi si distinguono, nel capitolo dei primi, il classico **marubino ai tre brodi** (di carne, pollo e salame), i **tagliolini con ragù di persico**, la **zuppa di pesce d'acqua dolce** in brodo leggero, la trippa, i testaroli – focacce di farina, acqua, sale e pepe – con il pesto, i tortelli ripieni di crescenza o di zucca. Passando ai secondi, **bollito** estivo **alla cremonese** con salsa verde e tonnata, petto di faraona alla Stefani, **sella di coniglio ripiena** al forno, fritto di pesce d'acqua dolce, **storione del Po** cotto in padella, **pesce all'isolana**. Fra i contorni, che accompagnano il pesce e la carne, spiccano le verdure di stagione, che entrano anche nelle zuppe e nei sughi. Curato il piatto dei formaggi, offerti con la mostarda, ed eccellenti dessert, gelati e sorbetti, fatti in casa con frutta biologica. Ricchissima la carta dei vini, proposti anche al bicchiere, e alcune buone birre artigianali.

Accanto al locale, nell'enoteca Malinverno, culatelli e salami stagionano lentamente sotto le antiche volte delle cantine.

Lecco
Acquate

2 km dal centro della città

Antica osteria casa di Lucia

Osteria-enoteca con cucina
Via Lucia, 27
Tel. 0341 494594
Chiuso sabato a pranzo e domenica
Orario: mezzogiorno e sera
Ferie: due settimane in agosto
Coperti: 40 + 40 esterni
Prezzi: 25-30 euro vini esclusi
Carte di credito: tutte tranne AE

Passano i lustri, ma nulla cambia all'Antica Osteria, gestita dall'appassionato patron Carletto Piras; ricavata in un palazzo secentesco, si trova nel caratteristico quartiere di Acquate, dove si dice vivesse la Lucia protagonista dei *Promessi Sposi*. Nella stagione fredda verrete fatti accomodare nel locale che ospita lo spettacolare camino e l'acquaio in pietra o in una delle altre due sale, piccole e curate, mentre d'estate vi ritroverete sotto il pergolato, seduti ai tavoli di pietra, circondati da gerani. Sarete trattati con ogni riguardo in un ambiente semplice e caldo, connotato dalla cordialità del padrone di casa e dai profumi della cucina lombarda.
In menù, specialità di terra e di lago. Per cominciare, ***brisaola* di Chiavenna** e altri **salumi**, accompagnati da verdure sott'olio casalinghe, e i **missoltini** scaldati sulla griglia e serviti **con** un'ottima **polenta**. La pasta fatta in casa esalta i condimenti: ottime le **pappardelle** con i funghi porcini o **al sugo di lepre**, non da meno i ravioli di magro con burro e salvia e la **pasta con i fagioli** o con i ceci. E nelle fredde serate invernali, seduti davanti al camino, non fatevi sfuggire la classica ***busecca***. Da assaggiare, inoltre, il **riso col persico**, che non è altro che riso bollito e saltato nel burro, condito con il pesce passato nella farina di frumento e fritto. Ed eccoci ai secondi: **ossobuco**, brasati con polenta, **carpioni di lago**. Curata la selezione dei **formaggi** – sempre disponibili bitto, taleggi, robiole e caprini freschi e stagionati – e ottimi i dolci casalinghi.
Valida l'offerta dei vini che Carlo Piras degusta, seleziona e custodisce gelosamente nella cantina risalente al XVII secolo.

Lenno

27 km a NE di Como SS 340

Santo Stefano

Trattoria
Piazza XI Febbraio, 3
Tel. 0344 55434
Chiuso il lunedì
Orario: mezzogiorno e sera
Ferie: metà gennaio-metà febbario
Coperti: 25 + 20 esterni
Prezzi: 25 euro vini esclusi
Carte di credito: tutte

All'interno di una cornice naturale che racchiude bellezze superbe, si trova Lenno, raggiungibile percorrendo la statale Regina oppure con il traghetto che parte da Bellagio. Nella piazzetta del piccolo borgo, la trattoria Santo Stefano, gestita ormai da più di quindici anni dalla famiglia Zani, si compone di due sale, quella interna, raccolta e familiare, e la seconda ricavata nella veranda, che affaccia su una delle più belle insenature del lago di Como. Protagoniste in cucina le risorse locali, soprattutto il pesce di lago, preparato seguendo ricette semplici e tradizionali.
Gli amanti del pesce d'acqua dolce lo ritroveranno dall'antipasto al secondo: **paté di cavedano** o **misto lago in carpione**, filetti di lavarello in salsa verde, **missoltini** riscaldati sulla piastra e serviti spruzzati di aceto, **ravioli** con ripieno di pesce di lago, **tagliolini con trota affumicata** o con l'anguilla, **polpette di cavedano** e ricche grigliate miste, che dipendono dal pescato. Molto gustosi la trota salmonata, la **tinca in umido**, i filetti di pesce persico, da soli o con il risotto, e buone le specialità cucinate per gli amanti di carne e verdure: tortelli farciti con quello che offre l'orto e conditi con burro e salvia, **brasati con polenta** e la **selvaggina** fornita dai cacciatori della zona. Da qualche anno il menù offre una valida selezione di formaggi, in particolare meritano un assaggio i caprini di Rezzonico e lo *zincarlin* (cingherlino), ottimo fresco condito con olio e pepe. Tra i dolci, oltre alla classica *crème brûlèe*, ai semifreddi e alle spume di frutta, la ***meascia***, una torta di pane raffermo e farina di frumento, con mele, pere, amaretti.
La cantina non offre molte etichette ma ogni bottiglia è scelta con cura.

Mandello del Lario
Maggiana

9 km a NO di Lecco, 35 km a NE di Como

Sali e tabacchi

Osteria tradizionale
Piazza San Rocco, 3
Tel. 0341 733715
Chiuso lunedì sera e martedì
Orario: mezzogiorno e sera
Ferie: prime due sett di gennaio, due dopo Ferragosto
Coperti: 35 + 10 esterni
Prezzi: 25-30 euro vini esclusi
Carte di credito: le principali, Bancomat

Maggiana è una piccola borgata, da cui si gode l'incantevole panorama del lago e delle montagne. L'osteria, ricavata in un vecchio forno ristrutturato di proprietà dei Lafranconi, è suddivisa in due sale: in una il bar con vendita tabacchi, nella seconda in bell'ordine e a conveniente distanza i tavoli dell'osteria. Gabriele e la moglie Giuliana vi offrono una cucina genuina che si caratterizza per un forte richiamo alla tradizione del lago, pur non tralasciando alcuni piatti del mondo contadino.
Gabriele nei mesi invernali cucinerà per voi il **baccalà mantecato** con olio del Lario, il **cotechino** caldo **con verza** e il tortino di bitto e porcini con fonduta; proseguendo, potrete assaggiare **tagliolini con missoltini**, **ossobuco** con polenta e **polenta *oncia***. In estate, Giuliana vi suggerirà un menù legato al pescato quotidiano, in particolare agoni, pighi e **lavarelli**, **in carpione** o **in salsa verde**, e missoltini abbrustoliti. Da provare il **risotto con pesce persico** e il filetto di lavarello al burro e salvia. A chi non ama il pesce Gabriele propone come primo **ravioli con ripieno di erbette e mascherpa**, conditi con pesto leggero, o lasagnette con zucchine e quartirolo, e a seguire **punta di vitello ripiena** al forno oppure costolette d'agnello che profumano di timo. Concludono il pasto dolci casalinghi, tra cui la ***meascia*** di Maggiana e i ***meini* al sambuco** con zabaione al Moscato d'Asti.
Il vino che accompagna la cucina di Gabriele è della zona di Montevecchia; in alternativa buone etichette regionali e nazionali.

Flavio Valassi ogni notte esce con la barca per gettare le reti nel lago e rifornire l'omonima pescheria del centro del porticciolo di Abbadia Lariana.

ANTICA OSTERIA AI RANARI

Osteria di recente fondazione
Via Trieste, 11
Tel. 0376 328431
Chiuso il lunedì
Orario: mezzogiorno e sera
Ferie: variabili
Coperti: 50
Prezzi: 30-35 euro vini esclusi
Carte di credito: tutte, Bancomat

L'osteria si trova in un quartiere molto popolare della città, un tempo abitato da pescatori, lavandaie e *ranari* – i pescatori di rane che hanno dato nome al locale –, nel punto in cui il Rio, che nasce dal Lago Superiore e scorre fra antiche case, sfocia nel porto fluviale di Catena. La trasformazione da autentica osteria in ristorantino è opera di un gruppo di giovani che gestiscono altri locali in città e in provincia e che, con professionalità e utilizzando esperienze maturate in precedenza, sono riusciti a creare un'atmosfera piacevole e rilassante.
Il menù è essenziale: un lungo elenco di **salumi** non solo mantovani consentirà uno spuntino abbondante, che potrete arricchire con formaggi e **mostarde** – ottima quella di mele campanine – scelti da un carrello ben fornito. Se, invece, volete pranzare potrete scegliere tra gli antipasti una fragrante **frittura di rane**, la **frittata di saltarelli** o alcune insalate di fantasia. Fra i primi spiccano i piatti della tradizione mantovana, a volte rimaneggiati secondo l'estro del momento: d'inverno ***sorbir* d'agnoli**, **tortelli di zucca** in versione decisamente dolce, **risotto alla pilota** con le salamelle, ***capunsei*** (gnocchi di pane) con zucca, salamella e rosmarino, e ancora **rane**, **in guazzetto** o **nel risotto**. Come secondi non possono mancare lo **stracotto con la polenta**, le **lumache in umido**, la costata ai ferri e il **luccio in salsa**. Per finire, oltre a dolci tradizionali, quali la **sbrisolona**, il **salame di cioccolato** e il **dolce belga**, troverete secondo stagione dolci di fantasia a base di frutta o di cioccolato.
Carta dei vini decisamente fornita soprattutto per quanto riguarda la produzione del basso Mantovano (i Lambruschi) e della zona collinare.

DUE CAVALLINI

Trattoria
Via Salnitro, 5
Tel. 0376 322084
Chiuso il martedì
Orario: mezzogiorno e sera
Ferie: 21 luglio-23 di agosto, 1 sett gennaio-febbraio
Coperti: 100 + 60 esterni
Prezzi: 24-30 euro vini esclusi
Carte di credito: le principali, Bancomat

Anno di nascita 1939: i Due Cavallini erano un'osteria del quartiere popolare della Fiera, che accompagna al vino **trippa**, ***bertagnin***, uova dure, **polpette**, robusti spuntini per i lavoratori che all'epoca cominciavano la mattina presto attività ora dismesse o trasferite altrove. Negli anni Sessanta, la casetta a due piani, con un piccolo giardino interno, si trasforma in una trattoria rivolta alle famiglie che cominciano a sperimentare i pasti fuori casa. Lo stile del locale, l'arredamento, il servizio, il menù immutato da sempre, le porzioni abbondanti, tutto contribuisce a rendere l'immagine della cucina tradizionale mantovana.
Si comincia con i **salumi** classici – salame, coppa e pancetta – accompagnati dai sottaceti dell'orto e poi, per prepararsi al seguito, soprattutto nella stagione invernale, il corroborante ***bevr'in vin***, brodo di manzo e di pollo fumante, cui si aggiunge un sorso di nero Lambrusco e volendo gli agnolini (***sorbir* d'agnoli**). Specialità della casa le **tagliatelle** e i maccheroni **con lo stracotto di cavallo**, ma un piatto di agnolini (stavolta senza vino) e i **tortelli di zucca** (alla cittadina) sono da provare. Convincenti i **bolliti** – cotechino, lingua, manzo e gallina – con le verdure lessate, e gli arrosti: coniglio, faraona e stinco con patate al forno. E per gli amanti dello stracotto, ancora lo stesso con la **polenta**. In chiusura, la **sbrisolona** con una spruzzata di grappa o rum.
Ad accompagnare il tutto il Lambrusco mantovano, nero e spesso, e qualche buon vino dei Colli Gardesani.

Le paste tipiche mantovane – tortelli di zucca, agnolini, tagliatelle, maccheroni al torchio – presso i panifici Freddi, piazza Cavallotti 7, e Truzzi, via XX Settembre 4.

MELEGNANO

16 KM A SE DI MILANO A 1

TAURASI

NOVITÀ

Osteria-pizzeria
Via Dante, 1
Tel. 02 9830217
Chiuso lunedì e sabato a pranzo
Orario: mezzogiorno e sera
Ferie: tre settimane in agosto
Coperti: 45
Prezzi: 30 euro vini esclusi
Carte di credito: le principali, Bancomat

Anima del locale è Leonardo, fiero ricercatore e interprete delle due cucine che lo caratterizzano: quella d'origine, campana o meglio irpina, e quella d'elezione portata dalla moglie Rita, pugliese. Il risultato è di grande interesse. La ricerca delle materie prime è condotta in modo puntuale e coerente, anche con excursus tra i produttori della zona dove ha sede il ristorante, soluzione necessaria data la distanza dalla terra natìa. L'effetto di questa impostazione si può toccare con mano: verdure croccanti e saporite, carni di qualità elaborate con la giusta attenzione sia dal titolare sia dal giovane cuoco Alessandro, che a soli 19 anni già promette bene.
Se aprite con gli antipasti, è interessante, anche per la mano leggera con la quale è preparato, il **fritto**: fate attenzione alle porzioni, piuttosto abbondanti, che potrebbero limitarvi nelle scelte successive. Interessante il tagliere dei salumi campani e dei formaggi pugliesi. Tra i primi, notevoli le paste, ovviamente di Gragnano, utilizzate per la **minestra maritata** e la ***maccarronara* allo *scarpariello***; buoni anche i ravioli alla ricotta di bufala e le strascinate di Corato. Secondi di carne sostanziosi, come il **soffritto d'agnellino** o l'**agnello** laticauda **in *pignatta***, magari accompagnati dalla **ciambotta** taurasina; gustosa alternativa la frittura fresca di Cetara. Dolci interessanti, con margini di miglioramento.
Carta dei vini coerente con, ovviamente, bottiglie di Taurasi, alcune prodotte dal fratello del titolare.

MESE

60 KM A NO DI SONDRIO SS 36, 4 KM DA CHIAVENNA

CROTASC

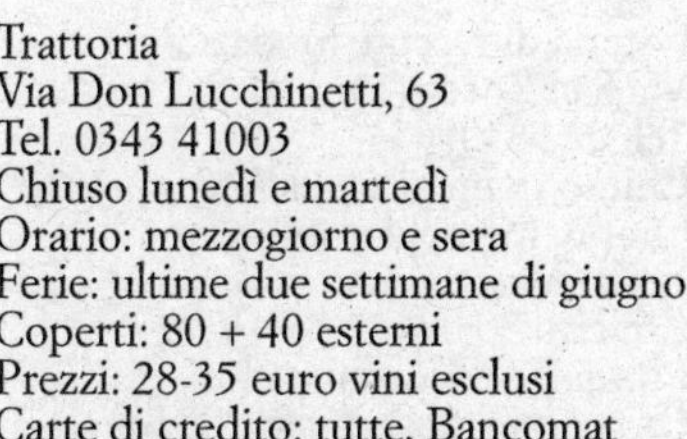

Trattoria
Via Don Lucchinetti, 63
Tel. 0343 41003
Chiuso lunedì e martedì
Orario: mezzogiorno e sera
Ferie: ultime due settimane di giugno
Coperti: 80 + 40 esterni
Prezzi: 28-35 euro vini esclusi
Carte di credito: tutte, Bancomat

Prima di raggiungere Chiavenna, imboccate lo svincolo per Mese, frequentata località di villeggiatura, e troverete la trattoria dei Prevostini, che vanta origini antiche (la data sulla porta dice 1767). Primo crotto aperto al pubblico – nel 1928 –, nel 1946 è diventato trattoria. Si compone di due sale, in cui risaltano grandi camini, costantemente accesi durante l'inverno, mentre, nella stagione estiva, potrete godere dell'ombra di castani centenari. L'atmosfera richiama la cultura contadina di un tempo: appesi alle spesse mura di pietra del locale potrete ammirare antichi strumenti da lavoro e paioli in rame di diverse fogge e misure.
Il menù è quello tipico della Valchiavenna. Si comincia con **violino di capra** e ***brisaola* di Chiavenna**, ***bastardel*** (salamini di carne mista di maiale e di manzo) o con il classico antipasto di **salumi** del Crotasc. Da assaggiare, tra i primi, gli **gnocchetti** bianchi di Mese **al burro versato e salvia** e i **pizzoccheri** della Valtellina con cuori di verze. Potrete poi optare per lo **stufato di manzo ai funghi porcini** o il **camoscio** alla crema di ginepro, entrambi serviti con polenta, oppure scegliere le costolette di cervo alla griglia accompagnate da **polenta taragna**. In alternativa alla carta quattro menù degustazione: il vegetariano, quello della tradizione, la selvaggina e, solo nel giusto periodo dell'anno, gli asparagi. Per chiudere, un assaggio dei buoni formaggi delle Alpi – bitto, casera, *scimudin*, caprini di varie stagionature – con miele di castagno e, se amate i dolci, tortino all'amaretto, *crème brûlée*, sorbetti e semifreddi.
I vini sono principalmente quelli prodotti dall'azienda di Mamete Prevostini, con proposte che spaziano anche tra i grandi vini nazionali ed esteri.

Milano
Porta Romana

Acquabella

Osteria di recente fondazione
Via San Rocco, 11
Tel. 02 58309653
Chiuso domenica e sabato a pranzo
Orario: mezzogiorno e sera
Ferie: tre settimane in agosto
Coperti: 80
Prezzi: 33 euro vini esclusi
Carte di credito: le principali, Bancomat

Il fascino di uno degli archi d'ingresso più belli della vecchia Milano, costruito alla fine del Cinquecento, e i resti delle mura spagnole – la Cerchia dei Bastioni –, fanno di Porta Romana uno tra gli angoli più suggestivi della città. Intorno il traffico caotico di sempre nelle vie e nei viali che numerosi da esso si dipartono. A pochi passi da questo nodo nevralgico, in una via tranquilla e poco illuminata, si aprono le accoglienti sale del curato locale dalle pareti di mattoni rossi a vista. Nell'osteria voluta e gestita da Liliana e Massimo Artuso, già osti nel precedente locale di Città Studi, l'ambiente è semplice e informale, il servizio efficiente e cortese.
Come antipasto, in alternativa agli ottimi **salumi**, in primis culatello e lardo, potrete gustare **insalata russa** e **nervetti**. Ampia la scelta dei primi, tra cui segnaliamo la **pasta e fagioli**, i **risotti** – **alla milanese** con lo zafferano, alla buttafuoco, al salto –, le pennette all'Acquabella. I secondi sono quelli tipici della cucina lombarda: brasato al Barolo, ***casoeula***, **cotoletta alla milanese**, filetto alla Bonarda, **trippa**, **ossobuco di vitello in gremolada** servito anche con il riso come piatto unico, morbidi **mondeghili** e gustosi ***bruscìtt*** accompagnati da **polenta**. A chiudere il pasto crostate di marmellata, torta di noci e dolci al cucchiaio, quali zabaione e tiramisù.
Ricca carta dei vini con oltre 200 etichette dai ricarichi corretti, offerte anche al calice.

Al Papavero, in via Palestrina 4, solo prodotti biologici: frutta, verdura, pane, conserve e succhi certificati Aiab. L'Osteria, sull'alzaia del Naviglio Grande al numero 46, offre oltre 300 etichette con eccellenti insaccati e formaggi.

Milano
Cinque Giornate

Al bacco

NOVITÀ

Osteria di recente fondazione
Via Marcona, 1
Tel. 02 5412637
Chiuso la domenica
Orario: solo la sera
Ferie: tre settimane in agosto
Coperti: 30
Prezzi: 33 euro vini esclusi
Carte di credito: tutte tranne AE

Lasciato il pluristellato Claudio Sadler, Andrea ha rilevato con la giovane moglie Carola questo minuscolo locale a pochi passi da piazza Cinque Giornate. L'ambiente è accogliente, le materie prime stagionali e per lo più di produzione locale, la cucina si ispira alla tradizione di diverse regioni italiane.
Per cominciare non perdete i **salumi**: strolghino, soppressata di cinghiale, salame di cervo o d'oca, culatello di Zibello, lardo alle erbe. Di ottima fattura le **polpettine di baccalà**, i fiori di zucca ripieni di acciughe e, nei mesi caldi, il *gazpacho* con formaggio di capra. Tra i primi, ottimi la crema di zucca al rabarbaro e gli agnolotti di speck e trevisana; per stare nella tradizione da provare le classiche orecchiette di pasta fresca con ricotta salata, pomodoro e basilico, il tortino di **riso al salto**, i **pizzoccheri valtellinesi**, le tagliatelle di pasta fresca con cipolla di Tropea e salsiccia o con fave, pancetta e pecorino di Pienza. Svariati i secondi, come le filologiche **trippa alla milanese** e **cotoletta meneghina**, oppure la padellata di verdure, il fegato di vitello alla veneta con **polenta**, il coniglio alla ligure, le frittelle di calamari. Buona selezione di formaggi con mostarde casalinghe e mieli. Se avete spazio e la gola vi assiste, non perdete il tortino di cioccolato caldo con crema di cioccolato bianco e rum, la **sbrisolona** mantovana o la crema bruciata all'arancia amara.
Carola, grande esperta di vini, propone etichette in prevalenza toscane, venete, siciliane e pugliesi; alcune sono servite al calice.

Presso Coin, piazza Cinque Giornate 1, Eataly: una ricercata selezione dei migliori prodotti enogastronomici italiani, un luogo dove scegliere e acquistare anche numerosi Presìdi Slow Food.

Milano
San Babila-Duomo

Bottiglieria da Pino

Trattoria
Via Cerva, 14
Tel. 02 76000532
Chiuso la domenica
Orario: mezzogiorno, sera su prenotazione
Ferie: agosto, 25 dicembre-6 gennaio
Coperti: 55
Prezzi: 22 euro vini esclusi
Carte di credito: nessuna

È un'inquilina storica della guida questa Bottiglieria, anzi una colonna, che si mantiene fedele alla tradizione lombarda, senza segni di stanchezza e con qualche guizzo di fantasia. Fondata nel 1968 dal Pino come mensa dei *magutt* (muratori in dialetto milanese), è ora un punto di riferimento per chi preferisce un semplice pasto a prezzo popolare all'inflazionata moda di tramezzini, paste fredde, insalatone. Un punto in più ai fratelli Ferri – Mauro in cucina e Marco al banco – per il menù a 14 euro: primo, secondo, contorno, mezza minerale o un quarto di vino, pane e coperto.
Il locale è semplice come l'arredo: soffitti alti, finestrone che danno su un bellissimo cortile di *ringhera*, tavoli di legno dove gustare un ricco piatto di **salumi** casalinghi, seguiti da un buon **minestrone di verdure**, pasta con le melanzane o al pesto di sedano e mandorle, **risotti**. Fra i secondi, alcuni sono fissi, come il **bollito** – manzo o gallina ruspante –, la lingua, l'arrosto di maiale o di vitello, fumanti d'inverno e serviti freddi con salse d'estate, i **nervetti con cipolla**, il **fegato alla veneziana**. Gli altri ruotano secondo le stagioni, con attenzione per chi non ama la carne: scarpaccio (scamorza affumicata e pomodoro), ***raspadura*** **di lodigiano** con salsa di pere, ricotta infornata con pesto di rucola e pistacchi, **insalata di spinaci** crudi con pecorino. Ricco assortimento di contorni. Aria di casa anche per i dolci classici e gustosi.
Carta dei vini decorosa con buon rapporto tra qualità e prezzo e disponibilità al calice.

In via Cesare Battisti 2, Zoppi & Gallotti, una straordinaria gastronomia con attenta ricerca di materie prime, buona cucina e ottima cantina, a prezzi onesti.

Milano
Casoretto

Da Mirta

NOVITÀ

Trattoria
Piazza San Materno, 12
Tel. 02 91180496-338 6251114
Chiuso domenica, lunedì sera e sabato a pranzo
Orario: mezzogiorno e sera
Ferie: 2 settimane in agosto, 1 a Natale
Coperti: 38
Prezzi: 33 euro vini esclusi
Carte di credito: tutte tranne AE, Bancomat

Nel quartiere popolare in cui si sono conosciuti i suoi genitori, Cristina Borgherini ha deciso di aprire questa accogliente trattoria. Il marito Juan è uruguayano ma vanta un'esperienza ventennale in alcune note trattorie milanesi; è lui che prepara pasta fresca, pane, dolci, gelati e mostarde. Curata la scelta delle materie prime: formaggi di capra dell'Oltrepò, quelli d'alpeggio di Macugnaga, carne equina di una storica macelleria milanese, carta dei vini ragionata (anche per quanto riguarda i ricarichi) con possibilità di bere al calice o scegliere tra qualche mezza bottiglia. Il menù varia secondo stagione; a pranzo la proposta è più snella ed economica.
Tra gli antipasti segnaliamo involtini di verza ripieni di salsiccia e porri, timballo caldo di fave con cicoria e pecorino, torta calda farcita con pollo, mele e pinoli. I primi annoverano **torchietti** di pasta fresca **con ragù di cavallo**, zuppa di farro, panzanella con fave fresche, **stracci di grano saraceno con ragù d'agnello**, ravioli ripieni di scarola e pecorino su crema di zucca. La scelta dei secondi prevede **trippa di vitello con patate, fagioli e zafferano**, faraona al forno con purè di patate e mandorle, **brasato d'asina con polenta**, spezzatino di coniglio con carciofi e olive taggiasche, **animelle alla milanese**.
Per finire, *tatin* di mele con gelato alla cannella, cassatina di ricotta con salsa di miele e cioccolato, tortino caldo di cioccolato, fico al forno. Alla carta dei dessert se ne accompagna una dedicata a distillati e liquori.

Al numero 10 della stessa piazza, la macelleria equina più antica di Milano è quella di Marco Peroni.

MILANO
Porta Romana

DONGIÒ

Trattoria
Via Corio, 3
Tel. 02 5511372
Chiuso sabato a pranzo e domenica
Orario: mezzogiorno e sera
Ferie: agosto, a Pasqua, a Natale
Coperti: 50
Prezzi: 30 euro vini esclusi
Carte di credito: le principali, Bancomat

È una fortuna inaspettata trovare in una zona centrale di Milano, in una bella palazzina liberty, un luogo di tale spiccata personalità, che rispecchia l'origine calabrese del titolare, Pietro, cavaliere dell'Accademia del peperoncino. Il patron dedica una pagina del menù a questo ingrediente essenziale, che impartisce una buona carica piccante ai suoi piatti, a partire dalla ***'nduja***, infuocato salume in crema di antica tradizione, che accompagna dall'antipasto al secondo chi voglia seguire un itinerario del gusto nell'estremo Sud della penisola.
Non scordiamo però che la famiglia Criscuolo ha vissuto anche nel Piacentino, dove ha ampliato le proprie esperienze culinarie. Quindi antipasti di notevole spessore, con **salumi** di entrambe le provenienze, **sottoli** casalinghi, olive piccanti, ma anche **caciocavallo alla piastra**. I primi, di **pasta fatta in casa**, arricchiti da **sughi di carne** o **salsiccia**, spesso speziati e sempre molto saporiti, sono offerti in porzioni abbondanti. Quanto ai secondi, si mantiene la barra dritta sulla tradizione di famiglia, con ottimi filetti e controfiletti alla piastra – ma è buona tutta la carne –, insaporiti con cipolle di Tropea e finocchietto o con aglio e rosmarino; qualche concessione alla cucina locale, per cui potrete trovare una buona **cotoletta alla milanese**. A fine pasto tiramisù di ricotta, crostate, cioccolato e peperoncino in svariati accostamenti.
Da non sottovalutare la carta dei vini, ricca di rossi, con molte bottiglie a prezzo conveniente.

L'arte di offrire il tè, via Macedonio Melloni 35, un vero tempio per gli appassionati, con corsi e seminari per farne una vera arte e una infinita scelta di miscele e di acque adatte alle diverse tipologie.

MILANO
Lancetti

L'ALTRA ISOLA

Trattoria
Via Edoardo Porro, 8
Tel. 02 60830205
Chiuso sabato a pranzo e domenica
Orario: mezzogiorno e sera
Ferie: due settimane in agosto
Coperti: 35
Prezzi: 35 euro vini esclusi
Carte di credito: le principali, Bancomat

Sono molti i motivi per cui consigliamo una sosta in questa accogliente e calda trattoria, aperta dal 2003, quasi nascosta in una viuzza incuneata ad angolo retto tra viali con altissima intensità di traffico e palazzoni della periferia nord di Milano. Primo fra tutti l'autentica cucina meneghina con piatti tipici ben confezionati, una rarità nel bailamme dei ristoranti milanesi alla moda. Porzioni abbondanti, offerte con gentilezza in un ambiente semplice e gradevole: una vasta sala divisa da due archi, soffitto in legno a cassettoni, un bel camino in pietra, tavoli ben apparecchiati e distanziati. Un altro motivo lo scoprirete guardando dalla vetrata che vi separa dalla cucina: ai fornelli Hu Shun Feng, proveniente dalla lontana Repubblica Popolare Cinese, che cuoce nel burro un'ottima **cotoletta** oppure prepara la ***casoeula*** o l'**ossobuco**, che vi servirà con il risotto.
Ai tavoli, il patron Gianni elenca i **risotti** del giorno: **giallo allo zafferano**, **alla pavese** con vino rosso e fagioli, oppure sottile e croccante **al salto**. Passando ai secondi, il menù prevede **foiolo** (trippa), **involtini di verza**, **rognone trifolato**, *goulash*, vitello tonnato, scaloppine con carciofi, brasato con purè, omelette e uova strapazzate con il pomodoro. Abbiate cura di lasciare spazio per uno dei dolci fatti in casa, tra cui consigliamo soufflé al cioccolato (da ordinare per tempo), **zabaione**, torta di mele.
La carta dei vini contempla una cinquantina di etichette, soprattutto lombarde e piemontesi, dagli onesti ricarichi.

Da Spazio Scarpitti, in via Petrocchi 21, vasta gamma di bottiglie a prezzi equi, selezioni di extravergini e distillati e una saletta per le degustazioni.

Milano
Brera

Latteria San Marco

Trattoria
Via San Marco, 24
Tel. 02 6597653
Chiuso sabato e domenica
Orario: mezzogiorno e sera
Ferie: in agosto e festività natalizie
Coperti: 25
Prezzi: 30-35 euro vini esclusi
Carte di credito: nessuna

Storica trattoria, da sempre frequentata dalle famiglie del quartiere, in pausa pranzo dai giornalisti del *Corriere della Sera* e della *Gazzetta dello Sport* – si trova proprio di fronte alla sede dei giornali – e la sera da chi si ferma a cena prima di assistere a uno spettacolo teatrale al Piccolo, a pochi passi. Maria e Arturo Maggi, di origini piacentine, sanno creare nella loro trattoria una piacevole atmosfera familiare, rara in una zona in cui la ristorazione spesso è affidata a pizzerie o a ristoranti per turisti. Entrando vi ritroverete in una sala molto piccola. Sarà Maria ad accompagnarvi al tavolo e a prendere le ordinazioni ma se gli ospiti hanno qualche curiosità o chiedono un consiglio, è Arturo che, cucina permettendo, spiegherà con passione e dovizia di particolari le sue specialità.
Per cominciare i classici **salumi**, tra cui coppa piacentina e salame d'oca, o **fegato grasso** con crostini, quindi una lunga lista di primi, che variano con la stagione: **risotti** e **zuppe**, testaroli al pesto, tagliolini con ricotta e basilico, in estate farro con basilico, pomodorini, mozzarella di bufala, e la **crudaiola**, un frullato di verdure con piccoli chicchi di grano (*burghul*). I secondi, tradizionali, spaziano dalla **cotoletta alla milanese** al **bollito**, a un superbo **polpettone**; in alternativa fegato di vitello alla veneziana, un piatto di verdure – ci piace ricordare la **parmigiana di zucchine** – o di pesce: buono il merluzzo alla livornese con le patate.
Dolci casalinghi e vini provenienti dal Piacentino e serviti sfusi.

Alla drogheria-enoteca Radrizzani, in viale Piave 20, ampia selezione di etichette di ottima qualità a prezzi accessibili, paste d'acciughe, formaggi e salumi, alcuni di produzione artigianale.

Milano
Repubblica-Stazione Centrale

L'osteria del treno

Trattoria-Circolo Cooperativo Ferrovieri
Via San Gregorio, 46-48
Tel. 02 6700479
Chiuso sabato e domenica a pranzo
Orario: mezzogiorno e sera
Ferie: 10 gg a Ferragosto, tra Natale e Capodanno
Coperti: 70 + 40 esterni
Prezzi: 30-35 euro vini esclusi
Carte di credito: le principali, Bancomat

Presenza storica in guida, l'osteria ha mantenuto nel tempo l'attenzione per la qualità delle materie prime, testimoniata dall'inserimento in menù di diversi Presìdi Slow Food, e per i piatti tipici del Nord Italia, senza per questo dimenticare interessanti proposte di altre regioni.
L'antipasto si compone di ricchi taglieri di **salumi** che spaziano dal Nord al Sud, con la *mortandèla* della val di Non, la petuccia della Carnia, la ventricina del Vastese, il capocollo di Martina Franca, tutti Presìdi, a cui si affiancano insaccati d'oca e specialità della val d'Orcia, tra cui finocchiona, soppressata, filetto di lombo. Inoltre **sottaceti** e **sottoli** casalinghi e verdure **in carpione**: ottime le **zucchine** con cipolle, pinoli e uvetta. Primi e secondi variano con le stagioni. Abbiamo apprezzato i **tortelli di formaggio d'alpeggio** con mele e vezzena, di bietole e fegatini e quelli di melanzane conditi con olio, timo e pecorino, ma in menù anche bigoli con le sardelle, **tagliatelle al ragù bianco di faraona**, risotti e paste fresche condite con verdure e formaggi. Tra i secondi consigliamo il **guanciale di manzo al Barbera** con purè, l'**oca al ginepro** con **polenta bianca**, la **battuta di manzo piemontese** della Granda con acciughe, capperi e cipollotti, il merluzzo. Interessante selezione di **formaggi** – vaccini, caprini ed erborinati soprattutto lombardi e piemontesi, pecorini del Centro Italia – e in chiusura **pesche all'amaretto** e gelato con latte di capra.
Equilibrata la carta dei vini con possibilità di bere al calice.

Ombre Rosse, in via Plinio 29, offre circa 300 vini, da degustare anche al calice con salumi e formaggi; alle Cantine Isola, in via Paolo Sarpi 30, vini straordinari, italiani e stranieri, con stuzzichini appetitosi.

MILANO
Friuli-Umbria

MARTIN PESCATORE

Trattoria
Via Friuli, 46
Tel. 02 5462843
Chiuso sabato a pranzo e domenica
Orario: mezzogiorno e sera
Ferie: agosto, una settimana in gennaio
Coperti: 25 + 15 esterni
Prezzi: 35 euro vini esclusi
Carte di credito: tutte tranne DC, Bancomat

È di un locale specializzato in cucina di pesce – di carne neppure l'ombra –, che si è affermato per un buon rapporto tra qualità e prezzi, che vogliamo tornare a raccontarvi. Gestito dal 2002 da una coppia che rappresenta gli antipodi del paese, Bruno nativo di Grado, Sabina originaria di Messina, il locale piace subito, a partire dall'arredamento, sobrio e senza fronzoli.
Il menù è pulito, chiaro, con una decina di proposte per ogni portata. Si apre con l'antipasto misto, che prevede assaggi di **frittelle di *gianchetti***, canocchie, cozze e **vongole alla marinara**, cappesante, misto di pesci marinati, cocktail di aragoste e molto altro. Ostriche, astice e il piatto di crudo solo su ordinazione. I primi risentono dell'origine adriatica dello chef: sempre un risotto, con pesce o verdure, e una zuppa accanto a paste profumate e saporite, tra cui abbiamo apprezzato nella nostra visita **maccheroni alla ghiotta** e **tagliolini con pesto e gamberi**. Tra i secondi, **fritto misto di paranza**, **rombo con patate**, *moeche,* merluzzo, pescatrice, branzino, secondo la disponibilità del mercato. Una segnalazione a parte per il **mare caldo**, ricco piatto di pesci sfilettati e gratinati in forno, che può fare lievitare il conto. Ma ne vale la pena. I dolci, classici, con il tocco siciliano della cassata, sono fatti in casa.
La carta dei vini rivela l'attenzione della coppia per la qualità che ricercano nelle cantine per lo più di piccoli produttori: prevalenza di bianchi veneti e friulani con alcune mezze bottiglie.

In via Bellotti 11, Sugartree di Jenny Sugar, che ha trasferito qui dal nativo Venezuela un'eccellente pasticceria e prodotti salati di qualità certificati biologici.

MILANO
Isola-Stazione Garibaldi

OSTERIA BORSIERI

Trattoria
Via Borsieri, 39
Tel. 02 6070800
Chiuso lunedì a pranzo
Orario: mezzogiorno e sera
Ferie: non ne fa
Coperti: 30 + 20 esterni
Prezzi: 33 euro vini esclusi
Carte di credito: le principali

Cercate la *movida* milanese? Eccovi nel cuore pulsante della nuova zona di tendenza di Milano, dove sarete sorpresi di trovare, tra i numerosi locali alla moda, una cucina con citazioni dell'area padana, dell'Emilia in particolare – il patron e cuoco, Fabio Rossi, è di Bologna – e grande attenzione per le paste fatte in casa e i salumi.
Attenzione a non esagerare se decidete di partire con il gran misto dell'Osteria – **gnocco fritto**, **salumi** emiliani, **squacquerone di Castel San Pietro** e **sottoli** della casa – altrimenti non avrete modo di assaggiare le **tagliatelle al ragù** (la ricetta è della Dotta confraternita emiliana della tagliatella e del tortellino), i **garganelli del contadino** con sugo di cipollotto e pomodoro, i **risotti** (con porcini, asparagi, piselli). Tra i secondi suggeriamo **carne salata**, in stagione con porcini trifolati, filetto di **maiale all'aceto balsamico** tradizionale di Modena con verdure saltate in padella e, nel periodo giusto, **carciofi** al vapore **con pecorino** della val di Sangro. Non è infrequente la presenza di qualche piatto di pesce dell'Adriatico e di acqua dolce: da assaggiare i gamberoni al Malvasia dei Colli di Scandiano. Concluderete con una buona selezione di formaggi – parmigiano reggiano delle vacche rosse, tomini dei colli piacentini e il già citato squacquerone con noci e crostini – e con dolci casalinghi, tra cui spiccano il **salame al cioccolato** e una morbida crema al Moscato.
La carta dei vini offre molte etichette filologicamente coerenti con la cucina.

Il Gusto di Virdis, in via Piero della Francesca 38: grande selezione di vini, oli e sottoli, conserve, bottarga, pasta, biscotti, marmellate e dolci di tutte le regioni con attenzione particolare alla Sardegna.

MILANO
Navigli

OSTERIA GRAND HOTEL

Osteria di recente fondazione
Via Ascanio Sforza, 75
Tel. 02 89511586-89516153
Chiuso il lunedì
Orario: sera, domenica anche pranzo
Ferie: agosto
Coperti: 60 + 60 esterni
Prezzi: 35 euro vini esclusi
Carte di credito: le principali, Bancomat

All'interno di un'area che conserva la trama del vecchio quartiere milanese, con una serie di case di *ringhera* e laboratori artigianali, Fabrizio Paganini da diversi decenni gestisce l'Osteria, una vera isola di quiete per chi vi arriva dal trambusto dei Navigli. Nell'ampia sala, semplice e accogliente, spicca un vecchio bancone da droghiere, dove sono esposte alcune delle 700 etichette selezionate.
Potrete iniziare con un piatto di **salumi** oppure optare per sformati di verdura che seguono le stagioni, **testina di vitello** o **insalata di coda di vitello**. I primi e i secondi piatti interpretano in modo fedele la cucina di territorio. Ci piace ricordare i **risotti**, la pasta fatta in casa, i testaroli al pesto, i ***pici* con sugo di guanciale e pomodorini**, i **tortelli di zucca**, le tagliatelle con favette e pomodorini. Si continua nel periodo invernale con lo **stracotto d'asino**, il **ganassino di vitello bollito**, i ***bruscitt***, ma in menù troverete anche la **sella di coniglio ripiena**, in stagione, di asparagi, sformati di verdure, diverse preparazioni di baccalà – ottimo quello mantecato – e una raffinata selezione di **formaggi**, tra cui numerosi Presìdi Slow Food, accompagnati da confetture e miele eccellenti. Buoni i dolci, dalla classica torta morbida di cioccolato alla bavarese di zabaione al caffè, al sorbetto allo zenzero.
Segnaliamo infine una ricca selezione di vini e distillati, che sottolinea l'attenzione di Fabrizio per le piccole realtà vitivinicole italiane.

In via Vigevano 33, la Latteria, un luogo piacevole dove bere un caffè, fare colazione o fermarsi per il pranzo e acquistare marmellate siciliane, biscotti, cioccolato piemontese e un'ottima pasta di grano duro. In via Quaranta 3-7, Cream Garden offre gelati di qualità con tracciabilità dei prodotti utilizzati e prezzi corretti.

PONTE ROSSO

Trattoria
Ripa di Porta Ticinese, 23
Tel. 02 8373132
Chiuso domenica e lunedì a pranzo
Orario: mezzogiorno e sera
Ferie: tre settimane a Ferragosto
Coperti: 40 + 25 esterni
Prezzi: 35 euro vini esclusi
Carte di credito: tutte tranne DC, Bancomat

Stefania Giannotti da diversi anni conduce un'appassionata ricerca su quella che definisce la "cucina della memoria", ricette ricavate da esperienze personali ma non solo. Lo chef Claudio Vanin la sostiene in questo percorso a ritroso nella cucina regionale e insieme offrono ai loro ospiti alcuni menù davvero interessanti. Sorprende trovare nel grigiore dei Navigli, dove l'omologazione gastronomica è predominante, questo piacevole locale condotto con cura e attenzione alla qualità dei prodotti.
Ma sono i piatti in menù a destare interesse e a stuzzicare le papille gustative: assaggiate il **paté di fegato**, i lampascioni e i **fiori di zucca fritti**; l'espressa passione di Stefania per l'isola tabarchina di San Pietro si esprime nella **bottarga** di Carloforte, in stagione servita con i carciofi, e in un piatto di tonno, il "carlofortino". E poi buone **zuppe**, tra cui suggeriamo quella **di gallina ruspante**, la crema di fagioli con i gamberi e la *jota* triestina. Da non perdere il **sartù di riso**, cucinato secondo un'antica ricetta di Ippolito Cavalcanti (1837), il **gattò *di fidlin*** e, per restare in Lombardia, un'ottima ***casoeula*** e la classica **cotoletta alla milanese**. Tra i secondi di pesce, acquapazza, sarde a beccafico o involtini di pesce, secondo l'offerta del mercato; se invece preferite la carne, coniglio all'ischitana, animelle al prosciutto, cervella fritte.
Ottimi i dolci e buona la selezione dei vini, alcuni proposti al bicchiere.

In via Corsico 2, presso la macelleria Masseroni, ottime carni di razza piemontese e bianche (polli dell'azienda Viustino), ricco assortimento di formaggi italiani ed esteri, paste, oli e Presìdi Slow Food.

Milano
Cimiano

Sauris & borc da bria

NOVITÀ

Trattoria
Via Toselli, 2
Tel. 02 26825943
Chiuso lunedì e martedì
Orario: solo la sera
Ferie: variabili
Coperti: 60
Prezzi: 20-30 euro vini esclusi
Carte di credito: nessuna

A pochi metri dalla trafficata via Padova, tra botteghe e punti di ristoro della Milano multietnica, l'ultima cosa che vi aspettereste di trovare è questa piccola oasi friulana. Gestiscono il locale Eros, il cuoco, e la moglie greca Terpsichore, che si occupa del servizio. Accomodati in una delle tre salette, arredate in modo semplice, con mattoni a vista e antichi attrezzi appesi alle pareti, consulterete un menù che soddisferà anche le vostre curiosità sulla preparazione di formaggi e salumi friulani.
Potrete iniziare proprio scegliendo da una bella selezione di **salumi** suini (prosciutto affumicato, speck, ossocollo, lardo alle erbe) e d'oca (salame, mortadella, petto). Tra i primi spiccano i ***cjarsòns***, i grandi ravioli carnici il cui ricco ripieno varia secondo stagione, ma valgono l'assaggio anche il **risotto al *formadi frant***, il minestrone, le zuppe di stagione. Più ricco l'assortimento delle portate di mezzo, che qui hanno spesso la valenza di piatti unici: ***frico*** (robusta frittata con patate), **polenta e *tocc*** (spezzatino), ***brovada***, terrina di montasio con polenta e speck, **prosciutto del Kaiser** (lonza affumicata), **polenta *cuinzade*** (condita con montasio, burro e ricotta affumicata), coscia d'oca, stinco di maiale o di agnello. Curata la scelta dei formaggi: asìno, montasio, ubriaco, nonché il raro *formadi frant* (Presidio Slow Food). Si chiude con le esse (i classici biscotti di Raveo), la **gubana** e il salame di cioccolato.
La cantina parla friulano: carta dei vini e dei distillati piccola ma ragionata, oltre ad alcune birre artigianali.

In piazza Risorgimento 3, Dell'olio e non solo: olio da tutta Italia in lattine e bottiglie e, una volta la settimana, le olive ascolane ripiene da friggere.

Milano
Lorenteggio

Tagiura

Trattoria
Via Tagiura, 5
Tel. 02 48950613
Chiuso la domenica
Orario: mezzogiorno, venerdì e sabato anche sera
Ferie: 10-30 agosto
Coperti: 150 + 100 esterni
Prezzi: 28-30 euro vini esclusi
Carte di credito: tutte, Bancomat

Una periferia spoglia, l'anello della circonvallazione esterna di Milano, zone senz'anima e senza personalità: è però facile parcheggiare. Si entra in un bar senza alcuna attrattiva, salvo, se mattina, una folla di persone, in attesa di consumare la colazione. All'interno, una sorpresa. Locali arredati con cura, ambiente caldo e familiare, una sala affrescata. In sala, la signora Tullia con il figlio, che si occupa di ricevere i clienti.
Ma la vera sorpresa è quello che arriva dalla cucina, curato anche all'ora di pranzo: è proprio imperniata su questo momento della giornata, spesso sottovalutato, l'offerta di Tagiura. Un piatto unico a base di verdure oppure taglieri di **salumi** o di **formaggi** ben selezionati, magari con lo **gnocco fritto**, coerente con la tradizione emiliana a cui fa riferimento la proprietaria, fanno ala a paste fatte in casa condite con sughi di stagione e a secondi piatti di carattere. Eccellenti i **ravioli di magro all'acquacotta**, le caramelle di magro con passata di pomodori, il **risotto alla milanese con** pistilli di zafferano e ***raspadura***. Non da meno il filetto di **maialino toscano** con zabaione salato e castagnaccio, il contorno di patate e porcini, i **caprini** dell'Oltrepò di un'azienda della zona, il Boscasso. Alla sera – il locale apre anche per gruppi su prenotazione –, menù e prezzo fisso: non esagerate con le prime portate, rischiereste di perdere i dolci, tiramisù e crostate su tutti.
Quanto ai vini, non hanno una grandissima carta, ma sono onesti i ricarichi.

Pedol: una straordinaria pescheria all'interno del mercato comunale di piazza Wagner, con le migliori proposte ittiche italiane ed estere.

MILANO
Porta Romana

TRATTORIA DEL PESCATORE

Trattoria
Via Vannucci, 3
Tel. 02 58320452
Chiuso la domenica
Orario: mezzogiorno e sera
Ferie: in agosto, 10 gg a Natale e 10 a Pasqua
Coperti: 90
Prezzi: 35 euro vini esclusi
Carte di credito: tutte tranne AE, Bancomat

Se decidete di andare a mangiare alla Trattoria del Pescatore ricordatevi di prenotare e, soprattutto nei fine settimana, di farlo per tempo. Il locale è ormai una istituzione milanese, con cucina strettamente marinara e chiare influenze sarde, a ricordare le origini dei due soci, Giuliano in sala e Renzo in cucina. Si tratta di una tipica trattoria un po' rumorosa, dai tavoli molto ravvicinati, ma tutto passerà in secondo piano quando comincerete ad assaggiare i piatti impeccabili che arrivano in tavola, cucinati con pesce sempre freschissimo.
Troverete regolarmente, per iniziare, **cozze alla marinara**, **polpo tiepido con le patate**, **moscardini in umido**; in alternativa, pesce crudo condito con un superbo extravergine. Arrivando ai primi, sono molto richiesti gli **spaghetti con calamaretti spillo, vongole e bottarga** e all'astice – solo su prenotazione – e i classici **paccheri con pesce spada**, calamari, bottarga, peperoni. Quanto ai secondi le specialità in menù sono la **catalana di astice e aragosta**, cucinata secondo la ricetta di famiglia, la **zuppa di pesce** (su ordinazione) e la rivisitazione di un piatto povero della tradizione, il **pesce all'antica**: tranci di pesce saltati in padella con verdure di stagione crude e cotte. A questi si aggiungono il classico **fritto**, asciutto e croccante (vietato il limone) le grigliate, il pesce al forno. Si chiude con pecorino sardo, sorbetto e mirto.
Discreta la carta dei vini. Una precisazione: con l'astice e l'aragosta facilmente si superano i 35 euro.

Due ottime pasticcerie nei pressi di Porta Romana: Paradiso, corso di Porta Vigentina, offre torte di cioccolato con le pere, sacher e gelati artigianali; Panarello, piazza San Nazario in Brolo 15, specialità genovesi, cannoncini alla crema, crostate alla marmellata e altro.

MONTECALVO VERSIGGIA
Versa

34 KM A SE DI PAVIA, 35 KM DA VOGHERA

PRATO GAIO

Ristorante annesso all'albergo
Località Versa, 16-bivio per Volpara
Tel. 0385 99726
Chiuso lunedì e martedì
Orario: mezzogiorno e sera
Ferie: 7 gennaio-6 febbraio
Coperti: 50 + 40 esterni
Prezzi: 35 euro vini esclusi
Carte di credito: nessuna

Si torna volentieri al Prato Gaio, nel verde delle prime colline oltre il centro vitivinicolo di Santa Maria della Versa. L'esterno del locale è stato ristrutturato e da quest'anno potrete pranzare nella stagione calda nel curato giardino. L'ambiente interno offre tavoli ben distanziati, belle tovaglie e sedie comode; cortese e familiare il servizio. Della cucina si occupa la signora Daniela, che intende recuperare le ricette più tipiche di queste valli.
Si parte con salumi di produzione locale, fra i quali spicca la **pancetta** stagionata più di un anno, con il ***duls in brüsc*** (pollo lesso in agrodolce), con i *farsulé* (frittelle) di robiola di capra. Seguono buoni primi, tra cui i classici **ravioli di stufato di manzo** e i **tortelli** di asparagi e ricotta di capra, che arriva freschissima dal vicino passo del Carmine; sorprendono i semplici **tagliolini al burro d'alpeggio**. Poi il **collo d'oca farcito** di fegato grasso di Mortara, la **faraona** disossata e ripiena, il **baccalà (in umido** con cipollotto e pomodoro oppure in *tempura*); nella nostra visita abbiamo assaggiato saporite costolette d'agnello. Un meditato assortimento di formaggi prelude a buoni dolci: guazzetto di fragole con spuma di cioccolato bianco, **tortino a tre strati** (bavarese al caffè, ricotta con scaglie di cioccolato, savoiardi) e **salame di cioccolato** amaro.
L'esperienza di Giorgio Liberti, il patron, vi guiderà alla scoperta della carta dei vini, con il meglio della produzione oltrepadana e un occhio di riguardo per i piccoli vignaioli.

A **Ruino** (11 km) l'azienda agricola e agrituristica Il Boscasso, in località Boscasso, alleva un'ottantina di capre e produce caprini freschi e stagionati.

Morbegno

25 km a ovest di Sondrio ss 36

Osteria del Crotto

Ristorante
Via Pedemontana, 22
Tel. 0342 614800
Chiuso la domenica
Orario: mezzogiorno e sera
Ferie: 3 settimane tra agosto e settembre
Coperti: 80 + 50 esterni
Prezzi: 28-32 euro vini esclusi
Carte di credito: tutte, Bancomat

Arrivati a Morbegno, dopo avere superato la chiesa e imboccato la via Pedemontana, ecco l'Osteria del Crotto, un locale dove si mangia e si beve bene in un'atmosfera di serena convivialità. Questo grazie alla passione di Maurizio Vaninetti per tutto quello che riguarda l'enogastronomia. Il patron è stato uno dei fondatori di Slow cooking, associazione di ristoratori valtellinesi, nata per valorizzare le produzioni locali e sostenerne i produttori. E il suo impegno nel reperire materie prime di qualità e Presìdi Slow Food è evidente scorrendo il menù: **violino di capra** e ***brisaola*** **della Valchiavenna**, **bitto valli del Bitto**, grano saraceno di Teglio e miele di montagna. Potrete accomodarvi in una delle due curate sale interne oppure, d'estate, sulla terrazza coperta. Il crotto, che dà il nome al locale, è tuttora utilizzato per i vini bianchi e la verdura.

Gli antipasti aprono con ottimi **salumi**, costine di maiale allo Sfursat con purè di mele, **lavarello marinato** con aceto balsamico. Si prosegue con **tortelli di ricotta di capra** e ortiche – da provare –, **mezzelune di farina di segale** ripiene di funghi porcini e condite con burro di malga, **maltagliati con ragù di lepre** o con i porri, **zuppe di verdure**. Come secondo, si può scegliere tra **capretto con polenta** e porcini, **coniglio al vino rosso** e profumate costolette di agnello alle erbe aromatiche. In chiusura **formaggi** – da assaggiare la degustazione di bitto di quattro annate – e dolci: sfogliatine di mele, crespelle di grano saraceno e il ***mulun*** di castagne e fagioli.

Curata la carta dei vini: oltre 300 etichette selezionate con un occhio di riguardo per la Valtellina e per i prodotti biodinamici e biologici.

Orzinuovi
Barco

30 km a so di Brescia, ss 235

El purtù

Trattoria
Via Filippo Turati, 8
Tel. 030 9940513
Chiuso lunedì e martedì
Orario: sera, sabato e festivi anche pranzo
Ferie: variabili
Coperti: 150
Prezzi: 30-35 euro vini esclusi
Carte di credito: tutte, Bancomat

Ospitata in uno degli edifici della storica frazione dei conti Martinengo da Barco, nella campagna della Bassa bresciana occidentale solcata dall'Oglio, la trattoria propone specialità del territorio, che risentono dell'influenza mantovana e cremonese, cucinate con risorse alimentari locali, che spaziano dalla carne bovina a quella equina, dal pesce di fiume alle rane alle lumache. Da bere una buona selezione di etichette italiane con attenzione per la Franciacorta e il lago di Garda.

Dopo i **salumi** che la norcineria locale continua a produrre, accompagnati da **giardiniera**, sottoli e sottaceti, confezionati secondo ricette di antica memoria, ecco arrivare in tavola torte di verdura, crostini con lardo, gorgonzola naturale e miele. Le paste sono tutte fatte a mano: tra quelle ripiene spiccano i **tortelli con amaretti e uvetta** e alcune tipologie di **casoncelli** farciti con la carne o con il salva cremasco; buono, in stagione, il **risotto con le lumache**. Se si escludono alcuni piatti fissi a cadenza settimanale – il giovedì e la domenica torta fritta (pasta di pane fritta in olio secondo l'uso emiliano) con salumi, ogni prima domenica del mese a pranzo **spiedo** alla bresciana, il venerdì **fritto misto di pesce** d'acqua dolce **con polenta** – l'offerta del menù varia con le stagioni e il mercato. Si potrà proseguire con **travagliatina** (costata) di cavallo, stufato e **stracotto d'asino**, costolette d'agnello alle erbe; inoltre carne alla griglia, brasati e, in stagione, **bolliti misti** con salse casalinghe. In chiusura i dolci della casa, tra cui suggeriamo salame di cioccolato, sbrisolona e gelato alla crema.

Dal mercoledì alla domenica a pranzo menù degustazione – antipasto, primo e secondo – a 25 euro.

Ieri, domani.
FATTORIE MELINI
GRANAIO
Chianti Classico
TOSCANA

Palazzago
Burligo

18 km a NO di Bergamo

Osteria burligo

Trattoria
Via Burligo, 12
Tel. 035 550456
Chiuso lunedì e martedì
Orario: sera, festivi anche pranzo
Ferie: gennaio
Coperti: 35 + 20 esterni
Prezzi: 30 euro vini esclusi
Carte di credito: le principali, Bancomat

L'essenzialità della trattoria Burligo – affacciata sulle boscose colline vicino alla più nota Pontida – rispecchia la schiettezza di carattere e la semplicità della cucina proposta dai titolari: Norma ai fornelli e Felice in sala a consigliarvi le specialità in menù e valide etichette selezionate con attenzione ai piccoli produttori soprattutto italiani e offerte con ricarichi onestissimi.
Una volta accomodati in una delle due salette senza alcun fronzolo o, nella bella stagione, sulla ventilata terrazza, potrete apprezzare la vera cucina di casa, proposta con grande cura dei particolari, a partire dagli antipasti: **peperoni con salsa di tonno**, **salame con polenta**, torte di verdura, caprini mantecati con erbe aromatiche, culatello di Palazzago, trota affumicata. La scelta dei primi comprende **gnocchi di pane al ragù**, **orzotto** con asparagi selvatici e zafferano, tagliatelle all'ortica con lo speck o con ricotta di pecora, **lasagne** tirate a mano **al ragù di verdure**. Al capitolo secondi – di marcata ispirazione locale – potrete trovare asparagi o porri gratinati con uova, sformati di verdura, carpaccio di baccalà oppure la carne: **capretto al timo**, coniglio disossato e farcito, **lingua con verdure in agrodolce**. Proseguendo, si può optare per un piatto di formaggi locali, quali *formai de mut*, *strachitund*, taleggio e caprini di Palazzago, oppure passare ai dolci, dalla torta di farina gialla all'immancabile *bonet*, dal gelato fiordilatte con frutti di bosco dei dintorni alla torta di nocciole e cioccolato.

Ad **Almenno San Bartolomeo** (6 km), in via Papa Giovanni XXIII 39, La Pasqualina, caffetteria, gelateria e sala da tè, annoverata tra gli esercizi commerciali storici della Regione Lombardia.

Palazzolo sull'Oglio
Calci

28 km a NO di Brescia uscita A 4

Osteria della Villetta

Osteria con alloggio
Via Marconi, 104
Tel. 030 7401899
Chiuso domenica, lunedì, martedì sera
Orario: mezzogiorno e sera
Ferie: 1 sett in gennaio, prima di luglio, 3 in agosto
Coperti: 60 + 40 esterni
Prezzi: 30-35 euro vini esclusi
Carte di credito: Visa, Bancomat

Lo scorso anno la famiglia Rossi ha festeggiato 130 anni di attività. Due curate sale e un ampio ingresso destinato agli amici, robusti tavoli segnati dal tempo con tovaglie di cartapaglia, il bancone da mescita danno alla Villetta l'aspetto dell'autentica osteria. Maurizio, con un ampio grembiule immacolato, accoglie gli ospiti con cortesia, illustrando i piatti del giorno cucinati con largo uso di pesce del vicino lago d'Iseo, fornito da amici pescatori, e carni di qualità. Il vino è offerto al bicchiere, anche se non manca una corposa carta, con particolare attenzione alla Franciacorta.
Si parte con vitello arrosto in salsa tonnata e verdure, **lingua salmistrata**, polpettine di carne, **involtini di verza**, **sarde in delicata frittura**. La qualità della materia prima e le cotture attente – se ne occupa Demis – invitano a proseguire con **trippa in brodo**, **lasagne al ragù**, minestrone di verdure, **orzo con salsiccia e verdure**. Poi **bollito misto**, il mercoledì cervella, rognone e fegato, il venerdì frittelle di baccalà e **stoccafisso in umido** alla bresciana; se amate il pesce d'acqua dolce, potrete assaggiare inoltre coregoni, sarde, persici e **bocconcini di tinca**, impanati e fritti. In alternativa i **formaggi** delle valli vicine, dalle robioline al taleggio, al quartirolo e allo stracchino locali, oltre a qualche caprino. Dolci di eccellente fattura chiudono il pasto: crostata di fragole, **torta di mandorle** all'antica, torta di pera e amaretti.
D'estate si mangia in giardino e la domenica Maurizio accompagna con piacere gli ospiti delle cinque camere sopra l'osteria a visitare piccoli produttori di Franciacorta per degustazioni e acquisti di sicuro interesse.

Osteria accessibile ai disabili.

Piadena
Vho

31 km a est di Cremona, 35 km a ovest di Mantova ss 10

Trattoria dell'alba

Trattoria
Via del Popolo, 31
Tel. 0375 98539
Chiuso domenica sera e lunedì
Orario: mezzogiorno e sera
Ferie: ultime due sett di giugno, tre in agosto
Coperti: 40
Prezzi: 33-35 euro vini esclusi
Carte di credito: le principali, Bancomat

I piatti del territorio, con il cortile e l'acqua dei molti fiumi, nel semplice e accogliente locale gestito da cinque generazioni dalla stessa famiglia: Omar in sala, la mamma e il fratello in cucina, il papà a confezionare e stagionare il salame.
Rispetto delle stagioni, con predilezione per quella invernale, e sempre in menù **salumi** di qualità, tra cui un culatello di 24 mesi di un artigiano locale e la culaccia (spalla cruda di maiale stagionata 30 mesi in cantina), serviti con i classici **sottoli** e **sottaceti** casalinghi. I **marubini** asciutti, o in brodo, o ancora in scodella con il Lambrusco, i **tortelli di zucca** con salsa di pomodoro, patate e culatello o con ricotta e provolone fuso, le **tagliatelle** sottili, tirate a mano, con il tartufo estivo dei colli parmensi – da noi molto apprezzate – completano l'offerta dei primi. Il classico **bollito**, con cotechino, manzo e lingua lardellata cotta nel vino, il superbo **pollo in agresto**, cucinato, secondo un'antica ricetta, con succo d'uva macerato al sole e menta, il **luccio**, pescato nell'Oglio, **in salsa**, le **anguille alle erbe**, le **lumache alle erbette**, sono solo alcuni tra i secondi che si alternano in base alla disponibilità e al periodo; noi abbiamo assaggiato l'**oca in terragna**, cotta nel suo grasso con poco rosmarino, frollata nel coccio in frigorifero per una ventina di giorni e poi scaldata in padella sempre nel suo grasso – eccezionale – con **mostarde** di diversa piccantezza e salse di verdura. Ottima selezione di **formaggi** e dolci casalinghi, tra cui suggeriamo la **sbrisolona** e la **zuppa inglese alla mantovana**.
Ricca la carta dei vini, curata da Omar, con tutti i maggiori protagonisti della viticoltura italiana e straniera, e buona scelta di distillati.

Pomponesco

40 km a SO di Mantova ss 358

Saltini

Trattoria
Piazza XXIII Aprile, 10
Tel. 0375 86017-86710
Chiuso il lunedì
Orario: mezzogiorno e sera
Ferie: 15 luglio-14 agosto
Coperti: 100
Prezzi: 28- 30 euro vini esclusi
Carte di credito: le principali, Bancomat

Per arrivare da Saltini si segue la strada provinciale 57, che congiunge Dosolo a Viadana, fino al paese di Pomponesco, cercando poi l'inconfondibile piazza gonzaghesca, circondata da pilastri e colonne che delimitano i portici; sullo sfondo una scenografica scalinata la collega con la golena del Po. Troverete il locale, con lo stile e gli arredi della tipica trattoria della Bassa padana, sotto i portici di sinistra.
La cucina è quella tipica mantovana, anche se si fa sentire la vicinanza con l'Emilia, soprattutto nella qualità degli insaccati, stagionati fra le muffe umide del Po. Oltre a **culatello** e **salame mantovano**, arriverà in tavola la **spalla cotta**, di tradizione emiliana, con i ***luadei***, frittelline di pasta di pane, autentica specialità della casa, e in stagione con i meloni della vicina Viadana, una varietà dolce e aromatica, dalla buccia liscia e sottile. Tra i primi spiccano le paste ripiene, a partire da **cappelletti** di carne **in brodo**, **tortelli di zucca** conditi con un tocco di pomodoro, **ravioli verdi** farciti **di ricotta**; ottime inoltre le **tagliatelle al sugo d'anatra** e gli ***stracia muus*** (maltagliati con i fagioli). Come secondi, tutti con **polenta** abbrustolita, **stracotto d'asino**, **lumache in umido**, **stinco di maiale** e, in stagione, la **cacciagione**, in umido e arrosto. Per chiudere una "punta" di parmigiano con la **mostarda** viadanese (di sole mele cotogne o campanine), **sbrisolona** e **salame dolce**.
Il vino è il Lambrusco di Viadana, nero come l'inferno, frizzante, secco o leggermente amabile, da bere nella scodella. Siamo nella zona di coltivazione di un vitigno autoctono, il viadanese, difficile da coltivare, che dà un prodotto che si eleva per qualità ed eleganza sugli altri Lambruschi.

Ponte di legno
Pezzo

128 km a NE di Brescia, 10 km dal Passo del Tonale

Da giusy

Ristorante
Via Ercavallo, 39
Tel. 0364 92153
Chiuso il mar, mai d'estate; inverno lun-gio
Orario: mezzogiorno e sera
Ferie: 1 settimana in maggio, 1 in settembre
Coperti: 70 + 10 esterni
Prezzi: 25-30 euro vini esclusi
Carte di credito: tutte tranne AE, Bancomat

Una bella esperienza gastronomica in un tipico ristorante di montagna, godendo dello stupendo panorama. Sarete accolti da Virginia e Luciano Faustinelli, che vi proporranno le specialità di mamma Giusy, cucinate in modo semplice con materie prime locali.
Nelle tre salette ben arredate, si comincia con un assaggio di **salumi**: pancetta leggermente speziata, carne *salada*, speck trentino, salami casalinghi di maiale e di cervo. Tra i primi spiccano gli ottimi ***gnocc de la cùa***, preparati con farina, patate, erbe selvatiche e conditi con burro fuso e formaggio di malga; ma non sono da meno i **pizzoccheri** della vicina Valtellina, le **caserecce con sugo di lepre** o con speck e finferli, l'**orzotto**, in stagione, con i funghi porcini, le penne alla rustica con le castagne, tutto in porzioni generose, perché – ci dicono – in montagna l'appetito è robusto. Il **cervo in umido** con salsa ai mirtilli, le **costolette di agnello al rosmarino**, le bistecche di cervo al ginepro sono offerti con un'ottima **polenta**. Completano l'offerta alcuni piatti di influenza altoatesina, quali i wurstel con crauti rossi e la polenta condita con formaggio locale fuso, accanto a controfiletto di cavallo o manzo ai ferri e a scaloppine di tacchino. In chiusura strudel di mele, torte di zucca, di carote o di cioccolato, crostate ai frutti di bosco, semifreddi.
Curata la carta dei vini con valide etichette provenienti da Franciacorta, Trentino e Valtellina. A fine pasto grappa, liquore alle erbe e genepy.

A **Ponte di Legno**, in corso Milano, coltelleria ferramenta Rossi: coltelli e lame di qualità; in via Bixio 78, da Donati liquori e grappe di montagna aromatizzate con erbe officinali.

Ponte in Valtellina

9 km a est di Sondrio ss 38

Osteria del sole

Trattoria
Via Sant'Ignazio, 31
Tel. 0342 565298
Chiuso lunedì sera e martedì
Orario: mezzogiorno e sera
Ferie: 1 settimana in marzo, 1 in luglio, 3 in settembre
Coperti: 70
Prezzi: 15-20 euro vini esclusi
Carte di credito: tutte, Bancomat

Camminando per i vicoli di Ponte, paesino a pochi chilometri da Sondrio, subito dopo il grande lavatoio, dove ancora le donne del paese lavano i panni a mano, troverete il locale, in cui si respira l'atmosfera delle osterie di una volta. L'accoglienza è genuina e familiare, l'arredamento essenziale, i prezzi d'altri tempi. Nelle due salette accoglienti, sempre affollate da turisti, rappresentanti e lavoratori della zona, Monica garantisce un servizio professionale ed efficiente.
Si comincia con i **salumi** nostrani, serviti in porzioni generose, seguiti dagli ***sciàtt*** (termine dialettale che significa rospo), che sono frittelle di farina di grano saraceno ripiene di tenero formaggio locale, e dai **pizzoccheri** valtellinesi, cucinati dall'esperta mamma Olimpia e conditi con fette sottili di formaggio locale e abbondante burro fuso insaporito da salvia. Solo su ordinazione, potrete degustare la tipica **polenta taragna**, di farina di grano saraceno, servita da sola o **con salsicce e costine di maiale**, e i ***taròzz***, un contorno di patate, fagiolini e fagioli sgranati, insaporito con burro, formaggio locale, cipolla rosolata a parte, sale e pepe. Per gli amanti del formaggio è d'obbligo l'assaggio del bitto e del casera nostrani, prima di ordinare uno dei dolci casalinghi, da scegliere tra torte di mele e di noci.
Papà Domenico, oltre ad offrire il vino sfuso da lui prodotto, sottoporrà alla vostra attenzione un'ampia scelta delle migliori etichette valtellinesi.

A **Sondrio** (9 km) andate da Tommaso Tognolina, in via Beccaria, e chiedetegli burro, bitto, casera e latteria, tutto di produzione artigianale.

Portalbera
San Pietro

22 km a SE di Pavia, 3 km da Stradella

Osteria dei pescatori

Trattoria
Località San Pietro, 13
Tel. 0385 266085-320 3713052
Chiuso il mercoledì
Orario: mezzogiorno e sera
Ferie: prime 2 sett di gennaio, ultime 3 di luglio
Coperti: 60
Prezzi: 30 euro vini esclusi
Carte di credito: tutte, Bancomat

Da quasi vent'anni Massimo Borgognoni e Lorena Schiappelli gestiscono l'osteria a due passi dalla riva destra del Po. Una volta erano tanti i pescatori che gettavano qui le esche; i tempi sono cambiati e gli approvvigionamenti ora arrivano da laghi e bacini d'acquacoltura lombardi, ma è rimasta intatta la passione di Massimo per il pesce d'acqua dolce, insieme a quella per i volatili provenienti dalla Lomellina. Il locale è stato ristrutturato senza perdere in semplicità e il servizio ha trovato un valido supporto nelle due figlie della coppia.
Durante le ultime visite abbiamo gradito, come antipasto, una degustazione di salmone marinato allo zucchero di canna, **trota salmonata affumicata** e una saporita **terrina di pesce gatto**; buoni anche il misto di **salumi d'oca** e la culaccia di Fontanellato con carciofi grigliati. Nutrita scelta di primi piatti: da assaggiare i **tagliolini di fiume** – con gamberi, persico e pesce gatto – e le **trofie al ragù d'oca**, buoni i risotti e le minestre di verdure di stagione. Si prosegue con tranci di storione alla piastra o delicati filetti di **lavarello al burro e salvia**; se preferite le carni, apprezzerete la coscia d'oca in *confit* con patate novelle o il **cappello da prete** di vitello **al forno**. A seconda della stagione e del mercato troverete anche lucci e tinche, oltre a brasati e stufati di carne; per gustare rane e anguille è sempre bene prenotare. In chiusura un assaggio di formaggi caprini e dolci semplici e casalinghi, tra cui suggeriamo la torta di noci, la panna cotta con frutti di bosco, la buona mousse di cioccolato con biscotti sbriciolati..
La carta dei vini è stata ampliata e offre una cinquantina di etichette, tutte dell'Oltrepò Pavese, ed evidenzia ricarichi onesti.

Pozzolengo
Martelosio di Sopra

40 km a SE di Brescia

Antica locanda del contrabbandiere

Ristorante con alloggio
Località Martelosio di Sopra, 1
Tel. 030 918151
Chiuso il lunedì
Orario: sera, festivi anche pranzo
Ferie: 7-31 gennaio
Coperti: 36 + 20 esterni
Prezzi: 30-35 euro vini esclusi
Carte di credito: le principali, Bancomat

Un ampio cascinale, ben ristrutturato, immerso nel verde delle colline moreniche del Garda bresciano, ospita al confine con Verona e Mantova l'Antica Locanda del Contrabbandiere, che dispone anche di tre belle camere. Ci si arriva per strade non trafficate, attraversando vigneti alternati a prati e boschi, e ammirando a tratti il lago. Conviene prenotare per conoscere il menù che Lorenzo Bonato, chef del locale, e il padre Imerio offrono agli ospiti variandolo secondo il pescato e la disponibilità delle materie prime, tutte di qualità. Pochi i piatti, illustrati dallo stesso cuoco e preparati al momento dopo che vi sarete accomodati nelle accoglienti sale dai tavoli ben distanziati.
Si può partire con un delicato carpaccio di trota, il flan di zucca con fonduta di taleggio e spugnole, il **rollè di coniglio** su misticanza di verdure, le sarde in *saor* e il **petto d'oca affumicato**. Come primo abbiamo assaggiato un ottimo risotto mantecato con toma fresca e ravioli di pesce d'acqua dolce; erano inoltre disponibili maccheroncini con verdure e **tagliatelle verdi con gamberi di fiume**. Passando ai secondi, la scelta è tra la carne – **guanciale di vitellone al Lugana** cotto a lungo, **costolette di agnello alle erbe aromatiche** e filetto di bufala – e il pesce d'acqua dolce: abbiamo apprezzato una eccellente spigola con asparagi, **persico al burro e salvia**, **luccio** cotto nel latte **con polenta** e treccia di lavarello e salmerino al rosmarino. Fra i dolci, che cambiano ogni giorno, semifreddo ai pistacchi di Bronte, tortino di cioccolato con crema alla menta, crostate di frutta.
Qualificata la lista dei vini – oltre 200 etichette dai corretti ricarichi –, e nutrita la scelta dei distillati.

16 KM A EST DI COMO

INARCA

Trattoria
Via Inarca, 16
Tel. 031 620424
Chiuso da lunedì a mercoledì, mai d'estate
Orario: mezzogiorno e sera
Ferie: due settimane in ottobre
Coperti: 60 + 40 esterni
Prezzi: 35 euro vini esclusi
Carte di credito: tutte, Bancomat

Per raggiungere la trattoria si può percorrere la strada che, ai piedi del Monte Scioscia, si inoltra nel bosco oppure, abbandonata la macchina, prendere il sentiero che parte dal lago del Segrino. Raggiunto il locale, il Pier e l'Ade, con i figli Manuel, in cucina, e Jonathan, in sala, vi offriranno prodotti genuini ottenuti secondo le antiche consuetudini agricole brianzole. Inarca è anche un'azienda che alleva polli, conigli, maiali, vitelli, agnelli e coltiva il granturco utilizzato per la polenta. I salumi, la pasta dei primi e i dolci sono fatti in casa. D'estate, potrete accomodarvi sotto il pergolato, mentre, in inverno, vi accoglierà una delle sale arredate con gusto e semplicità all'interno di quella che era una vecchia baita di montagna.
Il menù cambia con le stagioni: in inverno, potrete iniziare con il **salame cotto vaniglia**, la **mortadella di fegato** e la testina di vitello, accompagnati dal caprino di Caslino d'Erba in crosta, proseguendo con la ***busecca*** (trippa), con il **risotto giallo** con mortadella di fegato o con la **zuppa di fagioli cannellini** con **missoltino**. Tra i secondi assaggerete la **cazzuola** o la ***rustisciada***, due tipici piatti brianzoli, serviti con **polenta**, e un ottimo **pollo alla cacciatora**. Nella stagione fresca, invece, se siete amanti del **pesce di lago**, potrete scegliere tra **carpione**, **fritto** e agoni alla piastra oppure, dopo un assaggio di **salumi**, continuare con la zuppa di cipollotto e caprino e le **animelle impanate** con carciofi. Interessante la proposta di **formaggi** artigianali del territorio e non. Per finire, morbide crostate e torte casalinghe oppure la ***laciada***.
Il Pier vi aiuterà nella scelta dei vini, offrendovi le migliori etichette lombarde e nazionali.

29 KM A SE DI MANTOVA SS 496

ALL'ANGELO

Ristorante annesso all'albergo
Via Martiri di Belfiore, 20
Tel. 0376 618354
Chiuso domenica sera e lunedì
Orario: mezzogiorno e sera
Ferie: ultime 2 settimane di gennaio e di luglio
Coperti: 45
Prezzi: 30 euro vini esclusi
Carte di credito: tutte, Bancomat

Quistello, nel cuore dell'Oltrepò mantovano, circondato dai grandi argini del fiume Secchia, le cui golene sono rinomate per la produzione dell'eccellente tartufo bianco, ospita il ristorante all'ingresso dell'abitato, sotto i vecchi portici. Denis Garosi, in sala, e la moglie Nadia, in cucina, accolgono gli ospiti nelle due belle salette dai tavoli apparecchiati con cura. L'utilizzo di prodotti locali in cucina significa **salumi** confezionati da norcini del paese, verdure e frutta di aziende agricole dell'Oltrepò mantovano, pane di produzione propria o del fornaio del paese, carni di qualità e animali ruspanti.
Come antipasto il menù prevede **salame**, **culatello**, pancetta e selezioni di parmigiano reggiano di 36, 42 e 48 mesi di invecchiamento con le buone **mostarde** di Nadia: di mele campanine, di pere passacrassana, di anguria bianca, zucca e fichi. La pasta ripiena di casa caratterizza ottimi **tortelli di zucca** e **cappelletti**; inoltre **tagliatelle con petto d'oca**, maccheroni al torchio con fagioli e funghi pioppini, in stagione risotto con melone mantovano. Segue una ricca offerta di piatti di carne: **petto d'anatra con salsa al Lambrusco**, guanciale di maiale con mele brasate, **lonza con mostarda** mantovana, coscia di faraona con cipolle di Sermide e zafferano, tagliate e filetti di scottona. Interessanti i formaggi italiani ed esteri e da non perdere la **sbrisolona**, il biancomangiare, i sorbetti e i gelati con frutta di stagione. Disponibile nel periodo giusto un menù con la ***trifola*** delle golene del Secchia e di Borgofranco sul Po.
La carta dei vin include 450 etichette, tra cui ottimi Lambruschi mantovani, e oltre 100 distillati, che riposano nella cantina visitabile su richiesta.

Rezzato
Virle

8 km a SE di Brescia SS 11

Alpino da Rosa

Trattoria
Via Trieste, 27
Tel. 030 2591968
Chiuso il mercoledì
Orario: mezzogiorno e sera
Ferie: ultime due settimane di agosto
Coperti: 70 + 20 esterni
Prezzi: 25-32 euro vini esclusi
Carte di credito: tutte tranne AE, Bancomat

A Virle, da quattro generazioni la famiglia Goini – la signora Rosa, in cucina, con la figlia Simona in sala – è una fedele interprete della cucina del territorio. Accanto alla sala principale, recentemente ristrutturata, due salette, scavate nella roccia, destinate a degustazioni particolari.
Da segnalare il menù a 28 euro con **salumi** – salame bresciano dei norcini locali, bresaola di Rezzato e guanciale di maiale – frittatine di verdure, pomodorini ripieni e verdure di stagione calde, tra gli antipasti, un tris di **casoncelli** confezionati a mano da mamma Rosa, due secondi e un dolce. Molte altre le specialità in carta. I primi più frequenti sono **ravioli** con ripieno di stracotto o di *bagòss*, pappardelle e **tagliolini al salmì** o **con ragù di cervo**, **risotti**, nel periodo invernale **zuppe** di farro e di orzo. Le carni dei secondi piatti – **gallina ripiena**, **manzo all'olio**, tagliata di cavallo, costolette – provengono dalla macelleria Liberini di Rezzato. Non mancano lo **spiedo bresciano** con le allodole, su prenotazione e per almeno una ventina di persone, e in stagione la **polenta** con i funghi trifolati. In chiusura, oltre al *bagòss*, formaggi di capra e formaggelle delle valli bresciane, con **mostarda di cipolle** casalinga. E se amate i dolci, **crostate di frutta**, tiramisù e la piccola pasticceria in bella mostra nei vasi di vetro in sala da pranzo.
Curata la carta dei vini, con le migliori etichette della provincia di Brescia ed eccellenti bottiglie di altre regioni italiane. Interessanti i distillati.

A **Rezzato**, via Disciplina 70, la macelleria Liberini produce carni e salumi ottimi.

Rho
Mazzo

14 km a NO di Milano

Dodicivolte

Trattoria
Via Larga, 24
Tel. 02 93900460
Chiuso sabato a pranzo, la domenica e lunedì sera
Orario: mezzogiorno e sera
Ferie: agosto e intorno a Natale
Coperti: 45
Prezzi: 30-32 euro vini esclusi
Carte di credito: tutte tranne AE, Bancomat

Nel centro di Mazzo, piccolo borgo vicino al nuovo polo fieristico di Milano, troverete la curata trattoria, ricavata nelle ex scuderie di un vecchio convento del Seicento, di Francine e Flavio Zanichelli. Lei ad accogliervi nella bella sala dal soffitto a volte con i tavoli in legno ben distanziati, lui in cucina, forte delle ventennale esperienza nella ristorazione di qualità. Due i menù, il tradizionale e quello riservato agli intolleranti al glutine. La linea di cucina è la stessa a pranzo e a cena, la carta cambia ogni mese secondo la disponibilità dell'orto e del mercato.
Dopo le gustose bruschette (anche senza glutine), che arrivano in tavola mentre state scorrendo il menù, ecco i buoni **salumi** – lardo di Colonnata e coppa in primis –, che denotano l'attenzione per le materie prime, che Flavio reperisce da artigiani selezionati. Ancora, tra gli antipasti, tonno crudo con cipollotti, cotolette di vitello marinate, baccalà mantecato, peperoni arrostiti, zucchine all'agro, insalata di fave e carciofi con caprino. Ricca, a seguire, la scelta dei primi: **maccheroni con ragù d'oca**, spaghetti con bottarga di tonno, **risotto al salto con ossobuco**, minestrone tiepido col pesto, **zuppe** di stagione. Come secondi ci sono stati proposti galletto di Borgogna, **cotoletta alla milanese**, **stracotto di manzo con polenta**, baccalà in umido, infornata di mare (pesci e crostacei con pomodorini, olive nere e capperi). Si chiude con *bonet* piemontese, tiramisù, *tarte tatin*, *crème brûlée*, semifreddi.
Buoni i vini, con ricarichi non eccessivi e possibilità di bere al calice e di scegliere mezze bottiglie. In una carta a parte, una decina di birre artigianali, soprattutto trappiste.

Locale segnalato dall'Associazione italiana celiachia.

Ripalta Cremasca
Bolzone

42 km a NO di Cremona, 8 km a sud di Crema

Via vai 
Fratelli Fagioli

Trattoria
Via Libertà, 18
Tel. 0373 268232
Chiuso martedì e mercoledì
Orario: sera, domenica anche pranzo
Ferie: tra luglio e agosto
Coperti: 40 + 20 esterni
Prezzi: 30-35 vini esclusi
Carte di credito: nessuna

Nella loro trattoria, i fratelli Fagioli continuano a darci molte soddisfazioni, proponendo, a dispetto del nome del locale, i ritmi lenti, che ci piacciono, e menù stagionali all'insegna di prodotti di qualità reperiti in zona. Quest'anno la trattoria festeggia 24 anni di attività e ha in serbo per il prossimo futuro alcuni progetti di sicuro interesse, tra cui un'accurata ricerca di piccoli produttori per accorciare la filiera e offrire prodotti "a chilometro zero".
Come antipasto, durante l'ultima visita, siamo partiti con **carne cruda**, di razza piemontese, **battuta al coltello** con grana padano e sedano, proseguendo con **petto d'oca affumicato** e paté della casa; da segnalare, in alternativa, buoni **salumi** artigianali, la terrina di verdure e, in inverno, il **cotechino cremasco**. Cremaschi anche i **tortelli** che figurano in menù, tra i primi, accanto ai **risotti** e alle **zuppe di verdure** di stagione, alle **tagliatelle al ragù d'oca**, d'anatra o di faraona. I secondi di carne sono cucinati con gli animali del territorio: potrete scegliere tra cosciotto d'anatra, **terrina d'oca**, preparata con la tecnica del *confit*, e coniglio arrotolato farcito con peperoni. I vini, anche al bicchiere, sono selezionati fra numerose etichette italiane, con predilezione per quelle da agricoltura biodinamica e per i piccoli produttori. Prima di lasciare il locale, ricordate di annotare il vostro indirizzo e-mail sul taccuino dell'osteria, potrete così essere sempre aggiornati sugli incontri enogastronomici mensili con produttori e allevatori locali.

A **Romanengo** (13 km), in via XXV Aprile 64-66, presso la macelleria Cazzamali, carni piemontesi di qualità, polli e capponi di Morozzo.

Ripalta Guerina

36 km a NO di Cremona

Toscanini

Trattoria
Via XXV Aprile, 3
Tel. 0373 66171
Chiuso il lunedì e martedì a pranzo
Orario: mezzogiorno e sera
Ferie: una settimana in luglio
Coperti: 50
Prezzi: 30-35 euro, vini esclusi
Carte di credito: tutte, Bancomat

Accoglienza e atmosfera *slow* in questa trattoria risalente al 1911, ubicata nel piccolo centro della campagna tra Crema e Cremona e ristrutturata qualche anno fa da Francesco Foppa. In un ambiente curato ma informale potrete assaggiare i piatti della tradizione cremasca realizzati con semplicità e bravura da Vanna Galvani, eccellente cuoca, che utilizza sempre e soltanto materie prime di qualità. Il menù può variare giornalmente secondo la disponibilità degli ingredienti.
Si comincia con un antipasto di **salumi**, tra cui un ottimo culatello di Zibello e un gustoso lardo nostrano, con il formaggio salva stagionato, accompagnato dalle *tighe*, e con sformati di verdure di stagione per passare poi a **tortelli cremaschi**, confezionati come si deve, gnocchetti allo zafferano con noci e salsiccia, **casoncelli** e altre paste ripiene di sfoglia tirata a mano, **risotti** con la provola, **al Barolo con pasta di salame** o con le verdure. Tra i secondi, **maialino di latte arrosto**, **coniglio al Chianti**, faraona disossata e ripiena di porcini, **ossobuco con polenta**, cosciotto d'agnello in crosta, tagliate e filetti di vitello. Al momento dei dolci, tutti casalinghi, avrete l'imbarazzo della scelta fra **torta di pere e cioccolato**, torta calda di mele con gelato di crema, semifreddo allo zabaione con amaretto, tiramisù di frutta fresca nei mesi estivi. Cantina con selezionate etichette nazionali e qualche vino francese, che è possibile sorseggiare anche al bicchiere.
In onore del maestro Toscanini, che ha vissuto per qualche tempo in paese e frequentava il locale, si organizzano periodicamente serate di musica classica e canto – in un angolo della sala principale c'è un pianoforte a coda –, per lo più di sabato sera.

Roncoferraro
Garolda

14 km a est di Mantova

Dal gaia

Trattoria
Via Garolda, 10
Tel. 0376 663815
Chiuso il lunedì e martedì sera
Orario: mezzogiorno e sera
Ferie: ultima settimana di luglio-Ferragosto
Coperti: 40
Prezzi: 25-30 euro vini esclusi
Carte di credito: Visa, AE, Bancomat

L'aspetto è d'altri tempi. Il locale affaccia sulla strada con una vecchia insegna, che ricorda le osterie di una volta, in cui si entrava per un piatto di minestra calda e un bicchiere di vino. Varcando la soglia, vi accoglie l'interno di una vecchia casa di campagna. Nella sala d'ingresso antichi attrezzi e strumenti di lavoro, nelle sale da pranzo, ordinatissime, tavoli allineati lungo una rustica *boiserie* e apparecchiati con candide tovaglie.
I piatti in menù sono quelli della tradizione, confezionati con prodotti di qualità, ma con la leggerezza che piace agli avventori di oggi. Tra i **salumi** di luoghi più o meno lontani offerti a inizio pasto spiccano alcuni Presìdi Slow Food – lardo di Colonnata, mortadella classica di Bologna, culatello di Zibello –, petto d'oca e una profumata spalla di San Secondo. Sempre in carta, tra i primi, **tortelli di zucca** e **agnolini in brodo**; per il resto l'offerta cambia con le stagioni: in estate tagliatelle o maccheroni con finferli, **gnocchi di zucca** con taleggio e porcini, **ravioli** di ricotta e melanzane con pomodorini e timo. In altri periodi le stesse paste con condimenti diversi: ottimi i **maccheroni con il cinghiale** e le **tagliatelle con il piccione**. Dedicata alla carne la lista dei secondi, che prevedono filetto di manzo al tartufo nero, **cosciotto d'oca** al balsamico, costolette d'agnello ai ferri, carpacci. A parte contorni cotti e crudi e, su richiesta, buoni formaggi con la **mostarda**. Budino di zucca, mousse al torroncino, semifreddo al mascarpone e amaretto sono serviti con vini da dessert, anche al bicchiere.
La carta dei vini elenca per il Mantovano solo un paio di Lambruschi, ma è ricca di etichette di tutta Italia. Notevole offerta di distillati.

Roverbella
Canedole

14 km a nord di Mantova

La pecora nera

Trattoria
Via Baracca, 9
Tel. 0376 695147
Chiuso lunedì sera e martedì
Orario: mezzogiorno e sera
Ferie: variabili
Coperti: 40
Prezzi: 25-30 euro vini esclusi
Carte di credito: tutte, Bancomat

Una trattoria semplice e curata nei particolari quella di Vania Errati, impreziosita dal bel giardino esterno, dove potrete sostare nella bella stagione. Siamo nel cuore di una zona che produce riso – solo vialone nano – e la brava Vania ne fa grande uso insieme al pesce d'acqua dolce, in un tradizionale abbinamento di antica data. Tra i primi troverete infatti, in menù, una ricca scelta di risotti: **con pesce gatto spolpato**, **con le rane**, **con pesciolini di risaia**, **con i *saltarei*** (gamberetti d'acqua dolce grandi poco più di un chicco di mais).
Arriveranno in tavola, per cominciare, diverse varietà di **salumi**, tutti ottimi – spiccano per bontà un delicato prosciutto crudo, nella stagione giusta offerto con il dolce melone mantovano, e la spalla cotta di San Secondo – oppure il **salame mantovano con la polenta**. Tra i primi piatti consigliamo i **tortelli di zucca** al burro e salvia, le **tagliatelle con germano**, con la selvaggina o **con la salamella mantovana** e, come dicevamo prima, i risotti. L'offerta dei secondi prevede baccalà con polenta, **frittura di rane** e pesci gatto, **ganascino con porcini e polenta**, tagliate, fiorentine, grigliate miste di carne di maiale e molto altro, secondo stagione. Si conclude con i formaggi, locali e non, offerti con mostarde e confetture preparate in casa, e con dolci di ottimo livello, tra cui la **sbrisolona**, il **salame di cioccolato**, il semifreddo al nocino e liquirizia, lo zabaione, durante la vendemmia il **sugolo di uva fragola** e d'inverno la **torta sabbiosa** o di mele.
Nella carta dei vini, dignitosa, eccellono tra i rossi diversi Lambruschi della zona. Si può chiedere un assaggio dei liquori preparati in casa: apprezzerete quello aromatizzato con la liquirizia.

Salò

31 km a est di Brescia ss 45 bis

Osteria di mezzo 

Osteria di recente fondazione
Via di Mezzo, 10
Tel. 0365 290966
Chiuso il martedì
Orario: 12.00-23.00
Ferie: 10 gennaio-10 febbraio
Coperti: 30 + 8 esterni
Prezzi: 28-33 euro vini esclusi
Carte di credito: tutte tranne DC, Bancomat

Nella via omonima, a pochi passi dal palazzo municipale, il locale, all'interno di un antico fondaco, offre ai suoi ospiti un'atmosfera riservata e piacevole; nella bella stagione si apparecchiano pochi tavoli nel dehors. La famiglia Vanni intende osservare alcune regole della tradizione delle osterie, una delle quali è l'apertura continuativa della cucina, per rendere possibile anche solo uno spuntino all'ora che si desidera. Ingredienti principe il pesce di lago e i prodotti della terra gardesana, oltre a un'accurata selezione di **salumi** e **formaggi** delle vallate bresciane e di altre regioni, tra cui alcuni Presìdi Slow Food.
Il signor Gino e il figlio Mauro inizieranno con l'offrirvi l'antipasto misto di lago – **sarde in *saor*, luccio alle erbe aromatiche**, trota affumicata al rosmarino, **salmerino in carpione** – o un piatto di salumi. La pasta fatta in casa è rappresentata al meglio da **tagliolini al pesce persico**, **casoncelli di carne**, maltagliati e crespelle di farina di farro con ragù di lago. Ancora pesce di lago per i secondi – coregone e **anguilla al forno**, **salmerino con verdure**, carpaccio misto di pesce – e, in alternativa, **coniglio al Chiaretto** e costate di manzo. Condisce i piatti l'olio extravergine del Garda di Tignale, che potrete acquistare. La signora Dory prepara per il fine pasto la torta di mandorle, senza farina e senza burro, e ottimi sorbetti di frutta.
Ampia e completa la carta dei vini, anche al bicchiere, e curata la selezione dei distillati.

Osteria accessibile ai disabili.

In via San Carlo 86, la pasticceria Vassalli, presso la quale si possono acquistare ottimi dolci, è specializzata nella lavorazione del cioccolato.

San Benedetto Po

22 km a sud di Mantova

L'impronta 

Ristorante
Via Gramsci, 10
Tel. 0376 615843
Chiuso il lunedì
Orario: mezzogiorno e sera
Ferie: variabili
Coperti: 40
Prezzi: 30-35 euro vini esclusi
Carte di credito: tutte, Bancomat

Accanto all'argine maestro del Po, all'ingresso dell'abitato che ospita una bella abbazia benedettina, il ristorante è ricercato per la buona cucina mantovana. Il giovane Matteo Alfonsi, patron e cuoco del locale, dopo avere lavorato in altre strutture, dal 2001 sta cercando di realizzato qui un suo progetto professionale. Attento utilizzatore degli ottimi prodotti del territorio, sceglie in modo meticoloso i fornitori nell'Oltrepò mantovano.
Un classico inizio con **salumi mantovani**, acquistati in un laboratorio locale, accompagnati da **polenta abbrustolita** e ***gras pistà*** o **mostarde**. Poi, il ***sorbir* di cappelletti**, con brodo di cappone e Lambrusco, anticipa i **tortelli di zucca** al burro fuso e salvia, i **maccheroncini al torchio con fagioli e salciccia**, i bigoli al torchio con le sardelle e le **tagliatelle con sugo d'anatra**. La pasta, artigianale, è di una cooperativa di sfogline del paese. A seguire, carni di qualità – **coscia di coniglio alle mandorle**, **coppa di maiale al Lambrusco**, petto di faraona con funghi pioppini – e il pesce del Po con l'**anguilla** o il **pesce gatto in dolceforte**, serviti con **giardiniera**, la **frittata di *saltarei***, il **luccio in salsa** e il persico con pomodori secchi, capperi e olive. Le mostarde di pere, mele, zucca e anguria bianca, preparate da Matteo, sono offerte con una piccola selezione di formaggi italiani di qualità. A fine pasto, **sbrisolona**, millefoglie con salsa gianduia, **mousse di cioccolato** amaro, panna cotta con salsa di lamponi, crostata di limone con gelato allo zenzero e gelato all'aceto balsamico.
Ben costruita la carta dei vini, con oltre 300 etichette dai ricarichi corretti, affiancate da birre artigianali e da interessanti distillati.

San Colombano al Lambro
Mostiola

42 km a SE di Milano

Osteria sant'Ambrogio

Osteria tradizionale
Frazione Mostiola, 8
Tel. 0371 898675
Chiuso lunedì e martedì
Orario: mezzogiorno e sera
Ferie: 2 settimane in agosto, 2 in gennaio
Coperti: 45 + 45 esterni
Prezzi: 30-32 euro vini esclusi
Carte di credito: tutte

Lungo la statale che da Casalpusterlengo porta a Pavia, a sud delle colline di San Colombano, piccola enclave vinicola della provincia di Milano, troviamo l'osteria in una piccola casa su due piani con un pergolato di glicine, sotto il quale si può cenare nella bella stagione. Tre sale, due al piano superiore e una al pianterreno, compongono l'ambiente in cui Donato Gamba e Ivana Delfanti accolgono gli ospiti. Nel camino di una delle sale, Donato cuoce alla griglia le carni provenienti dalle cascine di piccoli allevatori del Lodigiano, mentre Ivana, di origini piacentine, è maestra nel confezionare la pasta.
In apertura gli antipasti della Bassa lombarda: accanto ai carciofini sott'olio e alle **cipolline sott'aceto**, **coppa**, **salame** e **pancetta** di produzione piacentina, e dalla griglia un gustoso spiedino di provolone avvolto nel lardo. Poi una bella scelta di pasta ripiena, tra cui spiccano **tortelli di zucca** e **ravioli di carne** o con ricotta e spinaci, ma anche tagliatelle o **spighe con sugo di salsiccia**. Come secondo, una ricca grigliata mista con carni di manzo, agnello, maiale e salsiccia, buoni rognoncini trifolati e verdure cotte sulla brace dei carboni. Su ordinazione, **lumache trifolate**, rane fritte e cervella. Nei fine settimana l'offerta si amplia con alcune preparazioni di pesce: noi abbiamo assaggiato acciughe cotte alla perfezione. Ricca scelta di formaggi, tra cui sono privilegiati quelli del territorio, con mieli e marmellate casalinghe. Se avete ancora spazio per i dolci potrete scegliere tra **mousse al cioccolato**, **crema di mascarpone e amaretti**, crostate e sorbetti.
La carta dei vini contempla una trentina di etichette, con attenzione per quelle di San Colombano.

San Giorgio di Mantova
Tripoli

3 km a NE di Mantova

Nuova osteria Tripoli

Trattoria
Via Folengo, 37
Tel. 0376 340067-348 7000176
Chiuso il martedì e sabato a pranzo
Orario: mezzogiorno e sera
Ferie: 1 settimana in gennaio, 2 in agosto
Coperti: 45
Prezzi: 27-30 euro vini esclusi
Carte di credito: tutte tranne DC, Bancomat

Da una storica osteria che diede il nome al borgo e dalla passione per la ristorazione di alcuni giovani, guidati da Moreno Sgarbi, nasce il progetto per questa trattoria, in cui si sta proprio bene. Il patron, appassionato di cucina, birra, arte e musica, organizza spesso iniziative di promozione della cultura alimentare, mostre e serate a tema. La carta – tradotta in più lingue – varia secondo la stagione e la disponibilità del mercato e denota grande attenzione per i prodotti ricercati nei dintorni e in tutta Italia. Da quest'anno, a mezzogiorno, è disponibile un menù di lavoro a prezzo fisso.
Nella nostra ultima visita abbiamo gustato in apertura **salumi** e **gnocco fritto**, bocconcini di baccalà e formaggi con **mostarda di mele** e composte di frutta. La lunga lista dei primi prevede piatti della tradizione locale di pasta lavorata a mano, quali **tortelli di zucca**, ***capunsei*** asciutti – 14 versioni –, **agnoli** o **tagliatelle con l'anatra**, e alcune rielaborazioni di risotti, che vi potranno essere offerti con il cotechino e con verdure di stagione o con il melone. Seguono ottime carni alla griglia, **luccio in salsa con polenta**, alcune proposte di pesce di mare e molti buoni contorni, oltre alle verdure grigliate o bollite, che potrete scegliere da un grande carrello. In chiusura **sbrisolona**, gelati artigianali, dolci di ricotta, semifreddi e molto altro.
La carta dei vini offre con giusti ricarichi le migliori etichette mantovane e un'interessante selezione di prodotti provenienti da tutta Italia, alcuni dei quali biologici, oltre a una cinquantina di birre artigianali – il locale da febbraio del 2007 è diventato sede ufficiale del Circolo del luppolo – e a distillati italiani e stranieri.

San Giorgio di Mantova
Mottella

3 km a NE di Mantova

Opera ghiotta

NOVITÀ

Ristorante
Via Bachelet, 12
Tel. 0376 405355
Chiuso lunedì e martedì
Orario: mezzogiorno e sera
Ferie: variabili
Coperti: 80 + 80 esterni
Prezzi: 30-35 vini esclusi
Carte di credito: tutte, Bancomat

L'ex sede della condotta Slow Food di Mantova è diventata da due anni un vero e proprio ristorante. Un gruppo di giovani ne ha rilevato la gestione, costruendo una proposta gastronomica interessante. L'ampia sala dalle grandi finestre è divisa in spazi più piccoli che danno una sensazione di rilassata intimità. Nel parco circostante, un ampio cortile riparato da un muro di verde consente di cenare in una piacevole frescura. Il menù è stagionale e varia secondo l'offerta del mercato.

I salumi più classici della tradizione mantovana come il salame, la pancetta, il culatello dell'Oltrepò mantovano, ma anche lo **spallotto crudo viadanese** (una vera rarità), sono spesso serviti con i ***chisolin*** (pasta di pane fritta). Quasi sempre disponibili il **luccio in salsa**, i fiori di zucca ripieni di ricotta e parmigiano, gli sformati di verdure, la terrina di anatra; invernale il baccalà mantecato con le patate. Tra i primi non mancano mai i **tortelli di zucca**, il risotto con la zucca, con gli zucchini, con il gorgonzola e i peperoni, i ***capunsei*** con sugo di faraona o di pesce; tipici dei mesi freddi gli **agnolini in brodo**. Secondi usuali di carne la faraona farcita, il **brasato di manzo**, le guance di maiale stufate, la tagliata di manzo piemontese, il **risotto alla pilota con il *puntel*** (costine di maiale). Chi ama il pesce, in estate troverà la sontuosa frittura mista, nelle altre stagioni l'ombrina con cipolle stufate e **polenta** abbrustolita, il baccalà in vari modi, la trota con verdure alla senape. Per finire, dolci creativi e della tradizione come la **sbrisolona**, il salame di cioccolato, la crema di mascarpone.

La carta dei vini presenta etichette di pregio sia locali sia del resto d'Italia, con qualche capatina all'estero.

Santa Maria della Versa
Ruinello

28 km a SE di Pavia, 8 km da Stradella

Al ruinello

Ristorante
Frazione Ruinello di Sotto, 1 A
Tel. 0385 798164
Chiuso lunedì sera e martedì
Orario: mezzogiorno e sera
Ferie: 3 sett fra luglio e agosto, 10 gg dopo l'Epifania
Coperti: 40 + 20 esterni
Prezzi: 30-33 euro vini esclusi
Carte di credito: tutte tranne AE, Bancomat

Conduce a questo bel ristorante di Ruinello di Sotto la strada della Val Versa che si snoda tra i vigneti d'elezione del pinot nero d'Oltrepò: poco prima del paese di Santa Maria, una breve salita sulla destra porta a un cascinale immerso nel verde di un giardino assai curato, su cui affaccia la veranda dove si può pranzare in estate. Pietro Bersani e il figlio Cristiano vi accolgono in un locale ben ristrutturato ed elegante, con i massicci tavoli di legno – tutti diversi – apparecchiati con cura e, al centro, il grande camino in pietra dall'insolita doppia apertura. In cucina, a preparare i piatti della tradizione oltrepadana e piacentina, rispettando le stagioni, l'altra metà della famiglia: Donatella e Raffaella, la moglie e la figlia di Pietro.

Si comincia con una valida selezione di **salumi** – filzetta, coppa, pancetta e salame – accompagnati da peperoni e insalata russa; ben riuscito anche lo sformato di verdure. Classici i primi, fra cui i **ravioli** di stufato e **d'anatra**, i risotti ai funghi o allo spumante della Val Versa, gli estivi fagottini di verdure; squisiti i piacentini ***pisaréi e fasò***. La carne, di provenienza diversa, domina nei secondi: a seconda del periodo, si fanno apprezzare le **quaglie**, **al Pinot grigio** o all'uva, il coniglio alla birra, la delicata faraona al limone e, quando arriva il freddo, lo **stracotto di manzo con polenta**, spesso di farina integrale, o l'**anatra alla grappa**. Il pasto si chiude con dolci semplici e gradevoli come la panna cotta, la torta di mele, il semifreddo al caffè e le **crostate** di marmellata, vanto del capofamiglia.

Nella carta dei vini trovate naturalmente tanto Oltrepò Pavese, ma pure una selezione di etichette piemontesi, trentine e friulane.

Scandolara Ripa d'Oglio

15 km a NE di Cremona

Locanda del gheppio

Trattoria
Via Umberto I, 28
Tel. 0372 89140
Chiuso lunedì sera, martedì e sabato a pranzo
Orario: mezzogiorno e sera
Ferie: 3 settimane in agosto, 1 in gennaio
Coperti: 80 + 20 esterni
Prezzi: 30 euro vini esclusi
Carte di credito: le principali, Bancomat

L'insegna della trattoria è stata dedicata a uno dei più piccoli rapaci italiani che, raccolto proprio dove si trova il locale, fu curato e rimesso in libertà, perché si considerò l'episodio di buon auspicio. Ma il successo della Locanda è sicuramente legato alla professionalità e alla passione della famiglia Ponzoni, Alvaro ai fornelli, la moglie Vanna e la figlia Laila a condurre la sala. L'offerta gastronomica fa riferimento ai prodotti e alle ricette del territorio a partire dagli antipasti e dai primi: da assaggiare in apertura gli ottimi **salumi** locali, le polpettine in agrodolce e le **verdure sott'olio**, proseguendo con **marubini in brodo**, **tortelloni di coniglio al burro versato**, crespelle con provolone padano e spalla di San Secondo, **risotti**: in primavera ottimo quello con asparagi. Per il secondo la scelta spazia tra la carne – buono il controfiletto di manzo all'inglese – e il pesce d'acqua dolce, tra cui suggeriamo trancio di luccio con capperi e pomodoro fresco, **pesce gatto in carpione**, **polpette di storione** (specie protetta e inserita in un importante progetto di ripopolamento del Po e di alcuni suoi affluenti, ma facilmente reperibile grazie alla produzione a pochi chilometri di distanza dalla locanda). Nel menù invernale, uno dei piatti più richiesti dai buongustai, il **guanciale brasato**, e la selvaggina cucinata in modo impeccabile. La carta dei dolci, tutti confezionati in casa (così come il pane e la pasta), offre **panna cotta** con salsa ai frutti di bosco, terrine di pere o di prugne, semifreddo al croccante, gelati.
La sommelier Vanna vi potrà aiutare negli abbinamenti con il cibo, scegliendo da una curata carta dei vini che riunisce etichette di tutta Italia.

Serle
Castello

21 km a est di Brescia ss 45 bis

Castello

Trattoria
Via Castello, 38
Tel. 030 6910001
Chiuso il martedì
Orario: mezzogiorno e sera
Ferie: in luglio
Coperti: 80 + 40 esterni
Prezzi: 30-35 euro vini esclusi
Carte di credito: le principali, Bancomat

Saranno Emilio Zanola e la figlia Luisa ad accogliervi nelle sale arredate con gusto e attenzione, dove non mancano mai i fiori freschi del giardino di casa. Sempre loro, con mamma Rosy a sovrintendere, vi porteranno in tavola i piatti elaborati in cucina da Lorena, la moglie di Emilio, impiegando materie prime locali – quindi di montagna, perché siamo a circa 1000 metri d'altitudine – fornite da piccoli produttori di fiducia.
Si comincia con un antipasto a base di **salumi** (coppa, pancetta, lardo e salame), tortino con funghi, **lumache in umido**, robiola condita con olio extravergine di oliva. Fra i primi la classica **zuppa di porcini** fa compagnia ai **casoncelli al** *bagòss* e ai **tagliolini** tirati a mano con vari condimenti: se capitate a fine inverno, non perdetevi quelli **alle spugnole** (morchelle, funghi raccolti in zona). La trattoria è conosciuta e apprezzata per lo **spiedo**: piccoli pezzi di carne di maiale, coniglio e pollo con uccelletti lardellati infilzati e cotti per oltre sei ore, una prelibatezza invernale che costituisce, con l'immancabile **polenta**, il principale piatto tradizionale del Bresciano. Alternative gustose il **coniglio agli aromi**, il pollo alla griglia e il **capretto arrosto** serviti con polenta e patate aromatizzate. Ampia la selezione dei **formaggi** delle valli (formaggelle, robiole e *bagòss*) ed eccellenti i dolci, cui Lorena riserva particolare cura: dalla torta di pere al budino di cioccolato con amaretti, alla torta di mele, ai semifreddi.
La carta dei vini è ricca di etichette eccellenti – Emilio è sommelier professionista – ma accettate i consigli di optare per buone bottiglie a prezzi contenuti, che danno il giusto risalto anche ai produttori meno blasonati.

Stagno Lombardo
Brancere

12 km a SE di Cremona

Lido Ariston Sales

Ristorante
Via Isola Provaglio, 8
Tel. 0372 57008
Chiuso lunedì sera e martedì
Orario: mezzogiorno e sera
Ferie: febbraio
Coperti: 100 + 40 esterni
Prezzi: 25-30 euro vini esclusi
Carte di credito: Visa, Bancomat

Nato nel 1957 come Lido Ariston, sorgeva su uno degli spiaggioni del Po ed era punto di ristoro per i bagnanti dell'epoca. Il nome Sales (salice in dialetto cremonese) è figlio di una storia d'acqua. Il Lido fu spazzato via dalla furia di una piena improvvisa, ma i titolari, Attilio e Wanda Consolini, e la gente del fiume non si scoraggiarono e, sfidando il Po, andarono a mangiare su un argine protetti da un robusto salice. Rientrate le acque, riedificarono il Lido ribattezzandolo come la forte pianta. I Consolini erano i nonni di Cristina Signorini, oggi in sala insieme al papà Sergio, mentre mamma Tilde cucina i piatti della tradizione cremonese, piacentina e parmense, che da quarant'anni contraddistinguono la trattoria. Piatti che, come dimostra il menù, non lasciano dimenticare il profondo legame con il Grande Fiume nonostante la sua offerta di materia prima sia notevolmente calata.
Si comincia allora con **frittura di rane, alborelle, carpa e pesce gatto**, filetti di persico dorati, **luccio in salsa**, **anguilla ripiena e fritta** o con **salumi**, frittelle di verdure, **giardiniera**. Ancora pesce per i primi di pasta fatta in casa – ottimi **tagliolini con storione** e maccheroncini al torchio con anguilla –, poi **marubini ai tre brodi** e **torta fritta**. Al momento del secondo, in alternativa ad altre proposte di pesce, si può scegliere fra **pollame** dell'allevamento di famiglia, **selvaggina**, **bolliti**, **stracotti con la polenta** e una buona selezione di formaggi, serviti con una casereccia mostarda di mele. Le crostate con marmellate fatte in casa o il dolce di latte con salsa di frutta di stagione chiudono il pasto.
Nella carta dei vini non molte ma ben selezionate etichette regionali e nazionali, con ricarichi onesti.

Sulzano

28 km a NO di Brescia

Cacciatore

NOVITÀ

Trattoria
Via Molini, 28
Tel. 030 985184
Chiuso lunedì sera e martedì
Orario: mezzogiorno e sera
Ferie: 7 gennaio-metà febbraio
Coperti: 80 + 40 esterni
Prezzo: 30-35 euro vini esclusi
Carte di credito: MC, Visa, Bancomat

La trattoria si trova nel cuore del paese antico, sul versante del monte che si affaccia sul lago di fronte a Montisola: dalla corte in cui sono disposti i tavoli all'aperto si gode di un notevole panorama. L'ambientazione semplice e confortevole, nonché la bontà della proposta gastronomica, vi faranno perdonare qualche lentezza nel servizio. Il menù contempla una discreta scelta di piatti tradizionali bresciani, la carta dei vini include buone etichette franciacortine, bollicine incluse, e alcuni classici nazionali e francesi.
Tra gli antipasti spicca la presenza del tipico **salame di Montisola**, ma ci sono anche gli insaccati di selvaggina, i sottoli casalinghi, le **acquadelle marinate**. Seguono i **tagliolini al ragù d'oca**, i classici **casoncelli alla bresciana**, con ripieno di pangrattato, formaggio e prezzemolo, la **trippa**, tipicamente invernale, le zuppe. Sempre presente come secondo, ma variabile in base a disponibilità e stagione, il pesce di lago. Encomiabile la presenza delle **sardine**, tradizionale riserva alimentare della zona, cotte alla brace con prezzemolo e servite con **polenta**, fresche in stagione o essiccate – secondo un'antica tecnica di conservazione tipica di Montisola – nel resto dell'anno. Lo **spiedo misto** bresciano (con prenotazione minima di quindici persone), il cinghiale alle mele, lo **stracotto d'asino** sono i più gustosi piatti invernali. In tutte le stagioni come contorno molte verdure crude, cotte al vapore, grigliate, gratinate.
Una selezione di formaggi locali, freschi e stagionati, offerti con miele e confetture, e panna cotta, mousse di cioccolato, tiramisù casalinghi completano un menù che dall'antipasto al dolce si ferma al prezzo di 35 euro.

Trescore Balneario

14 km a est di Bergamo ss 42

Conca verde 

Trattoria
Via Benedetto Croce, 31
Tel. 035 940290
Chiuso il lunedì e martedì sera
Orario: mezzogiorno e sera
Ferie: 2 settimane in giugno, 2 in agosto
Coperti: 40 + 30 esterni
Prezzi: 35 euro vini esclusi
Carte di credito: le principali, Bancomat

Dall'esterno l'edificio, un po' anonimo, non si distingue fra i tanti disseminati nella conca verde all'imbocco della Val Cavallina. Varcata la soglia, però, l'ambiente casalingo e caldo lascia presagire che qui non si rincorrono mode e si mantengono vive le consuetudini alimentari di una tradizione non opulenta ma comunque ricca di spunti. Nella quasi totale autarchia di produzione delle materie prime, il menù elaborato dai Mutti rispetta la stagionalità di ricette proposte ciclicamente.
Tra gli antipasti apprezzerete gli spinaci nelle crespelle in sfoglia e nella torta di verdure, lo sformato ai fiori di zucca e patate, gli spiedini di lumache e lardo con timballo di riso nero, il paté di fegato d'anatra (di casa). Imperdibili i **casoncelli**, buoni i tortelloni con ricotta, noci ed erbette, i **tortelli con taleggio di malga**, le **pappardelle con ragù d'anatra** o di verdure. Tra i secondi – quasi tutti "a chilometro zero" – alcuni classici della trattoria come il **coniglio disossato e ripieno**, il cosciotto d'agnello al forno, la tagliata di petto d'anatra o il **luccio in salsa d'acciughe**, accompagnati da **polenta** e verdure. Sulla griglia si cuociono ottimi tagli di carne, ma solo tre giorni alla settimana. Valida la selezione di formaggi locali, con qualche incursione spagnola, come pure la proposta dolce: tiramisù (in versione invernale o estiva), **crostata di pere** cotte nel vino rosso e salsa di cacao, flan di cioccolato fondente e l'autunnale **gelatina di mosto d'uva fragola** con zabaione.
Carta dei vini un po' sotto tono.

La pasticceria Pina, in via Locatelli 14, è un indirizzo di fama per gustare pasticceria classica, gelati, biscotti, dolci di stagione.

Treviso Bresciano
Vico

46 km a NE di Brescia

Lamarta 

Trattoria
Via Tito Speri, 36
Tel. 0365 83390
Chiuso il giovedì, mai d'estate
Orario: mezzogiorno e sera
Ferie: variabili
Coperti: 50 + 25 esterni
Prezzi: 28-30 euro vini esclusi
Carte di credito: tutte, Bancomat

Ricorda i vecchi locali di paese con il bar la trattoria guidata dalla famiglia Massari-Piccinelli: il banco di mescita, di fronte il grande camino, una sala capiente e la terrazza per mangiare all'aperto, in estate, al fresco che regalano i 700 metri di altitudine di Vico. Ad accoglervi Graziella, la titolare, che si districa in cucina e in sala con l'aiuto dei figli Rubina e Alessio, esperto sommelier, mentre il marito Dario sorveglia la cottura delle grigliate e degli spiedi. Compito suo anche la raccolta di erbe, funghi e frutti di bosco sui monti della Valsabbia.
Le stagioni decidono i piatti. Si comincia con i **salumi** casalinghi: lardo, pancetta, salame, lonza e coppa accompagnati da verdure sott'olio provenienti dall'orto di casa. In primavera si possono trovare anche i ***fonc d'andana***, funghi tipici della zona. Si prosegue con pasta fatta a mano – tagliatelle, **casoncelli di carne**, **gnocchi di erbe** versati con il cucchiaio, come si usava un tempo – e risotti. La **minestra sporca**, una minestra tradizionale leggera, resa superba dalle interiora di pollo, prepara lo stomaco al ricco **spiedo valsabbino**, su cui si intervallano lombi di maiale, coniglio, pollo e patate conditi con burro di malga. Con i primi freddi compaiono i funghi, impanati, trifolati e alla griglia, la **polenta taragna**, il coniglio e il pollo al forno. Da assaggiare i formaggi di capra e quello di malga, proposto sia crudo sia alla brace. Quanto ai dolci, potrete scegliere fra zuppa inglese con il cioccolato caldo, torta paradiso, crostata con marmellata di uva americana e frutti di bosco.
Completa il quadro una carta dei vini con un centinaio di etichette selezionate da Alessio e offerte a prezzi ragionevoli.

TRUCCAZZANO
Albignano

23 KM A EST DI MILANO

LE DUE COLONNE

Trattoria
Largo Conte Anguissola, 3
Tel. 02 9583025
Chiuso il lunedì
Orario: mezzogiorno e sera
Ferie: ultime 2 settimane di agosto
Coperti: 60 + 40 esterni
Prezzi: 25-35 euro vini esclusi
Carte di credito: tutte tranne DC, Bancomat

Poco lontano dall'Adda, Albignano è un centro rurale dalle origini antiche sviluppatosi intorno al settecentesco palazzo dei conti Anguissola. Proprio all'interno del palazzo ha sede la trattoria della famiglia di Corrado Invernizzi: tre sale dagli alti soffitti a cassettoni, con un'atmosfera calda e accogliente e una scenografica cantina. L'impostazione della cucina tiene in grande considerazione ingredienti e piatti della pianura lombarda, serviti a pranzo in un menù fisso a 12 euro.
Tra gli antipasti, **salumi** portati in tavola in abbondanza su grandi taglieri e carpacci di carne abbinati con verdure e funghi sott'olio. Poi immancabili i **risotti**, cucinati nelle versioni più tradizionali – per esempio **con pasta di salame e pistilli di zafferano** e **con funghi secchi, zafferano e Barbera** – o seguendo abbinamenti sperimentali tipo essenza di basilico e burrata. Ricordiamo anche gli **gnocchi di patate al ragù di cinghiale** e le paste fresche con sughi di stagione. Numerosi classici anche fra i secondi: **stracotto d'asino con polenta**, **trippa**, arrosti, cotoletta alla milanese, **funghi** in stagione. Nei mesi più freddi, il giovedì, compare il carrello dei **bolliti** che, insieme a un antipasto e a un risotto, compongono un menù al prezzo fisso di 25 euro. Cuociono invece sulla griglia costate e filetti di fassona e *angus*, fiorentine, costolette d'agnello, **filetti di puledro**. Curata la selezione dei formaggi. Di fattura casalinga i dolci, tra cui vi segnaliamo, oltre al **salame di cioccolato** e alle crostate, la mattonella di Albignano, proposta invernale a base di cioccolato e Barolo Chinato.
Ricca la carta dei vini, disponibili anche nelle mezze bottiglie e al bicchiere.

VERGIATE
Cuirone

18 KM A SO DI VARESE

LA VITTORIOSA

Trattoria
Via Matteotti, 1
Tel. 0331 946102
Chiuso il lunedì
Orario: pranzo, venerdì e sabato anche sera
Ferie: agosto
Coperti: 100
Prezzi: 25 euro vini esclusi
Carte di credito: nessuna

Maria Rosa e Pia Gerosa si dimostrano subito affabili padrone di casa, capaci di entrare in sintonia con l'ospite mettendolo a suo agio e raccontandogli la storia del locale, dei prodotti, del lavoro: insomma la loro storia. La Vittoriosa è una cooperativa di consumo composta dal classico negozio di alimentari di paese, dove si trova un po' di tutto, in questo caso anche un'incredibile varietà di prodotti gastronomici di qualità e qualche etichetta di pregio. Attiguo è il grande salone del bar, con biliardo d'ordinanza e, sul fondo, l'ampio locale che ospita il ristorante, arredato come si usa nelle cooperative della zona, dove i tavoli sono ancora rivestiti con le tovaglie a quadri, retaggio (o nostalgia?) dei mitici anni Sessanta.
Durante la settimana a mezzogiorno è proposto il menù a 9 euro, in cui non mancano alcuni piatti della tradizione – ***rustisciada***, ***bruscìtt***, ***casoeula*** – tutti serviti con la **polenta**. Nel weekend la sequenza delle portate, presentata a voce e più ricca, prevede l'antipasto della casa con i **salumi** di produzione propria, i carciofini sott'olio, la torta di verdure e lo sformato di cavolfiore con fonduta di formaggio. A seguire tre o quattro proposte, tra cui il **risotto con carciofi** o con altre verdure di stagione e i ravioli dal *plin* al sugo di arrosto, mentre i secondi possono prevedere lo **stinco di vitello al forno** e il **coniglio** arrosto o ripieno con olive o con asparagi. Varie torte, tra cui crostate di marmellata e plumcake, e semifreddi a chiudere il pasto.
Come ogni circolo che si rispetti, anche La Vittoriosa può contare sul vino imbottigliato in proprio, ma offre inoltre una discreta selezione di bottiglie del Nord Italia e diversi distillati.

Vezza d'Oglio
Fontanacce

110 km a NE di Brescia, 45 km da Breno SS 42

Le Fontanacce

Trattoria
Via Valeriana, 49
Tel. 0364 76171
Chiuso il mercoledì, mai in alta stagione
Orario: mezzogiorno e sera
Ferie: due settimane in giugno
Coperti: 100 + 20 esterni
Prezzi: 22-25 euro vini esclusi
Carte di credito: le principali, Bancomat

È una trattoria semplice e familiare quella della famiglia Rizzi: un'arte dell'accoglienza schietta e cordiale e una cucina che ha saputo far sue molte ricette della tradizione camusa. L'ambiente alpino e gli ampi spazi esterni rendono il locale ideale per le famiglie con bambini e gli amanti delle attività all'aperto. Umberto si prende cura degli ospiti insieme al figlio Federico, mentre la moglie Cristina sovrintende alla cucina, affiancata dalla signora Beatrice, maestra nel confezionare i **casoncelli**.
Senza troppo concedere a rivisitazioni e rielaborazioni, il pasto si apre con i **salumi** di selvaggina e maiale abbinati a pane di segale, e in primavera con **torte di erbe spontanee** raccolte nella zona. Invitanti i primi, fra i quali spiccano le **tagliatelle in salmì** o con i funghi, i **tortelli al *silter*** (formaggio d'alpeggio) e i delicati **gnocchi di *pulicc*** che profumano di menta. Ritorna la selvaggina al momento del secondo: **capriolo in salmì** e costate di **cervo alla brace con salsa di mirtilli**, il tutto accompagnato da **polenta**; in stagione **cappelle di porcini alla griglia**, griglia su cui passano anche molte verdure. Per finire, formaggi d'alpeggio vaccini e caprini serviti insieme alla composta di cipolle e il formaggio fuso, che riprende l'usanza locale. Tra i dolci **crostata di frutti di bosco**, torta di mele e un ottimo strudel.
L'offerta enologica è limitata alle etichette di poche cantine della Franciacorta e della Valtellina. Grappe e genepì per sigillare il pasto.

A **Malonno** (19 km), in via Nazionale 93, da Salvetti pane di segale, paste fresche, biscotti con farina di castagne, dolci tra cui la classica spongada camuna.

Viadana

45 km a SO di Mantova, 23 km da Parma

Da Bortolino

Osteria di recente fondazione
Via al Ponte, 8
Tel. 0375 82640
Chiuso il giovedì
Orario: mezzogiorno e sera
Ferie: prima settimana di gennaio
Coperti: 40 + 60 esterni
Prezzi: 30 euro vini esclusi
Carte di credito: tutte, Bancomat

Un tempo frequentata dai pescatori del Po, che costeggia l'abitato di Viadana, l'osteria dal 1996 è gestita da Roberto Maldini e Antonio Mori, che vi accoglieranno in un ambiente curato, offrendovi preparazioni gustose ed essenziali, che si avvantaggiano di materie prime di qualità ricercate con attenzione. I prodotti del territorio viadanese, dalla mostarda allo spallotto, dal melone al Lambrusco, alla zucca, piaceranno non solo al turista ma anche al mantovano che ricerca la tradizione. Un fresco giardino vi permetterà di mangiare fuori nel periodo estivo.
Il pranzo comincia di solito con **spallotto crudo** e **salame** viadanesi, culatello, **lardo con polenta** o **con i riccioni** (radicchio primaverile), pancetta e gorgonzola. Poi gli immancabili **tortelli di zucca** e **agnoli in brodo**, insoliti e buonissimi **tortelli di tarassaco**, **lasagne al ragù d'anatra**, tagliatelle di farro con salsiccia di manzo, **minestrone di verdure**, in stagione **trippa con fagioli**. Seguono secondi piatti robusti: **stracotto di somarina**, **guanciale di maiale in umido**, spalla cotta, **stinco al forno** cotto alla perfezione, **cotechino viadanese**, agnello di Zeri al forno, carne ai ferri. Per chiudere **formaggi** nazionali freschi e stagionati, serviti **con la mostarda**, e i dolci, tutti casalinghi, dalla tradizionale **sbrisolona** alla crostata di cioccolato e pere o di limone e mandorle, al semifreddo di zucca.
Adeguate al menù la carta dei vini molto ricca – quasi 400 bottiglie – e la disponibilità di un centinaio di distillati italiani e stranieri.

A **Brescello** (5 km), presso il podere La Stalla, in località Tre Ponti, produzione di culatelli, pancette, coppe e meloni.

VIONE
Canè

116 KM A NORD DI BRESCIA SS 42

CAVALLINO

Ristorante annesso all'albergo
Via Trieste, 57
Tel. 0364 94188
Chiuso il martedì
Orario: mezzogiorno e sera
Ferie: due settimane in giugno
Coperti: 80
Prezzi: 29-31 euro vini esclusi
Carte di credito: le principali, Bancomat

Il ristorante, proprio nel centro di questo piccolissimo paese montano della Val Canè, ha conservato, anche negli arredi, le caratteristiche tipiche di certi locali di montagna, come le travature o i perlinati in legno. È un luogo tranquillo, senza via vai eccessivi: una piacevole sosta, insomma, per gustare del buon cibo preparato attingendo alle specialità della valle, situata al confine con la provincia di Trento, e al retroterra culinario bresciano dei gestori, i cinque fratelli Marilena, Anna, Ernesta, Aleardo e Stefano.
Ecco il motivo per cui, fra i **salumi** serviti come antipasto, oltre al salame preparato dal norcino di casa si fa apprezzare un ottimo speck delicatamente affumicato, cui si accompagnano funghetti di muschio sott'olio. In alternativa ci sono la formaggella fusa, la **ricotta affumicata con salsa di cipolle** e la torta di verdure. Sapori decisi e porzioni abbondanti per i primi: **tagliolini** alla boscaiola – **con funghi porcini**, finferli o altre specie, a seconda del periodo dell'anno –, pizzoccheri, ricchi di burro e formaggio come vuole la tradizione, **gnocchi**, ancora con i funghi. La carne è regina dei secondi piatti con la selvaggina (**cervo in salsa di mirtilli** o di ginepro, **capriolo in salmì** con **polenta** preparata con farine macinate a pietra) e la tagliata di manzo al pepe. Dal vicino fiume Oglio, o dai torrenti suoi affluenti, arrivano anche le **trote fario** cucinate ripiene. La proposta dolce può spaziare fra la torta di mele e dessert al cucchiaio come la spuma di yogurt con frutti di bosco e il **semifreddo** alle mandorle o **alle castagne**.
La carta dei vini racconta, anche se in quantità numericamente non importanti, un po' di storia vitivinicola di varie regioni italiane.

ZELO SURRIGONE

21 KM A SO DI MILANO SS 494

ANTICA TRATTORIA DI SAN GALDINO

Trattoria
Via Vittorio Emanuele, 22
Tel. 02 9440434
Chiuso domenica sera e giovedì
Orario: mezzogiorno e sera
Ferie: agosto, una settimana a Natale
Coperti: 80
Prezzi: 28-32 euro vini esclusi
Carte di credito: le principali, Bancomat

A una manciata di chilometri da Milano, seguendo la strada statale che affianca il Naviglio Grande e superato il paese di Gaggiano, con le sue colorate e basse case disposte lungo le rive del canale, ecco il piccolo e tranquillo borgo di Zelo Surrigone con il cinquecentesco Oratorio di San Galdino cui la trattoria, attiva dal 1927, deve il nome. Il clima che si respira nelle due sale di questo locale della Bassa milanese è molto semplice e familiare; un piccolo giardino consente di mangiare all'aperto durante i mesi tiepidi e primaverili. La famiglia Marmondi, fra servizio e fornelli, è impegnata al completo: i piatti, declinati secondo stagione, sono cucinati da Paolo, il figlio, e raccontati e serviti da Giovanni e Gianna, i genitori.
L'antipasto della casa apre la sequenza delle portate con **salumi** misti e contorni al carrello: **insalata russa**, verdure sott'olio, cipolline sott'aceto, **nervetti** e **cotechino**. Seguono il **risotto alla milanese** o con funghi, gli gnocchetti primavera, i **ravioli burro e salvia**, le tagliatelle tirate a mano condite con verdure o con il ragù, le lasagne al forno. L'offerta dei secondi è ampia e varia: stufato di controfiletto, **anatra al forno**, braciole di agnello, nodino di vitello, **cotoletta alla milanese**, costata di manzo, fesa di vitello, ***casoeula***, brasato, pollo alla diavola e **trippa**. Fra i dolci, tutti casalinghi, suggeriamo le crostate, la panna cotta, in estate con i frutti di bosco, lo **zabaione** servito con biscotti secchi e la torta al cioccolato.
La carta dei vini annovera una quindicina di etichette di rossi soprattutto dell'Oltrepò Pavese, una decina di bianchi fermi e spumanti, tutti con un ottimo rapporto tra la qualità e i prezzi.

TRENTINO

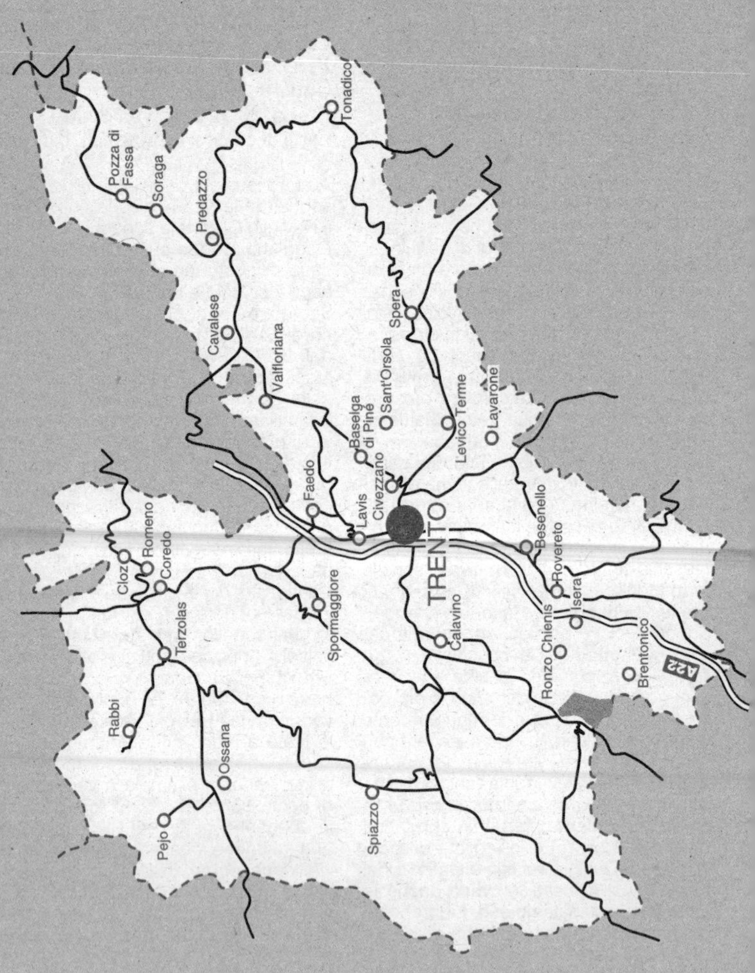

Pozza di Fassa
Soraga
Predazzo
Tonadico
Cavalese
Valfloriana
Spera
Sant'Orsola
Baselga di Pinè
Levico Terme
Lavarone
Faedo
Lavis
Civezzano
TRENTO
Besenello
Rovereto
Isera
Ronzo Chienis
Brentonico
A22
Calavino
Spormaggiore
Cloz
Romeno
Coredo
Terzolas
Rabbi
Ossana
Pejo
Spiazzo

Baselga di Piné
Cadrobbi

18 km a NE di Trento

Due camini

Ristorante annesso all'albergo
Via XXVI Maggio, 65
Tel. 0461 557200
Chiuso dom sera e lun, mai in alta stagione
Orario: mezzogiorno e sera
Ferie: 2 sett in novembre, 1 prima di Pasqua
Coperti: 70
Prezzi: 32 euro
Carte di credito: tutte, Bancomat

L'altopiano è meta di turisti in ogni stagione. La zona è una sorta di parco boschivo, con la riserva del Laghestèl creata nel 1974, la prima in Italia istituita da una amministrazione comunale. L'attenzione per l'ambiente è sempre stata un vanto di questa comunità. Tra gli artefici di questa prerogativa Franca Merz, la titolare di un piccolo albergo rinomato anzitutto per la qualità della sua cucina tipica. Con sua madre Lucia, per anni ai fornelli, Franca è riuscita a diventare punto di riferimento per altri validi operatori turistici dell'altopiano.
Tutti i tipi di pasta sono fatti a mano, ogni giorno. Dalle tagliatelle ai ravioli ai sottilissimi tagliolini all'uovo. Le verdure sono molto presenti in tante proposte, come lo sono i **funghi freschi** del bosco, serviti solo in stagione. Molte le variazioni, con qualche costante. Ad esempio i ***rufioi***, ravioloni di patate con erbe selvatiche o verza, farciti pure con formaggio di malga, **conditi con burro fuso**. Oppure **tortino di zucca e fagioli borlotti** con insalata fresca. E ancora, **zuppa di cipolla** con crostoni di pane casereccio gratinati al formaggio magro. ***Gratin* di patate e funghi porcini** con insalata di cavolo cappuccio. Immancabile il **pasticcio di carne di manzo**. Trovi spesso la **selvaggina**, arrosto di coniglio, **gulasch con patate e pomodori**.
Casalinghi i dessert, dalla torta rovesciata con pere o mele alla panna cotta, nonché una specialità: budino al cioccolato fondente. Curata e abbordabile con i prezzi la lunga lista dei vini, non solo trentini.

A **Baselga**, in via Serraia, ottimi dolci nel Caffè Serraia, di Franca e Rosanna Broseghini che sfornano un dolce unico nel suo genere: la torta di mandorle e amaretti, impastata senza aggiunta di farina.

Besenello

18 km a sud di Trento ss del Brennero

La rupe

Osteria di recente fondazione
Via Castel Beseno, 6
Tel. 0464 834132
Chiuso domenica sera e lunedì
Orario: mezzogiorno e sera
Ferie: 1 sett in luglio, 2 in novembre, 1 in gennaio
Coperti: 60 + 20 esterni
Prezzi: 25 euro vini esclusi
Carte di credito: Visa, Bancomat

Al castello si arriva solo a piedi, salendo una ripida strada tra i boschi che circondano Beseno, sul versante che termina sull'altopiano di Folgaria. Per secoli l'imponente maniero è stato un baluardo a presidio della valle dell'Adige, oggi è un museo, che ospita manifestazioni e spettacoli di ispirazione medievale. Proprio sotto le mura, ecco il maso agricolo, un tempo usato per trasformare i raccolti dei campi e pigiare le uve dei vigneti che tuttora lo circondano. Qui due giovani osti hanno ristrutturato la vecchia aia e ricavato uno spazio esterno, dove proporre piatti tipici della tradizione trentina.
A pranzo un menù fisso, ogni giorno diverso, a cena – o preavvisando – si gustano alcuni buoni piatti, da scegliere alla carta. Salumi, **carne *salada***, frittate di verdura o **trota *en saor*** per gli antipasti, seguiti da tante variazioni di **canederli** (dai classici **con spinaci e formaggio stagionato** a quelli **con funghi freschi**) o di paste fresche, con farine varie, farro compreso, condite con ragù di carne, selvaggina e, a seconda della stagione, con funghi del bosco o erbe dell'orto. Spesso **gnocchi di patate**, quasi sempre **gulasch**, carni di maiale o di ungulati di pregio, **cervo** in primis. Formaggi a volontà, serviti pure alla piastra – come nel caso della ***tosèla*, con polenta e funghi**.
Casalinghi i dolci: strudel, bavarese ai piccoli frutti, strudel di mele e una torta vanto del locale a base di grano saraceno con marmellata di prugne di Drò. Piccola ma interessante la proposta dei vini, prevalentemente regionali.

Brentonico

45 km a SO di Trento, 20 km da Rovereto

Maso Palù

Trattoria
Località Palù
Tel. 0464 395014
Chiuso il martedì
Orario: sera, ven sab e dom anche pranzo
Ferie: in giugno
Coperti: 90 + 20 esterni
Prezzi: 33 euro vini esclusi
Carte di credito: AE, Visa, Bancomat

I botanici lo considerano un paradiso e una zona prioritaria nello studio dell'evoluzione vegetale: il monte Baldo da oltre cinque secoli ha l'appellativo di *Hortus Europae*. Sempre qui sono venute alla luce pietre e fossili dell'era triassica, ora a Palazzo Eccheli di Brentonico. In questa zona di pascoli, boschi e borghi rurali ancora integri, Emiliana Amadori da quasi vent'anni propone una cucina schietta, legata alle consuetudini alimentari della montagna.
Poche le novità di una forma di ristorazione che riesce a conciliare qualità con quantità. Menù praticamente fisso (come il prezzo), piatti serviti a tutti i commensali, una sequenza continua, almeno una dozzina di portate diverse. Compreso nel conto anche il vino, quello sfuso, servito in caraffe. E chi non vuole abbuffarsi? Può scegliere tra una gustosa batteria di antipasti con **salumi** nostrani, la pasta fatta in casa, **gnocchi** di patate o **di pane**, zuppe, tagliatelle, fumanti **polente**. Tris di **selvaggina**, carni di maiale, **gulasch di cervo**, in stagione **carni di agnello**. **Funghi** e **formaggi**, tanti tipi, delle malghe vicine. Perché Brentonico è zona di pascoli, area dove l'alpeggio continua a essere attività contadina, dove allevatori preparati attivano stalle riservate alle bestie da latte e a bovini destinati alla macellazione. Casalinghi i dessert: dolci al cucchiaio, **crostate di frutta**.
Emiliana Amadori e i suoi figli hanno consolidato immagine e servizio del loro maso, sempre affollato da quanti d'estate giungono quassù in cerca di rare piante officinali, per escursioni nei boschi; d'inverno per fermarsi a mangiare dopo una sciata o dopo una camminata con le *ciaspole* (le racchette da neve). Il locale è sempre aperto, mezzogiorno e sera, nei mesi di luglio e agosto e a Natale.

Calavino
Lagolo

25 km a ovest di Trento ss 45 bis

Floriani Stube Maria

Ristorante annesso all'albergo
Via Monte Bondone, 13
Tel. 0461 564250
Chiuso il mercoledì, mai in alta stagione
Orario: mezzogiorno e sera
Ferie: tutto novembre
Coperti: 30
Prezzi: 28-30 euro vini esclusi
Carte di credito: tutte tranne AE, Bancomat

Lagolo è un'icona alpina, un piccolissimo lago a quota 1000 metri, sul versante del monte Bondone che ha come sfondo le Dolomiti di Brenta. I Floriani hanno recuperato il vecchio rifugio montanaro a due passi dalla loro locanda, trasformandolo in un minuscolo hotel dotato di moderne strutture, senza nulla togliere all'impostazione della loro cucina. Anzi, hanno dedicato al cibo una suggestiva *stube* tutta legno di cirmolo, pochi tavoli, ambiente rilassante, il lago che s'intravede dalle finestre: quasi sempre sorvolato da deltaplani e giovani in parapendio.
Torniamo a terra. Domenica e Stefano Floriani, coadiuvati spesso dai giovani figli, non si fanno tentare dalle mode. Insistono su menù della tradizione, qualche pesce di lago (**salmerino**), selvaggina e piatti – nei mesi estivi – a base di **funghi** freschi. Piatto forte è il **carpaccio di trota marinata** al ginepro con crema fresca di rafano; la pasta fatta in casa con funghi, con verdure nostrane o i **ravioloni con tartufo nero** scorzone, che si trova nel fondovalle. Poi **gnocchi di patate con erbe selvatiche e formaggio vezzena**, zuppe, orzotto, per passare a secondi a base di carne di agnello, **polenta con gulasch di capriolo** o **cervo con mirtilli**, coniglio arrosto, il classico **stinco di maiale con crauti**. Tra i dolci, fagottino di pane di segale con zabaione al Vino Santo della valle dei Laghi o **torta di *fregolòti*** con gelato al gelsomino e insalata di piccoli frutti.
Mirata selezione di formaggi – alcuni provenienti dalle malghe del monte Bondone – e tanti vini della sottostante valle dei Laghi, rinomata per cantine e distillerie.

Osteria accessibile ai disabili.

A **Calavino**, in via Garibaldi, 8, ottime farine di mais per polenta al Mulino Pisoni.

Calavino
Sarche

20 km a ovest di Trento ss 45 bis

Hosteria toblino

Osteria di recente fondazione
Via Garda, 3
Tel. 0461 561113
Non ha giorno di chiusura
Orario: mezzogiorno e sera
Ferie: non ne fa
Coperti: 60
Prezzi: 25-28 euro vini esclusi
Carte di credito: tutte

Ambiente quasi informale, ma curato in ogni dettaglio, per sembrare ancora più osteria. Voluta dai 650 soci di questa dinamica cantina sociale, l'Hosteria si conferma un posto in sintonia con l'impostazione iniziale. Vale a dire, cibo nostrano e vino a volontà: quasi 400 bottiglie di vini diversi a disposizione, che si possono scegliere pure a bicchiere, una serie di prodotti nostrani, specialmente quelli delle valli che s'incrociano o confluiscono nel vicino lago di Toblino, simbolo ambientale e scorcio tra i più belli del Trentino.
Il menù cambia ogni settimana ed è scritto su grandi lavagne. Tavoli, lunghi e stretti, apparecchiati per facilitare la convivialità. Magari dopo aver gustato qualche antipasto al bancone, tra tanti **salumi**, bottiglie di vino, specialità gastronomiche. La cucina propone **millefoglie di carne *salada*** oppure **strudel di speck e *casolèt***, formaggio della val di Sole, ma anche una ***tartare* di trota** con pomodoro fresco e olio extravergine della riviera trentina del Garda. Tra i primi, un classico: **gnocchetti di ricotta, pinoli e uvetta**; poi ravioloni fatti a mano con impasto di stagione, dalle erbe agli asparagi, dai funghi ai formaggi, carne e selvaggina comprese. Pure il pane è fatto in casa, sfornato due volte al giorno. Spesso il **riso** cotto nel vino rosso **con la *mortandéla***. **Cervo alle prugne di Drò**, carne di maiale, **gulasch**, fegato, **trota salmonata alla piastra** con coriandolo.
Sempre in lista il semifreddo al Vino Santo doc, che si produce esclusivamente nella vicina cantina e in altre cinque della valle dei Laghi. Mousse, strudel di mele e pere, torte di frutta, talvolta il gelato alla grappa. Bella selezione di formaggi, mieli e altre specialità che si possono acquistare al punto vendita.

Osteria accessibile ai disabili.

Cavalese

55 km a NE di Trento ss 48

Costa salici

Ristorante
Località Costa dei Salici, 10
Tel. 0462 340140
Chiuso lunedì e martedì a pranzo
Orario: mezzogiorno e sera
Ferie: ottobre
Coperti: 35 + 25 esterni
Prezzi: 35 euro vini esclusi
Carte di credito: tutte

Una sobria costruzione quasi nascosta tra i primi alberi della foresta che unisce Cavalese al passo del Lavazè dove la famiglia Tait propone piatti tipici e – con un menù molto più consistente – anche alcune elaborazioni di tendenza creativa. Ma tradizione e futuro riescono perfettamente a convivere. Anzi, proprio l'offerta stile osteria è la più richiesta dalla clientela, specialmente quella straniera, che in valle di Fiemme vuole mangiare bene a un prezzo consono.
Maurizio Tait è cuoco autodidatta, sommelier e norcino. Con casari, pastori, contadini della valle ha potenziato la valorizzazione delle produzioni nostrane, per selezionare ingredienti genuini e servire le pietanze nell'ottica del "chilometro zero". Ecco le praline di **formaggio caprino fresco** con asparagi di fiume, confezionati in proprio, in agrodolce. Tutta la pasta fresca è tirata a mano e i **tortelli** sono una costante, cambia solo il ripieno. Altri piatti forti, quasi sempre in lista, il **guanciale al Teroldego con polenta** di mais, le **carni di agnello** o di **capretto**, il gulasch, la **selvaggina** (cervo in crosta di sale e fieno, ad esempio) proposta in base al calendario. Casalinghi i dessert, **sambuco selvatico con biscotti al mirtillo** rosso, torta di pere con gelato sempre di pera e croccanti all'anice, e tante altre torte casalinghe, **strudel di mele** su tutte.
Bella scelta di vini non solo regionali e possibilità, a mezzogiorno nei mesi caldi, di pranzare all'esterno, dove funziona pure una griglia per carni e verdure.
Sempre aperto in agosto e nelle festività natalizie.

A **Daiano** (2,5 km), macelleria Tito Braito, speck e salumi. Ai **Masi di Cavalese** (5 km) la Troticoltura Vinante alleva e vende trote e salmerini; la macelleria Dallafior seleziona carni nostrane e insacca salumi.

CIVEZZANO
Forte

7 KM A NE DI TRENTO SS 47

MASO CANTANGHEL
TRATTORIA DA LUCIA

Trattoria
Via della Madonnina, 33
Tel. 0461 858714
Chiuso sabato e domenica
Orario: mezzogiorno e sera
Ferie: 2 settimane in agosto, 1 a Natale
Coperti: 30
Prezzi: 33-35 euro vini esclusi
Carte di credito: tutte, Bancomat

La tradizione e la semplicità qui sono davvero di casa. Lucia Gius può vantare numerosi riconoscimenti gastronomici come solo chi ha il pregio di essere una sorta di memoria storica del buon cibo nostrano può ostentare. Lei, non ostenta, anzi, continua a convincere i palati più esigenti con piatti di assoluta semplicità, e proprio per questo speciali. Subito una precisazione. Il menù è fisso, si mangia tutto quello che giunge nei piatti, l'arredo elegante, sobrio, pochi tavoli sistemati in una sala del maso agricolo, ricavato nelle abitazioni che circondano un vecchio forte asburgico, sulla stretta, curvosa strada collinare che unisce Trento a Civezzano e dunque alla Valsugana.
Sala da pranzo che si raggiunge attraversando la cucina. Insomma, vedi e annusi prima quanto stai per gustare. Gli ingredienti sono altrettanto ruspanti. Gran parte delle verdure sono dell'orto che s'intravvede entrando in questa ormai famosa trattoria di campagna. **Frittate di verdura**, pasta fresca fatta in casa, **tagliatelle** o **ravioli con funghi porcini freschi**, alle erbette o **con carni di volatili**. Quasi sempre la **polenta di mais, con salcicce** o costine di maiale, servite con **crauti** o altre verdure di stagione. Come sempre è la specificità e l'andamento stagionale a condizionare il menù. Costante pure l'offerta della piccola pasticceria e del **gelato**, solo **alle nocciole**, sempre più squisito. Ogni giorno qualcosa di diverso, senza nulla stravolgere, e stupire per la cura, la professionalità di come ogni portata viene servita ai tavoli, nelle salette che circondano la cucina. Gran cura per i **formaggi d'alpeggio**, dei dolci – **torte alla frutta** – e per la proposta dei vini, con alcune rarità locali e di aziende estere.

COREDO
Tavon

40 KM A NORD DI TRENTO SS 12 E 43

PINETA

Ristorante annesso all'albergo
Via Santuario, 17
Tel. 0463 536866
Chiuso il mercoledì, mai d'estate
Orario: mezzogiorno e sera
Ferie: novembre
Coperti: 50
Prezzi: 28-30 euro vini esclusi
Carte di credito: tutte

Non capita spesso di arrivare in un ristorante tipico e scoprire una serie di servizi annessi, piscine e strutture costruite con tecniche di bioedilizia, costruzioni dotate di ogni comfort, che compongono una specie di "albergo diffuso" tra i boschi. E nel contempo vedere alcuni componenti della famiglia Sicher foraggiare gli animali nella vicina stalla, preparare insaccati tipici – le ***mortandéle***, anzitutto – negli avvolti di una casa contadina attigua all'albergo o raccogliere verdure nell'orto. E ancora. Per garantire la qualità della carne bovina, allevano in proprio alcuni capi. Gente di montagna, validi operatori turistici, sempre ospitali, curiosi e impegnati nella tutela della tradizione culinaria locale. Hanno recuperato vecchi ricettari e puntano, sul cibo nostrano.
I Sicher nascono come osti e ne sono orgogliosi. Specialmente Bruno, che dirige il ristorante, due grandi sale arredate in stile montanaro. **Salumi** della casa, tanti e saporiti. Stesso discorso per i primi piatti, pasta fresca per **tagliatelle con funghi**, verdure, salsiccia o **con selvaggina**. Poi l'orzo cucinato come fosse riso, **gnocchi**, zuppe, ma anche **arrosti di carne di bue** – ovviamente allevato dai Sicher – e lo **stoccafisso con polenta**. Casalinghi i dessert, **strudel** e torte di frutta, gelati artigianali. Tanti i tipi di **formaggio**, affinati nel suggestivo maso attiguo all'albergo, e ampia selezione di vini, prevalentemente trentini, che si possono assaggiare anche a bicchiere.
E ancora: possibilità di soggiornare a un prezzo oculato, data la bellezza del complesso alberghiero.

Osteria accessibile ai disabili.

A Coredo, il macellaio Massimo Corà ha allestito una sala degustazione dove si trovano specialità trentine.

FAEDO

24 KM A NE DA TRENTO, USCITA A22 SAN MICHELE ALL'ADIGE

AI MOLINI

Trattoria annessa all'azienda agricola
Località Molini
Tel. 0461 650817-651088
Chiuso lunedì e martedì
Orario: mezzogiorno e sera
Ferie: durante la vendemmia e fine marzo
Coperti: 35
Prezzi: 20 euro vini esclusi
Carte di credito: CartaSi, Bancomat

A Faedo, e precisamente al Sauch, si trova un retaggio della caccia medievale: il roccolo, una costruzione di alberi e strutture rivestite da vegetazione che nasconde reti per imprigionare gli uccellini durante i flussi migratori. L'uccellagione ora è vietata e la pratica è sfruttata per finalità scientifiche. Ecco perché un piatto tipico della cucina trentina si chiama ***osèi scampadi***. Piatto oggi confezionato con involtini di carne di vitello farciti alle verdure o con lardo o frattaglie. Una pietanza presente in molti menù.
Tra i custodi di queste sane abitudini rurali anche la famiglia di Carlo Zeni, vignaiolo esperto, da qualche anno pure competente operatore agrituristico. Il loro maso è impostato sull'accoglienza. Dispone di alcune stanze e di questo frequentatissimo agritur, uno dei più validi tra i tanti banali del Trentino. Sui pochi tavoli in legno, sistemati nell'ampio salone, una veranda con un bel panorama sui vigneti e la sottostante valle dell'Adige, oltre al ***tortél*** propongono **carne *salada***, cavoli cappucci arrostiti, formaggio di malga e **lucaniche stagionate**. Altra pietanza, l'**orzotto**, simile al risotto, elaborato con verdura di stagione – dagli asparagi di fiume **ai funghi porcini** – in alternativa agli **strangolapreti**, ai **gnocchi di patate**, alla pasta fatta in casa. Polenta, stinco di maiale o **polenta con coniglio**, puntine di maiale arrosto, **gulasch di selvaggina** e altre carni alla brace.
Abbondanti pure i dessert, con torte di frutta fresca, tiramisù, panna cotta, piccoli frutti del bosco. E la possibilità di bere tutti i vini di Faedo.

A **Verla** (6 km) il macellaio Zendron propone carne affumicata, lucanica e speck. Stesse proposte a **Faver** (10 km) dalla macelleria Paolazzi.

ISERA

21 KM A SUD DI TRENTO, CASELLO A22 ROVERETO NORD

LOCANDA DELLE TRE CHIAVI

Trattoria
Via Vannetti, 8
Tel. 0464 423721
Chiuso domenica sera e lunedì
Orario: mezzogiorno e sera
Ferie: seconda-terza sett di gennaio, ultime 2 di giugno
Coperti: 80 + 80 esterni
Prezzi: 33-35 euro vini esclusi
Carte di credito: tutte

Sergio Valentini e la sua brigata di cucina puntano sul "chilometro zero" ovvero su un'offerta basata su materie prime reperite dai contadini della zona, da artigiani o produttori che trasformano produzioni a pochi chilometri di distanza dal ristorante. Isera si presta a questa sfida. Al punto che l'amministrazione comunale intende promuoverla insieme ad altre comunità limitrofe. Sergio crede molto in questa filosofia e ha coinvolto diversi ristoratori della Vallagarina.
Nel menù, dunque, predominano piatti con ingredienti locali. **Salumi** abbinati a ***tortèl* di patate**, la **carne *salada***, la **pasta con farina di farro con le sarde** del lago di Garda, **strangolapreti**, gnocchi, **ravioloni di verdure** della val di Gresta. Ma anche **polente di mais di Storo** o con la varietà di granturco *spin*, selezionato da alcuni contadini della Valsugana, servite **con brasato di manzo**, **carni** di maiale o **di agnello** provenienti da stalle poco lontane da Isera. A proposito di questo borgo: bella selezione di Marzemino, il suo vino principe, e altrettanta cura per i formaggi. Casalinghi i dolci: **strudel di mele** o di ciliegie con gelato alla cannella, torta di grano saraceno con ribes rosso, tiramisù alle fragole, zuccotto alle pere e noci con Vino Santo Trentino.
Proposte che seguono l'andamento stagionale e si diversificano anche per orari: si può pranzare con una sorta di piatto unico, la sera o per soste gastronomiche più rilassanti la scelta è variegata.

Locale segnalato
dall'Associazione italiana celiachia.

Nella piazza attigua alla locanda, vini e prodotti delle aziende agricole locali in vendita nella Casa del Vino della Vallagarina, dove è possibile gustare buoni piatti.

LAVARONE
Azzolini

27 KM A SE DI TRENTO

RUZ

Osteria-enoteca
Località Azzolini, 1
Tel. 0464 783821
Chiuso il giovedì, mai in alta stagione
Orario: mezzogiorno e sera
Ferie: due settimane in ottobre
Coperti: 35
Prezzi: 18-20 euro vini esclusi
Carte di credito: tutte tranne DC, Bancomat

Lavarone e le malghe, una convivenza sperimentata in secoli di alpeggio. Pratica contadina ancora in voga, proposta oggi come opportunità turistica. In questo comune composto da una dozzina di frazioni, ogni agglomerato di case dell'altopiano che porta alle Vezzene ha un posto deputato all'alpeggio.
Franco Bertoldi ha trasformato (ampliandola) una vecchia stalla in una fornita enoteca, con la possibilità di gustare qualche buon piatto della tradizione. Osteria poco distante dalla strada principale, vicino a un mini impianto sciistico, dove d'inverno i bambini possono imparare a sciare, sotto lo sguardo di genitori seduti comodamente ai tavoli, intenti magari a sorseggiare uno dei tanti vini a bicchiere predisposti da patron Franco, esperto sommelier, tra i più preparati operatori turistici dell'altopiano, che con moglie e figlia porta in tavola anche corroboranti menù. Con i **formaggi** locali, anzitutto – siamo nel cuore del **vezzena** – poi salumi, **speck** e carne affumicata. **Zuppe di verdure**, talvolta trippe, i **funghi** d'estate, la **polenta di patate** – la *pult*, come viene chiamata in zona – abbinata a **selvaggina** o ad arrosti vari, anche se per gustarla è meglio prenotarla in anticipo. I **ravioloni alle erbe** o **ai funghi**, la carne *salada*, carni di maiale con **rosticciata di patate e cipolla**, qualche volta agnelli nostrani, e la possibilità di sostare in osteria per rustiche merende anche nelle ore pomeridiane.
Casalinghi i dessert, con una recente novità: elaborano il cioccolato, fondendolo, per creare abbinamenti con frutta fresca – pere, albicocche, fragole o kiwi – serviti poi assieme a mirati calici di vino.

Osteria accessibile ai disabili.

LAVIS
Sorni

15 KM A NORD DI TRENTO, SS 12 DEL BRENNERO

VECCHIA SORNI

Trattoria
Piazza Assunta, 40
Tel. 0461 870541
Chiuso domenica sera e lunedì
Orario: mezzogiorno e sera
Ferie: 3 settimane tra febbraio e marzo
Coperti: 20 + 20 esterni
Prezzi: 30 euro vini esclusi
Carte di credito: tutte tranne AE, Bancomat

Sorni è il nome di un agglomerato di case rurali sopra le colline di Lavis e quello della più piccola fra le doc trentine, a tutela di vini che nascono solo in questa zona. Vigne ovunque, fin sulla piazzetta della chiesa, a fianco del porticato disseminato di attrezzi agricoli che porta all'ingresso di questa leziosa trattoria, con una veranda sulla valle dell'Adige, due salette interne e uno spazio al primo piano.
Un luogo ameno, curato nell'arredo, sapiente uso del legno e di tende e tovaglie con ordinati merletti. La gestione è familiare, madre e figlio, lei – la signora Maria Teresa – in sala, mentre il figlio Lorenzo Callegari lo trovi ai fornelli. Proposte di tradizione, piatti di stagione, grande cura anche alla presentazione. Quasi sempre disponibile la **carne *salada***, la pasta fresca con condimenti di giornata – ben amalgamate le **tagliatelle ai funghi freschi**, d'estate, a primavera davvero gustoso il **riso con asparagi di fiume** –, certi **strudel salati** o torte di verdure con **pesce di lago**. Saporito il **capriolo con *tortèl* di patate**, talvolta la carne di cavallo, quella di agnello e l'immancabile ***groestl***, la **rosticciata con carne di manzo**, cipolle e tante patate. Fatto in casa il pane, le torte e pure il gelato. Croccante lo **strudel di mele** nonese, ben fatta la torta di ciliegie, insolito e buono il gelato d'anguria, con il quale – dopo una piccola selezione di **formaggi nostrani** – abbiamo concluso la cena, una sera d'estate, seduti sulla veranda esterna, assaporando uno dei tanti distillati del fitto elenco di vini e grappe dell'apposita lista. Ancora una precisazione: prenotare è meglio.

A **Lavis** (4 km) la gelateria Serafini, sulla via per la val di Cembra, produce squisiti sorbetti e dolci e seleziona ottimi caffè.

BOTTEGA VINAI. LA LINEA CHE TUTTI CI INVIDIANO.

Non c'è solo l'elegante silhouette e il look inconfondibile dietro al successo di Bottega Vinai. C'è il rigore, la passione e l'impegno di una vita. C'è il desiderio di esprimere in 13 vini, ottenuti da vigneti di eccellenza, la grande vocazione enologica del Trentino. Scegliendo Bottega Vinai saprete di aver scelto il meglio.

CHARDONNAY › MÜLLER THURGAU › NOSIOLA › PINOT GRIGIO › SAUVIGNON › TRAMINER › SCHIAVA GENTILE › CABERNET SAUVIGNON › LAGREIN DUNKEL › MARZEMINO › MERLOT › PINOT NERO › TEROLDEGO

NEI MIGLIORI RISTORANTI, ENOTECHE E WINE BAR. BOTTEGA VINAI, TRENTO E LODE

TRENTODOC®

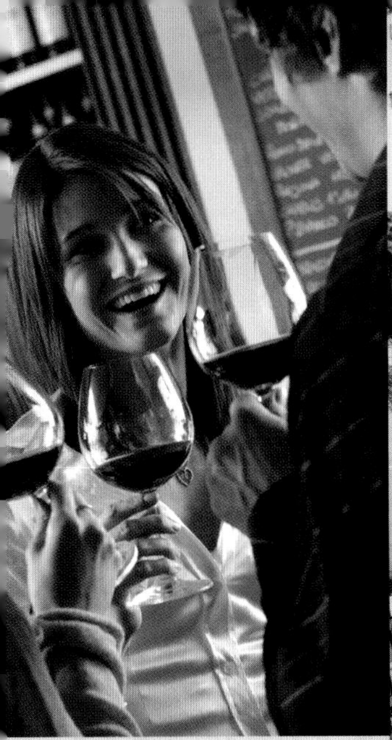

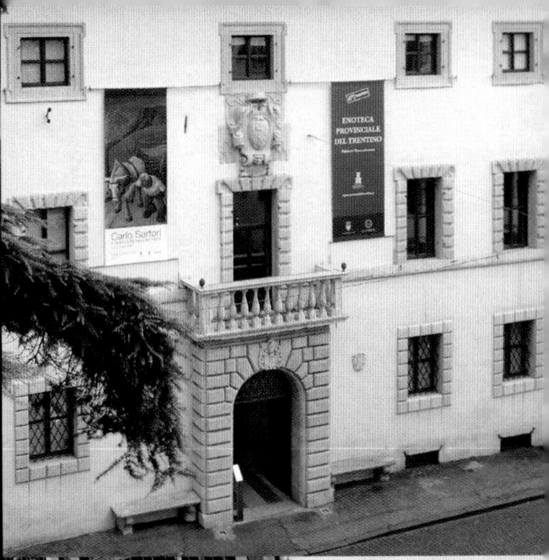
ENOTECA
PROVINCIALE
DEL TRENTINO
Carlo Sartori

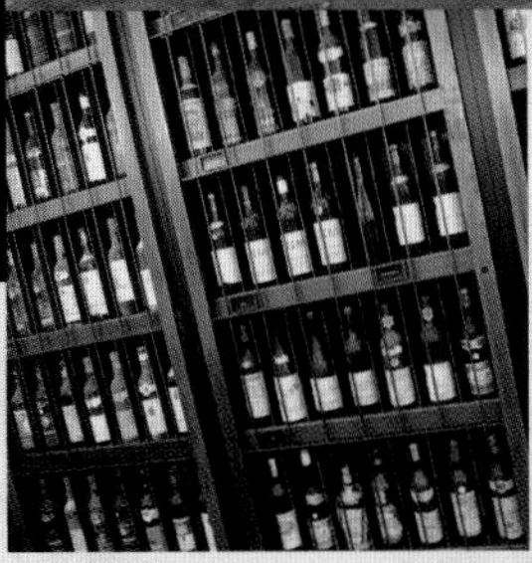

Levico Terme

20 km a SE di Trento SS 47

Boivin

Osteria tradizionale-enoteca
Via Garibaldi, 9
Tel. 0461 701670-707122
Chiuso il lunedì, mai d'estate
Orario: sera, domenica anche pranzo
Ferie: 15 gg tra novembre e febbraio
Coperti: 50
Prezzi: 30 euro vini esclusi
Carte di credito: tutte

Riccardo Bosco è un cuoco curioso. Non si adagia sulla consuetudine. Sperimenta e non vuole caratterizzare il suo locale in base a un preciso piatto o a un menù rigidamente legato alla tradizione trentina. Il suo Boivin è una continua mescolanza di gusti, stili, tecniche culinarie. Il "famoso" piatto tipico per eccellenza non esiste. Hanno però proposto e rivisitato le ricette trentine senza mai cadere nelle tentazioni di tendenza. Puntando sulla tecnica – frequentando cucine di famosi chef, anche stranieri – e scegliendo ingredienti di produzione locale.
Così il menù è una sintesi gustosa di piatti trentini aperti al nuovo. Qualche esempio: ***tartare* di trota, zenzero e panna acida**; fiore di zucchina con salsa di fragole piccante in alternativa alla consueta selezione di **salumi artigianali**, alla **carne *salada***, comunque in lista. Poi, tortelli di rape rosse, **strangolapreti**, diversi tipi di pasta (fatta in casa, come il pane) per passare al petto di maiale disossato, marinato e cotto a bassa temperatura, servito con composta di mirtillo rosso e cavolo cappuccio, rendendo la cotica croccante e la carne tenera. **Puntine di maiale**, tagliata di manzo, **trota** a piacere (singolare quella **cotta in scorza di larice**) poi **coniglio con polenta e funghi** freschi e altre pietanze stagionali, piatti a base di piccoli frutti, **castagne** o fiori selvatici.
Bella scelta di **formaggi**, casalinghi i dessert – torta alla ricotta, al cioccolato fondente, alla frutta di stagione, semifreddi – e più che valida l'offerta dei vini, anche a bicchiere, per un menù degustazione di sette portate a 30 euro.
Sempre aperto in estate.

A **Pergine Valsugana** (9 km), in località Canezza, la famiglia Paoli mette sott'olio verdure e le acciughe con i capperi.

Andar per malghe

Sulle Dolomiti le malghe sono parte del paesaggio. In Trentino se ne contano 301: la maggior parte ospitano bestiame "asciutto", che non produce latte, in 86 si mungono le vacche e si producono formaggi. Malghe e formaggi alpini. Unione indissolubile che racchiude stili di vita, filosofie agresti, sapienze e sapori. Rispettose dell'habitat – senza pascoli stagionalmente falciati, non si sviluppa il fieno, per fragranze che dal latte passano ai formaggi. In Trentino la cultura della malga ha radici antiche, disciplinate con regole medievali. Quando "caricare" (vale a dire: gestirne i proventi) la malga era vanto di ogni famiglia. Dopo secoli di paziente sviluppo, l'inversione di tendenza, con il lento abbandono della montagna. Proprio per questo la Provincia Autonoma di Trento ha varato una serie di iniziative a sostegno dei malgari. Formaggi che un tempo si caseravano esclusivamente in malga ognuno con la sua personalità, per il legame tra ambiente, bestiame e bravura del casaro. Vezzena, puzzone, *casolèt* e spressa sono i formaggi che possono fregiarsi del marchio istituzionale "Sapori di Malga", voluto dalla Provincia di Trento. Le segnalazioni che seguono (malghe aperte solo da giugno a fine settembre, attrezzate con punto ristoro, magari frugale, solo dalla trasformazione del latte) vogliono essere un omaggio ai malgari. Per rivalutarli e consentire ai consumatori più attenti (attenzione: spesso si raggiungono con dei tratti di strada a piedi) di acquistare sul posto e gustare formaggi autentici. Veri. Come il Trentino è ancora in grado di proporre.

Nereo Pederzolli

Tonadico
Malga juribello
Tel. 348 8925841

È una delle malghe gestite direttamente dalla Federazione trentina degli allevatori, nel cuore del Parco di Paneveggio, dove pascolano 140 vacche da latte e si organizzano dimostrazioni di caseificazione di formaggi quali la *tosèla* (freschissima) e il tipico di Primiero. La malga funziona anche come scuola per pastori ed è attrezzata per il ristoro dei visitatori.

Malga venegiòta
Tel. 0462 576044

La val Venegia è talmente affascinante da essere usata come scenario per film, oltre che per escursioni alpinistiche quasi elitarie. La malga di Giancarlo Depaoli è punto di partenza per Baita Segantini e per sostare gustando piatti tipici e formaggi appena caserati, assieme a polente cotte nel piolone in rame.

Sant'Orsola Terme
Malga cambroncoi
Tel. 0461 540001-333 3222455

La valle del Fersina è ancora popolata dai Mocheni, minoranza etnico-linguistica legata ai Cimbri. La malga è gestita da due donne, Nadia Bertin e Manuela Pagliari, con tanto di laurea in agraria. Si trova verso il passo del Redebus, a oltre 1700 metri di quota, ed è attigua a uno spazio agrituristico attrezzato.

Cloz
Malga cloz
Tel. 0463 874537

Vacche libere e maiali per salumi nostrani, allevati in questo lembo di montagna trentina praticamente in provincia di Bolzano, verso la val d'Ultimo. La gestione è dei fratelli Torresani, che hanno organizzato in malga pure una buona cucina, con piatti tipici: canederli, gulasch di manzo e formaggi di loro produzione.

Levico Terme
Malga montagna granda
Località Vetriolo Panarotta
Tel. 0461 701800

A oltre 1500 metri di quota sgorgano acque termali ferruginose e col latte delle bestie si caserano squisiti formaggi d'alpeggio. La malga della famiglia Stiffan propone anche alcuni piatti di tradizione: canederli, strangolapreti, arrosti di maiale, gulasch, crauti e puntine, ortaggi e i funghi raccolti attorno alla malga.

Pozza di Fassa
Malga contrin
Tel. 338 6227083-334 8244446

Konrad Haselrieder è un po' alpinista un po' casaro e in questa malga nel cuore della Marmolada – si raggiunge in due ore a piedi dalla stazione della funivia del Ciampac, tra Alba e Canazei – lascia pascolare giorno e notte oltre 200 capi di bestiame. Dal latte, formaggi e altre specialità, per turisti poco sedentari.

Rabbi
Malga monte sole
Tel. 0463 985321-338 3170715

2000 e più metri di quota, sopra le terme di Rabbi e Pejo, nel Parco dello Stelvio, caricata con un centinaio di vacche e tanti maiali da ingrasso. Ben ristrutturata, gestita da Guido Casna, grande esperto di alpeggio, la malga è inserita nel circuito turistico della valle per consentire di vedere dal vivo il lavoro dei malgari, gustando il formaggio del posto, il *casolèt*, ma anche burro e ricotte.

Malga stablasolo
Tel. 0463 985109

Una delle più antiche, legata agli usi e costumi della gente di Rabbi, paese che risale al 1400, famoso anche per le sorgenti di acqua minerale. Si raggiunge a piedi o con un bus-navetta organizzato dal Comune. La malga è punto di partenza per facili escursioni. Propone una gustosa cucina di territorio curata da Anna Piazzola.

Spormaggiore
Malga spora
Tel. 0461 653348

È la "malga dell'orso"', nel cuore del Parco Adamello Brenta, dove scorazzano gli orsi trentini. Isolata e in posizione spettacolare – almeno due ore di strada a piedi, partendo da Andalo o dal rifugio Grostè, sopra Madonna di Campiglio – casera in proprio il latte delle vacche in alpeggio e offre la possibilità di dormire.

Valfloriana
Fior di bosco
Tel. 0462 910002

Recentemente ricostruita e inserita in una struttura agrituristica dotata pure di alcune stanze per soggiorni estivi, con una buona cucina, è gestita da Graziano Lozzer, giovane malgaro entusiasta del suo lavoro. È una delle poche con vacche di razza grigio alpina; è a certificazione biologica e produce diversi tipi di formaggi, burro, ricotta e *zighere* (tedesco *ziege*, capra), anche se qui fatto con latte vaccino.

Ossana

70 km NO di Trento, strada del Tonale SS 43 e 42

Antica osteria

Trattoria
Via Venezia, 11
Tel. 0463 751713
Chiuso il mercoledì, mai in alta stagione
Orario: mezzogiorno e sera
Ferie: non ne fa
Coperti: 38
Prezzi: 28-30 euro vini esclusi
Carte di credito: tutte tranne AE

L'alta valle di Sole, verso Passo Tonale, ha poco del paesaggio frutticolo che contraddistingue la vallata. Qui si è già in montagna. Decisamente montanaro è lo stile di questo locale, sulla stretta via che porta alla piazza. Due minuscole sale interne, ambiente curato, pizzi e merletti, tante bottiglie che fanno capolino da mobili rustici. La gestione è della famiglia di Mariano dell'Eva, la giovane figlia Federica in sala.
Cucina tipica, grande cura nei **salumi** e nei **formaggi**, attento il servizio vini. Con antipasti saporiti – squisita **frittata con erbe di campo** estive – poi l'**orzotto** irrobustito **con formaggio di malga** e vino rosso, **petto d'anatra con cavolo verza** arrosto. A chiudere **torta di mais**. In calendario numerose iniziative, dedicate ai fiori selvatici, ai **funghi**, alle rinomate mele golden della valle, alle castagne, ai formaggi di malga, ma anche alla carne, specialmente quella di animali di propria produzione, che la famiglia dell'Eva accudisce in una stalla poco distante.
Quassù non si arriva per caso. Lo sci e le escursioni in quota ritmano le frequentazioni di quanti scelgono l'alta valle di Sole per vacanze o gite alpine. La vallata, quassù, perde i caratteri frutticoli e assume l'aspetto delle comunità montane. Ossana, in particolare, è un paese per certi versi sconosciuto. Perché, nonostante sia vicino alle vie di comunicazione che portano al Tonale e ai valichi dove sono in funzione caroselli sciistici rinomati (Folgarida, Marilleva, Madonna di Campiglio), il paese non è stato travolto dal turismo di massa e mantiene la sua sobrietà alpina, a tutela della zootecnia e dei prodotti del latte.

A **Mezzana** (5 km) produzione esclusiva di casolèt e altri formaggi nostrani come il fontal, ricotte e burro al Caseificio sociale Presanella, in via Bezzi 3.

Pejo
Comasine

65 km a NO da Trento SS 43 e 42

Il mulino

Ristorante
Località Comasine, 2
Tel. 0463 754244
Sempre aperto dal 15 giugno a fine settembre e dai primi di dicembre a dopo Pasqua
Orario: sera, estate anche pranzo
Coperti: 100
Prezzi: 28-30 euro vini esclusi
Carte di credito: Visa, Bancomat

Acqua, ferro e latte. Per secoli la valle di Pejo ha sfruttato la forza delle sue acque per azionare mulini, scavato nel sottosuolo per estrarre ferro e coltivato i pascoli più in quota, per allevare bestiame da latte e caserare burro e formaggi. Le miniere sono ormai esauste, la forza delle acque aziona mulini a scopo didattico, le sorgenti sono sfruttate come acque minerali, mentre i pascoli consentono ancora la produzione di squisiti formaggi nostrani. Non a caso a Pejo rimane in funzione – unico tra le Dolomiti – l'antico caseificio turnario: si casera a turno, i soci si spartiscono le forme di cacio in base al latte conferito.
E tra i mulini meglio conservati, questo, trasformato in un suggestivo ristorante, da anni gestito da Agnese Pegolotti Dalpez con uno staff di giovani collaboratori. Poche le novità nella sequenza dei piatti. Aperto solo la sera – nei mesi del turismo si può anche pranzare – presenta pietanze di tradizione, basate sulla trasformazione di cereali o farine un tempo macinate proprio dal mulino. Poi grande attenzione per i **funghi** del bosco, le farine di mais, le **carni di maiale**, agnello e **selvaggina**. Menù stagionali, comunque. Con una presenza fissa: i **salumi**, la **polenta**, **arrosti di maiale** e **di coniglio**. **Trote** e **salmerini** sono allevati in proprio, nelle limpide acque del torrente usato prima come "forza motore" nella macina. Stessa certezza per i **formaggi** – siamo nella zona del ***casolèt*** – di varia stagionatura.
Pane e dolci sono fatti in casa: torte di frutta, **strudel con vaniglia** e altre elaborazioni dolciarie al cucchiaio. Buona la selezione dei vini. Quasi indispensabile la prenotazione.

A Pejo c'è il Caseificio Turnario, in piazza san Giorgio. Il caseificio è aperto e vende al pubblico casolèt.

Predazzo

75 km a NE di Trento SS 48

La berlocca

Trattoria
Via Venezia, 10 A
Tel. 0462 502880
Chiuso domenica e lunedì
Orario: solo la sera
Ferie: variabili
Coperti: 26
Prezzi: 33 euro vini esclusi
Carte di credito: le principali

Al rullio della berlocca, un caratteristico tamburo, le truppe napoleoniche si mettevano in fila per il rancio quotidiano. Paola e Angelo, gestori di questo minuscola trattoria tornano (metaforicamente) a far rullare la berlocca. In questo caso chiamando a raccolta gli artigiani del gusto della zona. Hanno infatti costituito una piccola comunità del cibo, coinvolgendo alcune aziende agricole, caseifici, allevatori e troticoltori, per avere materie prime di qualità, buone ed ecosostenibili.
Materie prime trasformate in tanti schietti piatti tipici. Antipasti di **salumi** – provate quelli **di capra**, una rarità – con **speck**, coppe e altri insaccati, selezionati da Angelo, competente quanto esigente, dati i trascorsi come tecnico addetto al controllo qualitativo della filiera suinicola. **Zuppe di pane**, di erbe selvatiche, di formaggi nostrani, ma anche una serie di paste – fatte in casa, ogni giorno – condite o farcite con tarassaco, buonenrico, timo selvatico e altre piante officinali. Nei mesi opportuni, in tavola la maialata, tripudio di carne da animali appositamente allevati in valle. Anche i **conigli** – decisamente buono quello **ripieno alle erbe** – sono allevati vicino. Idem per **trote** e **salmerini**, pure i formaggi rispettano i dettami della comunità locale.
Torta di mele, **semifreddo al caffè di Anterivo** (fatto con i lupini, simile all'orzo), crostate con varie farine e confetture fatte in casa. Ampliate la sequenza dei **formaggi** e la lista dei vini, serviti pure a bicchiere.

A **Panchià** (5 km) l'azienda agricola Valaverta di Maso Alborivo vende i suoi prodotti da latte di capra: formaggi di media stagionatura, caciotte e ricotte fresche. A **Castello di Fiemme** (10 km) macelleria d'Agostin, via Roma 16, specialista in produzioni di salumi, anche di capra.

Romeno
Malgolo

42 km a nord di Trento SS 43 D

Nerina

Trattoria annessa all'albergo
Via De Gasperi, 31
Tel. 0463 510111
Chiuso il martedì, mai d'estate
Orario: mezzogiorno e sera
Ferie: 15-30 ottobre
Coperti: 45
Prezzi: 28 euro vini esclusi
Carte di credito: CartaSi, Bancomat

«20 chilometri e non di più». Con questo slogan il Nerina è stato uno dei primi a scommettere sul "cibo vicino". Una proposta che ha riscosso unanimi consensi e dato il via alla comunità del cibo della val di Non, che ha coinvolto numerosi contadini, allevatori, artigiani. La ***mortandéla*** con gelato di formaggio grana di Castelfondo, la **polenta al *casolèt***, i ravioli di patate, il **gnocco di pane**, il **raviolo d'agnello** e le carni di animali nati, allevati e macellati in zona. Contorni di verdure dell'orto, **crauti** fatti in casa, farine macinate artigianalmente, da varietà di mais locali. Con dolci a base di orzo e miele, torte di mele nonese, **canederli ripieni ai frutti di bosco**.
Piatti serviti con gentilezza e competenza dalla famiglia Di Nuzzo, mamma Nerina, due figli e due figlie tra sala e cucina. Ambiente e arredo semplicissimi, ma con un bel panorama sui frutteti della valle. Piatti stagionali, grande uso di **salumi** nostrani, di **formaggi** stagionati da Sandro, il patron, che suggerisce il piatto giusto con il vino appropriato, grazie a una selezione mirata, ogni bottiglia (oltre 200 etichette) legata a rapporti di amicizia con cantinieri, vignaioli, produttori. Qui trovi il Groppello di Revò, vitigno salvato dall'estinzione da Augusto Zadra. Torniamo al cibo. Tomino di capra, **strangolapreti**, tagliatelle, **gnocchi di polenta**, carni d'agnello, manzo o maiale sono sempre in lista, legati a verdure di stagione o **funghi**.
Per i dolci, la crema tipo catalana e quelli al cucchiaio, con panna fresca del vicino caseificio.

A **Malosco** (9 km), via Belvedere 24, mele e patate dell'azienda Calliari. A **Tres** (6 km) succhi e aceto di mele della famiglia Corazzolla. A **Tret** (10 km) le vere mortandéle dalla macelleria Gianfranco Bertagnolli, sulla via principale del paese.

Ronzo-Chienis
Valle di Gresta

50 km SO di Trento, 25 km dall'uscita Rovereto Sud della A 22

Antica Gardumo

Ristorante
Via ai Piani, 1
Tel. 0464 802855
Chiuso domenica sera e lunedì, mai d'estate
Orario: sera, fine settimana anche pranzo
Ferie: variabili
Coperti: 70 + 50 esterni
Prezzi: 35 euro vini esclusi
Carte di credito: tutte, Bancomat

Il cavolo in tutte le sue varianti. Gastronomiche, ovviamente. La valle di Gresta è il posto deputato a questo sapido ortaggio. Cavoli proposti con diverse altre verdure, dalle patate alle carote, dalle zucche ai fagioli, anche se i cavoli cappuccio sono vanto di colture che hanno recuperato campi dismessi e reso famosa una zona marginale del Trentino.
Al fascino del passato è dedicato il ristorante di Erika e Giovanni Benedetti, nella vecchia casa di famiglia, con mura e archi del 1400 e le travature in legno a vista. Cucina di territorio, con qualche guizzo innovativo. Al centro del locale, un grande camino, con una griglia per cuocere verdure o **carni sulle braci**. Anche pane, pasta e dolci sono fatti in casa. E pure certi **salumi**, serviti come antipasto assieme alla **carne *salada***, al **tortino di patate con soppressa**, al rotolo di coniglio e **cavolo cappuccio** tagliato sottilissimo, allo **strudel salato** farcito con ortaggi vari. Piatto tipico portante, i **tagliolini di grano saraceno** conditi principalmente con verdure grestane, a seconda della stagione. Stesso discorso per il riso o l'**orzo ai funghi**; **gnocchi di patate** a volontà. Sempre verdure accompagnano **arrosti di manzo**, **guanciale al vino rosso**, coniglio nostrano alle erbe e il tradizionale ***osei scampai***, involtini di carne con vari ripieni.
Casalinghi i dessert: torte di grano saraceno, **strudel di mele**, cestino ai frutti del bosco. Formaggi affinati in proprio e buona gamma di vini, prevalentemente trentini. Due stanze sono riservate agli ospiti per un soggiorno tipo b&b.

Il consorzio produttori Valle di Gresta, nel magazzino di Ronzo Chienis, via Longa 92, vende ortaggi e frutta dei soci. Il laboratorio di conserve Cappelletti, via Longa 56 B, propone marmellate e infusi di frutta.

Rovereto

25 km a sud di Trento

Pettirosso

Osteria di recente fondazione
Corso Bettini, 24
Tel. 0464 422463
Chiuso la domenica
Orario: mezzogiorno e sera
Ferie: luglio
Coperti: 70
Prezzi: 30 euro vini esclusi
Carte di credito: tutte

A Rovereto convivono guerra e pace, futurismo e futuro. Ci sono infatti musei che custodiscono i cimeli della Grande Guerra, la Campana della Pace, spazi museali per le opere di artisti locali famosi come Depero e Melotti ma anche l'imponente Mart, il museo d'arte moderna disegnato da Mario Botta. Nel quadrilatero di questa specificità tutta roveretana, Paolo Torboli ha potenziato il suo frequentatissimo locale con una serie di selezioni enologiche, senza tralasciare l'impronta originaria dei menù, cucina moderna basata sulla tradizione trentina.
Osteria, wine bar e ristorante, su due piani, quello sotto solitamente riservato a un pasto più impegnativo, talvolta creativo. Con la pausa pranzo dedicata a un pasto improntato alla praticità, un piatto unico a prezzo agevolato. La sera – o per i più esigenti pure a pranzo – un menù con pasta casereccia, **canederli**, gnocchi, tagliatelle e **minestre di verdura**. Antipasti di salumi nostrani – ***mortandéla* con vezzena e crostone di finferli** – tanti formaggi di propria selezione, **carni d'agnello**, di maiale, talvolta **selvaggina**. Sempre disponibile la ***béca***, torta a forma di becco, in versione salata, farcita con verdure dell'orto e formaggi freschi. Dolci semplici, dallo **strudel di mela** a quello con albicocche e mandorle.
Vino a seconda dell'occasione, della pietanza che si sceglie, della compagnia che si frequenta. E anche strumento per conoscere il mondo dei vignaioli, non solo quelli nostrani.

Vicino al Mart, l'enoteca Stappomatto, con tantissime bottiglie, prevalentemente trentine. Gastronomia Finarolli, in via Mercerie, e macellerie Zenatti, via Orefici, e Stiffan, via Mazzini. In via Fontana, vini e cioccolati all'Exquisita, bottega dolciaria.

SORAGA
Fuchiade

96 KM A NE DI TRENTO SS 48 E SS 346

FUCHIADE

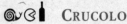

Ristorante-rifugio
Località Fuchiade
Tel. 0462 574281
Aperto da metà giugno a metà ottobre e da dicembre a Pasqua
Orario: mezzogiorno e sera
Coperti: 80 + 60 esterni
Prezzi: 35 euro vini esclusi
Carte di credito: le principali, Bancomat

Senza la neve, ci vuole mezz'ora di buon cammino da passo San Pellegrino prima di vedere la conca di Fuchiade. Un piccolo paradiso, con le Dolomiti di Fassa come corollario. Proprio in mezzo a questo panorama, un'altra buona camminata (ma è previsto un trasporto con un fuoristrada, d'inverno in motoslitta) ed ecco il rifugio, una ventina di posti letto e una cucina tra le più affascinanti delle Alpi. Merito della posizione e di Emanuela e Sergio Rossi, i titolari, che continuano a stupire. Per la cordialità dell'accoglienza, per la tipicità e la qualità dei piatti. Serviti in piccole sale curatissime. Ma sono le pietanze che confermano ogni aspettativa. Il menù non subisce drastici cambiamenti, la linea di cucina è sempre quella, collaudata, ma quotidianamente impostata per offrire il meglio. La **selvaggina** è la costante, assieme ad alcune specialità dei ladini. Selvaggina e **formaggi** nostrani, a partire dal **puzzone** o *spetz tsaorì*, chiamato pure nostrano di Fassa. **Gnocchi di polenta e funghi**, primo piatto quasi sempre in carta. Le stagioni fanno la differenza nella scelta degli ingredienti. D'estate il **guanciale di manzo con insalata di funghi** e taglieri di salumi nostrani. **Pappardelle con cervo**, gnocchi di polenta con spezzatino di carne (capriolo, manzo o maiale) o la **guancetta di vitello brasata**, lombo e costolette d'agnello, arrosti. Specialità della casa le **torte** – con grano saraceno e mirtilli, con carote, al cioccolato – e la ***rosada***, una crema *brûlée* con grappa e piccoli frutti del bosco.
Vasta gamma di formaggi fassani e ben fornita cantina, attrezzata per ospitare conviviali degustazioni.

A **Campitello** (8 km) sulla piazza Centrale, ottimi vini all'enoteca La Scaletta e formaggio fassano tipico al Caseificio Sociale, via Pent de Sera.

SPERA
Val Campelle

56 KM A EST DI TRENTO SS 47

CRUCOLO

Trattoria-rifugio
Località Val Campelle
Tel. 0461 766093
Chiuso martedì sera e mercoledì, mai d'estate
Orario: mezzogiorno e sera
Ferie: 10 gennaio-15 marzo
Coperti: 180 + 70 esterni
Prezzi: 20-25 euro
Carte di credito: tutte tranne AE

Un locale di montagna che si raggiunge dopo una stretta, ripida e tortuosa strada verso il Lagorai, i pascoli d'alta quota. In automobile bisogna fermarsi qui. Più avanti solo a piedi o in bici. Tanti i turisti che amano sia queste montagne che il Crucolo, un posto dove far baldoria, dove incontrare comitive di escursionisti e schiere di giovani e famiglie sedute ai tanti tavoli delle enormi sale, cantine, celle di stagionatura di salumi e formaggi.
La famiglia Purin ha sempre accolto con cordialità la numerosa clientela. Proponendo molte sue produzioni. Al punto che da osti sono diventati pure imprenditori agroalimentari, promotori di iniziative per allevamento, macellazione e trasformazione anzitutto di maiali. Investendo nel loro caseificio, nelle variegate produzioni in degustazione al Crucolo. La cucina, inutile sottolinearlo, è pantagruelica. Arriva in tavola una copiosa sequenza di pietanze. **Salumi**, **formaggi** di tanti tipi, serviti come antipasti o a corollario di zuppe, **minestre di verdure**, **pasta casereccia con funghi**, **canederli** con tanti tipi di sugo, **gnocchi** e tanto altro ancora. Per passare a **carni alla griglia**, arrosti di maiale, **stinco con crauti e polenta**, coniglio, in inverno anche **selvaggina**. Senza dimenticare cotechini, **zamponi**, insaccati vari, seguiti da formaggi fusi.
Casalinghi i dessert, strudel di mele, torte alla frutta, la ***fregolòti***, talvolta biscotti e focacce dolci. Vini della casa, imbottigliati da alcune piccole aziende viticole del Trentino.

A **Scurelle** (3 km), in località Lagarine, i Purin producono il Parampampolo, liquore dolce a base di caffè da servirsi flambé, salumi, freschi e stagionati, guanciale di maiale, soppressa e speck al timo.

Spiazzo
Mortaso

52 km a ovest di Trento ss 239

Mezzosoldo 

Ristorante annesso all'albergo
Via Nazionale, 196
Tel. 0465 801067
Chiuso il giovedì, mai d'estate
Orario: mezzogiorno e sera
Ferie: 20/9-1/12, dopo Pasqua-15 giugno
Coperti: 50
Prezzi: 30-34 euro vini esclusi
Carte di credito: tutte tranne AE, Bancomat

Raccontare il Mezzosoldo in poche righe è difficile. Se si parte dall'arredo, uno scrigno di oggetti della tradizione contadina, piante ed erbe di montagna ovunque, cimeli di cucina popolare, attrezzi di campagna.
Emozionante la proposta delle vivande. Per un menù praticamente fisso. Gran parte degli ingredienti dei piatti proposti con la regìa di Rino Lorenzi sono basati su germogli, erbe del bosco, frutta selvatica, trasformazioni casearie nostrane locali. Piatti portanti quali il ***radicc de l'ors***, ortaggio selvatico, seguito da ***ciuighe***, salume di maiale impastato con rape, **con *patugol***, sorta di purea di patate, **lasagnette di aglio ursino, noci e porcini**. Poi **capriolo con polenta di Storo**, sformato di *farinei*, spinaci spontanei, con ricotta affumicata. La ***mosana***, zuppa di mais con funghi e spugnole. Quindi **carni d'agnello**, **carne *salada* con mousse di fagioli**, anatra al ginepro, **camoscio con pane nero e miele, salmerino con salsa di baccalà**. Tra i dolci, gelato con noci e mugolio, **pere cotte nel Vino Santo**, torta d'erbe con grappa, *parfait* di miele di genziana con rabarbaro e una serie di dessert con erbe aromatiche. Tutta la pasta è fatta in casa e ogni giorno la cucina sforna una decina di tipi di pane. Grande selezione di vini, altrettanto valida quella dei formaggi, tutti da caseifici regionali.
Stanze a disposizione uso locanda e una nuova iniziativa: all'ingresso si può sostare all'Osteria della Puntera, aperta tutto l'anno, per quanti cercano ristoro, del buon vino o uno spuntino.

Nella frazione di **Borzago**, Primitivizia, laboratorio-negozio di Noris e Giovanni Collini: composte di frutta, mousse di erbe e ortaggi, specialità della Rendena. A **Strembo** (3 km), via Nazionale, Mario Masé confeziona ottimi salumi.

Terzolas

54 km a NO di Trento

Alla corte dei Toldi

Novità

Osteria di recente fondazione
Via dei Falidoni, 32
Tel. 0463 901038
Chiuso il martedì, mai in alta stagione
Orario: sera, in alta stagione anche pranzo
Ferie: 3 settimane in giugno, 3 in ottobre
Coperti: 35
Prezzi: 35 euro vini esclusi
Carte di credito: tutte

Una valle chiamata val di Sole, perché decisamente soleggiata e luminosa, una natura rigogliosa, l'altitudine che va dai 600 metri del fondovalle ai quasi 4000 dei ghiacciai perenni, tra i gruppi montuosi del Brenta, dell'Ortles-Cevedale, Adamello, Presanella, aree in gran parte inserite nel Parco nazionale dello Stelvio. Valle, ancora, di stalle, di caseifici, con qualche buona osteria come questa, di Andrea Daprà, ricavata in un edificio rurale del centro storico.
Si inizia con gli antipasti – non esiste menù scritto – che vanno dal porcino grigliato con fonduta di *casolèt* (formaggio tipico solandro) al millefoglie di patate, dai **salumi** nostrani al salmerino in crosta. Il piatto portante è il *tridentum*: **canederli in brodo**, strangolapreti e **monchi** (gnocchi di polenta di grano saraceno). Poi **ravioli di segale** allo stracotto d'asino, pasta corta – che come il pane è fatta in casa – con zucchine e funghi freschi, risotto al germoglio di ginepro, lasagne con verdura di stagione. **Stinco di maiale con crauti e polenta**, carne di cavallo con vino Groppello di Revò, **petto di galletto farcito** con *casolèt*, salmerino, **gulasch di selvaggina** sono i secondi solitamente a disposizione. Tra i dolci gelati e sorbetti fatti in casa, strudel di mele o pere, mousse e frittelle di mele con vaniglia.
Corposa la proposta dei vini, con particolare attenzione a quelli dei piccoli produttori, quelli che vinificano uve di viti a rischio di estinzione, come il groppello di Revò, il zeibel, la rossara, il lagarino e altri ancora. L'osteria dispone di tre stanze per il pernottamento.

A **Malè** (5 km) bar con mescita vini: Cafè de Orz, piazza Dante, 8. A **Croviana** (7 km) grande scelta di vini nella Bottiglieria Malanotti, in via Nazionale.

Tonadico
Val Canali

110 km a SE di Trento, SS 47 SS 50

Cant del Gal

Trattoria-rifugio alpino
Località Sabbionade, 1
Tel. 0439 62997
Chiuso il martedì, mai in alta stagione
Orario: mezzogiorno e sera
Ferie: novembre
Coperti: 60 + 20 esterni
Prezzi: 28-30 euro vini esclusi
Carte di credito: tutte tranne DC

Si presenta come un classico rifugio montanaro, con il collegamento stradale facile. Di fronte le Pale di San Martino, «Le pareti una volta tutte di cristallo, ora sono diventate altissime ed inespugnabili. Pure, supreme, dove mai più: cari miraggi di quand'ero ragazzino rimaste intatte ad aspettarmi, e adesso, è tardi, ora non faccio più in tempo». Così Dino Buzzati.
Rifugio, con guizzi di buona cucina. Proposta con semplicità, basando il menù su ingredienti nostrani, il latte e i suoi derivati, **burro**. Perché il Primiero vuole riconquistare la sua fama, quando nel Settecento il burro (chiamato da queste parti *botiro*) era merce di scambi commerciali addirittura con la Serenissima. Oggi il *botiro* è al centro di proposte gastronomiche della Strada dei Formaggi. La famiglia di Nicola Camin non ama le innovazioni gastronomiche. Propone quasi sempre pasta fresca fatta in casa, **gnocchi di patate**, orzotto, **zuppe di verdura**, immancabile la ***tosèla***, il formaggio freschissimo da saltare in padella, tanto burro e pochissima cottura. Poi il loro tris Val Canali ovvero **carne affumicata**, **cotechino** nostrano, **crauti**, polenta e **canederli**. Spesso la **selvaggina**, le carni ovine, quelle del maiale oppure di manzi allevati nelle stalle in quota. In estate grande uso di erbe selvatiche.
Tanti **strudel di frutta** – dalle mele alle prugne alle albicocche. Vini trentini e possibilità di dormire in alcune stanze della locanda.

In cima a **Val Canali**, nell'omonima malga (2 km), Gianna Tavernaro produce burro e formaggi. A **Mezzano** (10 km) formaggi tipici nel negozio del Caseificio Sociale, in via Roma. Caprini e prodotti caseari pure dal Mazaròl, allevamento e punto vendita di **Canal San Bovo** (15 km) gestito da due giovani casari, Corrado ed Elisa.

Trento

Astra

Osteria di recente fondazione
Corso Buonarroti, 16
Tel. 0461 829002
Non ha giorno di chiusura
Orario: solo la sera
Ferie: agosto
Coperti: 25
Prezzi: 20 euro vini esclusi
Carte di credito: nessuna

Gli Artuso, a Trento, sono sinonimo di cinema. Da oltre mezzo secolo si distinguono nella gestione del loro Astra. Ma sono anche dei buongustai. Così Anna e Antonio, due fratelli della dinastia, hanno deciso di abbinare cinema e cibo. L'idea ha subito riscosso successo. Grazie anche alla formula dell'offerta: si mangia solo durante gli orari di proiezione del multisala. Al bancone dell'osteria, attiguo a quello della biglietteria, ci sono sempre alcuni vini e stuzzichini. Si mangia nel soprastante soppalco, pochi tavoli, curati, ambiente sobrio.
Cucina stile casalingo, pietanze semplici, saporite. Piatti portanti: tra gli antipasti, **insalata di salmerino con mele e noci**, poi radicchi di campo con lardo e **crostini di pane integrale** oppure dadolata di zucchine con mandorle e formaggio vezzena stagionato. Minestre e **zuppe** come primi piatti: una su tutte, quella **con erbette e baccalà**. Stoccafisso che d'inverno, al giovedì, diventa filo conduttore di tutto il menù. E ancora. **Gnocchi di pane con ortiche** e una squisita **polenta di farina bianca con la *renga***, ovvero aringa affumicata, servita in salamoia, calda, con le saporitissime uova. Le carni. **Guanciale brasato al vino rosso**, filetto di maiale in salsa di porri, talvolta il classico **coniglio alla trentina**, con lardo e rosmarino.
Anna Artuso ha il vezzo della pasticceria. Propone una sua specialità, la torta tenerina, soffice e con una miscela di cacao. Immancabili lo strudel di mele, la **torta di *fregolòti***, il dolce di Natale, lo ***zélten***, carico di frutta candita. Piccola quanto curata la lista dei vini, proposti anche a bicchiere.

Nel centro storico di Trento il Palazzo Roccabruna ospita l'Enoteca provinciale del Trentino: possibilità di degustazione delle migliori etichette locali.

OLD

Osteria di recente fondazione
Via Roggia Grande, 8
Tel. 0461 263263-232414
Chiuso la domenica
Orario: mezzogiorno e sera
Ferie: due settimane a fine luglio
Coperti: 40
Prezzi: 30-35 euro vini esclusi
Carte di credito: tutte

Generazioni di trentini hanno varcato l'ingresso di via Roggia Grande, per oltre un secolo osteria aperta fino a notte fonda. Da qualche anno il locale è stato ristrutturato, ma non ha smesso di essere l'osteria della città, ora frequentata più da giovani e da impiegati o professionisti del centro storico, ma Giuliano Travaglia e la moglie Marilena stanno dimostrando competenza ed entusiasmo.
Lui è uno dei più validi sommelier trentini e un grande conoscitore di birre (ne propone una selezione alla spina), lei cura la cucina. Dalla quale escono una serie di specialità, a seconda della fascia oraria. Stuzzichini al mattino, per accompagnare gli avventori che sostano in attesa del pranzo, altri al pomeriggio e nel dopocena. Così si assaggiano una fetta di **salame nostrano**, qualche **luganega** giusta, tranci di focacce o **frittate alle verdure**, formaggi o verdure in agrodolce. Per poi sedersi ai tavoli e scegliere fra **tortelli** fatti in casa (ripieni a seconda della stagione, dalla zucca **alla ricotta**), **tagliatelle**, vari tipi di riso o l'orzo cucinato come risotto. **Petto d'anatra**, tagliata di manzo, **carne *salada***, **trota** sono i piatti quasi sempre in lista. Numerose proposte di **carni alla griglia**, dal petto di tacchino al **filetto di cavallo**, **costolette di agnello**, pollo con radicchio.
Tra i dessert, bavarese alle fragole con yogurt, torta morbida con confettura di ciliegie, semifreddo al miele di montagna o alle nocciole con salsa al caramello. Grande selezioni di vini, proposti pure a bicchiere.

Osteria accessibile ai disabili.

A pochi passi la Gastronomia, dove la famiglia Franceschini propone formaggi nostrani, salumi tipici trentini e un grande assortimento di prodotti gastronomici.

SCRIGNO DEL DUOMO

Osteria di recente fondazione
Piazza Duomo, 29
Tel. 0461 220030
Non ha giorno di chiusura
Orario: mezzogiorno e sera
Ferie: non ne fa
Coperti: 50 + 30 esterni
Prezzi: 28-32 euro vini esclusi
Carte di credito: tutte

Ci si ferma per gustare un aperitivo, per un pranzo informale oppure per un pasto più impegnativo. Variegato quanto autorevole, un posto situato proprio sulla piazza del duomo, un piccolo cortile che porta ai tre scalini dell'ingresso, al bancone wine bar, tra lavagne che elencano le decine di vini in degustazione, una serie di antipasti da scegliere e consumare al banco. Ancora due scalini e si entra nelle tre sale, passando da una cucina a vista. Scendendo le scale tra scenografiche bottiglie (vuote) di spumante si entra nel seminterrato, spazio riservato al ristorante.
Alfredo Chiocchetti è lo chef che dirige il tutto, con l'osteria sempre più curata, piatti basati su prodotti trentini, proposti con la maestria di una brigata di cucina di livello. Il menù cambia due-tre volte al mese e a seconda della stagione ci sono una serie di piatti tipicamente trentini, con la costante offerta di salumi, formaggi e verdure sott'olio. Pane, pasta e dolci sono fatti in casa. **Tarassaco con testina di vitello**, poi **gnocchi di patate** con quattro tipi di formaggio, un dolce di farina di grano saraceno con mele renetta e vaniglia. Queste le pietanze primaverili, insieme ad **asparagi di fiume con prosciutto e rafano** oppure, in estate, **terrina di funghi**, **coscia di coniglio con polenta** abbrustolita e finferli, seguito da un sorbetto ai frutti di bosco con biscotto e vaniglia. Poi **zuppe di orzo**, canederli, **stinco di maiale**, carni di agnello e dolci ogni giorno diversi.
Nei mesi caldi si può sostare nei tavoli esterni, assaporando vini, da scegliere in una lista con quasi 1000 etichette.

In via Belenzani 56, Antichi Sapori Trentini: ampia selezione di formaggi e salumi, con degustazione di grappe e distillati. Nella stessa via, Casa del Cioccolato: cacao e confetti dolci.

Alto Adige
Südtirol

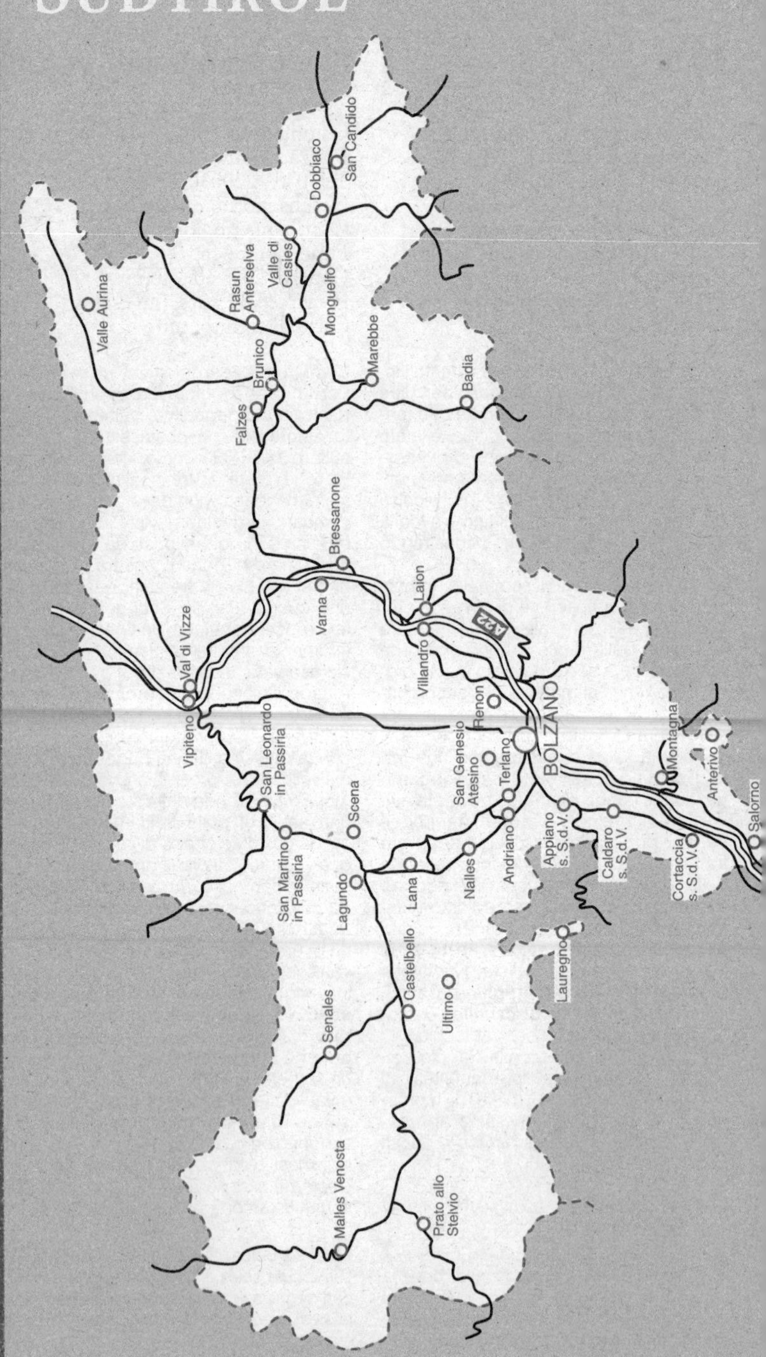

Valle Aurina
Rasun Anterselva
Valle di Casies
Dobbiaco
San Candido
Monguelfo
Brunico
Falzes
Marebbe
Badia
Bressanone
Varna
Laion
Villandro
A22
Val di Vizze
Vipiteno
San Leonardo in Passiria
Renon
BOLZANO
San Genesio Atesino
Terlano
Andriano
Appiano s. S.d.V.
Caldaro s. S.d.V.
Montagna
Anterivo
Cortaccia s. S.d.V.
Salorno
Nalles
Lana
Scena
San Martino in Passiria
Lagundo
Lauregno
Castelbello
Ultimo
Senales
Malles Venosta
Prato allo Stelvio

Andriano-Andrian

10 km ad ovest di Bolzano

Weinstube Sichelburg Schwarzer Adler

Trattoria annessa alla locanda
Piazza Sant'Urbano, 2
Tel. 0471 510288
Chiuso il lunedì e martedì a pranzo
Orario: mezzogiorno e sera
Ferie: 15 gennaio-15 marzo
Coperti: 70 + 50 esterni
Prezzi: 30 euro vini esclusi
Carte di credito: le principali

Vite è vita. E pure convivialità. Un riscontro sicuro, piacevole, è la sosta in questo storico *Ansitz*, un maso agricolo trasformato in accogliente osteria con alcune camere stile locanda sudtirolese. La particolarità di questo posto è il pergolato che nei mesi caldi si trasforma in una osteria ariosa, aperta, con tanti tavoli sistemati con cura all'ombra delle viti.
Non aspettatevi menù sopraffini. In tavola arriva la schietta tradizione bolzanina. Specialmente in primavera – i pasti sono però serviti nelle sale interne, salvo mirate giornate solari – quando in tavola arrivano candidi **asparagi di fiume**, raccolti sulla sponda dell'Adige, il fiume del fondovalle. Asparagi vanto di una locale coltivazione marginale, varietà recuperata dai contadini. Serviti lessi, con salsa di uova, un cucchiaio di cren e grosse fette di prosciutto cotto. Primavera a parte, il cibo è comunque legato alla stagione. Con alcune presenze costanti. **Speck** e **salumi** nostrani, **canederli** di vari tipi, ***schlutzkrapfen*** (i ravioloni freschi, con vari ripieni di verdure, funghi o formaggi), seguiti da **gulasch**, carni di maiale (**puntine con crauti**, ad esempio), talvolta **selvaggina**. E, solo in autunno, la possibilità di rustiche merende, con mosto di vino nuovo, speck e **formaggi** nostrani oppure con saporite omelettes alle confetture di frutta, mirtilli e albicocche della Val Venosta.
Il vino, ovviamente, non manca. Tante bottiglie, con il meglio della zona, che propone vini di assoluto blasone, dal bianco Terlaner al possente Lagrein.

A **Terlano** (5 km) Theo Nigg, piazza Carlo, 3 propone il suo speck, marchiato dal Consozio di tutela, assieme a una serie di salumi e di specialità tipiche delle macellerie sudtirolesi.

Anterivo-Altrei

42 km a sud di Bolzano, 20 km dal casello di Egna A 22

Kürbishof 

Trattoria
Via Guggal, 23
Tel. 0471 882140
Chiuso il martedì, mai in alta stagione
Orario: mezzogiorno e sera
Ferie: novembre, 2 settimane dopo Pasqua
Coperti: 30
Prezzi: 35 euro vini esclusi
Carte di credito: le principali, Bancomat

Un maso agricolo di montagna, dove i piatti sono elaborati con la felice mano della cuoca, orgogliosa delle prorpie origini liguri.
Sara e Hartmann Varesco si confermano tra i migliori interpreti del buon cibo nostrano. Caparbi, hanno notevolmente curato la loro già accorta cucina e le tre stanze soprastanti, a disposizione dei viaggiatori in cerca di belle locande. Sui pochi tavoli, nelle due deliziose *stuben*, arriva una sequenza di pietanze che danno emozioni. Con ingredienti selezionati dalla giovane coppia di osti tra i condiani che ancora resistono in montagna. I **salumi** sono di propria produzione. **Speck**, lucaniche affumicate, pancette ottenute sezionando le mezzene di maiale, come si usa in Alto Adige. Difficile sintetizzare un menù: cambia a seconda del momento. **Testina di vitello in agrodolce**, **tagliatelle ai funghi**, gnocchi, **canederli**, zuppe con le verdure dell'orto di casa, gli arrosti o il ***groestl*** (rosticciata con carne di manzo, patate e cipolle) ma anche **coniglio alle erbe selvatiche**. Spesso carne di agnelli nostrani, talvolta la **selvaggina** oppure il **salmerino**. Sempre la selezione di formaggi, abbinati a confetture casalinghe, mostarde, mieli.
E una selezione di vini decisamente convincente. Dopo i dessert – **strudel**, mousse, torte –, chiedete il caffè di Anterivo, fatto con il lupino, tostato come fosse orzo, da una specie *Lupinus* che cresce praticamente solo qui.

Ad **Aldino-Aldein** (10 km) ottimo pane da Pitschl, rinomato panificio con diversi negozi nella vallata, che ogni giorno sforna pagnotte di segale e propone lo schüttelbrot, pane sottile e croccante. Da Eggerhof, carni e salumi nostrani nell'azienda di Erich Gruber, a partire dal classico speck.

Badia-Abtei
Pedraces

Bolzano-Bozen

71 km a NE di Bolzano, 30 km da Brunico

Runch hof

Osteria del maso agricolo
Località Runch, 11
Tel. 0471 839796
Chiuso la domenica
Orario: mezzogiorno e sera
Ferie: non ne fa
Coperti: 50 + 8 esterni
Prezzi: 25 euro vini esclusi
Carte di credito: nessuna

Dimenticate la fretta e pure l'assillo di cosa scegliere. Qui tutto è regolato dal ritmo, lento, dell'agricoltura montana e il cibo non si sceglie: si mangia quanto è servito ai tavoli, in un ambiente comodo, rilassante. Autentico. Un maso agricolo nel cuore della Badia e una fucina gastronomica che riesce a fondere l'identità ladina con il gusto moderno.
Senza nulla togliere all'impegno nei campi e nella conduzione della stalla, la famiglia Nagler si conferma come una delle migliori interpreti dell'ospitalità badiota. Con pietanze corroboranti, gustose quanto piacevolmente indimenticabili. Antipasti con **salumi**, poi minestre d'orzo, **ravioloni fritti con ripieno di spinaci**, anche se il loro nome è scritto in lingua ladina: *turtres e cajincì arestis*. Fonetica in conscuzio per altre pietanze, dallo **stinco di maiale con crauti** al **gulasch**, dai **canederli** alle altre carni nostrane, provenienti dalla macellazione di animali allevati in proprio. Imperdibili i dolci (**krapfen al papavero**) e decisamente curiosa la carta dei vini, da scegliere – questi sì – tra appropriate etichette. Pure i **formaggi** hanno l'impronta ladina, quelli caserati nel maso o da limitrofe latterie contadine.
Un pasto che concilia con l'ambiente circostante, che avvicina alla cultura di un popolo mai domo, orgoglioso di mantenere tra le montagne più belle al mondo gli atavici legami con la lingua latina, salvaguardata fino all'intrusione etrusca. E farlo grazie anche a una cucina schietta, davvero identitaria, come in poche altre realtà alpine capita di constatare.
È consigliata la prenotazione, anche per chiedere lumi sul tragitto più comodo per raggiungere il maso.

Cavallino bianco

Osteria tradizionale
Via Bottai, 6
Tel. 0471 973267
Chiuso sabato sera e domenica
Orario: mezzogiorno e sera
Ferie: 3 settimane fine giugno, Natale-Capodanno
Coperti: 100
Prezzi: 25-28 euro vini esclusi
Carte di credito: MC, Visa

Qui si può mangiare dalle 9 e mezza del mattino fin quasi a mezzanotte. Perché il Cavallino Bianco inizialmente operava solo per sfamare i tanti contadini che scendevano in città. Oggi riesce a soddisfare gli avventori del gruppo etnico tedesco e gli italiani – bolzanini o turisti –, vogliosi di buon cibo sudtirolese. Come vuole un'antica tradizione dei *Gasthauser*, ognuno occupa solo il posto in cui siede e ormai tutti accettano di condividere il tavolo con altre persone.
Nessuno farà storie se ordinerete solo una minestra o un pranzo completo, qui la regola è di accontentare tutti. Uno spirito di accoglienza cui tengono molto Johann "Hansi" Anrather e la mamma Hilda che gestisce il locale da quasi mezzo secolo. Il menù è ampio. C'è chi non rinuncerebbe mai ai famosi ***leberknoedl*** proposti due volte la settimana, alla saporitissima **zuppa di cipolle con crostone al formaggio**, alla **minestra di trippa**, ai canederli al formaggio o alla **testina di vitello all'agro**. Tra i secondi da segnalare il **gulasch** con un filo di grasso che lo rende tenero e saporito, accompagnato a riso o patate saltate. Sontuosa la ***bauernplatte***, il piatto del contadino, con würstel, carré di maiale, contorno di **crauti e canederli**. Da provare il **cervo in salmì** con gli gnocchetti all'uovo e l'**insalata di cappucci**, il gulasch di puledro, il **bollito misto** con le patate e la fresca salsa verde.
Essenziale la lista dei vini, con poche etichette prevalentemente locali. Con l'ultima particolarità: si paga solo il pane consumato.

A Bolzano, in corso Libertà, l'Avalon, gelateria artigianale. Paolo Coletto lavora solo frutta di stagione, possibilmente bio, senza latte o panna. Vari tipi di cioccolato in collaborazione con Domori.

Bolzano-Bozen
Colle di Villa-Buernkohlern

8 km dal centro città

Kohlern

Trattoria con alloggio
Località Colle, 11
Tel. 0471 329978
Chiuso il lunedì, mai d'estate
Orario: mezzogiorno e sera
Ferie: 2 settimane in novembre, 10 gennaio-Pasqua
Coperti: 70 + 30 esterni
Prezzi: 35 euro vini esclusi
Carte di credito: tutte

Il traguardo del secolo di vita è stato festeggiato alla grande. Presentando l'evoluzione del trasporto a fune, mostre fotografiche, dibattito e un grande banchetto. Tutti entusiasti di verificare come la funivia possa essere veicolo non solo sicuro, ma anche comodo per salire da Bolzano fin quassù, sul Colle, frazione montana della sottostante città, punto panoramico e posto di ristoro. Potenziato e continuamente ristrutturato per accogliere al meglio i clienti che sfruttano la funivia.
Albergo tipico, un *gasthof* in stile sudtirolese, con stanze per soggiorni locandieri. Il cibo parla il linguaggio della consuetudine bolzanina, proposto con professionalità e cortesia e con alcune variazioni per così dire creative, riservate sostanzialmente alla clientela abituale, che vuole gustare qualcosa di diverso dal seppur buon **speck** o dagli altri salumi tirolesi. Cucina comunque di territorio, con alcune presenze fisse. La **testina di vitello in agrodolce**, come antipasto, poi il ***groestl***, la rosticciata di carne di manzo con cipolle e patate, il **cavolo cappuccio con dadolata di speck**, il carrello dei **bolliti**. Vari tipi di pasta fresca fatta in casa, con ***schlutzkrapfen*** – i ravioloni – farciti con erbe, formaggi, carne o altri ingredienti stagionali. **Canederli** a volontà, in brodo, asciutti e "schiacciati", saltati nel burro fuso. In primavera, **asparagi di fiume in salsa bolzanina** (con prosciutto cotto, salsa di uova sode e rafano).
Casalinghi i dessert. **Strudel**, dolci al cucchiaio, torte alla frutta, omelettes con composta di mele o mirtilli. Ricca la cantina. Frequentata, non a caso, da coloro che per sicurezza... usano la funivia.

Brunico-Bruneck
Ameto-Amaten

74 km a NE di Bolzano SS 49

Oberraut

Trattoria con alloggio
Località Ameto, 1
Tel. 0474 559977
Chiuso il giovedì, mai d'estate
Orario: mezzogiorno e sera
Ferie: fine gennaio, fine settembre
Coperti: 40 + 25 esterni
Prezzi: 35-38 euro vini esclusi
Carte di credito: le principali

Un tragitto di pochi chilometri che consente di scoprire uno degli angoli più autentici dell'agricoltura, della zootecnia sudtirolese e di apprezzare le peculiarità ambientali di questa zona.
Il maso Oberraut è uno degli archetipi della cultura ambientale della Pusteria, data anche l'attitudine a salvaguardare la tradizione culinaria applicata quotidianamente da Teresa e Christof Feichter, i titolari. Lei in sala, lui ai fornelli. Mette in pentola materie prime che seleziona di persona e molte di propria produzione. Tutti i **salumi**, lo **speck**, la lavorazione delle **carni**, anche **di selvaggina**. I **formaggi** sono delle stalle vicine, anzitutto quelli di capra, serviti con erba cipollina o olio di zucca. La pasta è fatta in casa, comprese la **tagliatelle al sangue condite con burro e *graukäse***, il formaggio grigio vanto della Valle Aurina. I **funghi** sono raccolti nei prati e nei boschi che circondano il maso. Tanti i tipi di **canederli**, di ravioli ripieni o fatti con farina di patate. Piatti portanti, la selvaggina: **nocette di capriolo in salsa al ginepro**, bocconcini di cervo con mirtilli, **gulasch**, in stagione agnello e **capretto**. E ancora: **minestra di crauti con salsicca di camoscio**, zuppa d'orzo o minestre con ravioloni farciti di formaggio e fritti nel burro, pietanze chiamate *friggilan*. La bravura del cuoco si nota anche nella curata presentazione dei piatti.
Canederli dolci come dessert, farciti con albicocche, prugne oppure con ricotta e salsa di fragole. Cordialità e professionalità anche nel servizio vini, le migliori etichette della regione. Gustosa la scelta dei formaggi.

A Brunico la gastronomia Bernardi, nella via Centrale, è una delle più fornite della valle, con ottimo speck di propria produzione. Sulla stessa strada, splendida selezione di vini all'enoteca Schondorf.

Cortaccia sulla Strada del vino Kurtatsch an der Weinstrasse Hofstätt

28 km a SO di Bolzano ss 42

Santlhof

Trattoria
Frazione Hofstätt, 7
Tel. 0471 880700
Chiuso: lunedì, martedì e mercoledì
Orario: mezzogiorno e sera
Ferie: Natale-fine febbraio, 3 sett tra giugno e luglio
Coperti: 40 + 30 esterni
Prezzi: 20-25 euro vini esclusi
Carte di credito: nessuna

I vigneti sorretti da lunghe mura di pietra formano un paesaggio gentile, che nasconde fatica ma è vocato al bello. Non a caso il versante della montagna sopra Cortaccia è dedicato alle donne, alle contadine che da sempre aiutano a curare la vite. Vendemmie parche, vini a lungo poco amati dal mercato, in quanto solitamente da uve rosse, dunque aciduli seppur beverini. Poi la moderna viticoltura ha trasformato l'alta collina in zona esclusiva per le uve bianche aromatiche e per certe varietà rosse.
Arrivare al Santlhof è come viaggiare a ritroso nella cultura rurale montanara, un posto privo di fronzoli, che ostenta solo la sua fondazione, datata 1547, e una gestione sempre della dinastia contadina dei Mayr. L'oste ora è Georg che di mestiere, comunque, è contadino. Apre le porte del suo storico maso nei giorni previsti e propone una piccola selezione di piatti nostrani. Vino, salumi e verdure sono di propria produzione, stagionati nelle cantine, il cibo è proposto nel salone o nella veranda estiva. Qui si bada al sodo e all'autenticità. Non esiste un vero menù. Si sceglie tra antipasti a base di **insaccati di maiale**, canederli in brodo o con burro fuso, **ravioloni tirolesi**, gulasch, ***groestl***, **costine di maiale con patate** arrostite, verdure dell'orto e **cavolo cappuccio con speck e lardo fuso**. Idem per il **tarassaco** o certe erbe di campo, servite **con uova sode e dadolata di speck**. Semplici i dolci, strudel e **rotolo di farina di grano saraceno** con marmellata.
In autunno, la tipica proposta di vino nuovo per il *törggelen*. Maso essenziale, senza troppe comodità, ma unico nel suo genere proprio perché rimasto come un tempo.

A Cortaccia Andreas Widmann produce un singolare aceto di Lagrein e di frutta.

Dobbiaco-Toblach Gandelle-Kandellen

100 km a NE di Bolzano

Seiterhof 

Trattoria annessa alla locanda
Località Kandellen, 7
Tel. 0474 979114
Chiuso il martedì, mai in alta stagione
Orario: mezzogiorno e sera
Ferie: 10-31 gennaio
Coperti: 30
Prezzi: 30-35 euro vini esclusi
Carte di credito: CartaSi, MC, Bancomat

Qui da sempre si coltivano cereali, patate, frutta e verdura; si curano i boschi; si alleva il bestiame. Ricche le tradizioni gastronomiche, tra le più importanti fra le valli dolomitiche. Piaceri a base di burro, strutto, uova, latte e pane per pasti adatti a qualsiasi appetito.
Proprio come l'offerta di questo locale, un maso agricolo con stalle per l'allevamento bovino, bestie da latte e da ingrasso. Dispone di alcune stanze uso locanda e il cibo è in gran parte basato su ingredienti nostrani, prodotti o elaborati dai titolari, Sieglinde e Herbert Kamelger. Le carni sono dei loro allevamenti, i salumi fatti in casa. Una specialità è la **carne affumicata**, altrettanto esclusivi gli **insaccati**. Anche le verdure sono dell'orto attiguo, ma non chiedetele nei mesi freddi, quando la neve e il freddo avvolgono ogni spazio esterno. Ai tavoli servono appunto salumi nostrani in attesa di scegliere tra una corroborante sequenza di **zuppe**, **canederli**, **ravioloni ripieni** e una serie di pietanze contadine che comprendono il ***groestl***, **arrosti** di maiale, di vitello o **di agnello**. Non manca la **selvaggina**, con i **medaglioni di capriolo** o il **gulasch di cervo**. **Gelato ai lamponi**, strudel di frutta, omelette, sorbetto con fragole, limone o sambuco selvatico.
Un posto dove si può sostare semplicemente per una merenda, a base di frittate dolci di uova con marmellate, formaggi di amici casari della Pusteria, torte e succhi di frutta biologica. Buoni i vini, in selezione ampia e meditata; variegata la gamma dei **formaggi**.

A **Dobbiaco** ottime confetture di frutta da Alpe Pragas, in via Maximilian 6. A **Villabassa** (8 km da Dobbiaco) nella macelleria di Franz Weissteiner, in via Frau Emma, il tradizionale speck pusterese.

Falzes-Pfalzen

85 km NE di Bolzano SS 49 della Pusteria

Kofler am Kofl

Osteria del maso agricolo
Via Kofler, 41
Tel. 0474 528161
Chiuso il lunedì, mai in alta stagione
Orario: mezzogiorno, sera su prenotazione
Ferie: non ne fa
Coperti: 50 + 20 esterni
Prezzi: 20-22 euro vini esclusi
Carte di credito: le principali

In Val Pusteria, ad accompagnare le occasioni speciali si gusta una serie di frittelle, come gli *strauben* o i *nigelen*. Questi ultimi serviti a tavola cosparsi di una pioggia di semi di papavero, miele e burro. Nei territori sudtirolesi verso l'Austria la coltivazione del papavero per uso culinario è ancora praticata, anche perché un tempo da questa pianta si ricavava olio, per condire tante pietanze.
Siamo in un maso a gestione quasi autarchica, fatta per scelta e ubicazione, dato l'isolamento montanaro, sui pascoli in quota di questo altopiano chiamato anche la valle del Sole. La zootecnia è l'attività principale della famiglia Hopfgartner, gestori da generazioni. Dunque **formaggi** e carni nostrane, con il ***graukäse*** protagonista, con **speck** e **salumi affumicati**; poi **canederli**, anche quelli esclusivi della zona, i "pressati", schiacciati, quasi fossero spesse frittelle. E ancora tipiche ricette a base di **carne di maiale**, arrosti o **grigliate**, servite con **crauti** o in abbinamento a **rosticciate di patate** con manzo lesso. Fragranti i **krapfen**, anche quelli con i semi di papavero oltre che alla marmellata. Quassù si può pure semplicemente fare merenda, con un piatto corroborante: uova con patate e speck, **gulash di manzo con polenta**, omelette.
Per i vini, qualche buona bottiglia di cantine altoatesine. In autunno è possibile sostare al Kofl per il *törggelen*, magari dopo una passeggiata lungo itinerari segnalati e di facile approccio. Telefonare è assolutamente indispensabile, specialmente per soste serali.

A **Vandoies** (10 km) tanti tipi di pane tipico da Kersbaumer, in località Vallarga: a Pasqua i dolci a forma di animali, secondo tradizione pusterese.

Lagundo-Algund
Plars di Mezzo-Mitterplars

30 km a ovest di Bolzano, 5 km da Merano

Leiter am Waal

NOVITÀ

Ristorante
Località Plars di Mezzo, 26
Tel. 0473 448716
Chiuso lunedì sera e martedì
Orario: mezzogiorno e sera
Ferie: da Natale a fine gennaio
Coperti: 50 + 70 esterni
Prezzi: 35 euro vini esclusi
Carte di credito: le principali

I *Waale* sono un antico sistema di irrigazione per far giungere ai campi dell'arida Val Venosta l'acqua per le coltivazioni. I *Waaler* avevano il compito di sorvegliare il flusso dell'acqua e di effettuare i lavori di manutenzione lungo i canali. A questo scopo furono creati sentieri che oggi sono diventati soprattutto facili e frequentatissimi percorsi turistici.
Lungo uno di questi storici canali, leggermente decentrato rispetto a Lagundo, lungo il pendio soleggiato che porta nelle frazioni in quota, troviamo questa sosta gastronomica tipica. Gestione familiare, massima cura nella presentazione del piatto e rispetto della tradizione nell'uso degli ingredienti. Pietanze che variano a seconda del periodo dell'anno, con qualche costante. Ci siamo stati due volte, di recente, una in primavera, tra i fiori dei meli, i campi che portano alla Venosta, l'altra a fine estate. **Asparagi** e **tarassaco**, la prima volta, con una costante: antipasti di **salumi** di propria selezione, poi un gustoso tris a base di **canederli ai formaggi**, ravioloni ripieni di erbe selvatiche e ricotta e **gnocchi di patate al burro** aromatizzato. Simili i secondi piatti: capretto con asparagi, poi **costine di maiale con cavolo cappuccio**, speck, rafano e salsa piccante. Particolarmente buoni i **tagliolini** (estivi) **con ortiche e funghi porcini** freschi. Casalinghi i dessert – sorbetti di frutta, torte varie, **krapfen** e classici canederli ripieni con albicocche venostane –, molto curata la proposta vini, altrettanto quella dei formaggi.
Base ideale per partire verso i *Waal* o più semplicemente, in autunno, sostare per un rustico *törggelen*, a base di castagne, vino nuovo, formaggi e speck.

Lagundo-Algund
Velloi-Vellau

35 km a NO di Bolzano, 8 km da Merano

Oberlechner

Trattoria annessa all'albergo
Località Velloi, 7
Tel. 0473 448350
Chiuso il mercoledì
Orario: mezzogiorno e sera
Ferie: metà gennaio-metà marzo
Coperti: 80 + 40 esterni
Prezzi: 30 euro vini esclusi
Carte di credito: Visa, Bancomat

Quassù si potrebbe stare solo per godere del panorama, è il punto in quota dove meglio ammirare la conca di Merano. Ci si arriva a piedi o in funivia, stazione a valle a Plars di Mezzo. Qualche passo però è d'obbligo farlo, per capire l'incredibile amenità di Velloi/Vellau, un tempo zona disseminata di masi agricoli praticamente irraggiungibili. Ora l'isolamento non c'è più, anche se è rimasto un moderno spirito autarchico, da sfruttare come opportunità turistica.
Da quasi un secolo la famiglia Gamper opera qui potenziando lo storico albergo e valorizzando la cucina della caratteristica trattoria montanara. Cucina ben impostata, assolutamente consona al posto. Antipasti con **salumi**, una buona **terrina di verdure**, **formaggi caprini** freschi selezionati dal caseificio sociale di fondovalle. Poi tanti tipi di **canederli** – erbe, carne o formaggio – da servire anche in brodo, ravioloni – gli ***schutzer*** o ***schlutzkrapfen*** – ripieni con verdure di stagione o con un formaggio nostrano a pasta filata, pomodori secchi ed erbe aromatiche. **Gnocchi di patate con** erbe oppure **ortiche** o funghi, **lasagne con funghi porcini**, minestre, **zuppe** e qualche pasta fresca fatta in casa. Poi il tradizionale **arrosto di manzo con il** vino rosso **Lagrein**, molti piatti di **selvaggina**. Tra i dolci, i sorbetti fatti in casa, il tortino con panna magra, il soufflé al cioccolato e menta. D'estate i canederli ripieni con albicocche della Val Venosta, torte di grano saraceno, strudel di mele.
Formaggi e vini sono scelti tra i produttori altoatesini e proposti anche a quanti sostano nell'osteria per una semplice merenda.

A **Lagundo** (7 km) opera la Biokistl, organizzazione di contadini che propone frutta e ortaggi biologici prodotti in zona.

Lauregno-Laurein
Gosseri-Gassern

60 km a SO di Bolzano SS 42

Sonne

Trattoria
Località Gosseri-Gassern, 11
Tel. 0463 530280
Chiuso il mercoledì, mai d'estate
Orario: mezzogiorno e sera
Ferie: non ne fa
Coperti: 30 + 20 esterni
Prezzi: 25 euro vini esclusi
Carte di credito: nessuna, Bancomat

Lauregno è una sorta di *enclave* della val di Non (e dunque, Trentino) in provincia di Bolzano. Una collocazione geografica che rafforza identità ambientali e rilancia consuetudini alimentari. Come il **tarassaco**. Si serve crudo, condito con strutto o qualche fetta di speck, con l'aggiunta finale di una spruzzata di aceto. Oppure per l'impasto dei ravioloni, gli ***schluetzkrapfen***, o per **gnocchi** rustici e misticanze contadine, per torte salate e infusi. Con le stesse modalità ai primi di settembre si usa il radicchio rosso di campo, abbinato a funghi del bosco.
Tra i masi trasformati in rustiche trattorie, ecco il Sole/Sonne. Anna Ungerer e la nuora Rosanna propongono una cucina saldamente territoriale, usando ingredienti il più possibile di propria produzione. Hanno una piccola azienda zootecnica e l'estate mandano le vacche all'alpeggio, così hanno **formaggio** nostrano da offrire alla clientela e da usare per farcire **tortelli di patate** o offrire cacio con miele da fiori di tarassaco. Con il tarassaco, fino a metà maggio, cucinano **canederli**, insaporiscono **zuppe**, preparano conigli e arrosti. Poi spazio a **polente con selvaggina** (lo **spezzatino di cervo** è una loro specialità), carni di maiale e una serie di sostanziose omelettes. Casalinghi tutti i dolci: **strudel di mele**, rotolo di pasta frolla e mirtilli, semifreddo ai frutti del bosco, torte di frutta.
Semplice il servizio vini – qualche bottiglia delle cantine di Caldaro – ma davvero piacevole l'insieme. Data l'ubicazione e i posti disponibili è indispensabile la prenotazione.

Poco distante, nel maso Bäckerhof, la famiglia Kessler vende delizioso miele. A **San Felice** (5 km), speck e salumi prodotti dai fratelli Kofler. Stesso cognome e stessa offerta a **Senale** (8 km), macelleria Kofler.

Malles Venosta-Mals
Mazia-Matsch

95 km a NO di Bolzano SS 38 e 40

Palla bianca weisskugel

Ristorante annesso all'albergo
Frazione Mazia, 10
Tel. 0473 842600
Chiuso il lunedì, mai in alta stagione
Orario: mezzogiorno e sera
Ferie: una settimana prima di Natale
Coperti: 50 + 16 esterni
Prezzi: 25-30 euro vini esclusi
Carte di credito: le principali, Bancomat

Le traduzioni in italiano dei toponimi tedeschi sono state – e in parte sono ancora – al centro di sottili disquisizioni linguistiche e fonetiche, ma soprattutto di controversie di stampo politico, tra comunità locali, Regione Alto Adige e Stato italiano. Così il fascino del Weisskugel – vetta di confine, 3738 metri, in gran parte in territorio austriaco – è banalizzato dalla traduzione italiana in Palla Bianca. Scalarla non è escursione semplice.
Decisamente più facile fermarsi in questo *gasthof* della montagna di Malles, proprio all'ombra della possente vetta italo-austriaca e a lei dedicato. Gebhart e Helene Schecher sono i gestori dell'osteria, con maso agricolo e locanda con una ventina di posti letto. Materie prime autoctone, per valorizzare i prodotti venostani, quelli di questo minuscolo altopiano, Mazia. **Salumi** fatti in proprio, formaggi caserati da contadini vicini – una signora conferisce quotidianamente i suoi **formaggi di capra** – conditi con olio e spezie o usati per farcire i tradizionali ***schlutzer***, ravioloni di farina, di patate o – una piacevole novità – **di farro**. Nei mesi estivi, da non perdere la singolare **zuppa di fiori di fieno**, davvero legata all'indole di Mazia. Sempre in lista i **canederli**, vari impasti, con **funghi freschi** o il consueto amalgama di **speck**, pane e formaggio. Carne di maiali della propria stalla, arrosti di manzo, spesso la **selvaggina**, cacciata dallo stesso Gebhart.
Casalinghi i dolci, torte di frutta, **strudel di mele** o albicocche venostane. Meditata proposta di vini e distillati.

A Malles, frazione **Clusio**, al civico 8, la famiglia Agethle trasforma il latte della sua decina di vacche, proponendo alcuni tipi di formaggi venostani, caserati nella maniera più naturale possibile.

Marebbe-Enneberg
San Vigilio-Sankt Vigil

58 km a NE di Bolzano SS 12 e 49

Fana ladina

Ristorante
Via Plan de Corones, 12
Tel. 0474 501175
Chiuso il mercoledì, mai in alta stagione
Orario: mezzogiorno e sera, inverno solo sera
Ferie: 20/09-30/11, Pasqua-15 giugno
Coperti: 35 + 15 esterni
Prezzi: 35-38 euro vini esclusi
Carte di credito: tutte, Bancomat

Praticamente si entra attraversando l'orto di casa. Sistemato in modo scenografico, per rendere ancora più interessante l'offerta gastronomica di questo bel ristorante, dedicato nel nome alla padella di ferro, *fana* in lingua ladina. Tutto qui è in sintonia con la cultura del posto. Il servizio ai tavoli è fatto da personale in costume ladino e ladina è la tipologia dei piatti. Popolazione orgogliosa della sua cultura veramente dolomitica.
Luoghi splendidi per una cucina semplice, singolare e appagante. *Panicia, turtres, cancì* o *casjncì, giama, custeis, krapfen* e *furtaies*. Vale a dire: **zuppa d'orzo**, frittelle con crauti, **ravioloni**, **stinco di maiale**, krapfen con semi di papavero e omelette. Piatti della tradizione, sempre in carta, assieme a canederli, **zuppe di funghi** – a seconda della stagione –, minestre di verdura, con qualche innovazione specie nella presentazione dei piatti. Proposti in un edificio tutto legno, con *stube* secentesca, nel centro del paese, con un'altra specialità culinaria: le ***feises da sonj***, pasta di patate a sfoglia, uno strato con mirtilli – versione dolce – oppure, salata, con crauti. La forma della sfoglia è uguale per le due versioni: a stelle o a cuore. Altra variazione, proposta come fine pasto, è il "pane degli dei", simile allo strudel di mele, ma con il pane al posto della sfoglia. Per il resto, grande spazio alla **selvaggina** – **cervo**, in particolare –, allo **stinco di maiale**, a capretto e **agnello** e alle carni d'anatra, secondo usanze di San Vigilio.
Un bel posto, con prenotazione quasi obbligatoria, dove non mancano buoni formaggi e una cantina fornita.

A San Vigilio, in via Catarina Lanz 7, Tabarel, locale polifunzionale con grande selezione di vini e prodotti gastronomici nello spazio enoteca-bistrot.

MAREBBE-ENNEBERG
San Vigilio-Sankt Vigil

84 KM A NE DI BOLZANO SS 12 E 49

GARSUN 

Osteria tradizionale
Località Mantena-Welschmontal, 9
Tel. 0474 501282
Chiuso il lunedì
Orario: mezzogiorno e sera
Ferie: giugno e novembre
Coperti: 30
Prezzi: 22 euro vini esclusi
Carte di credito: le principali, Bancomat

Antiche fiabe parlano della Ladinia come di una terra popolata da uomini pacifici, in simbiosi con la natura, capaci di coltivare campi anche a quote elevate grazie a fate e altre misteriose creature. Il Regno di Fanes, così è chiamato il mitologico paese dei Ladini, popolo sempre sconfitto dagli eventi storici, ma che ha resistito fino a oggi nei suoi stupendi paesaggi, tra pascoli, fiori, costumi e i sapori di una comunità unica tra le Alpi. Entrando in questa semplicissima trattoria di paese, alle porte di San Vigilio, sembra di sentire echi di leggende lontane, sapori che rimangono integri grazie alla dedizione della signora Maria Luisa. È lei che ogni giorno perfeziona le collaudate ricette della tradizione ladina, proponendo una serie di piatti che rievocano l'alone magico delle stesse Dolomiti. Sostare da Garsun è un'esperienza emozionante. Dove mangiare per capire. Avvisando – prenotare è d'obbligo – con un minimo d'anticipo la vostra voglia di gustare i ***tultra***, pietanza esclusivamente ladina, pasta fritta ripiena di spinaci. Poi una sequenza che varia di stagione in stagione, con ***panicia*** – minestra d'orzo – oppure i caratteristici ***cancì***, vale a dire ravioli di magro con spinaci (o erbe di campo) impastati con patate, compatti, piccoli, ripieno senza nessuna spezia, conditi con burro fuso, da cospargere con formaggio stagionato grattugiato oppure con semi di papavero (altra specificità tutta ladina). Poi i piatti portanti, a base di carne: **stinco di maiale con patate di montagna** e verdure di stagione oppure **selvaggina**, **capriolo** soprattutto. Come dolci, ***crafun*** di varia forma, ripieni di albicocche o da cospargere con marmellata di mirtilli rossi. **Strudel di mele con panna** fresca.
Pochi i vini in degustazione. E non stupitevi del conto: è a prezzo fisso, 22 euro, bevande escluse.

MONGUELFO-WELSBERG
Tesido-Taisten

90 KM A NE DI BOLZANO SS 49

SEPPILA

Ristorante del maso agricolo
Via Haspaberg, 30
Tel. 0474 950204
Chiuso il mercoledì
Orario: mezzogiorno e sera
Ferie: una settimana a Natale
Coperti: 30 + 15 esterni
Prezzi: 25-28 euro vini esclusi
Carte di credito: le principali, Bancomat

Lo abbiamo sempre descritto come un'arca di Noè dimenticata in un posto sperduto della montagna che sovrasta Monguelfo. La descrizione è sempre calzante. Josef Holzer, il titolare di questo maso-fattoria non cura molto le apparenze. Fortunatamente gli spazi a disposizione sono vasti: stalle con maiali e recinti con tanti tipi di animali, struzzi compresi.
Nell'ambiente destinato alla ristorazione – curato e tipicamente pusterese – pietanze quasi tutte con ingredienti di propria produzione. Birra compresa. A seconda della stagione, grande uso di verdure fresche dell'orto e particolarmente curioso l'utilizzo delle erbe selvatiche, raccolte sui grandi prati che circondano il Seppila, nome legato a Sepp, come tutti chiamano l'istrionico titolare. Non esiste un vero e proprio menù. Si mangia quanto propone la giornata, **salumi** nostrani, **paté di speck**, formaggi – ***graukäse*** compreso –, tanti tipi di **canederli**, immancabili ***schlutzer***, i ravioloni variamente ripieni, **carni di maiali**, manzo, **agnelli** e struzzo. La **selvaggina** è una costante, specialmente nei mesi freddi. Tanti piccoli frutti, gelati artigianali, serviti con aggiunta di distillati. Nel loro micro-caseificio trasformano il latte appena munto in **formaggi** vari, destinati in parte alla stagionatura.
Al Seppila ci si deve fermare senza badare alle apparenze e senza scrutare le lancette dell'orologio. Qui è tutto molto *slow*. Anche se vi fermerete per una merenda, gustando i dessert casalinghi, omelettes con confetture o un gelato fatto con uova di struzzo. Non mancano i vini, altoatesini. La prenotazione – come la pazienza – è quasi obbligatoria.

La macelleria Hell, in centro paese, elabora salamini di selvaggina, speck e kaminwürstel, salsicce affumicate.

Montagna-Montan
Casignano-Gschnon

29 km a sud di Bolzano ss 12 o A 22

Dorfnerhof 

Osteria tradizionale
Località Casignano, 5
Tel. 0471 819798
Chiuso il lunedì
Orario: mezzogiorno e sera
Ferie: 2 settimane tra gennaio e febbraio
Coperti: 55 + 40 esterni
Prezzi: 25-30 euro vini esclusi
Carte di credito: nessuna, Bancomat

Il maso è stato completamente ristrutturato da qualche anno, senza intaccare il suo fascino originario. Da qualche mese è ancora più confortevole, in quanto sono a disposizione degli ospiti quattro comode stanze. Vale la pena di salire dalla chiesa di Montagna lungo le rampe della vecchia strada per la val di Fiemme (o scendere da Fontanefredde).
Anton Vescoli è il titolare. Un giovane cuoco che ha studiato, ma soprattutto imparato da mamma e nonna, mentre suo padre è dedito alla cura della stalla, alla elaborazione di salumi, speck, pancette, lucaniche e altre norcinerie. La proposta gastronomica è schietta. I **salumi** di casa, **canederli di spinaci** o ai formaggi, **ravioloni con ricotta** ed erbe, uno dei ***groestl*** migliori dell'Alto Adige, puntine di maiale, **stinco con crauti e polenta**, **strudel di mele**. Questo il menù tipico, sempre a disposizione. Per quanti vogliono qualche raffinatezza – comunque legata alla tradizione – ecco le proposte che il giovane Anton elabora con prodotti nostrani e a seconda della stagione. Dalla terrina di ricotta con verdure e porcini arrrostiti agli **agnolotti ripieni di capriolo** alla **spalla di cervo stufata** con verdure e **polenta di mais**. Come dessert, tortino di pane raffermo con amarene e panna freschissima. D'inverno, spazio al **baccalà** e a piatti con **castagne**.
Al Dorfnerhof si può sostare semplicemente per una merenda, dopo aver girovagato per il parco del monte Corno, gustando omelettes o torte di frutta. Assaporando vini tipici, tutti di Montagna, il comune del Pinot Nero.

Ora (8 km) ottima carne e insaccati dalla macelleria Waldthaler, piazza Principale 36: salumi nostrani, prosciutto cotto, speck, wurstel, carni suine e bovine da allevamenti locali. In stagione, capretti e agnelli.

Prato allo Stelvio Prad am Stilfser Joch

85 km a NO di Bolzano, 50 km da Merano

Zum dürren Ast 

Osteria tradizionale
Località Valnera, 6 A
Tel. 0473 616638
Chiuso il venerdì, mai in alta stagione
Orario: mezzogiorno e sera
Ferie: da metà novembre a Pasqua
Coperti: 30 + 60 esterni
Prezzi: 25 euro vini esclusi
Carte di credito: nessuna

Il passo dello Stelvio è lassù, sopra questa distesa di prati di fondovalle, quelli che portano a Prato allo Stelvio. Dalla Venosta si sale da Spondigna al passo, dove si scollina a 2763 metri, per dirigersi verso Bormio e la Lombardia. Pascoli, verdi e rigogliosi quando si scioglie la neve.
Per raggiungere questo locale seguite le indicazioni (carenti) per la chiesa di San Giovanni e quelle di Prato allo Stelvio. Dopo qualche minuto di automobile noterete un grande albero, secco, che troneggia vicino a una rustica costruzione. Siete nella trattoria di Klaus Theiner, cuoco e abile macellaio. È lui che seziona le carni di **selvaggina** acquistate dai cacciatori locali, lui che impasta con farine integrali, che propone diversi tipi di canederli, gnocchi, **ravioloni ripieni** in stile tirolese. Sempre lui elabora **gulasch di cervo** servito in tavola in grosse pentole, **con crauti rossi** e un sugo da leccarsi i baffi. Poi **carni di agnello** e a seconda del periodo pietanze stagionali. Cucina pure **trote** e **salmerini**, pescati in un vicino allevamento. Asparagi di fiume o quelli selvatici e l'uso delle albicocche, il frutto più caratteristico della Venosta, per ingentilire alcuni piatti o come ripieno per dolci **canederli**. Altra specialità della casa sono i tradizionali ***ribl*** **di polenta nera e marmellata di mirtilli**, nonché l'immancabile strudel di mele.
Variegata scelta di formaggi e ampliata la lista dei vini, con quelli di tutti i vignaioli venostani; curiosa infine l'offerta di ben 55 distillati artigianali di frutta, altra specialità di questa vallata. Nel menù è presente la lista dei fornitori.

Sluderno (3 km) Ingrid Telser seleziona farine integrali e cereali. Nei masi della zona, si acquistano formaggi nostrani.

Rasun Anterselva
Rasen Antholz
Anterselva di Mezzo-Antholz Mittertal

98 km a NE di Bolzano SS 49

Eggerhoefe

Trattoria-maso
Località Masi Egger, 42
Tel. 0474 493030
Non ha giorno di chiusura
Orario: mezzogiorno e sera
Ferie: 1 dicembre-20 aprile
Coperti: 30 + 20 esterni
Prezzi: 20-25 euro bevande escluse
Carte di credito: nessuna

Cercatelo tra i masi che circondano Rasun, una decina di chilometri dal centro urbano di questo comune davvero incastonato in una valle che ha del magico. Valle chiusa, senza sbocchi. Aspra e fredda nei mesi invernali quanto amena nella stagione estiva. Qui arrivano quanti cercano natura, montagna, libertà di cimentarsi in escursioni verso le vette o tra le fitte foreste del fondovalle, acqua di torrenti e specchi alpini. Valle con i cosiddetti masi chiusi, l'ordinamento secolare in vigore tra le famiglie sudtirolesi, con il primogenito maschio che eredita tutta la proprietà agricola, per non frazionare i possedimenti, per consentire la sopravvivenza del primogenito, che deve provvedere agli altri familiari.
I Leitgeb sono una dinastia di capaci contadini pusteresi. Nel loro sperduto maso – seguite con cura le indicazioni, altrimenti vagherete inutilmente – gestiscono ogni fase dell'attività agricola e agrituristica. Hanno quattro appartamenti dove soggiornare, hanno potenziato il loro microcaseificio – ottimo il burro come il ***graukäse*** e un fresco formaggio nostrano – e migliorato il servizio di cucina. **Salumi** di loro produzione. Tanti tipi di ***knoedl***, minestroni di verdure, **zuppa di patate**, pasta casereccia, pure il pane esce dal forno di casa. Gli ingredienti variano a seconda della stagione, ma i **canederli** – al formaggio, con verdura o **con il classico speck** – insieme al **gulasch con polenta**, alle **torte con grano saraceno** o con piccoli frutti, crostate di mirtilli, l'immancabile **strudel di mele**, sono proposte convincenti.
La collocazione del maso (che dispone di qualche posto letto) diventa quasi tappa obbligata per quanti girovagano sui sentieri della zona. A questi è proposta anche una semplice merenda, con frittelle di mele, omelettes e altre gustose pietanze pusteresi.

Renon-Ritten
Signato-Signat

8 km a NE di Bolzano strada del Renon

Patscheiderhof

Trattoria-maso
Località Signato, 178
Tel. 0471 365267
Chiuso il martedì
Orario: mezzogiorno e sera
Ferie: due settimane in febbraio, luglio
Coperti: 35 + 70 esterni
Prezzi: 30-35 euro
Carte di credito: tutte

Per i bolzanini, quassù si arriva principalmente per gustare i ***knoedl***, canederli, il piatto tipico per eccellenza delle genti dolomitiche, una ricetta con tante varianti: con o senza salumi, con fegato o milza, impastati solo con erbe aromatiche o funghi, oppure nella versione dolce, ripieni di prugne o albicocche. L'origine si perde nella notte dei tempi. Al Patscheiderhof sono un classico, assieme ad altre pietanze, nella bella stagione proposte su ampi tavoli esterni, il Rosengarten come sfondo.
Subito qualche fetta di **speck** casalingo, salumi affumicati, **formaggi** di media stagionatura, fra cetrioli in agrodolce e tranci di pane nero o croccante. Poi, nella "sala del cibo", sotto vecchie foto, un crocefisso ligneo in stile tirolese, ecco **zuppe d'orzo**, ma soprattutto la specialità della casa: **ravioloni fatti a mano**, con pasta finissima, saporiti e ben presentati. Come il tris di canederli, rape rosse, formaggi ed erbe, decisamente da manuale. Si gustano poi le **costine di maiale**, i **crauti**, la polenta e diversi tipi di arrosti, il **guanciale**, l'agnello, in autunno la **selvaggina**. Nei mesi vendemmiali c'è il *törggelen* con mosto-vino della casa. Casalinghi i dolci: **strudel**, crostate di frutta, **frittelle di mele**. Tanti i formaggi e piccola selezione di vini, in gran parte quelli delle cantine all'imbocco della strada per Signato.
Il tragitto dal fondovalle non è dei migliori. Pochi chilometri dall'uscita Bolzano nord dell'Autobrennero, strada da imboccare subito dopo i primi tornati per il Renon; strada che termina proprio nel cortile del maso.

Renon-Ritten
Signato-Signat

8 km a NE di Bolzano strada del Renon

Signaterhof 

Trattoria annessa alla locanda
Località Signato, 166
Tel. 0471 365353
Chiuso domenica sera e lunedì
Orario: mezzogiorno e sera
Ferie: 6/01-01/02, ultime 3 settimane di giugno
Coperti: 50 + 20 esterni
Prezzi: 28-30 euro vini esclusi
Carte di credito: tutte tranne AE

È fuori mano e contemporaneamente a pochi metri da Bolzano, abbarbicato sulla montagna che sovrasta la città. È una meta sicura, magari dopo aver visitato Bolzano e i suoi musei. L'Alto Adige cerca di rinnovare il concetto di museo, anche allestendo un Museo della montagna curato da Reinhold Messner, negli spazi di Castel Firmian. Musei moderni a partire da quello archeologico, custode di Oetzi, l'uomo venuto dal ghiaccio.
Il Signaterhof è un micromuseo dell'ospitalità. Un locale vecchio stile, molto coinvolgente. Anche grazie all'affabilità dei gestori, Erika e Gunther Lobiser, lei in sala, lui in cucina. Ristorante e locanda con alcune stanze confortevoli e convenienti. Convincenti i piatti proposti. **Carpaccio di cervo con porcini** all'olio extravergine o un misto di **salumi affumicati** con pane di noci fatto in casa. Quasi sempre la **testina di vitello con cipolla** in agrodolce, prima del tradizionale tris di **canederli** o di gnocchi, **ravioloni** – *schlutzer* – ripieni con verdura o selvaggina. **Guance di manzo brasate nel vino Lagrein**, con polenta e funghi, **sella di cervo con salsa di mirtilli rossi e cavolo cappuccio**. Con carni di selvaggina si prepara un sostanzioso ***groestl***, la tradizionale rosticciata di patate ed erba cipollina. Casalinghi i dessert, dallo **strudel di papavero** alla torte di grano saraceno, ai krapfen fritti nello strutto. Valida la scelta dei formaggi e altrettanto importante la lista dei vini, con tutti quelli delle colline di Bolzano, ma pure rari Kerner della Valle Isarco e Pinot Nero sudtirolesi.
Come molti altri *gasthof* della collina bolzanina, ospita i turisti delle gite autunnali, con mosto di vino, formaggi, rosticciata di carne, crauti e puntine di maiale. Ma se volete godervi la tranquilità e il fascino del posto, evitate i fine settimana di ottobre.

Salorno-Salurn
Cauria-Gfrill

34 km a SO di Bolzano A 22 o SS 12

Fichtenhof

Trattoria con alloggio
Località Cauria, 23
Tel. 0471 889028
Chiuso il lunedì
Orario: mezzogiorno e sera
Ferie: 7 novembre-25 dicembre
Coperti: 50 + 20 esterni
Prezzi: 28 euro vini esclusi
Carte di credito: le principali, Bancomat

Salorno, paese di leggende e mitologie, dipinto da Albrecht Dührer, citato da Goethe, oggi ricercato da quanti vogliono gustare vini collinari e frutta saporita. La vecchia osteria continua a funzionare grazie alla dedizione di due sorelle, Ingrid e Ulli Pardatscher, la prima in cucina, l'altra – pure sommelier – in sala e all'accoglienza di quanti vogliono sostare nelle otto camere della locanda. Ambiente rustico e accogliente, ha il fascino del tempo, della consuetudine, della serenità. Anche gastronomica, con cibo legato alle condizioni ambientali locali. Ecco perché le verdure sono quasi esclusivamente di propria produzione, come le carni; pure le trote sono di una loro minuscola acquacoltura.
Le stagioni condizionano le proposte, con alcune costanti: le **carni di agnello**, di maiale e di bue. Antipasti nostrani, salumi affumicati, **speck**; poi tanti tipi di **gnocchi**, canederli, **strudel salato** con verdure o **con funghi freschi**. Immancabili gli ***schlutzer***, i ravioloni tirolesi, ripieni con ricotta o verdure selvatiche. In autunno **gnocchi di castagne con ragù di selvaggina**. Arrosti, grigliate di carni abbinate a polenta. Oppure il piatto unico con patate, carne lessa di manzo e cipolle, vale a dire il ***groestl***. In estate Ulli raccoglie erbe selvatiche nei prati che si intravvedono dalla cucina: per cucinarle, impastarle, grigliarle a seconda di varietà e consistenza. Ecco allora l'arrosto di **agnello con gnocchetti all'ortica e salsa di porri**. Tra i dessert, strudel di mele o ai lamponi, ma anche latticello e fiori di sambuco, fragole, piccoli frutti del bosco. Mirata la proposta dei formaggi, altrettanto quella dei vini.
Cauria è meta lontana, isolata. Prenotare il tavolo è quasi indispensabile.

San Candido-Innichen
Prato alla Drava-Winnebach

110 km a NE di Bolzano SS Pusteria

Da Kathi

Trattoria
Via Jaufen, 11
Tel. 0474 966736
Chiuso il lunedì
Orario: mezzogiorno e sera
Ferie: novembre
Coperti: 40 + 10 esterni
Prezzi: 25-28 euro vini esclusi
Carte di credito: le principali, Bancomat

L'autarchia per i masi sudtirolesi non è mai stata una scelta. I contadini erano costretti a sfruttare quanto producevano. Gli approvvigionamenti erano difficili. La gestione dei masi ha però consentito di tramandare usanze, saperi e sapori che sarebbero stati cancellati dal progresso. In questo vecchio albergo con stalla e piccola fattoria, c'è una produzione di ortaggi, uova e carne di maiale.
Lasciato il fondovalle, dopo qualche chilometro verso la stazione delle funivie di monte Elmo, superata la frazione Versiaco-Vierschach, troverete un maso a quota 1433 metri, con tre secoli di storia alle spalle, divenuto *gasthof* – dispone di quattro stanze – con la costruzione delle prime strade sulla montagna di San Candido. La signora Livia è la cuoca, il marito Josef trasforma le carni dei suoi maiali in **speck** contadini e **salumi**. La cucina è semplice, proposta con grazia e sincerità. ***Schlutzkrapfen*** (mezzelune ripiene) nella variante della Val Pusteria con patate e spinaci, **canederli di uova e speck**. Poi **zuppa d'orzo**, pasta fatta in casa con funghi freschi. Carni di maiali "di casa" – **stinco** intero, prenotarlo è meglio – e **selvaggina** cacciata in zona: delizioso **capriolo brasato con polenta**, arrosto di cervo. La buona ***wienerschnitzel*** accompagnata dall'insalata di patate. Come dolce gli immancabili ***buchteln***, i tradizionali panetti dolci serviti caldi con panna montata e marmellata di fragole o lamponi. Tra le specialità, ogni tanto le rare **frittelle di patate**.
Piccola carta dei vini con alcune bottiglie interessanti e soprattutto molta cordialità e simpatia. Data l'ubicazione, fuori stagione la prenotazione è indispensabile.

A San Candido-Innichen, in via Schranzhofer 2, Diether Karadar è il titolare di Baccus, fornita enoteca con specialità gastronomiche della Val Pusteria e non solo.

San Genesio Atesino Jenensien
Avigna-Afing

11 km a nord di Bolzano

Unterweg

Trattoria annessa all'albergo
Località Avigna, 128
Tel. 0471 354273
Chiuso il mercoledì
Orario: mezzogiorno e sera
Ferie: 3 settimane in febbraio, 2 in giugno
Coperti: 50 + 60 esterni
Prezzi: 25 euro vini esclusi
Carte di credito: tutte, Bancomat

La trattoria è sulla vecchia strada che univa Bolzano alla Val Sarentino. Un maso tra incroci di sentieri. Raggiungere dal fondovalle la Val Sarentino non è mai stato facile e neppure viceversa. Forse è anche per questo che la comunità sarentinese custodisce la tradizione del *sarner*. Simile a un cardigan a collo alto, di maglia di lana grigia o bruna con un bordino sulle estremità di colore diverso. Qui, le donne anziane filano ancora a mano la lana per conservarne il grasso naturale, che la rende idrorepellente. Poi, con i ferri, realizzano i tipici *sarner*.
Ma veniamo alla proposta gastronomica di questo *gasthof*, un caseggiato sotto la strada principale per San Genesio. Un posto panoramico, con un grande terrazzo, luogo ideale per gruppi, per famiglie con bambini, per sostare dopo una passeggiata. Magari in autunno, quando il *törggelen* offre i tradizionali piatti rustici abbinati al mosto di vino nuovo, le castagne, le puntine di maiale, crauti e quant'altro. Nel menù la **testina di vitello**, con cipolle e patate, è una costante, come lo sono i **salumi** di produzione propria, affumicati con rami e bacche di ginepro. **Zuppa di pane** in brodo, **canederli al formaggio**, tradizionali ***schlutzer***, ravioloni ripieni di ricotta e spinaci. Stesso discorso per il ***groestl*** e – nei mesi freddi – un sostanzioso carrello dei **bolliti**, con salse consone all'abbinamento. D'estate soprattutto **grigliate** (spesso con carne di allevamenti locali) e verdure dell'orto di casa.
In autunno, sui tavoli giungono saporite ***hauswurst*** (salsiccia di casa) **con crauti** e – nel rito del *törggelen* – le immancabili castagnate, mosto o vino nuovo e **krapfen tirolesi** (pastella fitta) ai semi di papavero o con marmellata. Piccola lista dei vini, da uve delle colline di Bolzano.

San Leonardo in Passiria
Sankt Leonard in Passeier
Valtina-Walten

58 km a NO di Bolzano, 29 km da Merano

Jägerhof

Ristorante annesso all'albergo
Via Passo del Giovo, 80
Tel. 0473 656250
Chiuso il lunedì
Orario: mezzogiorno e sera
Ferie: 10 novembre-10 dicembre
Coperti: 80 + 20 esterni
Prezzi: 30-34 euro vini esclusi
Carte di credito: Visa, Bancomat

Gli alberghi di montagna, specialmente quelli isolati come questo, per essere competitivi nell'offerta devono puntare su due fattori: il buon cibo e il centro benessere. È quanto stanno facendo gli Augscheller in questo storico *gasthof*, dove il cibo parla il linguaggio della tradizione, con una cucina moderna, proposta in un ambiente sempre più curato.
Già all'antipasto si nota la presenza dei prodotti locali. Terrina di formaggi di capra con verdure grigliate, oppure **speck con rafano** piccante, **carpaccio di cervo con finferli** in aceto. Immancabili poi i **canederli**, la **zuppa di carne** con pane di segale o quella con tranci di cacciagione. Fatti a mano sono gli ***schlutzer***, ravioloni ripieni solitamente di formaggio, con erbe o altri ingredienti stagionali, funghi su tutti. Specialità della cucina un singolare soufflé di canederli con finferli e salsa di ***graukäse***. Non manca il pesce di acqua dolce, spesso il **salmerino cucinato nel fieno** d'alta quota e servito con patate lesse. Grande uso di **selvaggina**: cervi, caprioli, camosci brasati, arrosto o in crosta di farine o formaggi, con polenta o gnocchi di patate e noci. E ancora: **sella di maiale con patate e mirtilli rossi**, **stinco con crauti** e alcuni piatti con carne di agnello o di capra. Curati i dolci, con **strudel di mele** alla crema di ricotta, gelato artigianale con vaniglia e lamponi, torte, semifreddo al miele di tarassaco. Valida cernita di formaggi e vini, il tutto proposto in un ambiente dove anche l'acqua di sorgente è particolarmente buona.
A disposizione una ventina di stanze a prezzi vantaggiosi.

A **San Martino in Passiria** (2 km) ha sede in zona Industriale 7/1 il punto vendita del Caseificio sociale della vallata: formaggi e produzioni lattiero casearie, molte da allevamenti biologici.

San Leonardo in Passiria
Sankt Leonard in Passeier
Saltusio presso Merano-Saltaus bei Meran

35 km da Bolzano ss 44 bis direzione passo del Rombo

Torgglerhof

Novità

Ristorante annesso all'albergo
Località Saltusio, 19
Tel. 0473 645433
Chiuso il venerdì
Orario: mezzogiorno e sera
Ferie: variabili
Coperti: 50 + 50 esterni
Prezzi: 32 euro vini esclusi
Carte di credito: tutte tranne AE

Merano, Castel Tirolo e la conca di Scena sono appena alle spalle. Per trovare questo frequentatissimo locale si gira a destra come s'intravvede la Val Passiria, si scende lungo una strada che porta a un camping e alla pista ciclabile. Troverete un complesso turistico basato sul recupero di un vecchio maso, del fienile e della casa padronale. Sull'insegna la scritta "Apfelhotel", perché in stagione la cucina è improntata su menù con questo frutto. Del resto è un vezzo della famiglia Picler e del cuoco Robert Steiner elaborare piatti con prodotti stagionali: asparago, erbe alpine, fiori di rododendro, albicocche, mele e castagne. Negli altri periodi, cucina di tradizione, servita negli ampi locali interni e in una fresca veranda.
Cucina di territorio, sobria, con pasta fatta in casa, **zuppe** di vari cereali o di vino, **arrosti** vari tra i secondi, **carne di agnello** nostrano compresa. Proposte che variano di mese in mese. Vanto della casa – dopo qualche fetta di buon **speck** e di **salame** nostrano – sono gli ***schlutzer*** Andreas Hofer, ravioloni di farina di segale ripieni di formaggio di malga, cipolle e carne di maiale dedicati all'eroe sudtirolese. Poi del ***groestl*** di patate, con poche cipolle e carne scelta di manzo. A chiudere, d'estate, delle **omelettes con albicocche** e gelatina di sambuco selvatico, seguite da un tortino di confettura di albicocche. **Formaggi** da allevamenti biologici – dal *bergkäse* allo *ziegen*, dai freschi *schindlhoefer* al "riservato" ad Andreas Hofer.
Ampia scelta di vini, prevalentemente altoatesini, con la possibilità di consumare anche a bicchiere.

A **Merano** (8 km) il meglio dei salumi sudtirolesi dalla macelleria Gruber & Telfser, in via Salita alla Chiesa 5, e poi confetture, formaggi e specialità gastronomiche.

San Martino in Passiria Sankt Martin in Passeier

45 km a NO di Bolzano SS 38

Lamm Mitterwirt

Trattoria
Via Paese, 36
Tel. 0473 641240
Chiuso il mercoledì
Orario: pranzo e sera, inverno solo pranzo
Ferie: novembre, una settimana in febbraio
Coperti: 80 + 20 esterni
Prezzi: 25-28 euro vini esclusi
Carte di credito: tutte, Bancomat

La storia della val Passiria e dell'autonomia sudtirolese passa da questo caseggiato costruito nel 1694, trasformato in osteria nel 1777, ritrovo dei fautori della rivolta capeggiata da Andreas Hofer. Vallata di prati scoscesi, dove pecore e capre sono libere di brucare.
Una particolarità che è parte integrante dell'offerta gastronomica dell'oste Arnold Fontana, coadiuvato da moglie e giovani figlie nella gestione. Arredo tutto legno, una sala col bancone per gli avventori del paese e alcuni tavoli ben apparecchiati, anche sulla veranda, nel cuore del borgo. Tavoli sui quali arrivano antipasti a base di **salumi**, piatti di pasta casereccia di farina di farro, **canederli** di diversi tipi – decisamente buoni quelli **di barbabietola e formaggio erborinato** e quelli **con funghi freschi** –, **gnocchi di patate**, tagliatelle con vari condimenti. Piatti portanti quelli a base di **carne d'agnello** nostrano – costolette con rosticciata di patate e finferli – e, specialità esclusiva, **carne di capra in umido**, con fette di canederli ai funghi. Non mancano carni di manzo o di maiale, **trote** e **salmerini** da allevamenti della valle. Il pane, come la pasta, è fatto in casa. Dal proprio forno pure i dolci: **strudel di mele**, torte di cioccolato o alla frutta, con confetture di frutti di bosco, preparate da una piccola azienda agricola attigua, specializzata in coltivazione e trasformazione di fragole, ribes, lamponi. E ancora: **canederli dolci ripieni** di albicocche o di fragole e ai semi di papavero.
Variegata la selezione dei **formaggi**, scelti nei masi e affinati in proprio, con almeno 15 tipologie diverse. Molti i vini, serviti pure a calice.

A **San Leonardo** (7 km) la macelleria Goegele, in via Happer 37, propone salcicce di capra, selvaggina e insaccati vari.

Senales-Schnals Madonna-Unser Frau in Schnals

58 km a NO di Bolzano SS 38

Oberraindlhof

Ristorante con alloggio
Località Madonna, 49
Tel. 0473 679131
Chiuso il mercoledì
Orario: mezzogiorno e sera
Ferie: non ne fa
Coperti: 80 + 20 esterni
Prezzi: 35 euro vini esclusi
Carte di credito: tutte

La valle del Vento. Nel nome i mille segreti di questo angolo incantato delle Alpi. Il segreto del suo fascino. Magica Venosta, ancora più affascinante una sua laterale: la Val Senales, impervia, con ghiacciai perenni. Orgogliosa di essere stata per secoli autarchica, in grado di produrre gran parte di quanto serviva per la sopravvivenza. Lo testimoniano i masi, un tempo rifugi e case dove il lavoro nei campi in quota poco concedeva alla qualità di vita. Masi ora trasformati – nel massimo rispetto ambientale – in accoglienti ristoranti, alberghi o locande.
Questo della famiglia Raffeiner ha qualcosa di speciale. Rustico, originario, minuziosamente arredato, apparentemente esclusivo, in pratica un concreto esempio di ospitalità sudtirolese, a prezzi più che onesti. Cibo e vino ne esaltano ulteriormente la particolarità. Una cantina fornitissima, corsi di degustazione, iniziative e scambi con varie zone vitivinicole, non solo italiane. La cucina è legata alla territorialità. **Prosciutto d'agnello**, carpaccio di cervo, **salumi affumicati** in proprio, seguiti da **zuppa di pane di segale**, gnocchi di spinaci, **canederli ai** formaggi o **funghi freschi**, dagli ***schlutzkrapfen*** – i raviloni – ai canederli, farciti con funghi o formaggi delle malghe della vicina val di Fosse.
Specialità della casa la **pasta con farina integrale** – grossi spaghetti cucinati nel burro – **con ragù di** agnello o **selvaggina** e carote lesse. Selvaggina a piacimento, ma anche carni di animali allevati in zona e **trote** da acquacolture locali. Nutrita la gamma dei dessert, con il nevelatte, panna montata farcita con uvetta, pinoli, miele e cannella.
Ogni piatto è proposto anche in abbinamento a vini serviti a bicchiere.

L'unico tappo
con il complesso
di superiorità.

Non mostratevi superiori, dimostrate di esserlo. Ad esempio, portando con voi Sigillo Blu, cinque vini spumanti nati da uve selezionate. No Martini, no Party.

WWW.MARTINI-SPUMANTI.IT

VINI SPUMANTI

BEVI SPUMANTI MARTINI RESPONSABILMENTE.

ARMANDO TESTA

Ultimo-Ulten
Santa Gertrude-Sankt Gertraud

57 km a NO di Bolzano ss 38

Falschauerhof

Trattoria
Località Santa Gertrude, 14
Tel. 0473 790191
Non ha giorno di chiusura
Orario: mezzogiorno e sera
Ferie: gennaio
Coperti: 25
Prezzi: 20-25 euro vini esclusi
Carte di credito: nessuna

Un posto unico nel suo genere, assolutamente da val d'Ultimo. Maso agricolo sperduto in questa valle marginale che in queste peculiarità ha il suo fascino. Se decidete di andare al maso per mangiare è indispensabile prenotare, meglio con un certo anticipo. Qui del resto non si arriva casualmente. La zona è ideale per escursioni a piedi, scelta da botanici e studiosi dell'evoluzione forestale: poco distante dalla trattoria troneggiano larici ultrasecolari.
Stupore e piacevolezze anche nella casa della famiglia Gruber, dove tutto è rimasto integro, nel rispetto degli archetipi rurali locali. Nonostante l'ampliamento del locale i posti a sedere sono pochi, la posizione del maso non consente un facile flusso. Inoltre la signora Elisabeth Gruber deve badare anche alle faccende agricole. La cucina è assolutamente identitaria; vieni accolto come amico e non come occasionale cliente. **Speck** tagliato a grosse fette, accompagnato da rafano, **salumi affumicati** in proprio, ma specialmente **minestre d'orzo** e ***goassuppe***, brodo di carne di capra. Imperdibile. Come altre specialità contadine quali la ***muas***, sorta di crema fatta abbrustolendo la farina e aggiungendo nella padella latte fresco. Poi ***schlutzer***, ravioloni di pasta ripieni alle erbe e formaggio; **arrosti di maiale**, manzo, vitello.
Tra i dessert, lamponi, sciroppo di sambuco, quello di menta, siero di latte, sidro di mele e altre specialità di autoctona produzione. Affiancate da una semplice proposta di vini sudtirolesi.

A **Valpurga** (5 km) il Maso Marsoner, civico 180, casera in proprio formaggi nostrani che si possono acquistare. In centro paese, civico 114, il panificio pasticceria Schwienbacher, uno dei migliori di tutto l'Alto Adige.

Val di Vizze-Pfitsch
Tulve-Tulfer

78 km a NE di Bolzano a 22 o ss 12

Pretzhof

Ristorante
Località Tulve
Tel. 0472 764455
Chiuso lunedì e martedì, mai in agosto
Orario: mezzogiorno e sera
Ferie: 10 giorni a Carnevale
Coperti: 50 + 20 esterni
Prezzi: 35 euro vini esclusi
Carte di credito: le principali, Bancomat

Il confine non si vede, anche se avverti come questo sia davvero l'ultimo lembo italiano incastonato nel territorio austriaco. Italiano per modo di dire, comunque. A parte i segnali stradali bilingui e certe costruzioni rurali verso sud, tutto, quassù, è sintomo di cultura montanara sudtirolese. Un posto quasi sperduto, a un quarto d'ora d'auto da Vipiteno, lungo le pendici della montagna, lungo una strada senza sbocchi.
Si arriva quassù solo per scoprire il Pretzhof. Un maso dove l'autoproduzione si pratica da sempre. Per questioni oggettive e per scelta di vita. Il Pretzhof è un baluardo di tradizione, un locale che sull'accoglienza e la valorizzazione dei prodotti tipici poggia le sue fondamenta. Esiste da quasi cinque secoli, praticamente è sempre stato proprietà della famiglia Mayr. Da un paio di generazioni è un ristorante tipico, con annessa azienda agricola e punto di trasformazione e vendita di tante specialità gastronomiche. Con il cibo che non tradisce l'identità territoriale. Quasi tutto è prodotto in casa, tranne il vino, che quassù certo non riesce. I **salumi** sono da bestie allevate nel maso e macellate in loco. Stesso discorso per i formaggi. Il menù è stagionale, con precisi cardini: i **gnocchetti di grano saraceno con selvaggina** o erbe aromatiche, le **zuppe**, i **soufflé di formaggi** nostrani, le **polente** e una serie di piatti a base di **carne di maiale**, manzo o **selvaggina** cacciata in zona. Casalinghi i dolci, con uso di yogurt freschissimo e **confetture di frutta** di propria produzione.
Da vedere la cantina, con una lista dei vini strepitosa, e bottiglie non solo della regione, a prezzi però non proprio popolari... Molto fornito lo "spaccio", il punto vendita: miele, succhi di frutta e una gamma incredibile di formaggi di malga conferiti da piccoli caseifici della zona.

Valle Aurina-Ahrntal
Rio Bianco-Weissenbach

100 km a NO di Bolzano, 15 km da Brunico

Moesenhof

NOVITÀ

Trattoria annessa alla locanda
Frazione Rio Bianco, 28
Tel. 0474 671768
Chiuso il martedì
Orario: mezzogiorno e sera
Ferie: variabili
Coperti: 40 + 40 esterni
Prezzi: 25 euro vini esclusi
Carte di credito: nessuna

Per i buongustai è anzitutto la valle del *graukäse*, il raro formaggio grigio, vanto dei caratteristici masi rurali che resistono in alta montagna. Ma la Valle Aurina è spettacolare anche nel panorama, nell'offerta di escursioni su pascoli – d'inverno, impianti sciistici assicurano veloci collegamenti –, visita di edifici medievali, discese in canoa o gommone lungo le rapide dei torrenti. Vallata che difende una serie di tradizioni. Come quella che ogni agosto rivive a Rio Bianco, proprio davanti a questo tipico *gasthof*: è la sfida del *Kischta*, che impegna i giovani della comunità ad arrampicarsi sul lungo tronco di un albero scortecciato per agguantare una bambola-feticcio. Poi al tronco, opportunamente addobbato, sarà appiccato il fuoco, in un rogo liberatorio.
Tradizioni contadine che evocano consuetudini alimentari veraci. Come quelle che sono proposte in questo locale: **salumi** nostrani, pasta fatta in casa con uso di farine di segale e alcune specialità. I **ravioloni** (*schlutzer*) di patate con funghi, serviti su un leggero strato di crauti, i ***knoedl*** "schiacciati", ma soprattutto i ***kaesnocken***, piccoli, cucinati col formaggio e serviti in padella, dalla quale tutti i commensali attingono a turno. Stessa convivialità per i cosiddetti ***gibochns***: fatti con farina, acqua e burro, simili alla *muas o mòsa*, ma più consistenti, ben conditi, che si possono gustare come piatto unico oppure cosparsi di zucchero, per un appagante dessert. Tra i secondi, **carni di maiale**, talvolta **selvaggina**, arrosti vari. Immancabili strudel di mele, frittelle, **krapfen**. I formaggi sono della valle, il ***graukäse*** su tutti.
Piccola lista vini, molta cordialità – il cuoco e titolare, Hartmann Kirchler, si esibisce pure come valente fisarmonicista – e prezzi decisamente popolari.

Valle di Casies-Gsies
Planca di Sotto-Unterplanken

99 km a NE di Bolzano SS 49 bivio a Monguelfo

Durnwald

Trattoria
Località Planca di Sotto, 33
Tel. 0474 746920
Chiuso il lunedì
Orario: mezzogiorno e sera
Ferie: seconda metà di giugno
Coperti: 80
Prezzi: 32-35 euro vini esclusi
Carte di credito: nessuna, Bancomat

Accattivante, in tutto. Nell'aspetto dell'edificio, nella cura e nei sapori dei piatti. Il Durnwald è l'isola culinaria creata da Erich Mayr nel maso di famiglia. Qui va in scena la tradizione pusterese più autentica, in una cucina aperta al futuro, con ingredienti nostrani e il recupero di antiche ricette.
Il nome del locale è lo stesso della frazione dove si trova, tra i boschi e i prati della Val Casies. Una grande sala da pranzo dietro il bancone dell'osteria e sopra i locali dell'enoteca, vanto di questo simpatico cuoco, coadiuvato dalla moglie Barbara. Alcune costanti di eccellenza: la selezione dei **salumi**, la tipologia di **pane**, la **selvaggina**, i formaggi locali stagionati in proprio. Il ***graukäse***, il formaggio grigio della Valle Aurina, è di solito proposto come antipasto, con cipolle e olio d'oliva o di semi di zucca. ***Knoedl*** a piacimento, a seconda del mese. **Con funghi**, **erbe**, **speck** o **fegato**, in brodo o **con burro fuso**; zuppe d'orzo. Tutta la pasta è fatta in casa con farine pusteresi: dai ravioloni alle speciali **tagliatelle** (ma non sono una costante) **impastate con sangue di maiale**. Pietanze di carne con **selvaggina** – medaglioni di cervo, **capriolo con salsa ai mirtilli** o accompagnati da **polenta** e **funghi** –, maiali di allevamenti vicini, carni di manzo, da bestie scelte da Erich.
A chiudere, **strudel di mele** caldo, frittelle, canederli alla frutta, krapfen, **torte di grano saraceno**, accompagnate da infusi d'erbe, succhi di frutta artigianali e una straordinaria selezioni di vini che si possono scegliere nell'enoteca o gustare al banco dell'osteria o, d'estate, ai tavoli che danno sul bosco.

A **Villabassa-Niederdorf** (17 km da Planca di Sotto) il mulino a pietra di Alois Schmiedhofer macina i cereali come si usava nel Medioevo.

Vipiteno-Sterzing
Novale-Ried

70 km a nord di Bolzano, 4 km uscita A 22

Schaurhof

Novità

Trattoria annessa all'albergo
Località Novale-Ried, 20
Tel. 0472 765366
Chiuso il martedì
Orario: mezzogiorno e sera
Ferie: ultime 3 sett di gennaio, prime 2 di giugno
Coperti: 45 + 30 esterni
Prezzi: 30 euro vini esclusi
Carte di credito: tutte

La versatilità è il suo forte, con una posizione utile per il riposo durante un viaggio da o per il nord Europa, per soste gastronomiche e per il relax dopo escursioni in montagna o sciate. Una zona ricca di testimonianze storiche, una città – Vipiteno – affascinante e con l'inconfondibile assetto urbanistico, rimasto intatto, nel cuore del borgo. Da osservare il Palazzo Comunale, edificio leggiadro che in origine era una casa borghese; venne acquistato dalla città nel 1468 e oggi fa parte delle più artistiche sedi municipali del Tirolo.
Il maso Schaur ha una struttura modulare con una dozzina di stanze, un centro benessere in stile teutonico e una cucina improntata alle consuetudini sudtirolesi. Non aspettatevi di trovare un posto rustico. Qui tutto è curato nei dettagli, per accontentare la clientela di passaggio, ma anche quanti arrivano soprattutto per gustare la cucina tipica. Che parla il linguaggio delle stagioni. **Speck** e salumi sono di propria produzione e la **zuppa d'orzo** è una costante. Stessa considerazione per i **canederli**, vari tipi, sia in brodo che asciutti, in alternanza agli *schlutzer*, i **ravioloni con formaggio ed erbe** o **funghi** freschi. Piatto tipico il **gulasch di cervo** e la **carne salmistrata di maiale con crauti acidi**. Fanno in casa una serie di dolci, dallo **strudel** ai **krapfen** stile ladino, ovvero con papaveri o confetture, anche di castagne.
Curata la selezione dei **formaggi**, molto selettiva la lista dei vini, con bottiglie dei migliori vignaioli della val d'Isarco, quelli che anche a ridosso delle Alpi, a queste latitudini, riescono a fare grandi bianchi.

A **Vipiteno** (4 km), nel centro storico, il panificio Walcher, che ogni giorno sforna i pani tipici del Sudtirolo. Carni e insaccati tradizionali dalla macelleria Frick.

Törggelen e cibo nostrano

Sono sparpagliati su tutto il territorio, migliaia di case contadine che rendono indimenticabile il paesaggio dolomitico. Masi, minuscole aziende agricole, luoghi isolati che dovevano essere in grado di produrre in proprio il più possibile. Luoghi appartati, ma case aperte, molte diventate singolari osterie contadine, dove sono proposti piatti semplici, con ingredienti di produzione propria. Dove nei *buschenschank*, solo in autunno, subito dopo la vendemmia, si può "far *törggelen*", vale a dire girovagare per i masi vinicoli assaggiando il mosto, il *nuien*, mangiando castagne arrostite, gustando speck e altre pietanze nostrane. *Törggelen* è una festa dedicata alla vendemmia, alla gioiosa bramosia di gustare il vino nuovo, ancora in fermentazione. Noi vi suggeriamo alcune mete, le più suggestive.

Nereo Pederzolli

I masi della schiava, vitigno a bacca rossa.

Appiano sulla Strada del Vino
Eppan an der Weinstrasse
Burgschenke Hocheppan

Via Castel Appiano, 17
Località Missiano-Missian
Tel. 0471 636081
Aperto solo a pranzo, da Pasqua a primi novembre

Il vecchio castello di Appiano accoglie anche i visitatori che vogliono sostare nella *stube* riservata al cibo e al vino. Propongono merende gustose, almeno 200 posti a sedere esterni e una quarantina nella suggestiva sala interna.

Wieser

Strada Predonico, 29
Località Predonico-Perdonig
Tel. 0471 662376
Chiuso il mercoledì

Altro suggestivo maso dove vino e cibo contadino vengono proposti tutto l'anno, riservando al *suser* (mosto in fermentazione) grande attenzione. Pietanze tipiche, dai salumi e speck alle omelettes con marmellata e ovviamente caldarroste, carni di maiale e formaggi di produzione sudtirolese.

BOLZANO-BOZEN

FÖHRNER

Via Glaning, 19
Tel. 0471 287181
Aperto nei fine settimana, sempre in autunno

È citato in mappe catastali, datate 1135, come uno dei primi insediamenti sulla collina che sovrasta Bolzano. Si gustano la zuppa di vino, i canederli allo speck, la selvaggina, vino della casa e succhi di mela di propria produzione.

STEIDLERHOF

Località Obermagdalena, 1
Tel. 0471 973195
NOVITÀ
Chiuso il lunedì, martedì e mercoledì
Aperto solo la sera da marzo-giugno e settembre-dicembre

Maso da vino a un tiro di schioppo dalla città, in posizione panoramica. Propongono frittelle di patate, la *mosa* fatta con farina e latte e una serie di salumi. Vinificano in proprio e offrono il loro *neuer* oltre alla tradizionale Schiava, al Lagrein e a un sapido Sauvignon.

CALDARO SULLA STRADA DEL VINO KALTERN AN DER WEINSTRASSE

TOERGGELKELLER

Località Bichl, 2
Tel. 0471 963421
NOVITÀ
Chiuso la domenica
Apertura da Pasqua a fine novembre

È forse il posto più conosciuto e frequentato della zona del lago di Caldaro: alcune centinaia di posti a sedere, il vino-mosto spillato dalle botti abbinato alle consuete pietanze autunnali (salumi, carne di maiale con crauti, formaggi).

LAGUNDO-ALGUND

SCHNALSHUBERHOF

Località Oberplars, 2
Tel. 0473 447324
Aperto solo nei fine settimana e da febbraio a Natale

Poco lontano da Merano, immerso nei vigneti, è un maso storico. Gustosi *schlutzer*, diversi tipi di canederli e una serie di salumi fatti nel maso. Dalla cantina Schiava fragrante, ma anche un pregiato Pinot Nero e il curioso Frauler.

KÖSTENWALDELE

Località Oberplars, 36
Tel. 0473 448374
NOVITÀ
Chiuso il giovedì
Chiuso nei mesi invernali

Una bella trattoria dove il rito del *törggelen* diventa veramente occasione culturale per scoprire i sapori del territorio. Preparano una serie di piatti tipici sfruttando le castagne – il nome del locale, lo ribadisce – per una sosta gastronomica molto convincente.

LANA

HELMSDORF

Via Voellen, 18-Località Foiana-Völlan
NOVITÀ
Tel. 0473 561283
Chiuso il lunedì
Aperto da settembre a novembre

Da oltre 250 anni la famiglia Santer gestisce questo storico maso circondato da frutteti e vigneti. L'azienda applica criteri di coltivazione biologica e apre i cortili al *törggelen*, proponendo dal mosto-vino alle castagne, dai salumi ai formaggi nostrani.

NALLES-NALS

NALSERBACHERKELLER

Via Prissian, 1
Tel. 0471 678661
Chiuso il mercoledì
Aperto da marzo a metà dicembre

Situato sulle colline verso Tesimo e Prissiano, è in una posizione panoramica, con ampio giardino esterno. Salumi di produzione propria, accompagnati a piatti di canederli, crauti, carni di maiale. Produzione propria di vino da uve schiava e di tutta una serie di succhi di frutta, mela e sambuco in particolare.

RENON-RITTEN

EBNICHERHOF

Località Gummeregg, 6
Soprabolzano-Oberbozen
Tel. 0471 978264
Chiuso il martedì
Aperto da metà gennaio a metà aprile e dai primi settembre a metà dicembre

Subito sopra la città, la famiglia Tauferer vinifica in proprio alcune uve, per avere Lagrein, Pinot Nero e pure Mueller Thurgau. Nella tipica *stube* contadina, cibo schietto e genuino, servito anche sul grande terrazzo.

I masi di Traminer, Sauvignon, Kerner, Sylvaner, Riesling e Müller-Thurgau.

BRESSANONE-BRIXEN

HUBERHOF

Località Elvas, 3
Tel. 0472 830240
Chiuso il lunedì

Aperto la sera, a pranzo solo nei fine settimana

Elvas è la frazione collinare di Bressanone, zona di frutteti e vigneti, di stalle e masi agricoli. In questo della famiglia Huber Ploner l'ospitalità è cordiale quanto genuina la cucina: speck, zuppe d'orzo o di grano saraceno, minestra di trippa, canederli agli spinaci o con rape rosse, carni di maiale. In cantina, vini bianchi del posto, Kerner compreso.

Gummererhof
Località Pinzagen, 18
Tel. 0472 835553
Sempre aperto, dalle ore 15.00, da metà settembre a Natale

I castagni lo circondano a monte, i vigneti lo delimitano verso il fondovalle. Produce vino, dal Blatterle – bianco semplice e beverino – al curioso spumante della casa. Vino nuovo e cibo decisamente in linea con la tipicità del maso.

Castelbello-Kastelbell
Niedermairhof
Località Trumsberg, 4
Tel. 0473 624091
Chiuso la domenica
Aperto da aprile a Natale

I vigneti della Val Venosta sono rinomati per vini bianchi e un raro Pinot Nero. In questo vecchio maso d'alta collina, ribes e succhi di frutta sono di propria produzione e offrono tradizionali merende, in autunno legate al vino.

Laion-Lajen
Buchnerhof
NOVITÀ
Località Ried, 144
Tel. 0471 655829
Chiuso il lunedì
Aperto pranzo e sera da metà settembre a Natale; solo la sera febbraio-aprile

Storica *stube* del Settecento per un maso vocato al vino di montagna e una delle mete più idonee per "far *törggelen*" in val d'Isarco. Si raggiunge da Chiusa, salendo verso la Val Gardena. Sono proposti una serie di pietanze e il mosto.

Scena-Schenna
Zmailerhof
NOVITÀ
Schennaberg, 48
Tel. 0473 945881
Chiuso il venerdì
Aperto da aprile a novembre

Posto incantevole, sulla conca di Merano, dove la cucina propone zuppe, canederli, rosticciate e varie merende a base di omelettes con confetture di frutta. In autunno, vino nuovo e castagne. Produzione propria di salumi e formaggi.

Terlano-Terlan
Oberlegar
Via Meltina, 2
Tel. 0471 678126
Chiuso il martedì
Aperto la sera da metà marzo a fine dicembre, domenica anche a pranzo

Poco sopra Terlano, un maso caratteristico, con sale in stile tirolese, le *stuben* e un grande terrazzo. Cibo di qualità, con asparagi di fiume, carne di capretti, salumi e formaggi tipici. Specialità della casa un Sauvignon fruttato ed elegante.

Varna-Vahrn
Strasserhof
Frazione Novacella-Unterrain, 8
Tel. 0472 830804
Chiuso il lunedì
Aperto da settembre a Natale

Hans Baumgartner è uno dei vignaioli emergenti dell'Alto Adige. Kerner, Sylvaner e Traminer proposti con piatti tipici, dai *blatten* (frittelle) con crauti, all'arrosto di maiale. Maiali allevati in proprio, produzione di succhi di frutta e vino nuovo in autunno.

Hubenbauer
Vicolo Ombroso, 12
Tel. 0472 830051
Sempre aperto dal 15 settembre al 15 dicembre, aprile-giugno aperto venerdì e sabato la sera e domenica a pranzo

Un edificio storico e tutelato, costruito nel 1547, rinomato per la caratteristica e valida cantina. Carni e salumi di propria produzione, canederli, gulasch e omelettes. Nei vigneti circostanti anche il rosso Portoghese e lo Zweigelt, vitigni rari e diffusi in val d'Isarco.

Villandro-Villanders
Röckhof
Località San Valentino, 9
Tel. 0472 847130
Chiuso il lunedì
Aperto da settembre a Pasqua su prenotazione

Villandro è un comune montano sopra l'uscita autostradale di Chiusa. Questo maso è rinomato per i suoi vini bianchi fragranti, che accompagnano pietanze saporite: canederli e *groestl*.

Veneto

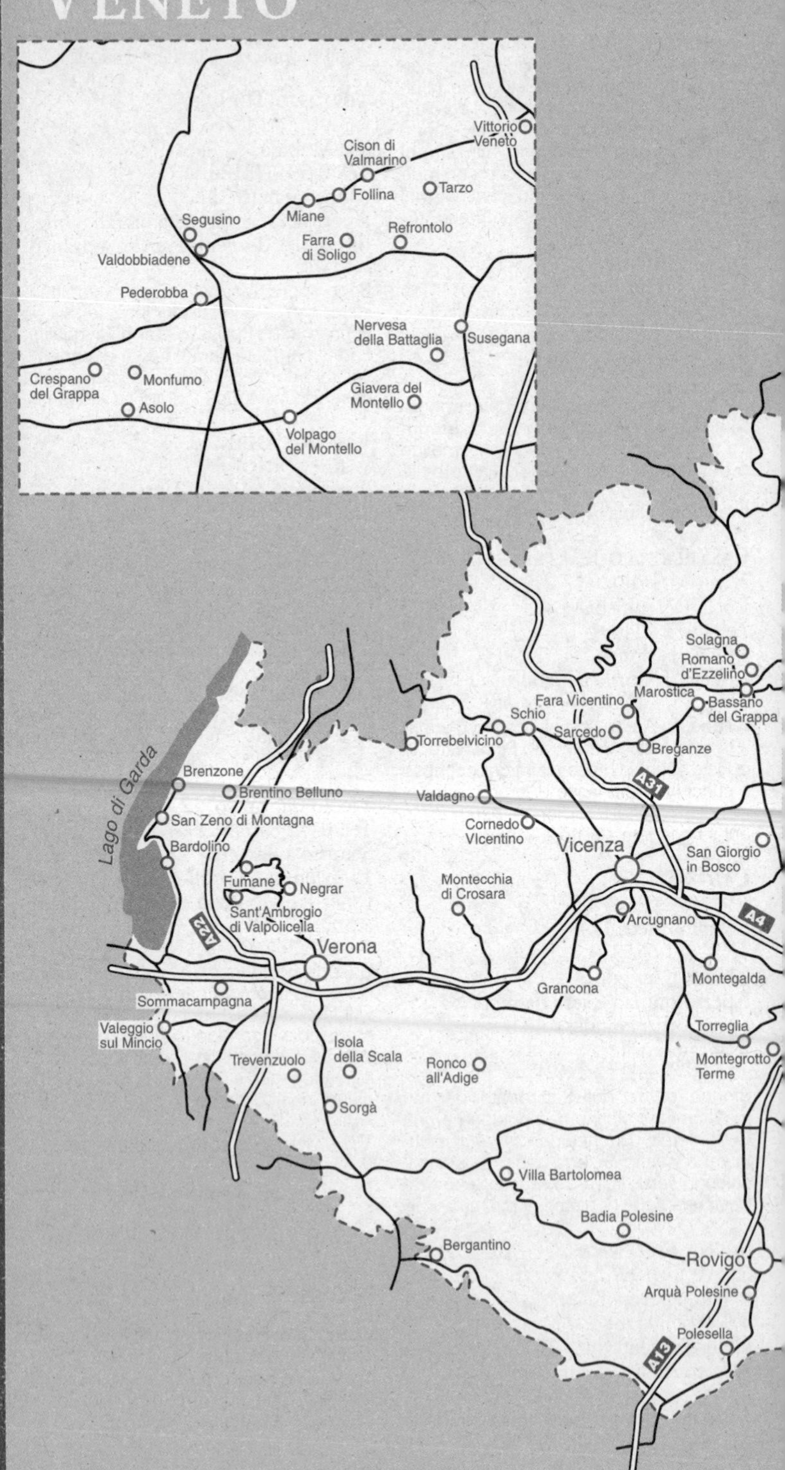

Vittorio Veneto
Cison di Valmarino
Follina
Tarzo
Miane
Segusino
Refrontolo
Farra di Soligo
Valdobbiadene
Pederobba
Nervesa della Battaglia
Susegana
Crespano del Grappa
Monfumo
Asolo
Giavera del Montello
Volpago del Montello
Solagna
Romano d'Ezzelino
Marostica
Bassano del Grappa
Fara Vicentino
Schio
Sarcedo
Torrebelvicino
Breganze
A31
Lago di Garda
Brenzone
Brentino Belluno
Valdagno
San Zeno di Montagna
Cornedo Vicentino
Vicenza
San Giorgio in Bosco
Bardolino
Fumane
Negrar
Montecchia di Crosara
Sant'Ambrogio di Valpolicella
Arcugnano
A4
A22
Verona
Grancona
Montegalda
Sommacampagna
Valeggio sul Mincio
Torreglia
Trevenzuolo
Isola della Scala
Ronco all'Adige
Montegrotto Terme
Sorgà
Villa Bartolomea
Badia Polesine
Bergantino
Rovigo
Arquà Polesine
Polesella
A13

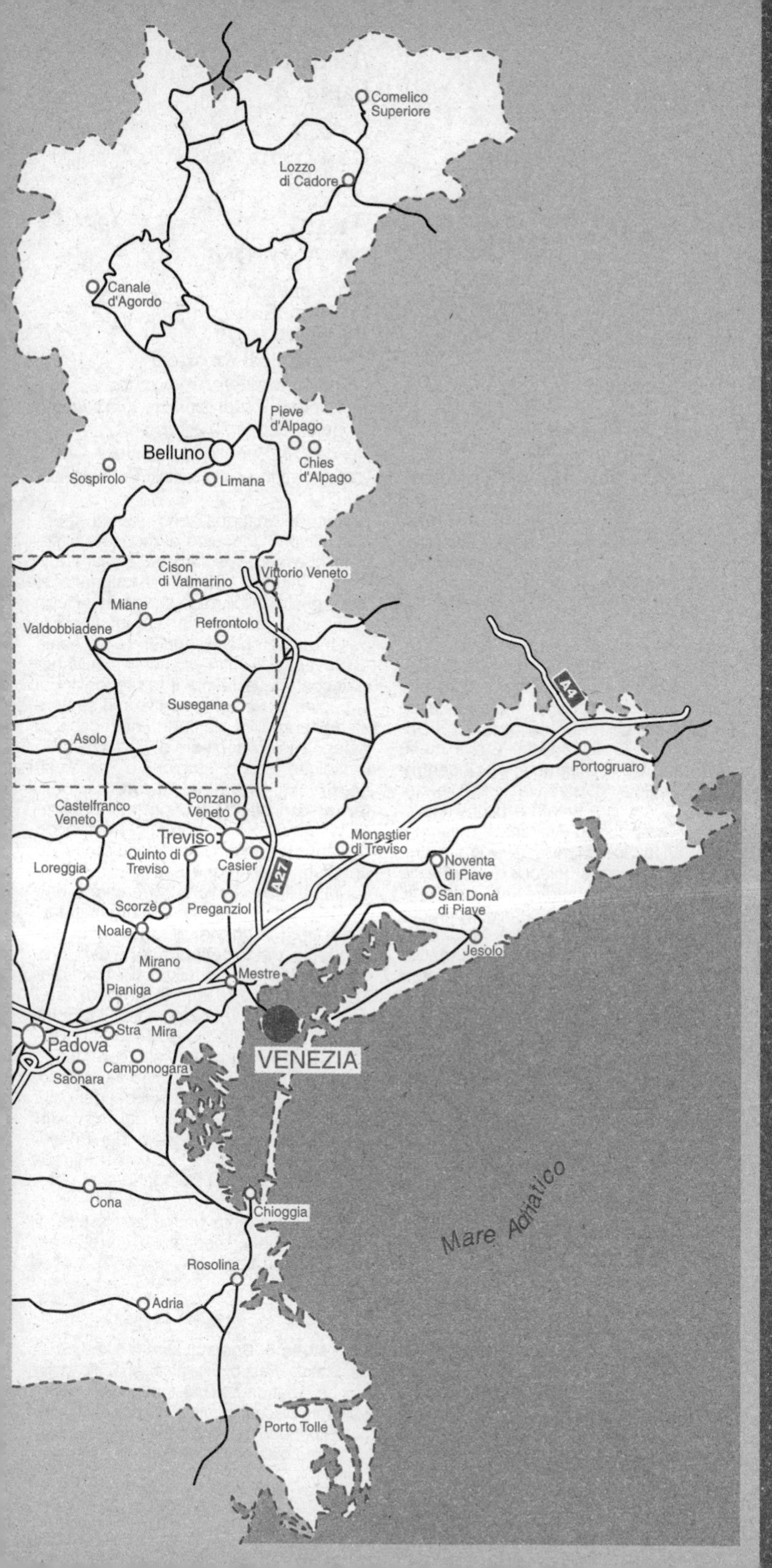

Comelico Superiore
Lozzo di Cadore
Canale d'Agordo
Pieve d'Alpago
Belluno
Chies d'Alpago
Sospirolo
Limana
Cison di Valmarino
Vittorio Veneto
Miane
Refrontolo
Valdobbiadene
A4
Susegana
Asolo
Portogruaro
Ponzano Veneto
Castelfranco Veneto
Treviso
Monastier di Treviso
Quinto di Treviso
Casier
Noventa di Piave
Loreggia
A27
San Donà di Piave
Scorzè
Preganziol
Noale
Jesolo
Mirano
Mestre
Pianiga
Stra
Mira
Padova
VENEZIA
Camponogara
Saonara
Mare Adriatico
Cona
Chioggia
Rosolina
Adria
Porto Tolle

ADRIA
Bellombra

29 KM A EST DI ROVIGO SS 443

ALLA ROSA

Trattoria
Località Possionanza-Strada Treponti, 8
Tel. 0426 41300
Chiuso il lunedì
Orario: mezzogiorno e sera
Ferie: luglio
Coperti: 70 + 30 esterni
Prezzi: 25-30 euro
Carte di credito: nessuna, Bancomat

In una campagna verdissima, Alla Rosa si segnala come locale adatto alle famiglie, circondato da un ampio parco nel quale i bambini possono muoversi senza pericoli. Il grande porticato esterno, l'arredamento, gli alberi, il silenzio invitano a recuperare i ritmi del mondo contadino.
Un aspetto particolare dell'offerta della trattoria è il menù – stagionale – che rispecchia l'alimentazione del passato e la consuetudine di attingere alle risorse dell'orto e del pollaio. C'è il menù invernale, "La Chiarastella", incentrato sul maiale, il primaverile, "A batter marzo", con riso, frittate e polli, l'estivo, "La rugiada di San Giovanni", e l'autunnale, "Viva San Martin". L'orgoglio della cuoca-patronne Jolanda è di proporre ai clienti cibi contadini anche desueti.
Tra i piatti spesso (non sempre) presenti citiamo il **risotto del *massin***, il norcino, che si mangiava nei giorni della macellazione del maiale, le **tagliatelle** e i **tortellini** casalinghi variamente conditi, il **pollo della *menanda*** (mietitura), il **gallo della *batidura*** (trebbiatura), l'**anatra alla cacciatora** e l'anatra dell'inverno, lo **straculo** (sottofiletto) **di maiale**, molte **frittate** (con la cipolla, con la pancetta, con il formaggio pecorino) e molte focacce (pinza dei cuchi, pinza mula, miazza, con le patate americane, esse e *brassadela*).
I non molti vini sono di una azienda agricola locale che ne produce con buoni risultati.

Ad **Adria** (7 km), pasticceria Vecchia Adria, rivera Matteotti 3: dolci tipici tra cui la bissola, caratteristica dell'Epifania; Forno Ferrarese & Menin, va Alberto 49: in autunno, pani e dolcetti con le patate americane di Valliera. A **Papozze** (3 km), panificio Borghetto, via Borgo 153: pane cotto a legna, anche da agricoltura biologica.

ARCUGNANO
Lapio

12 KM A SUD DI VICENZA

AI MONTI DA ZAMBONI

Ristorante
Via Santa Croce, 14
Tel. 0444 273079
Chiuso lunedì e martedì
Orario: mezzogiorno e sera
Ferie: prima sett di gennaio, 15-31 agosto
Coperti: 120 + 70 esterni
Prezzi: 33-35 euro vini esclusi
Carte di credito: tutte tranne AE, Bancomat

I monti dell'insegna sono i Berici, gruppo collinare vulcanico di modesta altitudine che sorge isolato nella pianura a sud di Vicenza. Passate Arcugnano e, lasciata sulla sinistra la strada per il lago di Fimon, prendete per Lapio. A pochi passi dalla chiesa, troverete il locale di Severino Trentin: sostarvi significherà incontrare a tavola il territorio, di cui la cucina di Severino esalta con sapienza tutti i prodotti, dai tartufi dei boschi ai broccoli fiolari degli orti di Creazzo.
Prosciutto crudo stagionato 18 mesi, **soppressa**, **frittatine di bruscandoli**, **tartufi neri dei Berici** con grana e aceto balsamico: variando da un periodo dell'anno all'altro, gli antipasti fanno da apripista a un menù sempre modulato sui ritmi delle stagioni. Lo capirete dalle **zuppe** (di aglio orsino, di bruscandoli, di asparagi) come dagli **gnocchi** con le spugnole, dai **tortelli di ricotta di capra**, dai **risotti** (il riso è quello di Grumolo delle Abbadesse, Presidio Slow Food). Tra i secondi abbiamo trovato ottimi il **piccione in crosta** (allo stesso modo si cucinano anche la faraona e altri capi di pollame) e il **coniglio** disossato **alla brace**, mentre ci ha un po' delusi il baccalà alla vicentina. Il ricco carrello dei **formaggi** comprende anche prodotti dei Presìdi Slow Food. Tra i dolci spicca il semifreddo al mandorlato di Cologna Veneta con salsa di cioccolato amaro.
Severino è attento anche alle scelte di cantina: ampia, meditata e corretta nei prezzi la carta dei vini.

A **Motta di Costabissara** (16 km), Strada Statale Pasubio 6, nello spaccio della storica azienda Loison, fondata nel 1938, troverete biscotti, pasticcini e altri ottimi dolci; nel periodo natalizio panettoni e pandori, a Pasqua colombe e fugasse.

Arquà Polesine
Granze

8 km a SO di Rovigo

Trattoria degli Amici

Trattoria
Via Quirina, 4
Tel. 0425 91045-91187
Chiuso il mercoledì
Orario: mezzogiorno e sera
Ferie: in autunno-inverno, 1 settimana a Ferragosto
Coperti: 80 + 35 esterni
Prezzi: 30-35 euro vini esclusi
Carte di credito: tutte, Bancomat

A tre chilometri dal capoluogo comunale di Arquà, da cui lo divide la Transpolesana, Granze è una tipica località di "terre vecchie", come si chiama la campagna di antica bonifica tra Adige e Po. Argini, campi di cereali e frutteti caratterizzano il paesaggio, punteggiato da case coloniche isolate o in gruppetti. Un edificio non diverso dagli altri ospita questa trattoria: gestita da generazioni dalla stessa famiglia, ha conservato qualcosa dell'originaria rusticità, pur nell'evolversi di un'offerta oggi tra l'altro molto attenta al vino, con una bella carta e uno spazio adibito a enoteca.
In sala o nella veranda estiva sceglierete sulla base di un menù scritto con delle integrazioni a voce sulle novità del giorno. In alternativa all'antipasto di salumi (prosciutto di Montagnana, **salame con l'aglio** e pancetta casalinghi) potrete cominciare, secondo le stagioni, con **radicchio trevigiano grigliato** oppure con un ottimo **paté di anatra**. Specialità di mamma Edda è la pasta tirata a mano: tagliatelle con piselli o asparagi, **tagliolini con rigaglie di pollo**, **bigoli in salsa**, **gnocchi** bianchi o verdi, minestra di **maltagliati e fagioli**; buoni anche i paccheri con sugo di sgombro della nostra ultima visita e i **risotti** con funghi o verdure (radicchio, zucca, asparagi, bruscandoli). Tra i secondi eccelle l'**anguilla in coccio** cotta nel forno a legna, ma sono da assaggiare anche la **bondola polesana** (salame da cuocere leggermente affumicato), il **germano reale al forno**, il petto di faraona con verdure, il **coniglio in salmì**, il **baccalà alla vicentina**. Invitanti i contorni: erbette di campo e melanzane, cipolle in agrodolce, **fagioli in *potacin***. In chiusura, torta di mele, zuppa inglese o tiramisù.
Parecchie delle centinaia di etichette sono offerte anche a bicchiere.

Asolo

34 km a NO di Treviso SS 248

Enoteca Ca' Derton

Enoteca con cucina
Piazza D'Annunzio, 11
Tel. 0423 529648
Chiuso la domenica
Orario: mezzogiorno e sera
Ferie: tre settimane in inverno
Coperti: 18 + 20 esterni
Prezzi: 25-30 euro vini esclusi
Carte di credito: le principali, Bancomat

Allo stesso indirizzo del ristorante Ca' Derton, che abbiamo segnalato per molti anni e che ormai, per ambiente e prezzi, non può più far parte della nostra guida, questa piacevole enoteca ne è l'emanazione diretta: gestita dal figlio dei coniugi Baggio, Enrico, condivide cucina, cantina e stile della "casa madre", ma con un tono più disinvolto e informale. All'unica piccola sala, dall'atmosfera calda e accogliente, nella bella stagione si aggiungono pochi tavoli sulla piazzetta antistante.
I tipici piatti da enoteca comprendono invitanti selezioni di **salumi** (locali e non, spesso piccole produzioni frutto di un'appassionata ricerca) e di **formaggi** (oltre 30 italiani e alcuni erborinati esteri, abbinabili a composte e confetture fatte in casa, come grissini e pane). Sempre tra le proposte veloci uno squisito **manzo marinato** con sale grezzo, il **tomino due latti** dorato e l'insalata asolana; come primi piatti di territorio, le **tagliatelle con ragù d'anatra**, i **bigoli in salsa**, gli **gnocchi** dell'osteria preparati con le patate di Rotzo, dal vicino altipiano di Asiago.
Sono oltre 600 le etichette di vino, molte disponibili anche al bicchiere e numerose quelle di produttori biodinamici, italiani ed esteri, proposte con ricarichi corretti e un servizio competente e garbato.

Asolo
Pagnano

38 km a NO di Treviso SS 248

La trave

Osteria tradizionale-trattoria
Via Bernardi, 15
Tel. 0423 952292
Chiuso il lunedì
Orario: mezzogiorno e sera
Ferie: 2 settimane in inverno, 2 in estate
Coperti: 70
Prezzi: 30-32 euro vini esclusi
Carte di credito: le principali, Bancomat

Il locale prende nome dall'antica trave che sorregge il soffitto di questa tipica osteria del borgo di Pagnano. Attraversato il bar, ancora oggi ritrovo quotidiano degli abitanti della frazione per una partita a carte e un bicchiere di vino, vi accomoderete in una bella veranda con vetrata affacciata sul giardino interno, preziosa fonte di frescura nella stagione più calda.
I piatti, in linea con stagionalità e territorio tranne qualche puntata marinara, vi saranno raccontati con dovizia di particolari da Franca e Veronica. Nell'ultima visita tra gli antipasti abbiamo assaggiato la **sfoglia di asparagi bianchi** abbinata alla **carne *salada***, la **salsiccia cotta con il radicchio**, le ***schie* con polentina morbida**, le lumache della zona passate in forno. Tra i primi sempre molto apprezzati gli **gnocchi**, conditi a seconda del periodo con zucca, ortiche, porcini, i **bigoli con fegatini di pollo** o sugo d'anatra, le tagliatelle nere con asparagi verdi e granchio; sempre in menù una buona **pasta e fagioli**. Alla Trave la tradizione è celebrata anche con la ***sopa coada***, pasticcio a base di carne di piccione non facile da trovare nei ristoranti della Marca. I secondi più frequenti sono la **faraona con salsa *peverada* alla trevigiana** (diversa dalla veronese), il **coniglio** disossato **con i carciofi** o con i peperoni, il **baccalà con polenta**, le seppie ripiene di zucchine e gamberi o più semplicemente alla griglia, la ***poenta e s'cioss*** (lumache), il petto d'anatra con i porcini. Tra i dolci, tutti preparati in casa, segnaliamo la **coppa D'Annunzio**, una buona crostata ai frutti di bosco e la torta di mele.
Una cinquantina le etichette della carta dei vini, con buona presenza del territorio e qualche ponderata escursione in Centro e Sud Italia.

Badia Polesine

25 km a ovest di Rovigo

Osteria del gallo

NOVITÀ

Ristorante
Via Cigno, 25
Tel. 0425 594760
Chiuso lunedì sera e martedì
Orario: mezzogiorno e sera
Ferie: una sett a metà gennaio, seconda sett di luglio
Coperti: 45 + 15 esterni
Prezzi: 28-33 euro vini esclusi
Carte di credito: Visa, Bancomat

Badia Polesine, sulla strada che da Rovigo porta a Verona, deve il suo nome all'antica abbazia della Vangadizza attorno alla quale si è nei secoli sviluppato il paese. Nel centro storico, una vecchia osteria è stata trasformata nell'accogliente ristorantino di Ilaria Canali che, abbandonato il ramo alberghiero, raccoglie buoni riscontri con la nuova attività grazie anche all'apporto della mamma Albertina e di Alex e Loredana, rispettivamente ai fornelli e in sala.
Il menù si apre con i salumi: **prosciutto di Montagnana** e taglieri con il cotto artigianale, il crudo, il **salame** casalingo e quello **d'oca**. E ancora: involtini di melanzane con speck, gorgonzola e noci, fiori di zucca con ricotta ed erba cipollina, **tomino al forno** su letto di radicchio dolce di Treviso. Fra i primi citiamo le **caserecce con radicchio e salsiccia** profumata al vino rosso, gli **gnocchi di patate dolci**, i ***bigoi* all'anatra**, gli gnocchi di ricotta con carciofi e prosciutto crudo di Montagnana, i **tortellini** di Valeggio in brodo o asciutti e i **risotti**: con il crudo, con il radicchio di Treviso, con il morlacco del Grappa o il castelmagno (entrambi formaggi di Presìdi Slow Food). A seguire filetto, costate e fiorentine alla brace, **filetto d'anatra all'olio aromatico** e bocconcini di vitello al Porto cui si aggiungono, in inverno, **cotechini** e **bondiole**. I dolci provengono da una vicina pasticceria.
Valida la carta dei vini che elenca un centinaio di etichette, in maggior parte italiane, con ricarichi contenuti.

Alla Premiata Pasticceria Sanremo, in via San Giovanni 48, panettoni e pandori, pasticceria mignon, salatini, gelato artigianale, torte e frittelle con crema o zabaione.

Bardolino

28 km a NO di Verona SS 249

Il giardino delle Esperidi

Ristorante-enoteca
Via Mameli, 1
Tel. 045 6210477
Chiuso il martedì e mercoledì a pranzo
Orario: mezzogiorno e sera
Ferie: variabili
Coperti: 35 + 35 esterni
Prezzi: 32-35 euro vini esclusi
Carte di credito: le principali, Bancomat

Continua l'avventura tutta al femminile del Giardino delle Esperidi, un ristorantino-enoteca nel pieno centro storico di Bardolino. Nulla di turistico in questo locale bomboniera gestito da Susy Tezzon, Anna Maria Vedovelli e Mari Vedovelli, sempre più brava nell'interpretare in cucina i prodotti del territorio gardesano. La sala è piccolina, piena di ninnoli, bottiglie (che si vendono anche per asporto), mobili antichi. All'esterno, pochi tavolini direttamente sulla strada, nell'isola pedonale. Un paio di divanetti accolgono l'ospite che si ferma per un aperitivo, scegliendo sulla lavagnetta i vini del giorno (almeno una trentina). Il calice si può abbinare a una selezione di salumi locali e nazionali.
I piatti variano ogni due settimane, seguendo l'andamento del mercato e delle stagioni. A seconda del periodo, si possono trovare per antipasto la caramella di pesce di lago con la lavanda, il **tortino di sarde lacustri con la salvia**, il **tortino di farro e lavarello**, l'insalatina di coniglio con carciofi. Tra i primi, gli **gnocchi con lavarello e melanzane**, la zuppetta di pesce con la zucca, gli spaghetti al pesce di lago. Per secondo, le girandole di **coregone con zucchine ripiene**, il **filetto di persico con l'uva**, gli spiedini di misto di lago con bruscandoli, oltre alla classica **carne di toro marinata**, servita con la mostarda. Fra i dolci, la focaccia di mandorle con il gelato di ciliegie della Valpolicella. Sempre disponibili eccellenti **formaggi** selezionati e talvolta affinati da Susy.
Carta dei vini ricchissima: 700 etichette.

A **Garda** (4 km) la pescheria Malfer, in via Antiche Mura, vende il pescato fresco di lago, nonché pesce lacustre affumicato (lavarello, tinca, sarde, anguilla) e filetti di sarde di lago sott'olio.

Bassano del Grappa
Valrovina

39 km a NE di Vicenza SS 53 e 47

Melograno

Ristorante
Via Chiesa Valrovina, 35
Tel. 0424 502593
Chiuso il lunedì
Orario: mezzogiorno e sera
Ferie: 15 giorni in gennaio, 15 in giugno
Coperti: 80 + 60 esterni
Prezzi: 32 euro vini esclusi
Carte di credito: Visa, Bancomat

Salendo da Bassano del Grappa verso i primi contrafforti dell'altopiano di Asiago, si incontra la frazione di Valrovina, dove Gigi e Carla ci accolgono nel loro bel ristorante. La tradizione familiare continua e ora talvolta in sala troviamo anche i giovani figli Giovanni e Mattia, che proseguono nella proposta di piatti tipici legati ai prodotti del territorio e alla stagionalità. Il locale, caldo e accogliente, è composto da due sale e da una veranda utilizzata nella bella stagione.
Alle proposte tradizionali, qualche volta riviste in chiave moderna, si affiancano anche alcuni piatti di pesce. Nei periodi canonici menù monotematici contemplano percorsi gastronomici incentrati sull'**asparago bianco di Bassano** in primavera, sui **piselli di Borso del Grappa** in epoca successiva, sui **funghi** in autunno. Per i primi piatti la cucina fa largo impiego di prodotti spontanei della zona: da provare i **ravioloni di erbe con ricotta affumicata**, il **risotto con erbe primaverili**, i **panzerotti di faraona con pancetta**, piselli e scaglie di vezzena. Come secondo, carni rosse cucinate in vari modi, il **petto d'anatra** alle erbe aromatiche o **in salsa di ribes**, il **petto di faraona con salsa di piselli e fiori di zucca**. Tra i dolci, in evidenza parfait, bavaresi e crêpes.
Discreta la scelta di vini, soprattutto del Triveneto, con ricarichi onesti; ampia selezione di distillati.

A **Pove del Grappa** (4 km) si producono un pane tradizionale e l'olio ricavato da olive coltivate all'altitudine più elevata d'Europa. L'uno e l'altro si possono degustare, in novembre, nella manifestazione "Pane e olio in frantoio".

Bassano del Grappa

39 km a NE di Vicenza ss 53 e 47

Trattoria del borgo

Trattoria
Via Margnan, 7
Tel. 0424 522155
Chiuso il mercoledì e sabato a pranzo
Orario: mezzogiorno e sera
Ferie: variabili
Coperti: 40 + 40 esterni
Prezzi: 30 euro vini esclusi
Carte di credito: le principali, Bancomat

Invece di lasciarvi tentare dagli invitanti locali del centro storico di Bassano, con pochi minuti di piacevole passeggiata scendete nell'antico borgo Margnan dove, facendo attenzione alla piccola insegna sulla porta, potrete sostare in un ambiente gradevole, vero, nonché fresco d'estate grazie al pergolato di vite e glicine e al giardino. Qui come nelle due salette interne, l'atmosfera è quella dell'osteria di un tempo.

La cucina segue lo scorrere delle stagioni e l'offerta giornaliera del mercato; nella loro semplicità, i piatti si basano solo su materie prime di qualità e in sala vi saranno illustrati con competenza e cortesia da Andrea. Tra gli antipasti un insolito **paté di vitello** con crostini rustici, il **manzo affumicato** con asparagi o funghi, la **polentina con soppressa e morlacco del Grappa**. Passando a primi, all'invernale **zuppa di fagioli e ceci** si alternano le **tagliatelle all'anatra** e i **ravioloni di asparagi bianchi** o di altre verdure; buoni anche gli agnolotti con cappesante. Tra i secondi non manca quasi mai il **baccalà alla vicentina**, preparato solo con le pezzature più pregiate; inoltre, **guancetta di vitello brasata**, spiedini di pecora preparati con carne abruzzese, le tradizionali **trippe,** le seppie in umido con crostoni di polenta. Prima del caffè, non lasciatevi sfuggire il tagliere di biscotti e dolci della casa, abbinati a un buon passito.

La carta dei vini rappresenta bene il territorio e propone puntate in tutte le regioni italiane, nonché alcuni Champagne meno conosciuti: nel complesso sono oltre 150 le etichette a disposizione, alcune offerte anche a bicchiere.

Vicino al Ponte degli Alpini, due storiche grapperie: la Nardini, caratteristica vecchia bottega con mescita, e la Poli, con l'interessante Museo della grappa.

Bergantino

52 km a ovest di Rovigo ss 16

Da Luciano

Ristorante annesso all'albergo
Via Cavallotti, 81-86
Tel. 0425 805120
Chiuso la domenica
Orario: mezzogiorno e sera
Ferie: seconda quindicina di agosto
Coperti: 100 + 20 esterni
Prezzi: 30-32 euro vini esclusi
Carte di credito: tutte tranne DC, Bancomat

Un piccolo paese stretto tra antiche lagune e giostre variopinte: le acque del Po sono le radici, la storia; le moderne fabbriche di giostre, il presente. Una lingua del veneto Polesine tra la emiliana Ferrara e la lombarda Mantova. Il territorio è di confine, così come la cucina e gli ingredienti.

In una strada del centro, non lontano dal Museo nazionale della giostra, si affaccia l'albergo-ristorante fondato nel 1956 da Luciano Martini. La gestione è familiare: oggi in cucina c'è Francesco, il figlio, aiutato a sua volta dal proprio. Il locale è piuttosto spartano ma l'accoglienza è buona, ci si sente subito a casa. Il menù varia con le stagioni e, sebbene i piatti più interessanti si gustino nei mesi freddi, anche nelle giornate estive ci si può gratificare con un buon pasto. Tra gli antipasti non possono mancare i **salumi** locali (salame, coppa e pancetta) e il **prosciutto di Parma**. I primi piatti sono una rassegna di tradizioni diverse che gli anni hanno amalgamato: **bigoli al torchio con acciughe**, **cappelletti in brodo**, **maccheroncini con stracotto d'asino**, **pasta e fagioli**. Da non perdere i **tortelloni di zucca con burro e salvia** (pasta fatta in casa e ricetta della nonna) o di ricotta e spinaci o **di radicchio rosso**; su prenotazione il **risotto con la zucca** (a fine agosto tra Melara e Bergantino si celebra la festa della zucca). Come secondo, **cotechino** o **baccalà con polenta**, lo **stracotto d'asino** e un'ampia selezione di grigliate sia di carni sia di verdure: carne tenera e cottura perfetta. Tra i dolci troviamo gli ***zaleti*** di veneziana memoria, la ***sfregolota*** (vicina alla sbrisolona mantovana) e crostate casalinghe.

La carta dei vini non è ampia ma rappresenta bene il Veneto, con qualche puntata in Lombardia.

Breganze

20 km a nord di Vicenza, 5 km da Thiene ss 349

La ciacola

Enoteca con mescita e cucina
Via Marconi, 9
Tel. 0445 300001
Chiuso il lunedì
Orario: 18.00-00.30
Ferie: variabili
Coperti: 40
Prezzi: 22 euro vini esclusi
Carte di credito: nessuna

Inoltrandovi dalla bella piazza di Breganze, nella vecchia via Marconi dovrete prestare attenzione alla lampada appesa sopra la porta, unico segnale per trovare l'entrata di questo accogliente locale. Vi si respira l'aria della tipica osteria veneta ed è un punto qualificato di ristoro sia per chi vuole assaggiare piatti e prodotti del territorio, sia per gli amanti del buon bere. Enrico dietro al grande bancone vi saprà sempre consigliare al meglio con attenzione sia alla qualità dei vini (circa 200 etichette prevalentemente italiane) sia al loro prezzo. Anche se si ferma ai primi piatti, la cucina di Lorella è eccellente, capace di valorizzare l'assoluta qualità delle semplici materie prime, in particolare di quelle del territorio.
L'**insalata di pollo in *saor***, gli ziti con pomodoro fresco e morlacco, le mezzemaniche alla mediterranea, i **gargati col consiero** o **con il broccolo fiolaro**, i **bigoli mori di Bassano con le sarde**, la pasta e zucca con ricotta affumicata, il delicato pasticciò sono alcune delle proposte, ma troverete sempre delle novità in base alla stagione. Potrete proseguire con la selezione di salumi che può comprendere, secondo disponibilità, prodotti locali quali la **soppressa**, la brasolara e la **bocconata** o Presìdi Slow Food come l'**oca *in onto*** o il violino di capra. Anche la proposta casearia spazia dai Presìdi Slow Food (morlacco, stravecchio di malga), ai caprini locali e a **formaggi** delle diverse regioni d'Italia, accompagnati da splendide marmellate e mieli anche insoliti. I dessert sono fatti in casa, crostate, semifreddo al croccante, salame di cioccolato o **biscottini** secchi serviti **con il Torcolato**, gran passito di Breganze. Sulla lavagna davanti al bancone trovate anche suggerimenti per abbinare i vini ai piatti del giorno.

Breganze

20 km a nord di Vicenza, 5 km da Thiene ss 349

La cusineta

Trattoria
Via Pieve, 19
Tel. 0445 873658
Chiuso domenica sera e lunedì
Orario: mezzogiorno e sera
Ferie: in estate
Coperti: 50
Prezzi: 30 euro vini esclusi
Carte di credito: tutte, Bancomat

A due passi dalla piazza centrale del paese, La Cusineta è un ambiente curato e ben arredato. Vi opera dal 1981 tutta la famiglia Scapin: papà Terenzio e la moglie Marzia cucinano con passione alcuni classici della tradizione locale; la figlia Chetti, che sovraintende al servizio in sala, vi segnalerà anche i piatti non elencati nel menù e vi potrà consigliare con competenza sulla scelta dei vini, la cui carta comprende tutte le cantine della doc locale, molte del resto del Veneto e una buona presenza di etichette di altre regioni.
Si può iniziare con la **soppressa** di Breganze **con polenta** o con verdure: nei mesi freddi radicchio di Treviso in pastella, in primavera asparagi o **frittata di bruscandoli**. Si prosegue con paste fatte in casa: **bigoli** o fettuccine alla breganzese, conditi **con ragù di colombino**, e piatti più generici come gli gnocchetti di patate alla zucca o i maccheroncini alla ricotta. E veniamo alla principale specialità della trattoria: i **torresani**, giovani colombi cotti **allo spiedo** e serviti **con la polenta *onta***, fritta nel loro olio di caduta. Altro piatto tipico sempre presente è il **baccalà alla vicentina con polenta di maranello**; una valida alternativa è il tris di **baccalà**: alla vicentina, **mantecato** e **alla griglia**. Tra i secondi ci sono spesso anche il **vitello brasato al Cabernet**, il filetto di manzo al pepe verde, il petto d'anatra all'aceto balsamico e carni alla brace (costata e filetto di manzo, **braciolíne di agnello**). In chiusura i dessert della signora Marzia: l'ottima **crostata di pere al cioccolato**, dolci al cucchiaio e i classici **biscottini** da inzuppare nel Torcolato.

Enoteca da Todesco, via Marconi 1: ampia selezione di vini di Breganze, grappe, oli extravergini di oliva e altre specialità alimentari.

Brentino Belluno
Belluno Veronese

41 km a NO di Verona ss 12 o A 22

Al ponte

Trattoria
Piazza Vittoria, 12
Tel. 045 7230109
Chiuso il mercoledì
Orario: mezzogiorno e sera
Ferie: da fine luglio a Ferragosto
Coperti: 50
Prezzi: 25 euro vini esclusi
Carte di credito: le principali, Bancomat

Belluno Veronese è a pochi minuti di auto dal casello di Ala-Avio dell'autostrada del Brennero, tra Verona e Rovereto: la deviazione è raccomandata a chi voglia incontrare i sapori e la tranquillità di questa parte della Valdadige, in mezzo ai vigneti, alla base del monte Baldo. La trattoria Al Ponte è sulla piazzetta del borgo. Dal bar si raggiunge la sala da pranzo al primo piano, semplice e ordinata. Lì siederete per apprezzare la cucina di Stefano Bridi, che ha grande conoscenza del territorio e dei piccoli produttori della zona. In sala Monica e Grazia, rispettivamente moglie e sorella di Stefano, vi elencheranno l'offerta del giorno.
Per iniziare, potete assaggiare la **trota in carpione** (il pesce proviene da una troticoltura del paese), la **soppressa con polenta**, la **carne *salada*** cruda del macellaio Renato Segabinazzi, la **polentina col tartufo nero del Baldo**, le lumache in umido. La pasta fresca è tutta preparata in casa dal papà di Stefano: tagliatelle e **bigoli col ragù di anatra e faraona**, col tartufo, col sugo di coniglio. In stagione, gli **asparagi bianchi di Rivoli Veronese** sono proposti col risotto, oltre che lessati come secondo piatto. Proseguendo, oltre ai validi tagli di carne della macelleria del paese, troverete quasi tutto l'anno un ottimo **stracotto d'asino**, il **coniglio al forno**, il **baccalà con la polenta**. Per finire, la sbrisolona fatta in casa o la crostata con marmellata. In alternativa, il gelato artigianale ai frutti di bosco.
La carta dei vini è prettamente locale, con grande attenzione ai vitigni locali, come casetta ed enantio.

Il grissinificio Zorzi, in via XXIV Maggio 10 a **Brentino**, sforna grissini grossi e friabili, lavorati artigianalmente, venduti in sacchetti da 250 grammi.

Brentino Belluno
Belluno Veronese

41 km a NO di Verona ss 12 o A 22

Roeno

Ristorante con alloggio
Via Mama, 5
Tel. 045 7230110
Chiuso il lunedì
Orario: mezzogiorno e sera
Ferie: 3 settimane in giugno, 1 in novembre e in gennaio
Coperti: 80 + 30 esterni
Prezzi: 25 euro vini esclusi
Carte di credito: le principali, Bancomat

Roeno è cantina, ristorante e piccolo alloggio: vino, cucina e ospitalità sono un unicum presso l'azienda della famiglia Fugatti, che ha il proprio quartier generale poco fuori dal piccolo borgo di Belluno Veronese, nell'ultimo lembo di terra veneta della Valdadige, a due passi dal confine trentino. Fu una ventina d'anni fa che mamma Giuliana incominciò a proporre taglieri di formaggi e salumi in accompagnamento alla degustazione dei vini prodotti dal marito. Il successo è stato tale che in casa si è pensato di ampliare l'offerta gastronomica, arrivando dapprima ad aprire un agriturismo e ora a trasformarlo in una vera e propria trattoria (due sale e pochi posti all'aperto), cui sono state da poco aggiunte, per chi volesse sostare, sette camere.
Ad aiutare la madre ai fornelli c'è la figlia Roberta. In sala agisce la sorella Cristina, che è anche enologa. Il fratello Giuseppe si occupa dei vigneti. Il menù è all'insegna dei piatti del territorio e della tradizione trentino-veronese. Si comincia con la **soppressa** e il **lardo** di produzione diretta, accompagnati dai **peperoni in agrodolce**. Poi, **tagliatelle** fatte in casa condite **col sugo di capriolo**, **strangolapreti**, **canederli**. In stagione, **tortelloni agli asparagi di Rivoli Veronese** e lasagnette con i piselli. Tra i secondi, **stinco di maiale al forno** (ripassato in padella), coniglio arrosto con polenta, **carne *salada***, cotta o cruda, del macellaio di Ala, Gabriele Moschini, **polenta e capriolo**, capretto arrosto, polenta e funghi, **trippe alla parmigiana** e, in primavera, uova e asparagi. Dolci casalinghi. Vini dell'azienda.

Brenzone
Castelletto

52 km a NO di Verona

Al pescatore

Osteria di recente fondazione
Via Imbarcadero, 31
Tel. 045 7430702
Chiuso il lunedì, inverno anche martedì
Orario: sera, domenica inverno solo pranzo
Ferie: Natale-metà gennaio
Coperti: 30
Prezzi: 30-35 euro vini esclusi
Carte di credito: tutte, Bancomat

L'osteria Al Pescatore è sul molo di Castelletto: due stanzucce che prima ospitavano un negozietto di articoli per la vela e la pesca. Che questo sia un luogo deputato alla valorizzazione non solo dell'enogastronomia gardesana, ma anche più in generale della cultura lacustre, lo si capisce vedendo gli scaffali zeppi di volumi che parlano della storia e delle tradizioni del lago. Ad accogliervi è Livio Parisi, professore in pensione: alcuni di quei libri li ha scritti lui e in zona sono molti a riconoscergli il merito della rinascita della cucina rivierasca. Assieme alla moglie Rosaria Veronesi, scopertasi ottima cuoca, ha coronato il sogno di aprire un locale nel quale mettere in pratica quanto teorizzato negli anni passati in fatto di cucina ittica.
La formula è particolare: i piatti variano di giorno in giorno sulla base del pescato. Vi proporranno di provare l'intero menù, composto da cinque-sei portate: vale la pena assecondare l'offerta. A seconda della stagione, dell'esito della pesca notturna e dell'estro di Livio e Rosaria, potrete assaggiare piatti come il **luccio in salsa**, le **polpettine di cavedano**, il crudo di cavedano o di lavarello, la **tinca con pomodorini e capperi**, le **sarde con le patate**, gli spiedini di coregone e pancetta, le **sardelle in *saor***, la **tinca in guazzetto**, il cavedano con i piselli, i filetti di sarda fritti, la trota di lago bollita, i ravioli di monte veronese e pesce spadellato. Unico piatto fisso dell'elenco, gli eccellenti **bigoli** del pescatore, conditi **con filetti di sarda sott'olio**. Disponibile una buona selezione di vini gardesani e di oli della riviera.

A **Malcesine** (10 km), in via Bassinel 10, è possibile acquistare il burro e i formaggi dell'azienda agricola di Flavio Chincarini.

Brenzone
Porto di Brenzone

52 km a NO di Verona

Taverna del capitano

Trattoria
Via Lungolago, 8
Tel. 045 7420101
Chiuso il martedì, mai d'estate
Orario: mezzogiorno e sera
Ferie: da novembre a Pasqua
Coperti: 40 + 40 esterni
Prezzi: 20-30 euro vini esclusi
Carte di credito: le principali, Bancomat

Una sorta di museo che fa rivivere la più schietta, tipica, rustica tradizione gastronomica del lago di Garda: ecco come potremmo definire questa minuscola trattoria sul molo di Porto di Brenzone (pochi tavolini in veranda: non ci sono stanze interne, per questo d'inverno il locale è chiuso). I piatti hanno abbondanza di aceto, cipolla, aglio, olio, com'è sempre stata abitudine dei pescatori della zona: solo alla Taverna del Capitano potrete assaggiare quei sapori antichi, e va dunque dato merito a Bortolo e Gianlucia Brighenti, lui in sala e lei ai fornelli, di avere resistito a ogni seduzione turistica o di moda. Oggi ad affiancarli ci sono i figli Francesco, che si occupa anche dei vini, e Alessandro, che cura in particolare i dessert.
Al tavolo, fidatevi di Bortolo quando vi consiglia di non ordinare altro se volete provare il grande antipasto misto: a seconda del pescato di stagione, comprende una dozzina di assaggi di rarità come le **polpettine di cavedano**, il ***sisàm*** (alborelle stufate con cipolla e aceto), il **luccio in salsa**, le **sarde in *saor*** o in agrodolce, i **filetti di sarda salati**, le **uova di sarda fritte**, il **lavarello in salsa di alborelle** o con le cipolle. Tra i primi, troverete i sapidi **bigoli con le sarde** sotto sale, la **zuppetta di pesce di lago**, le **tagliatelle con lavarello** fresco e affumicato (una ricetta di Francesco). Poi, grigliata o **fritto misto di lago**, il **filetto di persico al Bardolino Chiaretto**, le **sarde impanate** fritte (un piatto del papà di Bortolo) e, su prenotazione, il pasticcio con ragù di pesce. Imperdibile, dopo il caffè, la grappa aromatizzata in casa con l'oliva.

A **Pai di Torri del Benaco** (9 km) Raffaella Bertoni Pirlo produce miele, compreso quello di castagno del monte Baldo, frutta secca nel miele, olio extravergine.

Camponogara

28 km a SO di Venezia, 18 km a est di Padova

Hosteria ai Mitraglieri

Osteria di recente fondazione
Piazza Marconi, 28
Tel. 041 5150872
Chiuso domenica e lunedì
Orario: mezzogiorno e sera
Ferie: due settimane centrali di agosto
Coperti: 40 + 25 esterni
Prezzi: 35 euro vini esclusi
Carte di credito: tutte, Bancomat

Nel centro di Camponogara, paese ai margini della riviera del Brenta, vicino alla piazza il cui nome antico, Ai Mitraglieri, è stato ripreso dal locale, troviamo la piccola ma accogliente osteria gestita da Cristina Meggiato, coadiuvata da Graziella in sala e Monica in cucina. Alle due curate salette interne si aggiunge nel periodo estivo il giardino.
La cucina rappresenta la tradizione veneta classica con l'inserimento di piatti anche particolari ma sempre attenti alla territorialità e alla stagionalità dei prodotti. Le verdure provengono per lo più dai vicini orti di piccole aziende biologiche; il pesce, che trova notevole spazio nel menù, arriva dal mercato di Chioggia. Si può iniziare con carpaccio di pesce o **pesce di laguna in *saor*** (sarde, *sfogi* – sogliole di laguna –, sgombretti), **nervetti con i fagioli**, fiori di zucca ripieni di speck, il classico prosciutto di Montagnana, il **radicchio tardivo di Treviso con soppressa** nostrana, l'insalata di spinacine novelle con pere, noci e monte veronese. Tra i primi, tagliolini neri con asparagi di Giare e canestrelli, **gnocchetti con carciofi e morlacco**, **bigoli in salsa**, spaghetti ai moscardini, fusilli con cappesante e spinaci. A seguire le **seppie in *tecia***, il **baccalà, polenta e *renga***, **coniglio in casseruola con pioppini**, petto di faraona al radicchio tardivo di Treviso, frittura di gamberi e verdure di stagione (*castraure*, melanzane, zucca), carne alla brace. Buona, anche se non vasta, la selezione di formaggi, serviti con confetture e mieli. Tra i dolci, opera di Monica, budino di cacao al rum, salame al cioccolato, zaleti con zabaione, gelato alla cannella, sorbetti con frutta di stagione.
Buona e con ricarichi corretti la selezione dei vini, specie del Triveneto, elencati da Cristina.

Canale d'Agordo

45 km a NO di Belluno ss 203

Alle codole

Ristorante annesso all'albergo
Via XX Agosto, 27
Tel. 0437 590396
Chiuso il lunedì, mai a fine anno e in estate
Orario: mezzogiorno e sera
Ferie: 2 sett in maggio-giugno, 2 in ottobre-novembre
Coperti: 60
Prezzi: 33-35 euro vini esclusi
Carte di credito: tutte, Bancomat

I *codoi* sono sassi duri e forti, come la tempra delle precedenti proprietarie, mamma e tre zie degli attuali gestori fratelli Tibolla, Oscar, Diego e Livia. Mamma Olga, spirito tenace, è tuttora attiva e ricorda quando, «per riposare», si andava, gerla in spalla, a raccogliere legna... L'ambiente è curato, sia nella piccola *stube* all'ingresso sia nell'ampia sala ristorante, con soffitto in abete e traccia dei *codoi* citati. La stessa cura si ritrova in tavola dove, a fianco del menù tradizionale, compaiono piatti a base di prodotti stagionali spesso provenienti dall'orto di casa, come i cavoli cappucci che in inverno, trasformati in crauti, fanno da contorno allo **stinco di maialino da latte**; sempre nei mesi freddi si prepara la **crema con i fagioli di Canale**, che una signora del luogo coltiva solo per i Tibolla. Anche i salumi sono fatti in casa.
Alcuni dei tanti piatti tradizionali: speck nostrano con cetrioli, lardo con crostini, **canederli in brodo**, **gnocchi di patate con ricotta affumicata**, **capriolo in salmì**, **salsiccia con polenta**. Potrete inoltre trovare la galantina di faraona con spugnole e asparagi, la **frittatina di lumache**, i ravioli alle erbette di campo e ceci con fonduta di agordino di malga e pancetta, la **zuppetta di orzo e fagioli con cotechino** di casa, lo **stinco di agnello dell'Alpago al forno**, le costolette di maialino da latte in crosta alla senape. In stagione, **funghi**. Deliziosi i dolci: strudel di mele, crostatina alle fragole, **tiramisù** nel bicchiere, tortino di cioccolato e mandorle, mousse di castagne. Per almeno due commensali ci sono menù a 18, 25 e 35 euro a persona.
La cantina, gestita con competenza e passione da Diego, presenta oltre 400 etichette tra vini italiani e stranieri, con ricarichi equilibrati.

Casier
Dosson

3 km a SE di Treviso

Osteria alla Pasina

Ristorante con alloggio
Via Marie, 3
Tel. 0422 382112
Chiuso domenica sera e lunedì
Orario: mezzogiorno e sera
Ferie: 28 dicembre-2 gennaio, Ferragosto
Coperti: 120+50 esterni
Prezzi: 33-35 euro vini esclusi
Carte di credito: MC, Visa, Bancomat

Quella di Giancarlo e Teresa Pasin è una famiglia unita nella passione per la buona cucina, il buon bere, l'accoglienza, lo stare insieme. La casa colonica, nucleo centrale del loro ristorante e dove si può anche pernottare, fornisce tutto questo grazie anche all'impegno dei figli Simone, perfetto nell'assistere i clienti, e Nicoletta, brava cuoca assieme al padre Giancarlo. L'ambiente è veramente piacevole, e d'estate lo è ancora di più poter cenare in giardino godendo di una cucina territoriale e stagionale molto curata.
I piatti della tradizione – **salumi** veneti, ***sopa coada***, **pasta e fagioli**, **tagliatelle di trippa** – sono elencati in un menù a parte, cui si aggiungono, tra gli antipasti, il tortino di farro con asparagi e asiago, il carpaccio alla Pasina, il petto d'oca affumicato con crostini, la **polenta con *schie*** o con seppie e asparagi, il tris di pesce marinato agli agrumi. Numerosi anche i primi: l'ottimo raviolo ripieno di tartufo nero con salsa di Castelmagno, gli gnocchi di melanzane con pomodoro, le **lasagnette con ragù di coniglio** e asparagi, i ravioli di branzino. Anche tra i secondi si alternano mare e terra: bocconcini di tonno con crema di formaggio, calamari e asparagi bolliti con salsa mimosa, **costicine di agnello**, **petto di faraona in crosta** di pasta *phylo*, **coniglio ripieno di bruscandoli e carletti**, filetto di maialino al cumino e maggiorana. Notevole la selezione di **formaggi**. Tra i dessert l'immancabile **tiramisù**, il cofanetto di mele con crema alla grappa, la sorpresa al cioccolato e gelato alla cannella.
Grande la carta dei vini, che Simone segue con passione e attenzione, con circa 350 etichette italiane ed estere. Altrettanto importante quella dei distillati, un po' di tutto del panorama italiano e internazionale.

Castelfranco Veneto
Treville

28 km a ovest di Treviso SS 52

Pironetomosca

Osteria con cucina
Via Priuli, 17 C
Tel. 0423 472751
Chiuso lunedì sera e martedì
Orario: mezzogiorno e sera
Ferie: variabili in estate
Coperti: 50 + 20 esterni
Prezzi: 25-30 euro vini esclusi
Carte di credito: le principali, Bancomat

Un paio di chilometri a sudovest del bel centro storico di Castelfranco, è una piccola osteria ricavata da una casa di campagna ristrutturata a Treville, dietro la chiesa. L'ambiente è piacevole, minimalista, e con il bel tempo si può mangiare sotto il portico godendo del verde e del silenzio della campagna.
Il menù di Moreno, lo chef, illustrato a voce da Giulio, responsabile di sala, propone una cucina veneta realizzata esclusivamente con materie prime biologiche, accuratamente ricercate e selezionate nel territorio circostante. Per aprire il pasto avrete **salumi** nostrani, strudel e **tortini di verdure** di stagione, in estate fiori di zucca con ricotta e basilico, nei mesi invernali il **radicchio trevigiano marinato**. Tra i primi, **zuppa di orzo e carciofi**, **gnocchi** con ricotta e melanzane (o zucca, o erbette spontanee) **gratinati in forno** su fonduta di formaggio, **risotti** (**alla *sbiraglia***, alle erbe, agli asparagi), **tagliatelle con ragù** grosso tagliato **al coltello**. Come secondo il **coniglio alla veneta**, il pollo o la **faraona** di cortile, il tris di **marinati** (girello di manzo, petto d'anatra, lonza di maiale) serviti **con verdure in agrodolce**. Da provare l'eccellente **petto di vitello garronese al forno**, cotto per 18 ore a bassa temperatura. Per finire dolci casalinghi: crostate con composte di frutti vari, budini e i tipici ***zaeti***.
In cantina piccola selezione di vini prevalentemente locali, tutti biologici, e buona scelta di distillati.

Osteria accessibile ai disabili.

Chies d'Alpago
San Martino d'Alpago

23 km a NE di Belluno

San martino

Trattoria
Via Don Barattin Montanes, 23
Tel. 0437 470191
Chiuso lunedì e martedì sera e il mercoledì
Orario: mezzogiorno e sera
Ferie: variabili
Coperti: 60
Prezzi: 25-35 euro vini esclusi
Carte di credito: tutte

Per gli amanti della natura l'Alpago è un paradiso: nella bella stagione potrete osservare i mughetti, il giglio rosso, genziane, stelle alpine e orchidee, vedere molte specie di uccelli, caprioli e cervi. A San Martino, piccola frazione di Chies, c'è la simpatica e accogliente trattoria gestita dalle sorelle Barattin, Norina in sala e Gabriella ed Enrica in cucina. Il fratello Aldo segue invece l'allevamento degli animali e la preparazione dei salumi.
Il menù è vario, sempre basato su prodotti stagionali, molti di elaborazione casalinga. Oltre a ossocollo, salame, roastbeef di cervo, **paté di agnello dell'Alpago** (Presidio Slow Food) l'antipasto prevede verdure in agrodolce come i fiori di tarassaco, le zucchine, la **giardiniera**. Tra i primi ottimi gli **gnocchi alle ortiche con ricotta affumicata**, le **pappardelle** al cinghiale o **al ragù di agnello alpagoto**, la **pasta e fagioli**, le zuppe di zucca o di porcini. Tra i secondi spiccano l'**agnello al forno**, le braciole sempre di agnello a scottadito, il cinghiale con porcini, la tagliata di cervo e la **selvaggina** in genere, portata dai cacciatori del luogo. A richiesta anche altre carni. Se capitate nel mese di agosto e siete così fortunati da trovarle, assaggiate le ***s'ciosele***, lumachine di alta montagna, rare e squisite. Con i dolci Norina ci sa fare: semifreddi al cioccolato, ai lamponi, allo zabaione o al caffè, crostate di mele o mirtilli, strudel, terrina di yogurt alle fragole, torta di ricotta.
Piccola ma valida la lista dei vini.
In luglio e agosto sempre aperto.

A **Chies**, in corso Italia, la macelleria da Baci vende su prenotazione l'agnello del Presidio Slow Food. A **Puos d'Alpago** (8 km) Mirco Bortoluzzi, via Cantore 38, coltiva e vende squisiti piccoli frutti rossi.

Chioggia
Sottomarina

51 km a sud di Venezia ss 309 o traghetto

All'arena

Ristorante
Via Vespucci, 4
Tel. 041 5544265
Chiuso il martedì
Orario: mezzogiorno e sera
Ferie: 1 settimana in gennaio, 1 in settembre
Coperti: 30
Prezzi: 35 euro vini esclusi
Carte di credito: nessuna, Bancomat

Vicino alla spiaggia, di fronte all'arena spettacoli di Sottomarina da cui prende nome, troviamo il piccolo locale gestito dai fratelli Alessio e Diego con l'aiuto dei genitori. La cucina, esclusivamente a base di pesce, si avvale dell'ottima qualità del prodotto, sempre fresco, e di una particolare sapienza in cucina che riesce sempre a interpretare le caratteristiche delle specie ittiche in modo corretto. Una cucina semplice, insomma, orientata anche sui prodotti meno blasonati, ma di grande effetto e resa in sapori. L'approvvigionamento avviene ogni giorno al mercato di Chioggia, uno dei principali centri ittici a livello nazionale, ma anche da *tressi*, piccole quantità di pesce misto recuperate da pescatori artigianali locali.
Qui potrete gustare tutto l'anno le **sarde in *saor***, il carpaccio di pesce locale (scampi, spigole, triglie, calamaretti...), la **frittura** di stagione (quella che nel Sud si chiama frittura di paranza), i canestrelli o le **cappesante alla piastra**, le ***sepe roste* alla chioggiotta**. Tra i primi piatti consigliamo gli spaghetti o le bavette al sugo del giorno (con i prodotti del mercato) e le **lasagne al forno con sugo di pesci e molluschi**, di raro equilibrio; interessanti, anche se non proprio tradizionali, le cozze gratinate al pomodoro. Da non perdere, nelle stagioni giuste, le ***moeche* fritte** (in primavera e autunno) e le ***sepoline de burcelo*** (in estate). Naturalmente troverete anche varie preparazioni al forno o alla brace secondo mercato del giorno.
La proposta enologica è limitata a vini bianchi nazionali di buona qualità e ben scelti per gli abbinamenti.
Da ottobre a maggio il locale chiude anche il lunedì.

Chioggia

54 km a sud di Venezia ss 309 o traghetto

La taverna dal 1887

Ristorante
Calle Cavallotti, 348
Tel. 041 400265
Chiuso il lunedì
Orario: mezzogiorno e sera
Ferie: prime 2 settimane di ottobre, Natale-15 gennaio
Coperti: 40 + 20 esterni
Prezzi: 35 euro vini esclusi
Carte di credito: tutte tranne DC

Nel centro di Chioggia, questa antica taverna trasformata in ristorante offre quanto di meglio si trova al mercato ittico cittadino, il più importante dell'alto Adriatico. Qualità e freschezza sono così garantite in ogni periodo dell'anno. La gestione è affidata a tre fratelli – Tiziano in sala, Luigi e Daniele ai fornelli – che con professionalità e passione propongono una cucina di mare tipicamente veneta, dove il pesce di laguna è presente ogniqualvolta è possibile.
Il menù varia secondo l'offerta giornaliera, ma ***sardee in saore***, ***peoci*** e ***bibarasse in cassiopipa*** (stufato di mitili e vongole) ci sono quasi sempre, alternati a canestrelli alla griglia, canocchie e moscardini lessati, **polenta e *schie*** (gamberetti di laguna) e un'ampia selezione di crudo (molluschi, crostacei e carpacci di tonno, spada, branzino, orata). Da non perdere, in primavera e autunno, le ***moeche***, granchi di laguna in muta (Presidio Slow Food) e in estate le ***sepioline de burcelo***, pescate con la lenza. Tra i primi gli **spaghetti ai *garusoli*** (murici), il **riso al nero di seppia**, la catalana (su ordinazione), i **tagliolini con la *granseola***. Come secondo, oltre alla classica **frittura** con pesci anche di laguna, la ***luserna incovercià*** e il pescato del giorno alla griglia o al forno. Casalinghi i dolci: meringhe con panna e cioccolato, crema catalana, sorbetto di frutta con gelato, sfogliatina con crema chantilly.
La carta dei vini propone una valida selezione soprattutto di bianchi del Triveneto e di spumanti.

Dietro il Palazzo Granaio, tutte le mattine tranne il lunedì c'è il mercato del pesce. Alle pasticcerie Artigiane Ciosote (Pac) troverete la ciosota, torta a base di radicchio e carote, e in tutte le panetterie tradizionali il bossolà, tipico pane biscotto.

Chioggia

54 km a sud di Venezia ss 309 o traghetto

Osteria da Penzo

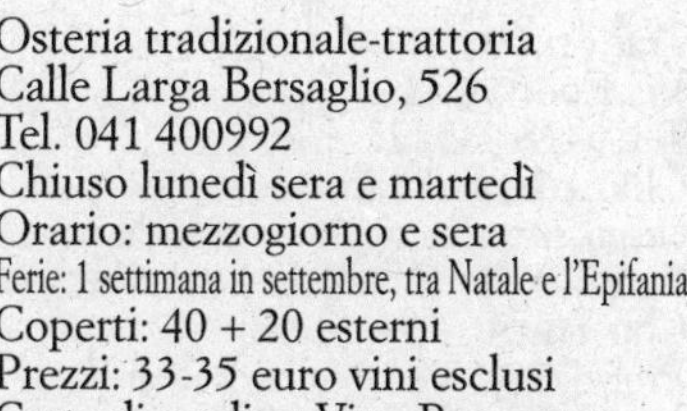

Osteria tradizionale-trattoria
Calle Larga Bersaglio, 526
Tel. 041 400992
Chiuso lunedì sera e martedì
Orario: mezzogiorno e sera
Ferie: 1 settimana in settembre, tra Natale e l'Epifania
Coperti: 40 + 20 esterni
Prezzi: 33-35 euro vini esclusi
Carte di credito: Visa, Bancomat

Nei pressi della colonna di Vigo, in una traversa del centralissimo corso del Popolo, questa accogliente piccola osteria incarna lo spirito delle vecchie locande chioggiotte, rappresentate da grandi dipinti alle pareti e foto storiche del luogo, dove la pesca è sempre stata la principale fonte di reddito. La conduzione è familiare, con Roberta in sala, il marito Fabrizio in cucina, la sorella Anna esperta di vini, la cognata Elisabetta addetta ai dolci. Il pesce è protagonista indiscusso e tra i piatti tipici chioggiotti si inseriscono alcune divagazioni marchigiane, omaggio alla terra d'origine dello chef.
Si può iniziare con il piatto dei *cicheti* (***garusoli***, ***folpeti***, ***sepe***, **baccalà mantecato**, **sarde in *saor***) o con **calamari ripieni**, cozze al pomodoro piccante, ***schie*** su crema di mais, insalata di cappesante. Poi, **spaghetti al ragù bianco di branzino** o con asparagi e cappesante, gnocchetti con vongole veraci, cipolla bianca e radicchio rosso di Chioggia, **tagliolini neri con pomodoro e scampi**. A seguire una specialità locale, la ***luserna incovercià***, il rombo alle erbe, il pescato del giorno al forno o alla griglia. In stagione da non perdere le ***moeche*** (Presidio Slow Food, in primavera e autunno) e le ***sepoline de burcelo*** (in agosto). Buona selezione di formaggi accompagnati da confetture. Da provare nel cestino del pane i *bossolài*, storico pane biscottato dei pescatori. Infine i dolci: cestino di frutti di bosco su crema di mascarpone, semifreddo al caffè, doppio cioccolato fondente con sciroppo di amarena e scaglie di pecorino stagionato.
Buona la carta dei vini, con una selezione giornaliera a calice, e ampia scelta di distillati, il tutto con ricarichi corretti. In estate, chiuso solo il martedì.

39 KM A NO DI TREVISO, 15 KM DA VITTORIO VENETO

AL MONASTERO DI ROLLE

Trattoria
Via Enotria, 21
Tel. 0438 975423
Chiuso lunedì e martedì
Orario: sera, sabato e domenica anche pranzo
Ferie: 2-3 settimane in gennaio
Coperti: 50 + 35 esterni
Prezzi: 29-35 euro vini esclusi
Carte di credito: tutte

A circa otto chilometri dal centro di Cison di Vamarino, dominato dall'imponente castello Brandolini, si trova Rolle, piccolo borgo incastonato nel verde dei colli coneglianesi. Un posto d'altri tempi, che ispira un senso di pace e tranquillità. Qui, in quella che è stata la barchessa di un antico monastero benedettino, si trova il locale di Roberto Martin. Con lui collaborano Marinella in sala e Milan in cucina. L'arredo è semplice e gradevole: travi a vista, il caminetto e un ricco campionario di vecchi utensili alle pareti.
Il menù è fisso, a rotazione giornaliera. Il mercoledì troverete **carni alla griglia** (braciola, roastbeef, pollo); il giovedì, pesce (tonno al vapore con cipolle di Tropea, fritto misto, cappesante, **baccalà**); il venerdì **ossocollo di maiale** intero **allo spiedo**; sabato a mezzogiorno la tagliata, la sera il **pancettone di maiale allo spiedo**; la domenica a mezzogiorno il **fiocco di vitello al forno**, la sera un tagliere di appetitosi assaggi (15 euro con il vino). Antipasti, primi piatti, contorni e dolci variano su base stagionale; le paste (**bigoli**, **gnocchi**, tagliatelle, lasagnette) sono fatte a mano.
Nella carta dei vini sono selezionate etichette locali con prevalenza di Marzemino, Prosecco, Raboso Piave.

A **Bagnolo di San Pietro di Feletto** (12 km), in via Cervano 2, la Latteria Perenzin produce con latte delle colline del Feletta-no ottimi formaggi.

CISON DI VALMARINO

41 KM A NO DI TREVISO, 17 KM DA VITTORIO VENETO

CA' DEI LOFF

Osteria-trattoria
Via Vittorio Veneto, 15
Tel. 0438 85962
Chiuso il mercoledì
Orario: sera, domenica anche pranzo
Ferie: 20 febbraio-10 marzo
Coperti: 50 + 40 esterni
Prezzi: 22-25 euro vini esclusi
Carte di credito: tutte, Bancomat

Anna Maria e Alberto, storici ristoratori di Cison, gestiscono dal 2001 questa bella osteria, ricavata da un edificio rustico intelligentemente ristrutturato, con abbondanza di legno e cotto e un'atmosfera calda e accogliente. Il locale, aperto da metà pomeriggio a notte, anche per spuntini, a cena offre piatti della più schietta tradizione trevigiana e regionale, che il menù riporta in dialetto.
L'*antipastin* può essere composto, secondo stagione, da lardo *conzà*, **porchetta trevisana con i *peveroni***, *schenal de porzel, aciughete sote olo, formai tendri* o una vasta scelta di *fortaje* (**frittate**). Tra i primi: tagliolini casalinghi, **crema *de fonghi***, ***pasta e fasoi*** e ***sopa coada***. Poi, ***poenta e s'cios*** (lumache) o *poenta fonghi e formai pincion*, ***tripe col grana*** e, per gli amanti del barbecue, anche carni, formaggi e verdure alla griglia. La proposta dei formaggi privilegia ancora quelli locali: della Pedemontana (*morlac*), bellunesi (*renaz* e *piave vecio*), della pianura (casatella) e una serie di *imbriaghi*. Valida anche la selezione dei **salumi**, che spazia da quelli di produzione propria a quelli del Bellunese e di altre regioni (petucce e landjager di Erto). Casalinghi i *dolzet*: crostata *coa marmeata*, ***buzolà col Marzemin de Refrontolo***, strudel e salame di cioccolato.
Oltre cento, tutti regionali, i vini in carta, offerti anche al bicchiere. Buona anche la scelta di grappe. Il primo giovedì di ogni mese c'è una serata a tema, con degustazioni guidate di vini, formaggi e altri prodotti tipici veneti.

Cison di Valmarino
Rolle

39 km a NO di Treviso, 15 km da Vittorio Veneto

Da Andreetta

Ristorante
Via Enotria, 5-7
Tel. 0438 85761
Chiuso: il mercoledì e giovedì a pranzo
Orario: mezzogiorno e sera
Ferie: prime tre settimane di gennaio
Coperti: 120 + 80 esterni
Prezzi: 30-35 euro vini esclusi
Carte di credito: tutte, Bancomat

«Terrazza di Rolle»: il sottotitolo dell'insegna dà conto di uno degli elementi di fascino di questo ristorante, affacciato su un mare di colline vitate a prosecco cui si alternano suggestivi boschetti. Oltre che, nella bella stagione, dalla terrazza, potrete ammirare il panorama dalle finestre della sala più grande, sempre che non preferiate accomodarvi accanto al *foghèr* dell'altra saletta. Fin dagli anni Sessanta, quando lo conduceva la signora Santina, madre e suocera degli attuali gestori, il locale è famoso per la buona cucina di territorio, cui oggi si affianca una cantina con centinaia di etichette scelte con passione da Alberto, valente sommelier.
Come antipasto potrete gustare salumi di produzione propria tra cui il **prosciutto d'agnello** e il petto d'oca di Mondragòn, il **tortino di baccalà con patate e riso** o il filetto di baccalà al profumo di limone. Poi, paste casalinghe come **tagliolini** e **gnocchi** conditi con verdure di stagione (zucchine, *s-ciopèt*, radicchio), funghi o castagne, zuppe (da assaggiare quella primaverile di orzo, piselli e *rust*), la ***sopa coada*** (con il pollo al posto del piccione), la crema di zucchine e carni bianche, la **pasta e fagioli**. Tra i secondi la **faraona in salsa *peverada***, lo **stinco di agnello alle erbe**, il cosciotto di coniglio al rosmarino, in inverno i **bolliti**, in primavera gli asparagi con le uova. Disponibile una ricca scelta di **formaggi** tra i quali il morlacco e il bastardo del Grappa. Ampia scelta anche di dolci: crostate di frutta fresca o in confettura, salame di cioccolato, gelati e semifreddi.
Chi preferisce rinviare la discesa lungo la strada tortuosa che porta a valle può prenotare il pernottamento nel b&b Gastaldo di Rolle, nello stesso edificio del ristorante.

Comelico Superiore
Padola

73 km a NE di Belluno ss 52

Moiè

Azienda agrituristica
Via Valgrande, 54
Tel. 0435 470002
Aperto da venerdì a domenica pranzo e sera; sempre a Pasqua, 1/7-10/9, Natale-10 gennaio
Ferie: 15-30 giugno, 15-30 ottobre
Coperti: 50
Prezzi: 22 euro vini esclusi
Carte di credito: Visa, MC, Bancomat

Un'affascinante natura, un'ampia vallata e cime incantevoli caratterizzano questo estremo lembo del Comelico al confine con la Val Pusteria e l'Austria, dove la cultura latina e germanica si sono incrociate anche in cucina. Nella piana che da Padola si stende fino alle terme di Valgrande si trova la graziosa baita in sasso e legno di Germano e Loretta De Martin. L'interno è accogliente, con travature in legno e bei tavoli rustici disposti intorno a una stufa in muratura. L'azienda produce formaggi, verdure, ottime carni e salumi, eccellenti ingredienti dei semplici e tradizionali piatti di Loretta.
Si inizia con il tagliere di **salumi** e **formaggi** accompagnati da sottoli, insalata d'orzo e verdure dell'orto. Poi, zuppe di orzo, porri, porcini e farro, i tipici **canederli in brodo, pasta e fagioli** o primi asciutti come gli **gnocchi di ricotta**, i ***casunziei*** al burro fuso, gli ***spätzli*** con sugo di capriolo. Fra i secondi l'immancabile **formaggio fuso con polenta**, ma si può scegliere ancora fra ***krestel*** (rosticciata di patate e carne di maiale), **gulasch** di manzo o maiale, **braciola affumicata con i crauti**, rotolo di verza. In chiusura un ottimo formaggio di malga del Comelico e dolci casereccі: crostate, torta di nocciole e farina gialla, **strudel di mele**, gelato con salsa ai frutti di bosco caldi.
Germano sta ampliando la scelta dei vini con qualche nuova etichetta e a chi desidera pernottare offre ospitalità in sei accoglienti camere.

A **San Nicolò di Comelico** (2 km), Val Comelico Speck, via Gera 19: Antonio Comis produce speck secondo antiche ricette. A **Santo Stefano di Cadore** (13 km) La Lataria, via Venezia 38, ha un fornitissimo banco di formaggi, anche a latte crudo, e un assortimento di altre specialità locali.

Cona
Conetta

51 km a SO di Venezia SS 309

Al portico

Trattoria
Via Leonardo da Vinci, 14
Tel. 0426 509178
Chiuso il mercoledì
Orario: mezzogiorno e sera
Ferie: 20 giorni in agosto
Coperti: 45 + 25 esterni
Prezzi: 32-35 euro vini esclusi
Carte di credito: Visa, Bancomat

La storia e l'evoluzione di questa trattoria, attiva sin dal 1938 come bottega di paese, sono visibili sia nell'architettura (è rimasta, restaurata, una parte con il vecchio portico, mentre il resto è stato ricostruito, compresa la luminosa veranda) sia dall'inserimento dei figli del patron Tiziano, Giovanni in cucina (suo il pane fatto con la pasta madre) e Francesca in sala. Ci si arriva attraversando la campagna, tra filari di platani e campi coltivati; l'ambiente è accogliente e curato. La grande passione e professionalità di Tiziano si rivelano nella ricerca di prodotti di qualità, trasformati in piatti succulenti dalla moglie Maruzzella.
Si inizia con la carne cruda tagliata a coltello e i tipici salumi della casa, tra cui il prosciutto crudo di Montagnana o di San Daniele, la **soppressa**, il lardo, accompagnati da una **giardiniera di sottaceti**. Ai primi di pasta fatta in casa (**bigoli in salsa**, **gnocchi al sugo di anatra**) si alternano **zuppa di trippe**, **pasta e fagioli**, **risotti** con verdure di stagione, erbe spontanee o formaggi. Tra i secondi, oltre alle carni alla griglia, **stinco**, girello di vitello con *castraure* marinate, **agnello al forno**, **fegato alla veneziana**, **baccalà alla vicentina**. Inoltre, nei fine settimana da maggio a settembre, le **rane** diventano protagoniste di varie ricette, dal risotto alla frittura. Il carrello dei **formaggi**, solo serale, prevede una selezione di 10-12 varietà, in particolare piemontesi e veneti, tra cui alcuni caprini. I dolci sono soprattutto al cucchiaio: crema catalana, sorbetti con frutta di stagione, sfogliatine alla crema, torta di mele con gelato.
La carta dei vini è ampia e varia, con molte etichette e anche buoni sfusi dei vicini Colli Euganei. Da segnalare una valida selezione di oli di varie regioni italiane.

Cornedo Vicentino

27 km a NO di Vicenza SP 246

La corte

NOVITÀ

Enoteca con cucina
Via Volta, 2 B
Tel. 0445 952910
Chiuso la domenica e giovedì sera
Orario: mezzogiorno e sera
Ferie: due settimane in agosto
Coperti: 25
Prezzi: 25 euro vini esclusi
Carte di credito: tutte, Bancomat

La targa del primo Novecento affissa vicina all'ingresso avverte che «non si garantiscono uomini e cavalli dai calci e gli oggetti non consegnati allo stalliere. È proibito fumare nella stalla». Il locale, con un gran porticato antistante, è stato ristrutturato una ventina di anni fa e mette in bella mostra le vecchie travi del tetto. Il bancone di legno, gli armadi in noce che ricoprono tutte le pareti e ospitano in bella mostra le bottiglie, assieme alla luce soffusa delle vecchie lampade rendono l'atmosfera calda e accogliente. In una saletta, arredata con semplici tavoli e sedie in paglia, c'è la possibilità di degustare alcune delle circa 300 etichette di vini nazionali e del resto del mondo. L'affabile patronne Mariangela vi accompagnerà nella piccola sala da pranzo con grandi vetrate ricavata nel porticato e, con la professionalità di una vita passata in osteria, vi illustrerà il semplice menù.
Il bravo Enrico, figlio d'arte e appassionato di cucina fin da bambino, propone piatti gustosi ed essenziali, basati su materie prime locali con qualche escursione in altre regioni. Il cuoco rispetta la stagionalità e rimane affezionato al territorio con il **tortino al tartufo dei Berici e soppressa**, con i **bigolotti** di sola semola **con tastasale** (pasta fresca di salame) o con **le fettuccine alle spugnole**. Curati i secondi con la sempre presente tagliata di manzo, il **pollo con verdure** di stagione, i **rotolini di porchetta**. Anche i dolci esprimono la predilezione per la semplicità: casereccì, sono serviti con deliziose salsine, come il delicato cremino alla vaniglia con salsa di fragole.
Quasi tutte le bottiglie esposte si possono consumare anche a bicchiere e su ognuna è esposto il prezzo sia per l'asporto sia per il consumo.

Crespano del Grappa

43 km a NO di Treviso, 11 km da Bassano del Grappa

Perbacco

NOVITÀ

Ristorante
Via Madonna del Covolo, 47
Tel. 0423 53147
Chiuso il mercoledì e giovedì a pranzo
Orario: mezzogiorno e sera
Ferie: due settimane in luglio
Coperti: 30 + 30 esterni
Prezzi: 30 euro vini esclusi
Carte di credito: Visa, Bancomat

Lungo la strada che dal semaforo della statale porta al santuario della Madonna del Covolo (opera del Canova, nato a pochi chilometri da qui, a Possagno) troverete il ristorante Perbacco. Servito da un ampio parcheggio interno, si presenta tranquillo e accogliente, con bei pavimenti d'epoca, arredi in arte povera, tavoli ben disposti e spaziosi, luce calda. Il menù varia mensilmente, la carta dei vini è semplice (20 etichette). Donatella, attenta e discreta, porta subito un cestino di pane caldo e con semplicità e cordialità illustra il menù e consiglia i vini. Luigi prepara in casa tutto il possibile – pane, pasta, dolci e gelati – e fa largo impiego di erbe spontanee e prodotti locali.
Qualche esempio di ciò che, secondo stagione, potrete gustare come antipasto: sfoglia calda con mousse di asparagi, **tortino di bruscandoli**, **fricassea di asparagi** bianchi e verdi **con polenta**, fagottino di morlacco con patate e porcini, **fiori di zucca ripieni** di ricotta e pesto. Poi, tortelli di patate con guanciale, pomodoro e scaglie di pecorino, **malfatti di ricotta all'aglio orsino con ragù di anatra**, parmigiana di radicchio e speck, petto d'anatra alle ciliegie o alle spezie e miele, **coniglio in porchetta** con pomodoro gratinato, **filetto di maiale al vino** con cavolfiori e marmellata di cipolle, **costolette di cervo con mirtilli**, tagliata di manzo al rosmarino, nonché qualche piatto di pesce.
I dolci sono elencati in una carta a parte e abbinabili a calici di vini da dessert: da provare il semifreddo alla grappa.

Fara Vicentino

25 km a nord di Vicenza ss 248

Costalunga

Azienda agrituristica
Via Costalunga, 10
Tel. 0445 897542
Aperto venerdì sera, sabato e domenica, in settimana su prenotazione per gruppi
Ferie: agosto
Coperti: 45 + 20 esterni
Prezzi: 20 euro
Carte di credito: le principali, Bancomat

Ai piedi dell'altopiano di Asiago, sulla strada che, uscendo da Fara Vicentino, si inerpica verso la stazione meteorologica di monte Cavallo, troverete la semplice azienda agricola della famiglia Pavan, che svolge un'importante e intensa attività didattica, intrattenendo anche scolaresche intere (si può assistere alla preparazione del pane, cotto nel forno a legna all'interno del locale). Ad accoglervi troverete la signora Rosalina, che ormai da 18 anni gestisce il locale con la sua cordialità e simpatia, coerente interprete delle tradizioni, felice di poter trasmettere a tutti il suo amore per la terra.
Le proposte della cucina non fanno altro che rispecchiare la sua passione, a iniziare dai **salumi** accompagnati da **sottoli** e **sottaceti**, tutto di produzione propria. I piatti successivi testimoniano grande attenzione alla stagionalità, con tagliatelle e **bigoli** variamente conditi o con il **pasticcio di verdure** dell'orto. Non mancate di assaggiare le ***miserie dee femene*** (richiedetele alla prenotazione), piatto povero della tradizione locale fatto con farina e uova, che la signora sarà felice di illustrarvi. Anche le carni di **coniglio**, di **anatra** e di **agnello** provengono dall'azienda. Il pasto si chiude con una selezione di dolci tradizionali.
Onesti i vini sfusi, come pure i liquori della casa. Vi è la possibilità di acquistare sottoli, sottaceti, confetture.

A **Salcedo** (4 km) la gelateria Melarancia, via Battisti 22, usa prodotti freschi e selezionati. A **Zugliano** (3 km) confetture e verdure sott'olio da produzione biologica presso Ca' dell'Agata, via Monte Rosa, 26.

Farra di Soligo
Col San Martino

32 km a NO di Treviso ss 13

Locanda da Condo

Ristorante
Via Fontana, 134
Tel. 0438 898106
Chiuso: martedì sera e mercoledì
Orario: mezzogiorno e sera
Ferie: luglio
Coperti: 80 + 30 esterni
Prezzi: 24-30 euro vini esclusi
Carte di credito: tutte, Bancomat

I piatti di Enrico Canel vi faranno sentire il sapore della storia della locanda, fondata dal padre Giocondo "Condo", mentre la simpatia della moglie Beatrice "Bea", che porta in tavola e descrive le pietanze, rende l'ambiente accogliente e familiare. Vi accomoderete in una delle quattro salette, arredate con gusto e dall'atmosfera calda. Una particolare nota di colore riserva la cantina, che per volontà di Condo non ha subìto modifiche nel tempo.
Dalla cucina, dove Enrico opera con l'aiuto di Mirco, arrivano in apertura soppressa, ossocollo, pancetta, **salame all'aceto con cipolla e polenta**, **musetto con purè**. Tra i primi, oltre alla **pasta e fagioli** preparata con i borlotti freschi di Lamon e al piatto povero – **polenta rafferma e ricotta affumicata** –, secondo stagione si trovano i tagliolini gratinati allo speck e asparagi, le tagliatelle al ragù di salsiccia, la **zuppa di erbe con strigoli e *rust***, i tortelli di patate alla salsiccia e rosmarino, il rotolo di patate agli asparagi bianchi. Tra i secondi vanno menzionati lo **spiedo**, presente ogni sabato e domenica, il **petto di faraona con salsa *peverada***, le guance di maiale al latte e rosmarino, la **coscia d'oca al forno** con aromi, il **capriolo in salmì**, le bracioline d'agnello a scottadito, l'ossobuco di tacchino in umido, il **bollito** nei mesi invernali. Tra i formaggi locali, soligo oro, invecchiato di capra in foglia di noce, castel di Perenzin di Bagnolo. Come dolce consigliamo la **fregolotta** calda alle nocciole; in alternativa crema gratinata alla vaniglia, mousse di fragole, tortino caldo alle more, salame al cioccolato.
La carta dei vini è ben fornita di etichette locali e nazionali; in abbinamento al menù vi è una selezione di prodotti rappresentativi del territorio.

Follina
Valmareno

41 km a NO di Treviso, 17 km da Vittorio Veneto

A la Becasse

Trattoria
Via Brumal, 19
Tel. 0438 970218
Chiuso martedì sera e mercoledì
Orario: mezzogiorno e sera
Ferie: fine gennaio e fine agosto
Coperti: 45 + 25 esterni
Prezzi: 30 euro vini esclusi
Carte di credito: tutte

Dal 1988 la famiglia Zaia (Otello con il figlio Michele in cucina, la moglie Rosanna e la figlia Monica in sala) gestisce questa trattoria, aperta parecchi anni prima in un edificio di inizio Novecento che era la casa del guardaboschi della zona. L'ambiente è caldo e accogliente. Il menù rispetta le stagioni e prende spunto dalla tradizione locale esprimendo piatti tipici dai sapori schietti.
Tradizionali sono le preparazioni a base di **funghi**: porcini alla griglia con grana e polenta, morchelle, finferli, chiodini. Un buon inizio può essere la **polenta con soppressa** o il **salame all'aceto**; in alternativa lumache, crostini al radicchio, tartellette alle zucchine con salsa al gorgonzola. Ampia la scelta di primi: **zuppa di fagioli**, gratinata di porri, la classica ***sopa coada***, i **trottolini con *pastìn* e *schiz***, i tagliolini al mirtillo, speck e noci, le mezzelune dell'ortolana all'aroma di salvia, i rotolini ai carciofi e montasio, le tagliatelle con punte di asparagi verdi, i **risotti** alle erbe di stagione. Tra i secondi, **baccalà alla vicentina con polenta**, petto d'anatra alla melagrana, **braciola di cervo al vino rosso**, costolette di agnello al rosmarino, **involtini di vitello con radicchio di Treviso e pancetta**, la **faraona in salsa *peverada***. D'estate anche piatti freddi; il giovedì sera, fritto misto di carni e verdure. Ai dolci, squisiti, provvede Michele: la sua specialità è il ***pansopà***, ma sono una delizia anche gli altri dolci al cucchiaio, tra cui il tiramisù alle pesche e la panna cotta, e la torta alle castagne.
Per il bere, la scelta è fra oltre cento pregevoli etichette di vino. Buona anche la selezione di grappe e altri distillati.

Viticoltori dal 1919
DAL MASO
Gambellara e Colli Berici
La famiglia Dal Maso, già alla fine dell'ottocento, con il bisnonno Serafino, coltivava l'uva Garganega e produceva vino, nella zona del Gambellara.
Da sempre abbiamo creduto nelle grandi potenzialità di queste terre e delle sue uve, tanto che, uno dei vigneti di proprietà della nostra famiglia, il Ca' Fischele, è riconosciuto a memoria d'uomo come il più antico di tutta la vallata. È comunque sul finire degli anni '60, con l'arrivo in Azienda di Luigino Dal Maso, che si ha una svolta decisiva in campo viticolo e commerciale.
Nei primi anni novanta, il figlio Nicola, enotecnico, assumerà la responsabilità produttiva dell'Azienda, dando nuovo slancio all'attività familiare.
Oggi l'Azienda è dotata delle migliori tecnologie di vinificazione, di razionali e moderni locali di lavorazione e affinamento, che ci consentono di ottenere l'alta qualità dei vini firmati Dal Maso.
CA' FISCHELE
Azienda Vinicola
Dal Maso Luigino
Contrada Selva, 62 - 36054
Montebello Vicentino (VI)
Tel. 0444 649104 - Fax 0444 440099
info@dalmasovini.com
www.dalmasovini.com

C'È UN PATRIMONIO CH
Messaggio pubblicitario con finalità promozionale. Per le condizioni contrattuali consultare i Fogli Informativi a disposizione in Filiale. La concessione del finanziamento è soggetta alla valutazione della Banca.

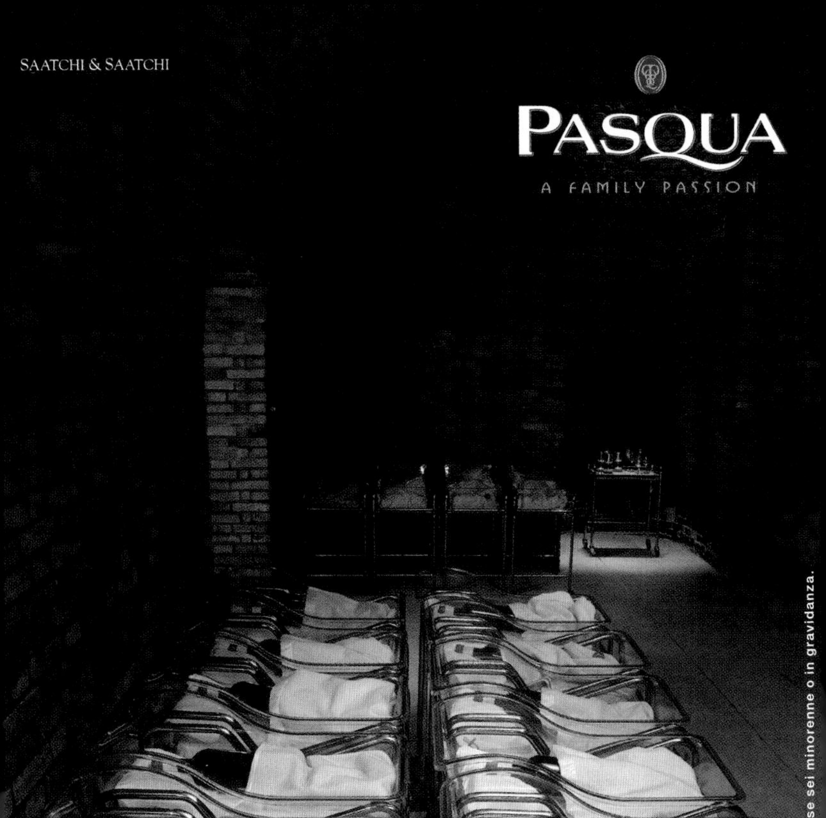

FOLLINA

41 KM A NO DI TREVISO, 17 KM DA VITTORIO VENETO

OSTERIA DAI MAZZERI

Ristorante
Via Pallade, 18
Tel. 0438 971255
Chiuso il lunedì e martedì a pranzo
Orario: mezzogiorno e sera
Ferie: 15 gg tra febbraio e marzo, ultimi 10 gg di luglio
Coperti: 75 + 35 esterni
Prezzi: 32-35 euro vini esclusi
Carte di credito: tutte, Bancomat

Nella suggestiva cornice di una dipendenza – splendidamente restaurata – dell'abbazia cistercense, Vito e Mauro Mazzero proseguono l'attività di famiglia. In un contesto di sobria eleganza, non privo di tocchi di raffinatezza, si celebra in chiave moderna l'antica tradizione dell'accoglienza a tavola, con piatti che privilegiano la qualità assieme a un forte legame con il territorio e con i ritmi delle stagioni.

Castraure di Sant'Erasmo servite con il prosciutto di Sauris tagliato a coltello, **soppressa** nostrana **con giardiniera** casalinga, insalata di anatra con funghi, freschi o sott'olio, **radicchio di Treviso** gratinato con morlacco o **in *saor***, **gallo** "di casa" al vino rosso o **al Prosecco**, asparagi di Cimadolmo, faraona o **anatra con la *peverada*** sono alcuni esempi. La pasta è tutta fatta in casa, si tratti dei **ravioli** o delle **pappardelle con polpettine** di capretto o **di agnello dell'Alpago**. Vasta anche la scelta di **risotti**: con zucca e morlacco, con radicchio di Treviso, con gli *s'ciopèt* o **alla *sbiraglia***. Non si sbaglia con le zuppe di verdure e neppure con la classica **pasta e fagioli** (naturalmente di Lamon). Sempre acceso, il caminetto provvede tanto allo **spiedo** quanto alla cottura dei vari tagli di carne. Un'accattivante selezione di **formaggi** e dolci casalinghi concludono il menù: tortino al cioccolato fondente, crostatina di ciliegie con crema pasticciera, crème brûlée con lamponi freschi o castagne.

I vini sono elencati in una ricca carta, con onesti ricarichi; buona la scelta dei distillati. Tra i molti Presìdi Slow Food impiegati nelle preparazioni, il riso di Grumolo delle Abbadesse, l'agnello dell'Alpago, il morlacco del Grappa, il mais biancoperla.

Osteria accessibile ai disabili.

FUMANE

17 KM A NO DI VERONA

ENOTECA DELLA VALPOLICELLA

Ristorante-enoteca
Via Osan, 45
Tel. 045 6839146
Chiuso domenica sera e lunedì
Orario: mezzogiorno e sera
Ferie: variabili in estate
Coperti: 90 + 45 esterni
Prezzi: 35 euro vini esclusi
Carte di credito: le principali, Bancomat

L'Enoteca della Valpolicella è ospitata in un'antica costruzione in pietra e legno, ben ristrutturata, in un angolo tranquillo di Fumane, nel cuore della terra dell'Amarone. Il locale ha più di una freccia al suo arco: un'atmosfera semplice e allo stesso tempo elegante, l'interessante cantina fornita della miglior produzione della zona, le due belle sale al primo piano, con travi in legno, e un'offerta gastronomica che rappresenta un adeguato connubio tra materie prime di qualità, tradizione e territorio.

Molti degli antipasti sono realizzati con prodotti esclusivi dell'Enoteca. Ci sono la **soppressa con polenta e giardiniera di verdure**, la ricotta fresca con la mostarda di mele, il carpaccio di manzo frollato brevemente. In primavera vengono proposti l'originale **frittata con l'erba amara** e i germogli dl luppolo con l'uovo sodo. Tra i primi, ottimi i **risotti**: **al Recioto**, il pregiato vino dolce della Valpolicella, oppure con gli asparagi o l'erba silene. Dalla primavera all'autunno si può inoltre gustare il risotto che più ha fatto proseliti: quello con le erbette dell'orto. Immancabile la **pasta e fagioli**. Come secondi, le **costolette di agnello**, il **coniglio arrosto** accompagnato dalla polenta, il **petto d'anatra con salsa al Recioto e miele** e, nei mesi freddi, lo **stracotto di manzo all'Amarone**. Buona la selezione di formaggi, che comprende le tradizionali tre stagionature del monte veronese. Come dessert, la pastafrolla alle mandorle, le pere cotte nel vino rosso con gelato alla cannella, il tortino al cioccolato col gelato al cardamomo. Particolarmente ricca la scelta di vini.

A **San Pietro in Cariano** (4 km), in via San Francesco 6, a ridosso del semaforo, il martedì mattina il panificio Rossignati sforna il miglior pane con l'uva della provincia.

Giavera del Montello

19 km a NO di Treviso SP 248

Antica trattoria Agnoletti

Ristorante
Via della Vittoria, 190
Tel. 0422 776009
Chiuso il martedì e mercoledì
Orario: mezzogiorno e sera
Ferie: non ne fa
Coperti: 120 + 120 esterni
Prezzi: 25-28 euro vini esclusi
Carte di credito: tutte, Bancomat

Già sede della Provveditoria per il controllo del legname spedito dal Montello a Venezia, dal 1708 è luogo di ristoro, precedentemente gestito dalla famiglia Agnoletti che, giunta qui da Firenze, aveva aperto un'osteria con annessa macelleria. Nonostante varie proposte di ricollocazione l'osteria è rimasta qui per volontà degli eredi degli Agnoletti. Attualmente è gestita da quattro fratelli, da cui il soprannome Dai Fradei: Maria e Massimo in cucina, Fabio e Andrea in sala.
Le carni sono stagionate e affumicate in casa, e casalinghi sono i sottoli come i ***rustegoti*** (germogli di pungitopo) serviti con la **soppressa** in primavera e in estate. Varie tipologie di **funghi** del Montello si accompagnano, per esempio, al **salame all'aceto** con polenta o a una fonduta. Tra i primi la ***sopa coada*** e il **risotto al radicchio**, entrambi invernali, i **tortelli di farina di farro con bruscandoli** e ricotta affumicata, i **bigoli al torchio con salsiccia**, la vellutata di asparagi in primavera, i ravioli di melanzane d'estate. La pasta di tortelli, bigoli e tagliatelle è fatta in casa con farine biologiche di produzione e macinatura locale. Tra i secondi, oltre a varie carni alla griglia, troverete il ***muset* con erbette**, il **cinghiale in salmì con polenta**, d'inverno lo **spiedo** di maiale, pollo e coniglio, o nella versione "piume" con vari uccelli, periodicamente anche **capretto** o agnello; c'è inoltre sempre un piatto caldo di formaggio come il tomino alla griglia accompagnato da polenta e funghi. In alternativa, una selezione di formaggi prevalentemente locali. Gli ottimi dolci sono di fattura casalinga.
Ai piatti si possono abbinare etichette di cantine della Pedemontana e dei Colli Asolani; c'è anche una carta dei vini più ampia, con prodotti del resto del Veneto e dei territori limitrofi.

Grancona
Pederiva

24 km a SO di Vicenza

Isetta

Trattoria con alloggio
Via Pederiva, 96
Tel. 0444 889521-889992
Chiuso martedì sera e mercoledì
Orario: mezzogiorno e sera
Ferie: non ne fa
Coperti: 70 + 30 esterni
Prezzi: 32-35 euro vini esclusi
Carte di credito: tutte, Bancomat

Fondata nel 1950 dalla famiglia Gianesin, Isetta ha conservato negli anni la sua tipicità che ne fa una delle trattorie più caratteristiche della campagna dei Colli Berici. L'arredo (ci sono anche nove camere per il pernottamento) è sobrio e molto accogliente. Il locale è rimasto fedele alle sue tradizioni e ai valori trasmessi dalla capostipite Isetta: il figlio Galdino e la moglie Guerrina con le figlie Monica ed Emanuela hanno saputo creare un clima di ospitalità che ben si sposa con la genuinità dei piatti, preparati seguendo il ritmo delle stagioni.
I Gianesin continuano a produrre i tipici **salumi** vicentini, proposti tra gli antipasti assieme agli **sfilacci di cavallo**, all'eccellente **baccalà mantecato**, agli sformati di verdure, alla **polenta morbida** servita **con asiago fuso** o a quella **abbrustolita con salame** cotto **alla brace**. Tra i primi piatti da non perdere i **bigoli**, i **gargati con i durelli di pollo**, le tagliatelle fatte in casa condite con verdure di stagione; accattivanti quelli preparati con prodotti locali, anche qui seguendo la stagionalità, come le **tagliatelle con piselli di Lumignano** o il **risotto al tartufo dei Berici**. I vari tagli di carne da cuocere sulle braci del grande camino a vista vi saranno mostrati prima della cottura per avere la vostra approvazione. Ottime come secondo anche le **lumache in *tecia* con polenta**, la **faraona alle prugne** e l'immancabile **baccalà alla vicentina con polenta di maranello**. Meritano l'assaggio i dolci sapientemente preparati da Emanuela e Monica; in alternativa potrete gustare un buon gelato o una piccola selezione di formaggi.
Nella lista dei vini, non amplissima ma curata e meditata, trovano spazio le produzioni locali, ma anche etichette del resto del Veneto e nazionali.

Isola della Scala

19 km a sud di Verona ss 12

Risotteria Melotti

Osteria di recente fondazione
Piazza Martiri della Libertà, 3
Tel. 045 7300236
Chiuso il martedì
Orario: mezzogiorno e sera
Ferie: agosto
Coperti: 50
Prezzi: 20-25 euro vini esclusi
Carte di credito: le principali, Bancomat

Se il vialone nano veronese incontra sempre più consensi in gastronomia, non è solo per la notorietà del marchio igp, ma soprattutto per la tenace promozione e valorizzazione che nasce dal territorio grazie ai ristoratori e ai produttori che lo propongono in numerose varianti e contesti. La famiglia Melotti ne è un esempio, e testimonia anche come si possa fare ristorazione con alla base un unico prodotto, in questo caso il riso. Filiera più corta di così non si può avere, infatti a poche centinaia di metri dalle risaie si può assaggiare il frutto del duro lavoro della campagna.
Troverete la risotteria nel centro del paese, sulla piazza principale. Nel piatto il riso diventa polenta, con farina di riso lavorata a **polentina**, per accompagnare **baccalà**, gamberi, funghi, formaggi del territorio, salumi. Poi gli immancabili **risotti**: **con l'anatra**, **con l'Amarone**, **all'isolana** (con la carne tagliata a coltello), **con** i porri, gli asparagi o **il radicchio veronese** freschi di stagione. È consigliabile la degustazione di più risotti per poter avere una panoramica completa di gusti e profumi. Non ci sono secondi e non li si rimpiange, perché a stento si potrebbe continuare, dopo porzioni da 80 o 120 grammi; ma la curiosità di provare il gelato al riso o la **sbrisolona di riso con lo zabaione** riaccende l'appetito.
È possibile pasteggiare con vini veronesi (non molte etichette ma con onesti ricarichi) oppure con la birra di riso, e concludere con liquori e grappa, sempre di riso.

Oltre ai Melotti, a Isola della Scala commercializzano ottimo vialone nano veronese anche le riserie Ferron e Riccò e la cooperativa La Pila.

Jesolo
Lido di Jesolo

44 km a NE di Venezia ss 14, bivio a Portegrandi

Alla grigliata

Osteria tradizionale-trattoria
Via Buonarroti, 17
Tel. 0421 372025
Chiuso il mercoledì
Orario: sera, festivi estate anche pranzo
Ferie: Natale-metà febbraio
Coperti: 150
Prezzi: 25-30 euro vini esclusi
Carte di credito: Visa, Bancomat

Nei pressi del parco Acqualandia, sulla strada che da Jesolo porta al Cavallino, è una trattoria semplice e accogliente, atipica per un luogo di mare: tutta in legno e con un trionfo di carni alla griglia, cotte in un grande *fogher*. La gestisce da trent'anni la famiglia Lorenzon (Luigi ai fornelli, Moreno e Manola nelle quattro sale), che propone una cucina tradizionale legata al territorio: il rifornimento delle carni avviene in zona, le salsicce sono di produzione propria, tutto è sempre fresco.
Si può iniziare gustando, oltre a **soppressa** o coppa, il **salame alla brace** o la squisita **salsiccia in crosta**. Tra i primi spiccano gli **gnocchi** e soprattutto la minestra di ***radici e fasioi***, una pasta e fagioli servita tiepida con radicchio rosso di Chioggia. Piatto forte tra i secondi sono, naturalmente, le **carni alla griglia**, cotte al momento: costine di maiale, salsicce, spiedini di carni miste con peperoni, braciole di maiale o di vitello, bistecche di roastbeef, costate di manzo, filetto alla brace, tagliata di manzo, galletto, a cui si aggiungono la tagliata e il filetto di carne di struzzo, prodotta in un agriturismo della zona; anche il formaggio può essere cotto alla brace. Come contorno, **polenta** e verdure degli orti del Cavallino (melanzane, peperoni, pomodorini, cipolle), anch'esse arrostite nel focolare. Tra i dolci, tutti casalinghi, meritano di essere citati la torta di ricotta con frutta fresca, il tiramisù, la crema chantilly con i croccantini, il tradizionale **salame al cacao** e la zuppa inglese.
La carta dei vini presenta una quarantina di etichette prevalentemente del Nordest e buoni sfusi della zona. Il locale, sempre aperto da giugno a settembre, accetta prenotazioni per prefestivi e festivi solo da ottobre a dicembre.

Jesolo
Cortellazzo

44 km a NE di Venezia ss 14, bivio a Portegrandi

La taverna

Trattoria-pizzeria
Via Amba Alagi, 11
Tel. 0421 980113
Chiuso lunedì sera e martedì
Orario: mezzogiorno e sera
Ferie: 20 dicembre-20 gennaio
Coperti: 50 + 40 esterni
Prezzi: 35 euro vini esclusi
Carte di credito: le principali, Bancomat

È anche pizzeria ma è soprattutto un saldo punto di riferimento per chi ama la cucina di mare (e di laguna) questa Taverna gestita da molti anni dalla famiglia Bettio. I fratelli Gianni detto Gimmi e Susanna hanno affinato l'offerta trasformando in piatti di territorio il pesce acquistato, oltre che al porticciolo di Cortellazzo, al vicino mercato di Caorle. Il locale si divide tra una sala interna e un pergolato (chiuso e riscaldato d'inverno). Il servizio è efficiente e gentile anche nei momenti di affollamento.
I piatti variano con le stagioni e il pescato quotidiano. Il menù degustazione (disponibile tutti i giorni) e la cena paesana (tutti i giovedì) propongono, sulla base del pescato, specialità dell'alto Adriatico e della laguna veneta. L'antipasto Taverna ha tutte le caratteristiche del piatto unico, dato che potrete trovarci **cappesante**, cozze e vongole, spada, insalata di polpo, **gamberi di laguna con polenta** e altro ancora. Generose sono anche le porzioni di **grigliate** e **fritture**. Da segnalare inoltre il ***gransoporo* al rosmarino**, le **sarde in *saor***, i **canestrelli alla griglia**, gli gnocchi con gamberi e rucola, gli **spaghetti con calamaretti e verdure**, le **seppie in umido**, il **baccalà alla veneziana** e, in stagione, le imperdibili ***moeche***. Per concludere, assaggiate uno dei dolci fatti in casa, magari accompagnato da un buon vino da dessert servito a bicchiere.
La carta dei vini è ampia ed equilibrata, con prevalenza di etichette del Triveneto e qualche incursione fuori dai confini nazionali.
Nei mesi di giugno e luglio il locale chiude anche il lunedì a pranzo.

Limana
Valmorel

17 km a sud di Belluno

Al peden

Ristorante
Via Peden, 6
Tel. 0437 918000
Chiuso lunedì e martedì
Orario: mezzogiorno e sera
Ferie: 15 gennaio-27 febbraio
Coperti: 40 + 20 esterni
Prezzi: 35 euro vini esclusi
Carte di credito: tutte, Bancomat

Tra verdi prati e vecchie casere arriviamo al Peden, affacciato sulla rigogliosa vallata che si estende fino al Piave. Già dall'arredo della sala si percepisce la passione con cui Massimo gestisce il locale.
Il menù, ricco di tradizione e territorialità, è opera di mamma Bertilla, aiutata in cucina da nonna Ersilia. Si parte con ottimi **salumi** di propria produzione, verdure sott'olio, anelli di cipolla fritti, **crostini con *s-ciopèt*** e altri prodotti stagionali, il tutto accompagnato da pane fatto in casa con lievito madre. Tra i primi, **stracci** di pasta fresca **con ragù di coniglio** o di lepre, **gnocchi** agli asparagi o alle erbe, cannelloni con ragù rustico e ricotta affumicata. Speciali tra i secondi le **quagliette al forno con polenta di mais marano** e le lumache ai ferri, affiancate da **spezzatino di cinghiale**, roastbeef, **cervo alla cacciatora**, **agnello dell'Alpago arrosto**, **faraona al forno**, coniglio e, nei mesi invernali, il cotechino di casa. A volte si può trovare anche il baccalà cucinato secondo una ricetta di famiglia. Un'alternativa alle carni sono il formaggio d'alpeggio ripieno di peperoni e cipolle e il **formaggio fritto**, nonché una buona selezione di prodotti a latte crudo di malghe e latterie turnarie della zona. Da provare i dolci preparati da papà Roberto: millefoglie, crema pasticciera con cioccolato fondente, crostata di fragole, bavarese con frutti di bosco.
Apprezzabile l'attenzione riservata alla scelta di oli di oliva, spezie, caffè (tra cui il guatemalteco huehuetenango, Presidio Slow Food), acque. La buona carta dei vini, in continua espansione, vanta oltre 200 etichette nazionali ed estere.

Sulla piazza di Valmorel lo spaccio della Latteria Turnaria per un ottimo burro.

22 KM A NORD DI PADOVA, 12 KM A SUD DI CASTELFRANCO SS 307

LOCANDA AURILIA

Trattoria-enoteca annessa all'albergo
Via Aurelia, 27
Tel. 049 5790395
Chiuso il martedì
Orario: mezzogiorno e sera
Ferie: 1-15 agosto
Coperti: 60
Prezzi: 28-30 euro vini esclusi
Carte di credito: le principali, Bancomat

Per chi transita sulla nuova superstrada che collega le province di Padova e Treviso, l'Aurilia merita senz'altro una piccola deviazione. Entrati nell'accogliente bar, Lucia vi accompagnerà in una delle due linde salette, dove a pranzo vi faranno compagnia parecchi habitués per un pasto semplice, mentre alla sera l'atmosfera e le attenzioni di Ferdinando invitano gli ospiti a godersi più tranquillamente la cucina di Osorio, il terzo dei fratelli De Marchi, famiglia che gestisce la locanda fin dal 1952.
Lo scorrere delle stagioni e i prodotti della terra veneta impongono la varietà del menù, con alcune divagazioni in tema di pesce. Tra gli antipasti quasi tutto l'anno troverete la **trippa con formaggio e menta**, i **nervetti e patate con salsa verde**, il **tortino di baccalà con polenta perla**. Passando ai primi ci hanno incuriosito le **tagliatelle con frattaglie di capretto** e le **fettuccine con salsa di broccoli**; oltre ai primaverili gnocchetti di ricotta e asparagi verdi e risotto di asparagi bianchi, una buona **zuppa di legumi**. Come secondo il **pollo fritto al latte e miele**, il **rognone di vitello trifolato,** le costolette d'agnello con patate, il **capretto al forno**; lo chef propone anche una buona **costata** o la *tartare* **di manzetta patavina**, una razza locale. Fatevi infine tentare da una delle passioni di Ferdinando, i **formaggi** che lui stesso cerca, seleziona e affina. Tra i dolci le pere al vino con gelato alla cannella, la **pinza** di casa, la bavarese al cioccolato e le crostate di frutta fresca.
L'altra grande passione di Ferdinando gli consente di mettervi a disposizione una monumentale carta dei vini, forte di 800 etichette con ricarichi corretti che potrete chiedere di scegliere insieme visitando la cantina, sede anche di interessanti degustazioni.

51 KM A NE DI BELLUNO

LA FAVORITA

Trattoria con alloggio
Via Giouda, 226
Tel. 0435 76142
Chiuso la domenica, mai 20 luglio-31 agosto
Orario: mezzogiorno e sera
Ferie: 6-31 gennaio
Coperti: 40 + 20 esterni
Prezzi: 25-30 euro vini esclusi
Carte di credito: MC, Visa

Nel centro del paese, in una tipica casa cadorina, si trova la trattoria con alloggio (quattro camere) della famiglia Forni. Le due sale sono semplici ma accoglienti e il servizio è gentile e premuroso. Andrea, che con il fratello Alessandro si occupa della cucina, sa coniugare la cucina tradizionale con spunti di modernità. Ci sono varie possibilità: menù tipico (per chi vuole assaggiare specialità come il piatto del padrone: **gnocchi in salsa di ortiche**, **costicine di agnello con aglio e rosmarino**, polenta, formaggi con miele), menù degustazione (ma tutta la tavolata deve essere d'accordo), piccola carrellata di pizze (solo tradizionali), menù alla carta in cui dominano i prodotti di stagione.
Tra gli antipasti potrete trovare salame di Lozzo con polenta, trota affumicata con pinoli di Cirmolo della vicina Misurina, lumache. Ottimi i primi come i **tagliolini** fatti in casa **con ragù di salsiccia e scalogno**, lo **strudel** rustico che a seconda della stagione è ripieno **di speck e formaggio** o di verdure in salsa di ortiche, in autunno e inverno gnocchi di zucca con fonduta di gorgonzola, lo **sformato di polenta** di un'azienda agricola locale che ha recuperato un'antica varietà di granturco, pasticcio con erbe locali o porcini. Tra i secondi **filetto di manzo alla cadorina**, costicine di agnello con aglio e rosmarino, **polenta e salsicce con funghi porcini**, tagliata di cervo, **carré di maiale affumicato con mele, miele e timo**. Un'invitante alternativa è il tagliere di **formaggi**, provenienti da malghe e latterie della zona e nazionali, serviti con confettura di lamponi e miele. Ottime, al momento del dessert, le crostate e le torte casalinghe e la degustazione di cioccolato e rum. Discreta la carta dei vini.

Marostica

28 km a NE di Vicenza, 8 km da Bassano del Grappa SP 248

Madonnetta

Osteria tradizionale-trattoria
Via Vajenti, 21
Tel. 0424 75859
Chiuso il giovedì
Orario: 09.00-24.00
Ferie: prime due settimane di agosto
Coperti: 40 + 40 esterni
Prezzi: 22-25 euro vini esclusi
Carte di credito: tutte, Bancomat

In una via laterale alla celebre piazza degli Scacchi, nel centro storico di Marostica, si trova questa antica osteria, aperta nel 1904 e gestita sempre dalla stessa famiglia. Già entrando si scopre un locale particolare, pieno di foto, di ricordi, di oggetti, con mobili che testimoniano la storia di queste stanze, dove si respira un'aria familiare, che emana calore e serenità e rimanda ad altri tempi, quando mamma Anna Maria preparava qualche semplice piatto e le *ombre* per gli operai delle fabbriche vicine. Ora, aiutata in cucina dalla figlia Barbara, mette a disposizione più proposte, frutto sempre di storia e tradizione. La gioia continua attraverso gli altri due figli, Sandro e Wladimiro, che in sala elencano alla clientela piatti come la **zuppa di trippe** o la **pasta e fagioli**, immancabili, oppure una pasta al forno, una **polenta pasticciata**, i **bigoli** o gli **gnocchi**. Notevoli tra i secondi il **brasato al vino Refosco**, un particolare **fegato alla veneziana**, il **coniglio al forno con mirto** e, nei fine settimana, il **baccalà alla vicentina**. Il menù cambia giornalmente sulla base dell'offerta del mercato, con grande attenzione per i prodotti del territorio come, in stagione, il **broccolo di Bassano**.
La carta dei vini, per quanto limitata, è frutto dell'accurata ricerca dei titolari e propone, con ricarichi onesti, prodotti prevalentemente del Triveneto, offerti anche al bicchiere. Per concludere, una buona offerta di distillati che comprende alcuni tra i migliori del Vicentino e del Friuli.

Alla Casa del Parmigiano, piazza Castello 25, troverete un grande e qualificato assortimento di formaggi e salumi: Erasmo Gastaldello saprà sicuramente ben consigliarvi in materia.

Miane
Combai

38 km a NO di Treviso, 19 km da Vittorio Veneto

Al contadin

Osteria tradizionale
Via Capovilla, 17
Tel. 0438 960064
Chiuso il lunedì
Orario: mezzogiorno e sera
Ferie: non ne fa
Coperti: 70
Prezzi: 22-24 euro vini esclusi
Carte di credito: nessuna, Bancomat

Se cercate una tipica osteria veneta gestita da una famiglia di solide radici contadine pedemontane, Al Contadin fa al caso vostro. Documentata fin dai primissimi del Novecento, l'attività degli Stefani è da 36 anni nelle mani di Carla e Diego, ma le nuove leve si preparano a raccogliere il testimone.
La specialità è lo **spiedo di maiale, pollo e coniglio**, sapientemente lardellato e aromatizzato, per il quale i gestori non hanno certo lesinato nell'attrezzatura; ma tutto l'insieme pare accordato per generare un senso di genuina convivialità contadina, dagli strumenti di antichi mestieri che ornano le pareti alle pietanze, semplici e saporite. Gli antipasti fanno affidamento sui salumi di produzione propria, in particolare su una **soppressa** (fatta con tutto il maiale e non solo con i tagli meno pregiati) irreprensibile, specie se accompagnata dalla **giardiniera** di casa. Tra i primi, le **tagliatelle** con verdure di stagione, i **risotti** (di asparagi, radicchio o funghi) e, d'inverno, la tradizionalissima ***sopa coada***. I secondi sono a base di carni (**spezzatino**, **pollo in umido con patate**, **coniglio**) di animali in buona parte allevati nell'azienda di famiglia. D'inverno, su prenotazione, **selvaggina**. I dolci hanno la genuinità dell'essere fatti in casa, compresa la confettura della crostata.
L'offerta di vini comprende i bianchi prodotti in famiglia sotto l'etichetta Crodi e una trentina di prodotti di altre aziende. Per questioni organizzative della cucina, la signora Carla gradisce comunque la prenotazione.

Durante la festa dei marroni di Combai, che si tiene per tutto il mese di ottobre, il paese intero profuma di caldarroste, accompagnate da Prosecco, Verdiso e vino nuovo. Castagne e vini si possono acquistare nelle botteghe e ai banchetti.

MIRA
Marano

23 KM A OVEST DI VENEZIA SS 11

DA CONTE

Osteria tradizionale
Via Caltana, 133
Tel. 041 479571-479864
Chiuso domenica e lunedì
Orario: mezzogiorno e sera
Ferie: 15 giorni in settembre
Coperti: 35 + 15 esterni
Prezzi: 35 euro vini esclusi
Carte di credito: le principali, Bancomat

La prima cosa che vogliamo segnalare è la differente proposta che questo locale fa a mezzodì e a sera; un menù più semplice con costo inferiore a pranzo, un menù più ricco per la cena. Piacevoli le due salette che accolgono gli ospiti e da vedere la cantina climatizzata separata da una porta a vetri che permette di spiare tra le molte etichette della carta dei vini. Ad accoglierci in sala c'è sempre Giorgio Zampieri, che ci guiderà nella scelta dei piatti cucinati da Claudio Viato e che ci sarà di grande aiuto nell'abbinamento dei piatti ai vini.

Il menù vede protagonista il pesce (grande è la fama della riviera del Brenta per la cucina di mare): antipasti come il crudo, le **sarde in *saor***, il **baccalà mantecato** lo aprono assieme alla quaglia croccante con carciofi o al **radicchio al forno con lardo e fonduta di parmigiano**. Tra i primi, zuppa di pesce, spaghetti con bottarga di muggine, l'interessante carbonara di seppie o ancora le **tagliatelle al ragù di coniglio** e i **bigoli con ragù di oca**. Buona anche la scelta di secondi: frittura di pesce, **seppie in nero**, **baccalà lesso con salsa agra**, cartoccio di crostacei, ***moeche* con polenta di mais biancoperla**. Per chi preferisce la carne, **carré di agnello in crosta di senape ed erbette aromatiche**, petto d'anatra ai fichi, tagliata di manzo, **maialino da latte arrosto**. Vasta e curata la selezione di **formaggi** italiani, con un occhio di riguardo al Nordest. Completa il menù una buona scelta di dolci, tra cui lo zabaione al Moscato con i biscotti, il flan di cioccolato fondente e il gelato di mela verde con Calvados.

MIRANO

20 KM A NO DI VENEZIA

BALLARIN

Osteria tradizionale-trattoria
Via Porara, 2
Tel. 041 431500
Chiuso martedì sera e mercoledì
Orario: mezzogiorno e sera
Ferie: agosto
Coperti: 80
Prezzi: 25-28 euro vini esclusi
Carte di credito: MC, Visa, Bancomat

Ballarin è il soprannome della famiglia Voltan, che dal 1923 gestisce questo locale, prima fiaschetteria, poi osteria da *cicheti* e oggi anche trattoria. Al timone ci sono Emilio, figlio dei fondatori, la moglie Maria, la figlia Marina e il genero Andrea. Se ci capitate il lunedì, giorno di mercato, avrete la misura della popolarità di cui continua a godere il locale presso la clientela di Mirano e dintorni, che si affolla intorno al banco di mescita per gustare i famosi ***cicheti*** (imperdibili i *folpeti* e le *sepoine* fritte). All'ora di pranzo e di cena troverete, accanto ai piatti tradizionali che cambiano ogni settimana, altri più ricercati e in stagione, raccolti dall'esperto Emilio, i **funghi** che – come gli asparagi e il pesce azzurro – danno lo spunto per serate a tema.

Potrete cominciare con il misto marinato, la **soppressa con la polenta**, il tortino di zucchine con **sfilacci**. Tra i primi, oltre alla **zuppa di trippa** (in menù solitamente il lunedì), le **tagliatelle al coniglio**, gli gnocchi, le penne in carbonara vegetariana, gli squisiti spaghettoni con seppioline, gamberi, zucchine e granchio. Si prosegue con il rinomato **baccalà (mantecato** e **alla vicentina)**, i ***bovoeti*** (lumache di mare) nei periodi propizi, la **frittura di pesce** (il venerdì), le ottime **seppie in nero**, la tagliata, lo **spezzatino** di manzo o **di cavallo**, la **faraona in *peverada***, la **trippa alla parmigiana**. Meritano un cenno anche le verdure, quali **zucca** e **radicchio in *saor***, zucchine trifolate e pomodori *gratin*. Casalinghi i dolci: crostata, strudel, panna cotta, crema catalana.

Si bevono vini veneti e si può chiudere il pasto con una grappa o un liquore alle erbe. Il servizio è veloce, cordiale e premuroso.

MIRANO
Campocroce

25 KM A NO DI VENEZIA

BELVEDERE DA PULLIERO

Trattoria
Via Braguolo, 40
Tel. 041 486624
Chiuso il giovedì
Orario: mezzogiorno e sera
Ferie: non ne fa
Coperti: 80
Prezzi: 28-32 euro vini esclusi
Carte di credito: Visa, Bancomat

Mauro Varetto e Stefania Pulliero mantengono al loro locale l'impronta della semplice trattoria ma sanno presentare raffinate composizioni con i prodotti del territorio, ai quali dedicano serate a tema e un menù degustazione a 28 euro (funghi in autunno, *bisi* – piselli – di Pianiga in primavera). Quella di Stefania è una cucina alleggerita nei condimenti, con una particolare cura per la qualità; il piatto forte è la carne, ma su prenotazione si può avere anche un pasto di solo baccalà.
In apertura, oltre agli **sfilacci di cavallo**, alla **mocetta d'asino**, alla **soppressa** con **polenta di mais biancoperla**, non perdetevi, in stagione, lo squisito antipasto misto della casa con **funghi** in vari modi. Tra i primi si segnalano gli **strigoli** con ragù di puledro o **con sugo di *musso*** (asino) **e vezzena stravecchio**, gli gnocchi di zucca con porcini, i **tortelli con ricotta di Sauris**, la **zuppa di trippe**, il **risotto di Grumolo delle Abbadesse** con tanti condimenti: funghi, fegatini, piselli e speck d'oca, **baccalà e salsa di piselli**. Nei secondi primeggiano le carni di **puledro in spezzatino** o alla griglia (bistecca, costata, filetto, ***straeca***), ma potrete gustare anche il filetto di maiale con finferli e porcini, le **guancette di manzo brasate**, la **trippa alla parmigiana**, i **bocconcini d'oca con polenta**, il **baccalà mantecato**. Per finire, si può scegliere tra una selezione di formaggi italiani e francesi e gli eccezionali dolci di Stefania.
Il vino è solo in calice o in bottiglia: un centinaio le etichette italiane, in particolare del Triveneto, e una ventina le francesi. La trattoria è anche grapperia: 25 anni di passione di Mauro hanno portato alla possibilità per il cliente di scegliere tra 140 tipi di grappa, 26 whisky e, recentemente, anche una selezione di rum.

MIRANO
Scaltenigo

18 KM A NO DI VENEZIA A 4 USCITA DOLO

LA RAGNATELA 

Ristorante
Via Caltana, 79
Tel. 041 436050
Chiuso il mercoledì
Orario: mezzogiorno e sera
Ferie: non ne fa
Coperti: 80
Prezzi: 30-35 euro vini esclusi
Carte di credito: CartaSi, Visa, Bancomat

È questo un luogo storico della ristorazione *slow*, fucina di cuochi e osti che negli ultimi 25 anni hanno lasciato il segno nel panorama gastronomico veneto. Da questa realtà cooperativa datata 1984 sono nate alcune delle esperienze più interessanti dell'entroterra veneziano. Due i menù, intitolati l'uno alla tradizione e l'altro alla creatività, oltre a periodiche proposte a tema (il cuscus, il baccalà, la gallina padovana, le erbe fini, il maiale...). Frequente la presenza di prodotti dei Presìdi Slow Food, dalle carni ai pesci alle verdure.
La scelta è difficile da sintetizzare, data la sua vastità e la sostanziale eccellenza complessiva, ma ci sentiamo di orientarvi secondo i nostri gusti. In apertura ***saor* di sarde** ma anche di zucca, di radicchio di Treviso, di melanzane, **baccalà mantecato**, **alla vicentina** o **alla veneziana** (con pomodoro); tra i primi, **bigoli in salsa**, **gnocchi** in vari modi, spaghettini con calamaretti gentili; come secondo, l'**anatra in salsa *peverada* con polenta**, il ***savor* di gamberi** (ricetta veneziana trecentesca), le **seppie in nero**. **Formaggi** prevalentemente veneti (asiago, morlacco, monte veronese, vezzena...) e, tra i dolci, i classici ***zaleti*** e il gelato alle spezie.
La carta dei vini parte in sordina con un Tocai e un Cabernet sfusi di Lison-Pramaggiore per aprirsi poi su circa 400 proposte in buona parte del Triveneto ma che spaziano anche nelle altre regioni italiane, nel resto d'Europa e in alcune importanti realtà del mondo. Buona anche la carta dei distillati.

A **Mirano** (4 km), in via Battisti 59, la Bottega della birra, aperta nel pomeriggio dal martedì al venerdì, il sabato anche il mattino, vende per asporto oltre 300 birre da tutto il mondo, anche di microbirrifici italiani; personale cortese e preparato.

MONASTIER DI TREVISO
Chiesa Vecchia

15 KM A EST DI TREVISO

IL TIRANTE

Ristorante
Via San Pietro Novello, 48
Tel. 0422 791080
Chiuso il lunedì, martedì sera e sabato a pranzo
Orario: mezzogiorno e sera
Ferie: seconda quindicina di agosto
Coperti: 16
Prezzi: 30-35 vini esclusi
Carte di credito: MC, Visa, Bancomat

Intimo e accogliente, nella campagna trevigiana sorge questo "piccolo ristorante artigiano" dove Luigi (la moglie Caterina è ai fornelli) vi illustrerà con garbo il semplice menù che appare nella carta. La rotazione dei piatti è mensile, i prodotti sono stagionali e di territorio, salvo il **baccalà** che però è cucinato **alla trevigiana** (manca l'acciuga di quello alla vicentina).
Gustosi i **salumi** di propria produzione (ossocollo, soppressa, pancetta, lardo al rosmarino) che preparano a piatti di pasta fatti in casa: ***bigoi* in salsa** o **al sugo d'anatra**, **ravioli con radicchio di Treviso e crema del Piave**, "tiratine" al ragù *imbriago*, in primavera pasticcio di asparagi, in autunno **tortelli di zucca con ricotta affumicata**, in inverno la **zuppa dell'Abbazia** la cui ricetta (10 varietà di legumi e cereali) è ricavata dal libro di cucina dei monaci di Santa Maria del Pero. Tra i secondi il filetto alla piastra con salsa di melagrana o di noci, la **lombatina di coniglio in crosta di erbe**, d'inverno lo **stufato al Raboso** oppure il succulento piatto Terre dell'Abbazia (**verze *sofegàe* con luganega, costine di maiale e polenta arrostita**). C'è inoltre una buona scelta di formaggi locali. Anche i dessert sono fatti in casa: da provare, se c'è, la ***zonclada***, dolce trevigiano risalente al Medioevo, ma squisite sono anche le torte di mele, di noci, con ricotta, con uvetta e pinoli, e la **sabbiosa**.
La carta dei vini non è molto ampia ma ben studiata, con prevalenza di etichette del Triveneto offerte a prezzi ragionevoli. È possibile degustare alcuni vini al calice. Piacevole la presenza, sulle credenze, di molti libri sul territorio, di cucina e non, a rendere il clima da "interno di famiglia" che si apprezzerà durante la visita.

MONFUMO
Castelli

38 KM A NO DI TREVISO

OSTERIA DALL'ARMI

Osteria tradizionale
Via Chiesa, 1
Tel. 0423 560010
Chiuso il mercoledì
Ferie: ultima sett di agosto, prime 2 di settembre
Coperti: 36 + 30 esterni
Prezzi: 20 euro
Carte di credito: nessuna, Bancomat

Conosciamo i capi d'accusa: ambiente persino troppo spartano, menù limitatissimo, nessuna alternativa ai vini sfusi. Ma continuiamo a segnalare questo locale nell'interesse di chi in un'osteria va perché cerca qualcosa che trova solo lì. E qui si trovano delle straordinarie frittate, uno straordinario pollo in umido, uno straordinario piatto di sgombri con la cipolla o con i capperi, le verdure dell'isola degli Alberoni che un ortolano da sempre riserva ai Dall'Armi; senza contare il fascino del pergolato e della grotta dove riposano e maturano soppresse e ossocolli.
A pochi chilometri da Asolo, lungo la strada che porta alla chiesa della frazione Castelli di Monfumo, è davvero una vecchia osteria, gestita dal 1850 dalla medesima famiglia. All'interno c'è una sola semplice sala, con un piccolo banco di mescita e la cucina a vista. Pochi ed essenziali i piatti, con gli stessi ingredienti di base e varianti stagionali solo nei condimenti e nei contorni. L'antipasto è costituito da **soppressa** e **ossocollo** accompagnati da sottaceti e dai citati **sgombri sott'olio** (estratti da grandi scatole di latta). Si passa poi all'unico primo, le **tagliatelle** al sugo di pomodoro o con verdure di stagione. Le **frittate** costituiscono il piatto forte del menù e devono essere ordinate almeno per due persone: ci sono sempre quella **con soppressa e cipolla** e quella con il formaggio. Oltre al **formaggio fuso in tegame** c'è l'alternativa della **braciola di maiale** e, talvolta, del **pollo in umido**. Si chiude con i biscotti fatti in casa. Si bevono solo sfusi locali.

Montecchia di Crosara
Pergola

28 km a est di Verona ss 11 o A 4 uscita Soave

Alpone

Ristorante
Via Pergola, 17
Tel. 045 6175387
Chiuso domenica sera e martedì
Orario: mezzogiorno e sera
Ferie: 15 giorni in gennaio, 15 in agosto
Coperti: 60 + 30 esterni
Prezzi: 35 euro vini esclusi
Carte di credito: le principali, Bancomat

Il ristorante Alpone è in un cascinale dalla facciata a fasce verticali, in località Pergola, al bivio fra le strade per Montecchia e Gambellara, subito dopo la contrada di Costalunga. Sull'altro lato della strada c'è la casa natale dei fratelli Tessari, circondata dai vigneti che fanno da cornice anche per la Cappuccina, la cantina di famiglia.
Quella di Simone Tessari è cucina di solidità, che si traduce in un menù legato allo scorrere delle stagioni e ai prodotti della Lessinia. In sala, Marialuisa accoglie gli ospiti in un ambiente di notevole piacevolezza. Al tavolo, potrete iniziare con una selezione di salumi della val d'Alpone, oppure col **paté di capretto** abbinato ai galani salati o con la **torta di verdure**. La pasta fresca è preparata con farine semintegrali e biologiche: **triangoli di mais ripieni di asparagi e *puìna*** (ricotta), **ravioloni al baccalà**, **tortelloni di *suca baruca*** (una grossa zucca coltivata in zona). Tra i secondi, il **brolo** (intingolo di carni miste con tarassaco al lardo), la **lingua *imbriaga*** (ubriaca) al vino rosso con purè alla malva, il carpaccio salato al prezzemolo, i **bocconcini di agnello** e capretto, la **trota** della valle del Chiampo, il **pesce persico in *saor***. Nelle valli vicine, Simone continua poi a selezionare piccole produzioni di **formaggi** ai quali abbina le sue mostarde e composte. Come dessert sempre valido il gelato al Recioto con ciliegie speziate, il *goto* (crema con composta di albicocche di vigneto), lo **spumone al mandorlato di Cologna**.
Ampia la carta dei vini. La gamma delle etichette di famiglia è proposta anche al bicchiere.

A **Roncà** (5 km), in via Nuova 1, il caseificio La Casara propone una ricca selezione di formaggi della Lessinia (di propria produzione) e di altre zone d'Italia.

Montegalda

17 km a SE di Vicenza

Da Culata

Osteria tradizionale-trattoria
Via Roi, 47
Tel. 0444 636033
Chiuso la domenica
Orario: pranzo, mer e ven anche sera
Ferie: agosto
Coperti: 50 + 20 esterni
Prezzi: 25-30 euro vini esclusi
Carte di credito: Visa, Bancomat

Sette colli, sette chiese, un castello, alcune notevoli ville patrizie (una appartenne ad Antonio Fogazzaro): ecco Montelgalda, bel paese a est dei Berici, a metà strada tra Vicenza e Padova, sulla riva del Bacchiglione. Alle porte dell'abitato, Da Culata è un'osteria dove ci si può fermare anche solo per uno spuntino e un bicchiere di vino, ed è una trattoria famosa per il baccalà. Con questo termine in Veneto, a differenza che nel resto d'Italia, si intende il merluzzo conservato non sotto sale ma per essiccazione: per dare il meglio di sé nella classica ricetta alla vicentina, prima dell'uso va battuto, messo in ammollo per alcuni giorni, cotto per cinque o sei ore e lasciato riposare per altre dodici. Così lo prepara la signora Carla, con risultati eccezionali.
Premesso che per assicurarvi un pasto completo dovrete assolutamente prenotare, qui potrete gustare il **baccalà**, oltre che nella versione **alla vicentina con polenta**, anche **mantecato**, **in insalata** e come condimento dei **bigoli**. Per il resto troverete pasticci di verdure o di carne, **tagliatelle con i fegatini**, **risotti** di stagione, **carni arrosto** e alla griglia, in inverno anche il **bollito con il cren**. In chiusura, una delicata torta di pere servita tiepida oppure strudel, tiramisù o biscottini secchi.
La scelta dei vini è limitata allo sfuso della casa e a qualche bottiglia locale.

A fianco della trattoria sorge Il Palazzone, azienda agrituristica della distilleria Brunello, dove oltre alle ottime grappe si possono acquistare vini, insaccati, marmellate fatte in casa e verdure sott'olio.

Montegrotto Terme

12 km a SO di Padova

Da mario

Ristorante
Corso Terme, 4
Tel. 049 794090
Chiuso il martedì e mercoledì a pranzo
Orario: mezzogiorno e sera
Ferie: prime due settimane di luglio
Coperti: 80
Prezzi: 30-35 euro vini esclusi
Carte di credito: tutte

Mentre preparavamo questa edizione della guida ci ha raggiunti la triste notizia della morte di Mario Gomiero, fondatore del ristorante che tuttora porta il suo nome e che ha gestito assieme al figlio Diego fino a qualche anno fa. Francesco e Marco Bernardi, gli attuali titolari, non hanno tradito l'eredità di Mario: mantengono un menù di tradizione veneta e selezionano prodotti di assoluta qualità.
Si comincia con antipasti come l'insalata tiepida di seppie, le **frittelle di baccalà**, le insalate di verdure di stagione (ottime quella di asparagi e quella di funghi). I primi piatti protagonisti sono di pasta fatta in casa, come le tagliatelle con i piselli i **bigoli in salsa** o **con il sugo di anatra**, ma possiamo scegliere anche tra **gnocchi**, ottimi **risotti** e la **pasta e fagioli**. Tra i secondi ci sono sempre carni cotte su braci di legna come lo **spiedino di vitello**, le **costine d'agnello**, vari tagli di manzo o la faraona. Inoltre, **coniglio in padella**, petto di faraona farcito con le spugnole, **stinco di maialino al forno**, lumache al prezzemolo. Sempre presenti nel menù anche secondi di pesce, proveniente dal vicino mercato di Chioggia, come il branzino alla brace, il fritto di calamari e zucchine, le **seppie al nero** o il merluzzo con pancetta e asparagi. L'ampia carta dei dessert abbina a ogni dolce un calice di vino e comprende anche una selezione di formaggi.
La carta dei vini, ricca di prodotti dei Colli Euganei, offre una buona scelta anche del resto d'Italia e qualche etichetta estera.

Negrar
Mazzano

18 km a NO di Verona

Alla ruota

Ristorante
Via Proale, 6
Tel. 045 7525605
Chiuso lunedì sera e martedì
Orario: mezzogiorno e sera
Ferie: inizio gennaio e inizio giugno
Coperti: 80 + 60 esterni
Prezzi: 35 euro vini esclusi
Carte di credito: le principali, Bancomat

Superato il centro di Negrar, nel cuore della Valpolicella, si prosegue per la strada che porta verso Sant'Anna d'Alfaedo, in Lessinia: man mano che si sale, dal verde chiaro della vite si passa a quello più intenso dei boschi. Subito dopo una curva, prima di giungere all'abitato di Fane, troviamo sulla destra il ristorante Alla Ruota, un locale luminoso e molto curato. Oltre che nell'ampio salone, d'estate ci si può sedere nella spaziosa veranda panoramica.
Ad accogliere l'ospite c'è Lorenza, che gestisce il locale assieme al marito Stefano e alla sorella Odilla Peretti. Appena al tavolo, ecco arrivare dei panini caldi farciti con olive e pomodorini e l'invitante gnocco fritto con **salumi** locali (lardo e pancetta). Dopo un simile avvio, difficile soffermarsi sugli antipasti (da provare comunque la **ricotta fritta**): in genere si passa direttamente ai primi, fra i quali si possono trovare i tortelli di carne all'Amarone, le immancabili ***tajadele coi fegadìni*** (tagliatelle con frattaglie di animali da cortile), una deliziosa **crema di peperoni con gnocco di prosciutto cotto**. Tra i secondi, la **trippa con il monte veronese**, le **lombatine di agnello al forno**, la tagliata di manzo all'Amarone e qualche accostamento più creativo (che ci è piaciuto meno). In alternativa, una selezione di formaggi con marmellate e mostarde. Come dolci si può optare per il tiramisù, la fantasia di sorbetti alla frutta o le sfogliatine con crema chantilly e fragole.
Ben fornita la carte dei vini, con ampio spazio dedicato alla Valpolicella. Buona anche la scelta al bicchiere.

A 4 km, in località **Croce dello Schioppo di Sant'Anna d'Alfaedo**, Corrado Benedetti produce e affina formaggi e salumi della Lessinia; la sua bottega ha anche una sala degustazione.

NEGRAR
Torbe

19 KM A NO DI VERONA

CAPRINI

Trattoria
Via Zanotti, 9
Tel. 045 7500511
Chiuso: martedì sera in inverno e mercoledì
Orario: mezzogiorno e sera
Ferie: 10 giorni in gennaio
Coperti: 100
Prezzi: 25-30 euro vini esclusi
Carte di credito: le principali, Bancomat

Da più di un secolo la famiglia Caprini gestisce la trattoria accanto alla chiesa di Torbe, borgo collinare di Negrar, nel cuore della Valpolicella storica, lungo le rampe che conducono verso i Lessini, in zona di vigneti pregiati e di grandi vini. In cucina, accanto a mamma Pierina e a papà Francesco, ci sono Davide e Nicola. L'altro fratello, Sergio, sovrintende al servizio e alla gestione della cantina. Le sale sono al piano superiore (una, suggestiva, è ricavata nella vecchia *pistorìa*, la stanza dove si faceva il pane): salendo, vedrete alle pareti le fotografie dello staff familiare al lavoro per preparare la sfoglia, simbolo del locale.
Il menù è pressoché invariabile: si comincia con **salumi** locali accompagnati dalla **giardiniera** di verdure fatta in casa e si prosegue immancabilmente con le **tagliatelle** condite col ragù di carne, **col coniglio**, col tartufo della Lessinia, con i funghi. Una valida alternativa è costituita dalle classiche ***paparèle coi fegadin***i (tagliatelline sottili in brodo con le frattaglie di pollo) o dal **risotto all'Amarone**. La griglia domina fra i secondi: in primo piano la **costata di cavallo**. Interessanti proposte sono poi quelle delle guancette di manzo all'Amarone, del **coniglio al forno**, del **fegato alla veneziana**. La domenica, d'inverno, si serve il **bollito con la *pearà***. Si chiude la cena con una burrosa pastafrolla accompagnata da un bicchiere di Recioto.
La lista dei vini è orientata soprattutto sulla produzione valpolicellese. Qualche vino è proposto a bicchiere.

Il panificio di Silvana Caprini, sotto la trattoria, sforna i cornéti di pane, la treccia (pane con lo zucchero) il sabato, e i dolci della tradizione: pastafrolla sempre, brasadèle broè a Pasqua e nadalìn a Natale.

NEGRAR

14 KM A NO DI VERONA

L'ENOTECA IN PIAZZA

NOVITÀ

Osteria di recente fondazione
Piazza Vittorio Emanuele, 57
Tel. 045 6000235
Chiuso la domenica
Orario: mezzogiorno e sera
Ferie: variabili
Coperti: 25 + 30 esterni
Prezzi: 30 euro vini esclusi
Carte di credito: tutte, Bancomat

Negrar è la capitale vinicola della Valpolicella storica. Nella piazza principale del paese, a due passi dalla chiesa parrocchiale, in un casettina sede un tempo di un negozio di frutta e verdura, è nata quattro anni fa una piccola osteria votata alla valorizzazione della cucina di territorio e dei vini valpolicellesi. Si chiama L'Enoteca in piazza e a guidarla è Ada Riolfi, che ha già lanciato con successo un altro celebre locale della Valpolicella e che ora ha deciso di dedicarsi a una struttura di più contenuta dimensione: scelta di vita, si potrebbe dire. A far parte dell'avventura ha chiamato la fida Mariuccia, che si divide fra la cucina e le due piccole sale sovrapposte. D'estate si può cenare nel cortiletto.
La lista dei piatti non è mai lunga, ed è possibile anche sedere ai tavolini per una sola portata accompagnata da un bicchiere di vino. A seconda della stagione, potrete cominciare con la **soppressa** con la **giardiniera** di verdure, i fiori di zucchina fritti, la mostarda di mele con la robiola, il radicchio di campo con il monte veronese, il **lavarello con la salsa del *saor***, omaggio al vicino lago di Garda. Tra i primi, i ravioli ripieni di sedano rapa, le **tagliatelle** al ragù, **ai piselli** o al tartufo nero dei Lessini, la **pasta e fagioli**, gli **gnocchi** di patate al pomodoro oppure conditi **con burro e cannella**. Come secondo, lo **stracotto di manzo all'Amarone**, l'arrosto di vitello, il **manzo frollato**, le **trippe**. Si chiude con biscotti di farina gialla, la tipica ***pissota*** veronese oppure le ciliegie col gelato.
Bella selezione di vini, prevalentemente a carattere locale.

Nervesa della Battaglia

35 km a nord di Treviso

La panoramica

Ristorante
Strada Panoramica del Montello, 28
Tel. 0422 885170
Chiuso lunedì e martedì
Orario: mezzogiorno e sera
Ferie: 15-30 gennaio, 1 setti tra luglio e agosto
Coperti: 140 + 40 esterni
Prezzi: 30-32 euro vini esclusi
Carte di credito: tutte, Bancomat

Si chiama, ed è, panoramica la strada, che sale verso il Montello in vista del Piave. Gli echi della battaglia della Grande Guerra sono nel toponimo ma non nel paesaggio, rigoglioso di vigneti e fitto di boschi, sereno e riposante. In cima a un cocuzzolo, una casa colonica ottocentesca, amorevolmente restaurata, è la sede del ristorante della famiglia Furlan. Vi accoglieranno Eddy e il figlio Giuliano, accompagnandovi in una delle sale per illustrarvi i piatti tradizionali che Antonella cucina con prodotti prevalentemente del territorio.

I **funghi** del Montello in autunno, gli asparagi e le *castraure* (giovani carciofi) di Sant'Erasmo in primavera caratterizzano gli antipasti, che comprendono spesso la **soppressa** di casa, il **salame d'oca**, l'**insalata di pollastrello** e qualche preparazione di pesce (carpaccio di polpo adriatico, pesce spada e alici marinati, guazzetto di gamberi). Tra i primi risaltano i **tronchetti di ricotta ed erbette**, il risotto primavera, i ravioli di melanzane alle erbette aromatiche, la **zuppa di funghi**, le pappardelle fatte in casa condite con porcini e noci, i tagliolini neri con bianco di seppia. Di secondo, **capretto alle erbe**, filetto di bue al Margottino, **sella di agnello d'Alpago**, **coniglio** del Montello **alle olive**, **lepre in salmì con polenta**, filetto di maiale al balsamico, **pollo in umido con i chiodini**, casatella montelliana e radicchio grigliati. Tra i dolci, opera di Giuliano, ricordiamo la torta di mele selvatiche con gelato alla vaniglia, i medaglioni di castagne con salsa di cachi e il tiramisù.

I vini sono molti, non solo italiani, e di assoluta qualità: Eddy, sommelier, vi sarà prodigo di consigli, anche per la degustazione a bicchiere. Interessante la carta dei distillati.

Noale

26 km a NO di Venezia, 23 km a SE di Treviso

Osteria Stallo

Osteria di recente fondazione
Via Tempesta, 57
Tel. 041 5801199
Chiuso lunedì e martedì
Orario: sera, domenica anche pranzo
Ferie: 15 giorni in estate
Coperti: 50
Prezzi: 25-28 euro vini esclusi
Carte di credito: le principali

Lo Stallo si trova appena oltre il fossato che delimita il castello a nord: sulla strada che dal centro di Noale porta a Treviso, prima del passaggio a livello, a sinistra c'è un negozio di lampadari; addossata al retro del negozio, priva di insegna, ecco l'osteria, un ambiente accogliente e familiare, in cui anche le tovagliette di carta ai tavoli si adattano alla rusticità della travatura e dell'arredo. Nata 14 anni fa come cicchetteria, è gestita da Alberto Mezzacapo, responsabile della cucina, e dalla moglie Antonella, che si occupa del servizio.

Il menù cambia spesso, adeguandosi alle stagioni e con un occhio di riguardo ai piatti di pesce, preparati con la materia prima fornita dalla locale pescheria e seguendo ricette tradizionali del territorio. Si può cominciare con il pesce marinato, i **crostini caldi di baccalà mantecato** (senza latte) o di spada affumicato, le **sarde in *saor***, le ***schie* lesse**, le prelibate ***moeche* con polenta**. Tra i primi, il **risotto di gô** (eccellente) o di canestrelli, di calamari e asparagi o di zucca e gamberi, la zuppa di pesce, gli spaghetti con i caparozzoli, i tagliolini all'astice o con le canocchie, i **bigoli in salsa**, la pasta con le erbette o le penne integrali con carciofi e salsiccia. Tra i secondi sono da provare le **seppie nere con polenta** o ai ferri, la tagliata di tonno, lo spada o le cappesante ai ferri, gli squisiti **canestrelli gratinati al forno**, i calamari ripieni, l'ottima **frittura di pesce** e, secondo stagione, il ***bisato su l'ara***; in alternativa al pesce ci sono la **salsiccia con polenta** e taglieri di salumi o formaggi. Ottimi i dolci casalinghi.

Oltre ai vini sfusi, buone etichette venete e friulane.

Noventa di Piave

37 km a NE di Venezia uscita A 4

Ca' Landello

NOVITÀ

Ristorante
Via Santa Maria di Campagna, 13
Tel. 0421 307010
Chiuso la domenica
Orario: solo la sera
Ferie: variabili
Coperti: 80
Prezzi: 30-35 euro vini esclusi
Carte di credito: le principali, Bancomat

Sulla sinistra del Piave, al confine con la provincia di Treviso, Noventa è oggi una realtà in forte sviluppo, con un territorio che presenta evidenti contrasti tra le sempre più estese aree industriali, le residue zone agricole e interessanti scorci lungo il fiume in direzione di San Donà. Le origini rurali sono ancora visibili nei numerosi casali, spesso abbandonati e fatiscenti, talvolta recuperati per usi residenziali. Origini che si riflettono anche in una cucina tradizionale povera, legata al maiale e al pollame. Solo negli ultimi decenni il benessere giunto con lo sviluppo economico ha arricchito la tavola con la carne bovina.
In un casale recuperato senza stravolgimenti la famiglia Sutto, vignaioli a Campo di Pietra, ha avviato l'attività di ristorazione, sfruttando anche l'esperienza maturata con la gestione di un albergo. Si è accolti in una saletta con **salumi** *de casada* e formaggi di provenienza regionale accompagnati da un Prosecco dell'azienda di famiglia. Il menù varia quotidianamente e vi sarà illustrato da Luigi Sutto, che è anche il riferimento per la cantina. Tra i primi spiccano i risotti, che nell'entroterra veneziano sono spesso a base di vegetali spontanei: da assaggiare il **risotto ai bruscandoli**, che crescono in primavera lungo le *palade* (recinzioni) e tra le siepi di rovi. Altrettanto tradizionale i ***radici e fasoi***. I secondi sono un trionfo di **carni**, soprattutto bovine (sorana di razze locali) e **alla griglia**; raccomandabili anche il **fritto misto di carni** (avicola, suina e bovina) e il **brasato al Raboso**. Buona e varia l'offerta dei dolci, fatti esclusivamente in casa.
I vini sono quelli dell'azienda di famiglia, proprietaria di vigneti prevalentemente nella doc Piave; presenti sugli scaffali alcune bottiglie prestigiose.

Padova
Camin

5 km dal centro della città

Al Cancelletto

Ristorante
Via Corsica, 4
Tel. 049 8702805
Chiuso il sabato e domenica a pranzo
Orario: mezzogiorno e sera
Ferie: una settimana a Ferragosto
Coperti: 50 + 25 esterni
Prezzi: 32 euro vini esclusi
Carte di credito: le principali, Bancomat

Camin è la zona più a est di Padova, il luogo di confine tra la città e l'area industriale: soprattutto a pranzo, la clientela di questo ristorante aperto nel 1975 è quindi prevalentemente di uomini d'affari e di persone in viaggio per lavoro. Il tono degli arredi e dell'apparecchiatura è di sobria eleganza. La gestione attuale si avvale di Angela in sala e Davide e Raffele in cucina. Ottime materie prime sono accuratamente trasformate in piatti della tradizione veneta, cui si affiancano talvolta preparazioni più estrose.
Tra gli antipasti sono da assaggiare la **bresaoia**, gli **sfilacci di cavallo**, il salame d'oca, il lardo di Colonnata con crostini. Ottimi per continuare i piatti di pasta fresca fatta in casa: **bigoli in salsa di acciughe** o **con ragù di anatra** o **di cavallo**, ***pasta e fasoi***, in stagione i **tortelli di zucca** in crema di gorgonzola. Le carni alla brace dominano nei secondi, con la **costata di puledro**, di manzo o di cervo e la grigliata al Cancelletto, che comprende quattro tagli: cavallo, manzo, sella di maialino, agnello. Inoltre, **braciola affumicata di maiale** e animali da cortile in varie preparazioni. Vasta la scelta di dessert tra **tiramisù**, semifreddi, panna cotta, ottimi biscotti fatti in casa.
Le etichette sono in prevalenza di rossi veneti, anche se non è difficile trovarne qualcuna di altre regioni.

In via Facciolati, uno degli ingressi alla città da sudest, al numero 12, pasticceria Biasetto: torte, paste mignon e specialità al cioccolato.

Padova, i folpari

Da più parti si osserva come le tradizioni stiano scomparendo, la vita marci a ritmi accelerati e il tempo da passare con gli amici sia sempre meno. A Padova, però, qualche buona tradizione si conserva, e in prima fila, da molti anni, assieme alle osterie dell'*ombra* e dello *spuncion*, ci sono i *folpari*. Derivato da *folpo*, che in dialetto veneto è il moscardino, il termine indica i chioschetti – e anche i loro gestori – che, collocati strategicamente vicino a un'osteria o offrendo essi stessi da bere, cucinano per uno spuntino veloce questo mollusco. Il *folpo*, proveniente dal mercato ittico della vicina Chioggia e lessato viene ripescato da contenitori in coccio, capaci di mantenere caldo per ore il brodo di cottura, tagliato a pezzi e condito con olio, sale, pepe, aglio e prezzemolo.

In passato l'unica alternativa ai *folpi* erano i *bovoeti*, lumachine di terra che si sfilavano dal guscio con estrema cura aiutandosi con uno stuzzicadenti. Ora l'offerta è più varia: *canocie* (canocchie) lesse, gamberetti, cozze e *masenete* (granchi che durante la loro vita diventano anche *moeche*, Presidio Slow Food).

Il mese principe del *folpo* è ottobre, periodo del pescato migliore e della sagra che gli si dedica a Noventa Padovana. In questa occasione, la quarta domenica di ottobre, i *folpari* della provincia si sfidano offrendo le loro specialità tra giostre e bancarelle di dolciumi.

Gianni Breda

Da guido
Piazza della Frutta
Chiuso la domenica
Orario: 15.00-20.00, in estate 17.00-21.00

A fianco del bar *dei Osei* dove potrete trovare una buona selezione di vini, questo storico banco offre, oltre ai *folpi*, altri classici come le canocchie lesse, le uova di seppia, cozze e vongole.

Nereo andreazzi
Piazzale San Giovanni
Chiuso la domenica
Orario: 17.00-20.00

Qui, oltre a degustare *folpi*, *bovoeti* e *masenete* consigliati dall'esperto Nereo, potrete acquistare il pesce lesso per la vostra cena. Questo in città è l'unico chiosco senza ruote, è una struttura fissa, ma Nereo ha nostalgia per il suo vecchio banco, tanto che lo trovate in piazza della frutta dalle 17 alle 20 di ogni domenica.

Zancopè
Piazzale Azzurri d'Italia
Chiuso il lunedì
Orario: 15.30-21.00

È una struttura moderna, in grado di offrire una proposta diversificata: oltre ai classici *folpi*, *bovoeti* e *masenete*, troverete vari pesci lessi e un fragrante fritto di mare.

Banco della regina
Piazza San Barbato-Ponte di Brenta
Chiuso il lunedì
Orario: 5.30-21.00

Lungo la strada che da Padova porta alla riviera del Brenta, il chiosco è gestito dalla signora Anna assieme alla figlia Genny. Anche qui si fa cucina da asporto, il fritto in particolare, e si propongono i tradizionali molluschi.

Vigonza
Antonio giaggio
Via Padova
Località Busa
Chiuso la domenica
Orario: 16.00-20.00

Antonio è l'unico ambulante che a *folpi*, *masenete* e *bovoeti* affianca un solo altro piatto, le seppie lesse, che a suo parere in stagione sono di un gusto eccezionale. Il banco esiste da oltre 15 anni e, per le capacità del suo gestore, ci auguriamo di poterlo apprezzare ancora a lungo.

L'anfora

Osteria con mescita e cucina-enoteca
Via dei Soncin, 13
Tel. 049 656629
Chiuso la domenica
Orario 09.00-23.00
Ferie: agosto
Coperti: 40
Prezzi: 25-30 euro vini esclusi
Carte di credito: AE, Visa

Un locale di ristoro non stop, come le osterie di una volta. Dalle 9 a mezzogiorno e dalle 15 alle 20 si servono *spuncioni* caldi come la costina di maiale, il fritto, il piattino di trippa e qualche panino magari con il salame o la *sopressa de casada*. All'ora di pranzo e di cena entra in scena Michele, il cuoco, con un menù elaborato giornalmente in base agli acquisti fatti al vicino mercato delle piazze.

Si può cominciare con salumi, **sfilacci di cavallo**, polpettine in umido, insalata di pollo o **polenta con l'aringa affumicata** (piatto un tempo presente in tutte le case ma ormai in via d'estinzione). Poi, primi di sostanza e tradizione come la **pasta e fagioli**, i **bigoli in salsa** e i risotti, ma anche altri che sono espressione delle ottime capacità e della fantasia di Michele, come i fusilli con il radicchio tardivo e il pecorino di fossa o le paste con sughi di pesce. Tra i secondi la fanno da padrone gli animali da cortile: **gallina padovana in umido**, **anatra al forno con salsa *peverada***, **coniglio arrosto**. Non manca qualche piatto di pesce come il **baccalà alla vicentina**, il fritto di laguna, le insalate di mare. Completano il menù una buona selezione di **formaggi**, tra cui prodotti dei Presìdi Slow Food (asiago d'alpeggio, monte veronese di malga, morlacco del Grappa, *formadi frant*), assieme a dessert casalinghi come la torta di pere e cioccolato, il dolce alle mele, gli ***zaeti*** e la **pinza**.

Il patron Alberto Grinzato tiene banco tutto il giorno con la sua simpatia e la sua capacità di dare ai clienti la sensazione di essere a casa. La cantina, ricca di etichette regionali e non, riflette il gusto di Alberto con proposte originali dai corretti ricarichi.

Le rive

Trattoria
Via Rive, 46
Tel. 0423 64267
Chiuso lunedì, martedì e mercoledì
Orario: mezzogiorno e sera
Ferie: 3 sett tra gennaio e febbraio, 1 a Ferragosto
Coperti: 50 + 50 esterni
Prezzi: 25 euro vini esclusi
Carte di credito: CartaSi, MC, Visa

Questa osteria è profondamente legata al Piave, dato che i nonni materni di Silvia Rebellato avevano prima un mulino o poi dei vigneti sulle Grave del fiume. L'ambiente è arredato con gusto, secondo i canoni della storia locale e familiare; entrati in un salottino con il banco di mescita, si sceglie se accomodarsi nella saletta adiacente, in quella al piano superiore o, clima permettendo, nella terrazza affacciata sul giardino.

Lo staff fisso è al femminile: due cuoche e la titolare. **Tortini salati** di una pasta *brisé* rivisitata – con porri e patate, con peperoni dolci, con zucchine e sesamo – sono tra i possibili antipasti, affiancati da crostini e bruschette, anche con petto d'oca e topinambur, insalatine miste, cialde con puntarelle o **carne *salada* e radicchio di Treviso marinato con pancetta**, flan di zucchine, soufflé con broccolo verde o zucca e salsa ai formaggi. Per il primo, oltre alle **tagliatelle** fatte in casa condite con ragù di carne tagliata al coltello o **con l'anatra**, ci si può orientare su **gnocchi di patate con *s-ciopèt*** o peperoni, crespelle ripiene di verdure (melanzane, radicchio, erbette, in autunno funghi), crema di carote e rucola o di porri e patate, la tradizionale **pasta e fagioli**. Tra i secondi, **baccalà alla vicentina**, **sformato di carne su foglia di verza**, bocconcini di vitello con verdure, petto di pollo alle mele o all'aceto balsamico, tagliata di manzo, formaggio e verdure alla piastra. Dolci prevalentemente al cucchiaio: mousse allo yogurt, chantilly e semifreddi.

Per quanto riguarda i vini, sono presenti etichette del territorio e anche un onesto sfuso. Gli animali domestici in questo locale sono benvenuti.

Pianiga

30 km a NO di Venezia a 4 uscita Dolo

Da paeto

Osteria tradizionale-trattoria
Via Patriarcato, 78
Tel. 041 469380
Chiuso lunedì e martedì
Orario: mezzogiorno e sera
Ferie: agosto
Coperti: 50 + 10 esterni
Prezzi: 26-30 euro vini esclusi
Carte di credito: nessuna

In un'antica osteria della campagna veneziana, all'interno del graticolato romano, da sempre famosa per baccalà e pesce fritto, Galdino Zara e Eddj Biasiolo, pur continuando nel solco della tradizione gastronomica veneta, hanno iniziato a inserire con gradualità alcuni piatti "nuovi", disponibili secondo stagione. Ecco quindi gli **spaghettini co *i zotoi*** (seppioline di laguna con i tentacoli scapigliati), gli **spaghetti con branzino e *castraure***, la **zuppa di bruscandoli e patate**, il **risotto col *gô*** (ghiozzo), il **sampietro al forno con punte di asparagi di Giare**.
Se volete rimanere nel solco della tradizione, cominciate con un assaggio di **sarde in *saor***, **nervetti con cipolle**, **trippa alla parmigiana**, **fagioli in salsa**, per continuare con ***bigoi* in salsa**, **zuppa di trippe**, **pasta e fagioli**. Il capitolo sempre sostanzioso del merluzzo essiccato, che in Veneto non si chiama stoccafisso ma baccalà, è aperto da un sublime **risotto** preparato con il riso di Grumolo delle Abbadesse (Presidio Slow Food) e prosegue con il **baccalà** cucinato **lesso con salsa ai capperi**, **mantecato**, **in umido alla veneziana**, **alla vicentina**. L'altra storica specialità di Paeto è la **frittura mista di pesce**, composta da ciò che i pescatori hanno raccolto nella notte. Tutte le portate sono accompagnate dalla **polenta di mais biancoperla**, altro Presidio Slow Food. In chiusura non perdetevi i biscottini col Marsala secco che Galdino fa arrivare direttamente dalla Sicilia.
Pochi i vini in lista, soprattutto bianchi veneti, con ricarichi molto onesti.

A **Dolo** (7 km), un mulino del XVI secolo a cavallo del Brenta è la sede del Vin Caffè, dove Daniela e Billy offrono buone selezioni di affettati e formaggi, da accompagnare a vini anche a calice.

Pieve d'Alpago
Carota

17 km a NE di Belluno

Rifugio carota

Ristorante con alloggio
Località Carota, 2
Tel. 0437 478033
Chiuso lunedì, martedì, mai d'estate
Orario: mezzogiorno e sera
Ferie: metà gennaio-inizio febbraio
Coperti: 80 + 25 esterni
Prezzi: 28 euro vini esclusi
Carte di credito: MC, Visa, Bancomat

Non si capita quassù per caso, ma invitiamo gli amanti della buona cucina a salire fino ai 1000 metri di quota del locale di Daniele e Luca Pellegrinotti, rustico e accogliente, impreziosito da arredi in legno e trofei di caccia. La cucina è di territorio e Daniele ama riproporre le ricette alpagote acquisite dalla madre, alternandole ad altre più personali.
Si può iniziare con **salumi** locali, carpaccio di cervo o **lumache in pesto di verdure**. Tra i primi, **risotto con ragù di lepre**, un delicato pasticcio di selvaggina, la **zuppa di muflone**, le tagliatelle con funghi porcini o erbe primaverili, gli **gnocchetti al tarassaco con ricotta affumicata**. Proseguendo si potranno provare le bracioline di agnello impanate e, su prenotazione, anche l'**agnello d'Alpago arrosto** accompagnato dalla polenta. Tipico del Bellunese è il ***pastìn*** (impasto di salame fresco) **con formaggio e polenta**, ma ci sono anche gli ***s'cioss*** (lumache) **con le patate**, la **sella di capriolo con *bagotzia*** (antica pietanza locale di patate, fagioli e cipolla). E ancora **capriolo in salmì**, **cinghiale brasato**, **lepre** preparata sia disossata sia **al sugo**, secondo una vecchia ricetta di famiglia, filetto al Carota con uva bacò. Per finire, dolci casalinghi.
Il tutto può essere accompagnato da una bottiglia di vino scelta fra un centinaio di etichette. Per lasciarsi tentare anche dalla bella selezione di grappe e allungare il soggiorno sono disponibili tre confortevoli camere.

A **Schiucaz di Pieve d'Alpago** (3 km), il mulino De Pizzol vende farina di mais locale. A **Tambre** (10 km), due indirizzi per l'acquisto di formaggi: Centro caseario del Cansiglio, località Pian Cansiglio (lavora latte biologico); Diego Bortoluzzi, località Sant'Anna, via Cansiglio 23.

Polesella

13 km a sud di Rovigo ss 16

Cortevecchia

Trattoria
Strada Statale 16, 2672
Tel. 0425 444004
Chiuso il martedì
Orario: sera, sabato e festivi anche pranzo
Ferie: primi 15 giorni di agosto
Coperti: 100 + 30 esterni
Prezzi: 25-30 euro vini esclusi
Carte di credito: tutte, Bancomat

Come indica il nome, la trattoria della famiglia Merlante è stata ricavata da un edificio di una delle caratteristiche corti polesane il cui ampio portico serviva, tra l'altro, a riparare dalla pioggia i carri di fieno. È stata ristrutturata con sobrietà e arredata con gusto. Un caminetto sempre acceso conferisce alla sala principale un aspetto di altri tempi. All'esterno il pergolato ombreggiato da tralci di vite offre d'estate la possibilità di cenare in un ambiente fresco.
La puntuale descrizione del menù vi consentirà di apprezzare al meglio i piatti, che interpretano il territorio e le stagioni con prevalente fedeltà alla tradizione e qualche moderato spunto creativo. L'inizio è classico: prosciutto di Montagnana, **carne *salada***, **polenta con il *tastasal***, ***fasoi in potacin***. Poi, risotti e paste fatte in casa come i **bigoli** conditi **con ragù di anatra** o di coniglio (in stagione, anche con il tartufo bianco di Polesella), gli **gnocchetti con speck e ricotta affumicata**, d'inverno di gnocchi di patate dolci con cannella e anice. Secondi tutti di carne: tagliata di manzo al rosmarino, **carré di vitello in crosta di sale**, animali da cortile (**coniglio**, **tacchino**, **anatra**, **faraona**) cotti **con le erbe**, costate di manzo, costolette di agnello e altri tagli alla brace. Come dessert, dolci al cucchiaio (tiramisù, zuppa inglese, panna cotta), crostate di frutta o i tradizionali ***zaeti***.
La carta dei vini, curata dal sommelier Giuliano, comprende un centinaio di etichette. Per assicurarsi la disponibilità dei piatti più interessanti è bene prenotare.

Ponzano Veneto
Paderno

6 km a NO di Treviso

Da Sergio

Trattoria
Via dei Fanti, 14
Tel. 0422 967000
Chiuso sabato a pranzo, domenica e festivi
Orario: mezzogiorno e sera
Ferie: 3-23 agosto, 24 dicembre-2 gennaio
Coperti: 90 + 60 esterni
Prezzi: 25-30 euro vini esclusi
Carte di credito: le principali, Bancomat

L'ambiente si presenta moderno e curato, con una bella sala in cui si inserisce la cucina a vista e che prosegue su una spaziosa veranda circondata da un prato e da un'alta siepe che separa dai rumori della strada. I tavoli sono ben distanziati, favorendo la conversazione dei commensali. Si nota subito il carattere familiare, quasi casalingo del locale: merito della signora Pina che è ai fornelli, dei figli Leo, Raffaella e Daniela e del resto dello staff, sempre cordiale e disponibile.
Il menù è basato su ingredienti freschi di stagione e ogni giorno sono proposti piatti caratteristici del territorio e della tradizione del locale. Si possono trovare **tagliatelle** e **gnocchi** fatti in casa, conditi con quanto di meglio offre il periodo, **risotto** alle verdure o **alla sbirraglia**, ***pasta e fasoi***. Proseguendo, non manca mai il carpaccio di manzo con parmigiano e rucola; frequenti la **trippa alla parmigiana**, il sottofiletto di angus scottato e adagiato sul radicchio, il **fegato alla veneziana**. Se si preferisce il pesce, ecco il **baccalà alla vicentina** o mantecato, le seppie in rosso, le **sarde in *saor***. Capitando da Sergio nei mesi giusti, vale anche la pena di gustare le **lumache alla veneta**, sempre più difficili da trovare nei ristoranti. I piatti hanno in comune la ricerca della leggerezza e, dove possibile, l'uso di condimenti a crudo. I dolci sono casalinghi e variano anche questi in base alla stagione: non aspettatevi quindi di trovare il delizioso **tiramisù** nei mesi più caldi. Leo poi va giustamente fiero del suo gelato, elaborato negli anni in due soli gusti, da non perdere.
Per finire è d'obbligo citare la cantina: poco meno di un centinaio di etichette, soprattutto del Triveneto e della Toscana; da apprezzare i prezzi esposti, senza particolari rincari.

Portogruaro

60 km a NE di Venezia ss 14, a 4 o a 28

Venezia

Trattoria
Viale Venezia, 10-12
Tel. 0421 275940
Chiuso la domenica
Orario: mezzogiorno e sera
Ferie: tra agosto e settembre
Coperti: 45
Prezzi: 35 euro vini esclusi
Carte di credito: tutte, Bancomat

Nel tratto urbano della statale che porta a Venezia, la trattoria omonima continua a essere un valido punto di riferimento per assaporare una cucina di pesce ben fatta e fedele alle tradizioni regionali. Il locale è elegante e curato. Si occuperanno di voi Claudio e Maria, mentre tra i fornelli si destreggiano il fratello Renzo e Lucia in cucina, con l'aiuto di Rosanna.
Il menù varia secondo la reperibilità del pescato, sempre freschissimo, per cui vi saranno proposti anche piatti non in lista. Potrete iniziare con carpaccio di tonno o di **ricciola con alghe sott'aceto**, tortino di melanzane o altre verdure e gamberi con ricotta affumicata, **alici impanate alla piastra**, **sarde in *saor***, **cappesante** dell'alto Adriatico. Tra i primi, sempre eccellenti gli **spaghetti** conditi **con i canestrelli**, **con** le **seppioline di laguna**, con le vongole veraci o con la bottarga; inoltre, **pasta con le sarde** o (su ordinazione) risotti di pesce e, d'inverno, la vellutata di gamberi. Come secondo, **rombi**, sogliole, scampi, branzini, **orate** e altri pesci sono cucinati per lo più **alla brace**; in alternativa, d'estate calamaretti con pomodorini o gamberoni con melanzane, d'inverno il **baccalà**, **alla vicentina** o **mantecato**. È Maria a dedicarsi ai dolci, deliziosi: mousse alle pere con salsa al cioccolato, semifreddo al torrone, tortino al cioccolato caldo, nei mesi freddi lo strudel.
Nella selezione dei vini etichette del Triveneto e siciliane, con ricarichi corretti.

Pasticceria Toffolo, viale Matteotti 46: vasta gamma di prodotti di qualità, dalla semplice pasta mignon ai salatini. A Pasqua e a Natale, uova di cioccolato e panettoni di rara squsitezza.

Porto Tolle
Santa Giulia

71 km a SE di Rovigo

Arcadia

Novità

Osteria
Via Longo, 29
Tel. 0426 388334
Chiuso il mercoledì
Orario: mezzogiorno e sera
Ferie: 15-30 gennaio
Coperti: 30
Prezzi: 25-30 euro vini esclusi
Carte di credito: tutte, Bancomat

A Porto Tolle si gira a destra, sull'argine del Po di Gnocca; proprio alla fine scorgiamo il paesino di Santa Giulia, terre bonificate nell'Ottocento. Da più generazioni i Veronese tengono aperta la bottega di alimentari del borgo, cui successivamente si è affiancata l'osteria. Vi accoglierà la competente e simpatica Pamela; la mamma Arcadia è in cucina, il fratello e il marito sono dediti alla pesca e all'allevamento di molluschi.
Il menù varia spesso, in base alla stagione e al pescato (ma c'è anche qualche portata di carne): piatti semplici, con materie prime locali e freschissime. Non possono mancare tra gli antipasti le **cozze al salto** (al naturale, scottate) e quelle gratinate, le vongole e le ostriche, le **sarde in *saore***, il carpaccio di alici marinate; inoltre, **salumi** fatti in casa. Tra i primi ricordiamo gli spaghetti con sugo di vongole o cozze, il **risotto** e il pasticcio **di pesce**, le **righe al branzino** (pasta allungata fatta in casa ripiena di branzino). Una vera delizia è il **risotto di *masanete***, così come quello **di folaga**; da assaggiare anche i **bigoli in salsa**. I secondi non sono da meno: fritture, **seppie in umido con polenta** abbrustolita, **anguilla** di sacca **arrosto**. In stagione, da non perdere il ***masurin*** (germano reale) **in umido**. Tra i dolci, fatti in casa, la tenerina, le frittelle di nonna Veglia, i *tamplun* (frittelle di castagne), la ***megiasa*** (torta di zucca). La carta dei vini spazia a livello regionale ed è accompagnata da una selezione di grappe.
Nel negozio è possibile acquistare salumi, formaggi e il riso del Delta. Quando la stagione lo permette, i pescatori di famiglia vi accompagneranno in barca alla scoperta del Po di Gnocca e degli innumerevoli canali, qui chiamati *paradeli*.

Porto Tolle
Bonelli

70 km a SE di Rovigo ss 309 e sp 38

Da renata

Trattoria con alloggio
Via del Mare, 2
Tel. 0426 89024-389322
Chiuso il mercoledì
Orario: mezzogiorno e sera
Ferie: prima settimana di luglio
Coperti: 100
Prezzi: 35 euro vini esclusi
Carte di credito: tutte, Bancomat

Soltanto un argine imponente divide la trattoria dalla laguna e dal mare. Siamo quasi in capo al mondo, in una zona di confine tra terra e acqua dove il Grande Fiume finisce il suo corso. Lì vicino c'è la sacca degli Scardovari con le sue vongole, i suoi cefali, le sue anguille. E le risaie che vogliono riproporre quel riso del Delta per il quale Venezia menava giusto vanto. L'edificio, semplice nei suoi lineamenti, conserva ancora gli imponenti camini che sfidavano la bora, il *borìn*, il *garbìn*, venti dispettosi che impedivano l'uscita del fumo. Il pesce e il riso vengono dai pescatori di Scardovari che alimentano un fiorente commercio ittico nella loro cooperativa.
Maurizio è un tipo spiccio e di poche parole. Ti accoglie e ti porta fra i suoi innumerevoli antipasti, fra primi saporiti e poi ti fa concludere con anguille che non hanno nulla da invidiare a quelle di Comacchio. Molto del pescato è proposto come antipasto: cozze, ***bibarasse*** (vongole), ***garusoli*** (murici), chiocciolíne di mare, cappesante e **ostriche** del Delta, queste servite **con scalogno in agro**, scampi e gamberoni. I primi piatti vedono il riso farla da protagonista (in una delle nostre visite, a locale molto affollato, ci ha però delusi il risotto di mare), poi gli spaghetti e gli **strìgoli con sughi** di pesce o **di crostacei**. Chi avesse ancora appetito può proseguire con le **sarde in *saor***, l'**anguilla ai ferri** o **in umido** e tutta la serie del pescato locale. Gustosi e delicati i dolci fatti in casa: tiramisù, salame al cioccolato, le crostatine di marmellate e le offelline accompagnate dal Fragolino. La scelta dei vini non è ampia.
Molto interessante il luogo. Si può salire sull'argine e passeggiare sino a Barricata oppure in bicicletta compiere tutto il giro della Sacca. Lo spettacolo è assicurato.

Preganziol

7 km a sud di Treviso ss 13

El patio

Ristorante
Via Croce, 35
Tel. 0422 93292-633240
Chiuso il martedì e mercoledì a pranzo
Orario: mezzogiorno e sera
Ferie: non ne fa
Coperti: 100 + 40 esterni
Prezzi: 32-34 euro vini esclusi
Carte di credito: tutte

Sulla strada che da Treviso va verso Venezia, appartata nel verde, ha sede la casa colonica della famiglia Pistolato. Un bellissimo parco la circonda, e d'estate è veramente piacevole cenare all'aperto. Vanda, la padrona di casa, può contare sulle primizie che il fratello Lorenzo coltiva nell'attigua azienda biologica, cosa che rende il posto ancora più speciale per la straordinaria varietà di verdure freschissime che si possono trovare.
Il menù, prettamente stagionale, prevede come antipasto la **soppressa con polenta**, il **radicchio rosso di Treviso**, l'insalata di carciofi con scaglie di grana, la **zucca in *saor***, il cestino con insalatina di rusticacio e speck, il rotolino di carpaccio alla trevigiana o il tonno affumicato con crostini. Non mancano le zuppe (ottima quella di radicchio in inverno), la tipica **pasta e fagioli**, il **riso alla trevigiana**, i **ravioli alle erbette** in primavera, i bucatini con cipollotti, carciofi e ricotta, la crema di porri con crostini, la ***sopa coada***. Moti dei secondi sono preparati con carni di propri animali da cortile: buoni il **pollo** nostrano e il **cappone in umido**, l'**involtino di tacchino farcito**, il petto d'anatra laccato alle pere, ma non da meno lo stinco stufato al Barolo con verdurine al vapore e le guancette di vitello con carciofi. Il pesce è rappresentato dal **baccalà alla vicentina** e dalle seppie alla veneta. Anche i dolci sono fatti in casa: crostate, la torta rustica con mandorle e pinoli, la crema chantilly con amaretti.
La piccola cantina offre sfusi locali e alcune etichette sempre del territorio.

Quinto di Treviso

8 km a SO di Treviso ss 515

Stella d'oro

Ristorante annesso all'albergo
Via Vittorio Emanuele, 38
Tel. 0422 379876
Chiuso sabato a pranzo e domenica
Orario: mezzogiorno e sera
Ferie: tre settimane in agosto
Coperti: 50 + 35 esterni
Prezzi: 35 euro vini esclusi
Carte di credito: tutte, Bancomat

La famiglia Graziati da moltissimi anni gestisce a pochi chilometri dal centro di Treviso, in un edificio di fine Settecento un tempo stazione di posta, questo locale tranquillo e curato. Giuseppe, con l'aiuto della moglie occupata principalmente in cucina, ha saputo mantenere un'aria di familiarità alla locanda che, inserita nel Parco del Sile, emana un calore d'altri tempi.
All'entrata il vostro sguardo sarà attratto dal bancone del bar, dove è esposta una serie nutrita di stuzzichini, panini, tramezzini che potrete usare anche come antipasti: crostini della casa, *jamón pata negra*, prosciutto di Montagnana, salami e **soppresse** nostrane, **sarde in *saor***, carciofi alla romana, cipollotti di Tropea. A tavola, tra i primi compaiono spesso la tradizionale **pasta e fagioli**, i **bigoli in salsa**, le **tagliatelle all'anatra**, gli spaghetti alle vongole o con la bottarga, gli gnocchi allo speck, il **risotto con i fegatini** e, d'inverno, il piatto trevigiano per antonomasia, la ***sopa coada***. Il secondo più caratteristico, spesso in menù, è l'**anguilla in umido**, ma non mancano il **baccalà alla vicentina**, le **seppie alla veneziana**, lo ***schitz* con chiodini e polenta**. Non propriamente di territorio, ma ben cucinati e presentati sono il filetto di angus, la tagliata al rosmarino, l'abbacchio al forno e la caprese di bufala. I dessert sono soprattutto dolci al cucchiaio, **tiramisù** in testa, provenienti dalla cucina.
La carta dei vini, una quarantina di etichette quasi tutte venete, non perde di vista il rapporto tra prezzo e qualità; ci sono anche onesti sfusi locali quali Cabernet Franc, Prosecco e Sauvignon. Buona la selezione di distillati.

Refrontolo

34 km a NO di Treviso, 14 km da Conegliano

Trattoria al forno

Osteria tradizionale-trattoria
Viale degli Alpini, 15
Tel. 0438 894496
Chiuso lunedì e martedì
Orario: pranzo, fine settimana anche sera
Ferie: 15 giorni in agosto, 15 in gennaio
Coperti: 40
Prezzi: 30 euro vini esclusi
Carte di credito: tutte, Bancomat

Mario Piol e Rosita gestiscono con discrezione e cortesia questo bel locale, in una casa più che centenaria affacciata sulla piazza di Refrontolo. Loro però abitano al passo di San Boldo, dove coltivano gli ortaggi e raccolgono le erbe aromatiche spontanee da usare in cucina. Particolari ad esempio il *grisol* e il *peruch*, spinacio di montagna che cresce oltre gli 800 metri solo sul passo di San Boldo. La cucina, curata dallo chef Denis Possamai, è dunque attenta alla stagionalità, alla tradizione trevigiana, ai prodotti del territorio; il mais e le patate sono di coltivazione biologica.
All'interno del locale è molto piacevole, soprattutto d'inverno, l'angolo del focolare, utilizzato anche per la cottura delle carni alla griglia; su prenotazione si può degustare un ottimo **spiedo**. Tra gli antipasti è sempre presente il ***pastìn*** all'aceto balsamico, accompagnato dalla **polenta con salsa di formaggio**, dalle melanzane o dalla **zucca in *saor***, stuzzicante anche il fagottino di erbe di campo. Da segnalare tra i primi i **bigoli con ragù d'anatra**, i ravioli di speck e mirtilli, il riso con le erbe selvatiche, gli gnocchi con la rucola, i **tagliolini** conditi in stagione **con porcini e tartufo**, la **zuppa di castagne e chiodini** o di fagioli e cereali. Per i secondi si prediligono gli animali da cortile: **pollo in umido con *fasoi sofegai***, anatra con salsa al basilico, **coniglio al forno**, **faraona in salsa *peverada***. Notevoli i dolci casalinghi: biscottini da accompagnare col Marzemino Passito di Refrontolo, semifreddo al croccante, crema catalana con fragole o ciliegie, crostate alla frutta di stagione, panna cotta alle mandorle con salsa di pesche, mousse alle fragole.
La carta dei vini comprende oltre 60 etichette, prevalentemente locali, con un buon rapporto fra qualità e prezzo.

Romano d'Ezzelino
Fellette

37 km da Vicenza, 3 km a est di Bassano del Grappa

Robevecie

Osteria con cucina
Viale Manzoni, 123 B
Tel. 0424 394357
Non ha giorno di chiusura
Orario: 08.00-02.00
Ferie: a Ferragosto
Coperti: 80 + 35 esterni
Prezzi: 20 euro
Carte di credito: nessuna

Il patron, Claudio Oriella, ama definirla osteria-emporio, e tale è veramente: strapiena non solo di cose che hanno attinenza con l'enogastronomia ma anche degli oggetti più disparati, di cui l'oste – che oste è da molto tempo, avendo alle spalle tre decenni di attività ristorantizia – è appassionato "accumulatore". Vi troverete quindi quasi assediati da attrezzi contadini, pentole in rame, mobili antichi, pezzi di modernariato, curiosità da mercato delle pulci. Potrete fermarvi anche solo per un'ombra e un cicheto o dedicarvi a una degustazione più impegnativa.
Come antipasto potrete attingere alla grande varietà di *spuncioti* esposti sul bancone: **nervetti**, **soppressa**, prosciutto crudo, formaggio morlacco, **baccalà mantecato** alla veneziana, porchetta cotta nel forno a legna, insalatina di gallina all'aceto balsamico, fagioli, asparagi, verdure ai ferri fanno da apripista a un menù legato alla tradizione. Tra i primi, **bigoli con la salamella** e **bigoli di Bassano all'anatra**, pennette o **gnocchi con ricotta affumicata** del Grappa, tagliatelle alla contadina con carne e funghi. Come secondo, **pollo in casseruola** (ricetta della nonna Gina) o **con peperoni e morlacco del Grappa**, **costicine di maiale con crauti e polenta**, **fegato alla veneziana**, **baccalà alla vicentina**.
Discreta la proposta di vini locali e nazionali. Ogni giovedì Claudio (che gestisce anche un bed and breakfast con tre camere) organizza una serata a tema passando in rassegna piatti e prodotti della tradizione.

Osteria accessibile ai disabili.

Ronco all'Adige

26 km a SE di Verona

Sofia

Trattoria
Via Baldo, 10
Tel. 045 6615407
Chiuso lunedì sera e martedì
Orario: mezzogiorno e sera
Ferie: due settimane in agosto
Coperti: 60 + 50 esterni
Prezzi: 20-25 euro vini esclusi
Carte di credito: le principali, Bancomat

Soprattutto quand'è tempo di asparagi, vi potrà capitare, prenotando, di sentirvi fissare l'orario di cena, raccomandandovi la massima puntualità: da Sofia il menù è "a tema" e la gestione familiare, per cui se il risotto deve uscire a una certa ora, non c'è giustificazione che tenga. La piccola lista prevede l'intera degustazione: nulla vieta che possiate variare, ma sarebbe un errore perdere l'opportunità di assaggiare nella sua completezza questa cucina schiettamente casalinga e di territorio, a prezzi decisamente popolari. E pazienza se a fronte delle porzioni piuttosto generose lascerete qualcosa nel piatto, subendo i rimbrotti dell'ostessa, Lucia Meneghello, di esperienza ultratrentennale. Tra sala e fornelli l'aiutano le figlie Maria Antonella e Angelita.
Si apre con l'immancabile **giardiniera** di verdure preparata a quintali ogni estate. Poi, a seconda del periodo, tra i primi potrete trovare piatti come il **risotto con le rane** (catturate nei fossi e nelle risaie da anziani raccoglitori del luogo), **con gli asparagi**, con la carne tagliata a coltello, **con la zucca**, **col *pessìn*** (avannotti di pesce di risaia), oppure le **lasagnette con i piselli**, **con la selvaggina**, con le verdure dell'orto. Tra i secondi, le **rane fritte** d'estate, l'**anatra** in autunno, il **lesso con la *pearà*** d'inverno, in gennaio gli **ossi di porco** (zampetti e costine bolliti, accompagnati dalla salsa *pearà*). Tra i dessert, i saccottini di mele, il *nadalìn* a Natale, la colomba a Pasqua, le frittelle e i *galàni* a Carnevale. Piccola lista di vini con ricarichi molto contenuti.

Cologna Veneta (15 km) è il regno del mandorlato: ottimi quelli con i marchi Gli Speziali di Cologna Veneta, San Marco, Rocco Garzotto & Figlio. A **Roveredo di Guà** (18 km) c'è il mandorlato Marani.

Rosolina
Volto

40 km a NE di Rovigo, 14 km a sud di Chioggia ss 309

Ristorante al Monte

Ristorante
Via Venezia, 34
Tel. 0426 337132
Chiuso il lunedì
Ferie: 15 giorni in gennaio, 15 in settembre
Orario: mezzogiorno e sera
Coperti: 50
Prezzi: 35 euro vini esclusi
Carte di credito: MC, Visa, Bancomat

Per chi viaggia sulla statale Romea, tra Chioggia e Rosolina Mare, è una buona opportunità fermarsi in questo ristorante del Delta del Po, che sorge su quanto rimane dei monti di sabbia, le dune fossili che costituivano la linea di costa. Aperto ormai da tre generazioni, è caratterizzato da piatti curati ma semplici, che rispecchiano il requisito del "chilometro zero" come i prodotti ittici del vicino mercato di Chioggia, il riso carnaroli del Delta, i *bussolà* di Rosolina e le verdure dei monti di sabbia che un tempo rifornivano le mense dogali.
Stefano, il titolare, saprà indirizzarvi alla degustazione dei piatti cucinati con bravura dalla madre Antonietta e dalla moglie Melita. Vi proporrà le ricette cui è più affezionato, come la **polentina con le seppie**, le **cappesante gratinate**, i tagliolini all'astice o i ravioli con scampi e ricotta, serviti su un letto di patate e zucchine. Tra i primi c'è sempre anche un **risotto**, per esempio **di scampi** o di branzino. I secondi spaziano dal **fritto di laguna** ad **anguilla**, orate, branzini, scampi, cotti per lo più **alla griglia** su fuoco di legna. Alla fine del vostro pasto non deve mancare un assaggio dei dolci casalinghi (panna cotta al caramello, mousse al mascarpone, torta tenerina) che si possono abbinare a vini da dessert, anche a bicchiere.
La carta dei vini comprende più di cento etichette, soprattutto di cantine del Friuli Venezia Giulia e del Trentino Alto Adige.

Rovigo

Ai Trani

NOVITÀ

Osteria-trattoria
Via Cavour, 30
Tel. 0425 25109
Chiuso il mercoledì
Orario: mezzogiorno e sera
Ferie: fine luglio-inizio agosto
Coperti: 50 + 24 esterni
Prezzi: 25-30 euro vini esclusi
Carte di credito: MC, Visa, Bancomat

Ai Trani si affaccia su due importanti strade acciottolate del centro di Rovigo, via Cavour e via 10 Luglio. Presente da decenni, è oggi luogo di ritrovo per l'aperitivo serale e importante punto di riferimento per la cucina tradizionale del territorio. Il locale, disposto su due piani e con un dehors estivo lungo una delle vie pedonali, ha al primo piano una sala con muri di mattoni a vista e una particolare linearità e cura nell'apparecchiatura dei tavoli.
L'osteria è gestita dai giovani fratelli Andrea e Fabrizio Conforto, coadiuvati in cucina dal padre Livio e in sala dalla mamma Mariarosa. Alla carta è possibile degustare un buon numero di piatti supportati da varie proposte del giorno. Come antipasto la **polentina abbrustolita con soppressa** e il **luccio in *saore***, poi un'ampia scelta di **risotti**, tra cui quello **di fegatini** e quello **di trippe**, e gli immancabili primi del basso Veneto: **tagliatelle al ragù d'anatra**, **bigoli in salsa**, ***pasta e fasoi***. Tra i secondi il **fegato alla veneziana**, le **trippe**, il **baccalà in umido**, oltre a piatti a base di carne. In inverno cotechino e **bondola**, regina degli insaccati cotti polesani, la fanno da padroni. Di contorno, deliziosi ***fasoi in potacìn*** e ***fasoeti* in salsa**. Per concludere i dolci di Mariarosa: ottimi il **tiramisù**, la zuppa inglese e la tipica ***brassadea***.
Ampia la carta dei vini e professionale la presentazione delle etichette. Buono il rapporto tra qualità e prezzo.

In frazione **Borsea** (4 km dal centro di Rovigo), Blu Ice, via 25 Aprile 19: gelati deliziosi prodotti da Gabriele e Mattia Mercuriali con frutta fresca e altre ottime materie prime. A **Villadose** (8 km), nel laboratorio di via Umberto 30, Sergio Schiesari sforna un dolce tipico, la pagnotta del doge.

AL CORNO

NOVITÀ

Trattoria con alloggio
Piazzetta Sottotenente Appiotti, 13
Tel. 0425 421284
Chiuso la domenica
Orario: mezzogiorno e sera
Ferie: 15 giorni in agosto, una sett a Natale
Coperti: 70
Prezzi: 13 euro
Carte di credito: nessuna

Pieno di storia questo luogo, non lontano dal centro cittadino e, oggi come ieri, frequentato da gente che lavora: il parcheggio antistante ospitava un tempo il macello della città (di qui il nome Al Corno) e, fino a pochi anni fa, anche la pesa pubblica. Fuori tutto è cambiato, ma dentro il tempo scorre lento e sono ancora in molti quelli che vengono qui *a far do ciacole e bere un'ombra*. All'ingresso (attenti al gradino) il bancone del bar, ai lati due salette molto semplici con qualche foto della vecchia Rovigo alle pareti.
La trattoria è aperta dal 1920 e ha sempre offerto un menù tipico polesano. Giovanni Ferrari, nipote del fondatore, conduce sapientemente il locale con l'aiuto della moglie e di mamma Luciana, che si aggira spesso tra i tavoli; in cucina ragazze ormai di famiglia.
Gli antipasti sono semplici ma saporiti: ricordiamo i **peperoni piccanti** alla veneta **con soppressa e polenta** abbrustolita e il **salame *sfrizegà*** (fritto nell'olio) **con polentina** morbida. Tra i primi non manca mai la ***pasta e fasoi***, ma sono da assaggiare anche le **tagliatelle all'anatra** e i **bigoli al *pisto*** (tastasale). I secondi, sempre di tradizione, prevedono la **faraona** o il **galletto alla griglia**, lo **stinco di maiale al forno**, il **fegato alla veneziana** e, il venerdì, il baccalà in bianco all'olio (ma non mantecato con il latte) unito alla polenta gialla. Tra i contorni di verdure non perdetevi le **erbe cotte** (catalogna passata in pentola con soffritto di aglio). I dolci, fatti in casa, risentono delle vicine cucine di Ferrara e Mantova: ***brazadela***, **sbrisolona** con passito, semifreddi con ricotta e amaretto.
Nel prezzo moderatissimo del menù è compreso il vino della casa; qualche bottiglia però la si può trovare.

38 KM A NE DI VENEZIA SS 14 O A 4

ANTICA TRATTORIA DA NICOLA

Osteria-trattoria
Via Nazario Sauro, 56
Tel. 0421 54624
Chiuso lunedì sera e martedì
Orario: mezzogiorno e sera
Ferie: ultime tre settimane di agosto
Coperti: 90 + 90 esterni
Prezzi: 30-35 euro vini esclusi
Carte di credito: Visa, Bancomat

È una delle osterie più antiche di San Donà: l'avo Nicola Boschin alla fine della Grande Guerra ne iniziava l'attività, prima in una baracca e dal 1922 nel sito attuale, con locali costruiti in successive ristrutturazioni e rimaneggiamenti. Negli anni si sono succedute tre generazioni di Boschin: oggi è un altro Nicola, nipote del fondatore (per l'anagrafe, più venezianamente, Nicolò), a tenere il timone assieme alla moglie Lisa, che come le precedenti consorti ha contribuito in modo decisivo alla fortuna del locale.
La presenza dominante nel menù è il pesce, cucinato secondo le ricette del territorio e usando prevalentemente materie prime della zona, nell'ultimo periodo provienienti, sempre fresche, dal mercato ittico di Chioggia. Non troverete il menù scritto, ma i piatti del giorno vi saranno illustrati da Nicola.
Si comincia con il grande antipasto di pesce, che può essere un piatto unico comprendendo a seconda dei periodi ***schie*** (gamberetti di laguna), ***canoce*** (cicale di mare), **cappesante**, cappelunghe, vongole, piovra e ***granseola***; in alternativa, il **baccalà** (stoccafisso) cucinato nei modi tradizionali. Tra i primi, **risotti** preparati con verdure di stagione o con il pesce, o anche paste. Come secondo di pesce troviamo **coda di rospo**, **anguilla**, branzini, orate, scorfani e **sardine**. Anche la carne è presente e il piatto più rappresentativo nel periodo invernale è la ***sopa coada*** (zuppa covata, ossia cucinata lentamente) di brodo di pollo, colombacci e pane raffermo, che si fa su prenotazione; inoltre, **bolliti**, l'**anatra** e carni alla brace.
Per i vini una selezione di Rabosi e varie etichette del Triveneto.

San Donà di Piave

38 km a NE di Venezia SS 14 o A 4

Tonetto

Ristorante
Via Code, 1 A
Tel. 0421 40696
Chiuso il lunedì
Orario: mezzogiorno e sera
Ferie: settimana di Ferragosto
Coperti: 150 + 35 esterni
Prezzi: 32-35 euro vini esclusi
Carte di credito: tutte

Situato nei pressi del Museo della bonifica, il ristorante si presenta ampio e confortevole, con tre sale, una per i banchetti, una con il grande *fogher* e una più piccola; d'estate si può mangiare anche sotto un fresco pergolato. I Tonetto ne sono titolari dal 1969 e l'attuale gestore, Carlo, oltre a consolidare la cucina tradizionale a base di maiale, manzo e animali da cortile allevati nell'azienda di famiglia, ha introdotto il pesce, sempre più presente nel menù, proveniente dai mercati ittici di Caorle e Venezia.
Ecco allora tra gli antipasti il pesce crudo (ostriche, scampi, carpacci), le **cappesante alla brace**, il ***granzoporo*** **all'aceto**, il **guazzetto di *peoci*** (mitili) **e crostacei**; in alternativa i **salumi** della tradizione veneta, dalla soppressa all'ossocollo alla pancetta. Tra i primi preparati dallo chef Nicola, gli **spaghetti con le *peverazze*** (vongole) e **tagliatelle** o altri formati di pasta fatta in casa conditi in vari modi: con i calamaretti, con le seppie, con crudo di San Daniele e zucchine o **con il *tastìn*** (l'impasto fresco della soppressa). In primavera, ***risi e bisi*** e risotto agli asparagi. Per secondo il **fritto** orto-mar (misto **di pesce e verdure** di stagione), carni (costata di sorana, straccetti di scottona) e pescato del giorno alla brace. Nel periodo invernale si cucinano alcuni piatti tradizionali legati alle varie feste e sagre del territorio. I dolci sono opera di Angela: zuppa inglese, tiramisù, semifreddo al melone in salsa di amarene, bignolata al cioccolato, strudel di mele in crema di vaniglia.
La cantina propone vini veneti e trentini, con ricarichi giusti e una disponibilità al calice di almeno due etichette venete.

Osteria accessibile ai disabili.

San Giorgio in Bosco
Sant'Anna Morosina

22 km a NE di Padova SS 47

Da giovanni

Ristorante
Piazza XXIX Aprile, 39
Tel. 049 5994010
Chiuso martedì sera e mercoledì
Orario: mezzogiorno e sera
Ferie: 1 settimana in gennaio, 3 in agosto
Coperti: 100
Prezzi: 25-30 euro vini esclusi
Carte di credito: tutte

Di Sant'Anna si racconta di una favolosa villa appartenuta ai Morosini (nobili veneziani) dal Cinquecento e poi andata distrutta, nessuno sa in quale occasione. La villa era vicino alla chiesa del borgo e sempre vicino alla chiesa troviamo il ristorante della famiglia Pettenuzzo, dove dal 1971 si fa cucina del territorio. La mamma Anna accoglie i clienti, la figlia Maria li assiste in sala, il figlio Martino è ai fornelli e il papà Giovanni si occupa dell'allevamento delle anatre, delle oche, delle galline e dei maiali, che trasforma in ottime sopresse e saporiti salami. Giovanni lo troviamo anche in sala dove, su un enorme piano in legno, tira a mano le tagliatelle.
In apertura del menù compaiono il **baccalà mantecato**, le zucchine farcite e naturalmente i **salumi** di Giovanni. Le sue **tagliatelle** sono condite **con sugo d'arrosto** o con un ragù di carni miste, i **bigoli** – anch'essi casalinghi – **con il sugo d'anatra**. Ottimi i **ravioli di zucchine e morlacco** e gli gnocchi di patate con pomodoro e pesto. Il simbolo del ristorante è un'**anatra**, che non manca mai nel menù, **arrostita** intera o suddivisa più modernamente in tagli sottoposti a diverse cotture. Non meno interessanti i **bocconcini di pollo**, il **bollito misto** e la **spalla di vitello allo spiedo** (i Pettenuzzo ne hanno uno monumentale, lungo quasi tre metri, dove a volte arrostiscono un vitello intero). Sempre presenti inoltre alcuni piatti di pesce. Tutti casalinghi i dolci, tra i quali segnaliamo il tortino caldo di pere, il flan al cioccolato, la torta di mele e le crostate di frutta.
Non molto ampia, la carta dei vini elenca prodotti dall'ottimo rapporto tra qualità e prezzo; buoni gli sfusi della casa, Cabernet e Pinot Grigio.

Osteria accessibile ai disabili.

Sant'Ambrogio di Valpolicella

19 km a NO di Verona ss 12

Al Còvolo

Ristorante-enoteca
Piazza Vittorio Emanuele, 2
Tel. 045 7732350
Chiuso il martedì
Orario: mezzogiorno e sera
Ferie: fine febbraio
Coperti: 40 + 60 esterni
Prezzi: 30-35 euro vini esclusi
Carte di credito: le principali, Bancomat

Entrando al Còvolo sembra che il ritmo energico e professionale della Valpolicella laboriosa rallenti improvvisamente. Quando ad accoglierti è Adelino Molinaroli, con le sue lente gesta amichevoli e rassicuranti, tutto sembra più a dimensione umana. È la conduzione familiare la prima garanzia di qualità e identità del locale. Andrea in cucina è ormai una certezza, fra tradizione e interpretazione dei prodotti locali. La cantina è ricca e ricercata: non solo grandi vini apprezzati soprattutto dal turismo gardesano che si sposta frequentemente fin là, ma anche etichette emergenti e spumanti del territorio pedemontano veronese. Se andrete d'estate vi sarà offerta la possibilità di pranzare o cenare nella corte interna oppure nella taverna di mattoni con volte a botte, accogliente e suggestiva.
Tra gli antipasti ci sono sempre selezioni di **formaggi** delle montagne veronesi, salumi e **soppressa** locale, accompagnati da polenta nella stagione fredda. I primi piatti sono tutti riferiti alla tradizione: **bigoli al torchio con ragù di anatra**, **tagliatelle al coniglio**, **pasta e fagioli** nei mesi invernali. Come secondo, **stracotto di manzo all'Amarone**, **petto di faraona rosolato al Valpolicella**, **coniglio in intingolo con polenta**; di contorno, verdure provenienti dalla ricca campagna veronese. Al momento del dessert chiedete i **fichi caramellati** che Adelino raccoglie, prepara e accompagna nel piatto con il formaggio monte veronese, oppure uno zabaione freddo al passito con gli amaretti.

Osteria accessibile ai disabili.

Sant'Ambrogio di Valpolicella
San Giorgio di Valpolicella

20 km a NO di Verona

Dalla Rosa Alda

Trattoria annessa alla locanda
Strada Garibaldi, 4
Tel. 045 7701018
Chiuso domenica sera e lunedì, mai d'estate
Orario: mezzogiorno e sera
Ferie: in gennaio
Coperti: 60 + 60 esterni
Prezzi: 32-35 euro vini esclusi
Carte di credito: tutte, Bancomat

A San Giorgio, bellissimo borgo in pietra che costituisce una sorta di terrazza sul territorio della Valpolicella, la locanda Dalla Rosa Alda è un sicuro punto di riferimento. Lodovico Testi, aiutato dalla moglie Severina e dalla sorella Noris, punta su una cucina di grande tradizione e sulla valorizzazione dei vini locali, con attenzione soprattutto a quelli tratti dai vigneti coltivati con fatica sulle *marògne*, ossia i terrazzamenti della zona, famosi per dare vita all'Amarone, ma importanti anche per la presenza di varietà autoctone minori. Nella bella stagione, prenotando per tempo e richiedendolo, conquistatevi un tavolo all'esterno. D'inverno si pranza nelle due piccole sale interne. Da visitare la cantinetta, scavata nella roccia.
Potete iniziare con l'antipasto della Valpolicella, un insieme di assaggi con **frittatine**, **soppressa con polenta abbrustolita**, **sedano di Verona in insalata**, crostini. Per i primi, la pasta fresca è giornalmente tirata in casa e proposta in vari abbinamenti: potrete trovare ad esempio i tagliolini alle spugnole, le **tagliatelle con salsa di fagioli**, le tagliatelle al tartufo della Lessinia. In novembre, la classica minestra di fave, legata ad antichi riti locali. Originali gli gnocchi con pesto di fave ed erbette. In stagione, il risotto con le ciliegie. Tra i secondi, il **brasato all'Amarone**, la ***pastissada de caval***, caposaldo della cucina scaligera, le **polpette di carne e radicchi di campo**. Sempre disponibile l'assaggio dei formaggi della Lessinia. Tra i dessert c'è la ***pissotta***, la tipica focaccia all'olio, da gustare con un bicchiere di Recioto.

A **Valgatara** di Marano di Valpolicella (8 km), in via Cadiloi 55, Il Gelato di Marco Scamperle propone ottimi gelati artigianali alla frutta di stagione.

San Zeno di Montagna

39 km a NO di Verona SS 12 o A 22

Taverna Kus

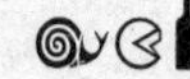

Ristorante
Via Castello, 14
Tel. 045 7285667
Chiuso martedì e mercoledì, mai d'estate
Orario: mezzogiorno e sera
Ferie: dall'Epifania a fine febbraio
Coperti: 80 + 20 esterni
Prezzi: 35-39 euro vini esclusi
Carte di credito: le principali, Bancomat

La Taverna Kus è un punto di riferimento obbligato per i buongustai che transitano nell'area del Garda settentrionale e del monte Baldo: nel locale di Giancarlo Zanolli si respira grande attenzione all'ospitalità e al ciclo annuale delle produzioni del territorio. I tavoli sono apparecchiati nella veranda affacciata sul giardinetto o nelle tre salette interne, arredate l'una con specchi, l'altra con piatti in porcellana, la terza con vecchi quadri.

La proposta di cucina, elaborata dallo staff guidato da Emanuela Moretti, è cadenzata secondo le stagioni: in marzo il menù vede protagonista l'oca, in aprile le erbe, in maggio gli asparagi, in giugno i formaggi, in luglio l'orto, in agosto il tartufo, in settembre i funghi, in ottobre le castagne, in novembre la zucca, in dicembre il maiale. A seconda del periodo, potrete gustare antipasti come **polenta e soppressa**, polenta con funghi e formaggio, **luccio in salsa**, **baccalà mantecato alle castagne**. Tra i primi, gli **orzotti** con le verdure, **con i funghi**, con asparagi e trota, i **ravioli al brasato**, le fettucine con la carne a coltello, le tagliatelle agli asparagi, il **minestrone di marroni di San Zeno**, gli gnocchi di castagne con zucca e salsiccia. Come secondi, la guancia di manzo, la **coscia d'oca all'Amarone**, il **rotolo di coniglio agli asparagi**, il petto di faraona croccante, il carpaccio di manzo al tartufo. Per dessert fichi sciroppati, torta di pere, rotolo di castagne. Sempre disponibile una selezione di **formaggi** con marmellate e miele.

Bella lista di bottiglie (vini anche a bicchiere). Da visitare la cantina, in un antico deposito del ghiaccio.

In contrada Pra Bestemà i formaggi che Ugo Bonafini, produce nella malga del Bait dei Santi col latte delle vacche in alpeggio.

Saonara

12 km a est di Padova

Antica trattoria al Bosco

Trattoria
Via Valmarana, 13
Tel. 049 640021
Chiuso il martedì
Orario: mezzogiorno e sera
Ferie: non ne fa
Coperti: 120 + 100 esterni
Prezzi: 30-35 euro vini esclusi
Carte di credito: tutte, Bancomat

Non è difficile trovare nell'hinterland padovano ville gentilizie costruite da ricche famiglie a cavallo tra Settecento e Ottocento. Una di queste si trova a Saonara, proprio davanti all'ingresso del locale della famiglia Daniele: è la villa Vigodarzere-Valmarana, famosa per il vasto parco creato da Giuseppe Jappelli, lo stesso architetto dello storico Caffè Pedrocchi di Padova. La trattoria era invece la sede del vecchio ufficio postale del paese, di cui mantiene tutte le strutture, ora diventate tre sale con travi a vista.

Luigino Daniele e la figlia Stefania vi accompagneranno in un percorso gastronomico attraversato da filoni ricorrenti tra cui i piatti di cavallo, carne magra molto nutriente utilizzata moltissimo in tutta la provincia. Tra gli antipasti troviamo quindi **sfilacci**, **bresaola** e **soppressa di cavallo**; volendo continuare su questa linea potremo ordinare gli **gnocchi al ragù di cavallo**, la tartara di puledro, lo **spezzatino di cavallo** o la costata alla brace. Rimanendo sempre nella tradizione, si possono provare le **tagliatelle con ragù di gallina padovana e carciofi**, la **pasta e fagioli**, l'**anatra in salsa *peverada***, il coniglio arrosto, il **baccalà**; inoltre, grigliate di manzo e maiale. Tra i dolci, tutti preparati in casa, spiccano la focaccia, la torta di frutta e le sfoglie.

La cantina, curata da Stefania, offre etichette di ogni parte d'Italia, con un occhio di riguardo per il Nordest, in particolare per i Colli Euganei.

Sarcedo

24 km a nord di Vicenza, 5 km da Thiene

Villa di bodo 

Enoteca con mescita e cucina
Via San Pietro, 1
Tel. 0445 344506
Chiuso il lunedì e sabato a pranzo
Orario: mezzogiorno e sera
Ferie: 3 sett fine gennaio, 10 gg fine settembre
Coperti: 50 + 50 esterni
Prezzi: 30-32 euro vini esclusi
Carte di credito: AE, Visa, Bancomat

Bello e accogliente il locale di Marilena Cavedon e Gianfranco Zenari, ricavato dalla ristrutturazione, sette anni fa, di un'antica dimora signorile. Vi si giunge percorrendo una tranquilla strada fra le colline di Thiene. Dopo aver spaziato con lo sguardo tra i monti che abbracciano la Val Leogra, dai Lessini all'altopiano di Asiago, si entra nel cortile dove un vecchio porticato nel periodo estivo può ospitare fino a 50 persone. In cucina c'è Marilena con il nuovo chef Matteo Canale, che alla sua vicina Tonezza si approvvigiona di erbe spontanee e funghi che poi trasforma in gustosi piatti. Gianfranco si occupa della sala e dei vini, circa 600 etichette; settimanalmente propone una lista di calici in giusto abbinamento con il menù.
Tra gli antipasti ci ha incuriosito il carpaccio di baccalà con julienne di verdure, che affiancava il plumcake salato di asparagi e il **petto d'oca affumicato**. Invitanti i primi: in primavera **fagottini di ricotta e *pisacàn*** di montagna su crema di acetosa, **gnocchi di patate con pesto di erbette** spontanee e ricotta affumicata, in altre stagioni paste condite con **funghi** o tartufo scorzone del monte Summano, sempre le pappardelle con il sugo della fratellanza, specialità della casa. Tra i secondi il **fegato di vitello alla barcaroia**, la tagliata di sorana, la guancetta di vitello glassata alla senape, le costolette di agnello al timo, l'immancabile **baccalà alla vicentina con polenta** e la tosella di Pennar con gli asparagi. Buona selezione di **formaggi** italiani e francesi con i vini appropriati. Sempre presente il **macafame**, tradizionale dolce vicentino servito tiepido con crema inglese; in alternativa semifreddo allo yogurt o tortino caldo di cioccolato con salsa di arance candite.

Schio
Magrè

25 km a NO di Vicenza SS 46

All'antenna

Trattoria
Via Raga Alta, 4
Tel. 0445 529812
Chiuso il martedì
Orario: solo la sera
Ferie: in agosto
Coperti: 40 + 15 esterni
Prezzi: 32 euro vini esclusi
Carte di credito: Visa, Bancomat

La posizione panoramica è la premessa ideale alla cucina di Giovanni che assieme alla moglie Laura e a Massimiliano gestisce il locale, da vent'anni punto di riferimento per i buongustai. I menù variano a rotazione ogni tre settimane, affiancando piatti tradizionali a proposte innovative dove i prodotti di stagione trovano interessanti interpretazioni.
Tra gli antipasti non perdetevi la **sopressa vicentina** dop **con il radicchio trevisano sott'olio** e il **baccalà mantecato con la polenta fritta**. La **zuppa di broccolo fiolaro gratinata**, i **gargati col consiero** (maccheroni di pasta all'uovo con ragù di carne senza pomodoro), le tagliatelle alla carbonara di spugnole, il risotto ai bruscandoli mantecato al taleggio sono alcuni dei primi, che guardano sempre alla tradizione. Tra i secondi da segnalare, oltre al **baccalà alla vicentina**, il **coniglio alla valleogrina**, in primavera la frittata di spugnole e l'involtino di asparagi al formaggio asiago. Meritano l'assaggio, tra i dolci, la torta di cioccolato e se è stagione il tortino di fragole gratinato.
La carta dei vini presenta etichette di valide cantine di tutta Italia e qualcuna estera.

A **Schio** la pasticceria Dolci Pensieri, via Santissima Trinità 85, produce e vende in un'elegante confezione la gata, dolce tipico vicentino di farina di mais marano, burro di latteria, miele, uova, mandorle e grappa. A **Thiene** (10 km), Gianni Genovese è instancabile ricercatore delle migliori produzioni enologiche nazionali ed estere: da Enogramma, via San Simeone 32.

Scorzè

25 km a NO di Venezia

Perbacco

Ristorante
Via Moglianese, 37
Tel. 041 5840991
Chiuso la domenica
Orario: mezzogiorno e sera
Ferie: una settimana in agosto
Coperti: 60 + 30 esterni
Prezzi: 35 euro vini esclusi
Carte di credito: le principali, Bancomat

Nel bel locale della famiglia Tosato – un ex mulino del Settecento – troverete una continua ricerca di materie prime di qualità, compresi alcuni Presìdi Slow Food, e la capacità di trasformarle puntando sia sulla tradizione (il menù prevede ogni giorno piatti di territorio) sia su una pacata creatività. Le due sale sono arredate con gusto, mentre nella stagione calda la terrazza sul fiume Dese offre frescura e tranquillità.
Come inizio provate la selezione di **salumi** locali, le cappesante su vellutata di topinambur e guanciale croccante, la *tartare* di girello di vitello con insalatina di acciughe, in stagione le deliziose *castraure* veneziane con scaglie di grana padano. Passando ai primi nell'ultima visita ci è piaciuta la **zuppa di fagioli borlotti**, ma non è da meno l'orzotto del Perbacco, ogni giorno diverso; inoltre, tagliolini di Campofilone con verdure saltate e zenzero fresco, paccheri di Gragnano con gamberi e spuma di mozzarella di bufala, **gnocchetti con asparagi bianchi di Badoere**, la zuppa di pesce con veli di pane croccante. Tra i secondi da provare la **guancetta di vitello** (cotta a bassa temperatura) **con purè di patate**, il petto d'anatra *confit*, il **piccione con salsa al Porto e polenta** dorata, i **bocconcini di fegato alla veneziana con polenta di mais biancoperla**. Eccellenti i formaggi, di cui sono sempre disponibili una quindicina di produzioni nazionali fresche e stagionate, abbinate a composte, mostarde e ai diversi tipi di pane preparati ogni giorno nella cucina del ristorante. Per finire, dolci casalinghi tra cui la squisita piccola pasticceria.
Importante l'offerta enologica, 500 etichette italiane ed estere con ricarichi corretti; sarà Stefano a consigliarvi con garbo i migliori abbinamenti ai piatti.

Segusino
Milies

47 km a NO di Treviso, 10 km da Valdobbiadene

Da Mirka e Marcello

Osteria con cucina
Via dei Narcisi, 5
Tel. 0423 979120
Aperto giugno-settembre da martedì a domenica, ottobre-maggio da venerdì a domenica
Orario: mezzogiorno e sera
Coperti: 50
Prezzi: 20 euro vini esclusi
Carte di credito: nessuna, Bancomat

Segusino è l'ultimo comune trevigiano sulla sinistra del Piave. Per arrivare a Milies, la strada si inerpica costeggiando il torrente Ariù e passando per le antiche località di Riva Grassa e Stramare. A circa 700 metri di altitudine, alle pendici del monte Zogo, si trova il pianoro di questa nascosta borgata di poche case, affascinante d'inverno, piacevole in estate per le passeggiate verso le malghe, tra fiori e paesaggi incantevoli. Il luogo merita la visita, come merita fare tappa nella vecchia osteria, dal clima casalingo e familiare, gestita da quasi vent'anni dai coniugi Mirka (in sala) e Marcello (in cucina), con il prezioso aiuto dei figli Isabella, Federica e Lorenzo.
I piatti, rispettosi delle stagioni, hanno sapori semplici e genuini. L'ideale è cominciare con la **soppressa** prodotta da Marcello, per proseguire con le **tagliatelle** fatte in casa **al ragù di anatra** o **di asino**, gli **gnocchi di ricotta** di malga, i panzerotti ripieni di speck e mirtilli, l'ottima **zuppa di porcini**, i **risotti** ai funghi raccolti nei boschi attigui o **ai *radici de camp*** (tarassaco). Fra i secondi, lo **stracotto di *muss*** (asino), specialità della casa, la **selvaggina** (cervo e capriolo), lo **spiedo misto**, il **pollo in umido**, le **lumache alla mentuccia con la polenta**, le carni e il formaggio latteria alla griglia. I dolci, quali tiramisù e strudel, sono fatti in casa. Prima di andarsene, una grappa alle erbe o frutta sotto spirito.
Poche le etichette fra i vini, ma lo sfuso è buono. Consigliamo di prenotare.

SOLAGNA

41 KM A NE DI VICENZA, 7 KM DA BASSANO DEL GRAPPA

DA DORO

Trattoria
Via Ferracina, 38
Tel. 0424 816026
Chiuso domenica sera, lunedì, martedì a pranzo
Orario: mezzogiorno e sera
Ferie: variabili
Coperti: 50
Prezzi: 22-33 euro vini esclusi
Carte di credito: nessuna, Bancomat

All'inizio della Valsugana, sulla sponda sinistra del Brenta in direzione di Trento, nel piccolo ma ricco di storia paese di Solagna troverete, all'interno di un edificio secentesco recentemente ristrutturato, la vecchia trattoria della famiglia Scapin, calda, accogliente, con travi a vista e gli utensili di un tempo appesi al muro. Ad accoglievi le signore Anna e Carla, che illustreranno i piatti riportati sulla lavagnetta all'ingresso, mentre Giovanni e la moglie Anna stanno in cucina.
Il menù è in continuo cambiamento, sempre attento alla stagionalità, con prodotti che Giovanni sceglie personalmente al mercato o presso i contadini del luogo. Dopo un **tortino di aringa** o le **sarde in saor**, ecco i primi tra i quali non mancano mai un **risotto** con i prodotti del momento, una **zuppa** (notevole quella **di cipolla e asparagi**), i tradizionali **gargati al ragù bianco**, le trenette vegetariane (con pesto di insalata e pinoli tostati). Come secondo potrete scegliere tra la **guancia di vitello al Cabernet**, il **capretto al forno**, la **trota** cucinata in vari modi. Tutti i piatti sono molto curati e leggeri (non si usano né panna né burro). È grande attenzione c'è anche per il pane, fatto in casa come la pasta, i dolci e le focacce. È da sottolineare, poi, la presenza costante di almeno due piatti, un primo e un secondo, che Giovanni definisce «democratici», con i quali il cliente può pranzare a un costo contenuto. I buoni dolci spaziano dalla tradizionale **pinza** alla torta di pane in salsa di mosto cotto e prugne.
Più che decorosa la lista dei vini, proposti con ricarichi onesti.

SOMMACAMPAGNA

13 KM A OVEST DI VERONA USCITA A 4

AL PONTE

Trattoria
Via Corrobiolo, 38
Tel. 045 8960024
Chiuso lunedì sera e martedì
Orario: mezzogiorno e sera
Ferie: Natale, Pasqua e agosto
Coperti: 80 + 40 esterni
Prezzi: 20-25 euro vini esclusi
Carte di credito: le principali, Bancomat

La modernità e l'innovazione hanno negli ultimi anni trasformato il piccolo paese di Sommacampagna: i centri commerciali, l'autostrada, l'aeroporto, tutto fa pensare a un ritmo di cambiamento molto veloce, che lascia poco spazio alla tradizione. Eppure lì resiste ancora un luogo della memoria gastronomica, una trattoria dove il tempo sembra essersi fermato agli anni Settanta. Il lettore fedele e attento della guida noterà che nulla è cambiato nella cucina di Andrea e Carlo. Il menù è tanto consolidato quanto affidabile. Le **tagliatelle** sono sempre servite solo con il burro e sarà l'avventore a completare il condimento con il ragù che preferisce, attingendo alle scodelle portate al seguito del piatto fumante. I primi piatti si completano con i **tortellini** artigianali, dalla sfoglia molto sottile, serviti **in brodo** o **al burro fuso**, con i **bigoli**, con la **pasta e fagioli**. I secondi più frequenti sono, a parte le carni alla brace, il **luccio in salsa**, il **baccalà con polenta** e il **fegato alla veneziana**. Si può concludere con dolci fatti in casa presentati sul carrello, dalla zuppa inglese alle crostate di frutta, oppure con frutta fresca di stagione. Per i vini poche etichette locali, con ricarichi onesti.
Il servizio è veloce ma non troppo, certamente permette di fare contenute pause pranzo a chi lavora o è di passaggio e preferisce uscire dal casello autostradale per un ristoro, anziché fermarsi all'area di servizio poco più avanti. Prenotare è sempre consigliato, comunque anche se il locale è al completo l'attesa non è mai troppo lunga.

Sorgà

28 km a sud di Verona

Da laura

Trattoria
Via Battisti, 5
Tel. 045 7370222
Chiuso il lunedì
Orario: mezzogiorno e sera
Ferie: 15 gg in luglio, 15 in agosto, a fine anno
Coperti: 90
Prezzi: 15 euro vini esclusi
Carte di credito: nessuna

Non è né di lago né di mare ma "di campagna" il pesce annunciato nell'insegna della trattoria di Laura Gabanella: è quello proveniente dai fossi, dalle risaie, dai piccoli canali di irrigazione che registrano la presenza di rane, gamberetti, pesci gatto, anguille e *pessìn*, pesciolini raccolti nelle risaie allagate per la produzione del vialone nano veronese coltivato in quest'area ai confini con il Mantovano. Non aspettatevi un luogo di estetica raffinata, il locale è lindo ed essenziale e già dal bar, ritrovo della gente del posto, si comprende che nel piatto troveremo tradizione, semplicità e sostanza.
Qui l'estimatore della cucina di territorio potrà gustare i piatti che si aspetta: **polenta col luccio**, **anguilla affumicata**, il ***pessìn* fritto** come antipasti, poi una grande varietà di **risotti**, alcuni per un minimo di commensali, fatti naturalmente con il vialone nano cotto come tradizione locale vuole, **col pestume** (maiale), **col *pontèl*** (braciola), ancora **col *pessìn***. Il confine mantovano a pochi chilometri ha introdotto nella zona anche alcune specialità gastronomiche lombarde, i **tortelli di zucca** ad esempio. Tra i secondi non possono mancare i piatti della tradizione veronese, e quindi **frittura di pesce gatto**, **di rane** o **di anguilla**. Particolare, tra i dessert sempre casalinghi, lo zuppone al caffè.
Nel piccolo bicchiere da trattoria potrete bere pochi ma generosi vini, per accompagnare piatti offerti a prezzi contenuti.

Sospirolo
Mis

15 km a ovest di Belluno ss 203

Alla certosa

Osteria tradizionale
Via Mis, 83
Tel. 0437 843143
Chiuso lunedì e martedì
Orario: sera, domenica anche pranzo
Ferie: seconda metà di giugno
Coperti: 40
Prezzi: 21 euro vini esclusi
Carte di credito: le principali

Siamo all'interno del Parco delle Prealpi Bellunesi, nei pressi della quattrocentesca certosa di Vedana. L'osteria di Casimiro e Nadia è composta da due sale da pranzo calde e accoglienti, con tanto legno; alle pareti schede di liquori e molte bottiglie della fornita cantina (380 etichette). Alcuni di questi vini sono serviti anche alla mescita. Non si cucinano secondi piatti e i primi devono essere gli stessi per tutta la tavolata, escluse le zuppe.
C'è un'ampia gamma di antipasti misti: verdure grigliate, **cipolle al forno**, carciofi e **pomodori ripieni**, frittatine alle erbe, **fagiolini avvolti nella pancetta**, **salumi** e sottoli casalinghi. I primi cambiano ogni giorno, prevedendo a seconda della stagione **risotti** con erbe spontanee, **zuppe** (di funghi porcini, di farro, di fagioli, di cipolle con crostini e formaggio della vicina Latteria di Camolino), **pennoni con ricotta di pecora**, **straccetti** di farina di grano saraceno e mais conditi **con faraona e salsa *peverada***, lasagnette ai fiori di zucca conditi con crema crescenza. Il 16 febbraio, festa patronale, si cucinano le trippe. Ottima la selezione dei **formaggi**, non solo locali: Casimiro vi proporrà ricercati caci a latte crudo, anche francesi, serviti con gelatine. Le torte, tra cui frangipane con le mandorle, e i dolci al cucchiaio sono tutti casalinghi.

A **Cesiomaggiore** (15 km) Cooperativa La Fiorita, via Toschian 14: legumi tra cui i fagioli di Lamon, orzo agordino, farro, farina di mais sponcio per polenta e altri prodotti coltivati dai soci. A **Pulir di Cesiomaggiore** (15 km), in via Musil, Laura Maoret produce e vende verdure e confetture di frutta della sua azienda.

Strà
Paluello

26 km a ovest di Venezia, 14 km a est di Padova

Da Caronte

Osteria-trattoria
Via Dolo, 39
Tel. 041 412091
Chiuso martedì sera e mercoledì
Orario: mezzogiorno e sera
Ferie: 15 giorni in gennaio, 15 in agosto
Coperti: 45 + 45 esterni
Prezzi: 25-32 euro vini esclusi
Carte di credito: le principali, Bancomat

Sulla riva destra del Brenta, meno frequentata dell'altra ma non meno interessante, l'osteria Da Caronte ha sede in un vecchio edificio di campagna ben ristrutturato, con terrazza un pergolato dove ci si può accomodare nelle giornate calde. Maria Grazia in cucina e Roberto, estroso intrattenitore, propongono piatti di territorio moderatamente rivisitati, raccolti in menù stagionali che cambiano ogni due-tre settimane.
Si può cominciare con salumi quali la **bresaola di cavallo**, verdure sott'olio o torte salate, in primavera le *castraure*, per passare poi ai **bigoli in salsa d'acciughe**, agli **spaghetti con le aragostelle**, agli eccezionali **ravioli** bianconeri ripieni **di branzino e carletti** (silene), alle zuppe di pesce o di verze e zucca. Tra i secondi di carne (biologica) sono raccomandabili i **bocconcini di puledro al radicchio rosso di Treviso**, i **lessi** e le grigliate, le cosce di anatra cosparse di funghetti, l'**oca ripiena**, il timballo di verdure con casatella e polenta. In stagione, **funghi**. Chi preferisce i sapori del mare potrà gustare le **seppie in *tocio* nero**, la frittura mista, il tris di **baccalà** e il **misto *saor*** (sarde, sogliole, scampi, *moeche* e verdure, tutto marinato con cipolla). Deliziosi anche i semifreddi e gli altri dessert casalinghi: crostata della nonna, dolci all'amaretto o alle nocciole e cacao fondente, salame al cioccolato.
La carta dei vini guarda soprattutto al Triveneto ed è eccellente la selezione delle grappe (oltre 130 etichette). Nella cantinetta annessa Roberto organizza degustazioni, serate a tema e, nei martedì di novembre, incontri didattici sulla filiera del vino. Chi è in viaggio con il cane apprenderà che qui gli esseri a quattro zampe non sono ammessi.

Susegana
Colfosco

22 km a nord di Treviso ss 13

All'antica trattoria da Checco

Trattoria
Via San Daniele, 70
Tel. 0438 780027-781386
Chiuso lunedì sera e martedì
Orario: mezzogiorno e sera
Ferie: 15 giorni in gennaio
Coperti: 100 + 70 esterni
Prezzi: 24-28 euro vini esclusi
Carte di credito: le principali, Bancomat

Arrivati a Colfosco, lasciandosi il Piave alle spalle e salendo il colle della Tombola, tra filari di prosecco si giunge da Checco. Il locale ha mantenuto inalterate le caratteristiche della vecchia trattoria, dalle suppellettili alla presentazione dei piatti. Il proprietario Antonio e il figlio Matteo si dividono ai fornelli fra la trattoria e il ristorante Villa Dirce. Sempre presente è la moglie Floriana, che vi accompagnerà al tavolo e vi illustrerà il menù.
Oltre agli antipasti misti con verdure sott'olio, troviamo una selezione di affettati e, secondo stagione, il **manzo *fumegà*** con punte di asparagi bianchi e verdi o la rosa di bresaola con caprino e porcini grigliati sott'olio. Tra i primi sono sempre presenti i tagliolini o le **pappardelle al ragù d'anatra**, affiancati da piatti stagionali come le caserecce di farro e miglio con asparagi e gorgonzola o le lunette con broccoli e mandorle. Per il secondo il menù offre un'ampia scelta di carni alla brace irlandesi e nazionali, dalla costata di manzo alla tagliata di puledro, al roastbeef. Più tradizionali lo **stracotto d'asino con polenta**, il **coniglio ripieno di filetto di maiale**, il **capriolo in salmì con polenta abbrustolita**; inoltre, petto d'anatra agli agrumi del Mediterraneo. In alternativa c'è una selezione di formaggi (losa di capra, pecorino di Ripacandida, morlacco del Grappa, blu di Lodi e Castelmedievale) accompagnati da confetture fatte in casa.
La carta dei vini ha un occhio di riguardo per i prodotti veneti, ma sono presenti anche etichette nazionali. Oltre al menù alla carta, si può scegliere il menù degustazione (28,50 euro) che comprende antipasti misti, un bis di primi, due secondi, dessert e tre calici di vino abbinati ai piatti.

Tarzo
Arfanta

40 km a NO di Treviso, 12 km da Vittorio Veneto

Mondragon

NOVITÀ

Azienda agrituristica
Via Mondragon, 1
Tel. 0438 933021
Aperto venerdì sera,
sabato e domenica
Ferie: luglio e agosto
Coperti: 60 + 20 esterni
Prezzi: 19-23 euro vini esclusi
Carte di credito: nessuna

È una vecchia casa colonica rispettosamente ristrutturata, inserita in una proprietà di 12 ettari. Millecinquecento oche, pecore, maiali, asini e cavalli abitano il bosco scelto nel 1978 da Tina e Roberto, docenti di materie economiche e linguistiche, per dare "più respiro" alla loro esistenza. Nel 1982 si attiva l'agriturismo e nel 1984 entrano le oche, che diventano, con l'oca *in onto*, Presidio Slow Food. In cucina mamma Tina e per cose speciali anche papà Roberto, altrimenti impegnato nell'intrattenimento colto degli ospiti. Manuela (che dopo la laurea in Agraria ha deciso di dedicarsi a tempo pieno all'azienda), Giovanni e Andrea sono cresciuti qui; infine da oltre Manica è arrivato Michael.
I menù sono costruiti badando alle stagioni e agli animali allevati e quindi fin dagli antipasti si propongono i **salumi di oca** e maiale, il *museto* con tarassaco o spinaci, frittate, stuzzichini di fiori di acacia e sambuco, rotolini con ricotta ed erba cipollina. Tra i primi, le **tagliatelle** o gli gnocchi casalinghi al **ragù d'oca** o di maiale, **con oca e morlacco**, con la zucca o con il radicchio, il **pasticcio con polenta**, la **pasta e fagioli**, la zuppa di orzo e fagioli. Sapori forti e appaganti tra i secondi, sempre con l'**oca** protagonista: ***in onto***, **arrosto**, **con la *peverada***, **lessa con il cren**, **in umido** e **ripiena**. In alternativa **agnello al forno**, lesso o alla griglia, **pecora in cappotto**, spiedo misto, **spezzatino di maiale**, formaggio cotto con polenta. Focacce, biscotti e torte alla frutta per chiudere. Vini tutti di territorio.
Una annotazione: i due mesi di chiusura estiva sono dedicati alle oche, che in quel periodo non hanno ancora fatto la piuma e quindi, in caso di maltempo, sono a rischio di malattia.
Il locale è chiuso anche a Natale, Pasqua e il primo Novembre.

Torrebelvicino
Pievebelvicino

33 km a NO di Vicenza, 4 km da Schio ss 46

Ala sorgente

Trattoria
Via Tenaglia, 4
Tel. 0445 661233
Chiuso lunedì e martedì
Orario: sera, festivi anche pranzo
Ferie: variabili
Coperti: 40
Prezzi: 20-23 euro vini esclusi
Carte di credito: nessuna

Superata l'antica pieve, alla quale facevano riferimento tutti gli abitanti della Valle Leogra e della pianura, nella valletta detta dei Mercanti, a fianco di due grandi vasche per pesci rifornite di fresca acqua di sorgente, troverete questa piccola trattoria. Claudio, oltre ad allevare le trote, le prepara in svariati modi e con la moglie Lorenza cura questo semplice locale, dove è piacevole sostare per la serenità silenziosa dell'ambiente, l'accoglienza cordiale e l'ottima cucina. Vi sorprenderanno l'ampiezza e la cura dell'offerta enologica: circa 300 etichette, frutto di una ricerca appassionata anche tra realtà poco note.
La **trota** continua a essere il fulcro del menù: potrete gustarla **affumicata**, servita **con crauti** artigianali o con caprino fresco, come condimento delle **lasagnette** o come ripieno dei **ravioli** al pomodoro piccante, **al forno** o nello splendido **filetto di trota con verdure e speck**. In alternativa al pesce d'acqua dolce, troverete la tradizionale **polenta e *renga*** (aringa), una **minestra di orzo o di verdure** e altri primi legati alle stagioni, il **baccalà con la polenta**, bistecche di manzo e, nel periodo pasquale, agnello. Deliziosi i dolci, tutti fatti in casa: torta di grano saraceno, purea di mele con cannella, panna cotta, semifreddo con cioccolato fuso.
Tra i motivi per ritornare, il conto amichevole: 20 euro per il menù degustazione di quattro portate, poco di più scegliendo alla carta. Onesti anche i ricarichi sui vini.

Torreglia

16 km a SO di Padova

La tavolozza

NOVITÀ

Ristorante
Via Boschette, 2
Tel. 049 5211063
Chiuso il mercoledì e giovedì a pranzo
Orario: mezzogiorno e sera
Ferie: due settimane in agosto
Coperti: 80 + 70 esterni
Prezzi: 30 euro vini esclusi
Carte di credito: tutte tranne AE, Bancomat

Il territorio di Torreglia si divide equamente tra pianura e collina, in particolare quella del Parco regionale dei Colli Euganei. Un territorio ricco anche di testimonianze storiche come la Villa dei Vescovi e l'eremo di Monte Rua. Qui troviamo il ristorante La Tavolozza, guidato in cucina da Fabio Dal Santo e Filippo Bondi, in sala da Paolo Butti (sommelier) e Fabiana Pedron. La sala, molto ampia e luminosa, è corredata da una veranda e nella bella stagione si aggiungono alcuni tavoli in un ampio giardino.
Nel menù compaiono molti piatti della tradizione padovana e regionale: animali da cortile, il **baccalà mantecato**, in insalata o, nei mesi invernali, **alla vicentina** e il **piccione** (*torresan*), specialità contesa con la vicentina Breganze. Come antipasto potremo gustare i fiori di zucca fritti, **salumi d'oca**, **soppressa**, lardo e prosciutto di Montagnana. Le **tagliatelle** e l'altra pasta, sempre fatta in casa, sono condite **con sugo d'anatra**, ragù di coniglio, verdure di stagione. Anche i **risotti** (si usa il riso di Grumolo delle Abbadesse, Presidio Slow Food) seguono l'andamento stagionale. La carne alla griglia, tra cui costata di sorana, manzo e **agnello**, fa da padrona tra i secondi assieme al **fegato di vitello alla veneziana** e alla **faraona in porchetta**. In inverno si possono trovare anche l'**oca** e preparazioni di **selvaggina**. Da provare i dolci, tutti casalinghi.
La cantina è ricca di etichette dei Colli Euganei, con presenza di vini da tutta Italia e una piccola selezione di esteri.

Trevenzuolo
Fagnano

22 km a sud di Verona

Alla pergola

Trattoria
Via Nazario Sauro, 9
Tel. 045 7350073
Chiuso il lunedì e martedì sera
Orario: mezzogiorno e sera
Ferie: gennaio e agosto
Coperti: 50
Prezzi: 25 euro vini esclusi
Carte di credito: le principali, Bancomat

Nella Bassa veronese, quasi ai confini con il Mantovano, la frazione di Fagnano, poco lontano da Trevenzuolo e Isola della Scala, ospita la trattoria Alla Pergola, un locale che sembra costituire un ideale punto di contatto fra la tradizione culinaria veronese e quella mantovana.
Come primi piatti, da non perdere i classici **tortelli** ripieni **di carne** (serviti asciutti o in brodo), i **tortelli alla zucca** (tipici del Mantovano), i ravioli con le verdure di stagione. Altro primo della tradizione è lo squisito **risotto con la carne** di manzo e di maiale tagliata al coltello (in zona si produce il riso vialone nano veronese igp). Da provare anche le **lasagnette col ragù di *musso*** (asino). Attenzione a non esagerare con i primi, parecchio abbondanti, perché si rischia di arrivare già sazi al pezzo forte del locale, costituito dallo splendido carrello del **bollito misto**, tra i migliori che possiate trovare nel Veronese, dal quale si possono scegliere i diversi tagli: **lingua** (bollita o salmistrata), **manzo**, **gallina**, **testina**, **nervetti**, **cotechino**. Il lesso va accompagnato, come da tradizione, con l'immancabile salsa ***pearà***, ma anche con la **salsa verde**, le **mostarde** e il **cren**. In alternativa ai bolliti si può optare per l'altrettanto invitante carrello degli **arrosti**, pure tagliati al momento, con carni **di pollo, maiale e manzo**. Tra i dolci, una menzione particolare va alla torta **sbrisolona**. In alternativa, il tiramisù, la millefoglie o la frutta fresca di stagione.
Piccola la lista vini, ma con proposte interessanti, che ben si sposano con il semplice, rustico menù.

A **Vigasio** (6 km) la riseria Gazzani, in via Zambonina 40, lavora nella vecchia pila in legno i risi selezionati presso agricoltori di fiducia della Bassa veronese.

IL BASILISCO

Ristorante
Via Bison, 34
Tel. 0422 541822
Chiuso la domenica e lunedì a pranzo
Orario: mezzogiorno e sera
Ferie: due settimane in agosto
Coperti: 40 + 40 esterni
Prezzi: 35 euro vini esclusi
Carte di credito: tutte, Bancomat

Il ristorante di Diego Tomasi, collocato nella prima periferia orientale di Treviso, non è facilmente raggiungibile, ma vale la pena fare una piccola ricerca. Di apertura relativamente recente, si è rapidamente imposto all'attenzione dei trevigiani per la qualità della cucina e dei prodotti. Diego prepara quasi tutto in casa: pasta, pane, dolci, sottoli, salumi, selezionando con cura le materie prime. Il suo menù giornaliero, dice, «è al servizio del mercato», nel senso che non ordina niente, acquista ciò che trova fresco, non usa prodotti surgelati. Valorizza molto il cosiddetto quinto quarto e i prodotti dei Presìdi Slow Food.
Nell'ampia scelta di piatti, tra gli antipasti troverete **carne *salada*** di propria produzione (il patron è di origini trentine) con rucola e bastardo del Grappa, manzo crudo piemontese con pan carré, **galantina di coniglio *de casada***, moscardini di Caorle caldi con patate e maggiorana, gamberi scottati con salsa di cetrioli all'extravergine ed erba cipollina. Tra i primi, **gnocchi di ricotta di malga**, **pappardelle con rognoncini di coniglio**, risotto con asparagi bianchi di Badoere, tagliatelle con seppie in *tecia*. Anche i secondi alternano terra e mare: roastbeef di scapola di manzo di razza piemontese con purè di patate all'extravergine, **coscia di agnello alpagoto rosolato al timo** con purè di zucchine, filetto di orata pescata ad amo con pangrattato e melanzane alla maggiorana, fricassea di piovra con cipollotto tropeano estivo, carote e zenzero fresco.
La cantina è fornita di circa 350 etichette, con molte proposte di abbinamenti, di bottiglie da consumare a bicchiere, di vini quotidiani; c'è anche una piccola selezione di birre. Coperto e servizio non vengono messi in conto.

VINERIA

Osteria di recente fondazione-enoteca
Via Castellana
Tel. 0422 210460
Chiuso la domenica
Orario: 10.30-14.30/18.00-24.00
Ferie: non ne fa
Coperti interni: 40 + 50 esterni
Prezzi: 37-40 euro vini esclusi
Carte di credito: le principali, Bancomat

È questo un locale che in pochi anni si è guadagnato credibilità e popolarità anche al di fuori dell'ambito cittadino; lo trovate appena fuori Treviso, all'inizio della statale per Vicenza, dove è nato come enoteca, evolvendo poi grazie ai fondatori Omar e Andrea, oggi coadiuvati da un affiatato *team* di giovani.
Entrando dirigetevi nella sala di destra, dove fanno bella mostra di sé le oltre 1500 etichette disponibili, numerose anche al bicchiere, a rappresentare tutte le regioni d'Italia e diversi altri Paesi, oltre a una selezione di distillati e prodotti gastronomici davvero invitante. Tra le proposte della cucina, di eterogenea ispirazione, potrete iniziare con **soppressa** nostrana e **giardiniera** casalinga, carne cruda di razza piemontese battuta al coltello, mozzarella di bufala fritta con farina di mais biancoperla. Passando ai primi, d'inverno il territorio impone la ***sopa coada***; da non perdere la **crema di fagioli con radicchio rosso tardivo di Treviso** e le tagliatelle fatte in casa con i porcini del vicino Cadore. In alternativa, i paccheri di Gragnano con sughi di stagione o con il tonno fresco e gli spaghetti con la bottarga del Presidio Slow Food. Tra i secondi un ottimo **filetto di maiale con finferli**, la tagliata di roastbeef, la bistecca, dal mare di Sicilia il tonno al sesamo.
Il carrello dei **formaggi** presenta sempre selezioni interessanti in abbinamento a confetture e mostarde. I dolci, tutti preparati in casa, possono essere accompagnati da diversi vini da dessert.

Osteria accessibile ai disabili.

VALDAGNO
Contrà Maso

45 KM A NO DI VICENZA SP 246

HOSTARIA A LE BELE 

Trattoria
Via Maso, 11
Tel. 0445 970270
Chiuso il lunedì e martedì a pranzo
Orario: mezzogiorno e sera
Ferie: agosto
Coperti: 80
Prezzi: 33 euro vini esclusi
Carte di credito: tutte, Bancomat

Il ricordo delle *bele,* le leggiadre ostesse che gestivano questo locale negli ultimi anni dell'Ottocento, è ancora avvertibile negli arredi (vecchi mobili e il caminetto), nella cortesia dell'accoglienza e nei piatti proposti dai fratelli Pianegonda. Il menù, pur essendosi molto arricchito, ha mantenuto l'impostazione originaria, attenta alle tradizioni e incentrata sulla stagionalità dei prodotti.
Particolarmente interessante è l'antipasto della casa, una passerella di sapori del territorio che al prosciutto crudo dei Berici affianca altri **salumi**, sformatini, verdure in pastella e **polentina con la fonduta**. Tra i primi, nel periodo primaverile potrete trovare il **risotto con** le erbette o **i bruscandoli**, la **zuppa di asparagi**, le fettuccine con le spugnole, durante l'inverno i **gargati con il consiero** o gli **gnocchetti** conditi **con burro e cannella**. Tra i secondi da segnalare, oltre ai piatti di **selvaggina**, la **gallina *imbriaga*** cotta **in umido** e accompagata da una polenta morbida, il **baccalà alla vicentina** e la **bondola**, un insaccato **con la lingua** servito con i broccoli. Se passate di qua tra gennaio e marzo potrete gustare **polenta e soppressa** con il radicchietto vicentino (*rampussoli*) al consiero. Tra i dolci merita un assaggio la ***putana*** vicentina con lo zabaione.
Discreta la carta dei vini, con interessanti etichette locali. Alcuni dei vini in carta sono serviti anche a bicchiere.

A **Valdagno** (3 km), Carlotto Liquori, via Garibaldi 30: il rosolio da ricetta ottocentesca, l'Amaro Novecento, lo zabaione, il Fior d'Agno, il Biancorosso, il cordiale. In contrà Bernardi 10, agriturismo Al Ranch: soppressa e altri salumi tradizionali.

VALDOBBIADENE
San Pietro di Barbozza

38 KM A NO DI TREVISO

TRATTORIA ALLA CIMA

Ristorante
Via Cima, 13
Tel. 0423 972711
Chiuso lunedì e martedì
Orario: solo la sera
Ferie: 6-31 gennaio, prima settimana di luglio
Coperti: 90 + 90 esterni
Prezzi: 27-30 euro vini esclusi
Carte di credito: tutte, Bancomat

Il ristorante è inserito in un vecchio casolare ristrutturato con gusto e sobrietà. Ci si arriva dopo aver risalito una collina ricca di vigneti (la famiglia Rebuli, che gestisce il locale, produce anche un buon Prosecco). Dalla terrazza coperta si offre alla vista un bel panorama, mentre in sala domina il caminetto centrale dove con maestria si occupa della griglia il papà Antonio.
Sarete accolti dal figlio Isidoro e dalla moglie Grazia che vi proporranno piatti tipici del territorio a cominciare dagli antipasti: alla *merenda del mazarol* (**soppressa** tritata e saltata **in tegame con ricotta** fresca) si affiancano in primavera le punte d'asparago con salame gratinato, in autunno il **timballo di polenta con ricotta e funghi**, in inverno l'**involtino di radicchio spadone**. A seguire **crespelle** (al montasio, con i bruscandoli, con i funghi), **gnocchi** di patate **in salsa di lepre**, **risotti** con verdure, tagliolini con finferli e crescenza. Come secondo, potete optare per le **carni alla griglia** per le quali il locale è famoso o farvi consigliare piatti caratteristici quali il **capretto allo spiedo**, le nocette di maiale, il controfiletto all'aceto balsamico, la **faraona disossata ai bruscandoli**, in stagione le **lumache**. Nel fine settimana, prenotandolo, si può avere lo spiedo misto. In menù anche qualche piatto di pesce. Per finire, dolci casalinghi.
Oltre al Prosecco di propria produzione troverete una carta di circa 150 vini, molto curata e illustrata con le mappe a colori dei vari cru. Qualche digressione estera, ben intonata, completa la carta. I ricarichi sono corretti. Una buona scelta di distillati corona il pasto in un ambiente dall'atmosfera senz'altro gradevole.

VALEGGIO SUL MINCIO
Salionze

25 KM A SO DI VERONA

ALLA PASSEGGIATA

Ristorante
Via del Garda, 132
Tel. 045 7945009
Chiuso martedì sera e mercoledì
Orario: mezzogiorno e sera
Ferie: novembre
Coperti: 120 + 30 esterni
Prezzi: 20-30 euro vini esclusi
Carte di credito: le principali, Bancomat

Dal 1940 la famiglia Mischi gestisce questo locale subito dopo la frazione di Salionze, a lato della strada che collega Peschiera del Garda a Valeggio sul Mincio, abbastanza comodo da raggiungere anche per chi percorre l'autostrada A4 e ha poco tempo a disposizione. La Passeggiata è un ristorante senza particolari pretese: salone da banchetti all'interno (la domenica è affollato, negli altri giorni della settimana regna la quiete), un dehors essenziale per la bella stagione, niente fronzoli nell'arredo, gestione familiare, prezzi contenuti. La cucina però è solida e di tradizione: Vittorio, Franca e Claudio Mischi sviluppano un menù collaudato nel tempo, basato in netta prevalenza sul territorio.
Potete cominciare con l'antipasto di **salumi** con i sottaceti o il **luccio in salsa**, per continuare con le ottime paste fatte in casa: i classici **tortellini** di Valeggio conditi **con burro fuso** (a richiesta in brodo), i **tortelli** ripieni **di ricotta e spinaci**, i **bigoli al torchio con l'anatra**, i **tortelli di zucca**, le **pappardelle alla lepre** (potete chiedere un tris, servito in successione). In carta anche la **pasta e fagioli** e le ***paparèle coi fegadini*** (tagliolini in brodo con frattaglie). Tra i secondi, da segnalare le carni alla griglia e il **coniglio al forno**, da abbinare alle saporite, croccanti patate fritte, tagliate a coltello. Spesso disponibili anche le **trippe alla parmigiana** o il **baccalà**. Di produzione propria i dolci, come la burrosa **torta delle rose**, il salame di cioccolato, la zuppa inglese.
Piccola lista di vini, specie della zona.

I classici tortellini di Valeggio si possono acquistare, assieme ad altra pasta fresca al pastificio artigiano di Luciana e Guido Remelli, in via Sala 24, di fronte alla chiesa parrocchiale.

VALEGGIO SUL MINCIO
Santa Lucia ai Monti

25 KM A SO DI VERONA

BELVEDERE

Ristorante annesso all'albergo
Località Santa Lucia ai Monti, 12
Tel. 045 6301019
Chiuso mercoledì e giovedì
Orario: mezzogiorno e sera
Ferie: 15 gg in febbraio, 1 sett in giugno, 3 in novembre
Coperti: 160 + 160 esterni
Prezzi: 25-35 euro vini esclusi
Carte di credito: le principali, Bancomat

Entrando in questo ristorante-albergo (sette camere) il vostro sguardo sarà attratto dalla grande griglia attorno alla quale sono affaccendate varie donne: state assistendo "dal vivo" alla cottura delle carni che troverete in tavola. Capitando sulla collinetta della Santa Lucia ai Monti, a metà strada tra Custoza e Valeggio sul Mincio, in una bella giornata di sole, potrete mangiare all'aperto all'ombra dei grandi alberi. All'interno sono disponibili tre sale, dall'arredo semplice ma curato.
La famiglia Bressanelli vi accoglie con un servizio cordiale e una cucina casalinga collaudatissima. Si incomincia con l'antipasto di **salumi** locali, alcuni di produzione propria, o con il **luccio in salsa con polenta**. Sempre di pasta fatta a mano, i primi si esprimono al meglio nei **tortellini** di Valeggio (**con burro fuso** o **in brodo**) dalla sottile sfoglia che racchiude il ripieno di carne (manzo, vitello e maiale). Poi, altrettanto eccellenti, **bigoli al torchio con ragù di carne**, **tortelli di zucca**, **tagliatelle** ai funghi o **con il sugo di lepre**. La proposta dei secondi predilige ovviamente le carni alla brace: imperdibile il **pollo ai ferri**, ma sono validissimi anche il **filetto di cavallo** e di manzo, la costata e gli **spiedini** di carni miste. Lo **stinco di maiale al forno**, la **lepre in salmì** e la **faraona alle olive** rappresentano valide alternative. Gustose le verdure di stagione. Fatti in casa i dolci: tiramisù, **sbrisolona**, millefoglie al cucchiaio.
La carta dei vini è attenta al territorio e corretta nei ricarichi, con il pregio di proporre anche le mezze bottiglie.

Il dolce tipico di **Villafranca di Verona** (10 km) è la friabile, burrosa sfogliatina: ottima la versione delle pasticcerie Molinari e Roveda.

VAPORETTO FERMATA RIALTO

AL DIAVOLO E L'ACQUASANTA

NOVITÀ

Osteria tradizionale
San Polo, 561 B-Calle della Madonna
Tel. 041 2770307
Chiuso lunedì sera e martedì
Orario: mezzogiorno e sera
Ferie: 2 sett tra giugno e luglio, 2 tra novembre e dicembre
Coperti: 22 + 12 esterni
Prezzi: 32-35 euro vini esclusi
Carte di credito: nessuna

Storica e popolare osteria situata nel cuore pulsante di Rialto, gestita da sempre da Silvano (in sala) e dalla moglie Anna (in cucina), propone ai suoi clienti le ricette dell'antica tradizione veneziana. Fin dal mattino alle 9.30, all'apertura del locale, il bancone dei *cicheti* si presenta ampio e curato, offrendo assaggi che vanno dalle classiche polpette di carne e di pesce ai ***folpeti***, dalle **sepe in nero**, ai vari baccalà, fino ad arrivare nei mesi più freddi a un classico e rinomato ***museto de casada***. A partire dall'ora di pranzo, seduti ai tavoli si possono gustare piatti che variano a seconda della stagione e di quello che offre il vicino mercato di Rialto.
A mezzogiorno, in particolare, c'è la possibilità di scegliere fra due o tre primi e altrettanti secondi a prezzi convenienti (8 euro un primo, 12 euro un secondo). Questo attira anche molti clienti locali, trasformando l'osteria in uno scorcio di vita tipicamente veneziana. Più elaborata e ampia la scelta serale. Fra i primi si distinguono gli spaghetti al nero di seppia, i **bigoli in salsa** o **alla *busara***, i **tagliolini ai frutti di mare** e, nei mesi più freschi, la **zuppa di trippe** e la **pasta e fagioli**. Per i secondi piatti, rimanendo sul pesce, possiamo trovate orate, branzini e rane pescatrici ai ferri, il **fritto misto** servito **con la polenta**, le seppie ai ferri o in nero e, d'inverno, il **bollito misto** della casa.
Buone *ombre* di vino sfuso assieme ad alcune etichette regionali e nazionali accompagnano i piatti.

VENEZIA

VAPORETTO FERMATA RIALTO

ALLA BOTTE

NOVITÀ

Osteria
San Marco, 5482-Calle della Bissa
Tel. 041 5209775
Chiuso domenica sera
Orario: mezzogiorno e sera
Ferie: 15 giorni in gennaio
Coperti: 40
Prezzi: 35 euro vini esclusi
Carte di credito: tutte

Questa antica osteria nei pressi di campo San Bartolomeo prende il nome dalla forma del banco che serviva alla mescita quando si somministravano solo *ombre* e *cicheti*. Depone a suo favore, e rende indispensabile prenotare, il fatto che sia prevalentemente frequentata da veneziani. Non è molto grande e i coperti sono articolati in due sale, ben curate, con travi a vista. La gestione è affidata a tre giovani soci, Marco e Cristiano in sala e Matteo in cucina. Sulle due lavagne è riportato il menù, che varia spesso anche se alcuni piatti forti della tradizione veneziana sono proposti ogni giorno. La cucina fa uso di prodotti di stagione, prevalentemente del territorio.
Si può iniziare con un generoso antipasto di **pesce misto**. Fra i primi, particolarmente curati, si possono gustare gli spaghettini con vongole e cozze, le **bavette allo scoglio**, gli spaghetti con l'astice, un **pasticcio di verdure** di stagione e, nei mesi freddi, la **pasta e fagioli** e i **bigoli in salsa**. Interessanti i secondi: guancette di rana pescatrice al forno, **frittura mista**, **baccalà mantecato** e **alla vicentina**, **seppie in nero** e un **fegato alla veneziana** fatto sempre espresso. Per finire non mancano i dolci fatti in casa, ***zaleti*** e *buranei* e, d'inverno, un sontuoso **tiramisù**.
Prosecco e Tocai sfusi accompagnano i piatti; in alternativa ci sono alcune etichette regionali e nazionali con ricarichi corretti.

VAPORETTO FERMATA CA' D'ORO

CA' D'ORO DETTA ALLA VEDOVA

Osteria tradizionale
Cannaregio, 3912-ramo Ca d'Oro
Tel. 041 5285324
Chiuso il giovedì e domenica a pranzo
Orario: mezzogiorno e sera
Ferie: due settimane in agosto
Coperti: 60
Prezzi: 30-32 euro vini esclusi
Carte di credito: le principali

Il locale, che fino all'anno scorso era segnalato nell'itinerario "Un giro di *ombre*", si raggiunge percorrendo la Strada Nova fino a incrociare la piccola calle dove spicca l'insegna dell'osteria. Gestita in modo familiare da Mirella e Renzo, propone in un ambiente semplice ma curato una buona cucina di tradizione, a prezzi difficilmente riscontrabili a Venezia. Un'ampia serie di assaggini, soprattutto di pesce, in bella vista in un'ampia vetrina, permette già nella tarda mattinata di fare una sosta ristoratrice in piedi con *folpeti* lessi e in umido, *sarde in saor*, seppie arrostite, polpettine di pesce e di carne, baccalà mantecato accompagnati da un'*ombra* di vino bianco o nero sfusi o di qualche etichetta regionale. Se invece si ha un po' di tempo ci si può fermare per consumare seduti un pasto completo, anche se non dovete aspettarvi tovaglie di Fiandra sui tavoli, che sono quelli lunghi tipici delle vecchie osterie.
Come antipasto si può comporre un bel piatto con i *cicheti* esposti nella vetrina. Fra i primi piatti potrete gustare gli **spaghetti alla *busara*** o alle vongole, le **bavette al nero di seppia** e, in inverno, la **zuppa di fagioli** o di verdure. Di tradizione anche i secondi piatti: **frittura di pesce**, seppie in nero, **polpetti in umido**, ***schie*** (gamberetti di laguna) **fritte** e un superbo **fegato alla veneziana**. Tutti i secondi sono serviti con contorno di **polenta**. Come fine pasto ***zaleti*** e *bussolai* croccanti accompagnati da un vino dolce sfuso.

VAPORETTO FERMATA PONTE TRE ARCHI

DALLA MARISA

Trattoria
Cannaregio, 652 B-Fondamenta San Giobbe
Tel. 041 720211
Chiuso le sere di domenica, lunedì e mercoledì
Orario: mezzogiorno e sera
Ferie: agosto e Natale
Coperti: 25 + 35 esterni
Prezzi: 32-35 euro vini esclusi
Carte di credito: nessuna

È una delle ultime vere trattorie popolari di Venezia: cucina di stretta tradizione regionale, molti avventori del posto – anche gondolieri –, prezzi accessibili. Certo non si sta proprio al largo e, soprattutto nella pausa pranzo, quando il menù è ridotto rispetto a quello serale, l'affollamento rasenta il caos. Ma il servizio di Wanda e Stefano, figli della cuoca-patronne Marisa, è sempre svelto ed efficiente, e la qualità del cibo tale da compensare abbondantemente il disagio.
Il menù, elencato a voce, segue un doppio binario: quasi esclusivamente carne nei mesi freddi, pesce in estate. In autunno-inverno si possono quindi gustare **tagliatelle** e **gnocchi** casalinghi conditi **con sugo** di cinghiale o **di *masaro*** (maschio dell'anatra), con ragù di vitello o con verdure di stagione (zucchine, asparagi, funghi), e ottimi **risotti**: se disponibile assaggiate quello **in *caroman***, con carne di castrato. Come secondo, l'eccellente **fagiano ripieno arrosto**, il cervo in salmì, il petto d'anatra al forno e, se si è fortunati, lo **sguazzetto alla *bechera***, con trippa e frattaglie. Nel mese di novembre, per la festa della Madonna della Salute, si può degustare anche la *castradina*, piatto entrato nella tradizione veneziana durante un'epidemia di peste. Nel periodo estivo il menù si trasforma e vengono alla ribalta i pesci: branzino marinato con peperoni, ***folpeti* in umido con polenta**, ***peoci* al forno**, **baccalà mantecato**, pasticcio di pesce, fragranti fritture di laguna o di mare, dipendenti dall'approvvigionamento giornaliero.
Purtroppo non c'è carta dei vini, ma lo sfuso è accettabile.

VAPORETTO FERMATA CA' REZZONICO

LA BITTA

Osteria con cucina
Dorsoduro, 2753 A-Calle Lunga San Barnaba
Tel. 041 5230531
Chiuso la domenica
Orario: 18.30-02.00
Ferie: variabili
Coperti: 28 + 12 esterni
Prezzi: 32-35 euro vini esclusi
Carte di credito: nessuna

Nei pressi dell'Accademia di Belle Arti, nella calle che da campo San Barnaba porta verso la chiesa di San Sebastiano, troviamo questa piccola osteria. Nata come *bàcaro* dove fermarsi per bere un'*ombra* o sbocconcellare un *cicheto*, oggi è un locale dove si fa ristorazione semplice ma di qualità. L'ambiente è piacevole, composto da una piccola sala arredata con qualche tocco liberty e da una minuscola corte interna per le serate estive. In sala troverete Debora, mentre in cucina non troverete il marito Marcellino (stanno aprendo un locale a Mira) ma Michele.
La cucina è orientata sulla carne, sulle verdure e sui formaggi, cosa non usuale per Venezia. Il menù cambia giornalmente, in base alle stagioni e alle disponibilità del mercato. Per cominciare c'è una buona scelta di antipasti: **porchetta trevisana** servita con sale grosso e rosmarino, **soppressa *de casada***, insalatina di pollo con verdure di stagione, formaggio monte veronese al Durello su insalatina di pere e noci, **lumache in guazzetto**, carpaccio di manzo affumicato con vinaigrette balsamica. Come primo, la **zuppa di fagioli e orzo**, i garganelli alla finanziera, le **tagliatelle con il sugo d'asino** o di castrato, le linguine o gli **gnocchi con ragù di carni bianche**, gli agnolotti al burro fuso. Tra ii secondi il **coniglio in casseruola con carciofi**, il **galletto al vino**, l'**ossobuco in *tecia***, il brasato al Cabernet, il **fegato alla veneziana**, gli straccetti di pollo e finferli, l'**anatra in salsa *peverada***, il **capretto arrosto**. Per finire, una buona selezione di formaggi con miele e mostarda e i dolci fatti in casa.
Molto corretta la carta dei vini, una sessantina di etichette del Triveneto alcune delle quali disponibili anche a bicchiere: lasciatevi guidare da Debora.

VENEZIA, UN GIRO DI OMBRE

«Però [...] bada di avere denaro nella tua borsa, molto denaro, perché il lastricato di Venezia costa assai, e se conservi l'abitudine d'alzare frequentemente il gomito, ti può succedere quello che è avvenuto al mercante di Venezia caduto nelle unghie di Shylok». Il monito che, nella sua *Guida spirituale delle osterie italiane da Verona a Capri* (1909), il tedesco Hans Barth immaginava rivolto a un suo conterraneo dell'epoca di Teodorico non ha, ahinoi, perso d'attualità. Anzi. La corsa folle dei prezzi è una delle ragioni per le quali diventa sempre più difficile individuare posti di ristoro raccomandabili nella città lagunare. Anche quando, come per questo itinerario, la ricerca ha per oggetto non luoghi dove consumare un pasto canonico, ma indirizzi da *ombre*, dove cioè sia possibile rinverdire la consuetudine del bicchiere di vino da sorseggiare al banco, sbocconcellando qualche *cicheto* (stuzzichino) e *ciacolando* con gli altri avventori. Una sorta di "fast food tradizionale" che sembrerebbe conciliare perfettamente le esigenze di rapidità del turista con il desiderio di venire a contatto con lo spirito della città. E che funzionerebbe benissimo se i visitatori in marcia per calli, vaporetti e musei fossero meno numerosi di come sono e se, appunto, i conti da rapina non costituissero una regola pressoché generale.
I locali che recensiamo rappresentano sotto questo aspetto – pur praticando prezzi inevitabilmente più alti della media di altre città – lodevoli eccezioni. In molti di essi si cucinano anche piatti caldi, ma non dimenticate che è come posti da spuntini che li segnaliamo. Basta però scorrere l'elenco delle "munizioni da bocca" esposte sui loro banchi per capire che le vere *cicheterie* e i vecchi *bàcari* sono ormai una piccola minoranza. Tartine e panini di stile "moderno", non dissimili da quelli che si trovano nei buoni bar di qualsiasi metropoli europea, hanno sostituito quasi ovunque gli stuzzichini peculiari di Venezia. Anche nelle osterie più legate alla tradizione il repertorio si ferma alle uova sode, alle polpette di

carne, al baccalà, alle sarde in *saor*, ai *folpeti*. Mentre ancora pochi anni fa era normale trovare – se non milza, *coradea* e altre frattaglie – una grande varietà di pesci e molluschi, dalle sogliole alle *masanete*, dai *garusoi* ai *canestrei*, e poi latti di seppia, *bovoeti* (lumachine di terra), *cilele* (fondi di carciofo) e altre verdure impastellate e fritte... È una perdita di "biodiversità gastronomica" grave, solo in parte compensata dall'evoluzione positiva che si è avuta sul fronte del vino: le *ombre* di oggi non sono più pittoreschi ma quasi sempre mediocri sfusi, in molti casi la selezione delle etichette offerte anche a bicchiere è ampia, per ogni bottiglia ci sono il calice appropriato e il servizio è molto competente.
Hans Barth, al quale interessava solo il bere, si compiaceva della sopravvivenza a Venezia di tutte le osterie che gli erano care. Noi dobbiamo invece registrare l'uscita dal nostro itinerario, per questioni di prezzi o di cambio di gestione o di eccessiva pressione turistica, di alcuni locali; ma a preoccuparci è soprattutto il restringersi del ventaglio di *cicheti* "storici". Vogliamo sperare che non sia una tendenza irreversibile.

Letizia Palesi

Da alberto

Vaporetto fermata Rialto
Osteria con cucina
Cannaregio 5401-Calle Giacinto Gallina
Tel. 041 5238153
Chiuso la domenica
Orario: 10.30-15.00/18.30-23.00
Ferie: una settimana in gennaio, ultime due settimane di luglio e prima di agosto

Nell'osteria di Giovanni e Graziano ogni giorno oltre ai classici *cicheti* ci sono due primi e due secondi piatti, suggeriti dalla stagionalità dei prodotti e dall'estro del cuoco. Ad esempio, risotto di scampi e verdure, frittura di pesce, baccalà fritto, in umido o mantecato. Il venerdì e il sabato, giorni di maggior frequentazione, il pasto può concludersi con una serie di dolci secchi accompagnati da crema pasticciera. Per i vini, oltre allo sfuso delle Grave ci sono etichette venete e friulane. Due portate – un antipasto e un primo o un primo e un secondo con un'*ombra* – vi costeranno circa 25 euro.

All'arco

Vaporetto fermata San Silvestro
Osteria tradizionale
San Polo, 436-Rialto
Tel. 041 5205666
Chiuso la domenica
Orario: 08.00-16.00
Ferie: Natale, Pasqua e agosto

Nelle ore di punta, verso mezzogiorno, si fa quasi fatica a entrare in questo piccolo locale dove sembra che tutti si conoscano. Per fortuna d'estate e anche d'inverno, tempo permettendo, si trova un po' di spazio su piccoli tavolini sulla calle. L'oste Francesco provvede con maestria all'esposizione dei *cicheti*, gustosi e molto curati: crostini a base di speck con il gorgonzola o con robiola e funghi che accompagnano piacevoli vini sfusi; in particolare, oltre a un bel Prosecco che è di gran lunga il vino più servito, troviamo altri bianchi e rossi del Veneto e del Friuli. La fantasia della piccola cucina si manifesta con altri spuntini come le melanzane o le zucchine con prosciutto e mozzarella e, in stagione, con involtini di asparagi e fiori di zucca ripieni di ricotta e speck.

Al bacareto

Vaporetto fermata San Samuele o All'Angelo
Osteria-trattoria
San Marco, 3447-San Samuele
Tel. 041 5289336
Chiuso sabato sera e domenica
Orario: 07.30-23.00
Ferie: agosto

Storico *bàcaro* situato tra Campo Santo Stefano e Palazzo Grassi, è gestito da Emilio e dai due figlioli che continuano la tradizione di famiglia, mantenendo l'offerta di *cicheti* per tutto l'arco della giornata. Buone *ombre* di bianco sfuso accompagnano al banco il baccalà impastellato e fritto, le sarde in *saor*, polpettine e vari stuzzichini di pesce, anche azzurro. Sempre in piedi, all'ora di pranzo si può rubare alla cucina un risottino di pesce. Con una sessantina di posti all'interno e una quindicina nel dehors, il locale offre anche un servizio di ristorazione; il prezzo di un pasto completo, data la centralità della zona, può variare dai 35 ai 45 euro.

Cantinone
Vaporetto fermata Zattere
Osteria-enoteca
Dorsoduro, 992-San Trovaso
Tel. 041 5230034
Chiuso la domenica
Orario: 08.30-20.30
Ferie: due settimane in agosto

Bella osteria ottocentesca con travi a vista e arredo d'epoca proprio di fronte all'antico caratteristico *scuero* di San Trovaso, a due passi dalle Zattere. Ci si può fermare per un'*ombra* in piedi (una decina di bottiglie, tra bianchi e rossi), un panino con buoni salumi o formaggi, un *cicheto* tradizionale o avventurarsi tra i pluripremiati crostini di mamma Alessandra: con salsa tartara e cacao amaro, o salsa di noci, ricotta e ribes. Tra le bottiglie da asporto non c'è che l'imbarazzo della scelta: etichette venete, toscane e piemontesi. E una selezione di whisky scozzesi di puro malto.

Cavatappi
Vaporetto fermata Rialto o San Zaccaria
Bar-enoteca
San Marco, 525-Campo de la Guerra
Tel. 041 2960252
Chiuso il lunedì
Orario: 09.00-18.00, venerdì-domenica 09.00-24.00
Ferie: un mese in inverno

Piccolo locale curato, moderno, luminoso, con tavolini anche all'aperto, è situato tra San Marco e Campo Santa Maria Formosa. Qui niente *cicheti* tradizionali, ma ricercate selezioni di formaggi e vini delle varie regioni italiane proposti a rotazione ogni due mesi, oltre a buoni tramezzini e crostini, per accompagnare un calice di vino da scegliere tra una ventina di proposte. All'ora di pranzo ci sono alcuni stuzzicanti primi (8-12 euro), la sera (dal martedì al giovedì solo su prenotazione) piatti più elaborati e ricercati come il fondo di patate con pesce spada, melanzane e pomodorini e la richiestissima tagliata di tonno con aceto balsamico e verdurine. Il costo per un pasto completo a base di pesce può variare dai 35 ai 40 euro.

Alla ciurma
NOVITÀ
Vaporetto fermata Rialto
Osteria tradizionale
San Polo, 406-Calle Galiazza
Tel. 041 5239514
Chiuso la domenica, mai da ottobre a maggio
Orario: 8.00-23.00
Ferie: non ne fa

All'inizio della "ruga" di Rialto troviamo questa piccola ma accogliente osteria. Nel locale, gestito da Francesco e dal padre Andrea, c'è la possibilità di gustare in piedi – i posti a sedere sono pochi – curati *cicheti*: cagnoletti e passerini (caratteristici pesci di laguna) in *saor*, crostini caldi, panini con salumi di qualità, insalate di pesce fresco. Solo su prenotazione si preparano pesce crudo e primi piatti a base di pesce. Interessante la selezione di formaggi veneti, anche stagionati, serviti con gelatine di frutta o con qualche goccia del vero aceto tradizionale di Modena. Possono accompagnare i piatti un buon Cabernet Franc e un Tocai sfusi, assieme ad alcune etichette nazionali anche a bicchiere.

Al garanghèlo
Vaporetto fermata Giardini
Osteria con cucina
Castello, 1621-via Garibaldi
Tel. 041 5204967
Chiuso il lunedì
Orario: 09.00-23.00
Ferie: variabili

Via Garibaldi vale una visita anche fuori dalla baraonda della Biennale: è la zona più popolare della città, dove si sente ancora parlare veramente veneziano dovunque. Al Garanghèlo trovate un fornitissimo bancone di *cicheti* tradizionali (polpette, *folpeti*, pesce fritto…) che potete anche gustarvi ai tavoli esterni con un bicchiere di vino. Per il resto il menù va un po' troppo incontro alle esigenze dei turisti di passaggio: lasagne, orecchiette eccetera.

La mascareta
Vaporetto fermata Rialto
Osteria-enoteca
Castello, 5183-Calle Lunga Santa Maria Formosa
Tel. 041 5230744
Chiuso mercoledì e giovedì
Orario: 19.00-02.00
Ferie: variabili

Mauro Lorenzon – lo scoppiettante inventore delle enoiteche – è il patron di questa segnalatissima enoteca, accogliente e piacevole. Alle spumeggianti proposte in mescita si accompagnano interessanti selezioni di salumi e formaggi e alcuni piatti caldi: crespelle con asparagi e cappesante, pasticcio di carni di maiale e vitello, agnello d'Alpago (Presidio Slow Food) arrosto, guanciale di bue brasato, seppie in umido con polenta, baccalà in umido alla veneziana. Come dessert, dolce al cioccolato o tiramisù. Ci si può trattenere anche fino a tardi, per un dopo-cinema o dopo-teatro.

Al ponte

Vaporetto fermata Ospedale Santi Giovanni e Paolo
Osteria tradizionale
Cannaregio, 6378-Ponte del Cavallo
Tel. 041 5286157
Chiuso domenica sera
Orario: 08.00-21.00
Ferie: variabili

Alla fine di calle Gallina, nei pressi del ponte, c'è questa piccola ma graziosa osteria dove gli avventori abituali del sestiere si mescolano con i turisti. Ivan, gestore simpatico e brillante, propone alcuni piatti elaborati con cura e con materie prime ben selezionate. Svariati sono i pesci bolliti, al forno o marinati, oltre alle tradizionali fritture; non mancano panini preparati con insaccati di qualità e crostini con acciughe o baccalà mantecato. Nel periodo di produzione, aprile e maggio, si prepara in diversi modi anche il carciofo violetto di Sant'Erasmo, Presidio Slow Food. Oltre che con un buon bicchiere di vino sfuso, i piatti possono essere accompagnati con qualche valida etichetta regionale o nazionale.

Al portego

Vaporetto fermata Rialto
Osteria tradizionale
Castello, 6015-San Lio
Tel. 041 5229038
Chiuso domenica sera
Orario: 10.30-15.00/17.30-22.00
Ferie: non ne fa

Piccola osteria molto caratteristica situata tra il ponte di Rialto e Salizada San Lio, apprezzata per l'infinita proposta di *cicheti*: polpette di carne e di tonno, mezze uova sode con sottaceto, crostini con baccalà o acciughe, patate al forno, verdure, fiori di zucca e calamari fritti. Riccardo in cucina, Sebastiano al banco e Carlo ai tavoli propongono anche qualche piatto caldo: risotto di pesce, bigoli in salsa, fritto misto di pesce, fegato alla veneziana, baccalà in *tecia*. Buona la selezione di *ombre*.

Al prosecco

Vaporetto fermata San Stae
Osteria tradizionale
Santa Croce, 1503-Campo San Giacomo dall'Orio
Tel. 041 5240222
Chiuso la domenica
Orario: 08.00-22.30
Ferie: due settimane in agosto

È fuori dai soliti itinerari turistici e perciò vi troverete in compagnia di una piacevole "fauna" locale, seduti ai tavolini sull'arioso campo tra bambini che corrono in bicicletta e danno calci al pallone (attività vietatissime in città). I fratelli Stefano e Davide propongono buone *ombre* (una decina i vini al bicchiere) e stuzzicanti piatti freddi: schiena di tonno di Lampedusa, pesce spada e trota marinati con spezie, generose insalate anche di pesce (10-14 euro), al sabato ostriche e pesce crudo, oltre a una interessante proposta di formaggi e salumi.

Rivetta

Vaporetto fermata Piazzale Roma
Osteria tradizionale
Santa Croce, 637 A-Calle Sechera
Non ha telefono
Chiuso la domenica
Orario: 08.30-21.30
Ferie: agosto

Bàcaro di quartiere non lontano dal piazzale Roma e dalla stazione di Santa Lucia, tappa immancabile nel giro di *ombre* degli indigeni del sestiere. Vini in damigiana, *cicheti* e paninetti gustosissimi con soppressa, baccalà, pancetta, porchetta, carciofini, ma anche fresche insalatone. E teatro garantito, da mattina a sera, con schermaglie continue e battute fulminanti tra osti e avventori.

AL CALICE

Enoteca con mescita e cucina
Piazza Ferretto, 70 B
Tel. 041 986100
Chiuso domenica sera
Orario: mezzogiorno e sera
Ferie: non ne fa
Coperti: 50 + 40 esterni
Prezzi: 30-35 euro vini esclusi
Carte di credito: tutte Bancomat

Nella centralissima piazza Ferretto di Mestre, entrando in un porticato, troverete questa vecchia osteria ristrutturata, fondata nel 1836 dalla storica famiglia veneziana dei Geremia (se ne riporta ancora il nome all'ingresso) e ora gestita da Emiliano Rispoli e Marco Cardin. Dopo una galleria con le foto delle celebrità che hanno visitato il locale troverete un cortile con i tavoli estivi e, all'interno, l'ambiente del bancone di mescita (ampia gamma di vini al bicchiere) con i *cicheti* e tre salette per pranzare.
Il menù, che predilige il pesce con qualche escursione sulla carne, non trascura il territorio, ma c'è spazio anche per prodotti di altra provenienza e ricette creative. Fra gli antipasti potrete gustare le **sarde** e i gamberoni **in *saor***, le cappesante al forno, un **guazzetto** in rosso e piccantino **di vongole veraci**, le *canoce* (cicale di mare), l'insalata di piovra con patate, pomodorini e sedano. I primi affiancano agli spaghetti di Gragnano, conditi con l'astice, gli scampi o i molluschi di scoglio, piatti di pasta fatta in casa come i **tagliolini con i gamberi** e il classico **risotto di pesce**. Seguono le **seppie in nero con polenta** o ai ferri, un ottimo **baccalà mantecato** o alla vicentina, il branzino, l'orata o la coda di rospo ai ferri; la carne è rappresentata dal filetto alla griglia e dalla tagliata di roastbeef e a pranzo non mancano le insalatone. Buona scelta di dessert casalinghi, fra i quali segnaliamo la panna cotta con frutti di bosco, il tiramisù, la crema mascarpone servita con i tradizionali *baicoli*.
Una parte della straordinaria carta dei vini, che spazia in tutte le zone più vocate del mondo con prevalenza di etichette venete, friulane e toscane, è dedicata ai prodotti biologici; valide anche le selezioni di Champagne e di distillati.

VENEZIA
Mestre

9 KM DAL CENTRO

DALL'AMELIA ALLA GIUSTIZIA

Osteria di recente fondazione
Via Miranese, 113
Tel. 041 913955
Chiuso il mercoledì
Orario: mezzogiorno e sera
Ferie: non ne fa
Coperti: 40
Prezzi: 25-30 euro vini esclusi
Carte di credito: tutte, Bancomat

Gestita, come l'adiacente Trattoria dall'Amelia, dalla famiglia Boscarato, da sempre nella ristorazione veneta, l'osteria fa parte di "La rotonda dei sapori", circuito di ristoranti a poca distanza dalla rotatoria dell'uscita di via Miranese della tangenziale di Mestre. L'ambiente, di cui si progetta l'ampliamento, è semplice e accogliente. Nella veranda, oltre alla targa che ricorda la costruzione dell'edificio nel 1926, ci sono ancora gli anelli per lo stallo dei cavalli. Al servizio provvedono i simpatici Roberto, Francesco e Grazia.
Nell'osteria è possibile gustare piatti della tradizione regionale preparati con cura dai cuochi dell'Amelia, scegliendo anche tra diversi menù, di cui uno biologico; si fa pure cucina da asporto. Ampio il repertorio di *cicheti*, offerti anche al banco (dove ogni sera alle 19 si serve il risotto del giorno): ***folpeti***, seppioline o calamari alla griglia, **baccalà mantecato**, **trippe**, **nervetti**, mozzarelle in carrozza con l'acciuga, **sarde in *saor***, fritti di pesce e di ortaggi. Al tavolo si aggiungono, come antipasti, **zuppa di cozze** alla marinara o alla tarantina, insalata di piovra, carpaccio di pesce crudo. Tra i primi, spaghetti alle vongole, maccheroncini al tonno fresco, **pasticcio di pesce** o di verdure di stagione, la ***tecia*** ricca (con frutti di mare), la **pasta e fagioli**. Come secondo, spiedino dell'Adriatico con polenta ai ferri, baccalà, **seppie alla veneziana con polenta**, tonno alla griglia con patate arrosto, l'ottima **frittura mista**, le seppiette o le cappelonghe ai ferri e qualche piatto di carne.
Scelta dei vini limitata ma curata.

Un'altra cicheteria Boscarato, La Vida Nova, è aperta a **Mestre**, in piazzale Candiani 15, dove si organizzano anche corsi di degustazione e attività culturali.

VENEZIA
Mestre

9 KM DAL CENTRO

LA PERGOLA

Osteria-trattoria
Via Fiume, 42
Tel. 041 974932
Chiuso sabato a pranzo e domenica
Orario: mezzogiorno e sera
Ferie: 15 gg intorno a Natale, 15 gg in agosto
Coperti: 45 + 40 esterni
Prezzi: 30-32 euro vini esclusi
Carte di credito: tutte, Bancomat

Ristrutturata più volte da quando, negli anni Trenta, era un'osteria frequentata soprattutto da ferrovieri, dal 1990 La Pergola è gestita da Paolo Bacchin, che si occupa del servizio e dell'organizzazione, e Davide Daffrè, che dirige il lavoro in cucina. Ci sono una sala e uno spazio esterno, arredati semplicemente ma con gusto e simpatici particolari. Al piano superiore è stata ricavata una cantina climatizzata che può essere usata per degustazioni di vini. A mezzogiorno il menù è rivolto essenzialmente a una clientela di lavoratori e si praticano prezzi più contenuti; la sera i piatti sono improntati a una certa ricercatezza.
L'antipasto può comprendere lardo, un ottimo **prosciutto di Montagnana**, millefoglie di carciofi al parmigiano, **tortino di orzo con spinaci e asiago**, insalata di formaggio con le pere. A seguire, in primavera **zuppa** di asparagi o **di cipolle gratinata al forno**, tagliatelle con asparagi verdi e zucchine novelle, **guanciale di vitello brasato con rosoline e bruscandoli**; in inverno, **minestra di zucca**, garganelli con il gorgonzola, **tomino al forno con radicchio di Treviso**, **gulasch**, stinco di maiale al forno. In altre stagioni, pappa al pomodoro, **stracotto di manzo**, caciucco di terra (agnello e vitello), roastbeef con salsa di olive e arance, Ampia e accurata la selezione di **formaggi** a latte crudo. Squisiti i dolci della mamma di Davide: *cheesecake* con cioccolato bianco e lamponi, crostatina con crema al mascarpone e fragole, dolce alla cannella con salsa di pere, cassatina con ricotta fresca, torta di mousse al cioccolato.
La carta dei vini presenta circa 80 etichette, per lo più rossi soprattutto del Triveneto. Per il fine pasto ci sono rinomati vini da meditazione e ottimi rum.

Osteria accessibile ai disabili.

VENEZIA
Mestre

9 KM DAL CENTRO

MORO

Ristorante
Via Piave, 192
Tel. 041 926456-926431
Chiuso la domenica
Orario: mezzogiorno e sera
Ferie: quarta settimana di luglio
Coperti: 28
Prezzi: 30-33 euro vini esclusi
Carte di credito: tutte, Bancomat

Nato come bar, questo piccolo locale è gestito dalla famiglia Moro da più di cinquant'anni. Ad accogliere e assistere gli avventori con cordialità e competenza è Lino, sommelier, coadiuvato in sala a mezzogiorno dalla moglie Luisa, la sera anche dalla figlia Federica. Spesso nel locale si fa trovare il fondatore Cesco. Daniele opera in cucina da molti anni, tanto che lo si può considerare parte della famiglia.
I **salumi** sono scelti con cura da Lino: un profumato prosciutto di Lucinico (Gorizia), lardo di Colonnata, petto d'oca con il burro. Sempre come antipasti, in primavera insalata di carciofi violetti di Sant'Erasmo (Presidio Slow Food) o di asparagi bianchi, in autunno di porcini e ovuli, chiodini e burrata; inoltre, **baccalà mantecato** secondo la ricetta della Confraternita dogale e **gallina padovana in *saor***. Poi, zuppe di legumi, **bigoli** o gnocchi **al ragù di anatra**, garganelli con scampi e zucchine, **tortelli di zucca**, maccheroncini freschi con melanzane e pecorino; d'estate la pasta fredda con pinoli, basilico, aglio e pomodorini. Tra i secondi segnaliamo il **baccalà alla vicentina**, il **fegato di vitello alla veneziana**, l'**oca con il cren**, i cartocci di pesce e verdure, la *steak tartare* (preparata in sala) con crostini. Ricco il carrello dei **formaggi**, almeno una dozzina, veneti e piemontesi in primis, ma anche trentini e di altre regioni, accompagnati da confetture e mieli. Per chiudere i dolci di Lino: zuppetta di fragole, mousse ai tre cioccolati, semifreddo di cioccolato e torrone, torta di mele e pere con crema.
La carta dei vini comprende circa 200 etichette in rappresentanza di molte regioni italiane, con ricarichi giusti. Possibilità di ordinare anche a calice alcune bottiglie che cambiano ogni giorno.

Venezia
Mestre

9 km dal centro

Ostaria da Mariano

Osteria tradizionale con cucina
Via Spalti, 49-angolo via Cecchini
Tel. 041 615765
Chiuso sabato e domenica
Orario: pranzo, mercoledì-venerdì anche sera
Ferie: ultima settimana di luglio-metà agosto
Coperti: 40
Prezzi: 26-30 euro vini esclusi
Carte di credito: tutte, Bancomat

Questa osteria rappresenta in tutto e per tutto lo spirito *slow*: aperta da oltre quarant'anni, di stampo familiare, con un buon rapporto tra qualità e prezzo. Antonio Badesso (figlio del fondatore Mariano) e la moglie Nadia vi accompagneranno in un percorso emblematico della cucina tradizionale veneta, a cominciare dagli intramontabili *cicheti* accompagnati da un'*ombra de vin* (300 etichette), che a mezzogiorno si possono consumare anche al banco.
Tra gli antipasti figurano spesso il classico **baccalà mantecato** e l'ottimo ***sardon* ripieno**. Le paste fresche sono fatte in casa e variano, come i risotti e le zuppe, secondo la stagionalità di verdure (locali spesso biologiche) e pesce: ecco allora la **pasta con le sarde** o con le cappesante, gli **gnocchetti al baccalà**, i **bigoli in salsa**, la **pasta e fagioli**, la vellutata di zucchine. Tra i secondi il **baccalà alla vicentina**, le **sarde in *saor***, le seppie e il **fegato alla veneziana**, la coscia di maialino da latte arrosto. Particolare spazio ai prodotti dei Presìdi Slow Food veneti come il mais biancoperla, il riso di Grumolo delle Abbadesse e alcuni formaggi (morlacco, asiago di malga). Ricco e interessante il carrello dei **formaggi** (nella nostra ultima visita ne abbiamo contati 15). Si chiude alla grande con i dolci preparati dallo chef Martino: tiramisù con pasta di biscotto, crostate di frutta con confetture artigianali, torta di pere, amaretti e cioccolato, semifreddo al miele e cannella. In alternativa, frutta fresca.
La scelta dei vini è ampia con etichette nazionali ed estere e un vino base della zona di Pramaggiore.

A **Carpenedo di Mestre** (1,5 km) Cioccolateria Pettenò, via Vallon 1: tavolette, praline e dolci al cioccolato di ottima qualità.

Verona

Al bersagliere

Trattoria
Via Dietro Pallone, 1
Tel. 045 8004824
Chiuso domenica e festivi
Orario: mezzogiorno e sera
Ferie: variabili
Coperti: 80 + 30 esterni
Prezzi: 25-30 euro vini esclusi
Carte di credito: le principali, Bancomat

Nel cuore dell'antico rione cittadino dei Filippini, a due passi dall'Arena, si trova la trattoria Al Bersagliere, gestita magistralmente da Leopoldo Ramponi. Qui ci si può fermare a bere il classico *goto* di vino al bancone d'ingresso, accompagnandolo con qualche bocconcino, oppure accomodarsi in una delle tre accoglienti salette per assaggiare i piatti della cucina veronese preparati con cura e rispetto della tradizione da Marina Tezza. L'arredamento è curato e curioso: appena entrati, lo sguardo viene attirato da un vecchio juke-box in stile anni Sessanta, mentre una delle stanze è tappezzata da cimeli automobilistici (Leo è pilota di rally), tra cui un volante originale di Gilles Villeneuve.
Il menù prende avvio con un assaggio di **polenta e soppressa**, oppure con un misto di **salumi** locali. Tra i primi piatti, l'immancabile ***pasta e fasoi***, le ***paparèle coi fegadini*** (tagliatelle in brodo con rigaglie), i **bigoli al torchio con l'anatra**, il risotto all'Amarone, gli gnocchi di patate (tipici del periodo di Carnevale), oppure i saporiti **maccheroncini** del Bersagliere, **con salsiccia e fagioli**. Per i secondi, le specialità della casa sono la ***pastissàda de cavàl* con la polenta**, un ottimo **baccalà**, il **luccio con la polenta**, il **lesso con la *pearà***, la **bistecca di cavallo**, oltre alle carni alla griglia. Come dessert, il diplomatico (imperdibile), la zuppa inglese, la torta russa e la pastafrolla con la grappa.
La carta dei vini propone una notevole selezione di prodotti locali, cui si aggiungono interessanti etichette nazionali. Presenti anche una carta degli oli e una dei distillati.

Verona

Al carro armato

Osteria tradizionale
Vicolo Gatto, 2 A
Tel. 045 8030175
Chiuso il lunedì
Orario: mezzogiorno e sera
Ferie: variabili in estate
Coperti: 60
Prezzi: 25 euro vini esclusi
Carte di credito: le principali, Bancomat

La decisione di attribuire una scheda autonoma all'osteria Al Carro Armato, presente da sempre nella nostra guida nella rubrica «Andar per goti a Verona», scaturisce dalla constatazione che sempre più numerosi sono quanti entrano in questo storico locale cittadino non solo per bere un bicchiere di vino (opzione peraltro ancora disponibile), bensì per pranzarci. Del resto, con l'innesto delle figlie Chiara ai fornelli e Lara in sala accanto a mamma Annalisa Morandini, la cucina è andata assumendo un ruolo sempre più significativo.
Nulla è mutato nell'arredo: nello stanzone trecentesco, forse antico ricovero dei cavalli dei visitatori dei vicini palazzi scaligeri, ci si siede su vecchie panche addossate ai tavoloni in legno d'inizio Novecento, vestite informalmente con tovagliette di carta da macelleria. Sul bancone all'ingresso (l'uscio dà su un vicoletto seminascosto alle spalle del caseggiato che ospita l'hotel Due Torri, a due passi dalla chiesa di Sant'Anastasia) ci sono i bocconcini per chi vuole semplicemente accompagnare l'aperitivo: tartine, **polpettine di cavallo**, verdure sott'olio, **nervetti con la cipolla**, uova sode, che si possono anche ordinare come antipasto. Dalla lista, non particolarmente ampia, si possono scegliere tra i primi **pasta e fagioli**, **tagliatelle al ragù d'asino** o con i funghi, zuppa di porcini, mentre fra i secondi si trovano **baccalà alla vicentina**, **sfilacci** o ***pastissàda* di cavallo**, **trippe** alla parmigiana, seppie con i piselli, talvolta, la domenica, il bollito. Si chiude col **tiramisù** della casa.
Buona carta dei vini, con numerose proposte a bicchiere.

Verona
Trezzolano

14 km dal centro della città

Al parigin

Trattoria
Via Trezzolano, 13
Tel. 045 988124
Chiuso il mercoledì
Orario: mezzogiorno e sera
Ferie: settembre
Coperti: 80 + 20 esterni
Prezzi: 18-20 euro vini esclusi
Carte di credito: nessuna

Viene quasi difficile associare Trezzolano con Verona, di cui è frazione: la borgata è in montagna, ormai in piena Lessinia, sullo sfondo di paesaggi rurali tanto diversi dagli scenari cittadini. La trattoria Al Parigin è poco prima del paesello, a lato della strada che si arrampica verso Roverè Veronese: chi arriva dalla città deve partire da borgo Venezia, lasciando sulla sinistra il castello di Montorio. Ovvio che il locale della famiglia Zamboni, con l'aria buona che si respira lassù, è un punto di riferimento sicuro per chi voglia lasciarsi alle spalle la calura estiva del capoluogo, ma una visita è consigliata in ogni stagione per la cucina semplice, schietta e di costo modesto. L'impronta della conduzione è assolutamente familiare, l'arredo è scarno, essenziale. Si entra dalla stanzuccia che ospita il banco del bar. Due piccole sale sono destinate alla ristorazione. D'estate vengono sistemati pochi tavolini all'aperto.
Chi vuol partire con l'antipasto trova la **soppressa** e la pancetta di produzione locale accompagnate dalla **giardiniera** di verdure. Tra i primi, le burrose **lasagnette** al ragù, **con la lepre** o con i funghi, gli gnocchetti verdi, le classiche ***paparèle coi fegadini***. Come secondo, la carne alla brace, l'**agnello al forno**, il coniglio arrosto o il rotolo di coniglio, i ***bogòni*** (lumache) in umido, la **lepre in salmì**, le costine di maiale, la **faraona al forno**, il **pollo ai ferri**, la **carne *salà***. Nei fine settimana invernali c'è il bollito. Abbondanti contorni di stagione.
Come dessert, torta di mele, tiramisù, frutta fresca. Apprezzabile il vino sfuso.

A **Velo Veronese** (15 km) vendono formaggi e latticini della Lessinia i caseifici Albi, in via Valverde 9, e Achille, in contrada Stander 1.

VERONA

AL POMPIERE 

Osteria di recente fondazione
Vicolo Regina d'Ungheria, 5
Tel. 045 8030537
Chiuso la domenica e lunedì a pranzo
Orario: mezzogiorno e sera
Ferie: in gennaio, fra giugno e luglio
Coperti: 50
Prezzi: 35 euro vini esclusi
Carte di credito: le principali, Bancomat

In un vicoletto nascosto alla fine di via Cappello, poco prima di giungere in piazza delle Erbe, troviamo l'osteria Al Pompiere: l'intestazione ricorda che il locale venne aperto nella prima metà del secolo scorso da un pompiere in pensione. Ora a gestirla sono tre intraprendenti soci: Stefano Sganzerla, Simone Lugoboni e Marco Dandrea. Il locale dispone di una sala principale e di una saletta da 15 persone (nata in seguito all'acquisizione della piccola latteria situata a fianco). L'arredamento è curato e accogliente, le pareti sono tappezzate da belle foto in bianco e nero di personaggi per lo più veronesi, in fondo alla stanza principale c'è l'invitante e ricchissimo banco dei salumi e dei formaggi, con tanto di affettatrice d'epoca. Al tavolo, un cestino di pane caldo e grissini.
Si può iniziare con una selezione di **salumi** affettati in sala e accuratamente descritti dal norcino. Poi, spazio alla cucina, d'impronta veronese. Tra i primi piatti, i **bigoli con le sarde**, la **pasta e fagioli**, i ravioli con le erbette, le **tagliatelle** del giorno. Fra i secondi, ***pastissàda de cavàl*** **con la polenta**, **brasato all'Amarone**, **stinco al forno**. In alternativa, si può scegliere fra l'ampia proposta di **formaggi**, serviti in abbinamento con mostarde, miele, confetture di frutta e pane ai fichi. Per dessert, un'ottima torta al cioccolato con salsa all'arancia, la torta di mele caramellate con mousse di cannella, millefoglie, semifreddo al torroncino con salsa al cioccolato.
Ampia la selezione dei vini, con numerose etichette locali, molte delle quali degustabili al bicchiere.

I veronesi l'espresso lo bevono al minuscolo e sempre affollato caffè Tubino, in corso Portoni Borsari 15 D. Buona anche la cioccolata calda.

VERONA
Avesa

4 KM DAL CENTRO DELLA CITTÀ

AL POPOLO

NOVITÀ

Trattoria
Via Torrente Vecchio, 77 C
Tel. 045 8309838
Chiuso domenica sera e lunedì
Orario: mezzogiorno e sera
Ferie: variabili in inverno
Coperti: 40 + 80 esterni
Prezzi: 25-30 euro vini esclusi
Carte di credito: le principali, Bancomat

Avesa è un borgo poco a nord di Verona: ne è frazione dagli anni Venti (prima era comune autonomo). La contrada era famosa un tempo per gli scalpellini, per i mugnai, ma soprattutto per le sue lavandaie, cui si rivolgevano le famiglie nobili e borghesi della città per la pulitura dei panni nelle acque del Lorì, il torrentello che qui sgorga per poi gettarsi, poco lontano, nell'Adige.
Tra i luoghi di raduno del paesello vi era la trattoria Al Popolo, riaperta da un paio d'anni, dopo un biennio di oblio, per iniziativa di Franco Coltri e di Claudio Canteri, entrambi con precedenti esperienze di successo alla guida di altre osterie veronesi, il primo in centro e l'altro nella frazione di Mizzole. D'inverno si pranza nelle due piccole sale, arredate con semplicità. D'estate si cerca la frescura della vallata cenando all'aperto, sotto il porticato, oppure sotto la pergola.
La cucina è di impronta territoriale. Tra gli antipasti, il **coniglio in *saor*** con la polenta oppure con i *molesini* (valerianella), la **polenta di riso** all'avesana, le uova al tegamino col tartufo nero della Lessinia. Come primi, una densa **pasta e fagioli**, le **trippe in brodo**, gli **gnocchi con la *pastissàda* di cavallo**, i tagliolini al tartufo. Fra i secondi, il **coniglio arrosto**, il **fegato alla veneziana**, l'**ossobuco di vitello**, l'insalata di manzo tiepida con la cipolla. In stagione, uova e asparagi. Si chiude con la torta di mele, la crema fritta, le prugne al vino.
Piccola ma interessante lista di vini, selezionati quasi esclusivamente fra le migliori produzioni locali: chiedendo, c'è la possibilità del servizio a bicchiere.
La trattoria, in estate, chiude solo il lunedì a mezzogiorno.

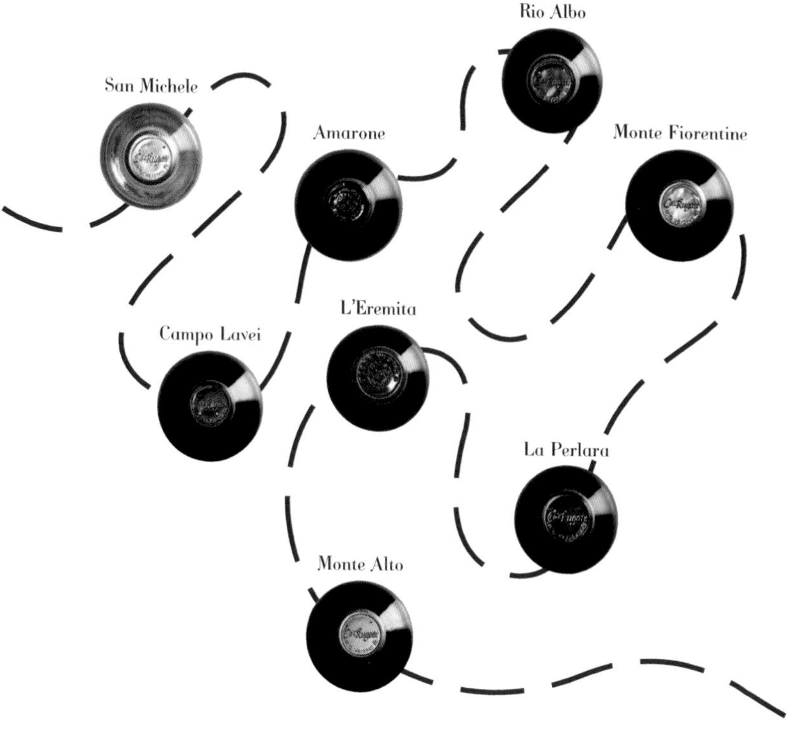

VERONA
Parona di Valpolicella

6 KM DAL CENTRO DELLA CITTÀ

BORGHETTI

Ristorante annesso all'albergo
Via Valpolicella, 47
Tel. 045 942366
Chiuso la domenica
Orario: mezzogiorno e sera
Ferie: non ne fa
Coperti: 90
Prezzi: 30 euro vini esclusi
Carte di credito: le principali, Bancomat

Parona è un popoloso sobborgo di Verona, a metà strada tra il centro della città e la Valpolicella. L'albergo dei Borghetti è sorto al posto della vecchia trattoria di famiglia, proprio a margine del semaforo che introduce al territorio valpolicellese. Anche con la nascita dell'hotel, tuttavia, l'impostazione della cucina è rimasta la stessa, interamente orientata alla più schietta tradizione veronese. Neppure la recente scomparsa di papà Gianni, cuoco per oltre quarant'anni, ha minimamente intaccato lo stile di casa. Tra i fornelli si è ora spostato il figlio Stefano, che è responsabile anche della splendida lista dei vini, ricca di centinaia di etichette. Mamma Rosanna e la sorella Mara sono alla reception.
Potete cominciare con un assaggio di **polenta e soppressa**, proseguendo poi con **pasta e fagioli**, zuppa di cipolle o di legumi, **tagliatelle al coniglio**, tortellini in brodo, tortelli al tartufo nero della Lessinia. Un classico è il **risotto all'Amarone**. Tra i secondi, **baccalà**, filetto all'Amarone, **sarde in *saor***, **aringa** (piatto tipico del primo giorno di Quaresima a Parona), **fegato alla veneziana**, ***pastissàda* di cavallo**, **costata di puledro**, vitello tonnato. Si chiude con la torta **sbrisolona**.
Disponibili due menù degustazione abbinati al Valpolicella e all'Amarone. A parte le bottiglie più costose, quasi tutti i vini veronesi sono serviti anche a bicchiere: basta chiedere. Per chi volesse una degustazione privata, nell'interrato è stata ricavata una saletta, disponibile prenotando per almeno 10 persone: comunica con la cantina dov'è possibile scegliersi personalmente i vini.

ANDAR PER GOTI A VERONA

Passare da Verona senza entrare in osteria equivale a perdersi l'Arena, Castelvecchio o la basilica di San Zeno. Significa lasciarsi sfuggire l'occasione per cogliere l'essenza più intima della città. Perché l'osteria è uno dei luoghi della veronesità. Non a caso ci si parla dialetto: i veronesi usano dire non già osteria, in italiano, bensì *ostaria*, con la a, nell'accezione vernacolare.
In *ostaria* ci si va per il *goto*. Il termine sta letteralmente per bicchiere, quello tozzo, di vetro pesante, che si usava un tempo perché oggi è sostituito dal calice. Ma andare a bere un *goto* non vuol dire recarsi a tracannare un bicchiere di vino, bensì molto altro: è una sorta di stile di vita.
Intanto, a Verona il vino non è mai dissociato dal cibo. Sui banconi dell'*ostaria* è un tripudio di stuzzichini, a partire dalle polpettine (di bovino e di cavallo, perché a Verona la carne equina appartiene alla tradizione), per passare ai paninetti (con la soppressa, la mortadella, il lardo, la pancetta), ai bocconcini (con l'aringa, l'acciughina, il baccalà, le verdure e quant'altro venga in mente all'oste).
Bere un *goto*, a Verona significa innanzitutto fare uno spuntino, se non addirittura pranzare informalmente, perché spesso in *ostaria* c'è servizio di cucina: una pasta e fagioli, una trippa, del baccalà, della *pastissàda* di cavallo. Si approfitta della scusa del *goto* per risolvere il pasto. Scegliendo il calice dall'elenco scritto con i gessetti alla lavagna, elemento d'arredo quasi imprescindibile dell'osteria tradizionale veronese.
Ma questi sono solo gli aspetti strettamente gastronomici dell'*ostaria*. La sua funzione è un'altra ancora: è un luogo di aggregazione, di socializzazione. Per un veronese schietto, andare a bere un *goto* con qualcuno significa ritrovarsi a conversare di vicende personali così come di affari, di pallone come di politica. Significa consolidare un'amicizia, ristabilire un rapporto incrinato. E la conversazione è tutta dialettale. Se si vuol sentire il suono della città, è in osteria che si deve andare.

Angelo Peretti

Al duomo

Osteria tradizionale
Via Duomo, 7
Tel. 045 8004505
Chiuso il giovedì, in estate la domenica
Orario: 11.00-14.30/18.00-24.00
Ferie: variabili

L'insegna è quasi invisibile. Sulla porta, in schietto dialetto veronese, è scritto «*urtàr*», che significa spingere. La salettina d'ingresso è per quasi metà occupata dal bancone, su cui sono allineati paninetti e polpettine di carne, ideale accompagnamento per il *goto* scelto dalla lavagna che illustra i vini alla mescita (una ventina, in larga prevalenza locali). L'altra stanzetta ha tavolini minuscoli. Si può entrare per bere un bicchiere, oppure per pranzare: l'offerta è contenuta, ma consente di risolvere brillantemente il pasto, scegliendo fra piatti come la torta di verdure, gli gnocchi di patate, gli gnocchetti con la ricotta affumicata, le tagliatelle col coniglio, i bigoli col ragù di *musso* (asino), gli sfilacci di cavallo, l'ossobuco, la tagliata.

Alla corte

Bar-enoteca
Piazzetta Ottolini, 2 A
Tel. 045 8005117
Chiuso la domenica
Orario: 7.30-21.00
Ferie: 15 giorni in agosto

Pur essendo a due passi da piazza delle Erbe, dal duomo e da ponte Garibaldi, piazzetta Ottolini è defilata rispetto ai flussi turistici. Eppure il quartiere della Caréga meriterebbe attenzione, mantenendo quasi integro l'aspetto dei vecchi rioni cittadini. Chi volesse farvi una breve visita, sappia che qui si apre l'uscio di un'accogliente osteria. Alla Corte è possibile bere un *goto* e sbocconcellare qualcosa all'ora di pranzo. A condurla da una quindicina d'anni sono Massimo ed Elisa Perini. I vini quotidianamente alla mescita sono una trentina: si possono bere al bancone, accompagnandoli con una polpettina, un panino, una tartina, oppure ci si può sedere ai tavolini della saletta interna o sotto gli ombrelloni del dehors. Disponibili a mezzogiorno insalatone, taglieri di salumi e formaggi, oppure qualche piatto caldo (gnocchi al pomodoro, lasagnette al ragù, pasta e fagioli, baccalà).

Caffè Carducci

Enoteca-wine bar
Via Carducci, 12
Tel. 045 8030604
Chiuso la domenica
Orario: 07.00-14.30/16.30-20.00
Ferie: la settimana di Ferragosto

Subito di là dall'Adige, poco oltre Ponte Nuovo, e quindi fuori dall'antica cinta muraria del centro storico, il Caffè Carducci è un piccolo, accogliente locale che può fare da punto di riferimento per quanti, parcheggiata l'auto nella vicina piazza Isolo, abbiano voglia di un *goto*, di un aperitivo. L'osteria, ristrutturata di recente (la prima apertura risale al 1928), è gestita da Pier Stefano Bianconi, una sorta di figlio d'arte, visto che papà Guglielmo è stato oste per decenni. La selezione dei vini è interessante: sono disponibili circa 300 etichette da tutt'Italia, con attenzione alle piccole aziende. Altrettanto valide le proposte di tè e infusi, cui si aggiunge qualche birra artigianale. I vini a bicchiere sono una trentina. A pranzo, qualche piatto di pasta ripiena (dalla dirimpettaia Casa del Raviolo) e in alternativa bocconcini, salumi, insalate, carpacci di carne, formaggi.

Enoteca zero7

NOVITÀ

Enoteca-wine bar
Vicolo Ghiaia, 2
Tel. 045 9235180
Chiuso la domenica e lunedì a mezzogiorno
Orario: 11.00-15.00/18.00-24.00
Ferie: variabili

In un vicoletto a metà strada fra piazza Cittadella e piazza Brà, e dunque a due passi dall'Arena, ha aperto un'enoteca wine-bar che sembra tracciare una nuova via per le osterie cittadine. Il locale è in stile moderno, *high tech*, ci sono schermi al plasma per la diffusione di video musicali e documentari di viaggio. Tanti i vini italiani ed esteri alla mescita (una dozzina di bianchi, altrettanti rossi, una decina di spumanti) conservati sotto azoto, scaffali pieni di bottiglie di valore (800 etichette). C'è anche la possibilità di mangiare un boccone ai tavolini in maniera informale (selezioni di affettati e formaggi italiani, una caprese stratificata, *tartare* di manzo). Responsabile dell'enoteca è Loris Sain, ma l'idea è stata maturata e viene seguita da un gruppo di operatori veronesi capitanati da una star della ristorazione scaligera e nazionale come Giancarlo Perbellini.

La bottega del vino

Osteria tradizionale-ristorante
Via Scudo di Francia, 3
Tel. 045 8004535
Chiuso il martedì, mai durante le fiere e la stagione lirica
Orario: 10.30-15.00/18.00-24.00
Ferie: non ne fa

La Bottega del Vino è uno dei simboli della Verona buongustaia: antico ritrovo di artisti, è oggi un ristorante sempre affollato di turisti in cerca della tipica cucina scaligera realizzata con classe e di vini di qualità (la cantina è tra le più fornite in assoluto d'Italia, l'elenco è monumentale), ovviamente a prezzi non proprio popolari. Tuttavia la Bottega conserva nella sala d'ingresso ancora l'antica veste di locale informale, dov'è possibile anche bere semplicemente un *goto* scegliendo il vino alla lavagna (una sessantina quelli a bicchiere) e un bocconcino dal bancone. Chi vuole mangiare un piatto rapidamente, senza dover per forza entrare nella sala ristorante, può sedere ai tavoli di fronte al banco, magari condividendo lo spazio con altri frequentatori, per gustare un risotto all'Amarone, una selezione di salumi veronesi, un po' di polenta e lardo, una pasta e fagioli.

Monte baldo

Osteria
Via Rosa, 12
Tel. 045 8030579
Chiuso lunedì in inverno, mercoledì in estate
Orario: 10.00-15.00/17.00-21.00
Ferie: due settimane fra luglio e agosto

Con la gestione di Gianni Vesentini quello che era il vecchio caffè Monte Baldo, in un vicolo a due passi da piazza delle Erbe, è diventato uno dei locali di riferimento del centro storico di Verona: un'osteria di impostazione tradizionale, dove il *goto* si sceglie dalla lunga lista scritta coi gessetti sulla lavagna, mentre il bancone è un trionfo di tartine (con l'acciuga, col gorgonzola, con la salsa di carciofi, con le zucchine), di paninetti (col lardo, con la mortadella, con la soppressa, con la testina), di polpettine di carne, da sbocconcellare assaporando il vino. All'ora di pranzo la sala, rivestita di *boiserie*, con gli scaffali colmi di bottiglie, accoglie impiegati e turisti per un pasto veloce, con un primo o un secondo (d'inverno anche pasta e fagioli e baccalà). La sera è il momento dell'aperitivo e del dopocena. Nella stagione fredda, il venerdì si servono le ostriche.

Mondo d'oro

Osteria
Via Mondo d'Oro, 4
Tel. 045 8032679
Chiuso il lunedì
Orario: 10.00-14.30/18.00-22.00
Ferie: in gennaio

Pur essendo defilato appena di qualche decina di metri rispetto a via Mazzini, che è la strada pedonale dello shopping nel cuore del centro storico, il vicoletto su cui si apre l'uscio dell'osteria Mondo d'Oro è tranquillo: i pochi tavolini all'aperto, sotto gli ombrelloni, o la saletta interna attendono il turista o l'impiegato che vogliano risolvere il pasto con un piatto caldo o una vassoietto di tartine. I bocconcini si possono scegliere dalla lista o dal bancone: ci sono paninetti con la soppressa, col lardo, col baccalà, con i funghi e altri ancora, da accompagnare con un bicchiere di vino (una ventina quelli serviti a bicchiere). Chi preferisce pranzare o cenare informalmente sappia che la piccola carta mette in evidenza i piatti tradizionali veronesi: pasta e fagioli, bìgoli all'anatra, gnocchi al pomodoro, tartara di cavallo, baccalà, polenta e lardo. Per il caffè si usa la moka.

Ostaria a le petarine

Osteria tradizionale
Vicolo San Mamaso, 6 A
Tel. 045 594453
Chiuso la domenica
Orario: 7.30-24.00
Ferie: due settimane in agosto

Osteria ipertradizionale, Le Petarine, a due passi da piazza delle Erbe, nel vicolo del Museo Miniscalchi, è defilata rispetto alle rotte turistiche: qui non incrocerete il popolo dei vacanzieri, bensì gente del quartiere o impiegati in pausa pranzo. L'insegna, sopra l'uscio, è quasi invisibile. Dentro, si parla pressoché soltanto veronese. Il locale è molto piccolo: due salette, la prima quasi per intero occupata dal bancone, sul quale sono allineati i panini (con la soppressa, con la mortadella), i bocconcini (il mezzo uovo con l'acciughina, la fettina di salame piccante con la cipollina in agrodolce, le verdure (i fagioli, da non perdere), oltre alle immancabili polpettine, complemento ideale al *goto*. Alla lavagna leggete i piatti del giorno (d'inverno l'offerta è robusta, annoverando trippe, baccalà, pasta e fagioli, mentre d'estate si alleggerisce) e i vini alla mescita (una decina).

Osteria del Bugiardo

Osteria
Corso Portoni Borsari, 17
Tel. 045 591869
Chiuso il lunedì
Orario: 11.00-22.00
Ferie: non ne fa

Aperta nel 2005, l'Osteria del Bugiardo è affacciata sulla via che conduce dai Portoni Borsari. uno dei più importanti monumenti romani della città, a piazza delle Erbe. Il nome viene da uno dei vini di Alfredo Buglioni, noto imprenditore tessile, leader di una catena di negozi di abbigliamento diffusi in mezza Italia, nonché produttore vinicolo in Valpolicella. Pur di recente fondazione (ma anche di rapidissimo successo, soprattutto fra i giovani), il locale si ispira in tutto e per tutto alle vecchie osterie cittadine: pietra, mattoni, legno, il bancone su cui sono allineati salumi e formaggi. Lo stile di servizio è informale, come si addice a questo tipo di strutture. Per chi vuol mangiare c'è anche qualche piatto caldo (pasta e fagioli, trippa, polenta). Per quanto concerne i vini, i rossi sono monomarca, mentre per i bianchi è disponibile una piccola selezione.

Osteria Sottoriva

Osteria tradizionale
Via Sottoriva, 9 A
Tel. 045 8014323
Chiuso il mercoledì
Orario: 11.00-22.30
Ferie: non ne fa

Sottoriva è da vedere: a due passi dal centro storico (i palazzi scaligeri sono a poche centinaia di metri), il quartiere, poco frequentato dai turisti, conserva un'impronta stracittadina, facendo quasi rivivere i tempi nei quali qui si ristoravano i mugnai e i battellanti al lavoro sull'Adige. La vecchia osteria che porta il nome del rione ha trovato da qualche anno nuova vitalità: è piacevole soffermarsi all'aperto (anche d'inverno) ai tavolini allineati sotto ai portici di case cariche di storia, per bere un *goto* e mangiare un piatto tradizionale. I vini alla mescita sono una trentina, l'offerta di cucina varia con le stagioni: a seconda del periodo troverete la *pastissàda* o gli sfilacci di cavallo, la pasta e fagioli, la zuppa di cipolla, l'insalata di farro, il cotechino col purè. Immancabili le polpettine di cavallo e di manzo, complemento ideale per l'aperitivo.

Verona
Mizzole

9 km dal centro della città

Le Piere

NOVITÀ

Trattoria
Via Nicolini, 43
Tel. 045 8841030
Chiuso il mercoledì, mai in luglio e agosto
Orario: mezzogiorno e sera
Ferie: non ne fa
Coperti: 75 + 60 esterni
Prezzi: 20 euro vini esclusi
Carte di credito: tutte, Bancomat

Mizzole è una frazione rurale di Verona: si raggiunge da borgo Venezia, a est della città. La contrada ha poche case: piuttosto, a dominare la scena sono alcune antiche ville di impronta veneziana. Questo era luogo di raccordo fra il capoluogo e la Lessinia: passava di qui la strada che scendeva dai monti e i carrettieri sostavano all'antica osteria Al Gallo. Oggi quello stesso locale (l'edificio è del 1770) si chiama Le Piere, in omaggio alle due grandi pietre di Prun che fanno da tavoli nel cortile. All'interno, tre salette sovrapposte, arredate con semplicità e conservate nell'impostazione originaria, con le mattonelle di graniglia. Bella la cantina, nella quale è possibile cenare prenotando in piccoli gruppi.
Ad accogliervi è il patron Maurizio Poerio, che si avvale della collaborazione di Francesco in cucina e di Massimo in sala. Come ricco antipasto, trovate la **polenta con soppressa, funghi, lardo pestato e formaggio verde**. In alternativa, il tortino di formaggi e verdure di stagione, magari da accompagnare con l'insalata russa fatta in casa. Tra i primi, i **bigoli col *musso*** (ragù di asino) o **con la sardella**, le lasagnette al tartufo nero della Lessinia, gli gnocchi di ricotta al tartufo, i **maccheroncini con porri, salsiccia e ricotta affumicata** della Lessinia. Come secondi, le carni alla griglia, lo **spezzatino di manzo**, il **brasato all'Amarone**. D'inverno ci sono la ***pastissàda* di cavallo** e, la domenica, il bollito con la *pearà*. Come dessert la **sbrisolona** o una millefoglie al cucchiaio.
Ottima la carta dei vini, con notevole enfasi sul territorio, a prezzi onesti.

PANE E VINO

Trattoria
Via Garibaldi, 16 A
Tel. 045 8008261
Chiuso il martedì
Orario: mezzogiorno e sera
Ferie: prima settimana di gennaio
Coperti: 60
Prezzi: 30 euro vini esclusi
Carte di credito: le principali, Bancomat

Parcheggiata l'auto fuori della zona a traffico limitato e attraversato il ponte Garibaldi, seguendo l'omonima via, che conduce verso il duomo e piazza delle Erbe, incontrerete quasi subito l'uscio del Pane e Vino, un'accogliente, calda, raccolta trattoria al pianterreno di un antico edificio, gestita da un trio di giovani soci: Andrea Pasquetto ai tavoli, bravissimo nell'illustrarvi l'offerta del menù e i possibili accompagnamenti vinosi (anche a bicchiere), Angelo Bonora in cucina e Alessandro Ferraro impegnato a dar man forte ora all'uno ora all'altro. Due le sale, ricche di *boiserie*. Il pavimento è in pietra. Alle pareti, quadri a soggetto veronese.
A seconda della stagione (d'estate i piatti più impegnativi della cucina scaligera vengono accantonati) potrete dare avvio al vostro pranzo con un antipasto di **polenta, lardo e soppressa**, oppure col **baccalà mantecato**, il **pesce del Garda in *saor***, la polenta con funghi e scaglie di grana, il crostone di pane con paté di fegato e petto d'oca affumicato. Tra i primi, il risotto all'Amarone, le **tagliatelle col ragù di lepre** marinata nell'Amarone, i ravioli di zucca e Amarone al burro e salvia, i **bigoli con le sarde**, la **pasta e fagioli**. Come secondi, tagliata di cavallo, **sfilacci di cavallo**, filetto di manzo all'Amarone, **faraona all'Amarone**, **baccalà alla vicentina**. Per dessert, il tipico salame di cioccolato servito con una crema di mascarpone, i **biscottini col Recioto**, oppure la degustazione della trattoria, con vari dolcetti.
Una buona carta dei vini, indirizzata soprattutto al territorio veronese, completa l'offerta.

In via Rosa la pasticceria Rosa propone dolci siciliani come la cassata o i cannoli. D'estate, gelati e granita al caffè.

ANTICA OSTERIA AL BERSAGLIERE

Osteria tradizionale-trattoria
Contrà Pescaria, 11
Tel. 0444 323507
Chiuso domenica sera e lunedì
Orario: mezzogiorno e sera
Ferie: prime due settimane di agosto
Coperti: 35
Prezzi: 35 euro vini esclusi
Carte di credito: MC, Visa, Bancomat

Dietro la basilica palladiana, l'osteria della famiglia Trentin con il passare degli anni si è evoluta, abbandonando un po' alla volta i *cicheti* e i *goti de vin* per una ristorazione più completa. Mantiene tuttavia le caratteristiche di un tempo, con arredi semplici e un'atmosfera calda e accogliente.
Mamma Maria cucina ancora con passione i piatti della tradizione vicentina, lasciando però spazio alla creatività dei figli Andrea e Martino. Troviamo così a seconda dei periodi, dopo un assaggio di **soppressa con polenta** e sottoli casalinghi, le **trippe**, la ***pasta e fasioi***, il **baccalà alla vicentina** con polentina morbida o il **coniglio in umido** della tradizione, ma anche il tortino di asparagi con crema di bruscandoli e rapatura di monte veronese, gli gnocchi di patate (impastati a mano) con le spugnole, le **fettuccine con bruscandoli e piselli** novelli. Il pane e i grissini fatti in casa sono una prelibatezza. Il petto di pollo, le **costolette di agnello**, la tagliata di sorana e il controfiletto di vitello al forno sono cucinati in modo leggero e abbinati a contorni di stagione, sempre presentati con raffinatezza. In alternativa una buona selezione di **formaggi** o un piatto di verdure. Il bravo Martino eccelle nei dessert: provate i cannoli alle mandorle ripieni di mousse al cioccolato bianco con salsa ai lamponi o il gelato al latte con zuppa di ciliegie.
La gentile e sorridente figlia Monica vi illustrerà una interessante carta dei vini, con molte proposte al bicchiere.

In corso Palladio 196, gastronomia Il Ceppo: formaggi e salumi, piatti pronti e ampia scelta di vini. In via della Pace 227, la Stanga della Bontà: selezione di formaggi e salumi, specialità alimentari, degustazioni guidate.

Vicenza

Antico guelfo

Trattoria
Contrà Pedemuro San Biagio, 92
Tel. 0444 547897
Chiuso domenica e festivi
Orario: solo la sera
Ferie: agosto e prima settima di gennaio
Coperti: 45
Prezzi: 35 euro vini esclusi
Carte di credito: tutte, Bancomat

Nel centro storico di Vicenza, questo locale, nato come semplice vineria, si è trasformato nel tempo per seguire le esigenze della clientela. All'inizio dell'attività bastava qualche stuzzichino ad accompagnare le chiacchiere fra le quattrocentesche mura e i caldi arredi, poi le continue richieste hanno fatto sì che la titolare Franca Balbi si mettesse ai fornelli con tutta la sua passione e fantasia per offrire piatti semplici e sani. Con sensibilità tutta femminile, lei e la figlia Elena che si occupa della sala si sono prese a cuore le esigenze di chi deve convivere con intolleranze alimentari: nel menù compaiono sempre paste di farine alternative, ma anche i salumi, per esempio, sono garantiti senza glutine e senza lattosio.
Il menù, attento alle stagioni, cambia ogni due giorni: la scelta di variarlo così spesso comporta che non sempre si trovino tutti i piatti della tradizione, anche se il **coniglio arrosto**, la **faraona al forno** e il **fegato alla veneziana** ruotano spesso. Nella nostra ultima visita ci ha incuriositi, tra gli antipasti, la **mousse di soppressa** al Torcolato e olive. Come primo sono da provare i **bigoli mori con pancetta**, gli **gnocchi di ricotta e tarassaco**, le creme di verdura. Anche i dolci, opera di Elena, sono fatti con farine prive di glutine: curioso l'anello di Anastasia, ottimi la frolla con ciliegie cotte e il soufflé al cioccolato amaro.
Piccola carta dei vini, alcuni dei quali serviti a bicchiere.

Locale segnalato
dall'Associazione italiana celiachia.

A **Motta di Costabissara** (8 km), via Rodolfi 2, vicino al campo sportivo, caffetteria Gnamgnam: squisiti gelati artigianali.

Villa Bartolomea
Carpi

52 km a SE di Verona

Antica trattoria Bellinazzo

Trattoria
Via Borgo Chiesa, 20
Tel. 0442 92455
Chiuso lunedì sera e martedì
Orario: mezzogiorno e sera
Ferie: agosto
Coperti: 90
Prezzi: 25 euro vini esclusi
Carte di credito: le principali, Bancomat

Nel raccontare della trattoria Bellinazzo e dell'omonima famiglia che la gestisce fin dal 1855 si corre il rischio di cadere nello scontato, parlando di ospitalità, di familiarità, di buona cucina a prezzi popolari, ma anno dopo anno Daniele e il suo *team* composto da nonna, mamma, papà e moglie confermano puntualmente il loro valore. Ne sarete convinti se, trovandovi a percorrere la Transpolesana, deciderete di fare una piccola deviazione per avvicinare questo locale della Bassa veronese, a due passi dalla chiesa della frazione Carpi.
Negli ultimi anni Daniele ha gradualmente affiancato alla già ottima cucina della mamma i salumi e i formaggi che lui stesso scopre, stagiona e affina. Tra gli antipasti, ecco dunque gli assaggi di **soppressa**, lardo e prosciutto veneto, abbinati al formaggio **cimbro di fossa con polentina *maranin***. In alternativa, il filetto di petto d'anatra affumicato. Passando ai primi, d'inverno non perdetevi il monumentale **risotto alla veneta con salsiccia**. La pasta fresca è sempre presente: tagliatelle all'asparago bianco e monte veronese, bigoli al radicchio con speck e formaggio ubriaco, **bigoli** al somarino (**con il ragù d'asino**), tortellini burro e salvia. Tra i secondi, ottimi tagli di manzo alla brace, **costolette d'agnello**, **tagliata di puledro**, **trippe**, **baccalà con polenta**, ***pastissàda de musso*** (asino). Da non perdere la degustazione dei **formaggi**, accompagnati da composte e mostarde. I dolci sono quelli di casa, come la torta di mele e i biscotti.
La lista dei vini comprende oltre 350 etichette (alcune al bicchiere) con ricarichi più che onesti.

VITTORIO VENETO
Serravalle

40 KM A NO DI TREVISO SS 13 E 51 O A 27

HOSTARIA VIA CAPRERA

Osteria tradizionale-trattoria
Via Caprera, 23
Tel. 0438 57520
Chiuso il giovedì
Orario: mezzogiorno e sera
Ferie: variabili in primavera o autunno
Coperti: 90 + 30 esterni
Prezzi: 24-28 euro vini esclusi
Carte di credito: tutte, Bancomat

«C'è sempre una buona occasione per concedersi una sosta in Via Caprera» scrivono Giampaolo Casagrande e Roberto Balbinot in una pagina del loro menù, dove i piatti sono riportati in dialetto vittoriese con i vini, in bottiglia o al bicchiere, consigliati in abbinamento. Il locale recentemente è stato ampliato con una nuova ala, così alla parte storica della vecchia osteria, presente già negli anni Settanta, si sono aggiunte una saletta da circa 20 posti, un'altra adatta alle cerimonie e un bel giardino da sfruttare tutta l'estate.
Anche se sembra scontato dirlo, la territorialità e la stagionalità sono i cardini di questo bel locale. Per un *cicheto* potrete scegliere tra le *zegoe* (**cipolle**) **in umido**, i *fenoci* (**finocchi**) **al forno**, un *croston col formaio*. gli *ovi lessi*. la *puina fumegada* (ricotta affumicata) e molti altri secondo stagione. Per una sosta più lunga, a pranzo o a cena, potrete cominciare con la *sopressa col radicio* (radicchio), il ***radicio in agro***, il tortino di rosmarino e lardo, la sfoglia di spinaci e uova di quaglia, per continuare con ***pasta e fasoi***, ***bigoi* in salsa** o col ragù, zuppa di cipolle con montasio, le ***tripe in tecia***, la trota alla vittoriese, il **lesso col cren** o il **pollo ripieno di castagne**.
Anche tra i dolci la scelta è ampia oltre che piacevole: semifreddo di fragole al Moscato, crostatina con nocciole e pere, tartara di mele e ricotta.
I vini proposti nei menù sono solo un piccolo estratto di una carta che presenta circa 120 etichette italiane e straniere con prevalenza del Triveneto, anche in mezze bottiglie. Ampia pure la scelta di distillati, oltre 100 etichette frutto della lunga esperienza come barman dei titolari.

VOLPAGO DEL MONTELLO

22 KM A NO DI TREVISO

BOSCO DEL FALCO

Azienda agrituristica
X Presa-via Battisti, 25
Tel. 0423 619797-335 6883415
Aperto giovedì e venerdì sera, sabato e domenica su prenotazione
Ferie: tre settimane in gennaio, due in agosto
Coperti: 80
Prezzi: 35 euro vini esclusi
Carte di credito: nessuna

In quest'oasi bucolica di 4 ettari vi accoglieranno Elena, appassionata di cucina e bravissima cuoca, e il marito Paolo che segue la sala. Nel parco ci sono circa 400 olivi (non ancora a maturazione: l'olio è fornito da una cooperativa locale), una coltivazione di asparagi, un frutteto e un vigneto, oltre all'allevamento di animali da cortile e maiali. L'interno è ben arredato, accogliente e caldo. All'esterno una terrazza belvedere per aperitivi e banchetti. Il menù è fisso e il prezzo – trattandosi di un agriturismo – è di fascia alta, ma la spesa è ampiamente ricompensata dalla qualità delle materie prime e dal numero delle portate.
Vari e abbondanti gli antipasti: asparagi con uova in stagione, verdure marinate e in pastella, **soppressa** di casa, **rotolo di pollo alle erbe**, sformati di verdure al formaggio, zucchine ripiene, in autunno **polenta e funghi**. Poi, un ottimo **risotto** (alle primizie dell'orto, agli asparagi, ai piselli, alla zucca, al radicchio) e un altro primo che potrà essere dato da **ravioli** (la pasta è fatta anche con patate) ripieni **di formaggio morlacco** o di ricotta e limone, finferli, zucca, piselli, erbe spontanee, radicchio. Preparatevi anche per i due secondi di carne (sostituibili con una selezione di buoni formaggi locali), uno di pollame (**gallo** ruspante **in *tecia***, **faraona**, **anatra**, a novembre oca) e l'altro in genere di vitello (tagliata o un morbido **spezzatino**, con sugo di asparagi in stagione). Per dessert crostate con confetture di propria produzione, torte al limone, krapfen fatti in casa e altre squisitezze sempre ben preparate.
Per meglio accompagnare i piatti viene ora proposta una selezione di interessanti vini di aziende locali. Servizio efficiente e garbato.

Friuli Venezia Giulia

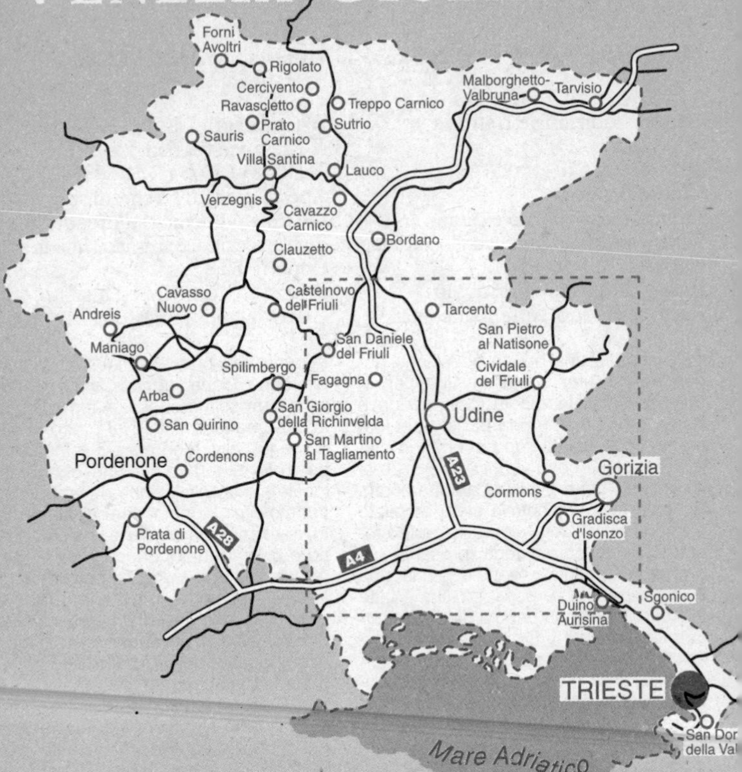

Forni Avoltri
Rigolato
Cercivento
Ravascletto
Treppo Carnico
Prato Carnico
Sutrio
Sauris
Malborghetto-Valbruna
Tarvisio
Villa Santina
Lauco
Verzegnis
Cavazzo Carnico
Bordano
Clauzetto
Cavasso Nuovo
Castelnovo del Friuli
Tarcento
Andreis
Maniago
San Daniele del Friuli
San Pietro al Natisone
Cividale del Friuli
Spilimbergo
Fagagna
Arba
San Giorgio della Richinvelda
Udine
San Quirino
San Martino al Tagliamento
A23
Pordenone
Cordenons
Gorizia
Cormons
Gradisca d'Isonzo
Prata di Pordenone
A28
A4
Duino Aurisina
Sgonico
TRIESTE
San Dor
della Val
Mare Adriatico

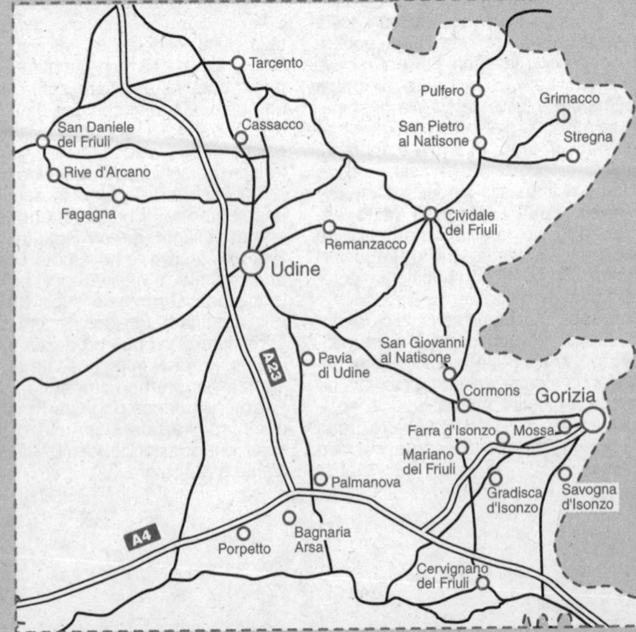

Andreis

35 km a nord di Pordenone

Al vecie for

Trattoria con alloggio
Via Centrale, 63
Tel. 0427 764437
Chiuso lunedì sera e martedì
Orario: mezzogiorno e sera
Ferie: 3 settimane in febbraio, 1 in ottobre
Coperti: 45
Prezzi: 27-30 euro vini esclusi
Carte di credito: Visa, Bancomat

L'imponente edificio di pietra che in passato era stato sede della cooperativa alimentare e del forno del paese ospita ora Al vecie for, dove Cristiana e Franco vi accolgono con garbata cortesia, sia che vi accomodiate per una sola volta nella luminosa saletta al primo piano sia che scegliate una sosta più lunga, approfittando del fatto che Andreis è un ottimo punto di partenza per escursioni nel Parco naturale delle Dolomiti Friulane.
I piatti si basano su prodotti del territorio valorizzati con gusto ed equilibrio in un menù che cambia ogni quindici giorni circa, seguendo le disponibilità stagionali. Si comincia con squisiti antipasti: **crema di funghi secchi con ricotta e speck croccante**, patate in camicia con sfilacci di carne secca, tortino di pere e formaggio asìno, ***scueta all'andreana*** con polentina morbida. Ottime le **zuppe** di ortiche e patate, di fagioli e zucca, di cipolla con sfogliatine al formaggio; in alternativa, un gustoso **orzotto** con montasio e pomodori o **gnocchi di patate con la *peta***. Tra i secondi ci sono piatti di selvaggina – cinghiale o **cervo in umido** – oppure **carré di agnello alle erbe**, **coniglio con peperonata**, **stinco di maiale al latte**. Interessante e varia l'offerta dei dolci preparati da Cristiana: **strudel di mele**, dolce di cioccolato e cannella, crostata di farina di mais con confettura di ciliegie oppure al cacao ripiena di pere e lamponi, gelato alla vaniglia con ciliegie cotte nel vino rosso.
Discreta scelta di etichette regionali e nazionali che affiancano un vino della casa fresco e gradevole.

Osteria accessibile ai disabili.

Allo stesso indirizzo della trattoria, Alimentari di Tonino Tavan: ottimo formaggio salato messo in salamoia in proprio.

Arba
Colle

35 km a nord di Pordenone ss 464

Grappolo d'oro

Osteria-trattoria con alloggio
Piazza IV Novembre, 14
Tel. 0427 93019
Chiuso il lunedì e sabato a pranzo
Orario: mezzogiorno e sera
Ferie: ultima settimana di gennaio, ultima di giugno
Coperti: 50 + 20 esterni
Prezzi: 28-32 euro vini esclusi
Carte di credito: le principali, Bancomat

L'abbinata Guglielmo Di Pol e genero Alessandro si sta rivelando vincente. Il primo oste da sempre, affabile, cordiale intrattenitore e organizzatore, il secondo responsabile ora anche della cucina, ruolo che sta affrontando con la determinazione e la scrupolosità già dimostrate nello studio e nella ricerca dei vini. Particolare è il suo impegno nell'elaborazione di ricette tradizionali e nella scelta delle materie prime, condiviso con la moglie Mara che si occupa anche del servizio in sala.
Gli effetti si apprezzano già con gli antipasti, tra i quali prosciutto di San Daniele o di cinghiale, **dolcecuore** – salume composto da un cuore di *pitina* (Presidio Slow Food) avvolto in filetto di maiale e lardo – e **formaggio salato** di Molevana. Un piatto particolare nella stagione invernale è la **zuppa di orzo e castagne**, cui si affiancano **gnocchi di mais** o di patate e grano saraceno, **risotto** alle verdure e formaggio di malga o **con *pitine* di Claut**. Oltre a un fragrante ***frico* con le patate** e al **capretto** locale **al forno**, da non perdere in primavera, i secondi schierano soprattutto **selvaggina**: cervo, capriolo, cinghiale o lepre, sia in salsa sia arrosto. È Mara che pensa ai dolci: strudel di mele, **torta di noci**, panna cotta, sfogliatine di fragole sono alcune delle sue specialità. La lista dei vini contiene una vasta selezione di friulani – interessanti le proposte della doc Grave, a prezzi decisamente ragionevoli – oltre a buone bottiglie di altre regioni italiane ed estere.
Attenzione perché nel comune di Arba ci sono due piazze IV Novembre: quella del Grappolo d'Oro è nella frazione Colle, lungo la statale tra Spilimbergo e Maniago.

Bagnaria Arsa
Sevegliano

23 km a sud di Udine A 23 o A 4

Mulino delle Tolle

Azienda agrituristica
Via Julia, 1-Statale Palmanova-Grado
Tel. 0432 924723
Aperto da giovedì a domenica
Orario: mezzogiorno e sera
Ferie: Pasqua, 15-30/7 e 24/12-15/1
Coperti: 80
Prezzi: 25 euro vini esclusi
Carte di credito: Visa, Bancomat

A pochi chilometri dalla storica Palmanova, sulla strada per Cervignano e Aquileia, il Mulino delle Tolle, famosa azienda vinicola, ha ampliato la sua offerta con la formula dell'agriturismo. I cugini Bertossi hanno curato una intelligente e calda ristrutturazione che mantiene in pieno gli elementi originali del vecchio complesso, in zona conosciuto come la Casa Bianca: pareti in pietra, travi a vista e arredi tradizionali nelle sale da pranzo, un grande bancone e il vecchio *fogolar* nella zona di mescita. In linea con il locale rustico e familiare, un menù essenziale nella sua enunciazione, ma dove trovano spazio i più classici piatti della tradizione friulana, con materie prime in buona parte di produzione propria. Le carni, in particolare, sono controllate dall'allevamento alla cucina, grazie all'uso del macello aziendale.
In apertura merita il ricco piatto di ottimi **salumi** di produzione casalinga – ossocollo, salame e pancetta tra gli altri. Poi spiccano gli **gnocchi** tricolori **con ricotta affumicata**, il pasticcio di verdure e il **minestrone di orzo e fagioli**. Fra i secondi, **arrotolato di coniglio con le erbe**, faraona alle mele verdi, **spezzatino d'oca** e **pollo in umido**. Non manca ovviamente il ***frico***. Tipici e semplici i dolci con cui concludere il pasto: crostate, **torta di mele** e biscotti di farina di mais.
A complemento dei sapori casalinghi, gli ottimi vini della casa che provengono dai 22 ettari di vigna di proprietà e possono essere acquistati presso l'agriturismo.

A **Santa Maria La Longa** (6 km), in frazione Mereto di Capitolo, via Palmanova 16, il piccolo negozio della famiglia Gortani è una vera e propria vetrina della Carnia: formaggi di produzione propria, frico, legumi, farina e grappe aromatizzate.

Bordano
Interneppo

33 km a NO di Udine SS 13 o A 23

Alla terrazza

Trattoria annessa all'albergo
Via Principale, 89
Tel. 0432 979139
Chiuso il sabato
Orario: solo a mezzogiorno
Ferie: 15 gg in febbraio, 15 a fine settembre
Coperti: 40 + 30 esterni
Prezzi: 20-22 euro vini esclusi
Carte di credito: tutte, Bancomat

Da 85 anni la famiglia Bevilacqua gestisce questo locale che deve il suo nome alla terrazza dove si può pranzare nella bella stagione, godendo di una splendida vista sul lago dei Tre Comuni e sui boschi delle Prealpi carniche. Il patron – Cesare – coltiva personalmente l'orto dove nascono le verdure che si consumano nella trattoria, nella cui conduzione è affiancato dalla moglie Adriana e dalla figlia Laura. La cucina, semplice ma gustosa, offre piatti sempre basati su ingredienti di stagione, anche quando le ricette sconfinano dal menù di territorio. Tra gli antipasti, ottimi lo speck e il **prosciutto** crudo **di Sauris**, il culatello, la trota affumicata. Ricco l'elenco dei primi con cui proseguire: pasta fresca, **risotti** e **pasticci con verdure** (asparagi, funghi, melanzane, carciofi secondo il periodo dell'anno), da provare i **minestroni di verdura**, la **pasta e fagioli**, gli spaghetti al limone. Tutti di carne i secondi: oltre a quelli cotti sulla griglia, una notevole **carne salata con ricotta affumicata** su letto di radicchietto e ancora **pollo ai porcini** o scaloppine agli asparagi. Si chiude con la tipica **gubana** e torte fatte in casa.
La carta dei vini propone etichette di rossi e bianchi da tutto il mondo, con un ottimo rapporto fra qualità e prezzo; in alternativa si può assaggiare lo sfuso della casa, all'altezza della situazione.

A **Bueriis di Magnano in Riviera**, pochi chilometri prima di Bordano provenendo da Udine, l'azienda Savio produce e vende, in via Tese 1, il frico, specialità friulana a base di formaggio cotto.

Osmize sul Carso

Grazie a un editto di Maria Teresa d'Austria, a Trieste, in Carso e nella piana isontina si possono ancora apprezzare le *osmize* o frasche. Sono piccole aziende agricole autorizzate a somministrare, limitatamente ad alcuni periodi dell'anno, i loro vini. In origine il periodo era fissato in otto giorni (*osem* in sloveno significa otto), il tempo in cui la caratteristica frasca appesa all'ingresso appassiva e perdeva le foglie.
Osmize ce ne sono tantissime, forse troppe, aperte praticamente tutti i mesi dell'anno: sono croce e delizia degli enoturisti perché, se è vero che sono spesso ubicate in angoli verdi e panoramici della periferia della città e dei borghi dell'altopiano, frequentemente spacciano vino non proprio gradevole e di dubbia provenienza. Nelle *osmize* si possono servire salumi e formaggi, tutt'al più verdure crude con uova sode e verdure sott'olio o sott'aceto, ma non piatti caldi. Ne segnaliamo alcune di accertata qualità.

Sergio Nesich

Duino Aurisina

Famiglia skerk

Frazione Prepotto, 20
Tel. 040 200156
Aperto 3 settimane dopo Pasqua e 15 settembre-15 ottobre
Posti a sedere: 50 + 50 esterni

Un antico muro in pietra carsica e un massiccio portone di legno inserito tra due colonne lavorate delimitano la corte di casa Skerk. Dentro, piacevoli ambienti e piccole sale accoglienti. I genitori e i tre figli sono appassionatamente coinvolti nella conduzione. Pregevoli i vini, sia sfusi sia imbottigliati, di qualità anche prosciutto crudo e arrosto, salame, ossocollo con rucola, formaggi vaccini e misti dei piccoli casari carsici, pane al forno con cotechino, ricotta con miele e noci. La vista sul castello di Duino e i profumi di brezza marina e delle vicine boscaglie aumentano la piacevolezza della sosta.

Beniamino zidarich

Frazione Prepotto, 23
Tel. 040 201223
Aperto 3 settimane dopo Carnevale, l'ultima settimana di novembre-prima di dicembre
Posti a sedere: 60 + 50 esterni

Non è una *osmiza* storica, è attiva da una dozzina di anni, ma la qualità del vino, la bellezza della casa e del contesto, la cortesia dei proprietari la rendono frequentatissima. Si possono assaggiare vini sfusi e i rinomati vini in bottiglia, accompagnandoli con ottimo pane, prosciutto crudo e arrosto, salame, formaggi del Carso. A breve sarà accessibile un'altra ala dell'abitazione, con vista sul golfo di Trieste.

San Dorligo della Valle

Rado kocjancic

Località Dolina-Dolga Krona
Tel. 348 3063298
Aperto l'ultima settimana di ottobre e le prime 2 di novembre
Posti a sedere: 70

In un capannone in via di ristrutturazione che la comunità del luogo destinerà ad attività enogastronomiche e culturali, la famiglia Kocjancic da anni propone vino di propria produzione, salame, prosciutto crudo e arrosto, luganighe, pancetta, lardo e olive di casa. Piacevolissimi scorci panoramici sulla Valle Rosandra si alternano a vedute dei tank dell'oleodotto transalpino e all'invadente imponenza di un grande stabilimento.

Trieste

Silvano ferluga

Via dei Molini, 26
Tel. 040 417649
Aperto le prime 3 settimane di maggio e le ultime 3 settimane di dicembre
Posti a sedere: 50 + 50 esterni

In località Piscanci, sopra il rione di Roiano, in un ambiente cittadino ma immerso nel verde, lavorano ancora molti contadini che producono ortaggi, vino e olio. Silvano, uomo di cultura e di grande intelligenza, è uno di questi e la sua *osmiza* è imperdibile per gli appassionati. Dalle terrazze di casa Ferluga si vede il mare. Si bevono vini sfusi e imbottigliati accompagnati da prosciutto, salame, pancetta, verdure e germogli sott'olio.

Cassacco
Conoglano

16 km a nord di Udine, 4 km a SO di Tricesimo

Mulino Ferrant

Trattoria
Via dei Mulini, 8
Tel. 0432 881319
Chiuso martedì e mercoledì
Orario: sera, sabato e festivi anche pranzo
Ferie: gennaio e novembre
Coperti: 50 + 70 esterni
Prezzi: 22-27 euro vini esclusi
Carte di credito: nessuna

Conoglano è all'interno del Parco naturale del torrente Cormor, in un mulino del Settecento sapientemente recuperato dopo il terremoto del 1976. Una parte dell'edificio è destinata a Museo della cultura contadina mentre l'altra ospita il locale di ristoro la cui gestione è in capo da ben 17 anni a Paolo Fant, coadiuvato da validi collaboratori e da un giovane e promettente cuoco. I tavoli sono distribuiti su due livelli: al piano terra in un'accogliente sala con il camino, al primo piano sotto la tradizionale copertura in legno a vista. D'estate ci si sposta all'aperto, immersi nel verde del parco.
Il ricco menù varia con le stagioni e presenta piatti legati al territorio ed elaborati in maniera semplice ma raffinata. Tra gli antipasti troviamo il **prosciutto di San Daniele** e altri salumi, una selezione di formaggi – tra i quali l'*asino* salato **con polenta** –, il **flan allo *sclopìt*** (erba silene) con salsa al formaggio e la **polentina con funghi trifolati, crema di montasio, ricotta affumicata e lardo**. La pasta, fatta in casa, si declina in **maltagliati con raguttino di coniglio**, ravioli con la menta, fagottino agli asparagi con crema alle uova, ***cjarzòns*** del Mulino Ferrant (in versione salata); in alternativa zuppe e creme di verdura. Immancabile il ***frico* con patate e polenta** cui si aggiungono anatra al forno, tagliata, costata, **carré di maiale affumicato con cappucci**. La lista dei dolci elenca tiramisù della casa, bavarese al pistacchio con salsa al caramello, tortino al cioccolato e altri dessert al cucchiaio.
La carta dei vini presenta una buona selezione di etichette, regionali e nazionali. Apprezzabile anche lo sfuso.

Castelnuovo del Friuli
Oltrerugo

46 km a NE di Pordenone

Dal cjco

Osteria con cucina
Località Oltrerugo, 119
Tel. 0427 90032
Chiuso martedì e mercoledì
Orario: mezzogiorno e sera
Ferie: 2 settimane dopo l'Epifania, 15-30 giugno
Coperti: 50 + 30 esterni
Prezzi: 30-33 euro vini esclusi
Carte di credito: tutte, Bancomat

Non desistete di fronte alla natura rigogliosa e alle numerose curve che conducono al colorato locale dei fratelli Massimo e Liana Cozzi: la sosta enogastronomica in frazione Oltrerugo, dove regnano silenzio e tranquillità, permette di dimenticare la frenesia quotidiana e di provare piatti ricchi di sapori e profumi del territorio, con qualche scappatella a mare. L'osteria si caratterizza, oltre che per i sorrisi ospitali dei due titolari, per un'attenta scelta dell'arredamento, con il classico *fogolar* al centro della sala principale, belle fotografie appese ai muri e fiori di campo sui tavoli.
La proposta dei piatti è varia: si inizia con **formaggi di malga**, salumi, funghi sott'olio, germogli di pungitopo (*sparcs di rùsculi* o ***rusculìns***) raccolti in stagione nei dintorni, mentre arrivano da più lontano le alici marinate con fiori di cappero e olive taggiasche. Primi di Carnia, come i ***fregolòz* di erbe** spontanee con ricotta affumicata e fonduta, il **riso con lo *sclopìt*** (erba silene), l'**orzotto con salsiccia e fagioli**, oppure meno filologici, come gli spaghetti con il nero di seppia. Si prosegue con **filetto di maiale alle erbe aromatiche** con patate, fegato con la cipolla, maiale alla birra affettato, rotolo di vitello, accompagnati da *radìcc di mont*, asparagi di pungitopo o funghi chiodini in base al periodo dell'anno. Per finire il delizioso **gelato al miele di acacia**, crostate e biscotti fatti in casa e, ancora, tiramisù con le fragole.
La carta dei vini offre una discreta scelta di etichette friulane di qualità, tra le quali alcune poco note ai più, ma in questo contesto ben valorizzate.

Osteria accessibile ai disabili.

Cavasso Nuovo

32 km a nord di Pordenone ss 552

Ai cacciatori

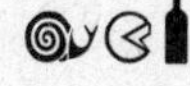

Trattoria
Via Diaz, 4
Tel. 0427 777800
Chiuso lunedì sera e martedì
Orario: mezzogiorno e sera
Ferie: seconda settimana di gennaio, 15-30 settembre
Coperti: 35
Prezzi: 30-35 euro vini esclusi
Carte di credito: tutte

Sono in tanti a tornare in questo angolo appartato per gustare le specialità di Daniele e Angelina Corte, preparate con sapienza e una discrezione che lascia parlare l'eccellente materia prima.
Si comincia con antipasti come lo **sformatino alle erbe con bruscandoli e crema di *formadi frant***, le lumache grigie del Meduna, la ***pitina*** (Presidio Slow Food) – con la polentina morbida e la ricotta di pecora fresca o nella variante invernale ***pitin'oca*** – e altri salumi locali. A seguire, le **zuppe**, tra cui quella con asparagi e lumache, i ***blecs*** (maltagliati) di grano saraceno o **di castagne con ragù di lepre** (in estate con sugo di agnello), l'**orzotto con lo *sclopìt***, i **tortelli con *radìc di mont***, il **risotto con Scjaglìn** (bianco autoctono, in versione leggermente frizzante) **e *formadi dal cit***, gli gnocchi con selvaggina *o formadi frant*. Tra i secondi la **selvaggina** non si discute, ma si può optare anche per un piatto di **fegato**, rognoni di vitello o **trippe** oppure affidarsi al calendario: in inverno **bollito misto**, a Pasqua baccalà, in primavera agnello, d'estate **funghi**, anguilla del Livenza con prugne acerbe in stagione di pesca. Ottima la selezione di **formaggi** locali, serviti con salse e mieli, e invitanti i dolci: bavarese di castagne con salsa di cachi, sfoglia alle mandorle, crostate.
Dalla sua cantina "a vista" (le bottiglie sono schierate sugli scaffali della sala) Dânel propone una generosa gamma di vini regionali, nazionali ed esteri, di cui una mezza dozzina al calice, oltre a quelli della casa.

Alla macelleria Bier, in via Diaz 1, pitina (Presidio Slow Food), pitin'oca, ottime carni e insaccati.

Cavazzo Carnico
Borgo Poscolle

45 km a NO di Udine

Borgo Poscolle

Trattoria
Via Poscolle, 21 A
Tel. 0433 935085
Chiuso martedì e mercoledì
Orario: mezzogiorno e sera
Ferie: gennaio e una settimana in giugno
Coperti: 40 + 20 esterni
Prezzi: 27-30 euro vini esclusi
Carte di credito: nessuna

L'impressione è quella di entrare nel salotto buono di casa: la raccolta di libri e fumetti, la stufa di maiolica bianca, il *fogolar* e il soppalco rendono l'ambiente particolarmente caldo e accogliente. All'esterno, poi, nella bella stagione si può pranzare all'ombra dei poderosi carpini. Dietro tutto ciò c'è la regìa di Lucio Pillinini e Rita Lenisa che, pur non essendo figli d'arte, hanno saputo incanalare nel verso giusto la loro passione per il buon cibo e il bere bene.
Rita, convinta sostenitrice del biologico, ricerca e seleziona con attenzione tutte le materie prime, dalle uova alla carne. A ciò si aggiunge la mano esperta dello chef Luca Paschini che, accanto ai **salumi** nostrani e al carpaccio di angus, vi farà assaporare le paste fatte in casa (anche con farine diverse) come i ***fregoloz* agli asparagi selvatici** con noci e rosmarino, i ***blecs* ai broccoli e acciughe** e i ravioli di prosciutto e coniglio. Tra le carni, come detto controllatissime, le proposte spaziano dal petto di faraona con pancetta alle **costicine di agnello**, dal **filetto di maiale con asparagi e speck** al **bollito**. Sempre tra i secondi sono da provare il **salmerino**, un pesce locale dalle carni morbide e delicate, e il **baccalà alla veneta**. I dolci, una delizia per gli occhi e il palato, sono il cavallo di battaglia di Rita: non perdetevi la millefoglie al gelato bianco, la trilogia di cioccolato, il ***rigojanci*** e il doppio cremoso al cioccolato. Apprezzabile la scelta dei vini, serviti anche al bicchiere.
Rita e Lucio vi potranno fornire preziose indicazioni per l'acquisto di carni, formaggi, salumi e per i distillati di Cabia.

Cercivento

64 km a NO di Udine, 18 km da Tolmezzo SS 52 bis

In plàit

Libreria con cucina e alloggio
Via di Sot, 51
Tel. 0433 778412
Chiuso lunedì e martedì
Orario: mezzogiorno e sera
Ferie: non ne fa
Coperti: 25
Prezzi: 30 euro vini esclusi
Carte di credito: nessuna

Narra la leggenda popolare che nelle notti di luna piena al Pian delle Streghe, sopra Cercivento, «diavoli goffi con bizzarre streghe» si ritrovano e ballano sui prati, lasciando circoli di erba battuta. Questa e altre *liendas* affascinano i bambini del luogo e, perché no, anche noi viaggiatori. È nell'accogliente sala da pranzo, fra libri che parlano di montagna e pubblicazioni dedicate alla cultura e storia del Friuli e della Carnia, che gli ospiti possono apprezzare tradizioni, ricette, ingredienti di questa zona. Il menù, raccontato a voce da William De Stales, cambia in funzione delle materie prime disponibili e dell'assidua ricerca che la moglie, Stefania Roverelli, conduce ispirandosi anche alle sue origini tosco-emiliane. La cucina è sempre aperta ma è indispensabile prenotare con anticipo.
Si può iniziare con crocchette di prosciutto crudo, porcini o baccalà, tortelli romagnoli con lardo e rosmarino, ***ridrìc di mont* sott'olio** o verdure in agro. Poi subito le paste, tutte tirate a mano *cul mèscul* e condite con le erbe, il ragù o la ricotta affumicata: **ravioli**, tagliatelle, **gnocchi di ricotta**. A seguire **filetto di maiale con patate** di montagna, **spezzatino di agnello**, **capretto al forno**, polpette con mousse di finocchio, **salsicce ai fiori di finocchio selvatico**, **trippa**, **trota affumicata**. In alternativa al gelato fatto in casa, crema pasticciera con bacche di vaniglia oppure crostata ai frutti di bosco o con pere e cioccolato.
L'assortimento dei vini, a vista, predilige la produzione regionale.

A **Ovaro** (15 km) il panificio Fior sforna pani di segale, mais e frumento; in frazione **Clavais**, Luisa Puschiasis prepara ottime confetture, in particolare con il ribes nero.

Cervignano del Friuli
Strassoldo

26 km a SE di Udine SP 352

San Gallo

Azienda agrituristica
Via San Gallo, 3-1
Tel. 0431 93039
Chiuso lunedì, martedì e mercoledì
Orario: sera, sabato e festivi anche pranzo
Ferie: 1-15 luglio e 1-15 ottobre
Coperti: 80
Prezzi: 22-27 euro vini esclusi
Carte di credito: tutte, Bancomat

Il San Gallo ha sede in una ex stalla arredata con semplicità e buon gusto al centro della quale troneggia una tipica stufa tirolese. Alle pareti una copiosa raccolta di antichi attrezzi agricoli e per la lavorazione del legno. Il luogo è facilmente raggiungibile dall'uscita di Palmanova (autostrada Venezia-Trieste) imboccando la strada per Grado: giunti all'altezza di Strassoldo si svolta a destra in direzione Castions delle Mura; poco dopo sulla sinistra, superato il cavalcavia che sovrasta lo scalo ferroviario di Cervignano, ecco l'agriturismo, che dall'anno scorso offre anche alloggio in quattro appartamenti e cinque stanze doppie (35 euro per notte a persona, prima colazione inclusa).
Molto cordiale l'accoglienza dei titolari, Ermanda e Giacomo Castellan, che con passione illustrano i piatti di una cucina stagionale semplice ma gustosa che utilizza, oltre a verdure e salumi prodotti in azienda, anche **pesce di laguna** (orate e branzini) proveniente da una valle di pesca nei pressi di Marano. Da consigliare l'antipasto di **salumi** misti e **formaggi**. Tra i primi doverosa menzione alla pasta fatta in casa condita con sughi di carne o pesce. In inverno non mancano i piatti forti della gastronomia friulana come la **pasta e fagioli** e le **trippe**. L'ampia scelta dei secondi comprende carni di qualità – **coniglio**, **pollo**, **anatra** e altri animali da cortile, **selvaggina** – cucinate ai ferri, **al forno** o **in umido** e accompagnate da verdure di stagione e **patate in *tecia***. Ai dolci, casalinghi, fa seguito una gradevole grappa alle erbe.
Il vino della casa, rosso e bianco, ben si accompagna alle pietanze; è possibile comunque optare per qualche bottiglia della zona, di buon pregio e prezzo corretto.

17 KM A NE DI UDINE SS 54

AI TRE RE

Osteria tradizionale
Via Stretta San Valentino, 29
Tel. 0432 700416
Chiuso il martedì
Orario: mezzogiorno e sera
Ferie: prime tre settimane di giugno
Coperti: 60 + 50 esterni
Prezzi: 25 euro vini esclusi
Carte di credito: tutte, Bancomat

Questo storico locale ha saputo riconquistare pieno riconoscimento nel mondo enogastronomico grazie alla sapiente gestione della famiglia Morandini, costantemente impegnata a garantire materie prime di qualità e, a eccezione del pesce, di territorio. Vi accoglie un ampio cortile con la pergola sotto la quale, d'estate, ci si può accomodare godendo il venticello del Natisone. L'interno si articola in tre sale, regno di Claudia e Cinzia, occupate nel servizio ai tavoli sotto la supervisione di Paolo senior e talora affiancate da Paolo junior, mentre la signora Anna si dedica alla cucina.
Si comincia con **guanciale di maiale fumé con Refosco**, prosciutto crudo e culatello di Sauris, **soppressa** prodotta nelle valli del Natisone. Tra i primi piatti, che seguono i ritmi delle stagioni, meritano la segnalazione il minestrone (di **pasta e fagioli** o di erbe), gli **gnocchi** Tre Re **con speck**, le lasagnette con asparagi e prosciutto cotto di Praga, il risotto con fiori di zucca, pinoli e zafferano. Tagliata di petto di pollo alla piastra su crudité, vitello al forno, **medaglioni di filetto di maiale** avvolti nello speck e uno splendido **formaggio ripieno con erbe di campo** sono alcune proposte per proseguire, ma non trascurate di assaggiare le seppie con piselli su polentina e, quando c'è, la calamarata. Casalinghi i dolci: crêpes con crema e fragole, o con gelato alla cannella e cioccolato fuso, e bavarese alle pesche con salsa quelli consigliati.
Ottimo lo sfuso della casa e convincente la carta dei vini, con etichette sia friulane sia nazionali.

Specialità gastronomiche, locali e non, di ottima qualità nella storica drogheria Stubia, corso Mazzini 33, e alla Bottega del Gusto, via Paolino d'Aquileia 14.

17 KM A NE DI UDINE SS 54

AL MONASTERO

Ristorante con alloggio
Via Ristori, 9
Tel. 0432 700808
Chiuso domenica sera e lunedì
Orario: mezzogiorno e sera
Ferie: in febbraio e in giugno
Coperti: 150 + 30 esterni
Prezzi: 25-30 euro vini esclusi
Carte di credito: tutte, Bancomat

A un passo da piazza Paolo Diacono incontrate questo pittoresco ristorante (e locanda) ricavato dagli ambienti austeri di un monastero. Le sale dai soffitti a volta hanno un arredamento caldo e accogliente, soprattutto quella più piccola, raccolta attorno al *fogolar*, all'esterno l'antica corte è un'elegante cornice per le sere d'estate.
La cucina semplice ma curata segue la stagionalità e rispetta i sapori del territorio, a partire dagli antipasti, fra i quali segnaliamo il prosciutto di cinghiale con ravanelli marinati, il flan di piselli con vellutata di pomodoro e lo **strudel di montasio**. I primi spaziano dai fiocchetti alla fontina e speck con salsa alle zucchine, o dai **ravioli allo *sclopit*** e vellutata di formaggio, a piatti più strettamente legati alla tradizione friulana quali gli ottimi ***cjalsòns*** del Monastero, i **maltagliati all'anatra** o ancora gli **strigoli al ragù bianco e *urticions***. Prevalentemente di carne le proposte a seguire: per esempio *tournedos* del Monastero e **suprema di faraona avvolta nel lardo** con purè di carote, ma c'è anche un piacevole poker di formaggi fra i quali spicca il ***formadi frant***. Il ritmo stagionale è scandito pure nell'offerta dei dolci: sfoglia di pere, bavarese al cioccolato con salsa di fragole, semifreddo alle fragole, sfogliatine alle ciliegie, l'immancabile **gubana** e gli **strucchi con *slivowitz***.
La carta dei vini presenta una decorosa scelta di cantine regionali e qualche etichetta nazionale, con ricarichi più che onesti.

A **San Pietro al Natisone** (6 km), ottimi gelati artigianali al Paradiso dei Golosi, via Musoni 2.

Clauzetto

50 km a NE di Pordenone, 18 km a nord di Spilimbergo

Ai mulinars

Ristorante
Via della Val Cosa, 83
Tel. 0427 80684
Chiuso il lunedì
Orario: mezzogiorno e sera
Ferie: variabili
Coperti: 45 + 45 esterni
Prezzi: 30-35 euro vini esclusi
Carte di credito: tutte tranne AE

Incastonato tra il bosco e il torrente Cosa, questo accogliente locale a conduzione familiare è frutto di un'accorta ristrutturazione che gli ha restituito il calore originario. Vi accolgono in sala – o in giardino – con professionalità e squisita cortesia i fratelli René, Isabell e l'ottimo sommelier Gianclaudio, artefice di una curata cantina con ampia scelta di etichette regionali e nazionali. In cucina la passione di Ottavio e della moglie Angela coniuga una ventennale esperienza a Berlino con la ricerca e la valorizzazione dei prodotti locali e della materia prima di qualità.
Tra gli antipasti, proposti anche in degustazione, segnaliamo l'insalata di panvecchio con pere, cipolla di Tropea e pomodoro, i carciofini freschi in insalata con prosciutto di cinghiale, il **carpaccio con *lidric di mont*** (Presidio Slow Food), l'**involtino di melanzana con guanciale e montasio**. Al pari del pane, la pasta è fatta in casa e può comprendere ***cjalsòns***, conditi con speck e formaggio di malga, **crêpes con aglio selvatico**, **gnocchi**. **Lumache**, **selvaggina**, ***frico* con patate** sono alcuni dei secondi che potrete gustare, ma meritano di essere menzionati anche il **lombo di cervo con mirtilli**, le carni di provenienza locale cotte sulla pietra lavica e, in stagione, la **polenta** con porcini o spugnole. Eccellenti i dolci al cucchiaio e le coreografiche torte casalinghe, tra cui raccomandiamo quella a base di pan di Spagna, crema pasticciera e mandorle e la crostata di noci, amaretti e marmellata.
A fine pasto concedetevi un infuso di erbe o una grappa ai mirtilli della casa.

Osteria accessibile ai disabili.

Cordenons

5 km a NE di Pordenone

Al curtif

Osteria
Via del Cristo, 3
Tel. 0434 931038
Chiuso lunedì sera e martedì
Orario: mezzogiorno e sera
Ferie: 1-10 gennaio, 3 settimane in agosto
Coperti: 50 + 50 esterni
Prezzi: 27-30 euro vini esclusi
Carte di credito: tutte

Il locale non è facilissimo da trovare, anche se sta in prossimità del centro di Cordenons, cittadina che negli ultimi decenni ha conosciuto un considerevole sviluppo. Le nuove costruzioni hanno così circondato questa che era una casa colonica di fine Ottocento, sapientemente restaurata: l'ambiente è gradevole, con un convincente mix di modernità e di particolari da vecchia osteria, e in estate è molto gradevole accomodarsi nel cortile (il friulano *curtif*).
Da una porzione del terreno circostante è stato ricavato l'orto, coltivato con orgoglio dalla signora Giuseppina, moglie del titolare Onorio Fantuz. Da qui arrivano le numerose verdure ed erbe che caratterizzano il menù, come ad esempio il *grisòl*, altrimenti noto come *sclopìt*, che integra il condimento dei deliziosi **gnocchi di patate**. Sempre all'altezza sono le fettuccine e le **tagliatelle all'ortolana**. Fra le zuppe invernali non perdete la **pasta e fagioli**. I Fantuz hanno un occhio di riguardo per i Presìdi Slow Food del territorio e propongono spesso la ***pitina***, una carne conservata tipica delle vicine valli dei fiumi Cellina e Meduna. A essa si affianca, fra gli antipasti invernali, il **salame cotto con l'aceto**, oltre ai **salumi** classici, dal prosciutto allo speck. **Baccalà**, **spezzatino** e **trippa** rinsaldano il legame con la tradizione, mentre fra le novità, insolite per la zona e da registrare, segnaliamo il tonno di Carloforte. Altrettanto inusuale la lista dei diversi modi di proporre il ***frico***: alla salsiccia, allo speck, alle pere, al porro e con altri abbinamenti ancora.
La carta dei vini, curata da Onorio, è ampia, con prezzi molto corretti.

Cormons

13 km a ovest di Gorizia ss 56

Antica osteria all'unione

Trattoria
Via Zorutti, 14
Tel. 0481 60922
Chiuso il lunedì
Orario: mezzogiorno e sera
Ferie: non ne fa
Coperti: 45
Prezzi: 28-32 euro vini esclusi
Carte di credito: le principali, Bancomat

Entrate in questa simpatica trattoria nel centro di Cormons e troverete un'atmosfera un po' *rétro*, tra soffitto basso con travi a vista, vecchi mobili e garbati gingilli che allietano la sala. Il locale, non a caso, era già in attività nell'Ottocento e a tutt'oggi continua a essere popolare anche fra clienti della vicina Austria, che Giovanna accoglie mentre il marito Pino Pecorella in cucina prepara i suoi manicaretti con l'estro che tutti gli riconoscono. E saranno manicaretti di stagione, essendo questo uno dei fili conduttori del menù.
Dopo un bell'assaggio di salumi misti, forse l'eccellente **prosciutto** locale o anche la **manzetta marinata con spezie** d'estate, oppure altre proposte legate al calendario come gli ottimi asparagi, si può procedere con la pasta fatta in casa e condita con verdure – zucchine, peperoni, melanzane, funghi –, gli **gnocchi** di patate o **con farina di castagne**, lo sformato al formaggio con erbe di campo. Tra i secondi, agli ormai classici **stracotto**, cucinato nella pentola di terracotta e servito **con la polenta**, e **filetto di maiale in Cabernet**, si aggiungono la **faraona** e il **coniglio**, entrambi di provenienza locale. D'inverno non mancano il **baccalà in bianco** e le **trippe**. Per finire, la torta di mele è una garanzia, ma anche le altre proposte della signora Giovanna meritano la vostra attenzione.
La piccola selezione di buoni vini friulani è disponibile anche al calice.

In località **Brazzano** (2 km), via Italia 4, la panetteria Nadalutti produce e vende il tipico cornetto istriano di pasta dura.

Duino Aurisina
Santa Croce

14 km a NO di Trieste ss 14 e 202

Il pettirosso

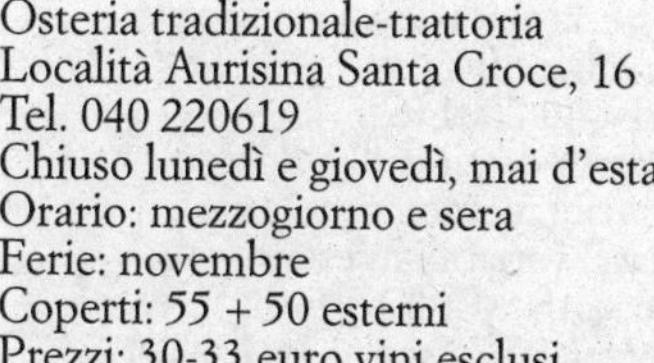

Osteria tradizionale-trattoria
Località Aurisina Santa Croce, 16
Tel. 040 220619
Chiuso lunedì e giovedì, mai d'estate
Orario: mezzogiorno e sera
Ferie: novembre
Coperti: 55 + 50 esterni
Prezzi: 30-33 euro vini esclusi
Carte di credito: tutte, Bancomat

Aperto nel 2000, il locale è giovane, ma Emiliano, titolare e cuoco, e la moglie Maria Grazia hanno già saputo dimostrare professionalità e cura per i particolari. Ne è prova la loro cucina di stagione, attenta ai prodotti freschi e locali come l'olio del Carso o il pesce dell'alto Adriatico, protagonista di molti piatti.
Ad esempio, per cominciare, carpaccio di piovra con pesto e pomodorini, alici o **sardoni marinati**, **padella di conchiglie**; alternativa terragna le roselline di pancetta e sfoglia di grano saraceno. Tra i primi **tagliatelle** fresche con salsiccetta e Terrano, **blechi di saraceno con il sugo del brasato e pinoli**, **tagliatelle** fondo marino (con alghe) ai frutti di mare o **con gamberi in *busera***, **zuppa di pesce** e più convenzionali spaghetti ai frutti di mare. Scegliendo il pesce si continua con filetto di branzino in crosta con ragù di olive, **seppie stufate con polenta impanata** o grigliata mista, mentre gli amanti della carne troveranno la **guancetta stufata con pinoli**, la tagliata alla rucola e fondo di Terrano e quella con croccante al pecorino e pepe rosa, il **filetto** con crema di parmigiano **alla Vitovska** e il prosciutto crudo del Carso. Classici i dolci, ma presentati con estro e colore.
La scelta dei vini, al pari di quella dei distillati, è molto ampia: etichette friulane, istriane e slovene, oltre a Malvasia Istriana e Vitovska sfuse. Valorizzata anche la birra artigianale locale.

A **Trieste** (14 km), Enoteca Bere Bene in viale Ippodromo 2-3: ottimi vini di territorio, nazionali ed esteri. In piazza San Giovanni 6, Gran Malabar: straordinaria scelta di vini a calice e per asporto, serviti con competenza.

Duino Aurisina
Slivia

14 km a NO di Trieste SS 14 e 202

Sardoc

Osteria tradizionale-trattoria
Località Slivia, 5
Tel. 040 200146
Aperto da giovedì a domenica
Orario: mezzogiorno e sera
Ferie: variabili in estate
Coperti: 80 + 30 esterni
Prezzi: 25-30 euro vini esclusi
Carte di credito: tutte

Slivia è un piacevole borgo carsico dell'altopiano triestino, con case in pietra, muretti a secco e la caratteristica vegetazione delle zone dove finisce la macchia mediterranea e inizia la selva centroeuropea. In un Carso dove finalmente i confini sono un ricordo e si può così apprezzare ancora più agevolmente l'enogastronomia tradizionale diffusa e ben radicata, sono numerose le trattorie e le *gostilne*. Tra queste, Sardoc è sicuramente un valido esempio di rispetto delle tradizioni culinarie più tipiche, con la giovane generazione di Ranko e Roberta ad affiancare con sicurezza e garbo gli anziani della famiglia. Il locale, ai margini del paese, si affaccia su un cortile dove è possibile mangiare all'aperto nella bella stagione; dall'ampio porticato si accede alle due sale spaziose, su piani leggermente sfalsati.
Al momento di ordinare tenete conto che le porzioni qui sono decisamente abbondanti, poi fate la vostra scelta fra **gnocchi** di patate, di pane o, ancora, in versione estiva **con le susine**, crespelle alle verdure, **rollata con spinaci**, ***jota***. Se decidete di rinunciare al richiestissimo **pollo fritto**, davvero esemplare, avrete a disposizione **stinco** di vitello o di maiale **al forno**, ***ljubianska***, **gulasch**, carni alla griglia, filetto di maiale e di cavallo, accompagnati da contorni diversi a seconda delle stagioni: verdure al tegame, fagioli e **patate in *tecia***. Buoni i dolci, in particolare gli **strudel**.
Discreta scelta di vini di territorio e qualche divagazione extraregionale.

A **Trieste** (14 km), pastificio Mariabologna, via Battisti 7: paste fresche, anche ripiene, torte salate e vasta scelta di piatti di gastronomia. Salumeria Villanovich, via delle Torri 1: ottima scelta di salumi e formaggi oltre a vini, oli e altre specialità.

Fagagna
Villalta

12 km a NO di Udine

Ai turians

NOVITÀ

Osteria con cucina
Via Bevilacqua, 99
Tel. 0432 810059
Chiuso domenica sera e lunedì
Orario: mezzogiorno e sera
Ferie: agosto, una settimana in gennaio
Coperti: 60
Prezzi: 25-30 euro vini esclusi
Carte di credito: tutte, Bancomat

Il locale, che deve il nome ai nobili Torriani per secoli signori di queste terre dal castello che domina Villalta, si presenta molto caldo grazie all'arancione spatolato delle pareti, ai mobili in legno scuro e ai tavoli vestiti da tovaglie di carta da macellaio. I titolari sono Valentino Peres, che presidia il banco e cura gli antipasti, e la moglie Claudia, che sovrintende alla sala e alla cucina. È lei che illustra ai clienti il menù del giorno, mentre il giovane figlio Francesco, sommelier professionista, consiglia i vini da abbinare ai singoli piatti. Si può scegliere fra il calice o la bottiglia, con la certezza di un ricarico molto onesto.
Lo chef Angelo Notaristefano propone, fra gli antipasti, il **prosciutto di Sauris** tagliato a coltello, lo **speck d'oca affumicato**, il prosciutto crudo di San Daniele con asparagi bianchi, la *tartare* di manzo, gli asparagi verdi di Tavagnacco con salmone selvaggio e una bella selezione di **formaggi** friulani, dalla robiola di capra al *ciuch*, al malga, alla ricotta affumicata e altri ancora. I primi spesso si abbinano felicemente alle verdure, che variano con le stagioni: ricordiamo la crema di asparagi bianchi e verdi, l'eccellente **risotto con asparagi e *sclopìt***, tra le paste condite con sughi di carne le **tagliatelle al ragù d'agnello**. Fra i secondi vanno menzionati il **baccalà**, il **coniglio** (di provenienza locale) **alla cacciatora**, il ***frico* di patate e cipolla**, vari tagli di manzo cucinati in modi diversi. Gradevoli i dolci, con la tipica impronta domestica.
La carta dei vini è ricca e attenta al territorio, le bottiglie si possono anche acquistare; ampia la scelta di distillati.

Fagagna

13 km a NO di Udine

Al bàcar

Trattoria
Via Umberto I, 29
Tel. 0432 811036
Chiuso la domenica in estate
Orario: mezzogiorno e sera
Ferie: terza settimana di luglio, terza di agosto
Coperti: 35
Prezzi: 35 euro vini esclusi
Carte di credito: tutte, Bancomat

In Friuli il nome di Fagagna richiama alla mente due originalità: la *corse dai mus* (corsa degli asini) che si tiene la prima domenica di settembre, fin dal 1891, nella piazza principale a pochi passi da questo locale, e il formaggio, rinomata varietà di latteria prodotta con latte crudo dai due caseifici del paese. Paese che fa parte del Parco alimentare di San Daniele del Friuli, espressione dei prodotti di eccellenza di questo territorio, che al Bàcar sono di casa. Si entra in un bar chiassoso e un po' disordinato, dove i fagagnesi si ritrovano per una veloce consumazione o per prolungate discussioni, ma l'attigua sala da pranzo è invece tranquilla, accogliente, curata come tutti i piatti proposti.
Dato che alla trattoria, gestita da Ambra Lizzi con il supporto della mamma Loredana, si affianca la macelleria di famiglia, regno del padre Mario, la carne fa da padrona in menù: **costate**, fiorentine e tagliate cotte alla piastra, **filetto di sorana** al pepe verde o **alla senape**. Consigliamo di iniziare con l'**antipasto del macellaio**, piatto di affettati misti tra i quali lardo di Fagagna, salame a punta di coltello e **crudo di San Daniele**, quest'ultimo servito anche con accompagnamento di asparagi o fiori di zucca. Tra i primi **gnocchi** di patate di Fagagna e sandaniele, lasagnette con zucchine e speck, **crespelle** con verdure di stagione; a seguire carne alla piastra e gli invernali **trippe** e **gulasch di asino**. Dessert al cucchiaio – semifreddi, bavarese, crème brûlée – tutti di fattura casalinga. La scelta dei vini pesca nelle varie doc regionali, con puntate in Centro Italia e all'estero.

Osteria accessibile ai disabili.

Farra d'Isonzo

8 km a SO di Gorizia SS 351

Borgo colmello

Ristorante-enoteca con alloggio
Strada della Grotta, 8
Tel. 0481 889013
Chiuso il lun e sab a pranzo in estate, dom sera in inverno
Orario: mezzogiorno e sera
Ferie: non ne fa
Coperti: 50 + 50 esterni
Prezzi: 30-35 euro vini esclusi
Carte di credito: tutte, Bancomat

Questo è un raro esempio di borgo rurale perfettamente conservato, in buona parte ora adibito a Museo della civiltà contadina. Nell'ala occupata dall'osteria un posto di tutto rilievo è stato assegnato all'enoteca (arredata con sobrietà e rispetto della storia rurale, con un bel bancone di mescita e il tipico *fogolar*) che propone una ricchissima carta dei vini, con etichette importanti non solo friulane. La sala da pranzo mantiene le caratteristiche architettoniche e di arredo del passato, ma anche i piatti sono ispirati alla tipicità e alla stagionalità. Regista in cucina è Claudio Vit, nome che è una garanzia nell'area gradiscana e anche oltre.
Come antipasto si trovano il **petto d'oca affumicato su cestino di *frico***, i **salumi** di propria produzione, i rinomati **formaggi** tradizionali di Montefosca e, in stagione, le sformatine di asparagi con salsa all'uovo. Tra i primi piatti da segnalare i **risotti con lo *sclopìt***, con gli asparagi, **con i fregolotti** o con l'orzo, i paccheri di grano ripieni di ricotta, mortadella e pesto di basilico, la **gramigna di pasta fresca** alle punte di asparagi e speck; in autunno si può scegliere la **pasta con ragù di selvaggina** o funghi. Cotechini di propria produzione, asparagi con le uova, **coniglio in umido alle erbe di campo** con zucchine trifolate, filetto di maiale, **coda di vitellone stufata** agli asparagi con gnocchi di semolino e, in stagione, **selvaggina** sono le proposte dei secondi piatti. In autunno una nota particolare va riservata alla **rosa di Gorizia**, un radicchio tipico della città di confine, apprezzato per il delicato sapore e il fine cromatismo delle foglie. Pane, paste e crostate sono di produzione giornaliera, opera dei cuochi del locale.
La fornitissima enoteca soddisfa ogni più ricercata esigenza, ma anche il vino della casa è di ottima qualità.

Forni Avoltri

85 km a NO di Udine, 35 km da Tolmezzo ss 355

Al fogolar

Trattoria
Via Ponte Nuovo, 1
Tel. 0433 727453
Chiuso lunedì sera
Orario: mezzogiorno e sera
Ferie: non ne fa
Coperti: 80
Prezzi: 25-28 euro vini esclusi
Carte di credito: tutte

Il locale viene da un passato quasi eroico con relativa figura mitica di nome Tilio, ma, fuor di retorica, non si può dire che meriti l'oscar della piacevolezza estetica: a parte il bel camino all'ingresso, il tutto è piuttosto crudo ed essenziale, quasi un posto di frontiera dove si sosterebbe quel tanto che serve per ricaricare le batterie. Alla faccia dell'apparenza, però, la cucina vale ben più di una sosta frettolosa. Il merito è di Fabio Gerin, che ha saputo rivitalizzarla nel solco della tradizione, prima di lasciarla nelle mani della figlia Fabiana, non smettendo però di venirle in soccorso ogni volta che c'è bisogno.
I salumi della zona – **prosciutto di Sauris** in primis – e la **trota affumicata** anticipano una serie di primi basati su **gnocchi** o **tagliatelle**: **con ragù di lepre**, di anatra o di capriolo (con abbondante chiodo di garofano, come si usa da queste parti) oppure ai funghi o alla salsiccia accompagnata da una croccante fetta di speck. Da non mancare gli agnolotti carnici (i ***cjalsòns***) dolci o alle erbe, conditi con burro fuso e ricotta affumicata, prima di passare ai secondi di carne o **selvaggina**. I fornitori di fiducia di Fabio garantiscono inoltre una selezione di formaggi della zona sempre di buon livello. Da segnalare anche l'immancabile ***frico* con polenta** e la freschissima **trota alla piastra**, allevata nelle vasche situate di fronte al locale. A chiudere crostata di frutta e **strudel di mele**.
Di buona qualità lo sfuso della casa.

Panificio Gianfranco Romanin, corso Italia 36: dal 1879 crostate e torte ai frutti di bosco e altra frutta di stagione.

Gorizia

Alla luna

Osteria tradizionale
Via Oberdan, 13
Tel. 0481 530374
Chiuso domenica sera e il lunedì
Orario: mezzogiorno e sera
Ferie: una settimana in febbraio, una in luglio
Coperti: 60
Prezzi: 25-30 euro vini esclusi
Carte di credito: tutte tranne AE, Bancomat

In pieno centro, la famiglia Pintar rinnova da decenni la tradizione dell'accoglienza propria di questa piccola osteria, attiva già nell'Ottocento. Vasta la flessibilità dell'offerta: dagli spuntini caldi e freddi, da gustare al banco di mescita, al pasto completo servito con cortesia nella saletta.
Una lavagna elenca le portate del giorno, ispirate alla più classica cucina mitteleuropea, con qualche antipasto che accosta con un pizzico di fantasia **salumi** e formaggi: lardo alle erbe su ricotta fresca e polvere d'arancia, **ricotta salata** delle valli dell'Isonzo su radicchietto **con mela grattugiata e rafano** fresco. La stagionalità e l'influsso delle cucine austriache e slovena sono le altre linee guida dei piatti principali: **gnocchi ripieni di ciliegie** al burro, zucchero e cannella o **gnocchi di pane**, ***blecs col gîel*** (maltagliati al sugo di gallo), **orzotto alle erbette** dell'orto, ***obara*** (zuppa balcanica dai sapori decisi con maiale, manzo, peperoni, fagioli e patate), ***jota***. I secondi, oltre agli immancabili **gulasch** alla goriziana, ***frico* con le patate** e ***lubjanska*** (bistecca impanata farcita di formaggio e prosciutto, di origine slovena), includono qualche semplice preparazione a base di pesce: **sardelline della laguna di Grado** impanate o **in *savor* con polenta**, seppie in umido sempre con polenta. Ampia la proposta dolce: ***gibanica***, **gubana** goriziana, strudel di mele, ***rolada* con cioccolato e panna acida**.
La carta dei vini presenta prevalentemente etichette regionali, includendo anche interessanti produttori sloveni.

A un centinaio di metri dall'osteria, in via Boccaccio 4, la Pescheria da Michele ha pesce di laguna sempre fresco.

GORIZIA, IN GIRO PER BICIÈRI

Da città di frontiera a centro di una nuova Mitteleuropa: questo è Gorizia. Anche nella sua nuova dimensione europea Gorizia mantiene la tradizione, condivisa con i centri dei dintorni, di sorseggiare nel corso della giornata un bicchiere di vino accompagnato da uno spuntino. Ecco presentata la bella usanza di andare per *bicièri*, per *tajéti* o, per i più raffinati, per *calici de vin*, sapendo che i locali proporranno vini di qualità e assaggi.

Un tempo la merenda mattutina era più abbondante dell'attuale, era praticamente un pranzo: già prima delle 10 si entrava in osteria per rifocillarsi con gulasch, trippe, patate in *tecia*. La concentrazione maggiore di locali era, ed è tuttora, intorno al mercato coperto, dove il fermento della giornata lavorativa iniziava con le prime luci dell'alba. Oggi le abitudini non sono poi così cambiate: c'è sempre una folta schiera di avventori che percorrono l'itinerario dei locali sorseggiando un bicchiere di vino, mangiando una fetta di prosciutto crudo o cotto insaporito con il cren, o un pezzetto di formaggio latteria. Alle vecchie osterie si sono aggiunti wine-bar ed enoteche di qualità dove i giovani onorano e rinnovano la tradizione dei padri.

Accanto alla bellezza triste e un po' nostalgica degli antichi splendori, quando la città era il Sud dell'impero asburgico (e quindi era diventata la meta di quanti volevano trascorrere al sole gli ultimi anni di vita), di Gorizia va conosciuto anche questo caratteristico aspetto conviviale.

Renato Tedesco

AI DUE CLUB

Via Morelli, 25 A
Non ha telefono
Chiuso la domenica
Orario: 8.00-21.00
Ferie: tre giorni a Ferragosto

NOVITÀ

Nella vivace comunità degli studenti universitari il locale è conosciuto come "ai paninetti", mentre per gli avventori più anziani è "agli elmetti": in pratica pochi lo conoscono con il vero nome. Normale è imbattersi in una festa di laurea o sedere accanto agli affezionati clienti che trascorrono il tempo fra un bicchiere di vino e il mare dei ricordi. Il carattere *d'antan* dell'osteria si ritrova sulle pareti delle due sale, tappezzate di vecchie immagini dell'imperatore d'Austria Francesco Giuseppe (da queste parti più familiarmente Cecobeppe). Panini con prosciutto crudo e cren o altri salumi (prosciutto crudo, mortadella, salame), ma anche piatti freddi (a pranzo) sono l'offerta semplice e genuina di ogni giorno, da consumare con un *bicièr* di rosso (Cabernet) o bianco (Tocai, che per chissà quanto tempo continuerà a conservare il nome proibito dall'Unione Europea).

ALLA DELIZIA

Piazza Cavour, 11
Tel. 0481 535596
Chiuso il mercoledì
Orario: mezzogiorno e sera
Ferie: variabili

In questo locale, che si trova all'inizio della salita che porta a Borgo Castello, si respira la tipica atmosfera delle vecchie osterie. La frequentazione è quella caratteristica degli avventori abituali che si ritrovano per consumare i riti del bicchiere di vino o del gioco delle carte. Un banco enorme riempie quasi per intero la sala che è dominata da Marino intento a tagliare il prosciutto o ad affettare buon salame. Il vino sfuso proviene dal Collio: Tocai (poiché la nuova denominazione di Friulano non è entrata nelle abitudini) e Merlot, adeguati alla convivialità degli incontri che raramente si limitano a un solo bicchiere.

CA' DI PIERI

Via Codelli, 5
Tel. 0481 533308
Chiuso sabato sera e domenica
Orario: mezzogiorno e sera
Ferie: tre settimane in agosto

Roberto Carone, braccio e mente del locale, propone classici piatti del territorio come la *lubianska* (bistecca farcita con formaggio e prosciutto, impanata e fritta), il gulasch, il minestrone di orzo e fagioli, le trippe, la *jota*, gil *spätzle* (gnocchetti di pasta all'uovo della tradizione germanica). Volendo fermarsi al banco per *bever un bicièr*, potrete scegliere tra formaggi, affettati e polpette. Il vino, per lo più sfuso, è di Corona di Cormons.

Vito Primozic

Via XX Settembre, 134
Tel. 0481 82117
Chiuso il venerdì
Orario: mezzogiorno e sera
Ferie: luglio-primi di agosto e festività natalizie

L'osteria ha abbondantemente superato gli ottant'anni. Originariamente era un luogo di ritrovo per i contadini che scendevano dalle colline nei giorni di mercato. L'atmosfera che vi si respira, a detta dei più anziani, non è cambiata. Oltre ai buoni salumi, da Vito Primozic potete trovare anche *jota*, orzo e fagioli, gulasch, gnocchi con le prugne, strudel di mele. Buoni i *tajéti* di bianco o di rosso. In alternativa potete bere birra prodotta appena oltre il confine.

Gorizia

Vecia gorizia

Trattoria
Via San Giovanni, 14
Tel. 0481 32424-329 8770284
Chiuso sabato e domenica
Orario: solo mezzogiorno
Ferie: prime due settimane di agosto
Coperti: 50
Prezzi: 30 euro vini esclusi
Carte di credito: tutte, Bancomat

La Vecia Gorizia è nel cuore di quello che è stato il ghetto ebraico della città, a poca distanza dalla sinagoga e da Palazzo Attems, spesso sede di interessanti mostre d'arte. Nella luminosa osteria si respira un'atmosfera gradevole, rilassata e familiare: le ridotte dimensioni dell'unica sala e la cordiale accoglienza di Emanuela danno all'ambiente un carattere piacevolmente domestico.
La cucina è quella tradizionale di confine, il *melting pot* di sapori balcanici, triestini, austriaci e friulani ai quali lo chef Ennio aggiunge qualche guizzo: le mezzemaniche in agrodolce, ad esempio, con pomodorini secchi e succo d'arancia, poco filologiche ma molto richieste (e pure buone). Sicuramente più in sintonia con i criteri della nostra guida e l'offerta del territorio la tartara di cervo e altri antipasti, dopo i quali vi consigliamo di assaggiare gli ***slikrofi***, tortellini di origine slovena **ripieni di patate in *tecia*** e conditi con burro fuso, ricotta affumicata e ancora patate. Tra i secondi ***pleskavica*** (una sorta di hamburger di carne di manzo e maiale) e ***cevapcici*** (polpettine alla piastra) serviti **con l'*ajvar*** (salsa di peperoni rossi, aglio e cipolla). Tutti i dolci sono opera di Emanuela: **strudel di mele**, biscottata di prugne e ***palacinke*** ripiene di cioccolato o marmellata. Di buona qualità il vino della casa, da bere in alternativa a note etichette regionali.
Emanuela ed Ennio hanno scelto di tenere aperta l'osteria solo a pranzo, ma su prenotazione, e per un adeguato numero di commensali, è possibile organizzare cene in tutti i giorni della settimana.

Gradisca d'Isonzo

12 km a SO di Gorizia SS 351

Mulin vecio

Osteria tradizionale
Via Gorizia, 2
Tel. 0481 99783
Chiuso mercoledì e giovedì
Orario: mezzogiorno e sera
Ferie: variabili
Coperti: 150 + 100 esterni
Prezzi: 17-25 euro vini esclusi
Carte di credito: nessuna

È del 1964 la geniale, ma anche osteggiata, intuizione di Bruno Spessot: lasciar perdere le farine e cimentarsi nella vendita del vino, attività che segue ancora personalmente. Così, oltre quarant'anni fa, lo storico mulino si trasformò in un'osteria capace di non perdere, con i decenni e l'avvicendarsi delle mode, l'anima di tipico locale friulano in cui ci si può fermare per bere un *tajut*, per fare merenda o per gustare un pasto, nelle sale affollate o in giardino. Si occuperanno di voi Alba, la moglie di Bruno, i figli Cesare e Luca e la nuora Lara, abili tanto nel garantire un servizio curato anche nei momenti di maggiore calca quanto nel tagliare al coltello i salumi esposti sul bancone. Ottimi **salumi**, che hanno contribuito a rendere famoso il locale e che gli Spessot si procurano da fornitori di fiducia ormai collaudati.
Iniziate allora con il vassoio misto che nella sua semplicità riunisce validi rappresentanti della produzione locale: **prosciutto cotto con il cren** grattugiato fresco, prosciutto crudo, mortadella, salame nostrano, lardo, pancetta, **formaggio montasio** e verdure sott'olio. Ce n'è a sufficienza per una merenda, mentre un pasto può proseguire con **minestrone di orzo** o **pasta e fagioli**, **wurstel con i crauti** o le verze cotte, oppure con il piatto del giorno: **trippe** il martedì e **gulasch** il venerdì, per esempio. Immancabile lo **strudel** casalingo ai frutti di stagione.
Per il vino la scelta spazia fra etichette prevalentemente del Collio e lo sfuso della casa, più che decoroso.

In via Battisti 26 ha sede l'Enoteca Regionale La Serenissima, ospitata nella seicentesca Casa dei Provveditori Veneti: vasta gamma di vini friulani, grappe e dolci tipici, in degustazione e per asporto.

Grimacco
Clodig

33 km a NE di Udine, 15 km da Cividale

Alla posta

Trattoria
Via Roma, 22
Tel. 0432 725000
Chiuso martedì e mercoledì
Orario: sera, domenica anche pranzo
Ferie: variabili
Coperti: 35
Prezzi: 20-22 euro vini esclusi
Carte di credito: nessuna

Nelle valli del Natisone la cucina mantiene un forte legame con il territorio e Clodig non fa eccezione con questa deliziosa trattoria che si raggiunge risalendo il torrente Cosizza fin quasi al confine con la Slovenia. Il merito è della titolare e cuoca Maria Gilda Primosic, che inquadra il suo lavoro con grande semplicità: «Cucino quello che offre la natura».
Nel menù ogni piatto è presentato con il nome nella parlata slava locale, ma descritto con gli ingredienti in italiano. Si inizia con la ***batuda*** (latte acido e cetriolo), la ***marve*** (frittatina di erbe spontanee) e una selezione di salumi della casa. Fra i primi non mancano mai le zuppe, fra le quali la sorprendente **zuppa alle venti erbe** o dei poveri (priva di pasta, assembla tutto quanto i prati e l'orto possono offrire, con l'aggiunta di un pezzetto di carne). Altri piatti forti sono l'**orzo con barbabietole** o asparagi selvatici, gli **gnocchi ripieni di prugne** e quelli di patate con le erbette, le crespelle con i funghi porcini. Poi **selvaggina**, coniglio, **filetto di maiale con dragoncello**, roastbeef (con vino rosso e alloro). Diverse pietanze sono servite su un letto di **polenta**: bianca (di mais), ***svanzj*** (di farina di grano saraceno abbrustolita) o **sposata** (mais, patate e zucca bianca) o con un cucchiaio di ***stakanje*** (purè di patate e verdure arricchito con lardo). Usanza vuole che a ogni santo si associ un dolce (a san Giovanni le frittelle, la **gubana** a san Giacomo): in ogni occasione si trovano comunque gli **strucchi** e lo strudel.
In alternativa al dignitosissimo sfuso ci sono diverse bottiglie dei Colli Orientali. Da provare come digestivo il vino di San Zuan (cotto con erbe) o una delle tante grappe.

LAUCO

62 KM A NO DI UDINE, 11 DA TOLMEZZO SS 52

ALLA FRASCA VERDE

Trattoria con alloggio
Via Capoluogo, 64
Tel. 0433 74122-74291
Chiuso il lunedì
Orario: mezzogiorno e sera
Ferie: 15-30 settembre
Coperti: 75 + 30 esterni
Prezzi: 25-28 euro vini esclusi
Carte di credito: le principali, Bancomat

Lasciate la strada che collega Villa Santina a Ovaro per raggiungere l'angolo di Carnia silenziosa e ospitale che, a 800 metri di altitudine, ospita quello che per anni è stato l'unico luogo di ristoro di Lauco. Ezio Gressani vi ha portato la sua capacità di coniugare tradizione e accoglienza, sia nelle sale della trattoria – ancora fresche di restauro – sia nelle poche stanze che fanno parte dell'albergo diffuso attivato di recente in paese. In cucina la moglie Maria Agnese rilegge alla luce di una personale creatività la scuola del grande Gianni Cosetti.

Il menù varia con le stagioni e si ispira ai classici del territorio proponendo raffinate versioni del ***toc' in braide***, i migliori **salumi** della zona e piccoli gioielli come il **soufflé di porcini** o la ricotta tiepida su letto di asparagi. Fra i primi spiccano le paste ripiene, fra cui ovviamente i ***cjarsòns***, ma anche i **tortelli dal** delicato **ripieno di formaggi carnici**, serviti con una vellutata di porri o una crema di fave, o ancora i saporiti **ravioli con ripieno di cotechino**. I secondi di carne privilegiano i tagli più pregiati, dalla **sella di coniglio in crosta di olive** alle **costicine di maialino da latte**, al **filetto di manzo** servito **con frutti di bosco** o funghi. Durante la stagione fredda trionfa la **selvaggina**, trattata con esperienza per esaltarne i sapori. Per concludere, oltre a una selezione intelligente di formaggi accompagnati da confetture, la cucina ha in serbo una serie di dolci, soprattutto al cucchiaio.

La spettacolare cantina, scavata nella pietra, offre una selezione di vini regionali senza trascurare etichette interessanti di altre zone della penisola, con piacevoli proposte al calice.

MALBORGHETTO-VALBRUNA

Malborghetto

76 KM A NE DI UDINE, 12 KM DA TARVISIO SS 54 O A 23

ANTICA OSTERIA DA GIUSI

Trattoria
Via Bamberga, 19
Tel. 0428 60014
Chiuso lunedì e martedì, solo lunedì in agosto
Orario: mezzogiorno e sera
Ferie: seconda metà di giugno-prima settimana di luglio
Coperti: 90
Prezzi: 30 euro vini esclusi
Carte di credito: tutte, Bancomat

Sono passati più di vent'anni da quando Giuseppina Aldisio decise di cimentarsi, con il marito Alfredo, in quella che sarebbe stata la sfida della sua vita. Dopo una lunga gestione, ha lasciato la trattoria Schönberg per continuare, però, a proporre i piatti tipici della Valcanale e altre specialità in un gradevole ambiente dall'arredamento curato nei minimi particolari: le immagini alle pareti del locale, ad esempio, rappresentano il vicerè Eugène Beauharnais e il capitano Hensel, ai quali sono intitolati due specifici menù.

Da Giusi si comincia con pancetta affumicata, speck, prosciutto e un intrigante **lardo tritato con ricotta rifermentata** servita su pane nero, da assaggiare. I suoi primi comprendono classici quali **minestra di orzo e fagioli**, **fagioli e crauti**, **brodo** con omelette e **con gnocchi di fegato**, gnocchi di patate al ragù o con ricotta affumicata e speck, **gnocchi** di farina conditi **con la *sasaka***, agnolotti con le pere secche. Poi si può scegliere fra alcune varianti di **gulasch** (con polenta, con patate e il ***segediner* gulasch**), **carne di maiale affumicata**, bocconcini di trota con funghi e patate e il robusto pasto del boscaiolo a base di ***frico* con patate**, polenta e funghi. Senza scostarsi dalla tradizione si passa al dessert: ***kipfel*** dolci, omelettes alla marmellata o alla ricotta, strudel di mele e di ricotta e ***kaiserschmarren***.

Nella carta dei vini, di tutto rispetto, predominano le etichette regionali.

A **Valbruna** (6 km), via Alpi Giulie 7, i Dolci di Irma è il laboratorio artigianale dove Monica Gelbmann prepara i dolci delle montagne tarvisiane.

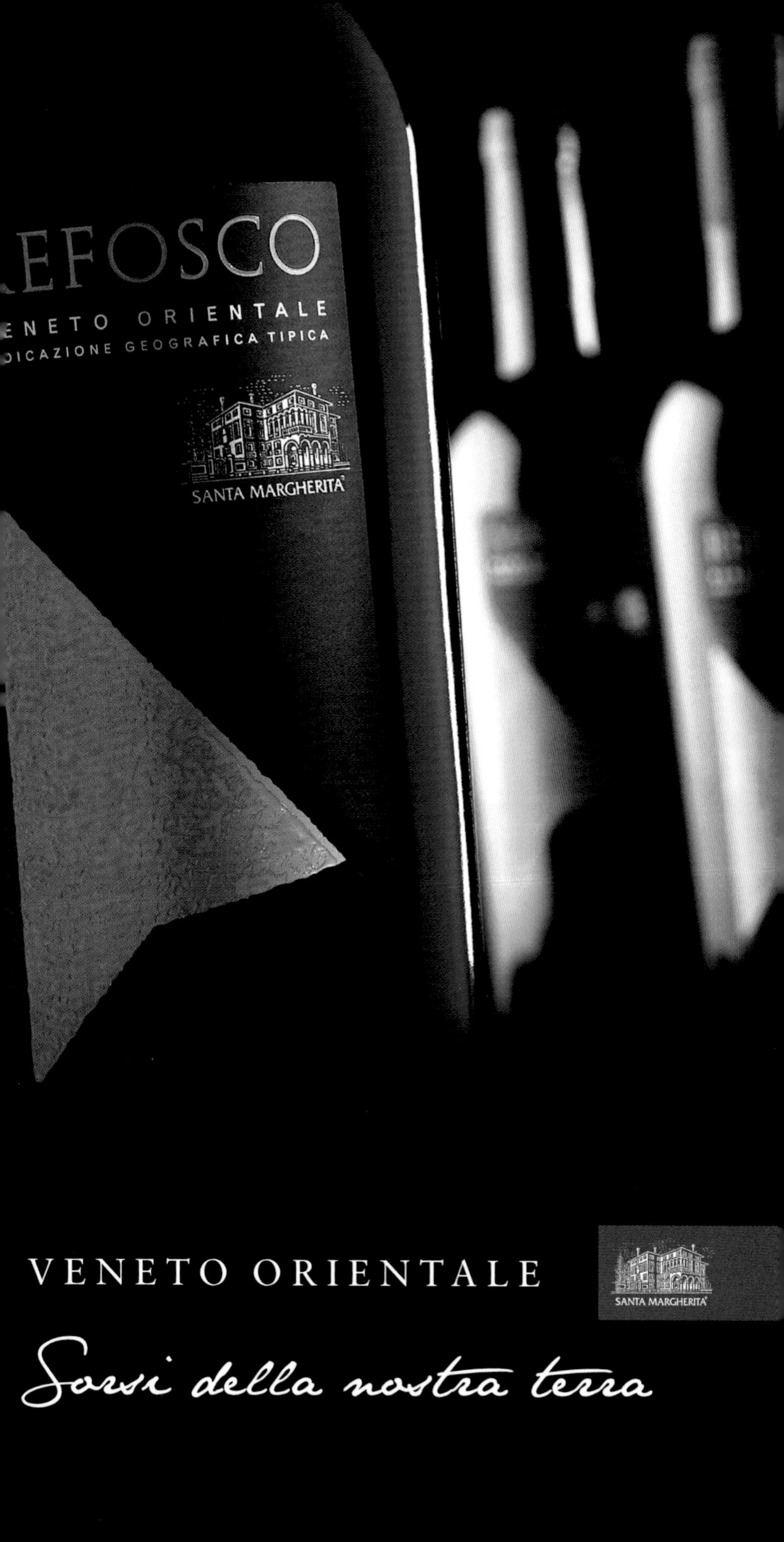
EFOSCO
ENETO ORIENTALE
DICAZIONE GEOGRAFICA TIPICA
SANTA MARGHERITA
VENETO ORIENTALE
SANTA MARGHERITA
Sorsi della nostra terra

Per evitare sorprese, diciamo no agli OGM

Nel dubbio, preferiamo non avere dubbi.
Per questo diciamo no agli OGM nei prodotti a marchio Coop

Un campo, dei semi, la pioggia, il raccolto. Alla natura non serve molto per dare i su
frutti. In cambio chiede solo tempo. Purtroppo, in questi anni frenetici, il tempo n
sempre c'è. Così l'uomo ha inventato processi e modi per avere più risultati e ave
più in fretta. Non siamo ancora in grado di stabilire se gli OGM siano in qualche mo
dannosi per la salute. Nel dubbio preferiamo evitarli. Dal gennaio 1998 controllian
le filiere dei prodotti a marchio Coop e non usiamo farine animali per
il mangime di polli e bovini. In pratica, cerchiamo di ridare alla natura
i suoi modi e i suoi tempi. Tornando indietro. Che forse, è il modo
migliore e più sano, per andare avanti.

coo
LA COOP SEI

Maniago

26 km a nord di Pordenone, 18 km a no di Spilimbergo

Vecchia maniago 

Osteria-trattoria
Via Castello, 10
Tel. 0427 730583
Chiuso lunedì sera e martedì
Orario: mezzogiorno e sera
Ferie: a Ferragosto
Coperti: 35 + 100 esterni
Prezzi: 30-33 euro vini esclusi
Carte di credito: tutte, Bancomat

Lungo una stradina che dalla piazza principale conduceva al castello, un edificio del Settecento, in origine bottega di maniscalco e falegname, ospita oggi questa osteria che una ristrutturazione conservativa ha mantenuto gradevolmente genuina. Al banco patron Claudio Corba intrattiene l'affezionata clientela.
La cuoca serba Beba Glisic elabora piatti della tradizione valorizzando i prodotti locali, in particolare la *peta* e *petuccia* della Valcellina e la *pitina* della Valtramontina, Presidio Slow Food. Ecco perché sono sempre presenti in menù la ***pitina* cotta nell'aceto su polentina**, i **codini con *pitina* e verzottini**, la ***petuccia al cao***, anche nella versione in glassa di cioccolato con polenta all'arancia. Se in estate, nella corte pergolata, sono protagoniste le grigliate, da novembre a marzo è imperdibile il **bollito misto**. Segue l'andamento stagionale pure la proposta di involtini di Treviso, **asparagi con speck e formaggio montasio**, **gnocchi ripieni ai porcini**, ravioli di Treviso, risotti e zuppe, tasca di verza farcita ai funghi porcini e capretto in campana, disponibile nel periodo pasquale. Tra i secondi anche tagliata di manzo, ***frico* con patate e cipolla**, cacciagione, **baccalà**, **trippa**, frittate alle erbe e, nel fine settimana, pesce a richiesta. Si chiude con una selezione di formaggi locali o una torta casalinga: schiacciata di cioccolato e noci e crostata di gianduia il nostro consiglio.
Ampia la scelta dei vini: in cantina ci sono circa 400 etichette regionali e nazionali, con alcuni vini anche a calice.

A Maniago producono la pitina del Presidio Slow Food le macellerie di Noè Antonini, via Piave 86, e di Daniele Polesel, piazza Italia 1. L'Enoteca Piazza, ambiente splendido in via De Amicis 2, offre invece ottimi vini.

Mariano del Friuli
Corona

12 km a so di Gorizia

Al piave

Trattoria
Via Cormons, 8
Tel. 0481 69003
Chiuso il martedì
Orario: mezzogiorno e sera
Ferie: 1-15 febbraio, 1-15 luglio
Coperti: 30 + 20 esterni
Prezzi: 30 euro vini esclusi
Carte di credito: le principali, Bancomat

La trattoria Al Piave – nome che si porta dietro dal 1918 – si trova a due chilometri dal centro di Mariano, in località Corona, zona un tempo agricola come attestano abitazioni e altri edifici, oggi però in gran parte ritoccati o ristrutturati secondo canoni postmoderni. Anche Patrizio e Claudia Fermanelli hanno eseguito, ma con criterio, parecchi lavori nella loro osteria. Il locale, segnalato da un'insegna in ferro battuto, non è grande, ma nella bella stagione si allarga in giardino con una ventina di posti.
Le proposte di Patrizio sono nel segno della tradizione del territorio e, naturalmente, dell'offerta stagionale. Si può iniziare con un buon **salame** della casa o con un carpaccio di cervo per proseguire con i primi: ***jota* con crauti**, **minestra di orzo**, **tagliatelle all'anatra**, gnocchi con la lepre, **crespelle con ricotta e *sclopìt*** (silene), **strudel di patate con bruscandoli** o con altre erbe di campo primaverili. A base di carne i secondi piatti, che variano dalle ottime **costicine d'agnello** e bracioline di maialino da latte alla tagliata di manzo, al più classico **stinco di vitello al forno** o ancora al **petto di faraona all'erba cipollina**, accompagnati da contorni diversi secondo il periodo dell'anno: patate, verdure saltate in padella, insalate. Per dessert **strudel di mele** o gelato, opera sempre di Patrizio, accompagnato da frutti di bosco.
L'interessante carta dei vini comprende numerose etichette regionali e qualche proposta nazionale ed estera. Più che dignitoso il vino della casa, di produzione locale.

Mossa

6 km a ovest di Gorizia

Blanch

Trattoria
Via Blanchis, 35
Tel 0481 80020
Chiuso martedì sera e mercoledì
Orario: mezzogiorno e sera
Ferie: tra fine agosto e settembre
Coperti: 120 + 50 esterni
Prezzi: 30 euro vini esclusi
Carte di credito: tutte, Bancomat

Cento anni sono un traguardo di cui andare fieri, e così deve essere per questa trattoria immersa nel verde del Collio goriziano, gestita da generazioni dalla famiglia Blanch. La trovate sulla strada che porta all'ormai virtuale confine sloveno. In un ambiente rustico e piacevolmente informale, potrete accomodarvi in una delle sale interne o, nel periodo estivo, preferire la fresca pergola e godervi la vista della campagna circostante.
La cucina è basata sulla tradizione, con influssi che visto la zona possiamo definire mitteleuropei, sull'uso di materie prime stagionali e su preparazioni semplici e rigorose. Vi consigliamo di iniziare con un piatto di **salumi** misti, per passare poi ai primi scegliendo fra tagliatelle o **gnocchi di patate con** sugo di selvaggina, ragù, **gulasch** o, in stagione, funghi, **risotti di verdure** (bruscandoli, *sclopit*) e **zuppe** di fagioli, funghi, orzo. La specialità della casa sono comunque i ***blecs cul gjal*** (maltagliati con sugo di gallo), il cui assaggio vale la visita. Per i secondi piatti la scelta è fra preparazioni a base di **selvaggina**, **stinco** di vitello o di maiale, costine di capretto alla griglia, arrosto di vitello, **fegato alla veneziana** e un gustoso **baccalà**. Potrete concludere con un dolce fatto in casa: **strudel di mele** o di ciliegie o una deliziosa **sfogliatina alla crema**.
Per i vini, buona scelta di produttori del Collio italiano e sloveno e del Friuli, oltre a un decoroso sfuso della casa.

Mossa

6 km a ovest di Gorizia

Vecchie province

Osteria tradizionale
Via Zorutti, 18
Tel. 0481 808693
Chiuso il lunedì
Orario: sera, ven-dom anche pranzo
Ferie: ultima settimana di luglio
Coperti: 60 + 30 esterni
Prezzi: 20-25 euro vini esclusi
Carte di credito: le principali

Il nome dell'osteria ricorda il ruolo di Mossa sotto il regime austroungarico, ma non usatelo per chiedere informazioni su come trovare il locale. Per tutti i compaesani il Vecchie Province è la trattoria del Mic, alias Francesco Di Lena che, con i figli Cristiano e Martina, ha saputo conservare l'architettura, gli arredi e soprattutto l'aria di vecchia osteria, cui si accede dalla corte esterna. Qui, in estate, gli avventori si godono la brezza serale.
Gli antipasti sono il risultato della selezione che Mic porta avanti da anni: prosciutto crudo, salsiccia affumicata di Carnia, ***formadi frant***, latteria di malga e salame, **frittate** con erbe di stagione, speck con crocchette di patate. Tra i primi non mancano i classici come la ***jota*** (una zuppa di cavolo cappuccio inacidito e fagioli), gli ***slikrofi*** (pasta ripiena di patate ed erbe aromatiche) **con costicine di maiale** al tegame, i maltagliati, gli **gnocchi con la zucca** o al radicchio, l'orzotto agli asparagi o i **risotti** di stagione. Non ci si scosta dalla tradizione con i secondi: ***cevapcici*** (polpettine aromatizzate e cotte alla griglia), **prosciutto cotto nella pasta di pane con cren**, **salsicce al vino bianco**, **gulasch**, tagliata di manzo, filetto di maiale arrosto. Al momento dei dolci, tutti casalinghi, non perdetevi lo **strudel di mele**.
Da qualche tempo Mic produce il vino che serve sfuso, in particolare la Ribolla Gialla; suoi sono anche gli infusi di grappa: da menzionare quello con il sedano selvatico. Solitamente il locale chiude cinque giorni – dal lunedì al venerdì – a fine mese.

Insaccati e carni di maiale stagionate di qualità presso lo spaccio agricolo di Simone Turus, in via Campi 6.

Palmanova

20 km a sud di Udine ss 352 o A 23

La campana d'oro

Trattoria
Borgo Udine, 25 B
Tel. 0432 928719
Chiuso il martedì, domenica e lunedì sera
Orario: mezzogiorno e sera
Ferie: 1 settimana dopo Natale, 2 in agosto
Coperti: 50
Prezzi: 28-32 euro vini esclusi
Carte di credito: tutte, Bancomat

Con la sua disposizione a stella, Palmanova è una cittadina affascinante. In uno dei suoi borghi è attiva – sin da metà Ottocento, quando gli avventori si sfidavano al biliardo o a carte – la Campana d'Oro. La storia più recente la vede impegnata sul fronte della vendita e mescita di vini pugliesi, che mescolati con i friulani costituivano il *taj* (taglio), termine qui ancora in uso per chiedere un bicchiere di vino al banco.
La gestione ormai quarantennale di Margherita Gandin, ben coadiuvata dalla nuora Elena, assicura una costante presenza di piatti tipici, soprattutto nei mesi freddi: **speck d'oca affumicato**, ***boreto* di seppie con polenta**, **minestra di orzo e fagioli**, ***cjarsòns*** nella versione della zona di Treppo Carnico, cioè **con ricotta affumicata e cannella**, **gnocchi**. Con il caldo compaiono in menù anche pietanze di origine marinara quali cappesante alla piastra, alici marinate, spaghetti al nero di seppia, penne al tonno, rombo al forno con patate. Più "allineati" il **vitello al forno in salsa di pere**, la tagliata, il filetto di manzo, le tagliatelle agli asparagi bianchi, il formaggio **montasio alla piastra con polenta**. Tra i dolci, specialità di Elena, interessante la torta di mele con salsa alla vaniglia.
Un po' esigua l'offerta di vini in bottiglia: sono presenti solo poche aziende friulane, ma per fortuna è possibile usufruire di alcune proposte al calice.

Osteria accessibile ai disabili.

In piazza Grande, all'angolo con borgo Udine, si possono gustare e acquistare prodotti gastronomici locali alla Caffetteria Torinese.

Pavia di Udine
Lauzacco

10 km a sud di Udine ss 352

La frasca

Trattoria
Viale Grado, 10
Tel. 0432 675150
Chiuso il mercoledì
Orario: mezzogiorno e sera
Ferie: due settimane fra dicembre e gennaio
Coperti: 155 + 70 esterni
Prezzi: 25-30 euro vini esclusi
Carte di credito: tutte, Bancomat

Con simpatia e impegno Valter Scarbolo prosegue l'attività di ristorazione iniziata dal padre quattro decenni fa, affiancandola alla produzione dei vini che furono il motore dell'originaria mescita. L'esercizio si è allargato, ma l'attenzione a territorio e stagionalità è rimasta la stessa: i maiali sono allevati in proprio, la rete di fornitori biologici per verdure e altre specialità è rodatissima e le carni bovine provengono da animali allo stato brado (quelle più ricercate possono far lievitare il conto).
Valter e Maria Grazia cambiano il menù con cadenza mensile, dedicando ogni edizione a un prodotto di stagione – asparagi, *sclopìt* (silene), carciofi, porri, zucca, funghi – e rivisitando i piatti della tradizione con un pizzico di fantasia. Come antipasto, un'invitante scelta di ottimi **salumi** esposti sul banco o stuzzichini a base di verdure: asparagi crudi tagliati sottilissimi con prosciutto crudo, ad esempio. Per il primo potrete optare per il tipico **minestrone di orzo e fagioli** o per la pasta fatta in casa con sughi che variano in base al periodo dell'anno. Tra i secondi, i classici come **musetto e *brovada*** o ***frico* con patate** o **polenta** si affiancano all'orgoglio della cucina, la carne, che spazia dalla manzetta prussiana al manzo irlandese; se non sapete decidere, **spiedino di carni miste**. Buono il **pollame**, anch'esso da fornitori locali. Fra i dolci, fatti in casa, panna cotta e **torta di pere e cioccolato**.
I vini sfusi – al calice e in bottiglia – sono quelli della casa, come lo erano quarant'anni fa, affiancati a una buona scelta di altre etichette friulane. Per fortuna non si perde la lodevole usanza delle serate a tema a scopo benefico.

Osteria accessibile ai disabili.

PORPETTO
Pampaluna

35 KM A SUD DI UDINE

DA TARSILLO

Trattoria
Via Pampaluna, 27
Tel. 0431 65058-621629
Chiuso lunedì e martedì
Orario: mezzogiorno e sera
Ferie: 10 giorni dopo l'Epifania, 3 settimane in luglio
Coperti: 50 + 15 esterni
Prezzi: 25-30 euro vini esclusi
Carte di credito: tutte, Bancomat

Pampaluna è un piccolo borgo rurale che si raggiunge facilmente tenendo subito la destra all'uscita dal casello di Porpetto (autostrada Venezia-Trieste) e seguendo le successive indicazioni. Il locale è gestito dalla famiglia Berton fin dal 1957, quando era un negozio di coloniali e mescita, l'unico del paese. Dopo varie ristrutturazioni è oggi una trattoria frequentata da una clientela proveniente un po' da tutta la regione e dalle province confinanti del Veneto, anche per effetto della vicinanza delle marine di Porto Nogaro. L'ambiente curato e dall'arredo molto semplice diventa ancora più gradevole in estate, quando si può approfittare del tranquillo cortiletto. Modesta e di poche parole la signora Flavia, che cura la cucina assieme al marito Romeo: che siano le abbondanti pietanze a parlare.
Delizioso il piatto di **salumi** misti proposto come antipasto che può essere accompagnato anche da **crostini caldi con petto d'oca**. Rappresentativi del territorio sono la **zuppa di orzo e fagioli**, gli **gnocchi di pane** al burro fuso, ricotta affumicata e salvia, gli gnocchi di patate. Su ordinazione, in primavera, è possibile gustare un ottimo pasticcio con lo *sclopit* o con altre erbe di stagione. Tra i secondi l'alternativa si gioca fra i tipici **baccalà in bianco** e ***trippe*** e i piatti espressi quali il **fegato alla veneziana** o la carne alla griglia nei vari tagli di maiale e di manzo, fra cui ritorna il fegato. Dolci fatti esclusivamente in casa: crème caramel, **strudel**, panna cotta, semifreddi alla frutta.
I vini sono prevalentemente friulani, sfusi o in bottiglia, con poche etichette ma degnamente rappresentative, cui si aggiunge qualche cantina dell'Italia centrale.

PRATA DI PORDENONE
Ghirano

16 KM A SO DI PORDENONE

ALLO STORIONE

Ristorante
Piazza Mazzini, 10
Tel. 0434 626028-626010
Chiuso il lunedì
Orario: mezzogiorno e sera
Ferie: tre settimane in agosto
Coperti: 70 + 20 esterni
Prezzi: 27-33 euro vini esclusi
Carte di credito: le principali, Bancomat

La prima impressione è di un locale semplice, fermo ad altri tempi, con trofei di caccia alle pareti e l'importante *fogher* al centro della sala, segni che potrebbero far pensare a una cucina diversa da quella che invece propone Giacomo Buzzi: raffinata, giocata sui profumi, sulla materia prima accuratamente selezionata e sulla tradizione gastronomica arricchita da un tocco di originalità. Una cucina che può contare sugli orti di proprietà, da cui provengono prodotti freschissimi ed erbe aromatiche, e su galletti, oche, anatre e conigli allevati in proprio, per assicurare piatti dai sapori e profumi non consueti.
Il menù scritto manca ed è un peccato perché la ricercatezza delle ricette e le ricche ed entusiastiche spiegazioni di Giacomo richiedono a volte una buona memoria per ricordarsi tutto. Dopo la **terrina di coniglio**, tra gli antipasti spiccano i **fiori di zucca ripieni** oppure il carpaccio marinato con asparagi croccanti. Come primo si possono scegliere vari tipi di pasta sempre preparata in casa, tra cui **strigoli con zucchine e *formadi frant***, tagliatelle o **tortelli** conditi **con verdure** dell'orto, oppure **zuppe d'orzo** o di verdure di stagione. Tra i secondi troviamo **filetto di maiale con senape**, **oca**, **selvaggina**, funghi in stagione e ancora il **capretto**, una specialità di Giacomo. Degna di assaggio la **salsa *peverada*** (interiora di gallina, lardo battuto e aromi dell'orto) da abbinare al piatto consigliato. In alternativa ai dolci al cucchiaio – terrina al cioccolato, semifreddo con miele, amaretti e cioccolato – ci sono buone **crostate**.
Discreta la cantina, con una settantina di etichette locali e nazionali dai ricarichi più che onesti.

Prato Carnico
Pesariis

72 km a NO di Udine, 27 km da Tolmezzo

Sot la napa

Azienda agrituristica
Frazione Pesariis, 61
Tel. 0433 695800-69379
Aperto ven sera, sab e dom, sempre d'estate
Orario: mezzogiorno e sera
Ferie: novembre
Coperti: 45
Prezzi: 26-27 euro vini esclusi
Carte di credito: nessuna

Pesariis, già famosa per la Solari, fabbrica di orologi, domestici e da torre, è ancora oggi legatissima a questi strumenti di precisione: in paese è stato addirittura realizzato un percorso di orologi monumentali. L'agriturismo, dove si può anche pernottare, ha sede in un'elegante e sobria casa borghese del Settecento, un tempo proprietà della famiglia Bruseschi. La gestione di tipo familiare impegna tutti in un attento gioco di squadra: la preparazione dei piatti è affidata a Silvia e alla mamma Eliana, che è anche l'artefice di sciroppi e liquori a base di frutti spontanei ed erbe che raccoglie lei stessa. La cura dell'orto (queste sono zone di patate, verze e fagioli) e l'allevamento degli animali da cortile spettano, invece, ad Antonio, mentre il servizio in sala è compito di Elisa e del padre Amanzio.
La specialità della casa sono le paste ripiene. Dopo il **salame** nostrano e il **prosciutto crudo di Sauris**, potrete così optare per i ***cjalsòns***, i **tenerelli al formaggio montasio**, il **pasticcio alle erbe**, i bauletti d'anatra o i fagottini di faraona. I secondi sono un buon compromesso tra la cucina carnica, come le **costine al *toc di vore*** o il ***frico***, e la passione di Eliana per le verdure e i prodotti locali. Ne sono esempio le **polpettine di vitello ai mirtilli**, la **tasca di tacchino alle verze** e l'arrotolato di vitello agli spinaci. La torta di cioccolato o quella di mandorle, infine, vi spianeranno la strada verso la nutrita selezione dei distillati.
Decisamente più limitata è, invece, la scelta dei vini; almeno durante la bella stagione è però possibile assaggiare la buona birra artigianale di Sauris.

In località **Baus di Ovaro** 43 A (9 km) il molino Donada, attivo dal Cinquecento, produce e vende varie farine di mais.

Pulfero

29 km a NE di Udine, 12 km da Cividale SS 54

Al vescovo-skof

Ristorante con alloggio
Via Capoluogo, 67
Tel. 0432 726375
Chiuso il mercoledì
Orario: mezzogiorno e sera
Ferie: febbraio
Coperti: 60 + 50 esterni
Prezzi: 28 euro vini esclusi
Carte di credito: tutte

Lungo la statale che porta da Cividale alla Slovenia si incontra Pulfero che si affaccia, come le sue numerose frazioni, sulle acque del Natisone. Poco distante dal municipio c'è l'albergo ristorante Al Vescovo, condotto dalla famiglia Domenis da quattro generazioni. All'interno del locale, nato come posta per il cambio dei cavalli, un'ampia e raffinata sala da pranzo, ma nella stagione più dolce vi consigliamo di prenotare un tavolo sulla terrazza.
In cucina convivono le tradizioni friulane e slovene: dopo un antipasto di **prosciutto crudo** o di formaggi assortiti prodotti dalle latterie locali, segnaliamo le diverse **minestre** stagionali (con ortiche, funghi, castagne e soprattutto ***brovada* e fagioli**), gli ***zlikrofi* di patate con silene** conditi con il burro fuso, i tortelli con ricotta e tarassaco, gli ***zlicnijaki* di zucca**, i **maltagliati al sugo di anatra** o di capriolo. I secondi, accompagnati dalle verdure coltivate nei vicini orti e aromatizzati con erbe raccolte in zona, prevedono il coniglio alle erbe, il filetto di maiale, vitello e **capretto** al rosmarino cotti **al forno**, il **capriolo con la mela *seuka*** e il **cinghiale al ginepro**. Da non perdere le **costicine con stufato di verze**. Come dessert varie crostate, **strudel di mela *seuka*** e ***struki***.
Valida la selezione di vini e convincente lo sfuso, proveniente dai Colli Orientali. Piacevole la chiusura con la degustazione delle numerose grappe e dei liquori alle erbe.

Osteria accessibile ai disabili.

A **San Pietro al Natisone**, in frazione Tiglio 16 (5 km), ottimi formaggi e salumi alla Fattoria Manig. A **San Leonardo** (7 km), la gubana del panificio Qualizza.

Ravascletto

75 km a NO di Udine, 23 km da Tolmezzo

Bellavista

Ristorante annesso all'albergo
Via Roma, 22
Tel. 0433 66089
Chiuso il giovedì
Orario: mezzogiorno e sera
Ferie: novembre e aprile
Coperti: 130 + 40 esterni
Prezzi: 25-28 euro vini esclusi
Carte di credito: Visa, Bancomat

L'albergo sorge in una delle località sciistiche più importanti dell'alta Carnia, Ravascletto, immersa nei boschi di conifere che si estendono fin quasi alla cima del monte Zoncolan, che domina la vallata. La struttura, ampia e molto frequentata dagli appassionati delle piste, non deve trarre in inganno: la cucina è accurata e i piatti proposti sono quelli della tradizione, elaborati con rispetto delle materie prime e della stagione.
Per iniziare, oltre al gustoso tagliere di affettati e formaggi locali, è possibile assaggiare il ***toc' in braide***, lo **speck con pere e montasio** e gli sformatini di ricotta con pomodorini e carciofi. La scelta dei primi piatti è piuttosto ampia; fra gli altri, ottimi i **tortelli con asparagi e speck**, il ***frico*** con polenta, il pasticcio con ragù di carni bianche e asparagi, i **canederli** al burro e speck, i tagliolini al ragù di coniglio e zucchine, gli **gnocchi di susine**, le mezzelune alla carnica e, imperdibili, i ***cjalsòns di Monaj*** (vecchio nome del paese), tortelli di pasta di patate ripieni di ricotta, uvetta ed erbe aromatiche. La carne primeggia fra i secondi: da assaggiare il **cervo con polenta**, il **coniglio al vino bianco**, lo **stinco di vitello al forno**, i bocconcini di vitello con funghi porcini e polenta e l'ampia scelta di carni alla griglia. Se avete ancora un piccolo spazio, assaggiate il gelato fiordilatte con mirtilli caldi o con grappa al mirtillo.
La carta dei vini, anche se ristretta, propone alcune buone etichette regionali.

Locale segnalato
dall'Associazione italiana celiachia.

A **Ovaro** (10 km), nella pasticceria Fior di farina, in via Caduti 2 maggio 134, si possono acquistare ottimi biscotti artigianali a base di farina di frumento o di farina di mais.

Remanzacco
Cerneglons

8 km a est di Udine ss 54

Ai cacciatori

Osteria tradizionale
Via Pradamano, 22
Tel. 0432 670132
Chiuso il lunedì
Orario: mezzogiorno e sera
Ferie: agosto
Coperti: 70
Prezzi: 15 euro vini esclusi
Carte di credito: nessuna

È difficile trovare un posto più schietto e genuino di questa osteria-trattoria di paese: interno semplice e accogliente, caratterizzato da vecchio bancone della mescita, sala con *fogolar* e saletta da pranzo, gestori sorridenti e gentili. Qui la gente di Cerneglons si presenta prima di pranzo o di cena per il rito del *tajut* oppure per una partita a bocce o a carte, giocata all'ombra di vecchi tigli. E qui i cacciatori scaricano il loro bottino: fagiani, beccacce, lepri, cinghiali che Marcello, da parecchi anni alla guida del locale e ora affiancato dalla giovane figlia Vanessa, prepara con maestria su ordinazione. Qui, ancora, si possono consumare veraci merende a base di affettati, sottaceti e vino sfuso.
Per un pasto completo un concentrato di friulanità, che si stempera un po' con la bella stagione. Si comincia con **salumi** della casa, frittata con le erbe generosa nelle porzioni e sua maestà il ***frico*** proposto in una originale versione: appena si forma la crosta, lo si rivolta nella padella (la *fersorìa* è quella tradizionale) in modo che il vapore rimasto sotto lo gonfi fino a renderlo molto morbido. A seguire **minestra di fagioli**, pasta fatta in casa con ragù di selvaggina, ***brovada e muset***, **salame cotto con cipolla e aceto**, animali da cortile in umido o al forno, ***lidric cuinciat cun lis fricis*** (radicchio condito con ciccioli di maiale), la già citata **selvaggina** e l'immancabile **polenta**. D'estate piatti più freschi: oltre agli affettati, **risotti** con ingredienti di stagione, vitello tonnato, verdure dell'orto e formaggi locali.
I vini, proposti a prezzi onesti sia in bottiglia sia sfusi, sono dei Colli Orientali.

Rigolato
Varzella

75 km a NO di Udine SS 355

La Fuêo

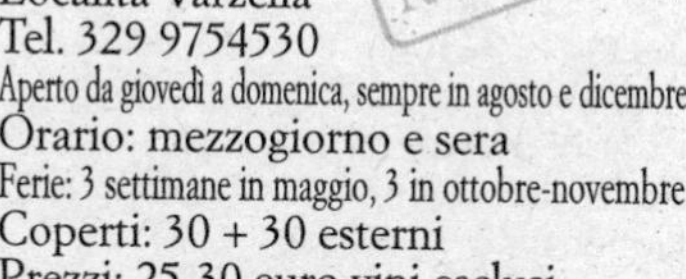

Ristorante
Località Varzella
Tel. 329 9754530
Aperto da giovedì a domenica, sempre in agosto e dicembre
Orario: mezzogiorno e sera
Ferie: 3 settimane in maggio, 3 in ottobre-novembre
Coperti: 30 + 30 esterni
Prezzi: 25-30 euro vini esclusi
Carte di credito: tutte, Bancomat

Procedendo sulla strada che porta da Tolmezzo a Sappada, appena prima di Rigolato, troverete sulla vostra destra una piccola discesa. In fondo c'è un bel fienile, ristrutturato e rifinito con gusto, dotato di tavoli all'aperto con vista splendida sulla vallata. Siete arrivati a La Fuêo – la foglia nella parlata locale – dove vi accoglieranno il titolare Tiziano Gortan Cappellar e la sorella Emanuela. Ai fornelli c'è Eliseo Pucher, cuoco indigeno con un'esperienza in cucine in giro per il mondo che, pur nel rispetto della territorialità, si intuisce dalle sue elaborazioni. Da un menù ben studiato potrete anche prescegliere la proposta degustazione a 20 euro. Tra gli antipasti **carne salata** con rucola e parmigiano, polenta alla griglia con funghi trifolati e fonduta di formaggio, insalata rustica con sfogliatine alle acciughe, **ossocollo** nostrano **con *lidric di mont*** (radicchio di montagna, *Cicerbita alpina*) **in agrodolce**. Poi **risotti**, alle erbe o agli asparagi in stagione, gli immancabili ***cjalsòns*** (ravioli carnici), in una versione non molto dolce con burro, nocciole e ricotta affumicata, i ***blecs*** (maltagliati) **con ricotta e formaggio**, gnocchetti di patate o di bietina e ancora il **minestrone di orzo e funghi**. A seguire la **selvaggina** – cinghiale, cervo, capriolo – si affianca a costolette di agnello scottadito, tagliata di manzo, brasato e **trippe** alla parmigiana con polenta. Farete bene a lasciare spazio per una fetta di torta di castagne o noci, di **strudel di mele** o del ricco tiramisù, né vi pentirete se accompagnerete il caffè con una grappa casalinga.
I vini sono scelti accuratamente in regione e proposti a prezzi corretti; è buono anche quello della casa.

Rive d'Arcano
Rodeano Basso

17 km a NO di Udine

Antica bettola da Marisa

Osteria tradizionale
Via Coseano, 1
Tel. 0432 807060
Chiuso il giovedì e sabato a pranzo
Orario: mezzogiorno e sera
Ferie: 15 gg in gennaio, 20 in settembre
Coperti: 50 + 120 esterni
Prezzi: 30 euro vini esclusi
Carte di credito: tutte, Bancomat

Non riserva sorprese l'Antica Bettola: una formula ventennale continua a proporre da maggio a settembre esclusivamente grigliate di carni miste mentre il resto dell'anno dà spazio a una cucina fortemente legata al territorio, opera della signora Rita, con vecchie ricette che variano mensilmente. Tanto l'atmosfera, riscaldata dall'estroso Roberto detto Barbòn, è familiare e conviviale, tanto è ferrea l'impostazione del menù, scritto su carta da macellaio in friulano, con in sequenza tre antipasti, tre primi, due secondi con contorno e un dolce.
Sempre disponibile in apertura il **prosciutto di San Daniele**, che si aggiunge, a seconda della stagione, a ***pitina*** della Valtramontina, ***toc' in braide***, *polente cuinzade*, **soppresse di cjase**. Si può proseguire con un'appetitosa **minestra – di *brovadar***, di *sclopìt*, di farina di mais –, un **orzotto** con lumache o anatra oppure un piatto di pasta fatta in casa (spesso di grano saraceno, come i ***blecs***): gnocchi di Sauris o con la salsiccia (*lujane*), ***cialsòns*** *dal cjanàl di Guàrt*. Coerenti con la tradizione anche i secondi: ***muset nostran cu la so brovade***, ***frico*** con la polenta, **oca** o **cervo in umido**, spezzatino di asino. Si chiude con torte – le ***pite*** – casalinghe alle fragole e alle pere oppure di nocciole, senza dimenticare il caffè, «*coret bondànt*».
Molto ampia la carta dei vini, frutto di una selezione attenta di etichette regionali, nazionali ed estere con ricarichi onestissimi. È buono anche lo sfuso locale.
Un'avvertenza: l'alpino Barbòn non ha mai mancato un'adunata nazionale delle Penne Nere, quindi in quei giorni di maggio la Bettola resta chiusa.

Il forno a legna Arcano, via del Cristo 8, è specializzato in produzioni biologiche fra le quali ci sono pane integrale, plumcake e torta della nonna.

San Daniele del Friuli
Aonedis

27 km a NO di Udine

Da Catine

Trattoria
Località Aonedis, 78
Tel. 0432 956585
Chiuso lunedì sera e martedì
Orario: mezzogiorno e sera
Ferie: fine giugno-inizio luglio
Coperti: 65
Prezzi: 25-28 euro vini esclusi
Carte di credito: tutte, Bancomat

Più del *fogolar* sono la cultura dell'accoglienza e l'attenzione a stagionalità e tipicità delle materie prime – dalle carni alle verdure, dagli insaccati ai dolci, Presìdi Slow Food compresi – a fare di Catine una vera trattoria friulana. Lo sa bene la famiglia Zurro, che ha affidato alla ventennale esperienza di Dolores Bortoluzzi il compito di elaborare un'accorta antologia della cucina regionale.
Inizierete con l'immancabile **prosciutto crudo**, la **trota regina** (anch'essa **di San Daniele**) accompagnata da crostini al burro, il **salame friulano fresco con polenta**, i crostini con paté di fagiano per poi passare ai primi: **orzo e fagioli**, sformatini di asparagi, melanzane o radicchio di Treviso secondo la stagione, riccioli di pasta alla San Daniele, **strudel di porcini su crema di montasio**. Tra i secondi, un ottimo ***frico* con patate e cipolla**, filetto di trota ai ferri, **musetto con la *brovada***, filetto di maiale al balsamico, **coniglio** disossato **al forno** e ampia scelta di carni grigliate, di manzo e di maiale. Nei mesi invernali non mancano mai la **trippa** e il **baccalà**. Interessante la proposta di formaggi (soprattutto il ***formadi frant***) e di dolci: crostate, **strudel**, bavaresi, crème caramel, panna cotta, delizia al pistacchio e biscottini friulani serviti con Picolit o Ramandolo.
L'offerta enologica, curata dal giovane Luca, privilegia valide etichette della regione con sconfinamenti in altre aree vocate. Il tutto con ricarichi onesti e un'intelligente selezione settimanale di proposte al calice.

Osteria accessibile ai disabili.

Friultrota, via Aonedis 10: regina di San Daniele e altre specialità a base di pesce conservato.

San Daniele del Friuli

23 km a NO di Udine

Da Scarpan

Ristorante
Via Garibaldi, 41
Tel. 0432 943066
Chiuso martedì sera e mercoledì
Orario: mezzogiorno e sera
Ferie: due settimane in luglio
Coperti: 40
Prezzi: 32-35 euro vini esclusi
Carte di credito: tutte

Siamo nel centro storico di San Daniele, in un locale capace di coniugare l'atmosfera rilassata che raccoglie intorno al banco il gruppetto di avventori, dediti al rito del *tajut*, con il notevole livello della proposta gastronomica, apparentemente semplice, ma di grande qualità e finezza. Da anni i coniugi Angelico e Luigina – rispettivamente in sala e ai fornelli – guidano con fermezza lo Scarpan, senza perdere l'entusiasmo.
Entusiasmo che si traduce in una sequela di piatti aperta dai due cavalli di battaglia della zona – il **prosciutto crudo** e la **trota affumicata** – che ritornano in tavola anche nei tagliolini alla San Daniele e negli **spaghetti alla trota fil di fumo**. Ma non mancano le alternative, a partire da raffinati antipasti quali il tortino con asparagi e l'**insalata di speck con verdure**, mentre fra gli altri primi si segnalano i ***blecs* al ragù di coniglio**, le lasagnette ai fiori di zucchine, gli **gnocchi di zucca**, i **tortelli di patate** alla San Daniele e i tagliolini ai funghi porcini. A proposito di **funghi**, la prima settimana di ottobre è proprio dedicata a loro, con un apposito menù degustazione. Robusti, ma non pesanti, i secondi, dove fanno mostra di sé il ***frico* con patate e cipolle**, il capretto, l'**oca in umido**, le costicine d'agnello alla griglia ma anche la **polenta con fonduta e funghi** e un piatto vegetariano. All'altezza del resto i dolci, specialmente lo **strudel di mele** e la crème brûlée al pistacchio.
Sempre notevole la lista dei vini grazie a una selezione non banale, che ha saputo individuare molti validi produttori friulani, anche meno noti, e alcune rarità di valore.

Andar per prosciutti a San Daniele

Cuore del Friuli collinare, San Daniele è una delle capitali italiane della norcineria: vi operano 28 aziende che commercializzano quasi due milioni e cinquecentomila pezzi l'anno di prosciutto dolce dop. In suo onore si organizza, a fine giugno, "Aria di festa", ma il San Daniele si può gustare tutto l'anno, nelle numerose prosciutterie dove con tecniche raffinate di affettatura si propongono assaggi di una produzione rinomata in tutto il mondo, spesso accompagnati da semplici piatti della tradizione e del territorio.

Renzo Scarso

Ai bintars

Via Trento e Trieste, 67
Tel. 0432 957322
Chiuso mercoledì pomeriggio e giovedì

Primo, il *paròn*, gestisce questa storica osteria con affabilità, attento ad accogliere gli ospiti con cortesia e ad affettare con maestria i prosciutti scelti da lui stesso tra i piccoli produttori. Non dimenticate di degustare i carciofini, i funghi sott'olio e i formaggi locali. Oltre al vino sfuso, c'è qualche etichetta di produzione locale.

Al baccaro

Via Kennedy, 115
Tel. 0432 955019
Chiuso il giovedì

Nella piana che si estende da Rodeano a San Daniele si incontra, immerso nel verde dell'aperta campagna, questo locale dove sono in degustazione i prodotti della prosciutteria Coradazzi. Lo spuntino può essere completato con sottoli casalinghi e formaggi della Puglia, terra d'origine del gestore, come mozzarelle di bufala, caprini e burrate.

Al paradiso

Via Battisti, 28
Tel. 0432 957252
Chiuso la domenica

L'atmosfera del locale di Rino Bagatto, vicino alla stazione delle autolinee, è calda e familiare. In degustazione ci sono i prosciutti prodotti artigianalmente dal gestore, che possono anche essere acquistati a pezzi. Interessanti le proposte di formaggi e verdure sott'olio, oltre ad alcuni piatti caldi, tra cui segnaliamo un saporito minestrone di verdure. Buono il vino sfuso.

Al portonat

Piazza Dante, 8
Tel. 0432 940880
Non ha giorno di chiusura

L'osteria, collocata presso l'arco del Palladio, è un posto raccomandabile per degustare il noto prosciutto crudo e altre semplici bontà della tradizione gastronomica friulana. In un ambiente caldo e ospitale, Alessandra conquista i gourmet con il prosciutto, i formaggi locali e la regina di San Daniele (la trota affumicata), abbinati a vini di una valida selezione. L'osteria organizza di tanto in tanto serate a tema e propone confezioni regalo di prodotti tipici adatte a ogni ricorrenza.

Antico caffè Toran

Via Umberto I, 10
Tel 0432 957544
Chiuso il lunedì

Questo locale storico dispone, oltre che di un dehors estivo, di numerose sale con eleganti arredi in legno e di un'intera parete ricoperta di prosciutti in stagionatura. Il caffè funziona anche come ristorante: segnaliamo i sottoli, gli gnocchi alla carnica, in stagione i tortelli di capriolo con porcini e galletti, il *frico* con polenta, i tagliolini alla San Daniele. Il prosciutto proviene dall'azienda Testa e Molinaro di proprietà della famiglia Fantinel. I vini in abbinamento sono della stessa Fantinel, ma non mancano etichette di altre zone d'Italia.

Enoteca la trappola

Via Cairoli, 2
Tel. 0432 942090
Non ha giorno di chiusura

A pochi passi dal duomo si trova questo piccolo locale, la cui ricca cantina propone molte etichette non solo friulane. L'insegna riporta il nome originario del locale, "*Spezieria pei sani*", ma l'enoteca è più nota con il soprannome scelto dagli avventori per sottolineare il pericolo di una piacevole quanto prolungata permanenza. Si possono degustare prosciutto Coradazzi stagionato 18 mesi, lardo friulano, salame a punta di coltello e formaggi friulani.

Il michelaccio

Via Umberto I, 2-4
Tel. 340 5419495
Chiuso il martedì

Dall'alto dell'enorme bancone in ferro, Michelaccio accompagna il cliente in un viaggio di sapori che, accanto al classico prosciutto, offre l'opportunità di scoprire specialità friulane meno conosciute come il lardo di Fagagna, il *frico*, la trota di San Daniele, formaggi, sottoli e confetture. Le due sale che compongono il locale sono tappezzate di bottiglie e la scelta è tra vini eccellenti (bollicine comprese), tanto regionali quanto nazionali ed esteri. La domenica all'ora dell'aperitivo si allestisce spesso un buffet a tema con degustazione di prodotti non solo locali.

L'osteria

Via Trento e Trieste, 69
Tel. 0432 942091
Chiuso il lunedì

Il locale della famiglia Tisiot è costituito da un'ampia sala da pranzo con *fogolar* e da un porticato dove si può consumare il pasto nel periodo più mite. La proposta centrale è naturalmente il prosciutto crudo di San Daniele stagionato 18 mesi, che può essere accompagnato da mozzarelle, montasio fresco o stagionato, caprini, tomini. Piacevoli le verdure fresche, grigliate o sott'olio. Per quanto riguarda il vino, sono disponibili due sfusi (Tocai e Cabernet) e alcune valide etichette friulane.

Prosciutterie dok dall'ava

Via Gemona, 29
Tel. 0432 940280
Chiuso il martedì

In questo ampio locale si possono degustare i prosciutti più diversi: di tacchino, oca, anatra, fagiano, bovino, cavallo, agnello, cinghiale, capriolo, cervo, daino, alce. Ma la proposta centrale rimane il San Daniele dop della famiglia Dall'Ava – marchio Dok –, che può essere accompagnato da melone, mozzarella, uova e asparagi. Vi sono anche alcuni piatti caldi – fettuccine e tortellini con pomodoro e prosciutto o con il ragù – e alcuni dolci: strudel di mele, gubana e struccoli.

San Daniele del Friuli

23 km a NO di Udine

L'osteria di Tancredi

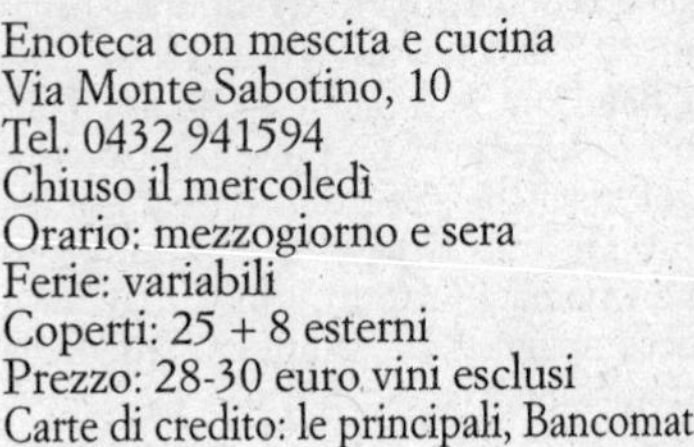

Enoteca con mescita e cucina
Via Monte Sabotino, 10
Tel. 0432 941594
Chiuso il mercoledì
Orario: mezzogiorno e sera
Ferie: variabili
Coperti: 25 + 8 esterni
Prezzo: 28-30 euro vini esclusi
Carte di credito: le principali, Bancomat

Le dimensioni sono davvero ridotte, ma l'accurata organizzazione degli spazi e l'attenzione rivolta agli ospiti fanno di questa osteria un piacevolissimo punto di incontro e di ristoro. Silvia Clochiatti l'ha voluta dedicare al padre in segno di ringraziamento: papà Tancredi, infatti, pur non avendo nulla a che fare con la cucina, ha sempre sostenuto e assecondato la figlia nella sua passione per la gastronomia.
Il menù varia con molta frequenza, non solo per reperire il meglio delle materie prime ma anche per non stancare la clientela più assidua. Oltre all'immancabile **prosciutto crudo**, stagionato 18 mesi, e altri salumi, per cominciare si può scegliere tra formaggi locali, **trota affumicata** e verdure sott'olio, dopo di che si possono assaporare la **zuppa di orzo e fagioli**, gli gnocchi di ricotta e zucchine, i ***cjalsòns*** di Treppo Carnico, le tagliatelle al ragù di salsiccia e l'**orzotto**. I secondi, fatta eccezione per la trota, il ***frico* con le patate** e (solo nei mesi freddi) il **baccalà**, si basano sulla carne. Segnaliamo i bocconcini di pollo gratinati con zucchine e fonduta di formaggio tartufato, il **coniglio alle erbe**, il guancialetto di manzo, la **salsiccia alla griglia** e la **trippa**, che si cucina a partire dall'autunno. Tra i dolci, tutti fatti in casa, da non perdere i biscottini che si possono intingere nel Verduzzo. Avvisata con un po' di anticipo, Silvia è disponibile a preparare piatti per chi soffre di intolleranze alimentari.
Molto ampia la scelta dei vini, regionali e nazionali, disposti su scaffali a vista.

San Dorligo della Valle
San Lorenzo

10 km a SE di Trieste

Al pozzo

Trattoria
San Lorenzo, 9
Tel. 040 228211
Chiuso il giovedì
Orario: mezzogiorno e sera
Ferie: in febbraio
Coperti: 140 + 60 esterni
Prezzi: 20-25 euro vini esclusi
Carte di credito: nessuna

Questo accogliente locale lungo la strada che da Basovizza va a San Dorligo è il ritrovo ideale per gustare i piatti tipici del Carso, specialmente dopo una tappa nel vicino comprensorio naturale della splendida Val Rosandra. Situata a pochi chilometri da Trieste e meta di escursioni per alpinisti e turisti amanti della natura, la valle offre ripidi sentieri e palestre di roccia. Nella luminosa sala che proprio sulla Val Rosandra si affaccia – e il panorama lascia senza fiato – o all'aperto sotto il pergolato nella stagione estiva, la famiglia Gustini propone una cucina casalinga semplice ma curata, dove interpretano il ruolo di protagoniste le tradizioni del territorio e la stagionalità.
Fra i primi abbiamo assaggiato il **pasticcio di asparagi di bosco** (che lasciano il posto alle melanzane in estate e ai funghi della zona in autunno) e deliziosi **gnocchi ai funghi** che, nella stagione calda, si "colorano" invece di frutta e diventano **gnocchi *de susini*** (serviti con zucchero, cannella e burro fuso) o di mirtilli, albicocche o, ancora, ciliegie, eredità della gastronomia austrungarica. I secondi piatti, tutti a base di carne, spaziano dall'ottimo **cervo con polenta** allo **stinco di vitello al forno**, alle grigliate; riservato agli escursionisti più affamati il pantagruelico e gustoso **stinco di maiale**. Si conclude con i dolci della casa, tra i quali menzioniamo l'immancabile **strudel**.
Vini in linea con lo stile del locale: tutti della regione – interessanti soprattutto quelli del Carso triestino – e con ricarichi corretti. Gradevole la proposta di liquori dai profumi intensi preparati secondo ricette locali.

San Giorgio della Richinvelda
Rauscedo

18 km a NE di Pordenone

Il favri

Osteria con cucina
Via Borgo Meduna, 12
Tel. 0427 94043
Chiuso il mercoledì e domenica sera
Orario: mezzogiorno e sera
Ferie: 10 giorni dopo l'Epifania, tra agosto e settembre
Coperti: 40 + 20 esterni
Prezzi: 25-30 euro vini esclusi
Carte di credito: tutte tranne DC

A Rauscedo – centro di produzione delle barbatelle della vite noto in tutto il mondo – in un vecchio e modesto edificio ha sede questa osteria dall'aria semplice e paesana: banco di mescita e vecchi tavoli. Mauro D'Andrea e le sue cordiali collaboratrici vi faranno accomodare nella stanza da pranzo o, nella bella stagione, sotto la tettoia che si affaccia su un giardinetto interno. Se l'atmosfera è accattivante, non sono da meno le proposte della cucina.
Gli antipasti vanno da un'ottima **mortadella d'oca** con aceto balsamico al **lardo con taleggio e mostarda**, alle bruschette, al prosciutto di San Daniele, alla ***pitina* all'aceto**, ai moscardini in umido, alle alici marinate. Poi i primi: **gnocchi farciti di formaggio salato e lardo**, bigoli fatti in casa conditi con pomodorini dell'orto e basilico oppure con funghi porcini, **ravioli alla carnica** con burro e ricotta affumicata, **zuppa di fagioli** o fagioli con pasta e radicchio rosso in inverno. Oltre al classico ***frico* con patate**, i secondi comprendono un tenero **guancialetto di maiale in umido**, un delicato **baccalà in bianco** e ancora seppie in umido e tagliata di manzo. Da assaggiare, in primavera, gli **asparagi** locali. Per finire il dessert: torta di pasta frolla al cacao con ricotta di pecora guarnita da scagliette di cioccolato, salame di cioccolato, crostate con confetture casalinghe, mousse al caffè.
Ampia e curata la scelta di vini regionali e nazionali, offerti anche al bicchiere in abbinamento ai piatti del giorno.

A **San Giorgio della Richinvelda** (3 km da Rauscedo), la macelleria Leon, via Poligono 1, produce salumi tradizionali. A **Valvasone** (7 km) pane e dolci tipici da Claudio Cocetta, via Roma 2.

San Giovanni al Natisone

20 km a SE di Udine SS 56

Campiello

Osteria di recente fondazione
Via Nazionale, 40
Tel. 0432 757910
Chiuso sabato a pranzo e domenica
Orario: mezzogiorno e sera
Ferie: tre settimane in agosto
Coperti: 20
Prezzi: 27 euro vini esclusi
Carte di credito: le principali, Bancomat

L'osteria, sulla statale Udine-Gorizia, è l'adeguata cornice all'enoteca che è stata di recente ricavata accanto all'omonimo noto ristorante. Una parete dedicata a un'accorta selezione di prodotti del territorio, che si possono acquistare, e a una significativa sintesi della cantina sono il suo biglietto da visita. Marisa vi proporrà una meditata sequenza di piatti che, seguendo l'alternarsi delle stagioni, si articola in un'offerta legata alle tradizioni e alle migliori produzioni locali. L'elenco delle portate – come pure il conto finale – è ristretto rispetto al ristorante, ma anche nei piatti più semplici si percepisce la stessa filosofia di qualità e di ricerca.
Si può iniziare, e potrebbe fungere anche da piatto unico, con la selezione dei **salumi**. A seguire alcune saporite minestre – di **orzo e fagioli** in inverno, di legumi freschi al basilico nei mesi più caldi –, altrimenti le paste asciutte condite con le verdure dell'orto o il **risotto con i porcini**. Nella preparazione dei secondi si impiegano abilmente ingredienti diversi: ecco allora le seppie in umido o il **baccalà**, la *tartare*, gli **asparagi** (quando è stagione) **con le uova**, la **trippa** di vitello, i **fagioli in umido**. Degna di nota la selezione dei formaggi. Elaborati e un po' meno filologici i dolci: cassata siciliana, croccantino al pistacchio, scrigno di cioccolato bianco, cialda con crema di mascarpone e frutta.
Se non vi bastasse la lista dei vini offerti al bicchiere elencati sulla lavagnetta, provate a chiedere se, con il beneplacito di Dario Macorig, potete visitare l'interrato per un tour tra grandi crus d'Italia e del mondo.

San Martino al Tagliamento

23 km a NE di Pordenone

Il bosco di Arichis

NOVITÀ

Azienda agrituristica
Via Richinvelda, 1
Tel. 0434 889798
Aperto da giovedì sera a lunedì
Orario: mezzogiorno e sera
Ferie: seconda e terza settimana di febbraio
Coperti: 60
Prezzi: 30-32 euro vini esclusi
Carte di credito: tutte tranne AE, Bancomat

L'agriturismo è nato dopo il sapiente e raffinato restauro di una vecchia casa colonica intrapreso dalla giovane proprietaria Raffaella Lenarduzzi, donna del vino. Il complesso, situato nelle vicinanze di un boschetto, comprende anche uno spaccio aziendale, dove è possibile fare un piccolo spuntino e acquistare i prodotti dell'orto, e 11 camere molto curate, dedicate a vari personaggi della cultura friulana.
Ai fornelli sa ben profittare sia dell'orto sia dell'allevamento di bassa corte il giovane cuoco Filippo Marin. Le verdure trionfano già negli antipasti sotto forma di tortino bicolore di carote e ricotta o arrosto vegetariano a base di peperoni; per chi ama sapori più decisi, **ventaglio di cervo a punta di coltello** con olio caldo, carpaccio di petto d'anatra e i salumi della casa. Tra i primi segnaliamo le **tagliatelle** all'Arichis **con speck e *formadi frant***; valide alternative sono gli **gnocchetti di ricotta** con piselli freschi e prosciutto affumicato di Trieste o con crema al mascarpone e straccetti di San Daniele, gli **strigoli con bruscandoli e salsiccia**, le pappardelle al ragù bianco di cinghiale e il **risotto con ragù di coniglio ed erbe aromatiche**. Tra i secondi, oltre ai particolari ma convincenti *frico* con le mele e cotechino con mostarda di zucca gialla, ci sono il **petto di faraona** con delicata all'aglio, lo **stinchetto di maiale marinato** alla birra rossa di Sauris e la scaloppa di maiale con battuta di asparagi. Fra i numerosi dolci spiccano le crostate di frutta, il tiramisù alle fragole o alle albicocche e la delizia al cappuccino.
Lista dei vini ricca, con etichette anche di produttori meno in voga.

San Pietro al Natisone

23 km a NE di Udine

Le querce

NOVITÀ

Trattoria
Via del Klancic, 5
Tel 0432 727665
Chiuso il martedì
Orario: mezzogiorno e sera
Ferie: non ne fa
Coperti: 70 + 15 esterni
Prezzi: 28 euro vini esclusi
Carte di credito: tutte, Bancomat

In posizione rialzata rispetto al paese di San Pietro, e con una spettacolare vista sulla vallata, si trova veramente in un luogo incantevole la trattoria gestita ormai da vent'anni da Aldo Cipriani e famiglia. Qualità, cortesia e affabilità sono di casa in questo locale sobrio e semplice che l'architettura tipica rurale connota di tetto spiovente, muri solidi e molti elementi in pietra e legno. All'interno un bel camino, all'esterno uno spazio curato per i giochi dei bambini. Il menù segue il ritmo lento delle stagioni e attinge a piene mani dalla tradizione e dalle tante risorse delle erbe di montagna.
Tra i primi piatti si devono menzionare gli **gnocchi con le susine**, con il ragù o con la ricotta, le **tagliatelle alle ortiche**, le pappardelle al sugo di selvaggina, le lasagnette di grano saraceno ai funghi, gli **gnocchetti con spinaci e speck**, la **zuppa di castagne e funghi**, gli spaghetti al ragù di cervo. A seguire, oltre alla grigliata mista, si possono gustare i ***cevapcici***, le costolette di agnello alla piastra, il cervo in salmì con polenta, il ***frico* con patate**, il **tegame di carne** (di solito manzo) **con fagioli piccanti**, le **braciole di cervo** o di maiale **cotte nel nido di fieno**. In primavera a queste portate si aggiunge la **trota**, pescata nelle acque del Natisone che scorre poco lontano. Pere al vino rosso, crostata di mirtilli, torta con grano saraceno e frutti di bosco, **strucchi bolliti** e l'immancabile strudel di mele chiudono il pasto.
Non è molto ampia la scelta dei vini, ma tutti consentono un piacevole e fresco abbinamento ai piatti.

San Quirino

10 km a nord di Pordenone

Alle nazioni

Osteria tradizionale
Via San Rocco, 47
Tel. 0434 91005
Chiuso domenica sera e lunedì
Orario: mezzogiorno e sera
Ferie: due settimane in gennaio, tre in luglio
Coperti: 70
Prezzi: 26-30 euro vini esclusi
Carte di credito: le principali, Bancomat

Anche se il suo ristorante La Primula è oggi tra i più affermati del Friuli Venezia Giulia, la famiglia Canton non ha rinunciato alla piccola osteria ottocentesca nel centro di San Quirino da cui, nel 1951, proprio il raffinato ristorante prese vita. Ristrutturata nel 1993, Alle Nazioni si riappropriò del suo nome originario grazie a una vecchia fotografia riportata in paese da un emigrante. I Canton, sicuro baluardo della tradizione gastronomica locale, propongono un menù che si aggiorna di mese in mese, in base al calendario e alla disponibilità degli ingredienti.
Il **prosciutto di San Daniele** e altri salumi prodotti in zona e il salmone marinato in casa condito con un filo d'olio sono preparati, come gli altri antipasti, sul banco attorno a cui sono disposti i tavoli. I primi comprendono **tagliatelle** ai funghi, agli asparagi o **al sugo di salame fresco**, a seconda delle stagioni, oppure **zuppe** di cipolle e **di orzo e fagioli**. Ottimi gli **gnocchi con ricotta affumicata e burro fuso**. Anche i secondi fanno onore al territorio: **trippe**, **gulasch**, **bollito misto**, **musetto e *brovada*** d'inverno; seppie in umido, **asparagi e uova** in primavera, bocconcini di vitello e **pollo fritto** nella stagione più calda sono le proposte più convincenti. Buona la selezione di formaggi e casalinghi i dolci: da assaggiare il semifreddo alle noci.
Si può scegliere tra moltissimi vini di pregio – 1600 etichette tra friulane, italiane e straniere, custodite nella cantina comune al ristorante – con un ottimo rapporto fra qualità e prezzo.

A **Pordenone** (10 km) l'Ariston Bar, nella galleria omonima a lato di corso Garibaldi, offre in degustazione una sessantina di formaggi e salumi non solo italiani e 120 vini.

SAURIS
Sauris di Sotto

81 KM A NO DI UDINE, 34 KM DA TOLMEZZO SS 52

ALLA PACE

Trattoria
Via Roma, 38
Tel. 0433 86010
Chiuso il mercoledì, mai d'estate
Orario: mezzogiorno e sera
Ferie: tre settimane in giugno, due in novembre
Coperti: 40
Prezzi: 32 euro vini esclusi
Carte di credito: Visa, Bancomat

Alla Pace nasce nel lontano 1804, in una vecchia casa padronale all'imbocco di Sauris di Sotto, capoluogo del comune carnico di Sauris. Quattro belle salette, il *fogolar* e la *stube* rendono l'atmosfera intima e piacevole. Gestione tutta in famiglia per gli Schneider, proprietari anche della vicina locanda (sette camere): in sala madre e figlia, Franca ed Elena, Mauro, esperto sommelier, a rifornire con perizia la cantina, papà Vinicio a selezionare le materie prime mentre Andrea, in cucina, interpreta e propone in chiave moderna e un po' originale piatti di forte tipicità saurana.
Si apre con gli antipasti: speck, lardo e ***mues*** (polentina con crema di ricotta, speck caramellato e burro fuso) nonché l'ottimo e famoso **prosciutto di Sauris**. Piuttosto classici i primi: ***cjalsòns*** alle erbe di campo con cannella e ricotta affumicata, sformatino con salsiccia, gnocchetti di patate, **vellutata** di porri e patate o **di orzo e *sclopìt***. Per proseguire, in alternativa all'immancabile ***frico***, cervo o **capriolo con** un'ottima **polenta** alla Sauris, il **gulasch** che ricorda la vicina Austria e un tortino di polenta, speck e formaggio. Tra i dessert si fanno apprezzare il semifreddo di mandorle e pinoli tostati e la crostata ai mirtilli e limone.
Bella carta dei vini, con pregevoli etichette friulane, nazionali e qualche puntata all'estero a prezzi davvero ragionevoli. Da non perdere i liquori di mugo e genziana preparati da papà Vinicio.

I prosciuttifici Wolf (Sauris di Sotto 88) e il nuovo Vecchio Sauris (località **Gostach**) vendono ottimi salumi, speck e prosciutto affumicato.

SAURIS
Lateis

79 KM A NO DI UDINE, 32 KM DA TOLMEZZO

RIGLARHAUS

Ristorante annesso all'albergo
Località Lateis, 3
Tel. 0433 86049-86013
Chiuso il martedì, mai d'estate
Orario: mezzogiorno e sera
Ferie: 10 gennaio-10 febbraio
Coperti: 40 + 40 esterni
Prezzi: 25-30 euro vini esclusi
Carte di credito: le principali, Bancomat

Su un pianoro a 1300 metri di quota la famiglia Schneider, discendente dalla comunità tedesca insediatasi qui attorno alla metà del Duecento, pratica l'arte dell'accoglienza. Si deve alle sorelle Paola e Sonia, in cucina con la mamma Caterina, se il locale, nato come osteria, ha ampliato l'offerta diventando un albergo con ristorante volto a valorizzare i prodotti artigianali della zona (**salumi affumicati** e **formaggi di malga**) e quelli spontanei (erbe selvatiche e funghi), impiegati come ingredienti principali per condimenti, paste ripiene, sformati e zuppe.
Dopo un antipasto misto di Sauris, ecco i tipici ***cjarsòns***, l'**orzotto** agli asparagi verdi, i triangoloni al *formadi frant* e noci, gli **gnocchi allo speck di Sauris e kümmel**. Tra i secondi, portafoglio ripieno di speck e carciofi, **cervo** o capriolo **al ginepro**, **gulasch con polenta**, filetto di maiale con cren, ***frico* di patate** con cavolo cappuccio. Tra le proposte stagionali ***dunkatle*** (carni miste di maiale cotte nel latte) o ***schottedunkatle*** (crema di ricotta con pezzetti di speck) d'inverno, ricotta con erba cipollina d'estate. Ottimi i dolci – torta di ricotta e fragole o di pere e noci – e le tipiche **frittelle con menta e salvia** *(vlè)* da accompagnare a un infuso di sedano di montagna, ortica o genziana.
Si può pasteggiare con un buon vino friulano, anche a calice, o con una birra integrale di produzione artigianale locale nelle versioni chiara, rossa e di canapa.

Malga Alta Carnia di Pietro Crivellaro, frazione Lateis 47: degustazione e vendita di formaggi e ricotte affumicate. A **Sauris di Sopra** (9 km) l'azienda Polentarutti vende ottimi insaccati affumicati della vallata e formaggi d'alpeggio, mentre il birrificio produce una eccellente birra artigianale.

Savogna d'Isonzo
San Michele del Carso

7 km a SO di Gorizia

Devetak

Trattoria-gostilna con alloggio
Via Brezici, 22
Tel. 0481 882488
Chiuso lunedì e martedì
Orario: sera, sabato e domenica anche pranzo
Ferie: variabili
Coperti: 70 + 25 esterni
Prezzi: 35-38 euro vini esclusi
Carte di credito: tutte, Bancomat

La trattoria, fondata nel 1870, come molte realtà storiche di un'Italia che fu sino alla metà del secolo breve povera e contadina, si è poi trasformata in un luogo raffinato dove la tradizione significa orgoglio e salvaguardia di una cultura e di una lingua di frontiera: lo sloveno.
Scandiscono la proposta gastronomica della famiglia Devetak le stagioni e quanto concedono l'orto, il bosco, i prati. L'antipasto è un buon inizio: **polenta di *zgancí*** (grano saraceno) **con salsa di mais e spiedino di salame**, **zuppetta di *jota*** (cappucci acidi) **con cotechino al cren** o di asparagi selvatici alla pancetta, mousse di caciotta alle erbe primaverili e ragù di verdure al miele di acacia, **salumi**. Si prosegue con antiche ricette che i Devetak si tramandano da generazioni: la ***selinka*** (minestrone di sedano, fagioli e pezzetti di maiale), l'orzo, farro e salsiccia con crema di verze al kümmel, la **stracciata di *palacinke*** (crespelle) **con la *supeta***, i ***mlinci*** (pasta abbrustolita in forno) **con ragù di guanciale**. Rielaborazioni recenti sono invece il risotto cremoso con riso nero e guanciale croccante e le tagliatelle al mirtillo con spezzatino di cinghiale all'alloro. Per secondo suggeriamo **trippa alla carsolina**, **baccalà** di nonna Zuta, **coniglio e patate al rosmarino**, filetto di vitellone alla carsolina con **patate in *tecia*** (ripassate in tegame), filetto di maiale al forno in panatura di curry e purè di mele. Non mancano i dolci più classici: ***gibanica***, ***strukji kuhani*** e la ***bela potica***.
Il patron Ustili (Agostino) vi potrà aiutare nella consultazione della sua amplissima e curata carta dei vini, indirizzandovi verso produttori di lingua slovena che lavorano a cavallo del confine.

Sgonico
Sagrado

10 km a nord di Trieste

Milic

Azienda agrituristica
Località Sagrado, 2
Tel. 040 229383-333 6804874
Aperto da venerdì a domenica
Orario: 10.00-22.00
Ferie: la settimana di Ferragosto
Coperti: 80 + 20 esterni
Prezzi: 20-25 vini esclusi
Carte di credito: nessuna

Il modo più facile per raggiungere l'agriturismo, anche arrivando con l'autostrada che conduce in Slovenia, è seguire le indicazioni per Sgonico, Rupinpiccolo e infine Sagrado: lo diciamo perché la segnaletica esistente davvero non aiuta, anzi. Il locale, noto già prima della guerra come *osmìza* (casa privata nella quale ancora oggi si vendono vino e cibi di produzione propria), continua la tradizione familiare grazie a Bernarda e al marito Andrei, che si occupa pure dei vini e dell'allevamento del bestiame. Sono disponibili anche cinque camere.
La cucina è un intreccio di sapori sloveni, carsolini e mitteleuropei. Si comincia con il pane caldo e i salumi della casa: **ossocollo**, pancetta cruda o cotta e prosciutto, che stagionano nella cantina-sala degustazione. Variano a seconda della stagione i primi, fra i quali ***jota***, ***mlinci* con radicchio e prosciutto**, **gnocchi di pane** o di patate e noci conditi **con gulasch carsolino** (non piccante) oppure con polpettine, sugo di arrosto o formaggio affumicato. Suggeriamo poi stracotto di maiale, manzo al timo, **salsicce lessate nella Malvasia** e **stinco**. In alternativa cotolette, salsicce, bistecche e costine – provenienti dall'azienda di famiglia – cucinate sulla griglia. Fra i dolci la ***pita* alla frutta** (simile alla torta margherita), l'arrotolato di noci e panna acida, lo **strudel** di mele o quello bollito.
Quattro le proposte enologiche di produzione propria: lo Chardonnay e gli autoctoni Malvasia, Vitovska e Terrano.

A **Trieste** (10 km), in via Mazzini 21, la storica enoteca Bischoff offre più di 3000 etichette nazionali ed estere. L'omonimo locale aperto in via Battisti 14 è anche winebar. Difficile da trovare, ma ne vale la pena, la minuscola gelateria Udevalla, in strada di Rozzol 121.

35 KM A NE DI PORDENONE, 33 KM DA UDINE

AL BACHERO

Osteria tradizionale
Via Pilacorte, 5
Tel. 0427 2317
Chiuso la domenica e lunedì sera
Orario: mezzogiorno e sera
Ferie: tre settimane tra giugno e luglio
Coperti: 80
Prezzi: 16-18 euro vini esclusi
Carte di credito: nessuna

A cavallo fra Ottocento e Novecento diverse famiglie pugliesi, che già spedivano i loro vini nel Nordest, vi si trasferirono per gestire in prima persona lo spaccio di vino e olio, aprendo locali che prendevano il nome di *trani*, dall'omonima città, oppure *bachero*, termine con cui erano chiamati i particolari barconi da trasporto impiegati nell'Adriatico. Antonio Laurora aprì il suo bachero a Spilimbergo nel 1897. Una trentina di anni fa, dopo vari passaggi di proprietà, il locale fu acquistato dalla famiglia Zavagno che ora lo gestisce in terza generazione: Michele, affabile in sala, e il fratello Stefano, padrone delle ricette tradizionali che la cucina propone quotidianamente. Al sabato, a dare manforte in giorno di mercato, intervengono anche i genitori Enrico e Graziella. L'ambiente è caldo, con tavoli e sedie in legno scuro, menù stampato sulle tovagliette di carta, porzioni abbondanti come si è sempre usato da queste parti.
Gli antipasti comprendono tipici **salumi** friulani accompagnati da cipolline all'aceto balsamico o crostini con alici in salsa. Fra i primi piatti vanno assaggiati gli **gnocchi al ragù**, la polenta pasticciata, il **minestrone di orzo e fagioli**. Il piatto forte del Bachero, però, è il **baccalà**, proposto **con polenta** oppure **mantecato**. Da non perdere anche la **trippa con polenta**. In alternativa lo spezzatino di manzo oppure il ***frico***. Tra i dolci, che non sono mai molti, segnaliamo lo **strudel** fatto in casa.
La carta dei vini è limitata a poche etichette, con l'insolita presenza di qualche dolce del Sud nel rispetto del passato del locale. La scelta delle grappe conta su tre valide etichette.

SPILIMBERGO

33 KM A NE DI PORDENONE, 33 KM DA UDINE

DA AFRO

Osteria-trattoria con alloggio
Via Umberto I, 14
Tel. 0427 2264
Chiuso domenica sera
Orario: mezzogiorno e sera
Ferie: non ne fa
Coperti: 45 + 30 esterni
Prezzi: 25-35 euro vini esclusi
Carte di credito: tutte, Bancomat

La storica osteria, situata vicino alla torre occidentale della cittadina, è stata attentamente ristrutturata alcuni anni fa dal patron, Dario Martina. Mantenendo intatta l'atmosfera familiare, sono state ricavate una bella sala degustazione e due sale da pranzo con caminetto, recentemente ampliate con una struttura in legno costruita sul prato che ha sostituito gli antichi giochi da bocce; c'è inoltre un pergolato dove ci si può accomodare nella bella stagione. Al piano superiore sono state allestite otto camere, curate e funzionali, dedicate a chi volesse prolungare la visita.
In sala, una lavagna di ardesia indica i piatti proposti giornalmente dalla cucina, legata alle tradizioni locali e tesa alla valorizzazione delle preziose materie prime del luogo. Il titolare vi consiglierà, fra gli antipasti, un assaggio del profumato **prosciutto di San Daniele** affettato al momento, accompagnato da altri salumi di produzione locale. Seguono, tra i primi piatti, il **risotto con gli asparagi** o con altre verdure di stagione, gli gnocchi verdi con ricotta affumicata, i ***blecs* al ragù d'anatra**, la **minestra di orzo e fagioli** e, in inverno, la ***sopa coada***, una zuppa a base di piccione, tipica del basso corso del Livenza. Anche i secondi offrono una vasta scelta: da quelli più classici, come la **zuppa di trippe**, il **baccalà**, le rane, le **lumache** in umido e gli arrosti di faraona e coniglio, fino agli ottimi **piccioni ripieni** e al **carré di agnello con asparagi selvatici** e funghi di bosco. Tra i dolci ci sono particolarmente piaciuti lo **strudel di mele**, la crema catalana e la bavarese all'ananas con salsa di fragole.
Eccellente la carta dei vini, che propone 200 etichette friulane e un centinaio fra le più importanti italiane ed estere, con ricarichi contenuti.

Stregna

31 km a NE di Udine, 14 km da Cividale

Sale e pepe

Trattoria
Via Capoluogo, 19
Tel. 0432 724118
Chiuso martedì e mercoledì
Orario: sera, sabato e domenica anche pranzo
Ferie: alcuni giorni tra 15 giugno e 15 luglio
Coperti: 46
Prezzi: 28-30 euro vini esclusi
Carte di credito: le principali, Bancomat

Teresa Covaceuszach e il marito Franco Simoncig testimoniano come il grande amore per la propria terra possa portare a risultati esemplari. Il grazioso locale di Stregna, nel cuore delle valli del Natisone, non è facilmente raggiungibile, ma il farlo vi regalerà una bella esperienza. La cucina, interpretata dall'estro di Teresa, non abbandona mai il solco della tradizione, pur sapendo stupire negli abbinamenti e nella qualità delle materie prime, il più possibile reperite in zona.

Fra gli antipasti, piuttosto numerosi, troviamo il salame di cinghiale e funghi porcini, il culatello di Sauris con pere e formaggio, i **salumi misti d'oca**, lo sformato di funghi con fonduta di montasio, la **polentina di grano saraceno, ricotta salata, mele e cren** e l'**aringa marinata**. Molto interessanti i primi piatti a base di pasta fresca, fra cui gli stracci con broccoli e noci, la ***marvice* con ragù di cinghiale** e gli ***zlicnjaki*** (piccoli gnocchi di farina), ma anche l'orzotto ai due radicchi con *formadi frant* o la crema di funghi e orzo. Ampia la scelta fra i secondi: dai più tradizionali come la ***ripza*** (filetto di maiale) al ribes rosso, lo spezzatino di cinghiale e polenta, lo ***stakanje*** (composta di patate e verdure) **con salsiccia e latteria di Montefosca**, ai più particolari come lo **spiedino di coniglio con mele e prugne** e l'anatra al cioccolato.

Capitolo a parte meritano i dolci – splendida la locale **gubana** – e i vini, con una carta importante di circa 300 etichette regionali, dai ricarichi più che onesti.

Da ottobre a Pasqua chiude anche il lunedì e il giovedì.

Il piccolo panificio artigianale di **Merso di San Leonardo** (6 km) nei giorni feriali sforna un'eccezionale gubana. Sempre a San Leonardo, in frazione **Scrutto** 115, la macelleria Beuzer vende ottimi insaccati di propria produzione.

Sutrio
Noiaris

62 km a NO di Udine, 15 km da Tolmezzo SS 52 bis

Alle trote

Trattoria
Via Peschiera, 5
Tel. 0433 778329
Chiuso il martedì, mai in luglio e agosto
Orario: mezzogiorno e sera
Ferie: 2 settimane in marzo, 3 in ottobre
Coperti: 70 + 30 esterni
Prezzi: 25 euro vini esclusi
Carte di credito: tutte

Ci troviamo nell'alta valle del But, torrente dalle limpide acque che scendono dalle Prealpi carniche. In un'ansa del corso d'acqua, in località Noiaris, alcuni anni or sono fu avviato un allevamento di trote che offriva accoglienza al visitatore in una vicina piccola costruzione in legno. Il successo dell'attività ha convinto Anna Fabris ad aprire la sua tipica linda trattoria, il cui menù si caratterizza per la presenza costante della trota – cucinata in maniera tradizionale o con qualche spunto più fantasioso – senza però dimenticare le carni e i prodotti di questa zona di montagna.

L'antipasto propone spesso i **bocconcini di trota salmonata fritti**, il carpaccio di trota con rucola e pomodori ciliegini, la fesa di manzo affumicata. Tra i primi ricordiamo i **ravioli di trota affumicata** con pomodoro ed érba cipollina, gli spaghetti al ragù di trota, il **flan agli asparagi di bosco**, le **crespelle gratinate con speck e formaggi**, il risotto alle erbe, la **minestra di orzo e fagioli**, la **zuppa di gulasch**. Il **filetto di trota al forno** con giardinetto di verdure o impanato, l'hamburger di trota salmonata, la **trota** alla piastra o **al cartoccio** sono alcune delle variazioni in tema con cui proseguire. In rappresentanza della carne la fesa di manzo affumicata, la fettina di **puledro alla piastra**, il filetto di manzo al pepe verde e il **filetto di cervo**. I dolci sono tutti fatti in casa: **strudel di mele** con salsa di vaniglia e diverse crostate, fra le quali quella di pere e ricotta.

La carta dei vini non è ampia, ma propone una selezione friulana e nazionale valida con un ottimo rapporto fra qualità e prezzo. Comunque gradevole lo sfuso.

Sutrio

62 km a NO di Udine, 15 km da Tolmezzo ss 52 bis

Da Alvise

Trattoria con alloggio
Via I Maggio, 5
Tel. 0433 778692
Chiuso il mercoledì
Orario: mezzogiorno e sera
Ferie: 2-3 settimane in giugno, 1 tra settembre e ottobre
Coperti: 40 + 25 esterni
Prezzi: 22-27 euro vini esclusi
Carte di credito: nessuna

Enzo ed Elena Di Ronco hanno riavviato anni fa questa osteria di Sutrio trasformandola in un gradevole punto di sosta dove si può godere della loro proposta gastronomica e dell'ospitalità delle cinque confortevoli camere dell'annessa locanda.
Elena, che adatta la cucina tradizionale al ritmo delle stagioni con l'aiuto dei giovani Aurora e Giacomo, illustra il menù del giorno: assaggiati i sempre presenti **salumi** e formaggi locali e gli ottimi ***frichetti*** (tortini di formaggio, patate e cipolla), non si dovrebbero perdere i ***cjalsòns*** (tortelli con ripieno di erbe e aromi, conditi con burro fuso e ricotta affumicata), piatto fra i più tipici della Carnia. Non si scostano dalla tradizione nemmeno gli altri primi, anch'essi di realizzazione casalinga: ***blecs*** (maltagliati), tagliatelle, ravioli e **gnocchi di patate ai funghi porcini**, panzerotti, **pasticci di funghi**, verdure o salsiccia. Maiale – buoni il carré e il filetto che fa da base al **gulasch** – e **cacciagione** (capriolo e cervo soprattutto) rubano un po' la scena a ***muset e brovada***, salsicce, ***frico* con polenta**, **frittata alle erbe**. In stagione non mancano mai i **funghi**, trifolati e alla griglia. Tra i dolci, da segnalare le crostate, lo strudel e le **frittelle**.
Enzo si occupa della cantina, oltre che del servizio in sala: il vino della casa, rosso e bianco, viene da Spessa di Cividale e si accompagna lodevolmente ai piatti. In bottiglia ci sono per lo più friulani con qualche presenza di altre regioni italiane.

Lo spaccio del caseificio sociale Alto But, viale Martiri 1, offre ottimi formaggi della tradizione carnica.

Tarcento
Zomeais

20 km a nord di Udine ss 356

Da Gaspar

Trattoria
Via Gaspar, 1
Tel. 0432 785950
Chiuso lunedì e martedì
Orario: mezzogiorno e sera
Ferie: prima settimana di gennaio, un mese in estate
Coperti: 50 + 10 esterni
Prezzi: 25-30 euro vini esclusi
Carte di credito: nessuna

Per trovare l'accogliente locale delle sorelle Valentina e Gabriella Boezio bisogna risalire la riva destra del torrente Torre e raggiungere quello che una volta era il piccolo mulino della frazione di Zomeais. Dagli anni Settanta l'edificio, con la sua bella veranda, è diventato una trattoria a conduzione familiare in cui Gabriella si occupa dei fornelli e Valentina della curatissima sala mentre suo marito, Piercarlo Cereda, sommelier, fa la spola tra cucina e tavoli.
Nel rigoroso rispetto della tradizione e della stagionalità si può cominciare con i salumi, magari **salame all'aceto con la polenta**, soppressa, **prosciutto caldo con il cren**, oppure il crudo artigianale cormonese, ma gli antipasti comprendono anche sformati di verdure e gli asparagi arrotolati nella pancetta. Tra i primi, oltre ai ***cjalsòns*** della tradizione carnica in versione dolce, **risotto con lo *sclopìt*** (erba silene) o con i funghi, gnocchi di zucca o **crema di fagioli con pancetta abbrustolita**. Quando è il periodo non manca la **selvaggina**, affiancata da altri piatti a base di carne come gli **ossibuchi**, il **gulasch**, lo **stinco di vitello al forno**, la tagliata di manzo e ancora torcione di *foie gras* con *toc' in braide* e frittate con le erbe. Lasciate però un po' di spazio per i dolci – biscotti e torte, fra le quali sacher e bavarese – preparati in casa.
Vale la pena dedicare un momento anche allo studio delle carte: quella degli oli offre la scelta fra una ventina di extravergini, soprattutto locali, mentre quella dei vini, vergata a mano da Piercarlo, elenca circa 300 affidabili etichette friulane e nazionali.

Tarcento
Loneriacco

16 km a nord di Udine ss 356

Osteria di Villafredda

Trattoria
Via Liruti, 7
Tel. 0432 792153
Chiuso domenica sera e lunedì
Orario: mezzogiorno e sera
Ferie: 2 settimane in gennaio, 2 in agosto
Coperti: 70 + 30 esterni
Prezzi: 28-35 euro vini esclusi
Carte di credito: tutte, Bancomat

È ospitata in un suggestivo complesso rurale della collina friulana la ben collaudata e rinomata trattoria condotta da Luca Braidot con l'aiuto di validi collaboratori, in sala come in cucina. In estate è anche possibile mangiare all'aperto, nel cortile centrale dove si erge un gelso monumentale.
Il menù varia con le stagioni senza mai tradire il territorio e la tradizione. Per iniziare: prosciutto di San Daniele, **prosciutto cotto al forno con cren**, assaggi di ***frico*** e frittata alle erbe, sformatino agli asparagi con fonduta di montasio, **lardo con polenta** e salame tagliato a punta di coltello, petto d'anatra o manzo affumicato con radicchio di Treviso. Passando ai primi troviamo ***cjalsòns*** di Villafredda (in versione salata), **zuppa agli asparagi e *orticions***, crespelle ai fiori di zucca e zucchine, **tagliatelle al San Daniele**. Tra i secondi: **filetto di maiale aromatizzato alle erbe**, asparagi avvolti nel prosciutto di San Daniele e gratinati, guanciale di maiale, tagliata, coscette di pollo fritte e, d'inverno, la **trippa**. In alternativa alle carni un'ottima selezione di formaggi: ricotta fresca con peperoni e zucchine, gorgonzola con marmellata di fichi, montasio fresco e stagionato con polenta, **latteria *sot la trape*** (maturato nelle vinacce), ***formadi frant*** con miele di castagno. Per concludere, dolci fatti in casa: semifreddo all'amaretto, **strudel di mele**, panna cotta con frutti di bosco o con il caramello, gelato di pere.
Nella lista dei vini etichette regionali e nazionali a prezzi molto ragionevoli.

A **Tricesimo** (5 km) ottimi formaggi da Franco Savio, via De Pilosio 8.

Tarvisio

88 km a NE di Udine ss 13 o A 23

Tschurwald

Osteria tradizionale-enoteca
Via Roma, 8
Tel. 0428 2119
Chiuso mercoledì sera e giovedì
Orario: mezzogiorno e sera
Ferie: non ne fa
Coperti: 40 + 15 esterni
Prezzo: 35 euro vini esclusi
Carte di credito: tutte tranne DC, Bancomat

La passione per il buon cibo, l'attenta ricerca di materie prime di qualità e un collaudato gioco di squadra sono gli elementi che, da almeno tre generazioni, caratterizzano il modo di lavorare dei Tschurwald. Fabio e la vulcanica Titti si occupano delle due salette e del bancone, meta degli affezionati o degli irriducibili dell'*après ski* che conoscono la bella rosa di etichette regionali e nazionali. La cucina è gestita da mamma Gabriella mentre Manfred si occupa dell'orto, della raccolta dei funghi, del miele e della preparazione delle mostarde da abbinare ai formaggi.
Il locale è frequentato anche da clientela d'oltre confine in grado di apprezzare sia i piatti di matrice austroungarica – famoso lo ***szegedinergulasch*** – sia quelli più propriamente friulani, come l'**orzo e fagioli**. Potrete deliziarvi anche con **speck di Sauris**, crudo di San Daniele, salame all'aceto balsamico e, a seguire, con le paste fatte in casa come le tagliatelle al sugo bianco di vitello, i **conchiglioni con ricotta di montagna**, le creme di verdura, gli **gnocchi** di patate **alla carnica**, o **di zucca**. Tra i secondi, vi segnaliamo i bocconcini di pollo al rosmarino, le **bracioline di cervo ai ferri con salsa di mele** e il **gulasch con gnocchi di pane**. Interessante anche la selezione dei **formaggi** tra i quali va assaggiato l'*asìn*. Per il commiato dolce torta di cioccolato con le noci e, in periodo di festività, biscotti o **pinze** (profumatissime focacce).

A **Ugovizza** (10 km), statale Pontebbana 24, lo spaccio della Cooperativa Allevatori Val Canale è un buon indirizzo per acquistare formaggi locali (montasio, malga, stravecchio, latteria, ricotte) e salumi affumicati.

Treppo Carnico

67 km a NO di Udine, 20 km da Tolmezzo

Cristofoli

Ristorante annesso all'albergo
Via Matteotti, 10
Tel. 0433 777018
Chiuso domenica sera e lunedì, mai d'estate
Orario: mezzogiorno e sera
Ferie: non ne fa
Coperti: 70
Prezzi: 28-30 euro vini esclusi
Carte di credito: le principali, Bancomat

Il Cristofoli, situato al centro del piccolo paese, ha subìto molteplici ristrutturazioni, che hanno però lasciato intatti i soffitti a volta delle sale e l'attiguo *fogolar*. Dal 1965 è gestito dalla famiglia Craighero, attualmente all'opera con ben tre generazioni: Novella, che vi accoglierà e guiderà nelle scelte, la figlia Antonella in cucina assieme a Elio, Luca al bar e la mamma di Novella ancora impegnata nella preparazione di appetitosi **sottoli**. Inizierete appunto con le sue zucchine sott'olio, i *botons di tale* (boccioli di tarassaco), i peperoncini ripieni. I **salumi** – ossocollo, salame, guanciale servito con l'aceto balsamico – provengono da maiali allevati in proprio mentre le erbe sono raccolte in prati e boschi della Carnia: non perdetevi in primavera gli **asparagi selvatici con le uova**. Da assaggiare pure i ***cjalsòns*** di Treppo, gli **gnocchi di susine** serviti con cannella, zucchero e burro fuso (come è tipico della Carnia) o **di erbe selvatiche**, i ***blecs* con sugo di cervo** o di speck, radicchio e pomodoro, il ***toc' in braide***. Tra i secondi, oltre alle salsicce e al musetto di maiale, anche piatti a base della carne dei vitelli allevati nella stalla di famiglia: girello, filetto in crosta, **stinco disossato**, oppure il ***frico* con le patate** o il **cervo in umido**. Se prenotate in anticipo potete richiedere gli ***straubes*** (frittelle) di ruta che la tradizione considera salutari, anche se lo **strudel**, la mousse di mandorle con sciroppo di sambuco, la panna cotta o la **torta di pere e noci** non ve li faranno rimpiangere troppo.
Valida la carta dei vini con proposte sia friulane sia da altre regioni e interessante la scelta di grappe aromatizzate.

Trieste
Opicina

7 km dal centro della città

Antica trattoria Valeria

Trattoria con alloggio
Strada per Vienna, 52
Tel. 040 211204
Chiuso domenica sera
Orario: mezzogiorno e sera
Ferie: non ne fa
Coperti: 50 + 70 esterni
Prezzi: 30-35 euro vini esclusi
Carte di credito: le principali, Bancomat

Villa Opicina era un tempo la meta delle merende fuori porta dei triestini, che vi arrivavano con il tram a cremagliera. Se lo ricorda bene la signora Milli, erede degli antichi proprietari di questa ultracentenaria locanda e custode di tradizioni e soprattutto ricette di famiglia (poter dare un'occhiata a qualche suo quaderno...). Il locale è ora in mano a David Fabi, figlio di Milli, che lo ha riportato alla destinazione originaria grazie a 12 confortevoli camere dall'arredo moderno.
La lista dei piatti offerti varia al mutare delle stagioni – approfittate dell'ampia terrazza per i pranzi estivi – e risente obbligatoriamente degli influssi balcanici e mitteleuropei tipici di queste zone. Fra i primi ricordiamo la ***jota*** (minestra di fagioli e crauti), sempre presente in menù, gli **gnocchi di susine** o di albicocche e i ***kipfel***. Fra i secondi segnaliamo l'**oca di San Martino**, l'**agnello al forno** e l'**insalata tiepida condita con pancetta calda** in primavera e infine l'ottimo stracchino del Carso. Anche i dolci – in particolare ***putizza***, ma solo nel periodo natalizio, ***rigojanci*** e strudel – trovano origine nella tradizione.
Ampia la scelta dei vini: circa 200 etichette italiane oltre a una presenza qualificata di francesi, spagnole e slovene.

In località **Trebiciano** 237 (3 km da Opicina), l'azienda Settimi e Ziani produce pregiati mieli monoflora: particolare quello di marasca. A **Basovizza** (8 km), ottimi i formaggi (latteria e stracchino) di Leard Vidali a latte crudo di vacche del Carso.

BUFFET TRIESTINI

Quando la bora spazza l'aria e la rende gelata ma limpida, la visibilità è tale che le Rive di Trieste si affollano di persone infagottate nei loro soprabiti più caldi per ammirare le Prealpi che sembrano emergere dall'Adriatico a poche miglia dai moli. È uno spettacolo naturale affascinante, ma dopo qualche minuto di un vento ghiacciato sopra i cento all'ora è il momento di andare «*a ciapar la calda*» rifugiandosi in uno dei buffet della zona.
Qui ci si ritempra con i profumi della caldaia, dove in un brodo mantenuto appena sotto la temperatura di ebollizione sono immersi, selezionati e affettati da mani sapienti, i tagli più tradizionali del bollito di maiale. Il pezzo più richiesto, simbolo stesso della caldaia, è la porcina, un taglio di due o tre chili dalla coppa o dalla spalla, caratterizzato dalla giusta quantità di grasso per rendere tenerissima ogni fetta. E non è estranea al gusto di questa delizia la compagnia nella caldaia degli altri tagli di maiale, che vengono continuamente a sostituire ciò che gli avventori consumano a ritmi serrati. In una caldaia come si deve non possono mancare il cotechino o lo zampone, la pancetta e la lingua salmistrata, il carré affumicato (che i triestini continuano a chiamare *kaiserfleisch*) e i wurstel, che qui si chiamano luganighe di Vienna, o di Cragno se con grana più grossa. Qualche buffet propone ancora, in spregio a qualunque dieta, un'umile ma succulenta scelta di zampetti, orecchie e porzioni di testina. L'unico contorno permesso sono i crauti, profumati dai semi di cumino, e mentre la porcina va arricchita da una generosa spruzzata di sale, gli altri tagli esigono una cucchiaiata di senape e una grattugiata di cren preparata al momento. L'unico dubbio sta nella scelta fra il tradizionale boccale di birra e un calice di vino selezionato fra le prestigiose etichette del vicino Friuli o fra quelle emergenti del Carso triestino.
Oltre al bollito di maiale, comunque, i buffet triestini offrono ricchissime selezioni di spuntini da sbocconcellare in tutto l'arco della giornata, privilegiando tartine saporite (da non perdere quelle con il formaggio *liptauer* o il baccalà mantecato), assaggi di prosciutto cotto ancora caldo e piccoli fritti di pesce e verdure. Molti infine propongono, all'ora di pranzo, interessanti piatti del repertorio triestino fra cui la *jota*, tradizionale minestra invernale a base di fagioli, patate e crauti, o diverse interpretazioni di sardoni, trippe e baccalà.

Franco Zanini

DA GILDO

Via Valdirivo, 20
Tel. 040 364554
Chiuso sabato e domenica
Orario: 08.00-19.00
Ferie: 10 giorni in agosto

Il bancone degli spuntini è sicuramente il punto di forza di questo popolare buffet a metà strada fra la stazione e il canale di Ponterosso, con una antologia dei classici triestini (le polpette di carne, di pesce e di verdure, i sardoni fritti, le frittate e, di venerdì, un baccalà mantecato assolutamente irresistibile). Ottima la selezione dei tagli di maiale della caldaia, da accompagnare con una buona birra, e all'altezza anche il prosciutto cotto da gustare ancora caldo con senape e cren. All'ora di pranzo cambiano i ritmi, e bisogna conquistare uno dei pochi tavolini per gustare in velocità i piatti della tradizione locale, dalla *jota* alla trippa in umido, dal baccalà con polenta alle patate in *tecia*. La scelta dei vini può migliorare, ma propone etichette decorose ben abbinabili ai piatti in lista.

DA PEPI

Via Cassa di Risparmio, 3
Tel. 040 366858
Chiuso la domenica
Orario: 09.00-21.00
Ferie: ultime due settimane di luglio e prima di agosto

A pochi passi dalla centralissima piazza della Borsa, il tempio riconosciuto del bollito alla triestina continua a offrire il classico repertorio dei buffet. Materie prime di grande qualità e sapiente contributo degli addetti alla caldaia e al taglio caratterizzano un locale che da oltre cent'anni continua ad attirare appassionati e curiosi da tutto il mondo pronti a gustare le specialità della tradizione: una porcina tenera ma compatta, un carré sapido e profumato, un cotechino dal gusto intenso e dalla grana fine, le salsicce di un piccolo produttore locale e la grassa succulenza della testina. Le stesse premure sono riservate alla scelta del pane, alla preparazione dei crauti e alla morbidissima senape che accompagnano ogni piatto del buffet. Qui l'unica concessione all'innovazione sembra essere la lista dei prezzi passata dalle lire agli euro.

El rodoleto
Piazza Goldoni, 4
Tel. 040 3476290
Chiuso la domenica
Orario: 10.30-15.30 e 18.00-21.00
Ferie: non ne fa

Affacciato su piazza Goldoni, uno dei baricentri della città, questo piccolo buffet si appoggia allo stabilimento di Tullio e Andrea Masè, che continuano a seguire la loro personale filosofia di produzione: innovazione e ricerca tecnologica per stare al passo dei tempi, ma nel pieno rispetto della tradizione e dei metodi artigianali. Il pezzo forte della casa è il prosciutto cotto alla triestina, che i Masè preparano seguendo gli stessi segreti di un secolo fa, ma in caldaia non possono mancare le luganighe di Vienna e Cragno, una porcina tenera al punto giusto e una lingua salmistrata preparata secondo le tradizioni delle valli del Trentino. Il nome del locale deriva dall'uso triestino di preparare uno spuntino veloce arrotolando su uno stecchino di legno un paio di fettine di prosciutto da consumare al volo con una fetta di pane e una grattugiata di cren.

L'approdo
Via Carducci, 34
Tel. 040 633466
Chiuso sabato pomeriggio (d'estate) e domenica
Orario: 08.00-20.00
Ferie: due settimane in luglio

Il costante affollamento di questo tradizionale buffet, a breve distanza dalla centralissima piazza Goldoni e dal mercato coperto, è già un buon segno. Ma l'accogliente ritrovo di Paolo Cociancich si segnala, oltre che per la ricca caldaia in funzione solo nei mesi freddi, per un'offerta complessiva che va dai gradevoli stuzzichini disposti sul lungo bancone a una strepitosa coda alla vaccinara (di solito il martedì) e all'appetitoso gulasch con cui accompagnare gli gnocchi di patate per un sostanzioso piatto unico. Il venerdì, anche preparazioni di pesce. La cantina non è ricchissima ma di buon livello, con un occhio di riguardo per le etichette regionali.

Sandwich club
Via Economo, 10 B
Tel. 335 6625130
Chiuso sabato pomeriggio e domenica pomeriggio (anche domenica mattina d'estate)
Orario: 07.00-21.00
Ferie: due settimane in luglio

È soprattutto la cantina a richiamare in questo locale, a poca distanza dai circoli velici delle Rive, un pubblico eterogeneo di lavoratori della zona, studenti e gourmet. La pur spaziosa lavagna non è in grado di elencare tutte le etichette disponibili al bicchiere, necessarie ad accompagnare le tartine preparate con prodotti di qualità, i piccoli fritti di pesce, le conchiglie gratinate, il baccalà mantecato. All'ora di pranzo si aggiungono piatti più tradizionali che, quando stagione e mercato lo permettono, privilegiano funghi e tartufi. In inverno al pesce si affianca un bollito di maiale preparato al momento con materie prime di assoluta eccellenza. Da segnalare la qualità del pane, fragrante e profumato, e la carta dei distillati, intelligente e stuzzicante.

Toni da Mariano
Viale Campi Elisi, 31
Tel. 040 307529
Chiuso sabato pomeriggio e domenica
Orario: 08.00-24.00
Ferie: seconda metà di giugno e ultima settimana di agosto

In posizione decentrata, ma a pochi passi dalle strutture del porto nuovo, la famiglia Miloch ha scelto di puntare sull'abbinamento della cucina tradizionale triestina con il vino di qualità, sfruttando le doti di intenditore di Mariano per offrire un repertorio intelligente di cantine regionali, senza tralasciare una scelta interessante di etichette dal resto della penisola. E se la caldaia è sempre in attività, a pranzo compaiono sui pochi tavoli del locale i piatti più classici del territorio, dagli gnocchi con gulasch alle seppie in umido al baccalà (imperdibile, il venerdì, quello mantecato). Uno spettacolo per gli occhi il banco degli spuntini, un mosaico di piccoli fritti, polpettine e altre specialità sempre diverse.

ANTIPASTOTECA DI MARE

Osteria di recente fondazione
Via della Fornace, 1
Tel. 040 309606
Chiuso: domenica sera e lunedì
Orario: mezzogiorno e sera
Ferie: variabili in estate
Coperti: 40
Prezzi: 18-25 euro vini esclusi
Carte di credito: nessuna

I clienti più affezionati chiamano ancora l'osteria la Voliga, dal nome dello strumento a forma di cappello a cilindro che si utilizzava per pescare le sardine; con questo nome Roberto Surian aprì il suo locale più di dieci anni fa, per poi "modernizzarlo" nella versione che trovate oggi. Nel socio Gianni Dobrilovic, che lo ha affiancato in cucina da qualche anno, Roberto ha trovato un altro convinto paladino del pescato più semplice del golfo di Trieste, altrettanto deciso a privilegiare il pesce azzurro e le preparazioni tradizionali.
Il menù, tutto in dialetto triestino, indugia ovviamente sugli antipasti, sempre accompagnati dal *pan brustolà con l'aio*. I più abitudinari potranno scegliere fra i **sardoni** marinati e quelli **in *savor***, passando per i ***folpeti*** con le patate, le diverse conchiglie gratinate (***caperozzoli*** e ***pedoci*** su tutte), le ***schie*** e i ***girai*** fritti. Ma tutti hanno imparato ad apprezzare l'originale **spuma di *molo*** (la varietà locale di nasello) e i pesci più poveri grigliati dopo una leggera impanatura con farina di polenta. Se non avete abusato fin qui, non potete perdere due vere perle: la leggera **zuppa di pesce** passata e spinata e quella di **cozze con patate e fagioli**, quasi una versione di mare della classica *jota*. Pochi i dolci, ma provate le tipiche ***palacinke*** carsoline nella versione con la marmellata o in quella con la crema di nocciole.
I vini, serviti in caraffa, non sono molti, ma sicuramente in linea con il pensiero del locale.

Pescheria Al Golfo di Trieste, strada del Friuli 10: il meglio del pescato locale. Al Panificio Jerian, via Combi 26, pani di varie farine e preparazioni di arte bianca della tradizione giuliana. I dolci tipici triestini si trovano invece da Penso, in via Diaz 11.

DA GIOVANNI

Trattoria-buffet
Via San Lazzaro, 14
Tel. 040 639396
Chiuso la domenica
Orario: 08.00-15.00/16.30-22.00
Ferie: tre settimane in agosto
Coperti: 25 + 40 esterni
Prezzi: 10-25 euro vini esclusi
Carte di credito: nessuna, Bancomat

Chiunque giunga, nelle ore serali, all'angolo di isola pedonale nel centro di Trieste dove si trova questa osteria resterà stupito della quantità di giovani che si affollano dentro e fuori il locale, con un bicchiere di vino in mano. Proprio a realtà come queste va riconosciuto il merito di aver favorito la riscoperta del vino e del cibo veloce, ben diverso, attenzione, dal fast food, da parte delle nuove generazioni.
Da quasi cinquant'anni la famiglia Vesnaver – Elda, la moglie del fondatore, ai fornelli con la figlia Ada mentre i figli Bruno e Anita con la nipote Roberta si occupano della sala – gestisce questo tipico buffet triestino, dove il vino (Malvasia, Terrano, Ribolla) è spillato dalle botti dietro al bancone e sono sempre disponibili i tagli della caldaia dei bolliti: salsicce, ***porzina***, lingua, **musetto**. Lo spuntino a tutte le ore può anche contare sugli ottimi affettati (**prosciutto cotto caldo con il cren**, prosciutto crudo, mortadella) che troneggiano sul banco, e con i quali si può iniziare un pasto più completo, scegliendo poi fra **gnocchi** – anche **con le albicocche** – e pastasciutte con sughi stagionali, **gulasch con patate in *tecia***, **trippe**, polpette, arrosti o, per gli amanti del pesce, **sardoni in *savor***, frittura mista e **baccalà**.
Ai tavoli si mangia su tovagliette di carta ma il servizio è cortese, anche nei momenti più affollati, e soprattutto è ottimo il rapporto fra qualità e prezzo.

La Casalinga, largo Barriera Vecchia 4: pasta fresca, tra cui i tipici fusi istriani, gnocchi farciti della tradizione triestina, torte salate. Enoteca Nanut, via Genova 10: ottima scelta di vini al calice e da asporto.

TRIESTE

SUBAN

NOVITÀ

Trattoria
Via Comici, 2 D
Tel. 040 54368
Chiuso lunedì a pranzo e martedì
Orario: mezzogiorno e sera
Ferie: prime tre settimane di agosto, prima di gennaio
Coperti: 100 + 100 esterni
Prezzi: 30 euro vini esclusi
Carte di credito: tutte, Bancomat

Quattro generazioni sono passate dal 1865 quando il capostipite Giovanni, con il ricavato di una fortunata giocata sulla ruota di Vienna, fondò il locale. Ora Mario, coadiuvato dalle figlie Federica e Giovanna, con orgoglio testimonia la ricchezza di una cucina che attinge a quel crogiolo di culture, austriaca, ungherese e slava, che fu identificata con la Mitteleuropa. Nell'atrio le attestazioni autografe di numerosi personaggi illustri, che hanno visitato il locale, ne avvalorano la filosofia e l'offerta.
Se volete assaggiare i piatti triestini per eccellenza iniziate col **prosciutto in crosta con il cren**, una sublime ***jota* carsolina** o le ***palacinche*** (crêpes) **con il basilico**, per poi affrontare lo ***schinco de vedel*** (stinco di vitello) **al forno**, il petto d'anatra con salsa alle erbe del Carso e concludere con il classicissimo ***strudel de pomi***. Un capitolo a parte richiede la griglia, protetta da una vetrata che si affaccia sulla sala principale: vi rosolano costolette d'agnello, pollo disossato ai profumi orientali, la tagliata, sufficiente per due persone, e altro ancora. Ci sono anche proposte meno tradizionali e, tra i dolci, millefoglie con crema e fragole, la ***rigojancsi*** (panna, cacao e pan di Spagna) oppure un delicato gelato alla liquirizia con salsa alla menta.
Per Mario è quasi un obbligo accompagnare l'ospite con un'offerta enologica attenta alla successione dei piatti serviti.

In largo Barriera Vecchia 12, Antica Pasticceria Pirona: presnitz, putizza, pinza, favette, marzapani, mandorlati, torte sacher e rigojancsi. Da Salumare, via di Cavana 10: pesce spada affumicato, tonno essicato (di tutti i tipi: pinna gialla, rosa o classico), oli del Carso e altro ancora.

UDINE
Cussignacco

4 KM DAL CENTRO DELLA CITTÀ

ALLE ALPI

Trattoria
Via Veneto, 179
Tel. 0432 601122
Chiuso domenica sera e lunedì
Orario: mezzogiorno e sera
Ferie: 15-30 agosto
Coperti: 60
Prezzi: 25 euro vini esclusi
Carte di credito: tutte, Bancomat

La cerchia delle lontane montagne, le Alpi, si staglia all'orizzonte e ispira il nome di questa trattoria nella periferia sud di Udine. Varcato il piccolo ingresso destinato a bar, ci si accomoda in una delle due sale, ma è in quella del maestoso *fogolar* che, da oltre dieci anni, il patron Alberto Zilli, cucina alla brace le carni che lui stesso seleziona. Al menù consolidato si aggiungono piatti tipicamente stagionali e proposte meno frequenti come il maialino allo spiedo o le carni cotte alla brace in una tipica pentola di ghisa di produzione bosniaca (la *sac*) di cui il gestore è particolarmente orgoglioso.
Tra gli antipasti meritano la **fagiolata** («fagioli e non solo», precisa il commento in carta), i **sottoli in agrodolce** preparati dal cuoco, il prosciutto crudo, il lardo in conca di marmo e, per gli amanti del pesce, l'insalata di polpo, gamberetti e patate e i gamberoni al vapore su valeriana. Le prime portate prevedono gli **gnocchi** con ricotta ed erbe fini o **al sugo d'anatra**, le tagliatelle al San Daniele e la **pasticciata di asparagi, patate e *sclopìt***. Si prosegue seguendo i filoni più diversi – dentice sfilettato con polentina, ***toc' in braide***, formaggio montasio e verdure alla piastra, **frittate alle erbe** e un'interessante selezione di formaggi – anche se a farla da padrone sono soprattutto le carni alla brace: la costata di manzo, la fiorentina, il collo di maiale, le **salsicce** servite **con la polenta**. Si conclude il pasto con i dolci e i biscottini della casa.
Convincente lo sfuso e valida la carta dei vini, che propone, sempre con ricarichi ragionevoli, quasi esclusivamente etichette friulane, senza dimenticare però la vicina Slovenia.

AL VECCHIO STALLO

Osteria tradizionale
Via Viola, 7
Tel. 0432 21296
Chiuso il mercoledì, luglio e agosto la domenica
Orario: mezzogiorno e sera
Ferie: due settimane in agosto, Natale
Coperti: 100 + 30 esterni
Prezzi: 20-25 euro vini esclusi
Carte di credito: nessuna

I fratelli Mancini "scaldano" il Vecchio Stallo con la loro simpatia e una franchezza che vi mette subito a vostro agio. Mario dirige la cucina, ma alle volte la abbandona per scambiare una battuta con gli avventori, Maurizio cura con competenza il servizio in sala e la mescita, anche lui con la battuta pronta. L'osteria è adatta sia per pranzi veloci sia per cene più tranquille, magari nel piccolo cortile, ma molti la frequentano anche solo per un *taj*. La cucina propone i piatti della tradizione friulana con le inevitabili influenze dai Paesi confinanti.
Tra gli antipasti spicca la vasta selezione di **salumi** – prosciutto di San Daniele, speck, ossocollo, pancetta, lardo – e formaggi mentre i primi più tradizionali sono l'**orzo e fagioli**, gli **gnocchi di Sauris** (di pane) asciutti o in brodo, i ***cjalsòns*** o i più rari ***mignàculis con la luagne*** (gnocchetti di pasta morbida con salciccia). I secondi sono un'infilata di tipicità: **salame all'aceto**, ***pitina***, ***frico***, ma anche **gulasch con polenta**, ***cevapcici* con *haivar*** (salsa di peperoni e pomodori), **rognone di vitello**, trippe alla parmigiana, nervetti o **baccalà** e **sarde in *saor***. La proposta di pesce si fa più ampia il venerdì: zuppa di vongole, orate, branzini e sogliole alla piastra. Per finire, il dolce della casa è la coppa Stallo (crema di mascarpone con savoiardi), ma ci sono anche dessert al cucchiaio e i classici strudel, **strucchi** e **gubana**.
Per accompagnare il pasto, in alternativa al discreto Isonzo della casa, sono disponibili diverse etichette regionali e alcune nazionali.

Il Laboratorio del Dolce, in via Sottomonte 2, produce tradizionali specialità di arte bianca: gubana, biscotti di Quaresima e della cresima, torte di castagne, noci, mandorle, ricotta.

DA NETO

NOVITÀ

Osteria tradizionale-trattoria
Via Laipacco, 169
Tel. 0432 283618
Chiuso la domenica e mercoledì sera
Orario: mezzogiorno e sera
Ferie: prima settimana di gennaio, 10-30 agosto
Coperti: 36 + 25 esterni
Prezzi: 27 euro vini esclusi
Carte di credito: tutte escluse AE e DC, Bancomat

Il locale si trova in un luogo tranquillo, alla estrema periferia est della città, sulla piazza della vecchia borgata Laipacco. L'entrata è quella di un bar, ma passando sul retro ci si trova nell'accogliente trattoria. La gestione è familiare, con i fratelli Marcello e Renato Lodolo, affabili intrattenitori, coadiuvati dalle rispettive mogli, Sonia e Barbara. Colpiscono i prezzi davvero modici delle etichette di vino, tutte friulane e di alto livello, dovuti a una concezione all'antica, per cui il guadagno principale di una trattoria deve basarsi sul cibo e non sulle bevande.
Il menù è di tradizione, con ampio uso di erbe e verdure stagionali. Ecco perché in tarda primavera si apre con **sformato di *sclopìt* con salsa al montasio e speck**, crudità di asparagi con emmental e rucola, oppure frittura di scampi e zucchine. A volte si trova il **salame cotto nell'aceto**. Ogni giorno c'è una zuppa o un minestrone di verdure. Eccellono, fra i primi piatti, le **crespelle con zucchine e fiori di zucchina**, i **ravioli di agnello al burro e salvia**, le tagliatelle agli asparagi verdi, gli **gnocchi di *sclopìt* al ragù di anatra**. Dei primi si possono avere bis e tris. Gli asparagi in stagione possono essere richiesti in diverse preparazioni. Tra i secondi ricordiamo le **costine di agnello in guazzetto di finocchi selvatici** e il **petto d'anatra ai pomodori secchi e timo**. Se si è fortunati, si possono gustare anche baccalà alla vicentina o **trippe** preparate dalla nonna Lise. Si chiude con dolci casalinghi seguiti da deliziosi biscotti croccanti tipo cantucci, anche questi fatti in casa.

GIARDINETTO

Trattoria-enoteca
Via Sarpi, 8
Tel. 0432 227764
Chiuso domenica e lunedì
Orario: mezzogiorno e sera
Ferie: 15-31 luglio
Coperti: 40
Prezzi: 32-34 euro vini esclusi
Carte di credito: Visa, Bancomat

Le stradine che si intrecciano fra piazza Matteotti e piazza San Giacomo all'ora dell'aperitivo si popolano di una folla alla ricerca del locale giusto. Il Giardinetto è uno di questi: piacevole combinazione fra enoteca che propone spuntini accompagnati da un bicchiere tutta la giornata (alle sette c'è il risotto) e trattoria che riserva agli avventori due salette più raccolte. A costo di deludervi, però, non possiamo nascondervi che manca... il giardinetto.
La cucina offre gli immancabili della tradizione friulana dei formaggi e dei salumi, con un ottimo **prosciutto crudo di San Daniele**, una discreta selezione di prodotti di Sauris e altri capisaldi della produzione regionale, accompagnati da una fetta di **polenta abbrustolita**: dalla Carnia il ***formadi frant*** e il ***frico* di patate**, dalle valli del Pordenonese la ***pitina*** stagionata e passata alla griglia. Ma il menù si affida anche a piatti più convenzionali, sia di carne sia di pesce, preparati con la dovuta attenzione ai dettami del mercato e della stagione. In una sera di inizio estate abbiamo apprezzato, fra l'altro, paccheri artigianali con speck e zucchine e piacevoli linguine con capesante e rucola, prima di passare a una gustosa **tagliata di manzo con patate** e rucola, offerta in alternativa a un filetto di branzino con biete in crosta, ma in altre stagioni abbiamo gustato dei morbidi ravioli con ripieno di sogliola e croccanti **costicine di agnello**. I dolci spaziano dai tortini agli **strudel**, alle bavaresi.
Intelligente la possibilità di abbinare a ogni piatto un calice del vino più appropriato a prezzi interessanti, selezionato da una cantina ricca e stimolante.

HOSTARIA ALLA TAVERNETTA

NOVITÀ

Ristorante
Via Di Prampero, 2
Tel. 0432 501066
Chiuso domenica e lunedì
Orario: mezzogiorno e sera
Ferie: 15-30 giugno
Coperti: 70 + 20 esterni
Prezzi: 32-35 euro vini esclusi
Carte di credito: tutte, Bancomat

Siamo nel centro storico di Udine, a due passi dal Duomo. L'immagine esterna della Tavernetta, invitante e pulita, con fiori alle finestre e la classica insegna in ferro battuto, preannuncia l'atmosfera interna calda e accogliente, con molto legno, il caminetto e una varia e non banale serie di bottiglie che letteralmente circondano l'avventore. Il tutto è completato dall'affabilità e dalla professionalità dei coniugi Roberto Romano, appassionato golfista, e Giuliana Petris, che vi guideranno nella scelta di piatti e vini.
La cucina, affidata all'esperto Antonio Mereu, offre una fotografia dinamica e alleggerita del menù friulano, con una curata scelta delle materie prime e dei loro fornitori. Si può iniziare con il ***formadi frant cun polente*** e miele di castagno, con il prosciutto crudo di Cormons o con il tagliere dedicato all'oca. Tra i primi segnaliamo i ***cjarsòns* di Salino alla carnica**, la **zuppa di orzo e fagioli**, l'orzotto con lo *sclopìt*, ma anche dei delicati spaghetti con la bottarga di tonno. Punto di forza dei secondi piatti è il **maialino da latte al forno** con salsa *yppocraticum* (una riduzione di vino rosso). Piacevole anche la delicatezza del **petto d'anatra con composta di pere** e della tagliata di tonno di Carloforte. Più decisi i sapori del **montasio al forno con pancetta stufata e polenta** e dello **stinco affumicato al forno**. La lista dei dolci spazia dai biscotti di mais con vino di Venere, al tortino di pere e cioccolato a un leggero sorbetto alla mela verde e Calvados.
La varietà e le scelte non scontate della carta dei vini fanno meritare subito al locale la nostra bottiglia.

Udine, tajut vecchi e nuovi

Da quando le occasioni di incontro per bere un bicchiere di vino sono diventate anche un momento di degustazione consapevole, il rito del tajut non si consuma più solo fra osterie di grande tradizione, localizzate nel centro storico, in compagnia di avventori affezionati. Oggi la geografia del rito propone nuovi locali, include nuovi modi di stare in compagnia e di bere, coinvolge diversi luoghi della città. In questo senso il *taj* (cioè il taglio, l'ottavino di vino che riempie fino all'orlo un tozzo bicchiere), "bianco" prima di pranzo e "nero" la sera, non è il solo pretesto che riunisce gli amici attorno a una tavola o davanti a un bancone di osteria. Quasi sempre è l'occasione per degustare un vino di qualità, sfoggiando competenze enologiche. Con l'inevitabile conseguenza che il tradizionale "giro" dei tagli di vino (con tante ordinazioni quanti erano i componenti della compagnia) è meno praticato, per il costo del bicchiere ma soprattutto per la nuova considerazione di cui gode la qualità rispetto alla quantità. Rimane, naturalmente, il nucleo principale del rito: la conversazione con gli amici. E rimane la consuetudine dello stuzzichino, spesso offerto dall'attento gestore, che talvolta segna il successo o il declino di un locale.

Per certi versi la trasformazione del rito dei *tajut* avvenuta nell'ultimo decennio è un fenomeno naturale (legato, ad esempio, alla ristrutturazione o chiusura di osterie storiche e all'apertura di nuovi locali), ma è anche generazionale, connesso soprattutto alla diffusa necessità di consumare il pranzo di mezzogiorno fuori casa, alla maggiore possibilità di scelta e al piacere di bere bene. E così la trasformazione avvenuta ha decretato anche il declino delle pizzerie (che si erano sviluppate sull'onda degli oltre diecimila militari presenti in città prima della caduta del confine verso l'Est) e ha sancito un radicale rinnovamento degli avventori delle osterie, con un numero sempre maggiore di studenti universitari che hanno scelto Udine come sede dei loro studi.

Giorgio Dri

Al cappello

Osteria con alloggio
Via Sarpi, 5
Tel. 0432 299327
Chiuso domenica pomeriggio e lunedì
Orario: 10.00-15.00/17.00-23.00
Ferie: due settimane in agosto e due in inverno

Questa storica e sempre affollata osteria ha un ruolo di prim'ordine nel panorama enologico udinese. Una lavagna a tutta parete elenca le centinaia di etichette disponibili, e sono una cinquantina le bottiglie di vino in degustazione. Non secondaria è l'ampia offerta di tartine, stuzzichini, polpette e semplici piatti caldi e freddi che possono risolvere il pranzo. Molto praticata, Giove Pluvio permettendo, è la sosta all'esterno dell'osteria, proprio di fronte al mercato del pesce, pregevole edificio liberty recentemente restaurato: un'occasione per parlare ad alta voce o per farsi notare. Infine, da quando l'offerta del Cappello si è allargata al pernottamento, una ringhiera di ferro battuto formata da un intreccio di cuoricini di ogni dimensione chiude il bancone della mescita dal resto del locale.

Al fagiano

Osteria con mescita e spuntini
Via Zanon, 7
Tel. 0432 297091
Chiuso la domenica
Orario: 8.00-22.00
Ferie: due settimane in settembre

Siamo nella storica *plaze dal polam* (la piazza che ospitava l'antico mercato degli uccelli e degli animali da cortile), più o meno là dove sorgeva il grandioso platano (ora abbattuto) che gli udinesi chiamavano "di Napoleone", in omaggio all'imperatore francese che agli inizi dell'Ottocento soggiornò per un paio di settimane in città, prima di firmare il trattato di Campoformio. Il Fagiano conserva la patina del tempo che fu nelle rustiche finiture delle pareti e dell'arredamento, con varie interpretazioni di animali da cortile o di figure umane, dipinte del titolare, e una felice concessione all'arte moderna espressa in un affresco a tutta parete, opera di Giorgio Celiberti, affermato pittore udinese. Un'ampia scelta di buoni calici di vino e una proposta di piatti freddi di buona gastronomia rendono gradevole la sosta. D'estate è d'obbligo sedersi all'aperto per sentire il lento fluire della roggia che lambisce via Zanon e l'allegro vociare della città.

Al fari vecjo

Osteria tradizionale
Via Grazzano, 78
Tel. 346 2241351
Chiuso la domenica
Orario: 8.00-22.00
Ferie: due settimane in luglio

Un paio di faretti di illuminazione incassati nel marciapiedi segnalano la presenza di una storica osteria (hostaria nella bella insegna di ferro) in borgo Grazzano, aperta fin dal 1804. Al Fari Vecjo riprende in lingua friulana una precedente insegna (All'antico fabbro), anche se nel corso del tempo l'osteria ha avuto diversi nomi: fra questi Alla Fenice e Ai Due Caporali. Il locale si articola in più ambienti efficacemente restaurati e ovunque prevalgono le strutture antiche, che contribuiscono a creare l'atmosfera tipica dei sempre più rari ritrovi del rito del *tajut*. Un buon bicchiere di vino, da scegliere fra tante etichette regionali, e un vasto repertorio di stuzzichini, che a pranzo e a cena diventano primi e secondi piatti, garantiscono una sosta piacevole fra avventori che giocano a carte, parlano il dialetto udinese, rievocano gli anni trascorsi e fanno tanto "osteria".

Buca di bacco

Enoteca
Via Battisti, 21
Tel. 348 3830664
Chiuso la domenica
Orario: 8.00-21.00
Ferie: due settimane in agosto

L'impressione entrando nell'enoteca è di vedere confermata la legge per cui più è piccolo il locale più bottiglie vengono esposte: due delle pareti infatti sono letteralmente formate da cassette e bottiglie di vino (oltre 500) e una terza è tappezzata da bicchieri di ogni tipo. Dietro il bancone Adolfo Ferro è indaffarato in continuazione a preparare stuzzicchini, con largo impiego di prosciutto cotto nel pane (accompagnato da una generosa grattata di cren) e di crudo di San Daniele, con il quale riveste appetitosi maxigrissini. Le tre affettatrici sul bancone girano in continuazione per ricavare fette da prosciutto crudo, da salame e da pancetta. La Buca di Bacco propone una scelta fra almeno una ventina di etichette al giorno, e quindi la possibilità di soddisfare ogni richiesta del cliente è sempre garantita.

Caucigh

Caffetteria-pasticceria
Via Gemona, 36-38
Tel. 0432 502719
Chiuso il lunedì
Orario: 07.00-24.00 e oltre
Ferie: non ne fa

Caucigh è uno dei ritrovi udinesi che vantano maggiori caratteri storici, memoria fedele di un caffè con ambientazione e arredo originali, ispirati all'arte liberty. La clientela è quanto mai assortita: studenti e professori, politici e intellettuali, qualche artista e tanti lettori di quotidiani (i giornali sono sostenuti da leggii di legno che è sempre più raro trovare nei locali pubblici). L'aria un po' retrò e *bohémienne* del locale trova conferma nelle pareti, dove sono esposte immagini d'epoca e una rassegna periodicamente rinnovata di artisti locali, con opere di grafica e pittura. Onesti i vini e appetitose le proposte gastronomiche che a mezzogiorno accompagnano la sosta in un salotto (con un pizzico di ironia chiamato "refettorio") dove il tempo sembra essersi fermato.

Contarena

NOVITÀ

Enoteca-caffé
Via Cavour, 1
Tel. 0432 512741
Chiuso il lunedì
Orario: 8.00-24.00
Ferie: non ne fa

Siamo nel cuore della vita politica e sociale della città, sotto il palazzo comunale. Il municipio, progettato da Raimondo D'Aronco, architetto friulano che tanta gloria ebbe a Istanbul, presenta una tipologia piuttosto inconsueta in Italia: il pianterreno porticato è destinato a negozi e a questo bellissimo locale – decorato con mosaici, stucchi e arredamenti di ispirazione liberty – che in un certo senso possiamo definire "il caffé della città". Quando si entra e ci si ferma per una colazione, un aperitivo o un calice di vino si appagano il palato e gli occhi. Molto vasta la scelta di vini al calice: oltre quaranta, cui si possono abbinare semplici stuzzichini o piatti preparati al momento. Il locale è particolarmente affollato verso sera quando è frequentato da una clientela di giovani che tira tardi facendo onore al buon vino.

Da pozzo

Osteria tradizionale annessa alla bottega
Piazzale Cella, 10
Tel. 0432 510135
Chiuso la domenica
Orario: 07,30-01.00
Ferie: due settimane tra luglio e agosto

Il piazzale Cella ha perso, dopo la sistemazione viaria, gran parte del fascino che lo distingueva da altri luoghi della città. Tuttavia un punto fermo è l'osteria Da Pozzo, che è forse l'ultimo esercizio pubblico di Udine che mantiene la doppia veste di vendita di alimentari e di mescita vini. Una sosta nell'osteria, ai tavoli interni o sotto gli ombrelloni all'aperto, prevede un buon calice di vino e più di qualche stuzzichino: prosciutto Praga o mortadella (tagliati a mano), sottaceti, formaggi freschi o stagionati. E se la sosta con gli amici si prolungasse oltre misura potete tornare a casa con qualche acquisto capace di ammorbidire l'umore di chi vi sta aspettando.

La ciacarade

Osteria
Via San Francesco d'Assisi, 6 A
NOVITÀ
Tel. 0432 510250
Chiuso la domenica
Orario: 9.00-23.00
Ferie: non ne fa

Il termine *ciacarade* è una brutta (per i puristi della lingua) friulanizzazione della parola veneta che significa chiacchierata: con questa premessa verrebbe da dire che il locale privilegi l'ispirazione veneta piuttosto che il carattere autentico dello spirito friulano. Ma tutto questo non ha alcun riscontro nell'osteria, che persegue la tradizione del buon bere friulano con una carta dei vini ampia e una proposta di bottiglie da consumare al calice riportata sulla lavagna posta dietro il bancone. A mezzogiorno si può pranzare scegliendo fra una varietà di piatti aggiornata ogni giorno e ispirata – soprattutto nelle stagioni autunnale e invernale – alla cucina friulana: cotechino, trippe, baccalà. L'aperitivo serale è accompagnato da un piattino di risotto che il titolare, Emanuele, serve a tutti i clienti e che solitamente i presenti apprezzano con un altro giro di *tajut*.

Ostarie di zardin grant

Osteria tradizionale
Piazza I Maggio, 17
Tel. 0432 204233
Chiuso la domenica
Orario: 8.00-22.00
Ferie: ultima settimana di luglio

Nella toponomastica ufficiale è scritto "piazza I Maggio" ma in tutta la regione la piazza è conosciuta come Giardino Grande (in italiano) o *Zardin Grant* (in friulano). Sotto la maestosa scalinata della Basilica delle Grazie sorge isolato un complesso di case ben conservate e, fra queste, l'osteria che occupa i locali della più vecchia autorimessa della città, facilmente identificabile proprio dalla scritta "Autonoleggio Bevilacqua Mario". In un ambiente simpatico, arredato con tantissimi oggetti della civiltà contadina e della prima industrializzazione, o nello spazio esterno, attrezzato con tavoli e panche, potrete bere un bicchiere di vino (nero o bianco, come si diceva un tempo) accompagnato da semplici stuzzichini o da piatti della tradizione friulana. Da non perdere, in novembre, la tradizionale fiera di Santa Caterina, che da oltre 700 anni si svolge nella piazza e richiama la folla delle grandi occasioni da tutta la provincia. Nell'occasione sono da assaggiare le trippe.

Rialto

Enoteca-caffè
Via Rialto, 12
Tel. 0432 502646
Chiuso il lunedì, in estate anche la domenica
Orario: 8.00-21.00
Ferie: due settimane in agosto

Il locale si segnala per l'affabilità di Stefano Buso che accoglie tutti i clienti con un sorriso e una parola di simpatia. Così al Rialto ci si ferma per il piacere di una buona tazza di caffé, o per degustare un bicchiere di vino scelto fra numerosissime etichette locali e nazionali, in grado di soddisfare tutte le esigenze e le curiosità, ma anche per godere dell'atmosfera di cordialità che contraddistingue il posto. Ottimi sono comunque gli stuzzichini che possono trasformare la sosta in pranzo. Occupando una parte di quella che un tempo era il più fornito negozio di alimentari della città, il Rialto è un piccolo locale, ma ha un dehors nella strada da cui prende il nome, una via caratteristica che rievoca anche nello spirito il luogo centrale dei mercati della Serenissima. La sosta all'aperto è allietata talvolta dalle note di musica classica suonata da artisti di strada.

UDINE

IL RISTORANTINO

Trattoria
Via Bertaldia, 25
Tel. 0432 504545
Chiuso la domenica
Orario: mezzogiorno e sera
Ferie: variabili
Coperti: 30
Prezzi: 28-30 euro vini esclusi
Carte di credito: le principali, Bancomat

Veramente accogliente nella sua elegante semplicità questo locale che Pietro Zanuttigh gestisce da alcuni anni nel centro di Udine dopo varie esperienze nel mondo della ristorazione. Superata la zona bar, dove potrete bere un *tajut* (calice di vino) come aperitivo, vi accomoderete in una delle due salette. Messi a vostro agio dalla cortesia del titolare, non vi resterà che scegliere dal menù tra proposte che variano a seconda delle stagioni ma che sono sempre legate al territorio e ai suoi prodotti.

Fra gli antipasti spicca il **fritto di verdure** ma non sfigurano il petto d'anatra affumicato, un prosciutto crudo anch'esso affumicato, l'**insalata di lingua salmistrata**, il paté di fegato d'anatra; chi volesse iniziare in modo più leggero potrà optare per un'ottima terrrina fredda di verdure e basilico o un carpaccio di zucchine e spinaci. Come primo, nella nostra ultima visita la scelta era fra tagliolini con fiori di zucca e asparagi, fettuccine alla bolognese, **gnocchi alle erbe di campo**, tortino di verdure. Fra i secondi segnaliamo un'ottima tagliata, il **filetto di vitello allo Schioppettino**, il **fegato alla veneziana**, la **coscia d'oca al forno**, un delicatissimo **filetto di coniglio alle erbe**; per gli amanti del formaggio, un caprino alla piastra con verdure. Per concludere i dolci: frittelle di mele con gelato e cannella, fonduta di cioccolato, semifreddo al cioccolato e amaretti, o i biscotti della casa.

In cantina ci sono una buona scelta di vini regionali e interessanti proposte nazionali.

VERZEGNIS
Chiaulis

53 KM A NO DI UDINE

AL FOGOLÂR

Trattoria con alloggio
Via Udine, 15
Tel. 0433 41025
Chiuso il giovedì, mai in agosto
Orario: mezzogiorno e sera
Ferie: due settimane in febbraio
Coperti: 50
Prezzi: 25 euro vini esclusi
Carte di credito: le principali, Bancomat

È tutta al femminile la gestione dell'osteria, recentemente ampliata per ospitare una decina di camere e una sauna: Manuela Boscardin, la titolare, vi accoglie e vi guida anche con competenza nella scelta delle pietanze, con la madre Lilli a darle manforte. Nadia si occupa invece della cucina, dove è alta l'attenzione ai prodotti del territorio: erbe spontanee, funghi e selvaggina da boschi e prati della zona, verdure e carni da fornitori locali o di produzione propria.

Un'attenzione i cui effetti si vedono fin dagli antipasti: San Daniele con il melone caramellato, insalatina di formaggio e pere, ***toc' in braide*** (polentina con formaggio fuso) con funghi o asparagi a seconda della stagione, **lonza di maiale con *formadi frant*, mele e sedano**. I primi sono tutti all'insegna della tradizione come dimostrano l'orzotto di salciccia e porro, i ***cjarsòns*** nella versione dolce, gli **gnocchi di Sauris con ricotta affumicata**, i tortelli agli asparagi con speck, la zuppa campagnola e le **tagliatelle** caserecce **con capretto**. Tra i secondi si può scegliere fra **cervo in salmì con polenta**, involtini di lonza con mele e speck, **guancialetti di maiale al Tocai con indivia stufata**, coniglio nostrano affumicato con zucchine trifolate, **stinco con patate** saltate. Nei mesi più freddi non perdetevi le cene a base di **bollito** o **baccalà**. Si può gustare anche un assaggio di formaggi misti: di malga, salato e *frant*. Fra i dolci, classici quali **strudel** di mele o di pere, crostata con susine, torta rustica, biscotti di farina di mais.

Buona la scelta dei vini, con qualche etichetta disponibile anche al calice; piacevoli e delicate le grappe aromatizzate in casa.

VERZEGNIS
Villa

48 KM A NO DI UDINE SS 13

STELLA D'ORO

Osteria tradizionale
Via Tolmezzo, 6
Tel. 0433 2699
Chiuso il lunedì
Orario: mezzogiorno e sera
Ferie: 1-15 febbraio
Coperti: 50 + 12 esterni
Prezzi: 25-30 euro vini esclusi
Carte di credito: Visa, Bancomat

Di fronte alla chiesa del borgo di Villa sorge un grande edificio di pietra con un ballatoio in legno che corre sotto il cornicione dove trovano posto mazzi di pannocchie sfumati dal giallo all'arancione. Una pianta di glicine incorona l'ingresso della casa che fu sede, nell'ultimo conflitto mondiale, del comando dei Cosacchi del feroce Krasnov. A dispetto del passato, all'interno si respira un'aria paesana: il bancone di mescita, i tavoli di legno, un antico *fogolar* appartato e i tre fratelli Francesco, Adriano e Claudio, coadiuvati da Sara, a offrire una cucina che rivisita ed esalta soprattutto i piatti del territorio.
Le proposte variano con la stagione, per cui in primavera, come antipasto, potrete gustare squisiti **asparagi selvatici con crema di formaggio**, oppure di ***cais*** (lumache) **con burro, prezzemolo e aglio**. Interessanti sono pure le ***file e daspe*** (patate lesse con crema di formaggi e aceto di mele) o il ***salam tal aset*** (salame a fette cotto nell'aceto). I primi, fra cui va assaggiato il pasticcio con *lidrìc di mont*, sono a base di pasta fatta in casa: la scelta va dai ***blecs*** ai ***cjalsòns*** con burro fuso e ricotta affumicata, ai **ravioli di farina di segale con le erbe di campo**. Una profumata polenta accompagna i secondi: **trippe**, **funghi**, **selvaggina**, ***toc' de vora*** e ***frico***. Francesco racconta che per questa polenta macina a pietra una varietà di mais che è la stessa usata dal nonno settant'anni fa, gelosamente tramandata e riseminata ogni anno nei suoi campi. Per finire, i dolci: strudel di mele, delicata bavarese al Traminer, crostata con confettura d'uva.
Il vino della casa, più che apprezzabile, si aggiunge a una discreta selezione di etichette regionali e nazionali.

VILLA SANTINA

55 KM A NO DI UDINE, 7 KM DA TOLMEZZO SS 52

VECCHIA OSTERIA CIMENTI

Trattoria annessa all'albergo
Via Battisti, 1
Tel. 0433 750491-750807
Chiuso il lunedì
Orario: mezzogiorno e sera
Ferie: non ne fa
Coperti: 40 + 15 esterni
Prezzi: 32-35 euro vini esclusi
Carte di credito: tutte, Bancomat

Situata al centro di Villa Santina, l'osteria della famiglia Cimenti riserva alcuni tavolini all'ingresso ai paesani che si ritrovano per due chiacchiere ed eventuale *tajut*. All'interno una sala con bancone e altri tavoli per consumazioni veloci prelude alla sala da pranzo, piccola e graziosa. Un'altra è disponibile al piano interrato. La presenza dell'albergo invita a prolungare la visita a questa zona – montagne, malghe, bei paesaggi – ancora non troppo battuta dal turismo.
Il menu è saggiamente articolato fra proposte aderenti alla tradizione e altre più convenzionali. Delle prime possiamo apprezzare il ***toc' in braide* con paté di selvaggina** o con fegato grasso, i ***macarons cui lòps*** o *cui mei* (gnocchi ripieni di piccole mele autoctone o prugne), i fiori di zucchine con ricotta, il tortino alle erbe, il ***frico crustulin* con *toc' de vora*** (salsiccia rosolata con latte, farina e ricotta affumicata), le rane impanate, i ***cjarsòns*** in versione dolce. Si prosegue con **salame all'aceto**, **cotechino con patate**, rotolo di vitello agli asparagi, coniglio o capretto al forno, **lingua salmistrata**, **testina**, **cervella fritta**. Da provare come contorno il caratteristico *radic di mont*. Degna conclusione del lauto pasto potrebbe essere il ***formadi frant***, in alternativa ai piacevoli i dolci, fra i quali spicca lo **strudel**.
Più che discreta la proposta dei vini in carta, con una buona scelta di etichette regionali e non.
La trattoria non chiude mai da metà luglio a fine ottobre.

In centro a **Tolmezzo** (7 km), l'Enobar Trago, in via del Rin 10, è tra le rare enoteche di Carnia: fino a sera tardi offre la possibilità di bere bene con stuzzichini e qualche piatto.

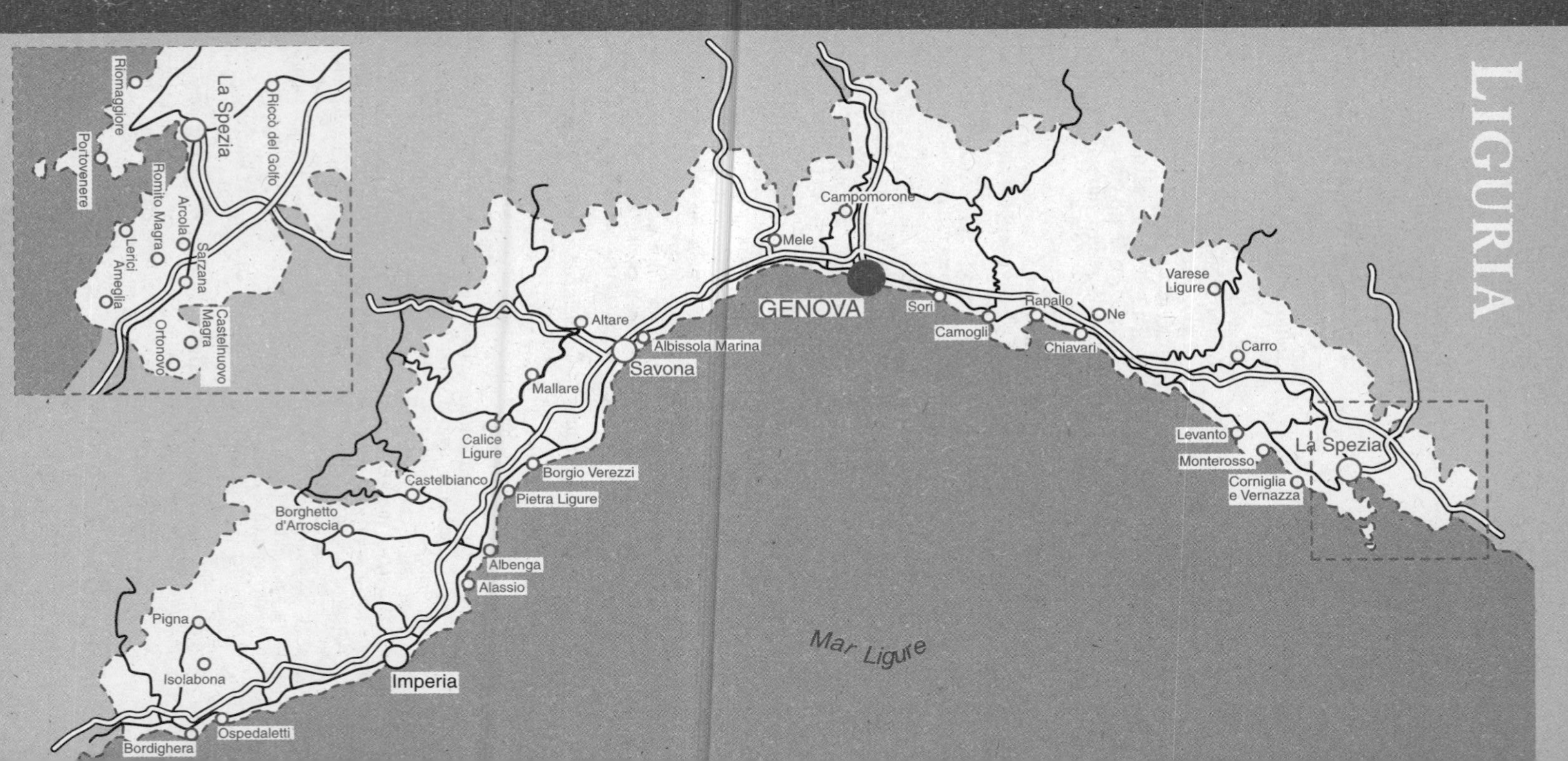
LIGURIA
Campomorone
Mele
GENOVA
Sori
Camogli
Rapallo
Ne
Chiavari
Varese Ligure
Carro
Levanto
Monterosso
Corniglia e Vernazza
La Spezia
Altare
Albissola Marina
Savona
Mallare
Calice Ligure
Borgio Verezzi
Pietra Ligure
Castelbianco
Borghetto d'Arroscia
Albenga
Alassio
Pigna
Isolabona
Imperia
Ospedaletti
Bordighera
Mar Ligure
Riomaggiore
Portovenere
La Spezia
Riccò del Golfo
Romito Magra
Arcola
Lerici
Ameglia
Sarzana
Castelnuovo Magra
Ortonovo

51 KM A OVEST DI SAVONA, 22 KM A EST DI IMPERIA SS 1 A 10

I MATETTI

Osteria di recente fondazione
Viale Hanbury, 132
Tel. 0182 646680
Chiuso il lunedì, mai in luglio e agosto
Orario: pranzo e sera, agosto solo sera
Ferie: gennaio
Coperti: 70
Prezzi: 24-28 euro vini esclusi
Carte di credito: tutte tranne DC, Bancomat

Arrivando con l'Aurelia da Albenga, appena entrati ad Alassio una grande lavagna sul marciapiede di sinistra vi annuncerà l'osteria e il menù del giorno. Contrariamente ai numerosi ristoranti della città dai menù standardizzati, questo locale riesce a mantenere viva la tradizione ligure. Con gli anni, l'approccio burbero dei due patron si è un po' addolcito, i modi sono meno ruvidi, il servizio meno spiccio anche se sempre essenziale. L'osteria è tappezzata di vecchie foto in bianco e nero di bambini (i *matetti* del nome sull'insegna), l'apparecchiatura è semplice, il dialetto ligure regna sovrano, a cominciare dai nomi dei piatti, sia sulla lavagna, sia nella carta proposta al tavolo.
Le vivande, offerte – pesce compreso – a prezzi onestissimi, si alternano secondo i giorni della settimana. Per cominciare, potreste trovare **sarde ripiene**, farinata, ***panissa*** (polentina fritta di ceci), torte verdi, ***condiggiun***. Fra i primi, **zuppa marinara** (col passato di pesce), tagliatelline con cozze e vongole, **pansotti** o ravioli **al ragù**, tagliolini al sugo di coniglio, **trofie al pesto**. Si prosegue con un generoso **fritto misto**, il coniglio alle olive taggiasche, lo **stoccafisso**, il polpo in umido, lo spezzatino di tonno. Dessert semplici, dal *bonetto* (budino) alle frittele di mele.
Poche cerimonie per la scelta del vino e pochi titoli. D'estate, nella zona e nell'entroterra si beve lo Sciac-trà (schiaccia e tira), da non confondere con lo Sciacchetrà delle Cinque Terre: è un rosato ricavato da uve ormeasco, senza grandi pretese, ma che ben si abbina ai piatti liguri.

In via Neghelli 43, la pasticceria Briano: ottima pasticceria e prodotti della tradizione, come i baci di Alassio e i gobeletti.

ALASSIO

31 KM A SO DI SAVONA, 22 KM A NE DI IMPERIA SS 1 A10

OSTERIA D'ANGI

Trattoria
Via Vittorio Veneto, 106
Tel. 0182 648487
Chiuso il lunedì, mai d'estate
Orario: sera, sabato e domenica anche pranzo
Ferie: variabili
Coperti: 50
Prezzi: 25-35 euro vini esclusi
Carte di credito: le principali

L'Osteria d'Angi – acronimo dei nomi dei proprietari, Anna e Gino Cavagnaro – si trova nel "budello" di Alassio, un tipico e trafficato carruggio ligure, meta abituale del passeggio di residenti e turisti. Il locale, ampio e sapientemente restaurato con largo impiego di pietre a vista, costituisce un approdo sicuro e affidabile, sia per il servizio cordiale e puntuale sia per la proposta gastronomica, semplice, senza pindarici voli di fantasia, ma curata e attenta alla qualità.
Il menù è incentrato principalmente sulla cucina ligure, ben rappresentata dagli antipasti di terra: **verdure ripiene**, torta pasqualina, **farinata**, tortino di verdura con crema di pinoli. Non mancano quasi mai il pesce marinato (tonno, pesce spada, acciughe), l'**insalata tiepida di mare** (varia e delicata), il polpo con patate, capperi e pomodorini, la zuppa di cozze e vongole. Passando ai primi troviamo le **trofiette vecchia Genova** (condite con pesto, patate, fagiolini e pinoli), i pansotti al sugo di noci, i **ravioli di borragine** oppure, se si preferisce proseguire con il pesce, i ravioli di branzino e gli **spaghetti con i frutti di mare**. Tra i secondi potrete scegliere tra il **fritto misto di mare** con verdure (abbondante) e il pesce al forno (sfilettato) con olive e pomodorini. Per le carni la scelta si limita a tagliate e filetti alla griglia. Si chiude con dolci fatti in casa, tra i quali meritano certo l'assaggio la torta di fragole, il tortino al cioccolato, i semifreddi e i sorbetti.
Apprezzabile la presenza di un menù degustazione a 20 euro composto da tre piatti, e di un menù per bambini. La carta dei vini conta su una ristretta scelta di etichette, soprattutto liguri, e qualche vino da dessert.

Albenga

44 km a SO di Savona, 34 km a NE di Imperia A 10

Osteria del Tempo Stretto

NOVITÀ

Ristorante
Regione Rollo Inferiore, 40
Tel. 0182 571387
Chiuso la domenica, mai in luglio e agosto
Orario: mezzogiorno e sera
Ferie: 1 settimana in settembre, 27 dicembre-7 gennaio
Coperti: 35 + 15 esterni
Prezzi: 35 euro vini esclusi
Carte di credito: Visa, Bancomat

Albenga e le sue torri, Albenga e il suo centro storico: da visitare la cattedrale di San Michele, l'antico battistero, il Museo Civico (ospita i resti di una nave romana carica di anfore di vino, naufragata vicino all'isola Gallinara) e tutti i caruggi che vi si snodano intorno. Lasciato il centro percorrete un breve tratto della via Aurelia, in direzione Savona, e incontrerete questa confortevole e accogliente osteria gestita da Cinzia Chiappori (in cucina) e dal marito Massimiliano Moroni in sala.
Cinzia, amante della tradizione, non fa mancare sulla vostra tavola piatti sinceri, scegliendo con cura gli ingredienti che vengono reperiti sul territorio presso contadini e pescatori fidati. Ne sono un esempio le frittelle di calamari e verdure di stagione, le **bughe in carpione**, l'insalata tiepida di mare, le **frittelle di baccalà**. La pasta è fatta in casa: secondo stagione trovate **ravioli di baccalà**, ravioli di ricotta di pecora brigasca (Presidio Slow Food) e borragine, tagliolini con gamberi e mosciame di tonno, trofie al nero di seppia con le vongole, i genovesi **corzetti con la zucchina trombetta di Albenga e le vongole veraci**. Fra i secondi vogliamo citare il **polpo al Rossese** e il **coniglio al Pigato**, ma valgono l'assaggio anche i calamari ripieni, lo **stocco accomodato**, la **rana pescatrice in *buridda*** e altri piatti gustosi che variano in base al pescato giornaliero. Per finire consigliamo il tris di semifreddi (alla lavanda, all'amaretto di Gavenola e alla frutta fresca), le tradizionali crostate di marmellata e l'inedito birramisù.
La carta dei vini rispecchia la competenza da sommelier di Massimiliano: ben rappresentati i vini locali oltre a una selezione di produttori italiani poco noti ma dall'ottimo rapporto tra qualità e prezzo.

Albissola Marina

4 km a est di Savona SS 1 e A 10

La Familiare

Ristorante
Piazza del Popolo, 8
Tel. 019 489480
Chiuso il lunedì
Orario: mezzogiorno e sera
Ferie: in novembre
Coperti: 65 + 20 esterni
Prezzi: 35 euro vini esclusi
Carte di credito: tutte, Bancomat

Giungere nella piazza principale di Albissola Marina significa innanzitutto attraversare la via interna parallela all'Aurelia, la cosiddetta passeggiata degli artisti, ricca di botteghe e gallerie e nella quale si respira la storia artistica italiana e mondiale degli ultimi quarant'anni. Una volta arrivati, troverete l'osteria gestita dalle sorelle Algeri: Giuseppina sovrintende ai fornelli, Milena si occupa con garbo della sala insieme ad alcuni camerieri che si fanno apprezzare per gentilezza e competenza. La proposta gastronomica è essenzialmente di pesce, con piatti eseguiti secondo i canoni della tradizione.
In un ambiente tranquillo, sobrio e molto curato, potrete gustare per cominciare l'antipasto misto della casa, che può essere sia di terra (buone le torte verdi e la ***panissa***) sia di mare (da provare l'insalata di polpo e il guazzetto di muscoli e vongole). Tra i primi spiccano le **trenette al pesto con fagiolini e patate**, le pappardelle alla pescatrice, i **ravioli di pesce** o di verdure. Molto ampia l'offerta dei secondi: **acciughe ripiene**, totani e gamberi fritti, stoccafisso, pesce spada, **seppie in umido**, totani alla piastra, nonché il ricco **fritto misto di pesce**. Due le alternative per chi preferisce la carne: **coniglio alla ligure** o filetto.
Si chiude con qualche dolce di produzione propria. Discreta carta dei vini di stampo regionale.

A **Stella San Giovanni** (6 km), località Barbe, gli Usai, pastori sardi trasferitisi in Liguria da trent'anni, allevano pecore e producono un ottimo formaggio pecorino.

ALTARE

14 KM A NO DI SAVONA SS 29 O USCITA A 6

QUINTILIO

Ristorante
Via Gramsci, 23
Tel. 019 58000
Chiuso domenica sera e lunedì
Orario: mezzogiorno e sera
Ferie: luglio
Coperti: 65
Prezzi: 33-35 euro vini esclusi
Carte di credito: tutte tranne AE

In passato Altare era il paese delle vetrerie: di questo patrimonio, oggi rimane soltanto il Museo del vetro di Villa Rosa, bell'esempio di liberty ligure. Il locale della famiglia Bazzano si trova in fondo al paese: in cucina ci sono i genitori Paolo e Lisa, in sala il giovane figlio Luca. Anno dopo anno, è cresciuta la cura sia nella qualità dell'offerta gastronomica, sia nella presentazione dei piatti: pietanze di terra ispirate soprattutto al vicino Piemonte, ma anche qualche piatto di pesce (siamo a pochi chilometri da Savona).

Tra gli antipasti, che variano secondo stagione, insalata di funghi porcini e di ovoli, sformato di sedano rapa con crema di gorgonzola, **cappon magro** (su prenotazione), carne battuta al coltello con grana e tartufo nero della zona. Di tradizione altarese, fra i primi, i ***crusotti*** (corzetti), dischi di pasta all'uovo su cui, un tempo veniva inciso lo stemma delle famiglie di vetrai. Poi ancora **pansotti di spinaci e ricotta al pesto di noci**, ravioli dal *plin* con burro e salvia, **minestrone genovese**. Si prosegue con filetto di fassone ai funghi porcini, **gallo ripieno**, spalletta di agnello ripiena cotta in forno, **fritto misto alla piemontese**. Il Presidio Slow Food della robiola di Roccaverano spicca nel bel plateau di formaggi locali e del basso Piemonte. Gran finale con lo sformato di cioccolato fondente, la torta alle nocciole, le pesche ripiene al forno.

La carta dei vini (tutti acquistabili nell'attigua enoteca) presenta diverse proposte di parecchie regioni; molto articolata l'offerta di etichette piemontesi.

In via Cesio la macelleria salumeria di Pierangelo Toscani ha una bella selezione di insaccati: cinghiale, oca, asino e una specialità dell'Acquese, il filetto baciato.

AMEGLIA
Montemarcello

30 KM A SE DI LA SPEZIA, 13 KM DA SARZANA

DAI PIRONCELLI

Trattoria con alloggio
Via delle Mura, 45
Tel. 0187 601252
Chiuso il mercoledì
Orario: sera, inverno domenica anche pranzo
Ferie: gennaio
Coperti: 30 + 10 esterni
Prezzi: 32-34 euro vini esclusi
Carte di credito: tutte, Bancomat

Il promontorio del monte Caprione si protende in mare fra il golfo di La Spezia e la foce della Magra; le sue alte coste a falesia sono a tratti interrotte da incantevoli insenature. In posizione dominante sulla sommità del monte, l'antico borgo di Montemarcello offre i migliori panorami della zona, dal golfo dei Poeti alla pianura del fiume Magra fino alla Versilia col suo litorale e le Alpi Apuane. Montemarcello è un paese che non mancherà di sorprendervi con i suoi carruggi e le case colorate. Proprio all'inizio del borgo, a lato di un comodo parcheggio, si trova la trattoria gestita da sempre da Fabrizio e Stefania: il minuscolo locale è composto da un'unica sala, accogliente per gli arredi, le luci soffuse e il caminetto acceso nei mesi invernali; nella bella stagione, invece, si può cenare nel dehors antistante l'ingresso.

Per antipasto non mancano mai salumi, fra cui il **lardo di Colonnata**. Seguono **tortelli con le erbette** o con il pesto rosso (pinoli, formaggio e pomodoro fresco), spaghettoni alla contadina o con le olive taggiasche, **lasagne al pesto**. Tra i secondi di pesce spiccano le acciughe ripiene al forno, il **baccalà al latte** (un'antica ricetta locale), i **muscoli ripieni**. Il roastbeef di manzo e il **coniglio alla ligure** o panato con le erbette sono alcune delle proposte di carne.

I dolci sono casalinghi: torta di cioccolato, crostate e creme di frutta abbinate a ciliegie cotte o a bacche di sambuco. La carta dei vini, bella e variegata, propone anche qualche etichetta dei Colli di Luni.

Bordighera

38 km a ovest di Imperia, 5 km da Ventimiglia ss 1 o a 10

Magiargè

Osteria di recente fondazione
Piazza Giacomo Viale, 1
Tel. 0184 262946
Chiuso lun e mar, mai in agosto
Orario: mezzogiorno e sera
Ferie: 2 settimane in ottobre, 1 in febbraio
Coperti: 45 + 40 esterni
Prezzi: 35 euro vini esclusi
Carta di credito: le principali

Questa affermata osteria della Bordighera vecchia, ricavata all'interno di un edificio di antica matrice, premurandosi di preservare le valenze architettoniche delle strutture originarie, si sviluppa in piccole e accoglienti sale dai caldi colori mediterranei. Avviata una dozzina di anni fa, ha da subito costituito un punto fermo dove gustare piatti della cucina ligure e qualche indovinata, misurata digressione, grazie alla saggia conduzione del proprietario Mauro Benso e di sua moglie Carmen, coadiuvati da un affiatato quanto professionale *team* di collaboratori. Nella stagione estiva si può cenare nella suggestiva piazzetta antistante il locale; il menù lo troverete scritto su lavagnette: una per antipasti, primo e secondo; una per dolci e formaggi.

I piatti cambiano in relazione al reperimento delle materie prime. Tra i più gettonati elenchiamo le **acciughe ripiene**, lo **stoccafisso *brandacujon***, il ***ciuppin*** alla sanremasca, lo bistecca di tonnetto e cipolla di Tropea, il ***bagnun* di acciughe** e la ***buridda* di seppie con carciofi**; naturalmente si può decidere per altre pietanze come i **testaroli della Lunigiana al pesto e fagiolini**, gli gnocchetti di patate al sughetto di triglia o le scaloppe di pesce (il titolare ci tiene a sottolineare l'uso esclusivo di pesci selvaggi). Chi preferisce la carne può optare tra l'onnipresente **coniglio alla ligure** e un guanciale di maialino brasato alla birra di Apricale. Per finire formaggi selezionati o una buona *tarte tatin* di mele.

La carta dei vini propone circa 1000 etichette tra vini nazionali e stranieri; alcuni sono consigliati da Mauro, per il prezzo conveniente, per spiccata tipicità o semplicemente per emozione personale, con il simbolo del cuoricino.

In luglio e agosto l'osteria è aperta solo la sera.

Borghetto d'Arroscia
Gazzo

34 km a nord di Imperia

La baita

Trattoria
Frazione Gazzo, 19
Tel. 0183 31083
Aperto venerdì, sabato e domenica
Orario: mezzogiorno e sera
Ferie: non ne fa
Coperti: 50
Prezzi: 25-30 euro vini esclusi
Carte di credito: tutte

Siamo in Valle Arroscia, zona vocata per il Pigato e terra di grandi produttori di vino. Nella parte alta della vallata, a Gazzo, si trova l'osteria di Marco Ferrari, cuoco, fisarmonicista e artefice di un buon olio extravergine ottenuto da olive taggiasche. Qui potrete scegliere fra un menù di 13 portate a 40 euro, uno con tre piatti a scelta, piccola pasticceria e dolce a 30 euro, oppure sette antipasti e dessert a 25 euro. Marco acquista ed elabora molti prodotti agricoli di Gazzo d'Arroscia: si può dire che una parte dell'economia della frazione sia determinata dal ristorante.

I **funghi** e l'ottimo **tartufo nero** dell'entroterra imperiese e ingauno costituiscono la base di parecchi piatti. Per antipasto sono usuali il **tonno di coniglio**, il ***preve*** (cavolo verza ripieno), la battuta di fassone al coltello con porcini crudi. Tra i primi, spiccano le trenette alle ortiche con porcini, pomodorini e basilico fresco, il risotto ai funghi porcini, lo **zemino** di funghi porcini, fagioli e ceci, la polenta mantecata con toma vaccina della Valle Arroscia e tartufo nero. Il **coniglio ripieno**, disossato e cotto al forno con il vino Pigato e, in inverno, la porchetta preparata sul grande spiedo a legna, sono i secondi più apprezzati. Tra i buoni formaggi disponibili, spicca la toma di pecora brigasca (Presidio Slow Food). Chiude il pasto l'originale gelato all'olio extravergine di oliva; in alternativa, terrine di frutta con sorbetti abbinati.

La carta dei vini conta circa 150 bottiglie, con forte prevalenza di etichette liguri e piemontesi.

Il locale è sempre aperto in agosto e nel periodo natalizio.

Borgio Verezzi

29 km a ovest di Savona ss 1 o a 10

Da casetta

Ristorante
Via XX Settembre, 12
Tel. 019 610166
Chiuso il martedì
Orario: sera, sab e dom anche pranzo
Ferie: variabili
Coperti: 40 + 15 esterni
Prezzi: 35 euro vini esclusi
Carte di credito: tutte, Bancomat

Se tutte le osterie fossero come Da Casetta non servirebbe rieditare la guida: l'accoglienza gentile, la qualità dei prodotti (quasi tutti provenienti dai terreni di proprietà) e la cucina fine e saporita sono una costante da molti anni. Anche raggiungere il locale, attraverso gli antichi carruggi di Borgio vecchia (non Verezzi), è una piacevole esperienza: dal parcheggio, in un centinaio di metri, si raggiunge la piazza "pendente" che ospita anche il piccolo dehors; all'interno due sale, con volte a botte, collegate da un arco. In cucina c'è mamma Elda, coadiuvata dal marito (che si occupa anche dell'orto), mentre la figlia Cinzia e il figlio Pier si alternano tra sala, cucina, forno a legna (per il pane casereccio), orto e oliveto. La cucina è prevalentemente di terra.
Mentre leggete il menù arriverà, con l'aperitivo, un piatto di leggerissimi crescenti caldi (pasta di pane fritta), quindi potrete scegliere tra il misto di **torte di verdura**, focaccia al formaggio, **verdure ripiene** e frittate, esposto sul tavolo di servizio, e il **cappon magro** che può essere servito anche come secondo. Come primo troverete i **testaroli** (**al pesto**, al sugo o con olio extravergine e parmigiano), i corzetti o le ***picagge* al sugo di noci**, di funghi o di verdure miste, oppure, secondo la stagione, i delicatissimi ravioli di asparagi o carciofi. Classici anche i secondi: **lumache alla verezzina**, fiori di zucca ripieni, **coniglio all'*aggiada***, cima alla genovese e, in primavera, carciofi ripieni. Seguono budini, torte e gelati casalinghi.
La cantina offre, oltre alle più rappresentative etichette liguri, una scelta ampia e non banale di vini italiani e internazionali, nonché una interessante proposta di distillati.
In estate il locale è aperto solo la sera.

Calice Ligure

30 km a SO di Savona, 7 km a 10 uscita Finale Ligure

Trattoria piemontese da Viola

Trattoria
Piazza Massa, 4
Tel. 019 65463
Chiuso lunedì sera e martedì
Orario: mezzogiorno e sera
Ferie: 15 giorni in novembre
Coperti: 80 + 35 esterni
Prezzi: 22-25 euro vini esclusi
Carte di credito: tutte, Bancomat

L'aggettivo "piemontese" ricorda i natali di Secondo Turello, il fondatore, ma tutto quello che mangerete sarà squisitamente ligure. È ormai dal 1870 che la trattoria è gestita dalla famiglia Viola: il padre Dino coltiva nell'orto le verdure e le erbe aromatiche utilizzate in cucina, Roberto sta ai fornelli, Luca e la moglie Michela si occupano della sala. L'olio extravergine, taglio delle cultivar taggiasca e pignola, è di propria produzione. Oltre a una buona scelta di piatti alla carta, ci si può affidare al menù fisso (22,50 euro).
Si comincia solitamente con *pan fritu*, ***panissa* fritta**, torte verdi, sformati e il **cappon magro** di lunga ed elaborata preparazione. La pasta è di fattura casalinga: ***spelinseghi*** (sorta di farfalle) **con pesto e ragù**, pappardelle con polpo, zucchine e verdure, **ravioli di magro**; d'inverno (meglio prenotarli con un certo anticipo) da gustare gli **gnocchi calicesi**: pansotti ripieni di toma di pecora brigasca (Presidio Slow Food) "cuciti" a mano con una tecnica oramai unica. Sempre nella stagione più fredda, da non perdere la zuppa di ceci e la pasta e fagioli. Fra i secondi spiccano la tradizionale **cima**, il **coniglio alla ligure**, il fritto misto sia alla ligure sia alla piemontese, la ***buridda* di stoccafisso** e, nel giusto periodo, il cinghiale. Al momento del dessert, provate la giuncata a base di latte di pecora brigasca, servita con miele, gelati casalinghi e frutta fresca.
La ben fornita carta dei vini è in continua evoluzione e presenta ricarichi onesti. Su richiesta, potrete visitare la cantina dove fanno bella mostra buoni salumi, bottiglie anche di annate lontane, un piccolo pozzo e antichi strumenti di lavoro.
In estate il giorno di chiusura è solo il martedì.

Camogli
San Rocco

34 km a SE di Genova A 12 SP 1

La cucina di nonna Nina

NOVITÀ

Ristorante
Via Molfino, 126
Tel. 0185 5773835
Chiuso il mercoledì
Orario: mezzogiono e sera
Ferie: tra novembre e dicembre, fine gennaio
Coperti: 35 + 40 esterni
Prezzi: 35 euro vini esclusi
Carte di credito: le principali

Partono da San Rocco, sulle alture di Camogli, nell'ambito del Parco naturale del Promontorio di Portofino, alcune suggestive passeggiate costiere che permettono di godere la dolcezza e l'asprezza del paesaggio. Per rifocillarsi, vicino alla chiesa di San Rocco, trovate questo buon ristorante familiare che dedica la dovuta attenzione sia alla ricerca delle materie prime stagionali, sia alle ricette della tradizione. Paolo Dalpian in cucina e Rosalia in sala sapranno condurvi in un percorso gustativo tradizionale degno delle migliori aspettative. L'ingrediente principale è il pesce (nella vicina Camogli è ancora attiva una piccola tonnara di passaggio), ma non mancano le verdure e qualche divagazione di terra.

Per iniziare, l'alternativa è tra l'antipasto della nonna (a base di prodotti di terra) e quello *du mainà* (del marinaio), ma non rinunciate ad assaggiare qualche focaccetta al formaggio, specialità della vicina Recco. Il menù, variegato e mutevole, propone tra i primi, oltre alle classiche trofie o **lasagne al pesto**, i ravioli di pesce, gli gnocchi di patate con gamberi, i **corzetti con sugo di carciofi**; a questi, di volta in volta, si aggiungono altre pietanze proposte dallo chef in base alle disponibilità del mercato. Nel novero dei secondi, le **lattughe ripiene alla genovese** sapranno farsi apprezzare, mentre chi si orienta sul pesce di spina chieda la disponibilità del morone, di straordinario gusto e compattezza. Altrettanto validi il cosiddetto ***mollame*** (totani e seppie) cucinato in vari modi e il **coniglio alla ligure**. In chiusura torte casalinghe, così come le confetture di farcitura e i biscotti.

La cantina conta su una discreta selezione di vini, prevalentemente liguri, proposti a prezzi corretti.

Campomorone
Isoverde

20 km a nord di Genova SS 35

Da Iolanda

Trattoria
Piazza Niccolò Bruno, 6-7 R
Tel. 010 790118
Chiuso martedì sera e mercoledì
Orario: mezzogiorno e sera
Ferie: 15 agosto-10 settembre
Coperti: 60 + 35 esterni
Prezzi: 25-30 euro vini esclusi
Carte di credito: le principali, Bancomat

Uscendo dal casello autostradale di Genova Bolzaneto e risalendo la Valpocevera, si supera il comune di Campomorone raggiungendo il piccolo abitato di Isoverde dove, da molti anni, questa vecchia trattoria di campagna è in grado di offrire una solida proposta di cucina dell'entroterra genovese. Al di là della carta, affidatevi ai consigli e alle spiegazioni di Silvano – l'attuale proprietario, discendente da una famiglia di ristoratori – per avere ben chiara la variegata offerta delle vivande e la disponibilità dei vini. La trattoria è semplice, ma ha il vantaggio, d'estate, di consentire di cenare in un fresco pergolato affacciato sul rio Verde.

Si inizia con torte salate (di riso, di zucca, di zucchine e menta), **polpettone**, crocchette di patate e l'immancabile **salame di Sant'Olcese** servito con i fichi. Tra i primi, sono abituali le paste a base di **pesto** (gnocchi, lasagne, troffiette avvantaggiate, testaroli), ma non perdetevi i **ravioli con il sugo di carne**, i taglierini ai funghi e quelli impastati con il ripieno dei ravioli, serviti con il loro sugo o con il sugo di coniglio. Come seconda portata, sono apprezzati la **cima alla genovese** fritta, il consistente **fritto misto alla genovese**, i ripieni di verdura, il galletto al vino bianco, lo **stoccafisso accomodato**. In stagione funghi e anche qualche tartufo del vicino Piemonte, mentre con la bella stagione è attiva all'aperto una griglia in grado di soddisfare le esigenze di chi ama la carne.

I dolci sono nella norma; l'interessante cantina e la selezione dei distillati dimostrano la passione di Silvano.

Carro
Pavareto

48 km a NO di La Spezia a 12

Ca' du chittu

Azienda agrituristica
Isolato Camporione, 25
Tel. 0187 861205-335 8037376
Non ha giorno di chiusura
Orario: sera, domenica e festivi anche pranzo
Ferie: variabili
Coperti: 54
Prezzi: 26-35 euro vini esclusi
Carte di credito: tutte, Bancomat

Se pensiamo a un locale con prodotti "a chilometro zero" e realizzato seguendo precise scelte di rispetto ambientale in una zona incontaminata dell'entroterra spezzino, ci viene subito in mente l'azienda che, da oltre dieci anni, Ennio Nardi e la moglie Donatella, architetto esperto in costruzioni ecocompatibili, gestiscono con l'aiuto del figlio Matteo.
I piatti sono preparati con molte materie prime autoprodotte o di aziende vicine anch'esse biologiche. Dal frutteto arrivano albicocche, pesche, susine, vecchie varietà di mele dell'alta val di Vara; fra le verdure, ricordiamo i peperoni, la zucca, il cavolo nero per il **minestrone alla genovese**. L'allevamento degli animali comprende bovini, conigli, oche, e maiali di cinta senese: da questi si ricavano anche i salumi con i quali è possibile iniziare il pasto. Altre proposte, le **verdure ripiene**, marinate o sott'olio, i ***cucull*** (frittelline di pasta di pane con cipolla, salvia o altre erbe aromatiche) e, in primavera, le frittellone di fiori di sambuco. Fra i primi piatti: i **ravioli di carne e verdura** conditi con il sugo di carne, i **pansotti di magro con la salsa di noci**, gli gnocchi rosa (con le barbabietole), i tagliolini *du Chittu* (conditi con pomodorini freschi – d'inverno con quelli secchi –, pinoli, noci, basilico). Gli arrosti la fanno da padrone tra i secondi: ottimo il **maiale con le castagne**. Si chiude con torte casalinghe, gelati preparati con il latte crudo e la frutta fresca, magari guarniti con lo sciroppo di rose di antica tradizione.
Dal vigneto locale coltivato a vermentino, bosco e albarola, Ennio produce un vino bianco semplice e franco; la cantina, inoltre, dispone di numerose etichette liguri. Tutto ciò che i Nardi producono può essere anche acquistato.

Castelbianco

58 km a SO di Savona, 14 km da Albenga SS 582

Gin

Ristorante con alloggio
Via Pennavaire, 99
Tel. 0182 77001
Chiuso il lunedì, mai in agosto
Orario: sera, domenica e festivi anche pranzo
Ferie: 2 settimane in febbraio, 2 in giugno
Coperti: 40
Prezzi: 35 euro vini esclusi
Carte di credito: tutte, Bancomat

Splendida e boscosa, la valle Pennavaire offre un paesaggio di fitte selve di ontani, querce e castagni che salendo di quota cedono il passo a faggi, larici e a un sottobosco ricco di frutti e funghi pregiati. Qualche chilometro oltre l'imboccatura della valle, s'incontra Castelbianco, formato dai centri di Colletta, Oresine, Veravo e Vesallo. Il ristorante impegna il pianterreno di un vecchio casale, mentre al piano superiore sono a disposizione alcune camere piacevolmente arredate per un eventuale pernottamento. A occuparsene ci sono Marino Fenocchio e la sua famiglia. Cucina di donne (la moglie e la madre di Marino), carne e molte verdure, gran parte delle quali arrivano dall'orto di casa.
Sul menù, che cambia con l'avvicendarsi delle stagioni, troverete per cominciare tortino di asparagi violetti (Presidio Slow Food) e budino di **peperoni con *bagna caoda*** (a pochi chilometri c'è il Piemonte). La pasta è fatta in casa: vi consigliamo i **ravioli di borragine *au tuccu***, le trofie con pesto di fave ed erba cipollina e, tra le zuppe, la vellutata di asparagi violetti con i testaroli al Castelmagno. La carne proviene dalla vallata o dal basso Piemonte: **cima farcita alla genovese**, brasato con cipollotti e porcini, medaglione in crosta di erbe aromatiche e salsa di gorgonzola, l'originale faraona alla frutta e l'immancabile **coniglio alla ligure**. Tra gli ottimi dolci, le crostate con confettura casalinga e i gelati alla frutta di stagione.
La cantina (visitabile) è di ottimo livello sia per i vini liguri sia per quelli delle altre regioni.

A **Nasino** (3 km), in via Roma 13, il frantoio Garello produce un buon olio extravergine e sottoli liguri: pesto, pasta di olive, salse.

Castelnuovo Magra

25 km a est di La Spezia ss 1

Armanda

Trattoria
Piazza Garibaldi, 6
Tel. 0187 674410
Chiuso martedì sera e mercoledì, mai in agosto
Orario: mezzogiorno e sera
Ferie: 1 settimana in settembre, periodo natalizio
Coperti: 30 + 20 esterni
Prezzi: 35 euro vini esclusi
Carte di credito: tutte, Bancomat

Castelnuovo Magra domina, col suo castello, quest'ultimo tratto di Liguria a forte vocazione agricola. La trattoria si trova all'inizio del borgo medievale: in cucina troviamo Luciana che, con materie prime del territorio, prepara le ricette della tradizione imparate dalla suocera Armanda; il marito Valerio e la figlia Giulia si occupano dell'unica, accogliente, piccola sala. In estate ci si può sedere fuori godendo di una splendida vista sulla vallata della Magra. L'atmosfera che si respira è quella di una solida trattoria dove nessun dettaglio è trascurato.
Tra gli antipasti, focaccia al rosmarino, **frittelle di baccalà**, verdure ripiene, insalata di coniglio in aceto balsamico, torte di verdure, **lardo di Colonnata** con pane di castagne, prosciutta castelnovese. A seguire, oltre agli onnipresenti **panigacci al pesto** cotti al momento sul testo di ferro, le **lattughe ripiene in brodo** (a Levante si trovano soltanto qui), la **pasta e fagioli alla castelnovese**, i ravioli di baccalà con pomodoro fresco e olive, gli gnocchetti di castagne al pesto. Per secondo, baccalà in crosta di patate con crema di porri, **coniglio disossato** con patate novelle, cosciotto e costolette di agnello di Zeri alla caponata, filetto di maialino al lardo di Colonnata. Al momento del dessert, **torta di riso**, semifreddo al torroncino, sfogliatina con frutta fresca e crema pasticcera.
La carta dei vini offre, oltre a quelle dei Colli di Luni, molte etichette nazionali e una buona scelta di distillati.
In estate il locale apre la sera e solo il sabato e domenica è aperto anche a pranzo. Consigliata la prenotazione.

Scendendo verso il piano, l'Antica Salumeria di Elena e Mirco, in via Canale 52, propone ottimi insaccati di propria produzione, tra cui primeggiano la prosciutta e la mortadella.

Chiavari

43 km a SE di Genova, ss 1 o A 12

Luchin

Osteria
Via Bighetti, 51
Tel. 0185 301063
Chiuso la domenica
Orario: mezzogiorno e sera
Ferie: 2 settimane in giugno, 3 in novembre
Coperti: 80 + 40 esterni
Prezzi: 25-30 euro vini esclusi
Carte di credito: nessuna

Esperienza e tradizione sono le prerogative che troverete in questa osteria con oltre un secolo di storia, collocata sotto i portici del centro storico di Chiavari. Alla famiglia Bonino (capitanata da "Luchin") si è affiancato il ramo dei Mangiante, ora rappresentato da Nicola e dal figlio Luca, che conducono il locale insieme allo zio/cognato Antonio Bonino.
Strumento principe della cucina è l'imponente forno a legna da cui esce una ghiotta **farinata**; con lo stesso impasto si prepara anche la ***panissa***, fritta o in insalata con i cipollotti. Arricchiscono gli antipasti le torte di verdura, il polpettone, le **verdure ripiene**, le acciughe sott'olio e una selezione di salumi. Andando oltre, avrete varie alternative fra minestre, zuppe o **pasta e fagioli** preparate in cottura lenta nel *ronfò* di una vecchia stufa a legna. Non mancano poi diversi formati di pasta condita col pesto, i ***pansoti* al sugo di noci**, i **ravioli al tocco**. Per proseguire tagli e cotture diverse di carni rosse e bianche, la **cima** "Luchin" bollita, al forno o fritta, il cavolo ripieno e le "polpette della nonna"; sul versante pesce, acciughe, muscoli e stoccafisso sono di casa. Da provare le **sardine alla vernazzina** con patate e pomodoro, i muscoli al verde, le **acciughe doppie ripiene fritte**, il totano ripieno, la frittura mista. Non trascurabile il plateau di formaggi e i dolci, tra cui la torta Luchin con farina di castagne e la torta di mele.
Cantina fornita soprattutto di etichette liguri e piemontesi. Prenotazione necessaria nel fine settimana e in estate.

In corso Garibaldi 4, presso lo storico Caffè Defilla potrete degustare o acquistare i tradizionali sorrisi di Chiavari, cioccolato di pregio e importanti distillati.

Corniglia

27 km a NO di La Spezia

A cantina de Mananan

Trattoria
Via Fieschi, 117
Tel. 0187 821166
Chiuso il martedì
Orario: mezzogiorno e sera
Ferie: variabili in bassa stagione
Coperti: 30
Prezzi: 25-35 euro vini esclusi
Carte di credito: nessuna

Siamo nel centro storico di Corniglia, l'unico paese delle Cinque Terre non bagnato dal mare e raggiungibile dalla stazione con una lunga scalinata oppure attraverso i sentieri segnalati che sono situati sull'Alta Via. Nella vecchia cantina di famiglia, un piccolo fondaco in sasso come tutte le minuscole cantine delle Cinque Terre, Agostino Galletti ha aperto vent'anni fa la sua osteria dedicandola al nonno Mananan. Appese ai muri di arenaria si alternano foto storiche e numerose lavagne su cui Agostino, simpatico sebbene un po' burbero, trascrive i piatti della tradizione, sia di terra sia di mare, presenti nel menù.
Si può cominciare con salumi, sottoli, frigitelli (peperoni dolci), torte di verdura, muscoli alla marinara, tonno affumicato, o con il tris di **acciughe di Monterosso**: al limone, marinate e alla Mananan (marinate con cipolla fresca). Seguono i **testaroli al sugo di funghi**, i tagliolini al ragù o al pesto, i **pansotti in salsa di noci**, gli spaghetti ai frutti di mare. Il pesce del giorno è solitamente preparato alla griglia o in padella. In alternativa, frittura di acciughe e pignolini, **zuppa di pesce** e l'ottimo **coniglio in bianco** con timo e olive. Per finire, oltre a una selezione di formaggi reperiti nella vicina Lunigiana e in val di Vara, i dolci preparati da Marianna, la moglie di Agostino.
Oltre al vino della casa, ci sono alcune etichette locali, fra cui un ottimo Cinque Terre di un produttore di Corniglia, pioniere nel recupero delle terre incolte. Il locale è piccolo, meglio prenotare.
Nei giorni feriali estivi la trattoria apre solo la sera.

In via Fieschi 123 la gastronomia Pan e Vin propone vini della provincia spezzina e prodotti locali.

Genova

Barisone

Trattoria
Via Siracusa, 2 R
Tel. 010 6049863
Chiuso domenica e lunedì
Orario: mezzogiorno e sera
Ferie: agosto
Coperti 60 + 40 esterni
Prezzi: 30-35 euro vini esclusi
Carte di credito: nessuna

Cominciamo la recensione di questa trattoria con una triste notizia, la scomparsa di Angelo, fondatore di questa storica trattoria genovese. Il figlio Lorenzo, ripresosi dal triste momento, sta conducendo egregiamente il locale facendo tesoro degli insegnamenti del papà. Siamo nella delegazione di Sestri, nel ponente cittadino, non lontano dai cantieri dove si costruiscono imponenti transatlantici. In un locale semplice, forse un po' rumoroso, la famiglia Barisone continua a proporre in modo genuino le più classiche ricette genovesi, variandole in funzione di quanto ha offerto il mare.
L'antipasto misto mare è di certo un buon inizio, composto da portate sia calde sia fredde: in risalto, le cappesante gratinate, le acciughe proposte in carpione ma anche fritte e al limone, i **muscoli ripieni**, la frittatina di bianchetti (quando disponibili). Anche nei primi piatti il mare la fa da padrone: i delicati ravioli di pesce, i tagliolini neri con totanetti novelli, i **corzetti polceveraschi** (piccola pasta a forma di otto) **al sugo di polpo** sono fra le portate meritevoli di nota. Per chi volesse sono disponibili anche la **pasta al pesto** preparato con il basilico di Pra e quella condita con il ragù. Passando ai secondi, oltre alla ricca **frittura di pesce**, troviamo pesci di cattura come branzini, lampughe e gallinelle, cotti in forno alla ligure, ottime **acciughe ripiene**, impanate o fritte, e ancora **moscardini novelli** interpretati in vari modi.
Buona selezione di dolci, sorbetti e gelati. La cantina è più curata che in passato. Indispensabile prenotare.

Da Evo, in via Galata 46 R, conserve di qualità, pasta e pane artigianali, eccellenti oli extravergini.

Genova
Murta

17 km dal centro città

Da ö colla

Osteria
Via alla Chiesa di Murta, 10
Tel. 010 7408579
Chiuso sabato a pranzo, domenica sera e lunedì
Orario: mezzogiorno e sera
Ferie: variabili in luglio e gennaio
Coperti: 50
Prezzi: 27-30 euro vini esclusi
Carte di credito: le principali

Sulle alture della Valpolcevera, uscendo dal casello autostradale di Bolzaneto, si raggiunge il piccolo paese di Murta, conosciuto nella vallata per la sagra della zucca che si ripete da molti anni nel mese di novembre. Imboccando una breve ma ripida salita, dal piazzale della chiesa si raggiunge l'osteria gestita dai giovani fratelli Risso, nati e cresciuti in questa piccola, tranquilla località. Il locale, diviso tra una luminosa veranda e due piccole salette interne, offre una cucina che oscilla continuamente tra la volontà di mantenere la tradizione dell'entroterra genovese e la propensione alle novità di Andrea, il cuoco. Mauro, in sala, saprà rendervi particolarmente gradevole la sosta.

Tra gli antipasti consigliamo i buoni salumi di un piccolo artigiano locale, le torte di verdura, le tartellette di zucca e *sansté* (formaggio della Val d'Aveto), la galantina di coniglio con salsa verde al basilico e, quando disponibili, le **verdure ripiene** e l'**insalata di trippe**. Si prosegue con i **corzetti della Valpolcevera ai pinoli**, i tagliolini al ragù di coniglio, le tagliatelle con zucca e pancetta, il saporito **minestrone alla genovese**. Coscia di coniglio arrosto o ripiena con olive e pinoli, **stoccafisso** e, in inverno, le **trippe accomodate**, si alternano per secondo a qualche pietanza scaturita dalla fantasia di Andrea. Infine i dolci: canestrelli di un vicino negozietto artigiano, biancomangiare allo sciroppo di rose, la torta di pesche e amaretti.

Buona carta di vini regionali e nazionali, soprattutto rossi, proposti con ricarichi ragionevoli; interessante la selezione di birre.

Genova
Fontanegli

16 km dal centro città

Da pippo

Trattoria
Salita Chiesa di Fontanegli, 13 R
Tel. 010 809351
Chiuso lunedì, inverno anche martedì sera
Orario: mezzogiorno e sera
Ferie: variabili
Coperti: 50+ 60 esterni
Prezzi: 30 euro vini esclusi
Carte di credito: tutte tranne AE

Questa trattoria, situata quasi sullo spartiacque tra la Valbisagno e la vallata di Bavari, dà al visitatore l'occasione di isolarsi dal traffico senza allontanarsi troppo dalla città. Nella piccola località di Fontanegli, vicino alla chiesa parrocchiale, in un'accogliente casetta di campagna, la famiglia Villa, con in testa i giovani fratelli Christian e Matteo, propone una ristorazione legata saldamente alla tradizione culinaria della Superba.

La lista delle portate contiene un'ampia scelta delle vivande che rappresentano l'alimentazione dei genovesi. Si comincia con un variegato antipasto misto che include salame di Sant'Olcese, torte di verdura, insalata russa, acciughe marinate, insalata o ***brandade* di stoccafisso**, mentre su ordinazione è possibile assicurarsi il celebrato **cappon magro**. Tra i primi, oltre ai piatti a base di pesto (consigliamo le ***picagge* matte**, fettucce ottenute dall'impasto di farina bianca e farina di castagne) e ai casalinghi **taglierini al tocco** o ai funghi, troverete le paste ripiene come i **ravioli di carne** o i ***pansoti* di verdura** ma anche l'immancabile **minestrone**. Nel prosieguo, secondo il periodo, il **fritto misto alla genovese** (verdure, carni e creme dolci) potrà essere sostituito dal **coniglio al latte** e dalla **cima alla genovese** bollita o fritta; ordinandolo si può contare sullo **stoccafisso accomodato** alla genovese. Per chi non sa rinunciare ai dolci, torta di mele, crostata, soufflé al cioccolato.

Nota di merito per la cantina che, seppure non quantitativamente ricca, denota un'accorta ricerca dei vini e ricarichi assolutamente corretti.

GENOVA
Granarolo

4 KM DAL CENTRO CITTÀ

LUIGINA

Trattoria
Via ai Piani di Fregoso, 14
Tel. 010 2429594
Chiuso il giovedì
Orario: solo a mezzogiorno
Ferie: 15 agosto-10 settembre
Coperti: 30 + 60 esterni
Prezzi: 25-28 euro vini esclusi
Carte di credito: nessuna

Le scelte di Cesare e Anna Laura, da anni gestori di questa trattoria fuori porta sulle alture della città, danno un'idea della loro concezione di *slow life*: conduzione familiare (lei in cucina, lui in sala), ritmi rilassati, apertura solo a pranzo perché «non si vive solo per lavorare». La semplicità degli arredi, la tranquillità dell'ambiente e la fresca veranda estiva sono ulteriori elementi di piacevolezza che, unitamente alla mano sicura e concreta della cuoca, contribuiscono a mettere l'ospite a proprio agio. La proposta gastronomica è legata alla cucina di territorio e il menù è determinato dagli acquisti giornalieri.
Per iniziare, selezione di salumi prevalentemente locali, carpacci, **acciughe salate sott'olio** con riccioli di burro, vitello tonnato la cui salsa è arricchita e resa più consistente dai pinoli. Le paste fresche sono fatte in casa: **lasagne al pesto**, taglierini al sugo di funghi, **ravioli alla genovese con il tocco**, qui più tirato e ristretto secondo la ricetta di famiglia di Anna Laura. Tra i secondi piatti troverete la vitella con i funghi, le **costine fritte con i carciofi**, l'agnello in casseruola con le patate, il **coniglio alla ligure**, arrosti vari (inclusa la faraona) e l'immancabile **cima alla genovese**. In stagione i **funghi** – preferibilmente locali – sono proposti fritti, nel sugo in bianco per condire la pasta, o come contorni. Il venerdì (gli altri giorni su prenotazione) è invece protagonista uno **stoccafisso accomodato** assai ben interpretato.
Dolci semplici e casalinghi, carta dei vini centrata su alcune etichette liguri e piemontesi in alternativa allo sfuso della casa. Da sottolineare l'ottimo rapporto tra qualità e prezzo. Prenotazione pressoché obbligatoria nel fine settimana.

GENOVA

SA PESTA

Trattoria
Via dei Giustiniani, 16 R
Tel. 010 2468336
Chiuso lunedì sera e domenica
Orario: mezzogiorno, sera su prenotazione
Ferie: fine luglio-inizio settembre
Coperti: 60
Prezzi: 20-25 euro vini esclusi
Carte di credito: nessuna

In attività dalla fine dell'Ottocento con Felice Paravagna, detto "Salpesta", questo locale racchiude in sé diverse anime (farinotto, trattoria, friggitoria) ed è gestito da sessant'anni dalla famiglia Benvenuto, oggi rappresentata dai fratelli Paolo, Antonella e Cinzia.
Il primo dei tre opera presso l'imponente forno a legna, da cui escono molte delle proposte gastronomiche che troverete nel ricco piatto misto: **farinata** (liscia o arricchita da bianchetti, carciofi, cipolline), torte salate, polpettone di patate e fagiolini, ripieni di verdura, frittelle di baccalà, acciughe ripiene. Le altre preparazioni si devono a Riccardo, marito di Antonella: gnocchi, lasagne, trofie o corzetti conditi con il pesto, il classico **minestrone**, i ravioli al tocco di carne, i ***pansoti* in salsa di noci**, e, a seguire, acciughe, **stoccafisso**, polpo o seppie proposti a rotazione secondo differenti interpretazioni; in stagione non mancano la frittura mista e i bianchetti. Chi gradisce maggiormente carne e verdure troverà soddisfazione nella **cima di vitello ripiena**, nello zemino di ceci e bietole o nelle **trippe accomodate**. Tra i dolci spiccano il **castagnaccio** (cotto in forno a legna) e alcune crostate casalinghe. Qualche etichetta ligure e piemontese è l'alternativa allo sfuso.
A pranzo il servizio è celere con possibilità di condividere il tavolo con altri clienti, la sera è preferibile prenotare o non arrivare troppo tardi. La lunga chiusura estiva è giustificata dalle alte temperature indotte dal forno a legna.

Alla drogheria Torielli, in via San Bernardo 32 R, spezie, tè, caffè e dolciumi di ogni provenienza. In vico delle Erbe 15-17 R, gelati dai gusti inediti alla Cremeria delle Erbe. Bontà di cioccolato presso il laboratorio Romeo Viganotti (vico dei Castagna, 14 R) della famiglia Boccardo.

Isolabona
Molinella

61 km a NO di Imperia, 14 km da Ventimiglia

La molinella

Azienda agrituristica
Via Roma, 60
Tel. 0184 208163
Aperto ven e sab sera, dom a pranzo; giugno anche gio sera, luglio-agosto tutte le sere e dom a pranzo
Ferie: in novembre
Coperti: 40 + 40 esterni
Prezzi: 30 euro vini esclusi
Carta di credito: nessuna

Isolabona è un tranquillo paese lungo la strada che da Dolceacqua porta a Pigna e all'alta val Nervia; su questa direttrice, un po' fuori dell'abitato, una carrozzabile sulla destra vi porterà alla Molinella. La famiglia Mori ha aperto i battenti nel 2000: una scelta di vita agevolata da una bella proprietà con due edifici rustici e da una preesistente attività agricola. Piacevole il posto, con due confortevoli salette, ancor più piacevole nella bella stagione quando si mangia nell'ampio dehors circondati da una curata vegetazione. Del ristorante (sala e cantina) si occupa Piermichele, in cucina ci sono la madre Gioia e il fratello Nicola; a Ugo, il capofamiglia, l'incombenza di coltivare orto e frutteto. La linea della tradizione è sempre presente e si concretizza in un menù fisso (ma il prossimo impegno sarà l'introduzione di una piccola carta) che varia secondo stagione.
Alla voce antipasti troviamo solitamente l'intramontabile ***brandacujon***, il tonno di coniglio, il polpo con fagioli bianchi di Pigna, i ***barbagiuai***, il tonno di coniglio, i ***fresciöi*** **di zucchine** e, più raramente, le anguille in carpione. Di paste – tutte fatte in casa – ve ne porteranno un paio: malfatti con pomodoro fresco e basilico, **ravioli di borragine** al burro e timo, **pasta *sciancà*** con pesto leggero, fagiolini pelandroni e patate, gnocchi ai porcini o con zucchine e zafferano, **tagliatelle di farina di castagne e pesto**. Qualunque sarà la scelta del secondo, cascherete certo bene: **coniglio alla ligure** o ripieno, lumache in casseruola, **capra e fagioli**, anguille in umido o fritte, **stoccafisso alla frantoiana**, polpo con zucchine trombette.
Tutti casalinghi i dolci, piccola carta dei vini con buone etichette. Consigliata la prenotazione.

La Spezia

All'inferno

Osteria tradizionale
Via Costa, 3
Tel. 0187 29458
Chiuso la domenica
Orario: mezzogiorno e sera
Ferie: agosto
Coperti: 100
Prezzi: 15-18 euro
Carte di credito: nessuna

Fatto qualche gradino sottostrada, si entra in questa osteria con cucina ubicata a pochi passi dalla piazza del mercato. La sua storia è lunga un secolo: la famiglia D'Avanzo, giunta alla quarta generazione con Gianluca, pronipote del fondatore, la gestisce fin dalla sua inaugurazione. La grande sala dispone di semplici tavoli dove, come nelle osterie di un tempo, può capitare di dividere il desco con perfetti sconosciuti. Non c'è carta: una volta accomodati, il menù vi verrà elencato a voce.
Secondo la disponibilità del mercato e l'alternarsi delle stagioni, potrete cominciare con il **minestrone alla genovese**, la pasta al pesto, le tagliatelle con le verdure, gli spaghetti con i muscoli; immancabile il piatto simbolo della città, la ***mes-ciua*** (zuppa di ceci, fagioli cannellini e grano). Il venerdì è il giorno deputato allo **stoccafisso**, da gustare **in umido** o bollito; altre proposte valide e ricorrenti sono poi i **muscoli ripieni**, l'insalata di polpo, i calamari in umido, le acciughe fritte, la **trippa in umido** con le patate, la coppa al forno. Al tutto si accompagna un vino sfuso alla spina, unica nota un po' stonata dell'ottimo pasto. Di fattura casalinga i dolci: zuppa inglese, panna cotta, crema pasticcera con gli amaretti.
Il favorevolissimo rapporto tra qualità e prezzo, rende obbligatorio prenotare: All'Inferno è molto frequentata sia a cena sia in pausa pranzo.

In via De Nobili 51, Tognocchi è l'ultima tripperia in città: ottima la trippa in umido o cruda in insalata. In via Roma 57, la rosticceria Da Beppe per un pasto veloce o l'asporto di piatti pronti tradizionali.

La Spezia
Sarbia

7 km dal centro della città

Antica hostaria Secondini

Trattoria
Via Montalbano, 84
Tel. 0187 701345
Chiuso il mercoledì
Orario: mezzogiorno e sera
Ferie: tra settembre e ottobre
Coperti: 50 + 15 esterni
Prezzi: 28-30 euro vini esclusi
Carte di credito: tutte, Bancomat

La trattoria che la famiglia Secondini gestisce da più di mezzo secolo si trova sui Colli spezzini: per arrivarci occorre salire fino alla Foce dalla centrale piazza Verdi oppure attraverso la panoramica vecchia Aurelia in direzione di Genova (non imboccate il tunnel della nuova Aurelia, vi porterà fuori strada); da lì, una strada sulla destra vi condurrà a Sarbia. Secondini è gestita da Endrio, nipote dei fondatori, con la moglie Simona: lei, ai fornelli, realizza le antiche ricette della sua famiglia; lui si occupa della sala, e con cordialità e competenza saprà consigliarvi il menù e il vino più adatto.
Dopo un antipasto misto che comprende sottoli, salumi locali, torte di verdura e di riso, si può scegliere tra i *pansoti* di verdura, i **ravioli spezzini** di carne e verdura conditi con il sugo di carne, la pasta con i muscoli; proposte tipicamente invernali, la ***mes-ciua*** (tipica zuppa spezzina di cereali), i tortellini in brodo e i tortelli di carciofi conditi con le verdure. Passando ai secondi, da provare lo **stoccafisso in umido** con la polenta, le frittelle di baccalà, la delicata **cima ripiena**, la trippa con le patate, le carni alla griglia, le verdure ripiene. Nei mesi freddi non manca la cacciagione, mentre sono più presenti in estate i **muscoli ripieni** e la frittura di pesce. Si chiude con torta di mele e buccellato casalinghi.
La carta dei vini, piccola ma ben curata, comprende etichette locali e nazionali.

Nella zona cittadina sottostante (7 km), sulla continuazione dell'Aurelia, in via Genova 382, il bar Roo propone spuntini e aperitivi con piatti tradizionali e buoni vini; in via Fiume 108 troverete ottima focaccia al forno Rizzoli.

La Spezia
Marola

3 km dal centro della città

Aütedo

Trattoria-pizzeria
Via Fieschi, 138
Tel. 0187 736061
Chiuso il lunedì
Orario: mezzogiorno e sera
Ferie: fine settembre-metà ottobre
Coperti: 80 + 80 esterni
Prezzi: 20-30 euro vini esclusi
Carte di credito: nessuna

Lungo la strada che conduce a Portovenere, all'altezza del borgo marinaro di Marola, troverete questa trattoria semplice e accogliente. Con il passare degli anni, Giorgio Angelini e il suo gruppo, composto in cucina da Ernestina ed Emilia, e in sala da Fabio, dedica sempre più passione nel ricercare e valorizzare vecchie ricette della tradizione locale. Soprattutto in estate, potrà capitarvi di partecipare a serate a tema (la **trippa**, il baccalà, lo **stoccafisso**, antiche ricette contadine) da assaporare sotto il pergolato di vite (*aütedo* in dialetto) con un buon accompagnamento musicale; in ogni caso, il menù è quasi sempre fisso e comprende parecchi antipasti, un primo e un secondo.
La focaccia spezzina classica, o al rosmarino con il lardo di Colonnata o con il timo e l'acciuga salata, è sfornata quotidianamente. Sempre protagonisti gli ottimi **muscoli** del golfo proposti ripieni, fritti, alla marinara, tritati e spalmati sui crostini, e le **acciughe** sotto sale, ripiene oppure fritte. Si affiancano a questi altri piatti come le aringhe con le patate bollite, i crostini con i frutti di mare, il ***macheto*** (pasta di acciughe macerate in olio e peperoncino), la ***stopeta*** (baccalà in olio con cipolle e peperoncino). Seguono i tagliolini con lo stoccafisso o con il ragù di polpo, gli **spaghetti con i muscoli** o ai frutti di mare, e una croccante **frittura mista** di pesce che, secondo il periodo, potrà essere composta da boghe, gallinelle, *soetti* (suri), acciughe, cicale, calamari.
Si chiude con il sorbetto di limone oppure con una pizza dolce. Accanto al vino sfuso, sono disponibili alcune etichette locali. Ottimo il rapporto tra prezzo e qualità.

SPUNTINI A LEVANTE

Anche in Liguria si è ormai pienamente affermata la cultura del vino, insieme al gusto per una sosta in un locale accogliente, informale e giovane. Le cosiddette "osterie di nuova concezione" si caratterizzano per una selezione di buone bottiglie anche nazionali, per la possibilità di uno spuntino costituito da prodotti artigianali di qualità – soprattutto salumi e formaggi – nonché, talvolta, per l'opportunità di un pasto più sostanzioso a base di piatti caldi della tradizione. Sempre più spesso, inoltre, il percorso proposto passa per locali che animano le serate con musica dal vivo: a conferma, se ce ne fosse bisogno, di come si sposino bene vino, convivialità e "buone vibrazioni".

CASTELNUOVO MAGRA
MULINO DEL CIBUS

Via Canale, 46
Tel. 0187 676102
Chiuso il lunedì
Orario: solo la sera
Ferie: variabili

Gestito da Carlo e Giuliano, si trova davvero in un vecchio mulino, giù in basso alla Colombiera. Il locale combina la gioia del bere bene alla possibilità di gustare pochi piatti estemporanei elencati su una lavagnetta, molto curati nella presentazione e preparati con grazia tutta femminile. Le tante bottiglie esposte nelle tre salette formano una cantina scelta con amore e cura. Ottima selezione di salumi e formaggi nazionali e d'oltre frontiera.

LA SPEZIA
ARCADIA

Viale San Bartolomeo, 245
Tel. 0187 501022
Chiuso la domenica
Orario: 08.00-15.00/19.00-02.00, in estate solo a pranzo
Ferie: agosto

Arcadia è una moderna osteria accogliente e luminosa, sobria e curata, ubicata davanti al porto, nel trafficato viale San Bartolomeo. Oltre a un piccolo banco bar all'ingresso, si accede ai tavoli della graziosa saletta. L'arredo è costituito da tavoli in marmo e comode sedie di moderno design assieme a due grandi panche in legno. Nel menù la fanno da padrone le focacce preparate dallo zio dei titolari, Roberto ed Elisabetta, farcite con salumi, funghi e formaggi di qualità. Per concludere ottimi dolci di creme, frutta e ricotta. Insomma l'ideale per chiudere la serata dopo il cinema o il teatro, ma anche per uno spuntino nella pausa pranzo.

LA ROSA BLU

Via Carpenino, 7
Tel. 0187 257253
Chiuso il lunedì
Orario: 12.30-15.00/18.00-02.30, estate 18.00-02.30
Ferie: seconda metà di agosto

In un vicoletto del centro, a pochi passi dal Museo di arte moderna e contemporanea, La Rosa Blu è un minuscolo locale munito di dehors, ottimo per un aperitivo o il dopocena. Assieme al bicchiere di vino scelto da una lista molto ricca riceverete bruschette al pomodoro e una sottile piadina con formaggio caldo. Sceglierete poi dalla lista ottime focacce, crostoni di pane casereccio con salumi e formaggi, dolci casalinghi.

LERICI
CARPE DIEM

Enoteca con mescita e cucina calda
Località Pozzuolo-Via Pozzuolo, 14
Tel. 0187 972345
Chiuso la domenica, mai in estate
Orario: 19.00-02.00, venerdì e sabato 19.00-03.00
Ferie: 15 giorni in settembre

In posizione strategica tra le spiagge di Baia Blu e Santerenzo, il locale, rustico e accogliente, offre la possibilità di spuntini serali originali e di qualità. In estate si può mangiare all'aperto. Andrea prepara spuntini di mare, insalate, crostoni, torte di verdura e, in inverno, polenta o *panizza* cucinate in vari modi. Roberto cura interessanti selezioni di formaggi (la via lattea, come la chiama lui) e salumi, fra cui la prosciutta di Castelnuovo Magra e il lardo di Colonnata. L'altra grande passione di Roberto sono i vini pregiati e i distillati, talvolta di difficile reperibilità, qui disponibili in ampia scelta. I dolci sono ottimi e artigianali; a volte si degusta fine cioccolato in abbinamento a passiti importanti.

MONTEROSSO
ENOTECA INTERNAZIONALE
Via Roma, 62
Tel. 0187 817278
Chiuso il martedì, mai d'estate
Orario: 09.00-13.00/14.30-19.30, da marzo a ottobre 09.30-23.00
Ferie: gennaio

Susanna Barbieri, giovane ed esperta sommelier, gestisce con la famiglia questa storica enoteca nel centro storico di Monterosso. Negli scaffali a forma di botte troverete le etichette dei produttori più interessanti del territorio: il Vermentino dei Colli di Luni, il Cinque Terre, il Bianco delle Colline di Levanto e lo straordinario Sciacchetrà di piccoli e qualificati produttori. Oltre al vino è possibile acquistare i prodotti gastronomici fra cui un'accurata selezione di oli, pasta di olive e olive in salamoia. Nella bella stagione, durante tutta la giornata, funziona anche il servizio ai tavoli in un caratteristico dehors: vi si possono assaggiare i vini del luogo accompagnati da torte di verdura, insalate, una buona selezione di salumi e formaggi e bruschette con pane casereccio: da non perdere quella con le acciughe di Monterosso conservate sotto sale e poi servite con olio extravergine.

RIOMAGGIORE
A PIE' DE MA
Via dell'Amore, 55
Tel. 0187 921037
NOVITÀ
Chiuso il mercoledì, mai d'estate
Orario: 10.00-01.00
Ferie: da novembre a marzo

Una meravigliosa terrazza sulla roccia proprio ai piedi del mare in corrispondenza dell'ingresso alla Via dell'Amore dalla parte di Riomaggiore. Gli spuntini sono le torte di riso e di verdura, lo stoccafisso in umido, le acciughe salate con olio extravergine, le focacce, i carpacci di pesce, fantasiose insalate e ottimi dolci. La cantina offre numerose etichette nazionali ma si concentra sui produttori locali dei Colli di Luni con numerosi ottimi Vermentini, ma soprattutto sul Cinque Terre di giovani emergenti. Avrete inoltre occasione di assaggiare il vero Sciacchetrà. Le serate sono animate da ottima musica d'autore o jazz.

LA SPEZIA

OSTERIA DA GIANNI

Osteria tradizionale
Corso Cavour, 352
Tel. 0187 717980
Chiuso la domenica
Orario: pranzo, mescita al banco fino alle 20
Ferie: ultima sett di agosto-prima di settembre
Coperti: 35 + 12 esterni
Prezzi: 10-15 euro
Carte di credito: nessuna

A prima vista Da Gianni appare un semplice locale di mescita vino: in realtà dispone di una sala da pranzo dai colori tenui, con sedie di legno, tavoli in marmo, tovagliette di cartapaglia; spazio che, in estate, si arricchisce di un piccolo dehors sul corso. Questa osteria tipicamente ligure rappresenta oramai un unicum in un quartiere che da anni costituisce la parte più multietnica della città. Rosangela prepara quotidianamente a rotazione due primi e due secondi; Gianni, marito e titolare, vi snocciolerà a voce il menù del giorno.
Secondo stagione e disponibilità del mercato, potreste trovare i classici **ravioli alla spezzina** fatti a mano, ripieni di verdure o di carne e conditi col ragù, gli spaghetti con il pesto, il **minestrone alla genovese**, i tagliolini con verdure e sugo di salsiccia. Immancabili per secondo le **acciughe fritte**; altri piatti consueti sono il roastbeef di manzo con patate al forno e contorno di ripieni, il coniglio alla cacciatora, i **muscoli** dei mitilicoltori del golfo **ripieni** o alla marinara. Martedì è il giorno della **trippa in umido**, mentre venerdì l'appuntamento è con lo **stoccafisso**. Seguendo le ricette della nonna, è la figlia di Rosangela a occuparsi della preparazione dei dolci, tutti casalinghi. In alternativa allo sfuso, accompagna il pasto qualche bottiglia esposta all'ingresso.
Il ristorante funziona solo all'ora di pranzo, ma fino alle 20, seduti al bancone, potete gustare frittelle di baccalà, torte di riso o di verdure, accompagnate da un bicchiere di vino.

Dall'Artigiano del Cioccolato, in via Nino Bixio 46, tavolette, praline, tartufi e realizzazioni artistiche.

3 km dal centro città

Osteria Picciarello

Trattoria
Viale Fieschi, 300-302
Tel. 0187 779237
Chiuso lunedì e martedì
Orario: solo la sera
Ferie: variabili in inverno
Coperti: 50
Prezzi: 30-35 euro vini esclusi
Carte di credito: tutte, Bancomat

Seguiamo fin dall'inizio il percorso professionale di Stefano Poles e di sua moglie Lara: nel corso degli anni, questa giovane coppia, non soltanto ha affinato le tecniche di cucina (i piatti però sono sempre quelli della tradizione), ma continua a fare scelte precise verso la filosofia del "buono, pulito e giusto". Il pesce utilizzato è reperito quotidianamente da due pescherecci locali, gli ortaggi provengono da due produttori biologici, uno in Lunigiana, uno a Fosdinovo. Il locale si trova a Marola, lungo la via per Portovenere: vi si accede direttamente dalla strada e si presenta subito accogliente con tavoli di marmo, sedie impagliate, colori tenui.
Sceglierete per cominciare fra tortini di verdure, insalata di seppie, **nasello in salsa verde**, polpo e patate, melanzane al forno in salsa *aïoli*, pesciolini fritti. Si prosegue con le **trenette al pesto**, i tagliolini con cicale e pomodorini freschi, le pennette allo scoglio, il risotto con gamberi e verdure o con radicchio trevisano, le orecchiette alle melanzane. Nei mesi freddi, fanno la loro comparsa le zuppe tradizionali: la "**piovana**" (con zucca, cavolo nero, fagioli e farina di mais), la zuppa di zucca gialla, la ***mesciua*** (a base di cereali e legumi). Il novero dei secondi piatti comprende **frittura di paranza**, muscoli ripieni, **polpo alla diavola**, calamari a beccafico, seppioline in guazzetto, zuppa di pesce, **acciughe** fritte o **ripiene**. I dolci sono casalinghi: crema inglese con le fragole, panna cotta al cioccolato, tortino di pere e mele o di pesche e fichi, torta di mele alla cannella, crostata al cioccolato fondente.
La cantina è orientata sui vini del territorio, soprattutto Vermentino dei Colli di Luni, ma ci sono anche buone etichette nazionali.
Da ottobre ad aprile il locale apre anche a mezzogiorno.

Vicolo Intherno

Osteria di recente fondazione
Via della Canonica, 21
Tel. 0187 23998
Chiuso domenica a pranzo e lunedì
Orario: mezzogiorno e sera
Ferie: variabili
Coperti: 30 + 15 esterni
Prezzi: 20-25 euro vini esclusi
Carte di credito: tutte

Emanuel e Diego gestiscono questo piccolo locale ubicato in uno dei vicoli intorno alla piazza Cavour, sede del mercato centrale. La filosofia del Vicolo Intherno è presto spiegata: buona conoscenza delle ricette locali, attenzione alle materie prime del territorio, pesce fresco reperito ogni giorno nella piazza del mercato, utilizzo di alcuni Presìdi Slow Food liguri e toscani. Della cucina si occupa Emanuel; Diego prepara i dolci e cura la cantina e il servizio. Le due salette interne si presentano calde e accoglienti, con mobili e arredi in stile campagna provenzale e il bancone con i piatti pronti del giorno in bella vista.
Per iniziare si potrà scegliere fra torte di verdura, **acciughe** salate di Monterosso, verdure ripiene, peperoni grigliati. Il prosieguo del pasto dipende molto dalla stagione e dalla disponibilità del mercato: d'inverno sono da non perdere la classica ***mes-ciua***, la zuppa di zucca e farro o di legumi; fra i primi piatti di pesce, da provare gli gnocchi di patate con le acciughe fresche, gli **spaghetti con i muscoli** e i particolari ravioli di muscoli conditi con il sugo di cicale. Passando ai secondi, ecco le **seppie in zimino**, il **coniglio alla ligure**, le acciughe al forno con la salvia o gratinate al pesto, i **muscoli ripieni**, il **baccalà alla spezzina** (con latte e cipolle). Al momento del dessert, crostate con le marmellate, tortino al cioccolato, buccellato di pere o mele.
In cantina buona selezione di etichette nazionali e locali; possibilità di mescita a bicchiere.

In via Roma 10, la pasticceria Russo propone ottime torte, pandolce genovese e il meglio dell'enologia nazionale e locale.

Lerici
La Rocchetta

16 km a SE di La Spezia

La rosa canina

NOVITÀ

Azienda agrituristica
Località Monti Branzi, 16
Tel. 0187 966719
Non ha giorno di chiusura
Orario: mezzogiorno e sera
Ferie: non ne fa
Coperti: 40 + 40 esterni
Prezzi: 25 euro
Carte di credito: tutte

Bisogna guadagnarsela la visita alla Rosa Canina, sul monte Caprione di Lerici. È un agriturismo con cucina squisita, ma se non amate la folta boscaglia ligure e un intreccio di strade fra lo sterrato e la mezza asfaltatura, rinunciate. Marco Bonvicini ha posto qui il suo piccolo regno, fatto di orti e bosco con rarità liguri come gli allori giganti, che tanto piacevano al poeta lericino Paolo Bertolani. Vi sono anche sette stanze per chi vuole soggiornare e vivere un soggiorno educativo a contatto con la natura: la Rosa Canina è infatti una "fattoria didattica" con percorsi sensoriali di conoscenza per adulti e per bambini.
Per ben cominciare, Marco porterà in tavola le **acciughe** (la salagione è opera sua), la ***panizza*** **fritta**, la focaccia preparata con il formaggio fornito dalla cooperativa casearia della val di Vara. Altre classiche proposte, la **torta salata di farro**, il grano bollito avvolto in foglie di vite, i **ravioli alle erbe di campo** o alle bietoline, conditi con pesto di timo e pinoli. Profumo di mare, inoltre, nelle casalinghe tagliatelle con fagioli e muscoli. Passando ai secondi, consigliamo il **coniglio arrotolato** con frittatine e lardo di Colonnata e l'anatra arrosto servita con salsa di sorbe raccolte nel bosco circostante. Dolce conclusione con la crostata alla confettura di pomodori verdi dell'orto.
L'unico vino disponibile è il discreto sfuso, sia bianco sia rosso, di un piccolo produttore locale.

Locale segnalato
dall'Associazone italiana celiachia.

Sul lungomare di **Lerici** (6 km), in via Roma, Bahia Cafè: aperitivi e ottimi spuntini fino a tarda notte.

Mallare

22 km a NO di Savona, SP 5 o a 6 uscita Altare

La lanterna

Ristorante
Località Panelli, 1
Tel. 019 586300
Chiuso il giovedì
Orario: mezzogiorno e sera
Ferie: non ne fa
Coperti: 35
Prezzi: 30 euro vini esclusi
Carte di credito: le principali

Da 22 anni la famiglia Minetti gestisce questo locale sito a Mallare, in mezzo ai boschi della Val Bormida, nelle Alpi marittime. Siamo a 8 chilometri dall'uscita di Altare dell'autostrada Torino-Savona: zona di confine, dove il dialetto è più simile al piemontese che al ligure, e anche la tradizione gastronomica risente di entrambe le regioni. Nei primi anni di attività La Lanterna preparava solamente pizze e farinate; in seguito, è diventato un vero e proprio ristorante. Oggi in cucina troviamo Daniele Minetti, in sala la sorella Elisa con il marito Gianmaria.
In menù non manca mai il tradizionale ***brandacujon*** con patè di olive taggiasche. In stagione sono tante le preparazioni a base di **funghi** di provenienza locale, raccolti spesso dallo stesso Daniele. Tra i primi, da assaggiare le ***picagge*** (preparate con farina di castagne essiccate di Calizzano e Murialdo) **al timo selvatico** e i **ravioli di cardi con la *bagna caoda***. Molto buona la carne di manzo fornita da un bravo macellaio del posto: da provare la coda al pomodoro e la **guancia con polenta**. In alternativa, faraona croccante alle due cotture o filetto di maiale con le castagne. Le verdure e la frutta provengono dall'orto paterno. I formaggi (alcuni dei quali molto interessanti come il crosta di pane di capra e il bettelmatt) sono tutti di origine piemontese. Buona la selezione di dolci.
Carta dei vini essenzialmente langarola, con alcune puntate liguri. Molto consigliata la prenotazione, soprattutto a mezzogiorno.

Domenico e Piero, in via Corsi 30, propongono carni piemontesi macellate in proprio e un'accurata produzione artigianale di salumi.

Mele
Acquasanta

21 km da Genova, 6 km dall'uscita Voltri a 10, ss 456

Osteria dell'Acquasanta

Trattoria
Via Acquasanta, 281
Tel. 010 638035
Chiuso il lunedì
Orario: mezzogiorno e sera
Ferie: in gennaio, mai nel fine settimana
Coperti: 70 + 40 esterni
Prezzi: 28-30 euro vini esclusi
Carte di credito: CartaSi, Visa, Bancomat

Ad alcuni lavori di ristrutturazione e miglioria dei locali dell'osteria, si unisce un rinnovato slancio da parte di Marco, Fabio e Alessandro, che all'entusiasmo e alla passione degli inizi uniscono esperienza e concretezza maturate nella quasi ventennale attività.

Tra le proposte della cucina, in gran parte espressione del territorio e delle materie prime del circondario (ortaggi e animali da cortile, in particolare) si può puntare, per cominciare, sull'antipasto dell'Osteria: focacce, salumi, ripieni, torte di verdura, polpettone, insalate. Proseguendo non mancano mai i ***pansoti* di magro** con burro e salvia, le lasagne, le trofie o altre paste al pesto, i tortelli di vari formati e farciture, i **ravioli alla genovese con il tocco**, oltre a zuppe e minestre nelle quali cavolo nero e legumi sono gli ingredienti più utilizzati. I secondi variano spesso, ma sono quasi sempre in lista il **coniglio alla ligure**, lo **stoccafisso accomodato**, le ***tomaxelle* alla genovese** (involtini di carne in ristretto di pomodoro), i fiori di zucca ripieni di robiola (o pecorino o mozzarella e acciuga). Da provare, quando disponibile, il ***bagnun* di acciughe**. All'ampia scelta di formaggi di provenienza prevalentemente piemontese (Acquese e Monferrato in primis) e francese, seguono dolci di buona fattura come il cremino alla panna (con varie guarniture), il semifreddo al torrone di Visone, il castagnaccio e i canestrelli (o altre paste frolle) alle nocciole.

La cantina ha ridotto il suo ventaglio di scelte, ma la qualità dei produttori resta di buon livello.

Dai Fratelli Priano, via Camozzini 69 R, potrete assaggiare la focaccia di Voltri, più sottile e asciutta di quella genovese, infornata su una manciata di farina di polenta.

Monterosso
Beo

34 km a ovest di La Spezia

Il ciliegio

Ristorante
Località Beo, 2
Tel. 0187 817829
Chiuso il lunedì
Orario: mezzogiorno e sera
Ferie: 5 novembre-5 dicembre
Coperti: 70 + 50 esterni
Prezzi: 30-35 euro vini esclusi
Carte di credito: tutte, Bancomat

Il ristorante di Rosanna e Teresa si trova sulle alture di Monterosso, in splendida posizione, con vista sull'ultimo paese delle Cinque Terre e sul promontorio del Mesco. Vi si giunge da La Spezia percorrendo in auto la litoranea panoramica fino alla colla di Gritta. Il nostro suggerimento è però di arrivare a Monterosso in treno e, avendo prenotato con anticipo, farsi venire a prendere alla stazione ferroviaria dal pulmino del ristorante.

Qualche concessione a piatti "turistici", data la zona, è inevitabile, ma la cucina della tradizione è ben rappresentata, realizzata con semplicità e mano felice, utilizzando ottime materie prime locali quali l'olio extravergine d'oliva, le erbe aromatiche e le verdure, il pesce povero. Parliamo, in particolare, dei piatti a base di **acciughe** di Monterosso (al limone, fritte, marinate, a cotoletta, ripiene) e dei delicati **muscoli ripieni** o alla marinara. Fra i primi spiccano le **trofie al pesto**, ma sono molto buone anche le **trofie al pesce spada** e agli scampi. I pesci preparati arrosto come secondo variano in base alla disponibità del mercato; prenotando, potrete gustare invece una ricca **zuppa di pesce**. Tra i dolci più interessanti, il semifreddo di ricotta servito con un bicchiere di Sciacchetrà.

Nella carta dei vini sono ben rappresentate le tre doc della provincia spezzina. Da novembre a maggio il locale è aperto nei weekend e su prenotazione.

Nel centro storico, in piazza Garibaldi, ha sede il laboratorio di salagione del Parco nazionale delle Cinque Terre in cui trovare le buone acciughe locali.

NE
Conscenti

53 KM A EST DI GENOVA SS 1 O A 12 USCITA LAVAGNA

ANTICA OSTERIA DEI MOSTO

Trattoria
Piazza dei Mosto, 15/1
Tel. 0185 337502
Chiuso il mercoledì
Orario: mezzogiorno e sera
Ferie: variabili
Coperti: 50
Prezzi: 32-35 euro vini esclusi
Carte di credito: tutte, Bancomat

Siamo nell'entroterra di Lavagna, in Valgraveglia, rinomata per le sue tradizioni contadine e per la buona tavola. Nella piazza del paesino di Conscenti troviamo al primo piano del civico 15 questa tipica trattoria. Il locale è composto da due salette arredate sobriamente con tavoli di legno, dove si può gustare la buona cucina preparata con passione da Catia, motore trainante della trattoria. In sala il servizio è di impronta familiare e Franco Solari, marito di Catia, vi consiglierà i piatti e i migliori abbinamenti.
Un assaggio di tortini di verdura di stagione, le focaccine calde e i ***testaieu* al pesto**, sottili dischetti di farina, acqua e sale, formano l'antipasto caldo Ca' Mosto. Fra i primi piatti spiccano i ***mandilli de sea*** al pesto oppure in crema di funghi, i **ravioli di borragine al sugo di carne**, le ***picagge* perse al ragù di verdure**. Passando ai piatti di mezzo, troviamo la **cima alla genovese**, le delicate **lattughe ripiene** in umido, il tenerissimo *asado* al forno con patate e l'immancabile **fritto misto alla genovese**. Buona la selezione di formaggi nazionali e locali. I dolci, tutti di produzione propria, si articolano fra torte, sorbetti e le imperdibili ***gallanne pinn-e***, fagottini caldi ripieni di crema.
Quanto alla cantina, sceglierete fra il buon sfuso della casa e i vini di una carta ben strutturata e dettagliata, dall'onesto rapporto tra qualità e prezzo.

A pochi metri, presso l'enoteca U Cantu, potrete acquistare bottiglie con ricarichi adeguati, prendere un aperitivo, gustare piatti freddi, salumi e formaggi.

NE

53 KM A EST DI GENOVA A 12 O SS 1

LA BRINCA

Trattoria
Via Campo di Ne, 58
Tel. 0185 337480
Chiuso il lunedì
Orario: sera, sab dom e festivi anche pranzo
Ferie: variabili
Coperti: 80 + 20 esterni
Prezzi: 30-33 euro vini esclusi
Carte di credito: tutte, Bancomat

Anche quest'anno Sergio Circella e famiglia confermano la buona qualità della cucina e l'attaccamento alle tradizioni contadine della Valgraveglia. In un locale finemente arredato, con antiche fotografie di Campo di Ne appese ai muri e tavoli ben distanziati, è possibile effettuare un percorso culinario di tutto riguardo, scegliendo alla carta o affidandosi al menù degustazione.
Per cominciare, sono da segnalare il ***prebugiun*** di Ne, a base di patate locali e cavolo nero, il raviolo alla brace, la **baciocca** (torta di patate quarantine), i *testaieu* al pesto e una buona selezione di salumi della Valgraveglia accompagnata dal *pan martin*, pane di frumento e castagne tipico della zona. La pasta fresca è tutta fatta a mano: da provare i **ravioli di erbette *cu toccu*** (sugo di carne aromatico), le losanghe di grano tosella e gli **gnocchetti di patate al pesto di mortaio**, i taglierini verdi al sugo di funghi, le **lattughe ripiene in brodo**. Come i primi, anche i secondi piatti variano secondo stagione: la scelta può variare dalla punta di vitello cotta in forno a legna al coniglio in casseruola con scorzonera e olive, dalle ***tomaxelle***, involtini di vitella ripieni di carne, erbe aromatiche e funghi, al **fritto misto alla genovese**. Originale la selezione di piccole e rare produzioni casearie locali (fra le quali il *sarazzu* e il *sanstè*) da abbinare alla confettura di cipolle rosse di Zerli. I dolci, oltre che buoni, sono ben presentati: spiccano il **brinchetto** (un dolce di pan di Spagna con creme e nocciole locali), il semifreddo allo sciroppo di rose, il biancomangiare alle tre salse.
La corposa carta dei vini pone particolare attenzione alla produzione ligure.

Osteria accessibile ai disabili.

Ortonovo
Nicola

26 km a est di La Spezia

Da fiorella

Osteria tradizionale-trattoria
Via per Nicola, 46
Tel. 0187 66857
Chiuso il giovedì
Orario: mezzogiorno e sera
Ferie: in gennaio e in settembre
Coperti: 75
Prezzi: 25-30 euro vini esclusi
Carte di credito: tutte tranne DC, Bancomat

Semplice raggiungere questo locale che propone cucina tradizionale di confine tra Liguria e Toscana: basta salire dall'Aurelia in località Dogana per giungere al borgo medievale di Nicola. Fiorella si trova proprio dove iniziano le mura, in un'incantevole piazzetta a terrazzo da cui è possibile ammirare il meraviglioso panorama della valle del fiume Magra che va dalla piana di Luni fino al mare della Versilia.
Accomodati in una delle due sale arredate in modo spartano, fin dall'antipasto vedrete sfilare in tavola classici quali **torte di verdura**, focacce al rosmarino e alle noci, verdure sott'olio e ripiene, salumi di produzione locale come la celebre prosciutta di Castelnuovo. A seguire, non mancano i **testaroli**, serviti con tre diversi condimenti (all'olio e parmigiano, al pesto, ai funghi). Vale di certo l'assaggio la pasta fresca fatta in casa: da provare i **quadrucci ai ceci**, i ravioli al ragù, le lunette di zucchine con pomodoro fresco, gli gnocchi di patate al pesto, i tagliolini alle verdure o ai funghi. Chi ama la carne troverà un'ampia scelta di preparazioni alla brace e, soprattutto, la grande specialità di questo locale: il **fritto misto** a base di pollo, agnello, coniglio e verdure. Non manca tuttavia qualche specialità di mare: baccalà, pesce fritto, al forno o al sale. Si conclude con la classica **torta di riso**, gli amaretti o le crostate con marmellata.
Le migliori etichette della zona affiancano in cantina una buona selezione di bottiglie italiane.

Locale segnalato
dall'Associazione italiana celiachia.

A **Ortonovo** (4 km), due forni dove gustare ottimo pane cotto nel forno a legna, focacce al rosmarino o al basilico e diversi dolci: Paola Ambrosini, via Isola 13, e Da Cudì, in località Isola, via Gaggio 48.

Ortonovo
Nicola

26 km a est di La Spezia

Locanda della marchesa

Trattoria
Piazza della Chiesa, 19
Tel. 0187 660491
Chiuso il lunedì
Orario: mezzogiorno e sera
Ferie: novembre, 6-31 gennaio
Coperti: 60 + 30 esterni
Prezzi: 35 euro vini esclusi
Carte di credito: tutte, Bancomat

Al piccolo borgo medievale di Nicola si arriva lasciando l'Aurelia in località Dogana di Ortonovo e percorrendo una stradina che si snoda tra vigneti e oliveti fin sotto le mura, dove si lascia l'automobile. Percorrere a piedi le viuzze voltate, immersi nel silenzio, vi calerà immediatamente in una rilassante atmosfera che proseguirà anche quando, arrivati in piazza della Chiesa, entrerete nei locali della Locanda della Marchesa.
Ai fornelli c'è sempre lei, Sonia Lorenzini, coadiuvata in sala da qualche anno dalla vulcanica marchesa Benedetta Venezia, artefice del rinnovamento dei locali, ora più accoglienti ed eleganti. In estate si può mangiare a lume di candela anche all'esterno, sul ciottolato della piazza; in inverno potrete chiedere di cenare nella saletta vicino alla cucina, dove troverete il camino sempre acceso. Per cominciare, non mancano mai le **torte di verdura** e il **lardo di Colonnata**. Si prosegue con ottimi **ravioli al ragù di carne**, risotti con verdure di stagione e l'immancabile ribollita. Tra i secondi spesso l'**agnello panato alle erbe**, il maialino al mirto con cipolle di Tropea, il guanciale di vitello alle olive taggiasche. Se disponibili, da non perdere, le **acciughe** di Monterosso **marinate** con cipolle di Treschietto. Si conclude con la torta fondente al cioccolato, la crostata di arance amare o la crema gelato di agrumi.
Immancabili in cantina le etichette dei Colli di Luni, oltre a qualche bottiglia toscana e piemontese.

A **Ortonovo** (4 km) da Magnani, via Aurelia 168, ottimi salumi, formaggi nazionali, miele artigianale e vini dei Colli di Luni.

Ospedaletti

32 km a ovest di Imperia, 11 km da Ventimiglia ss 1 o A 10

La playa

Ristorante
Via XX Settembre, 153
Tel. 0184 688045-328 5823845
Chiuso il martedì, mai d'estate
Orario: solo a pranzo
Ferie: ottobre e novembre
Coperti: 35 + 35 esterni
Prezzi: 35 euro vini esclusi
Carta di credito: Visa

Olio, erbe, verdure e, naturalmente, sapori di mare nella piacevole cornice marina di uno degli storici stabilimenti balneari della città di Ospedaletti. Questa è la sintesi di un pranzo dalle signore dei fornelli, Paola Incerti e Liliana Vegetta, autrici appassionate di una cucina all'insegna della semplicità, della leggerezza e, soprattutto, della buona scelta delle materie prime. Gli altri due artefici del successo del locale sono Fabrizio Incerti e il figlio Stefano: il primo fa gli onori di casa in modo informale ma con puntualità e attenzione, il secondo è spesso in mare con gozzo e palamiti. L'ambiente, il cui motivo cromatico dominante è il giallo, è sobriamente arredato e, nella bella stagione, offre la possibilità di mangiare all'aperto. I coperti sono pochi, è quindi sempre consigliabile prenotare. Il menù varia in ragione delle stagioni e del pescato giornaliero.
L'esordio: il tradizionale ***brandacujon***, tartara di sorallo, tonno tonnato, acciughe marinate, **gamberi e carciofi con *machetu***. Tra i primi, ravioli di borragine, i tipici ***sciancui* al pesto** con verdure, fusilli con ragù di tonno fresco e melanzane, zuppetta di vongole e cozze, spaghetti alle vongole veraci. Si passa ai secondi con **stoccafisso accomodato**, fritto di spina con calamari e gamberi, tagliata di tonno alle erbe aromatiche, spezzatino di pesce lama con zucchine trombette, pescato al forno con verdure, **polpo con patate** e colatura di alici. Tra i dessert, oltre alle casalinghe torte alla frutta di stagione, budino di crema e cioccolato, *cheesecake* con salsa di lamponi, cialda con gelato al fiordilatte e mosto di vino caramellato, sorbetti alla frutta.
Carta dei vini essenziale ma con buone etichette dai ricarichi corretti.

Pigna

53 km a ovest di Imperia, 27 km da Sanremo

Terme

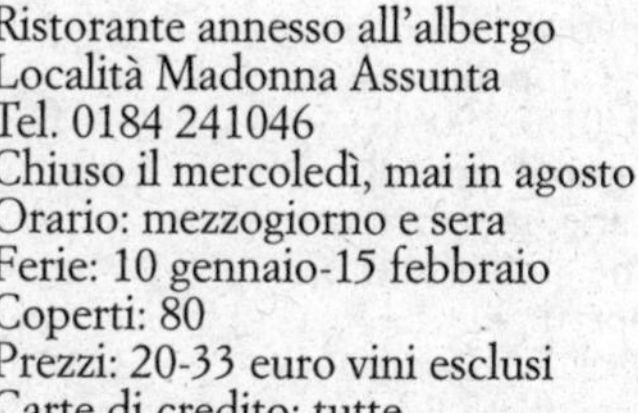
Ristorante annesso all'albergo
Località Madonna Assunta
Tel. 0184 241046
Chiuso il mercoledì, mai in agosto
Orario: mezzogiorno e sera
Ferie: 10 gennaio-15 febbraio
Coperti: 80
Prezzi: 20-33 euro vini esclusi
Carte di credito: tutte

Arrivando a Pigna, capitale della Val Nervia, si respira aria di montagna. Siamo a 280 metri di quota, ma tutt'intorno si elevano cime di oltre 2000 metri; boschi e olivi completano il paesaggio. Nel borgo medievale, poi, merita una visita la chiesa di San Michele, dov'è custodito un polittico del Canavesio risalente al XVI secolo. Quest'anno, il ristorante-albergo della famiglia Lanteri festeggia i quarant'anni di attività. I piatti della tradizione sono preparati con cura dalla signora Gloria; in sala, il marito Silvio e i figli Maura e Claudio (quest'ultimo si occupa anche dei vini). Si può scegliere tra due menù degustazione da 20 e 28 euro, oppure affidarsi alla carta.
Si comincia con ***barbagiuai***, cima, tortino di zucchine trombetta, di porcini o di carciofi, l'ormai raro ***gran pistau*** (minestra di grano). Tra i primi troviamo **ravioli di magro**, tagliatelle al tocco di coniglio, **pansotti al sugo di noci**, tortelli di magro con porcini o carciofi, **zuppa di maltagliati e fagioli bianchi di Pigna** (Presidio Slow Food). I secondi sono tutti a base di carne, escluso lo stoccafisso accomodato: **coniglio al Rossese e olive taggiasche**, agnello al forno alle erbe aromatiche, cinghiale in salmì, **stufato di capra e fagioli bianchi di Pigna**. Si può continuare con formaggi locali per terminare con zuppa inglese, torte casalinghe di pere o mele.
Più di 300 le etichette piemontesi, liguri e toscane a disposizione. Buona la selezione di whisky. In loco si possono acquistare sia i fagioli di Pigna sia gli oli extravergini di oliva taggiasca serviti in tavola.

Forno Papalia, via De Sonnaz: da un'antica ricetta un pane dal gusto unico, impastato con farina integrale e crusca.

Portovenere

13 km a SE di La Spezia

Antica osteria del Carugio

Osteria tradizionale
Via Cappellini, 66
Tel. 0187 790617
Chiuso il giovedì
Orario: mezzogiorno e sera
Ferie: in novembre
Coperti: 60
Prezzi: 15-20 euro
Carte di credito: nessuna

L'Osteria del Carugio di Portovenere rimane una sosta affidabile nel panorama gastronomico locale che deve far fronte a un'affluenza turistica molto massiccia e non sempre rimane fedele alla tradizione gastronomica ligure. Aperto nel 1890, il locale è ancora oggi gestito dalla famiglia Clerici, che continua a proporre pochi collaudati piatti della tradizione che variano secondo stagione. Entrando, ci si trova direttamente in una delle due salette, quella con il bel bancone in marmo da cui si intravede la cucina gestita dalla signora Maria; nell'altra, sono presenti arredi marinari e di navigazione. Ci si siede ai lunghi tavoli di legno con le panche, a fianco di altri avventori: nonostante la grande affluenza, il servizio è rapido e curato. Il menù è recitato a voce, con dovizia di particolari per soddisfare l'interesse dei numerosi turisti italiani e stranieri, da Antonio o dai suoi due giovani aiutanti.
Spiccano fra i primi piatti la ***mes-ciua***, tradizionale zuppa spezzina a base di cereali, e gli **spaghetti con le acciughe** oppure con i muscoli. I secondi possono anche costituire un valido piatto unico: i più consueti sono i **muscoli ripieni**, il **polpo con le patate**, le acciughe salate condite con olio e aglio, i **fagioli con la salsiccia** o con tonno e cipolle. Chiude degnamente il pasto una fetta di pandolce, in bella mostra sul bancone di marmo.
Da non dimenticare che non è possibile prenotare e che, la sera, il locale chiude alle 21.

Presso il bar Lamia, in calata Doria, gelati, aperitivi e un'ottima selezione di vini e distillati.

Rapallo
San Massimo

31 km a est di Genova a 12 o ss 1

U giancu

Trattoria
Via San Massimo, 78
Tel. 0185 260505
Chiuso il mercoledì
Orario: sera, a pranzo su prenotazione
Ferie: variabili
Coperti: 90 + 60 esterni
Prezzi: 35 euro vini esclusi
Carte di credito: tutte tranne AE, Bancomat

Questo accogliente locale ha acquisito una meritata notorietà per la qualità della proposta e la *verve* del titolare, Fausto Oneto, che divide oneri e onori con i figli Emanuele e Martino. Fumetti e caricature decorano le pareti del ristorante – d'estate si può optare per il fresco giardino con annesso spazio attrezzato per i bambini, ai quali è dedicato un menù ridotto – mentre una rassegna di originali e spiritosi cappellini esibita dal patron scandisce la sequenza delle portate.
Erbe e fiori del ***prebuggiun*** in insalata, piatto simbolo del locale, sono reperite nei prati circostanti; a conferma che le verdure la fanno da padrone, troverete anche fettuccine di farro saltate nel verde (un trionfo di ortaggi ed extravergine ligure) e un lodevole **minestrone** arricchito dal pesto. Ma andiamo con ordine. All'unica entrata, il Gianc'antipasto misto, seguono taglierini di grano kamut conditi con sugo di funghi o saltati con porcini freschi, **testaroli al pesto con fagiolini e patate**. Al mare è dedicato unicamente lo **stoccafisso accomodato** mentre è maggiore la scelta tra le pietanze terragne: funghi e patate al forno, bracioline di agnello alle erbe, faraona arrosto, tagliata di manzo piemontese, sformati, ripieni e **torte di verdura** guarnite con insalatina di campo. Per formaggi e dessert ci sono proposte interessanti come varie stagionature di parmigiano reggiano, sorbetti di frutta fresca, biscotti e crostate casalinghe.
Lista dei vini ampia e completa, con ricarichi corretti. In estate e nel fine settimana è opportuna la prenotazione.

Sul lungomare di Rapallo, vicino al Chiosco della Musica, la famiglia Porrati gestisce la Bottega dei Sestieri (salumi e formaggi di qualità) e l'attiguo Parlacomemangi: enoteca, drogheria, cioccolateria.

Riccò del Golfo
Ponzò

11 km a NO di La Spezia SS 1

Antica trattoria Cerretti

Trattoria
Via San Cristoforo, 22
Tel. 0187 926277
Chiuso il mercoledì
Orario: mezzogiorno e sera
Ferie: non ne fa
Coperti: 50
Prezzi: 28-33 euro vini esclusi
Carte di credito: tutte, Bancomat

Le origini del castello di Ponzò risalgono al Medio Evo: da quassù, immersi nel verde della val di Vara e a pochi chilometri dalle Cinque Terre, la vista si perde tra le colline fino a vedere il mare del golfo della Spezia. Cerretti non ha origini così antiche, ma può comunque vantare una storia ricca di tradizione, da bottega di paese con mescita negli anni Trenta a trattoria di campagna gestita oggi dalla famiglia Guastini. Entrati nell'unica grande sala da pranzo, sarete accolti dall'esuberante Teano, aiutato in sala da alcune valide collaboratrici e in cucina dalla moglie Paola e dal figlio Matteo. Quest'ultimo si dedica con passione anche alla cura della cantina.
Gli antipasti consistono in verdure sott'olio o marinate, lardo di Colonnata e salumi della vicina Pignone, i più rinomati della val di Vara. La pasta fresca fatta a mano è condita con i sughi di stagione: porri, cicale e muscoli, baccalà, funghi porcini. Non mancano i classici **ravioli di carne e verdura con il tocco** e, in inverno, un'ottima polenta di *formenton*. I secondi di carne (**trippa**, arrosti, **coniglio alla ligure**) prevalgono in inverno, mentre nella bella stagione sono più consuete alcune classiche ricette di mare: **seppie in zimino**, polpo all'inferno, zuppa di muscoli. Varie le preparazioni a base di **funghi** (ottimi quelli ripieni). Nei mesi freddi si organizzano serate a tema dedicate allo **stoccafisso** e al baccalà.
I dolci sono all'altezza: tiramisù con i frutti di bosco, buccellato, crostate di frutta. La prenotazione è consigliata.
A gennaio e febbraio la trattoria apre solo nei fine settimana.

A **Pignone** (7 km), appena fuori dal centro storico, sulla via per le Cinque Terre, il Salumificio Pignone è un valido indirizzo per salsicce, salami e testa in cassetta.

Riomaggiore

13 km a ovest di La Spezia

Ripa del sole

Ristorante
Via De Gasperi, 282
Tel. 0187 920143
Chiuso il lunedì
Orario: mezzogiorno e sera
Ferie: novembre
Coperti: 70 + 50 esterni
Prezzi: 30-35 euro vini esclusi
Carte di credito: tutte, Bancomat

Scegliere per la vostra sosta gastronomica il locale gestito da Daniela e Matteo Bertola significa ritrovare innanzitutto la "solarità" del cibo e del vino delle Cinque Terre. La cucina è ovviamente di mare; i due patron fanno tesoro dei tanti preziosi segreti trasmessi loro dalla madre attraverso le ricette di famiglia. Potrete gustare il vostro pasto nella bella sala arredata in stile marinaro o, meglio ancora, nella terrazza da cui si ammira un ampio panorama della zona.
Una delle tante preparazioni a base di **acciughe** (**ripiene**, marinate, salate, o fritte alla moda spezzina) costituisce certo il miglior modo per iniziare il pasto; in alternativa ci sono la soppressata di polpo, i **moscardini in guazzetto**, il nasello in spuma. I **ravioli di pesce**, insaporiti con timo e maggiorana com'è d'uso in questa zona, sono certo gustosi e ricchi di profumi, ma risultano altrettanto validi il risotto ai frutti di mare, le **trenette con le acciughe fresche e i pinoli**, le trofie al pesto. In base a quello che offre quotidianamente il mercato del pesce, varierà la composizione delle buone grigliate o delle teglie di pesce e verdure. Leggera e fragrante, merita l'assaggio anche la **frittura di mare**; immancabili poi, quand'è stagione, i locali **muscoli ripieni**. Degna conclusione con lo **zabaione allo Sciacchetrà** o i quadrotti di cioccolato con salsa allo zabaione.
In cantina prevalgono bottiglie delle Cinque Terre, ma non manca una buona selezione di etichette nazionali.

In via Colombo, da "Te la do io la merenda" una buona focaccia anche guarnita con verdure, patate e pomodori; al bar Amore, in posizione privilegiata lungo la Via dell'Amore, spuntini a base di acciughe e vino delle Cinque Terre.

Sarzana

16 km a est di La Spezia

Il lupo

Trattoria
Via Cisa, 72
Tel. 0187 622619
Chiuso il lunedì
Orario: solo la sera
Ferie: 15 giorni in settembre
Coperti: 25
Prezzi: 20-25 euro vini esclusi
Carte di credito: nessuna

In prossimità di Porta Parma troverete il locale che Roberta Pelliti, negli anni, ha trasformato da forno artigianale in osteria. Ancora oggi non mancano in menù la **farinata**, calda e croccante, sfornata per tutta la sera, le **torte di verdura** e le focacce. Inoltre, a rotazione e seguendo il ritmo stagionale della frutta e della verdura disponibile nel vicino mercato di Pallodola, qui troviamo preparazioni liguri e toscane che a Sarzana, terra di confine, si fondono in un ricettario originale.
Le pietanze del Lupo possono essere assaggiati in successione ma fungono anche quasi tutti da piatto unico: il ***condiggion*** con verdure e mosciame di tonno, la zuppa di muscoli e fagioli cannellini, i **muscoli ripieni**, il baccalà marinato con i ceci, i crostini con le acciughe salate e condite con olio extravergine, lo **stoccafisso in umido**, il **coniglio ripieno**. I primi piatti contemplano la ***mesciua*** (classica zuppa di legumi spezzina), la ribollita della vicina Toscana, le classiche **lasagne tordellate** (condite con il ripieno dei ravioli), i ravioli di pesce. Per finire, assaggiate la **spongata**, un dolce di origine medievale presente in differenti versioni da Sarzana fino alla Lombardia passando attraverso la val di Taro: la ricetta locale prevede una doppia sfoglia croccante di farina e miele e una farcia di marmellata, frutta secca e spezie.
La cantina offre una selezione dei vini dei Colli di Luni, comprese alcune etichette di produttori sarzanesi.

A **Pallodola** (2 km), lungo la via Cisa, il bel mercato ortofrutticolo è aperto solo la mattina; di fronte, l'Azienda Agricola Dimostrativa propone piante e semi della produzione orticola provinciale.

Sarzana

16 km a est di La Spezia

Panzallegra

Osteria di recente fondazione
Via Mascardi, 21
Tel. 0187 610606
Chiuso lunedì e martedì, mai in agosto
Orario: solo la sera
Ferie: variabili
Coperti: 25 + 12 esterni
Prezzi: 25-35 euro vini esclusi
Carte di credito: tutte

Sarzana vanta un centro storico medievale di grande fascino, popolato da botteghe artigiane, negozi antiquari, locali grandi e piccoli, classici e alla moda. Tra quelli che meglio interpretano lo spirito *slow*, Panzallegra si trova in una piccola via del centro, a pochi passi da piazza Matteotti, recentemente ristrutturata e chiusa al traffico. Il minuscolo locale è composto da una saletta arredata in stile rustico con pietra a vista e da una cucina altrettanto piccola ma adatta a Paola che qui ha costruito il suo regno, fra ricette della tradizione ligure e lunigianese e un tocco di sapiente originalità. In sala vi accolgono il marito Maurizio e la figlia Monica.
Tante, per iniziare, le preparazioni a base di **muscoli** (sott'olio, in zuppetta con il pane, ripieni), frutto dell'acquacoltura che in zona dà lavoro a oltre cento famiglie che si tramandano il mestiere di generazione in generazione. In alternativa, **acciughe** a scabeccio o sotto sale condite con olio e prezzemolo, frittelle di baccalà, torte di vedure e lardo di Colonnata. Il novero dei primi piatti comprende tagliolini con le acciughe oppure al nero di seppia con il baccalà, **ravioli di borragine**, pasta e fagioli. Fra i secondi, **coniglio alla ligure**, frittata con le cipolle di Treschietto, **acciughe ripiene**. I dolci: frittelle di mele, **spongata sarzanese** e panzerotti di farina di castagne.
La carta dei vini contempla etichette locali ma anche numerose bottiglie nazionali di pregio. Meglio prenotare, soprattutto in estate e nei fine settimana.
La domenica in inverno il locale apre anche a mezzogiorno,

Due ottime pasticcerie: Francesco, in via Terzi 16, per eccellenti dolci della tradizione; Gemmi, in via Mazzini 21, locale storico per una spongata o un dopocena nelle bellissime sale interne.

Savona

Vino e farinata

Osteria tradizionale
Via Pia, 15 R
Non ha telefono
Chiuso domenica, lunedì e festivi
Orario: mezzogiorno e sera
Ferie: settembre
Coperti: 120
Prezzi: 18-23 euro vini esclusi
Carte di credito: nessuna

Entrare in via Pia, un vero e proprio carruggio, significa entrare in un pezzo di storia di Savona. Fra le prime attività commerciali che incontrerete arrivando da via Paleocapa, c'è Vino e Farinata che di anni ne ha più di 130. Giorgio, Bruna e Angelina Delgrande hanno rilevato questa attività nel 1979 senza modificare la struttura originale. Si entra attraverso un piccolo corridoio che costeggia il forno per la farinata sia da asporto sia servita nel locale; dopo aver atteso in coda il vostro turno (non si può prenotare se non di persona) verrete fatti accomodare in rustici tavoli e potrete leggere una lista molto ricca di piatti della tradizione ligure, differente fra il pranzo e la cena.
L'ottima **farinata** di grano (specialità prettamente savonese) o di ceci, non è l'unica specialità: qui troverete anche una bella offerta di pesce del Mar Ligure. Palamite, gallinelle e cernie sono cucinate in vari modi; consigliabili inoltre i **pinoletti** (pesciolini) **fritti**, le **sardine ripiene al forno**, le cozze alla marinara, le **seppie con i piselli**. Per quel che riguarda i primi, un buon **minestrone** tradizionale non fa rimpiangere la poca scelta. Fra i secondi di terra, spiccano le **verdure ripiene** e la **cima alla genovese**. Dolci trascurabili, pochi vini, niente caffè né superalcolici.
Il personale è rapido e gentile, il contenuto prezzo finale è davvero una rarità per la Liguria. Nota tra gli amanti degli animali: non solo i cani sono ben accetti, ma verrà loro offerto anche qualche pezzo di carne "di benvenuto".

A 100 metri dall'osteria, ottimi gelati da I Golosi. Nella zona del porto, in via Giuria, merita una visita il mercato coperto. A **Zinola** (4 km), in via Nizza 290 R, la pescheria Santina propone pesce freschissimo locale.

Sori
Capreno

16 km a SE di Genova SS 1 o A 12

Da drin

Trattoria
Frazione Capreno, 66
Tel. 0185 782210
Chiuso il mercoledì
Orario: mezzogiorno e sera
Ferie: 15 settembre-15 ottobre, Natale
Coperti: 70 + 30 esterni
Prezzi: 24-28 euro vini esclusi
Carte di credito: le principali, Bancomat

All'origine il locale era il classico punto di ritrovo del paesino dell'entroterra ligure, un bar-tabacchi con annessa rivendita di commestibili. In quasi cento anni di attività continuativa, la famiglia Castagnola è riuscita, trasformando l'attività originaria, a distinguersi fra le numerose e ottime osterie della valle sopra il paese rivierasco di Sori. Una veranda e una terrazza panoramica dove ci si può riparare dalla calura estiva sono state aggiunte all'antica sala interna: ambienti semplici e informali dove gustare i sapori della tradizione.
Possiamo iniziare con le famose focaccine al formaggio, mai unte e fritte esclusivamente in padella, un saporito misto di **verdure ripiene** composto da zucchine, melanzane tonde, cipolle e peperoni, o, quando è stagione, con la ricca insalata di funghi. Nella scelta dei primi, tutti lavorati a mano, possiamo farci tentare dalle **trofiette al pesto con patate e fagiolini**, dai taglierini proposti al sugo di carne o di funghi, dai ***pansoti* in salsa di noci** e dai ravioli al sugo di carne. I secondi interpretano il più classico repertorio culinario del territorio: **coniglio in casseruola alla ligure**, **cima alla genovese**, **fritto misto**, funghi fritti o al verde con le patate. Da non perdere, tra gennaio e aprile, le costolette di agnello fritto con i carciofi; su prenotazione è disponibile anche lo **stoccafisso accomodato**.
La scelta del dessert spazia fra crostate, tortini casalinghi e sorbetti.
La carta dei vini comprende varie etichette nazionali dagli onesti ricarichi.

Varese Ligure

52 km a NO di La Spezia ss 523

Gli amici

Ristorante annesso all'albergo
Via Garibaldi, 80
Tel. 0187 842139
Chiuso il mercoledì, mai d'estate
Orario: mezzogiorno e sera
Ferie: tra Natale e Capodanno
Coperti: 100
Prezzi: 25 euro vini esclusi
Carte di credito: nessuna, Bancomat

Sulla scia dell'impegno profuso dall'amministrazione comunale di Varese Ligure fin dai primi anni Novanta in precise scelte a difesa dell'ambiente, tutti i piccoli comuni della val di Vara hanno costruito intorno alla sostenibilità il loro punto di forza e riscoperto la vocazione agricola con piccole e piccolissime produzioni.

La famiglia Marcone, che gestisce l'albergo-ristorante Amici da quasi duecento anni, non ha mai avuto dubbi su quali fossero le scelte da seguire anche in cucina: ricette liguri ed emiliane e materie prime locali, a cominciare dai salumi della vicina Pignone come testa in cassetta, salsiccia e salame. Tra i primi da non perdere i **crosetti** (dischetti di pasta preparati a mano con stampati motivi floreali) **con la salsa di pinoli**, le ***sciuette*** di farina di castagne, i tortelloni di funghi conditi con timo e olio e, in stagione, le tagliatelle con i funghi. Il menù dà risalto alle produzioni biologiche locali sia con la selezione di formaggi sia con la carne, utilizzata per preparare l'ottima **cima alla genovese**, le **tomaselle** (involtini di carne ed erbe aromatiche), i **crocchini** (involtini di carne fritti in pastella), e gli **stecchi**, piatto più emiliano che ligure, consistente in carne speziata avvolta in una morbida crema e poi fritta. Dolci casalinghi fra cui la crostata di ricotta e il semifreddo all'amaretto, da accompagnare, volendo, al passito ligure più famoso: lo Sciacchetrà.

Curata la carta dei vini con etichette liguri, toscane e piemontesi.

In località Salino, l'azienda Salino di Gustavo Bachi alleva animali fra cui la cinta senese per coppe e salumi di alta qualità. A **San Pietro Vara** (6 km), l'omonima cooperativa vende carne bovina biologica; poco distante, in località Perassa, formaggi biologici presso la cooperativa casearia.

I farinotti

La ricetta della farinata è semplicissima: farina di ceci, olio di oliva extravergine, acqua, sale. Cotta in forno in grandi teglie di rame stagnato a bordi bassissimi, rinforzati robustamente, va mangiata appena fatta, ben calda, spolverata di pepe nero. Adatta alle stagioni fredde, è proposta anche in versioni più ricche: con il rosmarino, i bianchetti, le cipolle.

Non si tratta di una specialità esclusivamente ligure: nel nizzardo, con gli stessi ingredienti si prepara la zocca, tra Pisa e Livorno la cecina. Ma per i liguri, *a fainà* (chiamata *frisciolata* nell'imperiese) è una vera e propria istituzione. Se ne considerano, se non gli inventori, quantomeno i codificatori.

I locali che la preparano, un po' in tutta la regione, sono spesso senza nome, con pochi tavoli o magari dotati di appena qualche sgabello vicino al bancone, dove consumare un rapido spuntino accompagnandolo (quando c'è) con il vino offerto alla mescita. C'è chi, per fare fronte alla domanda, si è un po' allargato preparando tranci di pizza o trasformandosi in un ibrido tra friggitoria e tavola calda. Assediati dalle pizzerie, incalzati da nuove abitudini alimentari, sono quasi in via di estinzione. Ma in quanto testimoni di un'antica cultura del cibo, sono un patrimonio da salvare. Ecco una panoramica dei migliori, da Ponente a Levante.

Diego Soracco

Albenga (Sv)
Puppo

Via Torlaro, 20
Tel. 0182 51853
Chiuso il lunedì, mai in agosto
Orario: 12.00-14.00/18.00-22.00, domenica e in estate 18.00-22.30
Ferie: 10 giorni in novembre, 10 tra giugno e luglio, una settimana tra febbraio e marzo

Se siete a passeggio negli antichi carruggi verso l'ora di cena, magari dopo aver visitato la nave romana custodita nel Museo Archeologico, e vedete un assembramento di persone in attesa, probabilmente siete arrivati da Puppo. La vostra pazienza sarà ricompensata dalla fragranza della farinata (fatta alla maniera di Albenga, spessa e morbida e servita in dose "normale", "abbondante" o "doppia") ma anche delle torte verdi, dei ripieni o delle frittelle di baccalà. Troverete anche piatti alla griglia (carne e pesce), qualche ricetta della tradizione locale preparata col pescato del giorno, persino la pizza. Potrete bere il vino sfuso o scegliere tra alcune bottiglie locali e piemontesi.

Pietra Ligure (Sv)
Da virginia

Via Mazzini, 70
Tel. 019 615755
Chiuso giovedì pomeriggio e domenica, mai d'estate
Orario: 17.00-20.00, festivi anche 11.00-13.00
Ferie: variabili

Centro storico, alle spalle della piazza principale: qui, dal 1870, trovate un negozio di alimentari con forno a legna che, con orgoglio e passione (numerose le benemerenze esposte), propone la tipica farinata ligure. Lo gestiscono Candida Damasseno e la figlia Annamaria. È possibile acquistare (a peso) sia la classica farinata di ceci (a scelta più sottile o, come da tradizione pietrese, più spessa e morbida) sia la più rara (fuori Savona) farinata bianca di farina di grano (solo su prenotazione di un intero "testo"). Due panche, una dentro al negozio, l'altra sulla strada, consentono a chi non ha la pazienza di portarla a casa (attentamente impacchettata per mantenerla calda), di consumarla sul posto.

Savona
Vino e farinata

Via Pia, 15 R
Non ha telefono
Chiuso domenica, lunedì e festivi
Orario: mezzogiorno e sera
Ferie: settembre

Farinotto savonese per antonomasia, è presente da una vita nel centro storico più antico. Deve la sua fama a una farinata davvero molto buona. Al costo di 2 euro la porzione è possibile apprezzarla in molte varianti, sia nella versione gialla (di ceci) sia in quella bianca (di frumento, tipica savonese). In inverno è un piacere sedere nella panca all'interno per scaldarsi nell'attesa del proprio turno.

Genova Boccadasse
L'angolo della farinata

Via Boccadasse, 67 R
Tel. 010 3760174
Chiuso la domenica, in luglio anche sabato
Orario: 10.00-14.15/16.30-20.30
Ferie: agosto

Siamo in uno degli angoli più incantevoli di Genova, Boccadasse, antico borgo di pescatori. Pur se aperto da pochi anni, il locale rientra nella categoria dei classici tortai-farinotti ormai in via di estinzione: i titolari Maria Teresa e Daniele hanno saputo infatti trasmettere e mantenere l'atmosfera delle antiche friggitorie genovesi. Oltre ai classici *friscieu* di baccalà e *panissette*, il piatto forte del locale rimane la farinata, proposta in vari modi. Ma ci sono anche verdure ripiene, torte di verdura, acciughe fritte, minestrone, trippe accomodate e stoccafisso alla genovese.

Genova centro
Antica sciamadda

NOVITÀ

Via San Giorgio, 14 R
Tel. 010 2468516
Chiuso domenica e festivi
Orario: 08.00-20.00
Ferie: 15 giugno-15 settembre

Sorto alla fine del Settecento, è il più antico farinotto della città. Oggi gestito da Umberto con la moglie Rogeria, è dotato di un ampio forno a legna rivestito in mattoni refrattari. Il locale è prevalentemente impostato sul consumo da asporto, ma è anche possibile degustare i prodotti nella saletta di servizio, con vini semplici, birre o bibite in accompagnamento. La regina della casa è certamente la farinata, sia classica sia arricchita, secondo stagione, da carciofi, cipolle o bianchetti. Anche le altre specialità meritano l'assaggio: ripieni e torte di verdura (in particolare la torta di bietole e *prescinseua*, tipica cagliata acida usata nella cucina genovese), panissa, frittelle di baccalà e acciughe (anche ripiene). Se disponibili, da provare l'ottimo minestrone e la torta di mele.

Portovenere (Sp)
La pizzaccia

Via Capellini, 96-98
Tel. 0187 792722
Chiuso il giovedì, mai in agosto
Orario: 09.00-21.00
Ferie: fine novembre-metà marzo

Incontriamo il piccolo forno della Pizzaccia nel cuore dell'antico borgo, lungo il pittoresco *carugio* che dalla piazza Bastreri conduce fino alla chiesa di San Pietro (XIII secolo) arroccata su uno sperone di roccia. La Pizzaccia utilizza il forno elettrico ma sforna prodotti di ottima qualità come focacce farcite con le verdure di stagione o con il pesto, e la farinata, sia nella versione classica sia con pepe e rosmarino. Ci sono alcuni sgabelli per una breve sosta.

La Spezia centro
Cecco rivolta
Via Vecchio Ospedale, 33
Tel. 0187 770701
Non ha giorno di chiusura
Orario: 19.00-23.00
Ferie: Natale, Capodanno

Nel centro storico della città, di fronte al museo Lia, prestigiosa pinacoteca, il locale di Vittorio Foce si presenta elegante e alla moda, caldo e accogliente: arredato in legno, dispone anche di una sala ricavata in una vecchia cantina con le volte di mattoni a vista; nella bella stagione, inoltre, si può cenare anche all'aperto. La farinata è buonissima, sia quella tradizionale (solo acqua, farina di ceci e olio) sfornata di continuo dai due forni a legna, sia nelle versioni con cipolla, stracchino o salsiccia. In alternativa, pizze al mattone e carne alla griglia.

Il lagora
Piazza Cesare Battisti, 38
Tel. 0187 22242
Non ha giorno di chiusura
Orario: 19.30-23.00
Ferie: non ne fa

Siamo nel centro storico della città. Il Lagora (dal nome del canale che corre lungo le mura dell'Arsenale Militare) si trova nella bella piazza Cesare Battisti, proprio di fronte al museo CAMeC (Centro di Arte Moderna e Contemporanea). Ampio locale, sempre molto frequentato, elegante e funzionale, sforna ottime pizze, sia classiche sia originali, e una croccante farinata nella versione semplice oppure arricchita con gorgonzola, stracchino, pesto o cipolla.

La pia
Via Magenta, 12
Tel. 0187 739999
Chiuso la domenica
Orario: 08.00-22.00
Ferie: variabili

In un vicolo del centro storico tra via Prione e piazza Beverini, la Pia sforna pizza e farinata al taglio da oltre cento anni, durante i quali è stata frequentata da generazioni di studenti, lavoratori e marinai che con pochi spiccioli potevano gustare un prodotto nutriente, caldo e buonissimo. Il viavai giornaliero continua ancora oggi sia nel locale dedicato all'asporto, che si affaccia direttamente sulla strada, sia ai tavolini delle salette interne o, in estate, del dehors nel vicolo.

La Spezia La Chiappa
Da pipeo
Via Genova, 169-173
Tel. 0187 703100
Chiuso il martedì
Orario: solo a mezzogiorno
Ferie: variabili

Siamo nel quartiere popolare della Chiappa, dove via Genova lascia la città per salire dolcemente in direzione dei Colli e della val di Vara e offrire un bel panorama di La Spezia. Pipeo è consigliato per l'asporto e per consumare ai pochi tavoli della saletta interna pizze al mattone e una farinata croccante.

La Spezia Migliarina
Pagni
Via Sarzana, 12
Tel. 0187 503019
Chiuso la domenica
Orario: 08.00-14.00/16.00-21.00
Ferie: agosto

È la classica vecchia osteria di quartiere. Vincenzo Pagni, pronipote del fondatore, sforna una farinata frutto di una sapienza antica: morbida nell'anima e croccante all'esterno, da non perdere, magari accompagnata da un quartino. Oltre che al banco si può essere serviti nella piccola saletta con i tavolini di marmo.

La Spezia Rebocco
Capolinea
Via Rebocco, 57
Tel. 0187 701250
Chiuso il lunedì
Orario: pranzo e sera, luglio e agosto solo sera
Ferie: agosto

La pizzeria della famiglia Signanini è un locale molto frequentato da giovani e meno giovani. Si compone di quattro salette: una adiacente al bancone d'ingresso (dove dominano i due forni a legna), un paio più piccole e una che, nella bella stagione, si trasforma in uno spazio all'aperto. Pizze al mattone per tutti i gusti anche a pranzo e farinata sempre calda e croccante sia classica sia con gorgonzola; ottime in inverno quella ai carciofi e in estate quella con i fiori di zucca. Per concludere, un buon dolce al cucchiaio fatto in casa.

Arcola (Sp)

Il tagliere 2
Via Valentini, 218
Tel. 0187 987553
Chiuso il martedì
Orario: 18.30-22.30
Ferie: variabili

Ai piedi del borgo, un piccolo forno da asporto nel quale due ragazzi molto professionali e gentili cuociono con maestria un'ottima farinata che si può gustare anche nelle varietà con stracchino, cipolla, pesto. Notevole anche la scelta di pizze e focacce farcite.

Lerici (Sp)

Bontà nascoste
Via Cavour, 52
Tel. 0187 965500
Chiuso il martedì
Orario: mezzogiorno e sera
Ferie: variabili

Il posto è davvero un po' nascosto ma le bontà sono tante. Innanzitutto le farinate, farcite in modo tradizionale o fantasioso, sempre comunque molto buone. Non mancano poi alcuni primi piatti a base di pesce e le grigliate, da accompagnare a una buona bottiglia di vino locale o italiano. Il locale è piccolissimo: probabilmente vi toccherà una lunga attesa, ma ne vale la pena.

Levanto

La picea
Via della Concia, 18
Tel. 0187 802063
Chiuso il lunedì
Orario: 16.30-22.00
Ferie: due settimane in inverno

Pizzaioli anomali, Francesco e Cristina – lavoro permettendo – hanno piacere a intrattenervi sui loro prodotti e sui metodi di produzione. Nel frattempo potrete gustare pizza, farinata, focaccia, castagnaccio (in autunno e inverno), torte dolci, tutto cotto nel forno a legna. Il locale è ampio e arredato in modo moderno. Bella la vetrinetta di vini e prodotti locali.

Romito Magra (Sp)

Pizzeria farinata da Mario
Via Provinciale, 49
Tel. 0187 988000
Chiuso il giovedì
Orario: 07.00-21.00
Ferie: metà settembre-metà ottobre, 15 giorni in febbraio

Una tappa qui per uno spuntino o per una sosta serale può offrire l'occasione di una farinata assai piacevole, condita con l'informale allegria di Mario. Da non perdere anche la focaccia alla moda della vallata della Magra, che gustata piena di farinata è davvero una bontà. Il locale, sempre affollato, è molto semplice: un bancone, qualche sgabello e una sala mignon.

Sarzana (Sp)

Pizzeria farinata da Silvio
Via Marconi, 14
Tel. 0187 620272
Chiuso la domenica, mai in luglio, agosto, e dicembre
Orario: 09.00-15.00/16.00-22.00
Ferie: variabili

Nel cuore di Sarzana, a fianco del cinquecentesco palazzo del Comune, una sosta da Silvio è d'obbligo per mangiare una sapida farinata da manuale. Messa dentro una focaccia fa pasto completo, accompagnata da stracchino è superba. Ma se ci sono le torte d'*erbi* o di farina dolce, i rotolini di casa pieni di prosciutto e stracchino, oppure se hanno appena sfornato la "torta scema" sarzanese, è d'obbligo un assaggio.

Pizzeria forno Bugliani
Piazza San Giorgio, 20
Tel. 0187 620005
Chiuso la domenica
Orario: 06.30-13.00/17.00-20.30, d'estate fino alle 24.00
Ferie: 10 giorni in luglio

La storia di questa panetteria, ubicata nel palazzotto che un tempo ospitava la locanda Laurina, l'ha scritta Bugliani junior e l'ha incorniciata. Buchetto sotto i portici, ha solo due tavoli ma la farinata, per dirla con Maggiani, è una goduria mangiata in piedi sulla carta gialla. Da provare anche la "torta scema", piatto povero a base di riso cotto lungamente, olio e pane grattugiato.

EMILIA ROMAGNA

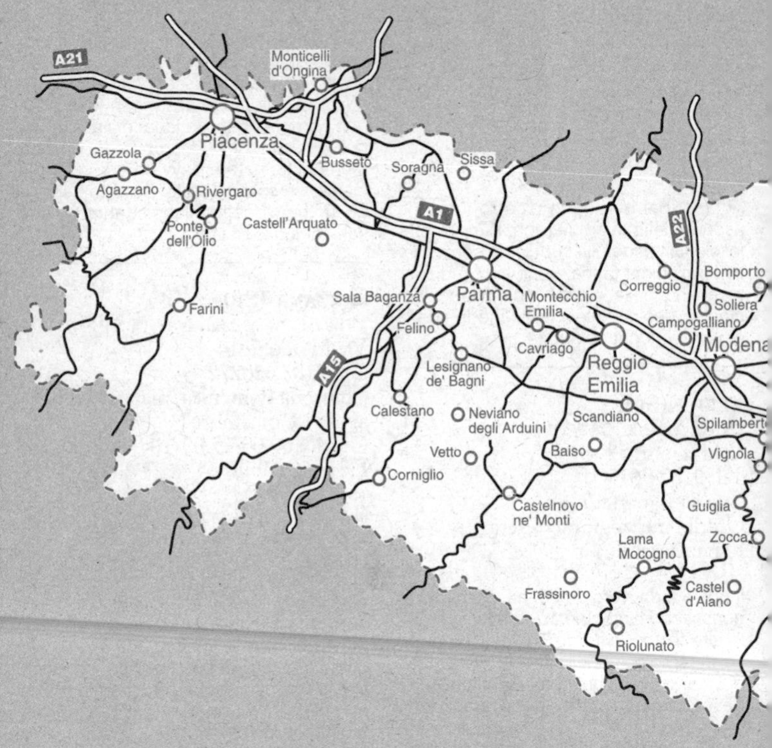

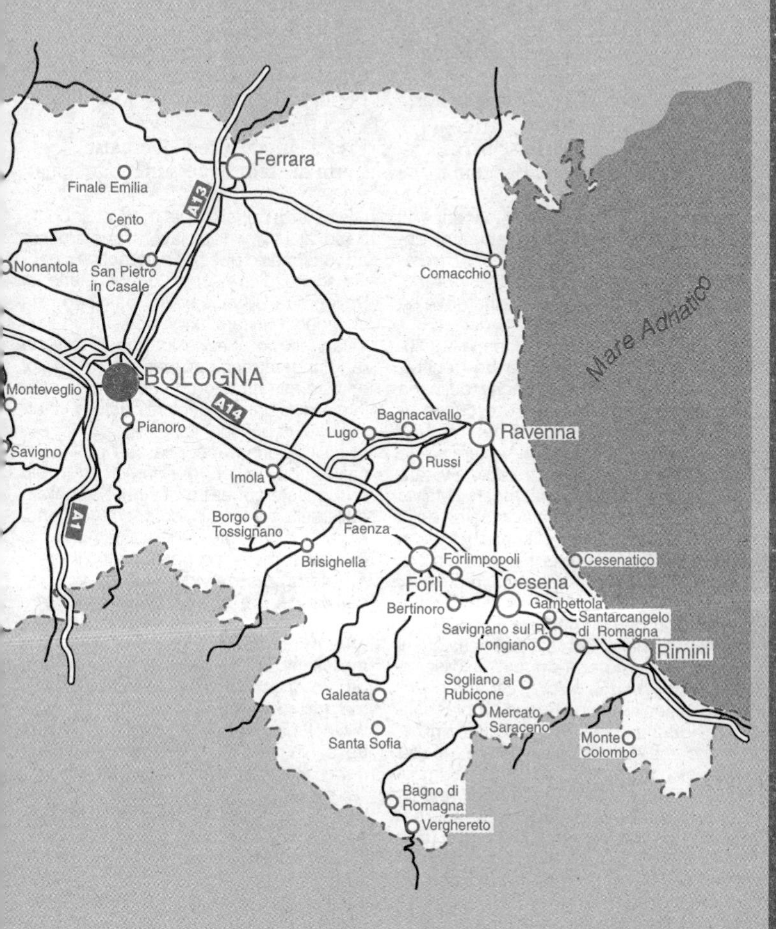
Ferrara
Finale Emilia
Cento
A13
Nonantola
San Pietro
in Casale
Comacchio
Mare Adriatico
BOLOGNA
Monteveglio
Pianoro
A14
Savigno
Bagnacavallo
Lugo
Ravenna
Russi
Imola
A1
Borgo
Tossignano
Faenza
Brisighella
Forlimpopoli
Cesenatico
Forlì
Cesena
Bertinoro
Gambettola
Santarcangelo
di Romagna
Savignano sul R.
Longiano
Rimini
Sogliano al
Rubicone
Galeata
Mercato
Saraceno
Santa Sofia
Monte
Colombo
Bagno di
Romagna
Verghereto

AGAZZANO
Sarturano

24 KM A SO DI PIACENZA

ANTICA TRATTORIA GIOVANELLI

Trattoria
Via Centrale, 5
Tel. 0523 975155
Chiuso il lunedì, sere di mercoledì e festivi
Orario: mezzogiorno e sera
Ferie: 16-31 agosto, 15 gg tra febbraio e marzo
Coperti: 60 + 60 esterni
Prezzi: 28-30 euro vini esclusi
Carte di credito: tutte, Bancomat

Lasciata la zona sudovest di Piacenza, si entra nella Val Luretta e la pianura diventa a poco a poco dolce collina. Arriverete così nel piccolo centro di Sarturano, a pochi chilometri da Agazzano dove ha sede un affascinante castello del 1475.
La trattoria è gestita dalla famiglia Giovanelli che porta avanti da tre generazioni la più schietta tradizione culinaria piacentina. Il locale, rustico e curato, è ampio e arioso; d'estate si cena in una bella veranda. La gestione interamente familiare vi metterà a vostro agio e vi farà trascorrere una piacevole sosta: Marco si prende cura della sala, mentre della cucina si occupano la sorella Raffaella e la mamma Piera. È obbligatorio iniziare con i buoni salumi prodotti in proprio, preparati secondo l'antica ricetta della famiglia: da non perdere il **prosciutto** stagionato nella vecchia cantina, ottimi anche il **salame** e la **pancetta**. Passando ai primi ***pisaréi e fasò***, il piatto povero per eccellenza della cucina piacentina, **anolini in brodo** con un ottimo ripieno di carne e **tortelli di erbette e ricotta** proposti con grana e burro fuso o sugo di funghi. Secondi all'insegna degli arrosti: coppa e **stinco di maiale**, vitello e faraona. Da non perdere neppure i **bolliti** (gallina, manzo, costina), quando disponibili, e d'inverno la **polenta con il merluzzo**. Dopo alcuni formaggi della zona con miele di Sarturano, si conclude con dolci accattivanti: **torta di pere e cioccolato**, semifreddi (all'amaretto e al croccantino), tiramisù e **sbrisolona**.
Carta dei vini con una corposa rappresentazione del territorio piacentino, disponibilità di vini al bicchiere. Chi lo vorrà potrà bere il vino nel tipico *scudlein* che troverete sul tavolo.

BAGNACAVALLO

19 KM A OVEST DI RAVENNA

LE FAVOLE

Ristorante
Via Cà del Vento, 20
Tel. 0545 62470
Chiuso martedì e mercoledì
Orario: sera, festivi anche pranzo
Ferie: 10 gg in febbraio, 15 in luglio
Coperti: 50
Prezzi: 30-35 euro vini esclusi
Carte di credito: nessuna, Bancomat

Giampiero Benelli e la moglie Sabrina, dopo alcuni anni di lavoro per arrivare ad affermare questo ristorantino, hanno scelto di trasferirsi da Mezzano di Ravenna a Bagnacavallo, passando da un luogo trafficato lungo una statale a un locale sito in una via interna. Facile da raggiungere, comodo per il parcheggio, edificio ristrutturato con sobrietà: piccolo giardino, interni nei toni pastello, il tutto forse un po' anonimo.
In sala Sabrina accoglie con professionalità gli avventori, ma un sorriso in più non guasterebbe. La cucina è separata dalla sala con una porta scorrevole che, a tratti, lascia intravedere Giampiero ai fornelli. Il menù propone piatti di mare e di terra, ma è evidente la prevalenza del pesce. Tra gli antipasti segnaliamo **bianchetti e zucchine fritti con marinata romagnola** e il piccolo gratinato di molluschi e crostacei; tra quelli di terra **girello di scottona affumicato con formaggio di grotta e verze**. Tra i primi gli invitanti gnocchetti di ricotta con scampi freschi in rosa, il risotto ai piccoli crostacei e gli accattivanti **cappelletti di baccalà e patata con poverazze**. Più classica la proposta dei primi di terra: garganelli con radicchio e speck, **tagliatelle al ragù** e **tortelli di erbette e ricotta** con funghi e tartufo di pineta. Tra i secondi ci sono piatti di mare: filetti di orata alla gallurese con vongole e bottarga, la mazzola diliscata ai frutti di mare, le **sogliole ai pistacchi e grana**, i rombi al forno alla mediterranea. Tra le proposte di carne, filetto e **tagliata** sono le principali.
Nei dessert: crema alla catalana, semifreddo del giorno e un ottimo **sorbetto al limone**. Cantina con buona scelta di etichette regionali e nazionali con ricarichi contenuti.

Osteria accessibile ai disabili.

Bagnacavallo

19 km a ovest di Ravenna

Osteria di piazza Nuova

Ristorante
Piazza Nuova, 22
Tel. 0545 63647
Chiuso sabato a pranzo
Orario: mezzogiorno e sera
Ferie: non ne fa
Coperti: 80 + 80 esterni
Prezzi: 30-35 euro vini esclusi
Carte di credito: tutte, Bancomat

Storico e suggestivo locale in piazza Nuova, piazza ovale del 1758 dove un tempo si affacciavano botteghe di macellai e il magazzino dell'olio e del sale. All'inizio del '900 la prima osteria e laboratori di artigiani hanno restituito importanza a questo gioiello di Bagnacavallo, paese tra Faenza e Ravenna che vanta altri scorci di notevole bellezza.
In questa osteria nel 1996 è arrivata la gestione di Maurizio Bragonzoni, uomo dalle mille risorse e attività. Se non ci sarà lui, ad accogliervi sarà Aron, il suo braccio destro, mentre in cucina opera la brigata composta da Matteo, Iliana e Cinzia. I piatti sono legati al territorio e alla stagione, quindi per iniziare **squacquerone con la piadina romagnola** e i fichi caramellati, il radicchio rosso con i bruciatini, il tortino di sgombro o il guazzetto di moscardini con le patate. Poi le **tagliatelle al ragù**, i **passatelli ai funghi porcini**, i **garganelli alla rustica** con la salciccia di mora romagnola e i fagioli borlotti, i tagliolini alle verdure fresche. La **grigliata con il castrato e la salciccia**, le costolette di agnello, la tagliata di filetto di manzo al Sangiovese, il **coniglio ripieno** e il **brasato al *burson*** sono i secondo più frequenti. Come dolce il **salame di cioccolato**, gli scroccadenti, la **crema di mascarpone**, la bavarese alle pere con Sangiovese speziato. Attenzione meritano anche le proposte del giorno, con una serie di piatti di pesce (in questo caso il prezzo si incrementa).
L'osteria è affiliata all'Ente Tutela Vini di Romagna e si bevono solo bottiglie romagnole, con una scelta di circa 80 etichette. Buona anche la disponibilità di distillati.

Osteria accessibile ai disabili.

Bagno di Romagna
San Piero in Bagno

56 km a SO di Cesena SS 71 o E 45

Al gambero rosso

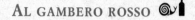

Ristorante annesso alla locanda
Via Verdi, 5
Tel. 0543 903405
Chiuso domenica sera, lunedì e martedì
Orario: mezzogiorno e sera
Ferie: variabili
Coperti: 60
Prezzi: 35-40 euro vini esclusi
Carte di credito: tutte tranne AE, Bancomat

Questo locale è una meta obbligata per gli amanti del buon cibo, in quanto la cucina tipica di questa zona di confine fra Romagna e Toscana raggiunge qui altissimi livelli. Si trova nel centro di San Piero in Bagno, graziosa località dell'Appennino, e la famiglia Saragoni lo gestisce da oltre cinquant'anni. La distribuzione dei compiti fra i componenti della famiglia è uno dei punti di forza: in cucina Giuliana prepara piatti della tradizione basandosi anche su vecchie ricette della nonna Diva, il marito Moreno si occupa delle materie prime e della raccolta delle erbe selvatiche, in sala la figlia Michela vi aiuterà a orientarvi tra i numerosi piatti proposti affiancata dal marito Paolo, appassionato di vini, che vi potrà consigliare gli abbinamenti più appropriati.
Il menù varia stagionalmente. Assaggerete tra gli antipasti le **polpettine della nonna Diva**, i crostini con i fegatelli, il raviggiolo con erbette, il **tortello alla lastra**, l'**insalata di lesso con acetella ed erbette scottate in aceto**. Tra i primi non si possono perdere i tipici **basotti** o i **cappelletti di erbe e stridoli** o i tagliolini verdi con i prugnoli. Tra i piatti poveri la **minestra di castagne e fagioli** e la zuppa di porcini e galletti. Le carni provengono da animali allevati in zona e vi consigliamo la **trippa in bianco**, il **sambudello** con i fagioli, l'**agnello in umido**, il baccalà con i ceci; in stagione le lumache in umido. Eccellenti i dolci: **lattaiolo**, **zuppa inglese**, il **caffè in forchetta** e la ciambella con marmellata di more.
La cantina presenta un'ampia scelta di vini romagnoli e delle regioni limitrofe e una buona scelta di etichette nazionali. Per chi vuole pernottare il locale dispone di 5 camere ristrutturate di recente.

Osteria accessibile ai disabili.

Baiso
Lugo

29 km a sud di Reggio Emilia ss 467 e ss 486

Ca' poggioli

Trattoria
Via Lugo, 7
Tel. 0522 844631
Chiuso il lunedì e giovedì sera
Orario: mezzogiorno e sera
Ferie: agosto
Coperti: 60
Prezzi: 28-32 euro vini esclusi
Carte di credito: tutte tranne AE, Bancomat

Un'antica casa ben ristrutturata, nell'Ottocento destinata a "posta" per il cambio dei cavalli, ora ospita non più postiglioni ma buongustai della cucina montanara reggiana. Provenendo da Sassuolo si raggiunge Lugo, frazione di Baiso, percorrendo la fondovalle del Secchia fino a raggiungere le indicazioni, che si trovano prima del capoluogo, per Lugo, Prignano, Saltino. Ad accogliervi nel locale troverete Gabriele, il giovane figlio di Gianna che invece si occupa della cucina: madre e figlio conducono con passione e buoni risultati questa trattoria avviata 12 anni fa.
Vi potrete accomodare in una delle due sale contigue, dove pietra, grandi travi in legno e il pozzo interno testimoniano il passato di questo edificio. L'antipasto della casa è solitamente composto da **salame** e **prosciutto**, erbazzone e tigelle con il lardo, ma sono i primi e i secondi piatti che esprimono le grandi capacità di Gianna. Tra i primi cappelletti in brodo di cappone, maltagliati della casa e un poker di **tortelli**: **verdi**, **di zucca**, con la verza e di patate con porcini. Tutta la pasta è fatta in casa. Come secondo le tenerissime **costolette di agnello**, fritte o ai ferri, talvolta le **barzigole** (schienale di pecora o agnello marinato e cotto alla brace, piatto di tradizione montanara), poi **filetto** ai ferri o ai **funghi porcini**, meglio ancora **all'aceto balsamico tradizionale**. Quando Gianna riesce a trovare i **conigli**, quelli giusti, avrete la fortuna di assaggiare una vera **cacciatora**. I dolci sono quelli tradizionali, fatti in casa: **zuppa inglese** e **torta di tagliatelle**.
Per quanto riguarda i vini Gabriele sta preparando una buona lista, anche se siamo ancora all'inizio.

Bologna

Antica trattoria della Gigina

Trattoria
Via Stendhal, 1 B
Tel. 051 322300-322132
Non ha giorno di chiusura
Orario: mezzogiorno e sera
Ferie: agosto
Coperti: 75
Prezzi: 28-33 euro vini esclusi
Carte di credito: le principali, Bancomat

Questa storica trattoria ha da poco superato i cinquant'anni di vita e l'attuale patron e sommelier Carlo Cortesi ne perpetua con passione la proposta gastronomica, all'insegna della più classica cucina petroniana di tradizione. Ora la brigata di cucina è più numerosa, il servizio più professionale e le sale hanno un aspetto più formale, ma l'atmosfera è quella di un tempo, quando fra i tavoli si muoveva con disinvoltura Gigina.
Il coperto (3 euro) comprende anche l'assaggio iniziale di **salumi** con crescentine, poi potrete scegliere tra **spuma di mortadella con gelatina di balsamico**, prosciutto di Parma, roastbeef della Gigina con la sua salsa di cottura, lonza in salsa tonnata e fiori di cappero all'agro. Tra i primi **tortellini** o passatelli **in brodo**, **tagliatelle al ragù della Gigina**, il gramignone "sporcafaccia", ravioli di patate con prosciutto e asparagi di Altedo (in stagione), pasta e fagioli con i maltagliati. Passando ai secondi troverete il **coniglio al forno**, l'agnello a scottadito, la **cotoletta alla petroniana** con tartufo nero, il fegato di vitello grigliato, la faraona disossata. Al buffet si possono poi assaggiare lingua, testina, manzo e cotechino, polpette con piselli, baccalà in umido, trippa alla bolognese, salsiccia e fagioli stufati. Buoni i dolci fatti in casa, tra i quali segnaliamo la **crema fritta** e la crema fredda, il tortino tiepido di cioccolato, la torta di riso, la **zuppa inglese**.
Ricca e curata la carta dei vini, dagli onesti ricarichi. Il locale è sempre molto frequentato.

Osteria accessibile ai disabili.

La Caramella di Gino Fabbri, in via Cadriano 27/2, è una eccellente pasticceria: paste salate e dolci, mignon e torte, praline e creazioni di cioccolato con cru selezionati; originale proposta di confetture.

Da gianni a la vécia bulàgna

Trattoria
Via Clavature, 18
Tel. 051 229434
Chiuso domenica sera e lunedì
Orario: mezzogiorno e sera
Ferie: agosto e una settimana a Natale
Coperti: 45
Prezzi: 35 euro vini esclusi
Carte di credito: tutte tranne DC, Bancomat

In un vicolo vicino a piazza Maggiore, tra ristoranti turistici e qualche negozio vecchio stile pieno di cose interessanti, si trova questa trattoria, un po' buia e con l'aria della bettola. Non c'è più il perlinato alle pareti ma un sfilza di quadri, dalle stampe d'epoca, alle riproduzioni di dipinti famosi, ad acquerelli di un qualche pregio. Gianni è tutto qui. Rilevato qualche anno fa da una giovane coppia, Giorgio Previati, in cucina, e Barbara Bertozzi, in sala, hanno unito le forze con il socio storico di Gianni, Michele Roda.
Inizierete con **culatello di Parma**, lardello con crostini, polenta fritta con squacquerone, affettato misto. Tra i primi, **passatelli** o **tortellini in brodo** (il bollito misto si prepara ogni due giorni), **tagliatelle con ragù bolognese**, tortelloni di ricotta burro e salvia, maccheroncini con culatello e zucchine, gramigna con ragù di salsiccia, strozzapreti "Gianni". La pasta fresca è fatta dalla sfoglina Cinzia Orlandi. La domenica **lasagne**. Di secondo: agnello al forno con patate, **costolette di agnello dorate**, **cotoletta alla bolognese**, stinco di maiale al forno con patate, mortadella alla griglia con aceto balsamico. Contorni semplici, come **friggione alla bolognese** o cicoria aglio, olio e peperoncino. Sabato e domenica troverete il fritto misto e nei mesi invernali anche una superba zuppa di cipolle, trippa e prosciutto al forno. Infine semifreddo al mascarpone con amaretti e cioccolato, panna cotta ai frutti di bosco, **zuppa inglese**, *crème brûlée*, mousse al caffè, **tortino al cioccolato con salsa ai frutti di bosco**; in accompagnamento vini dolci serviti al bicchiere.
Carta dei vini intelligente con marchi prestigiosi a ricarichi contenuti.

Giampi e ciccio

NOVITÀ

Trattoria
Via Farini, 31 B
Tel. 051 268032
Chiuso sabato a pranzo e domenica
Orario: mezzogiorno e sera
Ferie: 2-3 settimane in agosto
Coperti: 40
Prezzi: 30-32 euro vini esclusi
Carte di credito: le principali, Bancomat

Questa trattoria prende il nome dei due titolari – Giampiero Scagliarini e Franco "Ciccio" Cremesani – che l'hanno inaugurata qualche anno fa, ristrutturando i locali che si affacciano sotto uno dei rari portici sollevati, rispetto alla sede stradale, del centro. L'ambiente è accogliente, arredato in maniera sobria, con apparecchiatura semplice ma curata, da trattoria di una volta. In cucina regna l'inossidabile Cesarina, che prepara con cura le vecchie ricette bolognesi che erano di sua madre e di sua nonna.
Si inizia subito con i primi – le minestre come si dice a Bologna –, tra i quali prevalgono le paste tirate a mano: **tagliatelle al ragù**, tortelloni al burro e salvia, **tortellini in brodo**, **gramigna con la salsiccia** e la classica **lasagna alla bolognese**. Non manca mai la pasta e fagioli fatta con i maltagliati, mentre d'inverno compaiono i **passatelli in brodo**. Lo spaghetto fatto a mano e condito con il friggione è un vecchio piatto ritrovato, la tagliatellina verde al prosciutto invece è una piccola innovazione. Passando ai secondi vi consigliamo il **misto petroniano**: zucchina ripiena di carne, uccellino scappato (involtino di carne con prosciutto e formaggio) e polpettine con i piselli. In alternativa trovate la succulenta **cotoletta alla bolognese** e, nella stagione fredda, il **bollito misto** con cotechino, lingua, testina, cappone e manzo conditi con la salsa verde. Ogni tanto ci sono pure la **trippa**, il baccalà con il pomodoro e, in stagione, i cardi con la salsiccia. Una buona zuppa inglese o un cremoso **tiramisù** possono completare degnamente il pasto.
La scelta dei vini è contenuta ma ben articolata e propone esclusivamente le migliori etichette dei Colli Bolognesi.

Bologna, l'università, le osterie

L'ateneo bolognese è il più antico d'Europa. Già novecento anni fa studenti provenienti da città italiane ed europee affollavano le aule dell'Archiginnasio. Si fermavano a Bologna per molti mesi, alloggiavano nei convitti e frequentavano osterie e taverne della città, per rifocillarsi e passare qualche momento di svago. Nei secoli queste abitudini non si sono modificate e le osterie bolognesi hanno sempre più rivestito un ruolo sociale importante. Così è stato anche negli anni 1970-80, quando gli universitari cittadini, i "fuori sede" e i *biassanot* (giovani e vecchi bolognesi che amavano vivere le notti fino a mattina) si riunivano in osteria per discutere di politica, mangiare due fette di salame, suonare la chitarra o stare ad ascoltare l'artista di turno (quasi tutti i cantautori italiani sono passati per la mitica Osteria delle Dame, purtroppo chiusa da molti anni). Gli anni 1990 hanno visto il crollo del mito. Molti dei vecchi locali sono stati chiusi e le nuove gestioni hanno badato solo ai quattrini, involgarendo l'offerta. Da mangiare, panini e crostini messi insieme con ingredienti improbabili, da bere, vinacci raccattati chissà dove. Osterie tutte uguali, ugualmente avvilenti. Per fortuna negli ultimi anni le cose sono un po' cambiate. Sono apparsi i wine bar (o enoteche con mescita), è cresciuta e si è diversificata l'offerta, si guarda alla qualità, perché un numero sempre maggiore di clienti lo richiede. Quella che segue è una piccola mappa di luoghi storici o di recente apertura – diversi tra loro per tipologia e offerta – dove ci si può fermare per un buon bicchiere o tirar tardi attorno a una bottiglia.

Fabio Giavedoni

Antica drogheria Calzolari

Enoteca con mescita
Via Petroni, 9
Tel. 051 222858
Chiuso la domenica
Orario: 07.00-21.00
Ferie: 3 settimane a Ferragosto

Altrimenti detta "da Sauro" è una bella e fornitissima enoteca nel cuore della zona universitaria. L'arredamento in legno, originale di inizio Novecento, ricorda una farmacia o una spezieria d'altri tempi. Il piccolo bancone si anima di bicchieri sia all'ora di pranzo che prima della chiusura serale. Si possono aprire tutte le bottiglie disponibili. Non c'è niente da mangiare, ma nessuno vi dirà nulla se tirerete fuori il vostro "cartoccio" con i prodotti del vicino forno.

Bar della trattoria

Osteria con mescita e spuntini
Via del Pratello, 3 C
Tel. 051 222888
Chiuso il lunedì
Orario: 6.30-23.30
Ferie: la settimana di Ferragosto, durante le festività natalizie

Davide Sedda, già titolare della vicina Trattoria da Fantoni, ha rilevato questo locale per farlo diventare una sorta di osteria diurna, un bar di sosta (con libri e riviste) ideale anche per rendere più piacevole l'attesa di un tavolo in trattoria. La passione di Davide per gli Champagne e gli spumanti in genere è palese nell'offerta dei vini a bicchiere, accompagnati da ostriche, pesce crudo, salumi e formaggi. *Brunch* alla domenica e buona selezione di birre artigianali.

Cantina Bentivoglio

Osteria con mescita e cucina
Via Mascarella, 4 B
Tel. 051 265416
Chiuso la domenica in estate
Orario: 20.00-02.00
Ferie: 10 giorni a Ferragosto

Ricavato nelle storiche cantine di Palazzo Bentivoglio, è un locale molto grande, suddiviso in varie sale. All'entrata troverete la parte più vecchia dell'osteria, con tavoli e mobili d'epoca; proseguendo scenderete nella grande sala che ospita ogni sera concerti jazz. La carta dei vini è molto ampia, con le migliori etichette italiane accanto a vini per tutte le tasche. Si può optare per una cena completa, affidandosi al giovane chef Lucio Mele, o semplicemente per un'insalata o un crostino.

Osteria accessibile ai disabili.

Carta dei vini, che spazia per tutta l'Italia con qualche buona incursione in Francia, è molto valida e originale, con aziende ricercate e testate personalmente dai proprietari.

Divinis

Enoteca con mescita e cucina
Via Battibecco, 4 C
Tel. 051 2961502
Chiuso la domenica
Orario: 11.00-24.00
Ferie: la settimana di Ferragosto

La passione e la competenza di Maurizio Landi, ben supportato dalla socia Mirca, fa di Divinis un perfetto wine bar. La proposta dei vini al bicchiere è segnalata da una grande lavagna, mentre per la scelta delle bottiglie non avrete che da perdervi nella corposa lista di quasi 2000 etichette, dove troverete anche importanti referenze francesi. Una interessante e ricercata selezione di salumi e formaggi può accompagnare il vino, a cui si aggiungono alcune preparazioni di cucina.

Enoteca italiana

Enoteca con mescita e spuntini
Via Marsala, 2 B
Tel. 051 235989
Chiuso la domenica
Orario: 08.00-21.30
Ferie: la settimana di Ferragosto

L'Enoteca Italiana è stata la prima rivendita di Bologna a dotarsi di un angolo bar dove proporre vini al bicchiere accompagnati da bocconcini, panini e piattini di salumi e formaggi tradizionali e ben selezionati. Una scelta azzeccata, tanto che durante la pausa pranzo e all'ora dell'aperitivo serale il bancone è sempre gremito, così come i pochi tavoli d'appoggio. Per la scelta di una bottiglia affidatevi alla competenza del titolare Marco Nannetti e del suo nuovo socio Claudio Cavallari. Ottima l'idea della vetrina-frigo per gli Champagne, da bere subito o da portare via.

Fastuchera wine bar

NOVITÀ

Osteria con mescita e spuntini
Via Saragozza, 60 A
Tel. 051 5872739
Chiuso la domenica
Orario: 18.30-03.00
Ferie: agosto

La *fastuchera*, nel dialetto siciliano, è il campo dove si coltivano i pistacchi. Di Sicilia è fortemente impregnato questo bel locale: da quella terra vengono i tre giovani e simpatici proprietari, Alessandra, Marco e Luigi. Cucina con chiara impronta siciliana nei vari piatti proposti: da non perdere la parmigiana di melanzane e gli involtini di melanzane. Buona la selezione di salumi e formaggi. La carta dei vini, che spazia per tutta l'Italia con qualche buona incursione in Francia, è molto valida e originale, con aziende ricercate e testate personalmente dai proprietari.

Marieina (da Mario)

Osteria con mescita e spuntini
Via San Felice, 137
Tel. 051 550547
Chiuso il mercoledì
Orario: 12.00-15.00/21.30-02.00
Ferie: 1-20 agosto

Osteria vecchio stile, tipica e minimale. L'ambiente è rimasto inalterato negli anni con le strutture in legno segnate dal tempo e le luci fioche. Dietro al vecchio bancone l'inossidabile Mario, oste burbero e di poche parole che, se vi prende in simpatia, è capace di tirarvi fuori una bottiglia di vino di qualità. Qualcosa per accompagnare il bicchiere c'è sempre: focacce, crostini, crostoni, salumi, formaggi e a volte qualche piatto caldo.

Olindo Faccioli

Enoteca con mescita e spuntini
Via Altabella, 15 B
Tel. 051 223171
Chiuso la domenica
Orario: 18.00-02.00
Ferie: tre settimane tra luglio e agosto

Carlo Faccioli porta avanti da anni questa vecchia mescita aperta negli anni Venti dal nonno Olindo, da sempre ai piedi di una delle poche torri antiche rimaste nel centro di Bologna. La scelta dei vini è ampia, e spazia dal semplice "vino della casa" ai più rinomati produttori italiani. Il bicchiere può essere accompagnato da salumi, formaggi e sottoli, oppure da qualche proposta di cucina che cambia periodicamente.

Osteria del cirmolo

NOVITÀ

Osteria con mescita e spuntini
Via San Felice, 86 A
Tel. 051 522432
Chiuso la domenica
Orario: 17.00-02.30
Ferie: tutto agosto

Bruno Sireno, foggiano di origine e attento conoscitore della tradizione pugliese, da qualche anno gestisce questa piccola osteria nel centro storico della città proponendo i prodotti e i vini della sua regione. Troverete le principali prelibatezze del Gargano e della Daunia (mozzarelle, burratine, caciocavallo, canestrato, una grande varietà di prodotti dell'orto sott'olio) oltre a una buona selezione di vini prevalentemente del sud d'Italia.

Salumi e baci enoteca Tamburini

Enoteca con mescita e spuntini
Via Caprarie, 1 B
Tel. 051 234726
Chiuso la domenica
Orario: 11.00-24.00
Ferie: una settimana a Ferragosto

Aperta da circa due anni, questa enoteca è la ricca *dépendance* dell'attiguo negozio di prelibatezze alimentari di Giovanni Tamburini. Circa 200 vini in carta tutti disponibili anche al bicchiere, selezionati dal giovane ed esperto Michel che vi saprà consigliare nel migliore dei modi. Al vino si accompagna l'accurata e fantasmagorica selezione di salumi e formaggi presenti nel comunicante negozio. Ci si accomoda nella sala all'interno o all'esterno del locale, su alti sgabelli attorno alla decina di botti riadattate a piano d'appoggio.

Zampa e Osvaldo

Osteria con mescita e spuntini
Via Andrea Costa, 127 A
Tel. 051 432931
Non ha giorno di chiusura
Orario: 11.00-03.00
Ferie: 9-27 agosto

L'osteria deve il nome ai due proprietari: Osvaldo e Dario, meglio conosciuto come Zampa il vinaio, dal nome dell'enoteca da asporto che gestiva fino a qualche tempo fa. L'esperienza di Dario si riversa ora in questo locale dagli arredi sobri, dove vengono proposti soltanto salumi e formaggi in accompagnamento al vino. La scelta delle etichette è molto ampia e i ricarichi contenuti. Si apprezza particolarmente la possibilità di assaggiare al bicchiere tutte le bottiglie della lista con prezzo inferiore ai 35-40 euro. Buona la selezione di grappe, l'acqua non si paga.

Bologna

Meloncello

Trattoria
Via Saragozza, 240 A
Tel. 051 6143947
Chiuso lunedì sera e martedì
Orario: mezzogiorno e sera
Ferie: 1 settimana in gennaio, 3 in agosto
Coperti: 50 + 30 esterni
Prezzi: 25-30 euro vini esclusi
Carte di credito: le principali, Bancomat

Il nome è dato dall'omonimo e vicino arco edificato in stile neoclassico nel 1732, punto di partenza della lunga via porticata (patrimonio dell'Unesco) che sale al santuario della Madonna di San Luca. Siamo a due passi dal Teatro delle Celebrazioni (le pareti della trattoria sono fitte di ricordi e testimonianze di attori e cantanti) e vicinissimi allo stadio Dall'Ara. È una zona cara ai bolognesi e il Meloncello vi è perfettamente inserito. Da circa otto anni si avvale della guida esperta di Patrizia Bracci, coadiuvata in sala da Silvia Bizzarri (che lo gestiva in precedenza con il marito Mauro Bartolini).
Due le salette, semplici e accoglienti, e d'estate si può cenare nella piccola veranda esterna. Familiare e cordiale l'accoglienza e in linea con la tradizione petroniana le proposte gastronomiche. Fra i primi (la pasta è fresca e fatta in casa), sceglierete **tortellini** o passatelli **in brodo**, oppure **tortelloni di ricotta**, gramigna con salsiccia, **tagliatelle al ragù**, pasta e fagioli. Proseguite con le **polpettine con i piselli**, lo spezzatino di vitello, le **zucchine ripiene**, il **coniglio alla cacciatora**, il maialino da latte o la faraona al forno. D'estate, oltre al tradizionale **friggione**, sono serviti freddi il **coniglio disossato e farcito** e l'arrosto di vitello con verdure.
Buoni i dolci, fra cui **torta di riso**, **zuppa inglese**, budino agli amaretti, tiramisù e crème caramel. Non molto ampia l'offerta enologica, che privilegia alcune cantine dei Colli Bolognesi e della regione.

In via San Vitale 98 B, Il Gelatauro: ottimi gelati con ingredienti biologici e gusti particolari quali gelsomino, bergamotto, finocchio selvatico, fico d'India, zenzero, manna (Presidio Slow Food). Ricchissima varietà di gusti al cioccolato.

OSTERIA BOTTEGA

Osteria tradizionale
Via Santa Caterina, 51
Tel. 051 585111
Chiuso domenica sera e lunedì
Orario: mezzogiorno e sera
Ferie: agosto
Coperti: 26
Prezzi: 35 euro vini esclusi
Carte di credito: MC, Visa, Bancomat

Se siete a Bologna non potete mancare una sosta in questa piccola ma accogliente osteria, facilmente raggiungibile a piedi dal centro della città. Appena seduti sarete travolti dalla cordiale esuberanza di Dandy (Daniele Minarelli), titolare e anima del locale, oste preparato e grande conoscitore della cucina tradizionale bolognese. Sarà lui a raccontarvi con passione i piatti proposti e a descrivervi le materie prime utilizzate, sempre di grandissima qualità.
Tutto il menù è di stretta osservanza bolognese ed emiliana. Sono ottimi, per cominciare, i **salumi**: culatello, mortadella classica, salame nostrano, prosciutto di Parma, pancetta e una splendida **salsiccia fresca** fatta in casa. Ardua la scelta tra i primi piatti, con i memorabili **tortellini in brodo di cappone**, i tortelloni di ricotta, burro e salvia, le **tagliatelle al ragù** o con la cipolla fresca e la **gramigna al torchio con la salsiccia**. Tra i secondi non perdetevi la **cotoletta alla bolognese** (qui si fa ancora), poi il **coniglio con le patate**, la **galantina di faraona**, il nodino di vitello alla petroniana. Quando sono disponibili, si preparano ottimi galletti di cortile arrosto.
Potrete concludere con gelati e sorbetti fatti in casa, con la crema pasticciera all'alchermes oppure con **torta di riso** e crema al caramello. Accurata selezione di vini di Emilia e Romàgna e ampia scelta di spumanti dall'Italia e dal mondo.
In estate l'osteria è chiusa anche domenica a pranzo.

Il Forno di Calzolari, via delle Fragole 1: pani di farro, di cereali, di grani antichi e il pane montanaro prodotto con grani biologici dell'Appennino, impastato con lievito naturale e cotto in forno a pietra.

SERGHEI

Trattoria
Via Piella, 12
Tel. 051 233533
Chiuso sabato e domenica
Orario: mezzogiorno e sera
Ferie: agosto, una settimana a Capodanno
Coperti: 28
Prezzi: 28-32 euro vini esclusi
Carte di credito: le principali, Bancomat

La famiglia Pasotti propone la cucina bolognese ed emiliana da più di quarant'anni, in una saletta rivestita in legno al piano terra del palazzo dei conti Piella, nell'omonima traversa di via Righi, che da via dell'Indipendenza introduce alla zona universitaria, a pochi passi dal mercato ambulante di piazza VIII Agosto, con autopark interrato.
Dunque, piatti della tradizione, ormai quasi introvabili altrove, preparati e serviti con abilità e cura, accompagnati da buoni consigli sui vini, soprattutto regionali, non in gran numero ma di onesto ricarico. Per cominciare, **tagliatelle al ragù**, tortellini o **passatelli in brodo**, tortelloni, agnolotti e gnocchi, lasagne al forno, oppure **pasta e fagioli**, pasta e ceci e zuppe. Poi, **ossobuco alla bolognese**, bollito misto con salsa verde, polpettine al pomodoro, zucchine ripiene, lombo di maiale al latte, **faraona arrosto**, coniglio alla cacciatora, **polenta con** baccalà o **spuntature di maiale**. L'elenco potrebbe continuare, sempre secondo tradizione e con il piacere di gustare preparazioni appropriate in porzioni abbondanti. Cercate di non saziarvi del tutto per lasciare spazio ai dolci, anch'essi casalinghi: al cucchiaio (**zuppa inglese**, panna cotta, crème caramel), torte e crostate. La prenotazione è sempre consigliabile.
All'uscita, se già non lo avete fatto, sotto il portico gettate lo sguardo dalla vicina finestra sul canale Navile, che scorre tra le case del centro città

Nella vicina via Galliera, al 49 B, e in via Rivareno 7 (qui prodotti anche per celiaci) i gelati della gelateria Stefino preparati con prodotti siciliani. Pochi gusti, grande materia prima, ottima qualità.

BOMPORTO
Solara

14 KM A NE DI MODENA SS 12

LA LANTERNA DI DIOGENE

NOVITÀ

Trattoria
Via Argine, 20
Tel. 059 903295
Chiuso lunedì, martedì, mercoledì
Orario: solo sera, domenica anche pranzo
Ferie: variabili
Coperti: 40 + 40 esterni
Prezzi: 25-27 euro vini esclusi
Carta di credito: nessuna

«Vogliamo fare i lavori che ci piacciono e che sappiamo fare», «Non vogliamo fare lavori per finta». Sono le voci dei ragazzi diversamente abili che, riuniti in cooperativa, gestiscono questa trattoria. Per andarli a trovare da Solara si raggiunge il ponte di ferro sul Panaro che porta verso la provincia di Bologna e, da lì, salendo sull'argine e seguendo le indicazioni, si raggiunge il casale, ben ristrutturato, immerso nel verde. Nella bella stagione si può cenare sotto l'ampio portico.
Il menù è fisso, ma varia quasi quotidianamente. Di solito si compone di antipasto, due primi, due o tre secondi, dessert. Gli antipasti e i dolci sono serviti a buffet. La carta dei vini non è ampia ma con buone etichette, il Lambrusco prodotto dalla cooperativa è biologico, come tutte le materie prime che gli stessi ragazzi coltivano e utilizzano per la preparazione dei piatti. Si inizia con diversi antipasti di verdure e con un buon **salame**. Tra i primi troverete **tortelloni di ricotta ed erbe**, **lasagne bianche al ragù**, conchiglie integrali con zucchine e speck, zuppe nella stagione fredda (la **zuppa di fagioli** ha vinto il primo premio al Gran Festival della Zuppa di Bologna e ora rappresenterà l'Italia alla manifestazione internazionale in Francia). **Polpettine all'aceto balsamico** in colorata insalata, **salsiccia con friggione**, carni alla griglia sono i secondi abituali, cui d'estate si aggiunge il roastbeef e in inverno gli **stracotti**. Diverse le torte e le crostate da assaggiare; a volte anche dolci al cucchiaio, come il buon **crème caramel**.
Obbligatoria la prenotazione e, fin dal contatto telefonico, ci si renderà conto della gentilezza e della disponibilità che saranno confermate nel locale.

BORGO TOSSIGNANO

48 KM A SE DI BOLOGNA, 15 KM A SUD DI IMOLA

FITA

Trattoria
Via Roma, 3
Tel. 0542 91183
Chiuso lunedì e martedì
Orario: mezzogiorno e sera
Ferie: agosto, 2 settimane in gennaio
Coperti: 45
Prezzi: 28-32 euro vini esclusi
Carte di credito: tutte, Bancomat

Siamo nella valle appenninica del Santerno, lungo la strada che da Imola porta in Toscana. Borgo Tossignano è un paesino che mantiene le tradizioni, cornice ideale per questa trattoria legata al territorio ma con un occhio sul mondo. In cucina Maria Pia Dal Re sa infatti accostare, attraverso un sapiente utilizzo delle spezie, i prodotti di qui con profumi e sapori esotici.
Il locale è rustico e accogliente, con panche, tavoli in legno e, al centro della sala principale, il camino, usato anche per grigliare carni e verdure, cui si dedica il marito Ivo, addetto alla sala. Fra gli antipasti, oltre al taglierino di salumi con il pinzimonio o la sfogliatina di porri e radicchio con fonduta di parmigiano, imperdibile è la **casatella e fichi caramellati al Sangiovese**, poi la terrina di gorgonzola con il miele di corbezzolo. Passando ai primi, si va dalle proposte tradizionali – le **tagliatelle ai porcini** o i **tortellini di magro al limone e rosmarino**, i tortelli di ricotta ai porri – agli ottimi tagliolini con corniole (bacche rosse del sottobosco) e scorze di arancia, ai gustosissimi tortelli di patate con mandorle e curry. Fra i secondi grande scelta di **carni alla griglia** (castrato romagnolo, salsicce, braciole, ma anche filetti di manzo argentino), **stinco di maialino glassato al miele**, faraona al *lemongras* con lo zenzero, **filetto di maiale in salsa di vino rosso**, il tutto accompagnato da verdure grigliate.
Buoni i dolci: la biscotteria con l'eccellente **crema inglese calda**, il parfait al gianduia o al frutto della passione, il friabile al cioccolato. Ricca la scelta di grappe e liquori, fra i quali il ruspino, a base di aspre prugne selvatiche, ideale per il fine pasto. Carta dei vini con etichette del territorio.
In luglio il locale apre solo a pranzo ed è chiuso anche sabato e domenica.

Carpegna prosciutti
Anima antica, taglio moderno.

gruppo
Brendolan

BOLLINO ORO:

Parmigiano-Reggiano
con oltre 30 mesi di stagionatura è il più ricco di elementi nutritivi e particolarmente friabile e granuloso. Il sapore è deciso con note di spezie e frutta secca. Si abbina perfettamente con vini rossi di elevato corpo e struttura e con vini bianchi passiti e da meditazione. Ottimo l'abbinamento con miele, confetture e mostarde, anche piccanti.

BOLLINO ARGENTO:

Parmigiano-Reggiano
con oltre 22 mesi di stagionatura, si presenta solubile, friabile e granuloso con il giusto rapporto tra dolce e saporito. È perfetto se abbinato a vini rossi abbastanza strutturati e ottimo tagliato a petali in insalata. A fine pasto, è superbo l'abbinamento con la frutta secca.

BOLLINO ARAGOSTA:

Parmigiano-Reggiano
con oltre 18 mesi di stagionatura, dal sapore armonico e delicato che ricorda sentori di latte e frutta fresca. È ideale pertanto come aperitivo con vino bianco frizzante e si accosta perfettamente con frutta come mele e pere verdi.

COL D'ORCIA
MONTALCINO
COL D'ORCIA
POGGIO AL VENTO®
1997
BRUNELLO DI MONTALCINO
DENOMINAZIONE DI ORIGINE CONTROLLATA E GARANTITA
RISERVA
TENUTA COL D'ORCIA
WWW.COLDORCIA.IT
e quindi uscimmo a riveder le stelle.

CROCE DANIELE

Trattoria
Via Monteromano, 43
Tel. 0546 87019
Chiuso lunedì e martedì sera
Orario: mezzogiorno e sera
Ferie: domenica prima di Natale-primi di febbraio
Coperti: 120 + 50 esterni
Prezzi: 25 euro
Carte di credito: le principali, Bancomat

Arrivati a Brisighella, dove una visita è d'obbligo, proseguite sulla statale per Marradi; superato l'abitato di San Cassiano, dopo una quindicina di chilometri girate a destra seguendo le indicazioni per San Martino in Gattara. Non lasciatevi scoraggiare dalle curve e dalla salita e godetevi il meraviglioso panorama. Arrivati in cima al monte noterete alla vostra sinistra un osservatorio astronomico: qui l'apertura che si ha verso il cielo è amplissima e le possibilità di osservare il firmamento non mancano. Dopo poche centinaia di metri troverete l'osteria.
La cucina di Luciano Gentilini, patron e cuoco, guidato dalla suocera Maria, è tipicamente romagnola e i prodotti usati sono del territorio: a Brisighella è anche stato riaperto lo storico macello comunale. Ad accogliervi in sala, con la semplicità della gente di montagna, c'è il figlio di Luciano: il locale è senza pretese e un po' rumoroso quando è pieno. Non c'è un menù scritto e non si paga il coperto. Crostini o **salumi** e formaggio come antipasto, **tagliatelle al ragù** veramente buone, la *spoia lorda* con radicchio e salciccia, i **tortelli di ricotta** o di patate e **gnocchi di patate**. Di secondo gli **arrosti misti** o misto di carne alla griglia: faraona, maiale, pollo, coniglio, **castrato**, braciola di maiale, salciccia, costine. Fragranti le **patate al forno**, cotte intere, e melanzane e pomodori, sempre al forno. Tra i dolci, lo **zabaione cotto**, il semifreddo di ricotta e amaretti, la **mattonella al caffè**.
La cantina non offre molta scelta, ma un onesto Sangiovese sfuso saprà accompagnare i piatti della trattoria.

OSTERIA DEL GUERCINORO

Osteria tradizionale
Piazza Marconi, 7
Tel. 0546 80464
Chiuso il martedì
Orario: solo la sera
Ferie: 20 dicembre-7 gennaio
Coperti: 30 + 15 esterni
Prezzi: 28-30 euro vini esclusi
Carte di credito: nessuna

A Brisighella è bello arrivarci con calma, magari in uno di quei giorni in cui i turisti hanno preso altre strade. Allora sarà appagante camminare per le viuzze silenziose. La sosta migliore per non spezzare l'incantesimo neanche a tavola è l'osteria del Guercinoro, in una grotta di gesso, nella parete che sostiene la medievale via degli Asini.
Il menù vi sarà recitato a voce; il numero di proposte è ristretto, legato alla stagione specie per quanto riguarda i primi, che ben raccontano la disponibilità dell'orto. Per antipasto assaggiate le deliziose **ricottine di pecora fresche** condite con olio di Brisighella e pepe. Formaggi e **salumi di cinta senese e di mora romagnola** sono reperiti da Franco, titolare e cuoco, presso amici artigiani e da lui stesso stagionati. Ottime **frittate**, come quella di fiori di zucchine, e poi i primi, che variano secondo disponibilità di orto e mercato. Se è primavera i legumi freschi la fanno da padrone, ben sposandosi alla pasta fresca fatta in casa. Delicate le **tagliatelle con le fave**, saporite le farfalle con piselli e pomodoro, da applauso la **pasta e fagioli**, appena sgranati, **con i maltagliati**. In inverno una buona zuppa non manca mai; di casa anche le paste ripiene: **tortelli e orecchioni** (una variante a forma di mezzaluna) in primis. Fra le carni, quella di maiale è regina: **coppa alla brace** cotta a puntino, teneri **medaglioni di guanciale arrosto**. Pregevoli anche tagliata e fiorentina, a raccontarci come la Toscana sia vicina. Di contorno le erbe di campo in stagione, o verdure alla griglia.
Si chiude con dessert semplici fatti in casa: torte e crostate, la **tenerina al cioccolato** o quella di mele. Curata e di qualità, per quanto ristretta a piccole cantine romagnole, la lista dei vini.
Da maggio a settembre, nei festivi è aperto anche a mezzogiorno.

BRISIGHELLA
Strada Casale

50 KM DA RAVENNA, 20 KM A SO DI FAENZA SS 302

TRATTORIA DI STRADA CASALE

Trattoria
Via Statale, 22
Tel. 0546 88054
Chiuso il mercoledì
Orario: sera, sab e dom anche pranzo
Ferie: 10-31 gennaio, 4-14 settembre
Coperti: 40 + 30 esterni
Prezzi: 30-35 euro vini esclusi
Carte di credito: tutte, Bancomat

Per raggiungere Strada Casale risalite la statale che costeggia il Lamone per circa 8 chilometri dopo Brisighella, in un dolce paesaggio collinare. Il locale gestito da Remo Camurani e Daniela Pompili è un ambiente ampio, spezzato da un grande camino al centro della sala, arredato in modo informale, ma caldo, alternando elementi di modernità a richiami all'antico, carattere accentuato dal servizio attento e premuroso ma per niente incombente. Un luogo che esercita per intero il suo fascino di vecchio laboratorio di falegnameria riadattato, come, in sintonia, riadattata è la cucina, che pesca nelle suggestioni della tradizione, proponendo una scelta di piatti contenuta con esecuzioni semplici e cotture brevi, freschezza, stagionalità, qualità delle materie prime, nonché lo straordinario olio di Brisighella.
Potrete scegliere il menù del giorno (un pasto completo a 35 euro, cui possono essere associati per 8 euro due vini a calice) o in una carta con poche alternative. Antipasti (e primi) con molte verdure di stagione, ad esempio frittelle di fiori di zucca, **tortino di melanzane, mozzarella, capperi e pomodori**, oppure di formaggio fresco con verdure e asparagi. Poi le paste fatte in casa, le **tagliatelle al cipollotto fresco, prosciutto e piselli**, gli **strichetti caserecci col guanciale**, i **ravioli di formaggio fresco**, o le minestre, i **quadrucci di pasta in brodo con fave**, la zuppa di patate e fagiolini verdi, o di grano e fagioli borlotti. Fra i secondi molta attenzione agli arrosti, dal **galletto ruspante**, all'anatra muta, alla faraona, all'**agnello** e alla **carne grigliata** sulle braci del camino.
Dolci di buona fattura, che spaziano dal cucchiaio alle torte e **crostate** di stagione. Notevole carta dei vini, concentrata sui migliori prodotti del territorio.

BUSSETO
Madonna dei Prati

42 KM A NO DI PARMA SS 558

CAMPANINI

Trattoria
Via Roncole Verdi, 136
Tel. 0524 92569
Chiuso martedì e mercoledì
Orario: sera, domenica e festivi anche pranzo
Ferie: variabili tra luglio e agosto
Coperti: 60
Prezzi: 28-32 euro vini esclusi
Carte di credito: nessuna, Bancomat

Siamo nel centro della produzione del culatello di Zibello, la terra degli otto comuni del consorzio; i culatelli sono ancora lavorati completamente a mano e stagionati senza l'ausilio di impianti di refrigerazione. E così fa da generazioni anche la famiglia Campanini nella sua trattoria. Stefano e la sorella Franca, con il solido ausilio di mamma Maria, propongono un menù con variazioni stagionali e qualche stuzzicante proposta creativa.
Ovviamente si comincia con i salumi: **prosciutto di Parma** stagionato 25 mesi, **culatello di Zibello**, spalla cruda (Presidio Slow Food), la superba **spalla cotta di San Secondo**, il salame e, in stagione, la mariola e la botticella con mostarda (che si consuma solo in inverno). Poi la **torta fritta**. Tra i primi le paste ripiene: **tortelli** di ricotta e **di zucca**, **agnolotti di patate con funghi porcini**, ravioli di caprino con fonduta di porri, cappellacci con radicchio trevigiano. Come secondi il tenerissimo **guanciale di vitello al forno**, l'anatra con patate, la **trippa** e, solo la domenica, i **bolliti** con salse e mostarda. Particolare lo zabaione balsamico con scaglie di parmigiano reggiano, altrimenti i dolci classici: **crema rovesciata al cioccolato** con salsa al rum, semifreddo della nonna Turivia, crostate e ***bisulan*** con Malvasia.
La carta dei vini è ampia, con etichette nazionali ed estere, e presenta una selezione di una trentina di etichette di Champagne. La prenotazione con buon anticipo è indispensabile; il lunedì sera il menù prevede solo torta fritta e salumi.

A **Busseto**, la Salsamenteria Storica Verdiana in via Roma 76 è un museo-bottega con cimeli e memorie e con la possibilità di consumare un piatto di salumi. Panetteria di Walter Vicini, in via Ziliolio 5: da provare il pane chiamato la miseria.

Calestano
Fragnolo

36 km a SO di Parma

Locanda Mariella

Trattoria
Frazione Fragnolo
Tel. 0525 52102
Chiuso lunedì e martedì
Orario: mezzogiorno e sera
Ferie: variabili
Coperti: 80 + 40 esterni
Prezzi: 35-38 euro vini esclusi
Carte di credito: nessuna

Davvero inaspettata, in questo piccolo borgo della collina parmense, non una carta, ma una sorta di enciclopedia dei vini. Considerando poi che le bottiglie sono offerte a prezzi sempre correttissimi, si può in parte spiegare il successo di questa trattoria fuori mano. Per raggiungerla arrivate a Calestano da Fornovo, passando il ponte sul torrente Baganza, tenete la sinistra, avanti 800 metri prendete a destra, in salita, in direzione Fragno. Scoprirete che di motivi per venire alla Locanda Mariella ce ne sono molti altri, prima di tutto proprio Mariella e Guido, ospiti impareggiabili.
E poi la cucina. Fra gli antipasti, da ricordare la **polentina tenera con fonduta di formaggi e tartufo nero di Fragno** (materia prima nobile, prestigio della zona, che è uno dei capisaldi del menù), il **prosciutto crudo stagionato 30 mesi**, la culaccia. Fra i primi segnaliamo il passato di lenticchie e fagioli con farro, i **cappelletti in brodo**, i tortelli di erbetta e ricotta, gli **gnocchetti di patate con crema di formaggi e tartufo nero**. Con i secondi lo chef Maurizio Pistritto, con l'aiuto del padre di Mariella, Virgilio (la famiglia gestisce il locale da tre generazioni), dà il meglio: **maialino al latte con cotenna al forno**, cotechino borsotto di un artigiano di Collecchio, lo stracotto di cinghiale, il battuto di carne piemontese, il **guancialino di vitello brasato al vino rosso**, la **trippa alla parmigiana**, arrosti di agnello e di anatra.
Per finire, la selezione di formaggi rivela il grande lavoro di ricerca sulle materie prime di Mariella e Guido, molto attenti anche alla produzione biodinamica.

Campogalliano

9 km a nord di Modena uscita A 22

La barchetta

Trattoria
Via Magnagallo Est, 20
Tel. 059 526218
Chiuso la domenica
Orario: pranzo, venerdì e sabato anche sera
Ferie: 3 sett tra agosto-settembre, prime 2 di gennaio
Coperti: 40 + 40 esterni
Prezzi: 25-30 euro vini esclusi
Carte di credito: tutte, Bancomat

D'inverno, gustatevi la stufa al centro della sala, l'atmosfera calda dell'interno, la piccola libreria, le casse di vino qua e là, la gentilezza senza fronzoli di Giovanni, il titolare che conduce da alcuni anni, con la moglie Gianna, in cucina, questo collaudato locale. D'estate vi godrete il pergolato con il glicine, il cortiletto in cui può capitare di vedere la chioccia con i pulcini, l'aria calda della prima pianura modenese, che da qui in poi chiamano Bassa. Siamo sulle sponde delle casse di espansione del fiume Secchia, a pochi metri da uno dei percorsi ciclabili più belli di questa provincia: quello dell'argine del Secchia.
A tavola, comincerete con petto d'anatra marinato al sale con cardamomo, lumache alla bourguignonne, **flan di zucchine con salsa di parmigiano**, carpaccio di tonno affumicato con semi di papavero. Poi i classici **tortellini in brodo**, **tortelloni di ricotta e spinaci al burro**, **tagliatelle al ragù**, gramigna al torchio con salsiccia, **spaghetti al torchio con guanciale** di maiale, pecorino e cipolla o gli estivi spaghetti alla chitarra con ricotta e pomodorini piccanti. Si prosegue con tagliata di cavallo con aglio e rosmarino, **filetto di maiale all'aceto balsamico**, costolette di agnello scottadito, **stinco di maiale al forno**, faraona, tomino alla griglia con miele e noci. D'estate piatti come salmone fresco e tonno in crosta. C'è anche l'insalata "Barchetta" con valeriana, pancetta croccante, parmigiano e balsamico.
Per chiudere, semifreddo alla meringa con cioccolato fondente, **zuppa inglese**, tortino di cioccolato al peperoncino, semifreddo al limone con passato di fragola. I piatti fuori lista, mai banali e ben eseguiti, sono recitati a voce. Scelta dei vini molto curata, Lambruschi compresi, con molti al bicchiere. Valida selezione anche di birre.

Castel d'Aiano
Rocca di Roffeno

46 km a SO di Bologna SS 64

La Fenice

Azienda agrituristica
Via Santa Lucia, 29
Tel. 051 919272
Chiuso lunedì, martedì, mercoledì, mai d'estate
Orario: mezzogiorno e sera
Ferie: 7 gennaio-7 febbraio
Coperti: 120
Prezzi: 30 euro vini esclusi
Carte di credito: le principali, Bancomat

Ca' dei Gatti è un piccolo borgo collinare del Seicento a 50 chilometri da Bologna, circondato da boschi di castagni secolari. Edifici di sasso che i fratelli Remo e Paolo Giarandoni hanno lentamente trasformato in un luogo accogliente. Qui potrete sedervi accanto al camino oppure in una saletta completamente dedicata a voi e gustare piatti preparati con attenzione e rispetto delle tradizioni del territorio.
Il menù è costante nel tempo, tranne l'autunno, in cui **funghi** e **castagne** imperano. Potrete iniziare con i **salumi di mora romagnola** di loro produzione, da maiali allevati allo stato brado, insieme a salumi di cervo e cinghiale, bocconcini di polenta fritta, sottoli, **castagnaccio** e parmigiano reggiano con qualche goccia di aceto balsamico. Come primi provate gli **gnocchi di patate al gorgonzola**, le tagliatelle alla Fenice, con ortiche, tarassaco e pancetta affumicata, i **tortelloni di ricotta** burro e salvia oppure con radicchio, i tortellini in brodo di cappone. Tra i secondi vale l'assaggio il **maialino al forno**. Inoltre vi saranno proposti **carne alla griglia**, **petto di faraona all'aceto balsamico**, coniglio in porchetta, salame fresco saltato in padella. Al dessert scegliete fra la torta di cioccolato, la *crème brûlée* e il gelato fatto in casa con i frutti di bosco caldi. Per finire assaggiate le **visciole** o i frutti di bosco **sotto spirito**.
La domenica sera il menù cambia, con le **crescentine** cotte nelle tigelle accompagnate da salumi, formaggi, sottaceti, sottoli, marmellate e mieli. In cantina una buona selezione di vini delle colline bolognesi e di Romagna. Ci sono anche alcune stanze per passare la notte.

Castell'Arquato
San Lorenzo

35 km a SE di Piacenza

Osteria dell'Angiolina

Osteria-trattoria
Via Canale, 18
Tel. 0523 806162
Chiuso martedì sera e mercoledì
Orario: mezzogiorno e sera
Ferie: 15 giorni in luglio
Coperti: 50
Prezzi: 27-30 euro vini esclusi
Carte di credito: tutte, Bancomat

Deviando un paio di chilometri dalla strada che dalla via Emilia porta al borgo medievale di Castell'Arquato troverete la frazione di San Lorenzo. La trattoria dell'Angiolina ha sede in un locale ristrutturato di recente con due salette dai colori pastello che nei particolari rivelano la gestione tutta femminile delle sorelle Silvia ed Enrica.
Si comincia con una varia scelta di antipasti a base di salumi della provincia di Piacenza e della vicina Parma. Si possono provare i **salumi misti con giardiniera della casa**, la **spalla cotta di San Secondo con polenta grigliata**, il culatello di Zibello dop, ma anche il lardo di Colonnata con crostini caldi e la lonza marinata con radicchio e olive. La domenica sera si preparano anche i **chisolini**, sorta di focaccette tipiche della zona. Ampia la scelta fra i primi piatti, tra cui alcuni tradizionali della cucina del territorio: **tortelli con burro e salvia**, *pisarèi e fasò* (gnocchetti di pasta con sugo di fagioli borlotti), anolini in brodo. Ma troverete pure **tagliatelle con salsiccia e funghi**, gnocchetti di zucca con sugo di funghi e risotto alla cipolla di Tropea e gorgonzola. Secondi a base di carne, tutti serviti con contorno di verdure. Ne citiamo alcuni: **costolette di agnello**, stinco di maiale al forno, **filetto di maiale** lardellato con salsa **all'aceto balsamico**.
Per finire, vari tipi di torte e di dolci al cucchiaio e la torta della casa, che è ovviamente l'"Angiolina". La lista dei vini comprende una selezione di etichette dei Colli Piacentini e alcune nazionali.

Castelnuovo ne' Monti

44 km a SO di Reggio Emilia SS 63

Il capolinea

Ristorante
Viale Bagnoli, 42 A
Tel. 0522 812312
Chiuso la domenica e lunedì sera
Orario: mezzogiorno e sera
Ferie: prima settimana di gennaio
Coperti: 50 + 20 esterni
Prezzi: 28 euro vini esclusi
Carte di credito: tutte, Bancomat

Castelnuovo ne' Monti è a pieno titolo una CittaSlow: posta ai limiti del Parco nazionale dell'Appennino tosco-emiliano, è meta delle gite domenicali dei numerosi amanti dell'arrampicata sportiva – che qui trovano quella fantastica palestra naturale che è la Pietra di Bismantova – oppure di chi è interessato ai prodotti della zona. In questo caso Il Capolinea è un approdo sicuro, dove si gusta la cucina tradizionale dell'Appennino Reggiano in un ambiente accogliente.
Accompagnati dal titolare Giancarlo Casoni – che gestisce con competenza la sala mentre alla moglie Stefania spetta la conduzione della cucina – sarete tentati di iniziare il vostro pranzo con due fette dell'ottimo **salame** fatto in casa da Giancarlo e insaccato nel budello gentile. Se vi trovate nella stagione giusta per i **funghi** il consiglio è quello di non perdere l'**insalata di ovoli freschi**, a cui far seguire in primavera le **tagliatelle coi prugnoli** e in estate quelle **con i porcini** provenienti dai boschi della zona. Le paste fresche sono tutte fatte in casa e, soprattutto d'inverno, condite con sughi di **cacciagione** locale: cinghiale, lepre, fagiano. Di impeccabile fattura i **tortelli di erbette**, rinfrancanti gli ottimi **cappelletti in brodo**. Tra le carni l'**agnello al forno**, proveniente da allevamenti biologici dell'Alpe di Succiso e dell'Alpe di Cusna, oppure il **maialino arrosto** con pomodorini e patate. Nei mesi freddi non è raro trovare il **bollito misto**, con l'ottimo **cotechino** prodotto in casa. Buona l'offerta dei dolci, tra i quali la sfogliatina alla crema, accompagnata da frutti di bosco o cioccolato caldo.
Nella carta dei vini valide etichette provenienti un po' da tutta Italia, proposte a prezzi decisamente onesti.
Il locale non chiude mai in agosto.

Osteria accessibile ai disabili.

Cavriago

9 km a ovest di Reggio Emilia

Cantina Garibaldi

Osteria tradizionale
Piazza Garibaldi, 16
Tel. 0522 372065
Chiuso il martedì
Orario: solo la sera
Ferie: 15 gg fine agosto, 1 settimana in maggio
Coperti: 60 + 45 esterni
Prezzi: 23 euro vini esclusi
Carte di credito: tutte, Bancomat

Questo locale non è né un circolo né una birreria, ma entrando dà l'impressione di essere entrambi. La sala è semplice, alle pareti fotografie di jazzisti che si sono esibiti qui (la musica dal vivo è il lunedì), le lampade classiche da trattoria ed è in fase di completamento l'insonorizzazione dell'ambiente.
Daniela Biavati, la proprietaria che da qualche tempo conduce il locale, è aiutata in cucina da Angelo Bartoli (Engel) e in sala da Valentina Bigi. Con particolare attenzione ai prodotti "a chilometro zero", ovvero delle immediate vicinanze, Valentina ricerca con attenzione ciò che poi propone in tavola: dalle carni di manze a stabulazione libera alle farine. Il menù cambia tutte le settimane ma alcuni piatti si possono trovare quasi sempre. Come antipasto troverete torte salate, il **tagliere di salumi nostrani** o un buon piatto di formaggi. Tra i primi **tortelli verdi**, tagliatelle di farro, gnocchi con soffritto, **tagliatelle di castagne con ricotta e noci**, **tagliatelle caserecce con porcini** o riso carnaroli con zucchine, zafferano e tosone. Di secondo **guanciale in umido con polenta grigliata**, **stinco di maiale al forno** con cotenna, brasato, oppure le superbe **grigliate**: di formaggi e verdure, di **spalla di San Secondo** servita con balsamico e parmigiano, fiorentina, controfiletto, speck con patate, **salsiccia**. Per terminare **semifreddo al Lambrusco**, torta chantilly pere e cioccolato, crostata di pistacchi.
Intelligente scelta dei vini, con ricarichi onesti. La carta include vecchie cultivar riportate ai giusti onori da coraggiose piccole aziende. Buona scelta di vini da fine pasto anche al bicchiere. D'estate i coperti si trasferiscono nella piazza.
L'osteria apre anche a mezzogiorno la terza domenica del mese.

Cento

25 km a SO di Ferrara SS 255

Antica osteria da Cencio

Osteria-enoteca con cucina
Via Provenzali, 12 D
Tel. 051 6831880
Chiuso il lunedì, sabato e domenica a pranzo
Orario: mezzogiorno e sera
Ferie: 10 gg dopo Carnevale, agosto
Coperti: 70 + 60 esterni
Prezzi: 32-35 euro vini esclusi
Carte di credito: tutte, Bancomat

A due passi dalla piazza principale, l'osteria da Cencio accoglie gli avventori fin dal 1850. All'ingresso i tavoli sono spesso occupati dagli habitués, intenti a bere un bicchiere o anche solo a fare quattro chiacchiere. Nel retro e nel cortile si va per il pasto, accomodandosi ai tavoloni in legno, dove Marco Bregoli, con la moglie Claudia e la sorella Morena, vi serviranno in maniera puntuale.
Abbiamo iniziato la nostra esplorazione della cucina di Gabriele Ferri e del fidato Alex con un antipasto di cicoria saltata con parmigiano e salsa rossa piccante, i **salumi di mora romagnola** (Presidio Slow Food), sottoli e sott'aceti. Convincenti i primi come le **tagliatelle al ragù**, gli **spaghetti al torchio conditi con pomodoro fresco**, i maccheroni con ragù e i *pisaréi* con zucca e carciofo. Menzione d'onore per i secondi piatti preparati con **carne** bovina **di fassone piemontese**: **battuta al coltello** accompagnata da uovo essiccato al sale, **roastbeef nel suo sughetto** e il piatto "Cencio", preparato con filettino di manzo e verdure. Degna di nota anche la piccata di pollo gratinata con carciofi. Disponibili alcuni contorni come verdure grigliate, insalata mista e patate al forno. Interessante la selezione dei **formaggi**, con proposte che valicano i confini nazionali guardando a Francia e Inghilterra. Dolci della tradizione con crostate, biscotti fatti in casa e **coppa al mascarpone**.
Ottima la carta dei vini, con buone proposte regionali, ampia scelta nazionale e alcune etichette estere. La cucina chiude tardi e, se sarete fortunati, potrete assistere a improvvisati concerti degli "amici di Cencio".

In via Fratelli Rosselli la gelateria artigianale Sombrero. In via Ugo Bassi, di qualità i salumi, la carni bovine, suine e il pollame della macelleria Ceresi.

Cesena
San Vittore

6 km dal centro della città

Cerina

Ristorante-pizzeria
Via San Vittore, 936
Tel. 0547 661115
Chiuso lunedì sera e martedì
Orario: mezzogiorno e sera
Ferie: in agosto e in gennaio
Coperti: 150
Prezzi: 30 euro vini esclusi
Carte di credito: tutte

A Cesena, nei pressi dell'uscita San Vittore della E45, troverete una osteria-pizzeria di qualità. L'ambiente è moderno, arredato con semplicità, tavoli in stile rustico e qualche tovaglia con i classici stampati della tradizione romagnola. Una serie di porte scorrevoli divide la pizzeria dall'osteria.
Il menù varia quasi giornalmente e segue la stagionalità dei prodotti. Pane, spianata e grissini al sesamo sono preparati in casa tutte le mattine. **Squacquerone**, rucola, fichi caramellati, accompagnati da una buona **piadina** possono rappresentare l'inizio del pasto. In cucina la signora Graziella con la sorella Rosanna e il figlio Perigiorgio assicurano paste fresche tirate al matterello: **tagliatelle** classiche o pappardelle condite **con il ragù** e, in stagione, con stridoli o piselli. Poi le paste ripiene come i **ravioloni di ricotta e spinaci** e i cappelletti in brodo. E ancora un classico della Romagna: i **passatelli in brodo**. Tra i secondi il **galletto al tegame con pomodorini e patate**, il filettino di maiale steccato con pancetta, la **cacciatora di coniglio** e gli arrosti di animali da cortile. Disponibili anche le costine, la costata e le **salsicce di mora romagnola** ai ferri. Il venerdì c'è un menù di pesce con una attenta valorizzazione del pesce azzurro dell'Adriatico. I dolci rispecchiano quelli della tradizione e quindi ciambella, zuppa inglese e **porcospino**, un dolce quasi dimenticato dal delicato aroma di caffè e mandorle.
La carta dei vini presenta una curiosa legenda che aiuta a districarsi tra le varie proposte di Vincenzo: interessanti quelle del territorio di Bertinoro, Predappio e Rocca delle Camminate.

MICHILETTA

Osteria tradizionale-trattoria
Via Fantaguzzi, 26
Tel. 0547 24691
Chiuso la domenica
Orario: mezzogiorno e sera
Ferie: variabili
Coperti: 40 + 30 esterni
Prezzi: 25 euro vini esclusi
Carte di credito: tutte

In pieno centro storico ha sede dalla metà dell'Ottocento la più antica osteria della città, che ha conservato in buona parte la struttura originaria. Purtroppo, a causa di uno sfratto, trasferirà probabilmente insegne e arredi, nei primi mesi del 2009, a un altro indirizzo.
Johanna e Rocco Angarola garantiscono l'accoglienza; in cucina il titolare, chef con esperienze internazionali. I piatti del giorno cambiano con la stagione, rispecchiando in buona parte tradizione e territorio, anche se non mancano proposte originali, con ampio utilizzo di prodotti biologici. Ecco allora il riso venere con gamberi e asparagi, lo sformatino di pancotto con erbette di campagna, i carciofi con olive e salame e il risotto integrale con le verdure. Tra i primi crema di cavolfiore, **stringhetti con salsiccia e spinaci**, tagliolini al radicchio di campagna o cicoria, **gnocchetti di polenta con i fagioli** e **tagliatelle con gli stridoli**. Tra i secondi, il **coniglio in porchetta con fegatelli e finferli**, i filetti di maialino con rete e pancetta, il lonzino sotto sale con ridotto di aceto balsamico e zenzero, i **filetti di pollo con verdure all'agretto**, la trippa e il **baccalà**. Con il piccolo mulino che si è portata dall'Austria Johanna macina il grano e gli altri cereali per la pasta e gli ottimi dolci: **crostata integrale con la frutta**, zuppa di amaretti e panna cotta con pan di miele, *bonet*, semifreddo al croccante o allo yogurt con le arance, cassatella. Ampia selezione di **formaggi** locali, nazionali e francesi proposta fuori dal periodo estivo.
In cantina una settantina di proposte regionali e nazionali, qualche francese e austriaco. Meglio prenotare.

A **Gambettola** (13 km), Il buongustaio, piazza Cavour 5: pecorino stagionato in anfore di terracotta con foglie di noci, formaggio di fossa e di grotta.

53 KM A EST DI FORLÌ SS 9 E 304

OSTERIA DEL GRAN FRITTO LA BUCA

Osteria con cucina
Corso Garibaldi, 41
Tel. 0547 82474
Non ha giorno di chiusura
Orario: mezzogiorno e sera
Ferie: non ne fa
Coperti: 50
Prezzi: 28-32 euro vini esclusi
Carte di credito: tutte

Il porto canale, progettato da Leonardo da Vinci, è il salotto buono di Cesenatico, una delle cittadine più affascinanti della riviera romagnola. Sulla riva destra del canale, a fianco dello storico ristorante La Buca, da alcuni anni il patron Stefano Bartolini ha aperto questa osteria vivace e informale (tavoli in legno e tovagliette di carta sulle quali è stampato il menù).
Qui potrete consumare anche un solo piatto, nel qual caso vi consigliamo il **gran fritto di paranza dell'Adriatico**. Il menù, comunque, offre pure, come primi piatti, un ottimo **risotto alla moda di una volta** (con pesci poveri della tradizione) e tagliolini al ragù bianco di pesce. Poi il fritto senza spine (calamari, gamberi, razza e calamaretti), **sarda fritta spinata**, spiedini di calamari e gamberi, **seppiolini novelli in guazzetto** di pomodoro, **sardoncini saltati in tegame all'olio e limone**, cozze di Cesenatico alla marinara, insalata tiepida di polpo e patate. Quando ci sono non fatevi sfuggire le **saraghine a scottadito**, servite al tavolo su una piccola griglia. Ben assortita e di qualità la proposta dei dolci: sorbetti di frutta fresca, gelato ai pistacchi di Bronte su nido di pasta *phylo*, semifreddo alla nocciola, cialda con gelato di crema e frutti di bosco.
La carta dei vini non è molto ampia ma costruita con criterio, alcuni vini sono proposti anche a calice. Non si accettano prenotazioni, quindi vi consigliamo di arrivare in anticipo sugli orari dei pasti. Nell'attesa fate due passi lungo il molo, dove potrete ammirare le antiche barche da pesca del museo storico.

In via Daldini 6, da Marconi, paste fatte a mano: tagliatelle, passatelli, lunghetti, gnocchi di patate, paste ripiene. In piazza Fiorentini 10, al Giardino dei sapori perduti, dolci e biscotti artigianali e marmellate.

Comacchio

52 km a SE di Ferrara bretella A 13

Da vasco e giulia

Trattoria
Via Muratori, 21
Tel. 0533 81252
Chiuso il lunedì
Orario: mezzogiorno e sera
Ferie: 7-31 gennaio
Coperti: 40
Prezzi: 28-33 euro vini esclusi
Carte di credito: nessuna

Nel centro di Comacchio, in prossimità dei Trepponti e dei suoi canali, troverete questa vecchia osteria gestita ormai da più di quarant'anni dalla signora Giulia insieme alla figlia Irene. L'arredo un po' dimesso non vi faccia sfuggire l'opportunità di godere di una cucina casalinga quanto deliziosa. La cortesia è di casa e grande attenzione è dedicata ai bambini, serviti sempre con tempestività.
Il menù è incentrato sul pesce, con l'**anguilla**, naturalmente, in primo piano. Tra le tante preparazioni di cui è oggetto, è ottima **con le verze e i pinoli** (in inverno), **alla griglia** o **in brodetto a becco d'asino**, tutto l'anno. Tra i primi, sono da segnalare tutti quelli con le paste fatte in casa, dalle semplici ma deliziose **tagliatelle al ragù**, all'ottimo **risotto**, sia con l'anguilla sia quello **di mare**; dagli spaghetti alle vongole in bianco, ai **maccheroncini con le canocchie**. Costante e di buona qualità, per proseguire, la proposte basate sul pescato del giorno: su tutte le **grigliate** e i **frutti di mare**; degni di nota pure l'eccellente **fritto misto di paranza** e i sardoni marinati.
Pochi ma buoni i dolci: un plauso in particolare alla **zuppa inglese** fatta in casa. La carta dei vini è piuttosto limitata ma propone vini locali, anche al bicchiere, come il Fortana, un rosso di sabbia del territorio ideale da abbinare all'anguilla, e, fra ottobre e febbraio, la Rossiola, un vinello gradevole e beverino.

Nelle pescherie dei fratelli Cavalieri e alla Lidomar, nella piazza adiacente ai Trepponti, troverete, in stagione, le latte di anguilla marinata del Presidio Slow Food.

Corniglio
Ghiare

40 km a SO di Parma

Da vigion

Trattoria con alloggio
Via Provinciale, 21
Tel. 0521 888113
Chiuso lunedì e martedì
Orario: mezzogiorno e sera
Ferie: 15-31 gennaio, 1-10 settembre
Coperti: 60
Prezzi: 22-25 euro vini esclusi
Carte di credito: le principali, Bancomat

Si percorre la strada che va da Parma a Langhirano, risalendo la valle del torrente Parma in direzione Corniglio. A Ghiare, dopo un'ampia curva sulla destra, troverete la trattoria con alloggio gestita dal 1947 dalla famiglia Rabaglia, una vera osteria di paese, con bar e rivendita di tabacchi. Un locale semplice, genuino, con un rapporto fra qualità e prezzo molto onesto e porzioni generose (dal lunedì al venerdì a pranzo, menù fisso a 12 euro vini inclusi).
Iniziamo con un antipasto di salumi: il **salame** e la **cicciolata** sono prodotti da Carlo Rabaglia nel laboratorio-rivendita collegato al ristorante, mentre lo spallaccio, il prosciutto crudo, l'ottima **pancetta**, la gola, il lardo, il fiocchetto completano qui la stagionatura. Poi l'**insalata di porcini** e il misto di tortine salate. Tutte le paste sono tirate a mano dalla madre di Carlo: da provare i **tagliolini ai funghi** (a inizio primavera i prugnoli, altrimenti porcini) e i **tortelli**: alle erbette, con burro fuso e parmigiano, di zucca, di patate ai funghi o **al tartufo nero di Fragno**, alla boscaiola. In alternativa gli **anolini in brodo**, diversi per consistenza, impasto e dimensioni. Come secondi il **bollito misto** – manzo, cotechino e "ossa", accompagnati da una buona salsa verde – oppure gli **arrosti** di cacciagione, di faraona, lo stinco di maiale, la punta di vitello arrosto, la **coppa al forno**. Periodicamente il **brasato di puledro** e la **trippa alla parmigiana**. Il venerdì baccalà fritto o lessato.
Tra i dolci, le **crostate**: di marasche, di cioccolata e arance, di mele con cioccolata calda, verde con mandorle e spinaci. L'energetico **dolce amor**, di burro, cioccolato, caffè e savoiardi, può chiudere il pranzo. Carta dei vini con una selezione di etichette soprattutto della zona. Nei fine settimana è indispensabile prenotare.

CORREGGIO

17 KM A NE DI REGGIO EMILIA SS 468

TRE SPADE

Trattoria
Via Roma, 3 A
Tel. 0522 641500
Chiuso il martedì, venerdì e domenica sera
Orario: mezzogiorno e sera
Ferie: 3 settimane in agosto, 27/12-4/01
Coperti: 40
Prezzi: 30 euro vini esclusi
Carte di credito: CartaSi, Visa, Bancomat

Una trattoria classica, con accoglienza cordiale e piatti della tradizione. Sotto i portici, un'antica insegna vi indicherà che siete arrivati.
Le sorelle Marzia e Cinzia Masoni conducono il locale. L'ambiente è familiare e nell'unica luminosa sala troverete alla parete la lavagnetta con i piatti del giorno. Le titolari vi consiglieranno, spiegandovi i piatti preparati da Cinzia in cucina con le ricette della mamma Noemi. Piattino di benvenuto con **erbazzone e ciccioli frolli**, prima di assaggiare i capisaldi della gastronomia reggiana, sempre presenti, e le pietanze che cambiano a seconda della stagione. Dopo un antipasto con **salumi, *frisaia* (peperonata) e parmigiano delle vacche rosse**, assaggiate le pappardelle all'anatra, gli ottimi **cappelletti in brodo di cappone e manzo** (il ripieno è di stracotto, con carne di maiale, manzo, vitello, prosciutto, mortadella). Poi i **tortelli** – di zucca al burro fuso, verdi, di patate alla crema di tartufo –, le **tagliatelle al ragù di salsiccia**, il risotto agli asparagi, gli **gnocchi di patate alla salsiccia**. I secondi: **faraona alle cipolline**, **stracotto con la polenta**, zampone con i fagioli, arrosto di maiale al forno, coniglio o **filetto al balsamico**, fiorentine di vitella delle Langhe. E ancora il tris di verdure ripiene, il roastbeef, la costata di vitello. Per finire la classica zuppa inglese, la **crostata di ricotta ai frutti di bosco**, le squisite **pere alla crema**, la torta al cioccolato, la ciambella (*buslan*) con il vino dolce.
Buona la carta dei vini, con una selezione di proposte italiane, qualche bottiglia internazionale e, naturalmente, i Lambruschi, tra cui spicca la Vigna Migliolungo, da vitigni recuperati dall'Istituto Agrario Zanelli di Reggio Emilia.

FAENZA

31 KM A SO DI RAVENNA SS 9 O USCITA A 14

LA BAITA

Enoteca con cucina
Via Naviglio, 25
Tel. 0546 21584
Chiuso domenica e lunedì
Orario: mezzogiorno e sera
Ferie: 1-7 gennaio, 2 settimane metà agosto
Coperti: 55 + 55 esterni
Prezzi: 30 euro vini esclusi
Carte di credito: tutte, Bancomat

Storico locale nel centro di Faenza nato come drogheria, oggi è una delle enoteche con cucina più importanti della Romagna: la cantina conta ben 1800 etichette e una selezione unica di Champagne. Robertone ha creato nel tempo un caposaldo della cucina faentina e romagnola, con una selezione importante di salumi e formaggi e di prodotti gastronomici, compresi i Presìdi Slow Food. Nel suo viaggio lo affiancano la moglie Rosanna e il figlio Fabio, in cucina il bravo chef Antonio Casadio.
Si può passare la serata con un piatto di salumi e formaggi e un buon vino, oppure consumare una cena completa: il menù cambia settimanalmente, le porzioni sono generose. Si comincia con le **tagliatelle al ragù di asinina** e con quelle **verdi con crudo e piselli**, le pappardelle al petto di piccione con porcini, salvia fresca e parmigiano, le farfalle ai fiori di zucca con calamaretti e scorzone, la paglia e fieno con filetti di triglie e lenticchie al fumetto di pesce e gli ***urciò* ripieni di ricotta, spinaci ed erbette**, i *ciapèt* con sughi stagionali. I secondi: capretto al forno, **stufatino pazzo** con polpette di maiale e involtino salvia e rosmarino, **arrosto misto** di campagna con patate fornarine, tonno fresco alle verdure di campo con asparagi e cipolle di Tropea, *tartare* di cernia fresca con ortaggi di stagione, **costata di manzo ai ferri** o le **uova strapazzate con la pancetta**.
Ampia scelta di dolci, dalle mousse di pompelmo alle crostate, dai dolci al formaggio agli **scroccadenti** da intingere nel passito. In estate si cena nel fresco giardino, vi consigliamo di prenotare.

Stefania Callegari nel laboratorio I Liveri, via Paolo Costa 4, produce confetture di qualità, come Rosso fragola all'uva sangiovese, e le gelatine di Sangiovese fatte con i migliori cru della Romagna.

Faenza

31 km a SO di Ravenna SS 9 o uscita A 14

Marianàza

Trattoria
Via Torricelli, 21
Tel. 0546 681461
Chiuso il mercoledì
Orario: mezzogiorno e sera
Ferie: 15 luglio-15 agosto
Coperti: 50
Prezzi: 30-35 euro vini esclusi
Carte di credito: tutte

Nel cuore della città, a due passi da piazza del Popolo e dal parcheggio di piazza delle Erbe, troverete questa osteria attiva già nell'Ottocento, nelle cui sale è documentata la cultura delle ceramiche di Faenza. Proprio in questo ambiente caldo e accogliente l'ultima sera dell'anno 1844 Romolo Liverani e Achille Calzi, con una combriccola di amici, fondarono il famoso "Lunari di Smèmbar" (letteralmente: Calendario dei pezzenti), la cui fama ha varcato i confini della Romagna.
La gestione è da sempre tutta al femminile; oggi mamma Mariangela, insieme alle figlie Luana e Natascia, propone un'ottima cucina tradizionale. Nell'accogliente sala un grande camino, sempre acceso, vi ricorda che, in questo locale, si servono ottime grigliate. Potrete cominciare con **salumi di mora romagnola, squacquerone e piadina** o con i crostini (anche di polenta). Tra le paste, tutte fatte in casa, consigliamo le **tagliatelle al ragù** oppure con prosciutto e piselli, i tortelloni di ricotta al burro e salvia, la **pasta e fagioli**, i garganelli e i passatelli. Come secondi, come detto, troverete una vasta scelta di **carni alla griglia**, tenere e gustose: salsiccia, pancetta, castrato, fiorentina, tagliata al rosmarino e fegatini di maiale. Molto buoni sono anche la **trippa**, le polpette in umido, il **baccalà** e il **coniglio**.
Interessanti i dolci fatti in casa, in particolare la torta alla robiola, il tiramisù e la **zuppa inglese**. Fornita la carta dei vini, con numerose etichette di piccoli produttori locali e nazionali, e ricarichi sempre onesti. Vi consigliamo di prenotare.

Farini
Groppallo

52 km a sud di Piacenza SS 654

Fratelli Salini

Trattoria annessa all'albergo
Viale Europa, 46
Tel. 0523 916104
Chiuso il mercoledì, mai d'estate
Orario: mezzogiorno e sera
Ferie: 15 giorni in gennaio
Coperti: 80
Prezzi: 20-30 euro vini esclusi
Carte di credito: le principali, Bancomat

In questa amena località dell'alta Val Nure, l'Albergo Salini già all'inizio dell'Ottocento era locanda con spaccio e cucina. Già allora la famiglia Salini praticava l'arte della macelleria e della norcineria, tuttora in uso presso i discendenti con ottimi risultati. Qui si gustano e si acquistano tagli di carne e salumi piacentini, tra cui la **mariola**, prodotti dai fratelli Domenico, Renzo e Vittorio.
I piatti proposti sono quelli della cucina tradizionale, con una scelta attenta delle materie prime. La sala da pranzo, dall'arredamento rustico, è linda e accogliente. Il servizio, soprattutto nel fine settimana, è lasciato alle belle ragazze della famiglia, Silvia, Elena e Paola, che vi sapranno spiegare la preparazione dei piatti e le varianti del giorno. Si comincia con **crostini e *pistà ad gràss*** (lardo tritato con aglio e prezzemolo), qui particolarmente buono. Quindi un piatto di **salumi piacentini** accompagnati da verdurine e giardiniera fatti in casa. I primi, tutti di pasta fresca tirata a mano dalla signora Anna Maria, sono i classici della tradizione, su tutti ***pisaréi e fasò*** e **tortelli con la coda** con le erbette e con la zucca, di radicchio rosso e ricotta con sugo di cotechino, di patate con sugo di pasta di salame. Ottime carni, spesso biologiche, come secondo, con il maiale nelle preparazioni più classiche – dalla **coppa arrosto** al salame cotto –, il **cinghiale in umido**, i brasati. In stagione, **funghi** della zona.
Anche i dessert sono fatti in casa: deliziose crostate, **sbrisolona**, semifreddi, dolci al cucchiaio, tiramisù alle fragole, spuma di menta con cioccolato fondente. La cantina propone una discreta selezione di vini piacentini, con le migliori produzioni locali. La prenotazione, soprattutto nei fine settimana estivi, è consigliata.

FELINO
Casale

17 KM A SO DI PARMA

LA PORTA DI FELINO

Trattoria
Via Casale, 28 B
Tel. 0521 836839
Chiuso il mercoledì
Orario: mezzogiorno e sera
Ferie: variabili
Coperti: 45 + 40 esterni
Prezzi: 25-32 euro vini esclusi
Carte di credito: tutte

Felino, come tutto il territorio collinare parmense, è terra di grandi salumi e di grande ospitalità, due ingredienti che non mancano nel locale di Giuliano "Ciccio" Zerbini e della moglie Paola. Il luogo è una classica vecchia osteria di campagna, aperta quasi a ogni ora per dare ristoro a chi si affaccia all'uscio; la cucina è quella tradizionale, con ingredienti semplici e veraci, che cambiano con le stagioni.
Non si può iniziare il pasto senza i **salumi** proposti da Paola, che vi avrà accolto in sala mentre Ciccio è ai fornelli: un ottimo **prosciutto di Parma** stagionato per 30 mesi, il classico **salame di Felino**, la coppa, la spalla cotta, la culaccia e il **culatello di Zibello**. Volendo si può aggiungere ai salumi la ricotta calda guarnita con verdure e parmigiano. Tra i primi – che, come vuole la tradizione locale, sono a base di sfoglia fresca tirata a mano – si segnalano gli **anolini in brodo** (soprattutto nei mesi freddi), i tagliolini o gli **strichetti** con i sughi di stagione e, nel periodo invernale, degli ottimi **tortelli di zucca**, impostisi in diverse edizioni della Disfida nazionale del tortello di zucca. Tra le pietanze spiccano una delicata e convincente **trippa alla parmigiana**, il filetto di maiale con le cipolline, il coniglio con le verdure, i **guancialetti di vitello** e un'ottima **punta al forno ripiena** di patate arrosto.
Se resta spazio assaggiate la **torta sbrisolona** che, pur essendo un dolce tipicamente mantovano, qui trova un'esemplare esecuzione. Molte le buone bottiglie disponibili, soprattutto di vini regionali: affidatevi ai consigli di Paola.

FERRARA

ANTICA TRATTORIA VOLANO

Trattoria
Viale Volano, 20
Tel. 0532 761421
Chiuso il giovedì
Orario: mezzogiorno e sera
Ferie: variabili
Coperti: 70 + 40 esterni
Prezzi: 33-35 euro vini esclusi
Carte di credito: tutte, Bancomat

La trattoria ha sede alle porte del centro storico di Ferrara, sulla riva del Po di Volano. È un luogo storico della ristorazione ferrarese, che continua a presentare i piatti tradizionali di questo territorio anche dopo il cambio di gestione, che vede Grazia Bego come titolare, mentre il personale di cucina, in particolare la cuoca Cinzia Poletti, e quello di sala sono rimasti invariati.
Il più classico antipasto ferrarese, i **pinzini fritti con salumi** fra i quali è senz'altro da segnalare il salame all'aglio, introduce alle portate principali: i tradizionali e sempre ottimi **cappellacci di zucca al ragù**, il **pasticcio alla ferrarese** (piatto che non è preparato tutti i giorni, per cui ne è consigliata la prenotazione) e i tagliolini al sugo di prosciutto sono quelli di maggior successo e riuscita; tutta la pasta è preparato a mano. Fra i secondi piatti gli appassionati del territorio non possono prescindere dalla **salama da sugo** che è presentata anche nel piatto dei **bolliti misti** dove troviamo lingua, cotechino e testina accompagnati dalla salsa verde e rossa. Altre proposte da prendere in considerazione sono l'**anguilla in umido** e il **somarino con polenta**. Infine ottimi dolci, in particolare la **zuppa inglese** e i ***mandurlin del pont***, biscotti alla chiara d'uovo e mandorle, originari di Pontelagoscuro.
La carta dei vini non è particolarmente ricca, ma è sicuramente attenta alle produzioni locali, adatte ad accompagnare i piatti presentati; prevalgono quindi le etichette del Bosco Eliceo, vini di sabbia del litorale ferrarese.

Ferrara

L'oca giuliva

Ristorante
Via Boccacanale di Santo Stefano, 38
Tel. 0532 207628
Chiuso il lunedì e martedì a pranzo
Orario: mezzogiorno e sera
Ferie: ultime 3 sett giugno, ultima agosto, Natale-Epifania
Coperti: 30 + 15 esterni
Prezzi: 35-40 euro vini esclusi
Carte di credito: tutte, Bancomat

Sotto i portici, nel centro storico di Ferrara, troverete questo elegante ristorantino. L'ambiente è intimo e i prezzi facilmente superano quelli di questa guida (il coperto costa 4 euro), ma per la qualità della sosta continuiamo a segnalare questo locale. Dal 1995 Leonardo Marzola (in sala) e Gianni Tarroni (in cucina) gestiscono il locale. La carta offre una varietà di piatti tradizionali (segnalati con un asterisco) e rivisitati con fantasia dallo chef, c'è un'attenta selezione di formaggi regionali e nazionali, la lista dei vini spazia dalle migliori etichette nazionali a quelle regionali con qualche escursione all'estero.
Potrete cominciare con il **salame ferrarese** e la pancetta arrotolata all'aglio, oppure con il baccalà mantecato su fondo di crostacei o il **petto di quaglia farcito in foglia di verza**. Tra i primi i delicati **cappellacci di zucca al ragù**, il **pasticcio di maccheroni alla ferrarese**, i classici **cappelletti in brodo di cappone**. I secondi della tradizione: **salama da sugo con purè di patate**; **faraona disossata e farcita** con mostarda di mele e pere; **anguilla arrostita**, crema di pomodoro e cipolla in agrodolce. Con il pesce mettete in conto di spendere di più: cernia ai carciofi e scalogno caramellato, filetto di luccio con spinaci e sformato di pane al ginger, spaghetti artigianali con canocchie e basilico; tagliata di tonno al pepe nero e zucchine alla menta.
Per chiudere il **pampapato**, la **tenerina al cioccolato**, la zuppa inglese, la torta di mele tiepida. Ottime anche la selezione di vini al calice e la carta dei caffè preparati con la moka o con l'infusiera.

Il Forno Perdonati, via San Romano 108, lavora il pane a mano senza lievito chimico: coppitta ferrarese, grissini stirati a mano, pampapato.

Finale Emilia
Massa Finalese

42 km a NE di Modena SS 12 e 468

Entrà

Trattoria
Via Salde Entrà, 60
Tel. 0535 97105
Chiuso lunedì e martedì
Orario: solo la sera
Ferie: 13 agosto-15 settembre
Coperti: 40 + 40 esterni
Prezzi: 20-25 euro vini esclusi
Carte di credito: nessuna

Ci vuole pazienza a trovare questo casolare di campagna, soprattutto se c'è nebbia, e d'inverno, nella Bassa modenese, la "fumana" c'è spesso. Per orientarsi può agevolare il vecchio stabilimento Bellentani, alla cui destra parte la stradina; poi di riferimento saranno le numerose auto parcheggiate nel cortile. Segno di un gradimento che consiglia sempre una telefonata di prenotazione. Un consenso meritato, perché Elvira, ai fornelli, lavora materie prime di qualità nel rispetto di una tradizione famigliare fondata sui gusti semplici del territorio. Ai tavoli, il fratello Antonio supplisce con cortesia alla mancanza di un menù scritto. Se il tempo glielo permette, vi trasmetterà la passione per i vini, che si ritrova nella carta: una buona selezione regionale con particolare attenzione ai vitigni autoctoni.
Salame, pancetta e coppa stagionata sono i salumi di qualità con cui si può iniziare. Tra i primi, degni di una menzione i **tortelli di zucca al ragù**, di pregio anche il **risotto alle cipolle** mantecato al Trebbiano con aceto balsamico di Modena, i tortellini e i **passatelli in brodo**, i maltagliati con fagioli e i **maccheroni spezzati al ragù**. Fra i secondi spiccano il **galletto alla cacciatora**, la **faraona arrosto** con patate al forno e le **grigliate**.
Tra i dessert buona la **zuppa inglese**, ma anche crostate e torta di mele, la ciambella, qui chiamata **bensone**, e una tenerina al cioccolato che segnala il vicino confine ferrarese. Al giovedì e solo in stagione fredda, un menù della tradizione contadina della zona: a degli ineguagliabili **spaghetti con acciughe, tonno, sgombro e cipolla** fa seguito il **baccalà** con polenta, sia in umido che fritto. D'estate si cena all'aperto.

FORLÌ

DON ABBONDIO

Enoteca-ristorante
Piazza Guido da Montefeltro, 16
Tel. 0543 25460
Chiuso il lunedì e domenica sera
Orario: mezzogiorno e sera
Ferie: in agosto e in gennaio
Coperti: 45 + 20 esterni
Prezzi: 35 euro vini esclusi
Carte di credito: tutte

Nel centro della città, in un luogo storico della gastronomia di Forlì, per moltissimi anni sede dell'Osteria della Trippa, è situata questa simpatica enoteca-ristorante rilanciata dalla passione di Simone Zoli e oggi frequentata da studenti universitari, impiegati e viaggiatori, periodicamente sede di mostre d'arte. In cucina Diego, chef di esperienza e professionalità. Il locale è disposto su due piani: al piano terra un ambiente informale con le pareti rivestite con il legno delle casse del vino, travi al soffitto, tavoli semplici e una piccola corte estiva. Al piano superiore un ambiente più raccolto e riservato. I piatti rispecchiano l'esperienza dello chef: materia prima, stagionalità e un solido legame con il territorio sono i loro tratti distintivi.
Potrete iniziare con una **frittatina di asparagi e salsiccia matta** o con **animelle di agnello fritte** e insalatina di carciofi. Tra i primi, passatelli con cozze e *lischi*, **lasagnetta verde al ragù tradizionale, *spoja lorda* in brodo** al pecorino di grotta. Tra i secondi troverete la **trippa con verdure e pecorino di grotta**, tonno alla griglia con fagiolini e olive nere, **stracotto di manzo con salsa al Sangiovese**, lombo di mora romagnola al latte. Ampia selezione di **salumi artigianali** di mora romagnola e di **formaggi romagnoli**. Si chiude con bavarese al caffè e **tortino di zucca** con sorbetto alla Cagnina di Romagna.
Cantina da scoprire, con i romagnoli in grande evidenza e il meglio dell'enologia italiana al bicchiere. Non c'è il coperto.
In assenza di mostre l'osteria chiude anche il sabato a pranzo e la domenica.

Osteria accessibile ai disabili.

Locale segnalato
dall'Associazione italiana celiachia.

FRASSINORO
Fontanaluccia

66 KM A SO DI MODENA SS 486

ALLA PESCHIERA

Osteria-trattoria
Via Ponte Volpi, 1
Tel. 0536 968275
Chiuso il lunedì
Orario: mezzogiorno e sera
Ferie: variabili
Coperti: 90
Prezzi: 22-25 euro vini esclusi
Carte di credito: le principali, Bancomat

Raggiungere Fontanaluccia non è facile, per cui se decidete di avventurarvi sin qui mettete in conto un po' di tempo su una strada tortuosa, con scollinamenti, tornanti, bivi. Siamo nell'alto Appennino modenese, ricco di piaçevoli vedute e castagni. In passato qui esisteva solo una baracchina, che per la verità è ancora visibile all'interno del nuovo locale, inglobata da due allargamenti successivi. Qui si veniva nel fine settimana a pescare le trote allevate in vasca, che poi erano cotte proprio nella baracchina. «Una volta era diverso», ci dice Franco Manni, «si veniva molto di più sull'Appennino, era la vacanza di chi abitava da queste parti». Il locale lo ha ereditato dal padre. In cucina Stefania, la moglie di Franco, prepara piatti che assecondano le stagioni.
Tra gli antipasti sempre presenti i **salumi** (coppa, prosciutto, salame) – tutti prodotti con maiali allevati da Franco – e le verdure sott'aceto. La pasta è tirata a mano: **tortelloni burro e salvia** o con ragù o con funghi, **tortellini** o ravioli all'ortica. I **funghi** si trovano quasi sempre (per condire i primi o come secondi), in molte varietà. Di secondo il **filetto ai prugnoli** o l'arrosto con ottime patate; in inverno la **polenta con cacciagione**. Le **trote** e i **salmerini** (deliziosa varietà locale) sono uno dei buoni motivi per spingersi fin qui; li troverete fritti o nella versione "primavera", con le verdure. Consigliamo un assaggio di pecorino, prodotto da un pastore locale. Per concludere la tradizionale **zuppa inglese** o crostate e numerosi liquori fatti in casa (nocino, mirtillino, laurino).
Limitata scelta di vini nazionali e un discreto Lambrusco prodotto dai titolari.

GALEATA
Pianetto

32 KM A SO DI FORLÌ SS 310

LA CAMPANARA

Osteria di recente fondazione
Via Pianetto Borgo, 24 A
Tel. 0543 981561-333 4073324
Chiuso lunedì e martedì
Orario: sera, sabato e domenica anche pranzo
Ferie: 15 giorni in giugno
Coperti: 40 + 40 esterni
Prezzi: 24-28 euro vini esclusi
Carte di credito: le principali, Bancomat

Campanara era detta la signora che nell'immediato dopoguerra occupava la canonica annessa alla adiacente cinquecentesca chiesa di Santa Maria dei Miracoli. L'edificio rimase poi vuoto per decenni, ma la storia è rimasta viva nel piccolo e delizioso borgo medievale di Pianetto, a un paio di chilometri da Galeata. Perciò Roberto (geometra) e la moglie Alessandra (insegnante e cuoca) acquistando e restaurando nel 2006 i locali ne hanno conservato memoria nel nome dell'osteria, che dispone di tre salette su due piani e di una bella corte interna dove si può cenare d'estate, accanto al campanile della chiesa.
Prodotti di qualità, fornitori della zona e della vicina Toscana, stagionalità e freschezza delle proposte gastronomiche: questi gli elementi che hanno decretato in breve tempo il successo del locale, uniti all'abilità di Alessandra (e della madre Rosalba che aiuta in cucina) e alla cordialità di Roberto. Il menù è settimanale. Per iniziare: **crostini** caldi con frittatine, salumi, verdure sott'olio e **polpettine fritte**, formaggio **raviggiolo** (Presidio Slow Food) di giornata. Fra i primi: **tortelli di zucca e patate** con gota croccante e rosmarino, **ribollita toscana**, **gnocchi di patate bianche** con cuori di carciofo e scaglie di pecorino di fossa. Fra i secondi domina la carne di razza bovina romagnola (Presidio Slow Food), con la pancia di vitello arrotolata al forno, il brasato, lo spezzatino, ma provate anche lo **spezzatino di cinghiale con polenta gialla** o il **baccalà al latte con porri e patate**.
Dolci fatti in casa per finire: **tenerina al cioccolato** con salsa allo zabaione, torta di robiola alla confettura di more di rovo, semifreddo al torroncino e cioccolato ghiacciato. La piccola e meditata carta dei vini privilegia le etichette romagnole.

GAZZOLA
Rivalta

21 KM A SO DI PIACENZA

ANTICA LOCANDA DEL FALCO

Ristorante con bottega
Località Rivalta
Tel. 0523 978101
Chiuso il martedì
Orario: mezzogiorno e sera
Ferie: in dicembre e in agosto
Coperti: 80 + 60 esterni
Prezzi: 35-38 euro vini esclusi
Carte di credito: tutte, Bancomat

Un pranzo, o una cena, al Falco è un'esperienza da non perdere. Intanto per il luogo, uno splendido borgo medievale conosciuto come il Castello di Rivalta, che mantiene un'integrità perfetta e un fascino unico, poi per l'offerta gastronomica, legata ai prodotti del territorio e alla grande tradizione piacentina, e infine per l'affabilità e la solida esperienza di Marco, il patron.
Prima di accomodarvi al tavolo vi consigliamo di soffermarvi nella piccola bottega di alimentari che troverete all'entrata, dove sono esposti i **salumi** che assaggerete come insostituibile antipasto insieme alle varie verdure di stagione. Inoltre, trancio di **storione lessato**, condito con una leggera salsa verde oppure, in stagione, l'**insalata di funghi porcini**. Tra i primi non si possono perdere i **tortelli di erbette e ricotta**, dal sapore perfettamente calibrato e dalla sfoglia impeccabile. Altrimenti ***pisaréi e fasò***, corroboranti **anolini in brodo** serviti in zuppiera e, quando la stagione lo permette, tagliolini ai funghi e tortelli di zucca. Varie le carni utilizzate per i secondi; meritano l'assaggio l'**oca al forno con le mele**, le croccanti **costolette di agnello** impanate e fritte, il maialino al forno e la **cima di vitello ripiena**. Una buona **zuppa inglese** o un tris di semifreddi può completare degnamente il pasto.
La carta dei vini è esemplare per numero di etichette e correttezza dei prezzi: molti i vini piacentini e grande spazio per ricercate e convenienti bottiglie francesi (tanti Champagne e buoni Bordeaux e Borgogna). Il locale è molto spazioso ma si consiglia sempre la prenotazione. Si segnala infine la possibilità di pernottare nell'albergo contiguo al ristorante.

Guiglia

34 km a sud di Modena ss 569

Osteria vecchia

Trattoria
Via Michelangelo, 690-694
Tel. 059 792433
Chiuso lunedì e martedì
Orario: sera, festivi anche pranzo
Ferie: febbraio, 1 sett in agosto e settembre
Coperti: 80
Prezzi: 33 euro vini esclusi
Carte di credito: le principali, Bancomat

Locale arredato con sobria semplicità, l'Osteria Vecchia è gestito dall'istrionico Giovanni Montanari, abile cuoco la cui filosofia è da sempre «se vuoi mangiare (e vivere) bene non hai altra scelta che nutrirti di prodotti sani e controllati». Per questo ai tavoli dell'osteria vi saranno serviti soltanto piatti a base di alimenti biologici. La formula adottata è quella del menù a prezzo fisso, il servizio è curato da camerieri attenti e spigliati.
Il grande tavolo al centro della sala è imbandito con ogni genere di antipasti di cui ci si può servire a volontà: ottimi **formaggi**, salumi, insalate fredde di cereali, **verdure crude e cotte**, timballi, torte salate. Sarà quindi obbligatorio un assaggio degli splendidi **tortellini in brodo** e di una zuppa di stagione, come l'ottima **pasta e fagioli**, la minestra di farro o il farrotto. Non manca qualche pastasciutta, come le tagliatelle al ragù o i delicati e fragranti **tortelloni di ricotta**. Se non avrete esagerato con gli antipasti, vi sarà più facile proseguire; in ogni modo vi assicuriamo che valgono davvero l'assaggio il pollo o il **coniglio alla cacciatora**, la **faraona al forno**, lo **stracotto di vacca bianca modenese** del Presidio Slow Food. Un bicchierino dei particolari liquori "di una volta" accompagnerà bene una fetta di torta o di crostata fatta in casa.
Buono il Lambrusco della casa, ma non manca una piccola scelta di vini.

Imola

33 km a se di Bologna ss 9 o a 14

E' parlaminté

Trattoria
Via Mameli, 33
Tel. 0542 30144
Chiuso domenica sera e lunedì
Orario: mezzogiorno e sera
Ferie: 15/7-23/8, 15 gg tra Natale e l'Epifania
Coperti: 40 + 20 esterni
Prezzi: 30 euro vini esclusi
Carte di credito: tutte, Bancomat

Nel centro di Imola, "il piccolo parlamento", è una storica osteria dove ci si ritrovava, nei primi decenni del Novecento, per parlare di politica: qui fece i primi comizi Andrea Costa, anarchico e poi primo deputato socialista, imolese; in occasione dell'ultimo restauro è stata ritrovata e lasciata in vista la firma di Baccarini, politico locale, con data 1930.
Da anni è gestita con passione da Anna e dal marito Raffaele, che propongono piatti della cucina locale con diverse divagazioni e molte preparazioni di pesce, in ogni caso di buona qualità. Anna vi accoglierà in sala, Raffaele e il figlio Massimo sono in cucina. **Culatello e lardo con la piadina** per cominciare, e ancora petto d'oca affumicato con insalatina e un misto di **salumi di chianina**. Tra gli antipasti di pesce, insalata di polpo, patate e fagioli, straccetti di merluzzo marinati agli agrumi. Proseguiamo con **tagliatelle al ragù** o alle zucchine e carote, **gramigna al ragù di salciccia e piselli**, pasta e fagioli o zuppetta di cozze, vongole, zucchine e finocchio selvatico, tagliolini al tonno fresco e carciofi, **garganelli agli scampi**. Tra i secondi di carne, buoni il **castrato con pomodori ai ferri** e la **tagliata al rosmarino**. Per quanto riguarda il pesce: **seppie con piselli**, calamari o corvina ai ferri, pesce spada alla ghiotta, tagliata di tonno al sale di Cervia. Sorbetto al limone, gelato di crema affogato al Madera, tortino fondente al cioccolato, **scroccadenti** per concludere.
Da bere, buona scelta di etichette nazionali, con possibilità di ordinare al calice. Da maggio ad agosto il locale chiude anche la domenica a pranzo.

IMOLA

33 KM A SE DI BOLOGNA SS 9 O A 14

HOSTARIA 900

Ristorante
Viale Dante, 20
Tel. 0542 24211
Chiuso sabato a pranzo e domenica sera
Orario: mezzogiorno e sera
Ferie: 15 giorni in agosto
Coperti: 75 + 50 esterni
Prezzi: 33-35 euro vini esclusi
Carta di credito: tutte

Il locale gestito da Giorgia e Andrea, ai fornelli, e da Orazio e Domenico, in sala, ha sede in un edificio in stile liberty, vicinissimo al centro della città. In estate si può mangiare ai tavolini del giardino, nella stagione fredda vi accomoderete nelle accoglienti salette interne.
Il menù è ampio e vario e asseconda le stagioni, anche se le proposte della cucina non sempre sono legate al territorio e alcuni piatti sono piuttosto elaborati. Fra gli antipasti, **culatello di Zibello** e prosciutto di Parma, il tortino di asparagi di Altedo con fonduta di pecorino e il **carpaccio di Chianina** (in estate anche quello **di mora romagnola**). Fra le paste fresche fatte in casa, le **tagliatelle al ragù di castrato e rosmarino**, i **maccheroncini al torchio** con pancetta e zafferano, i ravioli ripieni di crema al latte, oppure alcune proposte a base di pesce. Ottime, fra i secondi, le **carni alla griglia** – salsiccia, fiorentina, castrato; inoltre ci sono **agnello a scottadito** e **tagliata di razza romagnola**. Non mancano mai alcuni secondi a base di pesce fresco. Buoni i dolci, in particolare la classica **zuppa inglese** in salsa di alchermes, la panna al forno con frutta secca glassata al cioccolato e il gelato con i prodotti dei Presìdi Slow Food.
A pranzo c'è un piccolo menù a prezzo contenuto composto da primo, secondo, un quarto di vino, acqua e caffè.
Molto curata la carta dei vini, con ricarichi onesti, cui si affianca una ricercata carta delle birre.
In estate il locale è chiuso anche la domenica sera.

IMOLA

33 KM SE DI BOLOGNA SS 9 O A14

OSTERIA DEL VICOLO NUOVO DA AMBRA E ROSA

Enoteca con mescita e cucina
Via Codronchi, 6
Tel. 0542 32552
Chiuso domenica e lunedì
Orario: mezzogiorno e sera
Ferie: 10 luglio-24 agosto
Coperti: 70 + 40 esterni
Prezzi: 35-38 euro vini esclusi
Carte di credito: tutte, Bancomat

Nel centro storico di Imola, l'Osteria del Vicolo Nuovo è un luogo dove ci si sente a proprio agio. Accogliente il locale, sito in un palazzo seicentesco, simpatico, competente e mai eccessivo il servizio. La gestione è da sempre femminile, con in sala e alla gestione Ambra Lenini e Rosa Bozzoli, in cucina Stefania Baldisserri e Simona Sapori, con l'indispensabile apporto di Miriam Sangiorgi che si occupa della pasta.
La carta è attenta al territorio e a una tradizione interpretata con intelligenza. Fra gli antipasti, interessante il taglierino dei **salumi tradizionali**, fra i quali la mortadella classica di Bologna e il salame "sbuccia e mangia" (variante del cacciatorino); ottimi i **fiori di zucchina con ricotta** e pomodoro fresco. Poi le paste tirate al matterello, con garganelli, tagliatelle ed eccellenti **tortellini in brodo**; altrettanto gustoso il risotto con pecorino e fave fresche. Fra i secondi, protagoniste le carni del territorio, lo **stinco di maialino al forno** con patate, il **coniglio arrosto al Sangiovese**, le **salsiccette arrostite**; dal mare gli spiedini di seppie. Possibilità interessante è il "Galà dei formaggi", fra i quali la caciotta della Bordona e il **formaggio di fossa di Sogliano**. Una decina i dessert, tutti fatti in casa, tra cui la panna cotta e la **zuppa inglese**.
La carta cambia con frequenza, secondo le stagioni e la disponibilità delle materie prime. Da quest'anno c'è anche un menù "a chilometro zero" comprensivo del vino, con l'indicazione di tutti i fornitori. La carta dei vini è ricca e ben pensata, con etichette di tutta Italia.

Alle Macellerie del contadino carne e salumi: coppe, prosciutto di Parma, corallina, nei punti vendita di vicolo Inferno 9 (centro) e via Donizetti 21 (periferia).

LAMA MOCOGNO
La Santona

56 KM A SUD DI MODENA, 30 KM DA ABETONE

MIRAMONTI

Ristorante
Via Giardini, 601
Tel. 0536 45013
Chiuso il martedì, mai d'estate
Orario: mezzogiorno e sera
Ferie: una settimana tra settembre e ottobre
Coperti: 40 + 12 esterni
Prezzi: 20-25 euro vini esclusi
Carte di credito: tutte, Bancomat

Salendo la via Giardini verso il passo dell'Abetone, quando il paesaggio assume i toni dell'alto Appennino modenese, con boschi di abeti e faggi, il ristorante Miramonti è un rifugio sicuro in cui trovare ospitalità e simpatia. Vittorio Galli in cucina e la moglie Lidia Migliori in sala gestiscono da più di trent'anni questo locale semplice ma ben arredato, proponendo una cucina di casa molto curata. Materie prime locali contribuiscono al legame del ristorante con l'ambiente che lo circonda.
Il menù, consolidato negli anni, parte con i primi della tradizione. **Tortelloni di ricotta e spinaci** con burro di montagna e salvia, **tortellini in brodo** di manzo e cappone, **tagliatelle** tirate al momento da Lidia, al ragù o **ai funghi** in stagione. Il pasto prosegue con gli arrosti di maiale o coniglio, la tagliata di manzo al rosmarino, le **scaloppine all'aceto balsamico** o ai funghi, l'**agnello al forno**. Da provare il "pane" dell'Appennino modenese: le **crescentine**, servite con salumi o **con l'*agliòn***, un battuto di lardo, aglio e rosmarino (ma sono ottime anche con la cacciatora di coniglio). Su richiesta si prepara, nell'epoca giusta, la **faraona ripiena al tartufo**. Non molti i contorni, ma tutti da provare, a cominciare dai **funghi**, **fritti** o alla griglia, e dalle straordinarie patate di Montese arrosto, servite con la buccia.
Infine Lidia vi proporrà i suoi dolci, tutti fatti in casa: zuppa inglese, **crostate di frutta** o salame di cioccolato. Non c'è la carta dei vini, ma la cantina propone alcuni tra i migliori Lambruschi modenesi e alcune etichette della vicina Toscana.

A **Barigazzo** (10 km), la gastronomia La Sorgente del Benessere, via Nazionale 32: marmellate, liquori, miele, frutti di bosco e prodotti di cosmetica.

LESIGNANO DE' BAGNI
Rivalta

31 KM A SUD DI PARMA

CAPELLI

Trattoria
Via Fossola, 10
Tel. 0521 350122
Chiuso il giovedì
Orario: mezzogiorno e sera
Ferie: periodo natalizio e in agosto
Coperti: 70
Prezzi: 26-32 euro vini esclusi
Carte di credito: DC, Visa, Bancomat

Tra le colline che separano Langhirano da Traversetolo, un locale ben noto agli abitanti di Parma e provincia che da anni offre ottimi piatti legati al territorio. La trattoria, all'interno dell'omonima corte, ha un ambiente semplice e accogliente, con tre sale che si differenziano per alcuni particolari: la prima, all'ingresso, ha i mattoni a vista, la seconda il camino, la terza, più adatta alle compagnie, pareti azzurre.
Tra gli antipasti sono sempre disponibili un ottimo **prosciutto di Parma** con tre anni di stagionatura, venduto all'etto, un grande **parmigiano reggiano** prodotto con il latte dei primi cento giorni di lattazione e i **salumi** misti (coppa piacentina dop, salame, gola, pancetta, culaccia), che possono essere accompagnati con lardo pesto, cipolline al balsamico o la fragrante **polenta fritta**. I primi, di pasta tirata a mano da nonna Carla con le uova dell'azienda, sono molti e vari: **tortelli** (ottimi quelli **alla zucca**), lasagne, **tagliatelle al ragù di fagiano** o **salsiccia**, gnocchi. E ancora il **savarin di riso ai funghi**. Nella stagione giusta, c'è la possibilità di condire diversi piatti con il **tartufo nero**. Tra i secondi, oltre ai classici tagli di manzo, gli animali da cortile allevati in azienda – il galletto, il **coniglio arrosto ripieno** oppure alla cacciatora – o **selvaggina**, tra cui la lepre. Piccola selezione di formaggi e molti buoni dolci, oltre ai gelati dei Presìdi Slow Food.

Sempre a Rivalta, il caseificio biologico Iris: ricotte, caciotte, burro, caciocavallo e un ottimo parmigiano reggiano, con possibilità di visite guidate e degustazioni.

Longiano

16 km a SE di Cesena

Il ristorante dei Cantoni

Ristorante
Via Santa Maria, 19
Tel. 0547 665899
Chiuso il mercoledì
Orario: mezzogiorno e sera
Ferie: metà febbraio-metà marzo
Coperti: 80 + 70 esterni
Prezzi: 28-30 euro vini esclusi
Carte di credito: tutte, Bancomat

Danilo Bianchi, chef del ristorante che gestisce insieme alla moglie Teresa, propone agli avventori, accogliendoli nelle due ampie sale con volte ad arco o sulla bella terrazza, la cucina tipica del territorio, con particolare attenzione per le carni e le altre materie prime.
La cucina, che si avvale della collaborazione di Alessandro, Pasquale e della sfoglina Rosanna, propone stagionalmente piatti elaborati con prodotti del territorio e regionali, come l'olio extravergine di oliva, il **culatello di Zibello**, lo squacquerone, i **funghi porcini**, il prosciutto di Parma, il formaggio di fossa di Sogliano. Le paste sono tirate al matterello ogni giorno e abbinate ai sapori di stagione: **cappellettoni con porcini** e olio extravergine di oliva, **tagliatelle con gli strigoli**, **passatelli in brodo** o asciutti con pomodorini, crespelle al tartufo, lunghetti di patate con formaggio di fossa. La macelleria di fiducia seleziona le migliori carni del territorio, dalla bovina di razza romagnola alla mora romagnola: si cucinano così fiorentine, la **tagliata con formaggio di fossa**, la lonzetta alla griglia con funghi porcini, il **coniglio in porchetta** con carciofi freschi, il **saltimbocca di agnello** con le patate arrosto, il **galletto di Roncofreddo al tegame** con pomodorini e patate. Nota di merito per i dolci, anch'essi fatti in casa: **tiramisù con savoiardoni romagnoli**, ghiacciata di ricotta con la *saba*, ciambella e crostata con confetture di frutta, biancomangiare con salsa agli agrumi. La carta dei vini è ben assortita, con etichette soprattutto del territorio.
Tutti i giorni sono offerti pranzi di lavoro a prezzo contenuto con piatti unici o scelte dai menù.

Lugo

25 km a ovest di Ravenna ss 253

Antica trattoria del Teatro

Ristorante
Vicolo del Teatro, 6
Tel. 0545 35164
Chiuso il lunedì
Orario: mezzogiorno e sera
Ferie: 1 settimana in gennaio, 2 in luglio
Coperti: 52 + 20 esterni
Prezzi: 27-32 euro vini esclusi
Carte di credito: tutte, Bancomat

La storia di questa osteria inizia nel 1820, quando ospitava, in occasione delle rassegne teatrali, il pubblico del vicino Teatro Rossini, nei pressi del portico detto Pavaglione in centro città. Oggi, Daniele Francesconi e la moglie Fiorella continuano la tradizione, nel rispetto della cucina di territorio e con amorevole cura per i clienti.
Oltre al menù degustazione a 32 euro e allo "spuntino" del giorno a 14, la carta offre con variazioni stagionali la possibilità di iniziare il pasto scegliendo tra **prosciutto di Langhirano**, **culatello di Zibello**, coppa di testa, frittella di pane, cavolo bianco e rosso con salsa al coriandolo. I **cappelletti in brodo di carne** (premiati di recente nella disfida ravennate del primo piatto più celebrato in zona) aprono l'offerta dei primi piatti, che prosegue con ***curzul*** (pasta all'uovo con pangrattato e olio), tagliolini, zuppe di cereali e legumi, **risotto con asparagi selvatici**. Fra i secondi, sempre in base alle stagioni, stinco di maiale con verze o fagioli, faraona al limone con spinaci, **baccalà in umido**, **bollito misto** con salse e verdure marinate, agnello con piselli o carciofi, **frittata con rosolacci**, **bocconcini di scottona di bovina romagnola**, piccioni arrosto con cipolline. Poi, buoni dolci al cucchiaio, torte e crostate o, in alternativa, degustazione di formaggi. Curata la scelta, con apposita carta, dei caffè e dei distillati.
Selezionata la carta dei vini, con particolare attenzione alle etichette regionali e apprezzabile moderazione nei ricarichi.

Le delizie del Buongustaio, via Foro Boario 33: prodotti tipici senza conservanti, carni di grande qualità, salumi di mora, salsicce, cotechini e salsiccia matta.

Mercato Saraceno
Montesorbo

33 km a sud di Cesena ss 71 o e 45

Allegria

Osteria-trattoria
Via Ciolà, 321
Tel. 0547 692382
Chiuso domenica sera e lunedì
Orario: mezzogiorno e sera
Ferie: variabili
Coperti: 45
Prezzi: 25 euro vini esclusi
Carte di credito: nessuna

La piccola trattoria a pochi chilometri da Mercato Saraceno, dopo la Pieve di Montesorbo, merita una visita: percorrendo la strada che sale verso il piccolo paese di Ciola godrete di un bel panorama e, una volta giunti da "Aligria" – dal soprannome di chi aprì l'osteria ben tre generazioni fa –, l'accoglienza familiare vi metterà a vostro agio. Il locale è molto semplice, con l'ingresso dal bar, l'unico del paese, dove è facile incontrare i paesani che giocano a carte. Massimo e Anna conducono il locale con rispetto delle tradizioni, sotto il controllo di Bianca, la madre ottantenne, che vigila in cucina ma controlla anche la sala. I piatti sono quelli dei contadini, preparati con ciò che si trova nell'orto e che la stalla fornisce, secondo stagione.
Iniziate con i salumi e i formaggi: ottimo il **salame**, specialità di Massimo. Solo nella stagione fredda si trovano i **crostini di beccaccia, funghi e tartufi**. Le paste, tutte tirate a mano, sono una delizia: **tagliatelle al ragù di carne** o con i piselli, **tortelli di ricotta con burro e timo**. In stagione sughi con la lepre, **tartufi**, **funghi** e **cacciagione** (che è meglio prenotare). La carne alla griglia è il secondo sempre presente, ma vi consigliamo di provare il **castrato ai ferri** o impanato e fritto. Tutte le carni provengono da allevamenti della vallata. Infine la **panna cotta**, la **zuppa inglese** (che nella valle del Savio è abitualmente molto inzuppata), la ciambella e a Pasqua, come da tradizione, la pagnotta dolce di Mercato Saraceno.
La cantina presenta solo qualche vino del territorio, il prezzo è onesto. La prenotazione è consigliata. Un altro motivo per venire qui? Come dice Bianca «c'è il più bel cane dell'Emilia Romagna».

A **Mercato Saraceno**, nella macelleria di Alfredo, via Valzania, ottimi salumi.

Mercato Saraceno
Montecastello

29 km a sud di Cesena ss 71 o e 45

Da elena

Trattoria
Via XXX Aprile, 104
Tel. 0547 91565
Chiuso il lunedì
Orario: pranzo, ven-dom anche sera
Ferie: 2 settimane a metà gennaio, luglio
Coperti: 70
Prezzi: 25-28 euro vini esclusi
Carte di credito: tutte tranne DC

Risalendo la valle del Savio, tre chilometri dopo Mercato Saraceno in direzione Bagno di Romagna, vale la pena di fermarsi in questa trattoria che coniuga alla semplicità degli ambienti una cucina romagnola di qualità. Dove un tempo il nonno gestiva il circolo repubblicano, Elena, padrona della cucina, ha aperto questa trattoria che dal 1997 conduce con passione assieme alla figlia Giulia.
Non c'è la lista dei cibi né quella dei vini, la sfoglia è tirata a mano e la gustosa **piadina** è fatta al momento e servita in accompagnamento all'antipasto di salumi e formaggi. Vi consigliamo la **fagiolata di borlotti con funghi porcini** e i crostini misti. Di qualità i primi: i piccolissimi **cappelletti in brodo** o con il ragù, le **tagliatelle con i porcini** o al ragù, i **tortelli alle erbe**, i gnocchetti di patate e, con la stagione fredda, i **passatelli in brodo**. Tra i secondi, che potrete accompagnare con pomodori, melanzane o altre verdure gratinate, troverete il **castrato**, la salsiccia, la pancetta e la **fiorentina alla brace**. Non sbaglierete con il **coniglio** al tegame, l'**agnello arrosto** e il piccione. Nel periodo invernale, su prenotazione, il **cotechino** e il **baccalà**. La materia prima arriva da allevamenti e da produttori locali. La linea della classica trattoria di campagna non si smentisce con i dolci: ciambella, crostata e mascarpone. Non perdetevi il **porcospino**, dolce tipico della vallata di Mercato Saraceno.
La cantina offre bottiglie di alcuni produttori locali e un discreto vino sfuso.

Nel centro storico di **Mercato Saraceno**, alla Bottega del pane, in piazza Mazzini, e al panificio Bertozzi, in piazza Gaiani, pagnotta dolce di Pasqua e in ottobre le fave dei morti. In via Saffi, la pasticceria Van den Bergh prepara ottimi dolci.

MODENA

ALDINA

Trattoria
Via Albinelli, 40
Tel. 059 236106
Chiuso domenica e festivi
Orario: solo a mezzogiorno
Ferie: 1 luglio-31 agosto
Coperti: 70
Prezzi: 18-20 euro vini esclusi
Carte di credito: nessuna

A volte, quando si vuole dare una valutazione positiva di un locale, si usa dire: «È come mangiare a casa». Bene, dall'Aldina a casa ci siete davvero, nel senso che dovete andare al primo piano del palazzo di via Albinelli ed entrare in un appartamento, composto da due grandi camere, che 45 anni fa era una mensa Enel. Sarete in numerosa e varia compagnia (studenti, insegnanti, commercianti, professionisti, operai, turisti) e, se siete soli, sarete sistemati a un unico grande tavolo. In sala vi accolgono Pierluigi e la moglie Maria Pia (la madre di quest'ultima, Maria Assunta Ghirardini, governa in cucina da trent'anni), che vi racconteranno il menù del giorno basato sui piatti della più autentica cucina modenese.
Le materie prime sono acquistate giornalmente al mercato coperto di via Albinelli (di fronte al locale), ulteriore garanzia di freschezza e di stagionalità delle preparazioni. Anche il servizio ha i tempi giusti. Non mancano mai fra i primi i **tortellini in brodo**, le **tagliatelle al ragù**, le lasagne (gradevolmente leggere) ma potrete trovare anche **pasta al forno**, ravioli di carne con panna e pancetta, rosette ripiene di ricotta, spinaci e prosciutto, oppure **risotti con verdure di stagione**. Fra i secondi le carni imperano: buoni **arrosti misti**, prosciutto al forno, **stinco di maiale**, scaloppine al vino bianco o all'aceto balsamico; in estate anche roastbeef e vitello tonnato. In accompagnamento, verdure al forno o un ottimo **purè di patate**. Anche i dolci rispecchiano la tradizione: **zuppa inglese**, **crostate di frutta** di stagione, salame al cioccolato, mascarpone, crème caramel.
Un discreto Lambrusco accompagnerà il pranzo. Più che onesto il conto.

ERMES

Trattoria
Via Ganaceto, 89-91
Non ha telefono
Chiuso la domenica
Orario: solo a mezzogiorno
Ferie: luglio-agosto
Coperti: 30
Prezzi: 15-19 euro vini esclusi
Carte di credito: nessuna

Ludovico Antonio Muratori, storico illustre, erudito, ecclesiastico, ha abitato a pochi passi dal luogo in cui si trova questa storica trattoria di Modena. Si possono visitare la casa dove visse (*Aedes Muratoriana*) e la chiesa dove è sepolto (Santa Maria della Pomposa) con l'antistante piazza, uno degli angoli più belli del centro storico cittadino.
Muratori è parte della storia di questa città e anche Ermes, a suo modo, lo è: da 45 anni propone la stessa cucina, rigorosamente tradizionale, genuinamente classica, al piano terra di semplici locali d'angolo. Da lui non ci si sente mai soli: i tavoli sono ravvicinati, spesso si pranza accanto ad altri avventori, il clima è conviviale e il locale affollato di *aficionados* (che hanno persino fondato un'associazione a scopo benefico chiamata "gli amici di Ermes"). Non potete prenotare, e se non arriverete molto per tempo non potrete nemmeno sedervi, perché il locale è sempre strapieno. Altrimenti dovrete attendere a lungo fuori (senza la sicurezza di potervi accomodare). La moglie del finto burbero Ermes, Bruna, scodella quotidianamente **tagliatelle al ragù** o ai funghi, **passatelli** o **tortellini in brodo**, lasagne al forno, **maccheroni al pettine con ragù e piselli**. Come secondo, **stracotto al Chianti**, polpette, **scaloppine al balsamico**, manzo o **gallina bollita** (da cui il brodo per i primi), **faraona con patate**, arrosto di vitello. Di contorno per lo più verdure bollite.
Non ci sono dolci, se siete fortunati avrete una fetta di **bensone**, la ciambella tipica di Modena, oppure un pezzo di crostata, altrimenti frutta fresca. Vini semplici, come un onesto Sorbara o un Pignoletto tra i bianchi, ma non si viene per quello. Un consiglio: finite ciò che avete nel piatto.

STALLO DEL POMODORO

Enoteca con cucina
Largo Hannover, 63
Tel. 059 214664
Chiuso sabato a pranzo e domenica
Orario: mezzogiorno e sera
Ferie: tra Natale e l'Epifania
Coperti: 60 + 30 esterni
Prezzi: 30-36 euro vini esclusi
Carte di credito: tutte, Bancomat

I locali sono antichi, siamo intorno al 1735, e la cucina ne trae ispirazione, ma la mano e l'estro di Max Telloli la rinnovano e la rielaborano: la sua sfida è trovare l'equilibrio tra qualità, convenienza economica e continuità nel reperimento delle materie prime.
Le stagioni esercitano una forte influenza sul menù, ma gli ingredienti principali restano costanti: l'aceto balsamico tradizionale di Modena, il **parmigiano reggiano** che qui è servito nella sua forma di "tosone" (rifilatura della forma prima di entrare in salamoia), le paste all'uovo di loro produzione. A 36 euro c'è un menù degustazione con due primi fatti in casa e lo **stinco di maiale biologico con salsa di Lambrusco**. In alternativa antipasti come **culatello** e altri salumi e tortino di patate. Poi, fra i primi, crespelle con ricotta e asparagi con crema di spugnole, tagliatelle con prosciutto e asparagi, **risotto ai fiori di zucca**, pistilli di zafferano e tartufo nero, **tagliatelle con verdure e porcini**. Fra i secondi: **battuto di razza bianca modenese** (Presidio Slow Food), pollastro al prosciutto, **coniglio in porchetta, maialino al latte al forno**. Anche la carta dei dolci è interessante: non perdetevi il sorbetto alle marasche su budino di ricotta alle noci con salsa di nocino, la crostata di pesche meringata all'amaretto con spuma alla crema e il **tortino tipo Barozzi** con creme.
La carta dei vini, oltre 450 etichette, è il frutto della passione di Nunzio Toselli per il buon bere e del lavoro dei piccoli artigiani viticultori del nostro paese che senza sosta va a cercare e valorizza.

Locale segnalato dall'Associazione italiana celiachia.

LA GHIRONDA

Ristorante
Via XX Settembre, 61
Tel. 0522 863550
Chiuso domenica sera e lunedì
Orario: mezzogiorno e sera
Ferie: prime tre settimane di luglio
Coperti: 35
Prezzi: 30-35 euro vini esclusi
Carte di credito: le principali, Bancomat

«Ristorante La Ghironda: cucina italiana all'italiana». Così sta scritto nel biglietto da visita del locale, al centro di Montecchio con, all'interno, l'aria un po' anonima dei ristoranti degli anni Sassanta, ampiamente riscattata dal servizio cordiale e dalla personalità della cucina.
Daniele, cuoco e comproprietario, è figlio d'arte (il papà insegnava negli istituti alberghieri); nato a Genova, ha vissuto a lungo in Sardegna, prima di immergersi nella cucina padana, dai colli al Po. Il menù è basato su una ventina di proposte, in rotazione cinque-sei volte l'anno. Fra gli antipasti il salame locale, il **fiorettino** del salumificio artigiano Zanelli, il riso alla pilota, l'insalata croccante con pere, noci e parmigiano reggiano all'aceto balsamico ma, soprattutto, l'esemplare **scarpazzone al forno di spinaci, biete e riso**, versione dell'erbazzone tipico dell'appennino reggiano. Tra i primi i **tortelli di erbette** e i **tortelli di zucca** (varietà cappello da prete o piacentina), i **cappelletti in brodo ristretto di gallina**, le lasagne bianche gratinate (con funghi o con zucca a seconda della disponibilità), la zuppa di maltagliati e fagioli al profumo di sedano, ma anche la pappa col pomodoro. Tra i secondi ci sono sempre alcuni classici come il **baccalà fritto in pastella** accompagnato da ortaggi in agrodolce, la **trippa in umido alla reggiana**, i **rognoncini di vitello trifolati**. Da segnalare il parmigiano reggiano di varia stagionatura (c'è anche quello del Presidio Slow Food delle vacche rosse) con mostarde di frutta fatte in casa (arance, pere, ciliegie, anguria bianca, mele campanine), proposte in accompagnamento anche ad altri piatti.
Notevoli i dolci, fra cui spicca il **gelato cappuccino con caramello al caffè**. Bella selezione di vini, con alcuni Lambruschi del territorio.

Monte Colombo

19 km a SO di Rimini

Santa Colomba

Trattoria
Via Bologna, 1/3
Tel. 0541 984298
Chiuso il lunedì
Orario: solo la sera
Ferie: variabili
Coperti: 40 + 25 esterni
Prezzi: 35 euro vini esclusi
Carte di credito: nessuna, Bancomat

Sulle belle colline riminesi si attraversano rocche e borghi nei quali è piacevole fare tappa. Tra queste, Montecolombo offre, da qualche anno, un motivo in più per una sosta: questo piccolo e accogliente locale ricavato dal restauro del vecchio asilo comunale. L'arredo è curato, con bei quadri alle pareti che rimandano alla precedente destinazione. L'osteria è gestita con passione e competenza da Roberto insieme alla compagna Barbara, in cucina.

I piatti sono quelli della tradizione, con l'utilizzo di prodotti di stagione frutto della ricerca sul territorio da parte dei gestori. Come piattino di benvenuto: **crescioni con le rosole** e **crostino nero**, oppure qualche altra piccola specialità del locale. Cominciate con una **zuppa**, con la pasta e fagioli o con la **pasta e ceci**. Tra i primi asciutti, con le paste fatte in casa tirate al matterello, troverete le **tagliatelle con gli stridoli**, al ragù, con i prugnoli, oppure i cappelletti al formaggio di fossa, gli **gnocchi all'anatra arrosto**, le **lasagne al forno**, gli strozzapreti con salsiccia, i ravioli ai carciofi, i tagliolini con radicchio e pancetta. Tra i secondi potrete scegliere il coniglio in umido con pinoli e olive taggiasche, una fiorentina o una **costata alla griglia di razza romagnola** o marchigiana, oppure la faraona con carciofi e olive nere. E ancora le **polpettine in umido**, l'arrosto di vitello nel Chianti o le patate fritte nello strutto.

Per concludere, crostate fatte in casa, **zuppa inglese**, tiramisù, crema al cioccolato e cantucci con il Vin Santo. Fornita la carta dei vini, con etichette romagnole e toscane.

In inverno la domenica la trattoria apre solo a mezzogiorno.

Monteveglio

26 km a ovest di Bologna

Trattoria del Borgo

Trattoria
Via San Rocco, 12
Tel. 051 6707982-6702019
Chiuso il martedì
Orario: sera, festivi anche pranzo
Ferie: 15 gennaio-15 febbraio, settembre
Coperti: 50 + 35 esterni
Prezzi: 27-32 euro vini esclusi
Carte di credito: tutte, Bancomat

Il paese di Monteveglio si trova sulle prime colline bolognesi lungo la valle del Samoggia, immerso nel verde del Parco regionale. La trattoria è all'interno di un borgo medievale chiuso al traffico e propone piatti legati alla tradizione bolognese e modenese (siamo in una terra di confine tra le due province). Ricavata in una vecchia casa, è composta da piccole sale distribuite su diversi livelli e in estate si può cenare nel cortile che si affaccia sulla vallata. Il gestore Paolo Parmeggiani è in sala, in cucina la moglie Alessandra e Mirco preparano piatti della tradizione dell'Appennino.

Il menù (la carta indica la provenienza delle materie prime) è stagionale e al momento giusto ci sono piatti con **cacciagione**, funghi e **tartufo** locali. Per iniziare le **crescentine fritte** o le **tigelle** con buoni **salumi** (prosciutto, mortadella, salame rosa, salame sfilzetto) e con il tipico **pesto di lardo modenese**. Tra i primi segnaliamo **tortellini in brodo**, tagliatelle al ragù o al prosciutto, **gnocchi di patate al ragù di faraona**, tortelloni di ricotta. Come secondi il **ganassino** (guanciale di vitellone stracotto), lo stinco di maiale al forno, la **trippa in umido alla bolognese**, la cotoletta di maiale con fonduta di formaggio e tartufi. Ci sono un menù vegetariano e una discreta offerta di formaggi (parmigiano delle vacche rosse compreso), accompagnati da composte e marmellate.

Per finire ottimi dolci, tra cui il **budino di amaretti**, la spuma di mascarpone, il cremoso di cioccolato con salsa di pere. La carta dei vini comprende una buona scelta di etichette, in prevalenza dei Colli Bolognesi, con escursioni in Italia e in Francia.

Monticelli d'Ongina
Isola Serafini

23 km a NE di Piacenza ss 10, 8 km da Cremona

Antica trattoria Cattivelli

Trattoria
Via Chiesa, 2
Tel. 0523 829418
Chiuso martedì sera e mercoledì
Orario: mezzogiorno e sera
Ferie: luglio
Coperti: 250
Prezzi: 35 euro vini esclusi
Carte di credito: tutte, Bancomat

Avete mai pensato a un'isola in mezzo al Po? Esiste, è Isola Serafini. Tappa del percorso rivierasco del grande fiume, la Strada del Po e dei sapori della Bassa piacentina, ci si arriva percorrendo la statale Piacenza-Cremona; a Monticelli d'Ongina si attraversa il ponte che collega l'isola e ci si ritrova in un ambiente quasi magico. La trattoria è lì da sempre, impossibile non vederla, capace di ospitare anche grandi numeri senza pregiudicare la qualità.
Affidatevi alla professionalità di Luca per la scelta dei vini (la carta è ampia e curata) o al personale di sala che vi aiuterà a immergervi nell'affascinante mondo della cucina di fiume, governato dalle *razdore* Cesira ed Emanuela. Troverete **anguilla**, storione, luccioperca, gamberi di fiume, stricci, pesci gatto: affumicati, **in carpione**, fritti, in umido. Se non vi va il pesce, potrete scegliere tra una bella selezione di **salumi piacentini** e **culatello della Bassa**. Tra i primi, tutti fatti in casa, segnaliamo **tagliolini ai gamberi di fiume** o **all'anguilla**, farfalle con lo storione o i classici ***pisaréi e fasò*** e **tortelli con la coda**. Se amate le carni non perdete lo **stracotto d'asina con la polenta**; poi faraona ripiena al forno, **maialino da latte rosolato**, ossobuco di razza romagnola, **lumache in umido** alla piacentina; se siete fortunati, potrete trovare i **bocconcini di fegato di maiale nella rete**.
Ampia l'offerta di dolci: da provare le **crostate**, il **gelato**, le creme al cucchiaio, i biscotti prodotti giornalmente e la **spongata di Monticelli**.

A **Monticelli**, in via Martiri della Libertà 75, il panificio Carlo Migliorati produce e vende la spongata, biscotti e pane piacentino della Bassa.

Neviano degli Arduini

30 km a sud di Parma

Trattoria Mazzini

Trattoria-ristorante
Via Ferrari, 84
Tel. 0521 843102
Chiuso il giovedì, inverno anche lunedì
Orario: mezzogiorno e sera
Ferie: ottobre
Coperti: 50 + 40 esterni
Prezzi: 25-30 euro vini esclusi
Carte di credito: le principali, Bancomat

Una graziosa trattoria sulle colline parmensi, a mezz'ora di auto dalla città, dove sarete accolti con calore e professionalità, in un ambiente ispirato alla passione per le atmosfere provenzali. Vi accomoderete in una delle due sale o nella terrazza estiva. La passione di Roberto Bonati e della moglie Marina Mazzini ha trasformato il bar di famiglia in un luogo dove gustare la buona cucina di Marina (aiutata in cucina da Stefano Verduri) a prezzi onesti.
La proposta gastronomica segue la tradizione e ha un'impronta casalinga, con qualche concessione alla fantasia. Da non perdere i piccoli antipasti: passato di verdure con crostini; carpaccio di manzo con finocchio, pecorino e valeriana; **tortino di patate con fonduta di formaggi e prosciutto**; cipolla fritta con patate; **torta fritta e prosciutto crudo** di Parma (di 25-26 mesi); tortino di verdure con mele e cappone; **polentina fritta con cardo e pancetta**; tortino di spinaci e ricotta; crostino con paté di prosciutto cotto. Poi ottimi **cappelletti in brodo**, ma non sbaglierete con i **tortelli d'erbetta** o di patate con fonduta e funghi, o di zucca al burro e parmigiano. E ancora le tagliatelle con ragù di coniglio, le **pappardelle al ragù d'anatra**, gli gnocchetti di patate al ragù. In stagione piatti a base di **porcini** e **tartufo**. Tra i secondi, **stracotto di manzo con polenta**, braciole di agnello, cotolettine di coniglio impanate, fagottini di filetto di maiale con prosciutto, filetto di manzo ai ferri, trippa. In alternativa una selezione di formaggi accompagnati da miele e mostarde di frutta.
Si chiude con zabaione con gelato al cioccolato, crostata con amaretti e marmellata di albicocche, semifreddo al torrone, budino di menta, pere cotte con gelato e cioccolato. La carta dei vini conta su buone etichette. Meglio prenotare.

NONANTOLA
Rubbiara

12 KM A NE DI MODENA SS 255

OSTERIA DI RUBBIARA

Osteria tradizionale
Via Risaia, 2
Tel. 059 549019
Chiuso il martedì
Orario: pranzo, venerdì e sabato anche sera
Ferie: 15 dicembre-15 gennaio, agosto
Coperti: 35 + 40 esterni
Prezzi: 30-33 euro vini inclusi
Carte di credito: Visa

Tanti sono i motivi che rendono un'esperienza unica la sosta in questa osteria, nel cuore della pianura modenese. Dietro la porticina d'ingresso si cela una storia che dura dal 1862, da quando la famiglia Pedroni si stabilì a Rubbiara. Dopo cinque generazioni, la tradizione è oggi portata avanti da Italo sul quale, per chi lo conosce, non serve aggiungere altro. Se invece è la prima volta che passate da queste parti, sappiate che è un personaggio stravagante, dai modi apparentemente rudi. Ma è un gioco a cui tutti si sottopongono volentieri. Anche perché sarete conquistati dai piatti che in cucina la moglie realizza con sapienza.
In un contesto rustico, ma con tovagliato e stoviglie curate, viene proposto il repertorio di una cucina del territorio, di sostanza e con eccellenti materie prime. Per cominciare la classica **frittatina all'aceto balsamico**, a seguire gli straordinari **tortellini in brodo**: consistenza e ripieno perfetti. Ottimi anche gli strichetti e i **maccheroni al pettine**, con un ragù di prim'ordine, e i tortelloni di ricotta. Fra i secondi, **arrosti misti** al forno (faraona, maiale, costine), **coniglio all'aceto balsamico** e l'inimitabile **pollo al Lambrusco**, serviti con patate al forno e cipolline al balsamico. Come dolci, oltre al **gelato all'aceto balsamico**, un vassoio di tranci di torte (di cioccolato, di tagliatella, di ricotta, crostata) e, in conclusione, nocino, grappe e liquori della casa.
Vini frizzanti del territorio (Lambrusco, Pignoletto, Ruggine) ma anche diverse etichette regionali e nazionali. Se amate il balsamico tradizionale, non perdetevi una visita (su prenotazione) alla preziosa acetaia di famiglia. Il venerdì e il sabato sera ricca cena a menù fisso (33 euro vini inclusi). Consigliata la prenotazione.

PARMA
Coloreto

7 KM DAL CENTRO DELLA CITTÀ

AI DUE PLATANI

NOVITÀ

Trattoria
Via Budellungo, 104 A
Tel. 0521 645626
Chiuso lunedì sera e martedì
Orario: mezzogiorno e sera
Ferie: 15 agosto-15 settembre
Coperti: 60 + 50 esterni
Prezzi: 25-30 euro vini esclusi
Carte di credito: tutte tranne AE

La vecchia trattoria di Coloreto è lì, di fianco alla chiesa, ed è ben nota ai parmigiani che ne hanno nel tempo frequentato i locali e il "bersò" estivo. Da circa tre anni ha una nuova gestione: Giancarlo Tavani, in sala, e Matteo Ugolotti, in cucina, hanno puntato su qualità e contenimento dei prezzi. I locali sono accoglienti, arredati in modo rustico, e i tavoli apparecchiati con semplicità; il servizio è professionale, rapido e cordiale.
La carta è improntata al territorio, con qualche divagazione, e non mancano tra gli antipasti un profumato **prosciutto crudo di Parma** di 30 mesi, un saporito **salame di Felino** e la **spalletta cruda**, accompagnati da una soffice torta fritta. Tra i primi **tortelli di erbette**, gnocchi di patate al pesto di ortica e pomodori *confit* e farro con asparagi. Tra i secondi abbiamo trovato **coscia d'anatra al forno**, carré d'agnello al brandy e scaloppa di *foie gras*; ottimi la battuta di fassona piemontese e il carpaccio di carne *salada* con formaggio robiola. Tra i piatti più classici, gli estivi roastbeef e vitello tonnato, mentre nel menù invernale non mancano mai **tortelli di zucca**, **gnocchi con pasta di salame e aceto balsamico**, i classici anolini in brodo, **pasta e fagioli** (crema di fagioli di Sorana con pasta verde alle ortiche) e, tra i secondi, **brasato con polenta fritta**, **cotechino con patate di Rusino** e petto di faraona all'arancia con mostarda di zucca e uva fresca. In stagione, piatti a base di **tartufo nero di Fragno**. Tra i dolci, diverse torte (di cioccolato, mele e pere), tiramisù e zabaione caldo con la sbrisolona.
La carta dei vini propone diverse scelte del territorio, una discreta panoramica di etichette nazionali e da dessert, alcune mezze bottiglie e vini al bicchiere.

imperia
Restaurant
ELETTRONICA
imperia
Restaurant

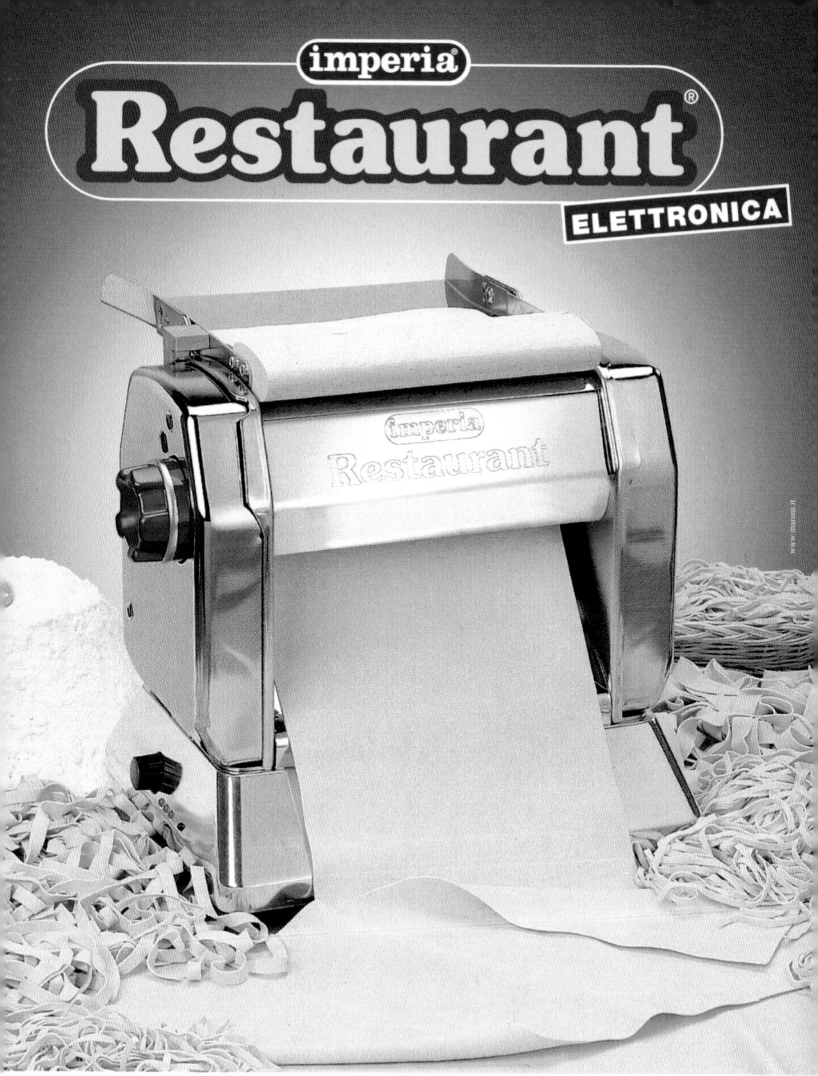

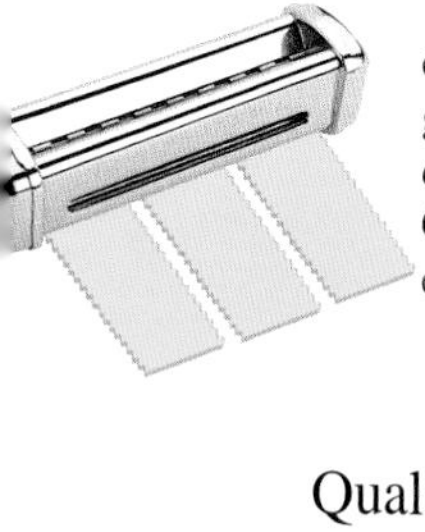

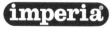

Parma
Gaione

7 km dal centro della città

Antichi sapori

Trattoria
Via Montanara, 318
Tel. 0521 648165
Chiuso il martedì
Orario: mezzogiorno e sera
Ferie: 3 settimane in agosto, primi di gennaio
Coperti: 100 + 80 esterni
Prezzi: 30 euro vini esclusi
Carte di credito: tutte, Bancomat

A pochi chilometri da Parma, lungo la via Francigena, nei pressi della pieve di Gaione, troverete questo locale dall'ambiente tranquillo, con i tavoli ben distanziati. A far da corona a questa rilassante atmosfera, la gentilezza di Davide ed Eliana che vi proporranno una cucina parmigiana esaltata dalla buona scelta delle materie prime.
Ve ne renderete conto iniziando con la selezione di salumi: **prosciutto di Parma**, **culatello di Zibello** e **culaccia**. In alternativa potrete scegliere la torta di cipolla caramellata, crema di parmigiano, lo sformato di parmigiano e asparagi al burro. Tra i primi, imperdibili **tortelli di erbetta**, con un cremoso ripieno preparato con due tipi di ricotta. Inoltre, **anolini in brodo**, *pisaréi* con crema di piselli e germogli primaverili croccanti oppure risotto mantecato con asparagi al profumo di limone e vaniglia. Tra i secondi, oltre all'immancabile e gradevole **trippa alla parmigiana**, alla **punta di vitello ripiena al forno** e al **rognoncino di vitello trifolato**, è da provare lo stinco di maiale brasato con cedro candito e indivia arrostita. Come dessert la **torta sbrisolona**, il biancomangiare al caffè e liquirizia e la delicatissima **mousse di zabaione**. Non si può non consigliare il piatto degustazione di **parmigiano reggiano**, in cui, oltre al tradizionale, troverete anche quello di vacche rosse e il 30 mesi di vacche brune alpine.
Imponente e con ricarichi onesti la carta dei vini che annovera anche una buona proposta di etichette straniere.

Nella Drogheria Pedelli, via La Spezia 53 B, buona selezione di spezie, aromi, miscele di caffè, distillati. Alla Bottega del gusto di Attilio Leoni, in via Carmignani, troverete formaggi italiani ed esteri.

Parma
Botteghino

6 km dal centro della città

Da romeo

Trattoria
Via Traversetolo, 185
Tel. 0521 641167
Chiuso il giovedì
Orario: mezzogiorno e sera
Ferie: 10 agosto-10 settembre
Coperti: 150 + 150 esterni
Prezzi: 30-32 euro vini esclusi
Carte di credito: le principali, Bancomat

Ristorante storico – appena fuori dalla città, lungo la via che porta a Traversetolo – sempre molto frequentato da chi ricerca una buona cucina a prezzi onesti. Gli arredi rustici e un poí retrò ci riportano, insieme alle foto storiche del locale che si trovano ai muri, allíatmosfera degli anni passati. Lorenzo, il titolare è ben coadiuvato da uno staff cordiale e competente.
Siamo nella terra dei grandi salumi quindi, dopo una buona polenta fritta con il lardo, è d'obbligo provare la culaccia, il prosciutto, la spalla cotta e il salame (tutti di buona fattura). Passando ai primi, i classici del locale sono i **tortelli d'erbetta**, i **tortelli di patate con i funghi porcini**, le tagliatelle, i **cappelletti in brodo** e, il martedì, gli gnocchi di patate. Tra i secondi, interessante la **punta di vitello al forno ripiena**, poi il coniglio alla cacciatora e la coppa di maiale arrosto. Ma anche bistecca di vitello, costata di manzo e, in inverno, il **cotechino in crosta di pane**, lo **stracotto di ganassini** di manzo e il cinghiale alla cacciatora. A buffet i dolci fatti in casa: **torta di mandorle al cioccolato**, **crostate di marmellata di prugne**, tortellini fritti, zabaione al cioccolato e amaretti.
Buono il Lambrusco della casa, ma c'è anche una fornita carta dei vini con etichette regionali e proposte nazionali a prezzi corretti.

Torrefazione del Gallo, piazzale San Bartolomeo: da Gianluca Montanari per gustare uno dei migliori caffè della città.

Luoghi del buon bere a Parma

Tre locali nel cuore di Parma accomunati dal gusto per il vino e la convivialità, anche se tra loro profondamente diversi. Il primo è un'osteria storica, con tantissimi anni di onorata carriera alle spalle, un'istituzione in città; gli altri due sono ritrovi giovani per storia, gestione e frequentazione, esempi della passione e della cultura del vino cresciuti negli anni recenti.

Antica osteria fontana

Enoteca con mescita e cucina
Via Farini, 24 A
Tel. 0521 286037
Chiuso domenica e lunedì
Orario: 09.00-15.00/16.00-21.00
Ferie: luglio e agosto
Coperti: 60 + 20 esterni
Prezzi: 9-18 euro vini esclusi
Carte di credito: Visa

Fabrizio Fontana, dal mattino presto fino a sera, si mette dietro il bancone e fa solo tre cose: prepara panini, affetta salumi e serve vini al bicchiere. Intanto i camerieri nella sala (e d'estate all'esterno), corrono per prendere le ordinazioni dei tanti clienti che affollano il piccolo e caratteristico locale che si affaccia sotto gli antichi portici di via Farini. Un sorriso, due battute e quattro chiacchiere sul Toro (è tifoso granata) se le concede al termine del servizio. Chi entra per la prima volta si trova a passare tra preziose bottiglie, prima di arrivare nella sala arredata con tavoli e tavoloni. Si può ordinare alla carta oppure farsi preparare un panino secondo la propria fantasia. Pane e companatico: micche, focacce, ciabatte ripiene di prosciutto di Parma, salame di Felino, culatello di Zibello, spalla cotta di San Secondo, coppa, gola, pancetta. A mezzogiorno servizio trattoria con piatti stagionali: tortelli d'erbetta o patate, punta al forno ripiena, trippa alla parmigiana, paste con vari condimenti. In abbinamento diversi vini al bicchiere oppure tante etichette nazionali ed estere. Ottima la carta dei distillati.

La bottiglia azzurra

Enoteca con mescita e cucina
Borgo Felino, 63
Tel. 0521 285842
Chiuso la domenica
Orario: solo la sera
Ferie: luglio e agosto
Coperti: 60
Prezzi: 18-24 euro vini esclusi
Carte di credito: tutte

Se Parma è la *ville* Ducale, se Parma è le *petit Paris*, questa minuscola, intima enoteca è il *bistrot* in stile parigino per eccellenza. Si trova in pieno centro storico, a metà di via XXII Luglio, proprio all'inizio del Borgo. Una vetrata, una piccola porta, una stanza lunga con qualche tavolo e il bancone, in fondo le scale che portano alla stanza superiore gemella: questa è la Bottiglia Azzurra. Aperta fino a tardi, offre una buona selezione di birre e vini. Le proposte gastronomiche vanno dai salumi parmigiani alle selezioni di formaggi italiani e stranieri, dalle zuppe alle carni. Ampia carta di vini e distillati.

Ombre rosse

Enoteca con cucina
Vicolo Giandemaria, 4
Tel. 0521 289234
Non ha giorno di chiusura
Orario: da lunedì a giovedì 18.00-01.00, venerdì e sabato 18.0-02.00, domenica 12.00-15.00 e 18.00-02.00
Ferie: non ne fa
Coperti: 80 + 40 esterni
Prezzi: 16-25 euro vini esclusi
Carte di credito: tutte

In un vicolo nel centro storico di Parma, da alcuni anni Ombre Rosse accoglie gli appassionati del buon bere. Nei locali in stile rustico, sono in bella mostra numerose scaffalature colme di bottiglie. È un'enoteca molto frequentata anche dai giovani, che la affollano fino a tarda sera, dove si può degustare una bottiglia da abbinare ai piatti in carta, ascoltando buona musica. La carta dei vini è sontuosa, con circa 2000 etichette provenienti da tutte le regioni d'Italia e dal mondo: ottimi vini a prezzi accessibili ma anche i grandi nomi dell'enologia italiana e francese; buona la scelta di vini al bicchiere, in quarti e mezze bottiglie. Il menù offre piatti di salumi (prosciutto e spalla cruda), qualche primo di tradizione (tortelli di erbette e zucca), selezioni di formaggi abbinati a miele e mostarde e invitanti *tapas* con verdure e pesce.

TRATTORIA DEL TRIBUNALE

Trattoria
Vicolo Politi, 5
Tel. 0521 285527
Non ha giorno di chiusura
Orario: mezzogiorno e sera
Ferie: prime 2 settimane di gennaio, 1 a Ferragosto
Coperti: 140 + 100 esterni
Prezzi: 30-35 euro vini esclusi
Carte di credito: tutte, Bancomat

Tra i buongustai c'era apprensione per l'annunciato cambio di gestione di questa trattoria. Siamo nel cuore di Parma, a pochi metri dal tribunale, e questo locale, con salette distribuite su due piani e tavolini estivi lungo via Farini, è da anni punto di riferimento per una cucina di qualità nella tradizione. Ebbene, per ora la qualità non ha risentito del ricambio. Forse Gaetano e Maura mancano ancora del calore della signora Ida che li ha preceduti, ma la qualità dei cibi è rimasta la stessa. Semmai preoccupano l'incremento dei posti a disposizione e la loro gestione a locale affollato.
Cucina tradizionale quindi, a partire dai **salumi**: prosciutto crudo di Parma, culatello di Zibello, salame di Felino, spalla cotta di San Secondo. Per continuare con primi classici come i **tortelli di erbette** e gli **anolini in brodo**. A questi si aggiungono ricette ormai entrate nella tradizione del locale, come i gustosissimi **tagliolini al culatello** o gli altrettanto gradevoli gnocchi con melanzane e origano fresco, piatto dall'attraente cromatismo di colori. Tra i secondi, oltre alla **trippa alla parmigiana**, la **punta di vitello al forno**, gli involtini di melanzane, asparagi e formaggio, gli **stracotti** d'inverno. **Torta sbrisolona**, mousse di cioccolato o allo zabaione, semifreddo croccante sono alcune proposte di dessert. Buona la selezione di **parmigiani reggiani** di diversa stagionatura.
Su un'ampia lavagna si leggono le indicazioni supplementari dei piatti e dei vini del giorno. Valida la selezione di vini e di distillati.

In Borgo Onorato 21 c'è il curioso negozio HiFi news Musica da tavola, dove Guido Cerioni vende sofisticati impianti stereo e vini pregiati.

LA PIREINA

NOVITÀ

Trattoria
Via Borghetto, 137
Tel. 0523 338578
Chiuso domenica sera e lunedì
Orario: mezzogiorno e sera
Ferie: tre settimane in agosto
Coperti: 90
Prezzi: 23-25 euro vini esclusi
Carte di credito: MC, Visa, Bancomat

La Pireina è un raro esempio di trattoria popolare, attiva ormai dal 1907. Si trova in fondo a via Borghetto accanto alle mura, a ridosso degli argini del Po, in un quartiere un tempo abitato da barcaioli e pescatori. Un pezzo di storia della cultura gastronomica più schiettamente piacentina, quasi un'istituzione che, anche dopo il cambio di gestione avvenuto nel 2004, perpetua l'opera di diffusione della cucina tradizionale locale. Del resto i due soci Angelo Gentili e Andrea Didonè provengono dal rimpianto ristorante Agnello, storico locale del centro città che ha chiuso i battenti negli anni scorsi. Sarete accolti da un servizio puntuale e professionale, in una delle quattro sale arredate sobriamente.
La proposta culinaria esordisce con una gustosa ***pistà ad grass*** (lardo di maiale pestato con aglio e prezzemolo) che troverete già sul tavolo, pronta per essere spalmata sul pane. Come unico antipasto un buon piatto di classici **salumi piacentini**. Tra i primi meritano una segnalazione i **tortelli di ricotta e spinaci**, gli **anolini in brodo** ripieni di stracotto, i ***pisaréi e fasò*** e i panzerotti. Per continuare, una saporita ***pìcula ad cavàl*** **con polenta**, oppure **stracotto d'asina con polenta**, trippa con fagioli cannellini, stinchetto di maiale al forno, anatra o faraona al forno, bolliti della casa e, nei mesi più caldi, carne tritata di cavallo servita cruda. Il venerdì la cucina offre anche il **merluzzo in umido**. Semplici e casalinghi i dolci, come il classico ***buslàn*** (tipica ciambella), il budino al cioccolato, la crostata di pere con confettura di prugne. Il tutto per un conto onesto.
La carta dei vini parla prevalentemente piacentino, con un soddisfacente assortimento di etichette locali.

Piacenza

San giovanni

Trattoria
Via San Giovanni, 36
Tel. 0523 321029
Chiuso lunedì a pranzo, maggio-settembre la domenica
Orario: mezzogiorno e sera
Ferie: 1 settimana in luglio, 3 in agosto
Coperti: 30
Prezzi: 30-33 euro vini esclusi
Carte di credito: tutte tranne AE, Bancomat

Nel cuore antico della città, a due passi dalla piazza principale e proprio di fronte alla Prefettura, questa recente gestione ha trovato posto nei locali della storica osteria Da Giuan degli anni Venti.
Per ricollegarsi alla tradizione, Roberto Zanetti in cucina e la moglie Carla in sala ripropongono storiche ricette piacentine, accostandole a piatti più innovativi. L'ambiente è caldo e accogliente, i mobili e il tovagliato scelti con gusto. Si parte con un bell'antipasto di **salumi**: salame con l'aglio, coppa, culaccia d'Arda, culatello e un'ottima, sottilissima pancetta. In alternativa un delicato flan di topinambur allo zafferano. Tra i primi della tradizione i ***pisaréi e fasò***, i tortelli con le code, con ripieno di erbette o di zucca, i **panzerotti alla piacentina** con sugo di carne o di funghi, risotto alla zucca con cotechino. In alternativa tagliatelle di castagne con ragù di lepre al cioccolato e **vellutata di zucca con rabarbaro e porcini**. Le carni abbondano tra i secondi: dallo **stracotto di asinella con polenta**, alla *pìcula ad caval*, ai ganassini di maiale e di vitello al Gutturnio. Da segnalare il **bollito misto** (lingua, testina, cappone, cappello di prete, cotechino, ossobuco) e il merluzzo con pomodoro e cipolle brasate. Dolce piacentino per eccellenza è lo **stracchino gelato**, semifreddo a base di mascarpone. La proposta è completata dagli ***straccadeint***, biscotti secchi alle nocciole con vino dolce, e dai gelati di loro produzione.
Bella la carta dei vini, con meditata proposta di bottiglie del territorio e non solo, mezze bottiglie e vini al calice. Menù degustazione di cinque portate a 32 euro vini esclusi.

La Taverna del gusto, in via Taverna 27, vende formaggi e salumi dei Presìdi Slow Food: si possono degustare con un buon calice di vino.

Pianoro
Rastignano

1 km a sud di Bologna

Osteria al numero 7

Osteria-ristorante
Via Andrea Costa, 7
Tel. 051 742017
Chiuso domenica sera, lunedì e martedì a pranzo
Orario: mezzogiorno e sera
Ferie: 2 settimane fra luglio e agosto
Coperti: 26
Prezzi: 35 euro vini esclusi
Carte di credito: le principali

Rastignano è una frazione del comune collinare di Pianoro, alla periferia di Bologna, e l'osteria si trova sulla strada che esce dalla città in direzione della Futa. Dopo una serie di gestioni piuttosto anonime, il locale ha cambiato tono quando dall'inizio del 2006 lo hanno rilevato Pietro Pompili, che gestisce la sala, e Arnaldo Laghi, in cucina. Giovani del mestiere ma con le idee chiare, si sono imposti in breve tempo nel panorama ristorativo petroniano. La cucina è quella della tradizione, anche se presentata con uno stile ricercato. Le materie prime sono quasi tutte prodotte nel territorio, in particolare nelle valli del Samoggia e del Santerno, e la carta elenca i nominativi dei fornitori.
Il menù cambia spesso seguendo la stagione: in Emilia il pranzo comincia di solito con i salumi, ecco quindi la **mortadella classica di Bologna** e il salame rosa del salumificio artigianale di Ennio Pasquini oppure gli **insaccati di mora romagnola** da animali allevati dai "Contadini biologici della valle del Samoggia". Soprattutto nella stagione fredda, è inevitabile un assaggio di **tortellini in brodo di gallina**. Notevoli anche i cappelletti con ripieno di patate, pecorino e papavero, i **passatelli asciutti** su crema di parmigiano, in ragù bianco con pinoli e uvetta oppure al farro biologico mantecato in pasta di salame e Barbera dei Colli Bolognesi. Tra i secondi segnaliamo la **guancia di vitello brasata** con purè di patate, le **polpette di mucca fassona con friggione bolognese**, la trippa alla parmigiana e l'ormai rara **cotoletta alla bolognese** con patate al forno.
Buona selezione di formaggi e ottimi dolci, tra cui la **zuppa inglese**. Carta dei vini ricca, con particolare attenzione alle etichette regionali. Non si paga il coperto.

La vera piadina, simbolo della Romagna

La piadina è il cibo di strada per eccellenza della Romagna, vero e proprio simbolo e bandiera di questo territorio. Ogni zona si differenzia per la propria "romagnolità" e per il modo di produrre questo antico pane. E la vera piadina la potrete assaggiare andando a gustarla nei chioschi che costellano tutta la regione.

Cibo o pane povero, in anni difficili la piadina ha risolto il problema dell'alimentazione per non poche persone. La *pieda*, *pida*, *piè*, *piada* (il nome cambia a seconda di dove vi troviate in Romagna) era alimento casalingo di tale umiltà da non trovare citazione in *L'arte di utilizzare gli avanzi della mensa* di Olindo Guerrini e neppure ne *La scienza in cucina e l'arte di mangiar bene* di Pellegrino Artusi: eppure entrambi erano romagnoli e la dovevano conoscere bene. Come per il nome, è sufficiente spostarsi di qualche chilometro per trovare delle differenze di spessore o di diametro, ma anche di sapore e di "sfogliatura". Nella sua unicità territoriale la piadina può prevedere nell'impasto, oltre ad acqua, farina e sale, pochi altri ingredienti (bicarbonato, olio, strutto, latte, lievito). E poi, conta l'attenta cottura valutata a occhio, che deve essere al punto giusto: né poco, né troppo.

L'avvio delle procedure per ottenere il riconoscimento del marchio Igp (Indicazione Geografica Protetta) per la piadina non tutela affatto – come spesso succede per questo tipo di marchio – il prodotto principe della gastronomia romagnola e ha trovato la pronta opposizione di Slow Food. Opposizione che nasce dalla constatazione che non sono tutelate e valorizzate la freschezza del prodotto, il suo uso quotidiano e il saper fare legato alla manualità che caratterizzano la vera piadina. In tal modo, l'Igp finirebbe per favorire la tipologia industriale a lunga conservazione, ottenuta con processi produttivi altamente meccanizzati. Una strada vecchia, questa, usurata e in parte pericolosa, che non difende la tradizionalità del prodotto e la sua autentica caratteristica di cibo locale. Per tutelare davvero la "vera piadina romagnola" se ne devono incentivare il consumo quotidiano e la fattura a mano; si deve potenziare la comunicazione e la conoscenza materiale del prodotto, le differenze storiche, da zona a zona, e soprattutto sottolineare come il saper fare artigianale sia un patrimonio di straordinaria diversità gustativa.

Perché la vera piadina romagnola è quella prodotta quotidianamente, manualmente, sul territorio, consumata subito, appena tolta dal testo. E questo non è un ricordo del passato perché, per fortuna, esistono i chioschi dove ancora la piadina è prodotta con sapiente manualità.

La vera piadina romagnola è quella portata avanti dai chioschi e dalle piadaiole che sono l'orgoglio e il baluardo della tradizione più autentica della Romagna. Qui la manualità è prevalente e, così come l'attenzione alla cottura, dipende da quel fattore umano che nessun *timer* potrà mai surrogare. Un tempo la piadina si cucinava sul testo di terra refrattaria scaldato sulle braci, oggi la si cuoce sulla piastra di metallo; la piadaiola specialista si è sostituita all'eclettica casalinga, ma l'impasto è ancora lo stesso. La tradizione della piadina romagnola è stata salvata da queste donne.

La piadina oggi è diventata un classico cibo di strada, si può gustare con prosciutto, salame, mortadella, formaggio o con il tipico formaggio squacquerone; ma non disdegna le innovazioni e la troverete persino con la crema di cioccolato. Anche i guscioni – o crescioni o cassoni – fatti con lo stesso impasto, sono farciti non più soltanto con erbe di campagna o con zucca e patate ma anche con mozzarella e pomodoro, salsiccia e formaggio, prosciutto cotto e fontina, acciughe e pomodoro.

Dal 2000 si svolge ogni due anni a Cesena il *Festival internazionale del cibo di strada* che vede la città invasa da buongustai curiosi di assaggiare le preparazioni di questo tipo provenienti da tutto il mondo. Pranzare, cenare, o fare una gustosa merenda vicino a un chiosco è anche molto economico. Una piadina costa dai 0,70 ai 0,80 euro; ripiena con prosciutto sui 3 euro; un crescione alle erbe da 1,60 a 2 euro.

Ecco alcuni indirizzi dove fare assaggi.

Gianpiero Giordani

Bagno di Romagna
Da rudi di bellini maurizio
Via Lungosavio
Orario: 07.00-23.00
Chiuso il mercoledì

Bertinoro
La casa della piadina
Largo Cairoli, 5
Orario: 15.00-23.00
Chiuso il lunedì, mai in agosto

Cesena
Al passatore
di cellini fabrizio
Via Madonna dello Schioppo, 710 (Vigne)
Orario: 11.30-14.00/16.00-21.00
Chiuso il lunedì

Cedioli marina
Via Serra, 1
Orario: 10.30-13.00/16.00-20.00
Chiuso la domenica

Il chiosco di luca e silvia
NOVITÀ
Viale Matteotti, 401
Orario: 16.00-20.30, domenica 10.00-12.30/16.00-20.30
Chiuso il mercoledì

La piada di norma dall'ara
Via Toscana, 265 (zona stadio)
Orario: 09.30-21.15
Chiuso il venerdì

La piadina di ceci susi
Via Cervese, 1105 (Sant'Egidio)
Orario: 16.00-20.30, inverno 16.30-21.00
Chiuso il martedì

La piadina di cristina
Contrada Albertini, 48
Orario: 15.30-20.30
Chiuso il martedì

Micamat
Piazzale Ambrosini, 27 (zona ippodromo)
Orario: 16.00-21.00, in estate fino alle 24.00
Chiuso il lunedì

Stefano muccioli
Via Gaspare Finali, 5
Orario: 11.00-13.30/16.00-21.00
Chiuso il venerdì

Maria pavirani
Piazza Almerici, 15
Orario: 15.30-20.30
Chiuso il mercoledì

La mia piadina acqua e farina
di donatella ricci
Viale Marconi, 300
Orario: 16.00-20.30
Chiuso il sabato

Rosanna smeraldi
Via Mazzoni, 34
Orario: 16.00-20.30
Chiuso la domenica

Tiziana zanelli
Via Padre Genocchi, 485 (Ponte Abbadesse)
Orario: 15.00-20.30
Chiuso il lunedì

Borello di Cesena
La piadina
di melania facciani
Piazza San Pietro in Solfrino, 3
Orario: 15.00-20.00, estate 16.00-21.00
Chiuso il lunedì e martedì

Capannaguzzo di Cesena
La pida di silvia garattoni
Via Violone, 7209
Orario: 16.00-20.30
Chiuso il martedì

Macerone di Cesena
E' tulir di francesco ricci
Via 18 agosto 1944, 490
Orario: 14.30-22.30
Chiuso il mercoledì

Pievesestina di Cesena
Maria cellini
Via Dismano, 4830
Orario: 11.00-14.00; nel fine settimana 16.00-20.30, estate 17.00-20.30
Chiuso il lunedì

Ponte Pietra di Cesena
Da rita di la porta rita
Via Cesenatico, 1777
Orario: 16.00-20.30
Chiuso il lunedì

San Carlo di Cesena
Marina guidazzi
Via Castiglione, 33
Orario: 16.00-21.00
Chiuso il lunedì

Sant'Egidio di Cesena
Acqua e farina
di montanari andrea
Via Cerchia di Sant'Egidio, 2365
Orario: 16.00-21.00
Chiuso il martedì

San Vittore di Cesena
Cinzia branzaglia
Via Settecrociari, 6451
Orario: 15.30-20.30
Chiuso lunedì e martedì

Villa Chiaviche di Cesena
Broccoli norma
Via Osoppo, 20
Orario: 16.00-21.00
Chiuso il lunedì

Cesenatico
La calèda
Viale Roma, angolo via della Repubblica
Orario: 11.00-23.00
Chiuso il lunedì

Moranna di roberto sintini
NOVITÀ
Viale Sozzi, 21 (zona stadio)
Orario: 11.30-23.00, estate 11.30-02.00
Chiuso il martedì

Forlimpopoli
Tom & jerry
NOVITÀ
Via Armando Diaz (angolo giardini La Malfa)
Orario: 16.00-20.00
Chiuso il lunedì

Gambettola
80 voglia di piadina di neri andrea e roberta
Piazza Cavour, 8
Orario: 14.30-20.30
Chiuso il lunedì

Longiano
Gradisca di manuela bianchi
Piazza Francesco Manzi
Orario: 16.30-21.00
Chiuso lunedì e martedì

Budrio di Longiano
Angela lunedei
Piazza Aldo Moro
Orario: 17.00-20.00
Chiuso il martedì

Marina di Ravenna
Cà dlà piadèna e de vèn
NOVITÀ
Viale delle Nazioni, 25
Orario: 11.00-15.00/17.00-23.00, inverno 11.00-18.00
Non ha giorno di chiusura

Mercato Saraceno
Ruggero balzani
Viale Sandro Pertini, 1
Orario: 15.00-21.00
Chiuso lunedì e martedì

Milano Marittima di Cervia
Piadina e dintorni
NOVITÀ
Via Rismondi, 3
Orario: 16.00-02.00, inverno 16.00-24.00
Estate sempre aperto, inverno aperto venerdì, sabato e domenica

Ravenna
La piadina fio.re.
Via Marconi, 41 (zona stadio)
Orario: 11.00-20.30
Chiuso il martedì

La piadina del melarancio
Via IV Novembre, 31
Orario: 10.45-20.30
Chiuso il mercoledì

Maccaroni & c.
Via Antica Zecca, 30
Orario: 09.30-14.00/17.00-20.00, festivi 10.00-13.00
Chiuso giovedì pomeriggio

Rimini
Da simona
Via Matteotti, 46
Orario: 15.30-21.00
Chiuso il sabato

San Mauro Mare di San Mauro Pascoli
La piadina di bicio e vale
NOVITÀ
Via della Libertà, 22
Orario: 11.30-04.00
Aperto solo in estate

Savignano sul Rubicone
Al giardinetto di ricci alessandra
Via Emilia Ovest
Orario: 12.00-21.00
Chiuso il mercoledì

Ponte dell'Olio
Biana

28 km a sud di Piacenza

Bellaria

Trattoria
Località Biana, 17
Tel. 0523 878333
Chiuso il giovedì
Orario: mezzogiorno e sera
Ferie: prime 3 settimane di settembre
Coperti: 50 + 30 esterni
Prezzi: 25-28 euro vini esclusi
Carte di credito: le principali, Bancomat

Seguendo la statale che porta in Val Nure si giunge a Ponte dell'Olio, zona ideale per le scampagnate domenicali. Poco lontano dal paese, in località Biana, troverete la Trattoria Bellaria, antica osteria – il locale risale alla metà delliOttocento – la cui ristrutturazione ha saputo valorizzare i muri in pietra grezza, i travoni in legno, serramenti e porta d'ingresso originali. Il locale è accogliente, con tavoli apparecchiati con cura; il servizio è svolto per lo più dalle titolari, Mariangela, Silvana e Valeria. La cucina è rispettosa della tradizione, con qualche concessione all'innovazione, salame e pancetta sono ancora preparati e stagionati da papà Giuseppe.
Tra gli antipasti non si può non provare la ***burtlèina*** (frittatina tipica del piacentino) con salumi e **crostini con il lardo**. Per i primi vi consigliamo i piatti della tradizione piacentina – **anolini**, ***pisaréi e fasò*** – ma sono i **tortelli con le code** il piatto forte del locale. A queste proposte si aggiungono, secondo stagione, crespelle ai carciofi e caprino con salsa allo zafferano o le pappardelle di farina di castagne con porri e peperoni. Fra i secondi si può scegliere fra gli arrosti, come la **coppa di maiale arrosto**, il petto d'anatra agli agrumi e la ***pìcula ad caval* con purè**. Ottimi i dolci fatti in casa: **zabaione ghiacciato al Porto**, **mousse al cioccolato con croccantino** o la crostata.
La carta dei vini privilegia etichette del Piacentino con un buon rapporto tra la qualità e il prezzo. È consigliata la prenotazione.

Potete acquistare il pane con il bollo, il pane dei pellegrini che percorrevano la via Francigena, presso il panificio Pelizzoni a **Ponte Dell'Olio** in via Vittorio Veneto 79.

Ravenna
Sant'Alberto

16 km dal centro della città

Il mago del pesce

Trattoria
Via Sant'Alberto, 404
Tel. 0544 529048
Chiuso domenica sera e lunedì, estate lunedì
Orario: mezzogiorno e sera
Ferie: variabili
Coperti: 40
Prezzi: 30-35 euro vini esclusi
Carte di credito: tutte, Bancomat

Non è facile trovare questa piccola frazione nel Parco del Delta del Po, e nemmeno il locale, dove l'insegna del bar oscura quella della trattoria, ma la ricerca vale il viaggio. Il giovane chef Damiano Proni ha perfetta conoscenza delle materie prime locali e grande maestria nel valorizzarle. Bella la presentazione del menù, in cui si spiega la filosofia della cucina e delle frequenti scelte "a chilometro zero". Trionfano il pesce azzurro, l'anguilla, le paste fatte in casa, i dolci.
Per cominciare suggeriamo **alici in padella** con tartufo bianchetto di pineta, saraghina a scottadito, sgombri prima fritti poi in umido di pomodoro, **aguglia allo spiedo**, **sarda fritta** su sale di Cervia e salvia. Poi i primi, con gli ottimi **cappellacci verdi** con cuore di ricotta e sgombro alle erbe con pomodoro fresco e basilico, i nastrini al sugo di alici e i tagliolini alle sarde e pomodoro; perfetti per cottura e presentazione anche i semplici strozzapreti al pomodoro e basilico. Lasciate posto alla regina della zona: l'**anguilla**. **Marinata**, in spiedo con pane, peperone e alloro, in **brodetto di buratelli di valle**, con verze e pinoli. Se ci sono approfittate delle bruschettine di pane con fegatini di nasello e ovuli di seppia e della seppiolina marinata in aceto bianco, cipolla rossa e timo. Ottima anche la **frittura di calamaretti** con una spruzzatina di aceto balsamico.
Per finire, la **millefoglie in crema pasticcera** e la zuppa inglese con l'alchermes. Durante il periodo della caccia c'è la **selvaggina di valle** (anatre, folaghe) e nella tarda primavera le **rane**. Buona la carta dei vini, con un occhio di riguardo per le etichette locali, soprattutto bianchi.

Enogastronomia I Grisi, via Rava 6: specialità da tutta Italia con particolare attenzione alla Romagna.

OSTERIA DEI BATTIBECCHI

Osteria di recente fondazione
Via della Tesoreria Vecchia, 16
Tel. 0544 219536
Chiuso il lunedì
Orario: mezzogiorno e sera
Ferie: agosto
Coperti: 20
Prezzi: 30-33 euro vini esclusi
Carte di credito: le principali, Bancomat

In pieno centro storico di Ravenna, all'angolo con piazzetta delle Poste, Nicoletta Monducci (già titolare di una affermata gelateria in città) ha deciso circa due anni fa di riadattare i locali di un negozio di abbigliamento e di dare vita a una piccola trattoria, cui ha dato un'mpronta calda e famigliare. In effetti l'ambiente e l'atmosfera sono davvero piacevoli e la cordialità di Nicoletta contribuisce a mettere a proprio agio la clientela.
Piacevoli e improntate alla freschezza delle preparazioni sono anche le proposte della cucina, dove opera lo chef Andrea: la pasta è fatta in casa e le materie prime provengono in gran parte da fornitori della zona. La tradizionale **piadina** vi seguirà dagli antipasti alle pietanze. Iniziate quindi dagli affettati o dai formaggi misti, dal radicchio con bruciatini o dalle **frittatine con verdure di stagione** o anche dalla saraghina marinata. Passate poi alle lasagne, ai passatelli o ai **cappelletti in brodo**, alle **tagliatelle al ragù**, ai tortelloni burro e salvia, alla **pasta e fagioli**. Fra i secondi (i contorni sono serviti a parte) potrete scegliere fra le carni alla griglia, il **castrato ai ferri**, lo **squacquerone con fichi caramellati**, il coniglio alla Teresa con patate rosse, la tagliata di manzo. Classici i dolci per concludere: zuppa inglese, **crostate di frutta**, ciambella, torta al cioccolato, **scroccadenti**, tortelli dolci ripieni.
Piccola ma pensata la carta dei vini, che guarda in prevalenza alle cantine della regione. Consigliatissima la prenotazione, dati i pochi posti disponibili.

6 KM DAL CENTRO DELLA CITTÀ

USTARÌ DI DU CANTON

Osteria tradizionale
Via Piangipane, 6
Tel. 0544 521490
Chiuso il lunedì
Orario: mezzogiorno e sera
Ferie: 2 settimane fra luglio e agosto
Coperti: 70 + 30 esterni
Prezzi: 26-28 euro vini esclusi
Carte di credito: tutte tranne DC, Bancomat

La trattoria, sulla statale che da Ravenna conduce a Ferrara, è facile da raggiungere. Michele Marzano, il gestore, si è trasferito dalla Basilicata in Romagna più di vent'anni fa e da allora ha seguito la cucina; nel 1993 ne è diventato anche gestore, con la collaborazione della moglie Rosanna, sommelier.
Il locale, che ha una storia più che centenaria, resta improntato prevalentemente su una semplice, gustosa cucina del territorio, con portate generose e prezzi ragionevoli. Fra gli antipasti sono da segnalare i **fiori di zucca ripieni fritti**, ma si può optare anche per il **tortino di ricotta con pomodorini e basilico**. I primi sono ben rappresentati dalla pasta tirata a mano fatta in casa, come è d'obbligo nel territorio romagnolo. In particolare, in stagione, da assaggiare i **cappelletti con asparagi e prosciutto** e gli **strichetti ai carciofi**, mentre una opzione classica è offerta dai **tortelli di zucca al burro fuso**. Le tradizionali portate di carne alla griglia hanno un posto di rilievo fra i secondi, ma se le vostre preferenze vanno alle carni suine provate lo **stinco di maiale al forno** o i **filettini di maiale al formaggio di fossa**, tutti serviti con contorni di stagione. Tra i dessert segnaliamo la **zuppa inglese**, da queste parti considerata un dolce autoctono, ma meritano una menzione anche gli ottimi semifreddi, agli amaretti oppure al mascarpone.
La carta dei vini, come ci si aspetta dall'impostazione del locale, è decisamente orientata alla Romagna, con qualche interessante divagazione nel territorio nazionale. A mezzogiorno c'è un menù fisso a prezzo ridotto.

Spiedomania, via Bassano del Grappa 30: gastronomia con camino a legna per carne allo spiedo, frutto di attenta ricerca e certificata.

REGGIO EMILIA

A MANGIARE

Ristorante
Viale Montegrappa, 3 A
Tel. 0522 433600
Chiuso la domenica, estate sabato a pranzo
Orario: mezzogiorno e sera
Ferie: variabili in estate, Natale-Capodanno
Coperti: 45
Prezzi: 28-33 euro vini esclusi
Carte di credito: tutte tranne DC, Bancomat

Si può dire che in questo locale la globalizzazione faccia bene al palato: l'accoppiata Olatz Agoues e Sandro Zani in cucina, uniti a Donatella Donati, sommelier in sala, produce un bellissimo intreccio tra tradizione e innovazione. Alla base di tutti i piatti una attenta selezione delle materie prime che Sandro traduce in piatti del territorio mentre Olatz, cuoca di provenienza basca, si dedica principalmente alla realizzazione delle preparazioni più innovative.
Potrete optare per il menù degustazione che nel corso della nostra ultima visita prevedeva **spuma di parmigiano con mostarda di pere**, **affettato misto con gnocco fritto**, tortelli verdi con burro e parmigiano reggiano, tagliatelle con julienne di culatello e maialino al forno con cipolline al balsamico. Alla carta troverete, tra le paste fresche fatte in casa, i **cappelletti in brodo di gallina**, tortelli di zucca con soffritto o tortelli verdi con burro e parmigiano reggiano. Passando ai secondi la scelta potrà cadere sul **carré di agnello allo Zibibbo**, gli **sfilacci di coda di manzo** stufati al vino rosso, il filetto di baccalà al *pil-pil* (tipico piatto basco) con zucca spumata e ancora il **polpo alla piastra con carpaccio di zucchine e pesto di ortiche**. Tra i dessert non perdetevi la **zuppa inglese**, il tortino al cioccolato con *parfait* al caffè, il semifreddo al croccante con cioccolato caldo, la **torta sbrisolona** e la mousse di zabaione al Marsala.
Molto ricca e articolata la carta dei vini, con particolare attenzione per le cantine regionali e per i vini passiti e da dessert.

TRATTORIA DELLA GHIARA

Ristorante
Vicolo Folletto, 1 C
Tel. 0522 435755
Chiuso domenica e lunedì
Orario: mezzogiorno e sera
Ferie: agosto e 10 giorni a Natale
Coperti: 35 + 10 esterni
Prezzi: 35 euro vini esclusi
Carte di credito: Visa, Bancomat

Nello stretto vicolo Folletto, traversa di corso Garibaldi, si affaccia questo locale con pochi tavoli (in estate qualcuno all'esterno) e arredamento classico. Sarete accolti dal titolare Antonio Giordano, che gestisce il locale con la moglie Marinella Braglia. Il menù è ricco di scelte e stagionale, con attenzione alla tradizione di pasta fatta in casa, carni di animali da cortile, salumi e parmigiano reggiano, in carta definito "grana reggiano". Fra gli antipasti, da provare l'assaggio di "cosce", vale a dire **fioretto**, **culatello** e **prosciutto**, oppure l'immancabile **insalata di coniglio**. Potrete cominciare anche con una tazza di **cappelletti in brodo**, sempre in menù anche fra i primi, come i **maltagliati con fagioli**. Un altro classico sono i **tortelli verdi al burro fuso e grana reggiano**, buone le **tagliatelle al ragù di anatra**, in alternativa *savarin* di riso con funghi porcini, lingua e polpettine di vitello. In alcuni primi c'è l'aggiunta di qualche goccia di aceto balsamico tradizionale, come nei tortelli di mele al burro casatello o nel risotto al melone e prosciutto croccante. Fra i secondi **coniglio alle olive e verdure stufate**, **guanciale di vitello stracotto** con verdure e polentina, bianchetto di vitello con carote, piselli e puré di finocchio, tagliata con grana, **trippa reggiana**, filetto di baccalà con verdure e polenta. Varia la proposta di formaggi, fra cui il **pecorino delle montagne reggiane** con marmellata di fichi, oppure il plateau di parmigiani reggiani di varie stagionature.
La carta dei dolci è a parte, con affiancati i vini da dessert al calice: **torta di tagliatelle**, zuppa inglese, torta al cioccolato; da provare la **cassatella**, dolce della tradizione, ottimo il gelato alla crema fatto in casa con aceto balsamico tradizionale reggiano. Ampia la carta dei vini.

RIMINI

OSTERIA DË BÖRG

Osteria-ristorante
Via Forzieri, 12
Tel. 0541 56074-56071
Non ha giorno di chiusura
Orario: pranzo e sera, giugno-settembre solo sera
Ferie: non ne fa
Coperti: 100 + 60 esterni
Prezzi: 30-35 euro vini esclusi
Carte di credito: tutte, Bancomat

A due passi dal ponte di Tiberio, il borgo San Giuliano era un tempo il quartiere dei pescatori; oggi rimane il pezzo di città più fedele alla memoria felliniana, ancora integro e abbellito dai *murales* dei pittori riminesi. Mirko Monari vi farà strada tra i tavoli dell'osteria, rimasta il posto accogliente voluto nel 1989 dalla cuoca Luisa Fabiani. L'attuale gestione ha avuto inizio nel maggio 2007, senza sottrarre nulla all'identità tradizionale del luogo: al piano terra è ben in vista lo spazio della preparazione di carne alla griglia e **piadina**, arredi classici romagnoli e manifesti delle feste popolari.
L'attenzione al territorio e alla qualità delle materie prime è evidente già dagli antipasti, tra i quali il **tagliere di affettati** di produzione biologica **di Talamello** e il **piatto rustico di crostini misti e cassoncini**. Eccellenti le paste al matterello, fra le quali le **tagliatelle al ragù di manzo** tagliato al coltello, i classici **cappelletti in brodo** e quelli **alle carote**, introdotti dalla gestione della Luisa e mai usciti dal menù. Tra i secondi ottimi lo **spezzatino di agnello con carciofi** e il **filetto alla brace** con sale di Cervia e rosmarino, ma menzione d'onore meritano le **carni della Valmarecchia**, costate e fiorentine. Buona la selezione di dolci, secchi e al cucchiaio, tutti fatti in casa. Il cuoco Gian Stefano Polignano modifica il menù ogni due settimane.
La carta dei vini ha una chiara preferenza per i territori di Romagna, della quale sono presenti molti dei migliori produttori, e delle Marche settentrionali. Per aiutare la digestione c'è il liquore casalingo di fine pasto, alla liquirizia in inverno e al finocchio in estate.

Negozio di specialità alimentari Adriano, in via IV Novembre 7: formaggi italiani e francesi, salumi, affumicati, bottarga, piatti freddi, vini.

RIOLUNATO

72 KM A SUD DI MODENA, 9 KM DA ABETONE

LA TAVERNETTA

Trattoria-pizzeria
Strada Statale 324, 29
Tel. 0536 75085
Chiuso dal lunedì al giovedì, mai d'estate
Orario: mezzogiorno e sera
Ferie: variabili
Coperti: 60
Prezzi: 18-25 euro vini esclusi
Carte di credito: le principali, Bancomat

Riolunato è uno dei caratteristici paesini dell'alto Frignano, territorio ricco di storia e di cultura. Qui sopravvive, l'ultima sera di aprile, la tradizione del maggio delle ragazze, con i cantanti che rivolgono alle ragazze da marito le ambasciate dei pretendenti. Terra povera, il Frignano ha avuto, fino all'ultima guerra, un'agricoltura di sopravvivenza incentrata su coltivazione ed essiccazione delle castagne, sull'allevamento delle pecore e di uno o due maiali che davano il grasso. Nel secondo Novecento l'allevamento delle mucche e la produzione del parmigiano reggiano, l'utilizzo della farina di grano tenero hanno trasformato le abitudini alimentari e la crescente popolarità di funghi, tartufi e frutti di bosco ha creato un nuovo modello di cucina montanara.
La cucina della Tavernetta di Guerrino Piacentini e Anna Maria Girotti, locale semplice, una sala sul retro del bar, è una esemplare dimostrazione di queste contaminazioni. Se si possono trovare ancora alcuni piatti legati alla cucina di castagna, come i **menni**, polentine morbide condite col latte, i **ciacci**, le frittelle o il castagnaccio, la fanno da padrone le paste fatte in casa, dai tortellini in brodo, ai **tortelloni di ricotta al burro e salvia**, a tagliatelle, cannelloni e lasagne, in stagione coi **funghi** (spugnole, galletti, porcini), e i **maltagliati coi fagioli**. Tra i secondi il **pollo**, le scaloppine, le cotolette, ma anche due versioni delicate di piatti più selvatici come l'**agnello al forno con le patate** o lo **spezzatino di cinghiale con la polenta**.
Dolci casalinghi, tra cui spiccano quelli al cucchiaio, dalla **zuppa inglese** al tiramisù alla spuma di torrone. Scelta di vini non ampia con influenza toscana. Purtroppo per problemi organizzativi familiari l'apertura è limitata ai fine settimana.

Rivergaro

18 km a sud di Piacenza

Caffè grande

Osteria-trattoria
Piazza Paolo, 9
Tel. 0523 958524
Chiuso il martedì, inverno anche lunedì sera
Orario: pranzo e sera; estate sera, festivi anche pranzo
Ferie: 15 gg in gennaio, 10 in settembre
Coperti: 50 + 50 esterni
Prezzi: 32 euro vini esclusi
Carte di credito: tutte tranne AE, Bancomat

Lo storico Caffè Grande si trova nella piazza centrale di Rivergaro, località della prima collina piacentina situata in Val Trebbia, incantevole vallata che rappresenta la classica meta delle gite fuori porta, a un quarto d'ora d'auto dalla città. Risalente al 1875, il locale è gestito dalla famiglia Bertuzzi – Fabrizio e Betti, fratello e sorella, rispettivamente in sala e in cucina – e si presenta con eleganti soffitti a volta e mattoni a vista. Nella stagione estiva offre la possibilità di cenare ai tavoli sistemati in piazza, sotto la caratteristica insegna.

Il menù si basa sui prodotti di territorio e sui piatti della tradizione, ma si concede alcune divagazioni con proposte più fantasiose, non sempre centrate. Si può iniziare dai classici **salumi piacentini** accompagnati da un tortino di verdure e, su prenotazione, dalla gustosa ***burtlèina***; in stagione anche il flan di asparagi con salsa di parmigiano. Ma dove il locale dà il meglio di sé è con i primi della tradizione. Si va sul sicuro con i **tortelli di ricotta e spinaci** e gli **anolini in brodo**, oppure con i ***pisarei e fasò***. Tra i secondi **maialino da latte al forno con salsa di mele**, *tartare* di manzo con capperi e senape, **costolette di agnello al forno** con timo e stinco di vitello al limone e rosmarino. In estate qualche divagazione marinara. Per concludere, **sbrisolona con gelato alla crema**, zabaione con le fragole e semifreddo al croccante di mandorle in salsa di cioccolato.

In cantina buona scelta di etichette piacentine, con escursioni in altre regioni d'Italia.

Russi
Ponte Vico

15 km a SO di Ravenna

Da Luciano

Trattoria
Via Montone, 1
Tel. 0544 581314
Chiuso lunedì sera e martedì
Orario: mezzogiorno e sera
Ferie: 15 giorni in agosto
Coperti: 100 + 30 esterni
Prezzi: 18-25 euro vini esclusi
Carte di credito: tutte

A pochi chilometri da Russi, a ridosso del fiume Montone lungo la provinciale verso Forlì, la famiglia di Luciano e Mina, con le figlie Nadia e Alessandra, conduce questa classica trattoria di campagna, molto semplice, quasi dimessa, ma che convince per la qualità del cibo.

Il menù è descritto a voce e si potrà iniziare con **crostini con i fegatini**, o misti, che si alternano all'antipasto rustico di salumi locali e **formaggio squacquerone** accompagnato dalla tradizionale **piadina**. Poi le paste tirate al matterello, tra tutte le **tagliatelle al ragù**, alle rigaglie, ai funghi e **agli stridoli**, secondo il variare delle stagioni. Ed è così anche per gli altri piatti: **pappardelle con ragù di lepre, tortelli alle erbe** o **al formaggio di fossa** conditi con ragù e con burro e salvia, cappellacci al pecorino e maggiorana e i tradizionali cappelletti o passatelli. La cucina locale predilige tra i secondi gli **arrosti** e la carne ai ferri. Dunque, spazio a **piccione**, coniglio, faraona, anatra, quaglie e carni miste di maiale e di bovino. Tra i contorni patate, zucchine o altre verdure di stagione e insalate. L'abbondanza e la bontà dei piatti non deve farvi scordare di lasciare uno spazio per i buoni dolci: biscotti e crostate con confetture fatte in casa, **zuppa inglese** e semifreddi estivi allo zabaione o gli amaretti; in alternativa, formaggio e fichi caramellati o confetture casalinghe. Limitata la scelta dei vini, con poche etichette e sfusi locali.

Sala Baganza

14 km a sud di Parma

Milla

Trattoria
Via Maestri, 40
Tel. 0521 833267
Chiuso il giovedì
Orario: sera, sabato e domenica anche pranzo
Ferie: 15 giorni in agosto, 1-15 gennaio
Coperti: 60
Prezzi: 30 euro vini esclusi
Carte di credito: tutte tranne AE

Una trattoria semplice e autentica, con due salette sobriamente arredate, non lontano dai boschi di Carrega, dove andare a riscoprire il gusto della tradizione e il piacere di una convivialità d'altri tempi. Un locale che nel 2007 ha festeggiato il sessantesimo anno di gestione della famiglia Affanni e il novantesimo compleanno della signora Milla che gli dà il nome. All'ingresso, a fianco del bar, una vetrina frigo mostra formaggi e salumi frutto di scelte attente. Alle pareti, vecchie foto e pagine di giornali che testimoniano una lunga storia. In cucina Catia, nuora di Milla, interpreta con mano sicura i sapori della cucina parmigiana; nella sala principale una lavagna riporta le proposte del giorno.
Si comincia con una soffice e gustosa **torta fritta** che accompagna selezionati salumi: **prosciutto di Parma** stagionato come si deve e salame di Felino da maiale nero allevato in zona. Qui tutto è davvero fatto in casa, dal pane alle paste dei primi piatti: **anolini in brodo** con ripieno di stracotto, **tortelli di patate con tartufo** o **porcini** (in stagione), tortelli di zucca, **lasagne al forno**, tagliolini di castagne e raschera; anche il **riso con la pasta di salame e la verza** vale un assaggio. Oltre alla gustosa **vecchia alla parmigiana** e allo **stracotto di asinina al Barolo**, fra i secondi torna il maiale in diverse preparazioni: **guancialini**, filetto e costine al forno.
Si può concludere con il semifreddo allo zabaione e salsa di cioccolato o con la **zuppa inglese**, prima del caffè con crema di latte e zabaione. La cantina curata da Luciano, figlio di Milla, propone a prezzi corretti tante bottiglie italiane.

San Pietro in Casale
Rubizzano

20 km a nord di Bologna

Tana del grillo

Trattoria
Via Rubizzano, 1812
Tel. 051 811648-810901
Chiuso lunedì sera e martedì
Orario: mezzogiorno e sera
Ferie: 25 gg in agosto, 1 settimana in gennaio
Coperti: 30
Prezzi: 35 euro vini esclusi
Carte di credito: tutte, Bancomat

Pochi chilometri dopo l'uscita di Altedo della A13, attraverserete la Bassa bolognese in direzione San Pietro in Casale prima di arrivare nel piccolo abitato di Rubizzano. Qui, di fronte alla chiesa, troverete questa tranquilla trattoria di campagna, con aria condizionata in estate e caminetto acceso in inverno, aperta nel 1994 da Giovanni Mazzali e dalla moglie Susanna Pocaterra.
Giovanni, che gestiva il salumificio di famiglia, conduce con competenza la sala e vi accoglierà proponendovi la fantasia di **salumi**, tra i quali spicca il ***lion***, una mortadella insaccata nel budello gentile che assomiglia a un salame: un prodotto quasi scomparso che si ritrova con piacere. Dalla cucina Susanna proporrà un menù legato ai prodotti di stagione che cambia quattro volte l'anno. Da provare, in primavera, i piatti con gli **asparagi** della vicina **Altedo**, in autunno tartufi e **funghi**. Come entrata, buone le lumache e la crostata di zucca. Tra i primi si segnalano la **gramigna al guanciale**, "i tagliolini del Grillo", con prosciutto di Parma e semi di papavero, i **tortelli di zucca** (siamo al confine tra Bologna e Ferrara e Susanna è ferrarese). Tra i secondi, la **rosa di Parma** (filetto di vitellone con prosciutto di Parma e parmigiano), il piatto unico la "padella del Grillo", carni e verdure alla griglia in tegame, il **coniglio disossato al timo**, il tagliere di formaggi. Nel repertorio della cuoca anche le patate al forno con aglio e rosmarino e i **fiori di zucca ripieni fritti**.
Dolci fatti in casa: latte portoghese, **torta di tagliatelle** e la ferrarese **tenerina al cioccolato**. Carta dei vini non amplissima ma curata nella proposta regionale. Vi consigliamo di farvi assistere da Giovanni nella scelta.
Nel mese di luglio il locale è chiuso anche la domenica.

San Pietro in Casale

24 km a nord di Bologna

Tubino

Trattoria
Via Pescerelli, 98
Tel. 051 811484
Chiuso il venerdì e sabato a pranzo
Orario: mezzogiorno e sera
Ferie: 10 giorni fra giugno e luglio
Coperti: 40
Prezzi: 30-35 euro vini esclusi
Carte di credito: tutte, Bancomat

I coniugi Daniela e Pierluigi (Pigi) Fortini, hanno festeggiato da poco il ventennale della loro trattoria che apre a due passi dal centro del paese. La loro scelta è improntata alla ricerca dei prodotti di qualità (in primo luogo Presìdi Slow Food) e ve ne potrete rendere conto sfogliando il menù (cambia quattro volte l'anno, seguendo le stagioni), dove c'è in bella evidenza l'elenco dei fornitori.
La proposta gastronomica di Pigi, ai fornelli, coniuga i piatti della tradizione con specialità di altre regioni. L'ambiente, una saletta all'ingresso e un soppalco al primo piano, ricorda le trattorie di un tempo, l'atmosfera è cordiale. Se venite in inverno, iniziate da **salumi e crescentine fritte**, dai **cardi gratinati con fonduta e noci** o dal filettino di baccalà con salsa all'arancio e senape. Fra i primi (consigliamo di scoprire la zuppa del giorno): **tortellini in brodo** di cappone, **tagliatelle verdi al ragù**, tortelli di patate con salsa alla pancetta affumicata, **ravioli di zucca** con listelle di mortadella e aceto balsamico. Poi le carni cotte sulla pietra ollare (su tutte **salsiccia** e la **braciola di mora romagnola**), la **mariola con purea di patate**, lo **spezzatino di somarino** con polenta, le **rane fritte**. Particolare attenzione è dedicata al piatto di **formaggi** serviti con miele e confetture.
Infine il semifreddo al torrone, le crespelle di farina di castagne e crema di ricotta, il gelato di crema mantecato al balsamico, il tortino di arance e mandorle su cioccolato fuso. Ottimi i grissini forniti dall'adiacente forno Palladino. Interessante la carta dei vini, frutto di ricerca personale.

Nella vicinissima via Matteotti al civico 223-225, il forno pasticceria Palladino offre diversi tipi di pane della tradizione, tra cui la coppietta ferrarese, prodotti senza additivi.

Santarcangelo di Romagna

10 km a ovest di Rimini

La sangiovesa

Osteria-ristorante
Piazza Simone Balacchi, 14
Tel. 0541 620710
Non ha giorno di chiusura
Orario: solo la sera
Ferie: Natale e Capodanno
Coperti: 240 + 50 esterni
Prezzi: 33-35 euro vini esclusi
Carte di credito: tutte, Bancomat

Da circa vent'anni il locale ha sede nel settecentesco Palazzo Nadiani, già residenza degli omonimi conti. Nel cuore di Santarcangelo, è suddiviso in numerose sale che portano i nomi di personalità della zona. I gestori Daniele Vadini e Loris Vestrucci guidano gli avventori in un piccolo tempio della cucina delle Romagne. All'ingresso un negozio di prodotti del territorio, nella prima sala si preparano a vista le **piadine**, al piano interrato l'osteria propone una selezione di formaggi e salumi e alcuni dei piatti della cucina. Da vedere le grotte, che ospitano anche una sorgente, caratteristiche delle case storiche santarcangiolesi.
Lo chef Massimiliano Mussoni cura una carta molto attenta al territorio, modificata a ogni cambio di stagione. Da segnalare, fra gli antipasti, i classici **cassoni**, in particolare quelli alle erbe o con ricotta, zucchine e menta, e il piatto di **salumi di Romagna stagionati**. I primi piatti vedono la pasta fatta in casa come protagonista: da menzionare le **tagliatelle della Minghina**, con verdure di stagione e pomodoro, e i **ravioli farciti alle erbette** con salsa di pomodoro. Le carni di razza romagnola dominano fra i secondi, fra i quali ci sono lo **scortichino di filetto di manzo** alla corte Nadiani e l'**intercostata di scottona al sale di Cervia**.
Il pasticciere Andrea prepara dolci tradizionali quali gli **scroccadenti** e la **ciambella di Romagna**, e diverse torte.
La carta dei vini, ricca e attenta alle migliori proposte locali, offre anche una piccola selezione al bicchiere. Nella carta una serie di piccole, apprezzabili attenzioni, quali la segnalazione dei fornitori locali e le proposte per i bambini e per i vegetariani.

In via Ruggeri 8, Laura propone cappelletti, ravioli, passatelli, tagliatelle e tagliolini tirati con il matterello.

SANTA SOFIA
Campigna

60 KM A SUD DI FORLÌ SS 310

IL PODERONE

NOVITÀ

Azienda agrituristica
Via Poderone, 64
Tel. 0543 980069
Non ha giorno di chiusura
Orario: mezzogiorno e sera
Ferie: variabili
Coperti: 80
Prezzi: 25-28 euro
Carte di credito: nessuna

Siamo nel cuore del Parco nazionale delle Foreste Casentinesi Monte Falterona, a pochi chilometri dal confine con la Toscana. In mezzo a boschi di faggi, larici e abeti, 13 anni fa Lorenzina e il padre Tullio ristrutturarono Il Poderone, un casolare del Quattrocento. Al cartello che indica tre chilometri a Campigna si gira a destra, si percorre meno di un chilometro e si arriva alla tenuta.
Lorenzina vi accoglierà con l'asciutta simpatia della gente di montagna e vi farà accomodare nella sala da pranzo ospitata nel vecchio fienile. Qui vige la regola della puntualità, si pranza alle 13 e si cena alle 20.30, tutti insieme, con un menù unico per tutti. Lorenzina decide giorno per giorno le portate in base a quello che i produttori del parco possono fornire: il "chilometro zero" è una realtà. La cucina è romagnola con influenza toscana. **Frittatine di stridoli**, prugnoli, vitalba, fumetto di radicchio e pancetta come antipasto, poi le zuppe con **acquacotta**, imperiale, pappa al pomodoro e la **zuppa di scottiglia**. In alternativa passatelli in brodo di carne, tagliatelle al ragù o al pomodoro fresco, tortelli di patate, la ***spoja lorda***, polenta – gialla o con la farina di castagne – servita molto liquida come la tradizione della vallata esige. Tra i secondi lo **spiedo misto** (faraona, fegato, salsiccia, costina, pancetta arrotolata) poi gli umidi o gli stufati, in stagione di **cinghiale** o cervo. Infine i dolci con semifreddi, **biscotti**, crostate, la crema senza farina e i **brigidini con l'anice** (questi sono unici). Conclude il pasto un **ratafià di more**.
Il vino è uno solo, quello della casa, e l'acqua è quella della fonte. Prenotazione obbligatoria e il coperto non si paga.

SANTA SOFIA

29 KM A SO DI FORLÌ SS 310

OSTERIA DEL BORGO DA FISCHIO

Osteria
Via San Martino, 61 B
Tel. 0543 970417
Chiuso il giovedì
Orario: mezzogiorno e sera
Ferie: 2 settimane in giugno, 2 in novembre
Coperti: 50 + 40 esterni
Prezzi: 22-28 euro vini esclusi
Carte di credito: le principali, Bancomat

L'osteria ha cambiato di recente sede e anche se ha perduto il fascino del vecchio locale, niente può intaccare le capacità della famiglia dedita all'osteria: l'entusiasmo di Fabio Castellucci, la cordialità del padre Franco (detto Fischino), la grande cucina di mamma Fiorella, aiutata dalla figlia Maria, vi faranno fare un bellissimo viaggio gastronomico fra le tradizioni della valle del Bidente.
Abbiamo assaggiato l'ottima **zuppa di cipolla e ceci**, i fagioli con le cotiche, un corposo antipasto di ***piada* fritta con la gota** (guanciale), frittata con le erbette, il **raviggiolo** (eccellente). Ottimi anche i primi piatti di pasta fatta in casa: tortelli di carne, **gnocchi al ragù**, cappellacci al burro e salvia, **tagliatelle con pancetta e radicchio**. Buoni i secondi di carne, tra i quali primeggiano il **coniglio** (tenero e succoso) e le riuscitissime **zucchine ripiene di scamone di bovina romagnola** (piatto premiato come miglior ripieno allo Sposalizio della piadina di Cesena).
Il menù varia spesso, con ottime proposte stagionali e a seconda delle materie prime disponibili: quando ci sono assaggiate le **trote agli aromi**. Da provare anche i tipici **tortelli alla lastra** e la selezione di formaggi locali (ottimi i vaccini).
Un discorso a parte va riservato ai **salumi**, prodotti e stagionati direttamente da maiali allevati da amici e parenti nei dintorni: abbiamo assaggiato un prosciutto di 30 mesi davvero superbo.
Ampia la carta dei vini, con grande attenzione al territorio e possibilità al bicchiere anche di bottiglie importanti.

Savignano sul Rubicone

15 km a SE di Cesena SS 9, 15 km da Rimini

Trattoria dell'autista

Trattoria
Via Battisti, 20
Tel. 0541 945133
Chiuso la domenica, venerdì e sabato sera
Orario: mezzogiorno e sera
Ferie: 3 settimane in agosto, 2 fine dicembre
Coperti: 50 + 35 esterni
Prezzi: 25 euro vini esclusi
Carte di credito: tutte, Bancomat

Che l'accoglienza sarà calda e sinceramente cordiale lo capirete già telefonando per prenotare. La famiglia Gobbi, che gestisce questa osteria autentica, ha affinato una predisposizione naturale all'ospitalità nel corso di quattro generazioni. Presa in gestione dal bisnonno di Nicola, che oggi aiuta in sala il padre Mauro, nel 1932, la Trattoria dell'autista conserva gli arredi di un tempo e d'estate offre posto anche sotto una veranda nel cortile.
Nel locale l'atmosfera è piacevole e genuina, come la cucina proposta da un menù recitato a voce legato alla tradizione. L'antipasto è un classico di Romagna: **piadina con squacquerone** e **tagliere di salumi misti** più alcune tipologie di formaggio, almeno due i pecorini, fra cui il fossa autentico con fichi caramellati. Tra i primi (la sfoglia è tirata al matterello dalle donne di casa Valentina e Agostina) le **tagliatelle al ragù**, i **tortelloni di ricotta**, la pasta e fagioli e i **passatelli in brodo**, sempre. Fra i secondi la carne ai ferri, il **fegato con la rete alla griglia**, il **pollo alla diavola**, in tarda primavera le seppie coi piselli e in stagione di legumi anche lo **spezzatino coi piselli**, qualche arrosto. Variegato il carrello di contorni: molte verdure lessate, dalle patate alle erbe dell'orto in padella con l'aglio, semplici e gustose, alle saporite cipolle al forno. Quando fa più freddo non mancano **trippa**, cotechino e **baccalà**.
Anche i dolci sono quelli della tradizione, dalla **zuppa inglese** alla torta di ricotta della casa, e poi crème caramel, semifreddo e crostate. Il vino è generalmente quello sfuso, ma si può scegliere da una semplice carta che propone soprattutto etichette di cantine locali, più qualche alternativa fuori regione. I prezzi sono assolutamente onesti.

Savigno

31 km a SO di Bologna

Da Amerigo

Trattoria con alloggio
Via Marconi, 16
Tel. 051 6708326
Chiuso il lunedì
Orario: sera, domenica e festivi anche a pranzo
Ferie: 20 gg gennaio-febbraio, 20 agosto-settembre
Coperti: 50 + 30 esterni
Prezzi: 35-40 euro vini esclusi
Carte di credito: tutte, Bancomat

Visionando il bel sito internet del locale, si può comprendere come Alberto Bettini sia legato alle due generazioni che lo hanno preceduto e che hanno creato questa trattoria-osteria. Ma non c'è solo, in lui, il legame con le proprie origini, ma anche attenzione e attaccamento al territorio. Questa simbiosi con l'ambiente in cui vive lo porta alla continua ricerca di prodotti, in particolare quelli che meglio interpretano le qualità gastronomiche del crinale tra le province di Bologna e Modena. Un'attenzione che si percepisce entrando nel locale passando per il negozio, qualificata dispensa del territorio, e nello scorrere i menù, con proposte fatte sempre nel rispetto della stagionalità delle materie prime.
Tra gli antipasti, oltre agli ottimi **salumi con sottoli e tigelle**, i **calzagatti** (rettangolini di polenta) **arrostiti nel lardo di mora romagnola**, il paté di fegatini con caramella di Pignoletto passito o le tigelle con gelato di parmigiano all'aceto balsamico tradizionale. Tra i primi i minuscoli **tortellini in brodo**, le lasagne al forno, le **tagliatelle al ragù**, i **passatelli asciutti con gamberi di fiume**. Potrete proseguire con guancia di vitella brasata con purè e cipolla croccante, **coniglio all'aceto balsamico tradizionale** o il **maialino di mora romagnola** in cotture differenziate. Per chiudere, ricca offerta di formaggi, dolci, sorbetti e gelati, tra i quali si segnala il gelato alla crema. Soltanto in stagione proposte di menù con **funghi** e **tartufi**: il conto salirà, ma ne varrà la pena.
La lista dei vini è ampia e qualificata.
Da gennaio a maggio la trattoria chiude anche il martedì.

SCANDIANO

12 KM A SO DI REGGIO EMILIA

OSTERIA IN SCANDIANO

Ristorante
Piazza Boiardo, 9
Tel. 0522 857079
Chiuso il giovedì, giugno-agosto anche domenica
Orario: mezzogiorno e sera
Ferie: agosto e periodo natalizio
Coperti: 45
Prezzi: 35 euro vini esclusi
Carte di credito: tutte, Bancomat

Sulla piazza acciottolata della rocca duecentesca del Boiardo, da oltre vent'anni trovate questa osteria, conosciuta da molti come "da Contrano", il nome della famiglia che in sala e in cucina amabilmente vi accoglie. Gli ambienti sono curati e caldi e d'estate si può cenare all'aperto, nell'angolo della piazza medievale. Il menù, con prezzi comprensivi di coperto e servizio, offre anche una proposta di degustazione della tradizione reggiana, con sei portate a 40 euro.
Gli antipasti partono dai **salumi** (salame, prosciutto, culatello di Zibello, coppa) accompagnati da **gnocco fritto**, preparazione che con nomi diversi accomuna tutto il territorio emiliano. Si possono assaggiare piatti più elaborati, come il valigino di verza e carne magra su crostino di pane, la **vellutata di zucca con funghi e coppa** croccante o lo sformato di parmigiano reggiano con crema di formaggi. Tra le minestre i sapidi **cappelletti in brodo di cappone** e i tortelli di zucca mantecati al soffritto; poi i tortelli verdi di bietole e spinaci al burro e salvia, le tagliatelle gialle e verdi con ragù di carne in bianco, la **crema di porro e patate all'aceto balsamico tradizionale**. Tra le carni, la tenera e dolce **faraona con cipolline** all'aceto balsamico e il saporito **coniglio al forno** in vino bianco di Scandiano con le patate. In alternativa, tagliata di vitella, arista di maiale al latte o il **baccalà in umido**, con pomodorini e uvetta sultanina. Da segnalare il carrello dei **formaggi** che, oltre a selezionati parmigiani reggiani, propone, secondo disponibilità, prodotti italiani da latte crudo di vacca, capra e pecora.
Nell'ampia proposta dei dolci la **zuppa inglese**. Bella la carta dei vini per proposte e numero di etichette, con una scelta di aziende oltre il territorio provinciale e ricarichi corretti.

SISSA
Gramignazzo

25 KM A NORD DI PARMA

LAGHI VERDI

Trattoria
Via Co' di Sotto
Tel. 0521 879028
Chiuso lunedì e martedì
Orario: mezzogiorno e sera
Ferie: dicembre-febbraio
Coperti: 90 + 60 esterni
Prezzi: 20-25 euro vini esclusi
Carte di credito: tutte, Bancomat

Il territorio della Bassa padana – ovvero le zone pianeggianti a ridosso del Po – ha un fascino particolare, fatto di pochissime cose. Nell'area golenale compresa tra Graminazzo e il fiume, che un tempo ospitava una grande cava ora dismessa, c'è un'oasi suggestiva, fatta di tanti piccoli laghetti circondati da pioppeti e abitati da una ricchissima popolazione di aironi, germani, garzette e altri uccelli.
Nei vasconi di acqua si alleva il pesce gatto che diventa uno dei protagonisti della cucina che Mirella e Maurizio propongono nella loro piccola e semplice dimora aperta al pubblico. **Pesce gatto** proposto come antipasto dopo una breve marinatura, oppure utilizzato per arricchire il sugo degli spaghetti; cucinato come pietanza semplicemente al cartoccio o ancora **fritto** in piccoli e irresistibili bocconcini. Ma l'offerta ittica del fiume non si limita a questo: ecco quindi il **pesce persico** utilizzato per la farcitura dei tortelli, lo **storione al forno**, l'**anguilla fritta**, le **rane** ugualmente fritte come il trotto, un pesciolino simile all'acquadella. Se non siete attratti dai pesci concedetevi i succulenti **salumi** proposti come antipasto: **culatello di Zibello**, spalla cruda, salame gentile e altri ancora. Tra i primi piatti, da segnalare i ***pisaréi e fasò*** (piatto di tradizione piacentina) e i **tortelli** con i vari ripieni: di carne, di pesce e di magro. Non dovrebbe mancare, tra i secondi, un assaggio di **trippa alla parmigiana**; una volta arrivati ai dolci, non fatevi scappare l'originale **torta di mandorle** servita con zabaione al Marsala.
Piuttosto limitata la carta dei vini, per lo più concentrata sulle etichette locali; decisamente più ricca l'offerta dei digestivi fatti in casa – il nocino, il bargnolino, l'arancino e la crema di limone.

Osteria accessibile ai disabili.

Sogliano al Rubicone
Savignano di Rigo

30 km a sud di Cesena

Da ottavio

Ristorante
Via Savignano di Rigo, 3
Tel. 0547 96000
Chiuso il martedì
Orario: mezzogiorno e sera
Ferie: 10-31 gennaio
Coperti: 100 + 12 esterni
Prezzi: 28-30 euro vini esclusi
Carte di credito: nessuna

Nel tranquillo borgo ai confini con le Marche, sul cui orizzonte si staglia il suggestivo monte Aquilone di Perticara, si trova il ristorante gestito dalla famiglia Bernardini. Qui gusterete i piatti della tradizione di questo territorio preparati dalle abili mani di Mariolina, aiutata dal fratello Fabiano.
Dalla cucina escono, per cominciare, deliziose **spianatine ripiene di verdure** e qualche altro appetitoso antipasto, come il tradizionale **bustrengo** (pane, uova e formaggio), il prosciutto, il formaggio di fossa e lo sformato di porri e formaggio. Tra i primi gli squisiti **cappelletti** (nel ripieno ci sono formaggi e carne di maiale) **in brodo** o al ragù, le minestre matte con le erbe di campagna, i **maltagliati con gli strigoli**, la sfogliata ai funghi porcini e i *grateti* (un impasto di pane, farina, formaggio e fagioli borlotti). Poi le classiche **tagliatelle ai porcini**, le pappardelle al ragù di lepre, i tortelli alle erbe e gli **gnocchi al formaggio di fossa**. Ottime anche le carni: **agnello alla cacciatora con erbette cotte** (antica ricetta del padre Ottavio, da provare con la piadina), lombata di maiale, arrosto di manzo, faraona al *savor*, **coniglio in porchetta**, pollo in padella. Tra i dolci assaggiate il **lattaiolo**, la ciambella, la torta all'ananas o alle pere e, in stagione, la pagnotta dolce di Pasqua.
La carta dei vini offre buoni Sangiovese e Albana dei produttori della zona e qualificate etichette nazionali. Buona la proposta di grappe. È meglio prenotare.

Per il formaggio di fossa, a Sogliano al Rubicone rivolgetevi a: Rossini (via Pacoli 8), Venturi (via Roma 67), Pellegrini (via Le Greppe 14) o preso la Pro Loco (piazza Matteotti) per informazioni sulla sagra di novembre.

Soliera
Sozzigalli

12 km a nord di Modena

Bohemia

NOVITÀ

Ristorante con alloggio
Via Canale, 497
Tel. 059 563041
Chiuso la domenica e lunedì sera
Orario: mezzogiorno e sera
Ferie: 10-20 agosto, 26 dicembre-5 gennaio
Coperti: 25 + 20 esterni
Prezzi: 32-35 euro vini esclusi
Carte di credito: le principali, Bancomat

Qualche anno fa Angelo Lancellotti ha completato la ristrutturazione della casa colonica a servizio del pezzo di terra dove coltiva il suo orto. Così, lungo la via Canale che costeggia il Secchia, è nata l'Osteria Bohemia, così chiamata in onore della moglie boema, Zdenka. Ma di boemo la cucina ha giusto un paio di piatti. Per il resto è la tradizionale modenese, basata su sfoglia, maiale, animali da cortile, con l'aggiunta dei prodotti dell'orto, delle erbe aromatiche e, in stagione, dei fiori eduli, che profumano e colorano i piatti.
Per antipasto, oltre ai salumi, assaggiate il **lardo alle erbe aromatiche** preparato e stagionato in casa, servito, quando ci sono, con i fiori di borragine. Ordinate con curiosità che verrà ben ripagata sia l'**insalata di pere, lamponi, tarassaco, fiori e aceto balsamico tradizionale di Modena** che quella di mele, tarassaco ed erba cipollina, il baccalà marinato all'aceto balsamico tradizionale con erbe aromatiche e la straordinaria **misticanza di insalate, erbe aromatiche e fiori**. Tra i primi spiccano i **tortellini in brodo di cappone e manzo**, le tagliatelle al ragù di carne, i tortelloni verdi, ma sono invitanti anche, secondo stagione, i **tagliolini alle erbe aromatiche** o alle radici di levistico, le farfalline con angelica e prosciutto crudo, il riso al finocchio bronzeo. Fra i secondi il **cotechino con fagioli** bianchi al profumo di santoreggia e levistico, il coniglio, il petto o le cosce d'anatra, tutti con le erbe aromatiche, ma anche i piatti della tradizione povera carpigiana, dalla **trippa** al ***pin***, il collo del tacchino ripieno di carne di maiale.
Bella selezione di dolci di tradizione, dalla zuppa inglese alle crostate alla **torta di crema al limone**, oltre alla macedonia di frutta fresca e al gelato di crema, serviti con la ***saba***. Buona carta dei vini, con attenzione ai Lambruschi di territorio.

SORAGNA
Diolo

31 KM A NO DI PARMA

OSTERIA ARDENGA

Osteria tradizionale-trattoria
Via Maestra, 6
Tel. 0524 599337
Chiuso martedì sera e mercoledì
Orario: mezzogiorno e sera
Ferie: 1-15 gennaio, ultime 3 settimane di luglio
Coperti: 60
Prezzi: 30-35 euro vini esclusi
Carte di credito: le principali

Nella Bassa parmense, percorrendo la strada da Fidenza a Roccabianca, di fianco al museo dedicato a Giovanni Guareschi, si incontra questa storica osteria, gestita con passione e cura dal cuoco Gianni, con la moglie Daniela e la cognata Gladis, sotto la supervisione di mamma Maria, che cura i prodotti fatti in casa (giardiniera e cipolline) e il taglio dei salumi. La continuità della gestione familiare è assicurata da Simone, Sara, Aldo e Annamaria che, pur ancora impegnati negli studi, non fanno mancare il loro aiuto. Alle tre sale si aggiunge la cantina, dove sono appesi culatelli di Zibello, prosciutti di Parma, salami, coppe e pancette, fra le bottiglie di vino della ricca carta, che spazia dai prodotti locali a quelli nazionali, applicando onesti ricarichi.
Giardiniera mista, cipolline in agrodolce, polenta fritta, pizza con i ciccioli, **spalla cotta di San Secondo** con gli altri insaccati e salumi, barchette con asparagi, tortino di zucca e funghi, **sfogliatine ai carciofi e asparagi**, per cominciare. Ampia e difficile la scelta fra i primi piatti di pasta fatta in casa, alternati secondo stagione tranne i più tipici: **maccheroni al sugo di anatra**, tagliatelle al ragù di pasta di salame, **tortelli d'erbetta**, anolini in brodo, ***pisaréi e fasò***, per indicarne solo alcuni. Fra i secondi, accanto al bollito misto con le mostarde spiccano il **culatello stracotto ai funghi**, l'**oca ripiena con pasta di salame**, l'anatra arrosto e i **guancialini di maiale in umido**.
Imperdibile, fra i dolci, il **cacio bavarese** (crema di burro, tuorlo di uovo sodo, amaretti e savoiardi), ma buone anche le crostate. Non si paga il coperto.

In località Chiavica 61, Massimo Pezzani, nel suo laboratorio-negozio Antica Ardenga, produce e vende culatello di Zibello, salami, spalle crude, mostarde della Bassa in vasetto.

SPILAMBERTO

20 KM A SE DI MODENA SS 623, 4 KM DAL CASELLO DI MODENA SUD

DA CESARE

Trattoria
Via San Giovanni, 38
Tel. 059 784259
Chiuso domenica sera, lunedì e martedì
Orario: mezzogiorno e sera
Ferie: 15-30 maggio, 20 luglio-20 agosto
Coperti: 32
Prezzi: 25-35 euro vini esclusi
Carte di credito: tutte tranne DC, Bancomat

Se siete alla ricerca della grande tradizione modenese, di una cucina dai sapori decisi e di sostanza, di una cucina che parte dalle migliori materie prime, allora siete nel posto giusto. Qui, da Cesare, una trattoria tradizionale che opera da oltre quarant'anni nel centro del paese che è la patria dell'aceto balsamico tradizionale, potrete godere di una qualità ormai rara e di un'abbondanza che non guasta.
Sarete accolti con grande simpatia da Giancarlo Sola che con occhio vigile gestisce i lavori in sala; la moglie, Marica Roncaglia, si dedica invece ai fornelli. Non esiste un menù scritto e non c'è la possibilità di scegliere le portate: sarà Giancarlo a selezionare per voi i diversi assaggi (che in realtà sono vere porzioni). Si parte con un antipasto di **mortadella** e deliziose cipolle di Tropea con pecorino condite con aceto balsamico. Fra i primi, **maltagliati con i fagioli**, grandi **tortelloni verdi e gialli di ricotta e verdure** con il burro e i buonissimi **maccheroni** caserecci di sfoglia gialla **con il ragù**; tortellini in brodo il sabato e la domenica. Dopo una frittatina con il balsamico i secondi, davvero ben cucinati: dal **guanciale di vitello** al capretto arrosto, dalla salsiccia ai **fritti** (cuore di carciofo, formaggio e crema pasticcera con scorze di limone). Anche per i dolci, tutti fatti in casa, vi saranno proposti generosi assaggi: **torta di caffè e cioccolato**, "pesche" imbevute nell'alchermes con ripieno di cioccolato, amaretti teneri, torta di mele o di riso, croccante di mandorle. Un bottiglione di nocino sul tavolo o una buona grappa concluderà un pasto d'altri tempi.
Fra i vini buona scelta di Lambruschi e belle etichette anche da fuori regione.

Verghereto
Alfero

63 km a SO di Cesena SS 71

Lanzi

Ristorante con alloggio
Via Don Babbini, 10
Tel. 0543 910024
Chiuso il mercoledì, mai dal 21/6 al 31/10
Orario: mezzogiorno e sera
Ferie: febbraio
Coperti: 70
Prezzi: 26-30 euro vini esclusi
Carte di credito: tutte, Bancomat

Questo locale è un po' fuori mano, ma vale la pena di visitarlo. Per raggiungerlo si percorre la Cesena-Roma (E45) fino all'uscita di San Piero in Bagno; da qui si seguono le indicazioni per Alfero che dista 12 chilometri. Questo paese fra i boschi dell'Appennino tosco-romagnolo è poco distante dal monte Fumaiolo, noto per le sorgenti del fiume Tevere. Proprio nel centro del paese troverete il locale, aperto più di mezzo secolo fa dalla signora Enrica e ora gestito dal figlio Giovanni Maria che ne continua l'opera.
Il ristorante è costituito da una piccola sala dominata da un bel camino e da una sala più grande datata anni Sessanta, tipica per gli alberghi romagnoli. I piatti proposti sono semplici, rispettosi della tradizione e i prodotti del territorio la fanno da padroni: fra questi si segnalano i **funghi**, soprattutto porcini. Si può iniziare con ottimi **salumi** locali; in alternativa, i **crostini con porcini** o **con il lardo**. Come primi consigliamo le **tagliatelle**, sia **al ragù** che **con i porcini**, i ravioli al burro e salvia, i **cannoli alla Rossini**, i tortelli di patate. Tra le carni, sempre di provenienza locale, valgono l'assaggio l'ottimo **agnello al forno**, il coniglio ai funghi, la **faraona al ginepro**; in stagione potrete trovare preparazioni a base di **cacciagione**.
Fra i dolci ci sono una buona zuppa inglese, la **crostata di more**, il crème caramel. In alternativa, un buon pecorino e un **formaggio di fossa** tipico della zona. La carta dei vini offre una buona scelta di vini romagnoli e qualche etichetta nazionale.

Non lontano dal ristorante, La dispensa della nonna, propone i prodotti del bosco lavorati in proprio: marmellate, biscotti di farina di castagne, sughi.

Vetto

42 km a SO di Reggio Emilia

Antica trattoria del Sole

Trattoria con alloggio
Via Sole di Sopra, 45
Tel. 0522 815194
Chiuso il mercoledì
Orario: mezzogiorno e sera
Ferie: variabili
Coperti: 50 + 15 esterni
Prezzi: 22-25 euro vini esclusi
Carte di credito: nessuna, Bancomat

Il borgo Sole di Vetto si trova sulla sponda reggiana del torrente Enza. L'amenità del posto mai lascerebbe immaginare l'origine tragica del nome: nel 1470 la peste uccise tutti, o quasi, gli uomini della zona, lasciando le donne, appunto, "sole".
Paola Zanichelli e il marito Sergio Gatti gestiscono questa genuina trattoria di collina (che è anche locanda con una ventina di posti letto). Un bar introduce al ristorante, dove un'ampia finestra di servizio consente la vista della cucina. Un assaggio di **salame**, la **frittata di cipolle**, l'**erbazzone** (torta d'erbe) vi saranno serviti appena preso posto al tavolo. Tra i primi piatti, da provare il tris di **tortelli**: con ripieno di zucca, **di erbette** e di patate. In alternativa i **cappelletti in brodo di cappone**, le **tagliatelle ai funghi**, il risotto al piccione e la **zuppa di trippa**. Tra i secondi spicca un ottimo **coniglio con patate**, impreziosito dall'uso equilibrato delle spezie. Da provare anche le **costine di agnello fritte** e la **faraona all'aceto balsamico**. In stagione **funghi fritti**, da consumare da soli o in abbinamento alle tante proposte di carne. Lasciate un po' di posto per i dolci: **salame al cioccolato**, torta di riso, torta "in cantina", torta di tagliatelle, il tiramisù e la **zuppa inglese**.
Il Lambrusco della zona (anche di oltre Enza) e il vino toscano servito sfuso sono adeguati a questa sapida cucina di collina. Dopo pranzo potrete raggiungere in dieci minuti di auto la suggestiva pieve romanica del 1004 in località Sasso, a Scurano, oppure a piedi scoprire il borgo di Sole.

In zona due ottimi caseifici: Fontaneto a **San Polo d'Enza** (18,5 km) e Gazzolo a **Ramiseto** (16 km), producono e vendono un grande parmigiano reggiano di collina.

VIGNOLA

23 km a SE di Modena SS 623

TRATTORIA LA BOLOGNESE

Trattoria
Via Muratori, 1
Tel. 059 771207
Chiuso il sabato
Orario: solo a mezzogiorno
Ferie: agosto e Natale
Coperti: 40
Prezzi: 25-28 euro vini esclusi
Carte di credito: le principali, Bancomat

Siamo a Vignola, ai piedi delle colline emiliane, sulle sponde del fiume Panaro. Qui, all'ombra della Rocca medievale fatta erigere a sentinella delle sponde del fiume e a guardia dell'antica via Claudia, troviamo questa trattoria gestita dalla stessa famiglia dal 1946. Ambiente familiare e casalingo, due sale più qualche tavolo nella zona del vecchio bancone bar, un lungo corridoio che porta alla cucina che le sorelle Franchini (Lara e Luisa) percorrono instancabili per soddisfare la clientela di affezionati avventori, impiegati e funzionari degli uffici e delle banche vicine, studenti e rappresentanti di passaggio che si fermano qui in cerca della classica cucina di casa.
Pochi piatti, ma affidabilissimi. Le **tagliatelle al ragù**, abbondanti e riccamente condite, sono il piatto più richiesto, anche perché Luisa, in sala, lo propone praticamente a tutti. In alternativa, **gnocchi al pomodoro** e **tortellini in brodo**; una sola escursione fuori regione, con i bucatini all'amatriciana. Fra i secondi troviamo frequentemente il **fegato (alla griglia** o **alla veneziana**), piatto ormai assai raro, poi **arrosti di faraona** o **di coniglio**; immancabile la **scaloppina all'aceto balsamico** (siamo pur sempre in provincia di Modena). Fra i dolci, oltre alle **crostate**, la fa da padrone il **crème caramel** (che in realtà è un fiordilatte) e che Luisa, sorridendo convinta, ci dice essere «il migliore d'Europa».
La scelta dei vini è limitata a un discreto Lambrusco e a qualche etichetta dei Colli Bolognesi.

La Pasticceria Gollini, in piazza Garibaldi 1, propone la tradizionale Torta Barozzi (dolce a base di cioccolato e caffè). Da maggio ad agosto, nei fine settimana, in piazza Maestri del Lavoro, il mercato contadino.

ZOCCA
Missano

48 km a SE di Modena SS 623

IL CANTACUCCO

Ristorante
Via Montalbano, 5500 B
Tel. 059 985067-987012
Chiuso il giovedì
Orario: mezzogiorno e sera
Ferie: 2 settimane in giugno, 2 in settembre
Coperti: 60
Prezzi: 26-30 euro vini esclusi
Carte di credito: tutte tranne AE, Bancomat

Il Cantacucco si trova in una posizione piuttosto isolata, sulla prima montagna modenese: lasciando la Fondovalle (statale 623) si attraversa il Ponte Samone, si sale verso Zocca, deviando poi verso Missano: lì troverete l'edificio che ospita il ristorante e l'annesso albergo. Il ristorante è una vera sorpresa: buona e semplice cucina, una carta dei vini notevole, con prezzi più che onesti e una lista dei formaggi altrettanto interessante. Roberto vi accoglierà in sala, con garbo e discrezione, e vi spiegherà i piatti che sua moglie Carla prepara con una particolare attenzione alla proposta della montagna modenese.
Si potrà iniziare con le crescentine abbinate agli ottimi salumi, anche di cacciagione, mentre in autunno e in inverno potrete assaggiare i **borlenghi** conditi **con lardo e parmigiano**. I primi piatti, come le **tagliatelle al ragù** tradizionale, i **cappellacci di cinghiale al passato di pomodoro** (sublimi), i tortelloni al prosciutto e funghi, i tortellini in brodo di carne, i **ravioli di zucca alla *saba***, sono tutti di pasta tirata a mano dalle sfogline. Tra i secondi potrete trovare la **cacciatora di coniglio**, il carpaccio di manzo nostrano e porcini, la **tagliata di manzo** oppure, in stagione, il cinghiale e il **brasato di capriolo**. Un grande tagliere di **formaggi**, accompagnato da buone confetture, conclude il pasto, mentre tra i dolci sono da segnalare la zuppa inglese e il **semifreddo menta e cioccolato**.
Oltre all'ampia carta dei vini c'è una buona selezione di liquori e distillati: chiedete il nocino che viene fatto in casa da Roberto per concludere.

TOSCANA

A15
Pontremoli
Careggine
Pieve Fosciana
Castelnuovo di Garfagnana
Abetone
Cutigliano
Barga
Carrara
Massa
Mar Ligure
San Marcello Pistoiese
Villa Basilica
Pistoia
Pietrasanta
Borgo a Mozzano
Pescia
Viareggio
Capannori
Massarosa
Lucca
Montecarlo
A11
San Giuliano Terme
Castelfranco di Sotto
A12
Pisa
Calci
San Miniato
Livorno
Riparbella
Volterra
Montescudaio
Monterotondo Marittimo
Castagneto Carducci
Suvereto
Massa Marittima
ISOLA DI CAPRAIA
Piombino
Follonica
Gavorrano
Portoferraio
Rio Marina
Castiglione della Pescaia
Marciana
Porto Azzurro
Capoliveri
Mar Tirreno
ISOLA D'ELBA
Giglio Porto

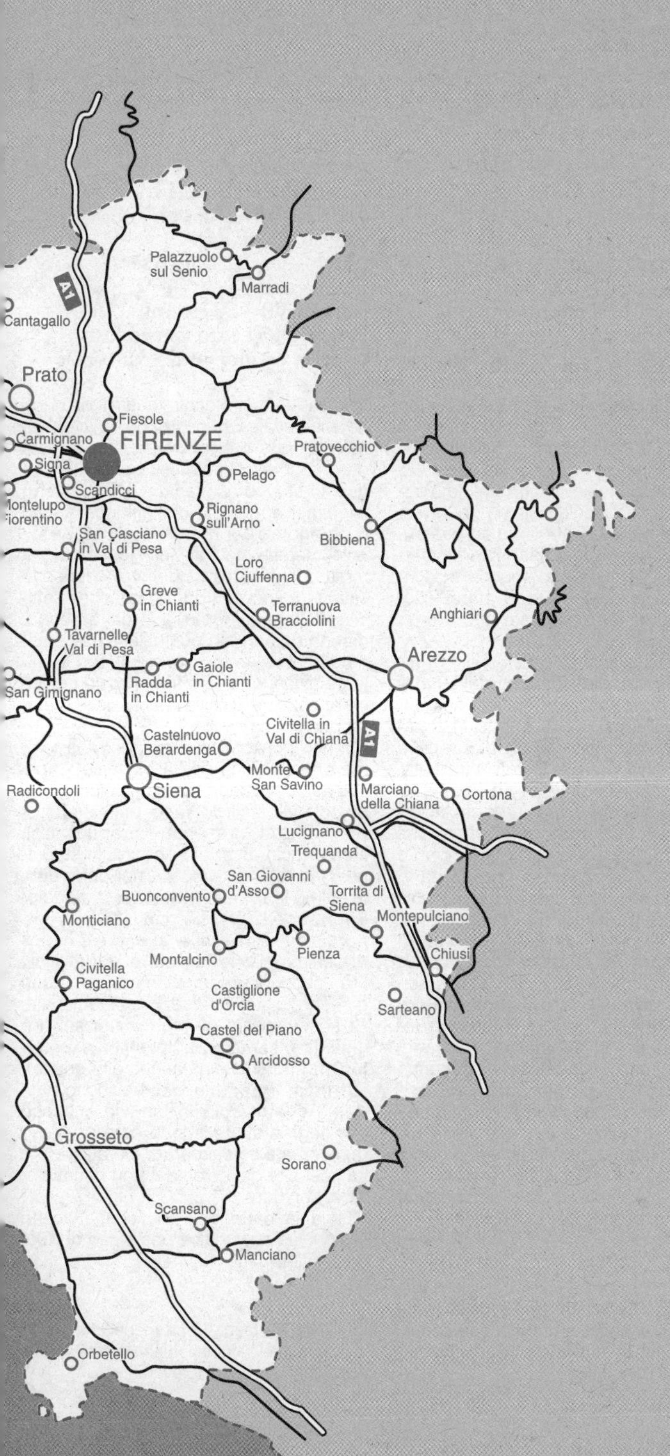

A1
Palazzuolo sul Senio
Marradi
Cantagallo
Prato
Fiesole
FIRENZE
Carmignano
Signa
Scandicci
Montelupo Fiorentino
Pratovecchio
Pelago
Rignano sull'Arno
San Casciano in Val di Pesa
Bibbiena
Loro Ciuffenna
Greve in Chianti
Terranuova Bracciolini
Anghiari
Tavarnelle Val di Pesa
Arezzo
Gaiole in Chianti
Radda in Chianti
San Gimignano
Civitella in Val di Chiana
A1
Castelnuovo Berardenga
Monte San Savino
Radicondoli
Siena
Marciano della Chiana
Cortona
Lucignano
Trequanda
San Giovanni d'Asso
Torrita di Siena
Buonconvento
Monticiano
Montepulciano
Pienza
Chiusi
Montalcino
Civitella Paganico
Castiglione d'Orcia
Sarteano
Castel del Piano
Arcidosso
Grosseto
Sorano
Scansano
Manciano
Orbetello

Abetone
Le Regine

46 km a NO di Pistoia SS 66 e 12

La locanda dello Yeti

Trattoria
Via Brennero, 324
Tel. 0573 606974
Chiuso il martedì
Orario: mezzogiorno e sera
Ferie: giugno o settembre
Coperti: 20 + 20 esterni
Prezzi: 25-32 euro vini esclusi
Carte di credito: CartaSi, Visa, Bancomat

Importante villeggiatura, l'Abetone, con le sue piste da sci d'inverno e le sue passeggiate nei boschi o nel piccolo centro in estate, è un invito alla ricerca di una cucina genuina. Vicino agli impianti di risalita, la piccola trattoria del bravo chef Vittorio e della gentile e competente Elisabetta propone piatti di territorio e di stagione. Il locale, composto dall'ingresso-bar e da una gradevole saletta, raddoppia gli spazi d'estate grazie a un minuscolo dehors.
La vicinanza a boschi generosi di **funghi** rende questi squisiti prodotti della natura disponibili per gran parte dell'estate e tutto l'autunno: troveremo in particolare i porcini sotto forma di cappelle alla griglia oppure fritti, crudi in insalata, come condimento delle paste. Per iniziare avremo **salumi** locali, lardo macinato con verdure, vari **crostoni** (al formaggio, nei periodi giusti al tartufo o ai funghi) e torte salate. Tra i primi di pasta fatta in casa potremo gustare i **ravioli con ricotta fresca e pomodorini**, i tagliolini con funghi o allo speck, le **trofie al ragù di trota**, i **maccheroni al capriolo**. Come secondo ottime tagliate alla griglia, selvaggina (**cervo arrosto**, **bistecchine di capriolo**) e il **filetto** all'alpina (**con funghi porcini**). In alternativa, formaggi come la caciotta alla griglia e il pecorino a latte crudo della montagna pistoiese (Presidio Slow Food) con pere caramellate al miele di acacia e spezie. Per chiudere torte fatte in casa e un semifreddo, lo spumone con cioccolato o mirtilli.
Discreta selezione di vini regionali e nazionali e buona scelta di distillati.

In località **La Secchia** (4 km da Le Regine), l'azienda agricola di Giuseppe Corsini vende formaggi vaccini freschi ed erborinati e animali da cortile.

Anghiari

27 km a NE di Arezzo

Nena

Ristorante
Corso Matteotti, 10-14
Tel. 0575 789491
Chiuso il lunedì
Orario: mezzogiorno e sera
Ferie: variabili
Coperti: 50 + 20 esterni
Prezzi: 28-35 euro vini esclusi
Carte di credito: tutte, Bancomat

Anghiari è un piccolo centro di origine medievale, in posizione privilegiata nell'alta valle del Tevere, tagliato a metà da una ripida stradina su cui si affaccia questo storico ristorante. Di gusto semplice nell'arredo, il locale mette subito a proprio agio il cliente, incuriosito dalle numerose bottiglie alle pareti e dal ritratto di Nena, la fondatrice, appeso in sala. I tre soci che oggi gestiscono l'attività, Palmira (ai fornelli), Paolo e Sergio, offrono un servizio puntuale e una cucina semplice, che verte sui sapori e sulle tradizioni aretine e tiberine, con grande attenzione al reperimento delle materie prime locali.
Il menù non conosce grandi variazioni, ma presenta una scelta piuttosto ampia sia negli antipasti, fra cui spiccano le bruschette, il **prosciutto dalla Valtiberina** (affettato a mano), i **crostini neri**, il carpaccio al tartufo oppure, in stagione, l'insalata di ovoli, sia nei primi piatti: ottime le **minestre di pane** o di fagioli, i **bringoli** (grossi spaghetti) **al sugo finto**, le **pappardelle al ragù d'oca** o di selvaggina, le tagliatelle ai prugnoli. Fra i secondi predominano le carni, con qualche piccola eccezione stagionale. Ci sono piaciuti gli sformati di selvaggina, la **bistecca** alla fiorentina, l'**agnello fritto** (lo si cucina anche alla griglia), la **trippa**, i **grifi** (muso di bovino in umido), il **costoleccio ai ferri**, le **salsicce con fagioli all'uccelletto** e, in primavera, la frittata con asparagi selvatici. Buona la scelta dei dolci, dal pan di caffè ai tipici cantucci.
Ottima la carta dei vini, con etichette regionali e nazionali e uno sfuso di buona qualità.

In via Matteotti 62, la macelleria Cangi vende ottime carni chianine da allevamenti biologici e salumi ben lavorati.

Doni & Associati - Ph. Ferdinando Cioffi
www.cecchi.net
CECCHI
dal 1893
una scelta di alto profilo

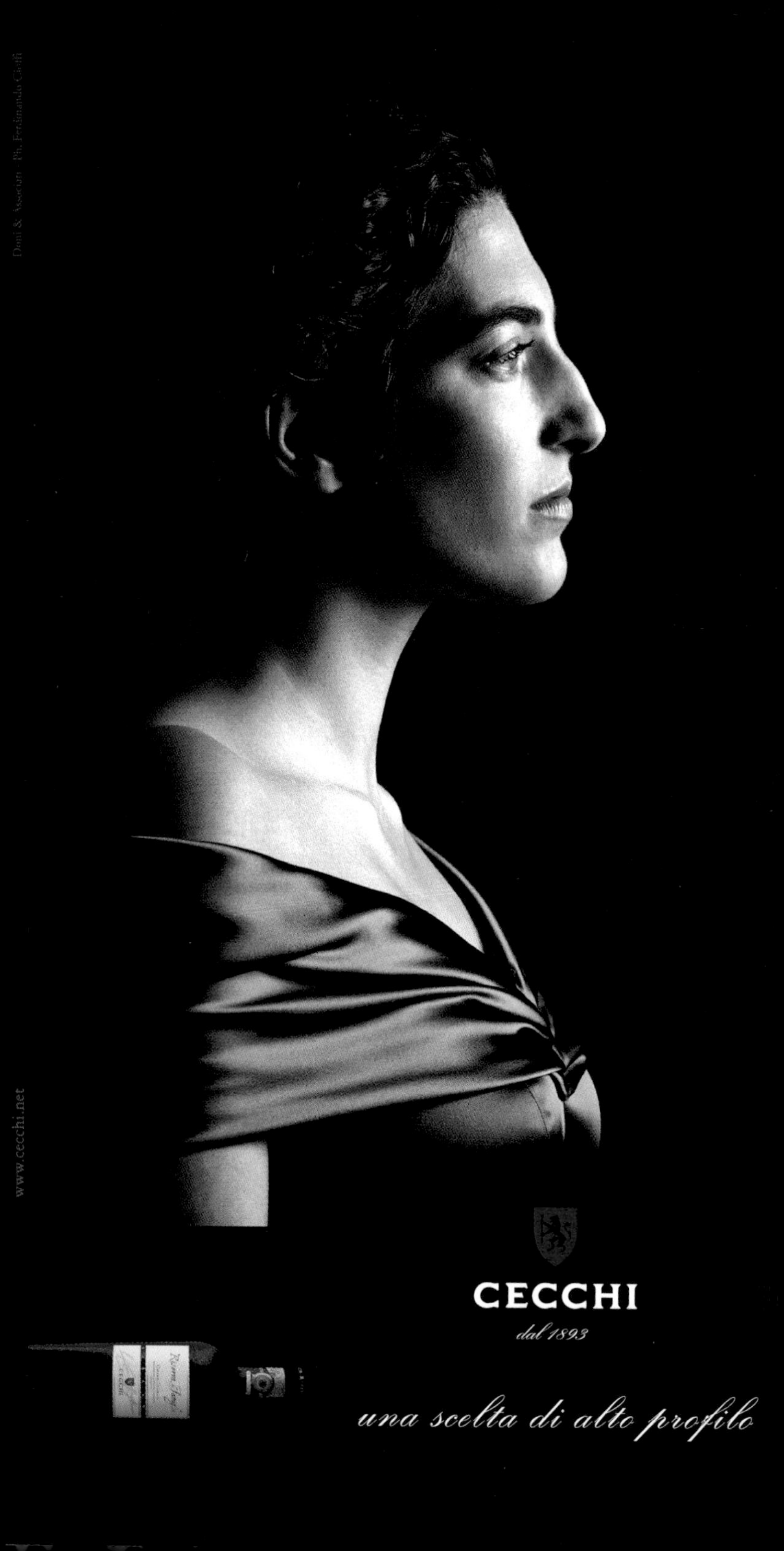

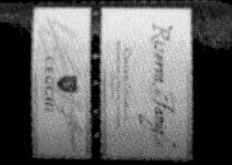

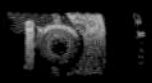

Un banchett

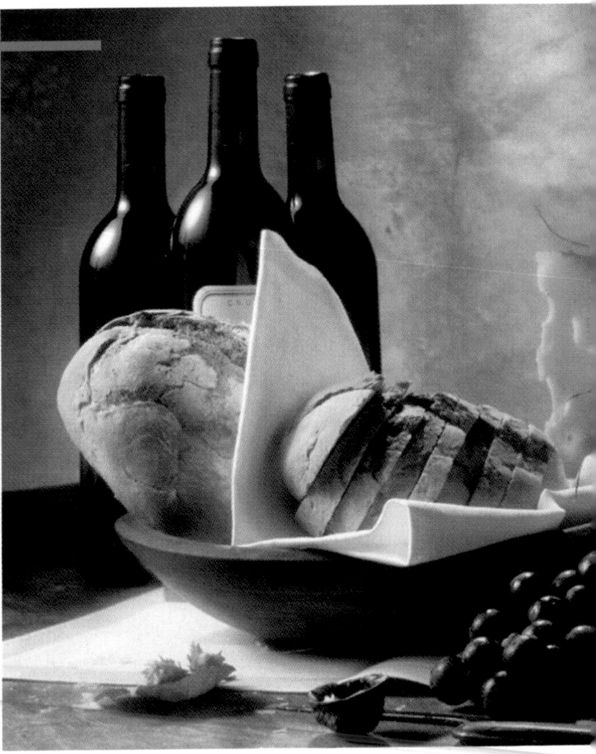

Un banchetto è un momento di festa
e di serenità, soprattutto se a base di polizze di sicurezza!
Perché grazie alla **Convenzione con Unipol Assicurazioni**
possiamo riservare a tutti i nostri Soci

Antipasto

Persona

Per la vostra sicurezza
e quella dei vostri familiari,
vi offriamo Polizze a prezzi
scontati: **20%** malattia
e **fino al 25%** infortuni.

Primo

Patrimonio

Per la tutela del vostro patrimonio,
vi presentiamo **soluzioni esclusive**
caratterizzate da protezione del risparmio,
trasparenza delle condizioni
e contenimento dei costi.

Slow Food® Italia

Arcidosso
Bivio Aiole

58 km a NE di Grosseto

Aiuole

Ristorante annesso all'albergo
Località Bivio Aiole
Tel. 0564 967300
Chiuso domenica sera e lunedì
Orario: mezzogiorno e sera
Ferie: in novembre
Coperti: 100
Prezzi: 29-33 euro vini esclusi
Carte di credito: le principali, Bancomat

Sulla strada che da Arcidosso porta alla vetta dell'Amiata, il ristorante dell'albergo Aiuole è un'istituzione la cui fama in quarant'anni si è consolidata. Nelle sue sobrie sale sono passati molti personaggi famosi, come testimoniano le fotografie alle pareti; l'oste Ugo Quattrini, coadiuvato da Lionella in sala e da Anna in cucina, declama con voce profonda un menù invitante già nell'esposizione.
Dopo un antipasto di crostini, **salumi** (di piccoli produttori locali, come le carni fresche e i formaggi) e zucca marinata in casa, tra i primi potrete gustare gli ***gnudi* di ricotta e ortica**, i fiocchi di neve (**gnocchi di ricotta e patate**), le tagliatelle o i **tortelli al ragù** fatti in casa, spaghetti sempre casalinghi con carciofi e salsiccia, la **minestra di ceci e farro**, in stagione la zuppa di funghi. Tra i secondi il **maialino al Brunello** o al forno, un ottimo **coniglio alle erbette**, la vitella brasata, l'**agnello fritto** o ai ferri, il **capriolo in salmì**, oppure bistecche o scaloppe; se presente, non fatevi scappare il meraviglioso **cinghiale con cacao e pinoli**. Al secondo potrete accompagnare contorni di verdure raccolte nell'orto accanto all'albergo, che vanno a costituire anche ottimi sformati, come quello di cavolo e patate. Per finire, dolci fatti in casa, tra i quali la ricotta con crema di castagne, la mousse o i baci al cioccolato, la crostata calda, il latte alla portoghese. Al termine del pasto, Ugo arriverà al tavolo con una bottiglia di grappa, tratta da una selezione di distillati di tutto rispetto, per offrirvene un bicchierino.
Un buon Rosso di Montalcino costituisce la proposta della casa, ma la carta dei vini è ben fornita di rossi toscani, tutti con prezzi che denotano la volontà di farli assaggiare.

Arezzo

Antica trattoria da Guido

Trattoria
Via Madonna del Prato, 85
Tel. 0575 23760
Chiuso la domenica, mai la prima del mese
Orario: mezzogiorno e sera
Ferie: seconda e terza settimana di agosto
Coperti: 40
Prezzi: 30-33 euro vini esclusi
Carte di credito: tutte, Bancomat

A poca distanza dalla stazione ferroviaria e da piazza Risorgimento, il locale ha un unico vano, dove la convivialità viene da sé sia per l'ambiente raccolto sia per l'accoglienza. Il patron Fortunato Stilo segue con cordialità gli avventori, la figlia Maria descrive con competenza il menù e mamma Lidia si destreggia magistralmente fra i fornelli.
Si può iniziare con l'antipasto toscano di **salumi** e crostini caldi. Nella nostra ultima visita abbiamo poi assaggiato un'ottima **zuppa di farro con fagioli** e la classica **ribollita**, ma per esperienze precedenti vi raccomandiamo anche i **tagliolini al ragù di anatra in bianco**, le **pappardelle** o tagliatelle al cinghiale, **al piccione** o ai funghi porcini, i più estivi **tortelli di cinta senese con pomodorini e baccelli**, gli gnocchetti con zucchine e ricotta infornata e i ***pici* al ragù di coniglio** con fiori di zucca. Passando ai secondi ricordiamo l'**anatra in porchetta** con patate arrosto, il filettino di maiale con salsa agli spugnoli o alle prugne, il **coniglio ripieno con carciofi** o con cipollotti e puntine di asparagi. Per gli amanti di **bistecca** e tagliata ci sono ottimi tagli di chianina. Da provare la **trippa all'aretina** e il **baccalà**. Per concludere, panna cotta con frutti di bosco o altri ingredienti di stagione, torta al cioccolato con mascarpone e fragoline, spesso semifreddi e gelati.
Buona la presentazione della carta dei vini, circa 50 etichette toscane con prevalenza aretina. Notevole il vino della casa, un rosso di Montepulciano.

Coffee O' Clock, corso Italia 184: caffè jamao (Presidio Slow Food) e una trentina di varietà di tè. La Formaggeria, via Redi 12: formaggi da tutta Italia, confetture, pasta, cioccolato e vini.

AREZZO

LA TORRE DI GNICCHE 

Enoteca con mescita e cucina
Piaggia San Martino, 8
Tel. 0575 352035
Chiuso il mercoledì
Orario: 12.00-15.00/18.00-01.00
Ferie: 2 settimane in gennaio, 1 in luglio
Coperti: 30 + 20 esterni
Prezzi: 22-26 euro vini esclusi
Carte di credito: le principali, Bancomat

L'osteria, la cui insegna si ispira al brigante aretino Federigo Bobini detto Gnicche, trasfigurato in eroe romantico dalla leggenda popolare, si trova a pochi passi da piazza Grande. I tavoli in legno, le sedie impagliate, le pareti rivestite di bottiglie di vino conferiscono al piccolo luogo di ristoro un'atmosfera familiare e piacevolmente informale. Curata da Lucia, con la collaborazione di Stefano in sala e di Elena ai fornelli, la cucina propone piatti della grande tradizione toscana, in particolare aretina, con forte attenzione alla stagionalità e alla qualità delle materie prime.
Molto ricca in apertura la varietà di "fette croccanti", sformati di verdure, sottoli, **salumi** e formaggi locali. Fra i primi spiccano la **zuppa di cipolle infornata**, l'**acquacotta del Casentino**, la **ribollita**, la **pappa al pomodoro**, d'estate l'ottima **panzanella** e l'insalata di farro della Garfagnana. Fra i secondi, il **polpettone di vitella chianina al vino rosso**, i rari **grifi all'aretina**, la **trippa**, il **baccalà in umido**. Accurata la selezione di verdure e legumi di territorio, come i **fagioli zolfini** di Montemignaio, vera passione di Lucia. Come dessert, torta di cioccolato farcita, la deliziosa crostata di pere e ricotta, la mousse di ricotta con crema di limone e scaglie di cioccolato. Lodevole la scelta di presentare una carta degli oli, principalmente aretini e del resto della Toscana.
La curatissima carta dei vini si avvale di oltre 800 etichette, principalmente toscane e nazionali, con ampia gamma di proposte a bicchiere a rotazione.

In via Margaritone 35, la macelleria Tonioni offre carne chianina e buoni salumi. In piazza San Jacopo, i deliziosi dolci al cioccolato del bar pasticceria Cristallo.

BARGA

39 KM A NORD DI LUCCA SS 445

L'ALTANA

Osteria-trattoria
Via di Mezzo, 1
Tel. 0583 723192
Chiuso il mercoledì
Orario: mezzogiorno e sera
Ferie: febbraio
Coperti: 30 + 18 esterni
Prezzi: 20-25 euro vini esclusi
Carte di credito: tutte, Bancomat

La Barga di pascoliane memorie è situata alle porte della Garfagnana storica e sembra dominare come una sentinella le antiche vie che percorrono la valle del Serchio. Nel centro storico, appena varcata la Porta Reale, troviamo questo piccolo locale a conduzione familiare perfettamente inserito nell'architettura del vicolo. Il menù è costruito principalmente sui prodotti tipici e della tradizione garfagnina, sapientemente elaborati dalla proprietaria Camilla Giannotti.
I capisaldi degli antipasti sono ottimi salumi (tra cui il **prosciutto bazzone** e il **biroldo della Garfagnana**, entrambi Presìdi Slow Food) e formaggi, da accompagnare con **torte salate** e pani tradizionali di farro o di patate. Tra i primi piatti segnaliamo le ottime **zuppe** (di farro, di cipolle e la tipica **frantoiana**), le **tagliatelle** e altra pasta tirata a mano condite **con ragù di carne** o, in stagione, sugo di funghi. Sono poi da provare lo **spezzatino di coniglio** o di vitella **con polenta di granturco ottofile** (un clone di mais chiamato localmente *formenton*), il filetto e la tagliata di manzo. Per finire torte, crostate di frutta e dolci della tradizione a base di farina di castagne come il **castagnaccio** o le **frittelle di neccio con ricotta**.
Per il bere, oltre al buon vino della casa ci sono alcune etichette lucchesi e del resto della Toscana.

Nella stessa strada, a pochi passi dall'osteria, Da Andrea, storico negozio di alimentari, vende formaggi e salumi della Garfagnana e della media valle del Serchio, pani artigianali e altri prodotti del territorio. A **Fornaci di Barga** (5 km), via della Repubblica 162, La Gastronomia di Massimiliano Luti: salumi e formaggi della valle, infarinate, minestre e zuppe, paste fresche, trippa, carni arrosto, trote marinate.

Bibbiena

32 km a nord di Arezzo ss 70 o 71

Il tirabusciò

Ristorante-vineria
Via Borghi, 73
Tel. 0575 595474
Chiuso il martedì
Orario: cena, festivi e su prenotazione anche pranzo
Ferie: variabili
Coperti: 35
Prezzi: 27-34 euro vini esclusi
Carte di credito: tutte tranne DC, Bancomat

In un palazzo cinquecentesco del centro storico di Bibbiena, Alberto e Marinella gestiscono questo locale i cui punti di forza sono rappresentati da una cucina schietta e tradizionale e da una cantina di pregio, con circa 160 etichette che prediligono i vini toscani, in particolare quelli aretini. Il patron, impegnato ai fornelli, gestisce, coadiuvato dalla moglie, anche la sala, dispensando ottimi consigli sui vini da abbinare ai piatti.
Il menù si apre con una carrellata di antipasti che tengono conto della stagionalità e della qualità delle materie prime: **crostini neri** (di fegato), numerosi salumi fra cui spicca il **prosciutto del Casentino** (Presidio Slow Food), in stagione il flan di cuori di carciofo. Fra i primi, ottimi i **tortelli di patate al ragù di cinta senese**, gli spaghetti di Gragnano con crema di ceci e baccalà o al sugo di piccione, la tradizionale **pappa al pomodoro**, la **ribollita** o ancora gli gnocchetti con fonduta di pecorino *abbucciato*, la **carabaccia** (zuppa di cipolla) e l'**acquacotta di Moggiona**. I secondi sono un trionfo di carni, dalla guancia di chianina brasata al **filetto di maiale grigio del Casentino**, passando per il **lesso rifatto**, i **fegatelli con le verze**, la porchetta di coniglio e l'**anatra al finocchietto selvatico**. Tra i dolci non può mancare il **lattaiolo**; agli amanti dei formaggi segnaliamo anche un pregevole carrello di caci locali a latte crudo.

Per un aperitivo, bar Le Logge del Tarlati, a due passi dal ristorante. A **Rassina** (7 km), Antica Macelleria Fracassi, piazza Mazzini 4: salumi di grigio del Casentino, cinta senese, mora romagnola e carni di chianina.

Borgo a Mozzano

21 km a nord di Lucca

Osteria I Macelli

Osteria di recente fondazione
Via del Cerreto
Tel. 0583 88700
Chiuso il mercoledì e sabato a pranzo
Orario: mezzogiorno e sera
Ferie: due settimane in novembre
Coperti: 35 + 30 esterni
Prezzi: 18-25 euro vini esclusi
Carte di credito: tutte, Bancomat

Poco fuori dal centro del paese troverete la piccola osteria dei giovani Samuele Martelli e Lara Ondati. Il menù, scritto su una lavagnetta, elenca ogni giorno piatti diversi, accompagnati da gustose varietà di pane artigianale: con farina di castagne, di farro della Garfagnana, di patate, di soia, di grano saraceno.
Tra gli antipasti compaiono sempre ottimi salumi garfagnini, tra cui il tipico **biroldo** e il **prosciutto bazzone** (Presìdi Slow Food), e formaggi per lo più caprini e ovini. Tra i primi segnaliamo i tradizionali **tordelli lucchesi**, i **ravioli di castagne**, i **maccheroni** fatti a mano conditi **con ragù** anche **di cinghiale**, i garganelli alla trota fario (pescata nel Serchio o in uno dei suoi affluenti), le gustose zuppette di legumi e di farro. I secondi, a esclusione del **baccalà** e della pregiata **trota fario**, di norma cotta alla griglia, sono di carne: **cinghiale con polenta di *formenton*** (mais ottofile), cosciotto di maiale o **pollo arrosto**, **coniglio alla cacciatora**. Immancabili in stagione i **funghi**, non solo i pregiati porcini locali ma anche gli apprezzatissimi **dormienti** (che nascono in montagna con lo sciogliersi delle nevi), i primaverili prugnoli e il tartufo dei boschi della Garfagnana. Inoltre, ottimi sformati di verdure. Particolarmente curata la selezione degli oli. Ai dolci provvede in cucina Angela: da non perdere il tipico **castagnaccio**.
Carta dei vini con etichette non solo toscane, con un occhio di riguardo per la produzione biologica e locale (Garfagnana, Colline Lucchesi). Valida anche la carta dei distillati.

In località **Macea**, l'omonima azienda agricola di Antonella Filippini e Renata Vulgo vende vini e olio. A **Ghivizzano** (8 km), salumi tipici della Garfagnana presso l'Antica Norcineria, via Rinascimento 6.

Buonconvento

27 km a SE di Siena

Da Mario

NOVITÀ

Trattoria
Via Soccini, 60
Tel. 0577 806157
Chiuso il sabato
Orario: mezzogiorno e sera
Ferie: agosto
Coperti: 70 + 60 esterni
Prezzi: 22-25 euro vini esclusi
Carte di credito: tutte, Bancomat

Nato nel dopoguerra come osteria con mescita vino dove si veniva anche a giocare a carte, nel 1971 il locale è stato acquistato da Mario Pallassini che l'ha trasformato prima in rosticceria-pizzeria, poi in trattoria. Oggi tutti i familiari danno una mano: le figlie Anna e Nara, i nipoti Christian, Alfonso e Francesco mentre, a tirare le redini, c'è la signora Alfa, la nonna, la cui tempra fa invidia a molti. È lei che ha insegnato a figlie e nipoti i segreti della cucina toscana. Due le sale a disposizione: una più piccola al pianoterra, una più ampia al primo piano, cui con il bel tempo si aggiunge "il giardino d'estate". Il menù varia secondo stagione, mercato ed estro dei cuochi.
Si comincia con il classico antipasto toscano di bruschette, crostini, affettati e formaggi pientini. Tra i primi meritano un plauso le **zuppe di pane**, di farro, di lenticchie, la **panzanella**, il farro mantecato freddo. La pasta fresca (***pici***, gnocchi, tagliatelle) è condita **all'aglione**, al cinghiale, al capriolo, **al ragù toscano**, ai funghi, all'arrabbiata, all'amatriciana; ottimi anche gli **gnocchi ripieni**. Per secondo, oltre alla **bistecca** e alla tagliata, troviamo l'**anatra in porchetta**, l'agnello e il maialino arrosto, lo **stinco di maiale con le cipolle**, il capriolo e il **cinghiale in umido**, la faraona agli agrumi, il coniglio all'Arrigo VII (una tradizionale ricetta di casa), la **trippa** e, su richiesta, il **fritto alla toscana**. Ottimi le patate arrosto e i **fagioli all'uccelletto**. Il venerdì trovate anche piatti di pesce: **cacciucco**, vellutata di cozze, polpo. Per dessert, provate la panna cotta, il tiramisù, la zuppa inglese.
Lo sfuso è un gradevole Chianti, ma non manca la carta dei vini, toscani e nazionali, curata da Christian.

Calci
Montemagno

14 km a est di Pisa

Trattoria di Montemagno

Trattoria
Piazza Vittorio Veneto, 2
Tel. 050 936245
Chiuso il lunedì
Orario: solo la sera
Ferie: 22 dicembre-25 gennaio
Coperti: 45 + 30 esterni
Prezzi: 18-20 euro vini esclusi
Carte di credito: nessuna

Un locale semplice e accogliente, "come quelli di una volta", situato sulla piazzetta di Montemagno, piccolo borgo a due passi dalla certosa di Calci, in quella che, con toponimo appropriato, si chiama Valle Graziosa. Il menù del giorno è scritto su lavagne appese alle pareti delle tre salette; altra caratteristica che denota la semplicità del luogo sono i tavoli in legno apparecchiati con tovagliette di carta gialla e ciotoline di olive marinate già pronte ad aspettarvi. D'estate si mangia nel dehors.
Tante sono le ricette proposte a rotazione a seconda delle stagioni e della disponibilità. Si parte con il classico antipasto toscano a base di **salumi** e **crostini**, cui si affiancano gustose frittate. A seguire la scelta è tra quattro o cinque primi: **risotti** di verdure (ottimo quello **di spinaci e stracchino**), **pappardelle al sugo di coniglio**, **zuppa di cipolle** o altri ortaggi. I secondi più frequenti, accompagnati da verdure di stagione in padella o trasformate in squisiti sformati, sono l'**arrotolato di vitella**, la **lingua bollita con salsa verde**, la **trippa in umido**, il **coniglio al vino con olive**. Dolci della tradizione (**torta co' *bischeri***, cantucci da intingere nel Vin Santo) oppure panna cotta o gelato.
Per il bere non ci sono alternative ai vini sfusi, un bianco della zona di San Gimignano e un rosso delle colline pisane, in linea con la semplicità del locale.
Da ottobre a maggio la trattoria è aperta anche la domenica a mezzogiorno.

CANTAGALLO

32 KM A NORD DI PRATO SS 325

BEATRICE

Ristorante
Via della Rasa, 10
Tel. 0574 933125
Chiuso il martedì e sere dei festivi
Orario: mezzogiorno e sera
Ferie: tre settimane dopo Ferragosto
Coperti: 50 + 25 esterni
Prezzi: 20-25 euro vini esclusi
Carte di credito: nessuna, Bancomat

Nell'alta valle del Bisenzio, ai confini con le province di Pistoia e Bologna, si trova Cantagallo. Per raggiungere il ristorante dovrete percorrere la strada che da Prato porta a Vernio e da qui salire fino a 600 metri circa. Il locale è semplice: il piccolo bar all'ingresso e poi l'unica sala; d'estate un bel pergolato all'esterno. Beatrice (calabrese di origine ma toscana da decenni) in cucina e la figlia Irene in sala gestiscono da sole il ristorante, che è ormai un punto di riferimento per gli appassionati dei funghi e di una cucina semplice ma di grande qualità.
Il menù è illustrato a voce e si basa su pochi piatti. Premessa utile: le porzioni sono assai generose, soprattutto i vassoi dei primi. Potrete cominciare con **salumi** toscani e crostini, proseguendo con i saporiti **tortelli di patate al ragù**, i delicati **ravioli di ricotta e ortica**, le ottime tagliatelline ai **funghi porcini**. Questi ultimi sono i veri protagonisti del pasto: in stagione li potrete assaggiare in tutti i modi (**trifolati**, alla griglia, sott'olio, ma soprattutto **fritti**), da soli o ad accompagnare carni (spesso di razza autoctona calvana) alla griglia, **pollo fritto**, **coniglio in tegame** o **ripieno**. Tra i contorni, eccellenti nella loro semplicità le patate fritte. Chiuderete con un assaggio di pecorino locale oppure con un dolce o gelato confezionato (d'inverno da non perdere è il **castagnaccio**).
Il vino della casa proviene dalla zona di Montespertoli ed è imbottigliato appositamente (anche in mezze bottiglie) per Beatrice; in alternativa qualche bottiglia, anche di pregio. Alla fine, cosa non secondaria, conto assai contenuto.

CAPANNORI
Camigliano

10 KM A EST DI LUCCA

I DIAVOLETTI

Ristorante-pizzeria
Via Stradone di Camigliano, 302
Tel. 0583 920323
Chiuso il lunedì
Orario: sera, pranzo su prenotazione
Ferie: variabili
Coperti: 40 + 40 esterni
Prezzi: 26-34 euro vini esclusi
Carte di credito: le principali, Bancomat

Il locale delle sorelle Bosi sorge nei pressi della cinquecentesca Villa Torrigiani, a circa 7 chilometri dal capouogo comunale di Capannori. L'arredamento è caldo e accogliente e d'estate si può cenare nella veranda affacciata su filari di viti e olivi.
Lo sforzo profuso nel proporre ricette tradizionali impiegando prodotti biologici e paste fatte in casa raggiunge buoni risultati soprattutto in alcuni piatti: ci sono piaciuti i **tordelli di grano saraceno al porro** e le lasagnette ai funghi porcini, un po' meno meno i tortelloni al ragù di carne. Tra i primi troverete anche i passatelli con erbe aromatiche e zenzero e, in primavera, la **garmugia**, settecentesca zuppa lucchese a base di cipolline novelle, punte di asparagi, carciofi, piselli, farro, carne di manzo tritata, pancetta e brodo di carne, servita con pane tostato. Di tradizione e di territorio anche i secondi: **coniglio farcito**, **cotolette di agnello** grigliate, stracci di capocollo alle spezie con sformato di radicchio, la tagliata di manzo ai porcini, **tortino di porri e patate**. Un piatto altamente evocativo è il **fritto** dell'aia (**di pollo e coniglio**). Per chiudere, dolci casalighi come il budino al cioccolato fondente con peperoncino e la mousse di ricotta.
La carta dei vini è sufficientemente fornita di etichette delle Colline Lucchesi e di Montecarlo, da preferire al bianco della casa.

Careggine
Isola Santa

60 km a NO di Lucca, 13 km da Castelnuovo di Garfagnana

Da Giaccò

Ristorante
Via Provinciale di Arni, 2
Tel. 0583 667048
Chiuso il martedì, estate martedì sera
Orario: mezzogiorno e sera
Ferie: tre settimane in novembre
Coperti: 60 + 80 esterni
Prezzi: 25-35 euro vini esclusi
Carte di credito: CartaSi, Visa, Bancomat

Siamo nel cuore del Parco delle Apuane, circondati da alte montagne – in primo piano il Sumbra e la Pania –, sulla strada che da Castelnuovo di Garfagnana porta a Forte dei Marmi. Isola Santa è un borgo di poche case affacciato su un lago artificiale: impressionante l'altissima diga, visitabile. Sulla riva del lago, Da Giaccò è costituito da un'unica sala, con il braciere per le carni in vista. Nel periodo estivo è possibile mangiare anche ai tavoli apparecchiati all'esterno.
Si può cominciare con il misto della Garfagnana composto da **salumi**, **insalata di farro** o funghi, ricotta e polenta al tartufo. Come primo potremo gustare **maccheroni**, **tagliatelle** o **tortelli** conditi **con funghi**, la **minestra di farro e fagioli**, nei periodi propizi la zuppa di funghi. Il fulcro del menù sono le **carni alla brace** (**capretto** e **agnello** della zona, bistecche e filetto di manzo di razza marchigiana) accompagnate in stagione da **porcini fritti** o **cappelle di fungo alla griglia**. Una specialità da chilometro zero è la **trota**, disponibile solo quando la si pesca nel lago sottostante. Per finire dolci casalinghi con in evidenza, nei mesi freddi, il tradizionale **castagnaccio** servito con la ricotta e in altre stagioni dessert a base di frutti di bosco.
Discreto vino della casa e carta con etichette della Lucchesia, del resto della Toscana e di altre regioni.

A **Pontardeto di Pieve Fosciana** (15 km da Isola Santa) il caseificio Bertagni produce formaggi ovini e vaccini, tra cui un ottimo pecorino della Garfagnana stagionato.

Carmignano

12 km a SO di Prato

Su pe' i' canto

Enoteca con mescita e cucina
Piazza Matteotti, 25-26
Tel. 055 8712490
Chiuso il lunedì
Orario: mezzogiorno e sera
Ferie: in agosto
Coperti: 30 + 18 esterni
Prezzi: 27-32 euro vini esclusi
Carte di credito: MC, Visa, Bancomat

Il locale di Vincenzo e Francesco Alderighi, padre e figlio, è piccolo e grazioso: oltre all'ingresso con il banco di vendita dei vini ci sono due salette e una terrazza estiva. L'apparecchiatura, molto semplice a pranzo, si fa più raffinata la sera, con tovaglie di stoffa e calici adeguati. Il servizio, curato da Francesco, è cortese e non invadente, la cucina di papà Vincenzo tradizionale ed equilibrata.
L'antipasto chiamato fantasia di **crostini** può risolvere il pasto: a noi è toccata una porzione generosa di fette di pane con pomodoro, purea di melanzane, rigaglie di pollo e riquadri di polenta con pecorino e funghi porcini. Se volete lasciare più spazio agli altri piatti, limitatevi a un assaggio di **mortadella di Prato** (Presidio Slow Food). Tra i primi, **ribollita alla carmignatese**, **carabaccia**, **cacciucco di ceci**, in stagione un'ottima **zuppa di funghi e ceci**, **maltagliati al sugo di anatra** o di coniglio, **spaghetti all'aringa**, ravioli di ricotta alle noci e salvia, crêpes di erbette e besciamella. Potrete proseguire con il **peposo**, lo **stracotto**, la **pecora in umido**, il fragrante **fritto di pollo e coniglio**, l'eccellente **lingua in dolce e forte**, il **baccalà** con i ceci o **con l'uvetta**, in periodo di funghi la tagliata di porcini (cappelle a fette passate in forno con pomodoro ed erbe), cipolle o **verze ripiene**. Buon pane toscano e buon olio locale nell'ampolla sul tavolo. Come dessert, a seconda delle stagioni crema bruciata alla pesca, ciliegie nel vino rosso, bavarese allo yogurt, castagnaccio o schiacciata con l'uva.
Si possono bere, anche a bicchiere, tutti i i vini della docg Carmignano e parecchi altri, toscani e non.

La Bottega d' Fochi, via Roma 10: dolci tipici tra cui, nel periodo pasquale, il pan di ramerino.

Carrara
Colonnata

7 km dal centro della città

Locanda apuana

Trattoria
Via Comunale, 1
Tel. 0585 768017
Chiuso domenica sera e lunedì
Orario: mezzogiorno e sera
Ferie: da Natale a fine gennaio
Coperti: 55
Prezzi: 30-32 euro vini esclusi
Carte di credito: tutte, Bancomat

Nel cuore delle cave delle Apuane, collegato al centro di Carrara da un bus navetta, il grazioso borgo di Colonnata è celebre per il lardo, Presidio Slow Food, stagionato tradizionalmente in conche di marmo. Fausto Guadagni, uno dei produttori aderenti al Presidio, fornisce questo straordinario salume alla sorella Carla, che con il suo compagno Dario gestisce la trattoria, un locale accogliente vicino alla piazza del paese. evoluzione della bottega di alimentari aperta negli anni Sessanta dai genitori Annetta e Fulvio.
Naturalmente il **lardo** è il leitmotiv del menù e compare da protagonista già nell'antipasto della Locanda, accompagnato da **crostini** con olio e rosmarino, focaccine fatte in casa, **torte salate**, verdure di stagione. Per il primo c'è l'imbarazzo della scelta tra gli ottimi **tordelli** di pasta tirata a mano **al ragù** o al pomodoro e basilico, le **tagliatelle di farina di castagne** o di farro, i **testaroli al pesto**, i **taglierini sui fagioli** conditi con la cotenna del lardo. Fra i secondi, **coniglio disossato lardellato**, tagliata al lardo, **roastbeef in crosta di sale di conca**; di contorno, **patate al forno con lardo**. L'ampia selezione di **formaggi** è servita con mostarde casalinghe. Come dolce abbiamo scelto la tradizionale **torta di riso alla carrarina**.
Buona la selezione di vini toscani e piemontesi, ma si beve con piacere il vino della casa.

Carrara
Colonnata

7 km dal centro della città

Venanzio

Ristorante
Piazza Palestro, 3
Tel. 0585 758062-758033
Chiuso il giovedì e domenica sera, mai in agosto
Orario: mezzogiorno e sera
Ferie: 22 dicembre-15 gennaio
Coperti: 45 + 20 esterni
Prezzi: 35 euro vini esclusi
Carte di credito: tutte

Venanzio, storico patron del ristorante, ha lasciato il comando della cucina, ma continua a produrre un ottimo lardo (quello celebre di Colonnata, naturalmente) e a dedicarsi all'approvvigionamento della dispensa con prodotti di alta qualità, il più possibile locali. Ai fornelli ci sono Alessio e Anna, in sala Roberto, che vi illustrerà con competenza e cortesia i piatti, quasi tutti tradizionali.
Noi abbiamo voluto provare il menù degustazione, che la sera della nostra visita si apriva con **lardo** e **carne salmistrata**, fiori di zucca ripieni, tortino al formaggio. Abbiamo poi assaggiato i maccheroni con le punte di asparagi e gli ottimi **ravioli** con pomodoro fresco: tutta la pasta è fatta a mano, anche quella delle **lasagnette verdi** e delle **tagliatelle** condite, in stagione, **con funghi porcini** o tartufo. Come secondo, **coniglio farcito al lardo con mandorle** e stinco di vitella al forno, ma potrete trovare anche agnello o **capretto al rosmarino** e, nei periodi giusti, piatti di **selvaggina** che Venanzio si procura da amici cacciatori. Da non perdere i formaggi, accuratamente selezionati presso piccoli produttori locali.
Da bere ci sono grandi vini toscani e di tutta Italia ma anche misconosciute curiosità da vitigni autoctoni: Roberto saprà consigliarvi per il meglio. Se il tempo a vostra disposizione lo consente, prevedete una visita alle cave di marmo: ne vale la pena.

Castagneto Carducci

58 km a sud di Livorno ss 1

Da Ugo

Ristorante
Via Pari, 3 A
Tel. 0565 763746
Chiuso il lunedì
Orario: mezzogiorno e sera
Ferie: in novembre
Coperti: 50
Prezzi: 28-30 euro vini esclusi
Carte di credito: tutte, Bancomat

Castagneto Carducci è un grazioso borgo medievale a pochi chilometri dal mare, nel verde della Costa degli Etruschi. Il ristorante Da Ugo, locale aperto negli anni Settanta, si trova nel centro storico e vi si accede da una ripida scaletta. La sala è grande e luminosa, con un panorama spettacolare che sopperisce agli arredi un tantino spogli.
Come abbiamo detto siamo a due passi dal mare, ma qui la cucina è prevalentemente di terra, con qualche buona eccezione. Si parte con un ricco antipasto a base di **crostini**, **salumi** e verdure sott'olio, cui fanno seguito gustosi primi piatti tra cui la **zuppa alla castagnetana**, le **tagliatelle al colombaccio** o **al cinghiale**, i cannelloni farciti di ricotta con ragù di carne, i **tortelli maremmani**. Molto buoni i secondi, che comprendono rinomate specialità della casa come il **colombaccio al pentolo**, cotto nel coccio con infuso di erbe e vino rosso, e il **cinghiale in umido**; inoltre, **coniglio al forno** e bistecche e tagliate in diverse versioni. Per chi non vuole proprio rinunciare ai sapori del mare, c'è una valida seppur limitata selezione di piatti di pesce, primi (spaghettini alla pescatora, tagliolini al ragù di pesce) e secondi (gambero all'olio, fritto di paranza). Come dolce, bavarese ai frutti di bosco, panna cotta, creme alla ricotta, gelati artigianali. Assolutamente di prim'ordine la carta dei vini, che spazia dalle doc della costa fino a coprire l'Italia tutta e non solo.
Il servizio è cortese e professionale. In estate considerate un certo affollamento; nel resto dell'anno non ci sono problemi, ma è sempre meglio prenotare, anche perché alle 21,30 la cucina chiude.

Castel del Piano
Montenero

50 km a NE di Grosseto

Antica fattoria del Grottaione

Osteria di recente fondazione
Via della Piazza, 1
Tel. 0564 954020
Chiuso il lunedì
Orario: mezzogiorno e sera
Ferie: gennaio
Coperti: 40 + 40 esterni
Prezzo: 30-35 euro vini esclusi
Carte di credito: le principali, Bancomat

Siamo a ridosso dell'Amiata, nella zona di produzione del Montecucco e di fronte a una delle aree vinicole più rinomate della Toscana. Il locale di Flavio Biserni, ricavato dai magazzini del grano di un vecchio cascinale, si affaccia sulla piazza di un borgo dell'Ottocento. La gestione familiare nulla toglie alla professionalità e alla competenza, così come al rispetto per il territorio e le stagioni. La presentazione è accurata e il rapporto tra qualità e prezzo veramente buono.
Si può scegliere alla carta o uno dei due menù degustazione, di cui uno dedicato per intero alla vacca maremmana (Presidio Slow Food). In ogni caso non potrà mancare un assaggio di **salumi di cinta senese** e di **tonno del Chianti**, cui si accompagnano sformati di verdure di stagione e una buona **polenta farcita**. Troveremo poi la **zuppa arcidossina** (una variante della classica maremmana, con spinaci e ricotta), la **minestra di ceci e cavolo nero**, in primavera la vellutate di asparagi. Ottimi anche i primi asciutti, di pasta fatta a mano: **tortelli maremmani**, **tagliatelle di farina** bianca o **di castagne** condite con sughi di cacciagione, con funghi porcini o con la bottarga della laguna di Orbetello (Presidio Slow Food). Ampio il ventaglio dei secondi: **peposo di vacca maremmana**, fagottini di chianina con cardi e castagne, **brasato di cinghiale al Montecucco**, agnello con asparagi, **stoccafisso in tegame**. Per chiudere consigliamo il **caffè in forchetta**, specialità del locale fra i numerosi dolci offerti dalla casa.
L'offerta dei vini è notevole ed esce dai confini regionali, mantenendo un buon equilibrio nei prezzi.

Osteria accessibile ai disabili.

Locale segnalato
dall'Associazione italiana celiachia.

Castelfranco di Sotto
Orentano

30 km a est di Pisa

Da benito

Trattoria
Via Martiri della Libertà, 2
Tel. 0583 23155
Chiuso il mercoledì
Orario: mezzogiorno e sera
Ferie: 3 settimane in settembre, 1 in aprile
Coperti: 80
Prezzi: 23-25 euro vini esclusi
Carte di credito: le principali

Aperto da più di mezzo secolo, il locale di Andrea Francioni ha mantenuto intatto lo spirito dell'osteria familiare, divenendo un punto di riferimento per la clientela locale e non, tanto da rendere praticamente obbligatoria la prenotazione. Il menù, ricco di materie prime locali, mantiene come punti fermi alcuni classici della cucina toscana, non ultima la bistecca alla fiorentina.
Dopo un antipasto di **olive sotto ranno** (cenere e acqua bollente), **salumi**, crostini caldi e delicati scalogni sott'aceto, si passa a ruspanti primi piatti conditi con sughi a lenta cottura, come le **pappardelle alla lepre**, **al cinghiale** o **al brasato**; inoltre, **pasta alla barrocciaia** (pomodoro e una bella spolverata di peperoncino), **minestra di farro** alla lucchese (**con fagioli**) o la classica **ribollita**. La principale attrattiva del locale sono la stupenda bistecca e le altre carni, rosse e bianche, alla brace, ma si possono gustare anche la salsiccia con i fagioli, il coniglio o il cinghiale in umido, il baccalà al vino rosso. Fra i contorni, squisiti nella loro semplicità, i fagioli al fiasco, cotti lentamente nella notte (all'uso antico) al calore che mantiene il forno a legna spento dopo la cottura del pane. Ampia la gamma dei **formaggi**, con prevalenza di pecorini toscani. In chiusura semplici dessert casalinghi come cantuccini e varie crostate.
La carta dei vini è ricca di ottime etichette regionali selezionate da Andrea, che vi guiderà nella scelta senza sorprese di prezzo. Grosse soddisfazioni avranno, infine, gli amanti dei distillati.

A Orentano, in via del confine 4, Boutique della Carne Due Mila: selvaggina, ragù di carne e di cacciagione.

Castelnuovo Berardenga

20 km a est di Siena

La vinsantaia

NOVITÀ

Osteria di recente fondazione
Via del Chianti, 6
Tel. 0577 352078
Chiuso la domenica, gennaio-marzo anche lunedì
Orario: mezzogiorno e sera
Ferie: variabili
Coperti: 22 + 14 esterni
Prezzi: 35 euro vini esclusi
Carte di credito: tutte, Bancomat

Dopo nove anni di esperienze lavorative nel settore enologico e turistico, Andrea Anichini ha avuto voglia di mettersi in proprio e ha aperto questo locale sulla strada che attraversa Castelnuovo. All'ingresso, sulla sinistra, c'è il bancone, contornato di vecchi oggetti, candele, vini e libri: qui Andrea offre un piccolo assaggio di benvenuto (una bruschetta, un po' di ricotta fresca) nell'attesa di farvi accomodare al tavolo. Nella sala attigua, i tavoli sono tutti diversi l'uno dall'altro. Per scelta di Andrea il menù è limitato a pochi semplici piatti, preparati con materie prime di piccoli produttori della zona.
Per iniziare si può scegliere tra le bruschette e l'antipasto misto che può comprendere acciughe sotto pesto, aringa, ricotta condita, salumi. La pasta fresca proviene da un laboratorio artigianale: ***pici***, ravioli, **pappardelle** o gnocchi, sono conditi con vari sughi o semplicemente **con cacio e olio**; sempre disponibile il **minestrone di verdure**. Vari i secondi: taglieri di salumi e formaggi, **trippa**, carpaccio, carni di vitello, maiale, pollo e **coniglio** che sono preparate **in porchetta**, in umido, stufati, arrosto. Per chiudere il dolce (c'è anche un piatto con tre-quattro assaggi): crostata, zuppa inglese, tiramisù, pinolata.
Attenta e curata la carta dei vini: una novantina di etichette tra piccole realtà e grandi nomi.

La macelleria Pini, in via Roma, vende carni di chianina, di suino cinto e una grande varietà di salumi tipici tra cui il gotino.

Castelnuovo di Garfagnana

49 km a NO di Lucca SR 445

Vecchio mulino

Enoteca con mescita e spuntini
Via Vittorio Emanuele, 12
Tel. 0583 62192
Chiuso il lunedì
Orario: 07.30-20.00
Ferie: variabili
Coperti: 30
Prezzi: 14-20 euro vini esclusi
Carte di credito: le principali, Bancomat

Da più di un secolo il Vecchio Mulino sta all'ombra della Rocca che ospitò come governatori della Garfagnana anche Ludovico Ariosto e Fulvio Testi. Nato per il modesto ristoro di chi viaggiava per lavoro, ha conservato intatti atmosfera e arredi dell'epoca, con il grande bancone e le alte scaffalature in legno. L'offerta si è però molto arricchita con l'entrata in scena di Andrea Bertucci, Andreone, l'oste per antonomasia già alla vista, corpulento e cordialissimo. Qui, a parte qualche tortino e qualche polenta, non troverete piatti caldi, ma un'incredibile gamma di specialità, frutto di ricerche appassionate ovunque ci sia qualcosa di buono da scoprire. Combinando i vari assaggi e abbinandoli a uno o più bicchieri da scegliere tra le centinaia di bottiglie che tappezzano i locale, risolverete con poca spesa il pasto.

Qualche esempio di ciò che potrete assaggiare: eccellenti **salumi** tipici, anche rari (prosciutto bazzone e biroldo della Garfagnana, presidiati da Slow Food, coppa, mortadella, salami di varia stagionatura, goletta, mondiola), **crostini**, **carne salata** di pozza, sottoli, insalata di farro condita con un ottimo extravergine, **polentina di mais ottofile**, aringhe e **acciughe marinate**, straordinari **formaggi**, **torte salate** e dolci (di mele, ricotta, cioccolato) preparate, come il **castagnaccio** e il **buccellato**, da mamma Rosa. Da non trascurare il pane, che è di molti tipi, compreso quello di patate del Presidio Slow Food. In chiusura un bicchierino di diavoletto, liquore di ciliegie marasche.

Il piacere della degustazione può essere prolungato acquistando un po' di tanto bendidio, disponibile anche per l'asporto.

Castiglione della Pescaia
Buriano

22 km a NO di Grosseto

Il cantuccio

Trattoria
Piazza Indipendenza, 31
Tel. 0564 948011-349 4563005
Chiuso il lunedì, mai in agosto
Orario: sera, domenica anche pranzo
Ferie: novembre
Coperti: 20 + 25 esterni
Prezzi: 33-35 euro vini esclusi
Carte di credito: le principali, Bancomat

Siamo in piena Maremma, su un colle a 10 chilometri dal mare. Nella piccola trattoria, quasi una bomboniera per le vezzose rifiniture interne, è Elena ad accoglierci, mentre in cucina c'è il marito Francesco. Entrambi sono molto giovani, ma in pochi anni hanno fatto del Cantuccio un luogo indimenticabile. La scelta delle materie prime segue i principî della filiera corta e della stagionalità; pasta, dolci, confetture, aceti aromatici – praticamente tutto il possibile – è preparato da Francesco e spiegato nei dettagli con professionalità e garbo da Elena.

Il menù cambia ogni 15 giorni, orientato dalle stagioni e anche dall'estro dello chef. L'antipasto più importante è la gran degustazione di formaggi e mieli, una selezione sempre aggiornata di 15 **formaggi**, locali e non. Inoltre, **salumi** di suino cinto toscano, filetto di maiale marinato su purea di cannellini, flan di bietola selvatica su crema di cipolle rosse. Tra i possibili primi, ***pici*** casalinghi **al cacio e pepe**, **gnocchi di ricotta con sfilacci di gallo livornese**, risotto alle spugnole e petto d'oca affumicato, i rigatoni di grano duro con suino cinto toscano, la vellutata di porri e fave. Il **peposo alla fornacina**, il **capocollo di maiale al latte** con semi di finocchio selvatico, il petto d'oca brasato al ginepro su salsa all'aceto di melagrane, la **buttera** (bistecca) **di chianina** e la tagliata di vitello brado di Montaione sono alcuni dei secondi. Cambiano spesso anche i dessert, tra cui la sinfonia di cioccolato caldo e freddo, il *cheese cake* con cuore di confettura di uva fragola e i più classici cantucci.

La cantina offre una gamma non vastissima ma discreta di vini, in maggioranza del territorio.

Castiglione della Pescaia
Tirli

27 km a NO di Grosseto

La luna

Trattoria con alloggio
Via del Podere, 8
Tel. 0564 945854
Chiuso il martedì, inverno lunedì-giovedì
Orario: sera, domenica anche pranzo
Ferie: metà ottobre e gennaio
Coperti: 65 + 25 esterni
Prezzi: 35 euro vini esclusi
Carte di credito: le principali, Bancomat

A Tirli, paesino collinare poco distante da Punta Ala e dalle altre spiagge di Castiglione della Pescaia, si sale per assaporare i piatti tipici maremmani e, soprattutto in estate, per respirare l'aria fresca dei boschi. La Luna offre un attento servizio in sala. Gentile e ospitale la signora Tiziana, cui è anche affidato l'accompagnamento ai tavoli, mentre il marito Emilio, chef e patron, sovrintende alla preparazione dei piatti e saluta all'ingresso, essendo la porta della cucina ubicata accanto all'entrata.
Il menù è prevalentemente di terra. **Cinghiale in bianco alle mele**, **bistecca** alla fiorentina, tagliata di manzo sono affiancati dal **piccione ripieno** all'uso di Maremma, dal pollo o dal **coniglio fritto** con patatine (che ci è molto piaciuto). Maremmani sono anche i primi piatti come le immancabili **pappardelle al cinghiale**, i ***pici* al colombaccio**, l'**acquacotta** *coll'ovo* e, tra gli antipasti, il gran piatto della Locanda (crostini e affettati) e la **pappa al pomodoro**, che può fungere anche da primo piatto. Meno tradizionali ma riusciti sono gli gnocchetti all'ortica con gorgonzola e zucchine e le pennette con formaggio *brie*, broccoli e pomodorini. Prima di entrare nel locale conviene leggere all'ingresso la proposta del giorno, poiché spesso si può trovare la **trippa** o la variante delle chitarrine all'aragosta. Il menù cambia notevolmente al variare della stagione, cosicché in autunno e inverno è facile trovare **funghi** e **cacciagione**.
La *mise-en-place* è corretta ed elegante, la scelta dei vini ampia e rispondente al giusto abbinamento con i piatti.

Castiglione d'Orcia
Vivo d'Orcia

62 km a SE di Siena

La taverna del Pian delle Mura

NOVITÀ

Ristorante
Via delle Casine, 12
Tel. 0577 874009
Chiuso il lunedì
Orario: sera, sabato e domenica anche pranzo
Ferie: variabili
Coperti: 36 + 14 esterni
Prezzi: 25-28 euro vini esclusi
Carte di credito: tutte, Bancomat

Vivo d'Orcia si trova sulle pendici del monte Amiata. Qui, due anni fa, Luisa e Nadia, coinvolgendo le figlie Lorna e Licia, hanno aperto la Taverna del Pian delle Mura con l'aiuto di Umberto. Il locale è semplice ma curato: i tavoli e le sedie sono in legno massiccio, i soffitti hanno travi e mattoni a vista, le tovaglie sono di canapa e cotone grezzi. Nadia vi accoglie in sala; Luisa in cucina impiega quasi esclusivamente materie prime di produttori locali biologici e biodinamici.
Appena seduti, vi saranno serviti il pane di castagne e la ***ciaccia* con i *friccioli*** o con la ricotta acida. Gli antipasti comprendono salumi di cinto toscano, formaggi con composte di frutta, **crostini** tradizionali, carpaccio di chianina. Le paste sono fatte a mano con farina biologica: i tortelli, gli strozzapreti, i ***pici***, sono conditi **all'aglione**, al ragù di cinta, **al sugo bugiardo** (manzo cotto nel vino rosso senza pomodoro); se amate le zuppe, provate l'**acquacotta alla vivaiola**. Le **cotiche con i fagioli** aprono la carrellata dei secondi: **trippa**, pollo al Brunello, **agnellone** dell'Amiata **arrosto**, coniglio alle erbette, **maialino al latte**, faraona al Vin Santo, cosciotto di cinta con le mele al forno. Il caffè in forchetta con lo zabaione, i cantucci, la torta di mele o il tortino al cioccolato sono adatti per chiudere. Per almeno due persone è disponibile un ricco menù degustazione a 32 euro.
Pochi ma ben selezionati i vini; molto buono lo sfuso. Da metà luglio a fine agosto e nel periodo natalizio, il locale apre già dalle 17.30 con possibilità di fare merenda.

Di fronte alla Taverna, la Dispensa del Pian delle Mura vende quello che viene usato per preparare i piatti: olio, salsa di pomodoro, confetture, formaggi, salumi, tutto biologico o biodinamico.

Chiusi

77 km a SE di Siena uscita A 1 o SS 326

La solita zuppa 

Trattoria
Via Porsenna, 21
Tel. 0578 21006
Chiuso il martedì
Orario: mezzogiorno e sera
Ferie: metà gennaio-inizio marzo
Coperti: 40
Prezzi: 28-32 euro vini esclusi
Carte di credito: tutte, Bancomat

Nel centro storico di Chiusi, a due passi dal Museo archeologico nazionale, si trova da parecchi anni questa osteria gestita da Luana e Roberto Pacchieri. L'unica sala è caratteristica, con soffitto a volte, quadri raffiguranti viti e tanti oggetti che la rendono accogliente. Seduti a uno dei tavoli apparecchiati con cura, potrete gustare una cucina del territorio non improvvisata.
Si può iniziare dagli antipasti con un buon **lampredotto in salsa verde** oppure semplicemente con cacio e pere, da abbinare a un calice di Chianti che vi consiglieranno i titolari. Passando ai primi, oltre agli ottimi ***pici co' la nana*** (anatra) ci sono le zuppe che contraddistinguono il locale, ad esempio la **zuppa con ceci e porcini**, quella **con porri e patate**, quella **con le cipolle**, ma la carta ne propone tante altre e per tutti i gusti, variando con le stagioni. Proseguendo si può scegliere, per esempio, fra il **capocollo di maiale con mele e ginepro** e il **guanciale di manzo speziato**, ma secondo disponibilità si possono trovare anche la **trippa alla fiorentina** o l'**anatra alle prugne**, accompagnati da verdure di stagione. In chiusura una buona panna cotta con caffè e caramello oppure una fetta di crostata, entrambe abbinate a un calice di Moscato d'Asti.
La carta dei vini è incentrata sulle etichette del territorio toscano.

A pochi metri dalla Solita Zuppa, la macelleria Pisi vede ottima chanina certificata e carni d'agnello della val d'Orcia.

Civitella in Val di Chiana

11 km a SO di Arezzo

L'antico borgo 

Trattoria con alloggio
Via di Mezzo, 35
Tel. 0575 448160
Chiuso il martedì
Orario: mezzogiorno e sera
Ferie: variabili
Coperti: 30 + 15 esterni
Prezzo: 35 euro vini esclusi
Carte di credito: tutte tranne AE, Bancomat

In una delle strette vie che percorrono Civitella, bel borgo medievale a dominio della Valdichiana, L'Antico Borgo è un locale ben curato e molto suggestivo, costruito in un antico frantoio di cui conserva la macina originaria. Francesco Sabbadini, il cuoco, propone piatti tradizionali e legati alla stagione.
Come antipasto troverete sempre i **salumi** di cinta senese, serviti **con fettunta e crostino nero**, e secondo stagione i riccioli di fegato grasso affumicato con valeriana e pane tostato, il **lombetto di maiale con uvetta e noci**, il caprino con insalata di arance, pinoli e salsa al rafano, l'ottimo **neccio** (una crêpe di farina di castagne) **farcito con formaggio fresco**. Tra i primi ci sono i ***pici*** conditi con sughi diversi (molto buoni, in stagione, **con baccelli freschi, rigatino di cinta e salsa all'aglio dolce**) e i **tortelli di broccoli con salsiccia** sbriciolata e pomodori marinati. Come secondo consigliamo la **trippa in bianco**, ma ci sono anche un ottimo **brasato al Chianti** dei Colli Aretini, il filetto di maiale con rigatino e salsa piccante, la **bistecca**, il **baccalà**, a volte il **piccione** in varie preparazioni o il **coniglio arrotolato**. Per finire tortino al cioccolato o dolci alla frutta; a Pasqua abbiamo assaggiato un ottimo sformato di colomba con cioccolato bianco e croccante.
La carta dei vini è curata e propone un'attenta scelta di etichette soprattutto toscane, con una discreta gamma di proposte al bicchiere.

Civitella Paganico
Civitella Marittima

35 km a NE di Grosseto SS 223

Locanda nel Cassero

Osteria-ristorante con alloggio
Via del Cassero, 29-31
Tel. 0564 900680-338 3030033
Chiuso il martedì
Orario: mezzogiorno e sera
Ferie: seconda metà di novembre, tra febbraio e marzo
Coperti: 40 + 25 esterni
Prezzi: 28-32 euro vini esclusi
Carte di credito: tutte, Bancomat

Nel cassero di Civitella Marittima ha sede la locanda di Alessandro Prosperi: ai piani superiori le cinque camere, a pianterreno il ristorante e l'osteria, con il giardino dove ci si accomoda in estate. L'ambiente è molto toscano, addobbato con attrezzi contadini. Da dieci anni lo chef e patron, dopo aver lavorato in giro per l'Europa, ha portato qui esperienza e passione. Nella prima stanza, quella dell'osteria, si mangia in modo semplice e abbondante per pochi euro; nella sala successiva, ornata da un camino, c'è il ristorante, con un menù di tradizione presentato con eleganza. Alessandro, se libero dai fornelli, si intrattiene volentieri con gli avventori; Patrizia Menoni cura il servizio in sala con efficienza e discrezione.
I piatti, preparati con materie prime locali di qualità, variano con le stagioni, ma alcuni sono sempre presenti. Si inizia con **salumi** e **crostini**, oppure con il rivolto del Cassero (**crêpe farcita di rigatino e pecorino**), con il **tonno di coniglio** al tartufo nero o la millefoglie di polenta con porri stufati e baccalà. I primi hanno nelle zuppe e nelle paste fatte in casa i punti di forza: **acquacotta** alla civitellina, gnocchi di patate con asparagi allo zafferano e gamberi, **stracci al sugo bugiardo**. Tra i secondi l'eccellente **piccione brasato** al vino bianco su farro e borlotti, la **faraona ripiena**, l'**agnello** dorato all'uovo con frittura di stagione, la costata di vitellone alla griglia. I dessert sono frutto dell'estro di Alessandro: tortino al cioccolato tiepido con mousse di nocciola, tortino di mele con gelato alla crema e cannella, il piatto di dolci tipici con il Vin Santo.
Il vino sfuso è buono ma poco economico, mentre le oltre 50 etichette, prevalentemente del territorio, hanno ricarichi corretti e alcune sono servite anche a bicchiere.

Cortona

28 km a SE di Arezzo SS 71

Osteria del Teatro

Ristorante
Via Maffei, 2
Tel. 0575 630556
Chiuso il mercoledì
Orario: mezzogiorno e sera
Ferie: due settimane in novembre
Coperti: 70+16 esterni
Prezzi: 30-35 euro vini esclusi
Carte di credito: tutte, Bancomat

Il locale si trova nel palazzo che un tempo ospitava il corpo degli armigeri del Comune. Una bella scala porta all'ingresso e a un ampio balcone dove, d'estate, è possibile mangiare. All'interno, collegate da un corridoio, ci sono tre sale, ciascuna arredata in modo diverso. Quella di sinistra ha l'aspetto di un'osteria, con molte foto di attori appese alle pareti; quella di destra è una piccola sala che ricorda un gazebo; quella in fondo al corridoio è cinquecentesca, con arredo raffinato. Dappertutto si vedono bottiglie di vino, bambole, fiori secchi.
Il menù, predisposto dallo chef Emiliano Rossi, è inserito in una tavoletta incorniciata, facile da consultare. Contiene molte voci, che cambiano secondo la stagione. Si può iniziare con l'antipasto dell'Osteria, a base di **salumi** selezionati con cura, con la terrina di coniglio, con il **finocchio ripieno**. Tra i primi, d'inverno ha molto successo il tris di **zuppe**, d'estate si prediligono i ravioli di fiori di zucca e zucchini, ma molto interessanti sono anche i cappelletti di verza al tartufo nero, i **tagliolini all'anatra e finocchietto**, le **pappardelle alla lepre** e vari altri tipi di pasta fatti a mano. Da provare tra i secondi lo **stinco d'agnello al buglione**, il **peposo di cinghiale**, gli **straccetti di manzo al Chianti**, il filetto al lardo di Colonnata, lo **stufato alla sangiovannese**. Per finire la charlotte al mascarpone, tutto l'anno, il tagliere di cioccolati prodotti da Emiliano nei mesi freddi e lo squisito gelato artigianale d'estate.
La carta dei vini ha più di 600 etichette, alcune delle quali anche nel formato mezza bottiglia, con ricarichi moderati. Sono inoltre disponibili birre di produzione artigianale, quasi tutte italiane, e varie marche di acque minerali.

Cortona

28 km a SE di Arezzo ss 71

Taverna pane e vino

Enoteca con mescita e cucina
Piazza Signorelli, 27
Tel. 0575 631010
Chiuso il lunedì
Orario: pranzo e sera, gennaio-Pasqua solo sera
Ferie: gennaio
Coperti: 55 + 55 esterni
Prezzi: 18-28 euro vini esclusi
Carte di credito: le principali, Bancomat

In pieno centro di Cortona, nella piazza del Teatro Signorelli, la cantina di un palazzo trecentesco ospita dal 1997 questo locale accogliente e caldo. Ci si può fermare anche solo per bere un bicchiere di vino o per uno spuntino, oppure si può consumare un pasto completo.
Per i piatti, semplici e legati alla tradizione, si impiegano prodotti di qualità sia della Toscana sia di altre regioni. Ottimi i **salumi** (finocchiona, prosciutto toscano dop, salami di cinta senese, lardo di Colonnata, culatelo di Zibello) e i **formaggi** (soprattutto pecorini e caprini), forniti direttamente dai produttori; appetitose le bruschette, dalla più semplice con aglio e olio a quelle col lardo di Colonnata o con la *'nduja* calabrese. Tra i primi consigliamo i ***pici* alle molliche**, le **tagliatelle al sugo finto** (pomodoro, verdure e pancetta) **e cacio**, in stagione le mezzemaniche con carciofi e rigatino. Si prosegue con carpaccio di chianina o tartara con aceto balsamico, capperi e pecorino, o con l'**insalata tiepida di baccalà con bietole e ceci**; di tanto in tanto si trovano anche il **peposo** o la **trippa**. Per terminare ottimi dolci casalinghi al cucchiaio o la torta di cioccolato di un celebre laboratorio artigianale fiorentino.
La cantina offre 900 etichette di vini, con predilezione per quelli "naturali" e la possibilità di un ampio servizio al bicchiere. La Taverna organizza anche serate di degustazione a tema.

Cutigliano
Piano degli Ontani

40 km a NO di Pistoia ss 66

Fattoria La Piastra

Azienda agrituristica
Località La Casetta, 19
Tel. 0573 68443
Sempre aperto pranzo e cena; ottobre e gennaio-aprile solo il sabato e domenica a pranzo
Ferie: 1 novembre-20 dicembre
Coperti: 40 + 50 esterni
Prezzi: 25 euro
Carte di credito: nessuna

La Piastra è una piccola azienda agrituristica situata a oltre 1000 metri di altitudine nella natura incontaminata dell'Appennino pistoiese. Quasi tutte la materie prime sono coltivate o allevate in azienda (imboccando la stradina che porta alla fattoria scorgerete le stalle e il fienile), formaggi e ricotta sono reperiti a seconda della disponibilità presso pastori locali.
I pasti, a menù fisso, sono preparati dalla signora Licia e si basano su ricette semplici e genuine. Si parte con un classico antipasto a base di **salumi**, **crostini** misti e pasta fritta. Si continua con squisiti primi i cui condimenti variano da una stagione all'altra – **tortelli di ortiche ripieni di ricotta**, **troccole** condite **con sugo di broccoli** o noci o ragù di carne – ma sono tutti di pasta fresca fatta a mano con farina di grano marzolo, una varietà coltivata in montagna. Come secondo ci sono varie carni grigliate di animali allevati in fattoria (**bistecca di maiale**, tagliata di manzo, **salsicce**, **rosticciana**) oppure il **coniglio alla cacciatora** e, in stagione, piatti di **selvaggina**. Su prenotazione è possibile degustare i pecorini a latte crudo della montagna pistoiese valorizzati da un Presidio Slow Food. Per concludere, torte casalinghe di ricotta fresca o di confetture di frutta anch'esse preparate in azienda.
Il vino, un rosso proveniente dalla zona di Certaldo, grappa e caffè sono compresi nel prezzo, davvero modico.

A Piano degli Ontani, la macelleria Rossi produce ottimi salumi e vende formaggi pecorini e carni di prima qualità; in stagione, anche selvaggina.

Cutigliano

40 km a NO di Pistoia ss 66

L'Osteria

Osteria tradizionale
Via Roma, 6
Tel. 0573 68272
Chiuso il lunedì e martedì a pranzo
Orario: mezzogiorno e sera
Ferie: tre settimane dopo l'Epifania
Coperti: 30
Prezzi: 25 euro vini esclusi
Carte di credito: tutte, Bancomat

Tradizionale punto di ristoro per chi percorre la via dell'Abetone, l'osteria, gestita da molti anni da Luigi Ranieri, è nel centro di Cutigliano, a pochi passi dal suggestivo Palazzo dei Capitani. Luigi è davvero un personaggio, ricco soprattutto del suo sapere sulle cose buone della sua terra, di come procacciarsele e di come valorizzarle in cucina per la soddisfazione degli ospiti. Per limitarci a due esempi, la trota è in menù solo se pescata da lui e molto spesso i funghi sono raccolti dall'infaticabile patron. Date le ridotte dimensioni del locale è opportuno prenotare per potersi garantire specialità mai scontate né appiattite sulle mode del momento.
Potete cominciare con **salumi** locali e **crostini** di fegato, lardo o funghi. Per continuare ci sono gustose **zuppe** (**di cipolle**, in stagione **di funghi**), i tagliolini con ortica e porcini, i **tortelli di ricotta** della montagna conditi con burro e salvia o sugo di carne. Disponibili tra i secondi piatti, oltre alla selvaggina con la bistecchina di cervo e il **cinghiale in salmì**, anche le **costolette di capretto alla scottadito**, il **polpettone al forno**, il **baccalà in umido con i porri**. Nella stagione dei funghi vi saranno proposti i **porcini fritti**. Se non siete ancora sazi ordinate il **pecorino a latte crudo** della montagna pistoiese (Presidio Slow Food) stagionato. Un consiglio: gustatelo tal quale, immagazzinate nella vostra memoria quel sapore "primordiale", semplice e complesso al contempo, e poi, se volete, assaggiatelo accompagnato da confettura di fichi o miele. Chiudono il pasto pochi dolci semplici e genuini come crostate e creme.
Lo sfuso della casa è soddisfacente ma, se si preferisce scegliere una bottiglia, la carta dei vini presenta etichette senza pretese, prevalentemente toscane, con ricarichi onestissimi.

Cutigliano
Pianosinatico

41 km a NO di Pistoia

Silvio
La storia a tavola

Ristorante
Via Brennero, 181-183
Tel. 0573 629204
Chiuso il martedì
Orario: mezzogiorno e sera
Ferie: 15 giorni in maggio, 15 in ottobre
Coperti: 40
Pranzi: 25 euro vini esclusi
Carte di credito: tutte, Bancomat

Siamo a pochi chilometri dall'Abetone, vicino alle piste da sci. In inverno, con la neve, il locale è affollato di sciatori, ma merita una visita anche nelle altre stagioni. In un ambiente caldo vi accoglieranno Andrea e Lidia, mentre ai fornelli c'è Silvio. Andrea vi guiderà nella scelta dei piatti e dei vini: se è la prima volta che ci venite, provate il menù degustazione di quattro antipasti e cinque primi, che permette di avere un'idea precisa della cucina.
Potrete gustare in apertura la noce di manzo con olio e aceto balsamico, il **filetto di trota affumicata** all'extravergine, in stagione crostini con funghi e patate novelle con salsa di tartufo. Tra i primi spiccano i **tortelloni** ripieni **di pecorino e pere**, i **tortelli** di Melo (una località sopra Cutigliano) preparati **con ricotta di pecora** della montagna **e bietola**, la particolare **zuppa con i dormienti** (funghi che spuntano appena sciolta la neve) o con i porcini, gli gnocchi di patate con salsa di tartufo nero, gli **spaghetti con le cipolle**, la **vellutata di ceci e patate** di Melo con porcini. Seguono la tagliata o il filetto con i funghi, al tartufo oppure al pepe verde, altre preparazioni di carne e le cappelle di porcino alla griglia. Si conclude con i dolci preparati da Lidia: torta di mele della nonna, strudel, zuppa di ciliegie, castagne al naturale con cioccolata e panna e il tradizionale **castagnaccio**. Presenti, inoltre, i prodotti di almeno due Presìdi Slow Food, i pecorini a latte crudo della montagna pistoiese e la mortadella di Prato.
Nella ricca carta dei vini troverete una buona selezione di etichette toscane e di altre regioni.

In via Roma, a **Cutigliano** (6 km), macelleria Francesco Rossi: ottime carni e salumi di produzione propria, tra cui una speciale salsiccia all'aglio.

Fiesole
Pian di San Bartolo

5 km a NE di Firenze

Tremoto

Trattoria
Via Bolognese, 16
Tel. 055 401108
Chiuso il mercoledì
Orario: solo a mezzogiorno
Ferie: agosto
Coperti: 50
Prezzi: 25 euro vini esclusi
Carte di credito: tutte, Bancomat

Salendo sulla vecchia via Bolognese, all'altezza del cimitero di Trespiano troviamo una bottega di alimentari che esiste dai primi decenni del secolo scorso e che si chiama con il soprannome del suo fondatore, evidentemente un tipino non tanto tranquillo (tremoto è la versione toscaneggiante di terremoto). Dalla bottega si accede alle due sale della trattoria.
Da una quarantina di anni il locale è gestito dalla famiglia Fagiani. L'arredamento è spartano ma funzionale. La trattoria, aperta soltanto a mezzogiorno, è frequentata da chi lavora in zona o da chi percorre la strada, assai trafficata. Il menù, scritto a mano sulla tipica carta gialla, varia tutti i giorni. Ma i piatti base sono sempre presenti. Per cominciare un assaggio di **crostini** (con i fegatini, ai funghi) o l'antipasto Tremoto (ai crostini si aggiungono i classici **salumi** toscani). Come primo potete assaggiare i **tortelli di patate al ragù**, la **pasta e fagioli**, la pappa al pomodoro (il venerdì), i ravioli burro e salvia, le tagliatelle ai funghi. Poi proseguite con le carni (al pesce, secondo tradizione, è dedicato il venerdì con il baccalà alla livornese): **pollo fritto**, **braciole rifatte al sugo**, **maialino arrosto** (sempre arrosto il **coniglio** e l'**agnello**) e tutta la serie di carni alla griglia. Di contorno ottime patate fritte, **fagioli all'olio** o verdure saltate. Come dessert sono proposte alcune crostate e lo **zuccotto**, altrimenti i tradizionali cantuccini col Vin Santo.
Lo sfuso della casa è un Chianti della Rufina, che non farà alzare eccessivamente il conto finale; in alternativa qualche bottiglia sullo scaffale all'ingresso.

Firenze

Al tranvai

NOVITÀ

Trattoria
Piazza Tasso, 14 R
Tel. 055 225197
Chiuso la domenica
Orario: mezzogiorno e sera
Ferie: agosto
Coperti: 50 + 15 esterni
Prezzi: 25-30 euro vini esclusi
Carte di credito: tutte

Al Tranvai è uno dei locali che hanno fatto la storia del capoluogo toscano: nel cuore di San Frediano, uno dei quartieri storici e popolari di Firenze, questa graziosa trattoria rispetta in pieno lo stile *slow*. Come evoca il nome, il locale è allestito come un'antica stazione dei tram: un'unica sala con sedie e panche di legno ai lati e tavolini già apparecchiati con carta gialla e fiaschetto impagliato di vino rosso. Il calore della paglia si ritrova nei vari fiaschi che arredano le pareti assieme a sbiadite e suggestive foto in bianco e nero.
Il menù, vergato con un gessetto sulla lavagnetta itinerante, offre tutti i piatti della tradizionale cucina fiorentina. Per cominciare affettati misti, **crostini con i fegatini**, polenta fritta e primi piatti dal sapore antico e popolare come l'immancabile **ribollita** e la **pappa al pomodoro**. Anche tra i secondi prevalgono la tradizione e le classiche ricette: **trippa**, **lampredotto**, **lesso rifatto**, **peposo**. Il venerdì, Al Tranvai si offre anche il pesce: squisite e leggere le tagliatelle alla bottarga, delicatissime le seppie con i carciofi. I dolci, sempre fatti in casa, variano giorno per giorno e sono tutti molto buoni.
Per quello che riguarda i vini la scelta si gioca tra quello della casa e una ristretta rosa di etichette che può riservare ottime sorprese. Il trattamento familiare si conferma con il caffè finale, fatto con la moka.

FIRENZE

DA BURDE

Trattoria
Via Pistoiese, 6 R-154 N
Tel. 055 317206
Chiuso la domenica
Orario: mezzogiorno, sera su prenotazione
Ferie: variabili
Coperti: 120 + 30 esterni
Prezzi: 25-30 euro vini esclusi
Carte di credito: tutte, Bancomat

«Fiaschetteria caffè detto Burde di Gori Turiddo e C.» si legge nella bella vecchia insegna, riprodotta anche sul sito internet che vanta l'impronta tecnologicamente evoluta del locale. In effetti questa trattoria – erede di un "vinaino" aperto nel 1901 in via di Peretola e trasferito 26 anni dopo nella sede attuale – è un mix ben riuscito di tradizione e modernità. Tradizionalissimi sono l'ambiente, lo stile dell'accoglienza e i piatti, innovativo il rapporto con il pubblico: Burde manda on line le sue degustazioni, ha un blog e uno dei giovani Gori, Andrea, si definisce «sommelier informatico».
Nell'ingresso troverete il banco dove si vendono, come da consuetudine delle botteghe di quartiere, salumi, formaggi, dolci, bottiglie, tabacchi. Ai tavoli di una delle sale (c'è anche un dehors estivo) potrete gustare, ben cucinati ed elencati a voce, i classici della regione, a cominciare dall'antipasto toscano, con o senza crostini, di prosciutto dop, **finocchiona sbriciolona**, **soprassata**, salame, lardo in conca. **Ribollita**, **pasta e fagioli**, **farinata gialla con cavolo nero**, pappa celeste (con il cavolfiore), **carabaccia**, **zuppa lombarda** sono le minestre più frequenti; nella nostra ultima visita abbiamo apprezzato il **farro all'antica**, con carne e spezie. In alternativa, **pasta** alla carrettiera, **al sugo finto**, **al pollo scappato**. I secondi più rappresentativi sono il **bollito misto**, il **peposo**, la **francesina**, la **trippa alla fiorentina**, la **bistecca**, il **baccalà**. Ampia scelta di formaggi e dolci casalinghi.
La carta dei vini comprende il meglio delle doc toscane e grandi etichette del resto d'italia.

In via del Ponte di Mezzo 20, il pasticciere Claudio Pistocchi produce in varie versioni la torta fondente di cioccolato.

DA NERBONE

Trattoria
Mercato Centrale di San Lorenzo
Tel. 055 219949
Chiuso la domenica
Orario: 07.00-14.00
Ferie: una settimana a Natale, tre in agosto
Coperti: 50
Prezzi: 10-15 euro
Carte di credito: nessuna

Un tempo il vociare del mercato all'aperto riempiva questa parte del centro storico fiorentino; qui trovavano posto i molti rivenditori di cibi di strada che da negozietti, o da piccoli banchi, offrivano i loro saporiti spuntini. Oggi molto di tutto questo è scomparso, ma per Nerbone gli anni non sono passati: ogni giorno, di buon mattino, la sua cucina prepara i classici cibi fiorentini fra cui il panino con il **lampredotto** (trippa bovina) o con il lesso in salsa verde.
A pranzo entra in funzione anche il ristorante, che offre, su tavoli un po' improvvisati o al bancone (secondo un uso forse poco *slow* ma certamente molto tradizionale e radicato nelle abitudini di questa città), un assortimento di piatti tipici come i **crostini di fegato con milza**, il minestrone, le **penne strascicate**, la **pappa al pomodoro**, lo **stracotto alla fiorentina**, la **trippa al sugo**, il **peposo** e il **roastbeef**, a cui si aggiungono, secondo le disponibilità giornaliere, il **risotto all'ortolana**, i fusilli al pesto e l'intramontabile **panzanella**. Quando disponibili, meritano l'assaggio anche la **francesina** (lesso rifatto con cipolle), i bocconcini di vitello, l'agnello, l'**arista al forno** e il pollo arrosto, il tutto accompagnato da verdure cucinate in vari modi e dall'onnipresente insalata. Il venerdì c'è anche qualche piatto di pesce, come il **baccalà** o le seppie in inzimino. Per il dolce, sono una scelta obbligata i biscottini con il Vin Santo.
Non è disponibile una carta dei vini, ma si può pasteggiare con un onesto sfuso toscano.

All'interno del mercato, dal lunedì al sabato dalle 7 alle 14, Baroni propone formaggi italiani e stranieri, salumi, vini e specialità gastronomiche di qualità.

DA SERGIO

Trattoria
Piazza San Lorenzo, 8 R
Tel. 055 281941
Chiuso domenica e festivi
Orario: solo a mezzogiorno
Ferie: agosto
Coperti: 70
Prezzi: 20-25 euro vini esclusi
Carte di credito: nessuna

Nonostante qualche riserva maturata nelle nostre ultime visite (ravioli banali, spaghetti alle vongole e tonno alla griglia invece dei piatti di tradizione che ci aspettavamo), continuiamo a segnalare questa storica trattoria seminascosta dalla bancarelle del mercato di San Lorenzo. Aperta solo a pranzo, con i suoi arredi decorosi ma datati, il banco di mescita e il tavolone al centro di una delle due semplici sale, dove operai e bottegai del quartiere siedono a fianco di turisti da tutto il mondo, è uno spaccato di fiorentinità popolare che ci spiacerebbe perdere.
Il menù, che cambia ogni giorno, è affisso fuori dal locale. Ci troverete secondo stagione classici toscani come la **ribollita**, la **pappa al pomodoro**, la zuppa di fagioli, la **minestra di farina gialla**, le **penne al ragù**, l'**arista in forno**, il prosciutto arrosto, il **bollito misto con salsa verde**, la **trippa in umido**, assieme a pilastri della cucina casalinga quali il minestrone di verdure o di riso, la pasta al pomodoro, le **polpette fritte**, la braciola. Sempre disponibile la **bistecca** (carne di razza chianina, come per il filetto) che naturalmente farà salire il conto, ma non di molto: il successo di Sergio è anche legato ai prezzi, ben al di sotto della media di Firenze. Non ci sono dessert diversi dai biscottini di Prato da intingere nel Vin Santo, ma questa è una delle poche trattorie dove si serve ancora la frutta fresca.
In alternativa alle caraffe del vino della casa ci sono alcune bottiglie di Chianti.

DEL FAGIOLI

Trattoria
Corso de' Tintori, 47 R
Tel. 055 244285
Chiuso sabato e domenica
Orario: mezzogiorno e sera
Ferie: agosto
Coperti: 55
Prezzi: 30 euro vini esclusi
Carte di credito: nessuna

In posizione centralissima – ci troviamo a pochi passi da piazza Santa Croce, in zona a traffico limitato – questo locale a gestione familiare offre, fin dagli anni Sessanta, un servizio cortese e curato in una cornice rustica ma piacevole.
Nelle due sale che compongono il locale è servita una cucina solida e ben radicata nel territorio, con un menù giornaliero che segue le disponibilità del mercato, pur non facendo mai mancare i piatti più rappresentativi come i **crostini ai fegatini** fra gli antipasti, la **ribollita** e il **bollito misto** fra i primi e i secondi. A cadenze regolari sono proposti anche piatti dal sapore casalingo come le **polpettine fritte** (il martedì), la **trippa alla fiorentina** (il mercoledì e giovedì) e, il venerdì, il **baccalà**. Fra le specialità che meritano una menzione troviamo i **tortellacci** con ripieno di ricotta e spinaci **al sugo finto**, le tagliatelle "al sugo di ciccia" e un'ottima **zuppa alla contadina**, mentre agli amanti delle carni consigliamo la **zampa di vitella bollita**, lo spezzatino di muscolo con le patate, l'**arista di maiale alla salvia e rosmarino**, le patate alla contadina e, veramente insuperabili, i **fagioli** toscani conditi con un filo di olio extravergine. I dessert sono tutti preparati in casa: gustose le torte, che cambiano secondo la fantasia del patron-cuoco, con particolare merito per quella alle pere; i **cantuccini**, preparati nella versione morbida, sono da accompagnare con un calice di Vin Santo.
La selezione dei vini offre una discreta scelta di etichette di pregio, prevalentemente toscane, ma non è da disdegnare lo sfuso della casa, di buona qualità e piacevolmente beverino, servito nel tradizionale fiasco toscano.

HOSTERIA DEL BRICCO

Trattoria-enoteca
Via San Niccolò, 8 R
Tel. 055 2345037
Chiuso il lunedì
Orario: mezzogiorno e sera
Ferie: una settimana a Ferragosto
Coperti: 50
Prezzi: 30 euro vini esclusi
Carte di credito: le principali, Bancomat

Siamo nello storico rione di San Niccolò, ai piedi di piazzale Michelangelo, in centro ma nel contempo fuori dai classici itinerari turistici. Il locale è curato e accogliente, la conduzione familiare, con mamma Maria in cucina e Daniele in sala, coadiuvati da validi collaboratori. I piatti, legati alla tradizione fiorentina, sono preparati con prodotti di stagione acquistati nei mercati rionali che si riforniscono direttamente dai produttori delle campagne dei dintorni.
Il menù, esposto su una lavagna fuori dal locale, inizia con **salumi** toscani, torte salate, sformati di verdure e crostini che ogni commensale si prepara spalmando varie salse su fette di pane abbrustolite. Tra i primi la **ribollita**, che nel 1998 ha ottenuto il riconoscimento dell'Accademia Italiana della Cucina, la **pappa al pomodoro**, le farfalle del fattore con carciofi e ricotta o pancetta e tartufo, i fusilli al pesto di rucola, le crespelle alla fiorentina, le **penne al coccio**, le tagliatelle con cipolla e pancetta. Molto ricca anche la gamma dei secondi, tra i quali spiccano il **peposo alla fornacina**, l'**arista al forno**, la vitella arrosto, il maialino in porchetta, il **galletto alla cacciatora**, gli involtini di manzo ai carciofi, il **coniglio ripieno**, la **trippa alla fiorentina**. Talvolta è disponibile anche qualche piatto di pesce ma solo quando Daniele trova al mercato quello giusto. Si può concludere con formaggi misti abbinati a confetture o con dolci della casa.
Il vino della casa è bevibilissimo ma merita visitare, con l'assistenza di Daniele, la cantina dove sono esposte circa 200 etichette provenienti da tutte le regioni d'Italia e del mondo.

Enoteca Bonatti, via Gioberti 66 R: ampia scelta di bottiglie toscane e non, prezzi onesti e consigli competenti.

IL CIBREO 

Osteria di recente fondazione
Via dei Macci, 122 R
Non ha telefono
Chiuso domenica e lunedì
Orario: mezzogiorno e sera
Ferie: fine luglio-inizio settembre, Capodanno-Epifania
Coperti: 30
Prezzi: 26-28 euro vini esclusi
Carte di credito: nessuna

Tra piazza dei Ciompi, sede del mercatino antiquario, e il mercato di piazza Gioberti, dove è facile incontrare il patron del Cibreo Fabio Picchi intento alla spesa quotidiana, si trova oltre alla trattoria l'omonimo ristorante (con prezzi più alti), un caffè e il circolo Il Teatro del Sale. La trattoria è composta da una saletta ben arredata: poiché non è possibile prenotare è consigliabile arrivare per tempo in modo da evitare una coda che comunque non ha mai tempi molto lunghi.
Si può iniziare con i classici crostini, con una buona **insalata di trippe** o con una **gelatina di pomodoro** leggermente piccante. Tra i primi non ci sono paste asciutte ma le classiche zuppe toscane (**ribollita**, **pappa al pomodoro**), una polentina alle erbe di stagione o lo sformato di ricotta e verdure; è inoltre sempre presente una minestra di pesce, per esempio la passata al nero di seppia. Anche i secondi appartengono alla classica tradizione toscana: **coniglio in umido**, polpette di pollo con ricotta, **collo di pollo ripieno** o **polpettone** (serviti entrambi con una maionese fatta in casa forse un po' troppo carica di limone), **salsicce con i fagioli**; non manca mai un piatto di pesce quale il **baccalà mantecato** o l'inzimino di calamari. Tra i contorni spiccano i fagioli serviti con un filo di olio toscano. Si finisce con buoni dolci come torta alle pere, bavarese al cioccolato e una gustosa torta al formaggio con marmellata di arance amare.
Carta dei vini non imponente ma con buone etichette regionali e alcune nazionali. Per il caffè ci si trasferisce nel bar adiacente.

IL MAGAZZINO

Osteria-tripperia
Piazza della Passera, 2-3 R
Tel. 055 215969
Non ha giorno di chiusura
Orario: mezzogiorno e sera
Ferie: non ne fa
Coperti: 36 + 20 esterni
Prezzi: 28-30 euro vini esclusi
Carte di credito: tutte, Bancomat

Siamo a due passi da Ponte Vecchio, in una piazzetta isolata dal traffico dei lungarni e dai flussi turistici, in una Firenze popolana, laboriosa e tranquilla, con piccole botteghe artigiane che ancora caratterizzano questo storico rione fiorentino. Il Magazzino porta nel nome traccia della propria genesi: la struttura è ricavata nei locali un tempo riservati allo stoccaggio delle carni del trippaio del mercato del Porcellino; è da lui che Luca Cai ha appreso il mestiere, proponendo da alcuni anni tradizionali ricette fiorentine. L'ambiente è quello di una classica osteria toscana, con pavimentazione in cotto, soffitti a volte, tanto legno e pareti tappezzate di quadri e bottiglie di vino.
Con cordialità e dovizia di spiegazioni, Luca e Alessandro Caldini presentano un menù che varia stagionalmente, basandosi sempre sull'uso delle parti meno nobili del bovino. Così, dopo le classiche entrate di salumi e **bruschette**, troviamo i **ravioli di lampredotto** con vellutata di porri, la **zuppa di cipolla con lampredotto**, le **pappardelle** al pistacchio **con ragù d'anatra**, i maltagliati in carbonara di verdure, la **pappa al pomodoro** e la **pasta di farro con ragù di cinghiale**. Fra i secondi, in evidenza la **trippa alla fiorentina** e il **lampredotto**, bollito o ai porri, la **guancia in agrodolce**, la tagliata di pollo e il **coniglio alla cacciatora**, il tutto accompagnato da verdure lessate o insalate fresche. Tra i dolci, preparati da mamma Rosita, troviamo la **torta al cioccolato**, il **budino di castagne** del Casentino, la sfogliatina di mele e gli immancabili cantuccini con il Vin Santo.
La lista dei vini è ampia, anche con mescita al bicchiere, e lo sfuso della casa è decoroso. Ottimo l'extravergine.

Osteria accessibile ai disabili.

FIRENZE

I RIFFAIOLI

Trattoria
Via del Ponte alle Riffe, 4 R
Tel. 055 5088070
Chiuso domenica e festivi
Orario: mezzogiorno, sera su prenotazione
Ferie: tra luglio e agosto
Coperti: 35
Prezzi: 25-30 euro vini esclusi
Carte di credito: tutte tranne AE, Bancomat

La trattoria si trova nel quartiere Le Cure, affacciata al ponte sul Mugnone che si racconta prenda nome dalle riffe, zuffe e contese dell'epoca antica. È composta da un'unica sala dove si respira l'aria di una vera osteria, perché vi traspare la passione della famiglia che la conduce.
A riceverci è Silvio Cortigiani, ex metalmeccanico con la vocazione dell'oste. Sui tavoli è già pronto un piatto con gradevolissimi assaggi di pecorino e salumi e appena seduti ci viene affettata nel piatto la **tarese del Valdarno**, ottimo salume del Presidio Slow Food. Dopo altri antipasti (crostoni al cavolo nero, sformatini di verdure) si può proseguire con pappardellone alla cicoria fresca, **tuboni con cavolo nero e salciccia**, **vermicelli infinocchiati**, **maccheroni al sugo bianco**, minestra alla maremmana o **carabaccia**. Tra i secondi di carne ci sono spesso la **scamerita** (parte alta della coscia suina) **agli aromi**, la tagliata di fegato di vitella con cipolle di Certaldo, il **rognone trifolato alla fiorentina**, la battuta di manzo di razza piemontese. Il pesce è rappresentato da calamari in inzimino, scampi alla livornese e da una serie di preparazioni di merluzzo sotto sale, islandese e di prima qualità: **baccalà al forno**, a vapore o in carpaccio. Le verdure di contorno, sempre freschissime, provengono dall'orto biologico dell'oste o dal mercato del quartiere. Tra i dolci, tutti fatti in casa, torte all'arancia, al limone, di mele, di ricotta e la bassa di cioccolato.
Vini prevalentemente regionali, buoni e con prezzi ragionevoli. Discreto lo sfuso della casa.

Pasticceria Gelateria Badiani, viale dei Mille 20 R: ottimi gelati tra cui quello dedicato a Bernardo Buontalenti, considerato l'inventore della specialità.

MARIO

Trattoria
Via della Rosina, 2 R
Tel. 055 218550
Chiuso la domenica
Orario: solo a mezzogiorno
Ferie: agosto
Coperti: 50
Prezzi: 18 euro
Carte di credito: nessuna

Qui le patate le sbucciano ancora a mano, tutte le mattine, anche se poi le tagliano a macchina. E in cucina non ci sono surgelatori, la spesa si fa ogni giorno al vicino Mercato Centrale. Sono spie della tradizionalità di questo luogo di ristoro semplicissimo, sopravvissuto al rullo compressore delle mode banali e omologanti. Più che dall'insegna poco appariscente, lo individueremo dalla coda all'ingresso: siccome non si accettano prenotazioni, per mangiare (dalle 12 alle 15,30) bisogna mettersi in fila. Ma l'attesa non è mai troppo lunga e anticipa la gradevole promiscuità del pasto: ai tavoli comuni potremo capitare vicino all'esercente del quartiere, all'operaio, al turista giapponese...
Gestita da oltre mezzo secolo dalla famiglia Colzi, prima con Mario, adesso con i figli Fabio e Romeo e i nipoti Francesco e Carolina, la trattoria è uno spaccato di fiorentinità autentica. Si inizia con un bel piatto di **salumi** (solo la domenica precedente il Natale, l'unica dell'anno in cui il locale è aperto, si preparano i classici crostini) e si prosegue con **ribollita**, **zuppa di fagioli**, **pappa al pomodoro**, in estate la panzanella, oppure con **tortelli di patate al ragù** o tagliatelle con verdure. I secondi non sono meno tradizionali: **bollito con salsa verde**, **spezzatino con patate**, **braciola rifatta**, **arista allo spiedo**, **coniglio fritto**, spesso la **trippa alla fiorentina**, sempre una monumentale **bistecca** e altre carni alla brace. Da segnalare fra i contorni le straordinarie patatine fritte. Per finire pecorino o cantucci col Vin Santo.
Il Chianti sfuso della casa è piacevole, servito nei classici boccini da litro o mezzo litro. C'è anche una piccola carta dei vini, una trentina di etichette toscane dai prezzi onesti, come il sorprendente (in positivo) conto finale.

RUGGERO

Trattoria
Via Senese, 89 R
Tel. 055 220542
Chiuso martedì e mercoledì
Orario: mezzogiorno e sera
Ferie: metà luglio-metà agosto, 2 settimane in inverno
Coperti: 40
Prezzi: 28-30 vini esclusi
Carte di credito: tutte, Bancomat

Sulla via Senese, poco dopo il piazzale di Porta Romana, troviamo il semplice e invitante ingresso di questa tipica trattoria fiorentina. Ad accoglierci dietro il bancone c'è Paola, proprietaria assieme al fratello Riccardo (in sala) e al padre Ruggero (in cucina). Accomodati a uno dei pochi tavoli, saremo accuditi con cortesia e professionalità da Daniele, storico collaboratore.
Tra gli antipasti, oltre ai classici **salumi** e **crostini** sono da assaggiare i **pomodori gratinati** e i carciofini freschi sott'olio. I primi piatti privilegiano, come da tradizione regionale, le minestre brodose, quali **pappa al pomodoro**, **ribollita**, zuppa di verdure; nel periodo primaverile è molto gradevole l'insalata di farro con asparagi e gamberetti. Anche i secondi rappresentano il mangiare tradizionale toscano, con il **cimalino** e la **lingua in salsa verde**, l'**arrosto** di pollo o **di piccione** con patate, le **salcicce in umido con fagioli**, il baccalà alla livornese; in estate meritano l'assaggio la ventresca di tonno con fagioli e, se si è così fortunati da trovarli, gli ovoli in insalata. Tra i dessert emergono il *cheese cake*, il crème caramel, lo **zuccotto** e la torta al cioccolato; sempre apprezzabili i cantuccini da intingere nel Vin Santo. La piccola carta dei vini è incentrata sulla Toscana; da non disdegnare lo sfuso, servito nei tradizionali boccini.
L'efficienza e la simpatia del servizio faranno volare il tempo e apprezzare ancora di più il locale, molto frequentato sia dai fiorentini sia dai turisti: soprattutto per la sera, è quasi indispensabile prenotare.

SABATINO

Osteria-trattoria
Via Pisana, 2 R
Tel. 055 225955
Chiuso sabato e domenica
Orario: mezzogiorno e sera
Ferie: agosto
Coperti: 65
Prezzi: 15-20 euro
Carte di credito: le principali, Bancomat

Accoglienza cordiale, tavoli con tovaglie coperte da teli di plastica, bicchieri che servono per l'acqua e per il vino: così si presenta, in un angolo dell'Oltrarno fiorentino, l'osteria gestita dalla famiglia Buccioni. L'atmosfera è quella della trattoria di un tempo, quando era normale sedersi dove si trovava posto, intavolando discussioni improvvisate con gli altri commensali. Il locale è di quelli storici, molto frequentato dagli studenti, e rischia di diventare piuttosto chiassoso nelle ore di punta.
Il menù è giornaliero: piatti casalinghi, servizio rapido e atmosfera gioviale accompagneranno un'esperienza piacevole, che non deve tener conto esclusivamente della proposta alimentare. Fra i piatti che potrete trovare, in base alla spesa fatta al mercato e al vostro orario di arrivo (è consigliabile non attardarsi troppo per avere maggiore scelta), segnaliamo fra i primi gli spaghetti o le **tagliatelle al sugo**, le zuppe e i **topini di patate**, mentre, per secondo, la bistecca, il ***rosbif***, la **francesina**, l'arista al forno, gli **zampetti di maiale**, il fegato al pomodoro, la **coratella di agnello trifolata**, la **trippa alla fiorentina**, lo **stufato di polmone**, i fegatelli di maiale, le **cotenne con i fagioli all'uccelletto** e l'agnello al forno. Secondo l'estro del cuoco possono essere presenti anche alcuni piatti di pesce come il baccalà alla livornese o con i ceci, i totani in zimino, la razza e qualche contorno fra cui i **carciofi ripieni fritti** o i gobbi in umido.
Per il vino non esiste scelta: dovrete accontentarvi dello sfuso della casa.

In via Pisana 3 R c'è il Bovaro, una simpatica birreria dove si trovano le uniche birre artigianali prodotte nell'area fiorentina.

TRE SOLDI

Trattoria
Via D'Annunzio, 4 R-A
Tel. 055 679366
Chiuso venerdì sera e sabato
Orario: mezzogiorno e sera
Ferie: agosto
Coperti: 30 + 30 esterni
Prezzi: 30-35 euro vini esclusi
Carte di credito: tutte, Bancomat

Tra lo stadio e piazza Alberti, direzione Coverciano, ci si imbatte in questa trattoria di tono elegante, caratterizzata all'interno da graziosi particolari di tono orientale. Un piccolo ambiente, con arredi in legno e tovaglie bianche, nel quale si respira un clima fresco e tranquillo, dove ci si può rilassare, con buona musica di sottofondo e fiori sui tavoli. Vi accolgono i titolari, premurosi e gentili, e con semplicità vi orientano nella scelta più accurata.
Il menù, ricco di sapori della tradizione toscana, offre una buona scelta di antipasti, tra i quali carpacci di carne, **salumi** e formaggi improntati al tipico e al ricercato. Molti dei primi piatti sono di pasta fatta in casa: buonissimi gli **gnocchetti** al profumo di erbe e sapori di stagione, da assaggiare anche i **maltagliati al radicchio rosso**. La varietà maggiore, associata a un'alta qualità delle materie prime, si riscontra nei secondi: **bistecca** di chianina, **arrosto di maiale** di cinta senese, **ossobuco di vitellina**, **costolette di agnello a scottadito**. Ampia la scelta dei **formaggi**, forniti da un famoso affinatore locale. Anche i dolci, tutti fatti in casa, sono di ottimo livello: da provare i sorbetti, alcuni fatti con prodotti dei Presìdi Slow Food.
La carta dei vini è molto valida, con un'ampia e accurata scelta di prodotti delle migliori aziende toscane, anche quelle poco conosciute dal grande pubblico. Vale la pena ordinare una bottiglia, anche se è previsto il servizio al bicchiere.

In viale De Amicis, il forno Pugi è famoso per la schiacciata, la pizza al taglio e le focacce.

I trippai di Firenze

C'è da credere che il fast food sia nato secoli fa a Firenze dai banchi dei "trippai e testicciolai" che hanno venduto anche a messer Filippo Brunelleschi quanto serviva per preparare la sua *peposa*. Il trippaio è sempre con noi dietro il banco medievale, al triciclo, all'apino, al supermoderno furgone dall'alto del quale ci guarda compiaciuto e ci regala una battuta allegra mentre fa cuocere lentamente lampredotto (l'abomaso, cioè lo stomaco bovino), spugna e croce (reticolo e rumine, vale a dire due dei tre prestomaci), guancia, poppa e matrice (l'utero della vacca). I contenitori quando si aprono sprigionano profumi che vanno ad aggiungersi, in un insieme inebriante, a quello del brodo di cottura. Sono i profumi del lampredotto in zimino, della trippa ai più svariati sughi, della guancia in stufato... Questo sano modo di mangiare, praticato da una clientela sempre più eterogenea di residenti e turisti, non è forse un fast food ricco di tradizione, simpatia e cultura? Davanti al banco del trippaio, in fila per avere il panino inzuppato al lampredotto o la vaschetta piena di delizie, si parla con i vicini. Ma in quale altro posto oggi accade questo miracolo?

Pier Alberto Antolini

Mario Albergucci
Piazzale di Porta Romana
Orario: lunedì-venerdì 09.00-19.00
Ferie: tre settimane in agosto

Grandi novità per gli amici di Marione e di Manola: un banco nuovo, per far stare meno pigiati i tanti avventori che possono così meglio gustare anche la vicinanza di Palazzo Pitti, e nuovi piatti. Per gli appassionati degli stupendi cosiddetti sottoprodotti della macelleria, all'impareggiabile bollito misto di guancia, lingua, poppa, matrice e quant'altro, ai nervetti alla livornese, alla trippa alle olive si sono aggiunte le palle di toro alla livornese e le polpette di trippa con sugo di lampredotto. Le insalate di trippa estive e naturalmente il buon vino rosso toscano non si sono mossi dal banco di Marione.

Lorenzo Ancilli
Piazza Artom
Tel. 339 445811
Orario: 07.00-17.00
Ferie: agosto

Quasi vent'anni di "trippa e oltre", un'avventura che inizia con i Mondiali di calcio del '90, prima col banchino ora con il chiosco, ispirata dalla passione per quella cucina, una volta povera, che unisce al sapore e ai profumi la fantasia di "quando tutto non c'era ma si sapeva inventare". La moglie Marta cucina, i due figli Enrico e Claudio aiutano al banco. Trippa alla fiorentina, ai porcini o alla veneta, poi il lampredotto classico o ubriaco, ma anche brasato di guancia e coratella di agnello e, ancora, primi toscanissimi come pasta e ceci o pappa al pomodoro. Lorenzo non ha dimenticato il buon vino e ha avuto la simpatica idea di servirlo in bottiglioni dai quali l'avventore può mescerselo a piacere.

Marco Bolognesi
Via Gioberti (vicino a Piazza Beccarla)
Orario: lunedì-venerdì 07.00-19.00
Sabato 07.00-15.00
Ferie: tre settimane in agosto

Le macchine intorno non spariscono come non sparisce la simpatia di Marco. Sempre ottimi i crostini di poppa e il panino col lampredotto, il lampredotto co' pisellini o in zimino, la trippa al sugo o ai funghi, il bollito erotico; assolutamente da non perdere l'insalata di poppa e lingua, lessate nel brodo del lampredotto, condita con pomodoro, zucchini e patate, e l'insalata di trippa, poppa e lingua con pomodoro e basilico.

Alessio Farolfi
Via Aretina angolo via della Casaccia
Orario: lunedì-venerdì 09.00-15.00/17.00-20.00; da ottobre a maggio anche sabato 11.00-14.00
Ferie: tre settimane in agosto

Alessio e Cristina sono compagni di vita e di lavoro e hanno fantasia; oltre ai piatti e panini tipici di lampredotto e trippa ci propongono il lampredotto del buongustaio con olive, funghi e cipolla bianca, ma il mercoledì anche quello alla Medici con prosciutto crudo, cipolla bianca e piselli e una insalata di bollito con cipolla di Tropea, fagioli borlotti e prezzemolo. In dicembre per i "Mercatini di Natale" li potete trovare nella bella cittadina di Marradi dove è nato Alessio.

Lupen e Margo ex la trippaia
Via dell'Ariento angolo via Sant'Antonino
Orario: lunedì-sabato 0.09-18.30
Ferie: una settimana in agosto

Anche con un nome-sigla è sempre la "trippaina d'i' Mercato Centrale"; ha messo la lista delle sue trippe anche in cinese e in arabo in modo che tutto il mondo possa sapere cosa propone. Il brodo dove cuoce il lampredotto e bagna il panino non è commentabile perché Beatrice ci è cresciuta assieme. Comunque qui la tradizione lascia poco spazio a strane innovazioni. Il lampredotto co' fagioli cannellini e il panino co' il bollito di petto e costoline sono piatti che si fanno da anni e piacciono per forza. Anche se poi in estate la fantasia viene fuori con le insalate di trippa.

Orazio Nencioni
Loggia del Porcellino
Orario: lunedì-sabato 09.00-19.00, da luglio a metà settembre chiuso nel pomeriggio
Ferie: due settimane in agosto

Dopo avere sfregato il muso del porcellino, o cinghialotto che sia, è d'obbligo fermarsi da Orazio, quarta generazione di trippai, per mangiare il famoso panino co' lampredotto, ben bagnato nel brodo, ma non è male assaggiare la trippa co' il cavolo o quella co' funghi e magari la zuppa di cipolle col lampredotto sbucciato. Se proprio qualche turista insiste, Orazio gli prepara anche un panino con salumi o formaggio e qualche particolare salsettina, ma non manca un buon bicchiere di rosso (peccato quasi mortale il bicchiere di plastica).

Sergio Pollini
Via de' Macci angolo piazza Sant'Ambrogio
Orario: lunedì-sabato, inverno 08.00-15.00, estate 08.00-18.00
Ferie: agosto

La vecchia Ape sarà presto sostituita da un banco "a norma", ma importante è che rimangano Sergio e Pierpaolo, che sta imparando molto bene dal babbo. Rimangono anche il panino col lampredotto, il lampredotto bollito – con la matrice, quando c'è –, la trippa alla fiorentina, le insalate e la perfetta salsa verde, poi arriva il bollito di pancia accompagnato da guancia o lesso al sugo. Tutto autoservendosi di un onesto vino rosso.

Leonardo Torrini
Viale Donato Giannotti (piazzetta del Bandino)
Orario: lunedì-venerdì 09.00-14.30, 16.00-19.30, sabato 9.00-14.30; luglio-agosto 9.00-14.30
Ferie: prime tre settimane di agosto

"Il trippaio di Gavinana" è sempre pronto a una battuta quando serve il riso co' il cavolo e il lampredotto, la trippa al sugo, il bollito di frattaglie o lo stracotto di lampredotto per non dire della insalata primavera con sedano, carote e olio *bono*. Ma Leonardo ha un segreto, peraltro ben visibile, che si chiama Silvia: è lei che entra nella piccola cucina del chiosco per fare tante belle magie tra le quali le penne al sugo di lampredotto.

Il trippaio di Firenze
Via Maso Finiguerra angolo via Palazzuolo
Orario: lunedì-venerdì 08.00-19.00
Ferie: agosto

In teoria il titolare del banco è Marco Bolognesi di via Gioberti, in pratica è il Boghe, Daniele Gialli, che svaria su lampredotto e trippe proponendo tutte le ricette classiche con correzioni sue difficili da raccontare. Ma dove il Boghe tira fuori il meglio sono le insalate come quella in cui il tonno si sposa con la trippa bianca, i fagioli cannellini e la cipolla.

SAATCHI & SAATC
CHIANTI CLASSICO
DAL 1716
CHIANTI CLASSICO. SE SIETE A CACCIA DEL GRANDE CHIANTI.
CHIANTI CLASSICO. PERCHÉ NASCE DAL CUORE DELLA TOSCANA, DA UNA STORIA SECOLARE, DA UNA TRADIZIONE INIMITABILE. E' IL CONSORZIO CHE LO GARANTISCE.

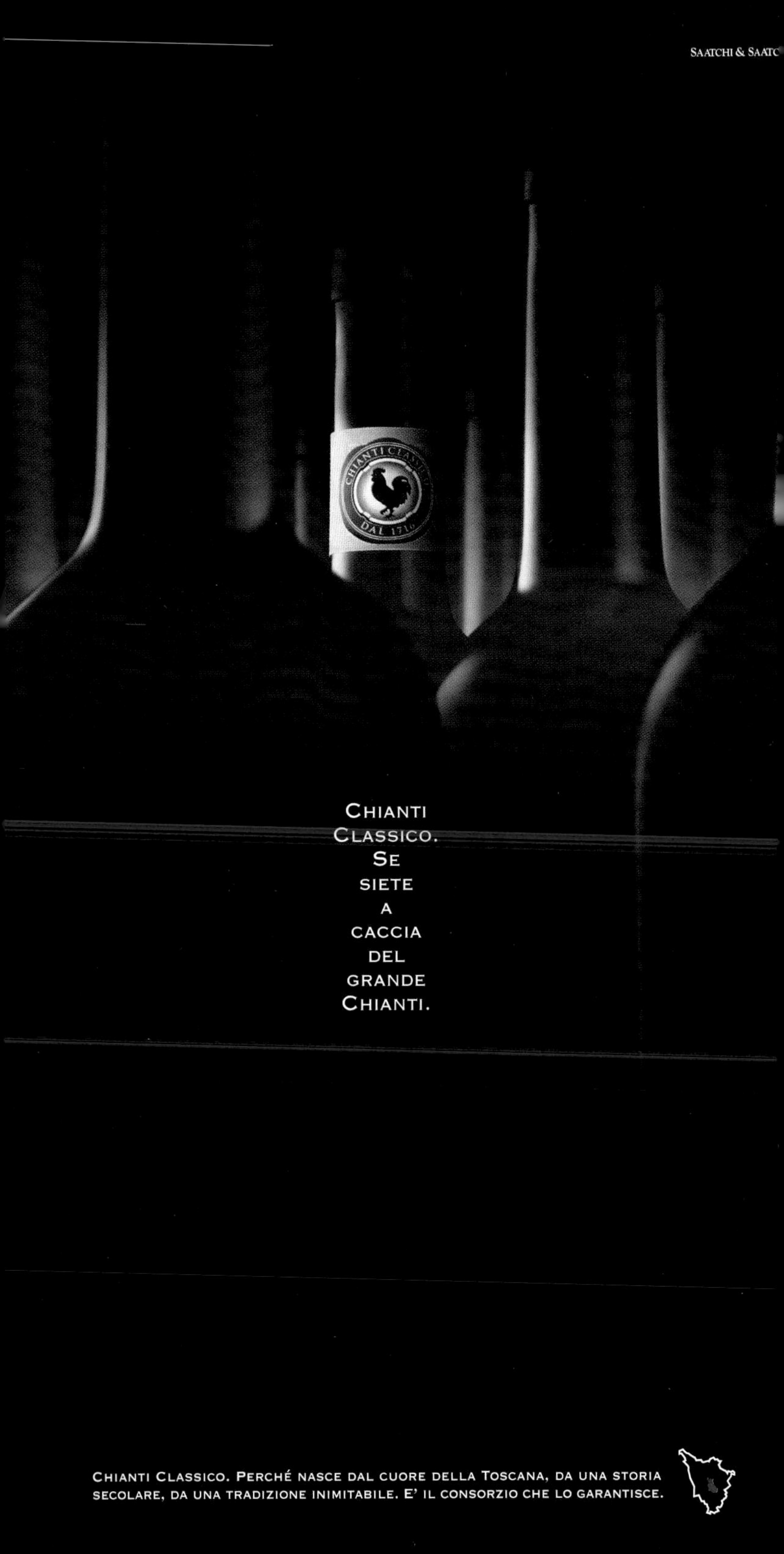

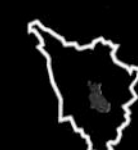

Vinai a Firenze

Una *Vitis vinifera* fossile, risalente al Paleolitico superiore, è stata trovata nel Chianti; al Museo Archeologico di Firenze sono conservati tanti reperti etruschi legati al vino; Lorenzo il Magnifico partito per Pisa dimentica i suoi fiaschi di vino e si affretta a scrivere alla madre Lucrezia affinché glieli invii; dalle porticine del vino dei palazzi rinascimentali si serve e vende vino, i vinai si riuniscono in "Arte dei Vinattieri", nelle mescite e davanti ai vinaini si beve e si tramandano storia e cultura orale. Oggi, nel XXI secolo, i vinai fiorentini sono i loro discendenti. «Et però credo che molta felicità sia agli homini che nascono dove si trovano i vini buoni» (Leonardo da Vinci).

Pier Alberto Antolini

All'antico vinaio

Vineria
Via de' Neri, 65 R
Tel. 055 2382723
Chiuso domenica pomeriggio e lunedì
Orario: 10.00-15.30/17.00-21.30
Ferie: tre settimane in luglio

Uno dei più veri vinaini: bottiglie e vini a mescita, calici tipicamente toscani, stiacciata all'olio, crostini molto buoni, salumi e formaggi e poi la sorpresa: volete una zuppa, una pasta al sugo calda e magari anche un buon secondo? Facilissimo perché la gastronomia di fronte è sempre l'Antico Vinaio e quindi eccovi serviti addirittura a un tavolino.

Antica mescita San Niccolò

Osteria
Via San Niccolò, 60 R
Tel. 055 2342836
Chiuso la domenica
Orario: 12.00-15.00/18.00-24.00; venerdì e sabato 12.00-15.00/18.00-01.00
Ferie: 15 giorni in agosto

In questo locale oltr'Arno tutti i giorni si propone un menù con due-tre primi e due-tre secondi sempre diversi. A pranzo, buffet a soli 10 euro. I vini, anche a bicchiere, sono prevalentemente toscani, pur non mancando l'opportunità di assaggiarne alcuni veramente validi di altre regioni

Baldoria

Osteria-enoteca
Via San Giuseppe, 18 R
Tel. 055 2347220
Non ha giorno di chiusura
Orario: 11.30-01.00
Ferie: non ne fa

Saturnino e la moglie Daniela, nuovi gestori di questo locale accanto alla basilica di Santa Croce, hanno mantenuto l'attenzione per i vini italiani e per la cucina mediterranea, privilegiando quella toscana. Un tocco personale è dato dall'aggiunta ai piatti di mare del pesce veloce del Baltico, il baccalà.

Cantinetta dei Verrazzano

Osteria
Via de' Tavolini, 18-20
Tel. 055 268590
Chiuso la domenica
Orario: 08.00-21.00, luglio e agosto 08.00-16.00

Questa taverna, nata all'interno di un antico forno, ha mantenuto il classico banco del panaio dove farsi fare ottimi panini o gustare la stiacciata toscana con salame, prosciutto e pecorino. Se poi vi sedete in una delle due salette, chiedete la calda cecina o il rinascimentale pandivino da accompagnare con i vini del Castello di Verrazzano prodotti a Greve in Chianti dalla famiglia Cappellini.

Casa del vino

Vineria-osteria
Via dell'Ariento, 16 R
Tel. 055 215609
Chiuso la domenica, da giugno a settembre anche il sabato
Orario: lunedì-giovedì 9.30-15.30, venerdì 9.30-15.30/20.00-24.00, sabato 10.00-15.30
Ferie: agosto

I vini fanno da arredamento come i panchetti, i tavolini e il vecchio bancone. Ai tanti ottimi vini al bicchiere selezionati da Gianni Migliorini si possono abbinare panini con gli sgombri al forno, la burrata o il lardo, oppure insalate di trippa e nervetti. Il giovedì troverete frittatine, verdure alla griglia e formaggi, il venerdì il carpaccio di baccalà arricchito da ceci e verdure.

Coquinarius

Enoteca-wine bar
Via delle Oche, 15 R
Tel. 055 2302153
Chiuso la domenica, aprile-settembre domenica sera
Orario: 12.00-23.00
Ferie: tre settimane in agosto

Il locale è minuscolo, i giovani avventori tanti, i vini molto buoni, preferibilmente di piccoli produttori; la musica di sottofondo è jazz ma il servizio di mescita è fiorentino. Non è possibile bere senza accompagnare il vino con qualche stuzzichino, ed ecco allora apparire una grande varietà di crostoni. I vini a bicchiere sono sempre 10 rossi e 10 bianchi.

Enotria

Enoteca-ristorante
Via delle Porte Nuove, 50
Tel. 055 354350
Chiuso la domenica, lunedì sera e sabato mattina
Orario: 12.00-15.30/19.00-24.00
Ferie: agosto

Wine Spectator ha parlato della passione e abilità di Maurizio nella ricerca costante di classiche e nuove etichette, oltre 400, che comprendono anche vini australiani, cileni e californiani. Si mangia bene e gli abbinamenti cibo-vino si possono solo definire "non scontati". Vini a parte si nota l'interesse per i formaggi e gli oli extravergini. L'oste rivela grande competenza nella scelta dei distillati.

Osteria accessibile ai disabili.

Dei frescobaldi

Wine bar-ristorante
Via della Condotta
Tel. 055 284724
Chiuso la domenica e lunedì a pranzo
Orario: 12.00-15.00/19.00-24.00
Ferie: tre settimane in agosto

Il locale è nato soprattutto per presentare, come quello all'aeroporto di Fiumicino, la vasta gamma dei vini Frescobaldi ai clienti italiani e stranieri. Duccio Mammi lo dirige ed è anche il disegnatore dei piccoli vassoi del fly, un volo tra i vini. Fly è una minidegustazione di tre bicchieri di vino e ogni bottiglia ha un collarino con le spiegazioni inerenti. Dopo la degustazione – anche di salumi e formaggi, insalate, mozzarelle di bufala – chi vuole può accomodarsi al ristorante per un pranzo completo.

Fuoriporta

Enoteca
Via del Monte alle Croci, 10 R
Tel. 055 2342483
Non ha giorno di chiusura
Orario: in primavera-estate 12.30-24.00; in autunno-inverno 12.30-15.30/19.00-24.00
Ferie: 25 e 31 dicembre

Piazzale Michelangelo, la basilica di Monte alle Croci, il forte Belvedere formano un triangolo attorno a questo locale spesso rumoroso, sempre affollato. Moltissime etichette accompagnano piatti raffinati anche se poco toscani, come il petto d'anatra ripieno di *foie gras*; crostoni, crostini e bruschette stanno benissimo con il quartino di vino, un ottimo Chianti o un non meno buono Nero d'Avola.

I fratellini

Vineria
Via de' Cimatori, 38 R
Tel. 055 2396096
Chiuso in luglio e agosto sabato e domenica
Ferie: due settimane in agosto, la seconda e terza di novembre e febbraio

In pieno centro storico, è uno dei più vecchi vinaini fiorentini: un piccolissimo spazio, da dove Armando e Michele servono i tanti amici, non solo italiani, che hanno come sala da pranzo la strada. Panini con un'ottima porchetta, prosciutto toscano e pecorino, crostini neri, con la salciccia o il tartufo tengono compagnia al classico gottino di rosso, ma c'è anche il *ballon* dove farsi versare uno dei tanti vini che fanno cornice al piccolo negozio.

Il santo bevitore

Enoteca
Via Santo Spirito, 64-66 R
Tel. 055 211264
Chiuso domenica a pranzo
Orario: 12.30-14.30/19.30-23.30
Ferie: una settimana in agosto

In una delle tante stalle del tempo delle carrozze, questa calda enoteca, piena di giovanile confusione, è gestita da Martina, Marco e Stefano. Il vino è il principale attore ma ha come degni comprimari piatti come le tagliatelle di farro col sugo di pecora alla moda di Campi, i tortelli di baccelli e pecorino, i *pinci* (*pici*) conditi con il rosso d'astice, salumi ottimi tra cui il lardo di cinta senese, una terrina di fegatini con pane briosciato e ristretto di Vin Santo.

La canova di Gustavino

Osteria-enoteca
Via della Condotta, 29 R
Tel. 055 2399806
Non ha giorno di chiusura
Orario: 12.00-23.30
Ferie: il giorno di Natale

Viva i vini toscani, viene da pensare entrando in questa osteria-enoteca. E viva le zuppe toscane: qui si possono gustare quelle di farro e di ceci, la ribollita, la pappa al pomodoro, la carabaccia. Ma le tante etichette toscane e del resto d'Italia sono fraternamente affiancate a molte francesi. Dal lunedì al venerdì, dalle 16 alle 19, si possono degustare al bicchiere quattro vini regionali accompagnati da buoni formaggi. Quando ci andate date un'occhiata anche ai salumi.

Le volpi e l'uva

Enoteca
Piazza de' Rossi, 1 R
Tel. 055 2398132
Chiuso domenica e alcuni festivi
Orario: 10.00-21.00
Ferie: non ne fa

Riccardo, Emilio e Ciro continuano nelle loro scelte vincenti: privilegiare vini selezionati non per fama di etichetta ma per la reale bravura del vignaiolo, approfondire con la stessa modalità la selezione di vini da dessert, grappe e distillati e amare i grandi formaggi italiani e francesi. Nel locale continua anche la tradizione dei crostoni con salciccia maremmana e pecorino fresco; tra gli stuzzichini spiccano sempre quelli di tonno con cipolline e Armagnac, ma anche quelli fatti con burro bretone o petto d'oca affumicato.

Seidivino

Wine bar
Borgo Ognissanti, 42 R
Tel. 055 217791
Non ha giorno di chiusura
Orario: 10.00-02.00
Ferie: non ne fa

I brasiliani Allan e Jean Dos Reis Ribeiro, pur mantenendo la tradizione di privilegiare i vini e gli stuzzichini toscani, organizzano appuntamenti settimanali anche con altre cucine: giapponese, svedese, messicana. Tutti i giorni dal tardo pomeriggio alle 22 si possono degustare i migliori vini della regione, accompagnati da un buffet gratuito.

Zanobini

Vineria
Via Sant'Antonino, 47 R
Tel. 055 2396850
Chiuso la domenica
Orario: 08.00-14.00/15.00-20.00
Ferie: la settimana di Ferragosto

Se volete rivedere visi di vecchi veri toscani sull'etichetta di un vino, quasi sempre un ottimo Spillato, andate a trovare Mario e Simone Zanobini. Troverete una miriade di ottime bottiglie, soprattutto toscane come comanda l'Antica Arte dei Vinattieri, ma non dimenticate di assaggiare la Formazione 2005 (Sangiovese e Cabernet) e il Classico 2005, senza tralasciare quel gioioso Tra il Lusco e il Brusco che è un ottimo rosato toscano.

Fiesole

Vinandro

Osteria
Piazza Mino da Fiesole, 33
Tel. 055 59121
Chiuso lunedì
Orario: 11.30-24.00
Ferie: agosto

Alessandro e Edoardo sono stanchi di dover ospitare i tanti avventori sempre allo stretto e così hanno deciso di provare, quanto prima, ad allargare il locale. Intanto in cucina hanno nascosto Riccardo, cuoco toscanissimo, che ha subito messo a fare compagnia a ribollita, crostini, rossa carne di manzo, pecorini e affettati anche il dolceforte. Vini al bicchiere ce ne sono parecchi ma i toscani la fanno da signori, seguiti da qualche buon siciliano.

FOLLONICA

44 KM A NO DI GROSSETO SS 1

PACIANCA

Osteria di recente fondazione
Via La Marmora, 70
Tel. 0566 42072
Chiuso la domenica
Orario: mezzogiorno e sera
Ferie: variabili in ottobre-novembre
Coperti: 40 + 20 esterni
Prezzi: 35 euro vini esclusi
Carte di credito: Visa, Bancomat

L'osteria è ubicata in prossimità del lungomare di viale Italia, facilmente raggiungibile a piedi e in auto. Si sviluppa a piano terra con locali interno ed esterno, questo ricavato nel porticato dell'edificio e contiguo a via La Marmora, strada ad alta intensità di traffico nel periodo estivo. L'arredo è moderno e funzionale. Dei tre soci proprietari, Massimo è in cucina, Simone e Luca – sommelier – in sala.
Sono offerti menù di mare e di terra, caratterizzati da gusti decisi, in alcuni casi persino troppo sapidi. Nella lista di mare fra gli antipasti troverete **impepata di cozze**, **crostone ai moscardini**, **polpo lesso**, tra i primi **carbonara di pesce** e penne alla Pacianca (i due piatti si somigliano come sapore e come effetto estetico), risotto al nero di seppia, cacciucchino (una variante del classico cacciucco, senza pomodoro e senza pesce liscoso), tra i secondi gamberi in salsa povera e **fritto di mare e orto**. Il menù di terra è aperto da **crostini** con carne e **salumi** di cinta senese, seguiti da **tortellacci di spinaci e ricotta al ragù**, gnocchi al cacio e noci, **cinghiale in umido** e carni alla griglia. Come dessert ci sono vari tipi di mousse (ai frutti di bosco, alla cioccolata, alla meringa), ben guarniti e belli a vedersi.
Nella carta 25 etichette italiane

Nella vicina via Litoranea, al 77, Gastronomia Il Beccofino: ottima scelta di vini e altri prodotti di qualità, oltre a piatti pronti.

GAIOLE IN CHIANTI
San Regolo

26 KM A NE DI SIENA SS 408

IL CARLINO D'ORO

Ristorante
Località San Regolo, 33
Tel. 0577 747136
Chiuso il lunedì
Orario: solo a mezzogiorno
Ferie: ultima settimana di luglio
Coperti: 60
Prezzi: 15-25 euro vini esclusi
Carte di credito: tutte tranne AE, Bancomat

Poco lontano dalle maestose mura del castello di Brolio, da dove si può godere di una straordinaria vista sulle vallate sottostanti, si trova il piccolo borgo di San Regolo. Qui tra boschi, oliveti e storiche vigne chiantigiane, Carlino e il figlio Fabrizio, con le mogli Marisa e Roberta, gestiscono con cura questo piccolo ristorante offrendo ai loro ospiti i classici della ruspante cucina locale. Alla stessa famiglia appartiene anche il vicino esercizio di alimentari dove si possono acquistare gustosi salumi e formaggi, gli stessi che assaggerete nel ristorante. Sarete accolti con cordialità e fatti accomodare a uno dei tavoli, apparecchiati in maniera molto semplice, quindi vi sarà esposto a voce il menù del giorno.
L'antipasto della casa è composto da **salumi**, **crostini di milza**, bruschette. Tra i primi, nella nostra ultima visita abbiamo assaggiato le tagliatelle al ragù, ma ci sono spesso anche le **pappardelle al cinghiale**, i **ravioli di ricotta e spinaci**, la **ribollita**. Passando ai secondi, oltre all'ottima ***nana*** (anatra) **in porchetta**, vi consigliamo l'**arista al forno**, la **vitella arrosto**, il **piccione** o il **fegato di bove alla griglia**, accompagnati da ceci, erbette saltate, insalata mista. Dolci tutti casalinghi: panna cotta, tiramisù, ciambelline, crostate.
In alternativa a un più che bevibile sfuso, la carta dei vini presenta etichette di aziende di Gaiole e buone bottiglie anche di altre zone toscane.

A **Tregole** di Castellina in Chianti (20 km), Duccio Fontani lavora i campi e raccoglie erbe aromatiche che essicca e con cui prepara profumate mescolanze per arrosti, pesce e verdure.

Gaiole in Chianti

28 km a NE di Siena ss 408

Osteria al ponte

Ristorante
Via Casabianca, 25
Tel. 0577 744007
Chiuso il lunedì
Orario: mezzogiorno e sera
Ferie: metà gennaio-metà febbraio
Coperti: 50 + 70 esterni
Prezzi: 28-35 euro vini esclusi
Carte di credito: tutte, Bancomat

Questo bel ristorante ha sede in un antico mulino adagiato sulla sponda di un piccolo torrente. Il locale nel 2003 è stato rilevato dall'azienda agricola Rocca di Castagnoli che ne ha affidato la conduzione ad Antonio Cabizza, esperto maître, e ad Arjan Cela, chef di lungo corso, il quale ha arricchito il suo bagaglio culinario con ricette regalategli dalle massaie gaiolesi. Una grande veranda, circondata da vasi con piante di limoni, nella bella stagione accoglie gli avventori; all'interno il locale è suddiviso in due salette dall'arredamento tipico e raffinato.
Il menù varia con le stagioni. Come antipasto ci sono il piatto del cacciatore, salumi (di cinta senese ma anche quelli considerati poveri, come **soppressata** e **buristo**), bruschette, carpaccio di carciofi al tartufo. Meritano sicuramente l'assaggio i primi asciutti, tutti di pasta fatta in casa come i ***pici* cacio e pepe**, i ravioli al tartufo, gli straccetti al ragù; in alternativa, **zuppa di farro** o di cipolle, la **ribollita**, nella bella stagione la **panzanella**. Non da meno i secondi, preparati con materie prime eccellenti: **trippa alla gaiolese**, **cinghiale alla chiantigiana**, **bistecca**, tagliata di cinta senese o di manzo. Concludono degnamente il pasto la torta cantuccina (un delizioso semifreddo), la crostata con marmellata e noci, la torta della nonna, il tiramisù, i classici cantucci accompagnati da un ottimo Vin Santo.
La carta dei vini elenca molte etichette per lo più toscane, comprese naturalmente tutte quelle della casa, con ricarichi corretti.

In via Roma, i titolari della macelleria Chini vendono carni locali di qualità e producono ottimi salumi, anche di suino cinto toscano.

Gavorrano
Bagno di Gavorrano

38 km a NO di Grosseto, 14 km da Follonica

La vecchia hosteria

Osteria tradizionale
Viale Marconi, 249
Tel. 0566 844980
Chiuso il giovedì
Orario: mezzogiorno e sera
Ferie: fine gennaio
Coperti: 70 + 70 esterni
Prezzi: 26-35 euro vini esclusi
Carte di credito: tutte, Bancomat

Un ambiente da vera osteria e una cucina di schietta tradizione maremmana vi attendono in questo locale di Bagno di Gavorrano, piccolo borgo addossato a una collina da cui si domina il mare. Il servizio in sala (d'estate anche in veranda) è curato da Roberta, in cucina Alberto prepara con materie prime locali (l'olio è di produzione propria) piatti che variano con le stagioni.
Potremo cominciare con l'antipasto misto di salumi, **crostini** e **sottoli**, con i soli affettati oppure con la polenta grigliata col lardo. I primi asciutti sono di pasta fatta in casa: **tortelli di ricotta e bietole**, **pappardelle** o gnocchi di patate conditi **con** ragù di carne, burro e salvia, funghi, il semplice pomodoro o l'immancabile **sugo di cinghiale**. Meritano una menzione particolare le **zuppe**: da assaggiare quella contadina, la **zuppa di farro**, in stagione quella con i funghi, senza dimenticare la tradizionale **acquacotta**. Per il secondo la scelta spazia tra un fragrante **fritto di coniglio, pollo e agnello**, la **faraona alla cacciatora**, l'ottimo **coniglio** "alla vecchia" (cotto **in padella** con latte, vino bianco e olive), l'**ossobuco**, bistecche, filetti e altre carni alla piastra; a volte c'è anche la **trippa**. Piccola scelta di formaggi toscani e dolci casalinghi al cucchiaio – tiramisù, crema catalana –, ai quali si affiancano cantucci e semifreddi artigianali.
Le etichette, una novantina, sono per lo più di vini maremmani e regionali, offerte con ricarichi onesti.

A 200 metri dall'osteria, in via Marconi 185, panificio Cambri e Bondani: grande scelta di pani e dolci della tradizione maremmana.

Greve in Chianti
Strada in Chianti

20 km a sud di Firenze sp 222

Da padellina

Trattoria
Corso del Popolo, 54
Tel. 055 858388
Chiuso il giovedì
Orario: mezzogiorno e sera
Ferie: tre settimane in agosto
Coperti: 70 + 27 esterni
Prezzi: 35 euro vini esclusi
Carte di credito: tutte, Bancomat

Nonostante qualche caduta di tono registrata in una delle nostre ultime visite (alcuni piatti banali, altri di tradizione ma non perfettamente riusciti), continuiamo a dare fiducia a questa trattoria vecchio stile in cui ci si imbatte percorrendo la Chiantigiana, strada panoramica che unisce Firenze a Siena snodandosi tra le colline vitate di una delle più celebri aree enologiche della Toscana e non solo. Le salette e la terrazza estiva sono arredate con semplicità, l'accoglienza del patron Alvaro Parenti e dei suoi collaboratori è cordiale.
Quasi inevitabile cominciare con il misto di **crostini**, salumi toscani e sottoli casalinghi. Le **penne**, strascicate o condite **con ragù** di carne o **di salsiccia**, sono il primo asciutto più frequente; altrimenti, tortellini al ragù, **pappardelle al sugo di coniglio**, spaghetti alla carrettiera e, tra le minestre brodose, **ribollita** o **pasta e fagioli**. Tra i secondi non manca mai la **bistecca** e ci sono spesso la **fornacina** (una via di mezzo tra il peposo e un normale spezzatino), il **coniglio alla cacciatoria** con funghi, gli **ossobuchi**, i **fegatelli di maiale**. Di contorno, oltre ai toscanissimi **fagioli all'olio**, patate al forno, in stagione i fiori di zucca fritti, altrimenti insalate verdi. Come dessert, mousse di cioccolato, meringata, crostata di fichi e noci e i biscotti di Prato col Vin Santo.
Si bevono il rosso della casa, semplice ma piacevole, o una delle numerose bottiglie disponibili, prevalentemente ma non solo di Chianti Classico.

Greve in Chianti
Dimezzano-Lucolena

30 km a sud di Firenze sp 222

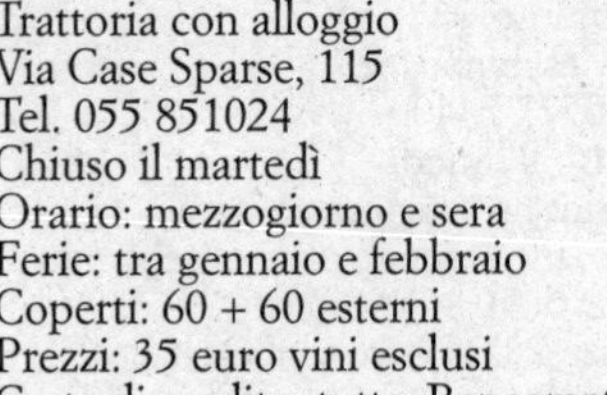

Locanda borgo antico

Trattoria con alloggio
Via Case Sparse, 115
Tel. 055 851024
Chiuso il martedì
Orario: mezzogiorno e sera
Ferie: tra gennaio e febbraio
Coperti: 60 + 60 esterni
Prezzi: 35 euro vini esclusi
Carte di credito: tutte, Bancomat

In questo locale del caratteristico borgo di Dimezzano, a una decina di chilometri dal capoluogo di Greve, l'ambiente è rimasto fedele alla struttura originaria, in pietra e mattoni, con soffitto ad archi e travi in legno. La cura dei particolari denota l'amore dei proprietari, Patrizia (in cucina) e Stefano (in sala, talvolta con aiuti) per il loro locale e per la loro attività.
Il menù cambia secondo stagione e anche su richiesta, ma alcuni piatti ci sono sempre, come, tra gli antipasti, i **crostini**, le bruschette, gli affettati (da assaggiare il **porcaloca**, salume di oca e maiale, e l'eccellente prosciutto d'oca affumicato). Tra i primi di pasta fatta in casa spiccano le **pappardelle** (nei mesi freddi anche **di farina di castagne**) condite **con sugo d'anatra** o di cinghiale, con funghi porcini o con tartufo; ottime le **penne** alla pecoraia (**con ricotta fresca e passata di pomodoro**) e le zuppe: di legumi misti, di farro, la **ribollita** e la **zuppa lombarda**, toscana nonostante il nome. Il piatto forte tra i secondi è il **fritto di coniglio, pollo e verdure**, ma sono spesso in menù altri classici come la **bistecca** (di chianina), il filetto in vari modi, l'**arista con fagioli zolfini** del Presidio Slow Food; su prenotazione, piatti storici come il peposo alla fornacina e il cinghiale in dolceforte. Tra i formaggi il **pecorino** è disponibile anche **al forno**. Tutti casalinghi i dolci: flan al cioccolato, panna cotta, tiramisù, plumcake e i cantucci da tuffare nel Vin Santo.
Stefano va giustamente fiero della sua carta dei vini, per lo più regionali; buono anche il vino della casa, un Sangiovese della zona di Montalcino.
Da novembre a marzo aperto venerdì sera, il sabato e la domenica a pranzo.

MANGIANDO MANGIANDO

Osteria di recente fondazione
Piazza Matteotti, 80
Tel. 055 8546372
Chiuso il lunedì
Orario: mezzogiorno e sera
Ferie: metà gennaio-metà febbraio, una sett in luglio
Coperti: 30 + 30 esterni
Prezzi: 25-30 euro vini esclusi
Carte di credito: tutte tranne AE, Bancomat

Nella piazza principale di Greve, dietro la statua di Giovanni da Verrazzano, si trova questa piccola osteria, che nel periodo estivo sfrutta i posti all'aperto con la splendida visuale del loggiato che circonda la piazza. L'interno è un'unica sala dominata dalla cucina a vista, con pochi tavoli scompagnati che creano un'atmosfera di familiarità. Alle pareti gli stemmi araldici si alternano a quadri con etichette di vino e foto di clienti e amici. Mirna si destreggia tra i tavoli e spiega i piatti che il marito Salvatore prepara sotto gli occhi attenti degli avventori.
Il menù ha il suo filo conduttore nella tradizione grevigiana, ricca di piatti di carne. Si parte con bruschetta all'olio *bono* e pomodoro, **manzo chianino al coltello**, antipasto toscano o solo i **crostini** misti. Poi, **pappa al pomodoro**, **ribollita**, pasta e fagioli, **pappardelle al cinghiale**, rigatoni con guanciale, cipolla e pomodoro, **garganelli al sugo di cinta senese**. Come secondo, gran **tegame in umido di cinta senese** con fagioli bianchi, arista con le mele, **peposo alla fornacina** cotto nel Chianti Classico, **bistecca** o baccalà in padella. Per finire ci sono tortini dolci o taglieri di pecorini della zona.
I vini non possono che esprimere soprattutto il territorio del Chianti, ma non mancano bottiglie delle realtà extraregionali più interessanti.

Osteria accessibile ai disabili.

Antica macelleria Falorni, piazza Matteotti 69-70: carni e salumi tradizionali eccellenti (prosciutto crudo, capocollo, filzetta, soppressata, finocchiona). A poche decine di metri, in piazza delle Cantine 6, Le Cantine di Greve è una fornita enoteca (1200 bottiglie di cui 150 degustabili) con annesso museo storico.

LA TAVERNA DEL GUERRINO

Trattoria
Via di Montefioralle, 39
Tel. 055 853106
Chiuso lunedì, martedì e mercoledì a pranzo
Orario: mezzogiorno e sera
Ferie: gennaio, febbraio e novembre
Coperti: 40 + 40 esterni
Prezzi: 30-32 euro vini esclusi
Carte di credito: nessuna

Il borgo di Montefioralle, con il castello, sovrasta Greve dall'alto di una collina. È un paesino tutto cotto e pietra, tranquillo e armonioso. In una casa antica, il locale della famiglia Niccolai è in simbiosi con l'ambiente: arredamento semplice, cucina tradizionale. Si può mangiare in una delle due salette oppure, clima permettendo, in terrazza, godendosi il fresco e la splendida vista dei vigneti e della campagna chiantigiana.
Il menù non dà ampia scelta, ma i piatti sono preparati accuratamente con ingredienti genuini, freschi e di prima qualità. Gli antipasti sono quelli classici del territorio: **crostini**, affettati misti (salame di cinghiale, **finocchiona** e prosciutto), **fettunta** agliata, pane col pomodoro fresco condito. Poi, **ribollita**, panzanella e, come primo asciutto, **pappardelle** o spaghetti **al sugo** di carne, **di manzo** (veramente ben tirato) o **di cinghiale**. Di secondo, carni alla brace: **bistecca**, **rosticciana**, braciole di maiale e **salsicce**; i contorni vedono al primo posto i toscanissimi fagioli, seguiti da patate e verdure di stagione, anche in insalata. Al momento del dolce evitate i gelati confezionati e puntate su una semplice torta casalinga o sui cantucci con Vin Santo.
Lo sfuso della casa è buono e ben si accompagna ai piatti, ma si possono scegliere anche etichette di vari Chianti, Rossi di Montepulciano e Vernacce di San Gimignano. Il personale di servizio è cortese e affabile.

In località **Citille** (3 km da Montefioralle) il Podere Le Fornaci produce ottimi caprini biologici, tra cui si segnalano il fresco, il crosta fiorita e vari aromatizzati.

GROSSETO
Braccagni

10 KM DAL CENTRO DELLA CITTÀ

OSTE SCURO

Osteria di recente fondazione
Via Malenchini, 38
Tel. 0564 324068-339 8781794
Chiuso lunedì e martedì
Orario: mezzogiorno e sera
Ferie: variabili
Coperti: 16 + 8 esterni
Prezzi: 23-35 euro vini esclusi
Carte di credito: CartaSi, Visa, Bancomat

Oste Scuro è un nome che ricorda locali di livello del Nordest. Siamo, invece, a nord di Grosseto, in un locale arredato in stile moderno da Ida ed Ezio. Lei ai fornelli, lui ai tavoli, pur essendo settentrionali, sanno esprimere la tradizione gastronomica locale, nonché la loro cultura e passione per i prodotti di alta qualità, compresi quelli dei Presìdi Slow Food.
Ci sono tre menù degustazione con vini abbinati (scelti da Ezio, che è anche sommelier) e una lista che cambia ogni due mesi, ma si può fare riferimento anche al menù del giorno, scritto sulla lavagna, che comprende sempre un piatto di pesce (per esempio paccheri con scorfano o ombrina, tagliata di tonno con fagioli del purgatorio). Segnaliamo tra gli antipasti il tagliere di prosciutto toscano, le **acciughe** (*masculina da magghia*) **sotto pesto**, la selezione di pecorini toscani di varia stagionatura con miele di castagno dell'Amiata e confettura di cipolla rossa di Certaldo. Come primo, **gnocchetti di patate rosse di Cetica al ragù di chianina** o **di cinta senese**, **tagliatelle al sugo di cinghiale**, bucatini alla fonduta di pecorino toscano. Poi, **trippa alla maremmana**, **bocconcini di cinghiale al Vermentino**, tagliata di maremmana o di chianina, grande assortimento di **formaggi**. Tra i dolci, tutti casalinghi, crema di mascarpone con brigidini di Lamporecchio e vari semifreddi.
Ottima carta dei vini, curata con giudizio e competenza e con occhio sempre attento al rapporto tra qualità e prezzo. Possibile il servizio al bicchiere, anche nei grandi vini.

Nel centro storico di **Grosseto** (10 km), via San Martino 47, Alessandra Tonini vende generi alimentari freschi e conservati, compresi i prodotti di alcuni Presìdi Slow Food e rare specialità d'importazione.

ISOLA D'ELBA
Portoferraio

TRAGHETTO DA PIOMBINO

CAFFESCONDIDO

Osteria-enoteca
Via del Carmine, 65
Tel. 340 3400881
Chiuso la domenica
Orario: mezzogiorno e sera
Ferie: 1 settimana in novembre, 1 in marzo
Coperti: 40 + 30 esterni
Prezzi: 25-30 euro vini esclusi
Carte di credito: nessuna

Nel panorama un po' troppo "turistizzato" dei luoghi di ristoro elbani, la bella osteria di Marco Pozzetto e Francesco Cimino rappresenta una meritoria eccezione: ferie a parte, è aperta tutto l'anno e offre una proposta intelligente, molto legata al cibo di tradizione, con un buon rapporto tra qualità e prezzo. L'ambiente, una vecchia bottega di vino ben ristrutturata, è predisposto per esigenze diversificate: due salette con, nella prima, il banco per spuntini e aperitivi, un giardinetto e, al di là delle stradina, un altro piccolo dehors con vista sul golfo di Portoferraio.
Marco ha un bel rapporto con la clientela, alla quale presenta con competenza piatti e vini. La cucina di Francesco è semplice, impostata sulla scelta di materie prime di grande qualità. I menù, scritti ogni giorno su una lavagna, variano secondo stagione. Potrete cominciare con **acciughe** o **sgombri alla povera**, **zerri marinati all'elbana**, **palamita** e sgombri **sott'olio**. Tra i primi, chitarrini allo scoglio, **linguine** al polpo, al totano o **alla margherita** (*granseola*), gnocchetti ai ricci di mare (purtroppo rari) e gli imperdibili **spaghetti all'acciuga fresca con finocchietto selvatico e pinoli**. Come secondo, il pescato del giorno in varie preparazioni (per esempio, **totano con carciofi**, **polpo con patate**, **tonno al forno con cipolle e lardo di Colonnata**) oppure lo **stoccafisso alla riese** o il **baccalà alla marinese**; inoltre, uno o due piatti di carne. In chiusura, mousse al cioccolato con pere al Calvados e cantuccini accompagnati da Aleatico, Moscato o Ansonica.
Buona la proposta di vini, bianchi e rossi, serviti anche al bicchiere.

Isola d'Elba
Rio Marina

26 km da Portoferraio + traghetto da Piombino

Da Oreste alla Strega

Ristorante
Piazza Vittorio Emanuele, 6
Tel. 0565 962211
Chiuso il martedì, mai d'estate
Orario: mezzogiorno e sera
Ferie: 10 gennaio-10 marzo
Coperti: 20 + 60 esterni
Prezzi: 32-35 euro vini esclusi
Carte di credito: tutte, Bancomat

La costa labronica sembra a un passo da questo locale gradevole e accogliente, collocato in pieno centro di Rio Marina, versante orientale dell'Elba, meno turistico e più legato alla passata attività estrattiva dell'isola. Il ristorante, già magazzino di alimentari e spaccio per minatori, nasce nel 1973 con Oreste Cecchini, tuttora padrone di casa, affiancato ormai permanentemente dal figlio Claudio, che dopo la scuola alberghiera ed esperienze professionali nel Nord Italia si occupa della cucina. I piatti appartengono quasi tutti alla tradizione marinara elbana e il servizio è attento, competente anche sulla scelta dei vini.
Si può iniziare con le ottime **seppie in agrodolce** con verdure, ma anche con la **tonnina alla riese** (vecchio piatto di pescatori), le **acciughe al limone**, la vellutata di zucchine piccanti e gamberetti. Tra i primi, **risotti** (allo zafferano con frutti di mare in bianco, con fagioli borlotti, finocchietto selvatico e pancetta affumicata), **gnocchetti di patate con sugo di polpo**, **spaghetti al finocchio selvatico con le acciughe**. Si può proseguire con una splendida **frittura di puntine** (piccolissimi moscardini), lo **stoccafisso alla riese**, i **totani alla diavola** o con cipolla e tortino di patate, il pescato del giorno al forno. Tra i dolci non perdetevi la tipica ***schiaccia briaca***.
Accompagna il tutto una discreta selezione di vini bianchi, con prevalenza di etichette locali e qualche incursione fra le nazionali, assieme a rossi toscani. Alcuni dei vini in carta sono serviti anche a bicchiere.

Pasticceria Muti & Lupi, via Palestro 11, per schiaccia briaca e pan del marinaio. Apicoltura Ballino Cavo, località **Montegrosso**, vende ottimi mieli: di rosmarino, cardo, castagno.

Isola d'Elba
Porto Azzurro

12 km da Portoferraio + traghetto da Piombino

La Botte Gaia

Osteria con cucina
Viale Europa, 5-7
Tel. 0565 95607
Chiuso il lunedì, mai d'estate
Orario: solo la sera
Ferie: 9-31 gennaio, 5-30 novembre
Coperti: 40 + 20 esterni
Prezzi: 30-35 euro vini esclusi
Carte di credito: tutte tranne AE

Prima deposito di vini e derrate alimentari, poi anonimo ristorante, da cinque anni questo locale è stato trasformato da Antonella e Riccardo in una simpatica osteria, dove a prezzi competitivi per l'Elba si può gustare una buona cucina di tradizione. Oltre al bar per aperitivi e spuntini ci sono due piccole sale con vecchi arredi e un giardino estivo. Antonella è ai fornelli e Riccardo in sala: entrambi sono appassionati ricercatori di ottime materie prime, dal pescato locale alla frutta, alle verdure fornite dal padre di lei. Eccellente la carta dei vini, toscani e del resto d'Italia, con ampia scelta al bicchiere.
Invitante il menù degustazione, quattro portate e un vino isolano a 30 euro. Se sceglieste alla carta, potrete cominciare con l'assaggio di cinque o, più prudentemente, di un solo antipasto tra **palamita** dell'Arcipelago **sott'olio** con cipollotti e fagioli cannellini, **insalata di polpo**, sformatino di acciughe con patate, **involtino di verza con baccalà**, tagliere di formaggi e salumi, **pappa al pomodoro** (in varie versioni) con pane di Montegemoli. Come primo, **tonnarelli** o gnocchetti **al sugo di polpo** o con uova di pesce e fiori di zucca, **tagliolini neri al ragù di mare**, **pasta fresca alle acciughe**, ravioli di patate con pecorino sardo, pesto di zucchine e pinoli. Si può proseguire con zuppa di pesce all'elbana, acciughe fritte, filetto di tonno in crosta alle erbe aromatiche, tagliata di pescatrice con carciofi, stoccafisso con patate, il pescato del giorno al forno. Buona anche la scelta di piatti di carne: **spezzatino di manzo con verdure**, **trippa all'elbana**, filetto al Chianti con bacche di ginepro. Casalinghi i dessert, dalla ***schiaccia briaca*** a vari dolci al cucchiaio, ai cantucci serviti con calici di Aleatico.

Isola d'Elba
Portoferraio

Traghetto da Piombino

La carretta

Ristorante-pizzeria
Località Magazzini, 92
Tel. 0565 933223
Chiuso il lunedì, mai d'estate
Orario: solo la sera
Ferie: metà ottobre-metà gennaio
Coperti: 80 + 50 esterni
Prezzi: 25-30 euro vini esclusi
Carte di credito le principali

In campagna, sulla strada che collega Portoferraio a Bagnaia, questo locale, nato come pizzeria, è divenuto in seguito anche ristorante. Roberto e Marcella Olivari, iniziando a introdurre nel menù piatti di cucina elbana, si sono circondati di una clientela affezionata che vede nella Carretta una valida alternativa a locali che si trovano in zone più marine e turistiche. L'ambiente, tutto in legno e ben curato, con un ampio giardino per il periodo estivo oltre a due sale interne, è accogliente nella sua semplicità. In sala Roberto e Marcella, con i figli Pietro e Marta, coadiuvati da Antonio; in cucina Umberto, giovane cuoco elbano.
Gli antipasti, di cui possono anche essere ordinati vari assaggi (quello della casa ne comprende cinque), vanno dalla **zuppetta di frutti di mare all'elbana** (con vongole, cozze, verdurine e pomodori freschi) agli **zerri marinati**, alle **cozze all'isolana**; appetitose le bruschette. Come primo, **linguine alla rana pescatrice**, gnocchetti alla gallinella di mare, **spaghetti alle acciughe**, allo scorfano o alla *granseola*; inoltre, **zuppa di verdure di campo all'elbana**. Spigola in crosta di patate con sauté di molluschi, **polpetti affogati all'elbana**, stoccafisso o **baccalà in agrodolce** si alternato tra i secondi al pescato del giorno, cucinato al sale, alla griglia o al forno con verdure; le carni sono alla brace. Il locale, dotato di forno a legna, offre ottime pizze; la presenza del forno consente la cottura del pane che troverete in tavola. Fra i dolci, tutti casalinghi, torta di mele con gelato, zuppa inglese, cantuccini con Aleatico dell'Elba.
Discreta la proposta di vini, bianchi e rossi, locali e nazionali.

Isola d'Elba
Marciana Castello

27 km da Portoferraio + traghetto da Piombino

Osteria del noce

Trattoria
Via della Madonna, 27
Tel. 0565 901284
Non ha giorno di chiusura
Orario: mezzogiorno e sera
Ferie: novembre-marzo
Coperti: 30 + 40 esterni
Prezzi: 30-35 euro vini esclusi
Carte di credito: tutte tranne DC, Bancomat

In un vecchio magazzino con bellissima vista sulla vallata del monte Capanne, il locale di Alberto e Rita Capello è al quattordicesimo anno di attività. Prima di trasferirsi all'Elba Rita gestiva con la madre una pescheria a Sestri Levante, mentre sull'isola Alberto aveva una scuola di vela e nel tempo libero si dedicava alla pesca. Da queste esperienze entrambi hanno sviluppato conoscenza e passione per il pesce, soprattutto povero: razze, sgombri, sardine, acciughe, sciabole.
Il menù del giorno, che dipende strettamente dal pescato, può aprirsi con millefoglie di ricciola al pomodoro e timo, **tonno con pinoli e cipolle**, insalata di cozze o di polpo o di sgombro, **sarde in scabeccio**. L'influsso ligure è evidente in piatti come i corsetti con zucchine e fasolari, le casalinghe **trofie all'arsillo** (con ragù di mare), le **linguine con *sconcigli*** o patelle (molluschi provenienti dalla Corsica dove la loro pesca è consentita), i **testaroli con vongole e verdure** o con acciughe e pistacchi. Inoltre, maltagliati di farina di farro con scampetti e bietoline di campo, risotto con funghi secchi e polpo, **torta di acciughe e patate**, fagottino di ricotta e bottarga in salsa calda alle noci, lasagna di pesce aperta, **capone all'elbana**, gallinella o sampietro al finocchietto selvatico, nasello in farcia di pinoli e basilico, mormora al forno con frutti di mare e patate, **triglie al latte e limone**, tagliata di tonno, **cacciucco** della Rita. Se c'è, non perdetevi la **frittura di paranza**. Pane e dolci – torta di nocciole, delizia di castagne, semifreddi e sorbetti – sono fatti in casa.
Nella carta dei vini, molto migliorata, le migliori etichette locali e una buona scelta di nazionali. Si consiglia di prenotare per tempo. Se ci andate a pranzo, ricordate che la cucina chiude alle 14.

Isola d'Elba
Capoliveri

17 km da Portoferraio + traghetto da Piombino

Summertime 

Ristorante
Via Roma, 56
Tel. 0565 935180
Chiuso il lunedì a pranzo
Orario: mezzogiorno e sera, agosto solo sera
Ferie: 3 novembre-15 marzo
Coperti: 30 + 20 esterni
Prezzi: 35 euro vini esclusi
Carte di credito: le principali, Bancomat

Una piazzetta del borgo di Capoliveri, tra le principali attrattive dell'isola con i suoi superbi affacci sulla marina, ospita questo locale dove la cucina elbana è interpretata con fedeltà alla tradizione non disgiunta da tocchi di ponderata creatività. Il patron Mauro Tosi accoglie con cortesia e segue con competenza gli avventori; in cucina c'è il bravo cuoco Beppe Silvio. L'ambiente è semplice ma curato, con particolari (per esempio i fiori freschi sui tavoli) che rivelano attenzione per il cliente e ne fanno un luogo di sosta davvero gradevole.
A partire dagli antipasti la cucina propone un delizioso **frittino di pani e pesci** (arancini, zeppole, acciughe ripiene), una combinazione di **pesci marinati**, carpacci di pesce di giornata. Primi piatti ricorrenti sono gli **gnocchi di patate alla margherita** (con *granseola* o granchi freschi e pomodorini), gli **strozzapreti ai totani** nostrani con cipollotto e rosmarino, i **maccheroncelli** dorati **alle acciughe con finocchietto, uvetta e pesto di pistacchi**. Tra i secondi, la tagliata di tonno con germogli di insalata e alghe, il pesce spada del Tirreno, il **polpo in umido** con pomodoro e patate mantecate, oltre a una imperdibile **grigliata di pesce azzurro e verdure** (sgombri, sardine, palamite, aluzzi, acciughe). Per il dessert c'è un'ampia scelta di sorbetti e dolci della casa, tra cui la ***schiaccia*** dell'Elba, da accompagnare con un calice di Aleatico.
Buona selezione di etichette locali e nazionali, proposta con cura e competenza. Su prenotazione il locale apre anche in inverno.

Isola del Giglio
Giglio Porto

52 km da Grosseto + traghetto da Porto Santo Stefano

La paloma

Ristorante
Via Umberto I, 48
Tel. 0564 809233
Chiuso il lunedì, mai in luglio-agosto
Orario: mezzogiorno e sera
Ferie: variabili
Coperti: 20 + 45 esterni
Prezzi: 35 euro vini esclusi
Carte di credito: le principali, Bancomat

L'isola del Giglio è una scoperta continua. Il viaggio dall'Argentario, nei 50 minuti di traghetto, fa assaporare ancora di più questo pezzo di terra granitico che si staglia a sud dell'arcipelago toscano. In meravigliosa posizione e naturalisticamente ricchissima, l'isola ha un fascino particolare legato alla sua storia e alle sue tradizioni. Qui hanno sempre convissuto l'anima contadina e quella marinara. E di questa unione si ha risultato a tavola.
La Paloma è un locale piccolo ed essenziale, quasi anonimo, con sedie e tavolini in plastica tipo campeggio. A due passi dall'approdo dei traghetti, proprio sul porto, ha la sua forza in cucina. Claudio Bossini trova ispirazione quotidianamente nel pescato. Non esiste menù, i piatti sono elencati a voce da chi serve ai tavoli. Ogni giorno quindi ci sono nuove scoperte e nuove possibilità. Dagli **involtini di spada** per iniziare, alle **cozze in crosta**, fino all'immancabile e ben fatta **tonnina con i pomodorini**, vera tipicità che resiste alle mode. Tra i primi, spaghetti con vongole, **zuppa di pesce** e gli ottimi **paccheri con calamari, zucchine e pecorino**. Anche i secondi variano in funzione del pescato, ma quasi tutto (per esempio, l'**ombrina** o la **ricciola**) è cotto **in crosta di pane** e accompagnato da verdure al vapore. Si trovano spesso le **acciughe fritte** o **al forno**, classico piatto che non tradisce il palato e che abbiamo trovato ben cucinato. Tra i dolci, sempre fatti in casa, una sfogliata di mela e il dolce tipico gigliese, il **panficato**, meritevole di assaggio.
Si bevono prevalentemente Ansonica e altri vini locali, ma ci sono anche alcune bottiglie di Toscana e d'Italia.

Livorno

Cantina nardi

Enoteca con mescita e cucina
Via Leonardo Cambini, 6-8
Tel. 0586 808006
Chiuso la domenica
Orario: solo a mezzogiorno
Ferie: due settimane in agosto
Coperti: 35 + 20 esterni
Prezzi: 25-30 euro vini esclusi
Carte di credito: AE, Visa

Le pareti dello storico locale della famiglia Nardi, a ridosso dell'isola pedonale di via Ricasoli, tra via Marradi e via Roma, sono tappezzate da scaffalature in legno ricolme di bottiglie, il che contribuisce a riscaldare l'ambiente. Ti viene voglia di lasciarti andare con i vini e, se segui i consigli del padrone di casa, simpatico con le sue bretelle in bella vista, ti puoi ritrovare a bere una bottiglia di Champagne rosé, e anche questo fa allegria. Di vini c'è una vasta scelta ma, se optate per quelli della casa, potrete degustare un buon bianco e un altrettanto buon Sangiovese in bottiglia che, correttamente, la brava e simpatica Elisabetta aprirà davanti a voi.
La scelta di predisporre un menù ogni giorno diverso, con non più di due o tre piatti per portata, unitamente al fatto che il locale è molto frequentato, garantisce l'assoluta freschezza delle materie prime. Noi abbiamo ordinato gli **spaghettini alle telline**, ben fatti, anche se un pizzico di gusto in più non avrebbe guastato. Molto saporita si è invece rivelata l'**aringa**, e buona la **razza alla livornese**. Fra i primi, oltre a vari formati di **pasta** conditi **con** sughi di pesce o **pesto**, c'è sempre una **zuppa** (**di ceci** o altri legumi, di farro, di verdure) oppure la **pappa col pomodoro**. Altri piatti ricorrenti sono il **polpo con le patate**, lo **sformato di acciughe**, il **palombo con i piselli**, lo stoccafisso o il **baccalà alla livornese**. C'è anche qualche piatto di carne: bollito con peperoni e melanzane, bistecche alla griglia. Si chiude con buone crostate o altri dolci casalinghi.

Livorno
Castellaccio

12 km dal centro della città

Ghinè cambrì

Osteria-enoteca
Via di Quercianella, 263
Tel. 0586 579414
Chiuso lunedì e martedì, mai d'estate
Orario: solo la sera
Ferie: 7-21 gennaio
Coperti: 80 + 80 esterni
Prezzi: 30 euro vini esclusi
Carte di credito: tutte tranne DC, Bancomat

Il locale, al quale si accede da una rampa seguita da sette scalini, prende nome da un vecchio gioco di strada. C'è qualche problema di parcheggio, soprattutto nei giorni festivi. L'arredamento è semplice, con sedie impagliate e tavoli di legno apparecchiati con tovagliette all'americana di carta gialla. Nella bella stagione è possibile cenare all'aperto.
Nonostante la vicinanza al mare, la cucina è prevalentemente terragna. Il menù cambia all'arrivo dell'estate e dell'inverno, ma ci sono sempre piatti come l'antipasto misto di terra, i **salumi**, **crostoni** con verdure o con le acciughe, la **bistecca**. Preparazioni di pesce compaiono nei mesi caldi, con la **zuppetta di cozze e vongole** o le cozze alla marinara. La voce "le sorprese del Ghinè" fa riferimento ai piatti del giorno, che sono elencati dai camerieri e spaziano dalla crema di asparagi con prosciutto croccante, alla tagliata di tonno con pesto di rucola. I nomi dati alle portate sono di fantasia, spesso nello spirito ironico dei livornesi, come "boia come l'è bono", "ci vole vaini", "frittura incasinata". "L'altra roba" per esempio sono **maltagliati con porcini** e verdure, da assaggiare come le **trenette con melanzane**, peperone, pomodoro e mozzarella di bufala e il **farro al pesto**. Le **carni** dei secondi sono cucinate prevalentemente **alla griglia**. Dolci casalinghi, compreso il sorbetto all'Aleatico.
Molto ampia la carta dei vini, scelti da Barbara, sommelier, con particolare attenzione ai produttori della costa e ai toscani in genere, ma con significative escursioni nelle altre regioni. Non è previsto il servizio a bicchiere ma c'è un'ottima selezione di mezze bottiglie; inoltre una discreta disponibilità di magnum.
In inverno aperto anche la domenica a mezzogiorno.

Livorno
Antignano

7 km dal centro della città

In caciaia

Osteria di recente fondazione
Via dei Bagni, 38
Tel. 0586 580403
Chiuso lunedì e martedì
Orario: sera, sabato e domenica anche pranzo
Ferie: variabili
Coperti: 60 + 40 esterni
Prezzi: 25-30 euro vini esclusi
Carte di credito: tutte

Il primo consiglio è di arrivare ad Antignano percorrendo l'Aurelia, magari al tramonto: vi troverete davanti a una delle più belle coste del Tirreno. L'osteria è nella piazzetta adiacente il castello di Antignano, a due passi dal mare. Il secondo consiglio è di evitare il sabato sera, quando il locale è sempre molto affollato. Il patron Gangio e il suo staff vi accoglieranno cordialmente in un ambiente arredato con semplicità e buon gusto. Non circola il menù: quello che c'è lo trovate scritto su una bella lavagna a muro stile scuola elementare.
La tradizione marinara livornese la fa da padrona. Il primo impatto, con le **acciughe alla povera**, è notevole e dispone al meglio. Buone anche le **cozze ripiene** e la frittata di bianchetti. Tra i primi risaltano i **tagliolini alle acciughe** fresche o (quando ci sono) ai bianchetti, gli **spaghetti alle *zighe*** (arselle) e il **passato di ceci e razza**. Per sentire il sapore del mare vale la pena di provare anche il **riso al nero di seppia**. Il piatto forte – siamo ai secondi – è lo **stoccafisso alla livornese** (con le patate, che si distingue da quello pisano con le cipolle). Interessante anche il **baccalà con i porri**, più ordinari gli spiedini di totani e gamberi. I dolci sono della casa (la proposta prevalente è il *cheese cake*), ma l'importante è non alzarsi senza aver bevuto il tipico – per qualcuno mitico – **ponce alla livornese**.
La carta dei vini presenta una buona selezione di etichette nazionali, con particolare attenzione ai bianchi (il vino della casa è un buon Pinot Grigio). Il pane è a lievitazione naturale. La prenotazione è vivamente consigliata, specialmente nel fine settimana.

Locale segnalato dall'Associazione italiana celiachia.

Livorno
Antignano

7 km dal centro della città

In piazzetta

NOVITÀ

Ristorante
Piazza Bartolomei, 1
Tel. 0586 504201
Chiuso il lunedì
Orario: sera, inverno anche domenica a pranzo
Ferie: due settimane in aprile
Coperti: 55 + 40 esterni
Prezzi: 30-32 euro vini esclusi
Carte di credito: tutte

Questo ristorante si trova nella piazza principale di Antignano, frazione di Livorno che si incontra lungo l'Aurelia. Entrando, troviamo il classico bancone delle osterie di una volta, dov'è possibile gustare velocemente un piatto e un bicchiere di vino. Due le sale, arredate in modo semplice, con le travi a vista sul soffitto e alle pareti mensole colme di vini; nella bella stagione si mangia anche nel giardino attiguo alla sala più grande. Silvia e Alessandro, coadiuvati in sala da altre due ragazze, vi illustreranno il menù; in cucina è la mamma di Alessandro a preparare piatti in buona parte a base di pesce.
Si inizia solitamente con una buona **zuppetta di cozze** o con l'antipasto misto di mare (sette assaggi) che varia in base al pescato; da provare, il giovedì e il sabato, il pesce crudo. Fra i possibili primi, ottime penne con vongole e carciofi, **riso al nero di seppia**, tagliolini alla marinara, all'astice o al pecorino e polpetti, **linguine alle cicale**. Passando ai secondi, si può scegliere dal banco refrigerato della sala grande il pesce del Tirreno (sampietro, **scorfano**, **occhione**, **gallinella**, orata) da farsi bollito o **al forno** con patate e pomodorini; e poi ancora **triglie alla livornese**, un ricco **fritto** di barca o di totani e gamberi, mazzancolle in guazzetto. Su prenotazione ci si può far preparare un ottimo **cacciucco alla livornese**. Si finisce con i dolci fatti in casa: sfogliata di crema e fragole, crème brûlée, flan al cioccolato.
Buona la selezione di vini bianchi e rossi, con ricarichi onestissimi. Finirete con il classico ponce alla livornese e con la sorpresa di un conto moderato.

Loro Ciuffenna

30 km a NO di Arezzo SP 1

Cassia vetus

Osteria
Via Setteponti Levante, 18 C-bivio Casalini
Tel. 055 9172116-338 8322358
Chiuso il mercoledì
Orario: mezzogiorno e sera, nov-apr solo sera
Ferie: 1 settimana in gennaio, 1 in febbraio
Coperti: 40 + 60 esterni
Prezzi: 23-30 euro vini esclusi
Carte di credito: tutte, Bancomat

L'osteria di Claudio Cavaliere ha il nome della strada che dal 187 a.C. da Ponte Buriano arrivava fino a Fiesole, costeggiando il Pratomagno. Su questa antica via lascerete l'auto in un oliveto ed entrerete in una casa colonica ottocentesca sapientemente ristrutturata, dove gli ambienti interni conservano il sapore del passato e dove, in estate, ci si può accomodare al fresco del pergolato. Ci sono anche una sala da tè (ottimi infusi e tisane), la caffetteria dov'è possibile degustare le migliori miscele di arabica accompagnate da cru di cacao, l'enoteca e un laboratorio artigianale di gelato che impiega prodotti biologici e dei Presìdi Slow Food.
Anche la cucina fa uso di eccellenti materie prime. Si può iniziare con semifreddo di pistacchi di Bronte, pezzole di Caterina de' Medici (crespelle gratinate in forno con verdure di stagione), **pappa al pomodoro**, **carabaccia**; in alternativa una selezione di formaggi e di salumi di cinta senese e di grigio del Casentino. Come primi piatti segnaliamo i ***pici* al sugo d'anatra**, le **tagliatelle al cinghiale** oppure **in pasta di cavolo nero con broccoletti e fagioli zolfini**, gli spaghetti di Gragnano al sugo di chianina, i paccheri con condimento mediterraneo. Tra i secondi, coniglio e **anatra in porchetta**, **pollo** nostrale **in limonaia** (una salsa di mandorle e limone), **arista alla fiorentina**, filetto di maiale alle erbe aromatiche. Per finire non possono mancare i "geliterranei" di Claudio e, in estate, sorbetti e granite di frutta biologica.
La carta dei vini combina etichette del territorio, toscane e nazionali senza eccessivi ricarichi.

In località **Casamona**, il caseificio La Capanna del Sole produce e vende ottimi formaggi.

Lucca
Gattaiola

4 km dal centro della città

Il mecenate

Ristorante-enoteca
Via della Chiesa, 707
Tel. 0583 512167
Chiuso il lunedì
Orario: mezzogiorno e sera
Ferie: 10 gg in novembre, 10 in febbraio
Coperti: 65 + 70 esterni
Prezzi: 32-35 euro vini esclusi
Carte di credito: tutte, Bancomat

Nella campagna di Gattaiola, un dedalo di viuzze contornate da muri a secco a pochi minuti dal centro di Lucca, troviamo, in un grazioso casolare, il nostro ristorante. Sotto l'ampio pergolato c'è l'ingresso dove ci accoglierà Stefano, il proprietario, cortese e professionale. La moglie Sole in cucina interpreta con bravura la tradizione toscana, impiegando al meglio i prodotti locali, dagli oli ai cereali ai salumi della Garfagnana.
Tra gli antipasti spiccano la **terrina di fagiano** con pane di mais, il budino di peperoni rossi alla crema di formaggio, il **baccalà mantecato** su crostone di polenta ottofile rossa della Garfagnana. La pasta è tutta tirata a mano: ottime le **tagliatelle al sugo di coniglio** e i **tordelli** lucchesi di carne. Squisiti anche i testaroli al pesto e da non perdere la **garmugia**, una zuppa la cui ricetta risale al Seicento. La scelta dei secondi è ampia: **roastbeef di mucco pisano** (razza bovina autoctona), **baccalà arrostito con i ceci**, **rovelline** lucchesi (bracioline ripassate con pomodori e capperi), **coniglio** nostrale **marinato** alle erbe aromatiche, **cinghiale in umido**, **piccione arrosto**. Meritano l'assaggio i dolci, tutti fatti in casa, tra i quali segnaliamo la **zuppa di buccellato** e il **budino di pane** (ricetta lucchese del Settecento).
La carta dei vini comprende, oltre a valide etichette regionali e nazionali, una interessante selezione da vitigni autoctoni toscani. I titolari organizzano, di solito il venerdì o la domenica, serate a tema, con musica e rappresentazioni teatrali.

Nel centro di **Lucca** (4 km), ottimi gelati da Santini, pazza Cittadella 1; per legumi e farine macinate a pietra, Antica Bottega di Prospero, via Santa Lucia.

LUCIGNANO

28 KM A SO DI AREZZO

LA ROCCA

Ristorante
Via Matteotti, 15-17
Tel. 0575 836775
Chiuso il martedì
Orario: mezzogiorno e sera
Ferie: gennaio
Coperti: 50 + 25 esterni
Prezzi: 33-35 euro vini esclusi
Carte di credito: tutte tranne AE

Valdichiana gastronomicamente significa soprattutto carni (di chianina, naturalmente), salumi e formaggi. Della cucina che ne deriva avrete un saggio eloquente ai tavoli del locale che Marcello Varignani gestisce, assieme alla moglie Roberta, nel suggestivo borgo di Lucignano. Il contesto è rustico elegante, con arredi che richiamano la vita contadina, foto e antiche vasellerie.
Tra gli antipasti, oltre a ottimi **salumi**, crostoni e bruschette, si trovano spesso il carpaccio di chianina marinata, tortini (a noi ne è toccato uno gustosissimo di carciofi), la **mattonella di fegato al Vin Santo**, il **pan di lepre** (ricetta artusiana), il baccalà in insalata. Da segnalare le **zuppe**: di farro, **di ceci e malfatti con pancetta di cinta senese** (eccellente) e la **zuppa del Tarlati**. Ottimi i ***pici alla nana*** (anatra) o, in stagione, con tartufo, le **tagliatelle al ragù di cinta senese**, i **tortellacci con lardo e cipolla**, i tortelli di pecorino. Passando ai secondi, il piatto forte del locale è la **tagliata di cinta senese**, ma sono da assaggiare anche la **bistecca** di chianina, il filetto sempre di chianina con miele di acacia e pecorino, il brasato al Brunello, l'**anatra in porchetta**. Invitante il tagliere dei formaggi di piccoli produttori locali. Si finisce sicuramente bene con i dolci, dalla focaccina (antica ricetta locale a base di pasta frolla, crema senza uovo, pinoli e zucchero a velo) al tortino di riso con cioccolato caldo e zabaione.
Bella la proposta dei vini, con etichette in prevalenza toscane e un occhio di riguardo per la provincia di Arezzo. Giusti i ricarichi e buono anche il vino della casa. Consigliamo di degustare i distillati di erbe dell'Amiata.

La macelleria Bruschi, vicina al ristorante, vende ottimi tagli di chianina certificata e salumi di cinta senese.

MANCIANO

56 KM A SE DI GROSSETO SS 322

DA PAOLINO

Trattoria
Via Marsala, 41
Tel. 0564 629388
Chiuso il lunedì
Orario: mezzogiorno e sera
Ferie: un mese tra gennaio e febbraio
Coperti: 40 + 40 esterni
Prezzi: 28-35 euro vini esclusi
Carte di credito: tutte tranne DC, Bancomat

Manciano è una delle perle incastonate nella Maremma grossetana, lungo la strada che dall'Aurelia porta a Pitigliano; dal suo colle si gode un panorama che spazia dal monte Amiata al mare. Il locale si trova all'entrata del centro storico ed è composto da due sale alle quali in estate si aggiungono i tavoli esterni. Marino Pieraccini e Sabrina Benicchi vi accoglieranno in un ambiente dove vi sentirete subito a vostro agio, con una cucina che segue la stagionalità.
Partiamo dall'antipasto: **bruschette** o crostini, il consueto misto toscano di salumi, ma anche filetti di caccia e carpaccio di petto d'oca, in stagione polentine con funghi porcini. Tra i primi, **tortelli maremmani**, ***gnudi*** **di ricotta e spinaci** al pomodoro, al ragù maremmano oppure al tartufo, ***pici*** alla campagnola, **pappardelle al cinghiale** e la classica **acquacotta**; nella giusta stagione, potrete trovare le trofie con speck e radicchio e gli gnocchi con melanzane e formaggio caprino. Per il capitolo secondi, **cinghiale alla maremmana** oppure al finocchio selvatico, degli ottimi **straccetti con carciofi e olive**, il **pollo alla cacciatora**, un buon capocollo di maiale grigliato, ma anche baccalà alla livornese e, salendo con il prezzo, la tagliata di manzo con rucola. Buona selezione di formaggi locali e dolci casalinghi: mousse di ricotta al cioccolato, al caramello o ai frutti di bosco, crostate di marmellata o ricotta, semifreddo alle mandorle con cioccolato caldo e sbrisolona alla ricotta con scaglie di cioccolato fondente. Curata la scelta degli ingredienti, con carni, salumi, formaggi e verdure reperiti tutti in zona, tartufo nero di Norcia a parte, e pasta artigianale.
La carta dei vini conta circa 70 etichette, con una preponderanza di Morellino di Scansano, che è anche il buon vino della casa.

Marciano della Chiana

22 km a SO di Arezzo

Hosteria la vecchia ròta

Osteria-trattoria
Via XX Settembre, 4
Tel. 0575 845362-335 5912812
Chiuso lunedì e martedì
Orario: sera, sabato e domenica anche pranzo
Ferie: due settimane in giugno
Coperti: 60 + 40 esterni
Prezzi: 30-35 euro vini esclusi
Carte di credito: AE, Visa

L'osteria, disposta su più livelli, è dentro le antiche mura di Marciano della Chiana, a poche decine di metri dalla porta principale del borgo. La calda accoglienza è di Massimo Giovannini, che conduce il locale con passione e cura nella ricerca delle tradizionali ricette contadine, molte delle quali si devono alla nonna.

Si inizia con gli antipasti: ci sono sempre il prosciutto locale tagliato a mano, altri **salumi** e i **crostini neri**, talvolta anche la *nana* (anatra) e il **tacchino sott'olio**. Tra i primi il piatto che è un po' il simbolo del locale, le ottime ***pezze*** della nonna **con le pere incantate**, i **maccheroni con l'*ocio*** cotti in forno a strati, i **ravioli di ricotta e ortica**, gli ***gnudi* di borragine** (tutta la pasta è fatta in casa). Ancora più forte il richiamo alla tradizione antica del territorio nei secondi, che sono spesso a base di carni di animali da cortile: **collo ripieno** e spezzatino **di *ocio***, **fagianella in salsa d'agresto**, ***nana* in porchetta**, **coniglio ripieno**. Un'altra celebrata specialità è la **trippa di maiale**, praticamente introvabile altrove Non mancano carni di chianina certificata, per tagliate e bistecche. Fra i dolci troviamo la **schiacciata** fiorentina e varie crostate, senza dimenticare i classici cantucci. Si chiude con il nocino di Massimo.

In cantina ci sono apprezzabili etichette del territorio; buono il vino della casa.

A **Cesa** (3 km), panetteria Menchetti: pane a lievitazione naturale di farina di grano verna macinata a pietra, torta al formaggio e dolci della tradizione tra cui, da gennaio a Pasqua, le panine con l'uvetta.

Marradi

64 km a NE di Firenze ss 302

Il camino

Ristorante
Via Beccarini, 38
Tel. 055 8045069
Chiuso il mercoledì
Orario: mezzogiorno e sera
Ferie: 1 settimana in giugno, 1 a inizio settembre
Coperti: 90 + 50 esterni
Prezzi: 25-30 euro vini esclusi
Carte di credito: tutte, Bancomat

Marradi è paese di frontiera fra l'alta Toscana e la Romagna. Gode di due eccellenze; una gastronomica, il marrone (cui è dedicata una strada), e una culturale: l'opera di Dino Campana. Poiché non si vive di solo pane, una lettura dei *Canti Orfici* (scritti, riscritti e editi in loco) può dare il giusto merito a uno dei massimi poeti del Novecento, morto nel manicomio di Castelpulci alle porte di Firenze dopo una vita tormentata.

Vicino alla stazione di Marradi sorge il ristorante Il Camino, locale che coniuga cucina toscana e romagnola. Non dovete avere fretta: il servizio è piuttosto lento, talvolta disorganizzato. Inoltre dovrete evitare di cedere alla declamazione del menù del cameriere, perché altrimenti vi ritroverete ad acconsentire a ciò che la cucina ha bisogno di smaltire. Infine: certi piatti sono disponibili solo di giorno, altri solo di sera, altri solo nel fine settimana, altri solo su ordinazione.

Si comincia con antipasti di **crostini** misti o piatti più ampi che comprendono salumi e **crescentine**. Fra i primi **tagliatelle al ragù di cinghiale**, **cappelletti in brodo**, tortelli, **crema di fagioli**. Soprattutto carne fra i secondi: tagliate, bistecche, **agnello alla mediterranea** (con salsa di pomodorini e odori). Ma anche **fritto misto** e piatti a base di **funghi**. Si chiude con una bella scelta di dessert: fragole al naturale, panna al forno, cassata di ricotta, budino di marroni, crème caramel e il famoso bicchierino. Piuttosto povera la lista dei vini, ma valido lo sfuso della casa.

Il passeggero

Ristorante
Via Alberica, 1
Tel. 0585 489651
Chiuso la domenica
Orario: pranzo, giovedì, venerdì e sabato anche sera
Ferie: non ne fa
Coperti: 90
Prezzi: 33-35 euro vini esclusi
Carte di credito: tutte tranne AE, Bancomat

Nel cuore del centro storico, da decenni Il Passeggero è sinonimo di buona cucina tradizionale. Ai fornelli regna tuttora la signora Anna, che con il marito Filiberto aprì il ristorante nel 1945. Darà il benvenuto e illustrerà i piatti del giorno l'affabile Lorenzo. Qualità e tipicità degli ingredienti caratterizzano il menù: i nipoti di Anna, Jacopo e Lorenzo, sono riusciti a conservare e anzi ad ampliare negli anni la rete di piccoli produttori che da sempre riforniscono il locale.
Dopo un assaggio di **salumi** e crostini, tra i primi trovate i **tordelli** e le **lasagne tordellate**, emblematici della cucina massese; un piatto di tradizione che qui si può ancora gustare è "la cucina", **zuppa di erbe** raccolte dalle donne nei campi. Fra i secondi da non perdere il **baccalà al forno**, le **seppioline in umido** e le **acciughe fritte**, per le quali non si usa la friggitrice ma la vecchia padella. Non mancano le carni, come il **manzo in tegame**, l'arrosto di vitello e, nelle stagioni meno calde, la **trippa**. Buona la selezione dei formaggi, che cambiano continuamente. I dolci sono la specialità di Teresa: *crème brûlée*, semifreddi alla frutta e la deliziosa **tenerina** (torta di cioccolato).
Si beve con piacere il vino della casa, ma la carta offre una buona scelta di etichette toscane.

Alla Gastronomia Valeria, in via Fermi 1, ottimi prodotti e piatti pronti da asporto. In via Aurelia Ovest 42, la macelleria Daniele Galeotti è specializzata in carni equine e asinine, con cui produce salumi eccellenti.

2 km dal centro della città

Il trillo

Novità

Ristorante
Via Bergiola Vecchia, 30
Tel. 0585 46755
Chiuso il lunedì, mai d'estate
Orario: sera, festivi anche pranzo
Ferie: 20 giorni in gennaio
Coperti: 45 + 60 esterni
Prezzi: 30-35 euro vini esclusi
Carte di credito: tutte tranne DC, Bancomat

Salendo a piedi per una viuzza ci si trova davanti a questo bel locale da sempre gestito dalla famiglia Bertuccelli-Riccardi. La sala è stata di recente ben ristrutturata, con un piccolo tocco di modernità, da Davide, figlio dei titolari e architetto. Molto bella anche la terrazza, dove d'estate si mangia sotto un pergolato di limoni che evoca atmosfere d'altri tempi. Sul contrasto fra modernità e tradizione, ricerca e semplicità, Andreina basa anche il ricco menù della sua cucina, servito su bei tavoli in marmo di Carrara, con tovaglie di lino e bicchieri di cristallo.
La pasta è di fattura casalinga: **lasagnette verdi tordellate**, **maltagliati di farro** con triglie e pinoli, **tordelli**, tagliatelle con lardo di Colonnata e, attingendo dalla tradizione della vicina Lunigiana, il **testarolo** di Pontremoli, quello della tradizione, preparato con farina di Zeri e cotto nei testi al fuoco di legna di faggio. Si prosegue con il filetto di manzo e flan di patate con lardo di Colonnata, il **coniglio ripieno**, il filetto di porco in crosta di erbe fini, il **baccalà al forno** con patate e pomodori; tipicamente invernali, il **cinghiale in umido** e l'**agnello di Zeri al limone**. Fra i dolci, tutti casalinghi, segnaliamo la tipica **torta di riso**.
Parlare di vino della casa è per lo meno riduttivo: qui infatti i vini, che hanno ottenuto vari riconoscimenti da guide del settore, provengono dal vigneto di famiglia situato sulle vicine colline del Candia, sotto il castello di Moneta. Quando è presente in sala, vi consigliamo di fare una bella chiacchierata con Federico: vi farete una cultura e sarete contagiati dal suo entusiasmo.

50 K A NO DI GROSSETO SS 439

DA TRONCA

Trattoria
Vicolo Porte, 5
Tel. 0566 901991
Chiuso il mercoledì
Orario: solo la sera
Ferie: gennaio-febbraio
Coperti: 55
Prezzi: 28 euro vini esclusi
Carte di credito: tutte tranne AE, Bancomat

Nella splendida cornice del centro storico di Massa Marittima, a pochi passi da piazza San Cerbone, in un vicolino c'è questa taverna disposta su due livelli, con abbondanza di archi e travi a vista. Ad accoglierci troviamo il proprietario Giancarlo Venturi detto "il Troncastinchi", che assieme al fratello Moreno e al socio Enzo Congiu sa creare un'atmosfera di piacevole convivialità.
Il menù varia con le stagioni ed è caratterizzato essenzialmente da prodotti del territorio. Per partire ci sono il tipico antipasto toscano di **salumi** e **crostini**, bruschette e il formaggio con le pere. Tra i primi una citazione speciale tocca all'**acquacotta**, ai **tortelli alla maremmana** e alle **pappardelle al cinghiale**, ma anche le conchiglie del pastore e, in stagione, le lasagne ai fiori di zucca (solo il sabato) meritano l'assaggio. Come secondo, **trippa alla maremmana**, **coniglio in porchetta** con patate, **pollo in umido**, **lepre**, **cinghiale** e altra selvaggina, baccalà alla maremmana; inoltre ottimi sformati di verdure, in estate la crema di peperoni con ricotta piccante, in autunno **funghi** in varie preparazioni. Tra i dessert, tutti fatti in casa, la torta della nonna, la crostata di confettura di ciliegie e i classici cantuccini col Vin Santo.
I vini sono elencati in una carta incentrata soprattutto sulla Toscana; ma quelli della casa, soprattutto il bianco, non si fanno disprezzare.

Enoteca Il Bacchino, a due passi dal duomo: 800 vini tra cui tutti quelli della doc Monteregio di Massa Marittima, formaggi, salumi e altri prodotti gastronomici di eccellenza (molti di Presìdi Slow Food).

MASSA MARITTIMA

50 KM A NO DI GROSSETO SS 439

LA TANA DEL BRILLO PARLANTE

Osteria di recente fondazione
Vicolo del Ciambellano, 4
Tel. 0566 901274
Chiuso il mercoledì
Orario: mezzogiorno e sera
Ferie: novembre
Coperti: 10 + 4 esterni
Prezzi: 25-30 euro vini esclusi
Carte di credito: nessuna

Massa Marittima: la maestosa cattedrale dominante l'ampia piazza, le salite, le viuzze e un vicoletto strettissimo con questa osteria all'insegna del minimalismo, ben ambientata nel contesto, con pochissimi tavolini quadrati, i bicchieri di coccio e a tulipano di vetro, ma senza gambo, per il vino. Entrando supponi ci sia un'altra saletta. Ti sbagli, è tutto qui. Buone la qualità e la scelta dei vini, anche in rappresentanza del territorio. Altrettanto quella degli extravergine locali. Il menù è contenuto in piccoli album di carta fatta a mano e dalla copertina decorata con foglie essiccate. Ad alcune tipiche pietanze locali sono affiancate numerose specialità prettamente toscane, alcune insolite.
Tra gli antipasti il prosciutto di camoscio con crostini di crema di latte del parmigiano, il tonno di vitello marinato, oppure i **crostini** toscani al paté di fegatini con il Vin Santo o al lardo di Colonnata e il tagliere di **salumi di cinghiale**. Interessanti i primi, che – a parte l'**acquacotta** o altre **zuppe** – cambiano con le stagioni: noi abbiamo scelto i gigli di grano saraceno alla fonduta di blu maremmano e i ***pici* al ragù** di soffritto di verdure e soppressa rosa di oca. Tra i secondi non manca il tradizionale **cinghiale alla maremmana**, ma noi siamo stati incuriositi dalla **pernice rossa al vino bianco** e dal **lonzino di maiale arrosto con fagioli cannellini al fiasco**. Per i dessert meglio affidarsi alla disponibilità del giorno. La sorpresa è nella scelta dei **formaggi**: oltre al pecorino con pistacchi di Bronte ci sono prodotti molto particolari come il budino di capra con uvetta e Vin Santo, la robiola di capra con fiori oppure in "cavolata" o in foglie di castagno, il tronchetto di capra al miele e, dall'Irlanda, il formaggio vaccino alla birra.

Massarosa
Piano di Conca

23 km a NO di Lucca

Da ferro

Trattoria
Via Sarzanese Nord, 5324 A
Tel. 0584 996622
Chiuso il martedì
Orario: mezzogiorno e sera
Ferie: 15 giorni in ottobre
Coperti: 150 + 150 esterni
Prezzi: 28-30 euro vini esclusi
Carte di credito: tutte, Bancomat

Ferro era il bisnonno Ferruccio, che già ai primi del Novecento aveva qui un piccolo spaccio dove era possibile fare qualche spuntino. Oggi Vittoriano, con tutta la famiglia Ceragioli, gestisce una trattoria spaziosa e accogliente. Gli arredi semplici, stile anni Cinquanta, creano un'atmosfera piacevole e ospitale. La cucina impiega materie prime locali, come l'olio extravergine di oliva che Vittoriano produce nella sua azienda di Buti (Pisa), e propone piatti legati alla tradizione locale.
Come antipasti ci sono **crostini** toscani di fegatelli, verdure grigliate, **salumi** come il biroldo della Garfagnana o il lardo e la mortadella di Camaiore, serviti con cipolline di Lamporecchio. Per il primo si può scegliere tra i rinomati **tordelli** casalinghi **al ragù**, i **maccheroncini** di pasta fresca **al cinghiale**, le penne alla boscaiola; in stagione, risotti o zuppa di funghi, **zuppa alla frantoiana**, **minestra di farro alla lucchese**. Il giovedì si prepara in casa la pasta delle lasagne, poi condite con il ragù. Oltre all'ottima **bistecca** alla brace, come secondo si può trovare il **coniglio arrosto** o in umido, l'**agnello a scottadito**, gli spiedini di carne mista, il **cinghiale in umido con le olive**; di contorno, fagioli e verdure fritte. Nei mercoledì dell'inverno si cucinano la trippa e il bollito, il venerdì, tutto l'anno, lo stoccafisso o il baccalà (alla brace o lesso). Si può chiudere con torte casalinghe (della nonna, di pere e cioccolata calda) o con il dessert Versilia, un semifreddo a base di gelato al mascarpone, panna, whisky e pan di Spagna racchiuso in un involucro di cioccolato.
In alternativa al vino della casa, proveniente da Montalbano, ci sono poche etichette toscane.

Montalcino

41 km a SE di Siena

Osteria di porta al Cassero

Osteria tradizionale
Via della Libertà, 9-Via Ricasoli, 32
Tel. 0577 847196
Chiuso il mercoledì
Orario: mezzogiorno e sera
Ferie: 3 settimane in gennaio, 1 in giugno
Coperti: 50
Prezzi: 18-20 euro vini esclusi
Carte di credito: tutte tranne DC, Bancomat

Piatti di estrema, forse persino eccessiva semplicità e prezzi imbattibili caratterizzano questa osteria a gestione familiare, ricavata da antiche stalle nei pressi della fortezza che, già ultimo baluardo della repubblica senese, è oggi la pacifica vetrina delle glorie enologiche locali, Brunello, Rosso di Montalcino e Moscadello. Si pranza su tavoli di ghisa e marmo, apparecchiati con cartapaglia, in un contesto lontano dai formalismi.
Per cominciare ci sono bruschette e crostini misti, come primi *pinci* (***pici***) **all'aglione** o **con le briciole**, maccheroni al sugo, **zuppa di pane**, di funghi o passato di ceci, **pappa al pomodoro** o polenta col cinghiale. Continuando con il secondo potremo assaggiare la **scottiglia di cinghiale**, il **coniglio in arrosto morto**, le **salsicce con fagioli all'uccelletto**, la lingua in salsa verde, la **trippa allo zafferano** (tipica di Montalcino) e un piatto della cucina familiare quasi introvabile nei ristoranti, le **polpette** di patate e carne. I dolci più richiesti, oltre ai tradizionali cantucci, sono la panna cotta, il tiramisù, la zuppa inglese e il crème caramel.
Per il bere la scelta è tra una ventina di Brunelli e un po' più di altrettanti Rossi di Montalcino, qualcuno anche al bicchiere; ai dessert si possono abbinare un paio di Moscadelli.

Il miele è una grande risorsa del paese: una bella gamma di prodotti e di varietà si può trovare all'Enoteca La Fortezza, di fronte alla Rocca.

MONTECARLO
Cercatoia

19 KM A EST DI LUCCA SS 435 O A 11

DA BAFFO

Azienda agrituristica
Via della Tinaia, 6
Tel. 0583 22381-333 4689066
Chiuso il lunedì
Orario: sera, pranzo su prenotazione
Ferie: da dopo Natale a metà gennaio
Coperti: 30 + 60 esterni
Prezzi: 20-22 euro
Carte di credito: nessuna

Poco fuori Montecarlo, adagiato sulle colline e immerso nei vigneti, questo agriturismo ci accoglie con la promessa della genuinità, percepibile nella struttura tipica del casolare, con il pergolato dell'aia dove i tavoli sono apparecchiati con la carta gialla tipica delle vecchie osterie toscane. A riceverci l'eclettico Gino Carmignani detto Fuso, noto produttore di ottimi vini e figlio di Baffo, quel Lorenzo Carmignani che a quasi novant'anni dispensa ancora battute sagaci e colorite.
Immutati nel tempo i piatti. Ecco quindi i **crostini** con pomodoro fresco e un filo di ottimo olio extravergine di propria produzione, del buon pecorino toscano e una abbondante selezione di salumi tra cui la **mezzina** (pancetta di maiale aromatizzata con erbe, arrotolata nella cotenna). Come primo, la **zuppa frantoiana** o la **minestra** lucchese **di farro con fagioli bianchi** si alternano ai **tortelli di carne** di manzo tradizionali della vicina Valdinievole. Per il secondo la scelta è tra abbondanti porzioni di **pollo fritto**, **coniglio alla cacciatora con le olive**, **salsicce con fagioli all'uccelletto**. Il pane, spesso appena sfornato, viene dalla vicina Altopascio. In chiusura, i cantuccini da intingere in un ottimo Vin Santo prima di sorseggiare una grappa chiacchierando piacevolmente con i padroni di casa.
Un buon vino dell'azienda, bianco o rosso, appositamente selezionato per l'agriturismo, accompagna i piatti.

A **San Salvatore** (1 km da Montecarlo), in via della Stazione 10 C, Luigi Bianchi vende ottime carni di vitello, mallegati e altre salsicce. A **Badia Pozzeveri di Altopascio** (5 km), via Serchio 2, la salumeria di Luca D'Antraccoli è specializzata in insaccati e carne fresca di maiale.

MONTELUPO FIORENTINO
Turbone

25 KM A SO DI FIRENZE

OSTERIA BONANNI

Osteria tradizionale-trattoria
Via Turbone, 9
Tel. 0571 913477
Chiuso domenica a pranzo e lunedì
Orario: mezzogiorno e sera
Ferie: agosto e principali festività
Coperti: 40 + 40 esterni
Prezzi: 20-26 euro vini esclusi
Carte di credito: MC, Visa

Bonanni ovvero Capounto non delude mai. Attiva dal 1920, l'osteria condotta dal vulcanico Maurilio, coadiuvato da mamma e sorella in cucina e sostenuto in sala dall'occhio vigile del babbo Mauro, costituisce a nostro parere uno dei migliori esempi di conservazione della tradizione e della sapienza culinaria toscane.
I **salumi** di cinta senese biologica (prodotti da un'azienda della zona e stagionati in casa), i **crostini** e i pecorini a latte crudo rappresentano un'ottima scelta di antipasti. Tra i primi trovate tutti i classici toscani: la **ribollita**, la **pappa al pomodoro** e altre **zuppe** (una menzione particolare merita quella **di farro**), le **pappardelle** o i tagliolini **al sugo di cinghiale** o di lepre, le **penne strascicate**; apprezzabile la possibilità di scegliere il tipo di pasta cui abbinare i vari condimenti. Per quanto riguarda i secondi, notevoli tutti i piatti di cacciagione come ad esempio il **cinghiale in umido**, ottime la **braciolina alla livornese**, la **scamerita di cinta senese**, la **bistecca** di chianina e la **rosticciana** alla brace, gustoso anche il **baccalà rifatto**. Tra i contorni l'eccellenza si ha con i **fagioli all'uccelletto**. Per concludere assaggiate i dolci fatti in casa, dal ciambellone alle crostate, ai classici cantuccini col Vin Santo. Infine provate a chiedere al patron se ha voglia di farvi provare il caffè "attraversao" o il ponce alla livornese.
Maurilio saprà inoltre descrivervi in modo tanto colorito quanto appropriato i vini a disposizione.

MONTEPULCIANO

68 KM A SE DI SIENA

OSTERIA DELL'ACQUACHETA

NOVITÀ

Trattoria
Via del Teatro, 22
Tel. 0578 717086
Chiuso il martedì
Orario: mezzogiorno e sera
Ferie: 7 gennaio-16/marzo, 19-26 dicembre
Coperti: 35
Prezzi: 23-30 euro vini esclusi
Carte di credito: le principali

L'Acquacheta si trova nel centro storico di Montepulciano, città ricca di storia a cominciare dal periodo etrusco, in una zona ad alta vocazione turistica tra la Valdichiana e la val d'Orcia. L'osteria, fondata circa quindici anni fa da Giulio Ciolfi, coadiuvato da Anna Fadda in cucina e Anna Di Brino in sala, è piuttosto piccola e molto frequentata, tanto da costringere ai doppi turni. L'atmosfera è rustica e vivace: ai tavoli di legno grezzo potrà capitarvi di condividere il desco con altri commensali. Due i menù: uno stampato, con i piatti presenti, come le carni alla brace e soprattutto la **bistecca**, vera specialità, che l'oste vi mostrerà prima della cottura; l'altro scritto a mano su carta gialla, con le proposte tradizionali che variano secondo le stagioni e la disponibilità delle materie prime.
Ottimi per cominciare i **salumi**, fra i quali il prosciutto di cinta senese. Seguono le tagliatelle o i ***pici* all'aglione**, al cinghiale, **all'anatra**, o ai porcini, gli gnocchi ai formaggi locali, la **panzanella**. Tra i possibili secondi: **trippa alla fiorentina**, capretto in tegame, **coniglio farcito**, **collo d'anatra ripieno**, **piccione arrosto**, faraona all'etrusca, aringa affumicata sott'olio, **baccalà alla livornese**; quando è il periodo, varie le preparazioni a base di funghi porcini e **tartufo bianco** delle Crete Senesi. Si conclude con caprini, pecorino di Pienza oppure dolci quali l'ottima ricotta ovina con miele o marmellata, i cantucci al Vin Santo, le torte di frutta e un dolce autunnale al tartufo bianco.
L'extravergine e il vino sfuso sono di un produttore della zona, la cantina dispone di poche etichette prevalentemente locali.

MONTEROTONDO MARITTIMO

69 KM A NORD DI GROSSETO SS 398

LE LOGGE

Osteria-trattoria
Piazza Casalini, 4
Tel. 0566 916397
Chiuso il martedì, mai d'estate
Orario: mezzogiorno e sera
Ferie: non ne fa
Coperti: 28 + 20 esterni
Prezzi: 20-22 euro vini esclusi
Carte di credito: nessuna

Nel piccolo borgo di Monterotondo Marittimo, arroccato sui picchi che dividono le province di Grosseto, Livorno e Pisa, sembra che il tempo si sia fermato. La cucina delle Logge rispecchia la tradizione grossetana. I prezzi sono modici e per ogni portata c'è scelta tra sei o sette piatti, che però non sono disponibili tutti i giorni, ma solo su ordinazione o nel fine settimana: meglio lasciarsi consigliare sui cibi disponibili.
Il menù è, senza eccezioni, di terra. Gli antipasti spaziano dai **salumi** tipici ai bocconi del buttero con le olive, dai formaggi di produzione locale, tra cui notevole è il raveggiolo, al **capriolo sott'olio con le cipolle**, di fattura casalinga. Le paste non possono non comprendere i **tortelli maremmani**, di buona pasta fatta in casa, l'**acquacotta**, zuppe di legumi e **pappardelle al ragù di lepre**, quest'ultimo da consigliare se si è sicuri che la preda sia stata appena cacciata e frollata. Particolare la **trippa in rosso**, servita con un discutibilmente copioso ragù di carne. Talvolta ci sono anche l'agnello o il piccione arrosto. Notevole la **bistecca** di chianina che, servita sulla pietra ollare incandescente su un piccolo tavolo di servizio, è cotta al punto gradito dal commensale. Per chiudere, oltre ai tradizionali cantucci, ci sono dolci per lo più al cucchiaio.
La tendenza dei gestori è di proporre il vino della casa e di puntare sul territorio pisano, con non eccezionali bottiglie. Ma dalla credenzina in sala, se hai naso, puoi scegliere qualcosa di più rimarchevole, in cui i padroni di casa mostrano di non credere troppo.

Monte San Savino
Bano

20 km a SO di Arezzo SS 73

Belvedere

Ristorante
Località Bano, 226
Tel. 0575 849588
Chiuso il lunedì
Orario: mezzogiorno e sera
Ferie: due settimane in gennaio
Coperti: 80 + 80 esterni
Prezzi: 28-30 euro vini esclusi
Carte di credito: tutte, Bancomat

Percorrendo la statale senese-aretina, poche curve dopo aver lasciato il bel paese di Monte San Savino, si trovano le indicazioni per Bano. Qui, lasciando la statale, si prosegue per una strada bianca tra olivi e querce, fino ad arrivare al ristorante, situato in posizione privilegiata sulla Valdichiana, tanto da poter ammirare in lontananza Arezzo da una parte e dall'altra giù fino al lago Trasimeno. Ad accogliervi sarà il patron Massimo Rossi, che dirige magistralmente il locale, coadiuvato da validi collaboratori dai quali sarete assistiti nella scelta dei numerosi e succulenti piatti in menù.
Potrete cominciare con i **crostini** della tradizione oppure con i saporitissimi **salumi** locali. Interessanti anche le **bruschette** preparate con oli extravergini savinesi. Tra i primi la scelta è ampia: **strozzapreti di farro con rigatino e ceci**, gnocchetti di ricotta, ***pici*** con vari condimenti o le classiche **zuppe** toscane. Tra i secondi spicca l'immancabile **bistecca** di chianina, ma si può scegliere anche un delizioso **cinghiale alla cacciatora**, il **coniglio fritto** o in porchetta, la tagliata di petto d'anatra, i **fegatelli di maiale**; di contorno, carciofi o funghi fritti. Se avete ancora appetito, ci sono i formaggi a latte crudo locali oppure buoni dessert: l'antico **dolce di pane**, un eccezionale semifreddo servito con marmellata di zucca gialla, la zuppa inglese.
Massimo è un esperto sommelier e non vi stupirà trovare etichette toscane meno note ma eccellenti; interessantissima la selezione provinciale aretina per scoprire vini dall'ottimo rapporto tra qualità e prezzo. Alcune etichette sono servite anche al bicchiere.

Montescudaio

62 km a sud di Pisa SS 206, 10 km da Cecina SS 68

Il frantoio

Ristorante
Via della Madonna, 9
Tel. 0586 650381
Chiuso il martedì
Orario: sera, festivi invernali anche pranzo
Ferie: 10 gennaio-10 febbraio
Coperti: 40
Prezzi: 30-35 euro vini esclusi
Carte di credito: tutte, Bancomat

Nato come circolo Arcigola nel 1989, il ristorante, ricavato da un antico frantoio, è sempre condotto da Giorgio e Barbara Scarpa. Lei (di origine piemontese, da cui l'eccellente connubio culinario tra il granducato e il regno sabaudo) assiste cordialmente gli ospiti; lui di norma opera in cucina ma non disdegna fugaci apparizioni in sala, sia per verificare l'umore degli avventori sia per assecondare il suo spirito istrionico.
Il menù, legato alle tradizioni della val di Cecina, varia in dipendenza delle stagioni ma anche della disponibilità delle materie prime (soprattutto per il pesce, mai di allevamento). Per cominciare vi saranno offerti i tipici affettati del Sanminiatese, il **fiocco di chianina** con carciofi o rucola, le **acciughe al verde**, il carpaccio di mazzancolle o di muggine di Orbetello, il **baccalà in carpione**. Si prosegue con **pappa al pomodoro**, **tagliatelle al capriolo**, al cinghiale, ai funghi porcini o al tartufo, pasta ai sapori dell'orto, **gnocchi al piccione**; tra i primi di mare, la **minestra di pesce passata**, gli **spaghetti** conditi **con baccalà**, polpo, seppie o gamberi. La prevalenza dei secondi è di terra: brasato o **stracotto di chianina**, **bistecca**, **piccione** (allevato in zona) **in agrodolce**, **trippa alla quercetana** (con un po' di ragù di carne), **fegatelli di cinta senese**. Per il pesce siamo nelle mani, o meglio nelle reti, del fratello di Giorgio, che di mestiere fa il pescatore. Chiudono il pasto una discreta selezione di formaggi e i dolci preparati per la maggior parte da Barbara: torta di pere e cioccolato, *tarte tatin* alle pesche, tortini di mele e cannella e, se siete fortunati, la cassata fiorentina.
I vini sono di buon livello e con ricarichi onesti: prevalenza di etichette della Costa degli Etruschi e del resto della Toscana.

Monticiano

35 km a SO di Siena

Da vestro

NOVITÀ

Trattoria con alloggio
Via Senese, 4
Tel. 0577 756618-756566
Chiuso il lunedì
Orario: mezzogiorno e sera
Ferie: febbraio
Coperti: 80 + 40 esterni
Prezzi: 25-35 euro vini esclusi
Carte di credito: AE, Visa

Incontrerete il vecchio podere di Orbano 200 metri prima della piazza centrale del paese. Il fabbricato (una ex casa colonica) è stato ristrutturato alla fine degli Settanta e trasformato da Silvestro in ristorante (al pianterreno) con alloggio (al piano superiore). La struttura è circondata da un giardino dove si trova anche una piscina scoperta. Sarete accolti da una delle figlie di Silvestro che vi condurrà al tavolo – in sala o nel fresco cortile, se il tempo lo permette – e vi illustrerà il menù fornendo utili indicazioni sulla scelta dei cibi, improntati alla tradizione del territorio toscano.
Si può iniziare con un piatto di **salumi** di cinta senese o con l'antipasto di Vestro che, oltre ai salumi (prosciutto crudo, salame, finocchiona) comprende una buona **giardiniera** di verdure. Tra i primi piatti, particolarmente riusciti i ***pici* all'aglione**, i taglierini ai funghi porcini, le **pappardelle al sugo di cinghiale**. Per secondo si segnalano il **coniglio al vino bianco** e il **pollo alla cacciatora**: ottima la qualità delle carni, giusto dosaggio nei condimenti. Oltre alla classica insalata mista da condire con olio extravergine e aceto di vino della casa, consigliato per contorno un piatto di verdure grigliate di buona qualità, composto da zucchine, melanzane e peperoni. Il carrello dei dolci comprende specialità senesi, biscottini di Prato, panna cotta.
Buona l'offerta dei vini, alcuni dei quali disponibili al bicchiere; discreto lo sfuso della casa.

Orbetello

44 km a sud di Grosseto

I pescatori

Trattoria
Via Leopardi, 9
Tel. 0564 860611
Aperto la sera, sab e dom anche pranzo; inverno chiuso lunedì, martedì e mercoledì
Ferie: non ne fa
Coperti: 120 + 100 esterni
Prezzi: 25 euro vini esclusi
Carte di credito: tutte tranne DC, Bancomat

Siamo a Orbetello, sulla laguna di ponente dove al tramonto l'indaco sfuma nel rosa dei fenicotteri. D'estate ai Pescatori la poesia si perde: ceni all'aperto ma devi fare la fila come nelle sagre di paese. Scegli subito dal menù del giorno e paghi il conto prima di sederti al tavolo. Il tratto di chi ti accoglie è spesso brusco, tipico di chi affronta le durezze del mare. Ma noi siamo stati assistiti da un ragazzo molto garbato che ci ha dato esaurienti spiegazioni sui piatti.
Veniamo al menù del giorno. In apertura, la scelta era tra alici in salsa rosa e il ricchissimo antipasto del pescatore: **alici marinate**, una delicata mousse di patate e cavolfiore spolverata di bottarga, l'**anguilla marinata** e tre **crostini** farciti **con paté di palamita**, **paté di spigola e bottarga**, **filetto di cefalo affumicato** (una vera prelibatezza). Tutti i prodotti ittici sono di produzione della cooperativa Orbetello Pesca Lagunare e si ripresentano come un *fil rouge* sia nei primi piatti sia nei secondi. Spaghetti alla chitarra con filetto di cefalo affumicato, ravioli toscani con zucchine e bottarga, ***pici*** o gnocchi **con la spigola** o **con filetto di cefalo e zucca**, oppure con l'orata e i funghi, i primi piatti. Tra i secondi c'erano i **latterini fritti**, ma in menù sono sempre presenti l'**orata** o la spigola alla griglia, provenienti dall'acquacoltura di Orbetello; immancabile anche l'**anguilla sfumata** o marinata, pezzo forte tra i prodotti lagunari. Come dessert abbiamo gustato il tronco del Micio (soprannome di un amico dei pescatori cui è attribuita la ricetta), uno squisito rotolo ripieno di crema di cioccolato fondente.
Da bere vini di vitigni autoctoni, Ansonica e Vermentino di produttori della zona. Per il condimento un paio di oli extravergine di oliva del circondario.

Palazzuolo sul Senio

62 km a NE di Firenze

La bottega dei portici

Osteria-enoteca con mescita e cucina
Piazza Garibaldi, 3
Tel. 055 8046580
Chiuso il lunedì
Orario: mezzogiorno e sera
Ferie: in settembre
Coperti: 30 + 50 esterni
Prezzi: 25-30 euro vini esclusi
Carte di credito: tutte, Bancomat

Francesco Piromallo, calabrese, sommelier, dopo esperienze nei principali ristoranti fiorentini, 15 anni fa ha aperto questo locale a Palazzuolo, splendida località ai confini della Toscana e punto di riferimento soprattutto per i romagnoli, grazie alle migliori vie di comunicazione. Nella sua bottega troverete ogni bendidio: molti prodotti della tradizione toscana (pecorini, carni del Mugello) ma anche quelli dell'agricoltura collinare romagnola (vino, salumi). Collaborano con Francesco la moglie e la figlia. Il patron talvolta è di poche parole, ma se stimolato diventa un divulgatore delle sue iniziative e di quelle del territorio.
Nei pochi tavoli interni al locale (ma nella buona stagione c'è posto anche all'esterno) si servono piatti legati al territorio: ci sono un menù primaverile ed estivo e uno invernale. Segnaliamo tra gli antipasti **crostini**, sformatini di patate, formaggio e zucchine, il tortino di pasta *brisé* con stracchino e peperoni. Si può proseguire con **tortelli di stoccafisso**, **tagliolini** conditi **con sugo di carne** o, in stagione, con funghi porcini, **passatelli** asciutti **al prosciutto e radicchio**. Di secondo, costata di manzo cioè **bistecca** alla fiorentina, filetto rustico, **stinco di maiale**, **baccalà**, assaggi di **salumi** e **formaggi** (ottimi). Nel menù invernale anche piatti a base di **polenta**. Dolci e biscotti locali.
Piromallo serve un buon Sangiovese sfuso ma ha in carta oltre 600 vini toscani, romagnoli e del resto d'Italia. Si organizzano spesso degustazioni e serate a tema. Il conto ha un buon rapporto tra qualità e prezzo; non si pagano né coperto né servizio.

Pelago

23 km a est di Firenze

Osteria della Sciòa

Trattoria
Piazza Ghiberti, 30
Tel. 055 8326062
Chiuso il mercoledì, inverno anche lunedì e martedì
Orario: mezzogiorno e sera
Ferie: gennaio e prima metà di febbraio
Coperti: 30
Prezzi: 25 euro vini esclusi
Carte di credito: MC, Visa

La *sciòa*, nella parlata locale, indica la discesa, lo scivolo; ed è proprio in fondo a uno scivolo in pietra, nella piazza centrale di Pelago, che dal 1999 il romagnolo Enzo Fiorentini (in sala) e la moglie Aurelia Zannetti (in cucina) gestiscono questo piccolo ma accogliente locale. L'arredamento è piacevole nella sua semplicità, i tavoli sono apparecchiati correttamente e con sufficiente spazio per i commensali.
Vi saranno presentati due menù, entrambi in italiano, francese e inglese: uno, stampato, riporta i piatti sempre disponibili, l'altro, scritto a mano, quelli di stagione. Le proposte del giorno sono riportate su una lavagna appesa al muro. Paste, dolci e pani speciali sono fatti in casa; per le materie prime ci si affida prevalentemente a produttori di zona e a fornitori di fiducia. Le erbe selvatiche sono raccolte dalla cuoca sui monti circostanti.
Da segnalare i **crostini di pecorino di fossa e miele**, la bruschetta con l'olio di frantoio, il paté di fagiolini con pane alle noci, le penne alla Sciòa, le **crespelle al radicchio**, le **tagliatelle** al ragù o **agli strigoli**, i ravioli di ortica, gli **involtini di carciofi**, la **bistecca**, il **coniglio al finocchietto selvatico**, il **cinghiale al vino bianco**; il contorno più frequente sono i **fagioli tondini all'olio**. Tra i dolci, bavarese all'arancia, mousse di yogurt con marmellata di more, panna cotta.
Buona la scelta dei vini, prevalentemente della zona di Rufina e Pomino ma con qualche incursione nel Chianti Classico, sempre con ricarichi più che onesti. Di ottimo livello l'olio, prodotto dai titolari.

Berlin, Restaurant, 08:00 pm
Momenti Ruffino
RUFFINO
RISERVA DUCALE
Oro
RUFFINO

Cabreo
Il Borgo
Trattoria
"Le Cave di Maiano"
Giordano
Enoteca
TRATTORIA
Cafe
Restaurant
Cabreo
La Pietra

PESCIA
Monte a Pescia

28 KM A SO DI PISTOIA SS 435

MONTE A PESCIA
DA PALMIRA

Ristorante
Via del Monte Ovest, 1
Tel. 0572 490000
Chiuso il mercoledì
Orario: sera, festivi anche pranzo
Ferie: ottobre
Coperti: 80 + 70 esterni
Prezzi: 28-35 euro vini esclusi
Carte di credito: Visa, Bancomat

Il locale, con terrazza panoramica sulla Valdinievole, è rustico e il camino sempre acceso vi fa presagire quali sono i punti di forza della cucina. Come inizio vi porteranno dei bocconcini di una buonissima **schiacciata** all'olio extravergine. La carta è quanto di più toscano ci possa essere: non una lista sterminata in cui spesso ci si perde, ma piatti veri, del territorio, da cui pescare quello che più ci attira.
Si può partire con l'antipasto toscano o con l'offerta dei **salumi**. Tra i primi spiccano le paste fatte in casa abbinate, molto correttamente, a prodotti di stagione (gli ormai rari **asparagi di Pescia** in primavera, i **funghi porcini** in estate-autunno, la **cacciagione** d'inverno o il classico ragù). Il fascino della griglia fatta sul fuoco di legna si lega alla maestria di Roberto Chilardi che la cura: **bistecche** e tagliate (di manzo e di maiale), pollame e conigli vi arriveranno nel piatto conservando il bel profumo della legna su cui sono stati cotti e la croccantezza del perfetto punto di cottura. Anche il **fritto di pollo e coniglio** (in padella di ferro) è davvero valido. Merita la segnalazione la proposta di alcuni piatti tipici suddivisi nei periodi dell'anno in cui si possono trovare: un esempio è quello dell'invernale ***cioncia*** di vitello, antico piatto dei conciatori pesciatini. Tra i contorni, **fagioli di Sorana** e verdure in varie preparazioni. In autunno, con la farina di castagne nuova, è difficile dire di no ai **necci con la ricotta**.
Bella la carta dei vini, con una selezione delle migliori etichette toscane anche di annate non facilmente reperibili, ma si possono scegliere oneste bottiglie a prezzi non eccessivi. Il servizio è attento e cortese e il patron Roberto si assicurerà che tutto sia di vostro gradimento.

PIENZA
Monticchiello

59 KM A SE DI SIENA SS 146

LA PORTA

Osteria di recente fondazione
Via del Piano, 1
Tel. 0578 755163
Chiuso il giovedì
Orario: mezzogiorno e sera
Ferie: 10 gennaio-5 febbraio
Coperti: 30 + 20 esterni
Prezzi: 33-35 euro vini esclusi
Carte di credito: CartaSi, Visa, Bancomat

Monticchiello è un delizioso borgo arroccato su una collina, con splendida vista sulla val d'Orcia, dichiarato patrimonio dell'umanità dall'Unesco. All'ingresso del paese, famoso anche per il Teatro Povero, trovate questo piccolo, caratteristico locale, attivo sia come enoteca sia come osteria. Potete quindi passarci in qualsiasi momento della giornata per uno spuntino e un buon calice di vino, o sostare all'ora dei pasti per assaporare una corretta cucina del territorio. L'interno è raccolto – non ci sono più di 30 coperti –, ma con la bella stagione è possibile accomodarsi in terrazza, godendo di uno dei panorami più belli della regione.
Come inizio si possono assaggiare **salumi** misti toscani, un ottimo prosciutto di cinta con fonduta di pecorino e tartufo (in stagione), il carpaccio di baccalà oppure un tortino di verdure. Tra i primi di pasta fatta in casa sono da citare i ***pici* all'aglione**, **alla faraona** o all'anatra e gli **gnocchi al formaggio**; si possono gustare anche **zuppe**, ad esempio **di farro** o **di ceci**. Nella nostra ultima visita abbiamo proseguito con **faraona al Vin Santo** e **fegatelli con fagioli cannellini**, ma in menù ci sono spesso anche il **carré d'agnello arrosto**, sempre bistecche o tagliate di manzo. Il pasto può terminare con una delicata zuppa inglese servita nel barattolino o una tenera torta al cioccolato; in alternativa, cantucci o panforte. Tutti i dolci sono accompagnati da un vino da dessert.
Daria Cappelli, titolare del locale nonché esperta sommelier, vi aiuterà nella scelta del vino, che spazia soprattutto fra Montalcino e Montepulciano comprendendo, tra le numerose etichette, anche altre docg toscane. Buona la carta dei distillati.

Pietrasanta

30 km a NO di Lucca

La giudea

Trattoria
Via Barsanti, 52-54-angolo vicolo dei Lavatoi
Tel. 0584 71514
Chiuso il lunedì, inverno anche la domenica
Orario: mezzogiorno e sera
Ferie: 7 gg in settembre, 15 dicembre-6 gennaio
Coperti: 35 + 20 esterni
Prezzi: 23-28 euro vini esclusi
Carte di credito: tutte, Bancomat

La trattoria si trova nel centro storico di Pietrasanta, in quelle che dovevano essere le rimesse del settecentesco Palazzo Masini Lucetti. L'atmosfera è accogliente e subito ti accorgi che nulla di ciò che era è stato stravolto nella recente ristrutturazione. Il locale è sempre pieno anche a mezzogiorno, e questo è sintomo per lo meno di freschezza dei prodotti. Si potrebbe pensare a una certa attesa per il servizio ma Antonio, il titolare che da solo gestisce la sala, riesce a essere veloce, attento alle richieste dei clienti, e pure simpatico e gentile. In questo certamente è aiutato dall'efficienza della moglie Barbara e della figlia Letizia, che ai fornelli elaborano un menù vario, sempre legato al territorio, con grande attenzione ai prodotti base dei piatti.
Quando nella cucina di un locale si fanno le paste per i primi e i dolci si è già a metà dell'opera, e qui in casa sono fatte le **lasagnette tordellate** che troverete tra i primi, oltre alla **ribollita** e a **zuppe** di stagione. Prima però non dovrete mancare un assaggio di **salumi** misti, con in evidenza mortadella e lardo, **bruschette** di pomodoro e fegatino d'oca, sformati di verdure. Come secondo, **baccalà in intingolo**, **acciughe sfilettate all'agro**, gustose ma delicate, **seppie in zemino** (con pomodoro e bietole), **involtini di verza**; tra le carni, originale e gustoso il **cacciucco di pollo e coniglio** disossati. In chiusura torte con frutta di stagione (pesche, fichi, mele, pere) o cioccolato.
Per il bere non c'è una grande scelta, in compenso però quando chiedi il vino della casa non ti portano un'anonima caraffina, magari di vino alla spina, ma un ottimo rosso di Montalcino che lega bene con tutti o quasi i piatti del menù.

Pieve Fosciana

52 km a NO di Lucca ss 445 e 324

Il pozzo

Ristorante-pizzeria
Via Europa, 2 A
Tel. 0583 666380
Chiuso il mercoledì
Orario: mezzogiorno e sera
Ferie: non ne fa
Coperti: 150
Prezzi: 25-28 euro vini esclusi
Carte di credito: tutte, Bancomat

Spalle al «nebbieggiare alto che macchia l'Appennino» e sguardo sulle Alpi Apuane, la garfagnana è ricca di bellezze naturali, ma anche di storia e tradizione. Poco sopra Castenuovo, a Pieve Fosciana, in un edificio rustico ben inserito nel paesaggio c'è il ristorante Il Pozzo. Anche l'arredamento è parte integrante dell'atmosfera montanara, con travi in legno a vista, vecchi utensili e vassoi di terracotta decorati appesi alle pareti. I proprietari del locale, l'animatore Giordano e lo chef Maurizio, sono esperti di prodotti tipici e dedicano un'attenzione particolare a quelli dei Presìdi Slow Food. Oltre ad avere una rete di fornitori per i funghi, i salumi, i formaggi, le carni, l'olio e il vino, Giordano e Maurizio coltivano in proprio verdure e patate.
Le pietanze, numerose e caratterizzate da ingredienti locali, sono raccolte nel menù degustazione e nel menù tipico. Il menù degustazione inizia con il **carpaccio di manzo di pozza** per proseguire con **tagliatelle** fatte in casa condite in stagione con funghi porcini, gocce di ricotta in salsa rosa, garganelli allo speck e fiori di zucca, l'ottima tagliata con funghi porcini o il **coscio di coniglio con bacche di ginepro**. Il menù tipico si apre con una selezione di salumi (tra cui il **biroldo della Garfagnana**) accompagnati da pane di patate. Si prosegue con una gustosa **zuppa di farro** o con le **pappardelle al ragù**, poi con **costole d'agnello al rosmarino** e radicchio al forno. Ottima la selezione di **formaggi**, tra cui quello di fossa. Buoni i dolci casalinghi, da antiche ricette garfagnine.
La carta dei vini prevede etichetto locali e non.

PIOMBINO

82 KM A SUD DI LIVORNO SS 1

IL GARIBALDI INNAMORATO

Trattoria
Via Giuseppe Garibaldi, 5
Tel. 0565 49410
Non ha giorno di chiusura
Orario: mezzogiorno e sera
Ferie: variabili
Coperti: 45
Prezzi: 28-32 euro vini esclusi
Carte di credito: tutte, Bancomat

Piombino è famosa per gli altiforni, ma non è solo una cittadina industriale. Basta addentrarsi nel centro storico, affacciato sul mare con il suo porticciolo, per capirlo. Inoltrarsi in questa Piombino poco conosciuta, tra i vicoli della zona a traffico limitato, popolati da ogni genere di bottega, fa anche scoprire luoghi come questa piccola trattoria, informale ed essenziale. In cucina Roberto Filippeschi, per tutti familiarmente Pippo, cura il pesce con sapienza e maestria. La fortuna di avere un porto peschereccio si coniuga con la capacità di elaborare piatti rappresentativa del territorio, con quel gusto particolare che li fa rendere al meglio. Poiché il pesce è quello che le paranze portano ogni giorno, il menù cambia quotidianamente e ci si affida a Stefania Verni per scoprirlo.
La degustazione parte da una serie di assaggi caldi e freddi: ricordiamo in particolare il **baccalà con maionese all'aglio**, le **seppie con i peperoni** o con passatine ai ceci, il tonno lesso, i calamari fritti e un ottimo **sgombro al forno**. I primi sono in sintonia, variando con le stagioni e la disponibilità di mercato: citiamo le **paste con baccalà e peperoni** e **con la ricciola**, senza dimenticare due classici del locale, la **pasta alle acciughe** e la **zuppa corsa**. Ben equilibrati i secondi, dal **tonno al vino rosso** allo spada in padella, alle **acciughe fritte** o alla griglia. Anche i dolci riflettono la semplicità della cucina: crema pasticciera con lingue di gatto, bavarese di frutta, mousse al cioccolato.
La cantina copre benissimo la Toscana e il resto d'Italia, con ricarichi molto corretti.

Locale segnalato
dall'Associazione italiana celiachia.

PISA

LA GROTTA

Trattoria
Via San Francesco, 103
Tel. 050 578105
Chiuso la domenica
Orario: mezzogiorno e sera
Ferie: 25/12-4/1, 1 settimana tra luglio e agosto
Coperti: 30 + 15 esterni
Prezzi: 30-35 euro vini esclusi
Carte di credito: tutte, Bancomat

In un tranquillo vicolo del centro storico, a pochi passi da borgo Stretto e piazza Santa Caterina, il locale, datato 1948, mantiene i caratteristici infissi in legno e l'insegna originaria; all'interno, dove le pareti di una sala simulano le pietre di una grotta, l'arredo d'epoca e le vecchie foto riportano indietro di almeno mezzo secolo. Ad accogliervi c'è il titolare Giacomo Nasello, affabile e adeguatamente propositivo; lo accompagna in sala, con eguale cortesia, Giusi, mentre in cucina regna Antonio.
Salumi toscani e **crema di fegatini**, o il più sostanzioso antipasto della casa, aprono un menù che varia con le stagioni. Fra i primi, zuppe classiche (**ribollita**, **bordatino**, **zuppa di cipolle** bianche con pecorino gratinato in forno), **spaghettoni** dell'Osteria (**con lardo e pomodori secchi**), **straccetti al pesto con cavolo nero** della piana pisana, *pici* con pomodoro e basilico su crema di ricotta, maccheroncini con salsiccia, carciofi e scaglie di pecorino toscano. Ampia la proposta dei secondi, robusti come da tradizione: controfiletto con ristretto di Chianti, tagliata con melanzane "bruciacchiate", **costolette di agnello al forno**, tegamaccio (**spezzatino di maiale in salsa piccante** con crema di patate), **trippa alla pisana**, **cinghiale in dolceforte**, **baccalà al forno**. Se preferite i formaggi, ci sono quelli di un pastore di Volterra, serviti con mostarda di cipolle e miele. Tra i dolci segnaliamo la ricotta montata con cioccolato fuso, il tortino di cioccolato nero cotto al vapore e cantuccini artigianali con il Vin Santo.
Per i vini, Giacomo suggerisce abbinamenti corretti anche nel prezzo, puntando su valide etichette toscane ma anche nazionali. Vini dolci a bicchiere. Non si pagano coperto e servizio. Consiglio: prenotate per tempo.

PISA

OSTERIA DEI CAVALIERI

Osteria di recente fondazione
Via San Frediano, 16
Tel. 050 580858
Chiuso sabato a pranzo e domenica
Orario: mezzogiorno e sera
Ferie: agosto e tra fine gennaio e l'Epifania
Coperti: 60
Prezzi: 32-35 euro vini esclusi
Carte di credito: tutte, Bancomat

Arredato sobriamente, il locale mantiene il fascino e i segni del passato: è al pianterreno di un edificio del Duecento caratterizzato da alte volte e muri massicci che trasudano storia. Ettore Masi, patron da sempre, è affiancato da Franco Sagliocco (in sala) e Liano Pratesi (ai fornelli). Mentre a pranzo si cucinano anche piatti unici, la sera l'atmosfera diventa più rilassante e le proposte sono numerose e invitanti, suddivise in tre menù (carne, pesce, verdure).
Un antipasto tradizionale e molto richiesto è il **prosciutto toscano con pasta fritta**, ma ci sono anche sformati di verdure, il **pancotto di mare**, la **zuppetta di arselle**. Per i primi si può scegliere tra la **ribollita**, il **bordatino**, la **passata di ceci con frutti di mare** o con funghi pioppini e paste asciutte: tagliatelline o **pappardelle con** sughi di pesce (**cannolicchi**, arselle, astice) o di carne (cinghiale, **anatra e bacche di ginepro**, coniglio e asparagi, lepre) e i **ravioli di pecorino e pepe** nero conditi **con piattelle** pisane (fagioli) e pomodorini. Come secondo, oltre al pescato del Tirreno cotto al forno con verdure, consigliamo lo **stoccafisso con patate**; per le carni, **bistecca** alla fiorentina, tagliata con funghi pioppini, **trippa alla pisana**, **ossobuchi con fagioli**, coniglio all'origano e **cinghiale in salsa di vino**. Tra i dolci, la crostata di pere e cannella e il semifreddo al croccante.
La proposta dei vini (circa 400 etichette toscane e di altre regioni) è interessante ma non sempre i ricarichi sono appropriati.

Osteria accessibile ai disabili.

De Bondt, lungarno Pacinotti 5: eccellente produzione artigianale di cioccolato, da assaggiare quelli al tè, allo zenzero o al peperoncino.

PISA
Coltano

6 KM DAL CENTRO DELLA CITTÀ

RE DI PUGLIA

Azienda agrituristica
Via Aurelia Sud, 7
Tel. 050 960157
Chiuso lunedì e martedì
Orario: sera, domenica anche pranzo
Ferie: gennaio
Coperti: 80 + 70 esterni
Prezzi: 28-30 euro vini esclusi
Carte di credito: nessuna

Se cercate il pesce, nonostante la vicinanza al mare avete sbagliato posto. Le griglie della sala e della veranda sono per le carni, provenienti da fornitori di fiducia e allevamenti della zona collegati con la cooperativa Avola che ha creato il locale. Qui si attuava la filiera corta ben prima delle tendenze del momento. E ciò ha consentito ai tre cuochi che si alternano in cucina di elaborare piatti ben collaudati e interessanti. Del resto, la fuga dalla banalità già si avverte leggendo la raccomandazione contenuta nel menù: «Per favore, non chiedeteci la tagliata alla rucola!».
Da non perdere tra gli antipasti i **caprini** freschi con ricotta, senza dimenticare i **crostoni** e le bruschette (l'olio arriva dalla vicina Calci). I primi nascono tutti da pasta fatta in casa; **pezzacci al rosmarino e coniglio**, **pappardelle al montone** o con sughi di stagione, testaroli al pesto. Il sapiente uso della griglia è testimoniato dalla **tagliata di cavallo al pepe nero**, da un ottimo **pollo** ruspante, dal gustoso **coniglio** "a modo mio", impreziosito dal una salsa su cui il cuoco non si sbottona, oltre che dalle classiche tagliate di manzo e di maiale. Grande cura e ampia scelta anche nei dolci: *crème brûlée* ai pinoli, bacio al cioccolato, pere al vino in crema di mandorle, sfogliatina alle nocciole con la ricotta montata agli agrumi.
Il vino della casa è un tradizionale Sangiovese, buono ed economico, prodotto da un socio della cooperativa. Ci sono comunque valide etichette nazionali (particolare attenzione, dato il tipo di menù, va ai rossi) con giusto spazio ai vini delle colline pisane. Non dimenticate di portare i contanti perché le carte di credito sono sconosciute.
In luglio e agosto il locale è chiuso solo il lunedì.

BALDO VINO

Enoteca-ristorante
Piazza San Lorenzo, 5
Tel. 0573 21591
Chiuso la domenica
Orario: solo la sera
Ferie: 15-31 agosto, prima settimana di febbraio
Coperti: 30 + 20 esterni
Prezzi: 25-35 euro vini esclusi
Carte di credito: tutte

Il locale, aperto solo di sera (fino a tardi) nella centrale piazza San Lorenzo, nasce come enoteca e ancora oggi presenta una carta di ben 1200 etichette; serve anche vini a bicchiere e settimanalmente propone occasioni di vini prestigiosi a prezzi scontati. L'atmosfera è simpatica e si viene di norma serviti in una bella sala da pranzo con colori rilassanti. Si assaggiano piatti tipici, talvolta con riuscite innovazioni.
La proposta è sempre attenta agli abbinamenti con i vini, il menù è rinnovato continuamente e pertanto possiamo segnalare solo alcuni esempi di ciò che potreste trovare. **Gnocchetti al pesto di erbe**, linguine al nero di seppia, **tagliolini con acciughe e porri**, ***gnudi* di ricotta e spinaci**, **zuppa di orzo**, tra i primi. Come secondo, parti anche rare del "quinto quarto", come la **zampina** e il **cervello fritto di vitello**, petto d'anatra al succo d'acero, cappesante e zucchine grigliate, gallinella di mare alla livornese, il **fritto misto** toscano, **carré di agnello arrosto**, **bistecca**; il maiale è ottimo e proviene da allevamenti allo stato brado della zona. Anche i tradizionali **salumi** toscani sono squisiti. La selezione di **formaggi**, nazionali ed esteri, è notevole: merita una citazione il pecorino di latte crudo della montagna pistoiese. Sono disponibili due menù degustazione (di carne e di pesce) a 34 euro per quattro portate. Ottima scelta di dolci, vini da dessert e distillati.

Alla Gastronomia Al Gusto Giusto, via Leoncavallo 1, vasta scelta di prodotti di qualità: importante la selezione di formaggi e salumi, con specialità non facili da trovare, angolo enoteca con etichette italiane ed estere, servizio competente e cordiale.

4 KM DAL CENTRO DELLA CITTÀ

CASA DEL POPOLO DI SPAZZAVENTO

Ristorante-pizzeria
Via Provinciale Lucchese, 249
Tel. 0573 572503
Aperto da giovedì a domenica e festivi
Orario: solo la sera
Ferie: tre settimane in agosto
Coperti: 120 + 130 esterni
Prezzi: 20-22 euro vini esclusi
Carte di credito: nessuna

Questo luogo di ristoro informale, accogliente e molto economico, fa tuttora capo alla Casa del Popolo di Spazzavento, frazione di Pistoia. È gestito su base volontaria da un folto gruppo di soci, che si alternano ai fornelli, alla griglia e in sala, animando l'ambiente, molto semplice e quasi sempre affollato, con la loro schietta cordialità. Soprattutto in autunno-inverno, il menù presenta un buon numero di piatti della tradizione; all'arrivo dei primi caldi la cucina tende ad alleggerirsi, dando uno spazio forse eccessivo al pesce di mare.
Tutto l'anno potrete aprire il pasto con i **crostini neri** di fegatelli e carne, ai quali talvolta si affianca il baccalà con i ceci. Per il primo, la scelta è tra **maccheroni** freschi **al sugo di cinghiale** (nei mesi freddi, anche di pecora), **tortelli** di verdure o di funghi porcini **al ragù di carne**, **risotto al piccione**, in inverno la **farinata di cavolo nero** o la **polenta con frattaglie di maiale in umido**. Tra i secondi, il cavallo di battaglia è il gran **fritto** dell'aia (**di pollo e coniglio**) con verdure o funghi anch'essi fritti; in alternativa, **roastbeef**, bistecca di manzo o di maiale e **salsicce alla griglia**, talvolta trippa alla fiorentina o fegatelli nella rete. Si chiude con frutta di stagione o semplici dolci. Discretamente ampia la scelta dei vini. È sempre consigliabile prenotare.

Gastronoma Capecchi, via Dalmazia 445: salumi, formaggi, paste ma soprattutto varie tipologie di pane a lievitazione naturale e gli ormai famosi biscotti di Pierino. Dolce Peonia, viale Petrocchi 122: ottimi prodotti da forno dolci e salati, anche a base di farina di castagne dell'Orsigna.

ENOTECA DAL MIZIO

Enoteca con mescita e cucina
Via dei Macelli, 9
Tel. 0573 23229
Chiuso la domenica e lunedì a pranzo
Orario: mezzogiorno e sera
Ferie: 15-30 agosto
Coperti: 40
Prezzi: 30-35 euro vini esclusi
Carte di credito: tutte, Bancomat

Leggermente decentrato ma facilmente raggiungibile seguendo le indicazioni per lo stadio, questo locale si conferma come punto di riferimento affidabile per i buongustai e gli amanti della ristorazione fatta di qualità, passione e attenzione ai particolari. L'atmosfera creata dal patron Maurizio Niccolai, supportato in cucina dalla moglie Paola e dalla figlia Barbara, è rilassante e coinvolgente. Numerose le bottiglie, italiane e straniere, che adornano la sala: il titolare, talvolta anche con l'ausilio del simpatico e competente Sandro, saprà consigliarvi per il meglio.
Consigliamo di iniziare con le squisite **bruschette** (con gorgonzola e miele, pancetta di cinta e formaggio, ceci e lardo di cinta senese del Presidio Slow Food) o le insalate come quella del Mizio, con taleggio e prosciutto cotto d'anatra. Ottimi anche i **salumi**, soprattutto ma non solo toscani (ci sono anche alcune specialità provenienti dalla Spagna). Tra i primi suggeriamo le ormai classiche **pennette allo speck, zafferano e parmigiano**, gli spaghetti alla bottarga di tonno (frutto della ricerca di un vispo ottantenne sardo) o con scalogno e castelmagno. Tra i secondi ottimi la tagliata di controfiletto alla griglia, il **carré di suino affumicato al forno** e la **bistecca** alla fiorentina. Interessante anche la scelta di carpacci (di salmone affumicato, tacchino arrosto, cervo con uvetta e pinoli, di cinghiale). Il venerdì e il sabato si cucinano piatti di pesce. Da non trascurare la selezione di **formaggi** italiani e esteri. Il capitolo dolci comprende tortini di pasta frolla con crema di cioccolato o frutti di bosco, semifreddi, gelato ai pistacchi di Bronte e un delizioso tiramisù.
Ottima la carta dei vini, con l'opportunità di assaggi al bicchiere. Valida anche la selezione di distillati.

LA BOTTEGAIA

Osteria con cucina
Via del Lastrone, 17
Tel. 0573 365602
Chiuso il lunedì e domenica a pranzo
Orario: mezzogiorno e sera
Ferie: 15 giorni a metà agosto
Coperti: 30 + 50 esterni
Prezzi: 23-26 euro vini esclusi
Carte di credito: AE, MC, Visa

Situato in pieno centro, tra il mercato della Sala e piazza del Duomo, è un gradevole locale con un fascinoso dehors estivo, dove si può sostare per uno spuntino (c'è un'ampia scelta di panini e crostoni) o per bere un bicchiere: la selezione dei vini, molti offerti anche a calice, è eccellente, con centinaia di etichette e una particolare attenzione ai piccoli produttori, anche esteri.
Chi opta per un pasto completo si troverà di fronte a una lista di piatti che riporta il nome del macellaio per carni e salumi. La cucina è tanto stagionale che il menù varia anche di settimana in settimana. Durante la nostra ultima visita, in giugno, c'erano tra gli antipasti flan di funghi porcini, **lingua di vitello in salsa verde**, crostini e salumi negli antipasti; come primo, **panzanella**, fettuccine ai funghi porcini della montagna pistoiese e nipitella, **maltagliati al ragù bianco** con dragoncello, **ravioli** (fatti a mano) **di ricotta e spinaci al ragù di verdure**; tra i secondi, **baccalà con ceci** del Chianti, carpaccio di manzo marinato, **lampredotto trippato alla fiorentina**, **coniglio al tegame** con olive taggiasche e patate. In altre stagioni, abbiamo gustato **zuppa di farro**, **ribollita**, **pappardelle sul cinghiale**, **agnello con carciofi**. C'è sempre un piatto vegetariano per ogni portata. Tra i dolci, *cheese cake* con ciliegie, crespelle con ricotta e salsa di lamponi, sfogliatine con crema chantilly e lamponi. Ma se preferite i **formaggi** potrete chiudere con un'ampia selezione di prodotti toscani e non, tutti di ottima qualità.

Nella stessa via del Lastrone, al 4, I Sapori della Bottegaia vende tra l'altro i pecorini a latte crudo della montagna pistoiese, Presidio Slow Food.

TRATTORIA DELL'ABBONDANZA

Trattoria
Via dell'Abbondanza, 10
Tel. 0573 368037
Chiuso il mercoledì e giovedì a pranzo
Orario: mezzogiorno e sera
Ferie: 15 giorni in maggio, 15 in ottobre
Coperti: 40 + 40 esterni
Prezzi: 25-30 euro vini esclusi
Carte di credito: tutte tranne AE, Bancomat

Siamo in un caratteristico vicolo del centro storico, traversa di via degli Orafi. Il nome benaugurante deriverebbe dal fatto che qui si distribuivano viveri nei periodi di carestia. Gli osti, Rossella e Patrizio "Iccio" Menici, evidentemente non svolgono la stessa antica funzione, ma ripropongono in termine di "abbondanza" la qualità di piatti legati alla tradizione. In cucina sono presenti solo donne, e di provata esperienza. L'ambiente è molto accogliente, con arredo ricercato e inusuale.
Il menù è influenzato dalle stagioni. Si esordisce con crostini, bruschette e **salumi** locali. Il piatto forte invernale è una ricetta povera e di recupero schiettamente tradizionale: il **carcerato**, zuppa di pane raffermo, brodo di cottura delle parti meno nobili del vitello, aromi, pepe e pecorino grattugiato. Potrete inoltre gustare la **farinata con le leghe** (cavolo nero), la **pappa al pomodoro**, la **ribollita** e, nei periodi giusti, la zuppa di porcini. Tra i secondi, la **trippa alla fiorentina**, il coniglio arrosto, lo **stracotto** e l'ottimo **fritto di pollo e verdure**. Non mancano i piatti di pesce della tradizione toscana: il cacciucco e il baccalà alla livornese, il polpo in galera, la frittura di paranza e le richiestissime **polpettine di baccalà**. Casalinghi e particolari i dolci: il budino Vecchia Pistoia, il salame di cioccolato, in inverno la torta rustica (con farina di granturco e crema) o il tradizionale **castagnaccio** di farina di castagne di Momigno.
Riguardo al vino potete fidarvi di quello della casa, che proviene dalle colline del Montalbano; la carta presenta etichette quasi esclusivamente toscane, dai ricarichi onesti.

Osteria accessibile ai disabili.

56 KM DA MASSA, 40 KM DA LA SPEZIA SS 330 O A 15

ANTICA TRATTORIA PELLICCIA

Ristorante
Via Garibaldi, 137
Tel. 0187 830577
Chiuso il martedì
Orario: mezzogiorno e sera
Ferie: 1-15 luglio, 15-30 novembre
Coperti: 45
Prezzi: 28-35 euro vini esclusi
Carte di credito: tutte

Insolita la disposizione di questa Antica Trattoria Pelliccia: la cucina, con Renzo Tosi e il genero Raffaello, è al pianterreno e le sale, con la sommelier Veronica, al primo piano, in un edificio del centro storico di Pontremoli. Siamo nel cuore della Lunigiana, estremità settentrionale della Toscana incuneata tra Liguria ed Emilia. Il fondersi di tradizioni e consuetudini è la particolarità delle terre di confine: anche se la cucina della Lunigiana predomina, si sentono le influenze delle regioni vicine.
I **salumi**, ottimi, sono debitori per tipologie e sapori all'Emilia. Siamo in una zona di funghi, quindi nei periodi giusti non potete perdervi la ormai rara **zuppa di porcini**, le tagliatelle con i funghi, i **funghi ripieni al forno con patate**, o fritti, grigliati o trifolati, ricette che sono un incontro delle tre regioni. Piatti della Lunigiana sono i classici **tortelli di bietole e ricotta**, i **testaroli al pesto** cotti nei tradizionali recipienti di ghisa (i testi, appunto); negli stessi contenitori si cuoce, al forno, l'**agnello di Zeri**, paese nelle vicinanze di Pontremoli. Non mancano le **bistecche** (anche di carni esotiche) e qualche piatto di pesce.
Buona la scelta dei vini: oltre a quelli da vitigni autoctoni (Vermentino, Candia dei Colli Apuani e Pollera), in cantina c'è una vasta scelta di etichette nazionali, con particolare riferimento a Toscana e Piemonte.

Il Caffè degli Svizzeri produce gli Amor, dolci tipici di Pontremoli, la spongata e altra pasticceria. Salumeria Angella, via Garibaldi 2: ottimi insaccati di propria produzione, pecorini e i tipici testaroli. In località Santa Giustina, cooperativa Il Bosco: olio, farina di castagne, miele, frutti di bosco.

56 KM DA MASSA, 40 KM DA LA SPEZIA SS 330 O A 15

DA BUSSÈ 

Osteria tradizionale-trattoria
Piazza Duomo, 31
Tel. 0187 831371
Chiuso il venerdì
Orario: pranzo, sabato e domenica anche sera
Ferie: in luglio
Coperti: 45
Prezzi: 20-25 euro
Carta di credito: le principali, Bancomat

Già all'ingresso ci si accorge dell'atmosfera diremmo fatata del locale, piccolo rifugio dai colori tenui che ha il suo fulcro in Antonietta, candida e operosa ai fornelli. L'impressione di essere in un posto speciale prosegue al tavolo dove chi vi ha accolto – il fratello Luciano nel giorni infrasettimanali, la sorella Ida il sabato e domenica – proporrà a voce una scelta di tre-quattro primi e altrettanti secondi. Un solo vino, buono, della casa. Niente antipasti: se proprio non riuscite ad aspettare, fatevi portare una fetta di **torta *d'erbi***. Le torte salate sono quasi un capitolo a parte: antipasto, contorno o secondo, cambiano con le stagioni fanno uso di verdure (cipolle a volte abbinate al riso, porri da soli o con le patate) sempre freschissime.
I primi ruotano intorno al piatto principe, i **testaroli al pesto**, perfetti; in alternativa, delicati **tortelli di ricotta e verdure**, conditi con olio e parmigiano, burro e salvia o ragù della casa. Stessi condimenti su spaghetti e **tagliatelle**. Da ricordare le **lasagne *mes-cie*** (di farina di castagne e frumento) con olio e pecorino. Per i secondi la fedeltà alle stagioni porta, in inverno, a cucinare cotechino, **bollito misto** (**con salsa verde** "rinforzata") e piatti sostanziosi come la **cima ripiena**. Tutto l'anno ci sono spesso il **polpettone**, il vitello in casseruola, il **coniglio alla cacciatora** e squisiti **involtini al sugo** (c'è chi viene solo per questi). Alcuni dolci arrivano da una vicina pasticceria, come la torta alle mandorle e la spongata, altri sono fatti (bene) in casa, come il crème caramel.
Come scritto su un cartello sulla porta, non si cucinano funghi, ma accetterete di buon grado questa piccola limitazione. Quasi obbligatorio prenotare.

CIBBÈ

Trattoria
Piazza Mercatale, 49
Tel. 0574 607509
Chiuso la domenica
Orario: mezzogiorno e sera
Ferie: agosto e tra Natale e Capodanno
Coperti: 45
Prezzi 25 euro vini esclusi
Carte di credito: MC, Visa, Bancomat

In pieno centro storico, in un angolo della più grande piazza della città, pullulante di pizzerie e kebab, troverete questa osteria il cui nome si rifà a un antico gioco di strada. La famiglia Panerai la gestisce dalla sua nascita nel 1997: l'atmosfera è casalinga e il menù, a parte pochi piatti ripetuti tutto l'anno, risente di quanto offre stagionalmente la zona. Si lavora anche nell'ottica di valorizzare prodotti locali quali ad esempio la carne di calvana e i fagioli scritti.
In questa prospettiva fra gli antipasti troveremo sempre la **mortadella di Prato**, Presidio Slow Food, assieme ad altri salumi, crostini, bruschette e alla **panzanella**. Da assaggiare tra i primi la **pappa al pomodoro** o la ribollita, mentre stagionalmente si potranno avere le **toppe al papero** o lo trofie agli zucchini. Per il secondo la scelta può essere tra **manzo magro**, **coniglio al limone**, gli **involtini al radicchio**, le **polpettine alla ricotta**, il mercoledì la trippa alla fiorentina e il venerdì il baccalà alla livornese. Troveremo sempre il **bollito**, tagliate e bistecche, mentre per il **peposo** e la **coda di manzo in umido** dovremo passare nei mesi invernali. Fra i dolci spiccano la **torta al farro** e quella di riso, con gli immancabili cantuccini al Vin Santo e il tiramisù.
Discreto il vino sfuso, ma si può pescare una buona bottiglia in una carta che privilegia i produttori locali.

Osteria accessibile ai disabili.

La bozza di Prato, pane "sciocco" a lievitazione naturale, si compra da Loggetti, in via Matteotti 11.

LA VECCHIA CUCINA DI SOLDANO

Trattoria
Via Pomeria, 23
Tel. 0574 34665
Chiuso la domenica
Orario: mezzogiorno e sera
Ferie: agosto
Coperti: 70
Prezzi: 25 euro vini esclusi
Carte di credito: tutte tranne AE

Non lontano dal centro storico, Soldano accoglie i clienti in un clima familiare. Il personale, gentile e disponibile, vi farà accomodare a uno dei tavoli, apparecchiati con le classiche tovaglie a scacchi bianchi e rossi delle trattorie toscane. L'ambiente è caldo e accogliente, con un'aria un po' vissuta ma curata.
Il menù è molto vario e cambia con frequenza, perché la cucina si avvale costantemente di prodotti locali e di stagione. Si può iniziare con **crostini** un po' diversi dal solito (spalmati con un impasto di funghi e fegatini) e con la **mortadella di Prato** (Presidio Slow Food); appetitosa anche la **fettunta** con pomodoro e acciuga. Fra i primi, tipicissimi i **tagliolini sui fagioli**, i ***pici*** (pasta casalinga di farina e acqua, di tradizione senese) **al sugo di anatra** o al ragù di pecora e i simboli della cucina povera fiorentina: la **ribollita** e la **minestra di ceci**. Passando ai secondi troviamo piatti altrettanto rappresentativi, quali la **francesina** (lesso rifatto con le cipolle), l'**anatra in umido**, i **fegatelli con le rape** o, in stagione, la cacciagione in umido e gli spiedini di pecora. La griglia è sempre pronta per **bistecche**, altre carni e verdure. Per chiudere saranno sempre offerti i celebri biscotti di Prato con il Vin Santo oppure una squisita crema alla catalana.
Da bere, in alternativa a etichette toscane, c'è un decoroso vino della casa servito in caraffa.

In via Ricasoli 20-22, il biscottificio Antonio Mattei sforna biscotti di Prato, brutti e buoni, la mantovana di Prato e la schiacciata fiorentina. In via San Giusto, al salumificio Fratelli Conti, mortadella di Prato, ottimi salami; prosciutto crudo, finocchiona e capocchia.

46 KM A NORD DI AREZZO SS 71 E 310

LA TANA DEGLI ORSI

Ristorante-enoteca
Via Roma, 1
Tel. 0575 583377
Chiuso martedì e mercoledì
Orario: solo la sera
Ferie: variabili
Coperti: 18
Prezzi: 30-33 euro vini esclusi
Carte di credito: tutte tranne AE, Bancomat

A due passi dal centro di Pratovecchio, borgo dell'alto Casentino e CittaSlow, è un locale molto accogliente, dalla bella sala in legno arredata con vecchi tini della cantina di famiglia e tetto a capriate in legno su cui si arrampicano orsetti di peluche. Il garbo di Caterina Caporalini vi farà sentire a vostro agio in un ambiente curato nei dettagli ma non formale e vi guiderà nell'ampia scelta di piatti preparati con maestria da Simone Maglioni.
Dopo l'entrée di benvenuto, ampia scelta di antipasti dove spiccano prodotti di territorio di grande qualità e Presìdi Slow Food, dallo sformatino di formaggio di fossa con lardo di Colonnata e salsa di pere, al **pan di lepre con giardiniera** di verdure di stagione. Tra i primi segnaliamo i deliziosi **gnocchi di patate rosse di Cetica e rigatino di grigio casentinese**, le caramelle di ricotta e borragine, i **tortelli di patate** e quelli, più raffinati, di piccione, zucchine e tartufo nero (tutta la pasta è fatta in casa). Per il secondo la scelta può essere tra il superbo **piccione** ai profumi casentinesi, la tagliata di cervo al Chianti Classico, i bocconcini di coniglio con mirtilli, il **petto d'anatra farcito**, il **filetto di maiale con crema di fagioli** di Montemignaio. I dolci – spumino di limone con salsa di fragole e frutta fresca, sfogliatine di cioccolato – sono abbinabili a calici di vini da dessert.
Curatissima la carta dei vini, con oltre 800 etichette principalmente toscane e nazionali, molte offerte a rotazione anche a bicchiere. La cantineria (così la chiamano i titolari) è frequentata anche a tarda ora, magari per abbinare a una buona bottiglia l'ottima selezione di **formaggi**. Bella anche la proposta di birre artigianali italiane e belghe.

Radda in Chianti

31 km a nord di Siena

Le Panzanelle

NOVITÀ

Trattoria
Località Lucarelli, 29
Tel. 0577 733511
Chiuso il lunedì
Orario: mezzogiorno e sera
Ferie: 6 gennaio-fine febbraio
Coperti: 50 + 35 esterni
Prezzi: 30-35 euro vini esclusi
Carte di credito: tutte tranne AE, Bancomat

L'osteria è gestita da due giovani socie di Panzano (da qui il nome del locale): Silvia si occupa delle ricette più tipiche, Nada dà un tocco innovativo, specialmente sui dolci. Luigi, il compagno di Silvia, è un grande esperto di vini e oli; Paolo, compagno di Nada, ha restaurato e arredato il locale pezzo per pezzo. Da questa collaborazione è nato un locale che offre un ambiente familiare e una cucina espressione del territorio, con piccole escursioni creative.
Tutto l'anno si trovano in carta l'antipasto misto toscano, i **crostini neri** e con il lardo di Colonnata, i ***pici* all'aglione**, la **bistecca**, la tagliata di manzo, i cantucci; per il resto il menù varia ogni tre settimane. Un classico sono gli ***gnudi*** di zucca gialla, di pesto o di carciofi; molto buoni anche i ravioli ripieni di stracotto o di patate e formaggio. Primaverile è la **garmugia**, una minestra di carne e verdure con fave e piselli freschi. Fra i secondi si segnalano il **cinghiale in umido**, il **peposo alla fornacina**, la **trippa alla fiorentina**, l'agnello a scottadito. Interessanti i formaggi biologici a latte crudo locali e regionali: pecorini e caprini accompagnati da mostarda di peperoni, miele, confetture. Per quello che riguarda i dolci, non si scordano facilmente la panna cotta, il tiramisù, la torta al cioccolato, quella di mele o di pere e prugne, la **schiacciata con l'uva**.
La carta dei vini, di cui si occupa Luigi, conta oltre 120 etichette: vari Chianti Classici, una buona selezione nazionale e qualche puntata all'estero. Si consiglia la prenotazione, specialmente nei fine settimana.

Radicondoli
Porcignano

50 km a ovest di Siena

Boscaglia 
Opificio del Bosco

Ristorante con alloggio
Località Podere Porcignano, 100
Tel. 0577 793134-329 4055701
Chiuso il martedì, mai d'estate
Orario: mezzogiorno e sera
Ferie: febbraio
Coperti: 50 + 30 esterni
Prezzi: 26-29 euro vini esclusi
Carte di credito: tutte tranne AE, Bancomat

Nel bosco delle Carline, l'edificio del podere Porcignano offre un'atmosfera calda e familiare. L'unica grande sala, con un immenso camino, ha arredi semplici e nella bella stagione dalle finestre si possono avvistare caprioli e altri selvatici. La titolare Marilena Grosso, da 38 anni nella ristorazione, ama la cucina tradizionale e, oltre a stare ai fornelli con la figlia Rita (il figlio Nicola si occupa dei vini e dell'organizzazione generale), gestisce anche l'annesso Opificio del Bosco, dove è possibile acquistare le sue preparazioni biologiche. Dall'Opificio provengono ortaggi, sottoli e confetture serviti nel ristorante, la pasta è fatta in casa, carni, salumi e formaggi sono forniti da produttori locali.
Oltre ai menù degustazione, anche vegetariani (27-29 euro vino compreso), c'è un menù del giorno esposto a voce. Si può iniziare con ottimi **salumi**, **sottoli** casalinghi, **crostini** misti, pecorini toscani. I primi sono equamente divisi tra zuppe (di farro, di fagioli, una splendida **acquacotta**, la **ribollita**, la **pappa al pomodoro**, l'estiva panzanella) e primi asciutti (**pappardelle al cinghiale**, alla lepre, ai funghi, **tagliatelle con animelle**, tortelli di ricotta ed erbe, ***pici* alla soppressata** o **alle briciole**). Di secondo, oltre al misto di **carni alla brace**, alla bistecca e alla tagliata, ci sono spesso il **coniglio ripieno**, il **cinghiale alla maremmana con polenta**, l'**arista al finocchietto**. In alternativa, frittate, verdure saltate in padella, pecorini biologici a latte crudo. Deliziosi nella loro semplicità i dolci: panna cotta con mirtilli, crostate, cantucci caserecci col Vin Santo del luogo, mousse di yogurt al sambuco.
La carta dei vini elenca circa 50 etichette toscane da viticoltura biodinamica; piacevole il vino della casa.

RIGNANO SULL'ARNO
Rosano

24 KM A SE DI FIRENZE, 9 KM DALL'USCITA INCISA DELLA A 1

LA BOTTEGA A ROSANO

Trattoria
Via I Maggio, 10
Tel. 055 8303013
Chiuso il lunedì
Orario: pranzo, ven, sab e dom anche sera
Ferie: 3 settimane in agosto, 10 gg a Natale
Coperti: 60 + 40 esterni
Prezzi: 20-25 euro vini esclusi
Carte di credito: tutte tranne AE, Bancomat

Vicino all'Arno, a ridosso di un antico monastero di suore benedettine, affacciata sulla strada, la trattoria è annessa a una bottega di alimentari, tipologia in passato molto diffusa e ora quasi scomparsa. Ci si può fermare già al mattino per gustare buone torte e crostate casalinghe. L'ambiente è informale e familiare, gestito con passione da Romana Mantechi e dal figlio. A pranzo il locale è frequentato principalmente da avventori del posto e ha la doppia funzione di bottega e di trattoria, per cui potrete ordinare anche un solo piatto o un panino. La sera l'ambiente è più rilassato e la clientela composta soprattutto da i turisti che preferiscono la tranquillità del borgo alla frenesia di una città come Firenze.
Il menù varia stagionalmente, anche se alcuni piatti tipici ci sono sempre. Si può iniziare con un tagliere di **salumi** e formaggi, per poi passare a primi fatti quasi esclusivamente a mano come gli **gnocchi al pesto** o le **tagliatelle con pomodorini secchi e fegatini di pollo** o al tartufo. Non mancano i **testaroli** e le **pappardelle al ragù**. Tra i secondi si trovano spesso il **coniglio stufato** e molti piatti della tradizione fiorentina, quali **peposo con fagioli**, **bistecca** e il **cibreo**. Una menzione particolare merita il **fritto misto di carni bianche, verdure e frattaglie**. Buona scelta di dolci casalinghi tra cui spicca la torta al cioccolato.
L'offerta dei vini spazia fra oltre un centinaio di etichette in prevalenza del Chianti Rufina, ma anche del resto della Toscana e di altre regioni.

RIPARBELLA

59 KM A SE DI PISA, 10 KM DA CECINA

TRATTORIA DEL PAPERO

NOVITÀ

Trattoria
Via della Madonna, 9
Tel. 0586 699299-346 1623538
Chiuso lunedì a pranzo e mercoledì
Orario: mezzogiorno e sera
Ferie: variabili
Coperti: 40
Prezzi: 20-32 euro vini esclusi
Carte di credito: tutte

Gli ex proprietari della Grotta di Montecatini Val di Cecina, il padre Ivio ai fornelli e il figlio Toni pasticciere e responsabile della sala, per ragioni familiari hanno ceduto il vecchio ristorante aprendone uno nuovo. Nuovo il nome, nuova la località – Riparbella, paesino collinare sulla direttrice Cecina-Volterra –, identiche filosofia e proposta gastronomica.
Accomodati in una delle due salette arredate in modo semplice e curato, vi serviranno per cominciare i salumi biologici di un'azienda locale e un **panino al lampredotto** con salsa verde. Nei mesi freddi protagonista di molti piatti è la **cacciagione**: sempre presenti le **pappardelle al colombaccio** o al cinghiale, frequenti gli arrosti di capriolo, daino, cinghiale. Sempre invernali le **zuppe** (consigliabile quella **col cavolo nero**), l'**agnello** pomarancino o di Zeri, il **lampredotto in zimino**, i classici **fegatelli**. In primavera ed estate troverete i **ravioli con il ragù di piccione**, le **tagliatelle all'anatra** o al sugo di gallo nero, le mezzemaniche al maiale di cinta; da gustare tutto l'anno i **ravioli ripieni di fagiolo cannellino con minestra di fagioli**. La pasta fresca è fatta a mano. Altre proposte per quello che riguarda i secondi: **stoccafisso**, polpettine di piccione, **baccalà in zimino**, coniglio al vino bianco, **trippa marinata**. Varia e valida la scelta dei formaggi provenienti da Volterra, Pienza e dal Parco di San Rossore, accompagnati da miele locale e confetture prodotte in proprio.
Ricca la carta dei vini e dei distillati, con ricarichi molto onesti.

San Casciano in Val di Pesa
Montefiridolfi

23 km a sud di Firenze ss 2 o uscita superstrada

A casa mia

Trattoria
Via Santa Maria a Macerata, 4
Tel. 055 8244392
Chiuso lunedì e martedì
Orario: sera, sab e dom anche pranzo
Ferie: tra luglio e agosto
Coperti: 20
Prezzi: 30-34 euro
Carte di credito: nessuna

Montefiridolfi è un piccolo paese sulle colline del Chianti, 600 anime e un'unica osteria accogliente e ospitale come una casa privata. Maurizio Simoncini accoglie gli ospiti con semplicità, facendoli accomodare nel piccolo locale, una perla di mattoni a vista e ferro battuto, con tavoli ben disposti e apparecchiati con fantasia: le posate sono allineate nel cassetto e le stoviglie, tutte spaiate, ricordano il servizio "buono" della nonna.

La cucina è quella tipica toscana, senza fronzoli e senza eccessi. Si comincia con un assaggio di antipasti, freddi e caldi: buoni **salumi**, **verdure grigliate** e fritte e tanti **crostini**, tradizionali e fantasiosi. I primi piatti sono tutti ottimi esempi di una cucina locale attenta alle materie prime, dai delicati **tortelli di ricotta e spinaci**, alle **penne al sugo di coniglio**, ai ***pici***, fino alla gustosa **zuppa** di funghi o **di farro**. Buona anche la selezione dei secondi: un saporito **peposo**, l'anatra all'arancia, lo **stinco di maiale**, gli **ossibuchi in umido** e la tagliata, tutti accompagnati da legumi o verdure in insalata. I dolci, casalinghi, meritano un capitolo a parte: eccellenti le numerose torte, il **latte alla portoghese** e le **frittelle**, serviti in piccoli assaggi per poterli degustare tutti. Il caffè, da ultimo, è preparato con la moka, portata direttamente al tavolo. La selezione dei vini è piuttosto ristretta, ma in tavola troverete un fiasco di vino sfuso di ottima qualità compreso nel prezzo.

Il locale, aperto nel 2003, ha saputo crearsi una vasta cerchia di estimatori: data l'apertura limitata, che subisce ulteriori riduzioni nel periodo estivo, è sempre necessaria la prenotazione.

San Casciano in Val di Pesa
Ponterotto

16 km a sud di Firenze ss 2 o uscita superstrada

Matteuzzi

Trattoria
Via Certaldese, 8
Tel. 055 828090
Chiuso il martedì e domenica a pranzo
Orario: mezzogiorno, domenica solo sera
Ferie: agosto
Coperti: 35 + 20 esterni
Prezzi: 20 euro vini esclusi
Carte di credito: tutte tranne DC, Bancomat

Sulla strada che collega San Casciano a Certaldo, poco prima del fiume Pesa, una vecchia stazione di posta è stata trasformata molti anni fa in bottega di alimentari e trattoria, gestite da generazioni dalla famiglia Matteuzzi. Nell'area ristoro, due sale arredate semplicemente, e in estate il pergolato, accolgono gli avventori: ci si può trovare a dividere il tavolo con commensali sconosciuti e magari a partecipare a discussioni e a stringere amicizie. In questa atmosfera informale, Alessandro illustra a voce i piatti del giorno preparati da mamma Leda.

Si parte dal classico antipasto toscano, con **salumi** e formaggi di produttori locali. Per i primi si spazia dalle **minestre** brodose, tra cui spiccano quelle **di pane** o di verdure e la **zuppa lombarda**, e paste asciutte come le **penne al ragù** o con altri condimenti. Data la disponibilità di legna nei boschi circostanti, le preparazioni alla brace la fanno da padrone tra i secondi: ci sono sempre la **bistecca** (di maiale o di vitello) e la **rosticciana**. Ottimi anche il **coniglio arrosto al rosmarino**, lo **spezzatino con patate** e il **lesso rifatto con le cipolle**. In alternativa ai piatti di carne è possibile gustare il **baccalà alla fiorentina** (con patate) o con i porri, oppure sostanziosi tortini di verdure e uova. Chi vuole chiudere con un dolce può ordinare un discreto tiramisù casalingo.

Il vino non è al centro dell'attenzione: oltre a un dignitoso rosso proveniente da Montespertoli, che si paga a consumo, c'è qualche etichetta quasi esclusivamente della zona.

In località **Bargino**, (6 km da San Casciano), via Pergoleto 3, la cooperativa La Ginestra vende prodotti biologici, dal miele all'olio extravergine alla pasta, tutti di ottima qualità.

San Gimignano

38 km a NO di Siena

Osteria del carcere

Osteria di recente fondazione
Via del Castello, 13
Tel. 0577 941905
Chiuso il mercoledì e giovedì a pranzo
Orario: mezzogiorno e sera
Ferie: metà gennaio-metà marzo
Coperti: 30
Prezzi: 32-35 euro vini esclusi
Carte di credito: nessuna

Davvero bella questa osteria nel cuore di San Gimignano, emblema urbanistico del Medioevo repubblicano, vicino a piazza della Cisterna. Aperta da una dozzina d'anni, consta di un unico ambiente con soppalco, volte in pietra, travi e mattoni a vista, pochi tavoli di marmo apparecchiati semplicemente, mobili e mensole che espongono bottiglie e libri, un bancone per salumi e formaggi, cartelli con i nomi dei fornitori abituali.
La cucina di Elena, che gestisce il locale con il marito Ribamar, è improntata alla tradizione e alla territorialità, senza sbavature stereotipate o di moda. A caratterizzare gli antipasti, oltre ai **salumi** (anche di selvaggina) ai **crostoni**, alla **fettunta**, sono le **terrine**: in estate alle prugne, in altre stagioni di agnello alle olive o di cinghiale al mirto. Solo minestre brodose tra i primi: **ribollita**, **acquacotta**, **pappa al pomodoro**, **frantoiana**, vellutata di ceci, zuppe di verdure. Come secondo, troverete spesso la **faraona alle castagne** (secche: per questo il piatto si cucina anche in periodi diversi dall'autunno), la tacchina con pistacchi, l'**arista arrosto** o il **tonno del Chianti** (carne di maiale cotta in vino bianco e conservata sott'olio) **con fagioli**, in inverno anche il brasato, a Pasqua l'agnello. Ampia e curata la selezione di **formaggi** e buoni dolci: torta di cioccolato e mandorle o di ricotta e frutta fresca, crostate, terrina di zafferano e pinoli.
Carta dei vini con una novantina di etichette, soprattutto di San Gimignano e del resto della Toscana, offerte anche a bicchiere. Grande varietà di pani e ottimi extravergini per condire insalate e zuppe. Prezzo corretto, da saldare in contanti.

San Giovanni d'Asso
Montisi

47 km a SE di Siena SS 2

Da Roberto Taverna in Montisi

NOVITÀ

Trattoria-enoteca
Via Umberto I, 3
Tel. 0577 845159
Chiuso il lunedì
Orario: mezzogiorno e sera
Ferie: 10 gennaio-28 febbraio
Coperti: 25 + 25 esterni
Prezzi: 23-25 euro vini esclusi
Carte di credito: tutte

Ci troviamo a Montisi, delizioso borgo del XII secolo nella zona delle Crete Senesi. Il locale è stato ricavato in una stalla-fienile del Cinquecento; Roberto vi accoglierà come a casa sua. Qui non si pagano né coperto né servizio, la cucina non ha il forno a microonde, i congelatori sono vuoti e spenti, non si trovano dadi e altri insaporitori di sintesi, i piatti sono stagionali, per le materie prime (spesso biologiche) ci si avvale di aziende del territorio, le erbe aromatiche provengono dal giardino.
Si comincia con **crostini** toscani, **salumi** di cinta senese, **panzanella**, insalata di carciofi con rigatino di cinta. Seguono straccetti di farro con cicoria, salsiccia e pecorino, **tagliatelle al ragù di vitellone bianco** chianino, spaghetti con cipollotti freschi, erba cipollina e pomodorini, crema di patate e porri con tartufo bianco o marzolino, minestrone, **zuppe** di verdure, legumi e farro. Per secondo, ottimo il **polpettone di chianina**, ma anche **involtini di capocollo di cinta**, **cipolle** toscane rosse **ripiene** di salsiccia con contorno di fagioli cannellini, carni alla griglia, **pollo in tegame con i peperoni**. La selezione di formaggi biologici a latte crudo comprende caci toscani, piemontesi e abruzzesi. Si conclude con tortino di farina di nocciole con colata di cioccolato fondente, tiramisù, panna cotta, mattonella di ricotta con Vin Santo e polvere di cacao e zucchero.
Ampia scelta fra vini provenienti da tutta Italia, con ricarichi contenuti; di tutti è possibile il servizio al bicchiere. In alternativa al caffé, ci sono buone tisane.

San Giuliano Terme
Arena-Metato

7 km a nord di Pisa

L'osteria di piazza Padella

Osteria-trattoria
Piazza Hô Chi Minh, 7-8
Tel. 050 810161
Chiuso il lunedì
Orario: solo la sera
Ferie: gennaio, una settimana a Ferragosto
Coperti: 35 + 30 esterni
Prezzi: 25-30 euro vini esclusi
Carte di credito: tutte, Bancomat

Siamo nella piazza centrale di Arena-Metato, un paese alle porte di Pisa che è possibile raggiungere dall'Aurelia oppure da San Giuliano Terme, capoluogo comunale. La trattoria di Alessio Mazzanti è a conduzione familiare: la mamma aiuta in cucina, il fratello Roberto in sala illustra con dovizia di particolari i piatti, per i quali si fa largo uso di prodotti locali tra cui quelli del Parco di San Rossore. Al menù tradizionale di terra si aggiungono, da maggio a ottobre, parecchie preparazioni di pesce.
Si comincia con il classico antipasto toscano di **salumi**, **crostini**, sottoli e sottaceti, **fagioli** o ceci **all'olio** extravergine; in estate anche pepata di cozze, quando è disponibile la materia prima le frittelle di bianchetti di Bocca d'Arno. Poi, **tortelli al ragù di carne di mucco pisano** (razza bovina autoctona allevata nell'area del Parco), farfalle con sugo di noci, **pasta e fagioli**, per chi preferisce il pesce **bavette alle arselle** o chicche con crema di zucchini e filetto di branzino. Di secondo, **stracotto**, **spezzatino al Chianti**, **bistecca** e altre carni **di mucco pisano** alla griglia, tra i piatti di mare il brodetto, le triglie alla pisana, la **frittura di totani e gamberi** e quella **di paranza**. Non perdetevi i dolci: **torta di pinoli** del Parco di San Rossore, crostatina di cioccolato e pere e la tradizionale **torta co' bischeri**.
La carta dei vini è piuttosto ricca, tuttavia chi non è alla ricerca di etichette blasonate berrà con piacere gli sfusi locali.

A **San Giuliano Terme**, macelleria Giusti, via XX Settembre 24: tagli di carne e salame di mucco pisano. A **Pontesserchio** (4 km da Arena-Metato), Pastificio Jolly, via Che Guevara 33: ravioli di mucco, ravioli con pecorino del Parco e pere e altra pasta fresca; Artigiana Dolci, via Vittorio Veneto 114: torta co' bischeri.

San Marcello Pistoiese

29 km a NO di Pistoia SS 632 e 66

Il Poggiolo

Ristorante annesso all'albergo
Via del Poggiolo, 52
Tel. 0573 630153
Chiuso martedì sera e mercoledì
Orario: mezzogiorno e sera
Ferie: variabili
Coperti: 70
Prezzi: 20-26 euro vini esclusi
Carte di credito: le principali

San Marcello è la località di riferimento di tutta la montagna pistoiese. È suddivisa in quattro contrade corrispondenti alle quattro porte. Una di queste è quella del Poggiolo, che dà il nome alla via e all'albergo-ristorante che si incontra poco dopo aver varcato la porta. Si tratta di un edificio degli inizi del secolo scorso, che ha sempre mantenuto la stessa destinazione: poche camere su due piani, il ristorante al piano terra. Una trentina di anni fa fu rilevato dalla famiglia Iori, che ancora lo conduce: in sala Giampaolo, in cucina la madre Giuseppina Colti, coadiuvata da Angela Santini. Il ristorante continua a essere un punto di riferimento per chi vuole gustare una cucina semplice, legata ai prodotti del territorio (in particolare i funghi, ottimi, della zona).
Si comincia con salumi e vari tipi di **crostini** (speciali quelli di **polenta fritta e funghi**). Tra i primi sicuramente da provare sono i **tortelli di ricotta e spinaci** o bietole conditi in vari modi (a noi sono piaciuti particolarmente **con burro e timo**), i maltagliati al ragù, in stagione le tagliatelle ai funghi e la **zuppa di funghi**. Quindi spazio alle ottime carni: **agnello al forno**, **cacciagione** in autunno, vari tagli di vitello alla griglia. Ma il **fritto** (**di pollo, coniglio e** varie **verdure** fra le quali i fiori di zucca) è il piatto che esprime al meglio la cucina di Giuseppina. E poi i **funghi**, ovviamente: crudi in insalata, trifolati, fritti, le cappelle alla griglia. Per concludere degnamente il pasto, un assaggio di **pecorini a latte crudo** o un dolce che d'inverno potrà essere a base di castagne o loro farina (**castagnaccio**), d'estate ai frutti di bosco (mirtilli soprattutto).
La carta dei vini, molto semplice, elenca alcune etichette toscane.

San Marcello Pistoiese
Maresca

23 km a NO di Pistoia ss 632 e 66

La vecchia cantina 

Trattoria
Via Risorgimento, 4
Tel. 0573 64158
Chiuso il martedì, mai d'estate e a Natale
Orario: mezzogiorno e sera
Ferie: 3 settimane dopo l'Epifania
Coperti: 40 + 20 esterni
Prezzi: 30 euro vini esclusi
Carte di credito: tutte, Bancomat

La trattoria ha un aspetto curato, con tavoli ben distanziati dove si sta molto comodi; in estate c'è anche la possibilità di mangiare all'aperto, in una piccola terrazza giardino. L'accoglienza di Alvaro Bartolomei è discreta ed efficiente; dalla cucina, la moglie Maria Luisa Gori vi preparerà le sue ricette. Il servizio è professionale e sarete ben consigliati anche per l'abbinamento dei vini.
Si comincia con **crostini al cavolo nero e fagioli**, lardo di Colonnata, affettati di selvaggina (cinghiale e cervo), **torte salate** (ottima quella di radicchio rosso con fonduta di pecorino), sformati di verdure. Come primo, **maccheroni di farina di castagne con salsiccia** di Maresca, **tortelli di ricotta e spinaci** o di melanzane e caprino (la pasta è tutta tirata a mano in casa), **zuppa di cavolo nero** (in stagione) o di farro. Tra i secondi, il notevole **baccalà con porri e polenta**, la vitella al Porto con cipolline in agrodolce, il **filetto di maiale con cavolo nero**, la tagliata ai funghi e carni alla griglia; in alternativa ottimi formaggi biologici a latte crudo della montagna pistoiese. Di contorno, verdure al forno, bollite o fritte, fagioli cannellini e patate. Per finire torte e altri dolci di castagne o frutti di bosco e un eccellente gelato casalingo. In sintesi una cucina che esprime gusto, finezza, passione e professionalità.
La carta dei vini è generosa, presenta molte etichette toscane e non. A parte sono elencati i vini da dessert e i distillati.

Vicino alla trattoria, in via Gavinana, pasticceria gelateria Gori: ottimi dolci e cioccolato artigianale.

San Miniato
Corazzano

42 km a est di Pisa ss 67

La taverna dell'Ozio

Trattoria-pizzeria
Via Zara, 85
Tel. 0571 462862
Chiuso il lunedì
Orario: mezzogiorno e sera
Ferie: variabili
Coperti: 30
Prezzi: 25-28 euro vini esclusi
Carte di credito: CartaSi, Visa, Bancomat

Sulla strada per Montaione, la piccola trattoria di Silvia e Simone Fiaschi è molto frequentata, soprattutto nei fine settimana e in periodo di tartufi: ricordatevi di prenotare per tempo.
Si inizia con i **salumi di maiale pesante** (allevato allo stato brado), che Simone stagiona e propone solo quando sono maturi al punto giusto, o con l'"antipasto dell'Ozio", composto da **crostini** (con i fegatini e, in stagione, al tartufo), una grande varietà di **sottoli** e **verdure marinate**. Poi maccheroni o **tagliatelle al sugo di colombaccio** (molto gustoso) o **di lepre**, **ravioli all'anatra** o ai funghi chiodini, tagliolini conditi con i celebri tartufi di San Miniato nei periodi propizi, che per il bianco vanno da ottobre a dicembre, mentre in primavera si trova il meno pregiato marzuolo. Tutta la pasta è fatta in casa. Come secondo, la **bistecca** di manzo o **di cinta senese**, il **cacciucco di carne**, il **cinghiale in umido**, la pernice al forno, i **fegatelli di maiale sotto lardo**, il **mallegato fritto** e le **mamme sanminiatesi** (carciofi giganti) ripiene di carne e pecorino, cotte in forno. In stagione, chiocciole in umido e, su prenotazione per almeno quattro persone, maialino al forno, storni con le olive, lepre in dolceforte e la frittura di terra. Si chiude con i pecorini locali affinati da Simone e con i dolci o i sorbetti di Silvia.
Discreta e con ricarichi contenuti la carta dei vini, onesto il Chianti della casa. L'ambiente è simpatico, il servizio attento e amichevole.
In agosto aperto solo la sera.

A **San Miniato** (8 km da Corazzano) la macelleria norcineria Falaschi, via Conti 18-20, produce e vende i salumi della tradizione pisana; inoltre, carne chianina biologica e prodotti biologici di cinta senese.

SARTEANO

87 KM A SE DI SIENA SS 2

DA GAGLIANO

Trattoria
Via Roma, 5
Tel. 0578 268022
Chiuso martedì e mercoledì
Orario: mezzogiorno e sera
Ferie: variabili in inverno
Coperti: 20
Prezzi: 25-28 euro vini esclusi
Carte di credito: nessuna

Si respira un'aria di altri tempi nell'unica piccola sala di questa trattoria a pochi metri dalla piazza principale di Sarteano, alle pendici dell'Amiata. L'arredamento è semplice, con tavoloni di legno apparecchiati in maniera molto sobria, da osteria di tradizione. Giuliano Gonnelli, patron schietto e cordiale, vi guiderà nella scelta dei piatti preparati dalla moglie Angela Olmi con grande cura e ingredienti di stagione, rispettando o rielaborando con intelligenza ricette tradizionali del territorio.

Nella nostra ultima visita abbiamo assaggiato tra gli antipasti carpaccio di lombino di maiale marinato con ristretto di vino, **pappa al pomodoro**, tortino caldo di carciofi e fagiolini con crema di pecorino e zafferano. Tra i primi non possiamo non menzionare le paste fatte in casa come gli **stringozzi con fave e carciofi**, gli gnocchetti di carote e ricotta con crema al pomodoro e rosmarino, gli **gnocchi di olive nere e ricotta con pesto di noci**; inoltre, la ***garmugia*** e la **zuppa di trippa e ceci**. Tra i secondi uno splendido **coniglio** alla contadina, il **cinghiale in dolceforte**, il **capocollo alla fiorentina** o la **pancetta di chianina al forno** con prugne e prosciutto, il **baccalà in umido** con cipolle e patate. Da segnalare tra i contorni l'insalata di cavolo bianco all'acciugata e lo sformato di patate e zucchine. Le porzioni sono abbondanti e ben presentate. Non perdetevi i dolci: crema calda con fragole o pesche, mousse al cioccolato fondente, tortino di cioccolato con crema allo zafferano.

Ottimo lo sfuso della casa e piccola carta con prevalenza di etichette locali e del resto della Toscana. Si può bere anche la birra del vicino birrificio artigianale.

In estate aperto anche la sera di martedì e mercoledì.

SCANDICCI
San Colombano

10 KM A OVEST DI FIRENZE

TRATTORIA DINO

Trattoria con alloggio
Via San Colombano, 78
Tel. 055 790067
Chiuso la domenica
Orario: mezzogiorno e sera
Ferie: tre settimane in agosto
Coperti: 80
Prezzi: 20-28 euro vini esclusi
Carte di credito: MC, Visa, Bancomat

La trattoria Dino si trova nella piana fiorentina, tra Scandicci e Lastra a Signa. La gestione della famiglia Raveggi, festeggiati i cento anni, continua con Paolo che ha aggiunto alle attività storiche (bottega di alimentari e ristoro) quella di locandiere. A destra dell'ingresso c'è il negozio e a sinistra la sala da pranzo, al piano superiore sei camere per il pernottamento. L' arredo è tradizionale e un po' datato, con tavoli in legno e sedie impagliate, credenze, madie e scaffali con i classici fiaschi.

Il menù si apre con i tipici **salumi** toscani, tra cui il lardo di Colonnata, e ottimi **crostini**, anche con la milza. Come primo, **penne strascicate**, **pappardelle alla lepre**, taglierini conditi in stagione con i funghi, **minestra** in brodo **con le *cicche*** (pezzettini di carne), **ribollita**, **pappa al pomodoro**. Per i secondi è tradizione proporre piatti a cadenza settimanale: lunedì il il bollito, giovedì la trippa, venerdì il baccalà. Ci sono invece sempre le **carni alla griglia** (di pollo, maiale, vitello) e la **bistecca**, spesso lo **stracotto di agnello**, a volte il **peposo** e il fritto misto. Di contorno, insalate, verdure fritte in pastella, **fagioli all'uccelletto** e patate al forno. Si può chiudere con i biscotti di Prato o i brigidini di Lamporecchio da intingere nel Vin Santo, o con qualche torta di pasticceria.

In fiasco o in bottiglia, il vino è solo toscano: oltre al decoroso rosso della casa ci sono alcune etichette, soprattutto di Chianti.

Sull'antica via Pisana, in località La Pieve, enogastronomia La Volpe e la Volpe: ampio assortimento di formaggi, vini, distillati, conserve, confetture, pasta, riso, pane e schiacciata, piatti pronti.

29 km a SE di Grosseto SS 322

La cantina

Ristorante-enoteca
Via della Botte, 1-3
Tel. 0564 507605
Chiuso domenica sera e lunedì
Orario: mezzogiorno e sera
Ferie: 10 gennaio-secondo venerdì di marzo
Coperti: 50
Prezzi: 38-40 euro vini esclusi
Carte di credito: le principali, Bancomat

Scansano, patria del Morellino docg, è un piccolo borgo collinare della bassa Maremma toscana. Nella pittoresca via della Botte, all'ingresso del paese, si trova questo locale, dotato anche di una fornita enoteca da asporto. Silvia Bargagli in sala, Marzia Cherubini e Leonardo Franci in cucina vi accoglieranno in un ambiente curato, con grandi tavoli volutamente utilizzati per poche persone.
Per cominciare c'è un "intrattenimento" che varia secondo la stagione, nel nostro caso *schiaccia* di Pasqua con capocollo e polentina, degno sostituto dell'antipasto di salumi di cinghiale, mezzelune di arista con caprino e fegatelli di maiale con sformato di patate. Tra i primi, per le asciutte abbiamo i **tortelli al ragù maremmano**, gli spaghetti all'anatra e radicchio, le **pappardelle al cinghiale**, i ***pici* con sugo** antico (**di agnello, cinghiale e carciofi**), la lasagnetta al Morellino con sugo di coniglio al finocchietto; per le minestre, la **zuppa di fagioli e cavolo**, la classica **acquacotta** e gli interessanti gnocchi all'acquacotta. Poi, l'ottimo **stracotto di cinghiale marinato al Morellino**, la **padellata di cinghiale con olive nere**, il **filetto di maiale al finocchietto** servito con tortino di radicchio al mosto d'uva. Per chiudere, dolci e gelati casalinghi. La cura nella scelta delle materie prime è palpabile: le verdure provengono dall'orto del papà di Silvia, le carni sono selezionate da un unico fornitore; singolare la scelta di comprendere nel coperto l'intrattenimento stagionale, l'acqua e sette tipi di pane fatto in casa.
La carta dei vini è rappresentata dagli scaffali dell'enoteca, con una scelta molto ampia di Morellino e una bella selezione di altri vini a prezzi ragionevoli.

Grotta di Santa Caterina da Bagoga

Ristorante
Via della Galluzza, 26
Tel. 0577 282208
Chiuso domenica sera e lunedì
Orario: mezzogiorno e sera
Ferie: prime 2 settimane di febbraio, ultima di luglio
Coperti: 60 + 24 esterni
Prezzi: 28-30 euro vini esclusi
Carte di credito: tutte, Bancomat

Grotta di Santa Caterina perché siamo vicinissimi alla casa-santuario della patrona di Siena (e d'Italia); da Bagoga perché con questo nomignolo, risalente agli anni in cui correva il Palio, è universalmente noto il patron Pierino Fagnani. Affabile ed estroverso, l'ex fantino sta ai fornelli ma ama anche intrattenere gli avventori in sala, un ambiente curato – come il piccolo dehors estivo –, con molti mattoni a vista, molti quadri e foto, moltissime bottiglie. L'atmosfera, va da sé, è spiccatamente contradaiola ma senza forzature invadenti, il servizio veloce e premuroso, il menù persino troppo ampio.
Evitando alcuni piatti un po' generici e banali, potrete cominciare con bruschette, crostini, salumi, il **tonno dei Colli Senesi** (simile al tonno del Chianti, è carne di maiale cotta al vapore e messa sott'olio), servito a volte con un passato di ceci, il **collo di pollo ripieno** con verdure in agrodolce. Poi, la **ribollita**, la **zuppa di fagioli**, **di lenticchie** o, in stagione, di funghi, e molte paste asciutte, dai ***pici* con ragù di cinghiale** ai **tagliolini con carciofi e mentuccia**. Di secondo, **fagianella ripiena**, tacchino alle spezie, **coniglio** alle Crete Senesi o **alla Vernaccia**, **peposo di chianina**, **trippa**, oltre a vari tagli di carni alla brace. Bagoga affina una buona selezione di **pecorini** e prepara alcuni dessert, tra cui la torta di riso, il tiramisù, gelati e semifreddi; ma potrete chiudere anche con il panforte, i ricciarelli o i cavallucci senesi.
Ampia e valida la gamma dei vini, soprattutto toscani, offerti anche a bicchiere.

In via Montanini, La Botteghina Civico 9 prepara aperitivi rinforzati con salumi, formaggi e altre cose buone.

HOSTERIA IL CARROCCIO

Osteria di recente fondazione
Via del Casato di Sotto, 32
Tel. 0577 41165
Chiuso martedì sera e mercoledì
Orario: mezzogiorno e sera
Ferie: variabili in estate e inverno
Coperti: 35 + 20 esterni
Prezzi: 30-34 euro vini esclusi
Carte di credito: Visa

Dal 1990 Renata Toppi guida con passione questa osteria vicinissima a piazza del Campo. Il caratteristico locale è composto da un'unica sala con pochi tavoli la cui disposizione non lascia molto spazio per muoversi, ma l'importante è starsene seduti a gustare i piatti.
Tra gli antipasti troveremo i classici **crostini** neri (di milza), **salumi** (anche di cinta senese), bruschette, le palline di pecorino con lardo e salsa di pere e, assolutamente da provare, l'**insalata di fegatini** e il **lampredotto** alla Re' (abbreviazione del nome della titolare). Tra i primi sono disponibili tutto l'anno **ribollita** e ***pici***, cui secondo stagione si affiancano **pappa al pomodoro**, risotti di verdure o **tagliatelle al cinghiale**. Sempre in lista tra i secondi la **bistecca** di chianina, lo **spezzatino alla senese**, la **tegamata di maiale con semi di finocchio**; in alternativa, **anatra all'etrusca**, filetti di maiale con tartufo e porcini, **pollo con gli zucchini** o una selezione di pecorini. Per finire, cantucci col Vin Santo, la torta di pere e cioccolato o un altro dei dolci di Renata e un bicchierino della grappa aromatizzata dal figlio Moreno.
Il vino sfuso è buono, ma l'avventore più esigente può consultare la carta o curiosare nelle mensole, troverà molte buone bottiglie. Non si pagano né coperto né servizio.

Le Bontà di Giangio, in via Casato di Sopra 10, è la gastronomia aperta dal figlio di Renata Toppi: Moreno ha selezionato un vasto paniere di prodotti che sono utilizzati anche nell'osteria.

ANTICA TRATTORIA DI' TRAMWAY

Trattoria
Via Pistoiese, 353-357
Tel. 055 8778203-877144
Chiuso domenica sera e lunedì
Orario: mezzogiorno e sera
Ferie: in agosto
Coperti: 75
Prezzi: 25-30 euro vini esclusi
Carte di credito: tutte

Il locale si trova sul confine che divide le province di Prato e Firenze, a pochi passi dalla villa medicea di Poggio a Caiano. Qui c'era la vecchia stazione dei tram per Pistoia e qui alla fine degli anni Cinquanta la famiglia Bacchereti mise su una bottega con bar, tabacchi e trattoria. Ed è sempre un Bacchereti, Morando detto Giorgio, che oggi vi accoglie con simpatia e arguzia tutta toscana. Anche il menù sembra lo stesso di allora, con alcuni classici della tradizione regionale integrati ogni giorno da piatti a base di prodotti di stagione.
All'inizio troverete sempre **crostini** misti, salumi tipici (da non perdere la **finocchiona** e la **soppressata**) il tagliere di formaggi e, in primavera, il pecorino con i baccelli. Ed eccoci ai primi piatti con le **penne alla pecora**, gli **spaghetti al sugo di coniglio**, le **tagliatelle al cinghiale**, la **ribollita**, la **pappa al pomodoro**, il **passato di ceci**, il minestrone di verdure. Ampia la scelta anche tra i secondi: ancora **pecora**, **cinghiale** o **papero**, tutti cucinati **in umido**, il **tacchino ripieno**, l'**arista** e la vitella **al forno**, varie carni alla griglia (bistecchine di pecora e di maiale, pollo, costolette di agnello e l'ottima **bistecca** alla fiorentina). Inoltre, il martedì trippa e il venerdì baccalà, che è consigliabile prenotare. Fra i dolci il tiramisù, crostate casalinghe con crema al limone o confettura di more oppure i biscottini di Prato col Vin Santo.
Giorgio ha allestito una piccola enoteca dove propone le migliori etichette toscane (Carmignano su tutte) e dal resto d'Italia, ma non è da sottovalutare il vino della casa servito in caraffa.

Sorano

83 km a est di Grosseto

Hostaria terrazza aldobrandeschi

NOVITÀ

Ristorante
Via del Borgo, 44
Tel. 0564 638699-347 3116331
Chiuso lunedì e martedì
Orario: mezzogiorno e sera
Ferie: gennaio
Coperti: 30 + 20 esterni
Prezzi: 35 euro vini esclusi
Carte di credito: Visa, Bancomat

Si arriva all'Hostaria attraverso stretti vicoli medievali. Ci si può accomodare nella sala ampia e accogliente o, meglio, nella terrazza panoramica da cui si gode uno scorcio di vera Maremma rupestre, dal crinale di tufo allo scrosciare del torrente sottostante. Le materie prime provengono da aziende agricole della zona; particolare attenzione è riservata ai prodotti dei Presìdi Slow Food. Si può scegliere alla carta o approfittare di un ricco menù degustazione: sei portate (due antipasti, due primi, un secondo con contorno, un dessert) al prezzo di 35 euro bevande escluse.
Si parte con i fragranti panini fatti in casa, da gustare ancora caldi. Interessanti, fra gli antipasti, la **terrina di piedini di maiale** con crema di lenticchie di Onano e salsa verde, il tagliere di **salumi** di cinta senese e **crostini** misti (lardo di cinta senese, paté di coratella d'agnello, verza stufata con pinoli e uvetta). Tradizione e creatività si mescolano nei primi piatti a base di pasta fresca fatta a mano: **pappardelle all'aglio e rosmarino con ragù di cinghiale**, cannelloni ripieni di baccalà e patate su crema di porri, **ravioli di pecorino** con salsa alle pere, tagliatelle al pecorino con lardo di cinta senese. Per il secondo si va da piatti di carne, quali filetto di maialino in crosta di erbe e mandorle, **agnello al rosmarino** con cicoria di campo, **cinghiale al Ciliegiolo e cannella**, a piatti di pesce come l'ottimo **baccalà** cotto al vapore **con crema di fagioli di Sorano** e pesto di erbe fini. In chiusura, millefoglie con scaglie di cioccolato e cristalli di caramello, strudel di pere con cioccolato fondente, pere al vino rosso.
Varia carta dei vini, regionali e nazionali.

Suvereto

77 km a SE di Livorno

La pergola da Ghigo

Ristorante-pizzeria
Via Belvedere, 7
Tel. 0565 829590
Chiuso il lunedì, mai d'estate
Orario: solo sera
Ferie: variabili
Coperti: 50 + 30 esterni
Prezzi: 25-35 euro vini esclusi
Carte di credito: le principali, Bancomat

Ghigo, dall'osteria che aveva in centro, si è spostato nella via che dalla panoramica conduce alla parte bassa del paese, riunendosi alla moglie Ghiga. I coniugi Righetti hanno messo insieme le forze e le competenze professionali, davvero solide, e ora offrono da un lato i classici della cucina toscana (il menù, anche graficamente, è lo stesso che correva ai tavoli del Caminetto), dall'altro le pizze in forno a legna e qualche specialità marinara, appannaggio da sempre della Pergola. Certo manca il fascino delle antiche pietre, in compenso un pergolato ombreggia i tavoli all'aperto e un interno colorato e arioso ospita coperti in più.
Piatti tipici della tradizione toscana, dicevamo: **crostini** e bruschette, **salumi** di qualità, lardo di Colonnata con polenta abbrustolita. Poi **tortelli maremmani** (di magro, con ricotta di pecora freschissima) **al ragù**, **pappardelle col cinghiale**, ***pici* col capriolo** o con sughi di verdure, **acquacotta**, **zuppa di farro**. Le carni: oltre a **bistecca** e tagliata (40 e 35 euro al chilo) ci sono **coniglio all'etrusca**, **cinghiale in umido** con polenta grigliata, stuzzicanti **bocconcini di chianina con cipolle**. Una lavagna indica i piatti del giorno, che abbiamo più volte assaggiato trovandovi un delizioso antipasto di mare, fettuccine al nero di seppia, cacciucchino di polpo, totano e seppia, tonno fresco all'isolana. Squisiti i dolci: torta di ricotta con mele e cioccolato, torta al limone, crostata di fichi, crema catalana, panna cotta, tiramisù, cantuccini casalinghi col Vin Santo.
Buono il vino della casa e carta che parla toscano dedicando attenzione ai prodotti della val di Cornia. Prezzi equi, con menù degustazione a 25 euro vini esclusi.

Tavarnelle Val di Pesa

30 km a sud di Firenze ss 2 o superstrada Fi-Si

La gramola

Osteria di recente fondazione-trattoria
Via delle Fonti, 1
Tel. 055 8050321-338 6039356
Chiuso il martedì, mai d'estate
Orario: solo sera, festivi anche pranzo
Ferie: non ne fa
Coperti: 70 + 30 esterni
Prezzi: 20-30 euro vini esclusi
Carte di credito: tutte, Bancomat

Nel centro del paese, in quello che era luogo di sosta e di ristoro per uomini e cavalli, è un ambiente curato, con una bella collezione di oggetti contadini. I proprietari, il sommelier Massimo Marzi e la cuoca Cecilia Dei, l'hanno aperto nel 1994. La cucina è quella della vecchia tradizione rurale toscana e i prodotti sono praticamente tutti locali: carni di animali allevati e macellati in zona, verdure, oli dei frantoi di Tavarnelle.
Crostini, bruschette con cavolo nero o fagioli cannellini, frittate o sfogliatine aprono il pasto. Si prosegue con **ribollita**, zuppa di ceci, minestra di farro o primi di pasta casalinga: **pappardelle sulla *nana*** (anatra), ***gnudi***, **tagliatelle di farina di castagne con zucca e salsiccia**. Poi, **peposo** dell'Impruneta, **maiale ubriaco**, filetto di maiale nella rete, **costata di cinta sense al forno**, **cinghiale in umido con le olive**, coniglio al lardo di Colonnata, piccione alla griglia. Di contorno, **fagioli al fiasco** o all'uccelletto, verdure grigliate, in stagione **funghi**. Si chiude con latte alla portoghese e altri dolci casalinghi, compresi i cantuccini. Interessanti i tre menù degustazione proposti.
La carta dei vini comprende 300 etichette, con numerose proposte al bicchiere. Il Chianti della casa è un simbolo dell'attenzione alla territorialità: nasce dalle uve della vigna più vicina all'osteria. La Gramola organizza serate di degustazione di vino e olio e corsi di cucina. Nei martedì estivi, durante una festa paesana, Cecilia cucina la carne che gli avventori acquistano dal macellaio di fronte al locale.

Osteria accessibile ai disabili.

Locale segnalato
dall'Associazione italiana celiachia.

Terranuova Bracciolini
Penna Alta

37 km a NO di Arezzo ss 69 o A 1

Il canto del maggio

Osteria-trattoria con alloggio
Località Penna Alta, 30 D
Tel. 055 9705147
Chiuso il lunedì, ottobre-aprile anche martedì
Orario: sera, festivi anche pranzo
Ferie: 1 settimana in marzo, 10 gg in settembre
Coperti: 40 + 40 esterni
Prezzi: 30-35 euro vini esclusi
Carte di credito: tutte, Bancomat

Arrivando da Terranuova, la Penna Alta, illuminata dall'ultimo spicchio di sole al tramonto, appare come un baluardo a presidio dei calanchi delle balze, prime pendici verso il Pratomagno. Mauro Quirini, patron del Canto del Maggio, ha la passione del luogo nelle vene e la trasmette con i suoi racconti e con i suoi piatti. Grande cultore di fiori e di erbe aromatiche, cura, a volte con l'aiuto del nipotino, l'orto e il meraviglioso giardino dove d'estate è possibile cenare. Mauro si avvale della preziosa collaborazione della moglie Rosanna in cucina e della figlia Simona, addetta alla sala, al pane e ai dolci.
Per iniziare, **crostoni** con il pomodoro, con il lardo e **con i fagioli zolfini** (Presidio Slow Food), **crostini** neri, con burro e prosciutto, con salame e fichi (gustosissimi), un ottimo assortimento di **formaggi**, i salumi con, in stagione, i baccelli dell'orto di Mauro. Tra i primi asciutti, le squisite **pappardelle con il sugo d'*ocio***, gli **gnocchi di patate rosse di Cetica con salsiccia**, gli strozzapreti di ricotta e spinaci con fonduta di formaggio; tra le **zuppe**, quelle **di ceci** con farro e orzo o con cavolo nero e funghi secchi, a volte anche la **frantoiana con il lampredotto**. Il secondo più rappresentativo è forse il **peposo alla fornacina**, ma sono da assaggiare anche lo **stinco di maiale in forno**, il **coniglio** disossato **alle erbe**, la **bistecca** (35 euro al chilo), gli sformati di verdura. Tra i dolci di Simona abbiamo un debole per la morbidissima torta al cioccolato.
Ottimo assortimento di vini toscani e buona selezione di etichette di altre regioni, a prezzi molto corretti. Se volete fermarvi per la notte ci sono otto piccoli appartamenti di recente ristrutturati con sobria eleganza.

Terranuova Bracciolini
Paterna

37 km a NO di Arezzo ss 69 o A 1

L'acquolina

Osteria tradizionale-trattoria
Via di Paterna, 94
Tel. 055 977514
Chiuso lunedì e martedì
Orario: solo la sera
Ferie: 15-31 agosto
Coperti: 40 + 60 esterni
Prezzi: 30-35 euro vini esclusi
Carte di credito: tutte, Bancomat

Si arriva a Paterna deviando dalla provinciale Setteponti in una piccola stradina bianca, tra San Giustino Valdarno e Loro Ciuffenna. Paolo Tizzanini e la moglie Daniela si dividono tra fornelli e sala, mentre il figlio Giulio, sommelier, saprà consigliarvi il vino giusto. Il locale, ricavato in una vecchia stalla, è arredato in modo rustico ed essenziale e ancora oggi conserva il pavimento in pietra serena.
Si inizia con il polpettone di vitello, fantastici **crostini neri**, lo sformatino di verdure, le polpettine di carne, la frittata con le cipolle, l'assaggio di una buona **pappa al pomodoro**. Morbidi e delicati gli **gnocchi di patate e ricotta** conditi con burro, formaggio e pepe, strepitosi gli **straccetti al sugo**: pasta all'uovo finissima, con un sugo cotto a lungo e fatto solo con il muscolo anteriore del vitello e un po' di pancetta di maiale. La **ribollita** è presente quand'è stagione di cavolo nero; d'estate il pane raffermo si riutilizza per **panzanella** e pappa al pomodoro. Dal mercoledì alla domenica, ottimo il **fritto misto**: braciolina di maiale impanata, pollo del Valdarno (Presidio Slow Food); a volte rane, carciofi, cipolla e fiori di zucca, fritti nella padella di ferro con olio extravergine. Fra gli altri secondi, l'**anatra al forno** o in umido, il **coniglio in porchetta**, il coscio di maiale al forno, in inverno lo **stufato alla sangiovannese** o le costine di maiale in agrodolce. Per finire zuppa inglese e altre dolcezze che Daniela prepara ogni giorno.
In alternativa a un onesto vino della casa, una quarantina di etichette in prevalenza della zona con alcune toscane di prestigio.

Accanto all'osteria c'è la sede della Cooperativa agricola di Paterna, con locanda per il pernottamento e bottega di prodotti biologici.

Torrita di Siena
Montefollonico

51 km a SE di Siena, 6 km da Pienza ss 326

La botte piena

Osteria di recente fondazione
Piazza Cinughi, 12
Tel. 0577 669481
Chiuso il mercoledì
Orario: mezzogiorno e sera
Ferie: tra gennaio e febbraio
Coperti: 45 + 25 esterni
Prezzi: 15-25 euro vini esclusi
Carte di credito: tutte, Bancomat

Montefollonico è un piccolo borgo posto su una collina da cui si gode un panorama che spazia dall'Amiata alla val d'Orcia fino a tutta la Valdichiana, compreso il Trasimeno. In una delle sue piazzette sorge questa osteria-vineria che offre non solo una cucina ben radicata sul territorio, ma fuori orario, al piano terra, anche merende con salumi e formaggi della zona, magari accompagnati da un buon bicchiere di vino. La sala da pranzo, al primo piano, dispone di uno splendido camino e ha le pareti addobbate con tanti oggetti che ricordano la vita dei contadini della zona.
Per antipasto potrete scegliere varie **bruschette**: al pecorino, con il rigatino, con rucola e mandorle, con marmellata di cipolle. Fra i primi la scelta è quasi obbligata: i ***pici*** fatti a mano, conditi **con le briciole** oppure **all'aglione**. Buone anche la **pappa al pomodoro** e, quando è stagione, la **ribollita**. La scelta dei secondi varia tra **fegatelli**, **salsicce** grigliate, filetto di chianina con lardo di cinta e pepe verde. Chi volesse terminare con una degustazione di **formaggi**, potrà sceglierli dal bancone dove sono presenti in gran parte pecorini di varie stagionature accompagnati da composte e marmellate. Buona anche la scelta di dolci, per lo più torte al cioccolato; in alternativa, crema al mascarpone con le fragole.
Per gli amanti del vino non c'è che l'imbarazzo della scelta, basta sfogliare l'enciclopedica lista che vi sarà portata al tavolo: etichette toscane ma anche interessanti puntate in altre regioni. Ottima disponibilità di passiti e distillati, da far invidia ai più quotati ristoranti italiani.

Trequanda

44 km a SE di Siena

Il conte matto

Ristorante-enoteca con alloggio
Via Taverne, 40
Tel. 0577 662079
Chiuso il martedì
Orario: mezzogiorno e sera
Ferie: febbraio
Coperti: 50 + 40 esterni
Prezzi: 28-35 euro vini esclusi
Carte di credito: Visa, Bancomat

All'interno delle mura del trecentesco castello di Trequanda, David Arrigucci, con l'immancabile supporto della nonna (memoria storica) e di tutta la famiglia, dirige sapientemente e con passione questo ristorante semplice nell'arredamento ma molto accogliente.
Si comincia con i **crostini** di milza, di fegatino e di cibreo, i **salumi** di cinta senese, ma anche proposte originali come l'involtino di melanzana e ricotta o la composta di melanzane e pomodorini. La pasta è fatta quotidianamente dalla nonna: da provare i ***pici* all'aglione, alle briciole** o al tartufo, le **tagliatelle alla *nana*** o **al ragù di cinta senese**, gli gnocchi alle ortiche con pomodorini e ricotta stagionata. Il **cinghiale in dolceforte** (ricetta rinascimentale) e la bistecca di chianina alla brace sono i secondi più apprezzati, ma costituiscono ottime alternative il **piccione in casseruola**, il filetto di maiale ai porri, il rotolo di petto di *nana* alle ciliegie. *Dulcis in fundo,* se non si vuole prima provare l'accurata selezione di **formaggi**, la cialda di pasta sfoglia al mascarpone e fragole, il parfait di croccantino e mandorle, lo zuccotto, la morbidezza di cioccolato fondente e cacao. Una menzione particolare per la carta degli oli e per quella dei vini che contiene più di 300 etichette, con particolare attenzione a quelle del territorio.
Consigliata, prima o dopo il pasto, una passeggiata per il borghetto, un gioiello incastonato nelle Crete Senesi.

Alla macelleria Ricci, via Traversa dei Monti 4, carne chianina del Presidio Slow Food e preparazioni di salumeria; da Roberto Mancini, via Diacceto 16, pani artigianali e prodotti di pasticceria.

Viareggio

24 km a NO di Lucca

Don Quixote

Novità

Enoteca con mescita e cucina
Via Vespucci, 165
Tel. 0584 31402
Chiuso il martedì
Orario: solo la sera
Ferie: novembre
Coperti: 32 + 16 esterni
Prezzi: 30-35 euro vini esclusi
Carte di credito: tutte, Bancomat

I due giovani gestori, Giulia Petrini e Luca Tolomei, quando iniziarono la loro avventura due anni fa in questo locale a poche centinaia di metri dalla passeggiata a mare di Viareggio, vollero popolare il menù, oltre che di pesce, anche di cinghiali, cervi, daini e gli altri animali di terra. E così, oltre alle proposte di mare, qui troviamo una scelta di carne che non sfigurerebbe nell'entroterra della Maremma o in Chianti.
Si può cominciare con il crostino al cavolo nero e gamberi, il **passato di fagioli** (bianchi, neri, piattelle) **con baccalà lesso**, lo sformato di verdure con salsa di pesce, ma meritano anche i salumi di piccoli produttori emiliani, il parmigiano reggiano servito con aceto balsamico tradizionale invecchiato 12 anni, il **manzo di pozza** su fagioli lessi. I primi sono tutti preparati con pasta fresca fatta a mano: **maccheroni con i coltellacci** (cannolicchi), tagliatelle con calamari e pomodori secchi o con gamberi e carciofi, **spaghetti con tonno fresco, totani e gamberi**, **tordelli** con sugo di carne, maccheroni con sugo di selvaggina. Da provare anche la profumata **zuppa di cipolle** e la ***intruglia***, una polenta con cavolo verza, cavolo nero, fagioli borlotti, porri, sedano, cipolla, strutto di maiale. I secondi di pesce comprendono zuppetta di mare, **baccalà** lesso con i ceci o alla Don Quixote (con patate, pomodori e cipolline), *sparnocchi* (cicale di mare) e filetto di **tonno alla brace** di legna; le proposte di terra vedono **cinghiale alla cacciatora**, maialino di latte al forno, **piccione**, **bistecca**, **trippa**, cacciucco di cortile. I dolci, a parte il crème caramel, variano secondo stagione: squisita la crostata di pere e cioccolato.
Vini regionali e nazionali, alcuni disponibili anche al bicchiere, offerti con ricarichi onesti.

VILLA BASILICA
Biecina

24 KM A NE DI LUCCA

DA ALDO

Trattoria
Via delle Cartiere, 175
Tel. 0572 43008-43170
Chiuso la domenica
Orario: mezzogiorno e sera
Ferie: 15 giorni in agosto
Coperti: 70 + 20 esterni
Prezzi: 23-25 euro vini esclusi
Carte di credito: le principali, Bancomat

L'osteria Da Aldo si trova proprio sotto Collodi, il paese di Pinocchio, ma quel che stiamo per raccontarvi è la pura verità. Luogo piacevolmente tradizionale, è arredato con grande uso di legno, ha luci calde e dispone di un grande camino; la cucina è a vista. Si mangia in due salette al primo piano (sotto c'è il bar), molto frequentate dalla gente del luogo; da quest'anno si è aggiunto alla struttura un piccolo dehors per le serate estive. La proposta varia tra il pranzo, quando è presente un menù ridotto a prezzo fisso, e la cena che prevede una scelta più ampia.
Si comincia con un ricco antipasto a base di crostini toscani e ai funghi, **panzanella**, cipolle rosse sott'aceto, salumi e la **fettunta** preparata con olio extravergine locale. Tra i primi abbiamo assaggiato i **tortelli** fatti in casa con ripieno di funghi e i **maccheroni alla lucchese**. Davvero ben fatto anche il **minestrone** di riso o farro (entrambi proposti anche con i funghi). In stagione si possono trovare inoltre le **tagliatelle con ragù di cinghiale**, cervo o capriolo. Si prosegue con un'ottima **lepre** o con il cervo **in umido**, con il **pollo** (o il coniglio) allevato a terra e **fritto** in olio extravergine; da non tralasciare la carne ai ferri con le cappelle di porcini. Questi ultimi, secondo disponibilità, si possono apprezzare anche fritti o crudi in insalata. Buoni i dolci casalinghi, tra cui spiccano crostate e cantucci con il Vin Santo.
Un dignitoso vino rosso della casa accompagna il pasto ma, volendo, si può scegliere tra una selezione di etichette prevalentemente regionali, ben curata e dai ricarichi onesti. Fornita la selezione di liquori. L'atmosfera e il servizio sono decisamente gradevoli.

VOLTERRA

66 KM A SE DI PISA SS 68 E 439

DA BADÒ

Trattoria
Borgo San Lazzero, 9
Tel. 0588 86477
Chiuso il mercoledì
Orario: mezzogiorno e sera
Ferie: non ne fa
Coperti: 40
Prezzi: 35 euro vini esclusi
Carte di credito: tutte, Bancomat

Situata alle porte di Volterra, la trattoria Da Badò mantiene il livello qualitativo degli anni precedenti, proponendo la consueta varietà di piatti della tradizione toscana e in particolare volterrana, pur non rinunciando a qualche riuscito tentativo di innovazione. Le materie prime assolutamente genuine, in gran parte scelte con cura tra i produttori della zona, sono il vero punto di forza della cucina. Ai fornelli opera la mamma del simpatico Giacomo Nencini, titolare da alcuni anni insieme a Michele Gabellieri. Si viene accolti con uno stuzzichino che accompagna la lettura del menù. Gli antipasti rappresentano un tuffo nella migliore tradizione toscana, con **crostini** misti e **salumi** fatti in casa. I piatti seguono l'andamento delle stagioni e della caccia. Tra i primi, ottimi il **pasticciato di gallina**, il risotto alle verdure, la **zuppa volterrana**, la **pappa al pomodoro**, le **pappardelle sulla lepre**. Seguono solitamente il **cinghiale in umido**, la trippa (compreso il **lampredotto**), la tagliata di manzo, la bistecca di vitellone; valido anche il gustoso **baccalà rifatto**. Tra i contorni, notevoli i fritti di verdure. Una menzione merita la selezione di pecorini locali. Si chiude con dolci casalinghi come la crostata all'arancio.
L'articolata lista dei vini è volutamente concentrata su prodotti toscani noti e meno noti. Caratteristica la tradizionale colazione del primo maggio a base di trippa, spalla, baccelli e pecorino.

In via dei Marchesi 13, gelateria Chic & Shock: gelati dai gusti tradizionali e non.

UMBRIA

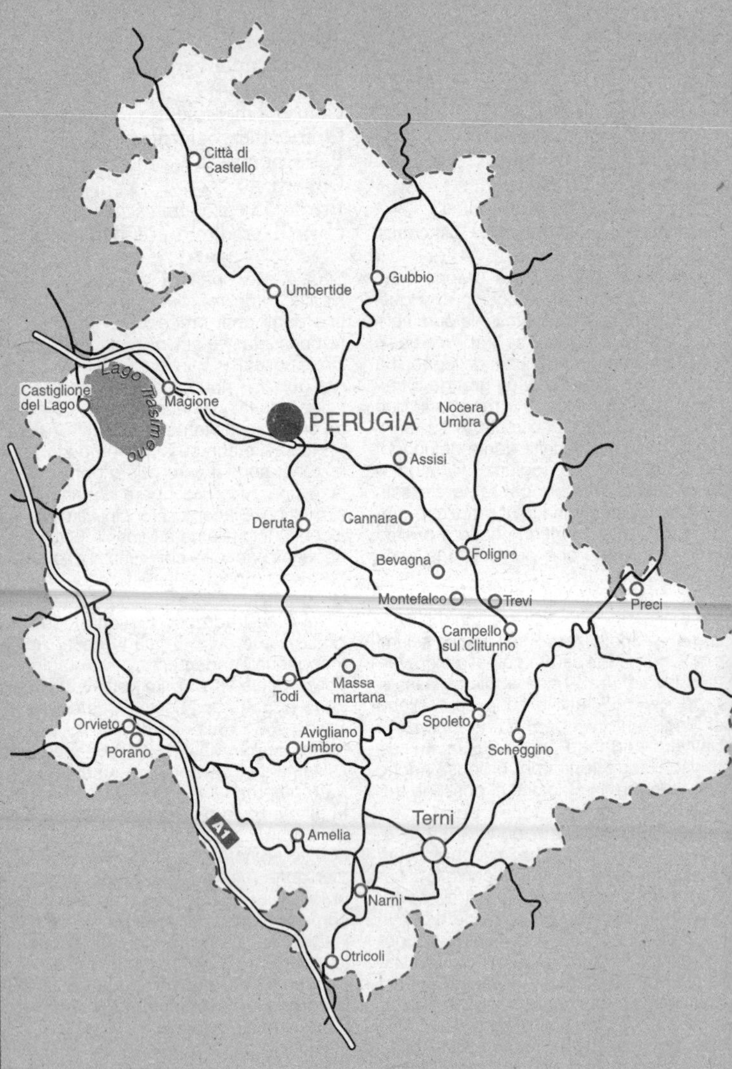

Città di Castello
Gubbio
Umbertide
Lago Trasimeno
Castiglione del Lago
Magione
PERUGIA
Nocera Umbra
Assisi
Deruta
Cannara
Foligno
Bevagna
Montefalco
Trevi
Preci
Campello sul Clitunno
Todi
Massa martana
Spoleto
Orvieto
Porano
Avigliano Umbro
Scheggino
Terni
A1
Amelia
Narni
Otricoli

Ph: Azibul - Pietro Bologna

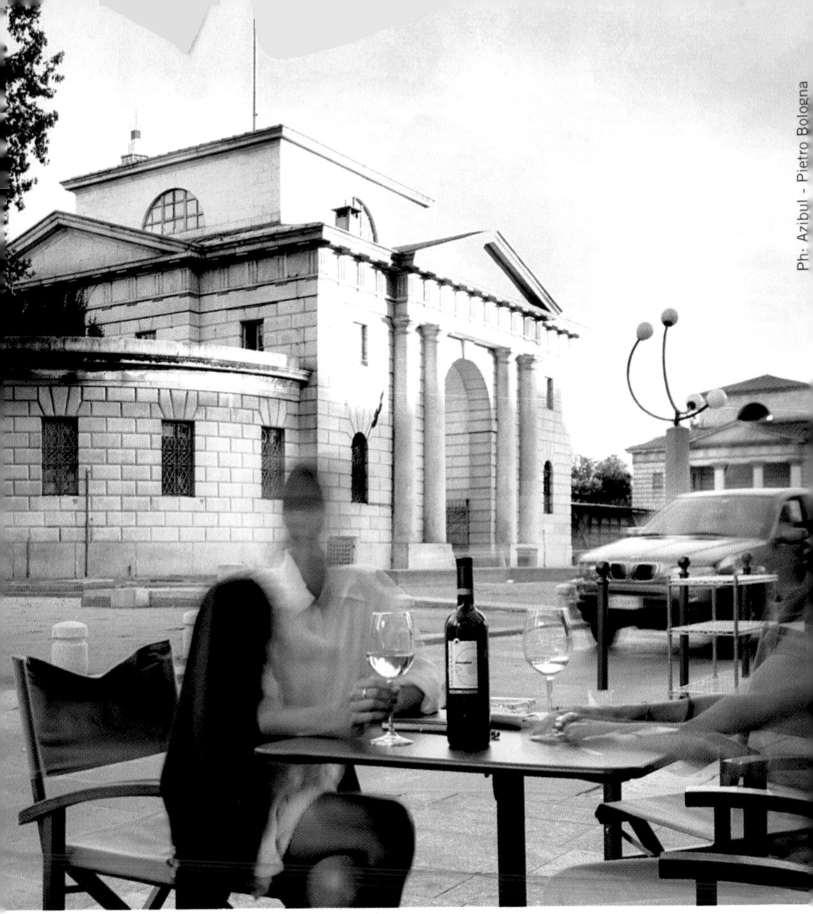

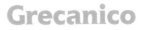

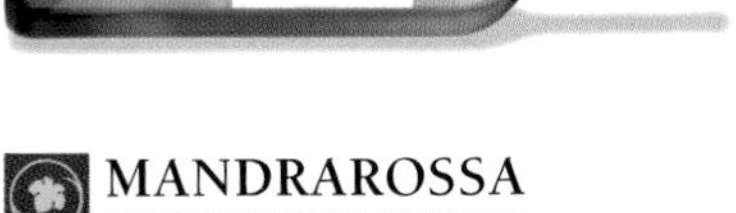

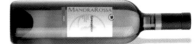

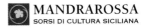

Amelia

25 km a ovest di Terni ss 205

Scoglio dell'aquilone

Ristorante annesso all'albergo
Via Orvieto, 23
Tel. 0744 982445
Chiuso il martedì
Orario: mezzogiorno e sera
Ferie: non ne fa
Coperti: 150
Prezzi: 26-35 euro vini esclusi
Carte di credito: le principali, Bancomat

Dopo aver visitato l'antica città di Amelia, a circa due chilometri dal centro storico, percorrendo la statale che porta a Orvieto, troverete l'albergo-ristorante creato e gestito dalla famiglia De Santis. La zona è suggestiva e non a caso in passato era la meta delle scampagnate domenicali delle famiglie amerine.

I due simpatici signori che vi accoglieranno nelle grandi sale del ristorante sono i mariti delle sorelle Daniela e Laura che invece si occupano della cucina. Dopo una piacevole carrellata di **salumi**, formaggi e **crostini** (in stagione anche con funghi e tartufi), potrete passare ai primi piatti, a base di pasta fatta in casa: **fettuccine con le rigaglie di pollo**, **manfricoli al sugo *pascio*** (in umbro *pascio* significa matto ed è il classico sugo finto con pomodoro e basilico), **strangozzi al tartufo**. Tra i secondi sono consigliabili le **carni alla brace** (manzo, agnello, maiale), ma ottimo è anche l'**agnello a scottadito**. Il ristorante è noto per le preparazioni a base di **cacciagione**: cinghiale e capriolo alla cacciatora, **tordi allo spiedo** e (solo su prenotazione d'inverno) il **colombaccio alla leccarda**, uno dei piatti simbolo della cucina umbra, un tempo prerogativa delle classi abbienti. Come formaggi, pecorini della zona. I contorni, che variano con la stagione, sono le verdure dell'orto della famiglia, così come sono fatti in proprio i dolci, dal classico tiramisù alla zuppa inglese.

Vino della casa in caraffa e piccolo assortimento di bottiglie locali.

Assisi

24 km a est di Perugia ss 147 e ss 75

Da erminio

NOVITÀ

Trattoria
Via Montecavallo, 19
Tel. 075 812506
Chiuso il giovedì
Orario: mezzogiorno e sera
Ferie: 15 gennaio-1 marzo, primi 15 gg di luglio
Coperti: 40 + 25 esterni
Prezzi: 25-30 euro vini esclusi
Carte di credito: tutte, Bancomat

I caratteristici stretti vicoli del centro storico di Assisi nascondono, tra i saliscendi di strade e piazzette, questa tipica trattoria. Sono passate tre generazioni da quando Erminio e sua moglie aprirono il locale nel lontano 1954. Oggi ci accoglie in sala il nipote Federico assieme alla zia Giuliana, sempre indaffarata a far sì che tutti trovino un posto a tavola e possano tranquillamente gustare i buoni sapori di una volta.

Oltrepassata la soglia d'ingresso dell'unica sala, vedrete sulla parete di fronte il grande camino con la brace sempre ardente. Ed è proprio la **carne alla griglia** la specialità di cui abbonda il menù: da oltre venti anni è la signora Ornella a occuparsi della sua cottura, utilizzando tagli di vitello, maiale, pollo e agnello di provenienza locale. Anche le altre proposte gastronomiche si caratterizzano per semplicità, genuinità e sapori decisi, a cominciare dai salumi e dalle bruschette impreziosite dall'olio extravergine di oliva della dop Colli Assisi-Spoleto. Tra i primi non mancano mai i cappelletti di carne in brodo, gli **strangozzi** e le tagliatelle **al ragù di carne** oppure con le verdure di stagione. La **zuppa di farro con i funghi porcini** è uno dei *must* del locale. Oltre alle già citate grigliate, potrete proseguire con la cacciagione, il **cinghiale in salmì** o il **coniglio all'assisana**, cotto in padella con diverse erbe aromatiche.

Buona la selezione dei vini umbri, da consumare anche al bicchiere. Ricordatevi che non è possibile prenotare.

Assisi

24 km a est di Perugia ss 147 e ss 75

Pallotta

Trattoria
Via Volta Pinta, 2
Tel. 075 812649
Chiuso il martedì
Orario: mezzogiorno e sera
Ferie: fine febbraio-primi di marzo
Coperti: 80
Prezzi: 25-30 euro vini esclusi
Carte di credito: tutte, Bancomat

Storia e arte ci guidano alla Pallotta. Siamo nel centro storico di Assisi, in piazza del Municipio dove dobbiamo percorrere il vicolo della Volta Pinta, scendere alcuni scalini ed entrare in trattoria. Lo stupendo percorso d'arte è coronato, nel locale, dall'arredamento e dalla cura dei particolari.
Una gestione consolidata quella della famiglia Balducci, con la signora Margherita in cucina e i figli Stefania, Elisabetta e Mirco in sala. Piatti della tradizione locale seguendo la stagionalità dei prodotti, dai **funghi** al cinghiale agli asparagi. Tra le paste tirate a mano consigliamo gli **strangozzi alla Pallotta**, tagliatelle senza uova condite con un pesto di funghi alle olive nere, leggermente piccante, e la delicata **zuppa di farro con la fagiolina del Trasimeno**, Presidio Slow Food. Per i secondi la scelta può andare dal **piccione alla ghiotta** con crostone, all'**agnello scottadito** al **coniglio alla cacciatora**, accompagnati dalla **torta al testo** con "erba campagnola", verdure fresche ripassate in padella con aglio, olio e un pizzico di peperoncino. Tra i dolci, tutti fatti in casa, oltre ai tipici **tozzetti** con il Vin Santo, da provare la **rocciata assisana** e il dolcetto caldo al cioccolato fondente con crema pasticcera e marmellata di arance amare.
Ottima la carta dei vini, con grande attenzione alle cantine regionali e la possibilità di abbinare molte proposte al bicchiere. A pochi passi dalla trattoria, sulla strada che porta alla chiesa di San Rufino, è possibile alloggiare nell'albergo di famiglia.

A **Santa Maria degli Angeli** (4 km), di fronte alla basilica, caseificio Brufani: ampia scelta di formaggi stagionati e freschi, e prodotti caseari di altre regioni.

Avigliano Umbro
Toscolano

40 km a NO di Terni

Il castagneto

NOVITÀ

Ristorante-pizzeria
Via Marconi, 24
Tel. 0744 934941
Chiuso il lunedì
Orario: mezzogiorno e sera
Ferie: 7-31 gennaio
Coperti: 50 + 60 esterni
Prezzi: 30 euro vini esclusi
Carte di credito: tutte tranne AE, Bancomat

Se si ha voglia di immergersi in uno dei più incontaminati boschi dell'Umbria, non si può perdere l'occasione di visitare Il Castagneto, il locale che la famiglia Uffreduzzi gestisce da oltre 25 anni proprio all'inizio di Toscolano, frazione di Avigliano Umbro. Fatevi dare le chiavi della piccola cappella di fronte all'ingresso: custodisce il famoso affresco della *Maestà* attribuito da Federico Zeri a Pier Matteo D'Amelia. Terminata la visita, potrete godere di un ottimo pasto in questo ristorante. In cucina Alceo e Diego, ultima generazione della famiglia, propongono ricette semplici preparate con i tanti prodotti del bosco (**funghi**, tartufi, castagne, **cacciagione**) ma anche dell'orto curato da papà Nello: broccoletti, cicoria, carciofi, pomodori, insalate. L'olio, di produzione propria, è ottenuto da olive leccino e moraiolo. Anche il prosciutto, la cui attenta stagionatura gli conferisce il sentore dei prodotti di montagna, è preparato dalla famiglia.
Le paste sono fatte in casa: le **fettuccine** sono condite con sughi di stagione (ottime ad esempio **con gli asparagi di bosco**), gli **gnocchi con il sugo di castrato**. Tra i secondi, oltre al cinghiale e al **castrato**, vari tagli locali cotti per lo più allo spiedo. Solo su prenotazione trovate le **palombe alla ghiotta** e, tra la cacciagione, i **tordi allo spiedo**. Ottime confetture fatte in casa, come quella di prugne, guarniscono le crostate e i dolci al cucchiaio. Da provare anche le ottime pizze cotte a legna.
Nella carta dei vini oltre trenta etichette del territorio, tutte da provare.

Avigliano Umbro

29 km a NO di Terni ss 3 bis

La posta

Ristorante
Via Matteotti, 19
Tel. 0744 933927
Chiuso lunedì e martedì
Orario: sera, festivi anche pranzo
Ferie: variabili
Coperti: 40 + 30 esterni
Prezzi: 30-35 euro vini esclusi
Carte di credito: le principali, Bancomat

Siamo nel cuore della collina umbra, fra i monti Martani e i colli dell'Amerino, in una zona che vale una sosta per la suggestione degli ambienti e dei paesaggi. Ma anche per conoscere l'osteria di Piero Venturini e della moglie Paola, dove incontrerete una cucina di sana impronta locale, saggiamente ancorata al territorio. Ottimi conoscitori delle tradizioni gastronomiche popolari della zona, i due titolari curano con attenzione la ricerca delle materie prime: nel loro locale mangerete carne di provenienza biologica, così come lo è la farina utilizzata per preparare la pasta fatta in casa e il pane; dalle aziende che operano intorno arrivano l'olio extravergine di oliva dop utilizzato in cucina e il buon vino della casa. In più Piero, abile norcino, prepara ottimi salumi.
Potrete dunque partire proprio dai **salumi**, tutti di produzione artigianale: prosciutto, salami e capocollo. Poi i primi piatti che, nella stagione fredda, comprendono ottime **zuppe**, come quelle **di lenticchie** e **di ceci**, aromatizzate con erbe provenienti dall'orto di casa. Squisite, fra le paste asciutte, le **tagliatelle al ragù di gallina** o **di oca**, un classico dei giorni di festa della tradizione contadina, e i **maltagliati** conditi con sugo di stagione – da provare, in stagione, quello agli asparagi selvatici. Tra i secondi, sono da segnalare il **piccione**, l'arrosto, l'**agnello** arrosto o fritto. Proprio i **fritti** sono la specialità di Piero: di pollo, di agnello, di verdure (carciofi e zucchine), ma anche di pesce (calamari e gamberi freschissimi).
Buoni i dolci, tutti preparati in casa, e anche i gelati (assaggiate quello alla nocciola), le creme e le mousse. Curata la selezione dei vini, specialmente umbri. Ultima nota di merito: non si pagano coperto e servizio.

Bevagna

38 km a SE di Perugia

Ristorante enoteca di piazza Onofri

Ristorante-enoteca
Piazza Onofri, 1
Tel. 0742 361926
Chiuso il mercoledì
Orario: sera, sabato e domenica anche pranzo
Ferie: variabili
Coperti: 40 + 30 esterni
Prezzi: 30-35 euro vini esclusi
Carte di credito: le principali, Bancomat

Questo ristorante è pienamente inserito nello spirito medievale che pervade il bel borgo umbro di Bevagna che, nel periodo delle Gaite, la seconda settimana di giugno, rivive le atmosfere dell'età di mezzo con una partecipazione popolare che ha pochi riscontri altrove e una attenta cura iconografica. Il locale, ristrutturazione di un antico frantoio, si rivela subito anche come una enoteca fornitissima e sapientemente gestita. La proposta della cucina è caratterizzata dalla genuinità e dalla tipicità.
Per cominciare, ecco **salumi**, **formaggi** accompagnati da confetture, ottime bruschette con il fragrante olio di queste terre. Le proposte per i primi piatti comprendono **taglierini** fatti a mano **con i funghi porcini**, **mezzemaniche all'amatriciana bianca**, **strangozzi al tartufo**; nella stagione più fredda sono presenti diverse **zuppe**. Per secondo si può scegliere fra la **costata di chianina alla brace**, l'ottimo **piccione alla ghiotta**, il **baccalà con pomodori e peperoni** o, quando il carniere lo permette, **cacciagione**. Disponibile un interessante menù degustazione con un buon ventaglio di proposte regionali. I dolci casalinghi della pasticceria tradizionale sono reinterpretati con intelligenza.
La carta dell'enoteca propone oltre 500 bottiglie, praticamente di tutto il mondo, con una massiccia presenza di vini umbri; possibilità di degustazione anche al bicchiere.

Campello sul Clitunno
Fonti del Clitunno

54 km a se di Perugia, 10 km da Spoleto, 15 km da Foligno ss 3

La trattoria

Trattoria
Strada delle Vene, 7
Tel. 0743 275797
Chiuso il giovedì
Orario: mezzogiorno e sera
Ferie: gennaio
Coperti: 70 + 70 esterni
Prezzi: 27-35 euro vini esclusi
Carte di credito: le principali, Bancomat

«Hai mai veduto le Fonti del Clitunno? Se non ancora, e credo di no, altrimenti me ne avresti parlato, valle a vedere». Così scriveva Plinio il giovane a un amico e il suo consiglio rimane valido. Altrettanta valido il consiglio che continuiamo a darvi rispetto a questa Trattoria sulla Flaminia vecchia. La troverete percorrendo la nuova statale che collega Perugia a Spoleto (uscita Fonti del Clitunno), proprio di fronte all'entrata delle monumentali fonti, fiancheggiate da salici e pioppi maestosi. All'interno di un piccolissimo agglomerato sulla strada, dopo aver salito pochi scalini vi troverete in un ambiente accogliente (così come lo è lo spazio esterno), con un arredamento sobrio e richiami alla civiltà contadina umbra.

Ad accoglervi sarà il titolare Gabriele Checcarelli, ottimo conoscitore del territorio e dei suoi prodotti, che vi illustrerà il menù, particolarmente attento alla stagionalità. Nel corso della nostra ultima visita abbiamo cominciato con un antipasto tipico costituito da **coratella di agnello** e salumi, un ottimo uovo strapazzato al tartufo, frittatine alle verdure. Gli insostituibili **rigatoni con il guanciale** e i primaverili **strangozzi con fiori di zucca** e asparagi fanno parte della lista dei primi, come altre paste al **tartufo**, pregiata risorsa gastronomica della zona. Fra i secondi ci sono ottime carni come il **coniglio farcito**, il **piccione**, lo stinco di maiale al forno, il **pollo ai peperoni**; appetitose pure le **lumache al profumo di finocchietto** selvatico. Il tutto con contorno di verdure di stagione.

I dolci sono di mano casalinga: crostate alle confetture, **tozzetti** e dolci al cucchiaio. La carta dei vini strizza l'occhio al territorio, con in più qualche etichetta di fama nazionale. Buona attenzione agli oli locali, servizio curato anche se non proprio rapido.

Cannara

31 Km a se di Perugia

Perbacco

Osteria di recente fondazione
Via Umberto I, 14
Tel. 0742 720492
Chiuso il lunedì
Orario: solo la sera
Ferie: agosto
Coperti: 50
Prezzi: 29-35 euro vini esclusi
Carte di credito: tutte, Bancomat

Cannara è situata al centro dell'Umbria, nella pianura che guarda Assisi. Qui una storica fornace produceva, fino a qualche anno fa, mattoni fatti a mano, utilizzando la stessa terra che, tradizionalmente, fa nascere in questa valle dolci cipolle dal gusto inconfondibile. Il piccolo centro storico è raccolto su vie strette che si intersecano tra loro: su una delle principali, via Umberto I, troviamo questa osteria, ideata e gestita da Ernesto Parziani. Colori pastello alle pareti e due piccole sale comunicanti, idealmente separate da una colonna in pietra riprodotta. Nella stagione estiva si può cenare all'aperto, sulla strada in mezzo ai vicoli, ma vi consigliamo di prenotare perché i posti disponibili sono pochi. Da segnalare gli originali lavabo in pietra serena che abbelliscono i servizi, curati e arredati con gusto.

Il sapore della **cipolla di Cannara**, Presidio Slow Food, caratterizza molti dei piatti proposti alla carta. Si comincia con il **paté caldo di fegatini di pollo** su una bruschetta e un crostino con pomodoro al forno aromatizzato alle erbette, per passare agli **sformati di verdure** (tra i quali, in primavera, è da provare quello di asparagi selvatici) o all'insalata di farro e nervetti. La **torta al testo** farcita con il piatto di salumi misti costituisce un pasto completo come, del resto, la **zuppa di cipolle**. Specialità del locale sono gli spaghetti Perbacco, con cipolle e acciughe, ma ci sono anche le tagliatelle con vari condimenti a seconda della stagione. Tra i secondi sono da assaggiare il petto di pollo al pepe e Vernaccia di Cannara, la **coratella di agnello**, la **coscia d'anatra farcita**, la testina di vitello arrotolata.

Le crostate di frutta e il **salame del re** al cioccolato per chiudere. Proposte regionali e nazionali nella carta dei vini.

Castiglione del Lago

44 km a ovest di Perugia raccordo A 1 o ss 599

L'Acquario 

Ristorante
Via Vittorio Emanuele II, 69
Tel. 075 9652432
Chiuso il mercoledì
Orario: mezzogiorno e sera
Ferie: un mese tra gennaio e febbraio
Coperti: 50 + 20 esterni
Prezzi: 30-35 euro vini esclusi
Carte di credito: Visa, Bancomat

Nella via principale del centro storico di Castiglione del Lago ecco il ristorante gestito dal 1992 da Ilio con la moglie Tiziana, con la collaborazione in sala delle figlie Viola e Verdiana. Il locale, semplice e curato, è un punto di riferimento per la cucina lacustre, cardine del menù, anche se non manca la cura per il resto della proposta.
Irene e Rossella, in cucina, prepareranno, per cominciare, **gamberi di lago** e luccio con porri e mandorle, rotolini di persico e gamberi di lago con primule e viola, **filetti di luccio gratinati** con fichi e castagne. Paste fatte a mano per i primi: **tagliatelle con uova di carpa** e filetti di persico, stracci con luccio e tartufo nero, **linguine con tinca affumicata ed erbette**. Come secondi, le proposte vanno dal luccio con patate, cipolle e mirto, all'**anguilla al sugo di tegamaccio**, dalla **carpa regina in porchetta** alla grigliata di lago. Per gli amanti della carne ci saranno un ottimo **coniglio all'arrabbiata con olive nere** e ginepro, lo scottadito di agnello alla brace; o ancora un filetto di vitello ai funghi porcini e l'anatra con fichi all'aceto di lamponi. Da non perdere la **fagiolina del Trasimeno** (Presidio Slow Food) che, condita in modo semplice con olio locale e sale, renderà particolare il vostro contorno.
Tra i dessert la scelta è varia: mousse di limone e fragola con salsa ai frutti di bosco, bavarese al finocchio con salsa di menta, biscotti all'uvetta e tozzetti, torta ai pinoli della nonna; se sarete fortunati troverete il **tarsminas**, una spuma di pesce persico servita con uova di carpa regina al Cognac caramellato su una base di polentina umbra. Nella carta dei vini etichette del Trasimento e regionali, con possibilità di acquisto; buona selezione di oli del territorio e umbri.
Da novembre a marzo il ristorante è chiuso anche di martedì.

Città di Castello

54 km a nord di Perugia ss 3 bis e 257

Il cacciatore

Osteria tradizionale
Via della Braccina, 10
Tel. 075 8520882
Chiuso il martedì
Orario: pranzo, sabato sera su prenotazione
Ferie: settembre
Coperti: 32
Prezzi: 20-25 euro vini esclusi
Carte di credito: tutte, Bancomat

Un locale che ha l'aspetto e la sostanza dell'osteria vecchio stile, con il banco di mescita all'ingresso davanti al quale gli habitué si affollano chiacchierando a ogni ora del giorno. Siamo nel cuore del centro storico cittadino, all'ombra della torre civica, dove Il Cacciatore, a mezzogiorno, da osteria diventa trattoria. Nella saletta retrostante si preparano pochi tavoli cui si può consumare un menù semplice e saporito, così come immediati e familiari sono l'atmosfera e il servizio. Si occupa di tutto Sandro, con l'aiuto della madre Ivana e della collaboratrice Viviana, dividendosi tra banco, sala e cucina. Trova anche il tempo per accudire l'orto di casa, che fornisce le verdure della dispensa.
Comincerete con l'antipasto più classico: la ***ciaccia* sul panaro**, una torta al testo di acqua e farina cotta sulla cenere di carbone. La signora Ivana prepara a mano la pasta dei primi, dagli **agnellotti** (agnolotti) al ragù, ai **cappelletti in brodo**, agli gnocchi al pomodoro e basilico. Le carni utilizzate per la preparazione dei secondi provengono da allevamenti del territorio: da non perdere il **capocollo di maiale alla griglia**, l'**ossobuco di *mongana*** (vitella) con piselli in bianco e gli ottimi **spiedini rustici** alla brace. Come contorno, potrete avere radicchio "acciugato", fagiolini lessi e insalata con formaggi e olive.
Per chiudere, i tradizionali **cantucci** o dolci al cucchiaio. Da bere, oltre allo sfuso della casa è disponibile una piccola carta di vini umbri e toscani.

In via Marchesani 3, l'enoteca Lo Sfizio dispone di un'ampia selezione di vini, oli e cioccolati. In corso Cavour 13 la macelleria Giulietti propone eccellenti salumi.

54 KM A NORD DI PERUGIA SS 3 BIS E 257

L'ACCADEMIA

Ristorante
Via del Modello, 1
Tel. 075 8523120-333 2465882
Chiuso il lunedì
Orario: solo la sera
Ferie: la settimana di Ferragosto
Coperti: 30 + 20 esterni
Prezzi: 25-28 euro vini esclusi
Carte di credito: tutte tranne AE, Bancomat

Nel centro storico di Città di Castello, ai piedi di un'antica torre, vi apparirà questo locale molto accogliente, che si apre su una caratteristica sala con un lungo bancone dove si può sorseggiare un bicchiere di vino o prendere un caffè. Passando nella sala sottostante, movimentata da angoli e soppalchi, ci si può fermare per la cena, intrattenuti dal patron Mirko Zenga, giovane cortese e competente.

Si comincerà con taglieri di **salumi** misti e **formaggi a latte crudo** di produzione locale, accompagnati da una grande varietà di pani caldi preparati dalla cucina. A seconda della stagione, poi, vi saranno offerti primi piatti come **strozzapreti con salsiccia e porri**, **tagliatelle al ragù di chianina**, di coniglio o alle verdure; ci sono inoltre i classici **strangozzi** e un'ampia scelta di paste ripiene di verdure di stagione o di carne. Nella stagione estiva sono proposte insalate (per esempio di farro) e verdure. Molto spazio è riservato, fra i secondi, alla carne chianina di produzione locale, vanto del territorio, nelle preparazioni classiche – tagliata e arrosto alla brace – ma anche con proposte più impegnative quali lo **stracotto al Sagrantino**. Buona selezione di dolci al cucchiaio, accattivanti e ben presentati, tra cui la **zuppa inglese** è un classico del locale.

Merita attenzione la carta dei vini, ben rappresentativa di etichette locali e nazionali, ma soprattutto attenta nel presentare piccoli e validi produttori dal buon rapporto tra qualità e prezzo. C'è la possibilità di abbinare alle pietanze vini al bicchiere.

CITTÀ DI CASTELLO

54 KM A NORD DI PERUGIA SS 3 BIS E 257

LA MINIERA DI GALPARINO

NOVITÀ

Ristorante
Vocabolo Galparino-San Secondo
Tel. 075 8540784
Chiuso il giovedì, venerdì e sabato a pranzo, estate domenica
Aperto: sera, pranzo su prenotazione, luglio e agosto pranzo e sera
Ferie: non ne fa
Coperti: 40 + 25 esterni
Prezzi: 28 euro vini esclusi
Carte di credito: nessuna

Presso il Santuario di Camoscio nel 1935 furono ritrovati numerosi oggetti liturgici in argento sbalzato risalenti al V-VI secolo, fra i quali alcuni bellissimi piatti per celebrare il rito dell'ultima cena. Oggi, non lontano da Camoscio, in un bel casolare ristrutturato, Chiara e Claudio gestiscono questo locale che è una costola dell'azienda agrituristica biologica di famiglia. Claudio si occupa della sala, Chiara prepara piatti legati alla tradizione gastronomica dell'alta Umbria senza disdegnare qualche rivisitazione. Il menù, d'impronta stagionale, è fisso.

Per cominciare arriveranno in tavola lo sformato di pane con formaggio cremoso e la terrina di capriolo al pomodoro secco e aceto balsamico. L'ampia scelta dei primi comprende ovali alla borragine, **zuppa di farro**, tagliatelle con guanciale, ravioli al tartufo nero, tortelloni al formaggio, **acquacotta ai porcini**. Si prosegue con agnello alle olive nere, capocollo al forno con erbe aromatiche, faraona ripiena alle "trombette dei morti" e stinco di maiale. In alternativa si può scegliere una valida degustazione di formaggi: erborinati, pecorino toscano e aziendale affinato su foglie di noce, tutti abbinati a confetture casalinghe (alla cipolla, alle melanzane, al peperoncino, al cioccolato) e accompagnati da un vanto di Claudio, il Vin Santo dell'Alto Tevere invecchiato cinque-sette anni. I dolci sono tutti fatti in casa: torta di farro alle pesche, spuma di marroni, mascarpone all'arancia.

La cantina è particolarmente attenta ai vini umbri e offre, con oltre 250 etichette, una vasta gamma di proposte nazionali. Buoni, per concludere, i distillati.

Città di Castello

54 km a nord di Perugia ss 3 bis e 257

La molenda

Osteria di recente fondazione
Via Cortonese, 8-Vocabolo Monini
Tel. 075 8556028
Chiuso lunedì, martedì e mercoledì
Orario: solo la sera
Ferie: non ne fa
Coperti: 90 + 60 esterni
Prezzi: 25-30 euro vini esclusi
Carte di Credito: MC, Visa, Bancomat

Questo locale molto caratteristico, con camino e forno in bella vista, è il frutto della ristrutturazione fedele di un antico casale e offre anche la possibilità di mangiare in un bello spazio all'aperto. Il titolare, Marino Marini, coadiuvato da graziose collaboratrici, si alterna fra la sala e la cucina ed è disponibile a illustrare agli ospiti la preparazione e gli ingredienti delle proposte culinarie, sempre legate al territorio e ai suoi usi gastronomici tradizionali.
I piatti della cucina tipica locale sono ben curati e offerti in porzioni abbondanti. Si comincia con **salumi** e **formaggi pecorini** di preparazione artigianale di ottima qualità, con **crostini** vari, con la ***ciaccia*** (la crescia in alto Tevere) **sul panaro**. Quindi si passa alle paste fatte in casa condite con ingredienti di stagione: **tagliolini con i funghi**, cenci alla lepre, **ravioli con porcini e pancetta**. Le **carni** (fiorentina, filetto e controfiletto di vitello, scalmarita) sono cotte **alla brace** con grande maestria, ma come secondi ci sono valide alternative, fra cui una menzione particolare meritano alcune preparazioni dell'antica cucina contadina, qui regolarmente riproposte: la **gota di maiale alla salvia**, le salsicce con l'"erba" (verdura cotta), i **tordi finti** (spiedini di maiale avvolti in pancetta e salvia), le **patate** cotte **sotto la cenere** servite come contorno. I dolci sono semplici ma di buona fattura casalinga. La carta dei vini è centrata su etichette umbre e toscane di qualità, ma tutte le regioni vi sono rappresentate.
L'osteria è aperta la sera, a pranzo solo su prenotazione per gruppi.

Osteria accessibile ai disabili.

In piazza Fanti, nel suo storico negozio di generi alimentari, Sergio Bendini seleziona salumi, vini, oli e altre specialità locali.

Deruta

19 Km a Sud di Perugia ss 3 bis

Il borghetto

Osteria
Via Garibaldi, 102
Tel. 075 9724264
Chiuso la domenica
Orario: solo la sera
Ferie: variabili
Coperti: 30
Prezzi: 25-30 euro vini esclusi
Carte di credito: nessuna

Per arrivare al Borghetto seguite via borgo Garibaldi, la strada interna che conduce al piccolo centro storico di Deruta, arroccato sopra la zona industriale, parallela alla statale che attraversa il paese tra le botteghe artigiane con i colorati vasi in ceramica.
L'osteria si affaccia sulla strada. All'interno un ambiente caldo e accogliente, con tavoli e panche in legno. L'arredamento è essenziale e di gusto, con lavagnette appese alle pareti su cui sono riportate le specialità del giorno. Ad accoglierci è Filiberto, un oste alla vecchia maniera, che "sceglie" il vino al bicchiere e racconta con passione dei suoi viaggi in giro per l'Italia alla ricerca dei Presìdi Slow Food e di un confronto con le altre realtà (ecco perché fra le proposte potrete trovare anche specialità di altre regioni). In cucina la moglie Franca che, insieme al marito, cura anche la frollatura delle carni chianine e produce conserve e marmellate da abbinare ai **pecorini locali**. Vi consigliamo di assaggiare la **conserva di castagna**, rosmarino e pepe nero oppure la marmellata di arance amare e salvia. Una volta a tavola troverete il piatto di **salumi**, in cui risaltano il guanciale, il **ciavuscolo** di Muccia, un salame a pasta molle, il prosciutto della zona. Poi le paste, tirate a mano: da provare le **lasagnette alla salsa di carciofi** e prosciutto o, in alternativa, con la **crema di broccoli e salsicce**. Altrettanto buone sono le **fettuccelle alla campagnola** con asparagi, pomodori leggermente scottati, prosciutto e carciofi e i **cannelloni alla crema di farro** con pecorino e lardo. Tra i secondi, oltre alla **tagliata** e al **filetto di chianina**, la terrina di carne con carciofi e formaggio e gli **stringhetti**, sempre di carne chianina.
A fine cena, dopo i dolci della casa, tra cui la **torta di ricotta**, un buon caffè di moka.

37 KM A SE DI PERUGIA SS 75

DA REMO

Ristorante
Via del Campo, 4
Tel. 0742 340522
Chiuso domenica sera e lunedì
Orario: mezzogiorno e sera
Ferie: 1-15 agosto
Coperti: 40 + 25 esterni
Prezzi: 25-30 euro vini esclusi
Carte di credito: Visa, Bancomat

Il ristorante ha la sua sede, da fine agosto dello scorso anno, in via del Campo angolo via Cairoli, in un'ala del seicentesco Palazzo Lezi Marchetti, casa natale – ma è una pura combinazione – del patron. Sede importante, con gli spazi interni curati con gusto da Ennio e dalla moglie Gabriella, arricchiti da quadri luminosi e vivaci dello stesso Ennio e di altri pittori folignati. I tavoli esterni sono nel chiostro del palazzo: lì seduti, in estate, si gode della serenità del luogo e, la sera, di un cielo stellato che ravviva ed esalta lo sperimentato bagaglio di conoscenze e ricette del cuoco.
Se la sede è cambiata, il menù proposto continua sui binari solidi e rassicuranti di una proposta collaudata, saldamente ancorata alle tradizioni locali. Potrete dunque cominciare con una selezione di **salumi** tipici della regione e con bruschette irrorate con i migliori extravergini della zona, accuratamente selezionati da Ennio. Poi, cucinati da Gabriella, i piatti tradizionali dell'Umbria: **strangozzi** conditi in stagione **con i funghi**, **zuppe di legumi**, la **faraona alla folignate** (cotta in casseruola con il lardo), il **piccione arrosto**, il **maialino in porchetta**. Non mancano le **carni alla griglia** e, il venerdì, si preparano di solito piatti a base di **baccalà**. In chiusura, dolci di fattura casalinga: zuppa inglese, semifreddo al caffè, *crème brûlée*.
Nell'antica cantina – ospitata nella bella neviera del palazzo – trovano degna collocazione le bottiglie con cui potrete accompagnare il pasto: vini umbri, di Montefalco in particolare, ma anche del resto d'Italia e alcune straniere.

In piazza della Repubblica 34, la bottega di Barbanera è un'antica drogheria con mescita oggi trasformata in caffè-enoteca, dove acquistare specialità gastronomiche o sostare per uno spuntino.

FOLIGNO

37 KM A SE DI PERUGIA SS 75

IL BACCO FELICE

Enoteca-trattoria
Via Garibaldi, 71
Tel. 335 6622659
Chiuso il lunedì
Orario: 11.30-15.00/17.00-24.00
Ferie: variabili
Coperti: 30
Prezzi: 25-28 euro vini esclusi
Carte di credito: tutte, Bancomat

Del Bacco Felice hanno scritto riviste e quotidiani americani, d'oltremanica e oltre, ma Salvatore Denaro non ha cambiato assolutamente nulla nel suo locale e nel modo di condurlo. La confusione e l'improvvisazione restano le linee guida di questa osteria vera, nata nei primi anni Ottanta nel centro di Foligno. Sappiate quindi che se cercate il luogo raccolto, con le cristallerie tintinnanti e i sottopiatti raffinati, il servizio corretto e impettito, potete cambiare indirizzo. Scritte sui muri, popolo variegato (dal militare in uscita al giornalista televisivo, dal celebre cantautore al contadino che ha portato le materie prime), carattere vulcanico e imprevedibile del patron fanno di questo un luogo speciale, del quale ci si innamora o dal quale si sta alla larga.
Materie prime in cucina ineccepibili: carni biologiche provenienti da allevamenti umbri, così come i **salumi**. **Formaggi** della Valnerina, i migliori oli extravergini regionali, legumi dei Presìdi (fava di Leonforte, fagiolina del Trasimeno), verdure dei produttori locali e, in stagione, i celeberrimi **pomodori** dell'orto di Salvatore, una delle collezioni più vaste e articolate d'Italia. Dalla minuscola cucina a vista arrivano in tavola **mezzemaniche con fave e pancetta**, spaghettoni alle punte d'asparago selvatico, **rigatoni all'amatricianina** (con scalogno, salvia e guanciale), zuppe di farro e legumi; poi **capretto impanato** alla griglia, **lumache all'ortolana**, pollo d'erba alla brace, **stracotto al Sagrantino**. Dolci semplici di tradizione, come la **rocciata** e i brutti ma buoni, in estate sorbetti alla frutta.
I vini non sono in una carta ma nella testa di Salvatore, che vi metterà a disposizione la sua esperienza e le sue conoscenze, consigliandovi le migliori etichette regionali e nazionali.

Gubbio

25 km a NE di Perugia

Bottaccione

Trattoria
Via Giove Pennino, 25
Tel. 075 9272063
Chiuso il mercoledì
Orario: mezzogiorno e sera
Ferie: non ne fa
Coperti: 45
Prezzi: 20-25 euro vini esclusi
Carte di credito: tutte, Bancomat

Il Bottaccione prende il nome dalla valle in cui si trova; valle che è anche chiamata dell'Iridio, dal minerale che alcuni scienziati cercarono qui fra gli strati di scaglia rossa per dimostrare che l'estinzione dei dinosauri era avvenuta a causa della caduta di un meteorite. Locale tipico che conserva tutte le caratteristiche della classica osteria, è gestito da molti anni dal Generale, che ha mantenuto il soprannome della famiglia (la madre era conosciuta come la Generala) e ha conservato la tipicità della proposta gastronomica e la qualità dell'accoglienza: entri in trattoria ma ti sembra – ed è una gran bella sensazione – di essere accolto in casa.
In perfetto stile casereccio, si inizia con i **crostini misti**, i fegatini di pollo, i salumi e i formaggi locali accompagnati dall'immancabile **crescia**. Altra "entrata" semplice ma di robusta tradizione è il **brustengo**, impasto fritto di farina e acqua che può essere aromatizzato con foglioline di rosmarino. I primi da non perdere sono le **tagliatelle** tirate a mano **con funghi o tartufo** o con il **sugo d'oca**, pietra miliare della gastronomia umbro-toscana. Seguono il solco della tradizione anche i secondi: agnello alla brace e **oca imporchettata** con finocchio e spezie odorose. I dolci sono fatti in casa: tra questi il ciambellotto e i tozzetti con il Vin Santo.
Qualche etichetta umbra per chi non si accontenta del vino della casa.

Magione
San Feliciano

20 km a NO di Perugia SS 75 bis

I Bonci

Ristorante
Via Lungolago Alicata, 31
Tel. 075 8479355
Chiuso il lunedì
Orario: mezzogiorno e sera
Ferie: tra gennaio e febbraio
Coperti: 35 + 60 esterni
Prezzi: 30-35 euro vini esclusi
Carte di credito: le principali, Bancomat

L'atmosfera che si respira a San Feliciano, sulle rive del Lago Trasimeno, è quella tipica di una "marina" d'altri tempi: qui è tutto tranquillo, a misura d'uomo, e l'aspetto rilassante dell'Umbria in chiave lacustre trova la sua migliore espressione. I traghetti che partono alla volta dell'Isola Polvere salpano proprio di fronte ai Bonci, un tempo bar gelateria di famiglia trasformato da Matteo e Alessandro in ristorante, avendo appreso dalla nonna la passione per la cucina tradizionale del "lago", come semplicemente viene chiamato il Trasimeno in Umbria.
La cucina segue i ritmi delle stagioni e ovviamente del pescato: si inizia con antipasti di **persico reale** (una vera sorpresa) o di **tinca** e **anguilla affumicata**. I primi non possono che essere un'alta espressione del pescato locale: **gnocchi alla tinca affumicata**, tagliolini al ragù di persico o lo stupendo **risotto ai gamberetti di acqua dolce**. La stagione ci porta, da aprile a giugno, la **grigliata di anguilla**. Non mancano il **tegamaccio** (la zuppa di pesce di lago) e la **carpa imporchettata** al sapore di finocchio selvatico. Ogni giorno ci sono anche alcuni piatti di pesce di mare, sempre fresco e di qualità. Ma la cucina del lago è anche cucina di terra: ecco allora che le **tagliatelle al sugo d'oca**, la tagliata di manzo e il **maialino in crosta di patate** ci riportano alla più classica tradizione umbra.
Si finisce il pasto con gli ottimi gelati della casa. La cantina può contare su una buona presenza di etichette locali e nazionali offerte a prezzi più che onesti.

Magione
San Feliciano

20 km a NO di Perugia ss 75 bis

Rosso di sera

Osteria di recente fondazione
Via Fratelli Papini, 79
Tel. 075 8476277
Chiuso il martedì
Orario: sera, domenica anche pranzo
Ferie: variabili
Coperti: 35 + 50 esterni
Prezzi: 25-30 euro vini esclusi
Carte di credito: tutte tranne DC, Bancomat

Il locale è un punto di approdo di San Feliciano, come lo è il porticciolo, stretto fra le colline e il lago, lungo la strada che costeggia le acque tranquille. Da un lato la tradizione esce spontanea dalla cucina di Federica, la cuoca; i suoi piatti, mai ripetitivi, seguono il passo delle stagioni, ma ogni tanto fa capolino il suo carattere curioso. Così, fanno la loro comparsa innovazioni e ingredienti "esotici", ma senza mai abbandonare del tutto il legame con i luoghi e con la tradizione.

Potrete iniziare con un antipasto caldo e freddo a base di **persico reale**, **anguilla affumicata** e **tinca**; poi passare ai **tagliolini al ragù di persico e tinca**, al risotto ai gamberi di acqua dolce, ai chitarrini e agli **gnocchetti alla tinca affumicata**. Per continuare, i filetti di coregone al rosmarino, quelli di pesce gatto fritti, l'hamburger di luccio e persico; da aprile a giugno potrete avere l'**anguilla alla griglia** o al forno mentre su prenotazione si preparano i piatti che meglio rappresentano la tradizione del Trasimeno: il **tegamaccio**, la zuppa di pesce e la **carpa in porchetta**, insaporita con il finocchio selvatico e cotta arrosto. Tra le preparazioni non di lago meritano una segnalazione le **tagliatelle al sugo d'oca**, gli strangozzi al rancetto, i tortelli con ricotta di pecora ed erbe aromatiche, la tagliata di manzo, il **carré di agnello**, il **maialino in crosta di patate**. Non mancano neppure piatti di pesce di mare, sempre preparati con materia prima fresca e di qualità.

Per finire, sfogliatina di mele, tortino al cioccolato, crema bruciata, ma non perdetevi il gelato prodotto dalla gelateria di famiglia. Il tutto può essere accompagnato da una bella selezione di vini regionali e nazionali.

Massa Martana

57 km a sud di Perugia a 14

Fontana delle pere

Novità

Azienda agrituristica
Vocabolo Perticara, 138
Tel. 075 889506-348 6929826-347 7204834
Chiuso la domenica sera
Orario: mezzogiorno e sera
Ferie: 15-31 gennaio
Coperti: 46
Prezzi: 22 euro
Carte di credito: nessuna

L'azienda si estende per oltre 12 ettari alle pendici dei monti Martani, uno degli angoli più suggestivi e meno conosciuti dell'Umbria. In una cornice composta da due oliveti, un piccolo vigneto, prati, seminativi e uno splendido bosco, la famiglia Bernardi produce olio extravergine di oliva, vino, aceto, frutta e verdura. Materie prime che trovano la giusta esaltazione nelle semplici ricette proposte da mamma Serenella e dalla zia Rosella; addetto alla cottura delle carni (tutte di provenienza aziendale e locale) è Enzo, mentre dei salumi si occupa nonno Mario, esperto dell'arte norcina da oltre quarant'anni. In sala troviamo Alessia, ultima generazione della famiglia. Il menù è fisso e segue l'alternarsi delle stagioni.

Per antipasto vi saranno serviti vari salumi (ottimo il prosciutto), diversi tipi di pecorino e le **schiacciate** ancora calde, aromatizzate in vario modo. Le paste sono fatte in casa (su prenotazione si organizzano anche corsi per imparare a tirare la sfoglia): le **tagliatelle** possono essere condite con asparagi, funghi, tartufo, salsiccia, ricotta, **barbozza e maggiorana**, cinghiale, **fave, rancetto e pecorino**. Le **grigliate**, come detto, sono opera di Enzo. Tra i dolci, imperdibili le crostate con confetture fatte in casa e una **torta di noci** dalla ricetta segreta.

Ultima raccomandazione: l'agriturismo (dov'è anche possibile pernottare) non è segnalato, ma in zona lo conoscono tutti ed è comunque facilmente raggiungibile: bisogna voltare a destra in corrispondenza del distributore di benzina appena fuori del paese; ancora 300 metri e sarete arrivati.

MONTEFALCO

44 KM A SE DI PERUGIA SS 75

L'ALCHIMISTA

Enoteca con cucina
Piazza del Comune, 14
Tel. 0742 378558
Chiuso il martedì, mai d'estate
Orario: 09.00-24.00
Ferie: due settimane in febbraio
Coperti 50 + 39 esterni
Prezzi: 25-30 euro vini esclusi
Carte di Credito: tutte, Bancomat

Sito nella splendida piazza di una delle più belle città storiche umbre, l'Alchimista è una tappa consigliabile per chi si appassiona al buon bere e alla buona tavola. L'approccio con il locale è da subito accattivante, grazie alla competenza e alla professionalità dei gestori, che con attenzione guideranno tra le portate e nella storia del territorio circostante, ricco di bellezze storico-ambientali e di uno dei migliori vini italiani: il Sagrantino.
La proposta gastronomica offre una bella selezione di **salumi** e **formaggi** e una serie di piatti che richiamano i tradizionali sapori stagionali della cucina umbra. Il menù varia spesso ma è costante, specialmente nel periodo da giugno a settembre, l'impiego di verdure fresche, ottime nelle insalate con **legumi e pecorino**. Tra i piatti più significativi, la **barbozza**, un salume di guancia di maiale saltato nel vino Sagrantino. Fra i primi, molto apprezzata è la **carbonara al formaggio e zafferano** della vicina Valnerina, miniera gastronomica dell'Umbria, che fornisce un altro importante ingrediente della cucina, il **tartufo**, utilizzato (solo nei periodi in cui lo si trova fresco) per le paste e gli **gnocchi** fatti a mano. Tra le carni, il piatto tipico di Montefalco, la **padellaccia** (spezzatino di maiale cotto con il Sagrantino) e la porcaccia, una bistecca impanata e aromatizzata con erbe fresche. In conclusione, tra i dolci tradizionali del territorio montefalchese, da non perdere in estate la torta di ricotta e amarene, in inverno la **rocciata**.
Ampia la proposta dei vini, con il territorio di Montefalco ben rappresentato e buona selezione nazionale. Apprezzabile l'offerta di vini a bicchiere.

NARNI
Schifanoia-Moricone

15 KM A SO DI TERNI SS 3

DA SARA

Trattoria
Strada Calvese, 55-57
Tel. 0744 796138
Chiuso il mercoledì
Orario: mezzogiorno e sera
Ferie: variabili
Coperti: 60 + 25 esterni
Prezzi: 22-27 euro vini esclusi
Carte di credito: tutte tranne AE, Bancomat

Fondata nel 1927 da Sara Cianchini, questa tipica trattoria di campagna sulla strada per Calvi dell'Umbria è oggi gestita dal figlio Raviso e dalle nipoti Catia e Lorella che si alternano tra sala e cucina; presenza fissa all'accoglienza è da tempo Sonia. I Cianchini coltivano ortaggi, viti e olivi e allevano animali da cortile: molti degli ingredienti usati in cucina sono autoprodotti, la pasta è fatta in casa e talvolta anche il pane. L'interno è articolato in varie sale; quando il tempo lo consente, è piacevole mangiare nella bella terrazza.
Cinque le proposte di antipasti misti: le bruschette, i **salumi** di produzione propria (salsiccia, lonza, prosciutto), i fritti (polpette, crocchette, supplì, verdure), l'"antipasto della suocera" con salumi, formaggi e verdure sott'olio piccanti, l'"abbuffata" che comprende un po' tutte le specialità oltre ai crostini, l'insalata di riso o farro, la torta rustica. A seguire, i **manfricoli** conditi secondo stagione **con funghi**, asparagi, carciofi, o semplicemente con aglio, olio e peperoncino, le **pappardelle al sugo di cinghiale** o di lepre, e ancora cappelletti, ravioli, tortelli e cannelloni. Nel periodo giusto, non perdete il condimento a base di **tartufo nero** locale. Buona anche la polenta, condita con salsiccia, funghi o cacciagione. Tra i secondi, segnaliamo il **pollo alla diavola**, il coniglio alla cacciatora, il **piccione ripieno** o in salmì, l'**agnello a scottadito** o fritto, i **fegatelli** e le costine di maiale. In stagione di caccia, tordi allo spiedo, spezzatino di cinghiale e **palombaccio** o **faraona alla leccarda**.
Dolci casalinghi: tozzetti con il Vin Santo, pizza di Pasqua, crostate, tiramisù, zuppa inglese, panna cotta.
Buona selezione di vini regionali in alternativa allo sfuso della casa.

Narni

15 km a SO di Terni ss 3

Il pincio

Ristorante
Via XX Settembre, 117
Tel. 0744 722241
Chiuso il mercoledì, mai d'estate
Orario: mezzogiorno e sera
Ferie: variabili
Coperti: 40
Prezzi: 28-30 euro vini esclusi
Carte di credito: tutte, Bancomat

La cittadina di Narni merita una visita per la bella posizione, a picco sul tratto terminale della valle del Nera, e per l'impianto urbanistico, con pregevoli palazzi storici e la rocca albornoziana, ora visitabile dopo un attento restauro che ha richiesto molti anni di lavoro. Chi vuole vivere un'atmosfera particolare ci vada l'ultima settimana di aprile o la prima di maggio, quando la città, in occasione della festa del patrono san Giovenale, si divide in tre terzieri in competizione tra loro.
Nel terziere alto si trova Il Pincio, accogliente locale ricavato nelle cantine di un antico palazzo. L'offerta di questo ristorante è interessante, con materie prime tipiche e stagionali lavorate con perizia da Cesare Passone, proprietario e chef. Si comincia con gli antipasti: **crostini** al paté di cacciagione o **di tartufo** e salumi locali; si continua con i primi: buoni i tradizionali **manfrigoli** (pasta fatta in casa senza uovo) conditi con sughi di stagione (asparagi, funghi porcini, tartufo), i **maltagliati con asparagi** e salsiccia, ottimi gli **gnocchi ripieni di prosciutto e pecorino** con pomodoro fresco. Segue l'ampia scelta delle carni, tutte di ottima qualità, con il **piccione al vino**, l'**agnello al tartufo** o a scottadito, le grigliate, la **cacciagione** in stagione. Buona anche l'offerta di **formaggi** locali (in menù c'è un piatto di assaggi), senz'altro apprezzabile l'olio extravergine dop locale a disposizione su ogni tavolo.
Da segnalare, tra i dolci, le delizie dello chef (un tris di mousses). Di buon livello l'offerta dei vini, regionali e non, ma è piacevole anche il rosso della casa. Al piano inferiore si può visitare la suggestiva enoteca.

Nocera Umbra
Colle

55 km a est di Perugia ss 75 e ss 3

La cantina della villa

Trattoria
Via Colle, 141
Tel. 0742 810666-810329
Chiuso il mercoledì
Orario: sera, domenica anche pranzo
Ferie: una settimana a Natale
Coperti: 80
Prezzi: 18-22 euro
Carte di credito: AE

Se non avete velleità particolari in tema di servizio e se amate l'atmosfera tranquilla e informale tipica delle osterie vecchia maniera, questo è il locale che fa per voi. Appoggiata quasi ai piedi delle verdissime colline tra Gualdo Tadino e Nocera Umbra, Villa della Cupa propone la sua semplicissima ma sincera ospitalità gastronomica nelle grandi cantine dell'edificio, mettendo gli avventori a diretto contatto con le enormi botti che condividono lo spazio riservato a un genere di ristorazione semplice e diretto, tutto di sostanza.
La cura e l'attenzione per i prodotti base dell'attività di questo grande agriturismo – lenticchie, fave, ceci, cicerchie – si assapora nel piatto d'entrata che propone tutti questi legumi lessati o stufati e accompagnati dalla **crescia calda**, in una bella fantasia di sapori. Altri antipasti sono i **crostini** e i **salumi**. Di rilievo i primi, che si basano sul **farro** per la l'imperdibile polenta (in autunno-inverno con formaggio e funghi) e per i ***pici*** e su ricotta ed erbette freschissime per di **bigoli**; fatti in casa anche **gli gnocchi** conditi **al sugo di pecora**. Il grande focolare all'ingresso della cantina rassicura gli amanti delle **carni alla brace**: **bistecche di vitello**, pancetta e salsiccia di maiale, **costarelle di agnello**, spiedini di pecora. Interessanti pure lo **stinco di maiale** servito con cipolle bianche e la **coratella di agnello**. Buoni i dolci, tra cui il salame di cioccolato e il tiramisù con la ricotta.
Il tutto è annaffiato da un vino prodotto in proprio davvero piacevole. Conto senz'altro popolare.

ORVIETO
Tamburino

72 KM A NO DI TERNI USCITA A 1

GIRARROSTO DEL BUONGUSTAIO

Ristorante
Località Tamburino, 81
Tel. 0763 341935
Chiuso il mercoledì
Orario: mezzogiorno e sera
Ferie: 1-15 febbraio, 1-15 novembre
Coperti: 80 + 100 esterni
Prezzi: 20-25 euro vini esclusi
Carte di credito: tutte

Siamo sulla strada che da Orvieto conduce a Bolsena. L'interno del ristorante è dominato da un monumentale camino, che evoca il tepore del fuoco acceso nelle giornate invernali e i sapori di una cucina *d'antan*. Una cucina di spiccata matrice tradizionale, curata nella selezione delle materie prime e nelle cotture, e caratterizzata da porzioni generose, fatto di cui dovrete tenere conto se vorrete assaggiare l'intero menù.
Dagli insaccati alle carni fresche, il **maiale** cinturello orvietano la fa da padrona nel menù. E gli antipasti, infatti, non possono che prevedere, per cominciare, un piatto di **affettati misti** (pancetta, salame budellone, coppa di testa, lardo, lombetto e il prosciutto tagliato a coltello). Gustose anche le preparazioni a base di **oca**: consigliamo i **crostini di fegato** e il **petto in insalata**. I primi piatti, dai **tagliolini al rognoncino** e finocchietto agli **ombricelli alle zucchine** e ricotta salata, agli **gnocchi al ragù di agnello** sono preparati con pasta artigianale. Ancora maiale per secondo, con molti tagli – **mazzafegati**, **salsicce**, **trancetti** – cotti alla brace; in alternativa agnello, pollo, coniglio e **baccalà**. La carta dei vini contempla una bella selezione di etichette.
La sera il ristorante propone anche la pizza, che è possibile accompagnare a buone birre. D'estate approfittate della splendida vista che si gode dalla terrazza affacciata sul duomo di Orvieto.

ORVIETO

72 KM A NO DI TERNI SS 71 USCITA A 1

LA GROTTA

Trattoria
Via Signorelli, 5
Tel. 0763 341348
Chiuso il martedì
Orario: mezzogiorno e sera
Ferie: 10 giorni in agosto, 10 in febbraio
Coperti: 60 + 20 esterni
Prezzi: 30-35 euro vini esclusi
Carte di credito: tutte, Bancomat

La Grotta di Orvieto è una vera osteria dal 1945. Ambiente caldo e curato, con qualche tavolo esterno per godersi l'estate orvietana. L'incontro con il patron, Franco Tittocchia, è morbido e schietto allo stesso tempo. Un uomo asciutto e dinamico, dai modi cortesi ma senza fronzoli. Lasciatevi consigliare e non ve ne pentirete.
Il menù rispecchia in tutto il carattere di questo "trattore", come lui ama definirsi, nel timore di sconfinare in ambiti che non lo rappresenterebbero. Piatti tradizionali, semplici ma che non lasciano spazio all'improvvisazione. Gusti calibrati, cotture e consistenze da manuale e soprattutto un uso inequivocabile di ingredienti di qualità. Cominciando con **crostini** classici e i **salumi** locali che hanno il raro e inconfondibile sapore di casereccio, si può poi passare ai primi, ben calibrati in quantità e autentici nel gusto. Vi segnaliamo i maltagliati con i carciofi o le magistrali **pappardelle** a sfoglia spessa **al ragù di cinghiale** o **d'anatra**. Con i secondi le cose non vanno certo peggio. L'**agnello alla cacciatora** con i carciofi è da Oscar e di sicuro successo sono i **salmì di faraona** e **di piccione**, come il **coniglio alle erbe** o il canonico **spezzatino di cinghiale**. Pietanze saporite ma non grevi, ingentilite da un ottimo olio extravergine. Buoni anche i dolci, con una menzione speciale per l'ottima **zuppa inglese**.
La carta dei vini si allinea al resto, con interessanti etichette locali abbordabili nel prezzo, più alcune meraviglie da collezione.

In via della Pace 26, pasticceria Adriano, dove il giovane Maurizio Di Mario produce i migliori dolci di Orvieto e cioccolato al peperoncino e allo zafferano.

LA PALOMBA

Trattoria
Via Manente, 16
Tel. 0763 343395
Chiuso il mercoledì
Orario: mezzogiorno e sera
Ferie: tra luglio e agosto
Coperti: 50
Prezzi: 22-24 euro vini esclusi
Carte di credito: tutte, Bancomat

Questa accogliente trattoria nei pressi del Palazzo Comunale, è facilmente individuabile dall'insegna dipinta a mano, raffigurante una palomba. Da oltre un quarto di secolo è la signora Giovanna ad occuparsi delle preparazioni allo spiedo, così come della realizzazione di tutti gli altri piatti; in sala opera il trio familiare composto da Carla, Enrica e Giampiero. Non ci sono tavoli all'aperto, ma la sala è climatizzata.
I **crostini al salmì** e le varie **bruschette**, tra cui spiccano quelle **all'olio** extravergine di oliva impreziosite, in stagione, dal tartufo, vi stuzzicheranno l'appetito ben disponendovi a proseguire con gli **umbricelli** all'arrabbiata o con altri condimenti di stagione e con le **tagliatelle al sugo di gallina** o alla don Marcello (sorta di variante dell'amatriciana). Il colombaccio, o il **piccione alla leccarda**, gran piatto tradizionale dei giorni di festa, è il secondo più richiesto (è consigliabile prenotarlo): deve il suo nome al recipiente lungo e piatto in cui si raccoglie, per ridistribuirlo sulla carne in cottura, il grasso che cola dallo spiedo; aromatizzando il sugo con vino, erbe e altri ingredienti si ottiene una scura, gustosissima salsa. In alternativa, potrete gustare la **trippa**, l'**agnello a scottadito**, il **cinghiale all'orvietana**, il filetto al Sangiovese. Anche i dolci sono casalinghi: torta ai frutti di bosco, caldo-freddo di gelato e i classici tozzetti da inzuppare nel Vin Santo.
La carta dei vini elenca pregevoli etichette locali, regionali e toscane.

Vicino alla trattoria, in via Ripa Serancia 16, c'è il Palazzo del Gusto, sede dell'Enoteca Regionale dell'Umbria, con mescita e vendita.

TRATTORIA DELL'ORSO

Osteria-trattoria
Via della Misericordia, 18-20
Tel. 0763 341642
Chiuso lunedì e martedì
Orario: mezzogiorno e sera
Ferie: febbraio, 3 settimane in luglio
Coperti: 60
Prezzi: 30-35 euro vini esclusi
Carte di credito: le principali, Bancomat

Una trentina di anni fa, quando l'Umbria non era come oggi di moda, lo chef Gabriele di Giandomenico e il suo socio Ciro Cristian si stabilirono nella stupenda campagna orvietana, prendendo in gestione una delle più vecchie trattorie della zona. Grazie alle loro cure è diventata un locale piacevole e accogliente, più che per i bei mobili per la loro colloquiale e calda ospitalità.
La carta con il menù è disponibile, ma fatevi raccontare da Ciro quello che hanno trovato la mattina al mercato (a Orvieto c'è uno dei mercati contadini più vivi della regione) e che cosa vi consigliano. I piatti non sono molti, ma tutti di ottima fattura, e costituiscono un piacevole connubio fra la cucina popolare umbra e le origini meridionali dei due patron. Potrete dunque iniziare con degli ottimi **salumi** di maiale locali e con dei **crostini** misti, di solito vegetariani; continuare con **tagliatelle** fatte in casa condite, a seconda della stagione, **con i funghi porcini**, **con il tartufo**, con il pomodoro fresco o ancora con fave, pomodoro e speck; d'inverno si preparano buone **zuppe** a base di farro o di ceci insaporite con erbe aromatiche. Se avete ancora appetito assaggiate la **faraona al bianchetto** (tartufo bianco locale), l'**agnello a scottadito**, il classicamente umbro **pollo alla cacciatora**, cotto in padella con vino, pomodoro, capperi e rosmarino; i contorni variano giornalmente e sono sempre freschissimi
Si conclude con dolci casalinghi: oltre ai **tozzetti** con il Vin Santo assaggiate il semifreddo al pistacchio. Piccola carta di vini del territorio.

Otricoli

27 km a SO di Terni

Locanda casole

NOVITÀ

Ristorante
Vicolo dell'Olmo, 6
Tel. 0744 719290-340 3747876
Chiuso il lunedì
Orario: solo la sera
Ferie: variabili
Coperti: 50
Prezzi: 30 euro vini esclusi
Carte di credito: tutte, Bancomat

Nell'antico borgo di Otricoli, lungo la via Flaminia, proprio di fronte alla cattedrale di Santa Maria Assunta è una sorpresa trovare la Locanda Casole, in un antico palazzo che fu dei nobili Vituzzi e che si dice ospitò nei primi anni del Seicento san Giuseppe da Leonessa. Da non perdere la visita alle cantine del palazzo, che scendono fino alla roccia viva. In cucina, sapientemente diretta dalla giovane proprietaria Mafalda Di Paolo, la cuoca Maria Grazia propone piatti di semplice ma raffinata fattura.
Per cominciare consigliamo l'antipasto rustico che comprende coratella, trippa e **fagioli con lo zampetto**. In alternativa, molto buoni anche l'**uovo al coccio** spolverato al tartufo, i frittini di verdure e frutta di stagione (salvia, peperoni, melanzane, fiori di zucca, mela), i pecorini locali. Proseguendo, assaggiate i **manfricoli** (pasta fatta in casa) conditi all'ortolana o con alici, aglio e peperoncino. Per secondo, accanto a varie preparazioni di carne alla brace, troverete l'**agnello fritto**, la faraona alla contadina, il **coniglio fritto con zucchine e carciofi**. Tra i contorni, sono da provare le **patate fritte paesane**, preparate con una varietà locale che può essere fritta con la buccia. È nei dessert che si scatena la fantasia della cuoca: piramide di frutta, pera al cioccolato, zuccotto di ricotta e canditi con salsa ai mirtilli, anche se non mancano i classici **tozzetti** e le ciambelline fatte in casa da accompagnare al Vin Santo. La carta dei vini presenta una bella panoramica del territorio; buono il rapporto tra qualità e prezzo.
Da consigliare, una volta ristorati, una visita agli scavi archeologici della romana *Ocriculum*, poco fuori dal paese.

Perugia

Hosteria wine Bartolo

Osteria di recente fondazione
Via Bartolo, 30
Tel. 075 5716027
Chiuso il mercoledì
Orario: sera, domenica anche pranzo
Ferie: periodo natalizio
Coperti: 40
Prezzi: 23-30 euro vini esclusi
Carte di credito: tutte tranne AE, Bancomat

Alle spalle della rinomata Fontana Maggiore e della cattedrale di San Lorenzo, lungo una ripida discesa che vi porterà dritti sotto l'Arco Etrusco, un po' nascosto al termine di una scalinata di pietra troverete questo bel locale.
In un ambiente curato e caratteristico, con volte a botte in mattoni e pareti arricchite dalla presenza di schiere di bottiglie provenienti da tutta Italia, potrete intraprendere un percorso di conoscenza degli usi culinari locali partendo dalla pregiata carne di chianina (con cui si realizzano **stracotto**, bollito, **stinco**, ragù per le **tagliatelle** casalinghe) proveniente dagli allevamenti locali e prevalentemente biologica così come quella degli animali da cortile (pollo d'erba, coniglio e gallina); biologiche sono anche le farine, le uova, le verdure utilizzate in cucina. Altre proposte di carne, sempre nel segno della tradizione, **pecora brasata**, capretto arrosto, **rognone**, **ragù di agnello**. Due i menù a disposizione degli ospiti, uno classico e un "fuori carta" rispondente alle disponibilità stagionali. Paste fatte in casa (oltre alle tagliatelle e ai tagliolini, anche paste ripiene e **gnocchi**) e **salumi** orvietani da animali allevati allo stato brado completano un'offerta attenta e scrupolosa. Semplici i dolci: crostata di fichi o torta al cioccolato fondente.
Carta dei vini articolata e molto ben assortita, con la presenza delle più rappresentative etichette umbre e nazionali. Servizio cortese e professionale.

In corso Vannucci 32, la storica pasticceria Sandri.

PERUGIA

LA LUMERA

Trattoria
Corso Bersaglieri, 22
Tel. 075 5726181
Chiuso il martedì
Orario: solo sera
Ferie: tre settimane in agosto
Coperti: 60 + 20 esterni
Prezzi: 25-30 euro vini esclusi
Carte di credito: tutte tranne AE, Bancomat

Dopo una passeggiata per le vie del centro storico, tra le strette viuzze della Perugia medievale e la scenografica fontana dei Priori, tra l'arco etrusco e la chiesa di San Francesco al prato, fra il duomo e la suggestiva Rocca Paolina, accompagnati dalla vita cosmopolita di questa cittadina universitaria, potrete ristorarvi gustando i tradizionali sapori dell'Umbria.
La Lumera offre la semplice genuinità dei sapori di un tempo, insieme alla spontaneità di Glauco e Roberto, titolari del suggestivo locale, che hanno saputo rinnovare trasformandolo da birreria in trattoria. Del loro vecchio mestiere hanno mantenuto alcuni tratti distintivi, come il bancone, ma nella trattoria vivono i sapori autentici di una tradizione mai dimenticata, ritmati dalla cadenza delle stagioni: **bruschette** miste e lardo servito con pane tiepido e pecorino, per cominciare. Poi, in inverno, **zuppe** di farro o **di fagioli**, oppure **umbricelli con fave, guanciale e pecorino**, orecchiette con salsicce e verdure di campo, **maltagliati al cinghiale** o con ceci e rosmarino, come tradizione vuole, ma non manca, ancora dall'orto, la vellutata di zucchine. Tra i secondi, spezzatino di cinghiale agli odori, **coniglio con salsa ai capperi** e alici, **stinco di maiale al forno** con ginepro e patate arrosto, spezzatino di vitello con le verze, imperdibile il **baccalà in umido**, squisito l'**agnello alla menta**, caratteristiche della stagione fredda **le salsicce in umido** con polenta. Contorni di verdure sempre fresche e di stagione. Per finire, ottima la crostata di mele con panna e gelato e la mousse al cioccolato.
Buona la scelta di etichette nella carta dei vini, che vanno da quelli regionali ai nazionali. In estate è suggestivo mangiare nel vicoletto a fianco del locale.

PERUGIA
Casaglia

4 KM DAL CENTRO DELLA CITTÀ

STELLA

Ristorante-vineria
Via dei Narcisi, 47 A
Tel. 075 6920002
Chiuso il martedì
Orario: sera, festivi anche pranzo
Ferie: ultime due settimane di luglio
Coperti: 35 + 20 esterni
Prezzi: 23-25 euro vini esclusi
Carte di credito: tutte tranne AE, Bancomat

Un locale piacevole e dall'atmosfera tranquilla, poco fuori dal centro della città, dove vi potrete accomodare nell'ampia sala interna, colma di scaffali di vino, oppure, in estate, sulla bella terrazza. Arek, appassionato sommelier, è in sala; Silvia e Nicola stanno ai fornelli, a preparare piatti legati alla tradizione regionale, realizzati utilizzando prodotti di stagione tipici del territorio, tra i quali potrete trovare la fagiolina del Trasimeno, la **tinca affumicata**, il pesce persico. Ottimo è pure l'assortimento di **formaggi** umbri e di salumi artigianali locali: dal **ciavuscolo** al salame perugino, dal salame di cinghiale al **prosciutto di Norcia** affettato a mano.
Proprio gli affettati e i formaggi potranno costituire un buon inizio per un pasto che proseguirà con le paste fatte in casa: **taglierini con le fave**, pappardelle al ragù di cinghiale, **fettuccine ai funghi porcini**, i classici **stringhetti** con vari sughi di stagione. I secondi di carne, accompagnati sempre da profumi, erbe aromatiche o verdure, sono il frutto del rapporto di fiducia stabilito dai titolari con produttori qualificati e garantiti, come la Fattoria Lucchetti che fornisce la chianina. Ecco allora l'oca in porchetta, l'**agnello al timo**, lo **stufato di coniglio** con le olive, la bistecca. La cooperativa dei pescatori di San Feliciano fornisce il **pesce di lago** che rappresenta una buona alternativa ai piatti di carne.
I dolci sono casalinghi, molto appetitosi e ben presentati (come del resto tutti gli altri piatti): torte della nonna, **tozzetti con il Vin Santo**, il gelato. La carta dei vini è ricca di circa 400 etichette italiane e straniere.

Porano

77 km a NO di Terni, 8 km da Orvieto

Il boccone del prete

Osteria di recente fondazione
Via Bellini, 12-16
Tel. 0763 374772
Chiuso il lunedì
Orario: mezzogiorno e sera
Ferie: non ne fa
Coperti: 70 + 30 esterni
Prezzi: 30 euro vini esclusi
Carte di credito: tutte, Bancomat

La valorizzazione dei comuni minori è un importante segnale per la tutela e per le attività turistiche: Porano ne è un esempio. Piccolo borgo a 8 chilometri da Orvieto, rappresenta una realtà di storia e cultura, senza dimenticare la bellezza naturale e paesaggistica. Lasciando l'auto in una delle piccole piazze, proseguirete a piedi attraverso stradine e vicoletti che vi porteranno a questa osteria dagli ambienti medievali che si sviluppano all'interno di grotte scavate nella pietra di tufo: del locale vi colpiranno l'atmosfera e il grande camino.
Il menù è legato alla tradizione locale, le materie prime sono selezionate nel territorio in base alla stagione. Fra gli antipasti, la proposta principale è "Il tagliere completo", a cui seguono il "baffo" (guanciale cotto con salvia e aceto balsamico), **coratella**, **formaggi** e **salumi**. Poi le paste fresche: gnocchi, tagliatelle, **umbrichelli** (detti anche picchiarelli o ciriole a seconda della zona), **pappardelle con ragù** stagionali, come quelli **di cinghiale**, oca, coniglio oppure con i funghi porcini o il **tartufo**; in alcuni periodi ci sono pure le **tagliatelle al sugo di piccione**. La presenza del grande camino lascia intuire che la brace regna fra i secondi: molto buona è la **carne** – **chianina**, di maiale, **di agnello**; non da meno i **fegatelli** e il coniglio allo spiedo. Non manca uno spazio, di solito al venerdì, per il **pesce di lago** – tinche, carpe, lattarini cotti alla brace o al forno – e **anguille fritte**. Classica la scelta del dolce: tozzetti con il Vin Santo, zuppa inglese e tiramisù, ma anche quello che l'inventiva giornaliera propone.
Porzioni generose e vini prevalentemente locali, con preferenza regionale. Prenotando per tempo, nella bella stagione potrete mangiare all'aperto, con una splendida vista sulla vallata sottostante.

Preci

92 km a SE di Perugia, 17 km a NO di Norcia

Il castoro

Ristorante-pizzeria
Via Roma
Tel. 0743 939248
Chiuso il giovedì, mai d'estate
Orario: mezzogiorno e sera
Ferie: 1-8 luglio
Coperti: 120 + 70 esterni
Prezzi: 28-30 euro vini esclusi
Carte di credito: tutte tranne AE, Bancomat

Il locale si trova in prossimità dell'antico borgo di Preci e trae il nome dalla valle del torrente Campiano, detta appunto Valle Castoriana, non si sa se dal nome di un feudatario del luogo o per la presenza di un tempietto pagano dedicato a Castore e Polluce. La zona, adiacente alla Valnerina, si trova alle pendici del versante umbro dei monti Sibillini, al confine con le Marche, e si distingue per la bellezza della natura e la ricchezza di tradizioni e prodotti, primi fra tutti **salumi** e **tartufi neri**.
L'abilità dei preciani nella lavorazione della carne di maiale la riscontrerete negli antipasti proposti da Rita e Stefano Nardi, i titolati: assaggerete prosciutto di cinghiale, salumi vari, l'ottimo **prosciutto preciano**; ma anche le bruschette e la **frittatina al tartufo**. Si prosegue con i primi di pasta: fioretti (pasta corta fatta in casa) con asparagi e funghi porcini, **stringozzi alla preciana** (con ragù e tartufo), **pappardelle** al cinghiale o **alla lepre**. Tra i secondi (la carne arriva da allevamenti locali) si fanno apprezzare il cinghiale in salmì, il **filetto di trota**, la coratella di agnello, la tagliata di chianina, l'**agnello a scottadito** o, molto buono, quello **fritto**. Da assaggiare anche i formaggi prodotti dagli stessi Nardi. Buoni i dolci fatti in casa.
L'offerta dei vini è prevalentemente regionale ed è piacevole anche il vino della casa. Sabato e domenica è indispensabile la prenotazione. La sera il locale è anche pizzeria con forno a legna.

Scheggino

88 km a SE di Perugia, 31 km da Terni

Ristorante del ponte

Ristorante annesso all'albergo
Via del Borgo, 11
Tel. 0743 61253-61131
Chiuso il lunedì
Orario: mezzogiorno e sera
Ferie: 2-26 novembre
Coperti: 150 + 40 esterni
Prezzi: 30-35 euro
Carte di credito: tutte tranne DC, Bancomat

Situato nella parte sud-orientale dell'Umbria, Scheggino è un piccolo borgo della Valnerina lungo le rive del fiume Nera; è interamente percorso da un canale artificiale che, insieme alle fonti di Valcasana, crea un ambiente acquatico di grande suggestione. Fu edificato dal Ducato di Spoleto per difendere uno dei tre ponti sul Nera: proprio vicino al ponte troverete l'albergo ristorante.

Un ambiente confortevole e un patron molto attento ai clienti sono pronti a ospitarvi e a farvi gustare le specialità della zona: in particolare trote e **tartufo nero**, a cui è dedicato un museo nelle vicinanze e che è una presenza costante nel menù. Un menù che propone piatti di stagione realizzati con materie prime selezionate presso aziende locali, come nel caso dell'olio di oliva, dei **salumi**, delle trote e dei **gamberi di fiume** (spesso serviti come antipasto con polenta). Dopo i salumi, i **crostini**, le insalate di farro, le frittatine (tra cui quella al tartufo nero), i primi preparati a mano con vari tipi di farine (anche di mais o di farro) e in varie forme (**tagliatelle**, tagliolini, **maltagliati**, **pappardelle**) e **conditi con** tartufo nero, asparagi selvatici, trota e tartufo, **gamberi di fiume**, pecorino della Valnerina ma anche con erbe di stagione dall'orto e dal bosco. Tra i secondi, oltre a vari tipi di carne alla brace, si segnalano la frittata **con tartufo nero**, la **trota alla brace**, l'**agnello alla cacciatora** ancora con il prezioso tubero.

Per finire, da non perdere in estate il delizioso gelato artigianale, da gustare magari durante una passeggiata al parco per la pesca delle trote. Oltre al vino della casa, alla carta è disponibile una selezione di bottiglie dei migliori produttori della zona.

Spoleto

66 km a SE di Perugia SS 75 e SS 3

Osteria del trivio

Osteria di recente fondazione
Via del Trivio, 16
Tel. 0743 44349
Chiuso il martedì
Orario: mezzogiorno e sera
Ferie: tra gennaio e febbraio
Coperti: 45
Prezzi: 30 euro vini esclusi
Carte di credito: tutte, Bancomat

Arrivati a Spoleto dall'uscita nord sulla Flaminia, passati i due archi e percorrendo corso Garibaldi, la vostra attenzione sarà attirata dall'insegna dell'Osteria del Trivio, completata da una lavagnetta su cui è scritto il menù (che in sala sarà raccontato). Tanti particolari – le tovaglie a quadretti, i colori pastello delle pareti, le trecce di aglio, cipolla e peperoncino appese sopra il bancone dove si affettano salumi e formaggi, l'arredamento rustico – rendono il locale confortevole.

Umberto Muraro, il patron, vi accoglierà cordiale e professionale, mentre la cucina è affidata alla moglie Mirella che ogni tanto fa capolino e controlla con occhio vigile la sala. Il menù, legato alla stagione, è molto semplice e tradizionale. Vi consigliamo di assaggiare l'antipasto della casa, con ottimi **salumi** acquistati dal macellaio di fiducia Domenico Burganti, formaggi, **crostini** e bruschette. Per i primi (la pasta è fatta a mano in casa) nel periodo primaverile-estivo troverete gli **strangozzi con fave, pancetta e pecorino** e quelli con asparagi e funghi, in autunno-inverno le **tagliatelle con i funghi porcini**, i **cappelletti** in brodo o **al tartufo nero**, gli strangozzi al sugo finto. Come secondi avrete il **coniglio in bianco**, l'agnello, il **maiale in porchetta**, le **zucchine ripiene** di carne e la parmigiana. I contorni variano con la stagione; l'olio utilizzato è quello del frantoio Gradassi di Campello.

Non c'è modo migliore di chiudere il pasto che con la **crescionda**, dolce tipico spoletino a base di amaretti. Nella carta dei vini sono presenti soprattutto cantine di Montefalco, con poche etichette nazionali.

In località **Strettura** (17 km da Spoleto, verso Terni) il forno Vantaggi produce l'ottimo pane di Strettura e la pizza di Pasqua.

TERNI

LA MORA

NOVITÀ

Trattoria
Via San Martino, 42
Tel. 0744 421256
Chiuso il martedì
Orario: mezzogiorno e sera
Ferie: fine luglio-15 agosto
Coperti: 60 + 40 esterni
Prezzi: 22-25 euro vini esclusi
Carte di credito: tutte, Bancomat

Siamo all'ingresso della città, subito dopo lo stadio, nei pressi del fiume Nera, in un'area rimasta miracolosamente intatta nonostante sia circondata da strade di grande comunicazione e palazzi di nuova concezione. Anche dopo la recente, riuscita ristrutturazione, La Mora mantiene intatto il fascino della trattoria di un tempo. Il locale dispone di due sale interne arredate in stile umbro e di uno spazio esterno recentemente ricavato nei pressi di un canale d'acqua e piacevolmente ombroso. Il locale è gestito dalla stessa famiglia da quattro generazioni: Giuliana Stella, coadiuvata in sala dal figlio Andrea, vi condurrà alla scoperta dei piatti della tradizione ternana.
Si inizia con bruschette miste e **salumi** di produzione locale, frittatina morbida con tartufo nero, **barbozza di maiale all'aceto e salvia**. Seguono le tradizionali **ciriole ternane** (pasta lunga di acqua e farina) condite secondo stagione con asparagi di macchia o **funghi** di pioppo; ottimi anche i **chitarrini al tartufo** o con crema di fave e ricotta salata, le tagliatelle fatte a mano con il ragù, le paste ripiene con carne o verdure. Fra i secondi quelli più rappresentativi di una cucina casalinga in via di estinzione sono una succulenta **faraona alla leccarda**, il pollo alla diavola, la **coratella di agnello**, l'agnello con i carciofi, nonché diversi tagli di carne alla brace. Gran parte delle materie prime proviene da piccole aziende locali; merita una menzione il pane a lievitazione naturale cotto in forno a legna. Al momento del dessert sceglierete fra le tipiche crostate di confettura e la zuppa inglese.
La carta dei vini è molto attenta ai piccoli produttori locali, anche se non mancano parecchie etichette nazionali; lo sfuso è di buona qualità.

TERNI
Papigno

4 KM DAL CENTRO DELLA CITTÀ

LOCANDA DEGLI ARTISTI

NOVITÀ

Ristorante
Via Edmondo De Amicis, 4
Tel. 0744 67387
Chiuso domenica sera e lunedì
Orario: mezzogiorno e sera
Ferie: variabili
Coperti: 40 + 20 esterni
Prezzi: 30-35 euro vini esclusi
Carte di credito: tutte tranne DC, Bancomat

Siamo a pochi chilometri da Terni e a due passi dalle cascate delle Marmore. Ha poco più di un anno di vita questo locale arredato con cura e semplicità. Cinzia Gasperoni e lo chef Roberto Agostini vi condurranno con calma alla riscoperta di sapori, profumi e colori dimenticati, coniugando piatti del territorio e soluzioni più creative, con alcuni accostamenti originali ottenuti a partire da Presìdi Slow Food regionali e non.
Il menù cambia ogni tre settimane circa. Tra le entrate potreste trovare la **panzanella**, la frittatina morbida di cicoria di campo e salsiccia fresca di Norcia, la millefoglie di melanzane; sempre presente un'accurata selezione di **salumi** e **formaggi** del territorio. Le paste sono quasi tutte fatte in casa: consigliamo i **tagliolini cacio e pepe** e le **ciriole al tartufo**. Per secondo non mancano mai la faraona alla leccarda e l'**agnello a scottadito**; altre proposte, la **coratella con i carciofi** e la **trippa**. I dolci sono per la maggior parte di stampo casalingo, con una spiccata predilezione da parte dello chef per quelli a base di cioccolato: da provare, a questo proposito, il flan con gelato alla nocciola e i gonfiotti al rum. Buone anche la delizia di mele e crema, le paste di *meliga* piemontesi con crema allo zabaione e la zuppa inglese della casa.
Carta dei vini interessante, non solo regionale, con attenzione particolare alle bollicine. Ottimi spunti anche dalla carta delle acque minerali, una rarità per i locali di una regione che ne è invece ricca. La Locanda fa onore al suo nome proponendo anche eventi artistici e musicali.

Todi
Pontenaia

45 km a sud di Perugia ss 3 bis

La mulinella

Ristorante-albergo
Località Pontenaia, 29
Tel. 075 8944779-8948235
Chiuso il mercoledì
Orario: mezzogiorno e sera
Ferie: dal 6 al 20 novembre
Coperti: 72 + 100 esterni
Prezzi: 25-30 euro vini esclusi
Carte di credito: MC, Visa

Ai piedi del colle di Todi La Mulinella si segnala per la quiete dello splendido angolo di Umbria in cui ha sede e per un cibo semplice tutto fatto in casa (compresi pane, pasta e dolci), seguendo le ricette della nonna Irma, che è anche la proprietaria.
In una sala molto accogliente si potrà cominciare gustando gli ottimi antipasti, costituiti da **salumi**, vari tipi di **bruschette** e crostini e da un appetitoso **paté di fegatini**. Poi, la pasta tirata a mano dalla bravissima signora Irma, che propone diverse tipologie – dalle **tagliatelle** ai tagliolini, dagli **strigoli** agli gnocchetti – e le condisce di volta in volta **con sugo d'oca**, tartufo, verdure di stagione (per esempio le melanzane), ragù. Nel periodo invernale sono molto allettanti le **zuppe di funghi** e di legumi, preparate come vuole la tradizione. I secondi sono essenzialmente buone carni locali proposte in diversi modi: ecco allora l'**agnello** con le melanzane o **con i porcini**, il **cinghiale alla cacciatora**, il coniglio, il **piccione alla ghiotta**. Ma c'è pure, in alternativa, un ottimo baccalà in umido con prugne e uvetta. Anche i dolci, come abbiamo detto, sono fatti in proprio, dalla zuppa inglese al gustoso e delicato dolce della casa, realizzato con savoiardi, panna e frutta. Oltre al vino della casa è disponibile una carta dei vini piuttosto assortita.
Alla Mulinella c'è anche la possibilità di affittare camere dotate di ogni comfort.

Todi

45 km a sud di Perugia ss 3 bis

Pane e vino

Osteria-enoteca con alloggio
Via Ciuffelli, 33
Tel. 075 8945448
Chiuso il mercoledì
Orario: mezzogiorno e sera
Ferie: variabili
Coperti: 50 + 40 esterni
Prezzi: 22-30 euro vini esclusi
Carte di credito: tutte, Bancomat

A pochi metri dalla chiesa di San Fortunato, un locale originale nella sua disposizione, dove sarete accolti con calore dal titolare, Fabio Canneori. Il menù ricalca gli usi contadini della zona e potrete accompagnare i piatti con vini, umbri soprattutto, presenti in ottima selezione.
Nella lista delle vivande ci sono piatti del giorno caratterizzati da ingredienti di stagione reperiti localmente (**tartufo nero**, asparagi selvatici, fave fresche, **palombacci**, **funghi**) e altri adatti a essere cucinati al momento, sempre accurati nella preparazione. Ma prima ci saranno gli antipasti, tra i quali, oltre a quello misto che porta il nome del locale (con **salumi**, crostini, formaggi), troverete i salumi di cinta senese allevata in zona, i **crostini** (anche **al tartufo**), i formaggi locali freschi e stagionati. Al momento dei primi, l'originale **zuppa di ceci e porcini**, specialità dell'osteria, paste ripiene, **stringozzi** e **strigoli**: a seconda della stagione conditi, per esempio, **con** asparagi selvatici e **tartufo**. I secondi sono per lo più a base di carni rosse e di pollame proposto nelle tipiche preparazioni umbre, quando disponibile di **cacciagione**. Potrete assaggiare **stinco di maiale al forno**, coscio di agnello speziato, **coratella**; su prenotazione, **palomba alla ghiotta**. Buona scelta di formaggi italiani.
La carta dei vini è ricca, come detto, di etichette umbre, ma non mancano qualificate proposte italiane e straniere. Da apprezzare la possibilità di portarsi a casa le bottiglie non terminate.

In località **Pian di Porto** (3 km) il caseificio Montecristo vende caciotte di latte vaccino o misto e ricotte di pecora. Da provare il montecristo crudo e il serpollo (formaggio fresco aromatizzato con un'erba locale detta appunto "serpollo").

Trevi

50 km a SE di Perugia, 52 km da Terni ss 3

La vecchia posta

Osteria di recente fondazione
Piazza Mazzini,14
Tel. 0742 381690
Chiuso il giovedì
Orario: mezzogiorno e sera
Ferie: 15 febbraio-15 marzo
Coperti: 40 + 25 esterni
Prezzi: 25-32 euro vini esclusi
Carte di credito: tutte, Bancomat

Arroccato sulla collina che domina un ininterrotto mare di olivi, Trevi è uno dei tanti gioielli urbanistici della valle spoletana. Nella bella piazza principale, la Vecchia Posta occupa il luogo in cui, in passato, sostavano i viaggiatori che percorrevano la Flaminia da e per Roma. La signora Raffaella prepara i piatti della cucina tradizionale trevana e umbra utilizzando le migliori materie prime di questa terra: il sedano nero, i funghi, le erbe di campo, il tartufo sia bianco sia nero raccolti nei boschi vicini, nonché l'olio extravergine spremuto a freddo. In sala si occuperanno di voi il titolare Marco Morosini e la sua collaboratrice.
Si comincia con salumi, **bruschette all'olio**, al pomodoro, ai funghi, al **paté di sedano nero**, e poi ancora focacce di verdure e frittatine al tartufo. La pasta fresca è fatta in casa: tortellini e cappelletti al tartufo, **strangozzi alla trevana** (con pomodoro, basilico e peperoncino) o con asparagi di bosco, le tagliatelle con fave e pecorino o con i porcini, le **pappardelle al cinghiale**. Nella stagione fredda, si servono deliziose **zuppe** con legumi e cereali. La tappa dei secondi prevede: pagliatina di agnello al finocchio selvatico, filetto di maiale, **agnello a scottadito**, petto di pollo con crema di porcini, **cinghiale al Sagrantino**; imperdibili gli **spiedini di fegatelli** avvolti nella *ratta* (omento) e insaporiti con foglie d'alloro. Ad accompagnare il tutto, **sedano nero**, porcini, asparagi di bosco. Il pasto si conclude con formaggi tipici e dolci casalinghi: tortino di mele, pera glassata, gelato, tozzetti alle mandorle.
La scelta dei vini è ampia e interessante. Volendo, è possibile pernottare nella vicina *dépendance* che dispone di cinque confortevoli camere in un palazzo rinascimentale.

Umbertide
Niccone

34 km a nord di Perugia

Locanda di nonna Gelsa

Trattoria
Via Caduti di Penetola, 30
Tel. 075 9410699
Chiuso il martedì
Orario: mezzogiorno e sera
Ferie: febbraio
Coperti: 50 + 80 esterni
Prezzi: 25-30 euro vini esclusi
Carte di credito: le principali

Una trattoria di campagna dal contesto e dall'ambiente gradevoli dove, in tutta tranquillità, potrete apprezzare una solida cucina di territorio, ben radicata nelle tradizioni dei luoghi. Siamo nella valle del Niccone, solcata dal Tevere, fra il lago Trasimeno e Cortona.
Si comincia, classicamente, con i **crostini di paté**, ma anche con **formaggi**, torte e sformatini di verdura, fra cui l'*arvoltolo*, da solo o arricchito da prosciutto o lardo e miele. Fra i primi piatti, oltre alle classiche tagliatelle, potrete trovare buoni **stringozzi ai fagioli e lardo** accanto alle paste fresche ripiene – **tortellini** e tortelloni – condite di volta in volta **con funghi porcini**, tartufi (bianchi o neri secondo la stagione), con il ragù di carne o il sugo di rigaglie di pollo. La scelta delle **carni**, tutte reperite in zona, è ricca e varia, specialmente per ciò che riguarda le preparazioni **alla griglia** della tradizione umbra. In alternativa, si preparano arrosto di maiale, fegatelli ancora di maiale, **coratella di agnello**. Quando c'è, merita l'assaggio il **coniglio all'arrabbiata**, sempre accompagnato da verdura cotta e **torta al testo**.
Fra i dolci, anch'essi di fattura casalinga, ci sono la torta di pere, quella alla crema e il tortino al cioccolato. Nella lista dei vini etichette umbre e toscane e alcune nazionali. Il servizio è attento, il personale sorridente e disponibile, le porzioni abbondanti.

Marche

Mare Adriatico
Gabicce Mare
Pesaro
San Leo
Tavullia
Casteldelci
Fano
Montecicardo
Sassocorvaro
Montefelcino
Urbino
Serrungarina
Senigallia
Piandimeleto
Mondavio
Falconara
Marittima
A14
ANCONA
Serra
de' Conti
Frontone
Acervia
Serra San
Quirico
Maiolati
Spontini
Genga
Porto Recanati
Potenza
Picena
Matelica
Macerata
Civitanova
Marche
S. Severino Marche
Monte
S. Giusto
Castelraimondo
Serrapetrona
Magliano
di Tenna
Porto
Giorgi
Loro Piceno
Fermo
Caldarola
Lapedona
Petritoli
Cupra
Marittima
Montefalcone
Appennino
Ripatransone
Ortezzano
Grottammare
Comunanza
Appignano
del Tronto
S. Benedett
del Tronto
Visso
Montemonaco
Ascoli Piceno
Maltignano

AION

Azienda agrituristica
Via Montacuto, 121
Tel. 071 898232
Chiuso lunedì e martedì, mai luglio e agosto
Orario: sera, domenica anche pranzo
Ferie: gennaio e settembre
Coperti: 50 + 60 esterni
Prezzi: 30-35 euro vini esclusi
Carte di credito: le principali, Bancomat

I colori e i profumi della campagna del Cònero sono la cornice di questa gradevole struttura gestita da Serenella e Alessandro Moroder. Aion è un agriturismo vero, dove i frutti della terra sono la base di una cucina semplice volta a esaltare i profumi e i sapori delle materie prime prodotte in azienda. Un menù degustazione con vini inclusi e uno a base di tartufo nero (della tartufaia della proprietà) sono le alternative alla carta, mai troppo ampia ma con piatti che variano ogni settimana.
Tra gli antipasti potrete assaggiare un tortino di zucchine con crema di parmigiano, **verdure fritte in pastella**, affettati misti, verdure sott'olio, **insalata di legumi** e frittata di verdure mentre tra i primi piatti troverete trofie alle verdure, **gnocchi al sugo d'anatra**, ottime **pappardelle al ragù bianco di cinghiale**, tagliatelle al tartufo e cannelloni di carne con formaggio e tartufo. Tra i secondi un delicato **maialino alle erbe aromatiche**, l'ottima **oca al forno con patate** quindi stinco al Rosso Cònero, coniglio in potacchio, tagliata di manzo e tartufo nero, sempre abbinati a contorni di verdure gratinate, insalate o erbette cotte. Proposte invitanti tra i dolci: **gelatina ai frutti di bosco** e crema al mascarpone, panna cotta alla frutta, **crostate di ciliegie** e albicocche fatte in casa, zuppa inglese o frutta fresca di stagione.
Per i vini ovviamente Rosso Cònero e Riserva oltre a un bianco, un rosato e due vini dolci prodotti dalla famiglia Moroder. Servizio informale, ma cordiale e accogliente.

Da Re formaggio, in piazza Kennedy 10-11, ad **Ancona**, troverete un'interessante scelta di formaggi, vini marchigiani e altre specialità a prezzi onesti.

ANCONA

AL MANDRACCHIO

NOVITÀ

Ristorante
Largo Fiera della Pesca, 11
Tel. 071 202990
Chiuso sabato a pranzo e domenica
Orario: mezzogiorno e sera
Ferie: agosto, durante il fermo pesca
Coperti: 60
Prezzi: 35 euro vini esclusi
Carte di credito: le principali

Dalle ampie vetrate del ristorante, sito nell'area portuale, si vede il fabbricato dove ogni notte avviene l'asta del pesce fresco, mentre l'asta pomeridiana viene fatta al Consorzio Pesca. È da questi luoghi – che hanno adottato un disciplinare particolarmente rigido sulla filiera e la commercializzazione del pescato ha luogo entro le 24 ore dalla cattura – viene pressoché tutto il pesce che cucina Mariano.
Il menù inizia con una bella sfilata di antipasti: i **sardoncini a scottadito**, i ***folpi*** (polpi) **con patate**, i totanetti scottati alla griglia, un grande piatto di **crudi** e l'antipasto misto del Mandracchio. Da segnalare tra i primi la **chitarrina ai crostacei** e la zuppa di baccalà con ceci e maltagliati fatti in casa; da non perdere, quando disponibili, gli **spaghetti con le uova di pesce**, un piatto che i pescatori cucinano sulle barche. Tra i secondi, oltre al pescato del giorno cotto al vapore o alla griglia, un ricco **fritto misto di pesce e verdure** e la tradizionale **grigliata dell'Adriatico**. Completano l'offerta alcuni interessanti piatti unici, il **baccalà** che arriva cucinato **in insalata**, in zuppa e fritto, la chitarrina astice e borlotti e, se il pescato lo permette, "il mare in pentola", una sontuosa **zuppa in bianco di pesce spinato**. Alla figlia appena nata Mariano ha dedicato un dolce, il **ciambellone di "babbo Marià"**; tra gli altri interessante il dolce con cioccolato e panna.
La carta dei vini privilegia i bianchi con buone etichette marchigiane e nazionali – soprattutto di Friuli e Alto Adige –, ma è comunque presente una discreta rappresentanza di rossi che va a coprire una richiesta tipicamente anconetana che abbina i robusti piatti di mare a vini rossi piuttosto corposi.

Ancona
Portonovo

12 KM DAL CENTRO DELLA CITTÀ

Da Emilia

Ristorante
Via Portonovo
Tel. 071 801109
Chiuso lunedì a mezzogiorno
Orario: mezzogiorno e sera
Ferie: variabili da ottobre ad aprile
Coperti: 40 + 40 esterni
Prezzi: 35 euro vini esclusi
Carte di credito: tutte, Bancomat

La splendida baia di Portonovo è raggiungibile attraverso una stradina tutta curve. Da Emilia è un'istituzione della ristorazione locale; il ristorante è curato, gradevole nelle sue tinte bianco-blu, ricco di foto alle pareti e di oggetti della pesca. Il menù esprime chiaramente la voglia di valorizzare il mosciolo di Portonovo (una cozza spontanea dal sapore unico, Presidio Slow Food) e offre una proposta ittica ampia e invitante che, ovviamente, risente della reperibilità del pescato (sono sempre disponibili alcuni piatti di carne e di verdure).
Si inizia con ostriche, **moscioli alla marinara** o gratinati, insalatina di seppie, cappesante gratinate e pesce leggermente speziato alla piastra. I primi sono invitanti e abbondanti: **spaghetti con i moscioli** o con vongolette dell'Adriatico, **tagliatelle ai crostacei** (scampi, cicale di mare, granchi) risotto alla marinara, gnocchetti con calamari e scampetti. Se non riuscite a decidervi affidatevi ai consigli dell'istrionico Franco, che conduce il locale con la moglie Marisa Dubini (Marisella) e la figlia Federica. La proposta dei secondi è solitamente ampia: la grigliata mista, **coda di rospo in potacchio, bollito misto**, orata al forno con contorno di verdure e patate, **spiedini di calamari**, frittura mista dell'Adriatico o di calamari, accompagnati con una rinfrescante insalata. Tra i dolci un ottimo tortino al cioccolato, la panna cotta, il **tiramisù**, la **bavarese ai frutti di stagione** o l'immancabile sorbetto al limone.
La carta dei vini permette buoni abbinamenti a un buon prezzo; il coperto costa 3 euro.

Ancona
Portonovo

12 KM DAL CENTRO DELLA CITTÀ

Da Marcello

Ristorante
Via Portonovo
Tel. 071 801183
Chiuso il lunedì, mai d'estate
Orario: mezzogiorno e sera
Ferie: 15 gennaio-1 marzo
Coperti: 80 + 50 esterni
Prezzi: 32-35 euro vini esclusi
Carte di credito: tutte, Bancomat

Portonovo è un autentico gioiello all'interno del Parco regionale del Cònero dove, agli inizi del secolo scorso, ebbe inizio la pesca dei moscioli (oggi Presidio Slow Food), mitili tipici del tratto di mare che va da Pietralacroce ai Sassi Neri di Sirolo. Il ristorante di Marcello Nicolini si affaccia sulla spiaggia e la sala che garantisce riservatezza in bassa stagione risulta assai animata nei fine settimana e in estate (quindi la prenotazione è vivamente consigliata).
La proposta è variegata e comprende le risorse (pesce, ma anche erbe spontanee) che questo spicchio di riviera sa dispensare. Si inizia con un assortimento di antipasti tra cui **polpo con le patate**, sardoncini a scottadito, **moscioli olio e limone**, **raguse e lumachine in porchetta**, sauté di cozze e vongole, alici marinate. I primi sono gustosi, abbondanti e serviti direttamente dalla padella di cottura: **ciavattoni allo scoglio**, risotto alla marinara, chitarrine alle vongole e **tagliatelle al battuto di molluschi**. Tra i secondi, in base al pescato, filetto di pesce sampietro con verdure al vapore, **coda di rospo in potacchio**, un'ottima **frittura di paranza**, la grigliata mista, sono alcune delle proposte più ricorrenti, accanto a **guazzetti** e, su prenotazione, al **brodetto** in versione anconetana. Si conclude il pasto con un dessert a scelta tra tortino al cioccolato, crema catalana e il sorbetto.
La carta dei vini privilegia le etichette regionali, con una ricca selezione che dedica particolare attenzione al Verdicchio dei Castelli di Jesi.

In corso Mazzini, ad Ancona, si possono acquistare prodotti gastronomici artigianali da Bontà delle Marche: paste, salumi, oli, formaggi, vini e conserve.

PREMIUM

Per la degustazione professionale

Dalla passione per il vetro di Bormioli Rocco nasce Premium, un'ampia linea creata in collaborazione con i migliori Sommeliers italiani per rispondere alle esigenze della degustazione professionale del vino e ora anche dell'acqua. L'ampia gamma di modelli è il risultato di una perfetta combinazione tra tecnica avanzata e raffinato design: un'eccellenza che esalta la materia prima Vetro Sonoro Superiore garantendo al professionista eccezionali qualità di servizio ed una insuperabile accessibilità.

Osterie e trattorie dello stoccafisso all'anconetana

Così come il porto è tra i luoghi di Ancona forse quello che meglio racchiude la sua anima, la sua identità, se dovessimo individuare un piatto che ne simboleggi la vocazione agli scambi culturali e commerciali lo troveremmo nello stoccafisso all'anconetana. La sua ragione storica va infatti ricercata nell'apertura di commerci che portarono la flotta di Ancona nel Baltico, da cui sarebbe tornata con consistenti provviste di merluzzi che, essiccati al sole, costituivano un'ottima scorta nutrizionale per affrontare il viaggio di ritorno. I Vichinghi appendevano i merluzzi al sole e al vento fino a che non diventavano secchi e leggeri, così da poter essere trasportati durante le lunghe traversate, mentre i Baschi di ritorno dalla caccia ai merluzzi nei banchi di Terranova avevano la consuetudine di salarli. L'arrivo del merluzzo nordico nei porti e sulle tavole italiane può essere collegato alla vicenda di Piero Querini, nobiluomo veneziano la cui nave, nel gennaio 1432, fece naufragio nelle isole Lofoten, nel nord della Norvegia. Grazie a questa disavventura, Querini entrò in contatto con gli abitanti di quelle isole e descrisse la pesca del merluzzo, nonché la lavorazione dello stoccafisso e il modo di cucinarlo. Se presso i popoli nordici lo stoccafisso ha mantenuto un'identità di cibo di emergenza, importante sotto il profilo nutritivo ma poco valorizzato sotto quello gastronomico, ben diversamente andarono le cose nei porti mediterranei. Venezia e Genova furono i primi porti italiani ad accogliere i merluzzi essiccati provenienti da Bergen e scambiati con stoffe e altri prodotti, ben presto seguiti da altre marinerie tra le quali, nell'epoca della sua maggiore floridezza, quella di Ancona. Alla diffusione di stoccafisso e baccalà contribuirono anche prescrizioni e digiuni stabiliti dal Concilio di Trento, tabù di mensa come il mangiar magro non solo il venerdì: come scrive Piero Camporesi, «l'ombra del sacro entra in cucina come mai prima e l'orologio della cucina si regola su quello della sagrestia».

Come per altre ricette, diffidiamo di chi afferma categoricamente di possedere la vera e unica ricetta dello "stocco" all'anconetana, e vi suggeriamo semmai di verificare e integrare eventualmente la piccola ricerca che noi abbiamo fatto per comporre questo breve itinerario scegliendo gli interpreti più attendibili, chiedendo ai vari cuochi che visiterete la loro versione. Sicuramente si può individuare una peculiarità della tradizione anconetana (ancora oggi molto viva, nelle famiglie come nella ristorazione), in una serie di particolari di cottura (lenta, attorno alle due ore), a partire dalle canne stagionate che vengono sistemate sul fondo del largo tegame prima di ogni altra cosa per evitare che i pezzi di stoccafisso si attacchino, e all'abbondante impiego di vino bianco (Verdicchio, naturalmente). Agli inizi del secolo scorso erano circa 200 le trattorie anconetane che proponevano, più o meno saltuariamente, lo stocco; oggi ne sono rimaste, ovviamente, un numero minore, che resta tuttavia considerevole. Lo stoccafisso, ad Ancona, è considerato piatto invernale, pertanto si trova, di regola, da metà settembre a maggio: quasi sempre il venerdì, per lo più su ordinazione (anche per asporto) negli altri giorni.

Antonio Attorre e Franco Frezzotti

Ancona

Elvira

NOVITÀ

Trattoria
Via Macerata, 42
Tel. 339 4303966
Chiuso il sabato
Orario: mezzogiorno, sera su prenotazione
Ferie: una settimana a Ferragosto
Coperti: 20
Prezzi: 20 euro vini esclusi
Carte di credito: nessuna

Non c'è neppure un'insegna a segnalare che dietro le vetrate con le tende bianche c'è quel che una volta si chiamava "vino e cucina". Arredamento spartano *d'antan*, il bancone della mescita, tavoli in formica bianchi, posti per venti persone: due anziane signore, aiutate da una giovane, in cucina preparano i piatti tipici della cucina anconetana. Ma qui si viene soprattutto per mangiare lo stoccafisso all'anconetana, uno stocco preparato con leggerezza e semplicità. Unico appunto, uno stoccafisso così buono è accompagnato da un Verdicchio sfuso non allo stesso livello. Dall'autunno alla primavera, su prenotazione, si prepara anche lo stoccafisso per l'asporto.

La moretta

Ristorante
Piazza del Plebiscito, 52
Tel. 071 202317
Chiuso la domenica
Orario: mezzogiorno e sera
Ferie: 1-10 gennaio
Coperti: 80 + 40 esterni
Prezzi: 35 euro vini esclusi
Carte di credito: tutte

Si chiama piazza del Plebiscito ma ad Ancona tutti la chiamano piazza del Papa, bella e silenziosa. Proprio al centro si trova, dal 1897, questo ristorante tradizionale che ha sempre proposto in maniera lodevole i piatti della tradizione anconetana. Il piatto simbolo della Moretta è lo stoccafisso all'anconetana cucinato seguendo fedelmente la ricetta tradizionale. Ristorante di buon livello, ha un'ampia (forse troppo) offerta di piatti di pesce e di carne ma il consiglio è di gustare lo stoccafisso all'anconetana, senz'altro uno dei migliori della città, magari preceduto da un piatto di pasta al sugo di stocco, anch'esso di ottimo livello.

Gino

Ristorante annesso all'albergo
Piazza Rosselli, 26
Tel. 071 43310
Chiuso la domenica a pranzo
Orario: mezzogiorno e sera
Ferie: dieci giorni a Natale
Coperti: 100
Prezzi: 30 euro
Carte di credito: tutte, Bancomat

Di fronte alla stazione ferroviaria c'è questo ristorante dall'aspetto modesto specializzato nella cucina marinara e in particolare nello stoccafisso all'anconetana, certamente uno dei migliori della città. Umberto Polverini ha vinto col suo stoccafisso numerosi concorsi ed è considerato un approdo sicuro per la fedeltà alla ricetta classica e l'accurata scelta degli ingredienti. Lo stoccafisso all'anconetana è sempre disponibile anche da asporto.

La bottega di Pinocchio

Osteria-alimentari-rosticceria
Via Pinocchio, 48
Tel. 071 898010-338 4440543
Chiuso la domenica
Orario: mezzogiorno, sera su prenotazione
Ferie: 15 giorni in agosto
Coperti: 60
Prezzi: 15-20 euro
Carte di credito: Visa, Bancomat

Fabio Fiatti ha fatto quello cui da tempo aspirava: ridotto lo spazio dedicato al negozio ha aperto un'osteria che ha subito ottenuto un buon successo. Cucina semplice con prevalenza di piatti della tradizione anconetana sia di carne che di pesce, con un buon rapporto fra qualità e prezzo. Continuando la tradizione della bottega c'è anche un'attenta selezione di formaggi e salumi e qualche bella etichetta di vini marchigiani, ma il piatto forte resta lo stoccafisso all'anconetana. Lo stoccafisso da metà settembre a maggio si trova sempre il martedì e il venerdì, d'estate su ordinazione.

Trattoria del piano

Bar-trattoria
Piazza d'Armi, 2
Tel. 071 894339
Chiuso la domenica
Orario: mezzogiorno, sera su prenotazione
Ferie: 15 giorni in agosto
Coperti: 30 + 20 esterni
Prezzi: 15-20 euro
Carte di credito: nessuna

La Trattoria è quanto di più popolare si possa immaginare. Di fronte al Mercato del Piano è un bar con una stanzetta in cui a fatica mangiano 25-30 persone, inizia a lavorare a mezzogiorno ed è un continuo ricambio di ambulanti e operai. Lo stoccafisso si trova solo il venerdì o la sera su ordinazione: a cena la trattoria apre per un congruo numero di persone per menù a tema (pesce, stocco, gnocchi). I piatti variano secondo il giorno: il lunedì brodo con i tortellini, il martedì la trippa, il giovedì gli gnocchi con papera; martedì, mercoledì e venerdì pesce fritto, sabato lasagne e coniglio in porchetta o in potacchio.

Falconara Marittima (An)

Il camino

Ristorante
Via Speri, 2
Tel. 071 9171647
Chiuso domenica sera e lunedì a pranzo, mai in agosto
Orario: mezzogiorno e sera
Ferie: 1-10 gennaio
Coperti: 40
Prezzi: 27-32 euro vini esclusi
Carte di credito: tutte

Concludiamo l'itinerario con questo ristorante di Falconara, città collegata ad Ancona quasi senza soluzione di continuità dalla statale adriatica. Nel gradevole locale, all'interno ma del tutto autonomo dall'Hotel Touring, i fratelli Alberto e Silvia Berardi, sotto l'occhio vigile e affettuoso del padre Ilario, propongono una cucina sia di mare sia di terra più che meritevole. Palamita fresca con *sapa*, frittura di *bacicci* e olive farcite con sardoncini, pasta con sugo di brodetto, risotto con sardoncini e guanciale, spiedini di calamaretti e baccalà fritto tra le proposte più ricorrenti. Classica e tradizionale è la versione dello stoccafisso all'anconetana al camino, sugo di stocco impiegato anche per condire degli ottimi spaghetti di Gragnano. Un indirizzo da tenere presente a tutto campo, non solo per la pur pregevole interpretazione del piatto anconetano per antonomasia.

Ancona
Candia

8 km dal centro della città

La rocca verde

Azienda agrituristica
Via Piantate Lunghe, 77
Tel. 071 2906183
Chiuso lunedì, martedì e mercoledì
Orario: sera, festivi anche pranzo
Ferie: in febbraio e a Ferragosto
Coperti: 70 + 70 esterni
Prezzi: 30-35 euro
Carte di credito: Visa, Bancomat

Alla tradizionale attività di confezione di salumi ricavati dai maiali del suo allevamento, Marco Maurizi ha affiancato recentemente, in maniera sistematica, la produzione di formaggi a latte crudo di vacche, capre e pecore allevate in azienda. Per quel che riguarda i maiali è interessante il fatto che l'attività di selezione ha portato alla nascita di un buon numero di esemplari di maiali neri, anche cintati. Il ristorante mantiene inalterata la sua linea: menù degustazione con una ricca sfilata di antipasti freddi e caldi, due primi (non ci sono paste secche, solo fresche e preparate con farina biologica dell'azienda), due secondi e il dolce. Un discreto Rosso Cònero sfuso accompagna il pasto ma sono disponibili anche alcune buone etichette di produttori marchigiani.
Si inizia con gli antipasti con **tagliere di salumi** e di formaggi, segue una ricca sfilata di verdure di stagione, poi piatti come le classiche **cotiche con i fagioli** o la trippa. La cucina dà il meglio nella preparazione dei piatti locali, come gli ottimi **calcioni al burro e salvia**, le pappardelle al ragù o gli **gnocchi al sugo di papera**. Ottima la tagliata di vitello che esalta la qualità della carne, il porchetto al forno con le patate e l'**agnello di razza fabrianese in padella**. Eccellente il **coniglio col finocchietto selvatico** cotto nel coccio, che però va prenotato. Tra i dolci buone le crostate fatte con le confetture di casa, il semifreddo al limone e il sorbetto ai frutti di bosco.
Prezzi convenienti, considerato che qui si sta bene anche non superando i 30 euro. È possibile acquistare prodotti freschi e confezionati in azienda.

Ancona

Via giannelli 3

Ristorante
Via Giannelli, 3
Tel. 071 200679
Chiuso la domenica
Orario: mezzogiorno e sera
Ferie: luglio e agosto
Coperti: 45 + 25 esterni
Prezzi: 30-35 euro vini esclusi
Carte di credito: tutte

A pochi passi dalla centrale piazza Cavour e dalla galleria, che si percorre per imboccare l'autostrada o raggiungere la stazione ferroviaria, in una zona quindi piuttosto trafficata, una volta scesi i pochi scalini di via Giannelli 3 troverete un ambiente tranquillo e accogliente. Il cuoco, proveniente da importanti esperienze professionali, è Paolo Ferretti, i titolari del locale sono Gabriele Capannelli e Stefano Morini.
Le carni e il giusto spazio alle verdure caratterizzano l'offerta del locale. Le cadenze stagionali segnano il menù, a partire dagli antipasti: **sformatini di ricotta e verdure** accanto a salumi artigianali come quelli di Girolamo Passamonti o al **salame fabrianese** (Presidio Slow Food), **filetto di maiale con erbe aromatiche**, petto di cappone affumicato in casa, **coniglio disossato in porchetta**. Gran parte delle paste vengono fatte in casa: buone ***pezze* di grano saraceno con verdure**, **tagliatelle al ragù d'anatra** o di coniglio, **ravioli di patate e porri**, cordoncini con ceci, pomodorini e salsa di olive nere, spaghetti con pomodoro, timo e formaggio di fossa, in stagione **tagliatelle ai porcini**. Poi tagliata di marchigiana con verdure e patate, **spiedini di carni bianche**, nodini di vitello, carré di agnello al dragoncello, filetto di manzo al Rosso Cònero, **coniglio in potacchio**, piccioni arrostiti con salsa al vino bianco.
Selezione accurata di formaggi, dessert al cucchiaio, carta dei vini che offre parecchie opportunità. Nel periodo estivo lo staff si sposta al mare, precisamente al ristorante Mare Mosso del camping La torre di Portonovo, con una cucina solo marinara.

All'interno del mercato coperto Maratta, la gastronomia Camilletti offre un'ottima scelta di formaggi, salumi, paste e vini.

Appignano del Tronto

17 km a NE di Ascoli Piceno

Santa lucia

Ristorante-pizzeria
Valle Chifenti, 93
Tel. 0736 817177
Chiuso il lunedì
Orario: mezzogiorno e sera
Ferie: variabili
Coperti: 50 + sala banchetti
Prezzi: 25-30 euro vini esclusi
Carte di credito: le principali

Arrivati al Santa Lucia in una serata estiva, e sbirciato lo spazio sovente gremito di avventori, non fate marcia indietro. E non stupitevi se, stavolta a mezzogiorno, il cameriere dopo avervi servito il pranzo si è rapidamente cambiato e smessa la camicia bianca e i pantaloni scuri ora indossa stivaloni e abbigliamento sportivo: Graziano Simonetti sfrutta tutte le ore di luce, quando non impegnato nel suo locale, per andare alla ricerca di funghi e tartufi (offerti nel menù a 35 euro vini inclusi).
A occuparsi dei fornelli c'è il fratello Graziano che prepara piatti abbondanti, decisamente territoriali, arricchiti da profumi e sapori intonati: **galantina di pollo**, coniglio con pistacchi e gelatina di Offida Passerina doc, il carpaccio marinato alle erbe fini con *vinaigrette* balsamica. Tra i primi sono richiestissime le **tagliatelle al sugo rosso di piccione e pinoli**, tagliatelle al tartufo o con i funghi, gli estivi **ravioli di ricotta al pomodoro e basilico** (tutt'altro che banali) e le **lenticchie** – legume appenninico per eccellenza – **con porcini**. Una succulenta costata di marchigiana placherà gli appetiti più mordaci, ma in alternativa c'è sempre (o quasi) la **frittura all'ascolana** (le famose **olive farcite** accompagnate da costine d'agnello, zucchine, carciofi e crema), oppure l'**agnello dei Sibillini** a scottadito o **all'anice**, o ancora il galletto in tasca di ricotta ed erbe aromatiche. Corretti i dolci al cucchiaio.
Limiti del Santa Lucia sono una certa vetustà dell'ambiente e la grande, dispersiva sala aperta solo in caso di grande affluenza. Tuttavia la proposta gastronomica si mantiene sempre su livelli più che soddisfacenti, rafforzati dall'encomiabile onestà del conto, che va estesa anche alla variegata carta dei vini.

ARCEVIA
Costa

65 KM A SO DI ANCONA, 26 KM DA FABRIANO

LA BAITA

Ristorante
Via Monte Sant'Angelo, 115
Tel. 0731 9424-984528
Chiuso il giovedì
Orario: mezzogiorno e sera
Ferie: novembre
Coperti: 400
Prezzi: 25-30 euro vini esclusi
Carte di credito: tutte

La città dei nove castelli, che nel suo etimo conserva la caratteristica originaria di borgo militare (*arces via*, luogo fortificato), è meritevole di accurata visita come i suoi dintorni, che offrono paesaggi rurali tra i più pittoreschi dell'alta collina marchigiana. È appunto in alta collina, a Monte Sant'Angelo, che troverete questo locale dai grandi numeri che riesce però a mantenere inalterata una qualità e una cura da trattoria familiare. Nato nel 1962 come semplice chiosco dove Quirino Santini distribuiva panini e bibite a chi giocava a bocce o, la sera, ballava con la musica del juke box, è stato man mano ampliato dal figlio Lucio e da sua moglie Giancarla, ora coadiuvati dai nipoti Barbara e Giorgio. Una gestione familiare sempre molto attenta a mantenere alti i livelli qualitativi della cucina e dell'ospitalità. Paste, pani e dolci sono fatti in casa.
Si inizia di regola con salumi e formaggi, per poi passare a **panzerotti di patate con porcini** conditi **con sugo di pomodoro e basilico**, le creste di gallo (pasta fatta a mano) con caprino e basilico, **lunghetti verdi con tartufo estivo**, tortelloni con melanzane, pomodorini, bufalina e basilico. Da non perdere i **cappelletti in brodo**, cui far seguire il **bollito misto** con verdure cotte e patate lesse con salsa, o il fritto misto di carni e vegetali, l'**agnello a scottadito**, la **tagliata di manzarda marchigiana**, il millefoglie di vitello con funghi. Tra i dessert, la **pizza farcita con la crema**, il tiramisù, la crema catalana, il semifreddo di cassata.
Un carrello degli oli selezionati con competenza e un'ampia carta di vini, con risalto ai prodotti regionali, completano l'offerta.
In inverno, la sera, il ristorante è aperto solo su prenotazione.

Osteria accessibile ai disabili.

ASCOLI PICENO
Piagge

6 KM DAL CENTRO DELLA CITTÀ

C'ERA UNA VOLTA

Trattoria
Località Piagge, 336
Tel. 0736 261780
Chiuso il martedì
Orario: mezzogiorno e sera
Ferie: non ne fa
Coperti: 40 + 40 esterni
Prezzi: 20 euro
Carte di credito: le principali

Salendo verso il Colle San Marco, meta estiva degli ascolani per la gradita frescura, a breve distanza dal centro di Ascoli Piceno trovate questa trattoria di impronta prettamente tradizionale. Vi accoglierà Tonino, il proprietario, con la consueta, familiare disponibilità. Il ristorante propone piatti che sanno interpretare le tradizioni della cucina del capoluogo piceno.
Tra gli antipasti, potrete avere una bella selezione di salumi e insaccati quali lonza, ciavuscolo e salsiccia sia di carne sia di fegato. A seguire **trippa in bianco, frittatine in trippa** (ovvero tagliate a mo' di trippa) con funghi porcini, verdure in agrodolce e la rara **cotica *'bbiturata*** (listarelle di cotenna di maiale bollite e raccolte a piccoli cerchi con pecorino, pomodoro e maggiorana). Tra i primi piatti preparati con cura dalla moglie Luciana, spiccano la **polenta in bianco con porcini** e dei consistenti **gnocchi ripieni** di carne trita o **con ricotta e spinaci**. **Zuppa di farro con ceci**, spaghetti o altri formati di pasta con condimenti a base di verdure per i mesi estivi, completano i primi piatti più ricorrenti. I secondi di carne, cotti per lo più in padella, potranno essere **spezzatino di agnello** o maiale, **piccione in casseruola** (detto anche "in arrosto morto"), faraona con porcini al Rosso Piceno. Da provare il fritto tradizionale ascolano. I dolci, tra i quali è pressoché immancabile la **zuppa di crema e cioccolato**, sono accompagnati dal mistrà della casa.
In cantina, etichette del Piceno e Montepulciano, del vicino Abruzzo, e un buono sfuso della casa.

Ad **Ascoli Piceno** (6 km) il Caffè Meletti, in piazza del Popolo, è una sosta consigliata per la pasticceria e altre specialità, tra cui la famosa Anisetta.

Ascoli Piceno
L'oliva tenera ascolana

Esempio di ricetta identitaria come pochi, l'oliva tenera ascolana farcita e fritta si può dire condensi il senso di appartenenza degli abitanti del capoluogo piceno al pari del travertino con il quale è edificato parte del suo splendido centro storico. Pur essendo una ricetta ricca ed elaborata conserva quel carattere amichevole anche di cibo da strada, che molti gradiscono consumare proprio passeggiando.

Le prime notizie sulla farcitura accreditano l'utilizzo di erbe come ripieno dell'oliva dopo la snocciolatura (olive giudee), ma con ogni probabilità è nel Settecento che l'attuale ricetta a base di carne viene elaborata. Piatto di grande raffinatezza e di presumibile origine ricca e borghese, anche se alcuni studiosi ne ipotizzano una lontana derivazione di piatto di recupero. È un piatto quasi barocco, a ben vedere, già nella preparazione: la snocciolatura a spirale in modo da ospitare adeguatamente la ricca farcia e custodirla fanno pensare più alle invenzioni culinarie curate e decorative di scuola francese che alle spartane e proletarie polpette. La ricetta tradizionale, ma ogni famiglia ascolana custodisce qualche piccola variante segreta, prevede tra gli ingredienti carni di manzo, maiale e pollo, in percentuali diverse, che tagliate a cubetti vengono rosolate in un tegame insieme con odori di carota, sedano, cipolla. Ultimata la cottura il tutto viene macinato e successivamente amalgamato con uovo, parmigiano e aromi di noce moscata. L'impasto così ottenuto, di morbida consistenza, costituisce il ripieno con il quale l'oliva, precedentemente denocciolata, viene riempita riassumendo quasi la forma originaria. Passate in successione nella farina, uovo battuto e pangrattato, le olive vengono poste a friggere in abbondante olio extravergine e consumate calde come piatto unico o insieme con altri fritti quali: carciofi, zucchine, crema, cotoletta d'agnello come nel tradizionale fritto misto all'ascolana.

Fondamento di questa prelibatezza gastronomica e ingrediente essenziale è l'oliva della cultivar tenera ascolana: tenera e croccante allo stesso tempo, dal retrogusto leggermente amarognolo, è tra le olive da mensa una di quelle di maggior pregio. Coltivata in un'area limitata delle province di Ascoli Piceno e Teramo conobbe le prime fortune all'epoca della civiltà picena, quando i soldati romani, che facevano ampio uso di olive apprezzandone le proprietà energetiche, trovarono particolarmente gustose quelle trovate ad Ascoli. Iniziò così l'esportazione dalla città picena a Roma, attraverso la consolare Salaria, delle olive per essere consumate all'inizio e alla fine di ogni banchetto; un contributo notevole alla diffusione si ebbe con Sisto V, il papa marchigiano che teneva particolarmente alle olive ascolane. Olive che si apprezzano praticamente tutto l'anno grazie al tradizionale metodo di conservazione in salamoia (sono ottime con l' aperitivo), anche se è alla frittura che resta legata maggiormente la sua fama.

Nonostante la notorietà acquisita, le olive tenere ascolane hanno conosciuto, per un periodo durato fino a qualche anno fa, una parabola decrescente in quanto soppiantate, nell'elaborazione della celebre ricetta, da olive di diversa provenienza con risultati non sempre all'altezza, quando non francamente scadenti. È accaduto un fenomeno di banalizzazione del prodotto: noto ma, non essendo tutelato, degradato qualitativamente, con effetto negativo di ritorno anche per il prodotto correttamente preparato. L'effetto negativo riguardava anche, naturalmente, il lavoro di quanti caparbiamente hanno continuato a produrle salvandole da una possibile scomparsa.

Oggi, grazie a questi produttori, alla recente costituzione del Consorzio di tutela dopo il riconoscimento della Denominazione di Origine Protetta e all'istituzione del Presidio Slow Food, la tendenza sembra essere invertita, ma resta in qualche modo necessaria la sensibilizzazione verso i consumatori rispetto a prodotti d'imitazione e di basso livello.

I locali che qui trovate segnalati garantiscono per larga parte dell'anno l'utilizzo della tenera ascolana.

Antonio Attorre

Gastronomia migliori
Piazza Arringo, 2
Tel. 0736 250042
Chiuso il lunedì
Orario: 09.00-21.00
Ferie: non ne fa
Coperti: 50 + 25 esterni
Prezzi: 20-23 euro vini esclusi
Carte di credito: tutte, Bancomat

La trattoria è attigua alla ben nota gastronomia, ubicata nella centrale piazza Arringo, gestita da Nazzareno Migliori detto Zè, a cui va l'indiscusso merito di avere riportato in auge l'oliva tenera ascolana. Immediatamente individuabile anche grazie al piccolo stand situato all'esterno, dove è possibile acquistare i comodi "cartocci" di frittura assortita, la gastronomia offre servizi di asporto (anche di olive pronte da friggere) e, da un paio d'anni, di ristorazione vera e propria in una raccolta saletta. Qui, oltre al classico fritto misto (composto da olive, cremini, cotoletta d'agnello) sono proposti vincisgrassi e lasagne, carni alla griglia, zuppa inglese su ricetta di mamma Maria e, secondo stagione, piatti tipici della tradizione ascolana come il natalizio *frestinghe* (dolce a base di frutta secca) e i carnascialeschi ravioli *incaciati* (ripieni di carne di gallina conditi con pecorino e cannella).

Trattoria laliva
Piazza della Viola, 13
Tel. 0736 259358
Chiuso il mercoledì
Orario: mezzogiorno e sera
Ferie: 15 gg in gennaio e 15 in luglio
Coperti: 60
Prezzi: 18-20 euro vini esclusi
Carte di credito: le principali, Bancomat

Nell'espressione dialettale tipicamente ascolana (la *liva*, cioè l'oliva) è racchiusa la "ragione sociale" di questa trattoria ubicata nel cuore del centro storico di Ascoli Piceno. A pochi passi da piazza del Popolo, Marinella, dinamica ed estroversa padrona di casa, è disposta a insegnare ai curiosi la complessa preparazione delle olive farcite. Alternandosi tra sala e cucina propone in apertura formaggio pecorino con cotognata e le singolari e fantasiose olive di tenera ascolana candite, seguono le sibille (lasagne al prosciutto, caciotta e peperoncino), fritto misto all'ascolana, spezzatino d'agnello con lattuga e limone e il baccalà di Natalitte. Per finire deliziosi dolci come i ravioli di crema con salsa di frutta di stagione e biscotteria fatta in casa.

Kursaal
Via Luigi Mercantini, 66
Tel. 0736 253140
Chiuso la domenica
Orario: mezzogiorno e sera
Ferie: non ne fa
Coperti: 80
Prezzi: 18-25 euro vini esclusi
Carte di credito: tutte, Bancomat

Il locale ubicato nel centro storico, polivalente e rinnovato nelle sue proposte, è articolato in due diverse sale che consentono differenti soluzioni e in un'enoteca, da sempre regno di Lucio Sestili, decano dei sommelier e istituzione gastronomica cittadina. La cucina è legata al territorio, a partire dagli spaghetti all'ascolana con le olive verdi, per passare alla minestra di quadrelli e ceci, al pollo *ncip-nciap* e, solo il venerdì, al baccalà all'ascolana con uvetta e sedano. Il fritto di oliva tenera ascolana, ispirato alla ricetta della tradizione, è sempre disponibile, spesso accompagnato da fritture miste. Particolare attenzione nella selezione degli oli grazie alla grande competenza di Simona Sestili, figlia di Lucio, animatrice anche di un nuovo spazio nel vicino corso Vittorio, dedicato a vini e stuzzichini da accompagnare.

Gallo d'oro
Corso Vittorio Emanuele, 54
Tel. 0736 253520
Chiuso sabato a pranzo e domenica
Orario: mezzogiorno e sera
Ferie: una settimana in agosto
Coperti: 120 + 50 esterni
Prezzi: 25-30 euro vini esclusi
Carte di credito: tutte, Bancomat

Uno dei locali storici della ristorazione ascolana, il Gallo d'Oro da sempre offre ai suoi ospiti i piatti della tradizione locale alternati ad altre proposte di elaborazione personale. Nella sala confortevole ed elegante l'atmosfera conserva il sapore familiare e informale della trattoria borghese originaria, dove piatti popolari come il fritto misto all'ascolana sono proposti giornalmente, così come del resto altri piatti forti della tradizione ascolana: i maccheroncini di Campofilone alle verdure fini o con il tradizionale ragù e le costolette d'agnello alla griglia. Tra la vasta scelta di dolci fatti in casa un'interessante meringa con spuma all'anisetta. Ottima selezione di etichette regionali e nazionali con qualche escursione estera.

Agriturismo Case Rosse

Frazione Case Rosse-Poggio di Bretta
Tel. 0736 403995
Aperto sabato e domenica, negli altri giorni su prenotazione per gruppi di almeno 15 persone
Ferie: variabili
Coperti: 75
Prezzi: 25 euro
Carte di credito: nessuna

Usciti dal capoluogo piceno, prendendo la strada che va verso la costa, raggiungerete Case Rosse passando sulle colline orientali in direzione Poggio di Bretta. La cooperativa presieduta da Ugo Marcelli conduce circa 100 ettari di terreni con larga diffusione di oliveti. Particolarmente impegnata nella valorizzazione dell'oliva tenera ascolana l'azienda, oltre al nuovo oliveto con impianto d'irrigazione a goccia, sta installando in una nuova struttura le tecnologie necessarie alla lavorazione completa della pregiata cultivar. Nel vecchio casolare ristrutturato vengono proposti i piatti, preparati dalle socie della cooperativa, fortemente legati al territorio e accompagnati da un dignitoso vino sfuso. Per iniziare salumi, ricotta fresca, verdure, oliva tenera in salamoia e *cacciannanze*, gustosa focaccia; a seguire gnocchi, rigatoni al sugo di pecora e un retaggio dell'antica transumanza come la pasta di ricotta in brodo di pecora. Tra i secondi, oltre alle olive farcite dalla leggera panatura, carni di agnello, maiale, coniglio cotti nel forno a legna.

Ascoli Piceno

Corso

Trattoria
Corso Mazzini, 277
Tel. 0736 256760
Chiuso domenica sera e lunedì
Orario: mezzogiorno e sera
Ferie: 2 sett agosto-prima settembre, periodo natalizio
Coperti: 30
Prezzi: 35 euro vini esclusi
Carte di credito: le principali

Nel centralissimo corso Mazzini – che consigliamo di percorrere avendo cura di alzare lo sguardo per cogliere la varietà stilistica dei molti palazzi storici – poco distante da piazza del Popolo si trova il ristorante di Gino D'Ignazi.
Chi frequenta abitualmente la trattoria sa che troverà solo pesce fresco e che i menù si muovono nel solco della tradizione marinara locale. Coadiuvato dalla moglie Piera, Gino riesce con continuità a offrire una cucina lineare, le cui piccole variazioni sono scandite dal pescato giornaliero e dalle stagioni. Generalmente come antipasti troverete alici marinate, *panocchie* (cicale di mare) bollite, **scampetti al vino bianco e rosmarino**, totani e gamberetti bolliti, **zuppa di calamari e fagioli**, vongole e cozze dell'Adriatico in padella, **bomboletti** (lumachine di mare) in umido. Tra i primi **mezzemaniche con gamberetti, scampetti sgusciati e pomodorino fresco**, risotto alla marinara, linguine o tagliatelline alla spigola, talvolta **spaghetti al nero di seppia** o al sugo di granchi. Vario è il repertorio dei secondi: **rombo** o sampietro **con pomodoro fresco**, **sogliole nostrane al vino bianco**, coda di rospo in potacchio, grigliata e **frittura mista** o di soli calamari e gamberetti. Da assaggiare il **guazzetto**, preparato secondo la ricetta di un amico pescatore di Gino.
Si conclude con sorbetto al limone e si bevono buoni vini marchigiani, e alcuni provenienti da altre regioni, con onestissimi ricarichi. Obbligatoria la prenotazione per la domenica a pranzo, comunque consigliata negli altri giorni.

Libreria Rinascita, piazza Roma 7: piccolo wine bar con fornito scaffale riservato alla migliore editoria enogastronomica.

ASCOLI PICENO

DA MIDDIO

Trattoria
Via delle Canterine, 53
Tel. 0736 250867
Chiuso domenica e lunedì
Orario: mezzogiorno e sera
Ferie: tra giugno e luglio
Coperti: 40
Prezzi: 15-18 euro vini esclusi
Carte di credito: le principali

Nel centro storico di Ascoli Piceno, alle spalle dalla bellissima piazza del Popolo, si nasconde una piccola trattoria che è divenuta un'istituzione cittadina. Lo storico proprietario, Middio, non c'è più ma l'atmosfera conserva lo spirito popolaresco, grazie all'impegno della moglie Gigliola e della figlia Elisa. L'ambiente è decisamente familiare: la trattoria è ricavata da un vecchio bar, i tavoli sono apparecchiati con tovaglie di carta, ci sono immagini di Che Guevara alle pareti e cartoni di vino e birra negli angoli.
I piatti, legati alla reperibilità dei prodotti, cambiano praticamente di giorno in giorno. Tra gli antipasti ricordiamo **crostini con salsiccia**, olive verdi, **ricotta con alici salate**, bresaola con funghi e parmigiano, farro in insalata, **insalata di patate**, **fegatini di maiale fritti**. E ancora, **rane in guazzetto**, **baccalà in padella**, **lumache di campagna alla pizzaiola**, uova con pollo e coratella d'agnello. **Vincisgrassi**, **bucatini all'amatriciana**, mezzemaniche alla norcina, gnocchi alle zucchine, **fagioli con le cotiche**, zuppa di legumi sono alcuni tra i tanti primi proposti. Tra i secondi ricordiamo scaloppine ai funghi, **trippa in umido**, **pollo in padella**, spezzatino con patate, **stinco di vitello ai porcini**, pecora alla callara (naturalmente non sempre disponibile). Il venerdì si trovano anche piatti di pesce come linguine tonno e alici, **baccalà al forno**, seppie e piselli, **frittura mista di paranza**.
La cantina propone alcuni buoni vini locali e lo sfuso si lascia apprezzare. A completare il pasto qualche dolce casalingo, accompagnato dal vino cotto o da mistrà ascolano.

La gelateria Veneta, aperta dal 1923, in via Giudea 10, ha prodotti di ottima qualità sia nei gusti classici sia in quelli alla frutta senza zucchero.

CALDAROLA
Vestignano

30 KM A SO DI MACERATA

IL PICCIOLO DI RAME

Osteria
Castello di Vestignano
Tel. 348 3316588
Chiuso domenica sera e lunedì
Orario: sera, domenica anche pranzo
Ferie: variabili
Coperti: 24
Prezzi: 30 euro
Carte di credito: nessuna

Raggiungere il posto è piuttosto facile: dal centro di Caldarola seguite le indicazioni per Vestignano, passate davanti al castello medievale e salite la stradina che porta al minuscolo locale ricavato in un antico frantoio. Sedete ai tavoli e lasciatevi trascinare da Silvano Scalzini in un turbinio di piatti e commenti che contribuiranno a farvi trascorrere lietamente una serata prevedibilmente lunga ma certamente appagante. I piatti previsti nel menù degustazione sono infatti dodici, ma in proporzioni calibrate e ben intervallate. A cercare il filo conduttore, potremmo dire che gran parte delle proposte appartengono alla tradizione rurale locale, per altre si attinge alla cucina borghese del Maceratese e altre ancora sono frutto della creatività di Silvano e della mamma Rosa.
Nella nostra ultima visita abbiamo assaggiato bruschetta con olio di frantoio, **zuppa di carciofi con polpettine di pollo**, riso con pancetta e foglie di aglio fresco, **fava in porchetta con guanciale**, **lenticchia in brodo di erbe aromatiche** e salsiccia, ***cargiò*** (un grande raviolone) ripieno di ricotta con salsa al latte, parmigiano e scorzone, **spaghetti con baccalà**, **vincisgrassi con ragù di rigaglie di anatra e pollo**, spezzatino di maiale con porro fritto, spezzatino di agnellone con salsa d'arancia e ribes, ciavuscolo e pecorino (tradizionale fine pasto contadino) che ha preceduto la casalinga **crema pasticcera**.
Il vino è sfuso, sia bianco che rosso, di qualità più che dignitosa, proveniente da due cantine locali. La prenotazione è praticamente d'obbligo.

A **Loro Piceno** (23 km) la macelleria di Giuseppe dell'Orso (via Regina Margherita 4) offre ottime carni, paté di fegatini, terrine di maiale al finocchietto e di ciavuscoli.

Casteldelci
Gattara

66 km a NO di Urbino, 55 km da Rimini

Gattara

Ristorante con alloggio
Via Gattara, 18
Tel. 0541 915814
Chiuso il martedì
Orario: mezzogiorno e sera
Ferie: variabili
Coperti: 80 + 10 esterni
Prezzi: 25-30 euro vini esclusi
Carte di credito: tutte

Risalendo la Valmarecchia verso l'Appennino, subito dopo il paesino di Mulino di Bascio, si gira a destra e si sale verso Gattara: un borgo medievale composto da pochi edifici, alcuni dei quali disabitati da tempo, dove si trova un animato e vivace locale, il ristorante di Settimio e di Edda.
Settimio vi farà accomodare sulla terrazza, in estate, o nella sala all'interno dell'ottocentesco edificio e vi illustrerà a voce le proposte del giorno. Di regola si inizia con i salumi locali e, a seguire, **cipolla fritta**, **zuppa di castagne**, crostini misti di fegato, **zuppa con fagioli e farro** e in stagione i funghi. I primi piatti prevedono paste tirate a mano tra le quali ricordiamo **tagliatelle con funghi prugnoli** o **con asparagi selvatici**, **gnocchi**, ravioli e pappardelle al cinghiale, **ravioli di ortica** con funghi o ragù di carni miste. Tra i secondi, la carne principalmente cotta alla brace, **agnello** a scottadito, bistecche e salsicce. Per lo più su prenotazione si possono avere un buon **coniglio al forno** o l'arista di maiale, sempre al forno, accompagnati da verdure di stagione saltate in padella, patate, pomodori gratinati. Buone le casalinghe verdure sott'olio.
Si conclude con ciambella e **cantucci** casalinghi, serviti con Vin Santo. A proposito di vini, è possibile scegliere alcune etichette tra l'Emilia e la Toscana, oltre a un onestissimo Sangiovese della casa. Chi volesse trascorrere qualche giorno immerso nella natura in questo borgo un po' fuori dal tempo, può usufruire di una delle sei camere annesse al ristorante.

A **Senatello** (7 km), località Lamone, una cooperativa produce pecorino di Casteldelci, salumi e pollame.

Castelraimondo
Sant'Angelo

43 km a SO di Macerata SS 361

Giardino degli Ulivi

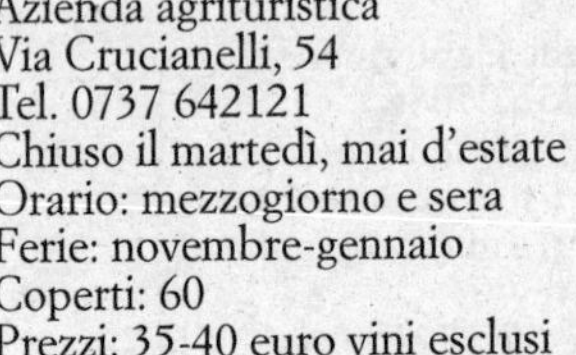
Azienda agrituristica
Via Crucianelli, 54
Tel. 0737 642121
Chiuso il martedì, mai d'estate
Orario: mezzogiorno e sera
Ferie: novembre-gennaio
Coperti: 60
Prezzi: 35-40 euro vini esclusi
Carte di credito: tutte, Bancomat

Avrebbero festeggiato insieme, tra non molto, i vent'anni del Giardino degli Ulivi che è stata una loro creatura già nell'iniziale fase di ristrutturazione del rudere e poi, via via, nell'impostazione della linea di cucina e nella realizzazione di un gioiello marchigiano di ospitalità. Purtroppo Sante Cioccoloni è mancato nei mesi scorsi e Maria Pia, con l'aiuto di sua figlia, ha trovato la forza di reagire.
L'agriturismo, in bella posizione collinare non molto distante dal centro di Castelraimondo, è composto da una struttura ricettiva e dal ristorante: entrambi curati e in piena armonia con lo spirito del luogo, come del resto la cucina. Una cucina che interpreta l'Appennino al meglio, a partire dalle sue risorse: erbe aromatiche, animali da cortile, verdure dell'orto. Con giusta intonazione al periodo dell'anno possono arrivare in tavola, preceduti da una ricca tavolozza di salumi e formaggi artigianali, **frittata con le erbe di campo**, **risotto ai fegatini e carciofi**, dense e profumate zuppe di legumi, **polenta con le costine** o **con la coda di maiale**, il magnifico (e probabilmente introvabile altrove) **minestrone con i cappelletti**. Faraona, **piccione**, **anatra**, **coniglio** e **cinghiale**, a rotazione, reclamano il ruolo di piatto forte, sempre esaltato dalla sottile arte dei giudiziosi accostamenti aromatici: salvia, aceto di montagna, timo, finocchio selvatico, rosmarino e magari gli immancabili segreti personali a fare la differenza. A chiudere **zuppa inglese**, panna cotta alle more di gelso, mousse di cioccolato con marmellata di arance o **crescia sfogliata**.
Carta dei vini calibrata sul territorio e regionale.

A **Cerreto d'Esi** (15 km), la macelleria Boccadoro, in via Belisario 133, offre ottimi ciavuscoli, salumi di Fabriano e carni di agnello fabrianesi.

Civitanova Marche

27 km a est di Macerata ss 485

Chalet Galileo

Ristorante-chalet
Via IV Novembre, 20 (lungomare nord)
Tel. 0733 817656-814993
Chiuso martedì sera e il mercoledì
Orario: mezzogiorno e sera
Ferie: variabili in inverno
Coperti: 50
Prezzi: 33-35 euro vini esclusi
Carte di credito: tutte

Rinnovato l'arredo interno, più prezioso ma forse meno caratteristico di prima, questo delizioso locale civitanovese continua a proporre una cucina di mare eccellente. Nulla di nuovo, infatti, su questo fronte: la consueta trasparenza permette di conoscere i principali fornitori, la presentazione dei pesci è attenta a differenziare il prodotto locale da quello d'importazione e la cortesia del patron Stefano Orsi garantisce un'eccellente ospitalità.
Un assaggio di olio di cultivar locali sarà *l'appetizer* di benvenuto a cui farà seguito un'ampia varietà di antipasti, in cui talvolta traspare un tocco di fantasia: tonno affumicato con mandorle tostate, merluzzo con noci di burro, tris di sogliola, scampi olio e arance o in alternativa le tradizionali **triglie e puntarelle di cicoria**, scampi alle verdure, **insalata di polpo**, alici marinate, **polentina con sugo di razza**, zuppa di ceci e mazzancolle, sauté di cozze e vongole, **lumachine di mare**. Allettanti i primi piatti con **filini di farro con gamberi e calamaretti**, il **campofilone** (una sorta di capellini all'uovo) **con canocchie e scampi**, gli invernali **passatelli** "alla Galileo" **con ragù bianco di pesce** o ancora paccheri con sugo di calamari, vongole, scampi e pomodorini. Tra i secondi piatti un delicato **bollito** (scampi, rana pescatrice, sogliola, mazzancolla e merluzzo), **guazzetto al pomodoro**, la **rana pescatrice in potacchio**, una croccante frittura oppure la grigliata mista.
Ampia la carta dei vini, equilibrata tra etichette regionali e nazionali, con prezzi corretti. È consigliata la prenotazione.

In via Pola 20, Maga Cacao è una cioccolateria artigianale presso cui la sosta è imperdibile. Ottimi pani da lievitazione naturale, all'Emporio Un punto macrobiotico, in viale Vittorio Veneto 43.

Comunanza

33 km a no di Ascoli Piceno ss 78

Da Roverino

Trattoria annessa all'albergo
Via Ascoli, 10
Tel. 0736 844242-844549
Chiuso la domenica
Orario: mezzogiorno e sera
Ferie: in settembre
Coperti: 100
Prezzi: 25-28 euro vini esclusi
Carte di credito: tutte

Roverino è nel centro di Comunanza, paese che ha conosciuto un significativo sviluppo industriale a partire dall'inizio degli anni Settanta e ora si trova a vivere quello che per alcuni è un privilegio e per altri un compromesso: essere il terzo polo produttivo della provincia picena, al centro di un territorio tra i più affascinanti dell'intera regione (il Parco nazionale dei Monti Sibillini è qui a due passi).
L'ambiente dell'osteria è accogliente e gradevolmente animato e la cucina è strettamente legata ai prodotti locali. Tra gli antipasti l'**uovo in camicia con spinaci e tartufo bianco**, la **frittata in trippa, prosciutto salvia e aceto**, formaggi – ottimo il pecorino dei Monti Sibillini – e salumi. **Zuppa di castagne con fagioli e costine di maiale**, tagliatelle al ragù, **ravioli con ricotta e tartufo nero** sono i primi piatti di rito. Tra i secondi la **frittata con funghi**, **agnello a scottadito**, i tordi matti (ricetta di Comunanza a base di carne di manzo), baccalà arrosto o bollito, trippa e **pollo con i peperoni**. Per finire **crostate** fatte in casa, in stagione sono da provare anche le mele rosa (Presidio Slow Food) e il liquore alla genziana fatto in casa.
In sala è Peppe Cutini a condurre il gioco, mentre in cucina c'è Stefano Morganti, cuoco giovane forgiatosi sotto l'attenta guida di Angela Zega, figura quasi alchemica per come custodisce un sapere antico sull'uso delle erbe spontanee. Piccola cantina incentrata principalmente su vini piceni con qualche proposta regionale ed extraregionale. Pregevoli distillati.

Pasticceria Irma, in via Trieste 5: torte al cioccolato, al caffè, mousse e pasticcini di ottima fattura. Presso la salumeria Bruno Strada, in viale Dante 58, selezione di salumi e formaggi.

Cupra Marittima

41 km a NE di Ascoli Piceno ss 4 e 16

Oasi degli Angeli 

Azienda agrituristica
Contrada Sant'Egidio, 50
Tel. 0735 778569
Aperto venerdì, sabato e domenica a pranzo
Orario: sera, domenica pranzo, estate anche sera
Ferie: in settembre
Coperti: 25 + 15 esterni
Prezzi: 35 euro vini esclusi
Carte di credito: tutte

Percorrendo l'Adriatica, all'altezza di Cupra Marittima si lascia la statale per raggiungere questo autentico gioiello dell'accoglienza agrituristica picena. Qui nasce uno dei più noti e discussi *vins de garage* italiani, il Kurni, ma l'Oasi degli Angeli è anche e soprattutto un locale in cui la cura nell'accoglienza, nel servizio e nella proposta gastronomica, raggiungono livelli davvero encomiabili. Il merito va tributato a Eleonora Rossi, in cucina, e a Marco Casolanetti, in sala. Il pasto si articola tra le proposte di un menù degustazione (uguale per tutti i commensali) con due antipasti, un paio di primi, secondo e dolce e tre vini abbinati. Ogni assaggio testimonia l'utilizzo di materie prime di grande qualità, spesso prodotte nello stesso agriturismo o provenienti dalle zone limitrofe.
Dopo uno Champagne di benvenuto, il piatto d'ingresso potrà essere una millefoglie di filetto di maiale con salsa di carote e fagioli borlotti, seguito da uno straordinario piatto di **salumi** accompagnati dai *pupi* (pannocchie di mais) e **olive tenere ascolane farcite e fritte**. Tra i primi le paste fatte in casa come **maltagliati al ragù di anatra**, **tagliatelle col sugo di piccione**, **ravioli di cappone** oppure una delicatissima e saporita crema di melanzane. Per i secondi la proposta spazia tra un ruspante **pollo arrosto con patate** cotto nel forno a legna, il **coniglio in padella alle erbe** o il **piccione ripieno**. A concludere il pasto, un buonissimo **tiramisù** fatto in casa.
La cantina "reale" va ben oltre la già ampia e invitante carta dei vini; è assolutamente consigliato confrontarsi al riguardo con l'oste. Un'ultima considerazione, a margine del giudizio più che positivo sulla qualità complessiva: la limitata fruibilità del locale, comporta la necessità di prenotare con largo anticipo.

Falconara Marittima

10 km a NO di Ancona

L'Arnia del Cuciniere

Ristorante
Via della Repubblica, 9
Tel. 071 9160055
Chiuso sabato a mezzogiorno e domenica
Orario: mezzogiorno e sera
Ferie: 15-31 agosto, 10 giorni in gennaio
Coperti: 50 + 30 esterni
Prezzi: 35 euro vini esclusi
Carte di credito: tutte, Bancomat

Da sempre attento alla qualità delle materie prime, Claudio Api nel suo ristorante usa esclusivamente carne di vitellone marchigiano dell'azienda Giangiacomi, dispone di una valida selezione internazionale di formaggi e acquista il pesce, sempre molto presente in menù, presso il Consorzio dei pescatori di Ancona. Coadiuvato in cucina da Andrea Mangoni, ha affidato la gestione della sala alla competenza e cortesia di Alessio Andreoni.
I piatti, presentati con molta cura, spaziano tra la tradizione e l'inventiva personale. Il menù trovato durante la nostra ultima visita prevedeva una **polentina al sugo** seguita da ombrina con insalata e salsa ai frutti di bosco, croccante di triglia in crosta di grano con maionese agli agrumi e salsa di rapa rossa, **mezzemaniche condite con brodetto all'anconetana**, **sarago al forno** con pomodorini e patate arrosto. Con variazioni stagionali vengono proposti **spaghetti al sugo di baccalà** e baccalà con crema di broccoli, **maltagliati di polenta con alici**, broccoletti e fiori di cappero, grigliata alla moda del Cuciniere, **frittura mista dell'Adriatico**, **filetto di rombo chiodato** con pane ai porcini, patate e verza, **stoccafisso all'anconetana** nell'inverno e **brodetto all'anconetana** il giovedì, e ancora fonduta di caprino e fegato di vitello.
Piccolo menù degustazione a 30 euro, grande a 40 euro. Il pane, le paste e tutti i dolci sono fatti in casa. Ottimi vini proposti anche al calice, scelti da una carta molto ampia.

Osteria accessibile ai disabili.

AL PESCE AZZURRO

Ristorante-self service
Viale Adriatico, 48
Tel. 0721 803165
Chiuso il lunedì, mai d'estate
Orario: mezzogiorno e sera
Ferie: 1 ottobre-15 aprile
Coperti: 400
Prezzi: 10 euro
Carte di credito: nessuna

Al Pesce Azzurro nasce trent'anni fa come forma di ristorazione popolare, ovvero economica e di sufficiente livello qualitativo, attraverso la quale i pescatori fanesi offrono una vetrina dei prodotti (pesce azzurro, appunto) e ricette ittiche locali. Da Pasqua a fine settembre, negli ampi locali, spesso gremiti, proprio nella zona portuale, trovate un menù giornaliero a 10 euro comprensivo di antipasti, primo, secondo con contorno e bevanda (un onesto Bianchello del Metauro).
Ci potranno essere, a rotazione, antipasti come **alici con verdure in giardiniera**, canestrelli gratinati, **lumachine di mare in porchetta**, **sardoncini marinati all'aceto**, poi **maccheroncini** "alla lupo di mare" (ovvero **con pomodoro, pesce persico e merluzzo**), strangozzi con calamari e melanzane, risotto alla pescatora, **tagliatelle al pesto di pesce**, **tagliolini alle vongole**, strozzapreti alla pescatora. **Grigliata azzurra**, sardoncini a scottadito con insalata, seppie e piselli, sgombro in salsa verde, suri "alla Sante" e **fritturina** tra i secondi. Per concludere un sorbetto o la tradizionale **moretta** fanese, il caffè dei pescatori con anice e rum.
Arriva qualche critica (ma anche molti apprezzamenti) sulla presenza di un self-service nella nostra guida: noi continuiamo ad apprezzare la singolarità dell'esperienza fanese, un'originale e onesta alternativa, e continuiamo a vedere ben altri rischi di "mcdonaldizzazione" nella pratica di tanti altri luoghi di ristorazione, più che nei 400 coperti della Cooperativa. Cooperativa che sta anche pensando di sostituire posate e piatti in plastica con materiali riciclabili riuscendo così a conciliare la "scelta" con l'economicità del conto.

Osteria accessibile ai disabili.

DA MARIA

Trattoria
Via IV Novembre, 86
Tel. 0721 808962
Chiuso la domenica, mai d'estate
Orario: mezzogiorno e sera
Ferie: Natale e Pasqua
Coperti: 30 + 20 esterni
Prezzi: 35 euro vini esclusi
Carte di credito: nessuna

Anche in una giornata invernale, con il mare poco favorevole, abbiamo potuto verificare ancora una volta qualità e senso dell'ospitalità di questa impagabile trattoria fanese: al telefono ci è stato detto che se volevamo fermarci qualcosa c'era, ma bisognava accontentarsi. Naturalmente abbiamo deciso "di accontentarci" e ci siamo seduti a uno dei tavoli del modesto locale, tra frequentatori abituali che, come noi, hanno avuto un po' di **canocchie bollite**, una fresca insalatina di mare, la ben nota **polentina alla brace con vongole e calamaretti** e qualche **sogliola al vapore**, senza trucchi da parte di Maria e di sua figlia Domenica, e con gratitudine quasi mistica da parte nostra.
Sono ormai 38 anni che Maria gestisce questo locale contando esclusivamente sul pescato di qualche amico pescatore, sugli ottimi oli extravergini scelti da sua figlia Domenica, sugli utensili e le tecniche di cottura che ha conservato dal suo passato rurale (caldaio in rame, coppo di terracotta). In giornate più generose troverete scampi bolliti e conditi con limone, sogliole, **rombo al vapore**, merluzzi, **cozze**, strepitose e delicatissime **tagliatelle con vongole e pomodoro**, un ottimo **guazzetto fanese**, solitamente di solo pesce di spina, cotto appunto nella pentola di terracotta, **calamaretti scottati**, **sogliole**, ***suasi*** (rombi non chiodati) e altri pesci **alla griglia**.
Si chiude con **ciambellone** e l'irrinunciabile **moretta fanese** (caffè, rum, anice e altri ingredienti che, naturalmente, fanno il segreto della casa). Qualche etichetta locale e regionale fa il suo dovere a tavola. La prenotazione è d'obbligo.

Il Caffè del pasticciere, via della Costituzione 8, è uno dei migliori delle Marche per il caffè, le brioches e la pasticceria.

L'ENOTECA
BAR A VINO

Enoteca con mescita e cucina
Via Mazzini, 1-angolo piazza del Popolo
Tel. 348 9035257
Chiuso il lunedì, mai d'estate
Orario: sera; luglio e agosto anche pranzo
Ferie: 2 settimane in settembre, 2 in gennaio
Coperti: 35 + 35 esterni
Prezzi: 25 euro vini esclusi
Carte di credito: le principali

Affacciato su una delle piazze più belle delle Marche, il Bar a Vino è un locale che ricorda il tipico *bistrot* francese: un bancone dove, volendo, si può anche solo gustare un aperitivo veloce, tanto legno e luci soffuse, una decina di tavoli per chi ha voglia di sostare un po' più a lungo, l'informale lavagna con l'elenco delle proposte del giorno e dei prezzi.
Il menù del giorno ha come nucleo salumi – non perdete il **fegatino**, il **lonzino aperto**, il ciavuscolo e il prosciutto crudo e, anche se raramente disponibile, una straordinaria **porchetta** – del "mastro salatore" Passamonti di Monte Vidon Combatte (curioso nome di un bel paesino nel fermano) e **formaggi a latte crudo** selezionati da Giuseppe Rossi, oste di lungo corso. Intorno girano piatti caldi gustosi e leggeri, che tengono conto dell'alternarsi delle stagioni: sformato di porri e guanciale locale, un'invernale **zuppa di lenticchie e castagne**, lasagne con salsicce e broccoli, insalata di funghi porcini freschi e parmigiano, risotto con toma fresca e asparagi, **vincisgrassi**, **brasato di marchigiana al Rosso Piceno** con polenta, torta fondente al cioccolato con arance candite. Con la stagione calda ci si trasferisce all'aperto, protetti dal possente Loggiato di San Rocco, di cui si potrà ammirare la splendida e avvolgente architettura assaggiando le croccanti **olive** tenere farcite e fritte **all'ascolana** o i crostini con paté di peperoni, tenendo nell'altra mano un calice di Metodo Classico italiano, di Champagne o magari un Falerio o un Verdicchio emergenti.
Servizio giovane e spigliato ma per districarsi tra le tante bottiglie, spesso di piccoli e sconosciuti produttori, occorreranno l'ausilio e la competenza di Josef, come i più affezionati clienti chiamano il proprietario.

35 KM A SE DI URBINO

IL DAINO

Ristorante annesso all'albergo
Via Roma, 19
Tel. 0721 786101-786441
Chiuso il lunedì
Orario: mezzogiorno e sera
Ferie: in ottobre
Coperti: 120
Prezzi: 25-30 euro vini esclusi
Carte di credito: tutte, Bancomat

Il monte Catria e il monastero di Fonte Avellana da un lato, la Rocca attribuita a Francesco di Giorgio Martini dall'altro fanno da cornice al paese di Frontone e a questo ristorante lodevole per qualità e continuità della proposta. L'ambiente è caldo e accogliente: ampia e luminosa la sala, personale cordiale e disponibile.
Il menù è improntato al rispetto della stagionalità e all'utilizzo di materie prime locali: diverse varietà di funghi, tartufi, carni di vitello di razza marchigiana, capretti, agnelli e cinghiali. Tra gli antipasti ricordiamo **frittatine con funghi o asparagi** (o con tartufo, in stagione), un'ottima **coratella d'agnello**, crostini con fegatini, cipolline in agrodolce, **insalata di pollo con carciofi**, crespelle con la caciotta di Urbino, salumi del luogo serviti con la **crescia** (la piadina del Montefeltro). Tutte le paste sono tirate a mano dalla signora Silvana, che assieme al marito conduce questo ristorante fin dagli anni Sessanta. Da segnalare le **tagliatelle ai funghi** o al sugo di cinghiale, ma anche i ravioli e **gnocchi al sugo di anatra**, i **cappellacci ripieni di zucca**, o spinaci, **con asparagi selvatici**. Tra i secondi diversi tagli di vitello cotto alla brace o al forno, le **costolette di agnello**, sempre al forno, il **coniglio in porchetta**, il **capretto alla brace**, accompagnati da **erbe di campo con patate** saltate in padella.
Si conclude con ottimi dolci al cucchiaio, accompagnati dalla **moretta**. Nella carta dei vini si trovano le migliori etichette delle Marche (e qualcosa da fuori regione) con un giusto ricarico.

In località Montesecco 149, a **Pergola** (12 km), la Fattoria Montesecco produce cereali biologici (farro, orzo, grano) e li commercializza integri o sotto forma di farine e paste integrali.

Gabicce Mare
Gabicce Monte

15 km a nord di Pesaro ss 16

Osteria della Miseria

Osteria di recente fondazione
Via dei mandorli, 2
Tel. 0541 958308
Chiuso il lunedì
Orario: solo la sera
Ferie: 15 giorni in estate
Coperti: 40 + 20 esterni
Prezzi: 25-30 euro vini esclusi
Carte di credito: tutte

L'osteria è ormai una piccola istituzione enofila in questa terra di confine tra Marche e Romagna ma anche, se vogliamo, un luogo deputato all'abbinamento della musica jazz – da sempre seconda (o prima?) passione del fondatore Guido Iosa con il vino – agli incontri e a iniziative culturali come le mostre d'arte curate da Sara Pace. Affascinante l'esterno (siamo sul limitare del Parco del monte San Bartolo e lo scenario è pienamente godibile dal giardino estivo) come pure l'interno, con luci soffuse, tavoli in legno e belle foto in bianco e nero.
Se il vino è la ragione sociale del posto, i prodotti di base alle preparazioni non sono scelti a caso, a partire dai **salumi** di un norcino di Chiaravalle, Pacifico Lucacioli, e dai **formaggi artigianali** della Fattoria della Ripa. Poi c'è la cucina, passata da circa un anno dalle mani di Francesca Tiberi a quelle di Enrico Marcantognini: ogni giorno una scelta di tre o quattro primi piatti e altrettanti secondi, con cambio di menù quasi quotidiano. **Acciughe**, baccalà, carpaccio di tonno possono essere le aperture estive. Tra i primi, **maltagliati con i fagioli**, **passatelli** o **tagliatelle con funghi porcini**, strozzapreti con melanzane pastellate e fritte e in estate paccheri con mozzarella e pomodori o con sugo di pesce. Sempre disponibile la tagliata di marchigiana ma quando c'è vale la pena di assaggiare il **coniglio con guanciale di maiale e finocchio selvatico**. Soprattutto di venerdì ci sono piatti di pesce come il polpo con tortino di patate o il rombo al forno. Ciambella, buoni dolci al cucchiaio e biscotti per finire.
Dei vini, come detto, non si può che parlare bene e a lungo, visto che la cantina è più fornita della già nutrita carta.
Da ottobre a maggio l'osteria apre anche la domenica a pranzo.

Genga
Pierosara

65 km a SO di Ancona ss 76

Da Maria

Ristorante
Frazione Pierosara, 67
Tel. 0732 90014
Chiuso il giovedì, mai in primavera-estate
Orario: mezzogiorno e sera
Ferie: 10-30 gennaio
Coperti: 90
Prezzi: 25-30 euro vini esclusi
Carte di credito: tutte tranne AE, Bancomat

Visitate le splendide grotte di Frasassi e la romanica chiesa di San Vittore, ammirato il tempietto del Valadier che sorge a strapiombo sul fiume Sentino, vale la pena lasciarsi alle spalle la rumorosa fiera paesana che gira attorno alle grotte e salire in alto per raggiungere Pierosara. Da qui si gode uno splendido panorama sulla valle dell'Esino, si è al centro di numerose passeggiate tra i boschi del parco e c'è anche la possibilità di mangiar bene al ristorante Da Maria.
All'ingresso, accanto al menù, si trova l'indicazione con la provenienza delle carni, in genere razza marchigiana. Una volta entrati, oltre al menù scritto, vi saranno elencati i piatti del giorno che sono solitamente molti. L'ampia frequentazione turistica ha portato a un ampliamento della carta con piatti internazionali, pur senza rinunciare alla proposta tradizionale. La triade locale, **funghi**, **tartufi** e **cinghiale**, è la protagonista: al cinghiale è dedicata una serie di primi, il tartufo e i funghi sono presenti in buona parte dell'anno. In vari assaggi abbiamo apprezzato le **pappardelle al cinghiale**, i ravioloni al tartufo fresco, i **passatelli al formaggio di fossa**. Da non perdere i **tagliolini ai gamberi di fiume**. Tra i secondi il posto d'onore va alla **bistecca di razza marchigiana alla griglia**, costata e filetto come la fiorentina, poi l'**agnello a scottadito**, il filetto di maiale avvolto nel lardo e il cinghiale alla cacciatora con le olive. Ottima infine la **verdura di campo con patate** ripassata in padella. Tra gli antipasti ottimi **salumi** locali e da segnalare tra i dolci il **salame di cioccolato** e il "piatto del golosone".
Un discorso a parte merita la carta dei vini che comprende un'ampia e attenta selezione di marchigiani e nazionali con ricarichi davvero più che onesti.

Grottammare

40 km a NE di Ascoli Piceno ss 16 o A14

Frangipane

Osteria di recente fondazione
Via Sant'Agostino, 36
Tel. 0735 735805-339 5788497
Chiuso il martedì
Orario: 16.00-02.00
Ferie: variabili
Coperti: 30 + 6 esterni
Prezzi: 30 euro vini esclusi
Carte di credito: tutte

Si sale verso il vecchio incasato di Grottammare, entrato giustamente nel novero dei borghi d'Italia meglio conservati, e poco dopo aver superato la chiesa di Sant'Agostino si incontra questa raccolta ed elegante osteria. Elegante per la cura dei particolari che Anna Ianno non lascia mai al caso. In attività da un paio d'anni, Frangipane ha saputo guadagnarsi una reputazione grazie all'attenzione nell'ospitalità e per la proposta gastronomica. Per Anna, titolare del locale con Cristian e Arabella, le materie prime locali e, quanto più possibile biologiche, sono la base per una cucina fresca con una presenza significativa di vegetali, carni bianche, salumi e formaggi selezionati.

Si inizia con gli ottimi **salumi** di Passamonti, lo sformatino di cime di rape con pomodorini, i **carciofi ripieni**, insalata di **baccalà e peperoni marinati**, **insalata di tacchinella con *sapa*, uvetta e mandorle**, **bruschette con verdure di campo strascinate**, patate novelle e patate violette con erba cipollina e *vinaigrette*. Tra i primi **campofiloni** al prosciutto o **con zucchine e vongole dell'Adriatico**, **maltagliati con borlotti e moscioli di Portonovo**, zuppa di farro spezzato con vongole nostrane, **cannelloni di ricotta di pecora**, timballo di verdure. Si prosegue con **agnello dei Sibillini al forno**, **filetto di maiale con cipolle rosse e mele**, tagliata di razza marchigiana, **baccalà mantecato** oppure un originale filetto di baccalà con puntarelle e salsa d'acciughe di San Benedetto del Tronto. Ottima, e non solo italiana, è la selezione dei **formaggi** come pure la proposta dei dolci, tra i quali ricordiamo il **tortino all'olio d'oliva con crema pasticciera speziata**.

Piccoli produttori locali e regionali, qualche francese, biodinamici e biologici per una carta dei vini tutt'altro che scontata.

Lapedona

18 km a SE di Fermo, 60 km a NE di Ascoli Piceno

Casa vecchia

Azienda agrituristica
Via Aso, 11
Tel. 0734 933159
Chiuso il martedì
Orario: sera, sabato e festivi anche pranzo
Ferie: novembre
Coperti: 45 + 20 esterni
Prezzi: 25 euro vini inclusi
Carte di credito: tutte

Nel cuore della val d'Aso, culla della produzione ortofrutticola picena, nel comune di Lapedona, a due passi dal mare, si trova l'azienda agrituristica Casa Vecchia. Per raggiungerla occorre percorrere cinque chilometri su una strada che dalla statale Adriatica, all'altezza di Pedaso e nei pressi del ponte Aso, taglia verso l'interno in direzione del Parco nazionale dei monti Sibillini. Il ristorante, ricavato al pian terreno di una dimora mezzadrile – che un tempo ospitava una numerosa famiglia e la scuola rurale –, è gestito dalla famiglia Rossi. Ai piani superiori si trovano le camere, mentre gli edifici circostanti annessi (stalla, capanna, fienile) sono stati trasformati in piccoli appartamenti.

D'estate si può mangiare anche all'aperto sotto il pergolato, circondato da un ampio giardino. Sarete accolti con grande cortesia da Luigi, appassionato e noto storico rurale. In cucina, la moglie Teresa, coadiuvata dalla figlia Benedetta, vi proporrà come antipasto **salumi** e formaggi locali, accompagnati da marmellate e miele di propria produzione, **uova in trippa**, **verdure dell'orto grigliate**, ceci e rucola e pizzette rustiche. Tra le paste fatte a mano troverete gli **gnocchi al ragù**, le tagliatelle al ragù *de lo vatte* (con le rigaglie di animali da cortile), **vincisgrassi**, i tradizionali **taccù alle verdure** e **polenta** con maiale, in bianco, o **con coniglio**, in rosso. Tra i secondi la grigliata di agnello o maiale, il classico **arrosto misto di oca, agnello e coniglio**, **pollo** e coniglio **alla cacciatora**, il tutto accompagnato da verdure di stagione cotte o da insalate, condite con l'olio di produzione propria.

I dolci sono casalinghi e il vino, oltre a qualche etichetta picena, è un discreto sfuso locale dop.

Loro Piceno

20 km a sud di Macerata SS 77

Taverna x Loro

NOVITÀ

Ristorante
Largo Crescimbeni, 3
Tel. 0733 509789
Chiuso lunedì e martedì
Orario: sera, domenica e festivi anche pranzo
Ferie: 15 giorni da metà gennaio
Coperti: 60
Prezzi: 18-28 euro vini esclusi
Carte di credito: tutte

Gian Paolo e Matteo, cuoco trentaduenne il primo, ventiduenne responsabile della sala il secondo, poco più di un anno fa hanno aperto questo simpatico e accogliente locale ricavato in una ex fabbrica di indumenti militari. La proposta culinaria varia con cadenza quindicinale e comprende anche un menù per bambini e uno per vegetariani.
Si può iniziare con l'ottima, tradizionale, **coppa di testa** al pistacchio e pinoli fatta in casa, il **maiale fritto con cipolle e salsa agrodolce**, il petto di tacchino al vapore con finocchi crudi in salsa di senape, lo **sformato di ricotta al forno** con zafferano e insalata mista (un'insalata finalmente non banale, con la locale **pimpinella**). Si prosegue con **spaghetti al ragù di vitello e carciofi**, **ravioli con crema di fagioli**, **broccoletti e pomodorini** e orzotto con verdure di stagione. Tra i secondi piatti, che impiegano buone carni locali cotte prevalentemente alla brace o in casseruola, segnaliamo la **tagliata di vitello con formaggio di fossa**, **cinghiale alla brace**, arista di maiale arrosto, **coniglio in porchetta**, l'**agnello fritto panato**. Il giovedì, su prenotazione e nei mesi invernali, troverete la polenta, mentre il venerdì è disponibile un menù di pesce, con il pescato del giorno proveniente da Civitanova Marche. Pani e dolci sono fatti in casa (la **crema bruciata** allo yogurt da noi assaggiata in occasione dell'ultima visita era davvero buona). I formaggi e i salumi sono selezionati con cura presso produttori locali.
La carta dei vini comprende circa 120 etichette regionali, vale a dire una panoramica pressoché esaustiva della produzione marchigiana. Nel locale si svolgono anche iniziative culturali.

Macerata

Da rosa

Trattoria
Via Armaroli, 17
Tel. 0733 260124
Chiuso la domenica
Orario: mezzogiorno e sera
Ferie: a Natale
Coperti: 50
Prezzi: 30-35 euro vini esclusi
Carte di credito: tutte

Incastonata lungo i vicoli del centro storico di Macerata, la trattoria Da Rosa rappresenta una piacevole sosta di ristoro oltre che un luogo di ritrovo abituale per i clienti affezionati. Elio Vincenzetti accoglie gli avventori con professionalità e gentilezza, proponendo piatti che, senza cedimenti, coniugano tradizione e materie prime di assoluta qualità. Inoltre, accanto all'articolato menù di carne, troverete interessanti proposte a base di pesce, sempre secondo la disponibilità del pescato giornaliero.
Per iniziare cartoccio di **frittura maceratese**, **frittatina al tartufo e funghi porcini**, parmigiana di melanzane, **coratella di agnello con i carciofi**, **tagliere di salumi locali**, ventaglio d'anatra in crosta di Vernaccia e zafferano. Potrete continuare con ravioli di ricotta e funghi porcini con erbe fritte, risotto mantecato con zucca gialla, lacrima di Morro d'Alba e tartufo, **pappardelle al ragù di lepre**, **vincisgrassi alla maceratese**, pinciarelli con pomodoro piccante e ricotta salata, chitarrine di Campofilone con pomodoro, melanzane e ricotta salata, **gnocchi alla papera**. Tra i secondi faraona con castagne e vino cotto, **fegatelli**, **piccione ripieno** (il *pistacoppi*), **coniglio con finocchio selvatico**, **pollo in potacchio**, carré di agnello in crosta di rosmarino. Ad accompagnare ogni piatto, verdure di stagione. Per dessert, **gelato al mistrà Varnelli**, ciambellone, zuppa inglese, crostate.
La carta dei vini è ben articolata, con una discreta selezione di etichette locali e nazionali, a ricarichi non sempre convenienti; è possibile comunque avere la mescita al bicchiere.

In contrada Acquevive, l'Azienda agricola SI.GI. produce artigianalmente confetture, gelatine di frutta, verdure sott'olio, tutte biologiche.

Macerata

Osteria dei fiori

Osteria di recente fondazione
Via Lauro Rossi, 61
Tel. 0733 260142
Chiuso la domenica
Orario: mezzogiorno e sera
Ferie: da Natale all'Epifania
Coperti: 30 + 20 esterni
Prezzi: 30-35 euro vini esclusi
Carte di credito: tutte

La cucina marchigiana deve molto alla sua tradizione rurale, mezzadrile in particolare, dalla quale sono nati diversi piatti simbolo. In più, come ovunque del resto, c'è l'importanza di una tradizione borghese e urbana, che guarda oltre confine e che, per questa regione, trova nel Maceratese un suo centro grazie ai ricettari pubblicati da Antonio Nebbia nel 1779, poi da Cesare Tirabasso nel 1932.
L'Osteria dei Fiori – saldamente guidata da Igina, Guido e Letizia Carducci, fratelli uniti dalla passione per la ristorazione – ha trovato ispirazione tra questi ricettari e l'uso di prodotti locali. Il **vincisgrasso** (derivato appunto dal *princisgras* codificato dal Nebbia) è il piatto principe che qui viene interpretato in modo un po' alleggerito rispetto all'originale. Eseguiti con garbo diversi altri piatti canonici, di tradizione popolare, che nell'uso di ingredienti quali erbe aromatiche, vino cotto, guanciale, legumi trovano la vivificazione di una cucina molto quotidiana. Citiamo indicativamente: **crescia al sale** con verdure stufate e salumi, bruschette varie, risotto con erbe aromatiche, ***tagliulì* pelosi** (pasta di acqua e farina) **con ceci e guanciale**, carré di vitello con insalatina di finocchi, rucola e sesamo, ***pistacoppi*** (piccione) **ripieno alla maceratese**, **baccalà con patate e pomodorini** (impeccabile per esecuzione ed equilibrio), **filetto di maiale con salsa al vino cotto**. Per chiudere **semifreddo al caffè** e **mistrà**, mousse di cannella con pera al vino rosso, crostata e biscotti della tradizione maceratese.
Arredo essenziale nell'unica sala, che nella bella stagione offre l'alternativa di un grazioso dehors; servizio efficiente e piccola carta dei vini incentrata esclusivamente sulla regione, di cui viene fornita una bella panoramica.

Magliano di Tenna

16 km a so di Fermo, 62 km a nord di Ascoli Piceno

Osteria dell'arco

Osteria tradizionale
Piazza Gramsci, 27
Tel. 0734 631630-338 3631128
Chiuso il mercoledì e giovedì a pranzo
Orario: sera, festivi o su prenotazione anche pranzo
Ferie: variabili
Coperti: 35 + 30 esterni
Prezzi: 30 euro vini esclusi
Carte di credito: le principali, Bancomat

Dopo diversi anni di attività Giulio Polci e Cristina, fondatori del locale, hanno deciso per motivi familiari di lasciare la conduzione dell'osteria. Ora il testimone è passato a Tiziano Natali, già esperto ristoratore, che ha rilevato la proprietà del locale. Poche novità nell'ambiente, sempre caldo e accogliente, leggermente rinnovato nei colori, e una cucina orientata su una proposta non troppo ampia, con piatti semplici e tradizionali. Tra gli antipasti non mancano mai i **salumi locali**, a cui seguono proposte variate stagionalmente: manzo affumicato con pecorino di fossa, **coniglio in porchetta** con misticanza di verdure, sformatino di cavolfiori e mazzancolle. Sicuramente interessanti i primi piatti, tra i quali segnaliamo ottimi **ravioli al tartufo con ripieno di coda di bue**, **tagliatelle al ragù di agnello**, garganelli con broccoli e guanciale, risotto con porri, zucca e scamorza affumicata. Per i secondi piatti, tutto o quasi passa dal magnifico camino: **lombate di manzo** per una buona tagliata, filetto con lardo profumato alle spezie, **costine e salsicce di maiale** oppure, dalla cucina, un filetto con porcini e purè di patate. I dolci preparati in casa prevedono un **millefoglie ai frutti di bosco**, tortino al cioccolato, tiramisù oppure delle interessanti **pere caramellate al vino rosso**, con gelato di vaniglia.
La proposta dei vini, non troppo ampia, si limita a interessanti etichette locali e alcune proposte nazionali. Informale ma puntuale e cortese il servizio.

A **Belmonte Piceno** (8 km), in contrada Castellarso d'Ete, L'Una Rosa produce pane biologico e dolci al miele. Il caseificio Fontegranne produce e vende diversi tipi di formaggi a latte crudo.

MAIOLATI SPONTINI
Moie

38 KM A SO DI ANCONA, SS 76

RISTORANTE DEL MARESCIALLO

Trattoria
Piazza Santa Maria, 5
Tel. 0731 701964
Chiuso il sabato
Orario: solo a mezzogiorno
Ferie: agosto
Coperti: 80
Prezzi: 15-20 euro vini esclusi
Carte di credito: nessuna, Bancomat

Moie, operosa frazione di Maiolati Spontini situata al centro della vallata che annovera la maggioranza dei paesi produttori del Verdicchio dei Castelli di Jesi, è sede di numerose attività industriali e artigianali. Nel ristorante di Mafalda Brutti, *giovinotta* quasi ottantenne che gestisce questo locale attivo dal 1922, coadiuvata in cucina e in sala dalla coetanea Pasqualina, in un ambiente a tinte rosa, semplice e pulito, pranzano operai, imprenditori, dirigenti d'azienda, rappresentanti e signori di passaggio: gente concreta che apprezza la cucina tradizionale sobria e genuina, servita con porzioni generose.
Il menù del giorno, recitato a voce, può iniziare con un piatto di salumi per proseguire con primi di paste sempre lavorate a mano, come i **tortellini in brodo** oppure asciutti con burro e salvia, i **ravioli di ricotta**, le **tagliatelle al ragù di carne**, gli **gnocchi al sugo d'anatra**, la polenta con vari sughi. Nei giorni in cui arriva il pesce fresco dell'Adriatico vengono proposti spaghetti o **tagliatelle alle vongole** o alla marinara seguiti da frittura di paranza o grigliata di sardoncini, sgombri, merluzzi e sogliole. Sempre presente la **grigliata mista di carne** che si alterna al **coniglio in casseruola**, all'anatra in umido o alla **frittura di carne e verdure**. I contorni sono di verdure cotte, patate fritte o arrosto e insalate.
A volte si può terminare con una fetta di crostata o ciambellone; sempre presente la frutta fresca. Apprezzabili i vini sfusi della casa.

MALTIGNANO

8 KM A EST DI ASCOLI PICENO SS 4 O BRETELLA E 55

L'ARCO

Trattoria
Via IV Novembre, 63-65
Tel. 0736 304490
Chiuso il mercoledì
Orario: mezzogiorno e sera
Ferie: 15-30 agosto
Coperti: 60
Prezzi: 20-25 euro
Carte di credito: CartaSi, Visa

Il ristorante gestito dalla famiglia Di Martini si trova nel centro del paese. La cucina, incentrata sui prodotti e sulle tradizioni dell'entroterra marchigiano, è il regno di mamma Maria Cesira, donna di spirito e d'esperienza, aiutata da suo figlio Stefano. In sala, ad accogliere i clienti, c'è l'altro figlio, Pierluigi, mentre il papà Tonino si occupa della selezione dei vini e della cura del forno a legna.
Il menù è sostanzioso e di impronta casalinga. Si comincia con i **salumi nostrani** (prosciutto, salsicce, lonza e ciavuscolo), formaggio pecorino, **olive all'ascolana e cremini**, fritto o grigliata di verdure di stagione. Tra i primi le **ceppe** (pasta di tradizione abruzzese preparata con acqua, farina e pochissime uova e modellata con un ferro da calza) **alla pecorara**, tradizionale **timballo rosso** o in bianco con carne e verdure, tagliatelle con olive nere, prezzemolo e basilico. Su ordinazione si possono mangiare anche i **cannelloni ripieni di carne**. Meno felice l'uso di alcuni condimenti a base di funghi secchi o salse tartufate. Varia è la proposta dei secondi: stinco di vitello al forno con patate, **spezzatino di agnello** e, su richiesta, **di capretto**, **agnello a scottadito** e tagliata di manzo. Ma la vera specialità della casa è il **baccalà**, che viene preparato, e preferibilmente su ordinazione, il venerdì, tra ottobre e marzo: in carpaccio, marinato, in bianco, lesso con gli artigianali sottoli, con la polentina, al sugo con gli spaghetti, in umido con uvetta e i ceci, arrosto.
Anche i dolci sono casalinghi come la zuppa inglese e il tiramisù. Accompagnano il pasto vini marchigiani e abruzzesi, oltre a un accettabile sfuso della casa.

MATELICA
Piannè

45 KM A OVEST DI MACERATA, 19 KM DA FABRIANO

IL CAMINO

Ristorante
Contrada Piannè
Tel. 0737 786035
Chiuso il lunedì
Orario: mezzogiorno e sera
Ferie: non ne fa
Coperti: 60 + 40 esterni
Prezzi: 20-30 euro vini esclusi
Carte di credito: tutte

Costeggiando le mura di Matelica e seguendo le indicazioni per la vicina località Braccano, vi troverete sulla stretta strada che attraversa contrada Piannè (entrambi i nomi diranno qualcosa ai cultori del Verdicchio di Matelica: si tratta di località da cui provengono cru significativi della denominazione locale). In questa piccola frazione, si trova il ristorante Il Camino, locale dal tono familiare, dalla sala ampia e con tavoli apparecchiati con cura; in fondo alla sala, il camino con il braciere a vista che rappresenta uno dei punti forti del locale.
Si può iniziare con una serie di antipasti a base di salumi e formaggi misti, scelti tra le produzioni artigianali locali (immancabile ovviamente il **ciavuscolo** da spalmare sul pane), e accompagnati dalla **crescia**, o da piatti di antipasti caldi e freddi quali **polenta con funghi** o, in stagione, con tartufo, sottoli, e piatti meno interessanti come la bresaola in carpaccio. Le paste sono fatte in casa e condite con generosi sughi che sanno già di montagna: **pappardelle al sugo di cinghiale** o **di lepre** (bianco o rosso), **tagliatelle al sugo di papera** o ai funghi o al tartufo, **pasta e fagioli**, zuppe di legumi e, su ordinazione, **vincisgrassi**.
Tra i secondi, per lo più cotti sulla brace, agnello, castrato, maiale e bistecche di razza marchigiana, provenienti da allevamenti locali, **coniglio in porchetta** e, talvolta, **cacciagione**.
Carta dei vini non estesa che, oltre a qualche rosso regionale da abbinare ai robusti piatti di carne, si limita ai Verdicchi, con prezzi molto accessibili.

L'Enoteca Belisario, in via Merloni, all'imbocco di Matelica, propone una vasta e qualificata scelta di vini nazionali ed esteri e specialità gastronomiche.

MONDAVIO

39 KM A SE DI URBINO SS 73 BIS

LA PALOMBA

Ristorante-pizzeria
Via Gramsci, 13
Tel. 0721 97105
Chiuso il lunedì, mai d'estate
Orario: mezzogiorno e sera
Ferie: 1 settimana a fine settembre
Coperti: 80 + 30 esterni
Prezzi: 30-35 euro vini esclusi
Carte di credito: tutte, Bancomat

La famiglia Cerisoli gestisce questo ristorante d'albergo che troverete al centro di Mondavio – paese che conserva intatto il suo stile rinascimentale con la sua atmosfera, le sue mura, le sue soffuse sonorità – meta di turisti attratti dalle imponenti difese militari opera dell'architetto Francesco di Giorgio Martini. Accanto a una proposta gastronomica di stampo locale si trovano anche piatti internazionali e popolari ma sempre di buona fattura e con una particolare attenzione nella scelta delle materie prime.
Semplice ma appetitoso l'antipasto di prosciutto e salumi lavorati in casa, accompagnati da **olive nere "strinate"** (asciugate) **sotto sale**, perfetti i **cappelletti in brodo** sempre presenti in carta, gustoso il **coniglio cotto in padella** accompagnato da erbe di campo, classica la **pasticciata pesarese** (umido di carne aromatizzato al chiodo di garofano), originali i pecorini conciati e stagionati sotto la cenere, con vinacce, con foglie di noce. L'offerta non si esaurisce qui, ve ne renderete conto scorrendo l'ampio menù che si rinnova stagionalmente. Troverete i **passatelli in brodo** o i **tacconi allo *sgagg***, piatto di farina di fave condito con guanciale dalla spiccata origine contadina. In autunno i piatti si arricchiscono di tartufo o funghi e, prenotando, si possono gustare pappardelle al cinghiale e cinghiale alla cacciatora; in estate **oca** e **coniglio in porchetta**. Le paste sono fatte a mano dalle donne di famiglia, come pure i dolci: biscotti e le crostate di marmellata preparate secondo antiche ricette. Il pane è cotto col forno a legna.
La cantina offre una copiosa selezione di etichette scelte con cura e dai ricarichi molto corretti. Nel fine settimana il locale funziona anche come pizzeria.

Osteria accessibile ai disabili.

Mondavio
Cavallara

39 km a SE di Urbino SS 73 bis

Maria

Trattoria
Via Cavallara, 2
Tel. 0721 976220
Chiuso il lunedì
Orario: mezzogiorno e sera
Ferie: in luglio e in marzo
Coperti: 80 + 20 esterni
Prezzi: 30-35 euro vini esclusi
Carte di credito: tutte, Bancomat

Si conferma, anno dopo anno, la continuità qualitativa della cucina di Maria, che si basa sulla qualità della materia prima e che può contare sul lavoro quotidiano e sulla gestione familiare, diremmo corale, della famiglia Cerisoli, a partire da Gabriele e da sua sorella Angela. La trattoria non è nel centro di Mondavio, bensì in località Cavallara, in cima al crinale tra la vallata del Metauro e quella del Cesano. Immersa nel verde, che potrete godere nella bella stagione cenando all'aperto, offre sobria e curata ospitalità negli spazi interni.

In una nostra visita invernale abbiamo assaggiato, con particolare soddisfazione, un **cotechino** fatto in casa su purè di riso e parmigiano, **polentina con ragù di vitello**, julienne di verdure e tartufo scorzone, pasta verde ripiena di faraona con crema di parmigiano, **coniglio** in due versioni: **in potacchio** e fritto. Abbiamo concluso con una delicata mousse d'arancia, guarnita da spicchi di arancia fresca e scorzette candite. Altri piatti presenti in un menù che varia stagionalmente: **cappelletti fatti in casa** su zuppa di cardo gobbo e lenticchia, **tagliatelle al ragù di cacciagione**, **passatelli con formaggio di fossa**, costata di marchigiana, **cinghiale in salmì**. Le paste – ripiene e non – sono fatte in casa: ne apprezzerete la fattura anche in proposte più semplici e primaverili come i **tacconi con pomodoro e guanciale** o nei tortelli di ricotta e ortica con pomodoro e timo. Da non perdere, sempre in primavera, il **tortino di fave** e, in estate, lo **sformato di zucchine con fiori fritti**.

Accanto alla carta esistono due menù degustazione da 25 e 35 euro con i piatti del giorno. La carta dei vini presenta popolari etichette sia regionali sia nazionali.

Monteciccardo

17 km a SO di Pesaro

Conventino

Osteria di recente fondazione
Via Conventino, 1
Tel. 0721 910588-346 0236628
Chiuso lunedì e martedì
Orario: solo la sera
Ferie: gennaio
Coperti: 80 + 50 esterni
Prezzi: 35 euro vini esclusi
Carte di credito: tutte, Bancomat

Nell'ex convento dei Servi di Maria, sulle colline dell'immediato entroterra pesarese, Roberto e Bruna proseguono la loro esperienza, di ricerca di buone materie prime locali e di interpretazione dei piatti della tradizione. Oltre alla ricerca di prodotti locali, i titolari non disdegnano incursioni in altri territori per cercare prodotti e sapori da proporre ai loro avventori.

Tra gli antipasti ricordiamo i salumi di produzione locale, affiancati da qualche specialità proveniente da altre regioni, *tartare* o carpaccio di **mucca di razza marchigiana**, ricotta con pomodorini confettati e filacci di prosciutto o lonza. Tra i primi, secondo le disponibilità stagionali, si segnalano le semplici e ben eseguite **tagliatelle con pomodoro fresco e guanciale**, i primaverili **gnocchi ripieni con asparagi selvatici**, i **ravioli di ricotta con pecorino di fossa**, le tagliatelle con piselli (in primavera), funghi o tartufi (in autunno e inverno). I secondi ruotano attorno a varie tipologie di carne e a diverse cotture (al forno, in casseruola, alla brace). Da provare l'**involtino di scamone**, la tagliata di manzo di razza marchigiana, il **rollé di coniglio**, l'**oca in porchetta**, il filetto di maiale alle erbette. Per concludere, merita attenzione il carrello dei formaggi che prevede pecorini e altri formaggi artigianali locali oltre a qualche bella scelta nazionale. Non meno stimolanti i dolci proposti e realizzati da Bruna, su tutti **millefoglie con chantilly** e **gelato all'arancio**.

La scelta dei vini prevede molte tra le migliori etichette regionali e alcune etichette nazionali. Da poco è possibile scegliere anche tra alcune birre molto interessanti. Su prenotazione, nei festivi, l'osteria apre anche a pranzo.

Montefalcone Appennino

39 km a SO di Fermo, 42 km a NO di Ascoli Piceno

Da Quintilia Mercuri 

Trattoria
Via Corradini, 9
Tel. 0734 79158
Chiuso il mercoledì
Orario: mezzogiorno, estate anche sera
Ferie: Natale e Pasqua
Coperti: 20
Prezzi: 25 euro
Carte di credito: nessuna

Quintilia Mercuri è una vera istituzione della ristorazione picena, con la sua trattoria che meriterebbe davvero una sorta di tutela sia per l'esemplare familiarità delle pietanze quanto per l'ambiente. Si mangia praticamente in casa di questa anziana custode di un modo d'altri tempi di intendere l'ospitalità. I piatti sono gli stessi da anni e non si può che esserne felici: un'oasi rassicurante nel mare magnum di improvvisazione in cui troppo spesso capita di imbattersi. Il menù si può concordare al momento della prenotazione, poiché le provviste sono acquistate in funzione del numero di ospiti presente.

Si inizia con qualche antipasto servito in un piatto unico: **olive e cremini fritti**, crostini misti, **tartina al tartufo** (quando c'è) e pecorino. Tra i primi **campofiloni** con sugo di carni miste, **tagliatelle al ragù** (o al tartufo), **tortellini agli spinaci**, **gnocchi di patate** e delicati ravioli con pomodoro e basilico. I secondi possono variare secondo la disponibilità del mercato, e non di rado è proprio la signora Quintilia a proporre – al momento della prenotazione, che è indispensabile – qualche alternativa così da accontentare tutti i commensali: **costolette di agnello alla brace**, **coniglio** o **pollo *'ncip 'nciap*** (in padella) o cotti al forno con contorno di **verdure ripassate in padella**. A fine pasto, dolci fatti in casa tra cui **ciambellone**, crostate o zuppa inglese.

Non esiste carta dei vini, c'è un'onesta proposta locale ma è possibile portare da casa una buona bottiglia, la signora Quintilia non si offenderà.

A **Monte San Martino** (15 km), Marino e Paola Marchese allevano pecore di razza sarda: pecorino e ricotte di qualità. L'azienda biologica San Martino (contrada Molino) alleva bovini al pascolo e vende carni.

Montefelcino
Fontecorniale

22 km a SO di Pesaro, 26 km a est di Urbino

Costa della Figura

Azienda agrituristica
Strada Costa della Figura, 30
Tel. 0721 729428
Non ha giorno di chiusura
Orario: mezzogiorno e sera
Ferie: variabili
Coperti: 30
Prezzi: 25-30 euro vini esclusi
Carte di credito: nessuna

Per raggiungere questo onestissimo agriturismo uscite a Calcinelli, lungo la superstrada Fano-Grosseto, e seguite le indicazioni per Saltara e poi Mombaroccio; prima di giungere in paese girate a sinistra seguendo l'indicazione Fontecorniale. La strada è un tortuoso saliscendi che si snoda attraverso una campagna che, in tutte le stagioni, offre scorci paesaggistici d'incantevole bellezza. Il menù fa affidamento principalmente sui prodotti stagionali dell'azienda, sui salumi di propria produzione (da poco è stata costruita una sala di lavorazione e stagionatura), su carni e formaggi del territorio accuratamente selezionati da Marco Felici.

I piatti sono all'insegna della semplicità e dell'autenticità, garantite entrambe dalle mani esperte di mamma Zaira e dalla cura dell'orto di papà Enrico; a Marco sono affidati l'accoglienza e il servizio. Ecco alcuni degli antipasti regolarmente in menù: un'ottima **pancetta stesa**, salame, **guanciale arrotolato**, carciofi gratinati, **coratella d'agnello** in padella. Tra i primi **ravioli ripieni di ricotta ed erbe di campo**, **tagliatelle** condite con **sugo d'asparagi** o di fiori di zucca, con funghi o ragù di carne. La **crescia sfogliata** come le paste fresche sono fatte in casa. **Coniglio in padella** o **in porchetta**, **maialino arrosto** (non sempre presente), grigliate di **costine d'agnello** o costarelle e salsicce di maiale e verdure di campo sono i classici secondi. Ricotta e pecorino locali da accompagnare con miele di propria produzione e a chiudere tozzetti con le mandorle o ciambellone.

In abbinamento il vino sfuso di una più che affidabile cantina pesarese. L'azienda agrituristica produce miele, olio extravergine e alcune confetture, naturalmente acquistabili.

Montemonaco
La Cittadella

41 km a NO di Ascoli Piceno ss 4 e 78

La cittadella dei Sibillini

Ristorante annesso all'albergo
Località La Cittadella
Tel. 0736 856361
Non ha giorno di chiusura
Orario: mezzogiorno e sera
Ferie: Natale e Pasqua
Coperti: 60 + 20 esterni
Prezzi: 25 euro vini esclusi
Carte di credito: le principali

In posizione felice e strategica, nel cuore dei monti Sibillini, la Cittadella continua a non tradire le attese dei suoi avventori. Il merito è di Silvio Antognozzi, titolare di questo centro turistico rurale che, oltre alla ristorazione, approdo gastronomico consolidato, offre la possibilità di pernottare. Qui ritroverete un'atmosfera familiare, una vita che ricorda quella di un piccolo tranquillo borgo montano e una cucina sincera, che si muove – grazie a una brigata di donne – nel solco della tradizione marchigiana.
Il menù, che asseconda le stagioni, propone piatti serviti in abbondanti porzioni. Inizierete con i buoni **salumi** locali, **pecorini di propria produzione**, frittate di verdure di stagione, **trippa**, **polentine con le lumache**, ai funghi o con salsa al cinghiale, **zampetti di maiale con finocchio selvatico** e **fagioli con le cotiche**. Tra le paste tirate a mano **tagliatelline ai funghi porcini**, **pappardelle al ragù**, ravioli di ricotta al pomodoro, **vincisgrassi**, **budelletti** al pomodoro e basilico e gnocchi al sugo. In stagione **polenta con le lumache** e risotto agli asparagi. Buona la proposta delle carni, tutte di provenienza locale. Si può scegliere tra il tradizionale arrosto di agnello, di maiale e di pollo, il **piccione arrosto**, il **coniglio in porchetta**, l'agnello alla brace e pollo ai peperoni. **Stoccafisso** e **baccalà** su ordinazione.
Ben fornito il carrello dei **formaggi**, semplici i dolci (crostate di ricotta o con marmellate alla frutta e zuppa inglese). Silvio, da buon appassionato, seleziona i vini: buona e accurata scelta di etichette regionali e nazionali. Da ottobre a marzo il locale apre solo nei fine settimana.

A **Montemonaco**, viale Stradone 26, Corona Carni vende salumi e carni. In frazione **Ferrà di Sotto**, Aldo e Augusto Fortuni raccolgono funghi e tartufi.

Monte San Giusto

21 km a SE di Macerata

Ponterosa

NOVITÀ

Agriturismo
Via San Nicola, 26
Tel. 0733 530690-328 0851908-349 3480475
Chiuso da lunedì a giovedì
Orario: sera, sabato e festivi anche pranzo
Ferie: variabili tra febbraio e novembre
Coperti: 20
Prezzi: 20-22 euro vini esclusi
Carte di credito: le principali, Bancomat

Lasciata la superstrada per Macerata all'uscita di Morrovalle, si prosegue per Monte San Giusto e poco prima di entrare in paese chiare indicazioni conducono a questo agriturismo, nel verde della campagna maceratese. Un casolare rustico di recente ristrutturazione, con quattro camere e una piccola sala al piano terra, è la cornice in cui Fabrizio (in sala) e sua moglie Iolanda (in cucina) accolgono gli ospiti. Alle ottime materie prime prodotte in azienda – verdure, ortaggi, frutta, animali da cortile e ovini, pani e dolci – si affiancano prodotti di allevatori e contadini locali, garantendo sostenibilità e filiera corta. Il menù non troppo ampio propone piatti semplici.
Si inizia con freschi antipasti, spesso a base di verdure: panzanella, **parmigiana di melanzane**, **insalata di zucchine leggermente marinate**, fiori di zucca farciti. Si prosegue con gustosi primi piatti tra cui gnocchi agli asparagi, **cannelloni farciti di ricotta e zucchine**, **tagliatelle al sugo di anatra** o salsiccia e finocchietto selvatico. **Agnello alla brace ai profumi dell'orto** oppure **fritto con verdure pastellate**, vitellone con piselli e guanciale, un magnifico **coniglio alla cacciatora** o faraona in potacchio sono alcune delle carni che potrete assaggiare accompagnate da insalate miste, verdure cotte, agretti olio e limone o verdure alla griglia. Tra i dessert preparati in casa un **semifreddo ai fiori di gelso**, tortino al cioccolato, biscotti e vincotto.
La carta dei vini è esclusivamente regionale con un'ampia proposta di etichette locali a prezzi assolutamente adeguati. Servizio informale ma curato e attento.
L'agriturismo non chiude mai in luglio e agosto.

I PICENI

–

Ristorante con alloggio
Piazza Savini, 1
Tel. 0734 778000
Chiuso il martedì
Orario: sera, sabato e festivi anche pranzo
Ferie: 1 sett settembre-ottobre, Epifania-31 gennaio
Coperti: 35 + 30 esterni
Prezzi: 30 euro vini esclusi
Carte di credito: tutte

Il ristorante, nel centro storico di Ortezzano, offre una splendida visuale sulla valle dell'Indaco e la vallata dell'Aso, fino ad abbracciare un pezzetto di mare Adriatico. La Valdaso è la vallata più vocata nelle Marche per la produzione ortofrutticola, e il ristorante è nato anche come vetrina della rinascita e riqualificazione delle produzioni locali. L'ambiente è semplice e accogliente: Massimo accoglie i clienti con discrezione e professionalità mentre Giampiero Giammarini (il titolare) si occupa della cucina. I prodotti locali, dalle pesche alle fragole alle mele rosa (Presidio Slow Food), pane, carne e tartufi, sono scelti con cura mentre è la madre di Giampiero che raccoglie le erbe spontanee.
Carne e verdure in primo piano a partire dagli antipasti: **salumi locali**, focaccia al rosmarino, manzo freddo al fumo di alloro con pecorino di Fossa, **frittelle di verdure**, **olive fritte all'ascolana**, **coniglio in porchetta**, in estate carpaccio di verdure e piatto freddo di melanzane, ricotta e pomodoro. I primi piatti prevedono **ravioli al ripieno d'anatra** con tartufo nero, **fettuccine al ragù di coniglio**, **gnocchi di patate con formaggio di Fossa** e guanciale croccante; le paste sono fatte in casa. Tra i secondi si segnalano **brasato al Rosso Piceno** con polenta grigliata, **coniglio in potacchio** con scalogno e olive verdi, agnello dei Sibillini a scottadito, petto d'anatra al Rosso Piceno con tortino di verdura, **baccalà fritto**. Disponibili anche alcuni piatti di pesce.
Per finire il **semifreddo al mistrà con salsa d'orzo**, il **biscotto con zabaione e pesche al vino cotto**, *tartare* di fragole con cialda al cioccolato. La carta dei vini è incentrata su etichette marchigiane, con qualche presenza toscana e piemontese.

LA ROSA DEI VENTI

Osteria tradizionale
Via Leopardi, 17
Tel. 0734 778016
Chiuso lunedì e martedì, mai d'estate
Orario: sera, festivi anche pranzo
Ferie: variabili
Coperti: 30 + 20 esterni
Prezzi: 35 euro vini esclusi
Carte di credito: tutte

A Ortezzano, piccola località collinare che si affaccia sulla fertile valle dell'Aso, già citata da Plinio nella sua *Naturalis Historia* come *Urticinum*, si trova il locale di Ivo Acciarri. L'ambiente è accogliente e ben curato nel servizio. D'estate si può mangiare anche all'aperto, tra i vicoli del paese. In cucina c'è Maria Pia, moglie di Ivo, che elabora piatti della tradizione marchigiana, con l'utilizzo di materie prime selezionate sul territorio. Ogni stagione ha il suo menù e su prenotazione è possibile anche mangiare qualche piatto di pesce.
In genere, tra gli antipasti troverete salumi e insaccati nostrani (**ciavuscolo**, prosciutto, salami stagionati e salsicce), insalatina di germogli con carpaccio di controfiletto marinato, **galantina di pollo**, **olive fritte all'ascolana e cremini**, **pecorino dei monti Sibillini**. Le paste secche provengono da alcuni pastifici locali, quelle fresche sono fatte in casa. Secondo stagione si trovano **lasagnetta di verdure di stagione**, **ravioli al tartufo**, gnocchi pomodoro e basilico, tortelloni radicchio e taleggio, pizzicotti con ricotta e spinaci in bianco, **tagliatelle al ragù tradizionale**. Le carni sono tutte di provenienza locale, mentre le verdure che le accompagnano arrivano dagli orti della vicina Val d'Aso. Potrete scegliere tra il carpaccio di vitella, l'**agnello nostrano a scottadito** o fritto con verdure pastellate, talvolta il **coniglio in padella**, lo **stinco di vitello** o la tagliata di razza marchigiana. Le tradizionali *scrippelle 'mbusse* sono presenti sul menù solo da ottobre ad aprile.
I dolci sono tutti di fattura casalinga; la lista dei vini è ben ragionata e privilegia le etichette regionali.

In via val d'Aso 74, l'azienda Moccichini propone conserve, confetture, marmellate di frutta e verdure sottiolio.

IL COVO

Trattoria
Via Colombo, 32
Tel. 0734 933152
Chiuso il lunedì
Orario: sera, festivi anche pranzo
Ferie: variabili
Coperti: 30
Prezzi: 27-33 euro vini esclusi
Carte di credito: le principali

L'attività della piccola pesca artigianale, praticata diffusamente in questo tratto di costa adriatica meridionale e tutelata, negli ultimi anni, dal Cogepa (la cooperativa a cui fanno riferimento tutti i pescatori artigianali, a partire da Porto Sant'Elpidio fino ad arrivare a San Benedetto del Tronto) è una delle fonti principali di approvvigionamento di questa trattoria. Per il resto della spesa, Totò, titolare del locale, si rivolge ai due principali mercati ittici della zona, Porto San Giorgio e San Benedetto. È chiaro che l'impostazione della linea gastronomica predilige il pescato locale, per lo più povero, preparato con gusto e semplicità.
La cucina è affidata a Totò e alla mamma Luana; il menù varia in base alla disponibilità di mercato. Da ottobre a marzo, di regola, troverete i gustosi **bomboletti** (lumachine di mare) **in umido** (con pomodoro, finocchio selvatico e maggiorana), alici marinate, ostriche locali, insalata di polpo e sedano, **cozze alla marinara e gratinate**; nel periodo di primavera-estate, **cicale di mare in umido** o **bollite**. Si prosegue con **linguine al battuto di alici** o al pesto di pesce azzurro, **mezzemaniche con cicale di mare e finocchietto**, spaghetti con carbonara di pesce, **conchiglie con seppie e piselli**, **spaghetti al sugo di granchi**, penne, cozze e pecorino. Tra i secondi spigola pescata all'amo, rana pescatrice e mazzolina al forno, **sogliole di retina in guazzetto** (con il termine "retina" si intende il pesce della pesca artigianale), grigliata mista, **frittura di paranza**, guazzetto di pesce di giornata e, su prenotazione, il **brodetto**.
Oltre a un accettabile Falerio della casa, la lista dei vini è incentrata sulla produzione regionale.

LOCANDA DEL FARO 

Osteria di recente fondazione
Via Colombo, 3
Tel. 0734 933174
Chiuso il mercoledì
Orario: sera, festivi anche pranzo
Ferie: variabili
Coperti: 45
Prezzi: 25-30 euro vini esclusi
Carte di credito: le principali

È sempre un piacere venire alla Locanda del faro, gestita con buon gioco di squadra dal titolare Luigi Nocera, sempre in sala, e da Pigi, lo chef. Qui si trova la schietta cucina della tradizione locale, con qualche divagazione campana, in omaggio alle origini del titolare, che utilizza materie prime del territorio, selezionate con attenzione al ritmo delle stagioni. Talvolta, secondo la disponibilità del mercato, si possono trovare piatti a base di pesce.
In apertura troverete **salumi nostrani** di produzione artigianale accompagnati da focacce calde, sfogliatelle, sformatini con verdure di stagione, crema di formaggio fresco in salsa agrodolce con frutta secca, **filettino di maiale nostrano con salsa alle erbe**. Tra i primi le paste fatte in casa come ravioli di ricotta con pomodorini freschi, **cannelloni casalinghi di ricotta e melanzane**, **lasagnette al ragù di coniglio**. Le paste secche sono quelle di Gragnano e sono condite con carbonara di zucchine, con **ragù di pesce azzurro** o **con i moscardini**, con fave, carciofi e piselli. Attenta è la selezione delle carni locali, che si possono gustare alla griglia, il tradizionale arrosto e le **costatelle di maialino** o **di agnello alle erbette**, in padella, come il **coniglio** con sottaceti, olive nere e capperi o **alle erbe** o al forno, come lo stinco di vitello o di maiale. La **tagliata di manzo di razza marchigiana** è solo su prenotazione.
Attenta la selezione di formaggi locali. I dolci sono particolarmente apprezzabili e vari: cestino ripieno di zabaione e macedonia di ciliegie, **millefoglie con crema alla vaniglia** e macedonia di fragole, panna cotta di yogurt con frutta fresca, **zuppa inglese**, babà e pastiera. Valida la lista dei vini, che offre numerose etichette regionali e altre nazionali con ricarichi onesti.

PEDASO

17 KM A SE DI FERMO, 50 KM A NE DI ASCOLI PICENO USCITA A 14

PENNESI

Osteria tradizionale
Via Cesare Battisti, 50
Tel. 0734 931382
Chiuso domenica sera e lunedì
Orario: mezzogiorno e sera
Ferie: variabili
Coperti: 35 + 35 esterni
Prezzi: 25-30 euro vini esclusi
Carte di credito: tutte

Consideriamo davvero esemplare, nella sua tranquilla quotidianità, la proposta di questa modesta trattoria di mare. In attività dal 1945, quando fu aperta da Giuseppe Pennesi, è oggi alla terza generazione, con Massimo, che ne interpreta il rinnovamento con l'attenzione ai vini e senza snaturare la dimensione piacevolmente familiare, e con sua madre Albina, sempre in cucina e qualche volta, a fine pasto, tra i tavoli a raccogliere commenti e a raccontare i suoi piatti. Piatti che utilizzano esclusivamente il pescato delle tre marinerie vicine (Civitanova Marche, Porto San Giorgio e San Benedetto del Tronto), oltre che dalla stessa Pedaso.

In una delle due raccolte salette (o nella veranda estiva) potrete iniziare con una serie di antipasti freddi: **uova di seppia**, **sgombro marinato**, insalatina di mare, **scampi bolliti**, salmone fresco, crostino di pesce, **carpaccio di cefalo**. Tra gli antipasti caldi **cozze**, **alici a scottadito**, **spiedini di gamberi e zucchine fritti** e un'ottima, esclusiva della casa, **parmigiana di pesce**. **Campofiloni con calamari e scampi**, spaghetti al nero di seppia, **penne al battuto di alici**, mezzemaniche allo scoglio (vongole, scampetti, cozze), **maccheroncini al ragù di sgombero** o **con lumaconi di mare**, gnocchi con crostacei e verdure, è la bella offerta di primi piatti. Un buon **guazzetto di pesce**, la **coda di rospo arrostita** (con ottima panatura), la grigliata mista (ben assortita, tanto da valere come piatto unico), un'ottima **frittura**, pesce al forno alle verdurine o patate tra i secondi.

Si conclude con un dolce casalingo della signora Albina, si sceglie il vino in una carta organizzata con gusto personale, ci si sente come a casa e, nel conto, si è trattati con esemplare onestà.

PESARO
Santa Marina Alta

7 KM DAL CENTRO DELLA CITTÀ

DA GENNARO

Ristorante-bar
Via Santa Marina Alta, 30-1
Tel. 0721 27321
Chiuso domenica sera e lunedì
Orario: pranzo e sera, luglio solo sera
Ferie: in settembre e in gennaio
Coperti: 50 + 40 esterni
Prezzi: 30-35 euro vini esclusi
Carte di credito: tutte

Potete raggiungere Gennaro salendo dai viali pesaresi prossimi al lungomare, in direzione del colle di San Bartolo, oppure dal tratto di statale che da Pesaro prosegue verso Cattolica, in questo caso facendo attenzione al cartello che, sulla destra, dopo un tratto di strada immerso nel verde, vi indica il locale. L'aspetto esterno è quello di un barristorante fuori porta, con una modesta insegna e di tranquillo tenore; in estate un paio di piccoli tavoli sono sistemati di fianco alla porta d'ingresso e una decina nella veranda protetta dalle frasche. All'interno la saletta, di recente rinfrescata nel tinteggio delle pareti, è raccolta e alla buona.

Il pesce locale prevale, ma c'è uno spazio non puramente marginale anche per altre cose. Si inizia con antipasti freddi e caldi: **canocchie bollite**, gamberi o scampetti, insalata di mare, **merluzzo e mazzola alla catalana**, **cozze e vongole in guazzetto**, **lumachine alla pesarese**, a volte cappesante gratinate al forno, **granchietti al pomodoro**. Poi **tagliatelline** tirate a mano di ineccepibile fattura con sugo di pesce bianco o al pomodoro, gnocchetti agli scampi, risotto di mare, spaghetti allo scoglio, **ravioli di pesce e verdure**. Oppure **cappelletti in brodo**, ravioli al sugo o, solo su prenotazione, **pasta al forno**. Fra i secondi, una buona **arrostita mista** bene assortita, frittura, **spiedini di gamberi e calamari** o, tra i piatti di carne, la classica **pasticciata** pescarese (carne in umido con spezie), bollito misto, agnello e carni miste cotte prevalentemente alla brace.

Piccola proposta di dessert con la locale **ciambella**, la crostata, cantucci, tiramisù e sorbetto. Una carta dei vini limitata ma con alcune buone etichette marchigiane, anche nei pratici piccoli formati, completa l'onesta offerta di questo locale.

Pesaro
Casteldimezzo

12 km dal centro della città

La canonica

Osteria di recente fondazione
Via Borgata, 20
Tel. 0721 209017
Chiuso il lunedì
Orario: sera, festivi anche pranzo
Ferie: gennaio
Coperti: 32 + 40 esterni
Prezzi: 35-40 euro vini esclusi
Carte di credito: tutte

La strada panoramica che da Pesaro raggiunge Gabicce ha molti motivi di interesse: l'Imperiale (villa rinascimentale), poi il borgo medievale di Fiorenzuola di Focara infine Casteldimezzo, nella cui parrocchiale c'è un notevole crocefisso ligneo del Seicento di scuola veneta. Accanto alla parrocchiale c'è la canonica che ospita il ristorante gestito da Andrea Rignoli e Davide Marino. Ci sono due menù degustazione: uno di terra a 35 euro e uno di pesce a 40. Ai due menù sono abbinati, con un'aggiunta di 10 euro, tre vini. Naturalmente c'è anche una carta per chi non ama essere guidato nelle scelte. La cucina ha un'attenzione particolare per i prodotti dell'entroterra pesarese e della vicina Romagna mentre per il pesce si affida al pescato dell'Adriatico.
Nella nostra visita abbiamo provato tra gli antipasti una zuppa di verza con seppie e moscardini, un **tortino di rossetti** con pane, acciuga e pinoli, rossetti al limone, un millefoglie agli ortaggi d'inverno e capperi. Tra i primi passatelli in brodetto bianco di pesce e **tagliatelle fatte in casa con salsiccia "matta", fagioli e rosmarino**. Per i secondi di carne da non perdere la **coppa di mora romagnola arrosto** e nei piatti di pesce oltre al fritto dell'Adriatico, **mormora e mazzola brasate con ragù di lumachine**. Veramente ottimi il **salame** e **spalla di mora romagnola** e il salame di Fabriano; notevole la selezione di **formaggi**. Per chiudere *crème brûlée*, biscottini e **semifreddo di ricotta alle pere**.
La carta dei vini comprende etichette importanti accanto a piccole produzioni frutto di una ricerca attenta.

Nella vicina **Colbordolo** (15 km) la Fattoria del Borgo, in via Ca' Golino 2, produce un eccellente pane biologico e buone confetture, succhi di frutta e sottoli.

Petritoli

18 km a sud di Fermo, 48 km da Ascoli Piceno

Osteria de le Cornacchie

Osteria tradizionale
Via del Forno, 10
Tel. 0734 658707-658333
Chiuso il martedì, mai d'estate
Orario: sera, inverno festivi anche pranzo
Ferie: variabili
Coperti: 70 + 10 esterni
Prezzi: 20 euro
Carte di credito: tutte, Bancomat

Nel grazioso borgo di Petritoli, uno dei centri della valle dell'Aso cintati da mura di mattone rosso (un tempo veri e propri castelli a protezione della contea di Fermo), in una piccola via che scende dal corso principale, trovate l'Osteria de le Cornacchie. All'interno pietra, travi, archi e un grande camino, caratterizzano l'osteria; alcune lunghe tavolate accolgono i commensali. Sergio Federici, il titolare, vivacizza l'atmosfera con il suo umorismo e l'intercalare dialettale.
Il pasto si apre con un'ampia selezione di salumi locali (lonza, lonzino, **salsiccia di fegato**, pancetta, **ciavuscolo**) e di seguito diverse proposte di tradizione locale: **trippa al pomodoro**, funghi misti con uova, **cicoria selvatica e patate**, **fagioli e guanciale**, le primaverili fave *'ngrecce,* ovvero bollite e ripassate nel tegame insaporite con la mentuccia. Potrebbe già quasi bastare e invece c'è sempre una pasta asciutta (**pappardelle**, tagliatelle o magari gnocchi) oppure la **polenta al sugo**, servita su una spianatoia di legno, magari accompagnata da **costolette di maiale** (specie nei mesi invernali). Lo **stinco di vitello** al forno, accompagnato dalle deliziose **patate arrostite**, altro cavallo di battaglia di Sergio, conclude il lauto pasto. Dolci casalinghi se c'è ancora un po' di spazio: **ciambellone** e crostate sono accompagnate da crema alla nocciola e dal mistrà (il distillato all'anice molto popolare da queste parti), preparato dall'oste secondo la ricetta tradizionale.
Fedele allo stile dell'osteria, il vino proposto è quello sfuso della casa.

In via Tornabuoni 15, la macelleria Cocciò offre i salumi di tradizione e, in piazza Mazzini 14, la macelleria Romanelli vende carni locali. A **Monte Vidon Combatte** (4 km) la macelleria Passamonti, via Leopardi: ciavuscolo, salamelle di fegato e lonze.

Piandimeleto

38 km a est di Urbino

Le contrade

Trattoria-pizzeria
Via IV Novembre, 19
Tel. 0722 721797
Chiuso il lunedì
Orario: mezzogiorno e sera
Ferie: luglio, 1 settimana dopo Pasqua
Coperti: 60
Prezzi: 35 euro vini esclusi
Carte di credito: tutte

Funghi, tartufi, legumi, prosciutto di Carpegna, carne di chianina o marchigiana. Il menù di questo ristorante ha un forte accento appenninico, e non potrebbe essere diversamente visto che Umbria, Romagna e Toscana sono a un tiro di schioppo. Non a caso il proprietario, Marcello Rivi, è conosciuto proprio come "il toscano" perché viene dall'altra parte dei monti, dove tramonta il sole.
Oltre che per il soprannome è noto per la straripante passione per i prodotti del bosco: quelli che finiscono nelle sue pentole sono reperiti in loco e serviti seguendo un criterio di stagionalità che grazie alle particolari tecniche messe a punto da lui stesso, si può allungare un po'. Niente trucchi: solo una maniacale cura ed esperienza nella conservazione di questi preziosi ma effimeri gioielli. Dai primi prugnoli, simbolo d'imminente primavera, al magico aroma tardo autunnale del tartufo bianco qui si potrà fare una indimenticabile scorpacciata (ma attenzione perché il conto ne risentirà) scegliendo tra tante proposte: il carpaccio di manzo con tartufo bianco, la **crema di fagioli con porcini**, lo **sformato di legumi con riduzione di Verdicchio e tartufo bianco**, ottime **tagliatelle** o crêpe **con funghi misti**, **fagioli al fiasco con funghi**, il timballo di farro con fonduta di pecorino. Poi i richiestissimi classici: **cappelletti all'Alpe della luna** (cotti nel brodo ma serviti asciutti con formaggio), l'***entrecôte* di manzo ai porcini e pancetta**, le lombate e i filetti di carne alla griglia. La sera, per chi vuole, anche la pizza. Lasciate posto per i meritevoli dolci al cucchiaio.
La lista dei vini non è estesa ma la bottiglia giusta è lì sullo scaffale, con il suo collarino prezzato, pronta per esser scelta. Ambiente familiare e servizio sono legati da uno spirito cordiale.

Porto Recanati

30 km a NE di Macerata, 18 km a sud di Ancona

Il diavolo del brodetto

Ristorante
Via Emilio Gardini, 10
Tel. 071 9799251
Chiuso domenica sera e lunedì
Orario: mezzogiorno e sera
Ferie: tra ottobre e novembre
Coperti: 40
Prezzi: 35-40 euro vini esclusi
Carte di credito: tutte, Bancomat

Il ristorante, affacciato sul mare da cui dista solo qualche metro, ricavato al pian terreno di un'abitazione, si trova a pochi passi dal centro di Porto Recanati. Sarete accolti in una piccola veranda o nell'unica sala interna, arredate in modo semplice e familiare, che rispecchia lo stile marinaro del luogo. Piera Giri, generalmente, si occupa del servizio in sala – anche se ogni mattina dedica il suo tempo alla preparazione degli antipasti e alla pulizia del pesce – mentre suo fratello Giuseppe opera in cucina, elaborando piatti con l'eccellente materia prima reperita sul mercato.
Il menù è raccontato a voce e comprende una buona varietà di antipasti. Inizierete con insalata di mare, cozze e vongole, **alici marinate**, **cicale di mare in guazzetto** o **bollite**, **calamari alla diavola** o ripieni. Tra i primi **spaghetti con cozze, vongole e scampetti**, **maccheroncini di Campofilone agli scampi**, risotto alla marinara. Tra i secondi merita attenzione la **grigliata mista**, assortita sempre in base alla disponibilità del pescato giornaliero, **coda di rospo in potacchio** e **frittura**. Anche questo piccolo angolo di Adriatico ha la sua tradizionale ricetta di **brodetto** (**alla recanatese**), solo su prenotazione.
La lista dei vini è molto essenziale e predilige etichette locali e regionali, dai ricarichi onestissimi. Con pesci di grossa pezzatura è possibile sforare la cifra indicata, ma sulla qualità e freschezza della materia prima non si andrà incontro a sorprese negative.
In inverno il ristorante è aperto solo a pranzo da lunedì a giovedì.

A **Numana** (10 km), l'enoteca Azzurra, in via Falminia, propone prodotti artigianali marchigiani: vini, oli, formaggi, salumi, pasta e confetture.

DAMIANI E ROSSI 

Trattoria
Via della Misericordia, 7
Tel. 0734 674401
Chiuso lunedì e martedì
Orario: sera, festivi anche pranzo
Ferie: ottobre
Coperti: 50 + 70 esterni
Prezzi: 35-40 euro vini esclusi
Carte di credito: tutte

La trattoria, a solo un paio di chilometri dal centro cittadino, resta un solido punto di riferimento della ristorazione marchigiana. Vi accorgerete che Aurelio, con la sua buona proposta di territorio, non pecca mai di stile. I piatti, che si muovono nel solco della tradizione locale con tocchi di creatività, riescono a stupire per il perfetto equilibrio e la valorizzazione della materia prima, di qualità eccellente.
Si può iniziare con i **salumi** di propria produzione, frittelle di verdure, **olive all'ascolana**, gnocco di pane con brodo d'anatra al limone, **fiori di zucca in salsa di *sapa***. Tra i primi **spaghetti con bottarga e tartufo nero**, **raviolo ripieno di pecorino con fave fresche**, maccheroni con ragù, l'invernale **trippa di maiale in brodo**, **paccheri di coniglio al timo**. Come secondo, **sella di coniglio in porchetta**, **agnello al sale grosso**, petto di faraona con salsa al cedro, filetto di agnello al sale con patate e cicoria, **maialino ripieno di animelle e tartufo nero**, millefoglie di porchetta con tartufo bianco di Amandola (da ottobre a Natale). Un'attenta selezione di **formaggi** e dolci conclude il pasto. Il vino lo potrete scegliere da una carta ampia e ben articolata, oppure affidarvi alla proposta giornaliera, che comprende la degustazione di cinque etichette a 15 euro.
Con l'arrivo della buona stagione (maggio-settembre), Aurelio si trasferisce sulla costa allo Chalet La Pinetina. La proposta gastronomica è un omaggio alla cucina locale marinara: **pasta fresca con frutti di mare** o con aglio, olio, peperoncino fresco e seppioline, **guazzetto di seppioline**, **scaloppa di merluzzo con olive e capperi** e l'immancabile **frittura di paranza**.

Al bar Ciferri, viale Don Minzoni 4, gelati artigianali di grande qualità.

PORTO SAN GIORGIO

7 KM A EST DI FERMO, 60 KM DA ASCOLI PICENO

LA ROCCA

Trattoria
Piazza del Rosario, 4
Tel. 0734 675242
Chiuso il lunedì
Orario: mezzogiorno e sera
Ferie: in gennaio
Coperti: 30 + 20 esterni
Prezzi: 30-35 euro vini esclusi
Carte di credito: tutte tranne AE

Fa sempre piacere trovare un ristorante che, oltre a una lodevole valorizzazione della materia prima locale, sa accogliere i clienti con spontaneo senso dell'ospitalità e disinvolta discrezione. Fa piacere, inoltre, vedere tanta solerzia nel servizio, soprattutto quando i tavoli sono tutti occupati. Il locale di Renzo Silenzi è una sosta gradevole, dove potrete gustare una cucina consolidata, erede della gastronomia locale di pesce.
Il menù varia di giorno in giorno, adattandosi alla disponibilità del pescato quotidiano. Paola e Cesare, tra i fornelli, procedono con cotture essenziali, che esaltano la franchezza della materia prima. La proposta degli antipasti è ricca e articolata: alici marinate, insalata di mare, **cicale di mare bollite**, **raguse al pomodoro**, scampetti al rosmarino, **baraccole all'agrodolce**, sgombro con pomodoro fresco, vongole dell'Adriatico, **moscardini al pomodoro**, **totani ripieni**, **sogliolette al vino bianco**. Continuerete con **stringozzi con sgombro e pomodoro fresco** o con vongole e calamaretti, **ciabattoni** alle vongole o **con sugo di panocchie** (cicale di mare), risotto alla marinara. Varia è la proposta dei secondi che, in base all'approvvigionamento giornaliero, prevede grongo al forno, **rombo** o **spigole nostrane con patate**, grigliata o frittura mista e, solo su prenotazione, il **brodetto**, preparato su ricetta sia sangiorgese che sambenedettese, con l'uso di aceto in entrambe e, solo nell'ultimo, con l'aggiunta del peperone verde.
La lista dei vini è essenziale e incentrata sul territorio.

A **Rapagnano** (20 km), in via Colle, l'azienda agricola Eredi Ripani, produce confetture e verdure sott'olio, con materie prime coltivate in azienda.

Potenza Picena

18 km a NE di Macerata

Osteria del vicolo 

Osteria di recente fondazione
Via Battisti, 1
Tel. 0733 672340
Chiuso il lunedì
Orario: mezzogiorno e sera
Ferie: 15 giugno-15 luglio
Coperti: 35
Prezzi: 23-27 euro vini esclusi
Carte di credito: le principali, Bancomat

A meno di 10 chilometri dal mare, Potenza Picena è un balcone naturale sulla costa. Riccardo Carestia, che da qualche anno ha rilevato questo piccolo ristorante che sorge nelle immediate vicinanze del bel centro del paese, ha optato per una cucina di terra, a parte qualche piccola eccezione. Per il resto, solo piatti che affondano le loro radici nella cucina rustica marchigiana ma che sono rielaborati con la tecnica che lo chef ha affinato nella sua formazione professionale.

Sono presenti due menù degustazione, a 25 euro e 21 euro, che variano secondo stagione. Si apre con un tagliere di buoni **salumi** e **formaggi**, il baccalà mantecato su pane al nero di seppia, lo **stoccafisso in umido con polenta**, il carpaccio di carne con *vinaigrette* di senape e agretti, **frittata con broccoletti e tartufo**, sformatino di spinaci e tartufo. Tra i primi buone le **tagliatelle** fatte in casa con sughi stagionali: in inverno **fagioli, guanciale e formaggio di fossa**, in primavera con **carciofi e zafferano**, in estate e autunno con **funghi porcini**. Per proseguire con i secondi, occorre moderarsi in quanto le porzioni sono abbondanti e il cestino di pani e crescia che Riccardo prepara in casa è molto invitante. Ci sono le **carni ai ferri** (agnello, maiale e manzo) mentre gli animali da cortile sono cucinati seguendo le tradizioni marchigiane: **faraona in potacchio con cipollotti** e **coniglio in porchetta con le fave**. Contorni con erbe di campo e, per finire, un piatto di formaggi con marmellata di pomodori verdi. Tra i dolci, la tradizionale **crescia sfogliata**.

Molto curata la carta dei vini che va ben oltre il panorama regionale con l'offerta di etichette nazionali anche di grande prestigio proposte con ricarichi onesti.

Ripatransone

38 km a NE di Ascoli Piceno

Iervasciò

Azienda agrituristica
Contrada San Michele, 18
Tel. 0735 97936-333 7742482
Aperto nel fine settimana o su prenotazione
Orario: mezzogiorno e sera
Ferie: durante la vendemmia
Coperti 50
Prezzi: 20-25 euro
Carte di credito: Visa, Bancomat

Sono due le strade che permettono di raggiungere questo ristorante: dalla statale adriatica, all'altezza di Cupra, deviate verso l'entroterra in direzione di Ripatransone, oppure seguendo le indicazioni per il monastero delle Passioniste, si lascia la strada principale e si prosegue per circa quattro chilometri. Ad accogliervi ci sarà Attilio che si occupa con grande solerzia del servizio in sala, mentre Massimo e la mamma Giuseppina sono in cucina.

L'apertura è affidata a una buona selezione di **salumi** (prosciutto tagliato al coltello, salame, lonza e salsiccia), formaggio pecorino, **fegatini di pollo all'uovo**, carciofi e asparagi selvatici all'uovo, **cicerchia**, verdure grigliate e **olive fritte all'ascolana**. Tra le paste, tutte fatte a mano, le **tagliatelle con sugo di stoccafisso** o **di agnello**, gnocchi e i tradizionali ***li ttaccù*** (una specie di spaghetti molto spessi) al **sugo di coniglio in bianco** o alle verdure. Immancabili sono i **vincisgrassi** cotti al forno a legna – che viene utilizzato per la maggior parte delle pietanze e nella panificazione –, d'inverno può capitare di assaggiare la **polenta con i funghi** o con la ***'mbignata* di maiale**, mentre da fine giugno a inizio vendemmia potrete gustare, su prenotazione, ***li cuccelò*** (chiocciole di terra). Tra i secondi, presenti tutto l'anno, coniglio, maiale e agnello alla griglia, pollo in tegame, castrato, piccione e, su ordinazione, **agnello** e **coniglio al forno a legna**, con verdure di stagione.

Concludono il pasto le crostate casalinghe, dolci alla frutta, **vino cotto** e **mistrà**. Fidatevi del vino della casa, altrimenti potrete scegliere tra una piccola e fidata selezione di etichette locali. L'azienda, inoltre, dispone di due miniappartamenti e due camere, di cui una attrezzata per disabili.

San Benedetto del Tronto

33 km a est di Ascoli Piceno ss 16 o a 14

Caserma guelfa

Osteria di recente fondazione
Via Caserma Guelfa, 5
Tel. 0735 753900
Chiuso il lunedì
Orario: mezzogiorno e sera
Ferie: durante il fermo pesca tra agosto e settembre
Coperti: 60 + 30 esterni
Prezzi: 35-40 euro vini esclusi
Carte di credito: tutte

L'esperienza di Federico Palestini, per molti anni pescatore, è oggi al servizio di quanti si fermano in questo locale per gustare i piatti della tradizione marinara sanbenedettese. Alla Caserma Guelfa la conoscenza della materia prima qualifica la cucina, garantendo pescato sempre fresco, consumato nelle stagioni migliori e presentato con semplicità. C'è la possibilità di scegliere tra un menù di lavoro a 20 euro o la "degustazione Caserma Guelfa" a 35, se ci si orienta sulle altre proposte di degustazione o si sceglie alla carta il conto salirà.
Tra gli antipasti ci piace consigliare le crudità (*tartare* di gamberi, salmone e tonno) oppure un **carpaccio di piovra** su schiacciata di patate e peperone, **insalata tiepida di calamari e mazzancolle**, **alici con burrata e sedano**, scampo e mazzancolla al sale, **trippa di rospo**, triglie marinate. Continuando con i primi piatti ottime le **mezzemaniche al battuto di pescatrice** oppure le **tagliatelle ai ricci di mare** o **alle molecche**, spaghetti al nero di seppia, **linguine allo scoglio** o all'astice. Tra i secondi, imperdibile la fragrante **frittura di paranza**, la tradizionale grigliata, **pesci in guazzetto** o **bolliti**, rombo al forno o la **pescatrice in potacchio**. Su prenotazione, **brodetto alla sambenedettese**.
La carta dei vini è ampia e spazia dalle etichette del Piceno sino ai più interessanti vini nazionali. Tra una pietanza e l'altra, potrà capitare che Federico passando tra i tavoli vi intrattenga con storie di vita di mare o vi parli di antiche ricette: sarà un piacere che arricchirà un eccellente pasto. Uno spazio all'interno del locale è dedicato all'assaggio di crostacei e pesci conservati da consumare con un calice di vino.

Osteria accessibile ai disabili.

San Benedetto del Tronto

33 km a est di Ascoli Piceno ss 16 o a 14

La magnana

Ristorante
Via Manzoni, 63
Tel. 0735 587374
Chiuso il lunedì
Orario: mezzogiorno e sera
Ferie: prime 2 settimane di luglio, nel periodo natalizio
Coperti: 80
Prezzi: 32-35 euro
Carte di credito: tutte

Non lasciatevi ingannare dall'informalità e dalla semplicità rustica dell'arredo: una volta seduti a tavola sarete serviti con cordialità familiare e gusterete una buona cucina di tradizione marinara locale, onesta e senza fronzoli. Il più delle volte troverete pesce povero (dagli sgombri ai merluzzetti), preparato con semplicità e cotture appropriate. In cucina, si muovono solo mani femminili, comprese quelle della titolare, Luciana Scartozzi, che raramente riuscirete a incrociare in sala.
La scelta dei piatti è piuttosto varia e le porzioni decisamente abbondanti. Si può iniziare con alici marinate, **sgombro in salsa verde**, insalata di mare (preparata al momento), ostriche, **cannelli gratinati**, scampi bolliti, **bomboletti** (lumachine di mare) **in porchetta**, cozze e vongole, **olive ripiene di** pesce e, in stagione, con la **magnana**, ovvero neonata o papalina. Tra i primi, **spaghetti al nero di seppia** (il vero cavallo di battaglia del locale) o allo scoglio, **maccheroncini di Campofilone alla marinara** o **agli scampi**, risotto alla marinara. **Frittura mista**, spiedini di calamari e gamberi o grigliata di pesce, variamente assortita, in base al pescato giornaliero, sono i secondi a disposizione. Su ordinazione si possono avere la **coda di rospo in potacchio** e il rituale **brodetto alla sambenedettese** (con peperoni, pomodoro verde e aceto). Il dessert è limitato al sorbetto al limone e a frutta di stagione.
La lista dei vini è minima e centrata su alcune etichette locali, oltre allo sfuso della casa.

In via Volturno 6 A, l'enoteca Giardini di Marzo propone formaggi e salumi locali, specialità gastronomiche di qualità, ampia selezione di vini e distillati e piccola proposta di oli extravergini locali e nazionali.

San Leo

73 km a ovest di Pesaro, 26 km a SO di Rimini SP 258

La rocca

Ristorante annesso all'albergo
Via Leopardi, 16
Tel. 0541 916241
Chiuso il lunedì, mai d'estate
Orario: mezzogiorno e sera
Ferie: 9-25 dicembre e 8/01-3/02
Coperti: 80
Prezzi: 30-35 euro vini esclusi
Carte di credito: tutte tranne DC

Prima di imboccare la strada che dal centro di San Leo sale fino alla Rocca Malatestiana – famosa come carcere dell'alchimista Cagliostro e meta costante di turisti mossi dall'alone misterico ma anche, più concretamente, dalla singolare bellezza del luogo – trovate questo locale di stagionata esperienza, che conferma un'affidabilità a prova di impatto turistico. Stagionata e se volete un po' datata nell'arredo interno – con travi a vista, camino, sedie impagliate – ma non logora: alla vivacità dell'oste, loquace a meno che la sala piena non lo consenta, corrisponde una cucina territoriale che si mantiene sui canoni appenninici sapendo evitare la banalità.
Si parte con i salumi locali, con il **prosciutto di Carpegna** e l'**ambra di Talamello** (nome del formaggio di fossa coniato da Tonino Guerra per il versante marchigiano di produzione), per poi passare ai **passatelli asciutti al tartufo nero** o ai **tortelloni di San Leo con olio di Cartoceto e formaggio di fossa**, ai **cappelletti del Montefeltro in brodo**, al ragù o con burro e parmigiano, agli strozzapreti di farro con verdure estive o ai funghi porcini. Per avere una buona **grigliata mista** è bene prenotare, mentre sono solitamente disponibili la **pasticciata** (uno stracotto di bue al vino rosso), l'**agnello** al forno o a scottadito, il cosciotto con Sangiovese e zenzero, la **spalla con pecorino di fossa e mentuccia**, carré d'agnello al timo, filetti e costate di manzo. Apprezzabile la selezione di formaggi locali accompagnati da confetture casalinghe oppure crostata di farina di farro con marmellata, **mousse di ciliegie visciole** (altra specialità del Pesarese da non trascurare) e altre proposte del giorno.
Carta dei vini articolata con privilegio del triangolo tosco-umbro-marchigiano.

San Severino Marche

30 km a SO di Macerata

Due torri

Ristorante annesso all'albergo
Via San Francesco, 21
Tel. 0733 645419
Chiuso il lunedì
Orario: mezzogiorno e sera
Ferie: variabili
Coperti: 100
Prezzi: 25-28 euro vini esclusi
Carte di credito: tutte

Nel cuore medievale di San Severino, proprio sotto le due torri, questo ristorante d'albergo, in attività dal 1932, continua a rappresentare l'anima gastronomica del luogo. Dopo la scomparsa di sua madre è Paolo Severini, con la moglie Secondina Bellini, a tenere viva la tradizione di casa e a mantenere in carta piatti autenticamente locali, inusuali altrove.
La serie degli antipasti è invitante e ne consigliamo la degustazione completa: salumi maceratesi, **cipolle gratinate**, antipasto di verdure, bruschette miste, **frittata al tartufo nero estivo**, **coratella in fricassea** e insalata mista. L'assortimento dei primi è ampio e le porzioni abbondanti: cappelletti fatti a mano, **tagliatelle con ragù di *maghetti*** (le interiora di pollo), **gnocchi al sugo di papera**, tagliatelline con porro e pepe nero, spaghetti alla poveraccia (sorta di cappelletti chiusi a saccottino), **minestra francescana di cicerchia**. Altrettanto vasta è la scelta delle carni, tra agnello a scottadito, potacchio di coniglio, bistecca di toro, **piccione ripieno al forno**, **cinghiale in terracotta** e **braciole di pecora** "mattarella" con battuto di lardo fresco, accompagnate da insalata mista, verdure cotte di stagione o **patata rossa di Colleluce**. Buona la proposta di formaggi selezionati da Paolo. Concludono il pasto biscotteria secca con vino cotto, tisichelle di San Severino e Vernaccia di Serrapetrona e, secondo disponibilità, budino di orzo speziato, tartufo di gelato e torta d'autunno di mele e noci.
La carta dei vini privilegia etichette regionali proposte con ricarichi più che onesti e disponibili, insieme ad altre tipicità alimentari marchigiane, in un angolo chiamato La bottega dell'Africano, soprannome del nonno del titolare.

Osteria accessibile ai disabili.

47 KM A SO DI PESARO, 30 KM DA URBINO

RISTORANTE ALBERGO 2000

Ristorante-vineria
Via Puccini, 9
Tel. 0722 76274
Non ha giorno di chiusura
Orario: mezzogiorno, sera su prenotazione
Ferie: agosto
Coperti: 120
Prezzi: 25-30 euro vini esclusi
Carte di credito: le principali

È sorprendente scoprire – come ci è capitato nel corso dell'ultima nostra visita – tanta gente a pranzo in un giorno feriale in un locale così lontano dalle rotte principali: siamo nel Montefeltro, al confine con la Romagna, una terra di grandi tradizioni gastronomiche. Il locale è aperto solo a mezzogiorno mentre la sera, solo su prenotazione, è possibile cenare in un locale adiacente, la vineria, che offre una scelta maggiormente assortita di vini rispetto al ristorante.
Il menù è recitato a voce, le paste fresche sono fatte in casa, gli approvvigionamenti delle materie prime sono locali, la carta dei vini frutto di scelte personali e contatti diretti con i produttori. Tra i vari piatti proposti immancabile in apertura il **prosciutto di Carpegna** seguito da proposte di stagione come, in estate, il vitello tonnato, nei mesi invernali il **formaggio di fossa**, accompagnati dal ***crostolo*** (focaccia locale). Poi **tagliatelle al ragù di maiale** o ai piselli, **tortelli verdi ripieni di ricotta** conditi con pomodoro e basilico o **burro e salvia**, carpaccio di bovino locale, tagliata all'olio con sale grosso e rosmarino, classico **pollo arrosto**, **coniglio in porchetta** o ripieno di olive (alla moda ascolana), **agnello al forno** o alla brace e contorni di stagione. Per concludere **semifreddo al croccante** e gelato fatto in casa. In autunno anche funghi e tartufo bianco, ma in questo caso il prezzo ovviamente salirà.
I piatti sono semplici, genuini e ben realizzati, il vino, intelligentemente, è anche offerto al bicchiere da una lista che varia giornalmente e che comprende un capitolo dedicato alle birre artigianali.
Opportuni separé creano un minimo di discrezione nell'ampio locale del ristorante. Gestione familiare e cucina tutta al femminile.

26 KM A NO DI ANCONA SS 16 O USCITA A 14

FONDALORO

NOVITÀ

Trattoria
Piazza Foro Annonario, 20-23
Tel. 071 7931037
Chiuso il lunedì
Orario: mezzogiorno e sera
Ferie: due settimane in febbraio
Coperti: 35 + 35 esterni
Prezzi: 25-30 euro vini esclusi
Carte di credito: tutte

Un nuovo ingresso in guida per questa onestissima trattoria prevalentemente di mare, a testimoniare come la località marchigiana che può ormai vantare una sorta di *leadership* gastronomica grazie ai suoi ristoranti giustamente famosi, esprima vitalità e salute anche nelle sue forme più quotidiane di ristorazione. Questo Fondaloro è in posizione centralissima: a due passi dalla rocca Roveresca e di fronte al canale in prossimità del porto, nella bella piazza del Foro Annonario. Nello spazio semicircolare del foro, costruzione ottocentesca contornata da un porticato di una trentina di colonne, si svolgono concerti e ha luogo il mercato settimanale; sotto il porticato si trovano diversi negozi di alimentari e questa trattoria, con uno spazio anche all'aperto.
Troverete una cucina locale curata e basata prevalentemente su pesci non troppo costosi: per iniziare **sardoncini marinati**, **fritturina di paranza**, **affettato di polpo**, **cozze** in doppia versione (in bianco oppure "arrabbiate", con peperoncino) **in sauté**. Tra i primi segnaliamo le **tagliatelle con mazzancolle e vongole** oppure alla *pupatiella* (con le cozze e il pomodoro), gli **spaghetti con sardoncini e pane**, le **chitarrine con cozze piccanti**, **gnocchi con gli scampi**. Le porzioni sono abbondanti, ma se riuscite a proseguire potrete scegliere tra gli **spiedini con calamari e gamberi**, una frittura mista con verdure croccanti, **sardoncini arrostiti**, una **grigliata** mista anche questa in doppia versione: con panatura semplice oppure con erbe aromatiche. Verdure e insalate sempre disponibili, come pure qualche piatto di carne.
Etichette soprattutto regionali, Verdicchio in primis, prezzi ragionevoli e corretti.

OSTERIA DEL TEATRO

Osteria con mescita e cucina
Via Fratelli Bandiera, 70
Tel. 071 60517
Chiuso la domenica
Orario: mezzogiorno e sera
Ferie: 2 settimane in giugno, 2 variabili
Coperti: 45 + 20 esterni
Prezzi: 25-30 euro vini esclusi
Carte di credito: tutte, Bancomat

Due sono gli elementi distintivi dell'Osteria del Teatro: la competenza dei titolari Marco Pasqualini e Caterina Paglialunga e l'atmosfera giovanile e amichevole. La semplicità è di casa, il servizio è sollecito senza essere assillante, lo stile complessivo è autentico, non c'è compiacimento verso le mode né furbizie di mestiere. La professionalità si nota scorrendo il menù dove compare un'ampia selezione di **formaggi** scelti tra produzioni nazionali ed estere (probabilmente il migliore carrello di formaggi in regione) o consultando la carta dei vini, sempre più personale e accattivante, con prezzi accessibili e la possibilità di consumo a bicchiere. Gli altri prodotti che compaiono nella breve ma calibrata offerta quotidiana di piatti in carta, sono di fattura artigianale, accuratamente scelti e con i fornitori indicati in lista.
Numerosa l'offerta di crostini e **crescia sfogliata** in accompagnamento a formaggi e salumi; un copioso assortimento anche per uno spuntino. Il menù è limitato a pochi primi, secondi e dessert che variano spesso garantendo stagionalità e freschezza. Abbiamo assaggiato, in apertura, una serie di crostini caldi con formaggio, guanciale, **ciavuscolo**, pane tostato con burro salato e acciughe prima di passare a **spaghetti alla *gricia* con guanciale e pecorino**, **tagliatelle con ragù di coniglio**, **mezzemaniche con patate e salsiccia**, orzo perlato con radicchio e fonduta di taleggio, **agnello alla griglia**, **tagliata di bovino marchigiano**, crema catalana. Altre proposte frequenti le ***cresc' tajat***, simili a maltagliati e conditi con sugo di pomodoro e guanciale,
In sintesi il Teatro è un locale in cui l'offerta alimentare si basa su una territorialità estesa, su generi alimentari e vini che compongono un *puzzle* gastronomico variegato e gradevole.

SENIGALLIA

26 KM A NO DI ANCONA SS 16 O USCITA A 14

RIMANTE

Osteria di recente fondazione
Via Pisacane, 59
Tel. 071 7929384
Chiuso il mercoledì
Orario: mezzogiorno e sera
Ferie: 10 gg tra maggio e giugno, a fine settembre
Coperti: 40 + 20 esterni
Prezzi: 25-30 euro vini esclusi
Carte di credito: tutte

L'osteria è nelle vicinanze del teatro La Fenice, vale a dire nel pieno centro storico senigalliese e il nome scelto da Cesare De Rocco per il suo locale allude alla teatralità: rimante infatti è colui che compone le rime. Locali dai soffitti altissimi, come usava una volta, che garantiscono il fresco anche in estate (quando, comunque, sono a disposizione anche alcuni tavoli nel déhors) e trasmettono, attraverso modesti elementi d'arredo gradevoli sensazioni *d'antan*.
Cucina prettamente locale, a partire dal buon **fritto vegetale** (fiori di zucca, olive ascolane, zucchine, melanzane e frutta) con cui si può aprire il pasto, poi sfoglie di marinata (carne di vitellone in carpaccio), prosciutto stagionato e salumi locali con bruschetta e crescia. Tra i primi paste fatte in casa, come i pani, dalla cuoca Giuseppina Ciarloni: **strozzapreti con guanciale, zucchine e uovo** o **con asparagi e ciavuscolo**, **passatelli alle ortiche con caciotta d'Urbino**, **tagliatelle ai porcini**, gnocchi di patate con peperoni arrostiti e ricotta e, in inverno, **passatelli al tartufo di Acqualagna**. Si prosegue con **agnello di Sassocorvaro con carciofi** (in inverno), **oca della trebbiatura in porchetta con patate rosse novelle** (in estate), lombetto di coniglio al finocchio selvatico con fave oppure con zucchine saltate, **stinco di maiale con mele rosa e acquavite**, filetto di manzo con crema alla Vernaccia, ossobuco di vitello al Rosso Cònero, **faraona al forno con cipolline e olive**.
La proposta dei vini, che prevede anche la mescita a calice, è incentrata su etichette marchigiane. I dessert, coerentemente alla linea di cucina scelta, sono casalinghi: crostatine alla frutta, tiramisù, zuppa inglese.

Senigallia

26 km a NO di Ancona SS 16 o uscita A14

La tartana

Ristorante
Lungomare Marconi, 13 bis
Tel. 071 64391
Chiuso il martedì, mai d'estate
Orario: mezzogiorno e sera
Ferie: da novembre a marzo
Coperti: 60 + 60 esterni
Prezzi: 30-35 euro vini esclusi
Carte di credito: tutte tranne AE

Situato sul tratto di lungomare di Senigallia più vicino al centro, il locale gode di una posizione privilegiata sulla spiaggia, delimitata a sinistra dal porto e a destra dalla Rotonda. Nelle sere d'estate si può cenare sotto piccoli gazebo collocati proprio sulla sabbia; all'interno l'ambiente è semplice ed essenziale, in stile marinaro. Proprietario del locale è Marco che, gestisce da sempre i bagni antistanti, mentre a occuparsi della sala c'è Roberto, cordiale ed efficiente, e al bar c'è l'altro Marco che si occupa, con entusiasmo e professionalità, anche dei vini. In cucina, Manuela Bonvini, artefice e ideatrice delle proposte gastronomiche, in netta prevalenza a base di pesce, com'è giusto, senza trascurare qualche proposta di carne.
Tra gli antipasti si inizia di regola con quello che viene chiamato "pescato sfizioso della Tartana": diversi assaggi caldi e freddi che si basano sul pescato del giorno. Oltre a questa proposta vi consigliamo di assaggiare le buone **conchiglie di mare cotte nel coccio**. Tra i primi piatti le **tagliatelle ai frutti di mare**, gli **gnocchi allo scoglio** e le **lasagne ai frutti di mare e pesto**. Tra i secondi segnaliamo la **frittura di sardoncini spinati**, il ***pesc' sa la muliga*** (pesce con la mollica), la grigliata mista con la classica panatura, e l'ottimo **guazzetto in carta *fata***: filetti misti di pesce con verdure cotti e serviti in cartoccio. Per finire consigliamo la **cassata**, vero e proprio dolce della casa.
La cantina è ben fornita con le migliori etichette locali e con una grande attenzione a spumanti nazionali e francesi.

Serra de' Conti

52 km a ovest di Ancona, 28 km da Senigallia SS 360

Coquus fornacis 

Ristorante annesso alla locanda
Via Fornace, 7
Tel. 0731 878096
Chiuso lunedì e martedì
Orario: mezzogiorno e sera
Ferie: variabili
Coperti: 60 + 20 esterni
Prezzi: 30-33 euro vini esclusi
Carte di credito: tutte, Bancomat

Si conferma pienamente la felice parabola di questo locale realizzato all'interno di una vecchia fornace di laterizi, opportunamente restaurata, a breve distanza dal centro di Serra de' Conti. L'arredo, molto deciso nei colori e nel tono, suggerirebbe, a un avventore ignaro, possibili ibridi gastronomici. Invece, al Coquus pulsa un cuore quanto mai legato al luogo, quello di Marco Giacomelli, cuoco giovane ma di consolidata esperienza, che ama proporre una cucina semplice e leggera nei condimenti, con piatti che esprimono la cultura gastronomica locale.
Ne sono esempio, tra gli antipasti, la **zuppa di cicerchie di Serra de' Conti** servita in una pagnotta di farro, un ottimo **fritto marchigiano**, bocconcini di coniglio in porchetta e ancora una misticanza di verdure, carciofi, pere e formaggio. Tra i primi piatti, ottimi i **tortelli di carne** (fatti in casa) **su fonduta di formaggio e radicchio**, le **tagliatelle al sugo *de'na volta***, gli **strozzapreti al ragù di *pistacoppi*** (piccioni) o i maltagliati integrali con crema di ceci e guanciola di manzo. Tra i secondi piatti, non deluderanno le aspettative la lombata o la tagliata di razza marchigiana (munita della dichiarazione d'origine), un delizioso **agnello profumato alle erbe**, lo **stinco di maiale in potacchio con tortino di patate**, il baccalà al pane aromatico su crema di patate. Lasciando il solco della tradizione si possono trovare carpaccio di manzo con pistacchi e noci o l'anatra alla frutta.
Millefoglie di mandorle e mascarpone, mousse al mistrà con salsa al caffè, zuppa inglese tra i dessert a disposizione. La carta dei vini propone un centinaio di etichette regionali a prezzi contenuti.

Osteria accessibile ai disabili.

Serrapetrona

30 km a SO di Macerata SS 77

La cantinella

Trattoria-osteria
Piazza Santa Maria, 3
Tel. 0733 908112
Chiuso il martedì
Orario: mezzogiorno, festivi anche sera
Ferie: variabili
Coperti: 80
Prezzi: 20-23 euro vini esclusi
Carte di credito: tutte, Bancomat

Affacciata sulla piccola piazza di un grazioso paese, questa trattoria è un approdo sicuro per chi cerca i sapori schietti e genuini della tradizione rurale marchigiana e una calda ospitalità. Si accede al ristorante passando per il bar al piano terra, dove facilmente troverete gli avventori abituali che giocano a carte. Il locale è costituito da due sale arredate sobriamente con mobili in legno. Il servizio è cordiale e le proposte dei piatti – con qualche piccola variazione stagionale – sono annunciate a voce da Antonio.
Si inizia con un generoso antipasto misto a base di prosciutto, lonza, **ciavuscolo**, olive e bruschette con olio e salsiccia. Si prosegue con un buon assortimento di primi, con paste tirate a mano, tra cui **ravioli alla ricotta**, tortellini, medaglioni ripieni di carne e spinaci, **tagliatelle** al sugo di carni miste o di funghi. Buone carni locali nei secondi piatti: si può optare per una ricca grigliata mista (molto ben cotta) con vitello, agnello, **fegatini**, **costarelle di maiale** e salsicce. In alternativa, bistecca di maiale, gustosi spiedini di carni miste, petto di pollo, petto di tacchino, **cinghiale in salmì** o l'ottimo **agnello fritto**. Tra i contorni si possono scegliere verdure gratinate o ripassate in padella, patate al forno o un **fritto di olive e crema**. Crema che prelude ai dessert veri e propri fatti in casa: buon **tiramisù**, zuppa inglese, sorbetto o tozzetti accompagnati dalla Vernaccia dolce.
La lista dei vini è centrata su proposte locali. La consuetudine locale conserva per la merenda un popolare rispetto: è sempre possibile avere una bottiglia di Vernaccia a metà pomeriggio, insieme a ottimi salumi.

Poco prima di arrivare in paese, in via Colli, 1, la Dolciaria Quacquarini offre ciambelle alla Vernaccia, tozzetti all'anice, torroni, oltre a Vernaccia docg.

Serrapetrona
Borgiano

26 km a SO di Macerata SS 7

Osteria dei Borgia

Osteria tradizionale
Via Cameraldo, 3
Tel. 0733 905131
Chiuso il lunedì, inverno anche martedì
Orario: sera, domenica dalle 16.00
Ferie: giugno
Coperti: 60 + 60 esterni
Prezzi: 20-28 euro vini esclusi
Carte di credito: le principali

Anni fa Sandro Quadraroli aprì un piccolo locale in una delle quattro case di Borgiano con lo scopo di perpetuare il rito della "merenda". L'intuizione fu quella di non rincorrere la quantità ma la qualità, offrendo salumi artigianali e formaggi meno conosciuti, accompagnati dalla giardiniera di verdure fatta in casa e infine qualche dolce al cucchiaio. Il grande successo di pubblico lo ha portato a elevare l'artigianalità dei prodotti: non potendosi inventare casaro ha preferito l'arte d'insaccare salumi. Le tante bottiglie a disposizione, cercate tra le meno banali che il mercato dei vini marchigiani può offrire, presto faranno posto a quelle della sua azienda viticola.
I tanti impegni non influiscono sull'accoglienza, sempre gioviale, né sulla formula: nel fine settimana solo piatti freddi mentre negli altri giorni (è sempre opportuna una telefonata di prenotazione) è disponibile un robusto menù degustazione approntato dalla sorella Stefania. Tra le diverse portate, secondo la disponibilità del mercato, **tortino di melanzane**, mozzarella e prosciutto, **terrina fredda di frittata con asparagi e vitalba con crema di patate**, pasta con zucchine e pomodoro ciliegino, **tortino di piselli secchi con fave fresche, pancetta e crema al pecorino**, sformatini di ricotta con asparagina, limone e prosciutto croccante, **raviolini di ricotta con carciofi**, **coniglio in porchetta**, **filetto di maiale in crosta**.
Per chiudere, se ne avete la forza vista l'abbondanza delle porzioni, un assaggio di **zuppa inglese** o, per restare nel tema dominante, **gelatina di Vernaccia con frutti di bosco**.

A **Tolentino** (7 km), i Tre Mori, in via Santa Lucia 27, vende torroni e miele ed è un punto di riferimento per le aziende biologiche che producono orzo.

53 KM A SO DI ANCONA SS 76

LA PIANELLA 

Ristorante
Via Gramsci, 31
Tel. 0731 880054
Chiuso domenica sera e lunedì, mai d'estate
Orario: mezzogiorno e sera
Ferie: luglio
Coperti: 50 + 50 esterni
Prezzi: 30-35 euro vini esclusi
Carte di credito: tutte

Salendo a Serra San Quirico si aprono allo sguardo panorami già preappenninici. All'inizio della pineta che costeggia lo spazio urbano e sale verso le colline più alte, Raul Ballarini ha trovato il luogo ideale per interpretare la cucina locale o, come ama dire, la cucina dialettale.
Sapori generosi, varianti basate sulla disponibilità di un'erba particolare, valorizzazione di parti di carni bovine e suine difficilmente reperibili altrove, come la **guanciola brasata al Rosso Cònero** con sedano rapa, carote e crema di patate, i **nervetti in umido con fagioli**, ancora la guancia di maiale cotta in padella con salvia e aceto. Le paste vengono preparate giornalmente a mano: ***gnaccheragatti*** (maltagliati), con farina di castagna e di grano duro, **conditi con cicerchie**, **cappelletti in brodo di cappone**, gnocchi con formaggio di fossa, baciotti (sorta di tortelli) al cacio o con uova e tartufo nero, tagliatelle con sugo di rigaglie di pollo, piccione, oca, polpettine di carne mista. Il menù varia secondo stagione, ma quasi ogni giorno c'è qualche piatto in più rispetto a quelli in carta: la polenta, con sughi di carne o con i funghi appena colti, lo **stoccafisso**. Tra i secondi **maialino cotto allo spiedo**, costate di Sassoferrato, **agnello di razza fabrianese**, trippa marchigiana, stinco di maiale al forno.
Vini, soprattutto regionali, accompagnano adeguatamente i piatti. Tre delle quattro figlie di Raul, rispettivamente Paola ed Elisa in sala e Michelina quale aiuto cuoca, collaborano alla vita de La Pianella con amorevole impegno.

A **Montecarotto** (19 km) i formaggi di pecora dell'azienda Chessa (contrada San Nicola 18). In via Circonvallazione 23 il Cerchio e la Botte, enoteca wine bar attenta alla migliore produzione locale.

53 KM A SO DI ANCONA SS 76

LE COPERTELLE

Ristorante con alloggio
Via Leopardi, 3 A
Tel. 0731 86691
Chiuso il martedì, mai d'estate
Orario: mezzogiorno e sera
Ferie: non ne fa
Coperti: 70 + 30 esterni
Prezzi: 28-33 euro vini esclusi
Carte di credito: tutte

Il paese di Serra San Quirico è caratterizzato dai camminamenti coperti – che adornano le sue belle mura medievali – dai quali prende il nome questo ristorante situato all'ingresso del paese. Il locale è da sempre portavoce di una gastronomia espressione del territorio, e anche il menù presenta – nella vastità delle proposte, con alcuni piatti di poco interesse – ricette tradizionali ed elenca i produttori, quasi tutti locali.
Così, fermandoci a cena in una delle quattro accoglienti salette arredate in stile anni Sessanta, ci è capitato di assaggiare con soddisfazione gli ormai rari **ciarimboli** (budellina di maiale aromatizzate, tipiche dello jesino), caldi e stretti tra due fettine di pane di Serra San Quirico, per proseguire con la ***crescia con le foie*** e prosciutto, **frittata con cipolle e mentuccia** e altri antipasti della casa. Tra i primi piatti, tutti con paste tirate a mano, ricordiamo le **pappardelle con l'oca** o **il sugo di pecora**, le **tagliatelle con i porcini** o **gli asparagi**, i **tagliolini al lardo** di Serra San Quirico, gli **strozzapreti ai funghi** del monte Murano, i **maltagliati con le fave**, la **zuppa di asparagi** di montagna, tra i secondi **capretto** o **agnello al forno**, **coratella di agnello** con cipolline, **trippa alla marchigiana**, **lumache** con finocchio selvatico, stufato di pecora, testina d'agnello al forno, stinco di maiale con salsa di verdure, **piccione farcito**, maialino al forno, tagliata di vitello. Disponibili anche un menù biologico, uno di fiume (con **gamberi** e trota) e uno con tartufo (bianco o nero). Piccola scelta di formaggi e buona selezione di dolci, tra cui il **lonzino di fichi**.
La carta dei vini contiene una piccola selezione tra regionali e nazionali.

Serrungarina

24 km a sud di Pesaro a 14 e a 3

Da Luisa

Ristorante
Via Roma, 8
Tel. 0721 896120
Chiuso sabato a pranzo e lunedì sera
Orario: mezzogiorno e sera
Ferie: ottobre
Coperti: 50 + 20 esterni
Prezzi: 25-30 euro vini esclusi
Carte di credito: tutte

Ai piedi della bella scalinata, che porta alla sommità del paese di Serrungarina (e che consigliamo di percorrere, magari dopo pranzo), c'è il ristorante da Luisa. Nel locale, ben curato senza accenti modaioli, l'atmosfera tranquilla del fine settimana permette di godere al meglio la proposta gastronomica, decisamente nel solco della tradizione locale. Ma alla signora Luisa non fanno difetto guizzo creativo e tecnica: provate i suoi budini e bavaresi di verdure e formaggi che non mancano mai.
Tra le proposte classiche segnaliamo i crostoni di melanzane e mozzarella, gli **gnocchi ripieni al ragù**, i **passatelli asciutti** conditi con sostanziosi sughi di carne, in inverno, e con verdure fresche, in estate, i tortelloni ripieni di ricotta e rapa rossa, i **tortelli ripieni di piccione con vellutata di formaggio di fossa e fondo di *sapa*** (un'originale interpretazione di una pasta ripiena ormai desueta). Per i secondi sono spesso presenti animali da cortile (**coniglio in porchetta**, **faraona**, **cappone al rosmarino**) ma anche il maiale, con il **filetto con salsa alla mela**, e il vitello, con un buon roastbeef. Sempre molto articolata la scelta dei dessert, vera passione della cuoca: dalla classica marchigiana **crema al cioccolato** a zuccotti, zuppa inglese, cappuccino, millefoglie, semifreddi, panne cotte e, per chi non ama i dolci al cucchiaio, **fave dei morti** e **ciambellone con nocciole**.
Piccola carta dei vini con buona presenza del territorio e con un onesto ricarico. Da settembre ad aprile il locale apre solo su prenotazione.

A **Cartoceto** (5 km) l'azienda La Collina di via Sant'Anna 15 produce eccellenti extravergini e le morbide pere angelica, con cui confeziona anche ottime grappe.

Tavullia

17 km a ovest di Pesaro

Osteria degli ultimi

Osteria di recente fondazione
Via Battisti, 1 A
Tel. 0721 476765
Chiuso il mercoledì
Orario: mezzogiorno e sera
Ferie: variabili
Coperti: 50 + 12 esterni
Prezzi: 35-38 euro vini esclusi
Carte di credito: tutte

Il locale si trova nel centro di Tavullia – ormai famosa per aver dato i natali a Valentino Rossi – lungo la centrale via Roma. Piccolo e accogliente, ha sale ristrutturate con pareti in mattoni e pietra a vista, il focolare e un'intima aria da autentica osteria di paese.
L'offerta dei piatti – che varia spesso e si divide tra il menù del pranzo e quello della cena – spazia da classiche proposte rappresentate dal tagliere di salumi artigianali locali (tra i quali un'ottima **pancetta tesa**) o di **formaggi a latte crudo**, alle **tagliatelle**, tirate a mano, **con ragù**, dalla **scaloppina con porcini** alla grigliata di salsiccia o la tagliata di bovino romagnolo. Il menù serale è più articolato e prevede, ad esempio, **cappelletti "al ferro"** gratinati, cavallo di battaglia del locale, **tagliatelle con porri e porcini**, carpaccio di filetto al sale aromatizzato, risotto allo zafferano, tagliata di mora romagnola, **filetto con formaggio di fossa** o con bacche di ginepro e porcini, costata alla griglia. In inverno, le aggiunte di **tartufo bianco** vanno prenotate perché si lavora solo con prodotto freschissimo. I piatti serviti si apprezzano per l'accurata presentazione, ornata da verdure ed erbe aromatiche o accompagnata dal sale di Cervia (Presidio Slow Food) aromatizzato alle spezie. Dessert ben eseguiti tra cui spiccano il classico tortino al cioccolato e lo **zabaione**: semplici e impeccabili. Il servizio è diligente, professionale ed esaustivo di informazioni su piatti e produzioni locali.
Piccola carta dei vini con prodotti regionali e diverse etichette nazionali frutto di scelte originali e personali, tutte proposte a prezzi accessibili. Il sabato a pranzo è aperto solo su prenotazione.

URBINO
Gadana

6 KM DAL CENTRO DELLA CITTÀ

CA' ANDREANA

Azienda agrituristica
Via Gadana, 119
Tel. 0722 327845
Chiuso il lunedì
Orario: sera, pranzo su prenotazione
Ferie: gennaio-febbraio
Coperti: 32
Prezzi: 30-35 euro vini esclusi
Carte di credito: tutte

Il locale dista qualche chilometro dal centro storico della bella città rinascimentale. Seguendo la direzione per l'ospedale, quindi quella per Gadana e Pieve di Cagna, dopo aver imboccato una strada sterrata, raggiungerete la casa colonica restaurata che lo ospita. Agriturismo che impiega le proprie materie prime (i prodotti biologici dell'orto) e che attinge per le carni, i salumi, il miele, i formaggi, dalle piccole, eccellenti produzioni artigianali di alcune vicine aziende del Montefeltro.
Si può iniziare il pasto con la **crescia sfogliata** urbinate **con erbe di campo** saltate in padella o con l'assortimento di salumi, le **frittatine con verdure dell'orto**, insalate di farro, bruschette al pomodoro, **olive conce con finocchio selvatico** e aglio. Le paste sono tirate a mano: **cappelletti in brodo**, **tagliatelle** accompagnate, in stagione, da tartufo oppure da porcini e zafferano, **ravioli** con ripieni secondo stagione (ortica e spinaci, asparagi, patate e mele, zucca, di castagne). Ancora tra i primi piatti, strozzapreti con formaggio di fossa e crespelle ai porcini. Tra i secondi agnello, **fegatini e salsicce di maiale**, filetto di scottona marchigiana alla brace, oppure **coniglio disossato un porchetta**, con finocchio spontaneo, **maialino da latte al forno**. Bella selezione di formaggi e dessert quali crostate con marmellate biologiche, semifreddi, lattaiolo, torta ai frutti di bosco.
Apprezzabile anche la selezione di vini, con giusto accento marchigiano.

Azienda agricola Ca' Bianchino in via Gadana 114: allevamento biologico allo stato brado di cinta senese e produzione di carne e salumi. Urs Abderhalden in località **Montecalende** 73 (6 km): piccola ma eccellente produzione di formaggi caprini a crosta fiorita e di caciotte.

VISSO

67 KM A SO DI MACERATA SS 209

DA RICHETTA

Trattoria
Piazza Garibaldi, 7
Tel. 0737 9339
Chiuso il lunedì
Orario: mezzogiorno e sera
Ferie: tra settembre e ottobre
Coperti: 50
Prezzi: 25-30 euro vini esclusi
Carte di credito: tutte

Arrivati nella piazza principale di Visso e superato il piccolo arco nella cinta muraria, vi troverete in una piazzetta quadrata. Qui, tra portoncini di abitazioni tipicamente montane, noterete l'ingresso della trattoria Da Richetta, vera e propria istituzione del paese. Avrete il piacere di apprezzarne l'atmosfera cordiale e informale, prima di incontrare quei sapori decisi e sinceri ben noti ormai a generazioni di avventori. Orazio vi accoglierà nel locale e vi illustrerà il menù quotidiano, caratterizzato da classici sempre (o quasi) presenti e proposte stagionali.
Si inizia con ciavuscolo e prosciutto, accompagnati da pecorino stagionato, sottoli e olive nere, si prosegue con i primi piatti, tra i quali spiccano abbondanti porzioni di **spaghetti all'amatriciana** (sia in versione bianca, meno nota ma in realtà originaria, sia rossa), **cannelloni ripieni di ricotta** o **di carne al forno**, zuppa di lenticchia (le famose lenticchie di Castelluccio, che è qui vicino), **cappelletti in brodo** o paste **fresche al sugo di trota** (di regola il giovedì, come gli **gnocchi**). Eccellente la carne alla brace, rappresentata da un vassoio misto di salsiccia, **agnello** e **castrato**, maiale e **fegatini** o anche da succulente bistecche di bovino locale, **costolette di agnello e castrato**. Nei giorni festivi, **agnello fritto** o **spezzato in padella**.
I dolci fatti in casa sono la tradizionale **zuppa inglese** o tiramisù. La scelta dei vini si limita ad alcune etichette umbre e marchigiane, dai prezzi contenuti, con mescita anche al bicchiere.

Macelleria Angelo Calabrò, piazza Capuzi 49: salumi dell'alto Maceratese. Per trovare buoni pecorini dei monti Sibillini: alimentari Petacci, via XXIV Maggio 5; Achille Benedetti ad **Aschio** (5 km) e Giulio Ricci a **Cupi** (5 km).

Lazio

Acquapendente
Bolsena
Lubriano
L. di Bolsena
Farnese
Viterbo
A12
Magliano Sabina
A1
Sutri
Campagnano di Roma
L. di Bracciano
Civitavecchia
ROMA
Mar Tirreno
Anzio

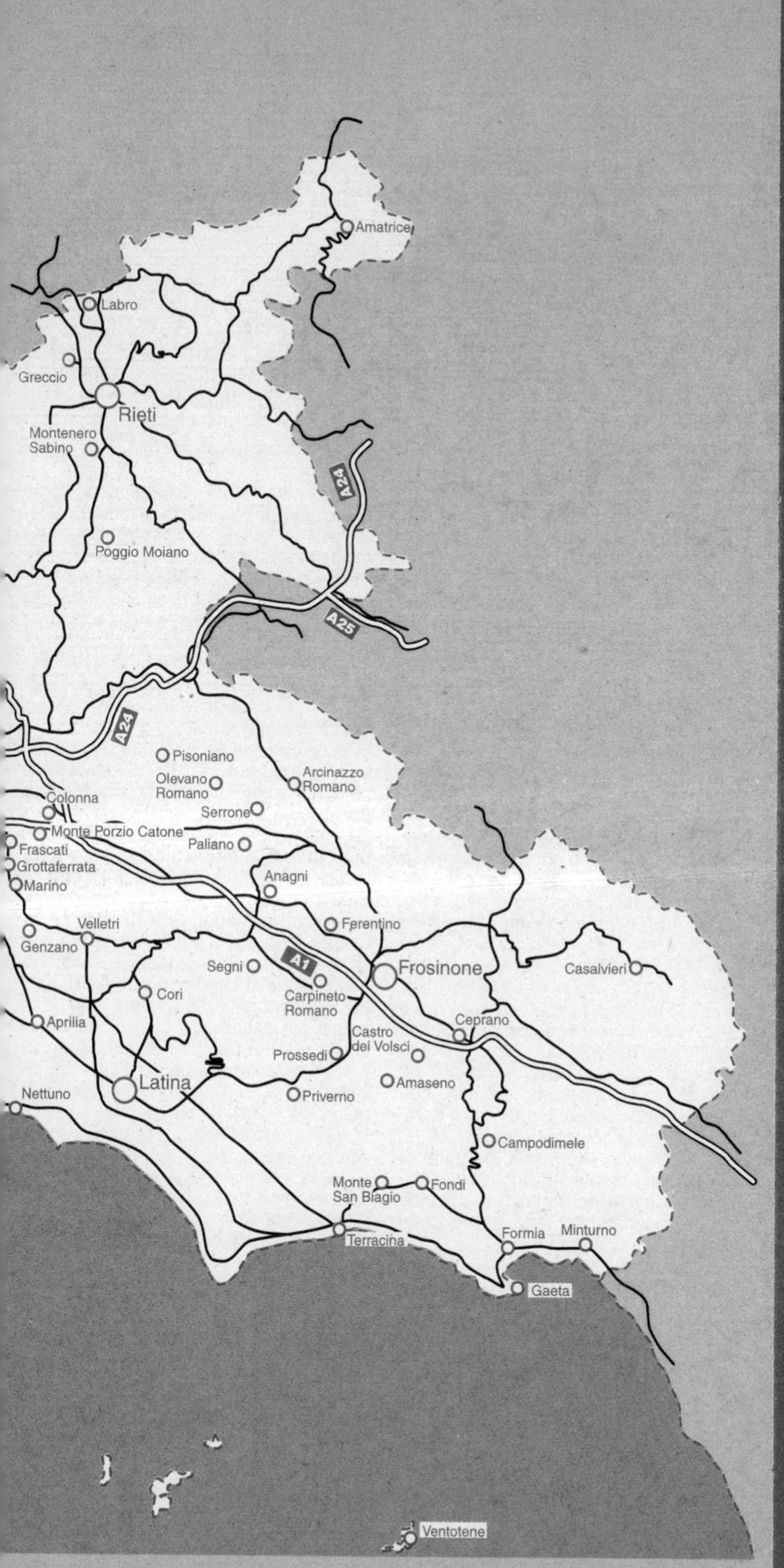

Amatrice
Labro
Greccio
Rieti
Montenero
Sabino
A24
Poggio Moiano
A25
A24
Pisoniano
Olevano
Romano
Arcinazzo
Romano
Colonna
Serrone
Monte Porzio Catone
Paliano
Frascati
Grottaferrata
Marino
Anagni
Ferentino
Velletri
Genzano
A1
Segni
Frosinone
Casalvieri
Cori
Carpineto
Romano
Aprilia
Ceprano
Castro
dei Volsci
Prossedi
Latina
Amaseno
Nettuno
Priverno
Campodimele
Monte
San Biagio
Fondi
Terracina
Formia
Minturno
Gaeta
Ventotene

Acquapendente

50 km a NO di Viterbo

La capracampa

Osteria di recente fondazione
Via Marconi, 100-porta Fiorentina
Tel. 0763 734546
Chiuso il giovedì
Orario: mezzogiorno e sera
Ferie: 15 gg tra gennaio e febbraio e tra giugno e luglio
Coperti: 23 + 20 esterni
Prezzi: 25-30 euro vini esclusi
Carte di credito: MC, Visa, Bancomat

Aquesium, Acula, Aquae Taurinae, Aquapendens fino all'odierna Acquapendente: il sito è antico, antecedente alla fondazione di Roma, e chi l'ha battezzato ha sempre voluto evocare la ricchezza dei corsi d'acqua che scorrono sul territorio. Il locale si trova strategicamente affacciato sulla Cassia, all'inizio del centro storico cittadino, e i confini toscano e umbro, a un tiro di schioppo, ne influenzano la proposta gastronomica.
Accomodati nella bella sala ricavata nel tufo, Antonella vi servirà salumi e formaggi locali, accompagnati da una buona marmellata di pomodori e uvetta. A seguire, i sapidi primi preparati da Alessandro, dalle **linguine al pane grattato** con acciughe e pomodorini secchi alle **bavette con alici e pecorino**, dai rigatoni con ricotta, pomodoro e origano ai ***pici* cacio e pepe**, con **zuppe** di legumi e verdure ad aggiungersi nella stagione fredda. Fra i secondi prevale la carne, ad esempio il pollo nostrano alle mandorle e finocchietto selvatico, il **peposo** (spezzatino di vitellone con pepe, aglio e vino rosso), l'ossobuco con cicoria, la **trippa al sugo** o in bianco, il capocollo al Vin Santo e finocchietto selvatico con fagioli soranini cotti al pignatto o il **coniglio al tegamaccio** con crostino di fegatini e milza; in alternativa, **polpette di baccalà** con patate o baccalà con ceci e pomodoro. Casalinghi dessert come crostate, panna cotta, torta al cioccolato e mousse di ricotta per finire.
Si beve un bianco di Canepina o un rosso toscano oppure si pesca da una selezione di bottiglie laziali e toscane.

Amaseno

28 km a sud di Frosinone

Al solito posto

Ristorante
Via Auricola, 8 A
Tel. 0775 65428
Chiuso il lunedì
Orario: mezzogiorno e sera
Ferie: seconda settimana di settembre
Coperti: 40 + 30 esterni
Prezzi: 25-28 euro vini esclusi
Carte di credito: nessuna

Questo piccolo ristorante di campagna, collocato appena fuori il paese tra allevamenti di bufale e campi coltivati, da molti anni è gestito con successo da Cinzia e Ghira, due affabili sorelle unite dalla passione per la cucina. Fuori, un grazioso pergolato per la bella stagione; dentro, tre piccole sale accoglienti e curate. Qui i prodotti sono a "chilometro zero", provengono cioè dagli orti e dagli allevamenti locali, alternandosi stagionalmente in piatti semplici e gustosi.
Si inizia con una serie di piccoli antipasti con formaggi e salumi bufalini, melanzane aromatizzate alle erbette selvatiche e pomodoretto fresco, **fiori di zucca farciti**, treccia di pane ripiena alle verdure, **purè di fave al finocchietto** e varie torte rustiche. A seguire, **ravioli di ricotta di bufala e asparagi selvatici**, **lasagnetta bianca al formaggio con borragine di campo**, gnocchi di patate al pesto di basilico o con scalogno, pinoli e zafferano e **fettuccine al sugo con rigaglie di pollo**. Tra i secondi assaggiate il brasato di bufala al Cesanese, il consigliabile **maialino porchettato** al profumo di agrumi, lo spezzatino di manzo all'aceto balsamico e la grigliata mista. Crostata di mandorle e visciole o di ricotta di bufala al caffè, torta al limone, gran bignè farcito con crema mou, babà al limoncello e meringa morbida ai frutti di bosco per concludere il pasto.
Piccola ma interessante carta dei vini, per lo più regionale. Ricarichi equi.

A **Patrica** (23 km) sulla SS 156 Monti Lepini al km 9, la Cooperativa Stella offre mozzarelle di bufala ciociara e diverse tipologie di carni e salumi bufalini.

Amatrice

66 km a NE di Rieti

Lo scoiattolo

Ristorante
Via Ponte Tre Occhi
Tel. 0746 825086
Chiuso il lunedì
Orario: mezzogiorno e sera
Ferie: non ne fa
Coperti: 140 + 60 esterni
Prezzi: 25 euro vini esclusi
Carte di credito: nessuna

Imboccando la statale 260 per L'Aquila troverete, a un paio di chilometri dal centro abitato, un complesso per attività sportive con piscina, villaggio vacanze e colonia estiva. Il tutto circondato da un parco al limitare di un bosco di conifere, con area da picnic in riva a un ruscello. Un luogo di sosta e di villeggiatura estiva attrezzato di tutto punto, servito da un ristorante dimensionato sulla struttura, ma affidabile e costante sui capisaldi gastronomici del territorio, normalmente aperto anche ai clienti di passaggio. A fare la differenza è la professionalità della famiglia Battistelli-Berardi, dedita da tre generazioni a una cucina semplice ma molto esigente in quanto a qualità della materia prima. Nonna Miriam è tuttora ai fornelli mentre tra cucina e sala si alternano i figli Laura, Ernesto e Fabrizio, con i nipoti a dare una mano nel periodo estivo.
Prosciutto, salame, capocollo e mortadellina di Campotosto di produzione propria, da suini allevati in zona, costituiscono il classico antipasto insieme a varie bruschette. Gli **spaghetti all'amatriciana** o **alla *gricia***, gloria del locale, arrivano in abbondanti fiamminghe ma non trascurate le **fettuccine al tartufo**, gli **gnocchi ricci col sugo di castrato**, le **pappardelle al ragù**, la **polenta con le spuntature**, la minestra di farro e le **zuppe di legumi**. Le carni, per lo più alla griglia o al forno, provengono tutte da allevamenti locali; in alternativa consigliamo la **trota** dal laghetto sottostante, adibito alla pesca sportiva. Per finire dolci casalinghi e gelati fatti in casa, fra i quali merita una menzione quello alle more.
Oltre al Montepulciano sfuso, si può scegliere qualche buona bottiglia proposta con ricarichi equi.

Anagni

22 km a NO di Frosinone

Lo schiaffo

NOVITÀ

Ristorante
Corso Vittorio Emanuele, 270
Tel. 0775 739148
Chiuso il lunedì
Orario: mezzogiorno e sera
Ferie: 7-14 gennaio, ultima settimana di luglio
Coperti: 70
Prezzi: 35 euro vini esclusi
Carte di credito: tutte

Siamo nella Ciociaria, tra borghi medievali, abbazie, mura megalitiche e magnifici panorami. Un territorio vasto ma poco conosciuto, ricco di storia, di arte, di cultura, anche sotto l'aspetto enogastronomico. Dopo la visita agli straordinari affreschi della cripta della Cattedrale, per ammirare uno dei più completi cicli pittorici del XII e XIII secolo, fatti pochi passi si incontra lo Schiaffo, dove Guido Tagliaboschi, chef e patron del locale, propone i piatti del territorio, rielaborati con leggerezza per lasciare intatta la schiettezza dei sapori e prestando particolare attenzione alle materie prime.
L'offerta varia di frequente, secondo stagione. Nella nostra visita di luglio abbiamo provato il menù degustazione composto da **fiori di zucca farciti di ricotta** con speck e purea di patate, **tagliatelle con tartufo estivo di Campoli Appennino**, controfiletto di vitello alle erbe aromatiche con cicoria e tiramisù con cappuccino ghiacciato. In alternativa, troverete fra i primi i tagliolini con pancetta, pomodorini gratinati al forno e caciotta al primo sale, i **ravioli farciti con mozzarella di bufala** in salsa alla salvia con pinoli tostati , le **caserecce** o gli **gnocchetti con funghi porcini e cicorietta piccante** e la **zuppa di ceci e baccalà**.Tra i secondi, invece, segnaliamo il **carré d'agnello** al timo, il **coniglio porchettato** con finocchi brasati alla sambuca, il capocollo di maiale con gallette di polenta e la tagliata di manzo al Cesanese del Piglio. Si finisce con una bella selezione di formaggi accompagnati da salse e mostarde e con le sfogliatine alla pesca con crema gratinata e salsa all'arancio.
La carta è ricca e spazia in tutta la Penisola, ma un posto di riguardo è giustamente assegnato al Cesanese del Piglio, unica docg del Lazio.

FRASCHETTA DEL MARE

Trattoria
Corso del Popolo, 38
Tel. 06 9846240
Chiuso il lunedì
Orario: mezzogiorno e sera
Ferie: 15 giorni in gennaio
Coperti: 50 + 10 esterni
Prezzi: 16 euro vini esclusi
Carte di credito: tutte, Bancomat

Siamo nella suggestiva cornice del porto di Anzio e la Fraschetta è facile da trovare, anche grazie a grandi manifesti che avvisano che qui è possibile mangiare pesce fresco "dall'antipasto al primo" e con soli 16 euro. È questa la formula vincente ideata dai fratelli Nociti, Massimo e Roberto, nativi di Velletri e forti dell'esperienza di ristoratori altrove: pesce povero di giornata, cucinato nel rispetto dei canoni della tradizione.
Il menù è fisso e varia ogni giorno secondo pescato. La scelta comprende di solito una bella gamma di antipasti, tre secondi e gli spaghetti con lupini, con scampetti o con moscardini, che qui sono soliti servire a fine pasto. Fra gli assaggi iniziali potrete trovare crostini con scamorza, pomodoro e alici, bruschetta con ricotta e tonno, **panzanella con sgombro**, **alici fritte** dorate e melù gratinato. A seguire piatti più corposi come l'**ombrina con peperoni**, le **seppie con patate e carciofi**, i sugheri alla livornese, nonché l'immancabile **frittura di paranza**. Nei mesi più freddi, poi, compare anche qualche **zuppa**, come quella **di cavolo nero e baccalà** o con i coccetti. I dolci, di fattura casalinga, sono quelli della tradizione e tra questi segnaliamo il ciambellone con gelato alla crema, le crostate assortite, il tortino con mascarpone e cioccolata,
I due fratelli, entrambi sommelier, hanno allestito una valida carta di vini laziali, proposti con ricarichi corretti; in alternativa, un onesto sfuso dei Castelli.

LA VECCHIA OSTERIA

NOVITÀ

Trattoria
Via Gramsci, 103
Tel. 06 9846100
Chiuso il martedì, mai d'estate
Orario: mezzogiorno e sera
Ferie: in inverno
Coperti: 24 + 16 esterni
Prezzi: 32-35 euro vini esclusi
Carte di credito: le principali, Bancomat

Le due sorelle Palomba gestiscono con passione da anni questo piccolo locale che può rappresentare una risorsa per i romani che vogliano passare un po' di tempo in questa località a poca distanza dalla città, meta sia di villeggianti sia di visitatori occasionali per lo più d'estate. Il menù è costruito ogni giorno per rispettare quello che i pescatori forniscono giornalmente ed è presentato a voce. Le proposte sono a base di pesce di mare con preparazioni semplici e cotture perfette, che permettono di apprezzare la freschezza delle materie prime.
Impossibile rinunciare all'antipasto (abbondante e piacevole al punto da riuscire quasi a sostituire il secondo) ottimo preludio a tutto il resto: vi serviranno una serie di stuzzichini composti da **polpette di merluzzo**, di alici e di pesce spada, frutti di mare e insalate con crostacei appena scottati, **alici fritte**, telline e quanto offrono le reti. Poi, potrete trovare **spaghetti con lupini** (le piccole vongole locali), con telline o con alici e pecorino, **riso al nero di seppia con gamberetti**, **minestra di rana pescatrice**, rombo al vino bianco e una leggera, croccante **frittura di pesce**. Ovviamente, a seguire, largo a pesci di taglia più grossa, presentati direttamente in tavola per la scelta, da preparare nel modo preferito dal cliente e più adeguato alla tipologia del pesce stesso (acquapazza, griglia, vino bianco e quant'altro). Va da sé che il conto finale sarà influenzato dalle varie opzioni. Fra i casalinghi dessert consigliamo le torte – ad esempio al cioccolato, accompagnata da una crema ai pistacchi o ai pinoli – e gli estivi sorbetti di frutta.
Si beve un discreto sfuso della casa, in alternativa a poche etichette nazionali.

Aprilia

26 km a nord di Latina ss 148

Da Elena

Ristorante
Via Matteotti, 14
Tel. 06 92704098
Chiuso la domenica
Orario: mezzogiorno e sera
Ferie: in agosto
Coperti: 40
Prezzi: 35 euro vini esclusi
Carte di credito: tutte tranne AE, Bancomat

Non vogliamo dare l'impressione di avercela con Aprilia, ma questa città, sorta durante il fascismo, ha ben poche bellezze artistiche e scarse tradizioni culinarie. In compenso ci sono vari ristoranti dove si mangia bene e Da Elena è uno di questi.
Aiutati dai figli, che incarnano ormai la terza generazione, Silvano e Silvana Favero hanno portato con sé molte ricette dei Castelli Romani, di cui sono originari, arricchendole con le proposte ittiche della vicina Anzio. Proprio queste hanno anzi il sopravvento negli antipasti, dall'**insalata di polpo e seppie** alla frittura di occhi di canna, dal **sauté di vongole** alle **polpette di baccalà**. Si sterza invece verso la tradizione in primi come i **rigatoni con la *pajata***, i tonnarelli cacio e pepe, i **ceci e baccalà in umido** (ma non mancano i tagliolini con calamaretti e pecorino o la calamarata con polpetti e frutti di mare). Arrosticini, **agnello a scottadito** o impanato, tagli anche importanti di carni si alternano, poi, al polpo verace in umido e alla **rana pescatrice fritta**, per trovare un insolito punto d'incontro nel calamaro al ripieno di carne di maiale. I ricchi taglieri di formaggi e salumi precedono dolci come la mousse al cioccolato, il millefoglie sbriciolato o i semifreddi al torroncino o caffé.
Sempre valida la carta dei vini, per prezzi, proposte al calice e buona scelta di referenze del territorio.

In via Marconi 8, l'enoteca perBacco di Marco Davi, per acquisti e degustazioni di vini e distillati. Convincenti i piatti freddi e caldi proposti in accompagnamento.

Arcinazzo Romano
Altipiani di Arcinazzo

49 km a NO di Frosinone

Da Silvana

Trattoria
Via Sublacense-bivio per Piglio
Tel. 0775 598002
Chiuso il martedì
Orario: pranzo, estate anche sera
Ferie: non ne fa
Coperti: 80 + 20 esterni
Prezzi: 25-28 euro vini esclusi
Carte di credito: tutte tranne DC, Bancomat

Boschi secolari e grandi praterie fanno da cornice a questa antica e graziosa trattoria gestita da mamma Silvana e dalla figlia Giovanna: la prima, come tradizione vuole, ai fornelli; la seconda, appassionata ed esperta sommelier, in sala. Le pietanze sono semplici, genuine e incentrate sui ricettari del territorio, con un occhio di riguardo a paste fatte in casa e carne alla brace.
Si inizia con una selezione di salumi artigianali – cervo, cinghiale e un consigliabile prosciutto di Guardino – con bruschette e vari sottoli. Venendo ai primi, le **fettuccine**, con il ragù di carne oppure con i funghi porcini, sono uno dei vanti del locale, ma non sono da meno gli **strozzapreti**, gli **gnocchi di patate** con pomodori pachino e pecorino romano e la **pasta e fagioli con le cotiche**. Quando c'è, non perdete, il ***pallocco***, piatto di tradizione contadina con polenta bianca, brasato di manzo cotto nel Cesanese, cicorietta di campo e *ciavattoni* (caratteristici fagioli bianchi larghi). Tra i secondi prevale la carne, dalle costolette d'agnello a scottadito all'**arista di maiale al Cesanese**, dal **capretto al forno con le patate** al **coniglio alla cacciatora**. Un assaggio di formaggi locali – gran cacio di Morolo e marzolina di Campoli Appennino – serviti con confetture e mostarde preludono a crostate, torte alla frutta e gelato alla castagna.
Alla discreta carta dei vini, prevalentemente incentrata sul territorio, si affiancano una piccola lista di caffè e una bella scelta di amari e liquori locali.

Ad **Affile** (10 km) in via Santa Croce 11, l'azienda Elis vende lumache allevate biologicamente.

Bolsena
Montesegnale

31 km a nord di Viterbo ss 2

La tana dell'orso... bruno

Trattoria
Località Montesegnale, 162 I
Tel. 0761 798162-798730
Chiuso giovedì sera e domenica
Orario: mezzogiorno e sera
Ferie: 3 settimane in gennaio
Coperti: 25 + 25 esterni
Prezzi: 25-30 euro vini esclusi
Carte di credito: le principali, Bancomat

Il nord del Lazio non ha nulla da invidiare, in quanto a paesaggi, alla più blasonata Toscana, con i laghi a influenzare il microclima e ad appagare la vista. Su quello di Bolsena, dai 700 metri di Montesegnale, si affaccia la terrazza di questa trattoria gestita da Bruno e Rossella, il primo in sala e la seconda ai fornelli a cimentarsi su ricette e prodotti del territorio.
L'accoglienza è semplice e cortese, senza troppi convenevoli, e la partenza obbligata: salumi e **formaggi** locali. In alternativa, il **coregone al pepe verde** e i **fagioli del purgatorio** con l'olio di Montesegnale prodotto da Bruno. La pasta è fatta in casa, dagli **gnocchi** conditi **con ragù di funghi**, salsiccia e formaggio alle foglie d'olio con sugo di pesce del lago, ma non sono da meno, se disponibili, le tradizionali **zuppe** di farro e legumi o con la tinca. Fra i secondi si spazia fra lago e montagna. Filetti di **persico**, coregone con le erbe provenienti dall'orto di casa e **anguilla alla cacciatora** nel primo caso; prosciutto di Norcia con marmellata di fichi e **salsicce alla griglia** nel secondo. Il tutto accompagnato da verdure alla griglia, fagioli del purgatorio o aglio alla griglia in bocconcini. Si finisce con i dessert di fattura casalinga come panna cotta con marmellata di fichi, tiramisù con fragoline e ricotta con cannella e miele.
Si può bere uno sfuso locale oppure pescare in una discreta lista regionale.

A **Bolsena** (1,5 km) l'Enoteca gelateria Santa Cristina, corso della Repubblica 8: gelati alla frutta, alla ricotta, al cioccolato fondente, alla cannella o ai cantucci.

Campagnano di Roma

34 km a nord di Roma

Iotto

Osteria di recente fondazione
Corso Vittorio Emanuele, 96
Tel. 06 9041746
Chiuso domenica sera e lunedì
Orario: mezzogiorno e sera
Ferie: non ne fa
Coperti: 32
Prezzi: 30 euro vini esclusi
Carte di credito: tutte tranne AE

Il locale si trova sul corso principale di Campagnano e con la sua struttura rustica e la volta a botte ricorda un "vini e oli" di altri tempi. Ha aperto da pochi anni per la volontà del titolare, Marco Pasquali, di dare uno sbocco anche gastronomico alla sua azienda agricola biodinamica.
Il menù è presentato su un semplice foglio di cartapaglia e si apre con il "fritto di Iotto", ovvero un abbondante antipasto (basta per due) che presenta, secondo stagione, leggere fritture di ricotta con le nocciole, mele, pere, polenta, fagottini di radicchio con mascarpone e gorgonzola. Si passa, quindi, ai primi della tradizione romanesca, dai **bucatini alla *gricia*** alle **fettuccine con cicoria e pecorino**, dai **maltagliati con baccalà** alle fettuccine con tonno fresco e pomodoro, senza trascurare le buone **zuppe**, di ceci e animelle, di funghi porcini o di castagne. Fra i secondi, assaggiate la **coda alla vaccinara**, la **trippa alla romana**, le bistecche, le polpette in bianco o la mozzarella di bufala fritta, magari accompagnando il tutto con verdure di stagione, carciofi in primis. Delizia al limone o all'arancia, crostate di marmellata e tiramisù alla fragola sono alcuni dei casalinghi dessert con cui finire.
Accettabile lo sfuso della casa, bianco e rosso, ma meglio orientarsi su una delle 60 etichette presenti in carta e proposte con competenza da Marco.

Campodimele
Taverna

87 km a SE di Latina SS 7 e SS 82

Lo stuzzichino

Ristorante-pizzeria
Via Taverna, 14
Tel. 0771 598131-349 3678486
Chiuso il mercoledì
Orario: mezzogiorno e sera
Ferie: variabili
Coperti: 50
Prezzi: 32 euro vini esclusi
Carte di credito: le principali, Bancomat

Campodimele è un piccolo borgo nel Parco dei monti Aurunci, famoso per la longevità dei suoi abitanti. Di certo li favoriscono lo stile di vita *slow* e la genuinità del cibo che proviamo, da turisti, ad assaporare nel locale della famiglia Capirchio. Lo Stuzzichino è un sicuro punto di riferimento per chi voglia gustare i sapori della tradizione e conoscere la cultura materiale di questo splendido e aspro territorio, a pochi minuti dalle famose località della costa pontina.
In cucina convivono l'esperienza di mamma Pinuccia e l'estro del giovane Francesco, che si avvalgono di prodotti locali coltivati in proprio come le cicerchie oppure (formaggi, salumi, funghi e carni) acquistati da contadini, pastori o cacciatori del paese. I sapori degli Aurunci si colgono già dagli antipasti – salsiccia, guanciale, formaggio marzolino, frittelle di verdure di campo; quand'è stagione, non perdetevi i **porcini arrosto** o le **lumache *ammuccate***. Passando ai primi, scegliete fra primi asciutti come gli **gnocchetti al ragù di capra** o di cinghiale (oppure con asparagi selvatici e guanciale) e la sapida pasta con ragù di agnello e ricotta stagionata, mentre fra le **zuppe** consigliamo quella di funghi, di fagioli e di ceci o di cicerchie. Le capre, i **capretti** e gli agnelli allevati bradi sulle montagne circostanti e i **cinghiali** cacciati nelle zone autorizzate rappresentano, poi, la base dei secondi piatti. Per finire, si va sui tradizionali dolcetti secchi cotti al forno a legna (dove si sfornano anche buone pizze), o ci si affida alla mano di Francesco che dà, in questo caso, libero sfogo alla fantasia.
La carta dei vini accompagna adeguatamente il pasto.

Carpineto Romano

72 km a SE di Roma A 1 e SS 6

La stradanova

Osteria di recente fondazione
Via Matteotti, 6
Tel. 06 9719083
Chiuso il lunedì
Orario: mezzogiorno e sera
Ferie: 10 giorni in settembre
Coperti: 44 + 20 esterni
Prezzi: 23-25 euro vini esclusi
Carte di credito: nessuna

In pieno centro storico la Stradanova deve il nome alla via che la ospita. Siamo a Carpineto, intatto borgo medievale nei monti Lepini, dove da alcuni anni, a fine agosto, si celebra il rito del Palio della carriera, una sontuosa rievocazione medievale (anche gastronomica) che vede coinvolto tutto il paese, e in particolare i suoi sette rioni storici.
Nel locale, gestito da Barbara e mamma Stefania, la prima in sala e la seconda ai fornelli, si gusta una ruspante cucina di territorio. Dopo un assaggio di salumi e formaggi locali, si passa alla pasta fatta in casa: **fettuccine**, **caserecce** e **gnocchi lunghi** conditi con sughi di stagione – ragù bianco di agnello, cinghiale, lepre o tartufo – oppure panzerotti con ricotta alla menta e ravioli con salsa di funghi e noci. Tra i secondi il **capretto** è la specialità del locale, preparato con i carciofi oppure **porchettato al tartufo**, ma meritano un assaggio anche il **maialino al forno** con ginepro e finocchietto, le carni alla griglia, gli **arrosticini di pecora**, l'**arista di maiale** o lo spezzatino profumato agli agrumi. Si conclude con crostate, mousse alla frutta, panna cotta e crème caramel un sostanzioso pasto, accompagnato da una modesta selezione di vini locali.
Non tutti i piatti citati sono sempre disponibili, ma si possono prenotare telefonando con anticipo.

Casalvieri

45 km a est di Frosinone

Osteria del tempo perso

Osteria di recente fondazione
Piazza San Rocco
Tel. 0776 638039-329 4031223-340 2532207
Chiuso il lunedì
Orario: sera, domenica e festivi anche pranzo
Ferie: variabili
Coperti: 60
Prezzi: 24-28 euro vini esclusi
Carte di credito: le principali, Bancomat

Il locale ha solo cinque anni di vita eppure è già diventato un punto di riferimento per la provincia di Frosinone. Alle redini c'è la famiglia Iacobelli al gran completo: mamma Sabrina con il figlio Matteo stanno ai fornelli mentre Marco, in sala, vi accoglie con professionalità e gentilezza, consigliandovi i piatti e gli abbinamenti.
Una buona scelta di antipasti come salumi, pizze di verdure, fagioli cannellini di Atina, ortaggi fritti e **pizze *cionce*** (fritte) aprono il pasto. A seguire, una vasta scelta di primi piatti come i torciarelli con asparagi, salsiccia e pachino oppure con zucchine e speck, le conchigliette con piselli freschi e guanciale, i ravioli di prosciutto con stracchino e zafferano, gli **gnocchi al ragù bianco**, i fusilli con ricotta e noci, il risotto ai carciofi e gorgonzola, i **rigatoni cacio e pepe** e i **maltagliati con cannellini di Atina e asparagi selvatici**, senza dimenticare zuppe e minestre nei mesi più freddi. Tra i secondi prevalgono le carni, dal manzo ai carciofi al polpettone al forno, dagli straccetti al pomodoro alla **salsiccia alla brace**, ma su tutti consigliamo l'**abbacchio a scottadito** o lo **stracotto al vino**. Una selezione in continua crescita di **formaggi** non solo locali prelude a casalinghi dessert quali crostate, semifreddi e sbriciolata.
Oltre 700 etichette in carta soddisfano tutti i palati e tutte le tasche.

Castro dei Volsci

24 km a SE di Frosinone A 1 o E 45

Il ruspante

NOVITÀ

Azienda agrituristica
Via Pozzotello
Tel. 0775 686750-335 8238647
Chiuso martedì, mercoledì e domenica sera
Orario: mezzogiorno e sera
Ferie: dopo Ferragosto
Coperti: 60
Prezzi: 25 euro
Carte di credito: tutte, Bancomat

Il territorio di Castro dei Volsci fu abitato sin dall'età neolitica e gli studi ipotizzano che Castro sia sorta sui resti dell'*Arx Carventana*; la fortezza volsca avrebbe avuto la funzione di vigilare su una delle strade secondarie, *tramites transversi*, che univano la via Appia alla via Latina. Qui, in aperta campagna, si trova il locale di Antonella e Pasqualino, la prima ai fornelli e il secondo in sala, che propongono una cucina semplice e tradizionale, affidandosi principalmente alle materie prime prodotte in azienda (che potrete anche acquistare a fine pasto).
Si inizia con prosciutto, salsiccia di Castro dei Volsci, pancetta, formaggi (marzolina e pecorini), olive, bruschette, melanzane, peperoni in agrodolce, fagioli e frittatine, per poi passare ai robusti primi piatti a base di pasta fatta in casa: **casarecce** con funghi e salsiccia, **tagliolini** con rigaglie di pollo o con asparagi selvatici, **fettuccine** con pomodoro, al ragù o con funghi porcini, **gnocchi** al ragù. In alternativa, una buona **pasta e fagioli**, la **zuppa di pane** e, nei mesi più freddi, la **polenta**. Al capitolo secondi soprattutto carni provenienti dagli allevamenti di proprietà; largo a **pollo alla brace** o al forno, **coniglio alla cacciatora**, maialino o **abbacchio al forno**, faraona sottoterra e ancora lumache, trippa di abbacchio, **pecora al sugo** e salsicce, bistecche, braciole alla brace.
Se non siete sazi, c'è ancora qualche casalingo dessert per chiudere un pasto "ruspante", come insegna promette. Si beve principalmente lo sfuso della casa.

I sapori, la passione, il gusto del Lazio.

Palatium propone, stagione per stagione, un'ampia scelta di prodotti tipici delle cinque province del Lazio insieme a ricette e piatti della tradizione che diventano motivi ed occasioni di scoperta della nostra cultura.

L'Enoteca Regionale è uno spazio polifunzionale ottimo per un aperitivo o un pranzo leggero, ma anche per ospitare degustazioni guidate, incontri, conferenze e tutto quello che significa 'fare cultura' enogastronomica.

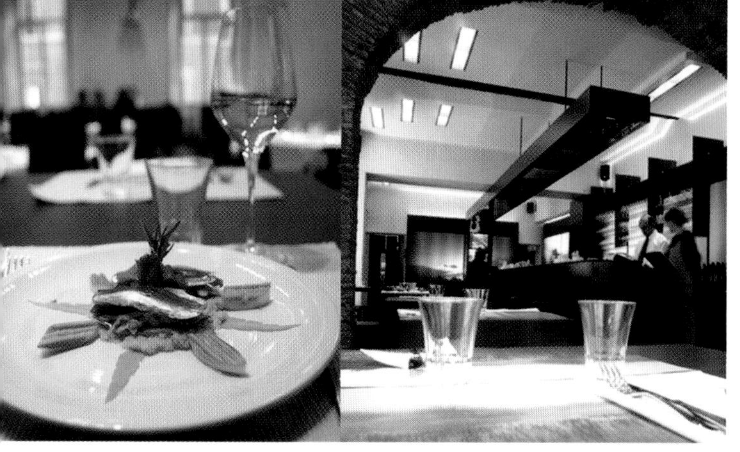

Ceprano

21 km a SE di Frosinone A 1

Enoteca Federici

Enoteca con mescita e cucina
Piazza Martiri di via Fani, 8
Tel. 0775 914048
Chiuso il martedì
Orario: mezzogiorno e sera
Ferie: variabili
Coperti: 30
Prezzi: 25-30 euro vini esclusi
Carte di credito: tutte, Bancomat

Siamo nella piazza principale di Ceprano, l'antica colonia latina *Fregellae*, i cui reperti si possono ammirare nel locale Museo Archeologico. Altra curiosità: Argil, l'uomo di Ceprano, esemplare fossile di *homo* datato 800 000 anni fa, fu scoperto nel 1993 ed è ritenuto il più antico europeo che si conosca.
Lasciando la storia per più prosaiche e gastronomiche questioni, l'Enoteca Federici è un piccolo locale dotato di grande calore, curato con passione dai fratelli Federici. Mamma Regina opera nell'adiacente pasticceria di famiglia, sfornando validi dolci che ritroverete a fine pasto, mentre Luca e Pietro si spartiscono, insieme a Mara, la gestione di fornelli, sala e cantina. Vari e abbondanti gli antipasti, dal carpaccio di carciofi con guanciale croccante e pecorino al prosciutto di Parma stagionato 22 mesi, dai fritti in pastella alla passata di fagioli con funghi autunnali e marzolina. A seguire fazzoletti di pasta all'uovo con fave e ricotta di bufala, i **paccheri all'amatriciana**, i **tagliolini al baccalà** e i consigliabili **spaghetti con alici**. Fra i secondi segnaliamo l'**agnello alla grigia**, la tagliata di manzo, gli straccetti di pollo al Cesanese o il **pollo ai peperoni**. Si finisce con casalinghi dessert quali la crema chantilly, la bavarese, il gelato al naturale o i dolci secchi della tradizione. Ricca e interessante carta dei vini, con circa 600 etichette, molte disponibili anche al calice.

In via delle Cese 8, la fattoria Maiuri produce, con latte vaccino, mozzarelle, caciocavalli e ricotte.

Civitavecchia

71 km a NO di Roma ss 1 o A 12

La bomboniera

Ristorante
Corso Marconi, 50
Tel. 0766 25744
Chiuso il lunedì
Orario: mezzogiorno e sera
Ferie: variabili
Coperti: 40 + 40 esterni
Prezzi: 35-40 euro vini esclusi
Carte di credito: tutte

Si respira aria di Sardegna in questa Bomboniera che continuiamo a segnalare con convinzione nonostante il prezzo sia ai limiti previsti dalla nostra guida. La famiglia Bussu al gran completo è impegnata nella gestione del locale che negli ultimi tempi ha ulteriormente migliorato la qualità delle proposte.
Arrivati a Civitavecchia nel 1981, i Bussu ricordano la terra natìa servendo abbondanti razioni di pane *carasau*, presentando una valida selezione di formaggi sardi e cucinando piatti dallo spiccato accento isolano. Tra gli antipasti spicca il misto mare, una lunga sequenza composta di **alici fritte** e all'ammiraglia, ***burrida***, ostriche (sarde), terrina di pesce, **sauté di cozze e vongole**, tonno marinato con caponata e fritti misti: il tutto è proposto a 25 euro ed è in grado di saziare anche appetiti robusti. Volendo continuare, il menù propone **spaghetti con bottarga di muggine** o con vongole veraci, **gnocchi di patate allo scoglio**, fettuccine con cozze, vongole e asparagi, **risotto con fiori di zucca e scampi**. Si prosegue con il **fritto misto di pesce** o altre proposte che faranno lievitare i prezzi come qualche pesce pregiato alla brace o la **zuppa di pesce** (solo su prenotazione). In alternativa, entrecôte o filetto alla braca. Per finire i formaggi – caciotta e pecorino sardi, fiore sardo di Gavoi, *casizolu* di Santulussurgiu – e dessert casalinghi come *crème brûlée* con frutti di bosco, ***seadas*** al miele, panna cotta con cioccolato e semifreddo agli amaretti.
La carta dei vini è incentrata sulla Sardegna, con numerose escursioni in tutta Italia: nel dubbio fatevi consigliare da Giulio che vi proporrà le sue più recenti scoperte. Da segnalare le carte dei caffè, delle acque minerali, degli oli extravergini, delle birre e degli aceti.

Colonna

25 km a SE di Roma

Il bersagliere

Osteria tradizionale
Via Casilina, km 25
Tel. 06 9438032
Chiuso domenica e lunedì sera
Orario: mezzogiorno e sera
Ferie: seconda metà di agosto
Coperti: 80 + 20 esterni
Prezzi: 32-35 euro vini esclusi
Carte di credito: tutte, Bancomat

Non delude a ogni visita il locale condotto con grazia da Paola Lanzi. Il Bersagliere si trova al piano terra del casale di famiglia, con uno splendido parco, a margine del quale in estate sono allestiti i tavoli. Gli ambienti sono semplici ma accoglienti, di eleganza discreta. Semmai l'unico neo è nella posizione, sulla vivace via Casilina, mentre un locale separato per i ricevimenti garantisce la calma anche nei giorni di maggiore affollamento.
Si inizia con antipasti tradizionali, quali il misto di salumi e la selezione di formaggi o con alcune pietanze più elaborate come i rotolini di melanzane e guanciale, i **fiori di zucca farciti di ricotta e caciotta romana**, il misto di fritti e vari crostini: con il miele, con salsine, con mostarda di peperoncino oppure con lardo. Poi, una vasta gamma di primi, che comprendono **ravioli di ricotta e spinaci** con pomodoro e basilico oppure al burro e salvia, **fettuccine** con ricotta e pomodorini o con zucchine romanesche e scaglie di grana, **gnocchi al ragù**, risotto al radicchio, sedani con melanzane, olive e mozzarella, pincinelle all'amatriciana, **spaghetti cacio e pepe** o con pomodorini, alici e pane grattugiato, **pasta e fagioli**, **pasta e ceci**. Si continua con il **coniglio disossato ripieno**, l'**abbacchio alla cacciatora**, i bocconcini di vitello al rosmarino, gli straccetti con peperoni, la tagliata di filetto al lardo, i saltimbocca alla romana, gli involtini ripieni (di pane, parmigiano e basilico) arrostiti, la **coratella d'abbacchio con cipolla**, la **trippa alla romana** e il **baccalà in umido**. Si chiude con casalinghi dessert.
Eccellente carta dei vini, con ampio spazio concesso alle proposte regionali.

In via della Circonvallazione 4, la Boutique della pasta all'uovo produce pincinelle, fettuccine, ravioli e sfoglie per lasagne.

Cori

26 km a nord di Latina

Da Checco

Trattoria
Via della Repubblica, 174
Tel. 06 9678336
Chiuso il giovedì
Orario: mezzogiorno e sera
Ferie: variabili
Coperti: 70 + 30 esterni
Prezzi: 20-25 euro vini esclusi
Carte di credito: tutte, Bancomat

Visitare Cori e le vestigia di *Cora*, città più antica di Roma, è un consiglio che vi diamo a prescindere dalle peculiarità di questa guida. Osserverete i resti delle mura ciclopiche, dei templi di Ercole e dei Dioscuri, del chiostro di Sant'Oliva dove ha sede anche un interessante museo. Passando dalla Magna Grecia all'epoca contemporanea, Cori ha altri gioielli da mettere sul piatto, perché proprio a tavola le sue osterie le hanno fatto guadagnare meritata fama.
Luca Zerilli è il giovane cuoco che ha saputo innovare, pur nel solco della continuità, l'antica osteria Da Checco, valorizzando gli ottimi prodotti locali (olio, olive, formaggi, vino) in un menù che bilancia tradizione e creatività. Tra i primi piatti assaggiate le **fettuccine** e i ***cellitti*** (pasta di acqua e farina), gli **spaghetti con i funghi galletti** e i tagliolini con speck e rugola, ma se la trovate in carta non perdetevi la ***scafata***, tipico piatto contadino a base di fave fresche, patate e carciofi. Poi, ecco l'**abbacchio alla scottadito**, la **coratella**, il **coniglio alla cacciatora**, accompagnati da cicoria e altre erbe spontanee. Secondo stagione, inoltre, troverete asparagi selvatici o **funghi** di bosco (galletti e porcini).
Luca, appassionato di vini, ha costruito una carta intelligente, che dà ampio spazio al territorio per poi spaziare nelle zone più vocate della Penisola.

Nella vicina via di San Nicola, non mancate di assaggiare il gelato di visciole di Massimiliano Lazzari.

Cori

26 km a nord di Latina

Da Zampi

Ristorante
Via Leopardi, 17
Tel. 06 9679688
Chiuso il lunedì
Orario: mezzogiorno e sera
Ferie: variabili
Coperti: 60 + 30 esterni
Prezzi: 20-24 euro vini esclusi
Carte di credito: tutte, Bancomat

Immergersi nei Monti Lepini è una buona idea per un fine settimana: il Semprevivа e il Montelupone sono vette che meritano una escursione, per abbracciare con lo sguardo una natura incontaminata. Per i meno sportivi, anche solo l'antica città di Cori vale una passeggiata, sia per i monumenti, sia per il piacere di accomodarsi alla tavola di una delle sue rinomate osterie.

In via Leopardi, Ottavio Zampi è da anni alle redini del locale da lui fondato, che gestisce con la collaborazione del figlio Roberto nel rispetto della tradizione e dei prodotti locali. Si può partire con il prosciutto o il guanciale cotto di Cori (cucinati con vino e fieno) per poi proseguire con i primi di stagione, ad esempio le **fettuccine ai funghi porcini e galletti**, gli **spaghetti agli asparagi selvatici** oppure una più invernale minestra di verdure con il pane sotto. Fra i secondi non mancano mai la **coratella d'abbacchio**, l'**abbacchio al forno con patate**, l'**agnello a scottadito** e lo **stinco di maiale** – accompagnati da contorni classici come la cicoria di campo ripassata in padella – ma non mancate di assaggiare i formaggi di pecora che Ottavio reperisce dai pastori locali. Per finire, le ciammellette al vino o le ciammelle scottolate, tipici dolci di fine pasto della tradizione corese.

Si bevono buone bottiglie di produttori del territorio; nota di merito per una carta di extravergini dedicata alle eccellenze locali, dove spicca la cultivar Itrana.

Cori
Giulianello

26 km a nord di Latina

Osteria del Contadino

NOVITÀ

Osteria di recente fondazione
Via Anita Garibaldi, 55
Tel. 06 9665414
Chiuso il martedì
Orario: mezzogiorno e sera
Ferie: variabili
Coperti: 38 + 20 esterni
Prezzi: 20 euro vini esclusi
Carte di credito: tutte, Bancomat

Tonino, il titolare, è davvero un contadino. Dal 1993 ha deciso di vendere il suo vino in una tavernetta nel piccolo borgo medievale di Giulianello. Gli amici lo hanno incitato, e così la moglie Simonetta, che lo ha subito affiancato nella gestione e in cucina. Da tre anni ha ampliato la taverna e si è portato a ridosso delle secentesche mura del Sangallo, in un locale semplice dove, a fornelli spenti, non è insolito trovarlo a suonare discretamente il basso, insieme ad altri complici.

Detto che il menù segue la stagionalità, e che non manca una buona selezione di extravergini locali, non resta che accomodarsi e incominciare con gli antipasti: la **pizza di polenta** farcita di verdure di stagione, le patate, le zucchine e le cipolle gratinate al forno o la ricotta di pecora. A seguire paste fatte in casa, semplici "acqua e farina" come gli ***gnocchitti*** o, con l'aggiunta dell'uovo, le **fettuccine**, condite **con ragù di carne**, asparagi selvatici, galletti, porcini o *prignoli*; in alternativa, la ***scafata***, un piatto a base di fave lessate poi servite con bieta, carciofi, piselli e altre verdure di stagione su un letto di pane raffermo. Fra i secondi, soprattutto carni – l'**abbacchio**, la **coratella**, il coniglio al finocchietto selvatico – ma anche **baccalà in umido** con patate e **lumache**. Il tutto accompagnato da cicoria di campo, *ramuraccia*, *cardogna* ed erba pazza (misto di erbe spontanee crude o cotte). Ancora un assaggio di formaggi reperiti fra i pastori locali prima di chiudere con crostate di ricotta o di visciole.

Si bevono vini di produttori del luogo, ma si può anche pescare una bottiglia da una discreta rassegna di etichette nazionali.

Farnese

44 km a NO di Viterbo

La piazzetta del sole

Osteria tradizionale
Via XX Settembre, 129
Tel. 0761 458606-333 8996520
Chiuso il mercoledì
Orario: sera; ven, sab, dom, festivi anche pranzo
Ferie: variabili
Coperti: 35
Prezzi: 28-35 euro vini esclusi
Carte di credito: tutte, Bancomat

Siamo nella Tuscia laziale, a pochi chilometri dalla Toscana e dal lago di Bolsena. Farnese è un tipico borgo medievale arroccato sul tufo e l'osteria si trova nella via che percorre il paese in senso circolare, in un susseguirsi di vicoli laterali e piazzette. Antonella in cucina e Miriam in sala vi accolgono con gentilezza nel loro locale, dove si respira un'atmosfera simpatica e informale.
Il menù si basa prevalentemente su materie prime locali e di stagione, ma non mancano divagazioni, sempre più frequenti, dai ricettari tradizionali, che ci auguriamo non prendano il sopravvento. Iniziamo con il crostone con alici marinate e cipolle rosse, le zucchine con pere, pinoli e grana, il patè di fegatini e un buon tagliere di salumi. Tra i primi piatti troviamo le **lasagnette alla parmigiana**, le **tagliatelle al ragù di cinghiale**, i cannoli di ricotta e cannella con sugo di pomodoro e basilico e il **risotto al basilico con zucchine e fiori**. Poi, ecco il **filetto al vino rosso**, i nodini di maiale in crosta di pistacchi, il **coniglio in agrodolce**, la tagliata al rosmarino e la selezione di formaggi di pecora con miele e confetture. Per finire dolci fatti in casa, tra cui millefoglie con crema chantilly e biancomangiare con salsa di albicocche.
Buona la selezione dei vini, con un occhio di riguardo alla regione, e una piccola cantina di distillati per finire.

A **Piansano** (18 km), in località Fiocchino, l'azienda agricola Il Fiocchino vende ricotte di pecora e pecorini dell'alta Tuscia di diversa stagionatura, prodotti con latte prelevato dal proprio gregge.

Ferentino

13 km a NO di Frosinone

La mule

Novità

Ristorante
Via Casilina Sud, 336
Tel. 0775 395358-393 9269065
Chiuso il lunedì
Orario: sera, domenica anche pranzo
Ferie: 2-15 gennaio, 8-22 agosto
Coperti: 60 + 60 esterni
Prezzi: 28-30 euro vini esclusi
Carte di credito: tutte, Bancomat

Il grazioso ristorante è ricavato negli spazi di un antico mulino in pietra sapientemente ristrutturato. I piatti proposti da Roberto sono quasi sempre di ispirazione regionale, a volte con qualche calibrata rivisitazione ma sempre caratterizzati da un largo uso di materie prime di eccellenza, provenienti prevalentemente da mercati o produttori locali.
Irene vi accoglie in sala con cortesia e competenza, proponendovi una vasta gamma di antipasti, fra i quali tagliere di salumi e formaggi con confetture e mostarde artigianali, ciambella di Morolo alla piastra con radicchio e salsa mediterranea, carpaccio di suino nero carpinetano, trittico di pesci affumicati. Tra le **zuppe**, presenti anche nel periodo estivo nella versione "riposata", consigliamo quelle di cereali antichi alla vignarola, di farro e orzo perlato con fave, di piselli e carciofi freschi, nonché la vellutata di fagioli cannellini di Atina. In alternativa, oltre alle classiche ***sagne pelose***, primi asciutti come i **ravioli con ricotta di capra e bufala** in salsa di zucca e menta romana, i **fini-fini alla ciociara**, gli **gnocchetti con ragù bianco di agnello, carciofi e mentuccia** e i paccheri di Gragnano con telline e asparagi selvatici. Fra i secondi, la tagliata servita su caratteristiche pietre ollari alterna carne di bufala a quella bovina dei Presìdi Slow Food (piemontese, marchigiana e chianina) e si affianca ad altre proposte tradizionali di terra – **ossobuco**, spezzatino, saltimbocca, **coda**, **trippa**, filetto di maialino nero di Carpineto – e di mare, secondo il pescato del giorno sulle piazze di Sabaudia e Terracina. Buona selezione di formaggi e fantasiosi dolci per chiudere.
L'eccellente carta offre il giusto spazio alle doc locali per poi spaziare in tutta Italia e anche oltre.

La magnatora

Ristorante-pizzeria
Via Fosselle, 5
Tel. 0771 500252
Chiuso il mercoledì
Orario: mezzogiorno e sera
Ferie: 10 giorni in novembre, fine gennaio
Coperti: 80 + 60 esterni
Prezzi: 33-35 euro vini esclusi
Carte di credito: tutte tranne AE, Bancomat

Non lontano dalla bella abbazia di San Magno, oggetto di recenti restauri ben eseguiti, questo ristorante, a prima vista solo da banchetti, potrebbe non ispirare fiducia. E invece le varie salette e, soprattutto, l'attenzione alle ricette e alle materie prime locali sanno esprimere una dimensione diversa, frutto della passione dei fratelli Locolle, Fabio e Antonio, con le loro mogli, Laura e Gabriella.
Ricordato che qui si fa anche un'ottima pizza e che la presenza del pesce è giustificata dalla vicinanza di Terracina e Sperlonga, si può iniziare con le focaccine con mortadella o lardo ad accompagnare **alici fritte** e dorate, **passata di fagioli**, ricottina di Picinisco e seppioline fritte. Si continua con buone **zuppe** – di galletti e cannellini, di bianchetti, di vongole veraci con pane bruschettato o di ***pettl' e fasul*** – o con le paste all'uovo fatte in casa per le **lasagne al forno** (anche in una versione con i frutti di mare), le **pappardelle al cinghiale**, le **tagliatelle ai porcini**; non sono da meno i vermicelli all'aglio e olio, i paccheri ai frutti di mare o il risotto agli asparagi. In stagione, una grande **cacciagione** fa compagnia (oltre a proposte di mare) a salsiccia fondana, **coratella d'agnello**, **trippa**, **lumache con la mentuccia** e **baccalà con i peperoni secchi**.
Millefoglie con crema pasticcera o torta al limone fra i tanti dolci per chiudere, mentre i vini della carta, anche importanti, testimoniano la passione e la competenza di Fabio.

Nel cuore della dop mozzarella di bufala campana meritano la segnalazione Buonanno (via Mola della Corte 7-9), Casa Bianca (via Arnale Rosso 30), Di Sarra (via Sant'Anastasia) e Paolella (via Trento 34).

Vicolo di m'blò

Ristorante
Corso Appio Claudio, 11
Tel. 0771 502385
Chiuso il martedì
Orario: mezzogiorno e sera
Ferie: a Natale
Coperti: 40 + 25 esterni
Prezzi: 38-40 euro vini esclusi
Carte di credito: tutte, Bancomat

Nel dialetto di Fondi *'mblò* definisce una azione o una persona lenta all'eccesso. La filosofia *slow*, dunque, ha sempre ispirato Enzo e Loreta Simonelli nella felice contaminazione tra l'antica e robusta cucina da osteria dei contadini, dei pastori e dei pescatori del lago e le raffinate e delicate pietanze che il pesce di Sperlonga e Terracina suggerisce. A chi interessa l'osteria suggeriamo i tanti piatti della tradizione di un territorio straordinariamente ricco per la felice vicinanza di mare, lago, fertile pianura e colline, ora dolci e boscose, ora aspre e rocciose.
Si può aprire con gli ***jambaréj*** (gamberetti di lago) **fritti**, le frittelle di fiori di zucca, il **tortino di alici e patate** o con saporose **ricottine di bufala** accompagnate, a primavera, dagli asparagi selvatici che costituiscono anche l'ingrediente principe di buone frittatine. L'orto e la campagna trionfano con cicoria, fagioli e zucca, con la **zuppa ciociara** (funghi, cicoria e ceci) o con la ***zavardella*** (l'antica zuppa povera che le contadine preparavano con tutte le verdure disponibili). Mare, lago e campagna tornano nei primi piatti di pasta: linguine con gli *jambaréj*, **gnocchi con il ragù di anatra muta**, paccheri con polpi e olive di Gaeta, **risotto con gli asparagi selvatici**. Tra i secondi spicca il **baccalà con i peperoni secchi**, tradizionale pietanza di campagna di braccianti e contadini. È d'obbligo terminare con i semplici e buoni dolci di Loreta: amaretti e crostate con le sue marmellate.
Cantina eccellente in grado di soddisfare tutti i gusti.

Sempre valide sia l'Enoteca Masi di Sandro Panella in via Palermo, sia l'Enoteca Faiola in corso Italia 38.

76 KM A SE DI LATINA SS 7 O 213

IL GATTO & LA VOLPE

Ristorante
Via Abate Tosti, 83
Tel. 0771 21354
Chiuso il mercoledì, mai d'estate
Orario: mezzogiorno e sera
Ferie: fra Natale e Capodanno
Coperti: 70 + 50 esterni
Prezzi: 35 euro
Carte di credito: tutte, Bancomat

A pochi metri dalla torre di Mola, uno dei simboli storici e artistici di Formia, il locale di Tonino e Giancarlo Simeone, pur essendo vicino al mare e alle vie principali, vi conduce in una dimensione raccolta e tranquilla, complici l'ingresso da una stradina isolata e l'architettura interna, fatta di spazi rustici e articolati.
Fedeli al loro slogan "piatti d'altri tempi per i buongustai d'oggi" propongono dunque piatti di stagione, con materie prime povere e ricette locali anche desuete. Sarde a beccafico, *capettroccole* fritte, **alici in tortiera** o marinate e seppioline arrosto sono alcuni fra i tanti antipasti-stuzzichini con cui iniziare. Poi i primi, tutti con pasta fresca fatta in casa, che vanno dalle spaccatelle con gli *sconcigli* alla **pasta con fagioli e cozze**, dalle linguine con le *capetroccole* alla **zuppa di seppioline e cicerchie**. Alcune ricette dei secondi danno spazio alle carni – il **tegamino di trippa** o il **fritto di interiora alla formiana** – senza peraltro trascurare il mare del Golfo in piatti come i sugli alla scapece, i **calamari imbottiti** e il **fritto di razza**. Crostate di visciole, fichi o arance, crème caramel e mousse di fragole esprimono i sapori casalinghi che trovano il loro complemento in uno dei liquori di Giancarlo, ad esempio quello alle nespole e il limoncello.
La carta dei vini si conferma ampia, con molte scelte laziali e campane e varie proposte anche al calice.

Osteria accessibile ai disabili.

Nella vicina **Itri** (9 km), l'enoteca-confetteria Peppino, in via della Repubblica 18, condotta dalla sommelier Rita La Rocca, e il wine-bar Sii pur brigante..., in via Ripa, con possibilità, la sera, di consumare buoni vini e spuntini anche caldi.

FORMIA

76 KM A SE DI LATINA SS 7 O 213

SIRIO

Ristorante
Viale Unità d'Italia
Tel. 0771 790047-772705
Chiuso lun sera e mar, d'estate mar e mer a pranzo
Orario: mezzogiorno e sera
Ferie: 20 giorni tra dicembre e gennaio
Coperti: 50 + 35 esterni
Prezzi: 38-40 euro vini esclusi
Carte di credito: tutte, Bancomat

La famiglia Ferrari ha la ristorazione nel cuore e, a distanza di oltre mezzo secolo dal trasferimento dalla natìa Toscana al mare del golfo di Gaeta, la interpreta ancora con serietà e passione, cogliendo il meglio che i due territori sanno offrire. Claudio è in sala ad accogliere gli ospiti da sommelier provetto, e Stefano in cucina, con le sue consolidate proposte. La pari importanza che carni e pesci hanno nel menù permette di costruire due percorsi distinti o, forse meglio ancora, di tentare divertenti sposalizi.
La **cinta senese** domina fra gli antipasti, con lardo, lonzino, finocchiona, guanciale, salsiccia in sugna, insieme ai crostini di fegatini e, per il mare, all'insalata di sconcigli e calamari o alle frittelle di bianchetti. A seguire **tagliolini in salsa di coccio e pecorino romano** o al nero di seppia, **ravioli di pesce con vongole e lupini** ma anche **pappardelle al salmì di lepre** e maccheroni alla toscana per i primi. Spezzatino di pesce serra, cozze al ripieno di gamberi e calamaretti, **filetto di ricciola** si alternano invece, fra i secondi, con tagli di fiorentina, filetto con i fegatini, **polenta con salsicce e *tracchie* di maiale**. Si chiude con una piccola ma curata la selezione di formaggi, valorizzata da un abbinamento con vini dolci al calice che vale anche per i dessert: mousse al cioccolato, semifreddi al caffè o al torrone, torta di ciliegie e gelati di produzione propria come gianduia, zabaione e stracciatella.
Ricca carta dei vini con ricarichi corretti.

Nella vicina **Itri** (9 km), la macelleria Scherzerino dove comprare, fra l'altro, la salsiccia di Monte San Biagio di produzione propria.

21 KM A SE DI ROMA SS 215

ZARAZÀ

Ristorante
Via Regina Margherita, 45
Tel. 06 9422053
Chiuso il lunedì
Orario: mezzogiorno e sera
Ferie: in agosto
Coperti: 50 + 30 esterni
Prezzi: 30 euro vini esclusi
Carte di credito: tutte tranne DC

Trovate il ristorante di Bruno e Piera Bronzini nel cuore dei Castelli Romani, lungo una strada che si affaccia come un balcone naturale sulla pianura che si estende verso la capitale. Accomodati nelle accoglienti sale interne o nella terrazza panoramica, il patron vi descriverà le proposte del giorno, che variano secondo stagione senza abbandonare il solco di una schietta tradizione.
Trascuriamo l'antipasto della casa per passare senza indugio ai sapidi primi, prevalentemente romaneschi, ovvero i **bucatini all'amatriciana** o alla *gricia*, i **tonnarelli cacio e pepe**, i tagliolini al ragù di involtini di manzo ma anche le mezzemaniche alla "non carbonara" (con spuntature di maiale, fiori di finocchio selvatico e pecorino), le lasagne con asparagi e zucchine o gli gnocchi al radicchio. A seguire, ecco **trippa al sugo con menta e pecorino**, **abbacchio al forno** o a scottadito, **coda alla vaccinara**, **baccalà in umido**, millefoglie di stracotto di manzo con radicchio e pollo al tegame con prosciutto, salvia e limone; una menzione speciale per i contorni di stagione che contemplano – oltre alle patate al forno – cicoria, ramoracci, fagiolini corallo in padella, ratatouille di peperoni, melanzane e zucchine o **vignarola con guanciale**, **fave e carciofi**. Si finisce con i dessert preparati dalla signora Piera, ad esempio il tiramisù al caffè o alle pere e cioccolata, il gelato di zabaione con uvetta al brandy o con scaglie di cioccolato e le crostate di frutta.
La carta dei vini è prevalentemente regionale; ricarichi corretti.

Da Rolando Nolinari, via San Giuseppe Calasanzio, tutte le specialità tradizionali di Frascati: pupazza, pangiallo, torroncini, ciambelle al vino e pane cotto a legna.

DIVINO AMORE

Trattoria
Via Sacra Famiglia, 3
Tel. 0775 290325-340 5834612
Chiuso la domenica
Orario: mezzogiorno e sera
Ferie: 10-31 agosto
Coperti: 35
Prezzi: 35 euro vini esclusi
Carte di credito: tutte, Bancomat

Posizionata nei pressi della stazione di fronte alla chiesa della Sacra Famiglia, questa accogliente trattoria a conduzione familiare si conferma un ottimo riferimento per la gastronomia ciociara. La cucina di Simonetta ha saldi legami con la tradizione e si arricchisce del prezioso contributo di Enzo, che ricerca le materie prime nel variegato mondo dei piccoli produttori della zona.
Appena accomodati, ecco arrivare la ricottina di pecora servita in fruscelle di vimini fatte a mano, i salamini di bufala e cinghiale, il lardo e il carpaccio di bufala e buoni **formaggi** locali che ritroverete a fine pasto. Fra i primi spiccano le **zuppe** – segnaliamo quelle di pane con cannellini di Atina e di poverelli e funghi porcini – ma non sono da meno i tortelloni all'opera ripieni di ricotta e tartufo, i **fini-fini con con salsiccia e broccoletti**, i **sagnarelli al ragù bianco di agnello con fave e carciofi** o le fettuccine alla ciociara. A seguire il ***mattarellum*** (straccetti di bufala, aromatizzati da diciotto erbe e arrotolati su piccoli mattarelli di legno), il brasato di bufala al Cesanese con polenta, l'**agnello disossato al forno** ripieno con carciofo violetto, lo strudel di manzo ripieno con provola di bufala affumicata, pachino e pancetta e il **baccalà panato** con farina di polenta ai ferri. Sfoglia ripiena di granella di torrone, crema e cioccolata, sbriciolata con crema alla vaniglia del Madagascar, crostatine con marmellata e ciambelline al vino per finire
Una discreta lista di vini, prevalentemente territoriale, accompagna adeguatamente il pasto.

FROSINONE

SELLARI

Trattoria
Via del Cipresso, 28
Tel. 0775 852715
Chiuso il sabato
Orario: mezzogiorno e sera
Ferie: 15-31 luglio
Coperti: 80
Prezzi: 28-30 euro vini esclusi
Carte di credito: tutte, Bancomat

Punto di riferimento per gli amanti della cucina tradizionale ciociara, questa trattoria storica di Frosinone, posizionata nella parte alta della città, propone piatti semplici dal gusto deciso.
In cucina mamma Elena, con la figlia Maria, continua ad ammassare con sapienza la pasta all'uovo e a preparare sughi e arrosti con mano esperta. In sala l'atmosfera cordiale e familiare è garantita da Giacinto e dal fratello Carlo, che vi racconteranno con gentilezza il menù stagionale. L'antipasto prevede una serie di salumi locali con salsicce sott'olio fatte in casa, mozzarella di bufala e caciotta primo sale. A seguire primi piatti robusti, come le **sagne pelose con fagioli cannellini di Atina**, gli **gnocchi di patate al sugo di carne**, le **fettuccine con i funghi**, i rigatoni alla carbonara, i **bucatini all'amatriciana** e i **fini-fini al pomodoro**. Tra i secondi consigliamo il **pollo ruspante alla pietra** o con i peperoni e la **trippetta al sugo**, ma meritano un assaggio anche la bufaletta al coccio, l'**agnello a scottadito**, la **coda alla vaccinara** e il **baccalà in umido con i ceci** oppure al sugo con la cipolla. Per finire zuppa inglese, panna cotta, tiramisù, tozzetti e ciambelline.
La carta dei vini, con proposte locali e nazionali, accompagna adeguatamente il pasto; non manca una piccola selezione di liquori e amari.

Enoteca Celani, via Aldo Moro 401: selezione di vini, distillati e specialità alimentari. Degustazione di vini e Champagne in abbinamento a ostriche e stuzzichini.

GAETA

69 KM A SE DI LATINA SS 148

LA CANTINELLA GAETANA

Ristorante
Via Duomo, 13-16
Tel. 0771 450005
Chiuso il martedì
Orario: mezzogiorno e sera
Ferie: 15 giorni in gennaio
Coperti: 50 + 50 esterni
Prezzi: 30-35 euro vini esclusi
Carte di credito: tutte, Bancomat

La Gaeta medievale ci affascina sempre con i suoi vicoli e palazzi pieni di storia, che ci portano col pensiero fino al Risorgimento, quando la cittadina subì un lungo assedio prima di cadere nelle mani delle truppe piemontesi che stavano attuando l'unità d'Italia. Qui trova sede La Cantinella, che ha recentemente rinnovato il suo dehors per renderlo ancora più accogliente.
Il menù dipende essenzialmente dal pescato, e ogni volta è piacevole scoprirne le sorprese di giornata. Nella nostra ultima visita, ad esempio, accanto ai rituali antipasti – vari marinati, mitili, crostacei freschisimi, polpetti affogati e **insalata di mare** – abbiamo trovato le **alici imbottite e fritte** e i bocconi di spada, melenzane e provola. A seguire i **ravioli ripieni con scorfano e pistacchio con melanzane croccanti**, i **bucatini con le sarde e finocchietto selvatico**, le **linguine con i ricci di mare e mentuccia fresca**, la calamarata al profumo di timo e pomodoro fresco e il risotto al profumo di mare. Fra i secondi, oltre a varie preparazioni che dipendono dalla generosità del mare, trovate sempre una **frittura di paranza** e il trancio di tonno brasato con il porro caramellato. Nei mesi più freddi, la carta vira un po' più sulla terra, e dunque largo a **zuppe di cereali**, frittate, carni grigliate o stufate e verdure passate in padella. Si finisce con dessert di fattura casalinga come torte al limone, zuccotto con gelato alla vaniglia, crostate di confetture e frutta fresca.
La cantina si arricchisce di anno in anno di nuove etichette, con un occhio al territorio e un altro oltre confine.

Genzano di Roma

25 km a sud di Roma

Pietrino e renata

Ristorante
Via Cervi, 8
Tel. 06 9391497
Chiuso il lunedì
Orario: mezzogiorno e sera
Ferie: variabili
Coperti: 80
Prezzi: 30-35 euro vini esclusi
Carte di credito: tutte tranne AE

I Castelli sono una meta tradizionale per le gite estive fuori porta dei romani e il lago di Nemi, sul quale si affaccia Genzano, è una tappa privilegiata. Godetevi il fresco, dunque, se capitate qui nella bella stagione, ma sappiate che la cucina di Pietrino e Renata, solida e affidabile nei classici romaneschi, dà il meglio di sé soprattutto nei robusti piatti invernali, con le **zuppe** a valere, da sole, il viaggio.
Dopo gli antipasti – proposti dalle figlie in sala, Claudia e Giorgia – a base di salumi, formaggi, frittate, verdure grigliate e bruschette, entrano in scena **fettuccine**, **pappardelle** e rigatoni conditi **all'amatriciana**, alla carbonara, **con la *pajata***, il ragù di cinghiale o i **funghi porcini**, secondo il periodo. Accompagnati dalle verdure ripassate in padella, i secondi contemplano il **bollito alla picchiapò**, la **coda alla vaccinara**, il pannicolo di manzo con pomodoro e finocchietto selvatico, l'ossobuco, la **cacciagione** in varie preparazioni e le grigliate miste. Casalinghi dessert chiudono degnamente il pasto.
La cantina offre una buona selezione di vini locali, con qualche escursione fuori regione.

Il pane casereccio di Genzano è l'unico ad avere l'igp; lo trovate nei forni a legna di Bruno Ripanucci, in corso Don Minzoni 29, e al Panificio Tosca di Iacoangeli, in via Italo Belardi 45.

Greccio
Spinacceto

11 km a NO di Rieti

Hosteria di nonna Gilda

Osteria tradizionale-wine bar
Via Limiti Sud, 85-87
Tel. 0746 753144
Chiuso la domenica
Orario: mezzogiorno e sera
Ferie: 15 giorni tra luglio e agosto
Coperti: 25 + 10 esterni
Prezzi: 22-26 euro vini esclusi
Carte di credito: tutte, Bancomat

Chi ricorda i "generi misti" del dopoguerra dove era possibile comprare un etto di salame, due candele e magari farsi anche un cicchetto? Da Nonna Gilda ancora si può. Appena si entra c'è il vecchio bancone del bar dove un po' tutti, in paese, si accostano per un caffè o le sigarette, o per imboccare una porticina interna che dà sul minimarket adiacente.
La gestione, di generazione in generazione, è sempre stata al femminile: da nonna Gilda che ristorava le comitive di pellegrini sulla via del santuario francescano a sua nipote Ellide Cipriani, che oggi si occupa della sala mentre la mamma è in cucina. Appassionata sommelier, Ellide ha realizzato una intelligente carta dei vini a prezzi da enoteca, disponibili anche al calice. Accenna ogni tanto ai modi rudi dell'ostessa *d'antan* ma in realtà è una dolcissima giovane mamma, e non c'è da meravigliarsi se la sera tanti giovani preferiscono il suo locale al pub. Per accompagnare un bicchiere ci sono sempre prosciutto di Norcia e formaggi misti con olive e sottoli, ma anche pizze rustiche con verdure, pane burro e alici, assaggini di frittata con le erbe. E poiché la fame vien mangiando, ecco i **pizzicotti acqua e farina**, i **ravioli di ricotta**, i **tagliolini ai porcini** o al tartufo, le **zuppe di legumi con farro** o maltagliati. Al capitolo secondi, soprattutto animali di piccola taglia: pollo, **lepre alla cacciatora**, piccione e fagiano. L'**anatra all'arancia** (o arrosto con patate) è un vanto del locale, e va richiesta in anticipo.
Ciambellette, torta di ricotta, crostate con marmellate di casa per finire.

La Torrefazione Olimpica di Sandro Faraglia è a **Rieti** (11 km), in viale Matteucci 88 e in viale Leonardo 7 a Santa Rufina. Ampia scelta di miscele e selezioni di pregio, accuratissimo processo di tostatura.

20 KM A SE DI ROMA SS 511

LA BRICIOLA DI ADRIANA

Ristorante
Via D'Annunzio, 12
Tel. 06 9459338
Chiuso domenica sera e lunedì
Orario: mezzogiorno e sera
Ferie: in agosto
Coperti: 35 + 15 esterni
Prezzi: 35 euro vini esclusi
Carte di credito: tutte, Bancomat

Il clima familiare che Adriana Montellanico riesce a ricreare nella sua Briciola è una delle ragioni per cui questo locale ha saputo guadagnarsi tanti *aficionados*. Siamo nel cuore di Grottaferrata, e nella bella stagione potrete accomodarvi a uno dei pochi tavoli della veranda esterna. Ascoltate con attenzione il racconto dei piatti proposti giornalmente e potrete meglio cogliere la passione con cui sono realizzati e difesi, a dispetto di mode o convenienze passeggere.
Il menù è vasto e variabile, ma ancorato ad alcuni classici che hanno consacrato Adriana come una delle cuoche più rappresentative della regione. Per cominciare, oltre alle celeberrime **zucchine alla velletrana**, si può trovare la **vignarola** (tegame di piselli, fave e carciofi) e la **misticanza con i nervetti**. I primi piatti propongono **zuppa di fagioli e finocchiella** e quella di farro e castagne, **pappardelle al ragù di coniglio** e girelle ai funghi porcini, oltre alla consigliabile **minestra di broccoli in brodo d'arzilla**. Passando ai secondi, non si possono mancare l'**abbacchio disossato alla cacciatora** o al vino e il **tegamino di alici otti e indivia**, ma provate anche il **coniglio ripieno**, i moscardini in umido o lo **stinco di vitello al forno**, magari accompagnando il tutto con i carciofi alla romana. Millefoglioline alla crema chantilly, *crumble* di pere e cioccolato, semifreddo al caffè e crostate di frutta sono i casalinghi dessert di fine pasto.
La carta dei vini guarda prevalentemente ai Castelli Romani e non manca qualche buon distillato con cui suggellare una sosta dal respiro *slow*.

Al mercato coperto, il giovedì e il sabato, Irma Stirpe propone ogni tipo di erbe aromatiche e selvatiche; in via del Pratone 88, Valentino il mago è rinomato per pani casereccі e dolci da forno.

GROTTAFERRATA

20 KM A SE DI ROMA SS 511

L'OSTE DELLA BON'ORA

Osteria tradizionale
Via Vittorio Veneto, 133
Tel. 06 9413778
Chiuso lunedì e martedì
Orario: mezzogiorno e sera
Ferie: fra giugno e luglio
Coperti: 35 + 15 esterni
Prezzi: 33-35 euro vini esclusi
Carte di credito: tutte, Bancomat

È sempre una bella esperienza gastronomica quella che si vive da Massimo Purificati e da Maria Luisa Zaia (per tutti Marisa): lui in sala e lei in cucina; lei schiva e riservata e lui un fiume in piena, capace di coinvolgere ogni tavolo parlando di mille cose in modo informale ma sempre colto e rispettoso.
Un anarchico della ristorazione, il patron, che ama far suonare sul giradischi del locale vecchi vinili di rock d'annata, ma anche legato a doppia mandata al suo territorio: presentato con prodotti e ricette anche dimenticati, e talvolta attraverso l'organizzazione di eventi a tema risalenti alla cucina rinascimentale o romana antica. I figli danno una mano in sala, proponendovi – insieme al buon pane cotto a legna – crostini e coppiette, **carciofi fritti** e carcotto (la punta di vitello porchettata al vin cotto). A seguire l'**amatriciana** in cornucopia di pecorino, i ravioli di carbonara, gli **spaghetti cacio e pepe**, il cannellone di cinghiale, i **rigatoni al ragù bianco di faraona** e le **fettuccine con la cipolla**. Fra i secondi, assaggiate il **coniglio alle erbe**, l'**abbacchio alla cacciatora**, la **trippa alla romana**, lo **stinco di maiale al forno**, il **pollo con i peperoni**, i ramoracci (erbe stagionali) con le patate, e poi il *gaffo*, piatto amato dal maestro Veronelli: la **guancia di vitello brasata al vino** e agli odori. Mousse di cioccolato bianco o con la crema di cachi e vaniglia per chiudere degnamente il pasto.
Buona e ampia la carta dei vini. Segnaliamo inoltre il "diritto di tappo": non solo la possibilità di portarsi via il vino non finito, ma addirittura quella di arrivare da casa con proprie bottiglie.

Caseificio Costanzo, in zona Squarciarelli: mozzarella di bufala campana, ricottine, scamorze e provole affumicate.

Isola di Ventotene

76 km da Latina + 18 minuti di traghetto da Anzio, Formia o Terracina

Il giardino

Ristorante
Via Olivi, 43
Tel. 0771 85020
Non ha giorno di chiusura
Orario: mezzogiorno e sera
Ferie: non ne fa
Coperti: 40 + 80 esterni
Prezzi: 35 euro vini esclusi
Carte di credito: tutte tranne AE

Trecento abitanti in inverno e un'esplosione di turisti d'estate, ma quelli che non pretendono che una meravigliosa isola di pescatori e produttori di lenticchie si involgarisca in una sguaiata *movida*. Non è mancata, negli ultimi anni, qualche pennellata erotico-culturale del mondo della celluloide: la schiena-violoncello della Ferrilli a mollo nelle *Ferie d'agosto* di Paolo Virzì e il saluto sincopato di Nanni Moretti ai suoi parrocchiani ne *La messa è finita*. Ma basta tornare indietro di qualche decennio per scoprirle acque maledette dagli oltre ottocento confinati politici: anarchici, socialisti e comunisti indesiderati al regime fascista.
Venendo al locale, si tratta di una gestione tutta famigliare: Candida in cucina, il papà Giovanni a occuparsi del reperimento delle materie prime e soprattutto Anna in sala, a dirigere, informare, consigliare su piatti e vini. Comincerete con vari antipasti, dal crostino con polpetto affogato ai **fiori di zucca ripieni di ricotta e pecorino**, dalla **parmigiana di melanzane** alla **ricciola in carpione con cipolla rosa di Ventotene** e ancora tortino di alici e pomodori, fresella *alla longa* con pomodori e basilico e lenticchie di Ventotene con scarola e polpetto affogato. A seguire, **paccheri con scorfano**, linguina con dentice marinato in bianco con maggiorana e timo, **zuppa di lenticchie di Ventotene** e pasta fresca al nero di seppia con passatina di fave e seppie saltate. Il secondo dipende dal pescato, e dunque ecco alternarsi **ricciola con capperi, olive e basilico**, rotondi (pesce povero locale) *arrecanati* al profumo di origano, **merluzzo al limone**, alalonga (varietà di tonno locale) alla piastra, **razza e patate** e involtino di ricciola.
Dessert casalinghi per finire e buona carta dei vini ad accompagnare il pasto.

Labro

22 km a nord di Rieti

Boccondivino

Enoteca con mescita e cucina
Via Garibaldi, 9
Tel. 0746 636086
Chiuso il lunedì
Orario: sera, domenica e festivi anche pranzo
Ferie: 15 gennaio-15 febbraio
Coperti: 25 + 12 esterni
Prezzi: 18-22 euro vini esclusi
Certe di credito: tutte, Bancomat

Il piccolo borgo medievale di Labro, al confine tra Lazio e Umbria, vale una visita per il suo castello, i torrioni e le porte d'accesso, nonché per affacciarsi sul meraviglioso panorama del sottostante lago di Piediluco. In un ambiente così particolare ci vuole gusto anche nelle proposte gastronomiche, affinché le specialità territoriali siano quasi propaggini della bellezza intorno. Ci è riuscito appieno Mauro Moroni con il suo piccolo ma curatissimo ristorantino. Con intelligenza e cultura ha saputo valorizzare prodotti della Sabina umbro-laziale attraverso piatti semplici ma sempre memorabili dal punto di vista gustativo.
È Mauro stesso a stagionare in grotta salumi e formaggi – dal delicato primo sale al pecorino ubriaco – di piccoli produttori della zona, serviti come antipasti in alternativa a crostini e pizzole con erbe spontanee come le *vitabbie* o la cicoria di campo. Tra i primi consigliamo le **zuppe**, ad esempio quella di farro o di ceci e baccalà, l'**orzotto con il *lupari*** (luppoli selvatici) oppure pietanze asciutte come i **pizzicotti al ragù casereccio** o le **pappardelle con il sugo di quaglia**. Nei secondi dominano le carni reperite dai produttori del luogo come lo **spezzatino di cinghiale**, l'**agnello al forno**, il maiale (presente anche nella **padellaccia**, un misto di carni, interiora e verdura) e il manzo. Tra le novità segnaliamo il soufflé di formaggi al tartufo e la bottarga di Cabras che Valeria, compagna di Mauro e direttrice del minuscolo teatro locale, porta ogni tanto dalla sua Sardegna per contaminare piacevolmente il menù. Di produzione propria anche i dessert, quali crostate con confettura casalinga, *crème brûlée* e panna ricotta in crema d'arancia.
Il menù degustazione a 18-22 euro varia ogni giorno. Ampia e oculata la scelta di vini.

LA LOCANDA DEL BERE 

Ristorante
Via Foro Appio, 64
Tel. 0773 258620-618620
Chiuso la domenica
Orario: mezzogiorno e sera
Ferie: 15 giorni in agosto
Coperti: 50
Prezzi: 35 euro
Carte di credito: tutte, Bancomat

L'ospitalità che Maurizio e Caterina Mangoni sanno offrire (lui in sala, lei in cucina con l'aiuto di Antonella e Andrea) fa sentire il cliente a casa propria e, proprio per questo, rifugge da mode o improvvisazioni che potrebbero alterare il senso di bella familiarità che si respira.
Quindi, ecco una carta consolidata – ma non banale o ripetitiva – che continua ad avere come idea centrale quella dei piatti-degustazione, soprattutto per gli antipasti, e poi un assaggio di gelati e frutta finali. Variano, secondo le stagioni, l'antipasto dell'enoteca, il rustico di pesce, gli affumicati di carne o la degustazione di formaggi. A seguire, fra la dozzina di primi disponibili, segnaliamo **minestra di legumi e cicoria**, **pasta e fagioli**, tagliolini con carne di bufala e porcini, tortelli di melanzane e **strozzapreti con il cinghiale**. Chi ama il pesce potrà trovarvi quello della non lontana Terracina o il baccalà con il tartufo, mentre le proposte di terra vanno dallo **stinco di vitello** al **cosciotto di maialino**, dall'**agnello al forno** alla faraona ripiena.
Detto delle degustazioni finali, ricordiamo la ricca scelta di vini, sia da comprare, sia da degustare, nella bella sala riservata al piano inferiore.

Il caseificio La Lola di Alveti & Camusi, strada Acque Alte 144, offre fiordilatte, provole e stracchini; la Cerasella di Mario Santucci, al km 92 della Statale 148 Pontina, offre un bell'assortimento di formaggi, dalla mozzarella locale fino ai più rari d'Italia e del mondo.

LA TABERNA DEI LARI

Osteria di recente fondazione
Via Leopardi, 21
Tel. 0773 411061
Chiuso il lunedì
Orario: solo la sera
Ferie: in agosto
Coperti: 40 + 20 esterni
Prezzi: 35 euro vini esclusi
Carte di credito: tutte, Bancomat

Roberto Faraglia in cucina e la signora Isabella in sala gestiscono ormai da alcuni anni questo grazioso locale che si propone come momento di equilibrio fra qualche spunto più creativo e la valorizzazione delle materie prime del territorio e della tradizione locale.
È questa seconda linea quella che ci interessa di più e che negli antipasti trova le sue espressioni in piatti come la frittatina di asparagi selvatici, il **tortino di melanzane**, il coccio di calamaretti e patate, il **sauté di cozze**, **vongole e cannolicchi**. Fusilli di farro con lepre e cacio fiore, **sedani cacio e pepe**, linguine al granchio si affiancano alle tante zuppe, soprattutto invernali: **broccoli e arzilla**, **ceci e baccalà**, cicerchie e erbette. La costa e il ricco mare del Circeo non sono lontani e suggeriscono lo **scorfano con carciofi**, il **tortino di alici e patate**, la **zuppetta di pesce** in un'alternanza con le buone carni come lo stracotto di maremmana, lo **stufato di cinghiale** e il capocollo di cinta senese arrosto con ceci. Rinnoviamo il consiglio di gustare a fine pasto le ricche "tavolozze", come le chiama Roberto, di **formaggi** e affettati, con numerose scelte anche fuori regione, e di chiudere con uno dei tanti dolci in continua rotazione: mousse al cioccolato, granita di fichi, millefoglie, cremolata di fragole.
La buona scelta di vini, sia laziali, sia del resto d'Italia, permette di abbinare al meglio le proposte della cucina.

Lubriano

33 km a nord di Viterbo

Il vecchio mulino

Ristorante
Via Marconi, 25
Tel. 0761 780505
Chiuso il lunedì
Orario: mezzogiorno e sera
Ferie: 1 settimana in estate, 24-25 e 31 dicembre
Coperti: 28 + 8 esterni
Prezzi: 25-30 euro vini esclusi
Carte di credito: le principali, Bancomat

Se la temperatura è appena mite chiedete di preparare un tavolo sul balcone perché il paesaggio vale il viaggio. Lo sguardo spazia per chilometri nel verde dei boschi e nel giallo ocra del tufo dei profondi calanchi e si ferma sul campanile di Civita di Bagnoregio, esattamente di fronte a voi. Altrimenti troverete posto nelle due salette e il panorama vi attenderà appena fuori la porta, sul belvedere del paese.
La cucina di Barbara Pettinelli è radicata nella Tuscia, ma non mancano suggestioni toscane a contaminare il menù. Per partire, Mauro vi proporrà crostini e affettati, **insalata di trippa** o una consigliabile **pappa al pomodoro**. A seguire **zuppa di funghi**, **ribollita**, ***carabaccia*** (zuppa di cipolle) e zuppa della memoria con verdure dell'orto e uovo in camicia, mentre sul versante primi asciutti ecco **maltagliati**, **fettuccine** e ***pici*** conditi con verdure, funghi e ragù di manzo o cacciagione. Fra i secondi non mancate il **cibreo** realizzato come tradizione vuole – fegatini e rigaglie di pollo saltati a fuoco vivace e poi legati con l'uovo – ma non mancano fiorentine, tagliate, **coniglio in porchetta** e **pollo alla viterbese**. In alternativa, piatti a base di verdure come la *ficarella* (fichi acerbi spaccati e fritti) oppure contorni di stagione come la cicoria saltata in padella. Casalinghi dessert accompagnati da un Grechetto passito o da un Aleatico chiudono degnamente il pasto.
Oltre ai discreti sfusi della casa c'è una piccola carta, per lo più con etichette locali.

A **Castiglione in Teverina** (11 km), in piazza Maggiore 14, l'Antica Norcineria Morelli offre prosciutto, capocollo, lombo rustico con lardo, salami e guanciale stagionato di produzione artiginale.

Magliano Sabina
Madonna degli Angeli

54 km a ovest di Rieti

Ristorante degli Angeli

Ristorante con alloggio
Località Madonna degli Angeli, 1
Tel. 0744 91377
Chiuso domenica sera e lunedì
Orario: mezzogiorno e sera
Ferie: ultime due settimane di agosto
Coperti: 100 + 50 esterni
Prezzi: 35 euro vini esclusi
Carte di credito: tutte, Bancomat

Dal casello autostradale di Magliano Sabina ci si immette sulla statale e poi, seguendo le indicazioni, su un'erta stradina che domina la valle del Tevere e il Soratte. Non più di un quarto d'ora ed eccovi con le gambe sotto il tavolo in una sala panoramica elegantemente arredata, accuditi da un servizio professionale e premuroso.
«I contadini – dicono i fratelli Marciani – sono i nostri migliori collaboratori». Tutte le materie prime, infatti, vengono dall'areale sabino e sono frutto di ricerca e di rapporti di fiducia consolidati negli anni. La serie degli antipasti, tolti i salumi artigianali serviti con crostini di fegato che non mancano mai, varia secondo stagione. Nella nostra ultima visita abbiamo trovato **carpaccio con funghi porcini**, aringa affumicata con arance e finocchi, trippa verde a filetto, tortino di carciofi, **coratella di agnello** e puré di fave con pancetta croccante. A seguire, assaggiate **pappardelle con ragù di cinghiale** e **fusilli con ragù di coda**, ma ci sono anche gli strozzapreti con asparagi selvatici e pancetta e una consigliabile **zuppa di cicoria e patate** con cannolo di ricotta. Tra i secondi dominano le carni provenienti da allevatori locali – **abbacchio** e capretto, **faraona alla diavola**, fegatini di maiale alla brace col rosmarino – ma il **baccalà con pomodoro e olive** o l'arrosto di pernice sono due cavalli di battaglia del locale. Dopo una notevole selezione di **formaggi** entra in scena una bella gamma di creativi dessert.
L'eccellente carta dei vini accontenta anche i bevitori più esigenti.

Marino

22 km a SE di Roma SS 511

Taverna Mari (ex Cantina Colonna)

Ristorante
Via Cavour, 100-102
Tel. 06 93668261-340 1042466
Chiuso il mercoledì
Orario: sera, sabato e domenica anche pranzo
Ferie: 15-20 giorni in agosto
Coperti: 60 + 15 esterni
Prezzi: 25-30 euro vini esclusi
Carte di credito: le principali, Bancomat

Abbandonati i vecchi locali in cui l'attività si avviò, dopo decenni di esperienze nella ristorazione castellana, la famiglia Mari prosegue la positiva crescita gastronomica nei nuovi spazi di proprietà. Due luminose sale e qualche tavolo all'esterno, un arredo piacevolmente accogliente, il servizio garbato e puntuale, un'eccellente cucina castellana che già conoscevamo sono il biglietto da visita del locale. Fabrizio ed Enzo si prendono cura dei clienti, mentre in cucina Iole, con l'ausilio di Franca, elabora portate generose e saporite utilizzando prevalentemente materie prime locali.
L'antipasto è vario e abbondante e vi consigliamo di non saltarlo: fritti vegetali, salumi artigianali, frittate alle erbe, **trippa alla romana**, fagioli in diversi condimenti, formaggi freschi e ortaggi grigliati o infornati. Tra i primi piatti potrete trovare i **maltagliati con broccoli romaneschi e guanciale**, **gnocchi al sugo**, **bucatini alla amatriciana** o cacio e pepe, **fettuccine con *regaje*** (fegatini di pollo), **minestra con fagioli cannellini e ramoracce**, pasta e ceci. Poi, ecco **baccalà**, **pollo con peperoni**, **coda alla vaccinara**, involtini al sugo, senza dimenticare l'**abbacchio a scottadito** o alla cacciatora. I carciofi romaneschi, durante la stagione, restano il contorno più importante, ma non mancano ortaggi di stagione e verdure ripassate in padella. Si chiude con crème caramel, tiramisù, millefoglie, torta al cioccolato e crostate di frutta.
Fabrizio saprà guidarvi nella scelta di un'adeguata bottiglia, tra le molte che la selezione propone, peraltro con ricarichi corretti.

In via Roma 53, la gastronomia Zoffoli: salumi e formaggi di qualità, prelibatezze varie, dolci tipici. In stagione, le ciambelle al mosto, specialità di Marino.

Minturno
Scauri

85 km a SE di Latina SS 7

L'Anfora

NOVITÀ

Ristorante-pizzeria
Via del Golfo, 50
Tel. 0771 614291
Chiuso lunedì e martedì, mai d'estate
Orario: mezzogiorno e sera
Ferie: a Natale
Coperti: 30 + 10 esterni
Prezzi: 30-34 euro vini esclusi
Carte di credito: tutte, Bancomat

Ancora fidanzati, Maria e Marco Coviello avevano già ben chiaro, nei pensieri, cosa fare nella vita: aprire un ristorante. Iniziò così un'avventura che oggi, a distanza di quasi vent'anni (e sebbene siano ancora giovani), si conferma nella sua validità. Il locale rifugge dai clamori turistici – non c'è neanche l'insegna sulla strada principale – ma sa accontentare un po' tutti: famigliole e giovani, se vogliono anche solo una pizza, così come l'appassionato del buon pesce. In entrambi i casi, spendendo cifre di assoluta correttezza.
Fra gli stuzzichini iniziali ci sono le **alici fritte** o marinate, le frittelle di alghe, le cicale di mare alla catalana e l'**insalata di mare** che preparano il terreno a una ricca scelta di primi, fra i quali segnaliamo la pasta col granchio papino, gli ***scialatielli* ai frutti di mare**, gli ***stringozzi* con cozze e cannolicchi** e i **ravioli al nero di seppia**. Detto che è quasi sempre disponibile una **zuppa di mare** "seria" (con scorfani, lucerne, pescatrice), fra le proposte ittiche Marco cerca prevalentemente il pescato di "coffa", con un occhio di riguardo per le splendide **ricciole** locali. In alternativa, **frittura di calamari e gamberi**, arrosto di seppie o calamari, ma anche una gustosa **zucchina ripiena di rana pescatrice**.
Dolci casalinghi come i frutti di bosco con la panna cotta, la torta di ricotta e pere, la torta con crema al limoncello e una piccola ma attenta selezione di vini completano una sosta resa ancora più piacevole dai recenti lavori di ammodernamento della sala e del piccolo dehors.

Montenero Sabino
Scrocco

26 km a sud di Rieti

Le streghe

NOVITÀ

Azienda agrituristica
Strada Scrocco
Tel. 0765 324146
Chiuso da lun a giovedì
Orario: mezzogiorno e sera
Ferie: non ne fa
Coperti: 50 + 80 esterni
Prezzi: 27-30 euro vini esclusi
Carte di credito: Visa, Bancomat

Son tornate (con merito) "le streghe", al secolo Annalisa e Gabriella, dopo anni di assenza dalla guida. Quassù non si viene per caso ma il luogo è raggiungibile in una manciata di minuti passando sotto la Salaria in direzione Montenero e uscendo al bivio di Torricella Sabina; un po' più lungo l'itinerario panoramico, che s'inerpica dal piazzale antistante il paese. Nei fine settimana invernali ci si accomoda nelle salette interne presso il camino, d'estate nell'antistante veranda. Il servizio è alla buona e lo spartano menù non offre molte varianti, rispettoso com'è della stagionalità e delle materie prime locali. L'antipasto comprende di solito un piccolo assortimento di salumi artigianali con olive e sottoli casalinghi, oppure una *quiche* o magari un assaggio di frittata con asparagina. Tra i primi piatti citiamo i **maltagliati ai funghi** o al tartufo, le **lasagne con asparagi selvatici**, la **zuppa di farro** (coltivato in azienda) con fagioli e la polenta in vari modi. A seguire, soprattutto buone **carni alla brace**, ma meritano una segnalazione anche alcuni piatti vegetariani come le **melanzane alla parmigiana** e lo sformato di cavolfiori. Si chiude con crostate e tiramisù, lasciandosi stregare da nocino, ratafià di ciliegie, cedrina, limoncello e altri liquori fatti in casa. Ruspante ma onesto il vinello locale; per i più esigenti c'è in serbo qualche buona bottiglia.
Il menù degustazione della domenica, a 27 euro, comprende più assaggi di primi e secondi e la ricotta appena fatta dal pastore accanto.
Nel periodo da giugno a ottobre il locale è sempre aperto.

A **Contigliano** (20 km), in via Madonna del Piano, l'azienda agricola Le fontanelle offre salumi e carni certificate bio.

Monte Porzio Catone

25 km a SE di Roma

Fontana candida

NOVITÀ

Ristorante
Via Fontana Candida, 5
Tel. 06 9449030
Chiuso domenica sera e lunedì
Orario: mezzogiorno e sera
Ferie: non ne fa
Coperti: 100 + 30 esterni
Prezzi: 25-33 euro vini esclusi
Carte di credito: le principali

Risorta dal limbo in cui era piombata, dopo un passato di buona fama, grazie alle cure professionali del bravo ed esperto Antonio Ciminelli, ecco approdare felicemente in guida questo ampio e accogliente locale, a ridosso dei rinnovati vigneti dell'omonima cantina.
Facile raggiungerlo, appena usciti dal casello autostradale di Monte Porzio Catone, per poi buttarsi subito a sfogliare la ricca carta dove si alternano proposte fedeli alla tradizione e alcune divagazioni dai canoni regionali, sempre ben eseguite. Si parte con selezioni di salumi e antipasti di mare, crudi e cotti, e si continua con una buona gamma di primi piatti. Nella nostra visita abbiamo assaggiato la **zuppa di ceci e baccalà**, le **fettuccine rustiche all'amatriciana**, i vermicelli cacio e pepe e le **pappardelle al ragù di cinghiale**. A seguire, piatti di terra e di mare: **capretto alla cacciatora**, piccione in casseruola alla Malvasia, **coniglio in umido con olive di Gaeta** nel primo caso; filetti di baccalà al profumo di agrumi, rombo in crosta di zucchine romanesche e varie grigliate del pescato di giornata nel secondo. Il tutto accompagnato da cicoria all'agro o in padella e dalla misticanza della campagna castellana con battuto di alici. Si può chiudere con un soffice tiramisù, panna cotta al caramello o altri casalinghi dessert.
Ampia e curata la carta dei vini; selezioni di caffè, tè e distillati.

In via Frascati 17 A, all'entrata del paese, la gelateria Antonelli offre una gamma di gusti invitanti e ben realizzati. Qui non si usano basi pronte ma solo frutta fresca, con buona fantasia nell'uso di spezie e mieli. Menzione per il cioccolato fondente e la panna montata alla frusta.

IL PONTICELLO

NOVITÀ

Ristorante
Via Romoli, 27
Tel. 06 9449353
Chiuso il lunedì
Orario: mezzogiorno e sera
Ferie: 16-31 agosto
Coperti: 100 + 100 esterni
Prezzi: 30-33 euro vini esclusi
Carte di credito: tutte, Bancomat

Bisogna lasciare il centro cittadino e raggiungere una piccola cresta tra i vigneti, per trovare il grazioso locale della famiglia Intreccialagli. Papà Claudio iniziò con la mescita e l'offerta di quello che la sua campagna forniva, poi venne la cucina, con la mutazione in tipica trattoria e quindi il ristorante, dove oggi mamma Imperia ancora tira la sfoglia per le fettuccine. Tre figlioli tengono il timone: il talento di Valerio fa marciare egregiamente la cucina, mentre Angela ed Erasmo governano l'accoglienza degli ospiti.
Il ricettario si basa essenzialmente su piatti di ispirazione territoriale ma non manca qualche tocco di creatività ben dosato. L'antipasto offre delicate fritture vegetali, buoni salumi e altre proposte a rotazione come la millefoglie di carciofi con passata di cicerchie e pecorino. Seguono i primi a base di pasta fatta in casa, dagli **spaghetti cacio e pepe con porri fritti** ai **tagliolini alla vignarola**, dai gnocchi di patate ai **maltagliati con ceci e funghi porcini** e ancora la **zuppa di broccoli e arzilla**. Poi, detto che il martedì e il venerdì troverete buone proposte di pesce fresco, sono consigliabili l'**agnello al forno**, lo **stinco di maiale arrostito**, le polpette di bollito fritte e le carni alla griglia, il tutto accompagnato da **carciofi alla romana**, puntarelle o cicoria di campo. Bavarese di castagne, crostate di confetture proprie, strudel alle pere o cialda croccante con crema e frutta fresca per chiudere.
Eccellente cantina con oltre 600 referenze, con un occhio di riguardo a territorio e prezzi.
In inverno il ristorante chiude anche la domenica sera.

Dalla fine Ottocento la famiglia Rapa offre carni di qualità nella macelleria di via Roma 38: chianina e abbacchi di Cori e Artena, pollame marchigiano, guanciali di Guarcino e il classico "quinto quarto".

MONTE PORZIO CATONE

25 KM A SE DI ROMA

I TINELLONI

Osteria tradizionale
Via dei Tinelloni, 10
Tel. 06 9447071
Chiuso il mercoledì
Orario: mezzogiorno e sera
Ferie: tra luglio e agosto
Coperti: 75 + 20 esterni
Prezzi: 28-32 euro vini esclusi
Carte di credito: tutte, Bancomat

Dicevano i Latini «*nomen omen*», ovvero nel nome il destino. Una signora che si chiama Tina Intreccialagli poteva occuparsi di automobili o microchips? Per fortuna ha seguito il destino che la voleva nel mondo dell'alimentazione e, da oltre vent'anni, allieta la sua clientela con piatti del canonico repertorio laziale, aiutata dalla figlia Paola ai fornelli e dal marito Enzo in sala. Rifuggendo dal dilagante marketing gastronomico il locale si presenta con sale linde e ben arredate, un servizio accurato e affabile, con il risultato che la sosta risulta piacevole e a basso tenore di stress.
Overture tradizionale con prosciutto di Bassiano e verdure grigliate sott'olio, per poi passare ai classici primi, dai **bucatini all'amatriciana** serviti in capienti insalatiere agli **spaghetti cacio e pepe**, dai **rigatoni alla carbonara** alle **fettuccine ai funghi porcini** senza trascurare, in stagione, le sapide zuppe. Tra i secondi non si abbandona il solco della tradizione, e dunque largo a **coratella con i carciofi**, **coda alla vaccinara**, **abbacchio a scottadito** e **baccalà in umido** con patate uvetta e pinoli, mentre l'arista al brandy o il coniglio alla cacciatora costituiscono possibili escursioni dai ricettari regionali.
Semplici dessert casalinghi come le crostate o la *crème brûlée* chiudono un pasto accompagnato da una discreta carta dei vini, prevalentemente regionale; ricarichi corretti.

Monte San Biagio

53 km a SE di Latina SS 7

Hostaria della Piazzetta

Trattoria
Viale Littoria, 13
Tel. 0771 566793
Chiuso il martedì
Orario: mezzogiorno e sera
Ferie: non ne fa
Coperti: 50
Prezzi: 32 euro vini esclusi
Carte di credito: nessuna

Flaviano e Luisa Rizzi e la loro Piazzetta sono ormai un'istituzione che, a distanza di vent'anni dagli inizi, non ha perso smalto né passione, continuando ad essere un punto di riferimento per la valorizzazione di ricette e materie prime di un territorio che, ruotando intorno a Monte San Biagio, varia dai boschi dei Monti Aurunci alle zone umide del Lago di Fondi.
Per iniziare potrete perciò trovare **funghi** (porcini, galletti, trombette dei morti), **zuppe** (all'erba pazza o alla santamaria) ma anche **rane fritte**, **lumache in umido**, *ambariegl* fritti. ***Pettl e fasuol***, *scialatiegl* con trombette dei morti, *zipp broccl e sasicchii*, **linguine coi *ambariegl*** (gamberetti di lago) sono alcuni fra i tanti primi disponibili, ovviamente legati alla disponibilità delle materie prime e alla stagione, così come sono persino troppo numerosi i secondi con cui Flaviano vi tenta: la "sua" **salsiccia** (diversa nella ricetta dalle altre del posto), lo **spezzatino di pecora**, gli ***abbuot*** (budelline di agnellini da latte), il **baccalà alla brace** o con peperoni secchi, i fegatelli di maiale con la loro rete. Per chiudere dolci semplici e tradizionali, dalla pizza pasquale con ricotta e crema alle crostate con marmellate fatte in casa, e i liquori di Flaviano: al limone, alle foglie d'olivo, alle giuggiole, al basilico.
Una piccola carta dei vini accompagna adeguatamente il pasto.

Al Forno Iannace, località **valle Marina**, troverete buon pane casereccio e dolci locali come tortoli di Pasqua e mostaccioli; l'Associazione per la promozione della salsiccia di Monte San Biagio dop, in via Provinciale San Magno, vi fornirà tutti gli indirizzi dove poterla acquistare.

Nettuno

60 km a SE di Roma SS 601

L'Uvarara

Trattoria
Piazza dei Volsci, 2
Tel. 06 98832247
Chiuso il martedì
Orario: sera, domenica anche pranzo
Ferie: variabili
Coperti: 26 + 10 esterni
Prezzi: 30-32 euro vini esclusi
Carte di credito: le principali, Bancomat

Alberto e Paola, il primo in sala e la seconda in cucina, sono i titolari del grazioso locale che si trova nella parte meno caotica di questa cittadina del litorale laziale. La cucina – che spazia dalla tradizione laziale a qualche influenza ferrarese importata dalla cuoca – è imperniata sulla freschezza dei prodotti reperiti in loco: dalle contadine del vicino mercato rionale e dai pescatori del porto.
Appena accomodati, ecco arrivare un profumato cesto di pani fatti in casa che introduce a un antipasto a base di verdure di stagione – pomodori con cuscus, melanzane e zucchine marinate, peperoni farciti con capperi e olive, tortini di patate o zucchine – e di pesce: sgombro e polpo marinati, bruschette di totano e insalata di polpo con frutta estiva. Tra i primi segnaliamo le trofie con gamberi, i **maltagliati con cozze, vongole e totani**, la **lasagnetta di mare**, i **tagliolini con ricciola e pomodoro pachino**. Poi, ecco la spigola con le mandorle, il **calamaro ripieno** con capperi, olive, uva sultanina e pinoli, lo **sgombro** servito con scorze di arancio ed emulsione di olio e origano, ma se non amate il pesce ci sono il **tortino di melanzane** grigliate e una buona selezione di carni provenienti dalla vicina Bassiano. Cassata, mousse di fichi o *cheesecake* con salsa di caramello e bavarese di fragole di fattura casalinga per finire.
La carta dei vini, frutto della passione e della competenza di Alberto, si segnala per la buona selezione regionale e per la presenza di mezze bottiglie.

Olevano Romano

56 km a est di Roma

Il boschetto

Ristorante annesso all'albergo
Viale San Francesco d'Assisi, 95
Tel. 06 9564025
Chiuso il mercoledì
Orario: mezzogiorno e sera
Ferie: 10-15 giorni in novembre
Coperti: 60
Prezzi: 30-35 euro vini esclusi
Carte di credito: tutte, Bancomat

NOVITÀ

Dall'autostrada Roma-Napoli uscite a Valmontone: ancora pochi chilometri e siete a Olevano Romano, gradevole paesino arroccato in collina, in mezzo ai boschi. Ad accoglervi con gentilezza nei luminosi ambienti del ristorante saranno il patron Silvestro con la figlia Giulia, che sapranno anche consigliarvi il giusto abbinamento, avendo sempre un occhio di riguardo ai Cesanesi del territorio.

Ai fornelli opera la signora Margherita che, pur pescando nel canovaccio della tradizione, non si nega qualche garbata divagazione, sempre manipolando materie prime stagionali e prevalentemente locali. Si può partire con il tortino di verdure con baccalà e crema di carciofi, la frittata paesana (timballo di patate, prosciutto e provola affumicata), il carpaccio di baccalà agli agrumi con le proposte dell'orto di casa, accompagnate da una delicata focaccia. Per continuare consigliamo i **ravioli di ricotta di pecora** in salsa di pomodori acerbi, i maltagliati con prosciutto e cimette di rapa (tutta la pasta è fatta in casa), il **risotto con funghi pioppini**, zucchine e zafferano o la **zuppa** del giorno, a rotazione stagionale. Fra i secondi ancora **baccalà**, proposto **in guazzetto**, ma anche **coniglio con olive**, arancio e finocchietto selvatico oppure al primosale, carré di agnello alle erbe e **costine di agnello a scottadito**. Millefoglie al cucchiaio con crema pasticcera calda, sfogliata di cachi, crema gelato con salsa al mosto cotto e zuccotto alla frutta per finire.

Buona la carta dei vini, in continuo arricchimento.

Paliano

37 km a NO di Frosinone

La galeola

Ristorante
Viale dei Bastioni, 111
Tel. 0775 57.9683-328 0525778
Chiuso il martedì
Orario: sera, sab e dom anche pranzo
Ferie: 15 giorni in luglio
Coperti: 50
Prezzi: 23-25 euro vini esclusi
Carte di credito: tutte, Bancomat

Paliano sorge in posizione panoramica su una bassa collina nella valle del Sacco, incastonato fra Ciociaria e campagna romana. Lungo la circonvallazione, al di sopra delle mura, trovate l'accogliente ristorante condotto da diversi anni, con passione e professionalità, da Valentina e Stefano, la prima in cucina e il secondo in sala. I piatti sono ispirati alla tradizione locale con qualche piccola divagazione sui ricettari sardi, terra d'origine di Stefano.

Per partire, oltre al tagliere di salumi locali ci sono **crostini di pane al nero di seppia con alici marinate** in casa, bufala di Amaseno e pomodorini, crudo di Bassiano e panzanella ciociara su fresella, burratina, torta rustica di cipolle e guanciale di Amatrice con caciotta ciociara. Poi, i consigliabili cannelloni ciociari con ricotta di bufala laziale e funghi porcini e le ***pataccacce* palianesi al ragù bianco di anatra** e ricottina di pecora affumicata, ma non sono da meno i paccheri con sugo di scorfano, olive di Gaeta e pecorino romano, i **fini-fini al cacio e pepe con guanciale croccante**, gli gnocchi di patate rosse di Viterbo con sugo di castrato o le **fettuccine con cicorietta di campo e porcini**. Fra i secondi spiccano il **galletto con peperoni di Pontecorvo e cipolla** e l'**agnello da latte a scottadito**, ma ci sono anche il **filetto di baccalà scottato al tegame con cavolo nero**, il saltimbocca alla romana con fagiolini all'agro e le polpettine di agnello con olive di Gaeta e purea di patate. Crostata calda alle visciole con spumone di ricotta di bufala, tiramisù al caffé in coppa con amaretti e strudel caldo alle renette con gelato per chiudere il sapido pasto.

La carta dei vini privilegia le etichette regionali. Non mancano birre artigianali, grappe e distillati nazionali ed esteri.

PALIANO

37 KM A NO DI FROSINONE

TAVERNA COLONNA

Ristorante
Via Lepanto, 5
Tel. 0775 571044
Chiuso domenica sera e lunedì
Orario: mezzogiorno e sera
Ferie: 1 settimana in gennaio, 1 in luglio
Coperti: 60 + 40 esterni
Prezzi: 33-35 euro vini esclusi
Carte di credito: tutte, Bancomat

Siamo a Paliano, nel cuore della Ciociaria e a pochi minuti dall'autostrada del Sole. La Taverna trova posto all'interno di Palazzo Colonna, in ottima posizione panoramica e con la possibilità di sedersi, nella bella stagione, nel cortile interno. La cucina è il regno di Vincenzo D'Amato, uno dei mille cuochi di Terra Madre, particolarmente attento alla qualità e all'origine delle materie prime. Nella sua attività è coadiuvato dalla moglie Francesca e dalle giovani figlie, che vi consiglieranno i piatti da scegliere.
Premesso che è possibile optare per un esaustivo menù degustazione, se decidete di ordinare alla carta potete iniziare con un delicato carpaccio di bufala al finocchietto, un tortino di verdure o con una più fresca insalata di tonno e pesce spada con foglie di melone e olio al basilico. Passando ai primi, segnaliamo gli strozzapreti in salsa di melanzane con bocconcini di pesce sciabola e capperi di Pantelleria, i **maccheroncini di pane con vongole veraci** e gli **gnocchetti a coda *de soreca* con sugo d'agnello**. Proseguite con il filetto di ombrina con asparagi, la **tasca di maiale ripiena di carciofi** e il classico **abbacchio a scottadito**. Li potrete accompagnare con i **carciofi alla *giudìa***, la misticanza saltata o le patatine al forno. Si finisce con un'ottima selezione di **formaggi** e vari dessert, fra i quali ricordiamo la crema di ciliegie e mela verde, il tortino di limone alla fragola e lo strudel agli agrumi.
Confermiamo quanto detto negli anni precedenti sulla cantina, che vanta un'eccellente varietà di etichette, alcune proposte anche al bicchiere.

L'Antica Pasticceria Anna, in corso Vittorio Emanuele II, offre ciambelle, giglietti, panpepato, amaretti e dolci delle feste.

PISONIANO

53 KM A NE DI ROMA A 24 E SP 47 E 50

BACCO

Trattoria
Via Piagge, 16
Tel. 06 9577224-9577005
Chiuso il lunedì
Orario: mezzogiorno, ven-dom anche sera
Ferie: 15 giorni in settembre
Coperti: 60
Prezzi: 28 euro vini esclusi
Carte di credito: tutte tranne AE

Uscendo al casello di Castel Madama e proseguendo sulla via Empolitana, in un quarto d'ora si arriva a Pisoniano, piccolo borgo rurale nell'alta valle dell'Aniene ai piedi del monte Guadagnolo. Una zona vocata alla produzione di un ottimo olio extravergine d'oliva, che ritroverete – insieme ad altre materie prime prettamente locali – nella cucina della trattoria Bacco.
Rita Bernardini, la storica cuoca, ha passato il testimone al giovane chef, Reda Mazouni, che sotto la sua supervisione va arricchendo, nel tempo, le proposte di cucina, senza abbandonare il solco di una tradizione gastronomica regionale che ha fatto la fortuna del locale. Dopo un ruspante antipasto composto da prosciutto, salsiccia casereccia e altri salumi artigianali, crostini con funghi, pecorino e verdure grigliate sott'olio, si può passare agli **gnocchi *longhi* con spuntature di maiale**, alla **pasta e fagioli**, ai ravioli di ricotta, alle ***sagne co' gliu beccalà*** (su prenotazione, è possibile degustare un intero menù a base di baccalà), alle **fettuccine con funghi porcini** o con carciofi e all'invernale **polenta** con porcini e spuntatura di maiale. A seguire soprattutto carni provenienti da allevamenti locali; se il **maialino al forno** e l'**abbacchio a scottadito** sono i classici del locale, ci sono anche il filetto con lardo di *pata negra*, l'involtino di vitello ripieno di funghi e parmigiano, il petto di pollo con scamorza, le salsicce e le lombate. Il tutto accompagnato da fagiolini, pomodori e insalate, d'estate; broccoletti, patate e cicoria nella stagione più fredda. Strudel con fragole, ciambelline all'anice, panna cotta e tozzetti con le mandorle per finire.
Una discreta lista di etichette laziali e toscane offre un'alternativa al rosso sfuso della casa.

Poggio Moiano

30 km a sud di Rieti

Da Maria Fontana

Trattoria
Viale Manzoni, 13
Tel. 0765 876169
Chiuso il lunedì
Orario: pranzo, sera su prenotazione
Ferie: 1 settimana in agosto, 1 in gennaio
Coperti: 70
Prezzi: 23-25 euro vini esclusi
Carte di credito: Visa, Bancomat

Borgo di origine trecentesca, Poggio Moiano è situato sui colli Sabini, a pochi chilometri dalla Salaria. Da qui si possono effettuare diverse escursioni in Sabina, il cuore verde del Reatino. Volendo, potete far coincidere questa tappa con l'ultimo fine settimana di giugno, in occasione dell'Infiorata.
In un ambiente rustico e curato vi accoglieranno col garbo Anna Rosa e Rodolfo, i figli che hanno raccolto l'eredità quarantennale di mamma Maria. In cucina si segue una ricetta molto semplice: ingredienti genuini di provenienza locale, conditi con un pizzico di fantasia e col delicato olio che offre questa generosa terra. I sottoli, le conserve e i liquori, poi, sono di produzione propria. Consigliamo di iniziare con l'antipasto misto della casa, che comprende, fra gli altri, frittatine, prosciutto crudo locale e zucchine sott'olio. Passando ai primi, consigliamo i **capelli d'angelo ai funghi porcini e asparagi selvatici** e i **ravioli ripieni di ricotta e spinaci**, ma non sono da meno maccheroncini, gnocchi e **tagliatelle**, conditi **al sugo di castrato**, al pomodoro e basilico oppure in bianco ai funghi porcini o al tartufo. Nei mesi più freddi, poi, largo a **polenta**, zuppa di farro, **pasta e fagioli**. Le carni sono in genere preparate alla griglia e provengono da allevamenti locali. Fra le altre segnaliamo **abbacchio**, lombate, salsicce e il succulento **maialino al forno**. In alternativa, i più elaborati straccetti all'arancia e, il venerdì, il **baccalà con uvetta e pinoli**. Il tutto accompagnato da misticanze di erbe spontanee e asparagi selvatici. Panna cotta al cioccolato, in inverno, e crostata di visciole, in estate, per chiudere degnamente.
In cantina troverete qualche etichetta locale e uno sfuso senza pretese.

Osteria accessibile ai disabili.

Priverno
Ceriara

30 km a est di Latina ss 7

Antica osteria Fanti

Ristorante
Strada Statale 156, km 29,300
Tel. 0773 924015
Chiuso il giovedì
Orario: mezzogiorno e sera
Ferie: 20-30 ottobre, Natale e Santo Stefano
Coperti: 40 + 15 esterni
Prezzi: 35 euro vini esclusi
Carte di credito: DC, Visa, Bancomat

Se aprite l'ultima pagina del menù potete trovare l'elenco dei fornitori: quasi tutti dei Lepini, al massimo delle province limitrofe di Frosinone e Roma. Il segreto, forse, è tutto qui, e se adesso si parla sempre più spesso di filiera corta e tracciabilità, questa intuizione Tommaso e Annunziata De Massimi l'avevano avuta già parecchi anni fa.
Nel loro locale, perciò, trionfano le materie prime del territorio, dalla carne di bufala, finalmente capita e accettata dal pubblico come carne di qualità, ai tesori dell'orto come i carciofi e i *chiacchietielli*. Nelle preparazioni, invece, Annunziata si diverte a sposare la tradizione con un pizzico di calibrata creatività. Baccalà e aringhe affumicate, ad esempio, che risalgono a quando nonna Luisa aprì il locale 70 anni fa, sono ora proposti il primo in un gustoso millefoglie con insalata riccia, e le seconde a riempire un panino all'uvetta. La ***bazzoffia*** (zuppa di carciofi, piselli e bieta su pane raffermo e un uovo sbattuto a legare) o la **minestra di legumi** si alternano a paste asciutte: **ravioli di patate e ricotta**, **maltagliati al ragù di bufalina**, pecorino e timo, **zite spezzate con baccalà e porri**. A seguire stufato di bufalina e verza, costolette d'agnello con patate o **carré di maialino al forno**.
La selezione di **formaggi**, sempre ricca, spazia in tutta Italia – e lo stesso vale per i vini, che danno comunque il giusto spazio anche alle migliori realtà locali – mentre millefoglie, mousse di ricotta di bufala e torte di marmellate casalinghe chiudono degnamente il pasto.

Priverno

30 km a est di Latina SS 7

Glio montano

NOVITÀ

Ristorante
Via Majo, 10
Tel. 0773 903838
Chiuso lunedì sera e martedì
Orario: mezzogiorno e sera
Ferie: due settimane in luglio
Coperti: 70
Prezzi: 32 euro vini esclusi
Carte di credito: tutte, Bancomat

Siamo nel bellissimo centro storico di Priverno, a pochi passi dalla cattedrale: sotto la storica insegna di Glio Montano (cioè la macina del frantoio) c'è ora scritto I Luigi. Eh sì, perché Luigi Lia, in sala, e Luigi Ines, in cucina (attenzione a un possibile equivoco, perché i due nomi femminili sono in realtà i loro cognomi), lo hanno rilevato da alcuni anni con l'idea chiara di riportarlo a qualità e territorialità, con qualche legittima concessione al non lontano mare di Terracina.
Ecco allora un solido e ricco antipasto rustico, dal carpaccio di bufalina con carciofi e marzolina al **tortino di baccalà e verze** con crema di cannellini. Fra le zuppe, immancabile la ***bazzoffia***, insieme a una crema di carciofi con polpettine di bufala, e fra i primi asciutti largo a **fettuccine con ragù di bufala e scaglie di marzolina**, fusilloni con speck e ricotta salata e **ravioloni di ricotta di bufala**. E se ci fossero dubbi sulla centralità di questo nobile animale, ecco la bufala protagonista anche nei secondi: lo spezzatino, il filetto con porcini e, soprattutto, i consigliabili **spiedini con carciofi** infilzati su un aromatico ramo d'olivo.
Trancio di **caciata**, panna cotta, millefoglie con la marmellata di fichi chiudono una gradevole sosta che avrete potuto accompagnare con uno dei vini della piccola ma curata selezione.

La LatinLat, in via Marittima, accanto all'Abbazia di Fossanova, è una delle migliori aziende nella produzione della mozzarella di bufala dop; la macelleria Bufalina di Gaetano Mastrantoni, in via della Grotta, vende carni di bufala (carpaccio, speck, salame, coppiette) e di maiale.

Prossedi

36 km a est di Latina, 16 km da Frosinone SS 156

Osteria persei

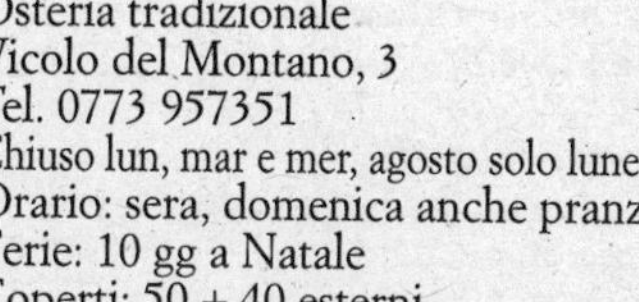

Osteria tradizionale
Vicolo del Montano, 3
Tel. 0773 957351
Chiuso lun, mar e mer, agosto solo lunedì
Orario: sera, domenica anche pranzo
Ferie: 10 gg a Natale
Coperti: 50 + 40 esterni
Prezzi: 30-32 euro vini esclusi
Carte di credito: tutte tranne AE, Bancomat

Dopo essere giunti sulla piazza principale di Prossedi, si prosegue a piedi per qualche centinaio di metri all'interno del caratteristico centro storico. Nei locali di un antico frantoio, in una atmosfera familiare, potrete gustare i piatti tradizionali di quest'area pontina legata da sempre alla Ciociaria per cultura, usi e costumi. Si può iniziare con la "delizia di bufala", una ricca selezione di salumi e formaggi bufalini con bruschette e crostini vari. Seguono le **zuppe** – di castagne, di funghi o la tradizionale ***bazzoffia***, con pane e verdure – e le paste all'uovo tirate a mano da mamma Concetta, soprattutto ravioli, **pappardelle** e taglioni, conditi con un trito di bufala, mandorle e basilico, **al ragù di papera muta** o con asparagi selvatici. Tra i secondi consigliamo lo **spezzatino di cinghiale** con miele e castagne e l'**agnello fritto e panato**, ma non mancheranno la tagliata di bufala aromatizzata, il bufaletto alla cacciatora, il filetto e le costate cotte alla brace nel grande camino a vista. Per finire, casalinghi dessert preparati da Daniela, ad esempio torta di ciliegie fresche o di cioccolato e pere, crostata di pomodori verdi e vari semifreddi alla frutta.
Bella selezione di vini con un giusto spazio destinato al Lazio; se non finite la bottiglia vi sarà consegnato un apposito astuccio per portarvela a casa.

A **Sezze** (23 km), Villa Petrara 191, il laboratorio artigianale Flicca Flo produce marmellate e confetture. A **Morolo** (20 km) il Caseificio Scarchilli, via Madonna del Piano, la ciambella e il gran cacio di Morolo stagionato 6-9 mesi, ambedue affumicati artigianalmente.

Rieti
Piè di Moggio

16 km dal centro della città, 17 da Terni

Il moggio

Azienda agrituristica
Via Piave, 25
Tel. 0746 750331
Chiuso il lunedì
Orario: mezzogiorno e sera
Ferie: in gennaio
Coperti: 60 + 30 esterni
Prezzi: 30-32 euro vini esclusi
Carte di credito: Visa, MC

Il successo di questo ristorante sta nella giusta intuizione del proprietario, Andrea Messi, di dare uno sbocco gastronomico alla sua ricca azienda agricola biologica. Così, i suoi bovini, suini e soprattutto gli animali da cortile (polli, tacchini, oche, faraone), allevati a terra lungo il greto del fiume Velino, trovano ora nel menù del locale la giusta consacrazione.
Il giovane cuoco, Patrizio, forgiato nella cucina di una famiglia di autentica tradizione contadina, ha approntato una lista di piatti semplici nella preparazione ma dai sapori decisi. Dopo una sontuosa apertura di antipasti dove spiccano i salumi e gli insaccati della macelleria aziendale – magari arricchiti da un pecorino reperito dai pastori della zona – si può passare ai primi piatti, spesso costituiti da pasta fatta in casa: ravioli, **maltagliati**, **fettuccine** e **tonnarelli** conditi **all'amatriciana**, alla carbonara, al ragù, **con rigaglie di oca o di pollo**. A parte i sughi, la massima esaltazione dei prodotti aziendali avviene, com'è ovvio, sui secondi, dove oltre a uno scenografico girarrosto sempre pronto per cuocere polli, faraone e tacchini, spiccano le ricche **grigliate** di carni miste e non mancano **trippa**, **coratella**, cotiche e polpette. Quest'anno è stato introdotto nel menù su prenotazione il **gran bollito misto** per dare giusto risalto ai quarti anteriori dei bovini selezionati. A conclusione di un pranzo per appetiti robusti, se resta ancora spazio, ecco una **crostata** arricchita da marmellate fatte in casa.
Una piccola selezione di vini umbro-laziali e una scelta di birre artigianali di Borgorose completano il quadro.

Osteria accessibile ai disabili.

Rieti

L'osteria

Trattoria
Vicolo Fra' Fedele Bressi, 4
Tel. 0746 496666
Chiuso sabato sera e domenica
Orario: mezzogiorno e sera
Ferie: variabili in estate
Coperti: 25
Prezzi: 20-22 euro vini esclusi
Carte di credito: nessuna

Dissimulato nell'austera cortina di mura medievali, in uno stretto passaggio presso la centrale Porta Cintia, c'è un angoletto di Roma trasportato come per magìa nel capoluogo reatino. Minuscolo ma non angusto, anzi trasudante *grandeur quirite*, tra stampe e memorabilia di Pinelli, Fabrizi, Trilussa e Roesler Franz. A volerlo così fu Sergio Mancini, oste mitico e controcorrente, che si permetteva il lusso di chiudere i battenti ai gitanti domenicali. Sergio non c'è più da qualche anno, ma le tre figlie Cristina, Francesca e Maria Sole ne mantengono lo spirito, coadiuvate da Sara che con passione si adopera ai fornelli.
Il menù varia secondo stagione, pur rimanendo ancorato ai capisaldi della tradizione romanesca. Tra gli antipasti troverete bruschetta o panzanella, insalata di nervetti, insalata di polpo e patate oppure salumi, pecorino e porchetta di produttori locali. Sempre in lista gli **spaghetti cacio e pepe con cialda di pecorino**, vessillo dell'Osteria, con varianti all'**amatriciana** o alla *gricia*. In alternativa pasta e ceci, **pasta e broccoli con l'arzilla**, **fettuccine con funghi** o tartufi, **gnocchi al ragù**, **polenta con spuntature**, **rigatoni col sugo di coda**, tonnarelli con fave fresche e guanciale, **pappardelle con provola e carciofi** e tagliolini con salsiccia e pecorino. Abbacchio, **baccalà in guazzetto**, **coda alla vaccinara**, guanciole di vitello brasate, **trippa alla romana** e **bollito alla picchiapò** sono i secondi più richiesti, da accompagnare a puntarelle, broccoletti, asparagi o patate nel coccio. Dolci caserecci.
La carta dei vini è in crescita e accompagna adeguatamente il pasto.

Forno Taddei Vittori, a Rieti in via Garibaldi 150 e a **Vazia** (6 km) in via del Terminillo: pane-pizza, filoni casereccі, pagnotta con patate e ciambelloni.

DA ARMANDO AL PANTHEON

Trattoria
Salita de' Crescenzi, 31
Tel. 06 68803034
Chiuso sabato sera e domenica
Orario: mezzogiorno e sera
Ferie: agosto
Coperti: 35
Prezzi: 30-35 euro vini esclusi
Carte di credito: tutte, Bancomat

La storica trattoria nel cuore turistico di Roma, un tempo in mano a papà Armando Gargioli, è oggi validamente gestita dai fratelli Claudio e Fabrizio, il primo in cucina e il secondo in sala. L'ambiente è piccolo e anche nei momenti di maggiore affollamento mantiene un'atmosfera familiare, caratterizzata da un servizio sempre attento e premuroso.
La cucina offre tutto il repertorio della tradizione romanesca, con alcune variazioni dal canovaccio che, sempre basandosi su prodotti locali, versano in chiave più leggera e moderna i robusti classici della capitale. Si inizia con varie bruschette per poi proseguire con **bucatini all'amatriciana** o alla *gricia*, **spaghetti cacio e pepe** o alla carbonara, lasagna del Belli (macinato misto di manzo, maiale e salsiccia e ricotta), **zuppe di farro** o di orzo, gnocchi (giovedì), **pasta e ceci** (venerdì) e linguine con cernia, pachino e pecorino. Tra i secondi, detto che alcuni piatti come l'**abbacchio a scottadito** o il **bollito alla picchiapò** sono spesso in carta, le altre preparazioni seguono la classica cadenza capitolina: martedì **aliciotti con l'indivia**, giovedì **coda alla vaccinara**, venerdì baccalà alla pizzaiola e sabato **trippa alla romana**; in alternativa, faraona con porcini e birra scura, calamari e carciofi, cernia con patate, cicoria, pomodoro e pecorino, **melanzane alla parmigiana** nonché vari tagli di carne alla griglia. Il tutto accompagnato da patate al forno, cicoria ripassata e carciofi alla romana. Si finisce con la torta "antica Roma" con ricotta e marmellata di fragole, crema catalana, semifreddo ai cantucci e Vin Santo, panna cotta e mousse al cioccolato.
Potrete scegliere una buona bottiglia da una carta che privilegia il Lazio per poi spaziare nelle zone più vocate d'Italia.

DAL CAVALIER GINO

Trattoria
Vicolo Rossini, 4-angolo Piazza del Parlamento
Tel. 06 6873434
Chiuso la domenica
Orario: mezzogiorno e sera
Ferie: agosto
Coperti 45
Prezzi: 25-30 euro vini esclusi
Carte di credito: nessuna

Dal Cavalier Gino, a due passi dal Parlamento, è una trattoria storica con quasi mezzo secolo di esperienza alle spalle. In tutto questo tempo non sono venuti meno né l'entusiasmo, né la serietà, così come la devozione al canovaccio romanesco in quanto a ingredienti, piatti e informale accoglienza per un pubblico prevalentemente di habitué. L'apparecchiatura è semplice, il servizio cortese e attento, il menù raccontato dal personale ma i piatti principali sono scritti su una lavagnetta all'entrata. Il Cavalier Gino, con il tovagliolo sulla spalla, gira ancora tra i tavoli, rivolgendo qualche simpatica battuta ai clienti.
Venendo ai piatti, non troverete nessuna sorpresa. Al capitolo primi ecco la carbonara, l'**amatriciana**, i **tonnarelli cacio e pepe**, gli spaghetti alle vongole o ai fiori di zucca con salsiccia, la **minestra con broccoli in brodo di arzilla** (la razza) e, come tradizione vuole, il giovedì gli gnocchi. Fra i secondi altrettanta coerenza ai ricettari della capitale, dall'**abbacchio a scottadito** all'ossobuco con i piselli, dal coniglio cotto al vino bianco agli involtini di verza riempiti con carne di vitello; e ancora le polpette al sugo, la **trippa** (il sabato), le carni alla griglia e, spesso, la **coda alla vaccinara**. Il tutto accompagnato da verdure di stagione. Tiramisù, crème caramel, crostate di visciole e di albicocche per finire il ruspante pasto.
La scelta dei vini è modesta; gli sfusi della casa sono accettabili.

Roma
Ardeatino

Da vittorio

Ristorante-enoteca
Via Musco, 29-31
Tel. 06 5408272
Chiuso sabato sera e domenica
Orario: mezzogiorno e sera
Ferie: agosto
Coperti: 40
Prezzi: 25-28 euro vini esclusi
Carte di credito: tutte, Bancomat

La signora Giovanna Dorigo, veterana dei fornelli, ha ormai relegato in qualche fugace apparizione la sua presenza nella cucina del ristorante, ora saldamente nelle mani di Daniela Frattaroli. Ad accogliere i clienti, invece, c'è sempre Roberto Sassaroli, gentile e discreto, grande appassionato di vino. Il locale si articola in due spazi distinti: nella prima sala si può sostare per un antipasto a base di formaggi e salumi accompagnati da un calice di vino al modico costo di cinque euro; nella seconda sala spiccano gli scaffali ricolmi di bottiglie, che poi ritrovate nell'ampia e curata carta dei vini.
Conviene sorvolare sugli antipasti e optare su uno dei vari primi come spaghetti e **rigatoni all'amatriciana**, alla *gricia* o alla carbonara, **tagliolini cacio e pepe**, **spaghetti con le vongole**, **pasta e fagioli** e bavette alla puttanesca. Potete proseguire con **abbacchio al forno con patate** o a scottadito, **bollito di manzo**, **trippa alla romana**, **arista di maiale ai forno**, scaloppine al vino bianco, saltimbocca alla romana o timballo di patate e carciofi. Il tutto accompagnato da peperoni al forno, cicoria ripassata in padella, patate lesse o al forno e **carciofo alla romana**. Alcuni piatti, poi, seguono il calendario: i mercoledì dei mesi più freddi la **polenta con spuntature e salsicce**, il giovedì è il turno di gnocchi e **coda alla vaccinara**, il venerdì spaghetti col tonno, **alici al *gratin*** e **baccalà al forno**.
Si chiude con dessert come crème caramel, tiramisù, mousse al cioccolato, ciambelline al vino e macedonia di frutta.

L'Antica Enoteca Manzoni, piazzale Ardigò 27, offre un'ampia scelta di vini e un buon assortimento di oli, confetture, paste artigianali e dolciumi; in piazza Accademia Antiquaria 14, Pugliapasta è un laboratorio specializzato in paste pugliesi.

Roma
Testaccio

Felice

Trattoria
Via Mastro Giorgio, 29
Tel. 06 5746800
Chiuso la domenica
Orario: mezzogiorno e sera
Ferie: 27 luglio-19 agosto
Coperti: 85
Prezzi: 35 euro vini esclusi
Carte di credito: tutte tranne DC, Bancomat

Siamo al Testaccio, che con Trastevere, Campo de' Fiori e San Lorenzo forma il quadrilatero della vita notturna della città. Pub, wine bar, discoteche e locali di ogni tipo stanno trasformando l'identità del quartiere, tuttavia questa zona della città rimane un caposaldo della cucina romana, storicamente divisa in due filoni: ebraica e, appunto, testaccina. Qui, per la vicinanza del vecchio mattatoio, la fa da padrone il quinto quarto, vale a dire ciò che rimane del bovino dopo che sono andati ai mercati le parti pregiate, i due quarti anteriori e i due posteriori. È dunque il trionfo delle interiora e degli scarti – trippa, fegato, milza, rognoni, schienali, cervello, coda – nonché esaltazione della cucina povera romanesca.
A mantenere integra la tradizione testaccina si impegna Felice, la cui bandiera sventola ininterrottamente dal 1936, con il suo rituale calendario settimanale. Lunedì è il giorno della pasta in brodo, della **gallina lessa** e del bollito. Martedì tocca a **pasta e fagioli**, **ossobuco**, salcicce con cotiche e fagioli. Pasta e lenticchie, **rigatoni col broccolo romano**, polpette al sugo, il mercoledì. Giovedì ecco gnocchi, **spuntature di maiale**, **coratella con i carciofi**, **coda alla vaccinara**. Venerdì è il turno del pesce, dalla zuppa senza spine al **baccalà al forno**, dall'**arzilla in bianco** alle linguine ai frutti di mare. E sabato finalmente **trippa**, **rigatoni al sugo di abbacchio**, cotolette panate e **galletto al forno**. Tutto questo mentre ogni giorno si trovano gli immancabili classici come **tonnarelli cacio e pepe**, rigatoni alla carbonara, **mezzemaniche all'amatriciana** e alla *gricia*.
La lista dei vini offre le migliori etichette nazionali e laziali, con ricarichi corretti.

BONAVENTURA
MASCHIO
PRIME
UVE
ACQUAVITE D'UVA
NERE
VENDEMMIA

BONAVENTURA
MASCHIO
PRIME
UVE
ACQUAVITE D'UVA
VENDEMMIA
2004
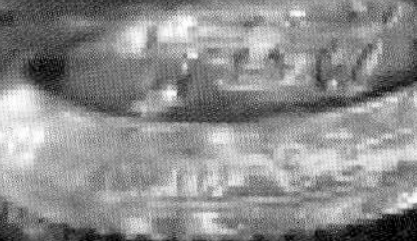

Roma
Celio

Il bocconcino

Osteria di recente fondazione
Via Ostilia, 23
Tel. 06 77079175-77591057
Chiuso il mercoledì
Orario: mezzogiorno e sera
Ferie: tre settimane in agosto
Coperti: 60 + 30 esterni
Prezzi: 25-30 euro vini esclusi
Carte di credito: tutte, Bancomat

Dietro al Colosseo, in una zona ricca di testimonianze storiche – la Domus Aurea, i giardini di Traiano, la villa Celimontana – il Bocconcino propone menù stagionali di tradizione romanesca, con un'inclinazione a migliorare che annotiamo a ogni visita. Lo staff di cucina segue le indicazioni di Giancarlo Praiola e la sala è seguita da Nelly, tutti due appassionati e curiosi sostenitori della tipicità territoriale, senza concessioni a mode e furberie acchiappaturisti (la zona ne abbonda).
Avanti, dunque, dopo un assaggio di antipasti, con i solidi primi della capitale – carbonara, **amatriciana**, ***gricia*** – con la possibilità di orientarsi anche su altrettanto validi **tagliolini al ragù d'anatra**, **fregnacce agli asparagi**, **rigatoni con il sugo di involtini** e, il giovedì, sugli gnocchi. Tra i secondi segnaliamo l'**abbacchio a scottadito**, lo sformato di verdure di stagione, lo spezzatino di maiale alle mandorle, la **trippa** il sabato e il pesce azzurro il venerdì, prevalentemente il maccarello agli agrumi, le **alici infornate** e il **baccalà**. Il tutto accompagnato da verdure di stagione, all'agro o ripassate con aglio, olio e peperoncino. I casalinghi dessert come la torta della nonna e le ciambelline ben si accompagnano a un Olevano dolce.
Una piccola carta dei vini, alcuni dei quali proposti anche al calice, accompagna adeguatamente il pasto.

Roma
Farnesina

Il quinto quarto 

Osteria di recente fondazione
Via della Farnesina, 13
Tel. 06 3338768
Chiuso la domenica
Orario: mezzogiorno e sera
Ferie: agosto
Coperti: 40
Prezzi: 32-35 euro vini esclusi
Carte credito: tutte, Bancomat

È sempre più piacevole una sosta al Quinto Quarto, caposaldo dell'autentica cucina romanesca e laziale, proposta in piatti abbondanti dai sapori decisi. In cucina opera Federico Santarelli mentre in sala si muovono con garbo e competenza Amaranta e Federico.
Il menù varia di continuo secondo stagione e disponibilità di mercato e offre come antipasto due interessanti selezioni di formaggi e salumi che rappresentano il meglio della produzione regionale. Tra i primi piatti si segnalano impeccabili **spaghetti cacio e pepe** e **rigatoni alla carbonara**, ma valgono un assaggio anche **bucatini all'amatriciana**, **spaghetti alla *gricia***, **rigatoni al sugo di coda**, maltagliati con fagioli, **zuppa di ceci** o di lenticchie. A seguire, secondi altrettanto tradizionali, dal **pollo alla romana** alla salsiccia di Monte San Biagio, dai fegatelli di maiale in rete alla **coda alla vaccinara** e ancora **coniglio alla cacciatora**, polpette con uvetta e pinoli, saltimbocca e **punta di petto di vitella alla fornara**. Il tutto accompagnato da broccoli ripassati in padella, piselli e prosciutto, fagioli con sedano e spinaci. Casalinghi i dessert come crostate di frutta e ricotta, tiramisù e gelato per finire. La carta dei vini presenta circa 60 etichette, in buona parte laziali, di cui alcune disponibili anche al bicchiere. In alternativa, una decina di proposte del microbirrificio Birra del Borgo di Borgorose (Rieti).
Il conferimento della nostra chiocciolina vuole premiare l'attenta selezione delle materie prime, lo stretto legame col territorio, la cucina sapida e gustosa, l'onestà del conto.

In via Flaminia vecchia 468, Mondi propone dolci e gelati di qualità.

LA CANTINA DI NINCO NANCO

NOVITÀ

Ristorante
Via del Pozzo delle Cornacchie, 36
Tel. 06 68135558
Chiuso il lunedì
Orario: mezzogiorno e sera
Ferie: agosto
Coperti: 140
Prezzi: 32-35 euro vini esclusi
Carte di credito: tutte, Bancomat

Nel cuore rinascimentale della città, a pochi passi dal Pantheon, i fratelli Piero e Donato Santagata hanno dato vita a un'*enclave* lucana all'interno di un territorio gastronomico che in troppe occasioni strizza l'occhio alle richieste dei turisti, con risultati spesso sciatti o furbi che dir si voglia.
La Cantina di Ninco Nanco – il nome è quello di un brigante lucano dell'Ottocento – si pone invece come riferimento certo per chi predilige una cucina territoriale rispettosa della tradizione, incentrata su materie prime tipiche come, ad esempio, i peperoni di Senise, il pecorino di Filiano e il canestrato di Moliterno. Proprio questi ultimi, affiancati da salumi locali, compongono la "tegola", che fra gli antipasti affianca la **millefoglie di melanzana** con mozzarella, pomodoro e basilico. Tra i primi, detto che non manca un piatto di tradizione come la **cicorietta sfritta con purea di fave**, consigliamo i **cavatelli** con sbriciolata di salsiccia e verdure campestri, i ***cicatielli*** con patate, verza e pecorino di Filiano, i **ravioli ripieni** di ricotta e menta con salsa di peperoni di Senise o le candele di Gragnano ripiene di ricotta su guazzetto di pomodorini. A seguire, la sfogliata di filetto di maiale con verdure grigliate, provola affumicata e salsa al Carato Venusio, gli **involtini di podolica con pecorino di Moliterno**, l'**agnello delle Dolomiti lucane alla griglia** e la tagliata all'olio extravergine del Vulture. Il tutto accompagnato da **peperoni *cruschi*** (essiccati), cicorietta con olio, aglio e peperoncino e rape lessate con olio e limone. Si chiude con il tortino di cioccolato con cuore caldo e salsa alla vaniglia o il semifreddo alle castagne con glassa al cioccolato e salsa al Moscato.
Bella carta di etichette nazionali, ma consigliamo di pescare tra la ricca offerta di Aglianico.

LO SGOBBONE

NOVITÀ

Trattoria
Via dei Podesti, 8-10
Tel. 06 3232994
Chiuso la domenica
Orario: mezzogiorno e sera
Ferie: agosto
Coperti: 40
Prezzi: 30 euro vini esclusi
Carte di credito: tutte

A metà dell'asse che unisce il Foro Italico e lo stadio Olimpico all'Auditorium Parco della Musica, nel cuore del quartiere Flaminio, si trova questa classica trattoria di quartiere, che dagli anni Venti del secolo scorso esaudisce le aspettative gastronomiche della borghesia romana, in una zona della città lontana dagli itinerari turistici e dai ritmi frenetici delle aree commerciali.
In un ambiente familiare e sobriamente arredato, Filippo Di Placidi, amatriciano di nascita e di cultura, accoglie i clienti proponendo i piatti della tradizione romana, elaborati con sapienza dalla moglie Emilia. Dopo un assaggio di salumi e verdure, arriva il piatto forte della casa, i **rigatoni alla *gricia*** – che Filippo sostiene essere la vera amatriciana, ovvero in bianco, senza pomodoro – che si fa apprezzare per l'equilibrio dei dosaggi e per la cura delle materie prime, dall'olio della Sabina alla pancetta di prima qualità. Non sono da meno la **pasta e fagioli**, la pasta e ceci, l'**amatriciana** romana – con il pomodoro, in questo caso – e gli **gnocchi** fatti a mano da Emilia. Tra i secondi prevalgono i piatti di carne, dal **maialino al forno** al **coniglio alla cacciatora** con patate e olive nere, dalla punta di vitello alle bistecche di carne, ma ci sono anche la **parmigiana di melanzane** e i **carciofi alla romana**. Crema catalana, torta Sacher e torta della nonna per finire.
Poca scelta al capitolo vino: un bianco e un rosso di Pitigliano, proposti come bottiglie della casa, si accompagnano a qualche etichetta toscana e friulana.

ROMA
Montecitorio-Colonna

MATRICIANELLA

Trattoria
Via del Leone, 4
Tel. 06 6832100
Chiuso la domenica
Orario: mezzogiorno e sera
Ferie: tre settimane in agosto
Coperti: 60 + 20 esterni
Prezzi: 33-35 euro vini esclusi
Carte di credito: tutte, Bancomat

Matricianella è una storica trattoria romana situata in pieno centro storico, alle spalle della basilica di San Lorenzo in Lucina. L'interno, suddiviso in tre salette gremite di tavolini con tovaglie a scacchi, è sempre affollato da avventori locali e da turisti che non si sono fatti abbindolare altrove; che avranno la fortuna di gustare il repertorio classico della tradizione cittadina proposto al suo meglio, fuor di folclore e di improvvisazione.
Un sontuoso **fritto di cervella**, **animelle e carciofi** oppure vegetale (mela, melanzana, peperone e cipolla) apre le danze, insieme ai carciofi alla giudìa, al filetto di baccalà o a un classico dimenticato della cucina povera come le bucce di patate dorate. Fra i primi nessuna sorpresa – largo ad **amatriciana**, ***gricia***, carbonara, **cacio e pepe** e agli immancabili **rigatoni**, **al sugo di coda** o con la *pajata* – e stesso discorso nei secondi a seguire. Provate la **coratella d'abbacchio** la **trippa alla romana**, il **baccalà alla romana** (con pomodorini e olive), l'**abbacchio al forno con patate**, senza trascurare qualche piatto del giorno che divaga dal ricettario romanesco, proposto in abbinamento a un calice di vino. Si chiude con una proposta di formaggi nazionali e qualche casalingo dessert come la zuppa inglese alla romana e la **torta ebraica con ricotta e cioccolato**.
La carta dei vini annovera il meglio della produzione nazionale, con qualche escursione extra confine, e non manca una buona selezione di vini da dessert e distillati.

ROMA
Testaccio

NÉ ARTE NÉ PARTE

Osteria di recente fondazione
Via Luca della Robbia, 15-17-ang via Volta
Tel. 06 5750279
Chiuso il lunedì
Orario: mezzogiorno e sera
Ferie: variabili
Coperti: 75 + 18 esterni
Prezzi: 30-35 euro vini esclusi
Carte di credito: tutte, Bancomat

Il quartiere Testaccio è verace e festoso, così come il suo mercato rionale, famoso per la qualità e la diversità dei prodotti, molti dei quali biologici, e non lontano c'è l'Aventino con le sue splendide basiliche romaniche. Qui, alle molte trattorie di tradizione, di recente si è aggiunto questo nuovo locale di proprietà di due attori tipicamente capitolini e gestito da Massimo Di Castro.
L'ambiente è accogliente e il servizio cordiale. Si può iniziare con gli antipasti a buffet – polpette, **alici marinate**, insalata di polpo, verdure grigliate, frittatine varie – oppure scegliere gli affettati misti. Fra i primi vanno per la maggiore i classici romaneschi come i **rigatoni con la *pajata*** o con il sugo di involtini, i **bucatini** (o gli spaghetti) **alla *gricia*** o all'amatriciana, i bombolotti cacio e pepe, ma si può scegliere anche qualche divagazione come le trofie con zucchine, pomodoro e formaggio affumicato oppure la minestra del giorno, la pasta e ceci o la **pasta e fagioli**. Poi, oltre a qualche proposta a base di orata e spigola e una buona frittura di calamari, fra i secondi trionfano i ruspanti piatti della tradizione, ossia **abbacchio con patate**, **animelle**, **coda alla vaccinara**, saltimbocca, trippa alla romana e **coratella**, il tutto accompagnato dai **carciofi**, alla romana e **alla giudìa**. A conclusione i dolci della casa, come le crostate alla crema e alla frutta.
Nella lista dei vini compaiono molte etichette, anche di prestigio, ma una sola proposta laziale: una stonatura in un'orchestra di sapori del territorio.

Il Canestro, via Luca della Robbia 12: un qualificato punto vendita di alimenti biologici e naturali. Volpetti, via Mormorata 47: una gastronomia famosa per la vasta selezione di prodotti alimentari di ogni tipo.

Roma
Trionfale-Piazzale Clodio

Osteria dell'Angelo

Trattoria
Via Bettolo, 24
Tel. 06 3729470
Chiuso la domenica, sabato e lunedì a pranzo
Orario: mezzogiorno e sera
Ferie: agosto
Coperti: 70 + 20 esterni
Prezzi: 25 euro vini esclusi
Carte di credito: nessuna

L'Osteria dell'Angelo è l'unico locale di Roma presente in guida ininterrottamente dalla prima edizione. In effetti il titolare, Angelo Croce è stato uno dei precursori della riscoperta della cucina tradizionale della capitale, e addirittura alcuni dei piatti della sua carta, quando aprì, erano ormai sconosciuti agli stessi romani. La formula è quella di sempre, illustrata dai camerieri prima di far prendere posto ai clienti: menù serale a prezzo fisso di 25 euro che comprende un assaggio di antipasti, un primo, un secondo con contorno e le ciambelline servite con un bicchiere di vino dolce; a pranzo, invece, si paga secondo consumazione.
L'antipasto è solitamente composto da bruschetta all'olio, **zuppetta di fagioli al pomodoro**, salsiccia secca e **pesce finto** (a base di tonno, maionese, patate, capperi e acciughe). Tra i primi sono sempre presenti i **tonnarelli cacio e pepe** ai quali possono aggiungersi **bucatini all'amatriciana** o alla carbonara, **spaghetti alla *gricia***, gnocchi con vongole veraci o **rigatoni al sugo di coda**; nei mesi più freddi, ecco **pasta e ceci**, zuppa di fagioli, **pasta e broccoli in brodo di arzilla**. Fra i secondi consigliamo spezzatino alla picchiapò, trippa alla romana e **abbacchio al forno** ma non sono da meno polpette, **coda alla vaccinara** e coniglio con le olive. Il tutto accompagnato da verdure ripassate in padella, patate al forno e **carciofi alla romana**.
Già accennato alle croccanti ciambelline al vino di fine pasto, resta da dire che la proposta vinosa è assai limitata.

La Tradizione, via Cipro 8, offre una delle migliori selezioni di formaggi e salumi; in via Sabotino 21-29, la pasticceria Antonini è ottima per dolci e gelati; in via delle Milizie 7 A, l'Emporium Naturae è un indirizzo storico per prodotti biologici e di erboristeria.

Roma
Appio-Tuscolano

Osteria del Velodromo Vecchio

Osteria di recente fondazione
Via Genzano, 139
Tel. 06 7886793
Chiuso la domenica
Orario: pranzo, gio-sab anche sera
Ferie: agosto
Coperti: 38 + 20 esterni
Prezzi: 30-32 euro vini esclusi
Carte di credito: tutte, Bancomat

Ecco un locale ormai storico per la nostra guida, e affermato interprete di una cucina romanesca senza inutili orpelli, solida nel valore degli ingredienti e nell'autentica impronta gastronomica. Per la prima volta, in questo ultimo anno, abbiamo notato qualche rallentamento in un oliato meccanismo che procedeva senza intoppi, ed è per questa ragione che prudenzialmente (ma anche con volontà di stimolo ai bravi titolari) sospendiamo per un'edizione l'assegnazione della nostra chiocciolina. Ma la proposta di cucina rimane affidabile e sicuramente la nostra scelta non influenzerà i numerosi estimatori che abitualmente affollano i tavoli del grazioso locale in cui Matteo e Alessandra profondono da anni le loro energie.
Siamo nel quartiere Appio, a ridosso della via Tuscolana, tra il centro e la periferia; l'ambiente è accogliente e richiama all'immagine della rassicurante trattoria "sotto casa". L'antipasto è variabile – verdure, salumi, formaggi – ma è tra i primi piatti che trovano spazio le preparazioni per cui il Velodromo è diventato famoso: **minestra di piselli e quadrucci con brodo d'arzilla**, **rigatoni con sugo di coda**, **tonnarelli cacio e pepe**, maltagliati e ceci. Tra i secondi non mancano mai buone proposte di carne – **abbacchio a scottadito** o al forno, **trippa alla romana** e altre robuste ricette tipiche – ma trovano spazio anche alcune ricette di mare, tra le quali il **baccalà in umido**, i polpetti al sugo e gli **aliciotti con indivia**. Il tutto accompagnato da cicoria, patate e legumi in varie preparazioni tradizionali. Si può chiudere con buoni dolci casalinghi, come crostate e torte di frutta e ricotta.
Sempre all'altezza l'offerta enologica, caratterizzata da corretti ricarichi.

Roma
Centro storico

Palatium 

Ristorante-enoteca
Via Frattina, 94
Tel. 06 69202132
Chiuso la domenica
Orario: mezzogiorno e sera
Ferie: 3 settimane in agosto
Coperti: 100
Prezzi: 35-40 euro vini esclusi
Carte di credito: tutte, Bancomat

L'attribuzione della nostra chiocciolina vuole premiare il lavoro svolto in questi anni dallo staff selezionato dallo chef Severino Gaiezza e da Paolo Latini, che ha saputo valorizzare al meglio i prodotti e la cucina regionali. Uno sforzo che trova riscontro anche nel curato menù che elenca i nomi delle aziende fornitrici e la storia dei piatti proposti. Il locale si sviluppa su due piani e consente una sosta veloce per un aperitivo e uno spuntino o un più tranquillo pasto con tutti i crismi, potendo pescare da una carta che varia continuamente, seguendo mercato e stagione.
Sempre valide, tra gli antipasti, le selezioni di **salumi** (corallina romana, coppa di testa, salame cotto di Viterbo, prosciutto di Bassiano, susianella di Viterbo e tanti altri) e **formaggi** (marzolina del Frusinate, mozzarella di bufala, cacio fiore, pecorino romano, caciocavallo in grotta di Corchiano). In alternativa potrete avere **coregone** del lago di Bolsena affumicato, torta di cipolle e guanciale, ***tiella* di Gaeta con polpetti e olive**. Alcuni dei primi piatti potrebbero essere **tonnarelli cacio e pepe**, **bucatini all'amatriciana**, rigatoni alla carbonara o **minestra di broccoli e arzilla** ma le proposte variano frequentemente. A seguire, **pollo con peperoni**, **coniglio alla cacciatora**, salsiccia di Monte San Biagio con broccoletti, **baccalà fritto con scarola e olive**. Il tutto accompagnato da contorni di stagione come l'insalata di puntarelle, broccoletti in padella, scarola ripassata con olive e insalata mista di campo. Si chiude con tiramisù, crostata di ricotta, crema cotta di capra e frutta fresca.
La carta presenta tutto il meglio della produzione laziale e si sposta perfettamente alle portate.

Roma
San Lorenzo

Pommidoro

NOVITÀ

Osteria tradizionale
Piazza dei Sanniti, 44
Tel. 06 4452692
Chiuso la domenica
Orario: mezzogiorno e sera
Ferie: agosto
Coperti: 80 + 40 esterni
Prezzi: 30-35 euro vini esclusi
Carte di credito: tutte, Bancomat

Aldo Bravi e sua moglie Anna stanno in cucina, mentre gli altri componenti della famiglia vi accolgono in sala, in un ambiente semplice con le volte a botte e un grande camino protagonista di sontuose grigliate. Siamo alla quarta generazione di ristoratori e la storia, qui, ha fatto tappa in giorni cruciali per la vita di questo Paese: l'assegno da undicimila lire firmato Pasolini – per quella sua ultima cena da Pommidoro con Ninetto Davoli, sua moglie e le figlie – patron Aldo non l'ha mai incassato e anzi l'ha appeso sopra la cassa del ristorante. Era il primo novembre 1975.
Di storico, oltre alle foto alle pareti, ai frequentatori noti, agli habitué, questo locale sfoggia anche una cucina che è rimasta fedele a se stessa nel corso del tempo, nel solco di una schietta romanità sia negli ingredienti – il quinto quarto su tutto – sia nelle preparazioni. Tanto per iniziare, uno spiedo di ***pajata* alla brace**, e poi le **tagliatelle alla *gricia***, le **pappardelle al cinghiale**, i **rigatoni con la *pajata***, alla carbonara, all'amatriciana o cacio e pepe. Tra i secondi assaggiate le morbide **animelle alla cacciatora**, magari accompagnate da un carciofo romanesco, la **coda alla vaccinara**, la **trippa**, gli involtini alla romana, lo stufatino al sedano, i **fegatini di maiale** e poi zampetti, **spuntature** e tutto ciò che è lecito far profumare dalla brace del camino. Pernice e fagiano per chi ama la cacciagione, ma attenzione perché qualche "pezzo raro" può far salire di molto il conto. Offerta minimalista di dolci ma la crostata di ricotta e gocce di cioccolato va provata.
Piccola carta dei vini con una trentina di etichette dai ricarichi variabili. C'è anche un vino della casa a base di Montepulciano che si può definire funzionale ai piatti anche perché prodotto dalla famiglia, come l'olio portato in tavola.

Roma
Appia Antica

Priscilla

Osteria tradizionale
Via Appia Antica, 68
Tel. 06 5136379
Chiuso la domenica
Orario: mezzogiorno e sera
Ferie: in febbraio e in agosto
Coperti: 50
Prezzi: 23 euro vini esclusi
Carte di credito: AE, DC, Bancomat

L'Appia Antica è ricca di vestigia archeologiche che attirano folte schiere di turisti, spesso vittime di trappole gastronomiche impostate su un'artificiosa idea sia della cultura, sia della cucina romana. Priscilla è una valida eccezione, vuoi per la sua storia centenaria, vuoi per il rigore con cui si continuano a proporre schiette ricette capitoline, senza furberie e con grande attenzione alle materie prime. Merito di Alessandro Ratini e di sua moglie Cristina, che all'aspetto squisitamente gastronomico sanno coniugare gentilezza e convivialità nell'accoglienza, creando un clima divertente e rilassato in sala.
Una bruschetta con pomodori freschi aprirà le danze, prima di passare a **tonnarelli cacio e pepe**, rigatoni o **gnocchi all'amatriciana**, spaghetti alla carbonara, **pappardelle al sugo di cinghiale**, **pasta e fagioli** o la pasta e ceci. A seguire la punta di **vitello alla fornara con patate al forno** (il cavallo di battaglia del locale), lo spezzatino, l'**arista di maiale al vino**, la **trippa alla romana**, il **bollito alla picchiapò**, gli involtini al sugo, le polpette e gli straccetti con la rughetta. Il tutto accompagnato da verdure in padella, patate al forno e **carciofi alla romana**. Casalinghi dessert come tiramisù o crème caramel per finire.
Si beve l'onesto vino sfuso della casa; in alternativa, qualche etichetta laziale.

In via Odescalchi 39, il pastificio Cellini propone un'ampia varietà di paste fresche e gastronomia pronta da portar via.

Roma
Appio-Piazza Tuscolo

Taberna recina

Enoteca con mescita e cucina
Via Recina, 22-26
Tel. 06 7000413
Chiuso la domenica
Orario: pranzo, giov-sab anche sera
Ferie: 3 settimane in agosto
Coperti: 35
Prezzi: 30-35 euro vini esclusi
Carte di credito: MC, Visa, Bancomat

Sono ormai cinque anni che Antonio Piermarini, coadiuvato dalla moglie Monica, ha rilevato questo antico bar-latteria di quartiere, a poca distanza dalla basilica di San Giovanni, trasformandolo in un approdo sicuro per gli amanti del vino e della cucina di tradizione romanesca. Qui si apre al mattino presto con una buona colazione, per proseguire all'ora dell'aperitivo con un calice e tanti sfizi in accostamento, a pranzo e a cena per un pasto completo e lungo il corso della giornata per l'acquisto di una bottiglia o di qualche ricercatezza gastronomica.
Potete iniziare con l'antipasto della casa a base di bruschette, verdure grigliate e salmone marinato con erba cipollina e bacche di ginepro oppure con un piatto di affettati misti. I primi e i secondi sono alternati secondo la tipica cadenza settimanale, affiancati da altri piatti di stampo più creativo. Troverete così, accanto ai classici **rigatoni alla *gricia***, **cacio e pepe** e all'**amatriciana**, i tonnarelli con scorfano e vongole veraci e le linguine di Gragnano con filetti di cernia e pomodoro fresco, che lasceranno spazio, nei mesi più freddi, alla **zuppa di ceci**, alla **pasta e fagioli** e alla **zuppa di broccoli e arzilla**. Passando ai secondi, andate sul sicuro con l'**abbacchio a scottadito**, gli involtini al sugo, il **baccalà con uvetta e pinoli** e il **tortino di alici e indivia**, ma non sono da meno piatti come i filetti di triglia marinati. Si finisce con dessert casalinghi, fra i quali la torta con crema e pinoli, la crostata con ricotta e cioccolata e il tortino con cioccolata.
Bella carta dei vini, dove non mancano offerte al calice.

Il Gelato di San Crispino, in via Acaia 56: assaggiate la meringa, il pistacchio, le creme e la frutta di stagione.

Tram tram

Osteria tradizionale
Via dei Reti, 44-46
Tel. 06 490416
Chiuso il lunedì
Orario: mezzogiorno e sera
Ferie: una settimana in agosto
Coperti: 45 + 15 esterni
Prezzi: 35 euro vini esclusi
Carte di credito: tutte, Bancomat

Troverete facilmente questo locale seguendo la linea del tram che da via Tiburtina svolta verso lo scalo di San Lorenzo. Trattoria ormai storica, che già dal bancone all'ingresso e dai tavoli in legno mostra l'intento di preservare l'atmosfera *d'antan*, è caratterizzata da una gestione familiare e femminile, con mamma Rosanna in cucina, mentre figlie e cugina operano in sala. Il menù è quello classico della cucina romanesca, con piatti eseguiti bene, con qualche escursione extraregionale dettata dalle origini (foggiane) e dalla passione (per la Sicilia) di Rosanna.
Dopo le **alici fritte** dorate, il **sauté di cozze** e un esotico piatto di verdure saltate in padella con gamberoni e spezie, ecco i primi capitolini – **pappardelle con abbacchio** e peperoni e **rigatoni con la *pajatina*** – convivere con preparazioni di pesce, dalle **linguine con calamaretti e pesto** alle trofie con pesce spada e melanzane, dagli **spaghetti con alici, pachino, pecorino e pane tostato** a quelli con pomodoro pachino, cozze e vongole. Tra i secondi continua l'alternanza fra canovaccio romanesco e divagazioni prevalentemente di mare: **abbacchio alla scottadito**, **baccalà al forno con patate** e straccetti con rughetta nel primo caso, e **tortino di alici e indivia**, **involtini di pesce spada**, alici marinate, pesce fresco alla griglia o al forno nel secondo. Si conclude con crema al limone o allo zabaione, crème caramel e torte del giorno.
Ampia carta dei vini con una buona scelta nazionale e poche selezionate bottiglie regionali.

Due indirizzi a pochi metri dal Tram Tram: l'enoteca di Orlando Terrazza offre una buona selezione di vini, birre e prodotti di qualità per uno spuntino; il Bar@book, enoteca-libreria, per validi calici di vino abbinati a interessanti proposte editoriali.

Trattoria cadorna

Trattoria
Via Raffaele Cadorna, 12
Tel. 06 4827061
Chiuso il sabato e domenica a pranzo
Orario: mezzogiorno e sera
Ferie: agosto
Coperti: 50 + 30 esterni
Prezzi: 33-35 euro vini esclusi
Carte di credito: tutte, Bancomat

Due salette arredate con gusto e semplicità e un gradevole dehors nel tranquillo quartiere Pinciano sono il biglietto da visita di questa storica trattoria fondata nel 1947 da Giovanni e Gabriella Tudini, da alcuni anni affiancati nell'attività dai figli Marco e Giuseppe.
Dopo un abbondante antipasto con poche concessioni ai prodotti non regionali come le mozzarelle di bufala e la burrata pugliese si passa ai robusti primi della tradizione, immutati da anni, quali i **rigatoni con la *pajata***, gli **spaghetti cacio e pepe**, alla carbonara o alla *gricia* (così chiamata perchè in assenza del pomodoro risultano di colore grigio), gli gnocchi alla romana (il giovedì) e le **zuppe** di stagione. Passando ai secondi, potrete scegliere fra carne, pesce e verdura: **coda alla vaccinara**, ossobuco, saltimbocca alla romana, **abbacchio a scottadito** e arrosticini di pecora nel primo caso; sgombro, merluzzo, alici e triglie nel secondo caso; carciofi alla romana e **parmigiana di melanzane** nell'ultimo.
Casalinghi dessert per chiudere un pasto accompagnato da un accettabile sfuso della casa.

Enoteca Marchetti, via Flavia 28: grandi selezioni di vini e oli; macelleria De Angelis, via Flavia 74: carni da tutto il mondo, formaggi e preparazioni gastronomiche; Casa dei latticini Micocci, via Collina 14: discreta scelta di formaggi e salumi italiani.

Trattoria monti 

Ristorante
Via di San Vito, 13 A
Tel. 06 4466573
Chiuso domenica sera e lunedì
Orario: mezzogiorno e sera
Ferie: agosto, 1 settimana a Natale, 1 a Pasqua
Coperti: 45
Prezzi: 35-40 euro vini esclusi
Carte di credito: tutte tranne AE

Il nome non tragga in inganno: se di trattoria si tratta – per quanto riguarda calore, atmosfera, spirito conviviale – nulla vieta che questo possa essere definito un ristorante a tutto tondo, per quel che concerne il servizio attento e puntuale, il livello e la ricchezza della cucina, nonché per l'accuratezza della carta dei vini. Tutto ciò, grazie a due generazioni della famiglia Cammerucci, a occuparsi di sala, cantina e cucina. Alle prime due pensano i ragazzi, Daniele ed Enrico, entrambi sommelier, i quali hanno saputo allestire una carta encomiabile, attenta in particolar modo alle bollicine e ai vini delle Marche, terra d'origine della famiglia. Ai fornelli, invece, ecco mamma Franca, che insieme al marito aprì questo locale circa quarant'anni fa, e continua a cimentarsi in un ricettario romano-marchigiano nel rispetto delle materie prime di stagione.
Si parte con il ciavuscolo spalmato sul pane, o con le tipiche **olive all'ascolana** unite alla crema fritta, per poi passare ai primi, dai **vincisgrassi** (sorta di lasagne) al **tortello al rosso d'uovo**, dalle **tagliatelle al tartufo di Acqualagna** (o alle verdure, in estate) alla consigliabile **minestra al sacco**: uova e parmigiano impastati e racchiusi in un sacchetto di lino cotto in brodo di carne, che una volta solidificato si servirà nel brodo stesso.
Al capitolo secondi, oltre alle proposte di pesce del venerdì – segnaliamo le **alici** o il **baccalà** – il **pollo in potacchio**, il **coniglio in porchetta** e il piccione ripieno al forno sono i classici del locale.
Mousse di ricotta con mosto cotto, tortino di mele con zabaione, *tarte tatin* di pere e semifreddo al torroncino, amaretti e cioccolato fondente per concludere degnamente il pasto.

58 km a SE di Roma A 1 o SS 1

La saracena

Trattoria
Via Porta Saracena, 7
Tel. 06 9769062-9577005
Chiuso il lunedì, mai in agosto
Orario: mezzogiorno e sera
Ferie: 2 settimane tra agosto e settembre
Coperti: 40 + 25 esterni
Prezzi: 30 euro vini esclusi
Carte di credito: tutte, Bancomat

Dalla Roma-Napoli, uscendo a Colleferro, attraverso una strada panoramica si arriva a Segni, antica cittadina di origine pre-romana, famosa per le mura ciclopiche che cingono il caratteristico borgo medievale. Qui, di fronte alla Porta Saracena che immette nel centro storico, ha sede l'omonima trattoria di Giuliano Iannucci.
In sala, ad accogliervi con gentilezza, troverete Nella. Che vi proporrà, per iniziare, un antipasto composto di salumi e formaggi. Poi, una bella scelta di primi piatti a rotazione stagionale, ad esempio i **cavatelli con broccoli e salsiccia**, i tagliolini con asparagi e tartufo, i **tonnarelli con galletti**, le **fettuccine ai funghi porcini**, i ravioli di ricotta e spinaci e gli gnocchi lunghi con melanzane, pomodorini e caciocavallo; nei mesi più freddi, largo a **zuppa di castagne e porcini**, **polenta con baccalà**, pasta e fagioli. Tra i secondi prevale la carne, dal filetto con tartufo nero al **coniglio alla cacciatora** o in porchetta, dall'**agnello di Carpineto a scottadito** al brasato al Cesanese. Il tutto accompagnato da contorni di stagione come fagiolini, pomodori e insalate, d'estate, e broccoletti, patate e cicoria, d'inverno. Strudel di mele, millefoglie, tortino al cioccolato, tiramisù e panna cotta chiudono degnamente il sapido pasto.
Una piccola carta di vini laziali, proposti con ricarichi corretti, accompagna adeguatamente le portate; ma anche i due sfusi della casa – una Passerina del Frusinate come bianco e un Cesanese del Piglio come rosso – non sono male.

Serrone

42 km a NO Frosinone

Belsito

Ristorante annesso all'albergo
Via delle Rimembranze, 29
Tel. 0775 523106
Chiuso il mercoledì, mai d'estate
Orario: mezzogiorno e sera
Ferie: 15 giorni in novembre
Coperti: 100 + 40 esterni
Prezzi: 25-27 euro vini esclusi
Carte di credito: tutte, Bancomat

Alle falde del monte Scalambra si erge il paese di Serrone, immerso nella natura rigogliosa della Ciociaria e nel territorio vocato da sempre a un grande vitigno laziale, il Cesanese. Dopo un passeggiata sui monti Ernici si può continuare a contemplare la straordinaria vista della valle del Sacco dal Belsito (*nomen omen*), sedendosi nell'ampia sala interna o nelle terrazze qualora la giornata lo permetta. Il locale è gestito dai fratelli Lolli: Gabriele, il maggiore, con cordialità vi declinerà le proposte giornaliere come fa ormai da circa quarant'anni, mentre Carlo, più giovane e riservato, vi saprà indirizzare nella scelta del vino.
Vi consigliamo di iniziare con il tagliere di salumi locali accompagnati dalla pizza *screscita* cotta sotto la brace, oppure con i fritti di verdure, la ciammella del monte Scalambra e le ricottine alle erbe aromatiche. I primi sono appannaggio di Antonietta, moglie di Gabriele, specializzata nelle paste fatte in casa come tradizione insegna. Ecco **frascatelli al ragù bianco di agnello** o con verdure fresche (d'estate), ravioli di ricotta e spinaci, **fettuccine ai funghi porcini**, lasagne di verdure e al ragù o, se preferite un piatto unico, la **polenta con spuntature**. Si prosegue con il **maialino al forno con patate**, lo spezzatino di castrato, l'**abbacchio a scottadito**, il **pollo alla cacciatora** o alla diavola, il **bollito di gallina** o di vitello con salsa verde. Una nota particolare merita il prosciutto di castrato, frutto di un'appassionata ricerca fra i produttori della zona condotta dai titolari: magari assaggiatelo a fine pasto, accompagnato dalla caciotta serronese portata a stagionare nelle fosse del Montefeltro.
Si beve la Passerina del Frusinate o un buon Cesanese, ma non manca una carta prevalentemente regionale.

Sutri

31 km SE di Viterbo, 50 km da Roma

La locanda di Saturno

Ristorante
Via Agneni, 37
Tel. 0761 608392
Chiuso il lunedì
Orario: sera, sabato e domenica anche pranzo
Ferie: variabili
Coperti: 45 + 35 esterni
Prezzi: 30-35 euro vini esclusi
Carte di credito: tutte, Bancomat

Ci troviamo nell'Etruria meridionale, nel borgo agricolo di Sutri, da sempre considerato strategico poiché lungo l'importante consolare Cassia. Prima di entrare nel paese è interessante visitare i monumenti più importanti, dall'anfiteatro romano scavato nel tufo al Mitreo, poi trasformato nel periodo cristiano in una chiesa. Entrati nel ristorante, sarà il patron Fabio Calcagni ad accompagnarvi nella graziosa corte esterna o a farvi accomodare nell'accogliente ambiente interno, prima di raccontarvi con fare professionale il menù.
Secondo la stagione si può iniziare con salsine speziate – di cipolle rosse, fagioli, melanzane e peperoni – accompagnate da pane caldo oppure con il cinghiale su letto di rucola selvatica e mele, il crostino con lardo di cinta senese o il sempre valido tagliere di salumi locali. Tra i primi, preparati dalla moglie Marisa Faraoni, segnaliamo le **tagliatelle con funghi e tartufo nero**, le *cavinelle* al cinghiale e gli **spaghetti cacio e pepe con porro croccante** ma non sono da meno le **zuppe** stagionali, dove spiccano quella "corallina" o di fagioli e finocchiella selvatica. A seguire prevalentemente carne – straccetti alle erbe aromatiche, polpa di cinghiale e prugne, **stinco di maiale al forno** con verdure e mele – ma anche **baccalà con cipolla e pomodoro** o tomini al forno con speck e radicchio, il tutto accompagnato da contorni si stagione. Si chiude con dessert casalinghi come la zuppa inglese con fonduta di cioccolato, il latte profumato all'arancia e le meringhe al cioccolato.
La carta dei vini, curata da Fabio con l'aiuto del figlio Niccolò, annovera una buona selezione di etichette nazionali.

L'Antica Norcineria Bomarzi di via Roma offre una bella scelta di specialità locali, tra cui il salame cotto e i fegatini.

40 KM A SE DI LATINA SS 148

L'ENOTECA DEL CAMINETTO

Enoteca con mescita e cucina
Via Marconi, 22
Tel. 0773 702623
Chiuso il lunedì
Orario: solo la sera
Ferie: 1 settimana in settembre, 4 in gennaio
Coperti: 30
Prezzi: 35 euro vini esclusi
Carte di credito: tutte, Bancomat

Le grandi e moderne cucine in cui Nazzareno Fontana ha il suo regno sono proprio al centro di due locali del tutto indipendenti, il Caminetto e l'Enoteca. Il primo propone un'importante ristorazione di mare, la seconda punta su scelte più semplici, ma non per questo meno interessanti o di qualità. Nella saletta d'ingresso trovate centinaia di bottiglie da comprare e il bancone per un aperitivo, per poi passare al caldo ambiente dov'è possibile una cena con tutti i crismi.
Bruschette, vol-au-vent di polenta tartufata, sformato di broccoli, sfogliata di formaggio e spinaci vi conducono ai sapidi primi: **fettuccine ai porcini**, strozzapreti con guanciale e asparagi, **bucatini all'amatriciana**, zuppa di verdure di campo e fagioli. Fra i secondi ecco la **salsiccia arrosto** di Monte San Biagio (paese di cui la famiglia Fontana è originaria), insieme al **maialino da latte al forno**, ai petti di pollo alle mandorle e a tagli di carni "importanti", dalla chianina all'angus; e per chi non ama la carne, ecco **parmigiana di melanzane**, carciofi di Sezze e spiedino di mozzarelline di bufala affumicate. I dolci hanno un menù dedicato, con tanto di fotografie: bavarese alle fragole, babà con crema allo Strega e semifreddo al torrone tanto per citarne alcuni.
Ovviamente adeguata e ampia la scelta dei vini, con proposte anche al calice.

L'Antico Forno Terracinese di Tabbaccone, in via Alighieri 10, offre tutte le bontà della tradizione locale, dal pane alle pizze, dai dolci pasquali alle ciambelle di magro; alla pescheria Oscar di Lello e Roberto Carpignoli, in via Colombo 34, trovate una ricca scelta, dalle alici ai crostacei più pregiati.

TERRACINA

40 KM A SE DI LATINA SS 148

RIFUGIO OLMATA

Trattoria
Via Olmata, 88
Tel. 0773 700821
Chiuso il mercoledì
Orario: mezzogiorno e sera
Ferie: 20 dicembre-5 gennaio
Coperti: 40 + 20 esterni
Prezzi: 33-35 euro vini esclusi
Carte di credito: le principali, Bancomat

Se andassimo a rileggere la prima scheda del Rifugio Olmata pubblicata nella nostra guida, quasi quindici anni fa, la troveremmo ancora attuale. Giovanni Di Bartolo e la signora Maria, insieme ai figli, non inseguono mode e propongono ciò che sentono di saper far meglio e per cui i clienti più affezionati ritornano volentieri.
In primis i **funghi**, nobili e meno nobili, e dagli antipasti ai secondi: bruschette di chiodini, insalata di ovoli, lasagne bianche ai porcini, zuppa di ceci e funghi, strozzapreti coi galletti, mazze di tamburo fritte dorate, cappelle di porcini al forno. Naturalmente non mancano le alternative, come le pennette con gli asparagi selvatici, la **pasta con la mollica**, gli strozzapreti al pesto per i primi; e la **capra in umido**, il **coniglio alla cacciatora**, lo **spezzatino di bufala** e la faraona fra i secondi. Le origini siciliane di Giovanni sono rivelate – oltre che da qualche bottiglia di Cerasuolo di Vittoria a far compagnia a Merlot e Moscato di Terracina – dalla disponibilità di un ottimo caciocavallo ragusano che completa la scelta di **mozzarelle di bufala** e marzoline.
Dolci casalinghi, come tiramisù, torta della nonna, crostata di more e di ciliegie chiudono la piacevole sosta.

Il Laboratorio Ilvana, in via Olmata 18, produce paste all'uovo e ripiene di ottima qualità, insieme ai dolci della tradizione terracinese. A **Sabaudia** (20 km), in corso Vittorio Emanuele II 20, l'enogastronomia dei fratelli Ruggero e Romano Rossetti offre una ricca scelta di vini e prodotti alimentari di qualità.

Terracina

40 km a SE di Latina SS 148

Saint Patrick

Enoteca con mescita e cucina
Corso Anita Garibaldi, 56
Tel. 0773 703170
Chiuso il martedì
Orario: solo la sera
Ferie: in novembre e dicembre
Coperti: 45 + 30 esterni
Prezzi: 32-35 euro vini esclusi
Carte di credito: CartaSi, Visa, Bancomat

Se oggi il centro storico di Terracina è pieno di locali e ristoranti, il merito – non ci stancheremo di ripeterlo – è anche di Massimo e Ivana, che quasi quindici anni fa fecero da apripista, ristrutturando la medievale Casa Risoldi. Allora, il punto di forza erano le selezioni di formaggi e salumi, curate con amore e competenza da Massimo, e che ovviamente sono ancora oggi disponibili, ma la possibilità di creare uno spazio di cucina già da qualche anno ha trasformato l'enoteca (che comunque resta consigliabile per qualità e quantità dei vini) in un vero ristorante.
Poiché il menù cambia spesso, non è facile dare un quadro esaustivo, ma si può iniziare con un assaggio di **bruschette** – fra le tante burro e alici, con la *'nduja* o col ciasuscolo, coi fegatini – oppure con una quiche con zucchine e groviera o il gigot freddo di agnello. I mesi più freddi vedono ruotare molte **zuppe** (di funghi e patate, di cipolle con crostini, fagioli all'occhio e all'erba pazza) mentre fra i primi asciutti ricordiamo le **lasagne in bianco**, il timballo di riso con funghi e salsicce e gli **gnocchi di patate**. Spezzatino di bufalina con polenta, **porchetta al forno**, salsicce e broccoletti ripassati, **spuntature di maiale** sono alcuni fra i secondi possibili, mentre i dolci di Ivana sono ormai piccoli classici: budino di pane al caramello, rotolo turco di cioccolato, torta alla banana e torta con crema e pinoli.

Vineria Cesare 1963, via San Francesco 3, per acquistare o degustare in loco ottimi vini, insieme a piatti freddi e caldi proposti da Massimo e Simona Cappellanti; la Bottega di via Sarti 5 offre una delle migliori selezioni della provincia di formaggi, salumi e altre specialità.

Velletri

38 km a SE di Roma SS 1

I glicini

Novità

Osteria tradizionale-pizzeria
Corso della Repubblica, 293
Tel. 06 9633661
Chiuso il martedì
Orario: mezzogiorno e sera
Ferie: variabili
Coperti: 70 + 45 esterni
Prezzi: 30 euro vini esclusi
Carte di credito: le principali, Bancomat

Correva l'anno 1903 quando i braccianti di ritorno dalle campagne trovavano la prima favorevole sosta in un'osteria, dove mangiare e giocare a carte e a bocce. Si chiamava Gioco liscio e in poco tempo, oltre che di una valida cucina che si guadagnò buon nome nel territorio, il locale arrivò a dotarsi anche di un piccolo palco. Uno dei primi a saggiarne le tavole fu un attore agli inizi, con una gran fame e poco lavoro: Ettore Petrolini. Oggi tutta questa storia è nelle appassionate mani di Gianni Tolli, che sta restituendo alle antiche mura una seconda giovinezza. L'arrivo di uno chef talentuoso come Giorgio Baldari, poi, ha messo al sicuro la cucina, impostando un'offerta di alta artigianalità, legame con il territorio e calibrate aperture creative.
Dopo un assaggio di mozzarella di bufala campana, *tempura* di verdure croccanti e cosce di rana o tortino di ricotta alle erbe con peperone, ecco i primi piatti, dove la fanno da padrone, nei mesi più freddi, le **zuppe**. In alternativa, **paccheri con fiori di zucca, alici e pecorino**, ravioli di ricotta e spinaci, **spaghetti di Gragnano con cacio, pepe e pancetta croccante**, ***cicchette* di patate e borragine con salsa di melanzane e menta romana**. Passando ai secondi, il caminetto a vista garantisce sontuose grigliate, dalla fiorentina alla tagliata, ma non mancano preparazioni più elaborate come il **coniglio porchettato con polenta croccante** o la quaglia con alloro e pancetta con salsa al ginepro. Panna cotta, tiramisù, crema catalana e piccola biscotteria per chiudere.
Detto che su prenotazione è possibile anche gustare pesce fresco e che è sempre in funzione il forno per valide pizze, resta da segnalare una carta con circa 400 etichette, adatta a tutti i gusti e a tutte le tasche.

Viterbo

Al vecchio orologio

Osteria di recente fondazione
Via Orologio Vecchio, 25
Tel. 0761 305743
Chiuso il lunedì e martedì a pranzo
Orario: mezzogiorno e sera, estate solo sera
Ferie: 15 giorni in agosto
Coperti: 40
Prezzi: 30-35 euro vini esclusi
Carte di credito: le principali, Bancomat

Il nome del locale è ripreso dall'omonima via che sbocca nella splendida piazza delle Erbe, ancora oggi il centro dello struscio viterbese. I posti disponibili sono divisi in tre salette dallo stile caldo e rustico, che offrono all'avventore un'atmosfera informale e conviviale. Antonella in cucina e Paolo in sala propongono un menù semplice e di sostanza, basato su materie prime locali.
Si comincia con una ricca proposta di antipasti che annovera bruschette con lardo di cinta senese (allevata nella vicina Tenuta Serpepe), rustico al formaggio con capocollo di cinta, crostini di fegatelli, *canata* viterbese (una panzanella con olio, pomodoro, sedano, acciughe e cipolletta) e **fiori di zucca ripieni di ricotta**. Fra i primi consigliamo gli **gnocchi di patate e farina di castagne** con parmigiano e pomodorini secchi e i **lombrichelli al sugo d'agnello** o cacio e pepe, ma non sono da meno i pizzicotti con sugo di salsiccia, le **fettuccine al ragù** di cinta senese e le varie **zuppe** di legumi. Poi, polpette al sugo, cosciotto di pollo ripieno alla viterbese, arrostino di maiale con patate alla paracula, **lesso di manzo ripassato** e **coda alla vaccinara**. Infine, detto che si possono ancora assaggiare i buoni formaggi a pasta molle, stagionati, erborinati, ci sono casalinghi dessert per concludere come crostate, creme al cucchiaio e salame al cioccolato.
Bella carta dei vini con proposte che spaziano in tutta la Penisola.

Nella stessa via, al numero 31, la Botteguccia del Vecchio Orologio vende prodotti tipici locali e specialità gastronomiche.

Viterbo
San Martino al Cimino

5 km dal centro della città

Il moderno

Ristorante-pizzeria
Piazza Buratti, 22
Tel. 0761 379952
Chiuso il martedì
Orario: mezzogiorno e sera
Ferie: 15-30 giugno, 24 dicembre-3 gennaio
Coperti: 70 + 70 esterni
Prezzi: 25-30 euro vini esclusi
Carte di credito: le principali, Bancomat

San Martino è un piccolo paese situato in mezzo al verde dei monti Cimini, caratterizzato da un centro storico racchiuso in un piccolo borgo con due sole porte d'accesso, una a monte e una a valle. Nella piazza principale c'è il ristorante e se ci si accomoda nel dehors la vista sarà catturata dalla maestosa abbazia del Santo, capolavoro dell'arte gotico-cistercense. Il nome del locale non deve preoccupare perché la proposta gastronomica predilige la tradizione, offrendo pietanze semplici e di sostanza.
Aldo è ai fornelli, coadiuvato da tutta la famiglia: Anna e Violetta in sala, Graziella alla preparazione di ottimi dolci e Maurizio a consigliare i giusti abbinamenti enologici. Interessante la proposta degli antipasti, che spaziano tra salumi di produzione propria e formaggi affinati da Aldo per continuare con fritture stagionali di verdure, fiori d'acacia in pastella con miele e pecorino oppure un consigliabile **baccalà pastellato**. Passando ai primi, ecco i lombrichelli con fiori di zucca, zucchine e salsiccia oppure al pomodoro e finocchietto selvatico, le classiche **pappardelle al cinghiale**, le **zuppe** – di castagne, carciofi, lattuga e patate, ceci e farro – e nei mesi più freddi la **polenta al ragù di pecora** o con funghi. Carne alla brace, **maialino porchettato al finocchietto**, **agnello con i carciofi**, **cinghiale in umido** e tacchino sono i validi secondi, prima di finire con crostate alle pere, ricotta e castagne o i balocchi con nocciole, uvetta e pinoli.
La cantina privilegia il territorio; non mancano mezze bottiglie e proposte al calice.

'L RICHIASTRO

Trattoria
Via della Marrocca, 16-18
Tel. 0761 228009
Chiuso da domenica sera a mercoledì
Orario: mezzogiorno e sera
Ferie: luglio-settembre
Coperti: 60 + 20 esterni
Prezzi: 25-30 euro vini esclusi
Carte di credito: nessuna, Bancomat

Siamo all'interno delle vecchie mura viterbesi e la piccola strada lastricata di sanpietrini che conduce alla trattoria ci ricorda la storia medievale di questi luoghi. La proposta gastronomica del locale nasce dalla caparbia convinzione di Giovanna, proprietaria della trattoria, che i suoi piatti dovessero ricordare le stesse sensazioni emanate dal posto. Così nascono piatti semplici e sapidi, frutto di una ricerca attenta e offerti in un ambiente caldo e conviviale, dove Cesare, marito di Giovanna, li veste di esuberanti parole.
Conviene iniziare con un assaggio di pane "bruscato" sul quale spalmare le salse della casa: di fegatelli, uova e rughetta, peperoni e cavolo rosso. A seguire varie **zuppe** – di ceci e castagne, lenticchie e funghi, fagioli e broccoletti, farro e cicoria, strigoli e luppoli – oppure un primo asciutto, come le **fettuccine all'uccelletto pazzo** con salvia, salsiccia e fegatini, i **lombrichi** (simili ai *pici* toscani) **alla vitorchianese** con pomodoro, finocchietto selvatico e pecorino e gli **gnocchi *'ncotti* con ventresca** o al timo e pecorino. Fra i secondi consigliamo la **trippetta di maiale in bianco** con cannella, il ***capomazzo*** (delicata *pajata* d'agnello con patate), l'arrosto ai fichi o al vino e gli spiedini di maiale in salsa *tredura*, a base di zenzero, erbe profumate, uovo e zafferano. Si finisce con dolci casalinghi a base di crema pasticcera o con i tozzetti.
Il vino sfuso della casa non incide sul prezzo finale ma ci lascia con la curiosità di provare una cucina di questo livello con un vino all'altezza.

PORTA ROMANA

Trattoria
Via della Bontà, 12
Tel. 0761 307118
Chiuso la domenica
Orario: mezzogiorno e sera
Ferie: 1-18 agosto, 25-31 dicembre
Coperti: 48
Prezzi: 30-35 euro vini esclusi
Carte di credito: BA, Visa, Bancomat

Porta Romana, oltre a essere la principale porta dell'imponente cinta muraria viterbese, è anche una storica trattoria cittadina, nel tempo evoluta dopo essere stata a lungo una semplice fraschetta. Tutti ricordi ancora vivi nella memoria della signora Brandina, cuoca del locale, che dall'alto dei suoi 87 anni, gran parte dei quali passati ai fornelli, rappresenta un pezzo di storia della ristorazione viterbese.
Sua figlia Annunziata, in sala, vi racconta i piatti tradizionali che escono dalla cucina, e nell'attesa dei sapidi primi, eccovi una bruschetta *ajo e ojo* per iniziare. Poi, dipende dalla stagione; potranno capitarvi le valide **zuppe** di cipolle, legumi o alle erbe di campo (ramoraccio, sugamele, spinacella e altre ancora), i **tortelli ripieni** con broccoli e noci (anche con funghi porcini, ricotta, zucca o formaggio e pere), nonché gli spaghetti con la pancetta, gli **gnocchi al ragù** e le lasagne al forno. Tra i secondi prevale la carne, fornita dalla macelleria di famiglia di via Garibaldi: salsicce e broccoli al vino, **coratella d'agnello**, **fegato alla griglia**, fegatini di maiale, polpette, involtini, **galletto ripieno al forno** oppure, prenotandolo in anticipo, un piatto antico come la **pignattaccia** (carne mista cotta lentamente al forno nella pignatta). E ancora, per chi non ama la carne, ecco **funghi porcini al forno** con patate e **baccalà in umido con uvetta**. Si finisce con i tozzetti o la crostata, accompagnati da un bicchiere di Aleatico.
La cantina conta una quindicina di etichette della zona.

ABRUZZO E MOLISE

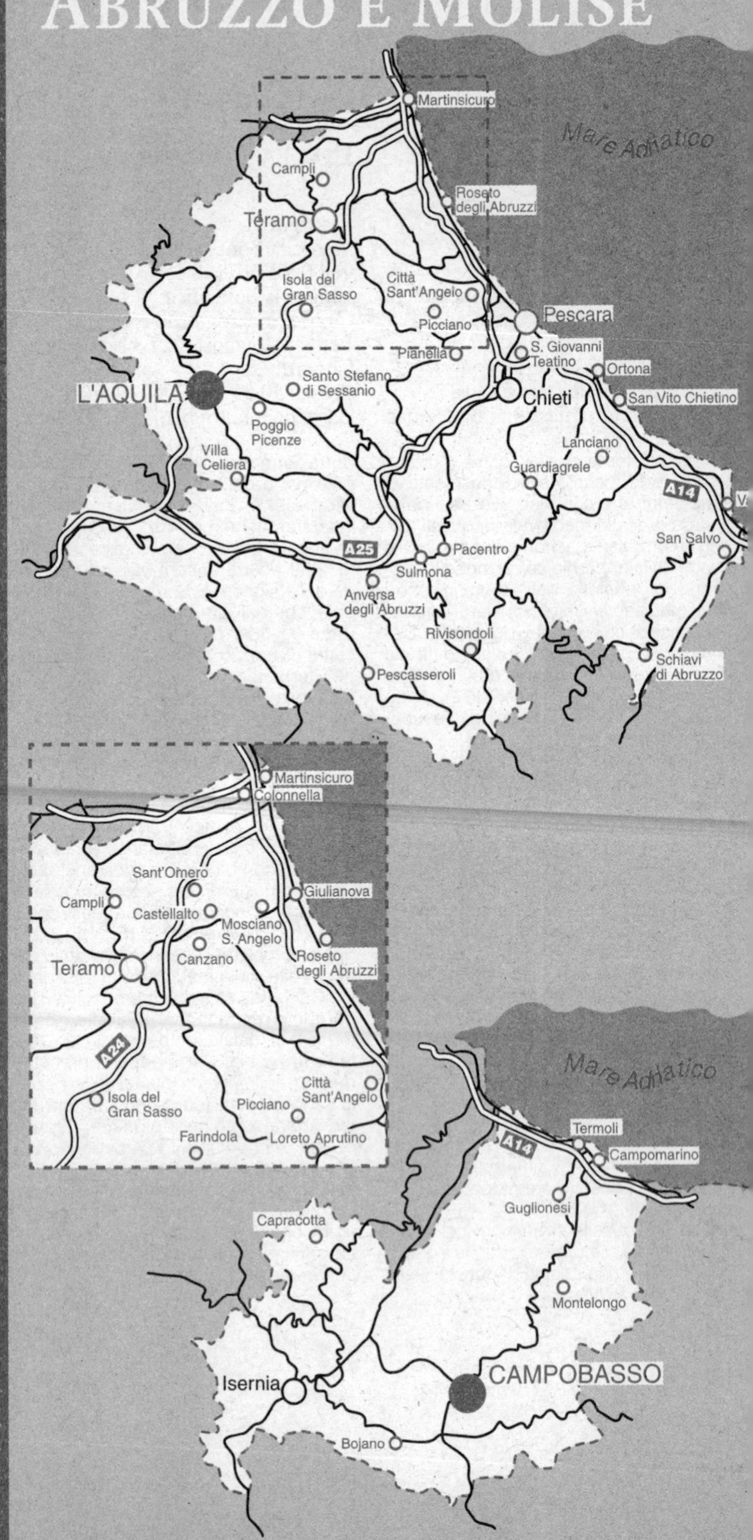

Martinsicuro
Mare Adriatico
Campli
Roseto degli Abruzzi
Teramo
Isola del Gran Sasso
Città Sant'Angelo
Picciano
Pescara
Pianella
S. Giovanni Teatino
Ortona
L'AQUILA
Santo Stefano di Sessanio
Chieti
San Vito Chietino
Poggio Picenze
Villa Celiera
Lanciano
Guardiagrele
A14
San Salvo
A25
Pacentro
Sulmona
Anversa degli Abruzzi
Rivisondoli
Schiavi di Abruzzo
Pescasseroli
Martinsicuro
Colonnella
Sant'Omero
Giulianova
Campli
Castellalto
Mosciano S. Angelo
Canzano
Roseto degli Abruzzi
Teramo
A24
Mare Adriatico
Isola del Gran Sasso
Città Sant'Angelo
Picciano
Farindola
Loreto Aprutino
A14
Termoli
Campomarino
Guglionesi
Capracotta
Montelongo
Isernia
CAMPOBASSO
Bojano

Anversa degli Abruzzi

75 km a SE di L'Aquila, 15 km da Sulmona ss 479

La fiaccola

Trattoria
Via Duca degli Abruzzi,12
Tel. 0864 49474
Non ha giorno di chiusura
Orario: mezzogiorno e sera
Ferie: non ne fa
Coperti: 70
Prezzi: 20-25 euro vini esclusi
Carte di credito: tutte, Bancomat

La Fiaccola è una piccola trattoria nel centro storico di Anversa degli Abruzzi. La signora Bianca Maria, in sala, vi racconterà storie del paese, utilissime per orientarsi nei percorsi storico-naturalistici e gastronomici della zona.
Punto di forza della trattoria sono le ottime materie prime "a chilometro zero" che provengono dalla vicina cooperativa Porta dei Parchi e fanno perdonare qualche distrazione in cucina. Fra gli antipasti: la **ricotta di pecora** fresca e, davvero buona, **affumicata** sulle foglie di ginepro, nelle sue varie declinazioni – naturale, con peperoncino, con spinaci –, pecorino di Farindola di varie stagionature, insaccati (fra i quali **salame di pecora**, salame di fegato con scorzette di arancia e soppressata aquilana). Si prosegue con un menù impostato sui prodotti della zona, con alcuni piatti che variano con le stagioni. Fra i primi di pasta fatta in casa troverete gnocchi del pastore ai formaggi, noci e tartufo, **chitarrina ricotta e tartufo** oppure pomodoro, **tagliatelle al sugo di pecora**, pappardelle in bianco con guanciale o con sugo di castrato, **zuppa *sagne* e fagioli**. Fra i secondi: agnello scottadito, **coniglio porchettato**, lombata di maiale al Montepulciano, pecorino alla piastra con mandorle e miele, **polentina con il sugo di castrato**.
Molto buone poi le **crostate di frutta** casalinghe, accompagnate magari da un liquore tradizionale. Da bere, qualche etichetta di vino d'Abruzzo.

Non lontano dalla trattoria, l'azienda biologica cooperativa Porta dei Parchi, propone ottimi formaggi di capra e di pecora, fra i quali le ricotte fresche e affumicate, i pecorini e i salumi di pecora.

Bojano

24 km a SO di Campobasso ss 17

Da filomena

Trattoria
Località Limpilli, 199
Tel. 0874 773078
Chiuso il lunedì
Orario: pranzo; sabato su prenotazione anche sera
Ferie: luglio
Coperti: 70
Prezzi: 25-30 euro vini esclusi
Carte di credito: CartaSi, Visa, Bancomat

Bojano è il principale centro dell'area matesina, per storia e per tradizione: l'antica *Bovianum* è stata la capitale dei Pentri, tribù dei Sanniti. La città è suddivisa in due aree: il centro storico, abbarbicato alle pendici del Matese, e la città nuova, costruita nella piana.
Il ristorante, accogliente e spazioso, è a un paio di chilometri dal centro abitato ma, al momento della prenotazione, conviene farsi dare indicazioni su come arrivarci. Questo indirizzo è a buon diritto considerato tra i più affidabili dai frequentatori abituali ma anche da chi ci arriva per la prima volta: è la classica trattoria con un limitato numero di piatti, ben eseguiti e di qualità negli ingredienti, senza pretese di originalità. Come gli antipasti, incentrati sui **salumi** e sui **latticini** locali (in particolare, il **fior di latte di Bojano** è tra i prodotti più rinomati e ricercati della florida tradizione casearia molisana) così come i primi piatti, ancorati alla tradizione molisana, tutti ottimi: i **cavatelli**, le tagliatelle o le ***sagnette*** fatte in casa sono accompagnate dal classico **ragù di carne mista** o dai legumi ma anche, secondo stagione, dalle primizie o dai **funghi porcini** di cui la regione è ricca. La proposta nei secondi è soprattutto la **brace**, con carni di eccellente qualità – **salsicce** nostrane, bistecche di vitello, **agnello** –, in alternativa, la **scamorza appassita**, le trote del Biferno, i **torcinelli** (involtini di interiora di agnello). Nota di merito per le **patate fritte**. Tra i dolci casalinghi, le **crostate** (squisita quella **alle noci**) e la pastiera.
La scelta dei vini in bottiglia è limitata ma preferibile allo sfuso della casa.

Per acquistare fiordilatte e scamorze di Bojano: caseificio Biferno di Franco Pulsone, via San Bartolomeo 31.

Campli

8 km a nord di Teramo ss 81

Locanda del Pompa

Trattoria con alloggio
Bivio Campli, 5
Tel. 0861 569011
Chiuso il mercoledì
Orario: mezzogiorno e sera
Ferie: due settimane in febbraio
Coperti: 60
Prezzi: 35 euro vini esclusi
Carte di credito: tutte

Nel teramano la famiglia Pompa è sinonimo di storia e tradizione culinaria.
È il mercato di stagione a ispirare gli antipasti, con lo **sformatino di alici** con patate, pomodori secchi e cipolle rosse, ma anche il tortino di orzo perlato e ricotta alla bietola su crema calda di pecorino e parmigiano, il ***ciff' e ciaff'* di maiale**, la parmigiana di zucchine o di melanzane con caprino di Valviano, le verdure fritte, oltre a un bel tagliere di **salumi**. Oltre alle buonissime **virtù del 1° maggio**, l'essenza della cucina contadina teramana, ecco le paste fatte a mano come i **ravioli ripieni di ricotta alle erbe**, gli **spaghetti alla chitarra con polpettine di carne**, i *pappicc'* (piccoli fazzoletti maltagliati) conditi con verdure invernali e zafferano, le linguine di farro con baccalà, pomodori secchi e olive, gli **gnocchi al ragù** bianco di carne, radicchio e ricotta affumicata, le zuppe e le minestre di stagione, gli strichetti al ragù bianco di anatra con pistacchi e tartufo nero. Da assaggiare, l'**agnello** del Parco nazionale Gran Sasso-Laga **alle erbe fini**, la tagliata di manzo di razza marchigiana, la **grigliata del Parco** con agnello, maiale, vitello e spiedini, il filetto di coniglio al basilico e pomodori. Si può chiudere con i formaggi abruzzesi (ovini, vaccini e caprini con mieli e confetture) oppure con una buona fetta di **pizza dolce** o un tortino caldo al cioccolato.
Ricca la dotazione di cantina, con prevalenza di vini abruzzesi e ricarichi non sempre adeguati.

Osteria accessibile ai disabili.

Il forno a legna della famiglia Mancini, al bivio per Campli, è un riferimento per pane, pizze e dolci; la macelleria Cappuccelli in piazza Vittorio Emanuele è famosa per la porchetta camplese e per i tagli di agnello.

Campobasso

Da nonno Cecchino

Trattoria
Via Larino, 32
Tel. 0874 311778
Chiuso domenica sera
Orario: mezzogiorno e sera
Ferie: prima settimana di settembre
Coperti: 80 + 30 esterni
Prezzi: 22-26 euro vini esclusi
Carte di credito: tutte

In pieno centro storico, la trattoria gestita dai fratelli Michele e Gianfranco Corsillo è un'istituzione della cucina tradizionale molisana.
Si parte dal ricco antipasto: insaccati prodotti e stagionati dallo stesso Michele, caciocavallo e pecorino di Agnone o di Vastogirardi, verdure e ortaggi sott'olio, **trippette di agnello** o la tipica **insalata di nervetti e *mussill*** di vitello. Ampia anche la scelta delle paste, per lo più casalinghe, tra le quali i buonissimi **cavatelli**, i cui condimenti seguono la stagionalità delle materie prime, dai condimenti di **funghi** e **tartufo** alle verdure (da provare con gli *spigatelli*, simili alle cime di rapa), ai legumi. In inverno sono protagoniste le **zuppe**, come la ***pizz' 'e minestra*** (impasto di farina di granturco con verdure di stagione) oppure a base di ceci, fagioli, farro. Mercoledì e venerdì, come alternativa alle carni, c'è il **baccalà**: al tegame con pomodorini o **gratinato al forno** con capperi, pinoli e parmigiano. Per il resto, c'è la brace per le **salsicce** o per la **scamorza**, ma vanno menzionate alcune ricette tipiche che hanno come protagonista l'agnello: l'***allulur'*** (trippette ripiene di un composto di interiora, formaggio e uova, insaporite con peperoncino "diavolillo" ed erbe aromatiche), l'**agnello *cac' e ove*** e la testina al forno con patate.
Si chiude con i dessert di giornata, affidati al giovane nipote Giuseppe, per rilanciare una parte del menù negli ultimi anni meno felice.

In centro si contendono il miglior caffè il bar Lupacchioli (piazza Pepe), noto anche per il liquore al caffè, il tronchetto e il panettoncino con farina di mais, e il bar Iannetta (via Regina Elena 46) dove gustare il milk pan, dolce tipico della città.

La grotta

Trattoria
Via Larino, 9
Tel. 0874 311378
Chiuso sabato, domenica e festivi
Orario: mezzogiorno e sera
Ferie: variabili
Coperti: 50
Prezzi: 25-30 euro vini esclusi
Carte di credito: nessuna

Campobasso non è una meta turistica convenzionale, ma è godibile e culturalmente vivace, con il bel centro storico e resti della città osca che fu.
La storia gastronomica è rappresentata da questa trattoria, nota come "da Concetta", un'istituzione per i locali. In sala, Fabio, Elisa e Lucia sono rapidi e cortesi. La cucina di Concetta Cipolla non delude mai: l'attenzione alle stagioni, la cura nella scelta delle materie prime, il rispetto della tradizione si ritrovano in tutti i piatti, dove verdura e ortaggi hanno un ruolo preminente. Eccellente il **tortino di melanzana, pomodoro e provola affumicata**, sempre consigliabili zucchine, carciofi e peperoni ripieni, come cicoria selvatica, bietolina, cime di rapa, broccoli ripassati in padella con pancetta. Si prosegue con la storica **pizza e minestra**, polenta di mais cotta in forno servita con puntarelle, broccoli o cicoria selvatica; con gli eccellenti **tagliolini con ceci** (da lode), fave o fagioli; con le ***taccozze* con piselli e polpettine di cacio e uova**. Ottima la carne – la tradizionale **grigliata mista alla brace**, che include la scamorza passita dell'isernino – ma meritano l'assaggio la **porchetta** (un trancio di lonza e pancetta fresca cotta in forno con erbe aromatiche), il **fegato di maiale con l'alloro** e la carne al sugo (questo è il regno dei ragù di carne, in cui cuociono polpette, braciole di vitello, costolette di agnello dell'alto Molise).
Cantina dai ricarichi onestissimi, incentrata sulle etichette molisane con una decina di proposte fuori regione. Frutta, una crostata casalinga e le **mandorle *atterrate***, abbrustolite in forno con zucchero e vino bianco, chiudono un pranzo che è un tuffo nel passato.

Nel punto vendita dell'azienda De Nigris in via regina Elena 5, si acquistano mozzarelle e formaggi di latte di bufala.

69 km a NE di Campobasso ss 647

Nonna rosa

Trattoria
Via Biferno, 41
Tel. 0875 539948
Chiuso il martedì
Orario: mezzogiorno e sera
Ferie: fine settembre-inizio ottobre, alcuni gg a Natale
Coperti: 25
Prezzi: 30-35 euro vini esclusi
Carte di credito: tutte, Bancomat

Nella parte alta del paese si apre questo piccolo e delizioso locale, arredato in legno, con grosso focolare, dove Giuseppe L'Abbate, chef e titolare, dà prova di competenza e passione nella preparazione di **carne alla brace**. Cotture perfette per le selezionate carni bovine, suine e ovine (delle quali cura anche la lavorazione), fra le quali **bistecca alla fiorentina**, lombatine, **costatine di agnello** e salsicce. Materie prime d'eccellenza e da piccoli produttori locali anche per verdure, **funghi**, latticini, insaccati, paste e legumi, utilizzate per piatti che variano quasi giornalmente (vale la pena di farsi consigliare), secondo la disponibilità e l'estro del cuoco, in una serie di proposte capaci di combinare sapori territoriali ed equilibrio degli aromi.
Si comincia con i formaggi e i **salumi**, fra i quali le salsicce sott'olio e i formaggi di bufala, accompagnati da un crostino al lardo. Possono poi capitare il carpaccio di filetto di maiale nostrano con salsa di yogurt, il **pasticcio di fegatini** avvolto nella pancetta con una salsa di peperoni, le **frittatine alle erbette**, il tortino di verdure e passita di bufala, il farricello spezzato di Santoleri con verdure e **zafferano d'Abruzzo**. Seguono le zuppette, come la **crema di fave e cicoria**, la vellutata di piselli con burrata di bufala. Il tutto condito con extravergine locale. Fra i primi anche tante paste fresche, fra le quali **orecchiette con cime di rapa** e **ragù di braciolette**. Molto buoni anche i dolci fatti in casa, come la mousse all'amaretto con crema al caffè, lo zabaione freddo con Moscato Reale e uva passa, la bavarese con le arance caramellate.
Ben impostata la cantina, con una bella e intelligente scelta di vini dei produttori della zona, ma anche classiche etichette nazionali.

Canzano

15 km a est di Teramo

La tacchinella

Trattoria
Via Roma, 18
Tel. 0861 555107-555156
Chiuso domenica, lunedì e martedì sera
Orario: mezzogiorno e sera
Ferie: prime due settimane di settembre
Coperti: 50
Prezzi: 20-25 euro
Carte di credito: tutte

Nel centro storico di questo borgo affacciato sulla Val Vomano, una accogliente trattoria a gestione familiare che si affida alla storia e alla tradizione. Vi si gusta il **tacchino alla canzanese**, straordinaria preparazione tutelata dal Consorzio "4C" in cui le istituzioni affiancano allevatori e produttori: carne di femmina, cotta lentamente e lasciata raffreddare nella sua gelatina.

In sala il patron Dario Fidanza vi spiegherà il ricco menù mentre ai fornelli lavorano la mamma Antonietta, la moglie Aurora Michini e la nonna materna, l'arzilla Aurora che tira la pasta. E il futuro sembra già disegnato con Daria, la figlia del titolare. Si può cominciare con l'antipasto misto oppure, su ordinazione, con gli "sfiziosi", ben trenta assaggi tra caldi e freddi. Tra i primi si può scegliere tra la classica **chitarra con polpettine di carne**, il **timballo alla teramana**, le *scrippelle m'busse*, le **fettuccine tricolori** nelle due versioni: con i duelli, ovvero interiora di pollo, o **con funghi e tartufo**; ci sono anche gli spaghetti "alla lacrima", saltati in padella con peperoni e peperoncino. Poi la **pecora alla callara** e le imperdibili **mazzarelle**, interiora di agnello avvolte in foglie di indivia e legate con budello di agnello. Dal 25 aprile per tutto il mese di maggio, si possono apprezzare le **virtù**, a base di verdure, legumi e vari tipi di pasta.

Dolci fatti in casa come il boccone di dama, il tortino al cioccolato e, su ordinazione, lo **storione**, specialità canzanese. In cantina le migliori etichette teramane e qualche bottiglia nazionale, oltre al buon rosso sfuso.

In estate il locale è sempre aperto.

Il tacchino alla canzanese si può acquistare in confezioni sottovuoto nel vicino laboratorio della famiglia Michini o da Erardo Di Battista in contrada Santa Maria.

Capracotta

43 km a nord di Isernia

L'Elfo

Ristorante
Via Campanelli
Tel. 0865 949131
Chiuso il lunedì
Orario: mezzogiorno e sera
Ferie: variabili in maggio e in novembre
Coperti: 50 + 20 esterni
Prezzi: 25-28 euro vini esclusi
Carte di credito: CartaSi, Visa, Bancomat

Capracotta è un'importante località sciistica ed è gradevolissima in estate, ma si contende con Agnone e Carovilli anche il primato dei laboratori caseari artigianali, da cui provengono le ricottine, i caciocavalli e la **stracciata**, sorta di mozzarella.

Inevitabile cominciare da qui nell'accogliente locale di Michele Sozio, giovane ristoratore impegnato nel valorizzare la cucina molisana. Classici sono pure gli eccellenti **salumi**, *bleta* o *voccarus 'mpanicc*, bietola o orapi, con pane raffermo e soffritto di pancetta di pecora e maiale. Poi gustose minestre, come l'ottima **passatina di lenticchie di Capracotta** con scaglie di tartufo nero o *foglie e patan*, con verza e patate. Ampia scelta di pasta fatta in casa: **ravioli di ricotta e ortica al tartufo nero**, cicatelli al pomodorino fresco e ricotta dura di Capracotta, pappardelle al ragù di cinghiale, **tagliatelle con funghi porcini e castagne** o con prugnoli e asparagi selvatici; indimenticabile la **chitarrina al tartufo bianco del Molise**. La **carne di agnello alla griglia** è molto apprezzata, ma ci sono anche il filetto di maiale al Moscato e bacche di ginepro e il cosciotto di agnello glassato alle erbette di montagna. Per gli amanti della tradizione più autentica, il piatto simbolo del paese: la **pezzata**, carne di pecora lungamente bollita al cotturo con aromi freschi.

Tra i dolci casalinghi il fiore all'occhiello del locale sono le **crostate** (di ricotta, con marmellata di frutti di bosco e noci, con mandorle e cioccolato) ma in estate non perdete la delicata mousse di ricotta alle more. La carta dei vini ha onesti ricarichi e prevalenza di etichette molisane e abruzzesi.

In via Falconi, il caseificio Pallotta propone specialità altomolisane: stracciata, ricotta, scamorze e caciocavalli.

Castellalto
Castelbasso

20 km a est di Teramo

Pervoglia

Osteria di recente fondazione
Via XXIV Maggio
Tel. 0861 508035
Chiuso domenica sera e lunedì, mai d'estate
Orario: mezzogiorno e sera
Ferie: metà ottobre-metà novembre
Coperti: 50 + 30 esterni
Prezzi: 28-33 euro vini esclusi
Carte di credito: tutte, Bancomat

Grazie a "Castelbasso Progetto Cultura", tra metà luglio a fine agosto questo piccolo borgo medievale ritrova vitalità con una ricca offerta di mostre, spettacoli, concerti ed enogastronomia. Una vitalità che ha contagiato e convinto i giovani Marco ed Elenia Di Stefano ad aprire questa bella e curata osteria, ricavata in un'ampia sala con volte a botte e mattoni a vista. Lui in sala, lei in cucina a riproporre le migliori ricette della cucina teramana – su tutte, le **virtù** del 1° maggio (una minestra con vari tipi di pasta, legumi, erbe e ortaggi), la **chitarrina con sugo al pomodoro e polpette di carne** e le **mazzarelle di agnello alla teramana** – senza disdegnare qualche novità.
Si può partire con una buona selezione di **salumi** e **formaggi**, la caponata di verdure con baccalà, le crêpes croccanti con una vellutata di zucchine e porcini, il **tortino ai carciofi** con ricotta fresca di pecora e crostino di pane, la millefoglie di patate croccanti, formaggio e fiori di zucca fritti con tartufo nero della Laga.
Tra i primi spiccano la specialità della casa, il taglierino (una sorta di fettuccina casalinga tagliata al coltello) con ragù in bianco di agnello e funghi, i ravioli ripieni di carciofi e ricotta con zafferano e pomodoro candito, i **maltagliati con guanciale e funghi porcini** o gli squisiti spaghetti artigianali Verrigni con pomodoro e baccalà. Poi, **carni di agnello** o di maiale **alla griglia** o il gustoso **fritto misto** con costoletta di agnello, formaggio fritto, fiori di zucca e ortaggi.
Preparati in casa anche i dolci: la panna cotta, la crema bruciata e la classica **pizza dolce**. La carta dei vini vanta una ricca dotazione di etichette regionali e una discreta rappresentanza nazionale.

Osteria accessibile ai disabili.

Città Sant'Angelo

17 km a nord di Pescara ss 16

Osteria dell'Angelo

Ristorante
Via Diaz, 8
Tel. 085 9699023
Chiuso il lunedì
Orario: sera, mezzogiorno su prenotazione
Ferie: due settimane in gennaio
Coperti: 35
Prezzi: 33-35 euro vini esclusi
Carte di credito: tutte

Mimmo Marcello è un bel personaggio, perfettamente a suo agio nel ruolo di oste. I tanti anni vissuti sulle grandi navi da crociera non hanno scalfito la sua *verve* genuina. Ci si inoltra fino a metà del corso principale del bellissimo borgo antico di Città Sant'Angelo fino a scorgere l'insegna di questo localino.
Il rispetto delle stagioni del mare e gli acquisti che Mimmo fa quotidianamente al mercato del pesce di Pescara dettano la nutrita serie di antipasti in cui possono trovare posto alcune **crudità**, poi il polpo in insalata, lo sgombro e le alici marinate, i **moscardini soffocati**, i calamari ripieni al pomodoro, le triglie crude con il pomodoro fresco, la trippa e il **fegato di rana pescatrice** in padella con olio e rosmarino, i ***bummalitt'*** (lumachine di mare) e i ***bummalun'*** (lumaconi) serviti con un irresistibile sughetto di pomodoro, il **guazzetto di cozze e vongole**, i cannolicchi, le *panocchie* (cicale di mare) e le cozze panate e gratinate.
A seguire si sceglie tra i ***pettelun'*** (grossi maltagliati di acqua e farina) serviti appena brodosi **con scampi sgusciati e vongole**, la scrippella farcita di pesce, le **mezzemaniche con gli scampi**, la chitarra con le vongolette locali, gli gnocchi con un gustoso sugo di *panocchie*. Deliziosi la frittura di piccoli pesci, la **gallinella di mare all'acquapazza**, il sampietro al forno con patate, la rana pescatrice alla brace o in guazzetto.
Rinfrescante il dessert con il sorbetto di ananas e di melone, per gli irriducibili la classica **pizza dolce** casalinga. Qualche decina di etichette di vini prevalentemente abruzzesi.

In contrada Madonna della Pace, la macelleria dei fratelli Costantini: carni di allevatori locali, arrosticini e salumi di produzione propria.

COLONNELLA
Rio Moro

46 KM A NE DI TERAMO, 10 KM DA SAN BENEDETTO DEL TRONTO

ZENOBI

Ristorante
Contrada Rio Moro
Tel. 0861 70581
Chiuso il martedì
Orario: mezzogiorno e sera
Ferie: gennaio
Coperti: 80 + 60 esterni
Prezzi: 25-30 euro vini esclusi
Carte di credito: tutte

Patrizia Corradetti è ormai un punto fermo della ristorazione teramana, una certezza per chi desidera gustare i piatti della tradizione in un ambiente rilassante, immerso tra i vigneti di Colonnella, che si lasciano apprezzare soprattutto in estate nel piacevole dehors. Il locale è in campagna e vi si arriva in pochi minuti dal casello autostradale Val Vibrata della A14 o da Alba Adriatica seguendo le indicazioni per Controguerra.
Marcello Zenobi, figlio di Patrizia, vi accoglierà orientandovi fra le proposte stagionali e quelle classiche, a cominciare dalle invitanti **olive ascolane farcite e fritte**, dai panzerottini con formaggio pecorino, dalle **verze con i fagioli**, fino alla **coratella di agnello in umido**, agli sformatini di verdure come il tortino di melanzane con salsa di pomodoro fresco, ma non manca una buona selezione di **salumi** (con lonzino e prosciutto) e **formaggi**. Tra primi, con le paste spesso fatte a mano, troviamo le **pappardelle con il sugo di papera**, l'ottimo **timballo classico alla teramana** con il sugo di carne oppure in bianco con verdure e formaggi, le delicate ***scrippelle 'mbusse*** ripiene di pecorino e bagnate con il brodo, le *ceppe* con i porcini o il pomodoro, la **zuppa di ceci con quadrucci di farro**, gli anelloni con melanzane, guanciale e pomodoro fresco. Cavallo di battaglia tra i secondi è la **capra alla neretese** ma meritano l'assaggio anche il pollo in padella, il coniglio con le olive, il **filetto di maiale al ginepro** e le proposte a base di agnello e capretto; il venerdì, menù di baccalà e di stoccafisso.
Chiudono dolci casalinghi, tra cui i semifreddi alla vaniglia con salsa di pesche e granelle di nocciola e all'anisetta. Si conferma centrata e onesta quanto a ricarichi l'offerta di vini regionali e nazionali.

GIULIANOVA
Lido

25 KM A NE DI TERAMO SS 16 O USCITA A 14

OSTERIA DELLA STRACCIAVOCC

Ristorante
Via Trieste, 159
Tel. 085 8005326
Chiuso domenica sera e lunedì
Orario: mezzogiorno e sera
Ferie: tra ottobre e novembre
Coperti: 50 + 30 esterni
Prezzi: 35 euro vini esclusi
Carte di credito: le principali

Osteria di nome e di fatto, la Stracciavocc è un locale che incarna la filosofia *slow* sia in cucina sia, talvolta, nei tempi del servizio che in giorni di grande affollamento mettono a dura prova anche i più pazienti. È sempre molto frequentato (è dunque consigliabile) perché offre un ambiente informale, con i tavoli dislocati nella sala principale e in altri piccoli ambienti, e per le proposte della gustosa cucina marinara giuliese praticata dalla famiglia Spitilli, divisa tra barca e fornelli.
Fabio si muove agevolmente tra le reti come tra i tavoli, mentre la mamma Maria e la moglie Monia lavorano il pescato. Simbolo dell'osteria è la *stracciavocc*, la **cicala di mare**, qui chiamata anche *panocchia*, che a mangiarla con le mani (come si dovrebbe, per gustarla al meglio) con i suoi aculei rischia di ferire la bocca. La ritroviamo in diverse preparazioni ma la partenza d'obbligo è con la ricca offerta di **antipasti**, freddi e caldi, dai **crudi** ai marinati, dai bolliti ai gratinati. Buoni i primi piatti, in particolare gli **straccetti di grano saraceno con frutti di mare**, la **chitarrina con *panocchie* e pescatrice**, gli gnocchetti verdi con scampi e zucchine, i maltagliati con calamaretti, scampetti e asparagi, le **tagliatelle al nero di seppia** con mazzoline e calamari. Si può proseguire con i secondi, trovando la stessa qualità nella **rana pescatrice al forno** con le patate, nella **frittura mista** e negli arrosti, nei **pesci** di medio taglio cucinati **all'acquapazza**, alla brace o al forno secondo il mercato e la stagione.
Pochi ma discreti i dessert, tra i quali i **bocconotti** teramani e il tiramisù fatti in casa; anche la carta dei vini è decisamente autarchica, con etichette abruzzesi e teramane.

Gli arrosticini

Storicamente in Abruzzo sono presenti tre forme di economia e di insediamento umano: quella dell'alta montagna legata per millenni alle risorse del pascolo; quella collinare e delle piccole pianure fluviali, nutrita da un'agricoltura specializzata; quella costiera, con le risorse del mare. Ma ognuna è intimamente unita alle altre. Un concreto *trait d'union* è rappresentato dalla transumanza, con un sistema di tratturi che coinvolgeva l'intera regione: gli armenti sfruttavano l'evoluzione delle risorse foraggiere spostandosi nei mesi caldi in quota e in inverno verso il clima mite delle coste. La carne ovina, oltre che essere assorbita dal mercato, costituiva la base dell'alimentazione dei pastori.

Il consumo di carni di agnello, pecora, castrato e capretto è ancora molto diffuso, nella cucina dei ristoranti e in quella di casa. In particolare nella zona pedemontana situata sul versante orientale del Gran Sasso, troviamo una gustosa specialità, gli arrosticini o le *rrustelle* dove la carne viene tagliata a piccoli pezzi, infilata in spiedini di legno e cotta su un apposito braciere (la *furnacella*). Si mangiano in locali semplici di campagna o di montagna, accompagnati da pane unto con extravergine locale, qualche salume e vino Montepulciano d'Abruzzo. Le segnalazioni si riferiscono a luoghi dove c'è attenzione alla materia prima e alla manifattura artigianale o casalinga rispetto alla diffusa tendenza all'utilizzo di spiedini semi-industriali.

Massimo Di Cintio

Farindola (Pe)

Villa cupoli
Località Villa Cupoli, bivio Farindola
Tel. 085 823381
Chiuso il lunedì
Orario: sera, pranzo su prenotazione
Ferie: variabili
Coperti: 70 + 70 esterni
Prezzi: 15-18 euro vini esclusi

L'insegna "rosticceria" non tragga in inganno, perché Modestino usa la brace per la specialità del locale, gli ottimi arrosticini che dopo oltre vent'anni si continuano a servire con la cortesia e la gentilezza di sempre. La qualità della materia, assicurata da piccoli allevatori locali, fa il paio con l'esperienza nella preparazione e cottura della carne. Il pane, l'olio extravergine e i sottoli sono fatti in casa e accompagnano salumi e l'ottimo pecorino di Farindola (Presidio Slow Food). Vino sfuso piacevole e alcune etichette regionali. Per i primi della signora Emilia bisogna prenotare.

Lu strego
Strada provinciale per Rigopiano
Tel. 085 823104-349 5013085
Chiuso il mercoledì
Orario: sera, domenica anche pranzo
Ferie: 1-10 settembre
Coperti: 120
Prezzi: 15-18 euro vini esclusi

In questo locale, in attività da quarant'anni e recentemente ristrutturato e ampliato, Franco Marzola rappresenta la terza generazione nell'arte della preparazione e della cottura dell'arrosticino di carne di pecora ma sono squisiti anche quelli di fegato. Da assaggiare, come antipasto, i sottoli della signora Maria con il prosciutto locale e il celebrato pecorino di Farindola. I primi si preparano solo nelle festività, ma potete trovare trippa e ottima pizza pane.

San Giovanni Teatino (Ch)

Da umberto
Corso Marconi, 20
Tel. 085 4463132
Chiuso il mercoledì
Orario: sera, pranzo su prenotazione
Ferie: non ne fa
Coperti: 60
Prezzi: 12-13 euro

Gli arrosticini sono nati nella zona pedemontana della provincia di Pescara ma, con il tempo, si sono diffusi in quasi tutta la regione. Uno dei pochi punti di riferimento in provincia di Chieti è rappresentato dal bar-ricevitoria-trattoria della famiglia Minichini nella piazza di questo paesino non lontano da Pescara e a pochissimi chilometri da Chieti. Da tre generazioni qui si offrono a passanti e habitués arrosticini di qualità. Nell'attesa, in compagnia della tv sempre accesa, vi serviranno un abbondante antipasto con salumi, formaggi e pane unto. Primi piatti su prenotazione.

Pianella (Pe)
La quercia
Via San Martino, 2
Tel. 085 971107
Chiuso il mercoledì, mai d'estate
Orario: sera, pranzo su prenotazione
Ferie: variabili
Coperti: 45 + 40 esterni
Prezzi: 20-23 euro vini esclusi

Alle porte di Pianella, a pochi chilometri da Pescara e da Chieti, Nevio Fidanza e la moglie Violetta gestiscono uno dei più affidabili locali della zona per la qualità delle carni alla brace. Accanto agli arrosticini e agli altri tagli di carne, assaggi di salumi e formaggi di diversa stagionatura. In inverno anche primi asciutti e zuppe. Vino sfuso in caraffa e qualche buona etichetta regionale.

Margherita
Via Regina Margherita, 3
Tel. 085 972204
Chiuso il lunedì
Orario: solo la sera
Ferie: 25 agosto-10 settembre
Coperti: 70
Prezzi 15-18 euro vini esclusi

La famiglia Provinciali lavora con cura meticolosa la carne ovina fresca e prepara gli arrosticini, tagliati a mano e cotti lentamente. Solo al martedì si troveranno gli straordinari arrosticini di fegato di pecora. Nell'attesa si può gustare una bruschetta con verdure, accompagnando il tutto con una bottiglia di vino regionale. La prenotazione è necessaria.

Villa Celiera (Pe)
Delle querce
Contrada Santa Maria, 202
Tel. 085 846211
Chiuso il martedì
Orario: solo la sera
Ferie: non ne fa
Coperti: 130 + 20 esterni
Prezzi: 12-15 euro

Sulla provinciale per il Voltigno, nel Parco del Gran Sasso, questo bar-ristorante è una sosta informale e piacevole. Arredamento spartano, televisione di ordinanza e arrosticini da applauso. Erasmo seleziona le carni locali e affida a Maria l'operazione di infilare gli arrosticini che verranno cotti sulla brace. Se siete fortunati (o prenotandoli) troverete i rari arrosticini di fegato. Il complemento è costituito da pane e olio prodotti in casa con prosciutto e formaggio nostrano. Solo nelle feste qualche primo.

Guardiagrele

25 km a sud di Chieti ss 81

Santa chiara

Ristorante
Via Roma, 10
Tel. 0871 801139
Chiuso il martedì
Orario: mezzogiorno e sera
Ferie: in febbraio
Coperti: 70
Prezzi: 30 euro vini esclusi
Carte di credito: tutte, Bancomat

Una vecchia bottega artigianale, con le sue volte a botte e i suoi muri di pietra e mattoni, riadattata con particolare cura nel cuore dell'antica Guardiagrele, la "terrazza d'Abruzzo" tanto cara a Gabriele D'Annunzio. Cucina attenta al territorio, in gran parte ispirata dalle ricchezze della vicina Majella, ma con interessanti digressioni, forse non tutte centrate, tra quelle più innovative ideate dal patron Gino Primavera, sempre prodigo nel regalarvi tanto sapere sulla cultura alimentare locale, insieme allo chef Domenico Scotti Del Greco.
Dalla carta una serie di piatti in grado di esaltare materie prime estremamente selezionate (tutte "certificate" sul menù). Tra gli antipasti, **passato di fagioli con formaggio di fossa**, **fonduta di caciotta affumicata** con tartufo e un bizzarro orzo mantecato con porcini e caffè. Ancora creatività nei primi: linguine di farro, rigatoni con braciole di capra, ***sagnette al ragù di coniglio***. Decisamente più tradizionali e per alcuni versi più convincenti i secondi a base di carne, tra cui l'ottimo **agnello mollicato** e la **terrina di maiale**. Da non perdere, quando disponibili, le degustazioni di erbe e verdure spontanee, accompagnate da una intelligente selezione di oli e aceti di produzione locale. Per finire una discreta scelta di dolci.
Cantina ben organizzata e con qualche piacevole sorpresa, non solo regionale.

Da Palmerio, in via Roma 69, o alla pasticceria Lullo, al numero 99, potete gustare le sise delle mòneche, dolce simbolo della città.

GUARDIAGRELE

25 KM A SUD DI CHIETI SS 81

VILLA MAIELLA

Ristorante annesso all'albergo
Via Sette Dolori, 30
Tel. 0871 809319-809362
Chiuso domenica sera e lunedì
Orario: mezzogiorno e sera
Ferie: due settimane in luglio
Coperti: 60 + 20 esterni
Prezzi: 35-38 euro vini esclusi
Carte di credito: tutte, Bancomat

Un ristorante che è da sempre esempio di come coniugare tradizione e amore per il territorio, che ha la capacità di creare piatti e accostamenti che soddisfano il palato e stimolano la fantasia. Per non dire della ineccepibile qualità delle materie prime rispettose della stagione, selezionate o sempre più spesso prodotte in proprio, che fanno riscoprire aromi e sapori quasi introvabili altrove, e sono un omaggio al patrimonio gastronomico della Majella: provate la straordinaria qualità degli animali da cortile, i **salumi di maiali neri**, la pasta fatta in casa, oltre alle verdure di stagione. Da Peppino e Angela Tinari, sempre più sostenuti dai figli Arcangelo e Pascal, non soltanto la cucina, ma tutto ha raggiunto vette di eccellenza – l'attenzione al cliente, la bella sala con tavoli molto spaziati ed elegantemente apparecchiati, la ricca cantina gestita con professionalità da Nicola Boschetti – continuando a mantenere un ottimo rapporto fra qualità e prezzo.
Come antipasti, gli stagionati di maiale, le **insalate di funghi** in stagione, il carpaccio tiepido di vitellone. Difficile scegliere fra i primi, con gli ottimi **ravioli di burrata allo zafferano dell'Aquila** e la **chitarrina agli asparagi selvatici**, ma anche la zuppa di verdure con pallotte cacio e uova o di farro, le **tagliatelle di farro** e le **cordicelle al ragù di castrato**. Come secondi ci sono il **coniglio in porchetta**, la rosa di vitello, il **cosciotto d'agnello alla brace**, il pollo nostrano al vino cotto, l'agnello in tre cotture, o glassato al Trebbiano d'Abruzzo; in alternativa alle carni il tradizionale **baccalà con patate e pomodoro**, o il suo tortino, e le **pallotte *cac' e ove***.
La qualità dei formaggi è in linea, così come la davvero notevole selezione di dolci, accompagnati da una carta di vini da dessert, anche al bicchiere.

GUGLIONESI

56 KM A NE DI CAMPOBASSO SS 483

IL PAGATORE

Ristorante
Corso Conte di Torino, 71
Tel. 0875 680550
Chiuso la domenica, mai in agosto
Orario: mezzogiorno e sera
Ferie: in ottobre e dopo l'Epifania
Coperti: 30 + 20 esterni
Prezzi: 25-28 euro vini esclusi
Carte di credito: nessuna

Un indirizzo sicuro per mangiare bene e pagare un conto di rara onestà, sapendo di trovare un ambiente essenziale, da genuina trattoria *d'antan*.
Accolti da Giorgio, il titolare, si inizia con il tradizionale piatto di ortaggi sott'olio nostrani, **latticini** e **salumi** molisani, scelti con cura e rispetto dei luoghi d'elezione: la famosa stracciata e le trecce di Agnone, i caciocavalli di Frosolone, le mozzarelle di Bojano, l'eccellente ricotta, naturale o al tartufo fresco, di Carovilli; poi, la soppressata di Capracotta, le mulette di Macchiagodena, il prosciutto affumicato di Ferrazzano, le ventricine di Montenero di Bisaccia. Secondo le stagioni, sformati di verdure, per esempio l'ottimo tortino di carciofi con primo sale e fave fresche, o la versione invernale con radicchio, funghi e fonduta di caciocavallo. I primi vegetariani rivelano mano felice: notevoli i **cavatelli con fave e pecorino**, le fettuccine con carciofi, ricotta di capra e bottarga, i **ravioli** fatti in casa **con tartufo e asparagi**. Molto buone le paste tradizionali: i ***cuzz*** (sorta di cavatello), **strangozzi** o fusilli fatti a mano **con ragù di salsiccia nostrana**, **di cinghiale e funghi** o faraona; buoni anche gli gnocchi di patate con fonduta di caciocavallo al tartufo. Tra i secondi prevale la **carne alla brace**, ma non mancano proposte come il **filetto di manzo al tartufo**, i brasati o i **torcinelli**, delicati spiedini di interiora di agnello. Nota di merito per i dolci di casa: accanto ai più tradizionali, la mousse di castagna, la crema al rum e la millefoglie al cioccolato. Cantina essenziale, con prevalenza di etichette molisane e abruzzesi dai ricarichi onestissimi, in linea con il conto finale.

In contrada Castellana 2, ottimi pecorini e ricotte da Domenico Di Giandomenico.

Isola del Gran Sasso d'Italia
San Pietro

40 km a sud di Teramo ss 81, 150 e 491

Il mandrone

Ristorante
Frazione San Pietro
Tel. 0861 976152
Chiuso il martedì, mai in agosto
Orario: mezzogiorno e sera
Ferie: 2 settimane tra novembre e dicembre
Coperti: 45
Prezzi: 25-30 euro
Carte di credito: tutte, Bancomat

Se il Gran Sasso si osserva da un paesino arroccato ai suoi piedi come Isola, la suggestione è grande. E se si sale dai 400 del paese ai 700 metri della piccolissima frazione San Pietro, lo si vede crescere sotto gli occhi e si capisce perché sia tanto frequentato. Tra sacro e profano, si arriva da queste parti (dalla A24 l'uscita è Colledara-San Gabriele) per il santuario di San Gabriele dell'Addolorata e per gustare i sapori di questo ristorantino dove si giunge a piedi, accolti dal sorriso di Nada e Loredana Canuti.
Si comincia con le peschette acerbe all'olio al tartufo preparate dalla mamma, le **bruschettine alla ventricina teramana** e il "forte" **pecorino marcetto**, ma pure con le crocchette di melanzane e quelle alla ricotta dei pascoli circostanti, il tutto accompagnato da pane fatto in casa nel forno a legna. L'antipasto si completa con salumi e l'ottimo **pecorino di Farindola** (Presidio Slow Food). Si prosegue con le paste fatte in casa: la classica **chitarrina al ragù teramano** con le polpettine di vitello e di agnello, raviolini con ripieno di carne e tartufo, le ***strongole***, sorta di "chitarrone" condite con ragù bianco di carne, funghi porcini e le diciotto erbe del Gran Sasso (solo di timo ce ne sono cinque tipi). Ancora, la classica **pecora alla *cottora*** (o alla *callara*) o lo straordinario, tenerissimo **agnello** cotto nel coccetto di terracotta **con aglio e rosmarino**, le costolette di agnello impanate e fritte e le **carni alla brace**.
Il tocco finale è affidato al semifreddo all'amaretto e alla specialità della casa, il **dolce di ricotta**, un pan di spagna bagnato con l'aggiunta di frutta, crema e, sopra, la ricotta sciolta. Cantina fornita di buoni vini teramani e di un discreto sfuso, bianco o rosso.
Da dicembre a marzo chiuso anche il mercoledì.

Lanciano

46 km a SE di Chieti A 14

Taverna del Mastrogiurato

Ristorante-enoteca
Corso Roma, Vico 11
Tel. 0872 712207
Chiuso il martedì e mercoledì a pranzo
Orario: mezzogiorno e sera
Ferie: in luglio
Coperti: 40
Prezzi: 30-35 euro vini esclusi
Carte di credito: tutte

Nel centro storico di Lanciano, tra le chiese di San Francesco e Santa Lucia, in quella che un tempo era la canonica è ospitato questo ristorante. Il nome deriva da una importante figura medievale, rievocata durante il Settembre Lancianese, che al tempo delle importanti fiere assumeva i pieni poteri in città. Il titolare Gianni Vinciguerra accoglie gli ospiti con gentilezza e illustra il menù con passione e competenza.
La moglie Costanza Esposito è ai fornelli, brava a preparare pietanze per gran parte tradizionali, fortemente legate alla tradizione abruzzese. Antipasti caldi e freddi, tra i quali un'ottima selezione di **salumi** e **formaggi** del territorio, il timballo di zucchine e patate, frittate e **pallotte *cac' e ove*** di rara bontà. Buoni anche i ***frascarielli* con i fagioli**, piatto storico lancianese, la **chitarrina al tartufo** nero del Sangro, le "raffiche", grandi gnocchi di patate con aggiunta di pomodori e verdure nell'impasto. Segue una buona scelta di carni: l'**agnello alla brace**, sulla quale si cuociono anche la bistecca e il filetto di manzo, poi il **cosciotto di agnello** o il **capocollo di maiale al forno** e il **formaggio nostrano arrosto** con scaglie di tartufo. Tra i dolci spicca per originalità la **torta di mele** calde profumata di cannella, poi ci sono un'ottima panna cotta al cioccolato e caramello e il semifreddo al mosto cotto.
Vale la pena di chiudere il pasto con Yppocras, un infuso nel Montepulciano d'Abruzzo fatto in casa, a base di erbe e spezie. La carta dei vini presenta il meglio delle etichette regionali e una selezione oculata di nazionali.

La conca alla vecchia posta

Ristorante
Via Caldora, 12
Tel. 0862 405211
Chiuso domenica sera e lunedì
Orario: mezzogiorno e sera
Ferie: prime due settimane di agosto
Coperti: 50
Prezzi: 26-28 euro vini esclusi
Carte di credito: le principali, Bancomat

Anche se l'edificio è stato ristrutturato, ma con grande gusto per l'antico riportato alla luce in alcuni punti, a La Conca si respira la giusta atmosfera nella quale l'oste Gregorio Pelini, affabile e cortese, accoglie i clienti in sala. Alla Vecchia Posta si fermavano i carri, le carrozze e le carovane in transito lungo la dorsale appenninica: quella che era la stalla è diventata una sala di accoglienza molto capiente, mentre il primo piano ospita un grande ed elegante ristorante. Siamo a 50 metri dalla basilica di Santa Maria di Collemaggio.
A tavola le pietanze riportano alla tradizione grazie alla mano felice di Rosalba, moglie di Gregorio, e alla premura del figlio Antonio che da un anno sperimentano con successo anche un "menù proposto" che si affianca alla scelta della carta. Si parte con il **pane cotto**, tipico piatto contadino, seguito da **coratelle di agnello** del Parco del Gran Sasso-Laga, mozzarelline affumicate allo spiedo, **ricotta di pecora**, ovetto di quaglia e salumi misti, tra i quali primeggia la **mortadellina di Campotosto** (Presidio Slow Food). Con i primi, variabili con l'umore e le stagioni, si va dalle minestre di farro e ceci agli **gnocchi con ricotta secca e zafferano** dell'Aquila, ma il consiglio sicuro è per la **chitarrina con il ragù abruzzese**. Tra le carni, l'**agnello alla brace**, le polpettine del pastore con ricotta e formaggio, l'ottima **spalla di maiale con uvetta e mandorle**. Si va sul sicuro anche con i formaggi pecorini e le ricotte stagionate di Castel del Monte.
Finale con la crema cotta a vapore con le noci, la ricotta con caffè e cioccolato, la composta di frutta servita con vino cotto, le crêpes alla crema di castagne. Vini delle migliori aziende abruzzesi.

Locale segnalato dall'Associazione italiana celiachia.

9 KM DAL CENTRO DELLA CITTÀ

Le fontanelle

NOVITÀ

Ristorante
Strada Statale 17 bis, 3
Tel. 0862 689491
Chiuso il mercoledì
Orario: mezzogiorno e sera
Ferie: variabili
Coperti: 50
Prezzi: 20-25 euro vini esclusi
Carte di credito: tutte

Nella frazione aquilana di Paganica, ai piedi del Gran Sasso d'Italia e a pochi chilometri dalla funivia che porta a Campo Imperatore, si trova un locale che, dopo alterne fortune dovute a qualche improvvisato cambio di gestione, è tornato alla famiglia che lo aveva condotto sin dall'apertura. La proposta gastronomica, forte e gentile, proprio come le genti abruzzesi, sintetizza la tradizione locale con le esigenze della moderna ristorazione. La ricerca della materia prima, in gran parte di provenienza locale, è il punto di forza di una solida cucina, dai sapori equilibrati e ben delineati.
Il menù esordisce con la grande semplicità delle bruschette ai profumi dell'orto e con buone selezioni di **salumi**. Con i primi si entra nel cuore della tradizione con i piatti forti della memoria montanara: ottime le **zuppe di fagioli di Paganica** e di lenticchie di Santo Stefano di Sessanio (Presidio Slow Food) e la **pasta alla carbonara**. Tra i secondi è ovviamente la carne proveniente dai limpidi pascoli appenninici a dominare incontrastata, con un'attenzione particolare alla produzione ovina. Ottimi l'**agnello alla scottadito**, le **bistecche di bovino** adulto e l'umile ma ormai introvabile **pollo in casseruola**. Spazio anche alla classicissima **scamorza arrosto**, un vero culto della zona.
Per chiudere una onesta selezione di dolci della casa. La carta dei vini propone una buona varietà di valide etichette, non solo regionali.

In piazza Umberto I il punto vendita della famiglia De Paulis che da tre generazioni si dedica alla lavorazione delle carni di maiale: prosciutti e insaccati di ogni tipo, e salsiccia di fegato dolce, vanto della tradizione aquilana.

L'Aquila
Poggio Roio

6 km dal centro della città

Mastro Micchele

NOVITÀ

Ristorante
Corso Umberto I, 1
Tel. 0862 602920-320 2739355
Chiuso il lunedì
Orario: sera, festivi anche pranzo
Ferie: variabili
Coperti: 150
Prezzi: 28-30 euro vini esclusi
Carte di credito: tutte, Bancomat

A qualche chilometro da L'Aquila, nel verde dell'estate o nel rosso bruno autunnale che caratterizzano la collina di Roio, c'è la frazione Poggio. Attraversando un ponticello si scorge un edificio del Settecento, Palazzo Palitti, dove opera Nicola Frattura – cuoco e patron di questo locale dall'arredamento autentico, sobrio ed essenziale – coadiuvato dalla moglie Daniela. La proposta segue la tradizione con materie prime locali e di provenienza artigianale, con lo stesso Nicola che spesso va alla ricerca di tartufi, asparagi selvatici, funghi porcini e *olaci* in montagna.
Si inizia con gli assaggi di antipasti: immancabili **salumi** locali, insalatine miste di agrumi e formaggio con le pere, **sacchettini di prosciutto nostrano con formaggio di capra** dei pascoli locali. Poi la **chitarrina abruzzese con asparagi e funghi porcini**, la **pastora** (tagliatelle condite con ricotta e guanciale), il risotto allo zafferano dell'Aquila, i ravioli di ricotta, i maltagliati con i broccoli e la natalizia **zuppa di cardi**; e ancora minestre di farro e di legumi e i buonissimi **tortellini in brodo**, fatti a mano da Nicola. Per le carni si va dalle **costatine di agnello** panate e **fritte** alla faraona al coccio, dal **coniglio speziato** all'ottimo **castrato in umido**.
I dolci al cucchiaio (**zuppa inglese**, bavarese, crème caramel, panna cotta) e crostate sono di pasticceria casalinga. Il locale è aperto solo la sera ma Nicola accetta prenotazioni, di più persone, anche per il pranzo. Discreta cantina di vini abruzzesi e un buon vinello locale.

Nel centro dell'**Aquila**, la Cantina del Boss, via Castello 3, è uno dei ritrovi più vivaci della città: grande selezione di vini, da accompagnare con qualche focaccia.

Loreto Aprutino

24 km a ovest di Pescara SS 151

La bilancia

NOVITÀ

Ristorante
Contrada Palazzo, 10
Tel. 085 8289321
Chiuso il lunedì
Orario: mezzogiorno e sera
Ferie: 1 settimana in luglio, 1 in gennaio
Coperti: 80
Prezzi: 20 euro vini esclusi
Carte di credito: tutte

Lungo la fondovalle che dal litorale adriatico conduce a Penne e al Gran Sasso, seguendo il corso del fiume Tavo, si arriva a Loreto Aprutino, terra di grandi vini e dell'olio Aprutino-Pescarese. Non fatevi impressionare dall'ampiezza della struttura gestita dalla famiglia Di Zio, perché la convivenza con i grandi gruppi è limitata, quando capita, ai fine settimana e a un'ala appositamente dedicata. Qui si pratica autentica e genuina cucina di territorio con prodotti locali che Sergio Nicola Di Zio reperisce presso affidabili fornitori. Il menù c'è ma Gianni Antico, che sovrintende la sala, vi spiegherà a voce le proposte di giornata.
Si potrà iniziare con un antipasto di salumi, formaggio fresco, assaggi di **fegatini con uova e peperoni**, di **misticanza con fagioli tondini del Tavo** e una squisita ***ciaudella***. Tra i primi è da segnalare la **pasta alla mugnaia**, uno spaghettone realizzato a mano con farina e acqua, condito **con ragù d'agnello** oppure con aglio, olio e peperone dolce. Non mancano mai classici come le ***sagnette* con fagioli** o con ceci in bianco, i **maccheroni alla chitarra con funghi** o, in stagione, con gli asparagi selvatici, o con il tradizionale ragù di ventrigli di oca, detto **alla trescatora**. Tra i secondi le carni cotte sulla brace e in alcuni periodi si può trovare la **trippa**, il cinghiale, la lepre (che conviene comunque prenotare), accompagnate da patate fritte tagliate sottilmente a mano.
Per concludere la tradizionale pizza dolce e altre piccole specialità tradizionali. Cantina ben fornita di etichette regionali, con qualche nazionale e un discreto vino sfuso.

Martinsicuro
Villa Rosa

35 km a NE di Teramo SS 80 e 16

Il sestante

Ristorante
Lungomare Italia
Tel. 0861 713268
Chiuso domenica sera e lunedì
Orario: mezzogiorno e sera
Ferie: variabili in estate
Coperti: 55
Prezzi: 35 euro vini esclusi
Carte di credito: tutte, Bancomat

Diciamo subito che siamo pericolosamente vicini al limite di prezzo, ma con un po' di attenzione, magari tralasciando la degustazione delle crudità oppure scegliendo uno dei menù degustazione, ci si può stare dentro. Vale la pena di cercare questo chalet sul mare quasi al confine tra Martinsicuro e Alba Adriatica, dove si può apprezzare una cucina gustosa ed equilibrata.

Una sontuosa serie di antipasti per iniziare, con qualche proposta originale come il merluzzo piccante a scottadito o il cappuccino al nero di seppia, ma anche (quando disponibile) la **trippa di pescatrice** e le **lumachine con pomodoro**, a confermare l'estro di una cucina mai banale. Nessuna incertezza tra i primi piatti, in particolare nelle delicatissime paste preparate in casa: **chitarrina alla polpa di *panocchie***, gnocchi alle vongole, **ravioli di pesce**. Le diverse tecniche impreziosiscono i piatti di mezzo, tutti legati al pescato del giorno. Escono così dalla cucina fragranti **fritture di paranza**, buone **grigliate miste** (ma anche solo di scampi) e delicatissime preparazioni sia al forno (il **rombo con le patate**) sia al tegame, come il ricco **brodetto** (da ordinare prima), mazzolino e rana pescatrice.

Una ristretta ma buona selezione di dolci, tra sorbetti alla frutta e crema catalana. Buona carta dei vini regionali e nazionali. L'alta frequentazione rende difficile trovare un tavolo nei giorni "caldi", quando anche il servizio non è sempre cortese.

Azienda Edda Marozzi, via Roma 284, **Martinsicuro**, produzione biologica di olio, vini, pasta, olive da mensa e orzo da caffè. In località **Villa Rosa** (5 km), via De Pinedo 39, l'azienda agricola Ritrovati offre verdura, legumi e frutta biologica, miele, marmellate e conserva di pomodoro.

Montelongo

54 km a NE di Campobasso SS 87 e SS 376

La nostrana

NOVITÀ

Trattoria
Vico d'Ovidio, 6
Tel. 0874 838133
Chiuso il lunedì
Orario: mezzogiorno e sera
Ferie: variabili
Coperti: 35
Prezzi: 30 euro vini esclusi
Carte di credito: nessuna

Neanche un paio d'anni di attività per questo locale nato in un bel borgo, purtroppo spopolato dopo il terremoto del 2002, all'interno di un palazzetto nobiliare. È il sogno realizzato di Maria Concetta Pannunzio, cuoca-patron-tuttofare: un personaggio autentico e originale, se fosse per lei ogni cosa dovrebbe essere autoprodotta, ed è quasi così. In cucina si va all'esplorazione del territorio con piatti spesso dimenticati, ruspanti, con variazioni stagionali. Una avvertenza: data la scelta delle cotture e l'ubicazione del locale non in zona di passaggio, il menù quotidiano è ridotto, ma non ci sono limiti con un congruo preavviso all'atto della prenotazione.

Da non perdere è l'antipasto che, in dosi generose, può prevedere le deliziose **ricotte** locali, la **pizza con i *cicoli***, i buoni **formaggi** accompagnati da composte di frutta o di ortaggi, i **peperoni secchi fritti**, le frittate di cipolle, le melanzane ripiene, la ***ciabbotta***, il **pane cotto** o crostini di polenta. Inutile dire della manifattura casalinga della **pasta**: buoni quella **lunga con mollica di pane al sugo di baccalà**, i cavatelli proposti con differenti condimenti, i **fusilli tirati al ferro con sugo di misto di carne** o con la salsiccia, i ***frescatiell*** appena brodosi **con pomodoro fresco** o le **taccozze con pomodoro e ricotta secca**, ma anche la pizza di granturco con verdure selvatiche o con fagioli. Tra le carni, sono una specialità il **piedino di maiale** e cotenne in umido con finocchi selvatici e la **testina di agnello al sugo**, l'agnello brodettato, lo spezzatino di manzo al vino rosso.

Lasciate un posticino per i buoni dolci, anche loro nel solco della semplicità. Per bere basta andare in fondo alla sala, scegliere una bottiglia, esclusivamente regionale, dagli scaffali, e magari stapparsela da soli.

Mosciano Sant'Angelo

25 km a NE di Teramo a 14, ss 80 e 262 d

Borgo spoltino

Ristorante
Strada Selva Alta
Tel. 085 8071021
Chiuso lunedì e martedì
Orario: sera, domenica anche pranzo
Ferie: variabili
Coperti: 45
Prezzi: 30-32 euro vini esclusi
Carte di credito: tutte

Gabriele Marrangoni è sempre aperto alle nuove idee e bravo a dar loro forma. Sono recenti le aperture dei Banchi del Gusto, moderne tavole calde di qualità, con un'attenta ricerca dei prodotti e una cucina di forte ispirazione territoriale, pur con qualche digressione a volte azzardata.

I piatti ruotano secondo la stagione e l'estro. Tra gli antipasti si può scegliere fra una selezione di **salumi** e **formaggi** regionali e preparazioni gustose come i fiori di zucca farciti e fritti, il **carpaccio di baccalà e melone invernale**, le ottime **mazzarelle** (involtini di interiora di agnello) o l'insalata di orzo. Si passa poi alla **zuppa di farro e cannellini**, ai **maccheroni alla chitarra con salsiccia**, pomodoro fresco e pecorino, alla chitarra alla teramana con polpettine di carne, agli strozzapreti con zucca, radicchio e guanciale, alle **orecchiette con broccoli e mazzancolle**. Spazio quindi alle carni: straccetti di vitello al Porto con tartufo nero, **pecora disossata alla callara**, tagliata di manzo, millefoglie di vitellone igp con spinaci all'olio di erbe aromatiche, **trippa con maggiorana**.

Grande cura anche per i dolci, con semifreddi o bavaresi che variano con le stagioni e la classica **pizza dolce** abruzzese; chiedete un assaggio del **libretto di fichi**, rara preparazione moscianese a volte disponibile. Interessante la carta dei vini a prevalenza regionale.

Locale segnalato
dall'Associazione italiana celiachia

Nello stesso ristorante o presso l'Osteria del Priore, al centro del paese, si trova il libretto di fichi. Di fronte al casello autostradale, al Banco del Gusto, tavola calda, si possono degustare e acquistare prodotti regionali e qualche piatto di cucina teramana.

Ortona

29 km a est di Chieti ss 649 e 16

Al vecchio teatro

Ristorante
Largo Ripetta, 7
Tel. 085 9064495
Chiuso il mercoledì e giovedì a pranzo
Orario: mezzogiorno e sera
Ferie: 2 settimane in novembre
Coperti: 35 + 30 esterni
Prezzi: 35 euro vini esclusi
Carte di credito: tutte, Bancomat

In poche centinaia di metri di questo centro marinaro potrete visitare Palazzo Farnese, la Torre dei Baglioni, l'Enoteca Regionale d'Abruzzo a Palazzo Corvo, di fronte al Castello aragonese, il Teatro Vittoria. Poco lontano, la famiglia Carusi gestisce questo ristorantino caratteristico anche negli arredi, con una bella terrazza godibile da maggio a settembre. L'affabile patron Armando (la moglie e la figlia sono in cucina) guida l'ospite tra la cucina di mare e quella di terra, sebbene la prima proposta possa facilmente superare la soglia di prezzo indicata. Ultimamente abbiamo notato qualche segno di distrazione, nelle preparazioni come nelle proposte, con ingredienti che si ripetono e talvolta poca attenzione alle stagioni, ma riteniamo ancora complessivamente valida la proposta del locale.

Si comincia con carpacci di tonno, pescatrice e pesce spada, **insalata di polpo di scoglio** con le patate, un classico sempre in carta come i gamberi sgusciati con lardo croccante. Tra i primi, buoni i **tacconi con tonno, ricciola e bottarga** e la **calamarata con gamberi e asparagi**; tra i secondi, oltre alla **frittura** (di paranza o di scampetti, calamari e gamberi) i **pesci** sono proposti **alla griglia** o al forno. Tra le pietanze di terra da segnalare alcuni prodotti dei Presìdi Slow Food, serviti come antipasto o come condimento: consigliamo le **tagliatelle di farro con ventricina del Vastese** e fave fresche o i **ravioli con formaggio fresco e tartufo** di Quadri.

Dolci tipici locali, biscotti, dolce di pane. Vasto assortimento di vini abruzzesi.

In corso Matteotti, all'Enoteca Regionale d'Abruzzo, si degustano e acquistano tutti i vini e i liquori abruzzesi. In corso Garibaldi 8, da Nonsolovino, i vini e le migliori specialità alimentari regionali.

Pacentro

70 km da L'Aquila, 8 km a est di Sulmona

Taverna de li Caldora

Ristorante
Piazza Umberto I, 13
Tel. 0864 41139
Chiuso domenica sera e il martedì
Orario: mezzogiorno e sera
Ferie: variabili
Coperti: 100
Prezzi: 35 euro vini esclusi
Carte di credito: tutte

La testimonianza al lavoro meritorio che Carmine e Teresa Cercone portano avanti da anni è la costante frequentazione del loro ristorante, un gioiello in pietra ai piedi del Morrone. Si arriva a Pacentro salendo dalla statale 17 che collega Sulmona a Roccaraso. Sulla piazzetta un palazzo cinquecentesco le cui scale condurranno alle due sale.
Ad accogliere gli ospiti il patron Carmine, coadiuvato da Gigi Oriola. Abitualmente si comincia con una serie di piccoli assaggi. Alla deliziosa ricottina di capra, si affiancano la **selezione di salumi**, la coratella di agnello, carpaccio crudo di agnello con il pecorino di Pacentro, insalata di funghi porcini con scaglie di pecorino, **insalata tiepida di baccalà** con salsa di ortaggi, i **fritti** (ortaggi, filetti di baccalà o formaggio fresco) e le preparazioni con legumi e verdure. Tra i primi, i **ravioli ripieni di ricotta di capra con sugo di pomodoro**, la chitarrina con tartufo o sugo di agnello, gli gnocchi al ragù di castrato, le ***sagnette* con formaggio di capra, prosciutto nostrano e pepe nero**, il brodo vegetale con piselli freschi, funghi galletti e pane fritto. Variegata la proposta dei secondi: nel primo caso comandano agnello e capretto alla brace, con cacio e uova, al forno ripieni e "abbottonati" (su prenotazione), ma anche la pecora al cotturo, il **galletto nostrano alla brace** con extravergine e variazioni sui temi dell'agnello, con il *marro* (involtino di interiora), e del maiale con il ***fegatazzo*** (salsiccia di fegato con peperoncino piccante). Formaggio fresco alla brace e **selezione di caprini e pecorini**.
Infine, crema al limone con i frutti di bosco, semifreddi al torroncino di Sulmona o all'amaretto, pizza dolce, sfogliatina con la crema e dolcetti casalinghi con le mandorle. Cantina per tutti i gusti e tutte le tasche.

Pescara

Acquapazza

Osteria di recente fondazione
Via Flaiano, 37
Tel. 085 4514470
Chiuso sabato a pranzo e la domenica
Orario: mezzogiorno e sera
Ferie: in agosto
Coperti: 40
Prezzi: 35 euro vini esclusi
Carte di credito: tutte

A pochi passi da casa Flaiano e da casa D'Annunzio, in un angolo abbastanza appartato di una delle strade della "movida" pescarese, questa moderna osteria è diventata un porto sicuro per chi vuole gustare un buon menù di mare, in una città... di mare che gastronomicamente negli ultimi anni ha volto sempre più lo sguardo verso l'entroterra. Insomma, un'osteria marinara ammirevole, che senza voli pindarici e sperimentazioni fuori luogo ha saputo resistere ai capricci delle tendenze.
Molti e gustosi gli antipasti, con gli ottimi **calamaretti crudi**, le **cozze ripiene gratinate**, il **guazzetto di cozze e vongole**, la **pescatrice**, qui proposta come antipasto con un velo di pomodorini freschi. Pasta fresca per tagliatelle e **chitarrine** che si accompagnano a scampi o **frutti di mare**, secondo quanto fornisce il mercato. Buoni anche le orecchiette con broccoli e cicale di mare, i garganelli con zucca e gamberi, o con zucchine e scampi. Naturalmente, dato anche il nome del locale, non mancano vari **pesci all'acquapazza** (ottima la cernia), sempre come da disponibilità del pescato. Come alternative, l'ottima **pescatrice con patate**, proposta anche in padella con pomodoro e origano, il rombo al limone, i ricchi arrosti e una buona **fritturina di paranza**. Si conclude con validi dessert, con un plauso per la delicata **millefoglie alla crema**.
Per bere si attinge a una buona cantina, con sagge scelte non solo regionali. Molto onesto il conto, anche per chi a pranzo sceglie i menù "veloci".

Osteria accessibile ai disabili.

Sul lato opposto di piazza Garibaldi c'è il bar pasticceria Caprice di Fabrizio Campione, che prepara dolci, semifreddi, praline e gelati.

LA LUMACA

Osteria di recente fondazione
Via delle Caserme, 51
Tel. 085 4510880
Chiuso la domenica e sabato a pranzo
Orario: mezzogiorno e sera
Ferie: non ne fa
Coperti: 40 + 10 esterni
Prezzi: 25-32 euro vini esclusi
Carte di credito: tutte, Bancomat

Ormai da molti anni in attività, la Lumaca è uno di quei locali dove l'affidabilità è sinonimo di professionalità. In sala il giovane e dinamico patron Luca Filippini, in cucina Nicola Di Sabatino sono una coppia collaudata che garantisce continuità nonostante qualche eccesso di creatività in tempi recenti. Grande cura per la saggia scelta enologica che accontenta vari tipi di clientela.

Si può iniziare con il crudo di manzo di razza marchigiana, il buon antipasto di **salumi locali**, i saporiti formaggi e ricotte, le **lumache** con pomodoro e menta. Buoni anche la **chitarra con i gamberi di fiume** e il **farrotto** al Montepulciano, raviolini ripieni di ricotta e ortica. Tra i secondi impera la carne, così spazio al **petto d'anatra all'aceto balsamico**, al **coniglio ripieno** e ai buoni bocconi di tenero **agnello alle erbe** oppure al **carré di agnello con pinoli e mosto cotto**. Chi non ama la carne, troverà una intelligente selezione di **formaggi** di qualità (dal pecorino di Farindola al canestrato di Castel del Monte, entrambi Presìdi Slow Food, ma anche nazionali con qualche puntata oltre confine), accompagnati da confetture, miele, mostarde e gelatine.

Buoni anche i dolci, con la panna cotta allo zafferano di Navelli, la crostata con la *scrucchjiata* (marmellata di uve montepulciano), la mousse al cioccolato e il collaudato **semifreddo al parrozzo**. Disponibile un menù degustazione da 25 euro.

Locale segnalato dall'Associazione italiana celiachia.

Nei pressi del mercato coperto in via dei Bastioni 81, la macelleria Da Rino è il posto giusto per carni bovine, suine e ovine.

PESCARA

LOCANDA MANTHONÉ

Osteria di recente fondazione
Corso Manthoné, 58
Tel. 085 4549034
Chiuso la domenica
Orario: solo la sera
Ferie: variabili
Coperti: 70 + 25 esterni
Prezzi: 32-35 euro vini esclusi
Carte di credito: tutte, Bancomat

Luca Panunzio, sommelier professionista, guida la sala con piglio sicuro, Enzo D'Andreamatteo cucina i piatti della tradizione, che rivelano cura nella ricerca degli ingredienti, e alcune preparazioni che lasciano spazio al suo estro. Il menù è ampio e collaudato, con le necessarie variazioni stagionali, soprattutto per funghi, tartufi, ortaggi e verdure.

La scelta è ampia, almeno 6-7 proposte per ogni portata, con pani sfornati quotidianamente e oli delle diverse aree abruzzesi. Tra gli antipasti, **fiori di zucca al forno** farciti di ricotta di pecora e crema di zafferano, zucchina ripiena di farricello con funghi pioppini e cacioricotta, **pallotte *cac' e ove***, i ***cacigni*** (cicoria selvatica), fagioli tondini del Tavo e peperone dolce croccante, il **tacchino alla canzanese**. Poi **paccheri con baccalà e patate**, fusilli con fave fresche e stracciatella pugliese, **ravioli di burrata con tartufo bianco** o nero, **gnocchi di ricotta di pecora** con carciofi, piselli e cacioricotta e la **chitarrina al sugo di pallottine di carne**. Tante carni nei secondi: griglia per agnello, capretto, tagliata e filetto di manzo, **agnello al tegame**, straccetti di vitello con pioppini e cardoncelli, **gallo in padella** con Trebbiano d'Abruzzo e peperoni, **coniglio al forno** ripieno di carciofi e olive nere, trancio di baccalà; buona selezione di formaggi, regionali e nazionali.

Molti e buoni i dessert: mousse di cacao, tiramisù, babà al rum con crema allo zafferano, crostatina con crema e frutti di bosco, meringata. Carta dei vini ricca, anche di grandi firme, così come quella dei distillati; varie tisane, sigari, cioccolato e una selezione di arabica da preparare alla moka.

Nel centrale corso Umberto c'è il bar Excelsior, per aperitivi e pause pranzo. Originali le preparazioni di caffè nel vetrino.

TAVERNA 58

Trattoria
Corso Manthoné, 46
Tel. 085 690724
Chiuso sabato a pranzo, domenica e festivi
Orario: mezzogiorno e sera
Ferie: agosto
Coperti: 60
Prezzi: 32-35 euro vini esclusi
Carte di credito: tutte

Corso Manthonè è la direttrice centrale del quadrilatero di viuzze e piazzette che ospita, da meno di dieci anni, un centinaio di locali dei più variegati. Ma nel 1980, quando Giovanni Marrone aprì il suo ristorante, qui c'erano solo gli ultimi artigiani di una Pescara che non c'era più. Imperturbabile, forte di una formula ispirata al recupero e alla rivisitazione di prodotti e ricette, e di uno staff consolidato con Gino Jannone in sala, e Giuseppe Marro e Domenico Di Stefano in cucina, Taverna 58 dimostra quanto valgano la qualità dell'accoglienza e delle proposte.
Impercettibili le variazioni del menù (ma qualche novità non guasterebbe) che prevedono un avvio con la classica "fellata" da dividere in due con prosciutto, **cacio marcetto**, patè di fegato, crostini con **ventricina teramana**, baccalà crudo o appena scottato con la polenta di ceci di Navelli e rosmarino, la **trippa al pomodoro con pecorino**. Poi, la **chitarrina con funghi e tartufi**, gli spaghetti di orzo con battuto di ortaggi e verdure, gli ***sparoni*** (sorta di grandi maltagliati) **con sugo di baccalà** o di pomodoro fresco e guanciale, gli spaghetti con sugo finto. E ancora il baccalà al cartoccio con marmellata di cipolle e la **trota del Tirino con i fagioli**. Oppure le carni: pecora della Majella al tegame, **pollastrello in porchetta** al miele, spezzatino di cinghiale con le castagne, coniglio cotto nel fieno o con olive nere e aglio rosso di Sulmona, le squisite **lumache di terra con sugo di pomodoro** e menta. Grande attenzione agli oli e ai dolci, con la cassata di parrozzo, il budino con la liquirizia, l'insalata di frutta fresca con granita di Montepulciano d'Abruzzo e lo zabaione caldo al Marsala.
La cantina ospita un'ampia selezione di vini regionali e nazionali proposti con misurato ricarico.

100 KM A SE DI L'AQUILA, 36 KM DA SULMONA SS 83

PLISTIA

Ristorante annesso all'albergo
Via Principe di Napoli, 28
Tel. 0863 910429-910732
Chiuso il lunedì
Orario: mezzogiorno e sera
Ferie: non ne fa
Coperti: 40
Prezzi: 30 euro vini esclusi
Carte di credito: tutte

Difficile resistere a un anfitrione come Cesidio Decima, in arte Cicitto, quando con passione quasi travolgente interpreta i piatti che la moglie Laura prepara nella piccolissima cucina. Un coinvolgimento che viene facilitato da un ambiente caldo e da un'atmosfera familiare che fanno di questo locale un approdo sicuro nel centro più mondano e affollato del Parco.
Dai fornelli un'ode alla tradizione gastronomica abruzzese, quella per alcuni versi più "dura" della montagna e dei suoi pascoli incontaminati. **Ricotte** e **formaggi** di grande qualità, dai sapori quasi dimenticati, accompagnano gli antipasti e i primi piatti, tutti rigorosamente legati alle stagioni, in un susseguirsi di sensazioni difficile da dimenticare. Le paste fatte in casa, vero vanto del locale, e le zuppe fanno strada di volta in volta ai profumi di questa straordinaria terra: **funghi**, spinaci selvatici, **tartufi**, selezionati da una cucina che ha fatto della qualità della materia prima la sua bandiera. Qualche esempio: **ravioli con ricotta e orapi**, *sagne* con patate e ricotta salata, ***salatielli* con funghi porcini**. La capacità inventiva di chi governa i fornelli si conferma con i secondi, in particolare quelli a base di carne ovina. La prova nella **pecora** o nel **capretto** cotti lentamente al forno con le spezie o nelle più classiche preparazioni **alla brace**. Mano sicura anche per i dolci, con una sontuosa **torta di mele** a tirare la volata. Cantina ben selezionata, con una intelligente selezione di distillati.

In piazza Vittorio Emanuele II, l'Antico Forno propone dolci, pani, pizze bianche e al pomodoro. In piazza Vittorio Veneto, Sapore Divino: ideale per l'aperitivo, con specialità gastronomiche, o per l'acquisto di vini e distillati abruzzesi e nazionali.

Picciano

24 km a nord di Pescara ss 16 bis e ss 151

Font'Artana 

Trattoria
Piazza Duca degli Abruzzi, 8
Tel. 085 8285451
Chiuso il martedì
Orario: sera, domenica anche pranzo
Ferie: 15-28 febbraio, 1-15 agosto
Coperti: 50 + 15 esterni
Prezzi: 25-30 euro vini esclusi
Carte di credito: CartaSi, Visa

È sempre piacevole arrivare a Font'Artana e scoprire che è cambiato poco o nulla in questa bella casa ristrutturata del centro storico di Picciano. Qui la famiglia Di Giovacchino continua a raccontare con autenticità e passione i piatti della cucina tradizionale di campagna di questa zona immersa tra vigneti e oliveti.
Il giovane Antonio vi guiderà tra le proposte giornaliere e stagionali di mamma Concetta e della moglie Cristina. A seconda del periodo, si può iniziare con un antipasto a base di pecorino, **salumi di carne e di fegato**, il cestino di ricotta fresca, accompagnati dalle ottime ***pizz'onte*** (frittelle di straordinaria fragranza), e di preparazioni calde come i ***cacigni*** o gli **orapi** (verdure selvatiche) **con i fagioli e il peperone fritto**, le classiche **pallotte cac' e *ove***, la polenta arrostita condita in vari modi, le zuppe di verdura o le **verze con la salsiccia**, la **coratella d'agnello**, il ***ciff' e ciaff'* di maiale**, un succulento spezzatino. La pasta è fresca e fatta in casa: ravioli di ricotta con zafferano e ricotta, ***strapizz'*** (sorta di maltagliati) con fave fresche e pomodoro, chitarrina verde con caprino e salsiccia, *tajarille* e cicerchie in bianco, **tagliatelle con il sugo di papera**. Alla ricca offerta di carni di agnello, castrato e maiale alla griglia si aggiungono la **pecora alla callara**, l'agnello con cacio e uova, il **galletto al coccio** e la tagliata di vitello alle erbe.
Tra i dolci, in linea con l'autenticità del pasto, la pizza dolce, il latteruolo, le crostate e i biscotti alle mandorle. Per il vino si può scegliere direttamente nella piccola grotta, in una buona selezione di etichette regionali.

In viale Marconi 24 la macelleria Silvestre Di Federico vende carni bovine, suine e ovine e produce ottimi insaccati.

Poggio Picenze

20 km a est di L'Aquila ss 17

Osteria della posta

Ristorante
Via della Palombaia, 1
Tel. 0862 80474
Chiuso il martedì
Orario: mezzogiorno e sera
Ferie: non ne fa
Coperti: 150
Prezzi: 25 euro vini esclusi
Carte di credito: tutte, Bancomat

In un antico mulino, ristrutturato e riadattato con grande cura, l'Osteria ospita un accogliente ristorante (anche per grandi numeri) e un grazioso spazio dedicato alla degustazione e alla vendita dei prodotti tipici della terra d'Abruzzo. La freschezza delle materie prime (in gran parte di produzione propria), l'abilità della cucina e la cordialità dell'accoglienza fanno di questo locale un sicuro punto di riferimento per gli amanti della buona tavola.
La proposta gastronomica offre immutate le tradizioni alimentari della memoria pastorale, in un percorso di sicuro effetto. Si parte con degli ottimi **salumi**, tutti prodotti in casa e stagionati in antiche cantine d'alta quota, con formaggi locali, lenticchie e **frittura di verdure**. Si prosegue con le **paste tirate a mano con ricotta e noci**, **allo zafferano** o **ai funghi**. Spazio anche alle **zuppe di legumi**, antica tradizione di una cucina povera ma ricca di sapore. I colori e i sapori delle vicine vallate caratterizzano i piatti di mezzo, che spaziano dai gusti più decisi dei pascoli ai delicati aromi degli orti. Tanto territorio nel **coscio di agnello allo spiedo**, nel **cinghiale brasato**, nel **vitello ai funghi porcini**. In estate, all'aperto, braci sempre ardenti per un gustoso viaggio tra le migliori produzioni ovine e bovine del Gran Sasso.
Per chiudere torte della tradizione aquilana o un cucchiaio di **mele cotogne al mosto d'uva**. In cantina selezione di vini abruzzesi.

A pochi minuti, sulla statale 17 che conduce all'Aquila, al bivio per San Gregorio, c'è l'Agriforno La Spiga, panificio e biscottificio artigiano. Tutto cotto a legna.

Rivisondoli

96 km da L'Aquila, 32 km a SE di Sulmona SS 17

Giocondo

Trattoria
Via del Suffragio, 2
Tel. 0864 69123
Chiuso il martedì
Orario: mezzogiorno e sera
Ferie: variabili
Coperti: 40
Prezzi: 30-35 euro vini esclusi
Carte di credito: tutte, Bancomat

Si arriva sempre volentieri in questa storica trattoria di montagna, una delle migliori tavole del comprensorio sciistico circostante. Giocondo Gasbarro è un grande conoscitore della cucina del territorio, approfondita in oltre due decenni, tratta con allegria e simpatica furbizia gli ospiti, che troveranno sul tavolo un cestino con formaggi come benvenuto.
In cucina la mamma e la moglie propongono, per iniziare, ottimi **salumi**, formaggi e sottaceti casalinghi. Poi ampia scelta di paste fatte in casa, servite in porzioni generose: il piatto "consigliato" saranno i ***cazzarielli*** con i fagioli, mentre **taccozze**, pappardelle o **cordicelle** (tirate con la macchinetta delle salsicce) potranno essere condite **con funghi** oppure ortaggi di stagione; in menù anche i classici sughi; molto buoni i **ravioli di ricotta di pecora e orapi**. In alternativa, minestre di legumi oppure **pancotto**. Le carni sono prevalentemente alla brace, con l'agnello o il classico **arrosto misto**, oppure il **capretto *cac' e ove***; in alternativa una selezione di **formaggi** (alcuni arrostiti) accompagnati da miele di acacia. In accompagnamento, verdure di stagione e ottime patate fritte.
Tra i dolci di casa squisiti cannoli alla crema, una fragrante crostata sempre alla crema, il semifreddo al torroncino con cioccolato fuso. Non ricca la scelta dei vini, con bottiglie in prevalenza abruzzesi. Unico neo, l'inveterata scelta di far pagare il coperto.

Vicino all'osteria c'è Enogiò, che seleziona le più importanti etichette regionali e nazionali, salumi e formaggi, funghi e tartufi, zafferano di Navelli, miele e dolci di tradizione abruzzese.

Roseto degli Abruzzi

32 km a est di Teramo SS 81 e 150

Vecchia marina

Ristorante annesso all'albergo
Lungomare Trento, 37
Tel. 085 8931170
Chiuso domenica sera e lunedì
Orario: mezzogiorno e sera
Ferie: variabili
Coperti: 35 + 25 esterni
Prezzi: 35-38 euro vini esclusi
Carte di credito: tutte

In estate si può godere della pinetina a ridosso del mare, in inverno l'ambiente è più raccolto e semplice. La Vecchia Marina è una vera osteria di pesce, con gestione familiare affidata in sala a Gennaro D'Ignazio e a Giovanni Parnanzone, in cucina a Loredana D'Ignazio sorella di Gennaro e moglie di Giovanni.
Nei giorni "caldi" può capitare di attendere qualche minuto prima di vedere arrivare in tavola le tante e gustose preparazioni che rispecchiano la stagionalità del mare e utilizzano **pesci** noti e meno noti: **crudi**, marinati, bolliti, fritti e grigliati. Il menù scritto se c'è è di fatto inutilizzabile: al via con **scampetti**, calamari e **gamberi crudi**, merluzzo crudo con i capperi, filetto di tonno con crema di peperoni, **carpaccio di cernia**, filetto di triglia e alici marinate, **sgombro con salsa di prezzemolo e basilico**, *panocchie* (cicale di mare) bollite, scamponi in padella con aglio e rosmarino, piccole pescatrici con vongole nostrane, olive fritte ripiene di pesce, **merluzzo impanato e fritto**, alici alla scottadito, cozze gratinate con pomodori, **spiedino di calamari**, trippa di rana pescatrice con pomodoro e peperone secco. Paste artigianali o fatte in casa: fettuccine con vongole, seppioline e scampi, **mezzi paccheri** Verrigni **con sogliole e scampi**, risotto ai frutti di mare, **spaghetti con pesci di scoglio**. Tra i secondi: mazzolina all'acquapazza, sogliolette alla brace o in guazzetto, misto di **pesci alla brace** e **frittura** croccante. Con tanta varietà e abbondanza non è difficile andare fuori prezzo.
Si chiude con qualche dolcetto secco casalingo; cantina ben scelta tra abruzzesi e nazionali.

Il pastificio artigianale Verrigni, via Salara 9, coltiva e seleziona grani duri, anche biologici, e produce pasta di qualità trafilata al bronzo.

San Salvo

86 km a SE di Chieti ss 16, 11 km da Vasto

Osteria delle spezie

Osteria di recente fondazione
Corso Garibaldi, 44
Tel. 0873 341602
Chiuso il mercoledì, inverno domenica sera
Orario: mezzogiorno e sera
Ferie: in settembre
Coperti: 45
Prezzi: 30-35 euro vini esclusi
Carte di credito: le principali

All'osteria di Giancarlo Cilli, nel centro storico di San Salvo, da anni è riconosciuto il merito di una saggia riproposta della cucina del territorio, fatta con materie prime locali, a volte rare.
Si comincia con antipasti curati per scelta e accostamenti che variano con le stagioni. Interessanti alcune preparazioni a base di ortaggi, legumi e verdure: la **cicoria impazzita** (ossia fritta e pastellata) servita nella passata di fave, deliziosa nella sua semplicità, la crema di stracciata di Agnone con gelato di pomodoro crudo, la **crema di porcini con tartufo** fresco, le minestre a base di legumi. Da provare la **ventricina vastese**, un salume a grana grossa Presidio Slow Food dalla forma tonda o ovoidale, che Giancarlo sceglie tra i produttori artigianali del medio e alto Vastese. Agli apprezzati **pennoni con mandorle e zafferano** e alle paste ripiene con farciture varie (dalle noci alle castagne, passando per ricotta e verdure) si sono aggiunti i "tagliolini del tratturo" con erbette di campo, ricotta e caciocavallo, i **maccheroncini con carciofi** di Cupello (comune dove è diffusa e apprezzata la coltivazione di questo ortaggio) serviti anche ripieni. Poi, il **coniglio disossato e farcito**, l'agnello con le spezie o abbottonato (ripieno), il **maialino al miele** o al finocchietto selvatico.
Bella selezione di formaggi e di dolci, con i cannoli siciliani rivisitati e soprattutto la **crema soffice agli agrumi** con pesca saltata in padella (San Salvo è una delle Città della pesca). La carta dei vini comprende diverse etichette abruzzesi e molisane e qualche nazionale.

In corso Garibaldi 7, la Gelateria Caffè Roma si segnala per la produzione di dolci locali e gelati artigianali. In via Histonia 31, la famiglia Roberti prepara porchetta arrosto, ventricina e salsicce.

San Salvo
San Salvo Marina

91 km a SE di Chieti ss 16, 11 km da Vasto

Ristorante marina

Ristorante
Via Pigafetta, 70-Statale 16, piazzale Agip
Tel. 0873 803142
Chiuso domenica e lunedì sera
Orario: mezzogiorno e sera
Ferie: variabili
Coperti: 50
Prezzi: 32-35 euro vini esclusi
Carte di credito: tutte

Non siete al lungomare e non lasciatevi influenzare dall'aspetto anonimo del locale e della zona, ma sedetevi con fiducia ai tavoli di questo ristorante di cucina di mare a pochi metri dalla statale. Parcheggiare non sarà un problema nel vicino piazzale del distributore di carburanti. L'ambiente è raccolto (conviene prenotare), spesso c'è la tv accesa a rendere più casalinga la sosta e molti sono gli habitués a pranzo.
Gennaro Raspa, padre dell'attuale titolare Michele, si alterna con il figlio ad accogliere i commensali: «la nostra cucina è al 99% fatta al momento» vi diranno e vi inviteranno a ordinare le pietanze che vi elencheranno a voce (il menù c'è, a richiesta, ed è utile per la scelta dei vini) e che le donne di casa prepareranno. Il pesce disponibile, ovviamente, varia a seconda del pescato ed è servito con porzioni misurate. Per cominciare, c'è l'ottimo **crudo di mare**, poi i tanti antipasti caldi, tra cui sono da segnalare le **alicette al sugo**, gli **scampetti al tegame**, i medaglioni di calamari ripieni, il **pesce spada alla pizzaiola**, i moscardini al purgatorio (ma se sceglierete il misto di antipasti, tutti di pesce fresco, sforerete abbondantemente rispetto al prezzo medio). Tra i primi, buoni gli **gnocchetti di patate con calamaretti**, i **cavatelli agli scampi** ma anche classici come chitarra o **linguina allo scoglio** o con le sole vongole, oltre agli altri classici condimenti marinari. In alternativa, anche come piatto unico, il **brodetto alla vastese**, per il quale è opportuno prenotare. Fra i secondi degna di nota è l'**acquapazza di pesce bianco**, altrimenti il pescato del giorno alla griglia o al forno.
Pochi dolci fatti in casa e carta dei vini prevalentemente regionale, con ricarichi onesti; grande varietà di distillati.

Sant'Omero

25 km a NE di Teramo

La piazzetta

Ristorante
Via alla Salara, 9
Tel. 0861 88530
Chiuso la domenica
Orario: solo la sera
Ferie: 1 sett dopo Ferragosto, 1 dopo Capodanno
Coperti: 35
Prezzi: 26-29 euro vini esclusi
Carte di credito: tutte, Bancomat

Sant'Omero è una sorta di capitale del baccalà. Infatti opera qui uno dei maggiori importatori del pesce norvegese e vi si svolge una frequentatissima sagra nel mese di luglio. Non è quindi una sorpresa che qui ci sia uno dei luoghi privilegiati per gustare il "pesce veloce del Baltico", evidente passione della famiglia Cristofori, che gestisce sia il bar antistante, dove a pranzo si apparecchiano pochi tavoli per un menù ridotto, sia il ristorante dove il giovane e competente Nicola ha lasciato la gestione in sala al figlio Nico, mentre la cucina è guidata dalla moglie Roberta.
Il menù si articola su una carta con diversi piatti di **baccalà**, ma non mancano proposte a base di carne. Nel primo caso ci si muove fra innovazione, classicità e tradizione, un po' come nell'arredamento del locale. Gradevoli gli antipasti caldi e freddi, con il baccalà proposto alla catalana, con peperoni arrosto, grigliato, tagliato a carpaccio e marinato, e come ripieno di polpettine fritte; a volte si può trovare anche la rara **trippa di baccalà**. Nei primi lo si trova come ripieno dei **ravioli**, con la lasagnetta, con la **chitarra e pomodorini** e con gli **gnocchi di patate**. Come secondo, classica è la preparazione di baccalà **con patate**, oppure alla griglia, **in potacchio**, **in zuppa con patate, ceci e zafferano di Navelli**. Dalla carta di carne, **salumi** e **formaggi**: **chitarrina con pallottine di carne**, ceppe con asparagi, **gnocchi con porcini e tartufo**, agnello al cartoccio, **bistecca di razza marchigiana** e chianina.
Si chiude con i dolci semplici e buoni della casa. Bella la cantina climatizzata e completa la lista dei vini, impostata su proposte regionali e nazionali, con incursioni all'estero, che il giovane Nico, appassionato sommellier, vi saprà consigliare e che ben si adatta al menù.

Santo Stefano di Sessanio

29 km a est di L'Aquila

Ostello del cavaliere

Azienda agrituristica
Via della Giudea, 1
Tel. 0862 89679
Chiuso il giovedì
Orario: mezzogiorno e sera
Ferie: variabili
Coperti: 40 + 20 esterni
Prezzi: 25-30 euro vini esclusi
Carte di credito: tutte

Siamo a Santo Stefano di Sessanio, incantevole borgo medievale edificato in pietra calcarea bianca raccolto intorno alla torre cilindrica, custode di culture secolari. Recuperato grazie a un bel progetto di "albergo diffuso", è la patria di una straordinaria lenticchia (Presidio Slow Food), piccolissimo legume coltivato ad alta quota da tempi lontani sulle pendici del Gran Sasso d'Italia.
L'indirizzo giusto per assaggiare una zuppa fumante (e non solo) è proprio questo simpatico Ostello, gestito con garbo dalla famiglia Cucchiella, che ha fatto della tutela e della valorizzazione della produzione agro-alimentare locale (tutta da agricoltura biologica) la sua bandiera. In carta poche proposte, ma tutte decisamente centrate, a partire dalla profumatissima **zuppa di lenticchie** con tozzetti di pane fritto, da degustare quasi devotamente, magari dopo un passaggio tra gli antipasti della casa, tutti di produzione propria. Piacevoli fragranze di montagna negli altri primi: **gnocchi allo zafferano aquilano**, **fettuccine ai funghi porcini**, **strozzapreti al sugo di castrato**. Trionfo di carni tra i secondi, con un eccezionale **agnello** locale allevato al pascolo. Da non perdere (magari come dessert) l'ormai quasi introvabile **pecorino fritto**, servito con miele millefiori.
In miglioramento anche l'offerta dei dolci, con qualche originale preparazione a base di lenticchie. Non delude la carta dei vini, dove trova il giusto spazio una intelligente selezione delle migliori etichette regionali.

All'Ostello si possono acquistare i prodotti da agricoltura biologica dell'azienda. A 14 chilometri, a **Castel del Monte**, l'ottimo formaggio canestrato (Presidio Slow Food) in vendita presso l'Azienda Zootecnica Gran Sasso (piazza del Lago).

SAN VITO CHIETINO

39 KM A SE DI CHIETI A 14 O SS 16

LA SCIALUPPA

Trattoria
Via Sangritana, 19
Tel. 0872 619048-338 3248389
Chiuso il lunedì
Orario: mezzogiorno e sera
Ferie: fra ottobre e novembre
Coperti: 35 + 20 esterni
Prezzi: 35 euro vini esclusi
Carte di credito: tutte, Bancomat

Si viene qui per un buon pasto di pesce cucinato in modo semplice, magari in estate dopo un bel tuffo nella vicina, bella spiaggia punteggiata dai caratteristici trabocchi. Atmosfera semplice, servizio alla mano, pochi fronzoli e ricette collaudate da generazioni, proprio nel cuore della parte Marina di San Vito. I titolari (Marco Marone in sala, la moglie Rosa in cucina), sono una delle più vecchie famiglie di pescatori del luogo. Il "salto" dalle reti ai fornelli, reso possibile dalle abili donne della famiglia, produce ottimi risultati e, nonostante qualche esitazione dovuta a intrusioni a uso dei palati meno attenti, crea un piacevole risultato.
Gli antipasti sono molti, difficile elencarli tutti. Chi ama le **crudità** troverà quello che cerca, chi preferisce indirizzarsi su quelli cotti si vedrà servire una bella sequenza di delizie marinare che va dai calamaretti alle **cozze ripiene**, passando per vongole, cicale ripiene e altre saporite conchiglie, come da pescato. Se è il periodo giusto, non perdetevi i **bianchetti al cartoccio**, davvero deliziosi nella loro essenzialità. Anche i primi sono quelli della tradizione locale, quindi ecco la **chitarrina con cicale e calamari**, gli **gnocchetti con scampi** e altri crostacei. Una menzione a parte merita il **brodetto di pesce**, qui sempre ricco e prelibato. Per i secondi si può spaziare dalle ricche e saporitissime **grigliate** miste, alla **pescatrice in padella** con vino bianco, alla canonica ma sempre buona **frittura di paranza**.
Semplici e onesti i dolci della casa, mentre la cantina è commisurata al tipo di locale e giustamente sbilanciata sui bianchi regionali.

Alla Marina di San Vito la spesa del pesce si fa da Rocco, via Nazionale Adriatica 17; al numero 10 c'è Copa de Dora, per il miglior gelato della zona.

SAN VITO CHIETINO
Sant'Apollinare

39 KM A SE DI CHIETI A 14 A SS 16

LA VALLETTA

Trattoria
Località Sant'Apollinare
Tel. 0872 58587-380 3064741
Chiuso il martedì
Orario: sera, domenica anche pranzo
Ferie: tra gennaio e febbraio
Coperti: 110
Prezzo: 25-28 euro vini esclusi
Carte di credito: tutte, Bancomat

Quasi a metà strada tra Lanciano e San Vito Chetino, Sant'Apollinare ha nella piccola piazzetta uno dei luoghi di ritrovo e in questa trattoria un sicuro indirizzo per gustare piatti tradizionali della zona. Seduti in una delle due sale, al piano di sopra o nella taverna con il camino, il simpatico patron Carlo Dragani vi presenterà le specialità della casa preparate da mamma Anna Concetta. Gli antipasti prevedono salumi e formaggi locali, piccole ricette con ortaggi e verdure, come quelle che accompagnano la **pizza di *randinije*** (in dialetto grano d'India, granturco) cotta sotto il coppo di brace e servita con sarde e peperoni secchi fritti. Altrettanto imperdibili sono le **pallotte *cac' e ove***, polpette povere preparate con pane raffermo, formaggio semistagionato di mucca e uova, prima fritte e poi cotte nel sugo di pomodoro. Tra i primi, le ***sagnette*** appena brodose **con pomodoro e fagioli**, le *sagne* con i ceci, gli gnocchi o i **maccheroni alla chitarra con sugo di agnello** e soprattutto il ***rintrocilo* al sugo di pomodoro**, uno spaghettone di acqua e farina. Il **baccalà in brodetto** (anch'esso servito con la pizza di *randinije*) o arrosto con i peperoni, lo **spezzatino di maiale *ciff' e ciaff'***, il pollo con le patate, il misto di carni alla brace sono una valida alternativa a chi avesse già apprezzato il **coniglio** spezzato e **cotto sotto il coppo** con le patate.
Si chiude con pasticceria casalinga, come i celli ripieni, e dolci con le mandorle. Diverse buone etichette regionali per accompagnare.

L'area frentana è rinomata per la produzione di olio extravergine (anche targato dop Colline Teatine), di olio agrumato e di ortaggi e preparazioni sott'olio. Tra i migliori quelli del Mastro oleario Giuseppe Ursini a **Fossacesia** (5 km).

Schiavi di Abruzzo

99 km a sud di Chieti, 58 km da Vasto ss 650

Antica trattoria Vittoria

Trattoria
Località Valloni, 5
Tel. 0873 970250
Chiuso il giovedì, mai in agosto
Orario: mezzogiorno e sera
Ferie: tra gennaio e febbraio
Coperti 50 + 20 esterni
Prezzi: 25 euro vini esclusi
Carte di credito: tutte, Bancomat

Un piccolo e tranquillo comune abruzzese, proprio sul confine con il Molise, è lo splendido palcoscenico per questa trattoria che, record di longevità imprenditoriale, è gestita dalla stessa famiglia ormai da più di settant'anni. Siamo in montagna, ben oltre i 1000 metri, in un luogo affascinante, anche se un po' arduo da scovare. La recente ristrutturazione, se da una parte ha reso molto più accogliente il locale, dall'altra ha tolto il fascino retrò che lo contraddistingueva.
La cucina, per fortuna, ha mantenuto la forza dei bei tempi, il rapporto con il territorio (abruzzese e molisano, visto che siamo a cavallo tra le due regioni) è fortissimo. I ricchissimi vassoi di antipasti sono uno dei punti di forza del locale, da soli valgono un pasto e il viaggio fin quassù. Imperdibile è un assaggio della **ventricina vastese**, qui al suo meglio. Gustosi anche i **sottoli** fatti in casa, il pecorino, il **formaggio arrosto**, i **fegatini di pollo** e il caciocavallo della vicina Agnone. Buone le paste fatte a mano, come le **tagliatelle con porcini** o i **ravioli con tartufo**. Una nota di merito per le **polente**: **ai funghi porcini**, ai peperoni fritti e, il massimo, **con il sugo alla ventricina**. Con lo stesso condimento si possono mangiare le ***sagne a pezzate***, rombi di pasta fatta a mano tipica della zona. Se tutto questo non vi ha saziato, provate la specialità del locale, il **pollo alla diavola** cotto "al mattone" e le **pallotte *cac' e ove***, un piatto che sta conoscendo una inattesa rinascita in zona. Non mancano le carni per i consueti e saporiti arrosti, di ovino o misti.
Buoni e semplici i dolci e scelta enologica in miglioramento. Conto onestissimo, vista la gran qualità del tutto.

Sulmona

56 km a SE di L'Aquila ss 17

Clemente

Ristorante
Vico della Quercia, 5
Tel. 0864 52284
Chiuso il giovedì
Orario: mezzogiorno e sera
Ferie: fine giugno-metà luglio
Coperti: 60
Prezzi: 28-30 euro vini esclusi
Carte di credito: tutte, Bancomat

La Valle Peligna è stata, fino ai primi decenni del '900, la culla della vitivinicoltura abruzzese, poi trasferitasi lungo le colline litoranee. Ma questa zona conserva un patrimonio agroalimentare interessante: dall'aglio rosso ai confetti, dalla produzione lattiero-casearia a quella salumiera, dalla pasta artigianale al miele, distribuita tra i paesi di Pacentro, Pratola e Introdacqua, e Sulmona, la cui parte storica vale il viaggio.
Nei pressi dell'arcivescovado c'è il ristorante di Clemente Maiorano, una sicurezza per la cucina fatta di specialità locali, proposta con alcune personali variazioni. Gli antipasti sono gustosi e stuzzicanti: l'**involtino di melanzana al pecorino** di Anversa, il piatto di **salumi**, l'involtino di interiora di agnello in foglia di verza, il baccalà in diversi modi, il tutto accompagnato dalle pizzette fritte. Alle saporite farfalle alla Clemente, ai **paccheri con sugo di baccalà e pecorino** e alla **chitarrina con zafferano dell'Aquila e funghi porcini**, si aggiungono **zuppe** stagionali, come quella **di farro e ceci**, di ceci e castagne o quella del pastore, **con ricotta e *mucischia*** (pezzetti di carne di agnello essiccata). Tra i secondi domina la carne ovina, con la **pecora alla *cottora*** e l'agnello arrosto, ma c'è spazio anche per i bocconcini di coniglio in padella alle erbe, il buonissimo **pollo ruspante con i peperoni** e un'autentica specialità della casa, il **maialino al mosto cotto**, fatto ogni vendemmia da Clemente.
Da provare per concludere la crema allo zafferano dell'Aquila o il semifreddo al confetto di Sulmona. Vini anche al bicchiere, con etichette per lo più regionali.

Sulmona per i salumi e l'aglio rosso da Pingue, per i fiordilatte e le scamorze da Reginella d'Abruzzo. A **Pratola Peligna** i mieli di Walter Pace-Colle Salera.

Teramo

Enoteca centrale

Enoteca con mescita e cucina
Corso Cerulli, 24-26
Tel. 0861 243633
Chiuso la domenica, mai d'estate
Orario: mezzogiorno e sera
Ferie: non ne fa
Coperti: 30 + 25 esterni
Prezzi: 28-30 euro vini esclusi
Carte di credito: tutte, Bancomat

L'Enoteca Centrale è un ritrovo cittadino, per mangiare, per un aperitivo o per un dopo cena, in estate come in inverno. C'è sempre un certo movimento intorno a Marcello e a Pietro Perpetuini, anima di questo locale, esempio di accoglienza gentile e garbata quanto discreta.
Il bancone semicircolare è affollato di habitués e vi si scorgono calici di almeno dieci-dodici bottiglie servite al bicchiere insieme ad assaggi di piccole preparazioni. A tavola, tra gli scaffali che ospitano centinaia di etichette nazionali e internazionali, la situazione è altrettanto interessante: a una cucina rigorosamente teramana si affiancano di tanto in tanto proposte che prendono spunto dal territorio o dalle diverse eccellenze alimentari nazionali. Si comincia con **salumi**, latticini e formaggi insieme a sformati con verdure e ortaggi, **insalata di funghi porcini** con sedano e parmigiano o con pecorino stagionato, *tartare* di carne di manzo di razza marchigiana. Poi gli spaghettoni artigianali Verrigni all'amatriciana, la **chitarra con sugo di pallottine di carne** alla teramana o **con funghi e tartufo della Laga**, le ***scrippelle*** e i ravioli, ma anche fusilloni con alici e pomodorino. A seguire il filetto di coniglio in crosta di pane ed erbe del Gran Sasso, l'**agnello alla brace**, la tagliata di manzo, le **mazzarelle di agnello** e la **trippa** (in bianco o al sugo). Dolci al cucchiaio per finire, su tutti il semifreddo al cioccolato e rum o al croccantino con amaretti teramani.
Nel corso della settimana, tra mezzogiorno e sera, le proposte della cucina possono variare, conviene dunque accertarsi della completezza del menù al momento della prenotazione.

Di fronte al locale c'è la Salumeria del Corso: pasta fresca, piccola gastronomia e bella selezione di produzioni regionali.

Termoli

68 km a NE di Campobasso SS 647

Dentro le mura

Ristorante
Via Salvatore Marinucci, 36
Tel. 0875 705951-349 1969470
Chiuso il mercoledì
Orario: sera, domenica anche pranzo
Ferie: variabili
Coperti: 25
Prezzi: 30-35 euro vini esclusi
Carte di credito: tutte tranne AE, Bancomat

Il suggestivo centro storico di Termoli, chiuso tra le mura sul mare, è una meta turistica meritevole di visita. Non meno interessante è questa piccola trattoria marinara, da poco rinnovata, con i tavolini che nella buona stagione si spostano all'aperto. Qui si possono mangiare i buoni e semplici piatti della tradizione, che variano di giorno in giorno con quello che offrono la pesca e la stagione. Lo chef Antonio Terzano è uno studioso delle antiche ricette marinare, come da tradizione di famiglia, e si avvale di una rete di conoscenze per reperire la freschissima materia prima, che vuole solo locale, e che manipola quel poco che basta.
Tutto qui è a misura casalinga, inclusi la cucina a vista e il servizio in sala, dove la moglie Lina e l'amico Matteo vi proporranno un menù che non procede in maniera classica, ma che si costruisce piatto dopo piatto, preparato al momento davanti ai vostri occhi, scegliendo fra quello che c'è e secondo il proprio appetito. Così fra i **crudi**, davvero molto buoni, capita di assaggiare una triglietta spinata, cozze pelose, **ostriche** del luogo insaporite nell'acqua di mare, aliciotte, gamberetti, calamaretti. E poi totanetti in barattolo, **sgombri** e **seppioline con peperoni**, **bianchetti**, una leggera **fritturina di paranza**, il sauté di molluschi con verdure. Come primo si recuperano una **minestra all'antica** con spaghetti spezzati in guazzetto con scampi, cicoria e pomodorini, e gli **spaghetti in brodetto**, ma anche i più classici **allo scoglio** e le **mezzemaniche agli scampi**. Se non si è esagerato con gli antipasti e i primi, i secondi propongono **grigliate miste**, **brodetto** e pesce al forno.
Fra i dolci, la bavarese al caffè (anch'esso da un piccolo e antico torrefattore del posto) e torte alla frutta. Intelligente selezione di vini del territorio.

75 KM A SE DI CHIETI, SS 16 O A 14

ALLA HOSTARIA DEL PAVONE

Ristorante
Via Barbarotta, 15
Tel. 0873 60227
Chiuso il giovedì
Orario: mezzogiorno e sera
Ferie: tra gennaio e febbraio
Coperti: 45
Prezzi: 35-40 euro vini esclusi
Carte di credito: tutte

Addentratevi nei vicoli del centro storico di Vasto per ammirare piazzette, chiese e palazzi e per una sosta in questo caratteristico locale al piano terra di un palazzo del Seicento. Ad accoglervi ci sarà Nicolino Di Renzo, simpatico e originale, chef autodidatta che ha imparato bene un mestiere che svolge con passione e curiosità: le preparazioni si rivelano di anno in anno più eleganti e creative nelle cotture e negli accostamenti degli ingredienti. C'è un menù degustazione a 35 euro ma, per qualità e varietà delle proposte, è facile superare la soglia di prezzo.
Il mare è interpretato alla perfezione: con la ragguardevole varietà di **crudi** e carpacci, ma anche con le mazzancolle con lardo e purea di patate, la soppressata di polpo tiepida, le seppioline "slow fire" con crema di piselli freschi, il **baccalà mantecato con purea di fave** e i fiori di zucca ripieni di scampi. Molto raffinata (e adeguatamente "conteggiata") è la presentazione della sequenza di tutti gli antipasti della casa. Tra i primi piatti, **paccheri con asparagi, scampi e tartufo nero** dell'alto Vastese, **cavatelli con sugo di rana pescatrice**, **tagliolini alla marinara**, maccheroncini di Campofilone con cicale e scampi. A seguire, ricciola alla griglia con *chips* di patate, **frittura di paranza**, spigola al sale, un superbo **brodetto alla vastese** (che sarebbe bene prenotare e gustare come piatto unico), grigliate miste, **pescatrice con pomodori e capperi**, trancio di ricciola e altri "fuori menù" con il pescato del giorno. Si chiude con semifreddo al torroncino, spumone al pistacchio di Bronte o al mandarino e con la rivisitazione della crema catalana.
Una bella e completa carta dei vini con etichette del miglior panorama nazionale e buona rappresentanza regionale. È consigliabile prenotare.

75 KM A SE DI CHIETI, SS 16 O A 14

DA FERRI

Trattoria
Via Osca, 58
Tel. 0873 310320-334 1203017
Chiuso il lunedì
Orario: mezzogiorno e sera
Ferie: non ne fa
Coperti: 50
Prezzi: 32-35 euro vini esclusi
Carte di credito: tutte, Bancomat

La Riserva naturale regionale di Punta Aderci, sul mare a nord di Vasto, offre un bel programma escursionistico da combinare a un pranzo in questa storica trattoria sopra il porto di Punta Penna. La clientela è costituita principalmente di habitués, che trovano nel locale un solido punto di riferimento per il pesce freschissimo cucinato senza fronzoli e, soprattutto, per l'ottimo **brodetto vastese**, vera pietra di paragone per un piatto simbolo della ristorazione locale.
Il locale è molto frequentato, e si raccomanda la prenotazione sia del pranzo sia del brodetto. Il brodetto vastese si prepara cuocendo in un tegame di terracotta, nel quale è poi servito in tavola, varie tipologie di pesci a seconda della disponibilità di mercato, su una base di soffritto di olio, aglio, pomodoro e peperone fresco. Oltre alla qualità e alla freschezza del pesce, la riuscita del piatto dipende dalla capacità di portare a simultanea cottura pesci di diversa consistenza, preservandone gli aromi. Fra le varietà si potranno trovare: cianchetta (falsa sogliola), triglia, pagello, palombo, gragnoletto (tracina), testone (gallinella), scorfano, lucerna, occhialino (piccola razza), pescatricetta, merluzzetto, calamari o seppie, pannocchie (cicale di mare), scampi, gamberi, cozze. Si accompagna con pane abbrustolito ed è usanza servire alla fine una fumante **chitarrina in bianco** da tuffare negli avanzi. Anche le altre proposte sono all'altezza ma si consiglia, in alternativa, qualche **antipasto** tra crudi e cotti di scampi, panocchie, **guazzetto di cozze e vongole**, seppie arrostite con i peperoni, la chitarrina con i frutti di mare, le **linguine con le alici**, la croccante **frittura mista** o il **pesce alla brace**.
Cantina semplice con proposte della regione.

PUGLIA

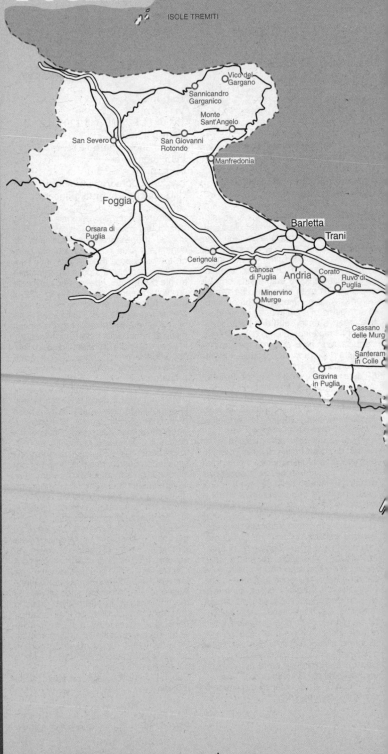

ISOLE TREMITI
Vico del Gargano
Sannicandro Garganico
Monte Sant'Angelo
San Severo
San Giovanni Rotondo
Manfredonia
Foggia
Barletta
Trani
Orsara di Puglia
Cerignola
Canosa di Puglia
Andria
Corato
Ruvo di Puglia
Minervino Murge
Cassano delle Murg
Santeram in Colle
Gravina in Puglia

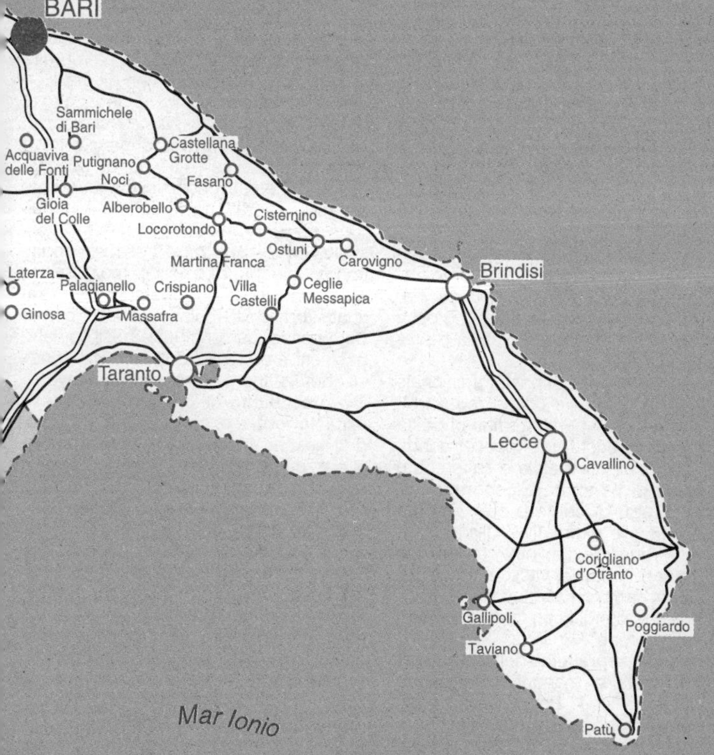
Mar Adriatico
BARI
Sammichele di Bari
Acquaviva delle Fonti
Castellana Grotte
Putignano
Noci
Fasano
Gioia del Colle
Alberobello
Cisternino
Locorotondo
Ostuni
Carovigno
Martina Franca
Brindisi
Laterza
Palagianello
Crispiano
Villa Castelli
Ceglie Messapica
Ginosa
Massafra
Taranto
Lecce
Cavallino
Corigliano d'Otranto
Gallipoli
Poggiardo
Taviano
Mar Ionio
Patù

ALBEROBELLO

55 KM A SE DI BARI SS 100 E 172 O 634

LA CANTINA

Osteria
Corso Vittorio Emanuele-angolo vicolo Lippolis, 9
Tel. 080 4323473
Chiuso il martedì
Orario: mezzogiorno e sera
Ferie: 15 gg in febbraio, 15 in luglio
Coperti: 32
Prezzi: 30-35 euro vini esclusi
Carte di credito: tutte tranne DC, Bancomat

La Cantina si trova nel centro della città, a pochi passi dalla basilica secentesca dei Santi Medici, patroni di Alberobello, e a meno di un chilometro dal quartiere storico-monumentale dei trulli, in un vicolo che porta lo stesso nome del proprietario del locale, Francesco Lippolis. È un'osteria a conduzione familiare. Antonio, il capostipite, ha iniziato l'attività di cuoco e ha aperto questo locale insieme alla moglie Angela nel 1990; attualmente è Francesco che si occupa della cucina mentre in sala ci sono Giovanni e Laura, fratello e moglie di Francesco. Il locale non è grande, ubicato in un seminterrato, arredato sobriamente e con gusto. Un bancone capiente, dove lo chef appoggia tutto quanto necessario per la cucina, dalle pentole ai prodotti da preparare, separa la sala ristorante dalla cucina. I fornelli sono in fondo, sotto una grossa cappa. Chi vuole può assistere alla preparazione delle pietanze.
Si comincia con gli antipasti tradizionali, costituiti da **salumi** e ottime **mozzarelle** e **burrate**. Tra i primi, formati di pasta tradizionali (**orecchiette**, *fricelle*) conditi con capocollo di maiale e zafferano o con **salsa di pancetta e pecorino**, ma anche al ragù di carne o **con verdure di stagione**; in alternativa, diversi sformati di verdura. Si continua con **grigliate di agnello**, maiale, vitello e il ricercatissimo **diaframma di puledro**, gli **involtini di carne**, conditi con formaggi locali, chiamati "bombe".
I dolci sono soprattutto della casa e a base di pasta di mandorle, nel rispetto della tradizione. Per quanto riguarda i vini, la proposta immediata consiste in vino sfuso in caraffa ma, per i più esigenti, è pronta una discreta carta di bottiglie pugliesi.

ALBEROBELLO

55 KM A SE DI BARI S 100 E 172 O 634

L'ARATRO 

Ristorante
Via Monte San Michele, 25
Tel. 080 4322789
Chiuso il lunedì
Orario: mezzogiorno e sera
Ferie: gennaio
Coperti: 70 + 50 esterni
Prezzi: 30 euro vini esclusi
Carte di credito: tutte

Sull'ampia scalinata che sale verso l'apice del rione Monti si trova il ristorante di Domenico Laera, anch'esso nei trulli, in mezzo alle buganvillea. La posizione "turistica" di questo locale non pregiudica l'apprezzamento da parte della gente del luogo: l'ottima cucina tipica e il carattere amabile dello chef rendono questo luogo caldo e accogliente. Il patron gira fra i tavoli e chiacchiera con gli ospiti.
Si comincia con tranci di focaccia di patate soffice e calda e minuscole, gustosissime **polpettine di pane e uova fritte**. Intanto si serve il vino, da scegliere fra numerose buone etichette (almeno 150), soprattutto regionali. A seguire, **frutti di mare** cotti e, quando è possibile, **crudi**, **burratine** fresche condite con un fine trito di basilico, mozzarelline e verdure grigliate, peperoni fritti e gratinati, tortino di melanzane con pomodoro fresco, cacioricotta e basilico, lampascioni e carciofini sott'olio. Fra i primi si apprezzano **fave e cicorie**, cavatelli o **orecchiette al pomodorino fresco e cacioricotta** o con le rape e pomodori secchi, tubettini con fiori di zucca e cozze, **strozzapreti con asparagi e salsiccia**, spaghettini con fave fresche, olio extravergine e pecorino, cavatelli di "grossetto" con fagiolini pomodoro e cacioricotta, cicerchie e baccalà. Fra i secondi, da non perdere il tradizionale **agnello con patate e lampascioni al forno**, la carne della Murgia cotta al fornello e piatti dal pescato del giorno abbinati ai legumi, come vuole la tradizione.
Ampia e varia la scelta dei dolci, tra cui l'ottimo semifreddo al torroncino e i tipici **dolci** di pasticceria **di mandorle**.

In via II Traversa Colucci il caseificio Artelat: bocconcini, mozzarelle, scamorze, ricotta, cacioricotta e caciocavallo silano. In viale Einaudi il Tarallificio dei trulli: taralli all'olio di oliva, al vino e alle spezie.

ANDRIA
Montegrosso

74 KM A NO DI BARI SS 98 O USCITA A 14

ANTICHI SAPORI 

Trattoria
Piazza Sant'Isidoro, 9
Tel. 0883 569529
Chiuso sabato sera e domenica
Orario: mezzogiorno e sera
Ferie: 3 settimane in luglio, 1 in dicembre
Coperti: 40
Prezzi: 30 euro vini esclusi
Carte di credito: tutte

Pietro Zito è impegnato da diversi anni nel proporre e valorizzare la tradizione culinaria della Murgia contadina: ricerca i prodotti da utilizzare, dai formaggi nelle masserie limitrofe alle erbe spontanee nelle campagne circostanti. Esegue le sue ricette con disinvolta semplicità, mostrando di voler recuperare la memoria e il patrimonio gastronomico del suo territorio. Non disdegna, comunque, di rielaborare in modo originale anche i piatti tradizionali più poveri, per un menù che varia spesso secondo le stagioni.
L'ambiente semplice e l'accoglienza cordiale creano un'atmosfera familiare. Cominciate con **latticini** freschissimi, tra cui le ricottine di capra con sedano caramellato, la **salsiccia secca di Venosa**, la focaccia di grano arso e tante verdurine proposte in modi diversi, tra cui il passato di melanzane o zucchine con paté di olive, crostini di pane e un filo di olio extravergine della profumatissima cultivar coratina. Passando ai primi, la pasta fresca, generalmente **strascinati di grano arso** abbinati a verdure di stagione – cime di rape, fagiolini, germogli di zucchine, broccoletti – oppure al purè di fave, alle olive nere cotte alla brace o ai funghi cardoncelli. In alternativa, la ***tiella* di patate e cozze**. Tra i secondi, eccellente proposta di carni del territorio: **costone di bovino podolico alla brace**, *tiella* di agnello al forno con patate, funghi e pomodori secchi, **marro al forno**.
Per chiudere, ottimi dolci fatti in casa, tra cui la deliziosa **cassata di ricotta e canditi** ricoperta da un fazzoletto di pasta di mandorle. Nella carta dei vini essenzialmente ottime etichette pugliesi, con corretti ricarichi.

In via Castel del Monte 27, la Galleria Enogastronomica offre prodotti tipici delle migliori aziende pugliesi.

BARI

AL FOCOLARE DA EMILIO

Ristorante-pizzeria
Via Principe Amedeo, 173
Tel. 080 5235887
Chiuso domenica sera e lunedì
Orario: mezzogiorno e sera
Ferie: agosto
Coperti: 60
Prezzi: 30-35 euro vini esclusi
Carte di credito: tutte

Se si dovesse indicare un classico esempio di ristorazione barese, questo sarebbe il tipico locale da segnalare, con riferimento all'impostazione degli arredi, all'accoglienza e, soprattutto, alla tavola, dove inevitabilmente prevalgono pesce e frutti di mare. Sotto l'alta volta a botte in tufo, in un ambiente familiare e accogliente, troneggia, al centro della sala, il gran carrello dei pesci del giorno su cui, adeguatamente consigliati, troverete sicuramente quello che fa per voi. Il pizzaiolo (il locale la sera funziona anche come pizzeria), dopo aver terminato il suo compito istituzionale, dà una mano ai tavoli.
Potrete cominciare con la **focaccia alla barese** e i panzerottini fritti, il **polpo alla Luciana** e in insalata, il **crudo di mare** e le **cozze**, preparate in tanti modi differenti (gratinate, impepate, prezzemolate e, indimenticabili, **al forno con l'uovo sbattuto**). Sempre disponibili le verdure di stagione e la **parmigiana di zucchine**, le frittatine e i latticini della vicina Murgia. Tra i primi, potrete assaggiare degli ottimi **spaghetti alle cozze**, oppure tagliatelline o **maccheroncini ai frutti di mare**. Come secondi piatti si preparano **grigliate miste**, pesci al forno (ottimo il sampietro con patate e olive), in umido e in frittura.
Si conclude con buoni dolcetti (assaggiate i tipici **sporcamusi**) e semifreddi; in estate si offrono cocco, gelsi e mandorle sgusciate. Accettabile la proposta di vini, soprattutto regionali. Conto sempre onesto.

In via Cavour 125 panificio Veneto e in via Manzoni 217 panificio Marazia: pizze, pani e focacce baresi. Il Salumaio di via Piccinini 168: specialità gastronomiche di Puglia, Basilicata e Calabria.

BARI
Torre a Mare

12 KM DAL CENTRO DELLA CITTÀ

ANTICHI SAPORI

Ristorante-pizzeria
Piazza Vittorio Veneto, 5
Tel. 080 5431267
Chiuso il mercoledì
Orario: mezzogiorno e sera
Ferie: 2 settimane tra agosto e settembre
Coperti: 70 + 70 esterni
Prezzi: 25-30 euro vini esclusi
Carte di credito: tutte

Torre a Mare è da sempre un "rifugio" per i baresi che, a tutte le ore, ci si ritrovano per una passeggiata o anche solo per sentire il profumo del mare affacciati sul grazioso porticciolo. La torre cinquecentesca, costruita per avvistare i nemici, fa bella mostra di sé.
Poco distante, in una piazzetta tranquilla, il ristorante di Michele e Raffaele Buono, uno dei più frequentati dei tanti locali del posto, per gustare in ogni stagione ottimi piatti di pesce fresco. L'accoglienza è semplice e cordiale e vi si respira un'aria familiare. Sulla terrazza al primo piano, le pareti ospitano tanti piccoli oggetti marinari e i disegni dei bimbi di famiglia. Gli antipasti arrivano subito: **frutti di mare crudi** (seppioline e allievi, gamberoni, ostriche e noci) **e cotti** (*musci* bollenti, cozze ripiene), grano con cozze e zucchine, insalata di polpo, pomodori e caroselli, **gamberi su purea di fave** o di piselli, terrina di pomodorini scottati all'olio di oliva con crostini. Eccellenti i **bocconcini di baccalà** con patate e cipolle. Come primo, oltre alle minestre di legumi e alla ***tiella*** tradizionale barese (patate, riso e cozze), ottima la pasta fresca (misto di **orecchiette** e **cavatelli**) **con scampi e frutti di mare**, bianca, con abbondante prezzemolo tritato. I secondi sono sempre a base di pesce fresco: immancabili i grossi **scampi lessi** serviti in una coppa ricolma di ghiaccio, la **zuppa di pesce** misto (che va prenotata), la croccante **frittura mista**.
I dolci sono diversi a seconda della stagione: agli immancabili **sporcamusi** (pasta sfoglia ripiena di crema ricoperta di zucchero a velo) si aggiungono, in estate, bignè alla crema con caramello e un gustoso sorbetto al limone servito in cialda da gelato. Pochi i vini della cantina, soprattutto bianchi regionali.

BARI

LA LOCANDA DI FEDERICO

Osteria di recente fondazione
Piazza Mercantile, 63-64
Tel. 080 5227705
Chiuso il lunedì a mezzogiorno
Orario: mezzogiorno e sera
Ferie: 16-30 agosto
Coperti: 50 + 60 esterni
Prezzi: 30 euro vini esclusi
Carte di credito: tutte

Nel cuore di Bari vecchia, piazza Mercantile e la vicina piazza Ferrarese sono state recentemente recuperate all'uso dei cittadini. Un bel progetto che ha interessato una vasta zona del centro storico che comprende anche un lungo tratto delle antiche mura, la cosiddetta "muraglia", che accoglie tutti i giorni grandi folle di giovani che qui hanno fissato il loro ritrovo e turisti stranieri. Molti i locali che hanno aperto i battenti in zona – bar, ristoranti, birrerie: tra questi la nostra locanda, sapientemente gestita da Gianluca Spagnuolo.
Ci troverete un ambiente molto familiare e un servizio attento e cortese. Anche la cucina che qui si consuma è semplice, sostanzialmente ispirata alla tradizione, con poche ma indovinate rivisitazioni. Si comincia con verdure grigliate, calzoni e **torte rustiche**, frittatine, gli immancabili latticini freschi regionali. Tra i primi potrete assaggiare il tradizionale **riso, patate e cozze**, le altrettanto classiche **orecchiette con le cime di rape** oppure con il ragù di carne di cavallo, il purè di fave con cicorie, i cavatelli con pomodorini e ricotta marzotica. Tra terra e mare i secondi: si va dalla ***brasciola*** (involtino di carne di cavallo) alla **zampina** (una salsiccia tipica) **ai ferri**, dalle **seppie ripiene** cotte **al forno** al pesce al cartoccio; frequente la frittura mista; prenotando per tempo, anche una buona zuppa di pesce.
Per finire, i **dolcetti con le mandorle** fatti in casa o il flan di ricotta e cioccolato. La cantina possiede numerose etichette regionali con qualche buon vino nazionale.

PANTAGRUELE

Osteria di recente fondazione
Via Salita di Ripalta, 1-3
Tel. 0831 560605
Chiuso domenica sera e lunedì
Orario: mezzogiorno e sera
Ferie: non ne fa
Coperti: 60
Prezzi: 35 euro vini esclusi
Carte di credito: tutte

A pochi passi dal duomo, in prossimità della zona portuale, in una graziosa piazzetta in cui d'estate si può mangiare all'aperto, si trova questa osteria condotta da anni con grande competenza da Armando Brenda, sempre presente in sala. All'interno, tre ambienti essenziali separati da passaggi sotto volte a botte e arredati con semplicità. Tanta qualità declinata in piatti ben eseguiti che rispettano il territorio e la stagione e pesce freschissimo preparato senza stravolgerne sapore e fragranza.
Si comincia con una carrellata di antipasti misti di terra e di mare: **alici marinate** con cipollotto, **tartara di polpo e verdure**, mazzancolle con la rucola, **frittelle di mare**, cozze con cipolla e pangrattato, fritto di verdure di stagione, **frutti di mare crudi**. Tra i primi: **trofiette** con calamari e cozze al basilico, **con il sugo di aragosta**, **carbonara di spada**, tagliolini con julienne di seppia, pesto di rughetta e pinoli, **laganari con scampi**, linguine con vongole e zucchine. L'offerta dei secondi varia ogni giorno a seconda del pescato: **pesce** al forno o **alla brace**, frittura mista; eccellenti, se disponibili, gli scampi al vapore e la **zuppa di scorfano**. Per chi preferisce la carne, buono il **filetto di puledro al vino**. Anche i dolci sono di buon livello: bavarese alla menta, babà sbriciolato con caramello su crema Chantilly, spumone, mousse al cioccolato o allo zabaione.
Buona e fornita la carta dei vini, in cui sono privilegiate le etichette regionali.

Paste di mandorle e altri dolcetti della tradizione pugliese si trovano alla pasticceria Esmeralda, via De Leo 42, e alla pasticceria Rouge et Noir, via Santi 15.

23 KM A SO DI BARLETTA SS 93, 22 KM DA ANDRIA

LOCANDA DI NUNNO

Osteria di recente fondazione
Via Balilla, 2
Tel. 0883 615096
Chiuso domenica sera e lunedì
Orario: mezzogiorno e sera
Ferie: seconda metà di luglio
Coperti: 40
Prezzi: 30-35 euro vini esclusi
Carte di credito: tutte

Canosa di Puglia, città di importanza storica, fondata, secondo la leggenda, da Diomede, merita sicuramente una visita. Situata su una collina che domina il Tavoliere, è un centro agricolo di grande rilievo. Alle porte della città troverete questo bel locale in cui lo chef e patron, Antonio Di Nunno, elabora sapientemente le eccellenti produzioni locali e l'ottimo pesce dell'Adriatico
Si parte subito con un'eccellente **focaccia di grano arso**, il grano che gli spigolatori più poveri raccoglievano dopo la bruciatura delle stoppie. Gli antipasti uniscono quasi sempre mare e terra. Ecco allora i **gamberi con verdure croccanti**, la parmigiana di sgombro e provolone, l'**involtino di galletto farcito con fegatini** e pistacchi verdi, l'eccellente carpaccio di pesce con riso. I tradizionali strascinati di grano arso con involtini di cavallo e il **purè di fave e cicorie**, le ottime laganelle con piselli, calamaretti e filetti di triglie e i **rigatoni con polpo e patate** sono i primi piatti più significativi. Tra i secondi, preparati con pesce freschissimo o carni locali di ottima qualità, il **rombo al forno** con pomodorini e capperi, lo sgombro al forno, il **filetto di cavallo con carciofi**, la tagliata di manzo al sale grosso con rosmarino o la classica ***tiella* di agnello** con lampascioni e cardoncelli. I formaggi sono della Murgia ma non manca il pecorino di fossa, frutto delle precedenti esperienze lavorative di Antonio nelle Marche.
Buona la scelta dei dolci: **sfoglia di mandorle con arance candite** e ricotta, dessert con fichi secchi e vincotto, caramello d'ananas con gelato al peperoncino e mela verde. Fornita la cantina, con prevalenza di vini pugliesi.

Carovigno

27 km a NO di Brindisi ss 605

Hostaria San Filippo

Osteria di recente fondazione
Via Arco del Prete
Tel. 0831 996431
Chiuso il lunedì
Orario: mezzogiorno e sera
Ferie: 7-20 gennaio, 8-15 giugno
Coperti: 30 + 30 esterni
Prezzi: 25-30 euro vini esclusi
Carte di credito: tutte

Un'antica stalla ottimamente ristrutturata, con pareti in pietra e volta a botte e una cisterna naturale a forma di imbuto, adibita a cantina date le favorevolissime condizioni climatiche, sono i locali di questa osteria che si trova in un vicoletto proprio a ridosso della piazza principale del centro storico di Carovigno, a due passi dal Castello Dentice di Frasso. Due giovani ricchi di entusiasmo, Dario De Pascale in sala e la sorella Francesca ai fornelli, gestiscono con professionalità il locale e raccolgono sempre maggiori consensi puntando su una cucina tradizionale e sulla freschezza delle materie prime, scelte nel rispetto della stagione.
Il menù si apre con una ricca carrellata di antipasti: verdure e ortaggi fritti, carciofi ripieni, cicorielle e fave fresche, **frittelle con capocollo** di Martina Franca, seppie o totanini con carciofi o patate, **grano pestato con verdure**. Poi, tra i primi, pasta fresca (tagliolini, **laganari**, **maltagliati**) condita **con funghi cardoncelli**, guanciale e formaggio caprino, con legumi e pomodoro, **con le vongole e pomodori di pendula**, con le altre verdure di stagione. I secondi, nel rispetto della tradizione del territorio, sono tutti a base di carne: la tipica **grigliata mista**, l'agnello al forno con funghi cardoncelli o con patate, il **filetto di manzo al vino Primitivo**.
Ampia la scelta dei dolci: crostate di frutta, sbriciolata con crema e frutta di stagione, l'eccellente fagottino con crema e cioccolato fondente, dolcetti secchi alle mandorle, la ***cupeta*** (mandorle tostate e zucchero caramellato) e i tradizionali **sporcamusi**. La cantina, che si arricchisce costantemente, offre una discreta selezione di etichette regionali e qualche eccellente distillato.

Carovigno

27 km a nord di Brindisi ss 16

Il castelletto

Ristorante-pizzeria
Contrada Morandi
Tel. 0831 990025
Chiuso il lunedì, mai d'estate
Orario: mezzogiorno e sera
Ferie: variabili
Coperti: 50 + 50 esterni
Prezzi: 30 euro vini esclusi
Carte di credito: tutte

Siamo in una della zone più interessanti della Puglia dal punto di vista enogastronomico: l'entroterra brindisino. A pochi chilometri dalla costa, in lieve altura, si trova la caratteristica cittadina di Carovigno, piccolo borgo nel cui pittoresco centro storico si snodano strade e vicoli lastricati in pietra. Il Castelletto si trova alle porte del paese, in una viuzza di campagna, che porta alla masseria fortificata del Seicento, ristrutturata, che ha l'aspetto di un piccolo castello con torri merlate. Si pranza d'inverno nelle calde e accoglienti salette interne, d'estate nel bel piazzale tra gli olivi secolari.
La cucina è fondata sulla freschezza delle materie prime locali, reperite secondo stagione e proposte in modo tradizionale, con un tocco di estro che il più delle volte regala piacevoli sorprese. Si inizia con **ricottine** servite con verdure o erbe aromatiche, soufflé di zucchine, **purea di fave e cicorie** con calamaretti. Tra le proposte dei primi, le **orecchiette scure con pomodoro e ricotta forte** oppure mollicate con cime di rape, **spaghetti alla chitarra con ceci e gamberi**, ravioli fatti in casa ripieni di carciofi. Come secondi, **coniglio** cotto **alla *pignata***, costolette di agnello alle erbe aromatiche, **braciole alla pugliese** (involtini di carne e formaggio cotti al sugo), polpette al sugo accompagnate da patate alla brace o fritte e verdure di stagione. Buona selezione di formaggi locali, soprattutto **pecorini**, di varia stagionatura. Tra le valide proposte dolci, da segnalare il bauletto al cioccolato fondente e menta e il semifreddo alla mandorle tostate e salsa al caffè.
Carta dei vini di notevole spessore, con tutte le etichette locali e regionali di rilievo e buona selezione di vini nazionali e internazionali, offerti con giusto ricarico.

Cavallino

5 km a sud di Lecce

Osteria del Pozzo Vecchio

Osteria-pizzeria
Via Silvestro, 16
Tel. 0832 611649
Chiuso il lunedì
Orario: pranzo e sera, estate solo sera
Ferie: non ne fa
Coperti: 100 + 100 esterni
Prezzi: 25-30 euro vini esclusi
Carte di credito: tutte, Bancomat

Cavallino è uno dei tipici paesini a vocazione agricola dei dintorni di Lecce, con coltivazioni di tabacco, cereali e uva da vino. In una della stradine decentrate del paese, dove sorgeva l'antica *putea*, il caratteristico locale con mescita a conduzione familiare, troverete l'Osteria del Pozzo Vecchio. Fernando Carlà perpetua la tradizione di famiglia in un grazioso locale con belle salette interne, d'estate nel profumato agrumeto.
La cucina è impostata sulla tradizione, con ampio uso di materie prime locali. Le verdure di stagione fritte, alla griglia o saltate in padella con pomodorini e olio extravergine, le classiche ***pittule***, frittelle di pasta lievitata, i latticini, il **purè di fave con le cicoriette** di campagna, le **polpettine di carne di cavallo**, le crocchette di patate, o ancora il polpo a *pignatu* e le **cozze** in zuppa o ***'racanate***, al gratin, costituiscono l'ampia carrellata degli antipasti. Tra i primi, immancabili i ***ciceri e tria***, pasta fatta in casa con ceci e pezzetti di pasta fritta, poi i **cecamariti**, minestra di legumi e verdure, e le **orecchiette** con sugo di pomodoro fresco e cacioricotta, o **con ragù di agnello**. Non mancano i primi con frutti di mare: spaghetti con le cozze, **linguine con vongole veraci** o **con i ricci di mare**. Le proposte di carne sono basate soprattutto sulle cotture alla griglia, con i tipici ***turcinieddi***, involtini di interiora d'agnello, **carne di cavallo** alla griglia o *a pignatu*, salsiccia e **capretto alla brace**. Secondo il pescato del giorno le proposte di pesce. Torta pasticciotto, spumone e crostate di marmellata come dessert e per chiudere l'ottimo liquore di marange, arance amare, fatto in casa.
Davvero buona la selezione della carta dei vini, con le migliori produzioni regionali, affiancata da una sempre più curata carta degli oli. Il locale offre anche una buona pizza cotta in forno a legna.

Ceglie Messapica

38 km a ovest di Brindisi ss 16 e 581

Cibus

Ristorante
Via Chianche di Scarano, 7
Tel. 0831 388980
Chiuso il martedì, mai d'estate
Orario: mezzogiorno e sera
Ferie: 10 giorni in luglio
Coperti: 80
Prezzi: 35 euro vini esclusi
Carte di credito: tutte

Nel centro storico splendidamente conservato di Ceglie, nei pressi della torre dell'orologio, Cibus è il ristorante gestito con passione e competenza da Lillino Silibello. Basta visitare i locali, la cantina, la "formaggeria" per godere di una simpatica e accogliente atmosfera. In cucina governa la componente femminile della famiglia, con la mamma di Lillino in prima fila, mentre l'oste percorre tutti i giorni il territorio alla ricerca di materie prime stagionali di qualità.
Gli antipasti prevedono **insalatina di grano** con verdure di campo, **burratina con tartufo di Ceglie**, ricotta di capra con mandorle, soufflé di carciofi, olive *mennelle*, sformatino di verdure stufate, oltre a una discreta selezione di salumi locali fra cui primeggia il capocollo. Tra i primi segnaliamo il **panzerottino ripieno di burrata e carciofi** e i *perciatelli* con catalogna, pomodorini e pecorino, senza trascurare i classici: ***sagnapenta* con mollica di pane fritto**, ricotta forte e ragù e **purea di fave** in terracotta con contorni di stagione. Tra i secondi spiccano gli **arrosti**, cotti al fornello con carboni di bosco, con una menzione particolare per la **costata di podolica**. Se poi amate i **formaggi** siete nel posto giusto.
Per finire **dolcetti** deliziosi, liquori e rosoli vari, tutti fatti in casa. Nella carta dei vini prevalgono le produzioni del territorio, ma non manca una buona selezione di etichette nazionali.

Spumone e biscotto cegliese al bar Roma di corso Garibaldi 7; nel centro storico il panificio San Michele; ottimo miele all'Apiario, via XX Settembre 21.

Cerignola

37 km a SE di Foggia A 14 o A 16

'U vulesce

Ristorante
Via Battisti, 3
Tel. 0885 425798
Chiuso giovedì sera e domenica
Orario: mezzogiorno e sera
Ferie: 15 giorni in agosto
Coperti: 40
Prezzi: 30-35 euro vini esclusi
Carte di credito: tutte

A Cerignola, posta tra il fiume Ofanto e il torrente Carapelle, città in cui Mascagni compose *La Cavalleria Rusticana* e, sul versante gastronomico, patria della bella di Cerignola, varietà di oliva gigante esportata in tutto il mondo, Rosario, patron di questo locale, grande appassionato di teatro e di cucina, da qualche tempo ha trasferito qui il suo interesse per le cose buone dall'attiguo esercizio di gastronomia di famiglia. Sarete accolti in modo cordiale e potrete gustare una cucina tipica pugliese che utilizza le buone materie prime della regione – olio extravergine di oliva, grano, formaggi, ortaggi – per confezionare piatti semplici e saporiti.
Buoni, per cominciare, gli antipasti, con le **pettoline di baccalà** e **frittura di verdure di stagione**, polpi e fagioli, ricottine con mostarda d'uva. Tra i primi, troverete le **orecchiette con purea di fave** oppure con cime di rapa e mollica fritta, i **paccheri con astice e pomodorini**, i **fagioli con i cicatelli**. Tra i secondi figurano il **filetto di manzo al caciocavallo podolico**, il baccalà con pomodorino e capperi, le puntine di maiale con giardiniera di verdure, l'**agnello arrosto** o al forno, la trippa con le patate. Ampia l'offerta dei dolci: **dolce di ricotta al cioccolato** o al limone, crostate e salame del prete.
Apprezzabile la carta dei vini che dà risalto alle etichette regionali senza trascurare quelle nazionali, con alcune interessanti proposte al calice. Cospicua la scelta dei distillati, frutto di una appassionata ricerca.

In via XX Settembre 1, al bar Perrucci si trovano ottimi gelati artigianali e una buona selezione di dolci locali.

Cisternino

49 km a NO di Brindisi SS 16

Taverna della Torre

Ristorante
Via San Quirico, 3
Tel. 080 4449264
Chiuso il martedì
Orario: mezzogiorno e sera
Ferie: gennaio
Coperti: 45
Prezzi: 32-35 euro vini esclusi
Carte di credito: tutte

Cisternino, Cittaslow, punto di convergenza fra le province di Brindisi, Taranto e Bari, da un versante si affaccia sulla valle d'Itria e i suoi trulli, dall'altro sul mare Adriatico attraverso una pianura dominata da oliveti secolari e antiche masserie fortificate. Classico esempio di architettura spontanea, con case imbiancate a calce, vicoli stretti, cortili, archi e balconi fioriti, l'antichissimo borgo si anima nelle sere d'estate, ospitando numerosi visitatori che affollano le strade per godere dell'ospitalità e della buona cucina, lontani dall'afa della pianura.
Situato nelle vicinanze della torre medievale, alle porte del centro storico, questo ristorante, tempio della cucina tradizionale locale, è una vecchia abitazione su due piani dove la pietra viva e il pavimento in cotto creano un ambiente rustico, ma accogliente. La cucina offre un'ampia scelta di antipasti semplici, ma ricchi di sapore: **peperoni con purè di fave**, polpettine di pane e pecorino, **parmigiana di zucchine**, timballi di verdure, tomini di mucca, **capocollo di Martina Franca**. Tra i primi: **gnocchetti di patate con fonduta di canestrato**, **lasagna di carciofi con ragù di agnello**, tagliolini gratinati ai funghi. Tra i secondi primeggia l'**arrosto misto** di carne alla griglia, ma eccellenti sono anche la **tagliata di cavallino** e il filetto di cinghiale.
Come dessert **sformato alle nocciole e cioccolato con spuma allo zabaione**, gelato con croccantini al miele e fonduta di cioccolato. Buona la carta dei vini, con etichette regionali e nazionali.

In via Brasiliani 13, il caseificio di Angelo Simeone propone ottimi latticini, tra cui cacioricotta e caciocavallo podolico, e una buona selezione di oli locali.

Alticelli
WineART

Alticelli

Corato

45 km a ovest di Bari ss 98

La bottega dell'allegria

Osteria di recente fondazione-enoteca
Via Matteo Renato Imbriani, 46
Tel. 080 8722873
Chiuso il lunedì
Orario: mezzogiorno e sera
Ferie: variabili
Coperti: 30
Prezzi: 25-30 euro vini esclusi
Carte di credito: tutte tranne AE, Bancomat

Grande centro del nord Barese, Corato è la patria dell'olio extravergine ottenuto dalla cultivar coratina o racioppa di Corato. Le tradizionali produzioni vinicola e lattiero-casearia completano l'importante polo agroalimentare della regione. Altro buon motivo per venire in città è la Bottega dell'allegria, un luogo dove gustare la cucina tipica murgiana. E magari fare acquisti di specialità della zona (ché è bottega non solo di nome), dal vino alle paste.
In due piccole sale, accoglienti e confortevoli, Savino e Cinzia, gentili e attenti alle materie prime, tra cui in particolare le verdure e le carni, propongono una cucina autenticamente territoriale. Tra gli antipasti, a base di ortaggi, latticini e salumi, segnaliamo la classica ***acquasale*** (pane raffermo ammorbidito in acqua e poi condito con olio extravergine, cipolla rossa, pomodorini, sale e pepe), grano con la rucola, peperoni e melanzane variamente e gustosamente preparati, scamorzone di pecora e **caciocavallo podolico**. Proseguendo: **gnocchetti con pesto di zucchine e mandorle tritate**, fusilli con fagiolini occhipinti, minestra di fagioli e verdure selvatiche, **orecchiette con le verdure**; in autunno **funghi cardoncelli** a volontà. La **carne**, alla brace o **stufata in terracotta**, con il fuoco sopra e sotto, è ottima e il **capretto con il cardo spinoso** e la salsiccia di Minervino ne rappresentano i migliori esempi.
Si chiude con le crostate di frutta o di ricotta e il tortino al cioccolato preparati in casa. Ben fornita la cantina, con etichette regionali e nazionali.

Corigliano d'Otranto

23 km a SE di Lecce ss 16

Olo kalò

Trattoria
Via Umberto I, 5
Tel. 0836 471004
Chiuso il martedì
Orario: pranzo e sera, estate solo sera
Ferie: due settimane in giugno
Coperti: 50 + 70 esterni
Prezzi: 25 euro vini esclusi
Carte di credito: le principali

Corigliano, con altri otto comuni dell'entroterra salentino a sud di Lecce, fa parte della Grecìa Salentina, una comunità di origini elleniche (era il tempo della Magna Grecia) che ha conservato alcuni tratti delle sue radici: la lingua, il *griko*, la cultura e le tradizioni. Proprio in *griko* (*olo kalò*, cioè "tutto il meglio") è stata battezzata questa graziosa e accogliente trattoria, a pochi passi dall'imponente castello, risalente al 1300.
La cucina è improntata sulla territorialità e sulle tradizioni locali, con largo uso di **verdure**, che troviamo già negli antipasti con peperoni, melanzane e zucchine cotti alla griglia, al forno o fritti e crocchette di patate, insieme a **polpettine di carne**, ricotta fritta, latticini freschi e ***pittule***. I primi sono quelli della tradizione salentina e non solo: la ***cialicurdia*** (pane raffermo soffritto con legumi), ***ciciri e tria*** (pasta con i ceci), fave e cicorie, le **orecchiette con salsiccia**, melanzane, ricotta marzotica e pomodorini e i **rustichelli** (di pasta fresca) **con seppioline e pesto** locale. Tra i secondi figurano sempre le carni di **agnello** e **capretto** cotte **alla brace**, i ***turcinieddi*** (involtini di interiora di agnello o capretto), i **pezzetti di cavallo al sugo**, la trippa in umido, il diaframma di cavallo alla brace e le ***municedde***, chioccioline di terra tipiche del Salento, proposte in vari modi.
Per dessert ci sono di solito il pasticciotto e il saccottino di mele con pasta di mandorle e crema. Discreta la carta dei vini, con un buono sfuso della casa in caraffa.

CRISPIANO

17 KM A NORD DI TARANTO

LA CUCCAGNA

Trattoria
Corso Umberto, 168
Tel. 099 616087
Chiuso il martedì
Orario: sera, domenica a pranzo
Ferie: 10 gg fine giugno, 10-20 gennaio
Coperti: 60 + 40 esterni
Prezzi: 30-35 euro vini esclusi
Carte di credito: tutte

Crispiano, al centro delle colline tarantine, è chiamata "la città delle 100 masserie" per la presenza nel suo territorio di numerose, belle e antiche masserie che testimoniano storia, cultura e tradizione di un centro agricolo noto per la produzione di olive, uva, mandorle e cereali. Nella seconda decade di luglio ospita il Carnevale del Fegatino, importante manifestazione enogastronomica nel corso della quale si possono ammirare i carri allegorici e gustare le specialità del luogo, fegatini e bombette, veri protagonisti dell'evento.
La trattoria di Rosa e Gianni Marsella si trova in pieno centro, con tutta la famiglia impegnata nella sua conduzione: il padre è addetto alla cottura delle carni al fornello, tutti gli altri sono in cucina e in sala. Si comincia con un antipasto davvero ricco a base di verdure fresche. **Tortino di cicorie selvatiche e scamorza** affumicata, carpaccio e parmigiana di zucchine, **insalata di grano tiepida** con caponata di melanzane e peperoni, polpette, verdure grigliate. Fra i primi, troverete i ***fricelli*** con pesto di zucchine o **con ragù di agnello**, i maccheroncini con funghi, salsiccia e scamorza, le **orecchiette con polpettine**, gli spaghettoni con melanzane, pomodorini e pecorino. Come secondo ci sono le eccellenti **carni cotte al fornello**, polpette e ***brasciole* al sugo**, **stinco di maiale al forno** con patate cotte sotto la cenere.
Ottima la proposta dei dolci: tortino di fichi e pesche con gelato, torta di briciole con crema pasticciera, amarene e gelato alla vaniglia, cestino croccante di mandorle e gelato al pistacchio, **dolci di mandorle**. Cantina fornita delle migliori etichette pugliesi e di alcune buone bottiglie nazionali.

Osteria accessibile ai disabili.

FASANO
Speziale

44 KM A NORD DI BRINDISI SS 16 E 379

MASSERIA PARCO DI CASTRO

Azienda agrituristica
Strada Statale 16, km 868,400
Tel. 080 4810944
Chiuso lunedì e martedì
Orario: sera, sabato e domenica anche pranzo
Ferie: tra gennaio e febbraio
Coperti: 100
Prezzi: 25-30 euro vini esclusi
Carte di credito: tutte, Bancomat

Tra olivi secolari, la bianca Masseria Parco di Castro si apre a cortile, circondata da stalle e fienili ristrutturati e riportati alla loro originale bellezza. Al centro di un comprensorio ad alta vocazione turistica, dista pochi chilometri dal mare, dalla collina della valle d'Itria e dalla città messapica di Egnazia. La Masseria, costruzione fortificata del XVII secolo, ospita un'azienda agrituristica con coltivazioni di olivi, foraggi, frutta e ortaggi. La struttura, tinteggiata di calce bianca e arredata con mobili rustici, offre un ambiente accogliente e un servizio attento e cordiale. La gestione è familiare e Martino Delego, il proprietario, ha cura che la cucina sia rispettosa della tradizione contadina locale.
Si comincia con una carrellata di antipasti accompagnati da un ottimo **pan focaccia**: verdure dell'orto grigliate, **latticini** e salumi locali, grano con pomodoro e cacio, fave e cicorie, frittatina di zucchine. Tra i primi, paste fatte in casa, tra cui ***cicatielli* con zucchine e pomodori appesi**, tortelli di ricotta, **orecchiette con cicoria e alici** o con ricotta forte e rucola, cavatelli con pomodoro, basilico e cacioricotta, **laganari con zucchine, menta e cacioricotta**. Tra i secondi a base di carne, il coniglio e la **faraona** preparati **con erbe aromatiche, patate, olive e lampascioni**, la grigliata mista di agnello, i fegatini, gli ***gnummarieddi*** e la salsiccia.
Si conclude con **dolcetti di mandorle** e ottime crostate di ricotta e di marmellate, accompagnati da liquori di limone, alloro e basilico fatti in casa. La cantina offre vini selezionati tra i migliori pugliesi.

Osteria accessibile ai disabili.

A Speziale di Fasano, Strada Statale 16, il caseificio Crovace e figli: mozzarelle, formaggi e ricotte.

DA POMPEO 

Ristorante
Vico al Piano, 14
Tel. 0881 724640
Chiuso la domenica
Orario: mezzogiorno e sera
Ferie: 15-31 agosto
Coperti: 60
Prezzi: 30 euro vini esclusi
Carte di credito: nessuna

Questo ristorante, avviato più di quarant'anni fa dalla famiglia Pillo, è situato non lontano dallo storico Teatro Giordano. Luca è preposto all'accoglienza, attenta e cortese, mentre Assunta e Ida operano in una cucina ampia a vista, dove interpretano la tradizione culinaria della Capitanata. Semplicità, grande qualità delle materie prime e rispetto della stagionalità rappresentano i punti di forza del locale.
L'offerta gastronomica prevede di cominciare con i deliziosi **moscardini** (o i totanetti) **con lenticchie**, alici gratinate (quelle piccole del golfo di Manfredonia, solo in primavera), **crema di patate con gamberetti**, la buonissima **parmigiana**, i peperoni ripieni e le frittatine con verdure di stagione. La pasta fatta in casa caratterizza tutti i primi piatti, con le immancabili **orecchiette con cime di rape** o con pomodoro e cacioricotta, i **troccoli ai funghi cardoncelli**, la purea di fave e cicorie (con pane casereccio abbrustolito ed extravergine di produzione propria), la minestra di fave, carciofi e piselli. Tra i secondi, la semplice, ma straordinaria **pescatrice burro e limone** e una proposta di piatti sempre diversi secondo la disponibilità del pescato. Davvero squisiti, passando alle carni, il **tegame di agnello con funghi e patate** al forno e la ***brasciola***. Ottimi i formaggi e i salumi locali.
Tra i dolci, tutti di produzione propria, qualche proposta al cucchiaio, torte con pan di Spagna e crema e biscotti di pasta frolla con mandorle. La selezione dei vini propone qualche etichetta con prevalenza regionale.

In viale Michelangelo 50, Pietro Moffa prepara ottimi dolci al cucchiaio, pasticceria siciliana, torte e uova al cioccolato.

ZIA MARINELLA

Osteria di recente fondazione
Via Saverio Altamura, 23-31
Tel. 0881 311151-330 654510
Chiuso domenica sera
Orario: mezzogiorno e sera
Ferie: settimana di Ferragosto
Coperti: 60
Prezzi: 30-35 euro vini esclusi
Carte di credito: le principali, Bancomat

Si respira un'aria d'altri tempi in questa bella trattoria nata nel 1999. Situata in una viuzza del centro storico, in un edificio di inizio Novecento, si presenta curata e accogliente, con i grandi archi in tufo e le volte a doppia botte in mattoni. Calorosa l'accoglienza di Antonio Furore, che gestisce il tutto insieme al padre in sala e alla leggendaria zia Marinella in cucina, madre di Antonio, vero motore di energia e creatività.
Partendo dagli antipasti, prevalentemente di verdure di stagione, si apprezzano subito gli ingredienti freschi e di qualità che caratterizzano tutti i piatti. I primi sono quelli della tradizione foggiana, con pasta fatta in casa, tra cui **cavatelli di grano arso con passata di pomodoro fresco e ricotta dura**, tortellone ripieno di ricotta con passata di pomodoro, **purea di fave con verdure** miste di campo, riccioli con zucchine e scamorza affumicata e le **orecchiette di zia Marinella** con pasta verde e pomodorini gratinati al forno. Tranne il venerdì, quando viene proposto dell'ottimo pesce fresco, nel menù prevale la carne. Da non perdere il **maialino al forno con broccoletti e grana** e l'**agnello con cardoncelli e carciofi**, e ancora la **salsiccia nostrana** a punta di coltello con patate e vari tipi di filetto.
I dolci, insieme alla pasta, sono il punto di forza di zia Marinella, nata da una famiglia di pasticcieri di grande tradizione: segnaliamo il babà con crema ai frutti di bosco, il cannolo con crema di ricotta, la mousse di torrone con cioccolato caldo e, nel periodo di San Giuseppe, le **zeppole**. Buona la selezione dei vini, con circa 70 etichette e ricarichi onesti.

L'enoteca Nuvola, via Trento 5 B, dispone di un'ottima selezione di vini regionali e nazionali.

GALLIPOLI

35 KM A SO DI LECCE SS 101

LA PURITATE

Trattoria
Via Sant'Elia, 18
Tel. 0833 264205
Chiuso il mercoledì, mai d'estate
Orario: mezzogiorno e sera
Ferie: ottobre
Coperti: 90
Prezzi: 35 euro vini esclusi
Carte di credito: tutte, Bancomat

Nella città vecchia di Gallipoli, racchiusa tra gli antichi bastioni, in una piazzetta che si affaccia sull'unica spiaggia di questa parte della città, c'è la chiesetta della Purità, una delle tante del centro storico, che dà il nome alla trattoria di Paolo Fedele. Vi consigliamo di raggiungerla a piedi, attraversando il centro storico, dopo aver lasciato l'auto nell'ampio parcheggio del porto. Il locale è accogliente e ben arredato, il servizio attento e accurato e la cucina è quella tipica gallipolina, rigorosamente legata al pescato del giorno.
Si può iniziare con una serie di gustosi antipasti: **gamberetti violetti di Gallipoli marinati**, filetto di sgombro tiepido, **cozze *arraganate***, insalatina di polpo, alici marinate, ***purpu* alla pignata**, ricci e frutti di mare, quando non c'è il fermo biologico. Tra i primi, gli **spaghetti con zucchine e gamberi**, le linguine con palamita e filetti di pomodoro, i **tagliolini al sugo di scampi**, i tubettini al sugo di pesce. Per quanto riguarda i secondi ci si può orientare sulla rana pescatrice fritta o alla griglia nella mollica di pane, sul pescato del giorno cucinato secondo i gusti del cliente, sui rinomati **gamberoni di Gallipoli crudi** con limone o cotti al sale con ottimo olio extravergine di oliva. Per finire, da non perdere i classici **spumoni** (il più richiesto è quello alla cannella) o l'invernale torta pasticciotto.
In cantina quasi tutte le migliori etichette del Salento e una buona selezione degli altri vini regionali.

In via De Pace il negozio di Stefano Adamo: olio di produzione propria, conserve, vini, pasta di Benedetto Cavalieri, dolci di Maglie. Il fornaio, corso Roma 7, e Pandoro, via Lazzari 7: pane, puccia, biscotti.

GRAVINA IN PUGLIA

58 KM A SO DI BARI SS 96

OSTERIA DI SALVATORE CUCCO

Ristorante
Piazza Pellicciari, 4
Tel. 080 3261872
Chiuso domenica sera e lunedì
Orario: mezzogiorno e sera
Ferie: 15-31 agosto
Coperti: 50 + 30 esterni
Prezzi: 33-35 euro vini esclusi
Carte di credito: tutte

Nel centro storico, poco lontano dalla gravina, il profondo burrone che costeggia la città e che sta per diventare parco archeologico, si trova questa osteria che mantiene lo stesso nome di sempre, anche dopo che Salvatore non è più tra noi. Ci mancheranno la grande generosità e la simpatia che sapeva offrire ai tanti amici, tuttavia a continuare l'attività che per anni avevano svolto insieme con entusiasmo e maestria, c'è Franco Capozzo, suo cognato ed eccellente collaboratore. La cucina, pertanto, rimane quella tipica del territorio e segue l'alternarsi delle stagioni; le materie prime sono sempre freschissime e di qualità.
Fiore all'occhiello del locale sono i **funghi cardoncelli arrosto** e i **tagliolini** fatti in casa **con purè di cicerchia** e cipolla e funghi fritti. Tra gli antipasti, i **lampascioni fritti**, i fiori di zucca farciti di ricotta, le millefoglie di melanzana e, in stagione, le **chiocciole** al guazzetto e la cialda fredda alla murgese. Tra i primi, oltre agli imperdibili **tagliolini** citati, la **crema di fagioli con orzo e verdura**, i tagliolini con asparagi selvatici e pomodoro fresco, le orecchiette di grano arso con zucchina e mentuccia, gli **spaghetti con ricotta pecorina** e carciofi croccanti. L'**agnello** domina tra i secondi: **arrosto**, alla brace, in umido con le erbe della Murgia (il classico ***calaridd'***). Succulente anche le altre proposte, tra cui il filetto di maialino con verdure su crema allo zafferano, la tagliata e i **bocconcini di coniglio**. Per finire, mousse di ricotta, cioccolato e melanzane disidratate.
Bella carta dei vini che, pur con diverse bottiglie rappresentative dell'enologia nazionale, privilegia le etichette pugliesi, con un ottimo rapporto fra qualità e prezzo.

IL FORNELLO: UN CIBO POPOLARE DELLA MURGIA

Turisti e visitatori fanno inizialmente fatica a capire perché nei paesi dell'area murgiana siano così numerose le macellerie che, oltre a vendere normalmente la carne, la offrono anche cotta alla brace del fornello. Sul far della sera, in più punti, fra stradine e viuzze dei paesi si accendono i fornelli e si diffondono gli irresistibili profumi di fragranti bombette, *gnumarieddi* e salsicce. Si tratta di una tradizione molto antica, fortemente radicata nelle abitudini della gente di Puglia, che incuriosisce e seduce anche i visitatori. Furono probabilmente i Greci a introdurre questa usanza nelle nostre campagne e a proporre alcune preparazioni che i macellai della Murgia hanno continuato a tramandarsi, non senza innovazioni e variazioni.
Il fornello trae forse origine dalla necessità di non sprecare le parti degli animali sacrificati che gli aruspici non avevano utilizzato per le attività divinatorie. In seguito, la carne cotta in questa maniera divenne un vero e proprio cibo di strada, al quale i ceti meno abbienti potevano accedere quasi soltanto in occasione di alcune feste liturgiche cristiane, particolarmente nel periodo pasquale e delle feste patronali.
Le carni utilizzate sono sempre state quasi esclusivamente suine e ovine: buoi e cavalli erano troppo preziosi per il lavoro dei campi e per il trasporto e si macellavano soltanto se troppo vecchi, malati o azzoppati. I maiali invece erano allevati in ogni masseria pugliese, mentre pecore e capre provenivano dalla transumanza, ossia dalla migrazione delle greggi che, percorrendo i tratturi nel mese di settembre, scendevano dalle montagne dell'Abruzzo per venire a svernare nelle pianure pugliesi. È curioso come la scomparsa della transumanza negli anni Cinquanta non abbia cancellato dalla cultura murgiana il rito del fornello, ed è una fortuna che le cose siano andate così.
In tempi di ristrettezze alimentari i tagli nobili erano riservati quasi esclusivamente ai signori. D'altro canto, la necessità di non sprecare nulla ha portato a utilizzare anche le frattaglie, il cosiddetto "quinto quarto". Un vero e proprio repertorio a disposizione dei fantasiosi macellai murgiani, pronti a distinguere le frattaglie rosse (fegato, cuore, polmoni, reni o rognoni, milza e lingua), le bianche (cervello, midollo spinale, animelle da ghiandole salivari, timo, pancreas e trippa) e le coratelle.
Il miglioramento della condizione sociale ha favorito in questi ultimi anni una notevole espansione dell'uso tutto pugliese del cosiddetto "fornello pronto", fino a renderlo disponibile nelle tante macellerie della zona quasi tutti giorni della settimana; da cibo di strada umile e plebeo a prelibatezze oggi ricercate da gourmet e da intenditori.
Il rito inizia ancora oggi con la scelta e l'acquisto della carne e la cottura su spiedi numerati; la degustazione non si fa più per strada ma, con altrettanto gusto, senza tanti fronzoli e in allegria, nel retrobottega delle macellerie. Nessuno vieta naturalmente che la carne, ancora fumante, venga asportata per il consumo a casa.
Rimane fondamentale, è inutile dirlo, una grande cura nella selezione degli ingredienti e un'abilità sopraffina nella cottura. Le gustose frattaglie devono essere consumate freschissime perché possono facilmente alterarsi per azione di microrganismi. La cottura è poi una vera e propria arte: deve essere di breve durata e mai a fuoco diretto, ma con riverbero del calore per evitare cotture eccessive; la parziale carbonizzazione della carne darebbe un sapore amarognolo, la disidratazione eccessiva la renderebbe rinsecchita e stopposa.

Francesco Biasi

ALBEROBELLO (BA)
LA FONTANA 1914-IL FORNELLO
Largo Martellotta, 55
Tel. 380 3696969
Chiuso il lunedì, mai d'estate

NOVITÀ

Nel centro storico di Alberobello, Domenico e Mimino con maestria celebrano il fornello nella maniera più tradizionale. All'interno d'inverno, e all'aperto nella bella stagione, avrete la possibilità di degustare i classici *gnumarieddi*, le salsicce a punta di coltello, l'ottima zampina, le bombette e le "panatine" di capocollo di maiale con pan grattato, olio, sale, pepe e canestrato pugliese. Il vino sfuso servito accompagna bene le carni. Se rimane posto per un dessert, a pochi metri dalla macelleria, presso la gelateria Arte Fredda, Katia vi proporrà le sue ottime preparazioni.

Acquaviva delle Fonti (Ba)

La grigliata

Via Ciro Menotti, 57
Tel. 080 757677-349 5607750
Chiuso domenica e lunedì

Si narra che ad Acquaviva delle Fonti Roberto Gurguglione, nipote di Roberto il Guiscardo, nel 1158 fece edificare una splendida cattedrale in onore di Sant'Eustachio, il cui campanile, in tutta la sua magnificenza, svetta ancora oggi nel centro storico del paese. Dopo averlo visitato, concedetevi una appagante ristoro presso questa macelleria. Michele vi offrirà i tipici *gnumarieddi*, il capretto e l'agnello. Immancabile sarà la zampina con contorno di cipolla rossa di Acquaviva (Presidio Slow Food) arrostita. Molto buoni anche i carpacci di filetto di cavallino o di vitello. Per concludere degnamente la cena, non perdete gli ottimi gelati di Pastore, nella vicina via Roma.

Cassano delle Murge (Ba)

Rizzi

Via Toti, 33
Tel. 080 764520
Chiuso giovedì e domenica

Segno distintivo di questo territorio, il fornello non poteva certo mancare a Cassano Murge. Degno rappresentante di questa tradizione è Giovanni Rizzi, che nella sua macelleria è sempre disponibile a farvi degustare le sue prelibatezze. Tanto per cominciare, fatevi servire la succulenta *misciska* (straccetti di carne secca di cavallo), continuate con gli *gnumarieddi* e la zampina; se c'è ancora spazio, deliziatevi con la fiorentina pugliese, ovvero la cassanina. Accompagnano il pasto vino locale e pregevoli etichette.

Castellana Grotte (Ba)

Pinto Carlo

Via Mater Domini, 51
Tel. 080 4961737
Chiuso lunedì, martedì e domenica

Nel paese famoso per le incantevoli grotte, si trova la macelleria di Carlo e Rossella che, con cura meticolosa, perpetuano la tradizione del fornello pugliese proponendo agli avventori bruschette, salumi, porchetta, delicate bombette di maiale ripiene di formaggio e pancetta. Si prosegue con succulenti spiedi di salsiccia, *gnumarieddi*, costate di manzo e di agnello.

Cisternino (Br)

Al vecchio fornello

Via Basiliani, 18
Tel. 080 4446431
Chiuso il lunedì, mai d'estate

Qualità e genuinità sono le parole d'ordine di questa macelleria: le carni, cotte e crude, che Santino offre ai suoi clienti provengono direttamente dal suo allevamento. Tra le svariate preparazioni cotte al fornello, troverete i classici *gnumarieddi*, le costolette di agnello, la salsiccia e le gustose bombette. Nell'attesa della cottura della carne, vengono serviti buon formaggio fresco, lardo e capocollo. Gradevole il vino Negroamaro che accompagna il pasto.

Pietro de mola

Via Duca D'Aosta, 3
Tel. 080 4448300
Chiuso lunedì, martedì, e giovedì, mai d'estate

Meglio noto a Cisternino come "Zi' Pietro", il proprietario di questa storica macelleria, con passione e dedizione, difende strenuamente la tradizione del fornello pugliese. Ottimi la salsiccia fine o a punta di coltello, le squisite bombette impanate, il capretto e gli *gnumarieddi*. Degno di nota il capocollo di Martina Franca (Presidio Slow Food), preparato dallo stesso Pietro.

Vincenzo de mola

Via Giulio II, 2
Tel. 080 4448063
Chiuso lunedì, giovedì, domenica, mai d'estate

La famiglia De Mola gestisce a Cisternino uno dei locali della zona più affidabili per la qualità delle carni cotte al fornello. Giusy e Vincenzo vi faranno assaggiare subito il gustosissimo pane abbrustolito con pecorino stagionato, i vari sottoli e buone verdure crude; a seguire le immancabili costolette di agnello, gli *gnumarieddi* e la salsiccia. A conclusione i cannoli con la crema pasticcera fatta in casa.

Crispiano (Ta)

La taverna del cavaliere
Via Mazzini, 2
Tel. 099 616266
Chiuso il lunedì

Incastonata in una serie di colline, tra cui il monte dell'Angelo e il monte della Gravina, Crispiano può vantare uno dei più antichi fornelli della zona. Gestita magistralmente da Anthony Ricci, questa macelleria con annesso fornello offre oltre alla carne anche mozzarelle, insaccati, cocomeri. Naturalmente, immancabili i fegatini, le salsicce, le bombette e uno squisito agnello nostrano. Per accompagnare il pasto viene proposto un gradevole Primitivo di Manduria.

Ginosa (Ta)

Dragone franco
Via Roma, 117
Tel. 099 8245708-340 9187464
Chiuso il giovedì, domenica su prenotazione

NOVITÀ

Le carni e le specialità servite in questa macelleria sono rigorosamente locali. Ottime le cosiddette "attese" che vedono primeggiare i sottoli, i sottaceti e, da non perdere, le verdure grigliate con pane casereccio. Si continua con le salsicce, l'agnello e gli *gnumarieddi*. Molto spesso il fornello di questa macelleria cuoce anche tegami di parmigiana di melanzane o zucchine, ragù e ottime patate. Si serve vino sfuso del territorio, ma non mancano alcune etichette regionali.

Ribecco vito
Via Lucania, 43
Tel. 099 8245731-347 2312838
Chiuso giovedì sera e domenica

NOVITÀ

La sala è graziosa, ben curata e con spazio all'esterno per la stagione calda. Specialità della casa sono le fettine di bovino allo spiedo e le salsicce di maiale, oltre all'agnello e agli *gnumarieddi*. Nell'attesa delle carni, da non perdere i salumi tipici di propria produzione e formaggi scelti da produttori locali. Buono il vino sfuso servito. Fatevi indicare in via Re di Puglia, al numero 22, il panificio Piccolo (premiato da Slow Food come benemerito della tradizione) per degustare i famosi "taralli dormienti", le focacce e pani cotti nel forno a legna.

Gioia del Colle (Ba)

Addabbo
Piazza Umberto I, 14
Tel. 080 3431073
Chiuso domenica e lunedì

Se volete deliziare il vostro palato con gustose novità cotte al fornello, affidatevi alle mani sapienti di Filippo e Vito, che ormai da anni preparano con passione la cosiddetta "tasca", ovvero un panzerotto di capocollo di maiale ripieno di scamorza. Non perdetevi gli *gnumarieddi* e la bistecca di vitellone, la salsiccia piccante e lo zampino. Buono il Primitivo di Gioia del Colle servito per accompagnare il pasto.

Laterza (Ta)

Tamborrino
Via Roma, 58
Tel. 099 8216192
Chiuso la domenica

Racchiuso in questa macelleria, risiede tutto il fascino della tradizione del fornello pugliese: Domenico Tamborrino mantiene attivi al suo interno ben due fornelli, di cui potrete godervi, comodamente seduti, tutto lo spettacolo. Ottime le bombette con pancetta, la salsiccia a punta di coltello, gli *gnumarieddi*, l'agnello locale.

Rizzi
Via Giannone, 45
Tel. 099 8213917
Chiuso la domenica

NOVITÀ

Dino Rizzi, patron dell'omonima macelleria, vi accoglierà nel retrobottega per poi salire nelle bellissime sale d'epoca, con soffitti a volta affrescati e arredate in stile rustico. Poche, ma ottime, le "attese": verdure sott'olio, olive all'acqua, capocollo, salsiccia secca di maiale. Un discreto Primitivo accompagna le varie specialità del fornello: le salsicce a punta di coltello, i fegatini, l'agnello; il tutto degustato con il pane e le focacce tipiche dei forni a legna del territorio.

Locorotondo (Ba)

I piaceri della carne
Traversa Maestro Curri, 68
Tel. 328 4680743-320 3875362
Aperto mercoledì, sabato e domenica, sempre da luglio a settembre

NOVITÀ

Francesco e Giacomo propongono i tagli e le specialità da gustare, curando il servizio ai tavoli disposti all'aperto sul terrazzino di fianco alla macelleria. Il giovanissimo Marcello, con grande sapienza nonostante i suoi 19 anni, gestisce le cotture. Si comincia con i salumi di propria produzione tra cui la pancetta, il salame secco, il filetto di maiale lardellato e l'immancabile capocollo di Martina Franca. Tra gli spiedi, le bombette, l'agnello, la tagliata di vitello, i fegatini e le salsicce di maiale; per contorno patate cotte al fornello e insalate. Accompagnano bene il pasto alcune etichette di vino pugliese.

Martina Franca (Ta)

Lisi

Via Verdi, 57
Tel. 080 4801547
Chiuso domenica e lunedì

Aspettando che Giusy e Vito vi preparino le carni cotte al fornello, degustate in questa macelleria il rinomato capocollo di Martina Franca, i sottoli della casa e altri buoni insaccati preparati dagli stessi proprietari. Molto gustosi gli spiedi di maiale, le bombette impanate o con la pancetta, le salsicce, gli *gnumarieddi*.

Serio vito

Via Ferrucci, 20
Aperto martedì e sabato

Questa macelleria, in attività da oltre novant'anni, oggi è magistralmente gestita da Vito Serio, meglio conosciuto a Martina Franca come "U Salvasoda". In questa macelleria non troverete i tavolini: ci si appoggia su un ripiano e, proprio come vuole la più antica tradizione del fornello, si mangia in piedi. Gustosi gli straccetti di vitello, nonché gli spiedi di agnello, *gnumarieddi*, bombette, salsicce e, quando disponibili, di animelle.

Noci (Ba)

Domenico scarano

Via Vittorio Emanuele, 15
Tel. 080 4977315
Chiuso lunedì, martedì e domenica

A venti metri dall'omonima macelleria, Domenico Scarano ha allestito una bella saletta, nella quale potrete degustare le sue preparazioni. Accompagnate i nodini di maiale, le animelle, gli *gnumarieddi* e gli spiedi di agnello con ottimo pane o focacce cotti nel forno a legna. Concludete con i tipici dolcetti di mandorla nostrani.

Putignano (Ba)

Marchio murgia

Via Noci, 119
Tel. 080 4055443
Chiuso domenica e lunedì

In un'ampia sala, Giuseppe, Giacomo e Luigi vi faranno assaporare tutto il gusto della genuinità dei loro prodotti. La carne servita in questo locale può vantare un'eccellente qualità: i tre soci allevano direttamente i capi di bestiame. Buona la pancetta fresca condita con sale e pepe. Tra le molte preparazioni cotte al fornello segnaliamo gli arrosticini di pecora, la salsiccia ai peperoni rossi, i "messicani" e la salsiccia a punta di coltello. Per accompagnare il pasto, si beve il buon Primitivo prodotto nella vicina Gioia del Colle.

Sammichele di Bari (Ba)

La tradizione

Via della Resistenza, 68
Tel. 080 8918467
Chiuso il lunedì

Il giovane Lorenzo, coadiuvato dalla mano esperta di papà Francesco, gestisce questo elegante locale, disposo su tre piani, sito nel centro di Sammichele di Bari. I veri amanti della tradizione non potranno fare a meno di assaggiare *u calariedd'*, ovvero pezzi di pecora o di agnello che cuociono lentamente in una pignatta di terracotta. Ottimi anche la zampina e i *marretti* (involtini di interiora di agnello).

Santeramo in Colle (Ba)

Blu di notte

Corso Roma, 142
Tel. 080 3026224
Chiuso la domenica

Qui a Santeramo è consuetudine mangiare la carne di cavallo, che in questa macelleria viene proposta sotto forma di gustosissime braciolette cotte lentamente in *pignate* di terracotta. Ottimi gli spiedini di spezzatino con cipolla, le costate, le salsicce.

Da mimmo e valeria

Via Iacoviello, 47-49
Tel. 080 3039636
Chiuso la domenica

Mimmo e Valeria, da bravi padroni di casa quali sono, dopo avervi fatto accomodare vi faranno assaggiare le loro squisite preparazioni: i bocconcini di cavallo ripieni di formaggio, gli spiedini di carne con pancetta, la *pignata* di spezzatino cotto al forno, accompagnati da patate e cipolle.

Villa Castelli (Br)

Alò pietro

Via San Carlo Borromeo, 71
Tel. 0831 866058
Chiuso la domenica, gli altri giorni su prenotazione

Pietro dispone solo di una decina di posti a sedere, ma se avete voglia di assaggiare qualcosa di veramente prelibato vi conviene fare la fila e aspettare, non ve ne pentirete. Vi delizierà con ottimi insaccati locali e formaggi caprini, per cominciare, e poi vi conquisterà con gli spiedi di agnello, la salsiccia a punta di coltello, le bombette, i fegatini.

Lecce

Alle due corti

Osteria di recente fondazione
Via Corte dei Giugni, 1
Tel. 0832 242223
Chiuso la domenica
Orario: mezzogiorno e sera
Ferie: 20 giorni in estate
Coperti: 65
Prezzi: 25-30 euro vini esclusi
Carte di credito: le principali, Bancomat

Alle Due Corti è nel centro storico di Lecce, a pochi passi da piazza Sant'Oronzo e dalla Basilica di Santa Croce, da Porta Napoli e dal settecentesco Teatro Paisiello. Il ristorante prende nome dalla posizione – si trova tra la Corte dei Giugni e la Corte degli Ziani – e ha un suo fascino: le volte a stella, le sale una dentro l'altra, la semplicità degli arredi e il camino cinquecentesco creano un'atmosfera d'altri tempi. Il clima familiare è sottolineato da un servizio informale, solerte e cordiale e dalla presenza della signora Rosalba De Carlo, la padrona di casa.
La cucina è quella della tradizione contadina salentina, con ricette che fanno parte del patrimonio culinario del territorio. Negli antipasti, ampio spazio alle verdure di stagione: dal **timballo di patate** alle melanzane grigliate, dai pomodori *scattarisciati* ai **peperoni al pangrattato**. Ottime le verdure fritte (cipolla, fiori di zucca, funghi, finocchi). Tra i primi, le ***sagne 'ncannulate*** di farina di grano integrale o di orzo al sugo, ***ciceri e tria***, *taieddha*, **fave e cicorie**. Saporite le ***ricciaredde*** con i pomodori *scattarisciati*. Per i secondi si può scegliere tra carne, pesce e verdure. Ci sono le polpette di melanzane al sugo, ma anche **polpo in *pignata***, sarde impanate e fritte, **calamari ripieni**. Da assaggiare i **pezzetti di cavallo** e i ***turcinieddi*** (involtini di interiora di agnello), piatti veracemente salentini.
A chiudere i dolci casalinghi, con menzione per la **crostata** fatta in casa **con mosto d'uva speziato**. La cantina offre qualche buona etichetta regionale e vino in caraffa. Nel locale si possono acquistare prodotti gastronomici salentini.

Pani, pizze e pucce leccesi al panificio Osvaldo Conte, via Costadura 28, e al Furnu de Petra, via Casetta.

LECCE

CUCINA CASARECCIA 

Trattoria
Via Costadura, 19
Tel. 0832 245178
Chiuso domenica sera e lunedì
Orario: mezzogiorno e sera
Ferie: inizio settembre
Coperti: 45
Prezzi 23-28 euro vini esclusi
Carte di credito: tutte tranne AE, Bancomat

La capitale del barocco leccese non è conosciuta soltanto per le bellezze architettoniche ma anche per quanto esprime nei piatti della tradizione salentina. In questa trattoria da sempre conosciuta per la qualità della cucina (chiedete delle "zie", nome storico del locale) è gestita con passione e professionalità da Anna Carmela Perrone. Due salette sobriamente arredate, ma sempre colme di avventori (alcuni anche famosi, come attestano le foto alle pareti) che dopo la visita del barocco di Santa Croce si rilassano a tavola, curiosi di fare conoscenza con i profumi e i sapori che arrivano dalla cucina a vista.

Il menù vi sarà proposto a voce, e ogni ricetta descritta nei particolari. Si comincia con **peperoni in agrodolce**, *pittole*, verdure grigliate di stagione, parmigiana di melanzane. Poi **fave e cicorie**, *taiedda* di zucchine, patate e cozze, **patate e cardi al forno**, ***sagne 'cannulate*** al sugo di pomodoro fresco e cacioricotta, **orecchiette** con le cime di rapa o **con la ricotta forte**, ***ciceri e tria***, zuppa di ceci. In primavera si preparano unìottima minestra di fave fresche e carciofi e le ***paparine*** (germogli del papavero rosso) saltate **con le olive nere**. Per continuare troverete carne di cavallo al sugo (involtini o spezzatino), polpettoncini al vino, i ***turcinieddi*** (interiora) **di agnello**, il calamaro ripieno, **polpo alla *pignata***. Potrete finire con buoni dolci casalinghi, prima degli infusi fatti in casa a coronamento della bella esperienza.

La scelta di vino è limitata a un valido sfuso della casa e a qualche etichetta locale, che peraltro ben si sposano alla cucina proposta.

A **Maglie** (27 km), visitate l'Antico Pastificio Benedetto Cavalieri, in via Garibaldi 64, specialista, fin dal 1918, nella pasta di grano duro.

OSTERIA DEGLI SPIRITI

Osteria di recente fondazione
Via Battisti, 4
Tel. 0832 246274
Chiuso domenica sera
Orario: mezzogiorno e sera
Ferie: ultime due settimane di luglio
Coperti: 50
Prezzi: 30-35 euro vini esclusi
Carte di credito: tutte, Bancomat

Nel centro della città, a due passi dalla Villa Comunale e tra le vie frequentatissime dai leccesi per lo shopping, questa osteria è un luogo di ritrovo per chi, oltre alla buona cucina, ama condividere con Piero, patron del locale, l'interesse per la musica, specialmente il jazz.

Sarete accolti con molta professionalità in due eleganti salette collegate tra loro, dove i tavoli sono apparecchiati con cura e curiosi complementi di arredo danno un tono particolare all'ambiente. Piero in sala e la moglie Tiziana in cucina offrono l'opportunità di assaporare i piatti tipici della tradizione salentina, aprendo ogni tanto a qualche piccola innovazione di pregevole fattura. L'antipasto, come usa da queste parti, è ricco: ***pittule***, arancini di riso, crocchette di patate, **polpettine di carne**, caponata, cicorielle saltate al pomodoro. In alternativa taglieri di salumi e formaggi. Tra i primi piatti potrete avere ***ciceri e tria***, ***fae e foghie*** (purea di fave e cicorie selvatiche), *copule* (polpette) di patate, **zuppa di ceci**, zuppa di lenticchia, **fave e cecamariti**. Come secondo, **pezzetti di cavallo al sugo**, filetto di manzo, ***turcinieddhi*** (frattaglie di agnello) e salsiccia, polpette al sugo, tutti classici del Salento in tavola. Un ottimo **pasticciotto alla leccese**, la specialità dolce cittadina, e buone crostate per chiudere il pasto.

La cantina è ricca di etichette regionali e nazionali in costante aumento, frutto della passione enologica del patron.

In via Templari 16, Maglio Arte Dolciaria è un punto di riferimento per i leccesi per le specialità a base di cioccolato.

Locorotondo

65 km a SE di Bari SS 16 o SS 172

La taverna del duca

Osteria-trattora
Via Papadotero, 3
Tel. 080 4313007
Chiuso domenica sera, mai d'estate
Orario: mezzogiorno e sera
Ferie: 15-30 novembre
Coperti: 25 + 30 esterni
Prezzi: 25-30 euro
Carte di credito: nessuna

Nel cuore della valle d'Itria, Locorotondo, dal latino *locus rotundus* per indicare la rotondità della collina su cui sorge il paese, raggruppato intorno alla Chiesa Madre, possiede un centro storico dal fascino davvero particolare: abitazioni tinteggiate in calce bianca, con balconi, porte e finestre in ferro battuto e tanti fiori, prevalentemente gerani, a riempire le corti.

In questo contesto troverete l'osteria di Antonella Scatigna che, pur molto giovane, dimostra di conoscere molto bene la cucina della tradizione contadina. Il locale, piccolo ma arredato con cura e semplicità, è molto accogliente anche grazie alla cucina a vista che contribuisce a creare un'atmosfera realmente familiare. Non esiste un menù fisso perché i piatti cambiano ogni giorno in base alla disponibilità del mercato e all'offerta stagionale delle materie prime. Si comincia con una serie quasi interminabile di verdure e ortaggi fritti, grigliati o sott'olio, **polpette fritte**, tortini di zucchine, **lampascioni** fritti o sott'olio. Tra i primi, **purè di fave con cicorie**, orecchiette o **strascinati al ragù di carne** o con le cime di rape, **cavatelli con ceci** o fagioli, altra pasta fresca con pomodoro e cacioricotta. Per quanto riguarda i secondi, domina la **carne cotta al fornello** (bombette, salsiccia e ***gnumarieddi***) o in casseruola per varie ore (le braciole o i **nodini di trippa** soffocati da tantissima cipolla e vari aromi).

Si conclude degnamente il pasto con i tradizionali **dolcetti di mandorle**, accompagnati dai rosoli della casa. Il Primitivo in caraffa è quanto di meglio venga offerto, ma ben si abbina a questo menù.

Manfredonia

39 km a NE di Foggia SS 89

Il baracchio

Trattoria
Corso Roma, 38-angolo via De Florio
Tel. 0884 583874
Chiuso il giovedì
Orario: mezzogiorno, sera su prenotazione
Ferie: 10 giorni in luglio
Coperti: 70
Prezzi: 25-35 euro vini esclusi
Carte di credito: tutte

La città fondata nella seconda metà del Duecento dal Re Manfredi e che accolse la popolazione dell'antica Siponto, merita una visita approfondita per i numerosi spunti di carattere naturalistico e artistico che sa offrire. Sul versante gastronomico questa osteria, che propone materie prime freschissime provenienti dal locale mercato del pesce e una cucina che utilizza le ricette tradizionali marinare. Giulia ai fornelli in bella vista all'ingresso e Fiorenzo in sala, simpatico e professionale, vi offriranno un menù che varia ogni giorno, pur mantenendo fissi certi ottimi antipasti, tra cui la **burrata** e la mozzarella di bufala locali, il misto mare con l'**insalata di polpo** o di seppie, le **cozze ripiene**, il nero di polpo, le alici marinate o in pastella, i ***capirroni***, l'impepata di cozze, il **crudo di mare**. Tra i primi, sono da assaggiare i **troccoli al nero di seppia con pecorino**, ma niente male sono pure le **orecchiette con scampi**, le cicale con rucola o cime di rape, gli **spaghetti con il calamaro ripieno**, le linguine con frutti di mare e la **zuppetta alla marinara**. I secondi variano col pescato, ma sono sempre disponibili la **grigliata** e la **frittura di pesce**, ottime anche le triglie al limone e origano, la sogliola alla mugnaia, il **cartoccio misto di mare**, la pescatrice all'acquapazza, le seppioline ripiene e i crostacei alla griglia. Su prenotazione, in inverno, si prepara la ***rianète***, un composito piatto al forno con baccalà, cipollotti del Gargano, zucca gialla, patate, pomodorini, pane grattugiato, pecorino canestrato e olio extravergine.

Dopo un assaggio di caciocavallo podolico la signora Nella prepara, per finire, i veri dolci della tradizione, tra cui segnaliamo l'ottima **torta di ricotta**. Modesta la scelta dei vini, che privilegia i bianchi.

MASSAFRA

16 KM A NO DI TARANTO

FALSOPEPE

NOVITÀ

Enoteca-ristorante
Via II Santi Medici, 45
Tel. 099 8804687
Chiuso il mercoledì
Orario: sera, festivi anche pranzo
Ferie: 20 ottobre-10 novembre
Coperti: 30 + 30 esterni
Prezzi: 28-33 euro vini esclusi
Carte di credito: tutte

Il Falsopepe, che prende il nome dall'albero che campeggia all'ingresso del locale, si trova vicino alla suggestiva Gravina San Marco, tra i bianchi vicoli e le scalinate della città vecchia cui si può accedere soltanto a piedi (potrete parcheggiare l'auto lungo via La Liscia). Alle due sale, arredate con semplicità e buon gusto, si aggiungono nella bella stagione diversi terrazzini con incantevole vista sulla gravina, sul castello medievale e sulla rigogliosa campagna jonica. La cucina è affidata alle sapienti mani di Anna, rispettosa della tradizione e attenta alla stagionalità e alla qualità delle materie prime locali; il menù cambia ogni settimana.
Si comincia con salsiccia, pancetta, capocollo di Martina Franca, parmigiana e polpette di melanzane, **purè di fave con i peperoni**, ricotta, **pampanella** (formaggio fresco in una foglia di fico), pecorini e caprini freschi e stagionati prodotti in una vicina masseria, caciocavallo podolico con marmellate e miele di fico d'India di un locale apicoltore. Tra i primi, le orecchiette al cacio e rucola, gli gnocchi di patate e basilico, i **medaglioni di semola con la zucca**. A base di carne i secondi: **agnello al forno**, filetto di maiale, ***marro*** (voluminoso involtino di interiora di agnello). Accompagnano il tutto eccellenti pani e focacce caserecci. Ricca la scelta dei dolci, tutti preparati in casa dalla signora Anna: spumoni e gelati, torta di mele, **bocconotti** e **quaresimali**.
Le circa 500 etichette in cantina, servite anche al calice, sono in gran parte regionali, ma non manca un'attenta selezione di bottiglie nazionali.

MINERVINO MURGE

29 KM A OVEST DI ANDRIA SS 98, 34 KM DA BARLETTA

LA TRADIZIONE CUCINA CASALINGA

Trattoria
Via Imbriani, 11-13
Tel. 0883 691690
Chiuso il giovedì
Orario: mezzogiorno e sera
Ferie: 1-15 settembre, 1-15 marzo
Coperti: 50
Prezzi: 25-30 euro vini esclusi
Carte di credito: tutte

Ormai dal 1985 a Minervino Murge, territorio di antiche tradizioni e con un patrimonio gastronomico di tutto rispetto, la trattoria dei fratelli Giacomo, Daniele e Giuseppe Dinoia è un riferimento per chi cerca cucina semplice, genuina e legata alla migliore tradizione contadina dell'alta Murgia, una cucina fatta di carni, formaggi, ortaggi ed erbe spontanee.
Aprono il menù i tipici antipasti a base di **funghi cardoncelli** della Murgia, lampascioni, formaggi, ricotta, **salsiccia secca** e verdure di stagione. Tra i primi si segnalano i **troccoli murgesi con pomodorini e funghi cardoncelli**, le caserecce (tipica pasta fatta in casa) con sugo di salsiccia e i maccheroncini di grano arso con cardi selvatici della Murgia; d'inverno **cavatelli con ceci**, fagioli e cicerchie, oltre ai tradizionali **strascinati** (orecchiette tipiche di queste zone) **con le cime di rapa**. I secondi sono a base di ottime carni murgiane come l'**agnello da latte** o la braciola di maiale con funghi cardoncelli, sempre alla brace, e gli **involtini di carne al sugo**. Da assaggiare, ma lo servono solo su ordinazione, ***u cutturidd' di agnello*** con cime di rapa; buono anche il coniglio ruspante alla cacciatora.
Dolci casalinghi per finire, con sfogliatine e **pastiera**. Il vino: buono lo sfuso e possibilità di scegliere qualche bottiglia della zona di Castel del Monte.

In corso De Gasperi 13 l'ottima pasticceria Schiraldi, buona espressione della tradizione dolciaria locale che da più di cinquant'anni coniuga territorio e tradizione di sapori e prodotti locali.

Minervino Murge

29 km a ovest di Andria ss 98, 34 km da Barletta

Masseria barbera

Azienda agrituristica
Strada statale 97, km 5,850
Tel. 0883 692095
Chiuso domenica sera e lunedì
Orario: mezzogiorno e sera
Ferie: in novembre
Coperti: 100
Prezzi: 25-30 euro vini esclusi
Carte di credito: le principali

A pochi chilometri da Minervino e dall'uscita autostradale Andria-Barletta dell'A14, Stefania e Riccardo gestiscono da alcuni anni la masseria di famiglia fra le dolci colline della Murgia, ristrutturata e trasformata in agriturismo. L'ambiente è rustico, con il grande camino, pavimenti in chianca e muri bianchi.
Per cominciare, stuzzichini di fave secche fritte salate. Poi i piatti della tradizione contadina, a base di erbe spontanee, carni, formaggi e latticini. In cucina, le indicazioni di Stefania son ben interpretate dallo chef Nicola. Si inizia con **mozzarelle**, primosale e ricotta freschi di pecora, caciocavallo pastellato, **frittelle di zucchine** con menta e formaggio fresco con olio extravergine da oliva coratina prodotto in azienda, la **focaccia pugliese**, capocollo, pancetta arrotolata, salsiccia di cinghiale e i **lampascioni sott'olio**. I primi, in prevalenza di pasta fresca: **strascinati di grano arso** con pomodorini, rucola e ricotta salata, orecchiette con capocollo, pomodorini e canestrato, **troccoli con ragù di cinghiale**, ravioli ripieni di rape e stracciatella con pomodorini e fagioli. Nel periodo invernale non mancano mai le minestre di grano e orzo, le **cicorie spontanee con macco di fave** e i primi a base di funghi cardoncelli. Di qualità le **carni alla griglia**, gli ***gnumarieddi***, le costolette di agnello e capretto, la salsiccia col finocchietto selvatico, il filetto di asina e il **diaframma di cavallino**. Specialità della casa è il **cosciotto di capretto alle erbe aromatiche**.
Per dessert, scorzette candite di pompelmo e arance, cantucci alle mandorle, biscotti al burro, dolcetti di pasta di mandorla e mandorle zuccherate, accompagnati dai rosoli di alloro, marasca e limone. Fornita la cantina, con buona selezione dei vini del territorio ed etichette nazionali.

Monte Sant'Angelo

55 km a ne di Foggia ss 272

Medioevo

Ristorante
Via Castello, 21
Tel. 0884 565356
Chiuso il lunedì, mai d'estate
Orario: pranzo e sera, inverno solo pranzo
Ferie: 15-30 novembre
Coperti: 60
Prezzi: 25-35 euro vini esclusi
Carte di credito: tutte

Al paese, meta di pellegrinaggio fin dal V secolo, arroccato su uno sperone del Gargano, si arriva per una strada che si arrampica offrendo scenari vertiginosi. Nel quartiere medievale dalle tipiche case tinteggiate di bianco si trova il ristorante.
Il menù, che non risente dell'alto flusso di turismo religioso, ha i piatti della cucina locale ben in evidenza. L'accoglienza è cordiale, gli ambienti raccolti. Potrete iniziare con i **salumi** di produzione propria (anche acquistabili): capocollo, salsiccia e pancetta arrotolata provenienti da allevamenti di maiali allo stato brado, e i classici sottoli accompagnati da pane fresco e **focaccia al pomodoro** cotti in forno a legna. Tra i primi, **troccoli con seppie al pomodoro e finocchietto** fresco, pancotto, a base di verza, fave fresche, patate e pane raffermo, **baccalà con i ceci** da cui nasce un intingolo per fettuccine garganiche, le immancabili **orecchiette** (molto più piccole delle baresi) **con ragù di carne** o con verdure di stagione; nel periodo invernale, da non perdere le **cicorie campestri con le fave**. I secondi sono soprattutto a base di carne: agnello e ***turcinieddi*** (involtini di interiora di agnello) al forno con patate, **capretto in umido** con uova e formaggio o cotto alla griglia. Buoni i formaggi, tra cui un caciocavallo di mucca e un pecorino stagionato in grotta.
I dolci sono quelli tipici, dalle **ostie piene** ai mostaccioli, accompagnati da rosoli e infusi. Buona la carta dei vini, con etichette a prevalenza regionale.

Forno Frisoli, via Manfredi 86: ostie chjene e altri dolci tradizionali; ottimo il pane. Grande qualità alla Pasticceria-gelateria 90, in corso Vittorio Emanuele 185.

Noci

49 km a SE di Bari SS 634

L'antica locanda

Osteria tradizionale
Via Santo Spirito, 49
Tel. 080 4972460
Chiuso domenica sera e martedì
Orario: mezzogiorno e sera
Ferie: non ne fa
Coperti: 60
Prezzi: 30-35 euro vini esclusi
Carte di credito: tutte tranne AE

Noci sorge su uno dei punti più elevati del rilievo delle Murge, ai bordi della valle d'Itria, e richiama numerosi turisti per le bellezze architettoniche del centro storico e per l'Europa Festival Jazz che riunisce numerosi appassionati nei mesi di giugno e luglio.
L'osteria di Pasquale Fatalino si trova proprio nel centro storico, in un locale caratteristico, con pareti e soffitto in pietra a vista. Il patron vi guiderà con complicità tra i numerosi piatti della tradizione locale della sua cucina. Come antipasto, oltre ai **lampascioni**, cipollotti selvatici di colore rosa e dal sapore amarognolo, preparati **fritti**, con o senza pastella, lessi, oppure gratinati, i germogli di vite (in primavera), lessati e conditi con olio extravergine di oliva, aglio e menta, **polpettine di carne**, verdure grigliate e **straccetti di cavallo**. Tra i primi le **cicorielle *a'zise***, cioè lessate in brodo di carne oppure in timballo con mozzarella, formaggio e polpette di carne di maiale, i **fricelli** al ragù o **con funghi e pecorino**, la zuppa di ceci con funghi o con baccalà, le classiche **orecchiette con ragù di braciolette piccanti**. Tra i secondi, memorabile la **fricassea di agnello** con lampascioni e carciofi al forno, amalgamata con mollica di pane raffermo, poi l'agnello alla brace, il **coniglio disossato** cotto al forno con le erbe della Murgia. Per finire dolcetti fatti in casa. La cantina offre una selezione dei migliori vini pugliesi. Servizio puntuale e veloce. Consigliabile telefonare.

Salumificio Li best, contrada Murgia, zona C: insaccati tra cui la coppia di Murgia, il murgiano, lo sfizietto, la pancetta arrotolata, la salsiccia contadina, il salame equino. In corso Cavour 140, salumeria di Marino Notarnicola: dal 1940 sempre così. Specialità: panini e focacce ripieni con prodotti tipici nocesi.

Orsara di Puglia

44 km a SO di Foggia SS 90

Peppe Zullo

Ristorante con alloggio
Via Piano Paradiso
Tel. 0881 964763
Chiuso il martedì
Orario: pranzo, sera su prenotazione
Ferie: 15-31 gennaio, novembre
Coperti: 60 + 40 esterni
Prezzi: 30-35 euro vini esclusi
Carte di credito: tutte

A Orsara, paesino della Daunia recentemente inserito nel circuito delle CittaSlow, Peppe, chef e patron, è davvero un'istituzione. Schietto e affabile, accoglie i numerosi visitatori in una bella struttura che comprende da qualche anno, oltre al ristorante, intimo, semplice e accuratamente rustico, un elegante albergo. Inoltre, Peppe governa anche una cantina di circa 800 metri quadrati che ospita tra tantissime etichette regionali e nazionali, anche le bottiglie di vino rosso che egli stesso produce da uve tuccanese, un antico vitigno da poco riscoperto. Il suo menù segue le stagioni e la disponibilità dell'orto e dei prodotti del territorio. La cucina è quella tipica dei Monti Dauni, con qualche rivisitazione che tende a ingentilire alcuni piatti.
Si comincia con le **ricottine alle erbe aromatiche**, i fiori di zucca con cacioricotta e basilico, gli **asparagi selvatici con uova e mentuccia**, gli involtini di melanzane al cacioricotta, i funghi cardoncelli all'essenza di caciocavallo. Tra i primi, **orecchiette al sugo di cinghiale**, orecchiette con ceci e borragine, **candele spezzate al ragù d'anatra**, **cavatelli con fagioli e *sivoni***. A seguire, l'**agnello, cotto nel forno a legna** e accompagnato da patate alla brace, il capretto in salsa di agrumi, il cinghiale con funghi cardoncelli e verdure di campo, i **fegatini di capretto**. Eccellente la selezione di salumi e formaggi della zona.
Pastiera orsarese, crostata di mele cucuzzare, **pupatielli al vin cotto** completano il pasto. Ottima la selezione di vini e distillati.

Pasticceria Fratelli De Angelis, corso della Vittoria 10: dolcetti alle mandorle, pastiere, gelati.

Ostuni

32 km a NO di Brindisi SS 16

Lamiola piccola

Azienda agrituristica
Contrada Lamiola Piccola
Tel. 0831 359972
Chiuso il lunedì, mai d'estate
Orario: mezzogiorno e sera
Ferie: 10-25 gennaio
Coperti: 80 + 80 esterni
Prezzi: 30-35 euro vini esclusi
Carte di credito: tutte, Bancomat

Non lontano da Ostuni, la suggestiva Città Bianca, con il suo affascinante centro storico, l'azienda agrituristica Lamiola Piccola offre un motivo in più per visitare il versante orientale delle Murge. Per arrivarci, dopo aver lasciato la statale 16 in località Montalbano, dirigendosi verso la collina, si attraversa un territorio caratterizzato da olivi secolari, muretti a secco, macchia mediterranea e animali al pascolo, con una terra di colore rosso intenso. Lamiola Piccola è un antico insediamento rurale dalla splendida architettura risalente al XVII secolo. Sale ampie e ben conservate e terrazzi che offrono un magnifico panorama sulla piana degli olivi e sul mare Adriatico sono gli ambienti nei quali sarete accolti da Caterina e Leonardo, i gestori della struttura.
Si comincia con antipasti tipici, **purè di fave con peperoni**, frittata di carciofi, lampascioni, **trippa in brodo**, verdure grigliate e fritte, tutti accompagnati da una squisita focaccia. Tra i primi figurano le **orecchiette con crema di basilico e cacioricotta** fresco, i ***fricelli* con cavolo e panfritto**, i laganari con salsiccia e melanzane, i maltagliati con fagioli e ventresca. I secondi sono prevalentemente di **carne**, per lo più cotta **alla griglia**, ma sono ottimi anche l'agnello al forno o il **coniglio in umido**. Non di rado è possibile trovare piatti di **cacciagione**. Squisiti i dolci con pasta di mandorle, le crostate di frutta e la torta di mele. La carta dei vini dà ampio spazio alla migliore produzione regionale.
È possibile acquistare le altre produzioni aziendali: ortaggi al naturale e in vaso, frutta di stagione, olio di oliva extravergine, confetture e ottimi rosoli.

Palagianello

30 km a ovest di Taranto

Masseria petrino 

Ristorante
Zona Petrino
Tel. 099 8434065
Chiuso domenica sera e lunedì
Orario: mezzogiorno e sera
Ferie: novembre
Coperti: 40 + 40 esterni
Prezzi: 35 euro vini esclusi
Carte di credito: le principali

La Masseria Petrino, edificata nella seconda metà dell'Ottocento, è stata recentemente restaurata con cura e si trova nella omonima zona, attigua alla Terra delle Gravine, grazie alla quale Palagianello accoglie ogni anno numerosi visitatori.
L'arredo del ristorante è rustico e semplice e l'accoglienza davvero cordiale. Il patron del locale è Michele Rotondo, chef attento e preparato che cura personalmente la preparazione dei piatti, ma soprattutto la spesa di ogni giorno. Il menù, infatti, cambia secondo le stagioni e i piatti del giorno tengono conto delle materie prime tipiche del territorio, scelte guardando alla massima qualità. Taranto è a pochi chilometri e quindi molto spesso è disponibile del pesce freschissimo, che Michele utilizza da par suo sia per realizzare le ricette della tradizione sia per qualche indovinata rivisitazione. Per cominciare sono ottimi il tonno crudo marinato con capperi, il formaggio **pecorino al forno** con timo, il **carpaccio di cavallino**. Tra i primi sono da non perdere i **cannelloni di pasta con olive** ripieni di stracciatella in guazzetto di pomodoro, gli **spaghetti quadrati con purè di fave fresche**, pecorino e bottarga, le **zuppe di legumi** o di fave. Tra i secondi potrete scegliere fra **guanciale di vitello brasato**, tagli di carni diverse (vitello, cavallo, coniglio) cotti in vari modi: a scottadito, al forno, in umido. Come detto, spesso c'è il pesce del giorno.
Per concludere, un eccellente *parfait* allo zabaione, una bavarese o i tradizionalissimi **sporcamusi**. La cantina è in continua crescita e le etichette disponibili, pugliesi e nazionali, sono offerte con ricarichi ragionevoli. È consigliabile prenotare.

Patù

65 km a sud di Lecce ss 275

Rua de li travaj

Trattoria
Piazza Indipendenza
Tel. 349 0584531
Chiuso il mercoledì, mai d'estate
Orario: sera, nov-giu festivi anche pranzo
Ferie: ottobre
Coperti: 35 + 40 esterni
Prezzi: 25 euro vini esclusi
Carte di credito: tutte tranne AE, Bancomat

Patù è un piccolo centro della penisola salentina, poco lontano da Santa Maria di Leuca, che offre poche attrazioni ai turisti che affollano questo territorio soprattutto nel periodo estivo. La piccola trattoria di Gino De Salve, ospitata in una costruzione del 1700 con muri in pietra e caratteristiche volte in tufo, si trova nel vicolo Cavallotti, già "Rua de li travaj" (da cui il nome), a ridosso della piazza principale. Due salette con un bel camino sempre acceso nel periodo invernale e tavolini all'esterno nel periodo estivo caratterizzano questo locale arredato con molta semplicità. In cucina, insieme ad Anna Maria, moglie di Gino, c'è Fiorina, la suocera del patron, di origini piemontesi. La cucina è quella tradizionale salentina.
Per cominciare, una ricca carrellata di antipasti soprattutto a base di verdure, che comprende **frittate** di cipolle, spinaci, **pizza rustica**, ***pitta* di patate**, parmigiana di melanzane, pomodori *scattarisciati* e secchi sott'olio, peperoni arrostiti, lampascioni sott'olio, melanzane arrostite, **peperoni fritti** con mollica di pane, patate con cipolle, insalata di patate e tanti altri secondo la stagione. Tra i primi piatti, alcune gustose **zuppe di verdure** o di legumi, minestra di farro e fagioli, le **orecchiette** e le ***sagne torte*** o *'ncannulate* **al pomodoro e ricotta forte**. Tra i secondi, soprattutto a base di carne, i **pezzetti di cavallo al sugo**, il coniglio "della Rua" (al forno con patate), la **grigliata mista**, il polpettone e il brasato al Negroamaro che svelano le origini piemontesi della Fiorina.
Buoni i dolci fatti in casa, accompagnati in genere da alcuni rosoli variamente aromatizzati. Fornita la cantina, con etichette esclusivamente regionali.

Poggiardo

39 km a sud di Lecce ss 16 e 275

La piazza

Trattoria
Piazza Umberto I, 13
Tel. 0836 901925-339 7777073
Chiuso il lunedì, mai d'estate
Orario: sera, mezzogiorno su prenotazione
Ferie: ottobre
Coperti: 35 + 15 esterni
Prezzi: 26-30 euro vini esclusi
Carte di credito: tutte, Bancomat

Non lontano da Castro Marina e Santa Cesarea Terme, splendide località costiere del versante adriatico della penisola salentina, troverete Poggiardo, bella cittadina dell'entroterra, molto vicino a Vaste, uno degli insediamenti più importanti della colonizzazione messapica del Salento.
Nella piazza più centrale del paese ha sede la trattoria, il cui nome enfatizza la sua stessa ubicazione e che è sapientemente gestita da Stefano Nuzzo e dalla moglie Kleyda. Nel periodo estivo cenare a uno dei pochi tavoli all'esterno del locale, in piazza Umberto I, permette di godere di un'atmosfera davvero suggestiva. In altra stagione per arrivare alla sala ristorante si dovrà passare attraverso il bar. Si comincia con l'antitasto, chiamato "la Piazza", che è davvero molto ricco: fagiolini con pomodoro e cacioricotta, **crocchette di patate e mentuccia**, **parmigiana di melanzana con palamita**, **cozze su purea di fave** e crostini, sgombro con cipolle in agrodolce e buccia d'arancia, impepata di cozze. Si continua con il primo, scegliendo, anche in questo caso, nell'ambito di un'ampia offerta: **cavatelli con cicorie e gamberi** di Gallipoli, tubettini al pesce angelo, **gnocchi di patate agli "spuntali"** e canestraio, **maccheroncini con totani e crema di ceci**, *sagne* torte con la ricotta *scante*, maritati (orecchiette e maccheroncini) al profumo di mare. Come secondo potrete avere **agnello al forno** con patate, gamberoni con purea di fave, tagliata di vitello con rosmarino e alloro. Per finire un dessert. Fra gli altri, il semifreddo con la *cupeta* (croccante al caramello) e il fazzoletto di pasta di mandorla con ricotta e bucce d'arancia candite.
In cantina una discreta scelta di vini pugliesi con onesti ricarichi.

Putignano

42 km a SE di Bari SS 100 e 172

Il cantinone

Trattoria-pizzeria
Via Arco San Lorenzo, 1
Tel. 080 4913378
Chiuso il martedì
Orario: mezzogiorno e sera
Ferie: 1-15 luglio
Coperti: 180 + 50 esterni
Prezzi: 30 euro vini esclusi
Carte di credito: tutte

Putignano, popoloso e attivissimo centro agricolo-industriale, ha una lunga storia, come testimoniano siti archeologici e monumenti. È molto noto anche il suo carnevale, le cui origini paiono risalire al Medioevo: la maschera ufficiale è Farinella, che è anche il nome di una tipica farina di ceci e orzo, abbrustoliti, schiacciati in piccoli mortai di pietra e miscelati. Era la farina dei poveri, consumata in abbinamento a sughi, olio o fichi freschi.
Il bel centro storico fa da cornice alle antiche cantine del Palazzo dei Colavecchio, dove si trova Il Cantinone. Arredi rustici, un'ampia cucina a vista, un forno a legna per cuocere le pizze e un grande braciere al centro del locale, ben si accordano con le pareti, gli imponenti pilastri in pietra e i soffitti con volta a croce. A tavola, come da tradizione, si comincia con una selezione di insaccati, tra cui il **capocollo di Martina Franca**, latticini locali, verdure al forno e alla griglia, frittata di asparagi e **caciocavallo alla brace**. I primi prevedono **orecchiette al ragù, grano, baccalà e patate**, spaghetti o pasta fresca fatta in casa con olive, acciughe e mollica fritta, cicorie e provola. Tra i secondi il tradizionale assortimento di **carne alla brace**: ***gnumarieddi*** (involtini di interiora di agnello o capretto), zampina o **salsiccia a punta di coltello**, **costate di agnello**, di maiale e di manzo. Una discreta selezione di formaggi anticiperà i dolci: **pasticcini di mandorle**, il tradizionale spumone, panna cotta e, durante il carnevale, le **pettole** (pasta di pane fritta).
Ricca la carta dei vini, di etichette esclusivamente regionali.

Dal Vecchio Pastificio Sbiroli, via Conversano 10, pasta con lavorazione tradizionale. In via Tardone 8, Voglia di dolci: taralli salati e dolci, dolcetti di mandorle ricoperti di cioccolato.

Ruvo di Puglia

33 km a ovest di Bari SS 98

U.P.E.P.I.D.D.E.

Ristorante
Via Sant'Agnese, 2
Tel. 080 3613879
Chiuso il lunedì
Orario: mezzogiorno e sera
Ferie: tra luglio e agosto
Coperti: 60
Prezzi: 35-40 euro vini esclusi
Carte di credito: tutte

Ruvo fu città peuceta fra il V e il III secolo a.C.; in quell'epoca ebbe un fiorente commercio di ceramiche di cui vi è traccia nel bellissimo centro storico splendidamente conservato, con molti palazzi signorili e abitazioni più modeste. La visita alla città deve includere la cattedrale, fulgido esempio di architettura romanico-pugliese, e il Museo di Palazzo Jatta, ricco di antiche ceramiche.
Poco lontano dal museo troverete il ristorante. Ambiente rustico tra volte a botte, muri in pietra, piccole sale collegate tra loro. Molto calda è l'accoglienza da parte della padrona di casa, che vi presenterà i piatti del giorno da materie prime del territorio. Ricchissimo l'antipasto: verdure cotte in vari modi, frittate, **parmigiana di melanzane**, **funghi farciti** con carne tritata, salumi locali, carpaccio di manzo con finocchietto selvatico, mozzarelline, ricotte freschissime, **funghi cardoncelli su purea di fave**. Tra i primi si segnalano le **orecchiette con il ragù di cavallo**, i pansotti su verdure spontanee, i cavatelli con funghi cardoncelli su purea di fave, gli **gnocchi con pesto di basilico**. Tra i secondi, ***gnumarieddi*** **di fegato al sugo**, con olive verdi e cipolla rossa, **involtini di cavallo** al ragù, melanzane a *capuzzella*. Molto ricca è l'offerta della **carne alla griglia**, con la specialità del **filetto di cavallo**, e interessante la lista dei formaggi, serviti con conserve di frutta.
Buona anche l'offerta dei dessert, tra cui le tipiche **mandorle allo zucchero**, accompagnati da ottimi rosoli fatti in casa. Eccellente carta dei vini, con numerose etichette regionali e nazionali.

Locale segnalato dall'Associazione italiana celiachia.

San Giovanni Rotondo

41 km a NE di Foggia

Antica piazzetta

Ristorante
Via al Mercato, 13
Tel. 0882 451920
Chiuso il mercoledì
Orario: mezzogiorno e sera
Ferie: prima metà di luglio, seconda di gennaio
Coperti: 80
Prezzi: 30-35 euro vini esclusi
Carte di credito: tutte, Bancomat

Crediamo che affidabilità e crescita costante siano le qualità migliori di Michele e Teresa, che hanno recuperato con molto gusto questo affascinante locale del centro storico che negli anni Trenta era un fumoso cinema su due piani, con la platea e la galleria.
Oggi, la signora Angela, chef del locale, trasforma le materie prime di stagione in piatti tradizionali e non disdegna qualche proposta creativa. Si comincia con un carrello di antipasti a base di verdure, sempre fresche e saporite, un'ottima **mozzarella di bufala** di produzione locale e una buona scelta di **salumi**. Buoni anche gli antipasti di mare, con materia prima proveniente dal vicino porto di Manfredonia. Poi le paste fresche (orecchiette, troccoli, ***laine***, cavatelli) condite **con verdure di stagione** o con un ottimo sugo di carne, le **pappardelle con rape e fagioli**, i **troccoli** con funghi porcini (del Gargano) e vongole oppure **con fegatini di coniglio e porcini**, le **orecchiette con agnello e asparagi**, i medaglioni con ripieno di ricotta e radicchio con scampi e gamberi. Si prosegue con le classiche **brasciole di puledro** al sugo o con l'ottima carne locale alla brace: da provare la ***musciska***, carne di cavallo aromatizzata con varie spezie e cotta **alla griglia**. Il pesce arriva dalla vicina Manfredonia: assaggiate il sampietro e il baccalà al forno con le patate o l'ottima **zuppa di pesce** (su prenotazione). Per finire qualche dolce di produzione propria.
Ricca scelta di distillati e da segnalare la carta dei vini, con circa 300 etichette tra pugliesi e nazionali; buona offerta di birre artigianali; il tutto con un ricarico onesto.

In via Piacentino 4-6, l'Enoteca via dei Forni. Alla macelleria equina di Francesco Falcone, via Cadorna 15, la rara musciska.

San Giovanni Rotondo

41 km a NE di Foggia

Opus wine

NOVITÀ

Enoteca con cucina
Traversa Castellana 12
Tel. 0882 456413-339 7832060
Chiuso la domenica
Orario: mezzogiorno e sera
Ferie: non ne fa
Coperti: 25 + 30 esterni
Prezzi: 25 euro vini esclusi
Carte di credito: tutte

Il locale di Pietro Placentino si trova in pieno centro storico, nel fitto dedalo di stradine del borgo antico. Dopo aver maturato un'esperienza decennale come enotecario, mosso da grande passione per la gastronomia Pietro ha trasformato il suo locale in un ritrovo per buongustai. La ricerca quotidiana di eccellenti materie prime del Gargano, nel rispetto assoluto della loro stagionalità, è uno dei segreti del suo successo.
Si parte con **salumi** di cinghiale e di cervo, **formaggi** come il canestrato pugliese e il caciocavallo podolico del Gargano (Presidio Slow Food) abbinati alle confetture di agrumi del Gargano (anch'essi Presidio), squisite **zuppe** di verdure e legumi. Tra i primi, gli **gnocchi di patate con i funghi porcini** locali, i cavatelli con crema di patate del bosco e petto d'oca affumicato, i **troccoli con guanciale di maiale e purè di fave** di Carpino. Tra i secondi, in ragione del territorio, domina la carne: costata di podolica, **salsiccia al finocchietto**, ma soprattutto la quasi introvabile ***musciska*** di vitello podolico: si tratta di strisce di carne molto aromatizzate ed essiccate al sole. Per finire, i tipici **mostaccioli**, le crostate con confetture di agrumi del Gargano, la crema di ricotta con cioccolato caldo.
Ricarichi onesti per le oltre 300 etichette di vino, le birre crude artigianali e quelle d'abbazia, la vasta gamma di distillati.

SANNICANDRO GARGANICO

57 KM A NORD DI FOGGIA, USCITA A 14 DI LESINA

LA COSTA

Ristorante
Via Magenta, 11-15
Tel. 0882 471768-329 2098139
Chiuso il lunedì
Orario: mezzogiorno e sera
Ferie: non ne fa
Coperti: 40
Prezzi: 25-30 euro vini esclusi
Carte di credito: tutte, Bancomat

Sannicandro è un borgo medievale sito su di una piccola altura che si affaccia sui laghi di Lesina e Varano. Il centro è sovrastato dal castello, voluto da Federico II, a forma di imponente quadrilatero con le torri angolari. Nel suo territorio, sulla direttrice per San Giovanni Rotondo, si trova una fra le più grandi doline carsiche d'Europa, la Pozzatina.
Sulle caratteristiche vie del centro lastricate in pietra locale si affacciano costruzioni dalle pareti imbiancate. In una di queste troverete il ristorante di Franchino Sticozzi, che si divide fra la gestione della sala e la conduzione della cucina. Negli antipasti si alternano preparazioni di mare o del lago di Lesina e di terra, fra cui il **cocktail di gamberi su fiore di fico**, l'**involtino di melanzana con pesce azzurro**, le verdure grigliate, le bruschette di pane cotto nel forno a legna, preparato dalla signora Maria con lievito madre. Tra i primi, le **chitarrine al nero di seppia**, le trofiette con bocconcini di rana pescatrice, il **pancotto con le verdure di campo**, le orecchiette al sugo di capretto garganico (solo su ordinazione), le **linguine al sugo di anguille di Lesina**, il brodetto dell'Adriatico e il **purè di fave e cicoria**. Molti secondi sono a base di **agnello** (**con asparagi e finocchio selvatico**, al forno). Le carni sono tutte locali: da provare il **misto ubriaco** con agnello, *musciska* di vitello, salsicce, torcinelli con pancetta e maiale. Tra i secondi di pesce, l'orata in salsa balsamica, la spigola al sale cotta nei cocci, la frittura di paranza, il **capitone** o il cefalo dei laghi **alla pescatora**. Buona selezione di formaggi del territorio. Pochi i dolci, ma tutti tradizionali: *pupurato* con miele di fichi e mousse di ricotta.
Dalla cantina vini regionali.

SAN SEVERO

29 KM A NO DI FOGGIA SS 16 A A 14

FOSSA DEL GRANO 

Trattoria
Via Minuziano, 63
Tel. 0882 241122
Chiuso il martedì
Orario: mezzogiorno e sera
Ferie: 10 gg in agosto, Natale, Capodanno e Pasqua
Coperti: 35
Prezzi: 30-35 euro vini esclusi
Carte di credito: tutte

Al centro del Tavoliere, San Severo, importante centro agricolo dedito alla coltivazione del grano, dell'olivo e della vite. Nella trattoria della famiglia Stella si mantiene saldo il legame con il territorio e il suo passato, con una proposta gastronomica fedele alle tradizioni.
I protagonisti del locale sono Tonia e Giuseppe in cucina, mentre in sala l'accoglienza è di Gino e Carlo che con cortesia presentano il menù della casa. Ricchi gli antipasti, che spaziano dalla **parmigiana di melanzane** alla mozzarella di bufala del Parco, dallo sformatino di ricotta di bufala con scamorza affumicata alla **focaccia bianca**, dalle **frittelle di lampascioni** alle verdurine saltate in padella, alle **frittelle di alici**. A seguire i primi piatti di pasta fresca, tra cui le **orecchiette di grano arso con ricotta**, i cicatelli di grano arso con funghi cardoncelli freschi e patate, i **tortelli ripieni di caciocavallo podolico** con pomodoro fresco, la zuppa di ceci e castagne. I secondi, pur con qualche interessante proposta di pesce, sono prevalentemente di carne: il classico cosciotto in coccio, la **tagliata di vitello al mosto cotto** su letto di rucola, l'arrosto di vitello con agrumi del Gargano. Ma ci sono anche la semola battuta con crostacei e zafferano e il **tortino di caciocavallo podolico**. Buona selezione di formaggi e, per finire, i dolci della casa: la sfoglia ai tre cioccolati, il croccante al torrone e le **zeppole di San Giuseppe**.
La cantina, con prevalenza di vini della Daunia e regionali e qualche nazionale, è curata con professionalità e si caratterizza per i prezzi ragionevoli.

La Mollica di Annarita e Antonio Mennelli, via Soccorso 150: ottima selezione di formaggi e salumi, con alcuni Presìdi.

San Severo

29 km a NO di Foggia ss 16 o a 14

La locanda di bacco

Osteria di recente fondazione
Via Soccorso, 142
Tel. 0882 226121
Chiuso domenica sera e lunedì
Orario: mezzogiorno e sera
Ferie: agosto
Coperti: 40
Prezzi: 25-30 euro vini esclusi
Carte di credito: tutte

Al centro dell'alto Tavoliere, San Severo, grosso centro agricolo della provincia di Foggia, ha un pregevole centro storico, circondato da una cinta muraria ben conservata. Un piccolo tratto delle mura accoglie questa osteria. Il locale, con volte a botte e pavimento in cotto, è elegante, curato, accogliente.
La cucina che ci gusterete è quella della tradizione, con qualche misurata rivisitazione, frutto di un incontro di professionalità e passione. Nei piatti si alternano in modo equilibrato terra e mare, con prodotti stagionali di eccellente qualità. Gli antipasti, a base di verdure e di pesce, sono saporiti e abbondanti: verdure grigliate, **polpo affogato** al vino rosso, melanzane ripiene, **involtini di melanzana**, seppie e patate cotte in un recipiente di terracotta, **impepata di cozze**, cozze ripiene. Tra i primi, il piatto simbolo del locale, il **pancotto**, qui proposto in vari modi secondo le stagioni; **pasta fresca** condita con salsiccia, con pizzaiola di puledro, **al ragù di cavallo**, con crema di fave. Pesce, ma soprattutto carne tra i secondi: **trippa**, involtini di cavallo, **grigliate miste**, in stagione la **cacciagione**, gamberi con bietoline spontanee, rombi o **spigole al sale** o in forno con patate.
Buoni i dolci: la torta al cioccolato, la crostata di frutta, la pizza di ricotta. La carta dei vini si arricchisce regolarmente, pescando soprattutto tra le etichette regionali.

Pasticceria L'Artigiana di Matteo Papagno, viale 2 Giugno 21: dolcetti alle mandorle, dolci della tradizione, cioccolatini, gelati.

Taranto

Trattoria Gesù Cristo

Trattoria
Via Battisti, 8
Tel. 099 4777253
Chiuso domenica sera e lunedì
Orario: mezzogiorno e sera
Ferie: non ne fa
Coperti: 90
Prezzi: 30 euro vini esclusi
Carte di credito: le principali

Questa città, caratterizzata dalla presenza di due mari, il mar Grande e il mar Piccolo, del più importante porto militare del meridione e del più grande polo siderurgico del sud, è nota anche per la sua gente, simpatica e originale, e per la tradizione dei frutti di mare, deliziosi e già conosciuti in epoca preromana.
In questo contesto la trattoria Gesù Cristo rappresenta un vero e proprio baluardo di tarantinità: i fratelli Caso, figli di Giuseppe (detto Gesù Cristo) e nipoti della indimenticabile Madonna, protagonisti in passato di irresistibili siparietti in sala e tuttora oggetto di nostalgici ricordi, gestiscono con bravura il locale. Da poco ha riaperto i battenti la pescheria, come ai vecchi tempi, dove si fanno acquisti o si scelgono quelli che saranno i protagonisti del pasto. L'offerta è inevitabilmente basata sui prodotti del mare, preparati senza fronzoli né orpelli, seguendo la tradizione più classica. Si comincia con il **crudo**: cozze nere e pelose, **ostriche**, noci, *spuenzel e javatune*; si continua con seppie in tutte le salse, **insalata di polpo**, di *cueccioli* (murici), **cozze gratinate** e in impepata. Tra i primi potrete trovare delle ottime **linguine alle vongole**, i tubettini al sugo di cozze, il **risotto alla marinara** e una **zuppa di pesce** indimenticabile. Per continuare, compatibilmente con il pescato del giorno, **grigliate** miste, pesci al forno e l'ottima **frittura**.
Non chiedete grandi vini perché non ce ne sono: qualche etichetta locale o il bianco della casa.

Taviano

47 km a SO di Lecce

A casa tu Martinu 

Osteria con alloggio
Via Corsica, 95
Tel. 0833 913652
Chiuso il lunedì, mai d'estate
Orario: pranzo e sera, estate solo sera
Ferie: tra settembre e ottobre
Coperti: 70 + 60 esterni
Prezzi: 25-30 euro vini esclusi
Carte di credito: tutte

Taviano, conosciuta come la "Città dei fiori" per la pregiata coltura di fiori e l'importante mercato floricolo, si trova a pochi chilometri dalla bella costa gallipolina, proprio nel centro della penisola salentina. Ben tenuto il suo centro storico con numerose corti, ancora oggi importanti punti di ritrovo tra famiglie o tra vicini di casa. Una di queste potrà essere ammirata proprio A Casa tu Martinu, dove il patron, Vincenzo Portaccio, ha saputo portare a termine una eccellente operazione di recupero delle strutture originarie. Molto bella e accogliente è la sala che, in inverno, viene riscaldata da un grande camino di pietra, molto rilassante il giardino interno, dove si possono piacevolmente trascorrere le serate d'estate. La cucina è quella tipica salentina, povera ma gustosa, con prevalenza di ottime verdure fresche di stagione.
Gli antipasti sono davvero tanti e invitanti: verdurine e **ortaggi fritti** o grigliati conditi con olio extravergine di oliva, **polpettine in umido** con peperoni, ***pittuie*** calde e crocchette di patate con la mentuccia. Tra i primi, pasta fresca fatta in casa, anche con farina d'orzo (orecchiette, ***minchiarieddi***, ***sagne 'ncannulate***) condita con sugo e ricotta *ascante*, *ciceri*, ***frizzuli e tria***, la parmigiana di melanzane, il **purè di fave con cicorielle** campestri. I secondi sono quasi unicamente a base di carne: arrosti misti, **pezzetti di cavallo al sugo**, *turcinieddi* di agnello. Il venerdì si trova dell'ottimo pesce fresco, preparato in vario modo.
Per finire, crostate fatte in casa, la torta pasticciotto e un ottimo **spumone alla nocciola**. Buona la carta dei vini, con discreta offerta di etichette regionali e qualche nazionale.

Vico del Gargano

101 km a NE di Foggia SS 89 e 528

Il trappeto

Ristorante
Via Casale, 168
Tel. 0884 961003
Chiuso il martedì, mai d'estate
Orario: mezzogiorno e sera
Ferie: non ne fa
Coperti: 120
Prezzi: 25 euro vini esclusi
Carte di credito: le principali

Tra i vicoli e le scalette del bellissimo centro storico di Vico del Gargano troviamo il ristorante di Edoardo Tomaiuoli, ricavato nella avvolgente atmosfera di un frantoio (*trappeto*) ipogeo scavato nella roccia calcarea, già citato in un documento del 1307. Tra bottiglie a vista, arredi in legno scuro e nicchie ricavate nella roccia si possono gustare piatti che profumano di cucina di casa e che affondano le radici nella tradizione della terra del Gargano e del vicino mare Adriatico. Le verdure utilizzate provengono dall'orto biologico dell'azienda e l'olio extravergine è di propria produzione.
Si comincia con gli antipasti: **alici in pastella**, il polpo in umido, ***u caudedd'*** (bruschetta di pane casereccio con olio e lardo), l'insalata di arance del Gargano, le cicorielle di campo al pomodoro, formaggio alla griglia e gli ottimi **salumi** locali. Si continua con i primi, **tubettini con fave fresche e finocchietto** selvatico, troccoli con le seppie ripiene, **orecchiette con ragù di cinghiale** o con sugo di fiori di zucca, minestra verde (piatto unico della tradizione preparato in occasione delle festività natalizie, con verdure e carni miste), **troccoli con fagioli e fave** con cicorielle selvatiche. Il pesce tra i secondi è preparato su prenotazione, ma in alcuni periodi si possono trovare le seppie ripiene e la **cipollata di cefalo**. Tra le carni segnaliamo lo stracotto di cinghiale, lo **stufato di capriolo** e dell'ottima carne alla brace. Si chiude con i dolci legati alla tradizione del santo patrono, San Valentino, i **sospiri**, le bocche di dama e le spumette, preparati della sorella di Edoardo.
La cantina, in evoluzione, propone diverse interessanti etichette regionali e nazionali, con ricarichi onesti.

CAMPANIA

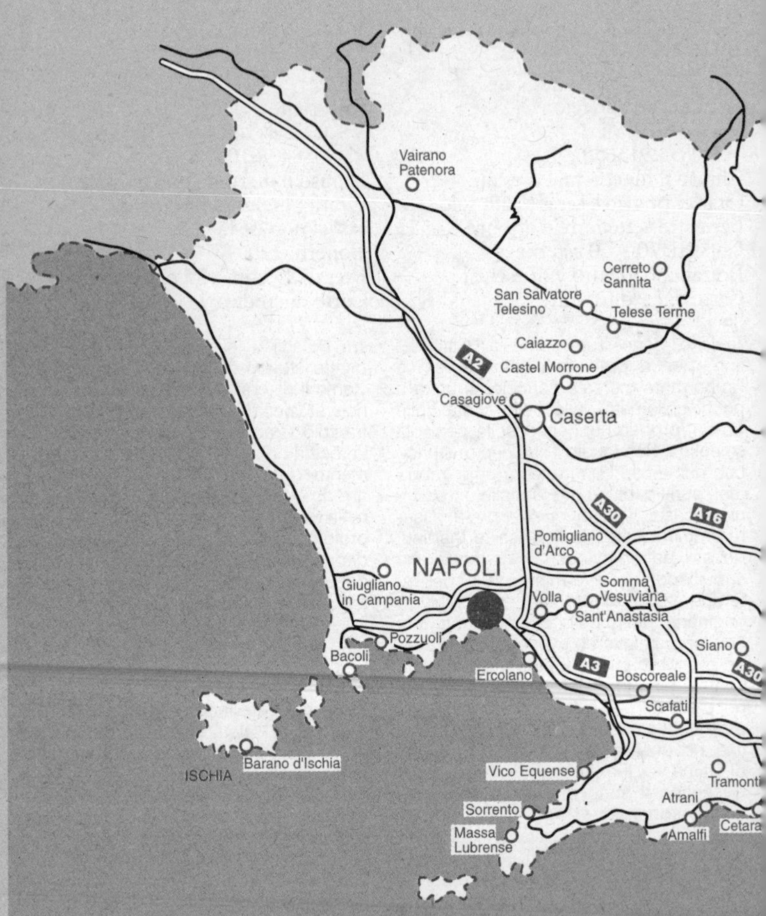

Vairano
Patenora
Cerreto
Sannita
San Salvatore
Telesino
Telese Terme
Caiazzo
A2
Castel Morrone
Casagiove
Caserta
A30
A16
Pomigliano
d'Arco
NAPOLI
Giugliano
in Campania
Somma
Vesuviana
Volla
Sant'Anastasia
Pozzuoli
Bacoli
Siano
Ercolano
A3
Boscoreale
A30
Scafati
Barano d'Ischia
ISCHIA
Vico Equense
Tramonti
Atrani
Sorrento
Massa
Lubrense
Amalfi
Cetara
Mar Tirreno

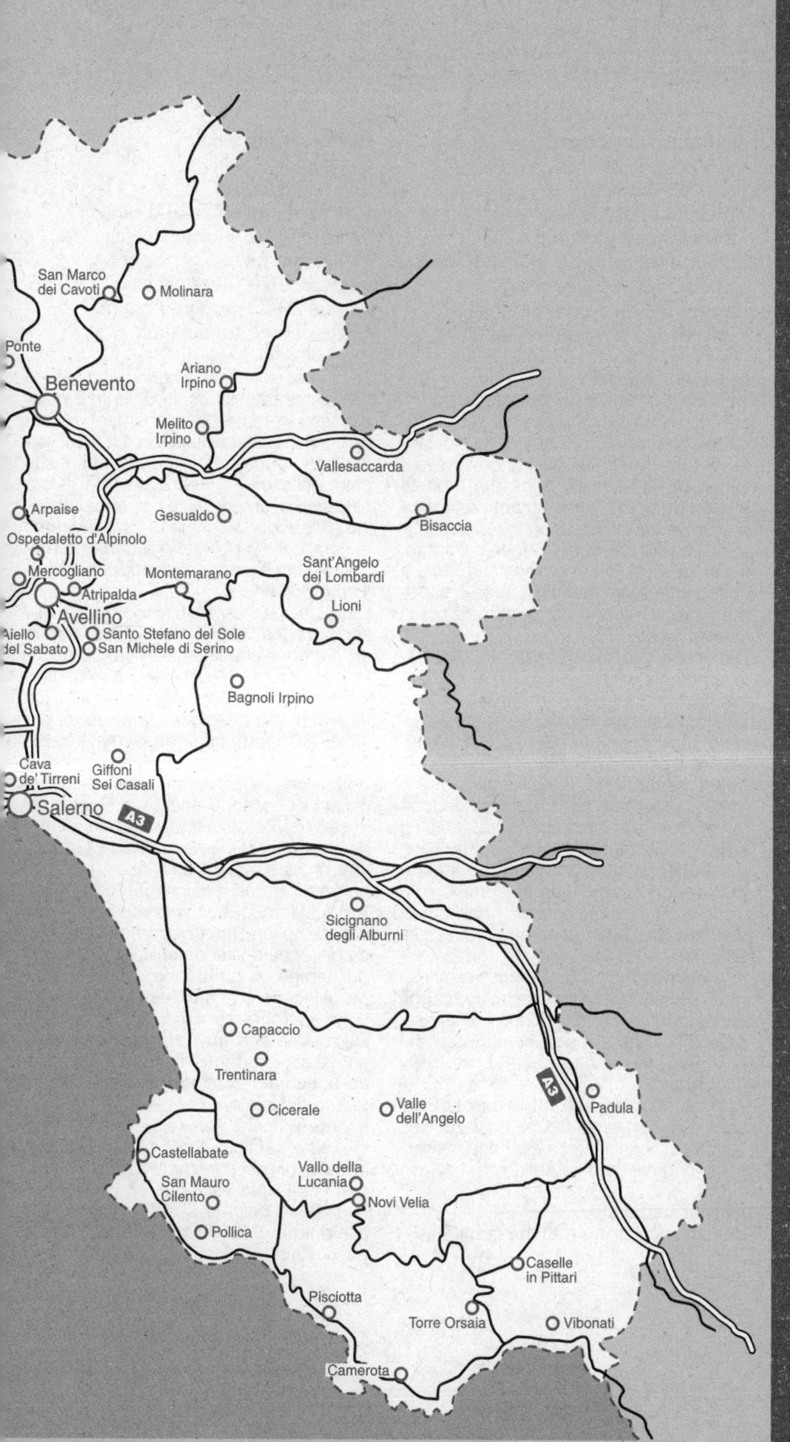
San Marco dei Cavoti
Molinara
Ponte
Benevento
Ariano Irpino
Melito Irpino
Vallesaccarda
Arpaise
Gesualdo
Bisaccia
Ospedaletto d'Alpinolo
Sant'Angelo dei Lombardi
Mercogliano
Montemarano
Atripalda
Lioni
Avellino
Aiello del Sabato
Santo Stefano del Sole
San Michele di Serino
Bagnoli Irpino
Cava de' Tirreni
Giffoni Sei Casali
Salerno
A3
Sicignano degli Alburni
Capaccio
Trentinara
A3
Padula
Cicerale
Valle dell'Angelo
Castellabate
Vallo della Lucania
San Mauro Cilento
Novi Velia
Pollica
Caselle in Pittari
Pisciotta
Torre Orsaia
Vibonati
Camerota

Aiello del Sabato

6 km a sud di Avellino

La locandina 

Ristorante-pizzeria
Via Vigne, 9-15
Tel. 0825 666620
Chiuso il martedì
Orario: mezzogiorno e sera
Ferie: primi quindici giorni di luglio
Coperti: 100 + 30 esterni
Prezzi: 25-30 euro vini esclusi
Carte di credito: tutte, Bancomat

A pochi chilometri da Avellino si trova il bel comune di Aiello del Sabato, il cui toponimo latino *angellus* (alla lettera "piccolo orto") costituisce la costante di tutte le scelte gastronomiche del locale di Rita Muriello, che dei prodotti e delle tradizioni locali ha fatto una vera e propria bandiera. Le innovazioni, frutto dell'abilità dello chef Gennaro Caputo, finiscono così per rappresentare solo il collegamento tra i vecchi saperi e sapori e la voglia di riproporre le tradizioni in chiave nuova.
L'antipasto propone **mozzarella di bufala** e provola affumicata, verdure cotte al forno, affettati misti con soppressata e **salsiccia secca irpina**, il tradizionalissimo **rape e patate**, sformati di verdure. Tra i primi, in inverno l'immancabile **minestra maritata**, lagane con fagioli e funghi, **scarola e fagioli**, ravioli di ricotta, provola e melanzane, ***scialatielli* al sugo di coniglio e rosmarino**, fusilli con piselli, baccalà e pomodorini, **calamarata con fiori di zucca**, trofie con rucola e provola. Tra i tanti secondi – dall'**agnello alle erbe**, agli arrosti alla brace, alla fiorentina – suggeriamo di non perdere il buonissimo **baccalà alla perticaregna**. Eccellente selezione di formaggi, con pecorino carmasciano, abruzzese, provolone del monaco e **caciocavallo podolico**, ma anche pecorino di fossa di Sogliano.
Appetitosi i dolci, tutti fatti in casa, tra cui i tartufi di castagne. Buone le pizze. Nella carta dei vini ci sono etichette interessanti, con rilievo per l'Aglianico.

Locale segnalato
dall'Associazione italiana celiachia.

Amalfi
Pogerola

28 km a ovest di Salerno ss 163

Trattoria da Rispoli

Osteria tradizionale
Via Riulo, 3
Tel. 089 830080
Chiuso il giovedì, mai d'estate
Orario: mezzogiorno e sera
Ferie: non ne fa
Coperti: 20 + 40 esterni
Prezzi: 20-22 euro vini esclusi
Carte di credito: nessuna

Le due sorelle Rispoli hanno dedicato la vita a ristorare gli ospiti della loro osteria. Vale la pena di "scarpinare" su per le curve della costiera amalfitana, verso l'antico borgo di Pogerola, con il suo campanile che svetta e sembra il faro altissimo di un porto, se poi la ricompensa è l'abbondante piatto di ***scialatielli*** lavorati con un po' di prezzemolo nell'impasto, tutto a mano, anche otto-nove chili se è domenica.
Dalla cucina i sapori escono quanto più semplici possibile. E mentre si discute di erbe aromatiche la lena è sempre uguale: ecco pronti gli ***scialatielli* con melanzane e provola** affumicata, e poi il pesce fresco, quello del giorno, le verdure classiche della terra campana – melanzane, ***friarielli***, peperoncini e peperoni, pomodori – che le signorine tedesche fotografano riuscendo ancora a stupire chi le serve. Molti clienti arrivano dai dintorni, a cercare la pace su questa terrazza che mostra il mare dall'alto, e nessuno ha fretta. E così si prosegue con **pesce fritto**, al forno, **alla piastra**, o anche con una semplice "fetta di carne", la classica bistecca della domenica. Prenotando per tempo, si preparano anche la **zuppa di pesce** e i **maccheroni alla genovese**. Sembra di essere a casa delle zie, quelle che trovi sempre, con Marina, la sorella che si occupa della sala, ad accudire i commensali. Ferie, solo il giorno di Natale.
Il vino è locale, servito nei piccoli bricchi, e la "cantina" è su un unico ripiano, in sala, giusto una gentilezza per qualche ospite più esigente, che può capitare. Per i dolci le sorelle si arrendono alle delizie di Salvatore De Riso, il bravo pasticciere di Minori.

Λ CΛSΛ

GARIBOLDI & ASSOCIATI

Ariano Irpino

49 km a NE di Avellino

La pignata

Ristorante
Viale dei Tigli, 7
Tel. 0825 872571-872355
Chiuso il martedì
Orario: mezzogiorno e sera
Ferie: ultime due settimane di settembre
Coperti: 60
Prezzi: 30-35 vini esclusi
Carte di credito: tutte, Bancomat

Guglielmo Ventre è l'animatore di questo locale a conduzione familiare, con la moglie Carmela e la madre Rita ai fornelli ed Enzo a gestire la fornita cantina. Ambientalista convinto, il patron dà voce alla tradizione gastronomica locale, con particolare attenzione alla scelta dei prodotti dell'Arianese, illustrati sempre con passione e competenza. I piatti preparati secondo stagione sono inseriti nei vari menù degustazione.
Gli antipasti propongono **sfogliatelle** (ripiene di patate, cipolle e baccalà) oppure fagottone al forno (con ripieno di asparagi, provola e ricotta di pecora), fiori di zucca ripieni con ricotta e acciughe in salsetta di pomodorini e alici, il pan cotto arianese e la vellutata di broccoli. Il **baccalà** è proposto **in insalata**, affumicato con polenta, saltato in padella con tartufo, fritto con impanatura di mandorle e noci, saltato con i peperoni cruschi, *arrrecanato*. Tra le **zuppe** ci sono quella **di fagioli** (con castagne e spaghettini di farro), la **minestra maritata**, pasta e ceci. I primi: tagliolini all'uovo con sugo di baccalà, pomodoro e cipolla; **pappardelle di grano saraceno con sugo di carciofi**, agnello e caciocchiato; paccheri con patate e broccoli; ravioli ripieni di patate e baccalà; caramella di pasta ripiena di castagne e salciccia (cotte in zuppa di fagioli e castagne); ***cecatielli* con ragù di cinghiale**. Tra i secondi, **mugliatielli di agnello**, capocollo di maiale alla mela annurca e porcini, **costolette di maiale dauno** in erbe selvatiche, **coniglio ripieno di lampascioni**. Per finire c'è il profiteroles oppure il cestino di pasta *phylo* ripieno di mandorle, mele limoncelle e marmellata di mela cotogna.
Buona la carta dei vini e dei formaggi che abbraccia l'intero territorio nazionale, articolata la scelta dei distillati.

Arpaise

15 km a sud di Benevento

Buca dei ladroni

Osteria tradizionale
Corso Capone, 1
Tel. 0824 46699
Chiuso domenica sera e lunedì
Orario: mezzogiorno e sera
Ferie: non ne fa
Coperti: 35 + 30 esterni
Prezzi: 30 euro vini esclusi
Carte di credito: nessuna

Arpaise si trova in una zona collinare ricca di boschi, a circa 460 metri sul livello del mare, immersa nella quiete e nella frescura dei monti che circondano Benevento. Per una sosta culinaria in una vera osteria, dove trovare un'accoglienza familiare e d'estate sostare al fresco nello spazio antistante il locale, vi consigliamo questa Buca. Pino Pugliese, mente e patron del locale, esperto sommelier in sala insieme ai due figli con la moglie Rita ai fornelli compongono una squadra affiatata e professionale.
Si comincia con un antipasto quasi fisso in tutte le stagioni: **prosciutto di Venticano**, ricottine in fuscella, crema di melanzane, frittata di cipolle e patate, **crostini di lardo di maiale casertano**. Tra i primi: **rigatoni con ragù di polpette e caciocavallo** di Castelfranco, **cavatelli** fatti in casa dalla signora Rita **con pancetta e pistacchi**, mezzi paccheri con pomodorini al forno, origano e ricotta di Montella. Zuppe di legumi e verdure, **pizza di polenta** in inverno e **minestra maritata** nel periodo pasquale. Tra i secondi, salsiccia alla carrettiere, **polletto al Barbera Barbetta** (vitigno autoctono sannita), **agnello del Matese in umido** (da non perdere) e carne marchigiana (razza diffusa nel Sannio) al carpaccio oppure arrosto.
Pochi ma buoni i dessert, tutti fatti in casa, tra cui i *ceppaluna*, biscotti con glassa e limone e torta al cioccolato, accompagnati da un eccellente liquore alla mela annurca della casa o da altri distillati. Segnaliamo l'ottimo vino della casa (il citato Barbera Barbetta) e la varia offerta di etichette regionali e nazionali, con ricarichi onesti.

A **Montesarchio** (6 km), piazza Tagliatelle 1, Boutique della mozzarella: mozzarella di bufala, pane casereccio, pasta fresca e prosciutto di Pietraroja.

Atrani

21 km a ovest di Salerno ss 163

’A Paranza

Ristorante
Traversa Dragone, 2
Tel. 089 871840
Chiuso il martedì, mai d’estate
Orario: mezzogiorno e sera
Ferie: 8-25 dicembre
Coperti: 60
Prezzi: 35-38 euro vini esclusi
Carte di credito: tutte, Bancomat

Atrani è un piccolo comune di incantevole suggestione. Una volta entrati nella piazzetta, lasciata l’auto al parcheggio, basterà percorrere a piedi la strada principale per raggiungere il locale.
I fratelli Proto si occupano del ristorante: Massimo e Alfonso in sala, Roberto in cucina e alla gestione del menù. La cucina è essenzialmente di mare, con una costante utilizzazione del pescato locale in elaborazioni che guardano alla tradizione, arricchendola con tocchi di creatività. Tra gli antipasti potrete trovare: **totanetti su passatina di fave**, gamberetti con misticanza di verdure, ***cicinielli* su foglia di limone**, fragaglietta locale, **parmigiana di alici**. Tra i primi: carbonara o **genovese di tonno**, paccheri al coccio, **calamarata con tartufi e cime di rapa**. Ancora pesce di giornata tra i secondi: **zuppa di pesce**, filetto di nasello gratinato, **pesce all’acquapazza** o al sale o al forno. I dolci sono di produzione propria oppure provenienti da una rinomata pasticceria della zona: crostate, tiramisù, tortino caldo di cioccolato, **torta di ricotta e pere** tra gli altri. La carta dei vini appare esaustiva, con circa 300 etichette nazionali e internazionali, e una ricca selezione di grappe e vini da meditazione.
C’è un menù a 40 euro che comprende tutto (antipasti, due assaggi di primo, un secondo, un dolce). Per evitare sorprese al momento del conto occorre una certa attenzione nella scelta dei piatti.

Per una sosta all’insegna del buon vino, di una valida proposta gastronomica e di qualche lettura: wine-bar Maccus ad **Amalfi** (1 km), largo Santa Maria Maggiore 1-3.

Atripalda

4 km a est di Avellino

Valleverde

Trattoria
Via Pianodardine, 112
Tel. 0825 626115
Chiuso domenica e festivi
Orario: mezzogiorno e sera
Ferie: in agosto
Coperti: 60 + 50 esterni
Prezzo: 25-30 euro vini esclusi
Carte di credito: le principali, Bancomat

Valleverde di Zi’ Pasqualina opera dal 1953. La storia racconta che vi si servivano due piatti: zuppa di fagioli e alici sotto sale. Zi’ Pasqualina non c’è più ma a continuare la sua opera c’è il nipote Sabino, coadiuvato da Anna e Lina, nel frattempo diventato sommelier, assaggiatore di formaggi e di oli.
L’accoglienza è calda, familiare, l’arredo semplice. Qui sono vivi sapori e profumi che abbiamo dimenticato, anche grazie a una intelligente ricerca di materie prime locali: prosciutto, capicollo e soppressata, ricottine, formaggi freschi della piana, legumi, pasta fatta in casa, ortaggi. Tra gli antipasti vi segnaliamo i **salumi** e i formaggi freschi locali, la **ciambotta con patate e peperoni**, rape e patate. Poi le **zuppe**: **scarole e fagioli** e quella, buonissima, **di fagioli e porcini**, la tradizionale **minestra maritata**, la zuppa di ceci di Trevico conditi con extravergine di Ravece e origano, **lagane e fagioli**, *cecatielli* con broccoli, fusilli, ravioli e orecchiette al ragù. Tra i secondi un grande **baccalà** in casseruola; sceglietelo come preferite: lessato con un filo di extravergine, con pomodorini, olive e origano, **alla perticaregna**, con le verdure. In alternativa, **pollo ruspante** e coniglio **alla cacciatora**, misto al ragù di carne di maiale e vitello, polpette al sugo, **agnello al forno** con patate, carni rosse alla brace. Buona scelta di formaggi locali: caciocavallo podolico dell’alta Irpinia e il quasi introvabile **pecorino carmasciano** di Rocca San Felice.
Semplice la proposta di dolci, con dessert e torte della casa. Ampia la scelta dei vini e molto buono anche quello della casa curato da Sabino.

Bar pasticceria Europa, in via Cassese: sfogliatine, dolci tipici, diplomatico siciliano, torta con carciofi, salsicce e patate.

ANTICA TRATTORIA MARTELLA

Trattoria
Via Chiesa Conservatorio, 10
Tel. 0825 32123-31117
Chiuso: domenica sera e lunedì
Orario: mezzogiorno e sera
Ferie: in agosto e periodo natalizio
Coperti: 80
Prezzi: 30-35 euro vini esclusi
Carte di credito: tutte, Bancomat

Enrico Della Bruna prosegue l'attività del nonno Ricuccio, nello storico locale a due passi dalla centralissima Piazza della Libertà, oggi ammodernato e ingrandito. La trattoria propone cucina della tradizione gastronomica irpina. Il personale di sala è garbato e discreto, Enrico illustra le proposte del giorno. Le preparazioni in cucina sono affidate alle mani esperte di Assunta, coadiuvata da un affiatato staff di collaboratori.
Si inizia con **salumi** e bocconcini di latte vaccino irpini, accompagnati dal buon pane di Capriglia Irpina, o attingendo al ricco buffet di **pizze rustiche**, frittatine e **verdure di stagione**: broccoli, melanzane, peperoni, patate, zucchine, cavolfiori, preparate in modi diversi. Nel periodo invernale prevalgono le ricette più affini alla vocazione montanara del locale: **zuppa di scarole e fagioli**, oppure di verza e patate, o la tipica **minestra maritata**, in versione alleggerita, con verdure di stagione accompagnate da carni di maiale. Gran parte dei primi piatti sono di pasta fatta a mano: ***cecatielli lardiati*** o con caciocavallo e zucchine, **fusilli affumicati con provola e pancetta**, orecchiette con i broccoli. Accurata la selezione delle carni per i secondi, buoni il controfiletto al pepe nero e salvia o agli ortaggi. Il menù varia spesso e prevede ancora alcuni tagli di **vitello** o di **maiale** cotti **alla brace**, il coniglio disossato con spinaci o i tradizionali ***mugliatielli* al forno** con patate.
Per finire, **sbriciolata di ricotta al cioccolato**, mousse al cioccolato, babà e qualche dolce di ricorrenza. La carta dei vini contiene oltre 200 etichette nazionali, in prima fila la migliore enologia irpina.

in via Terminio 34, Il Salumiere, gastronomia ed enoteca: ricco assortimento di pasta artigianale e prodotti di friggitoria.

BARONE

Ristorante-pizzeria
Corso Umberto I, 63-65
Tel. 0825 756040
Chiuso il mercoledì
Orario: mezzogiorno e sera
Ferie: alcuni giorni in luglio
Coperti: 60
Prezzi: 25-30 euro vini esclusi
Carte di credito: tutte, Bancomat

Il ristorante, un locale storico dall'ambiente rustico, si trova al centro di Avellino ed è gestito da Alfredo, simpatico personaggio molto conosciuto in città. È lui che si avvicina ai tavoli e propone i piatti del giorno, raccontando la provenienza delle materie prime, tutte delle vicinanze, e non disdegna, ogni tanto, di elaborare qualche piatto innovativo.
Entrati, vedrete in un angolo del locale il buffet degli antipasti, colmo di molte specialità, dai ***friarielli*** alle crocchette di baccalà, dai **fiori di zucca ripieni di ricotta** di bufala alle consigliabili **alici in tortiera**, alle melanzane preparate in diversi modi – spaccate con pomodoro, origano e basilico o al funghetto. I primi potranno essere **ravioli al tartufo**, paccheri di Gragnano con tonno fresco, **gnocchetti con il *cuoccio***, *scialatielli* con fiori di zucca. Tutti i piatti, comunque, cambiano secondo la stagione. Tra quelli prettamente invernali ricordiamo il **baccalà** preparato **con peperoni**, patate, capperi e olive di Gaeta, ma anche fritto e al forno. Alfredo acquista la carne presso allevatori della zona e spesso utilizza quella di razza **podolica**, bestia dalla quale si ottiene anche l'ottimo **caciocavallo** che qui è cucinato **alla piastra**.
Veniamo ai dolci: crostate di fichi, babà al limoncello, **pastiera di grano**, pizza alle erbe, tutte preparate con prodotti del luogo. I vini sono prevalentemente irpini: Fiano, Falanghina, Greco di Tufo, Taurasi, ma ci sono anche etichette del panorama nazionale. Interessante la carta degli oli.

BACOLI
Cappella

25 KM A OVEST DI NAPOLI

A RIDOSSO

Ristorante
Via Mercato di Sabato, 320
Tel. 081 8689233
Chiuso domenica sera e lunedì
Orario: sera, mezzogiorno su prenotazione
Ferie: 2 settimane in agosto, 23/12-5/01
Coperti: 50 + 40 esterni
Prezzi: 35 euro vini esclusi
Carte di credito: tutte, Bancomat

La Bacoli attuale è frutto dello sviluppo urbanistico della seconda metà del Novecento, ma se le visiterete capirete perché Baia e Bauli sono state preferite in epoca romana: grazie alla terra fertile, agli approdi riparati dai venti, al clima mite vi furono costruiti ville e templi.
Al ristorante sarete accolti da Gigi Palumbo, chef che tiene le redini della cucina (la moglie Elisabetta è in sala) intrecciando sapori di terra e di mare elaborando materia prima attinta dal mare e dagli orti: una cucina concreta e ricca di gusti e profumi. La sala è curata e accogliente, impreziosita da quadri di autori moderni alle pareti e da una piacevole terrazza pergolato, dove godersi il fresco nella bella stagione. Molti gli antipasti: **sauté di vongole**, taratufi o cannolicchi, **cozze di Capo Miseno in tegamino**, polpetti affogati, **seppie con *friarielli***, la freschissima **insalata di mare**, il richiestissimo soufflé di spigola. Per i primi si può scegliere tra **paccheri con la pescatrice**, la gramigna di mare (un piccolo formato di pasta mista cotta nel fumetto di pesce insieme a scampi e frutti di mare), **risotto alla pescatora**, linguine ai frutti di mare o con granchi e seppie. Per i secondi il pescato condiziona le preparazioni del giorno: **pesce bandiera fritto** o con capperi e olive, **fritture di paranza, grigliate miste di pesce**. Si servono anche pesci di pregio, che dunque possono far lievitare il conto.
Fra i dolci, tutti preparati in casa, ci sono babà, **delizia al limone** e caprese; si può concludere con un delizioso caffè preparato sul vostro tavolo con la classica napoletana. Ampia la lista dei vini, con presenze anche estere.

In via Agrippina 2, la Cooperativa di giovani pescatori Marina Azzurra di Bacoli, vende ogni giorno, tranne il lunedì, il pescato effettuato con le proprie paranze.

BACOLI
Casevecchie

25 KM A OVEST DI NAPOLI

DA FEFÈ

Ristorante
Via della Shoah, 15
Tel. 081 5233011
Chiuso domenica sera e lunedì, mai d'estate
Orario: sera, domenica e festivi anche pranzo
Ferie: 10 giorni a gennaio
Coperti 40 + 80 esterni
Prezzi: 30-35 euro vini esclusi
Carte di credito: tutte, Bancomat

Il locale è a pochi metri dal mare nel porto naturale di Capo Miseno. La zona, il Parco regionale dei Campi Flegrei, è ricca di una grande varietà di valori materiali e immateriali che hanno costituito nel tempo un notevole patrimonio archeologico, paesistico, naturalistico, storico e termale. Bruno Esposito trasmette questa particolare atmosfera nei suoi piatti selezionando i prodotti di terra e di mare provenienti dagli orti bacolesi e dal golfo di Pozzuoli.
Il menù è legato alle stagioni e alla tradizione partenopea, con suggestive influenze multietniche. Tra gli antipasti troviamo l'insalata di mare, **sconcigli con patate**, *scapece* di pesce, **cozze alla portoghese**, insalata di polpo e i deliziosi ***fiorilli* ripieni di ricotta**. Tra i primi, in primavera-estate, **fettuccine** fatte in casa **con pesce spada e melanzane, orecchiette con zucca e gamberi**. Tutto l'anno, fettuccine alla Fefè, pasta con patate e calamaretti e **rigatoni con il polpo**. I secondi guardano solo al mare, con la **frittura di paranza, gamberi alla brace** o fritti, **zuppa di pesce**, filetti al cartoccio con scarole o patate. Potrete gustare anche un'ottima tagliata di tonno, marinata, impanata e poi passata sulla brace. Sulla tavola di Fefè, poi, non manca mai il **baccalà fritto** o **alla brace**.
I dolci, di produzione propria: semifreddo alle mandorle caramellate con crema al caffè, spuma di ricotta con cioccolato e lingue di gatto, una dolce mousse al cioccolato e infine una gustosa **caprese**. La lista dei vini conta un buon numero di etichette nazionali, con una maggiore attenzione ai vini campani.

In via Roma da Sciardac, salumeria dal 1922: salumi, formaggi, degustazione di prodotti di gastronomia casereccia.

Bacoli
Fondi di Baia

23 km a ovest di Napoli

Il casolare di Tobia

Ristorante con alloggio
Via Fabris, 12-14
Tel. 081 5235193
Chiuso il lunedì, domenica e festivi la sera
Orario: sera, mezzogiorno su prenotazione
Ferie: 16-30 agosto
Coperti: 60 + 20 esterni
Prezzi: 30-35 euro vini esclusi
Carte di credito: nessuna

Siamo a Baia, in uno spettacolare cratere vulcanico ricoperto di filari di vite e di una rigogliosa vegetazione. Arrivare da Tobia non è facilissimo, prima bisogna percorrere una stradina stretta, poi un sentiero a piedi e qualche gradino: infine ecco schiudersi ai vostri occhi un panorama straordinario; venite al tramonto e la magia del posto vi conquisterà.
Lasceranno il segno pure la simpatia di Tobia e soprattutto la sua gustosa cucina. Il menù è fisso, vi sedete e lui comincia con gli affettati locali, tra cui una **pancetta** che si scioglie in bocca, assaggi di **parmigiana di melanzane**, rustici, **formaggi**, verdure del suo orto saltate in padella, frittatine. Si continua con una **zuppa** – **di cicerchie** flegree, **di fagioli**, di piselli –, rispettando sempre la stagionalità dei prodotti. Tra i primi segnaliamo gli **spaghetti** al pomodoro fresco, **al pesto** fatto in casa, con piselli e ventresca. Tra i secondi ci saranno carni bianche alla brace, **coniglio alla cacciatora**, **agnello al forno**, gallina ripiena oppure preparazioni di pesce povero come la **frittura di paranza**, gli involtini di pesce bandiera, i **polpetti affogati**.
I dolci sono casalinghi (come il limoncello finale) e in estate sono da provare le ottime crostate di frutta preparate con la marmellata prodotta da Tobia. Discreto il vino sfuso locale, in alternativa qualche buona etichetta del posto. Il locale dispone pure di alcune camere con servizio di b&b.

A Bacoli in via Ottaviano Augusto 13, Vini della Sibilla: oltre ai vini troverete frutta, verdure di campo, legumi, sottoli e conserve, liquori artigianali, salumi.

Bacoli

23 km a ovest di Napoli

La catagna

Ristorante
Via Pennata, 50
Tel. 081 5234218
Chiuso domenica sera e lunedì
Orario: solo sera, domenica pranzo
Ferie: periodo natalizio e di fine anno
Coperti: 20 + 16 esterni
Prezzi: 35 euro vini esclusi
Carte di credito: nessuna

Questo ristorante che nel nome evoca un anfratto, quasi appartato, si trova lontano dagli abituali percorsi turistici della zona, diretti a Miseno, Miliscola, Cuma e Baia. Per arrivarci si attraversa il centro dell'antico paese, salendo per giravolte e dirigendosi verso Punta Pennata. Al termine di questo tortuoso percorso, poco visibile è il ristorante gestito dai fratelli Della Ragione: Elio ai tavoli, mentre Crescenzio, Lina e Maurizio sono impegnati in cucina sotto l'attenta guida della mamma.
I menù sono legati alla stagionalità dei prodotti locali del mare e della campagna. Intriganti sono gli antipasti sia freddi che caldi: le acciughe su bruschette, le **zuppe di cozze** su crostini, il riso in agrodolce con palamita, l'affettato di merluzzo crudo su letto di insalata, la crema di ceci, i **polpetti in *cassuola***, gli **involtini di pesce bandiera**. A seguire i primi piatti, come le **linguine al sugo di cicale di mare** o di altri crostacei, ai frutti di mare, **con granchi e seppie**, al nero di seppia, **pasta e fagioli con le cozze** e vari formati di pasta fatta in casa conditi con sughi di pesce. Tra i secondi, la **frittura di gamberetti e seppioline** o qualche pesce a porzione come la **pezzogna alla brace**, il dentice al forno o la **ricciola con capperi e olive**.
Per dessert la delizia al limone preparata da Maurizio. I vini sono esclusivamente campani – Biancolella, Fiano, Falanghina. Data la limitata disponibilità di coperti è obbligatoria la prenotazione.

A Bacoli, nella zona del lago Fusaro, in via Cuma 124, il punto vendita di Giovanni Quadrano presenta un'accurata selezione di salumi e formaggi campani e nazionali, di diversa stagionatura e affinamento, e latticini di bufala di propria produzione.

Bagnoli Irpino
Laceno

49 km a SE di Avellino

Benevento

Lo spiedo

Ristorante con alloggio
Via Serroncelli, 25
Tel. 0827 68073-68074
Chiuso il martedì
Orario: pranzo, fine settimana e in estate anche sera
Ferie: in luglio
Coperti: 150
Prezzi: 27-30 euro vini esclusi
Carte di credito: tutte, Bancomat

Il comprensorio dei monti Picentini, e in particolare l'altopiano del Lacero con il lago e gli splendidi paesaggi, sono – finalmente – fatti oggetto di valorizzazione e promozione, grazie a iniziative molteplici dedicate a un turismo sia estivo sia invernale, con gli sport sulla neve in primo piano: unico posto, questo, in cui si scia vedendo il mare! Molto interessante anche il patrimonio gastronomico di questa regione: carni, mozzarelle di bufala, pecorini, caciocavallo, funghi, castagne, nocciole e mele sono i prodotti migliori e più noti, utilizzati in genere dai ristoranti della zona.
Lo Spiedo costruisce buona parte dei menù sui **funghi** e sul **tartufo nero di Bagnoli**. Naturalmente nelle stagioni giuste che, per il tartufo, sono l'autunno inoltrato e l'inverno. Nicola Memoli lo serve con la **ricotta di bufala**, in parmigiana, addirittura all'insalata, ci condisce tagliatelle e **ravioli di ricotta** (disponibili, in altra stagione, con sugo di pomodoro). Diversamente, troverete l'antipasto locale, a base di salumi, i **saccottini di ricotta**, gli gnocchi di patate al tegamino e, per secondo, carni alla brace (bistecca e salsiccia di maiale, agnello, vitello). Il filo conduttore dei funghi, a sua volta, porta in tavola **zuppetta di funghi** (perlopiù porcini, chiodini, gallinacci), insalata reale, polenta con porcini, **pasta e fagioli con porcini** e, ovviamente, i sughi per le **tagliatelle**, anche di farina di castagne. I dessert prevedono ancora ricotta (torta ricotta e pere o ricotta e castagne), babà e dolci con i frutti di bosco.
I vini sono della zona, con una bella rappresentanza di doc e docg irpine.

Cotton club

Osteria di recente fondazione
Via De Vita, 16
Tel. 349 3827226
Chiuso il martedì
Orario: solo la sera
Ferie: non ne fa
Coperti: 25 + 18 esterni
Prezzi: 33-35 euro vini esclusi
Carte di credito: nessuna

Nato dalla passione di Ernesto Pietrantonio per il jazz (da qui il nome) il locale, ubicato nel millenario centro storico, è passato sotto la direzione del simpaticissimo papà Ottavio, uomo con un passato da marinaio, coadiuvato in cucina dalla moglie Maria Rosaria. Il locale è un riferimento per molti piatti dimenticati, non senza lasciare spazio all'estro e all'uso di alcuni prodotti non locali ma di grande pregio. Pochi i coperti e poche le proposte e gli ortaggi dell'ultimo agricoltore del comune di Benevento.
Tra gli antipasti: soppressata, salsiccia e *leuzo* (filetto di maiale stagionato), a seconda della disponibilità anche **prosciutto**, **caciocavallo** e **pecorino** di grossa pezzatura **di Pietraroja**, bruschetta con lardo di maiale nero casertano, **panzanella di granturco con pomodori** e **fiori di zucca crudi con ricotta di pecora mantecata**. Tra i primi il **pancotto con broccoli** o **con cicoria**, i nidi di tagliolini con zucca o carciofi, i rigatoni con guanciale di maiale nero e, nel periodo natalizio, la **zuppa di cardoni e polpettine**. Su prenotazione l'antichissima **seronda**, zuppa di pane, siero, pancetta e cipolla, pasto dei pecorai durante le transumanze. Tra i secondi, oltre alle **carni di maiale** accompagnate in vario modo, trovate anche il tortino di alici, fave e cicoria e l'immancabile **baccalà**, preparato a polpette, **in umido**, con le patate e secondo la variegata tradizione sannita. I dolci sono tutti buoni e fatti in casa.
La cantina annovera poche ma significative etichette del Sannio con le doc Aglianico e Falanghina, ma anche Coda di Volpe e Barbera del Sannio.

Al viale Mellusi 90, all'Enoteca Caffè Coloniali Paradiso, ottimo caffè e gelato. Il Normanno, vini campani, nazionali e coloniali di pregio.

NUNZIA

Osteria tradizionale
Via Annunziata, 152
Tel. 0824 29431
Chiuso la domenica
Orario: mezzogiorno e sera
Ferie: 10-25 agosto
Coperti: 60
Prezzi: 20-25 euro vini esclusi
Carte di credito: tutte, Bancomat

Nel cuore del centro storico di Benevento, a pochi passi dall'Arco di Traiano e dalla chiesa di Santa Sofia, con il suo bel chiostro e l'annesso Museo del Sannio, Nunzia è da sempre un punto di riferimento per una sosta gastronomica all'insegna del territorio.
Ad accogliervi sarà la signora Nunzia stessa, che vi reciterà il menù, costruito secondo la disponibilità delle materie prime di stagione. Tra gli antipasti, **salumi** e formaggi locali. Poi, una buona offerta di **zuppe**, di legumi o di verdure; nel periodo invernale troverete anche il ***cardone* in brodo di cappone** con polpettine di manzo, uovo, formaggio e pinoli, piatto tipico della tradizione natalizia beneventana. Tra i primi asciutti, invece, ci saranno **cavatelli**, **lagane con i ceci** e, immancabile, lo ***scarpariello***, ovvero spaghetti alla chitarra conditi con sugo di pomodoro, basilico e formaggio. Al momento dei secondi potrete scegliere tra ***ammugliatielli***, trippa, **spezzatino** oppure **seppie imbottite** o con i piselli, **baccalà alla Nunzia**, con pomodori, capperi, olive, prezzemolo e peperoncino e ancora provolette alla brace. I contorni seguono la stagione: troverete dunque di volta in volta broccoli, cicoriette, melanzane, peperoni, conditi con olio extravergine.
Tra i dolci, babà al rum, **mela allo Strega** e cassatine. Ad accompagnare i piatti una buona scelta di vini, dalla Falanghina al Fiano, passando per il Greco e l'Aglianico, con le più importanti aziende del Sannio beneventano.

In piazza IV Novembre 3, Tutto di bufala: ampia selezione di formaggi locali e non. Per un buon caffè, caffetteria pasticceria Ambrosino di piazza Roma.

68 KM A NE DI AVELLINO

GRILLO D'ORO

Trattoria con alloggio
Via Orto del Convento
Tel. 0827 89278
Chiuso lunedì sera
Orario: mezzogiorno e sera
Ferie: non ne fa
Coperti: 60
Prezzi: 25-30 euro vini esclusi
Carte di credito: tutte, Bancomat

La nuova sede del Grillo d'oro si trova nella parte più a sud del centro storico di Bisaccia. Grillo era il nomignolo di Luis, capostipite della famiglia Arminio, recentemente scomparso. Vito, l'altro figlio, con la moglie Lina e il figlio Luigi, ne prosegue l'opera e la cucina.
Degli animali si utilizzano anche le parti meno nobili, fin dagli antipasti, con i sapori decisi dei **fegatini di agnellino soffritti** con cipolla, pomodori e peperoncini o della **trippa alla pizzaiola**; poi **salame di polmone**, frittatina di asparagi, **crocché di patate**, latticini di Flumeri, accompagnati dal buon pane locale "pezzella moscia". Il menù prevede poi, in primavera, una **zuppa di fave fresche**, con piselli, carciofi, cipolline, asparagi, arricchita da un uovo fresco di giornata, oppure la "zuppa dell'800", con patate, zucchine, carote, cipolla, uova e pane raffermo. Le paste sono tirate a mano, con i tradizionali ***marcannali*** (sorta di spaghetti alla chitarra a sezione triangolare) **al ragù**, i ravioli di ricotta vaccina o i ***cavatielli* con i fagioli spollichini**. Come secondo il **piccione ripieno**, specialità della casa, **cotiche e salsicce di maiale**, o l'**agnello** del Formicoso alla brace o **al forno con patate**. Per concludere, formaggi, come caciocavallo podolico e **pecorino carmasciano**, e dolci casalinghi, come la tortina alla ricotta o i **biscotti alla mandorla**.
Ci aspettiamo in futuro una proposta vinosa adeguata a cotanto cibo. Per ora qualche bottiglia dal Vulture e un Aglianico della casa.

Osteria accessibile ai disabili.

il panificio Masucci, in via Cavallerizza 65, propone prodotti da forno cotti a legna: biscotti di grano, taralli, diverse tipologie di pane tra cui la tipica "pezzella moscia".

BOSCOREALE

30 KM A SE DI NAPOLI SS 268, A 3 O A 30

LA LOCANDA DI ALFONSO

Osteria di recente fondazione
Via Passanti Flocco, 344
Tel. 081 8593156
Chiuso domenica sera, lunedì e martedì a pranzo
Orario: mezzogiorno e sera
Ferie: 15 giorni in agosto e in dicembre
Coperti: 40
Prezzi: 30 euro vini esclusi
Carte credito: tutte tranne Visa

L'abitato di Boscoreale era probabilmente compreso, prima dell'eruzione del 79 d.C., nel mandamento di Pompei; ci troviamo dunque in un territorio ricco di testimonianze archeologiche, negli ultimi anni deturpato da una dissennata speculazione edilizia, eppure ancora ricco di fascino. In questo contesto Alfonso Cirillo ha aperto la sua locanda in un'atmosfera semplice ma accogliente.
I piatti sono realizzati con prodotti del territorio e, data la vicinanza alla costa vesuviana, centrati sulla cucina di mare, senza divagazioni nelle pietanze di carne, nemmeno nel periodo invernale. Il menù cambia ogni giorno ed è recitato a voce; ricca la sequenza degli antipasti: **parmigiana di pesce bandiera**, polpi e scarole, **polpette di tonno**, alici ripiene di provola fritte, **totani e patate**, marinata di pesce bandiera, **frittelle** alle alghe marine o **con *cicinielli***, frutti di mare gratinati. Proseguendo, i primi sono tutti meritevoli ma in noi hanno lasciato il segno i **tubettoni con il tonno fresco**, gli ottimi spaghetti con le alici, i **paccheri con vongole, cozze e zucchine** e gli gnocchetti allo scoglio; volendo stare sul classico troviamo anche le linguine ai frutti di mare. Nel periodo invernale, **zuppe**, tra cui quelle **di fagioli e scarole** e di pasta e fagioli con le cozze. Tra i secondi, in base alla disponibilità del mercato troviamo **alici** fritte sale e pepe o ***arreganate*** con il pomodoro, polpetti in *cassuola*, **frittura di paranza** e la grigliata.
Si conclude con babà, zuppa inglese, tiramisù, caprese, ricotta e pera. La lista dei vini contiene soprattutto vini campani di buon livello.

In via Brancaccio 75 A, la Cooperativa dei giovani pastai gragnanesi Arte & Pasta produce pasta a lenta essiccazione trafilata al bronzo.

CAIAZZO

15 KM A NE DI CASERTA

IL GENERALE

NOVITÀ

Osteria
Largo Plebiscito Veneto, 2
Tel. 0823 862606
Chiuso lunedì e martedì
Orario: mezzogiorno e sera
Ferie: agosto
Coperti: 40
Prezzi: 25-30 euro vini esclusi
Carte di credito: tutte, Bancomat

Il Generale è Giuseppe Garibaldi che a Caiazzo subì una dura sconfitta nei combattimenti che precedettero la storica battaglia del Volturno. Il locale è situato nel suggestivo centro storico, negli ambienti di un palazzo ottocentesco. La città è posta su una delle belle colline, cui fa da corona il Volturno, dove si coltivano i vitigni pallagrello bianco e rosso e l'oliva caiazzana.
Il patron e chef Stefano De Matteo è discreto come discrete sono le due salette del locale, arredate sobriamente con vecchie vedute di Caiazzo alle pareti e un ritratto severo dell'Eroe dei Due Mondi. Il menù, che varia con le stagioni, offre l'opportunità di assaggiare buoni piatti della tradizione iniziando dagli antipasti – è possibile averli tutti scegliendo "l'antipasto del generale" – con ricottina e bocconcino di bufala, salsiccia e capocollo di maiale nero casertano, bresaola di bufala, frittatina di verdura di stagione. Tra i primi ottimi **gnocchi di melanzane con provola e pomodorini**, gli **strozzapreti al ragù di anatra**, *scialatielli* al fumo con melanzane e provola, fusilli alla napoletana con pomodori, capperi e olive nere di Caiazzo. Come secondo il **filetto di vitellone in salsa di timo**, le **costine di agnello del Matese in panatura di erbe del monte Maggiore** accompagnate da uno **sformatino di cicoria**, costolette di maiale nero casertano alla griglia con peperoni e aglio. Per concludere, **semifreddo allo Strega con granella di nocciole tostate** e zuccotto del Generale.
Discreta la carta dei vini, con interessanti proposte regionali; è presente una carta degli oli della provincia di Caserta.

Azienda agricola Le Campestre, in località Buonomini di **Castel di Sasso** (5 km): dal latte di pecora si ricava il conciato romano.

CAMEROTA
Marina

121 KM A SE DI SALERNO SS 562

LA CANTINA DEL MARCHESE

Osteria tradizionale
Via del Marchese, 13
Tel. 0974 932570
Orario: da giugno a settembre sempre aperto la sera, luglio e agosto anche pranzo
Ferie: non ne fa
Coperti: 80
Prezzi: 18-25 euro vini esclusi
Carte di credito: tutte, Bancomat

Non vi sembri folklore di grana grossa essere accolti in questa osteria dal personale in costume tradizionale. Francesco Fiore e la sua famiglia intendono riproporre ai visitatori lo stile di accoglienza e di vita alimentare che appartengono loro per origine e per vocazione. A due passi dal porto di Marina di Camerota, una cucina della memoria improntata al mondo rurale: piatti di terra, qualche concessione al pesce, materie prime di orto e di allevamento di produzione propria. Il locale è disposto su più livelli, ha stile rustico, pareti e volte in pietra, grandi tavoli di legno e tovagliette di carta.
Alcune pietanze sono indicate in dialetto cilentano, su tutte la ***maracucciata***, piatto simbolo del locale, una polenta ottenuta da un misto di farine di legumi e cereali, tra cui quella di *maracuoccio* (legume simile al pisello), condita con olio, peperoncino e crostini di pane. Altre specialità sono la ***ciaurella***, zuppa di fave, patate, bietola, finocchio selvatico e i ***cicci* maritati**, antica zuppa rituale di diversi legumi e cereali. Come antipasto, salumi, formaggi e sottoli. Poi le paste lavorate a mano: **lagane e ceci**, *cavatielli* al ragù, i ***triiddi*** (cavati con tre dita) **ai funghi porcini**. Fra i secondi **carni di agnello**, **capretto**, maiale, coniglio cotte in modi diversi o il **baccalà allo stufato di patate**. Altre prelibatezze sono le ***sciambielle***, melanzane ripiene di uova e formaggio, e le **pizzette di farina integrale**.
Per finire i dolcetti chiamati ***cose ruce***, preparati da Daniela, o gli ***scauratielli***, zeppole fritte condite con il miele. Una significativa evoluzione del locale è il graduale passaggio dalle botti per spillare il vino a una carta dignitosa.
Durante i mesi di marzo, aprile, maggio, ottobre il locale è aperto nei fine settimana, negli altri mesi su prenotazione.

CAMEROTA

121 KM A SE DI SALERNO SS 562

RIANATA 'A VASULATA

Osteria tradizionale
Via San Vito, 25
Tel. 0974 935427
Non ha giorno di chiusura
Orario solo la sera
Ferie: da ottobre a marzo
Coperti: 50
Prezzi: 12-18 euro
Carte di credito: nessuna

Resiste nel Cilento una cultura ancora lontana dai clamori della cucina alla moda, ancorata alle tradizioni; qui vive un'economia che sa offrire i prodotti della sua terra, una cultura rurale che predilige l'orto del contadino. Forse è questo il segreto dei sapori di una volta che si gustano all'osteria di Camerota, locale vero e suggestivo, con le panche di legno e i ceppi per sedersi all'aperto, il grande forno, l'accoglienza schietta.
Nei venti anni dalla riapertura del locale, Mina D'Alessandro e il marito hanno saputo tenere fede all'impostazione che papà Manfredi, fornaio degli anni Sessanta, aveva tracciato; pezzo forte sono i piatti della tradizione, dalla **pizza *rianata*** in teglia di ferro al forno (rinnovato a regola d'arte), alla **ciambotta** (melanzane, patate, peperoni, pomodori stufati), alle **melanzane *'mbuttunate*** (ripiene). Nel corso degli anni si sono aggiunti altri piatti riscoperti, e rigorosamente stagionali, dagli ***scialatielli* coi fiori di zucca**, agli gnocchetti coi fagioli, alle **orecchiette alle verdure**, ai **torciglioni con salsiccia**, melanzane e finocchietto selvatico. Peccato che la pasta non sia sempre fatta a mano, ma sono ottime le **lasagne con le zucchine** in bianco. Per i secondi piatti si sceglie tra **salsiccia**, pollo e **coniglio cotti al forno**; come da tradizione, non sono previsti piatti di mare.
Non c'è scelta per il vino: si beve solo quello "paesano", non particolarmente raffinato, ma buono.
Il locale ad aprile è aperto nei ponti festivi, da maggio a tutto settembre è consigliabile prenotare.

Capaccio
Capaccio Scalo

45 km a SE di Salerno

La pergola

Ristorante-pizzeria
Via Magna Grecia, 1
Tel. 0828 723377
Chiuso il lunedì, mai d'estate
Orario: mezzogiorno e sera
Ferie: 15 giorni in gennaio
Coperti: 60 + 90 esterni
Prezzi: 30-35 euro vini esclusi
Carte di credito: tutte, Bancomat

Entrando alla Pergola, si ha la sensazione di essere in un ristorante dove studio e passione si coniugano in modo equilibrato, grazie alla dedizione di Alfonso e di sua moglie Silla.
Che si scelga il giardino o la sala interna, si apprezza subito la scelta di piatti: una cucina tradizionale con i prodotti locali, sviluppata con quel tocco di creatività che esalta la qualità e i sapori. A cominciare dagli antipasti – **rustico di ricotta di bufala** e carciofo di Paestum, polpettine di melanzane alla siciliana, soufflé di ricotta e gamberi su salsa di pomodoro giallo del Cilento, **alici ripiene alla cilentana**, **zuppa di *sconcigli* e fagioli** di Controne – per passare ai primi: **vermicelli al nero di seppia** con ricotta di bufala, fusilli di Felitto. Con i secondi la freschezza del pescato e delle carni è rispettata dalle proposte base, con **pesce al forno con patate** e **grigliate** con la rucola. Ma anche qui non mancano le piacevoli variazioni: filetto di tonno rosso con pomodorini all'aceto balsamico, **filetto di dentice con gamberi gratinati** su letto di patate. Vario il carrello dei formaggi, dove si segnala la **mozzarella di bufala**, che nasce nella zona, in caseifici modello che vi consigliamo di visitare.
Una bella sorpresa i dolci, tutti fatti in casa: tante proposte della tradizione, quali la **torta di melanzane al cioccolato**, la pastiera di grano, dolci a cucchiaio, la sfoglia con una leggera mousse di ricotta e cioccolato fuso. La cantina è molto varia, con uno sguardo a tutte le proposte campane e nazionali.

Prodotti di bufala ai caseifici Vannulo (via Galilei, 10), Rivabianca (strada statale 18, km 93), Torricelle (via Ponte Marmoreo), Barlotti (via Torre di Mare 1).

Casagiove

3 km a nord di Caserta a 1 uscita Caserta nord

Ai caprioli

Azienda agrituristica
Via Case Sparse, 24
Tel. 0823 303636-328 9097878
Chiuso lunedì, martedì, mercoledì
Orario: sera, domenica e festivi pranzo
Ferie: dieci giorni intorno a Ferragosto
Coperti: 60 + 30 esterni
Prezzi: 25-30 euro
Carte di credito: le principali, Bancomat

Il locale si trova nei pressi del Real Sito di San Leucio e della Vaccheria, voluti da Ferdinando IV come esperimento illuminista di una comunità a struttura autarchica dedita al lavoro della seta. Nei pressi ci sono da visitare il Museo permanente della seta, il Belvedere e la Cappella Reale. Dopo un tuffo nella storia percorrerete la strada verso il casello autostradale e troverete, a pochi passi dalla città, una bella oasi nel verde.
Giunti al locale, Giovanni Russo, il patron, coadiuvato in sala dal suo braccio destro, Luigi Menditto, vi presenterà piatti legati alla cucina del territorio, a base di materie prime prodotte nell'azienda. La serie di antipasti prevede verdure, **frittelle**, sottoli e **salumi** di preparazione propria; poi trippa con patate, **pancotto con i broccoli**, **fagioli con le cotiche** conditi con l'olio fatto da loro. Tra le zuppe, ci sono la **minestra maritata**, quelle di scarola e fagioli, di fave con carciofi e asparagi di montagna e la **zuppa di soffritto**. Tra i primi asciutti, *scialatielli* al sugo di cinghiale con funghi porcini, ***cavatielli* alla carrettiera**, **maccheroncelli *r'o' scarpariello*** (con guanciale, pomodorino e pecorino). Tra i secondi spicca il ***tianiello* di salsicce, agnello e tracchie di maiale** cotto nel forno a legna; poi ci sono il **brasato di cinghiale ai funghi porcini**, la lombata di manzo alla brace, il pollo alla cacciatora, **braciola di cotiche al sugo** e fegato con cipolle. In primavera, preparazioni a base di asparagi selvatici. Per finire una buona selezione di formaggi casertani, tra cui il **conciato romano** (Presidio Slow Food) e il *caso peruto*.
Tra i dessert della casa ci sono la crostata di frutta e il tipico morsetto. Buona selezione di vini casertani e regionali, oltre a quello di produzione propria.

Casagiove

3 km a nord di Caserta a 1 uscita Caserta nord

Le quattro fontane

Trattoria
Via Quartiere Vecchio, 60
Tel. 0823 468970
Chiuso la domenica
Orario: mezzogiorno e sera
Ferie: agosto, Pasqua e 23/12-06/01
Coperti: 50
Prezzi: 25-30 euro vini esclusi
Carte di credito: tutte

Casagiove era situata lungo la via Appia Antica e deve il nome a un tempio dedicato a Giove che si trovava sulla celebre strada; oggi è il primo comune che si incontra all'uscita del casello autostradale di Caserta nord. La trattoria si trova nel Quartiere Vecchio, così come la volle il padre di Michele Russo, don Ciccio, con il proposito di riproporre una cucina di territorio senza orpelli.
Michele oggi ha preso le redini della cucina, proponendo antiche ricette casertane con una cura particolare per i formaggi, quali il **pecorino di laticauda** e il **conciato romano** (Presidio Slow Food), e le carni, con il maialino nero casertano e la carne di bufalo. Ricco l'antipasto: musso sale e limone, peperoni al gratin, **polpette di baccalà**, frittata di cipolla, alici marinate, **cotica e fagioli**. I primi variano secondo stagione. In quella fredda: la **minestra maritata**, la **zuppa di soffritto**, le scarole con i fagioli, le zuppe di legumi e le **pettole con fagioli** o con i ceci. Nella stagione estiva annotiamo i maccheroncini con provola e melanzane e i **fusilli con ricotta e zucca**. Tra i secondi, oltre al **filetto di bufala** e alla **costoletta di maiale con le papacelle**, varie proposte a base di **baccalà**, vera attrazione del locale, con un menù tutto a esso dedicato. Nel periodo estivo la frittura di anguille, quella di alici e la **zuppa di frutti di mare** completano la proposta ittica. La carta dei vini è ricca, con molte etichette regionali, nazionali e internazionali; per un consiglio affidatevi alla professionalità di Biagio.
Alcune sale del locale sono state destinate a luogo d'arte, con l'esposizione di opere di artisti contemporanei.

A Caserta, località **Puccianiello** (2 km), in via Santissimo Nome di Maria 2, Il Manicaretto produce pasta fresca e paste ripiene. Ottima la brioche rustica.

Caselle in Pittari

130 km a SE di Salerno, 22 km da Sapri

Zì Filomena

Ristorante
Viale Roma, 11
Tel. 0974 988024
Chiuso il lunedì, mai d'estate
Orario: mezzogiorno e sera
Ferie: tra novembre e gennaio
Coperti: 100 + 20 esterni
Prezzo: 30-33 euro vini esclusi
Carte di credito: tutte, Bancomat

Caselle in Pittari è un paesino del Cilento arroccato su una collina a meno di 500 metri di altitudine, nel Parco nazionale del Cilento e del Vallo di Diano, sovrastato dalla torre medievale. Vicino è il Monte Cervati, dalle cui sommità sgorgano le acque del fiume Busento che attraversa il territorio. Il locale è attivo dal 1932; a Zì Filomena sono succeduti i nipoti che continuano la tradizione di famiglia. A cucinare Grazia Fescina coadiuvata da Angelina.
Il locale è caldo e accogliente e, pur se ammodernato, ha mantenuto un aspetto semplice e discretamente elegante. Il servizio è premuroso e cordiale. La cucina segue le stagioni e i ritmi propri di questi luoghi, la maggior parte piatti è legata ai prodotti locali. Abbiamo particolarmente apprezzato la serie degli antipasti, con l'uso quasi esclusivo di un notevole repertorio di produzioni della zona. Ecco allora, in bella sequenza, oltre agli affettati e ai formaggi locali, **verdure grigliate**, peperoni verdi, **parmigiana di melanzane**, melanzane e pomodori al forno, **scarole e fagioli**, **zucchine alla *scapece***, carciofi di Pertosa, ***gattò* di patate**. I primi sono tutti abbondanti e a base di pasta fatta a mano – fusilli, **cavatelli**, **ravioli**, lagane – e tutti i formati sono preparati in vari modi: al sugo, con la ricotta, **al ragù di castrato**; si segnalano in particolare **lagane e ceci**, pasta e fagioli, **pasta e patate**. I secondi, a base di carne, offrono vitello, maiale, **agnello**, **capretto** cotti **alla brace** e il **pollo ruspante** con patate. I dolci sono casalinghi: crostate e torte.
In cantina, buona selezione di etichette campane e nazionali.

CASERTA
Caserta Vecchia

10 KM DAL CENTRO DELLA CITTÀ

GLI SCACCHI

Ristorante
Via San Rocco, 1
Tel. 0823 371086
Chiuso il lunedì
Orario: mezzogiorno e sera
Ferie: variabili
Coperti: 70 + 30 esterni
Prezzi: 25-35 euro vini esclusi
Carte di credito: tutte tranne AE, Bancomat

Un locale accogliente, con tufo casertano a vista, il cui ingresso è protetto da un bel giardino con varie specie di alberi e piante aromatiche. A condurlo da 14 anni c'è Gino, il patron, con la moglie Marilena in cucina. Potrete anche fare a meno del menù e lasciarvi guidare da lui nella scelta delle pietanze.
Da gustare in primavera-estate l'antipasto di stagione: un cestino di patate con fagiolini e zucca, la parmigiana con passata di pomodoro fresco, crocchette di patate con crema di formaggio, fiori di zucca farciti, **zucchine in pastella**, zucchine all'aceto e finocchietto selvatico, pomodorino con capperi e origano, pasta rustica con scarola, **polpettine di melanzane**, crêpes di peperoni. In inverno vi suggeriamo il **tortino di patate** con borragine e funghi, le **zuppe di legumi e castagne** e gli ottimi taglieri di **salumi**, tutti **di maialino nero casertano**, e di formaggi pecorini (di laticauda) e vaccini di provenienza regionale. Tra i primi, i diversi tipi di pasta fresca conditi con gli ingredienti di stagione, con i prodotti dell'orto in estate e sughi di carne in inverno. Da non perdere lo sformatino di riso con pomodorino, la **cianfotta casertana**, la trippa con patate e la **minestra maritata**. Tra i secondi segnaliamo lo **spezzatino di bufalo** marinato con l'Aglianico o con il Falerno, le costatelle di maiale casertano e le salsicce, l'**agnello in umido** con carciofi e patate. Non manca il **baccalà**: fritto, lesso o in cassuola.
Per finire i dolci: tortino di cioccolato caldo, ricotta e fragole, diverse crostate di frutta, delizia al limone, **torta di mela annurca**, biscottini di frolla alle mandorle e crostata di fichi. Molto buona la proposta dei vini, con etichette di provenienza casertana, regionale e nazionale.
Da novembre a febbraio il locale è chiuso anche martedì e mercoledì.

CASTELLABATE
Santa Maria

66 KM A SE DI SALERNO SS 18 E 267

LA TAVERNA DEL PESCATORE

Ristorante
Via Lamia, 1
Tel. 0974 968293
Chiuso il lunedì, mai d'estate
Orario: mezzogiorno e sera
Ferie: dicembre-febbraio
Coperti: 20 + 30 esterni
Prezzi: 35-38 euro vini esclusi
Carte di credito: tutte, Bancomat

Santa Maria è l'appendice costiera del borgo collinare di Castellabate, meta cilentana tra le più frequentate dal turismo balneare. Tra casette di villeggiatura e supermarket, il ristorante di Franco Romano è un'oasi di garbo e buon gusto. Lo stile del locale è marinaro, nell'arredamento come nell'offerta gastronomica. Oltre a una saletta interna, d'estate si sta piacevolmente in un dehors. Franco si occupa della spesa, potendo contare su un rapporto privilegiato con pescatori e pescherie del posto. In cucina, un giovane e promettente chef interpreta la materia prima con giusto equilibro fra la tradizione e una moderata innovazione. In sala Franco presenta i piatti e consiglia, da buon sommelier, il vino giusto.
Per iniziare il **fiore di zucca ripieno di ricotta di bufala** con pomodoro crudo e alici gratinate o la **passata di fagioli di Controne** al sugo di scorfano con cozze e pane tostato. I primi piatti esaltano il pesce fresco, per esempio lo **spaghettone trafilato a mano con uova di pesce fresco** e colatura di alici, il **pacchero con polpa di scorfano**, i tubetti con ragù di pescatrice, la **zuppa di pesce**. Ci sono anche buoni risotti: con fiori di zucca e scampi, al nero di seppia. I secondi variano secondo disponibilità e stagione; alcune proposte sono il **filetto di tonno scottato** con insalatina di finocchi al sale aromatico, la **pezzogna al vapore**, la macedonia di verdure (melanzana, zucchina, peperone, carota) al gamberone. Dessert: tortino ghiacciato di cioccolato e caffè, spuma di yogurt di bufala con salsa di frutti di bosco.
La lista dei vini, in prevalenza bianchi, comprende circa 140 etichette, di diverse regioni italiane, Campania in prima fila; interessante selezione di distillati.
In luglio e agosto, nei giorni feriali il locale è aperto solo la sera.

Castel Morrone

10 km a nord di Caserta

Il frantoio ducale 

Ristorante
Via Altieri, 50
Tel. 0823 399167
Chiuso il martedì
Orario: mezzogiorno e sera
Ferie: due settimane in agosto
Coperti: 100
Prezzi: 30 euro vini esclusi
Carte di credito: le principali

Castel Morrone è una CittàSlow, un piccolo centro del buon vivere. Questo ristorante, invece, sembra quasi un monumento, poiché è ubicato nel secentesco Palazzo Ducale: all'interno del locale visitate l'antico frantoio in pietra. La cucina, da parte sua, è l'espressione più tipica della gastronomia del territorio casertano e contribuisce a mantenerne l'identità.
In sala è Pietro Leonetti a guidare l'avventore, proponendo ciò che il padre e la madre preparano in cucina. Grande varietà fra gli antipasti: salumi e sottoli della casa, verdure grigliate, zuppette di vario tipo a seconda delle stagioni e dei prodotti disponibili; zuppa di porri e fagioli e **minestra maritata** in inverno; **zuppa di asparagi di montagna e fave**, di fiori di zucca e *talli*, in primavera-estate. Tra i primi consigliamo i **paccheri con il baccalà** o una zuppa di legumi: **zuppa di scarola e fagioli**, pasta e fagioli con asparagi selvatici, **pettole e ceci**. Meritano l'assaggio, fra i secondi, il baccalà fritto con broccoletti o in *cassuola*, l'**agnello laticauda alla brace** o al forno con le patate, lo spezzatino o l'involtino di pecora laticauda. Il **maiale nero casertano**, razza autoctona, è proposto con le *papacelle* o **alla brace**; e ancora il cappone e il pollo ruspanti alla cacciatora. In estate in menù anche pietanze a base di pesce. Ampia e di qualità la proposta di formaggi: conciato romano, **provolone del monaco** e pecorino laticauda.
I dolci fatti in casa sono tutti riusciti, in particolare le **crostate di mele annurche**, di amarene e di fichi e i dolci stagionali legati a tradizioni e festività (nel periodo pasquale chiedete la **pastiera napoletana**). La carta dei vini è ricchissima, con le migliori etichette regionali e nazionali; in alternativa c'è l'Aglianico prodotto dalla famiglia Leonetti.

Cava de' Tirreni
Arcara

7 km a NO di Salerno

L'arcara

Ristorante-pizzeria
Via Lambiase, 7
Tel. 089 345177-442341
Chiuso il lunedì
Orario: sera, festivi anche pranzo
Ferie: in novembre
Coperti: 130 + 80 esterni
Prezzi: 25-30 euro vini esclusi
Carte di credito: tutte, Bancomat

Lungo la strada che da Vietri porta a Cava dei Tirreni troviamo questa piacevole osteria, presenza di vecchia data sulla nostra guida. L'ambiente è caldo, il personale cortese, i bicchieri quelli giusti. Il menù è illustrato a voce e se venite nella stagione estiva la frescura della terrazza sul bosco renderà ancora più piacevole il vostro pasto.
Appena seduti vi saranno serviti gli ***scazzuoppoli***, quadratini di pasta cresciuta con pomodoro e formaggio, poi l'antipasto vero e proprio. In inverno troverete salumi e latticini, in estate preparazioni di pesce come la soppressata di polpo, le **seppie con piselli**, l'insalata di mare, un'ottima parmigiana di pesce bandiera o le più classiche **alici ripiene**. Si prosegue con i **paccheri con totani e patate**, i tagliolini con zucca e gamberi, le **mezzemaniche con la gallinella di mare** o il risotto con radicchio e patate. In inverno si propongono anche **zuppe di fagioli**, di ceci o di piselli. Tra i secondi troverete, nella stagione fredda, filetto, salsiccia, **costate** e altro **alla brace**, in estate pesce fresco al sale o una delicata **frittura**. In autunno anche **funghi** e tartufi. Si conclude con i dolci della tradizione: **babà**, delizia al limone, pasticciotto napoletano.
Bella la carta dei vini, che abbraccia tutte le regioni; un po' di Campania in più magari non guasterebbe. Discreta selezione di distillati e qualche vino passito.

Cerreto Sannita
Cerquelle

33 km a NO di Benevento SS 372

La vecchia quercia

Ristorante con alloggio
Via Cerquelle, 25
Tel. 0824 861263-816217
Chiuso il martedì
Orario: mezzogiorno e sera
Ferie: non ne fa
Coperti: 150 + 50 esterni
Prezzi: 25-30 euro vini esclusi
Carte di credito: tutte, Bancomat

Il locale, poco fuori dal centro abitato, è immerso nel verde alle pendici del monte Coppe, dal quale si gode di uno splendido panorama sulla campagna circostante, ricca di vigneti. Cerreto è noto per la manifattura delle ceramiche artistiche di scuola napoletana che potrete trovare in numerose botteghe lungo il corso, mentre ammirerete quelle antiche nel vicino Museo della ceramica. Dopo il terremoto del 1688, per volere del signorotto del luogo, il paese è stato completamente ricostruito e presenta singolari soluzioni urbanistiche e architettoniche.
La Quercia è gestita dai coniugi Parente, che servono soprattutto piatti della tradizione cerretese, curando con attenzione la scelta dei prodotti. Tra gli antipasti troverete melanzane e **peperoni imbottiti**, fiori di zucca in pastella ripieni di ricotta, poi la ***ciaudella*** (fave fresche lessate insaporite con salsiccia stagionata, cipolla e pancetta), **provolette alla brace** su un letto di foglie di limoni. Nei periodi freddi anche **cotiche con fagioli**, polenta di mais impasticciata, verdure selvatiche e **pizza ripiena di bietole**. Inoltre, i **salumi** e le verdure sott'olio di produzione propria, formaggi e ricotte vaccine e pecorine. Tra i primi ecco i ***curiuli* con asparagi selvatici**, i fusilli alle rape rosse con zucchine e caciocavallo, le **pappardelle al ragù di cinghiale** e i ***carrati* con ragù di pecora**. Come secondi la tagliata di manzo, cucinata in tavola sulla pietra ollare, agnello, ***abbuoti* alla brace** (involtini di interiora di agnello con prezzemolo, sale e pepe), pollo alla Vecchia Quercia e **salsicce ai *virni*** (funghi prugnoli caratteristici dei boschi della zona).
Per finire potrete assaggiare mele annurche allo Strega con gelato. Discreta la selezione di vini, soprattutto Aglianico e Falanghina. Buoni gli oli locali.

Cerreto Sannita

33 km a NO di Benevento SS 372

Trattoria Masella

Novità

Ristorante
Contrada Pezzalonga, 32
Tel. 0824 861975
Chiuso domenica sera e giovedì
Orario: mezzogiorno e sera
Ferie: Natale, Pasqua, 2 luglio
Coperti: 100 + 20 esterni
Prezzi: 25-30 euro
Carte di credito: le principali, Bancomat

Superato il centro storico di Cerreto Sannita, proseguendo verso il monte Coppe, troveretete la Trattoria Masella, da qualche anno completamente rinnovata. L'ambiente è rustico, con un bel camino in pietra ed elementi decorativi in ceramica di Cerreto alle pareti.
Ad accogliervi Filomena Masella che vi guiderà nella scelta dei piatti; in cucina Dino Masella, giovane erede di un'esperienza gastronomica quarantennale. Tra gli antipasti una buona selezione di **salumi** (soppressate, culatello del Matese, prosciutto), formaggi (pecorino e caciocavallo) e l'***acquasal***, pane raffermo bagnato e condito con sale, aglio e altri gusti. In inverno, buona scelta di zuppe: la **minestra maritata**, la zuppetta di castagne, fagioli e alloro, il **pancotto con i fagioli**. In estate la **ciambotta** con melanzane, zucchine, patate e altri ortaggi. Tra i primi prevalgono le paste fresche, con sughi di stagione. Tipici sono i ***carrati* al ragù di pecora**, noci e pecorino. In primavera la ***laina* con i *virni*** o con zucchine, fiori di zucca e pancetta, in inverno con i fagioli. Altro classico sono i ***curiul*** (pasta all'uovo) **con ragù di cinghiale**. Interessante la polenta di farina bianca con zucchine e fiori di zucca. Come secondo la scelta è tra le **carni alla brace** (polli ruspanti, agnello, maiale) e preparazioni come l'**agnello in umido** o gli ***abbòt***. Si può chiudere con un formaggio (pecorini, caciocavallo, ricotte accompagnate da miele e noci), una **pastarella della sposa**, una fetta di crostata alle mele cotogne o di torta sannita.
Nella carta dei vini, curata da Dino, anche una pagina dedicata agli abbinamenti dei piatti con i vini del territorio.

8 KM A OVEST DI SALERNO

IL CONVENTO

Ristorante
Piazza San Francesco, 16
Tel. 089 261039
Chiuso il mercoledì, mai d'estate
Orario: mezzogiorno e sera
Ferie: non ne fa
Coperti: 80 + 60 esterni
Prezzi: 25-30 euro vini esclusi
Carte di credito: tutte, Bancomat

Cetara è un borgo di pescatori ricco di fascino, legato al mare per nascita e vocazione. Le **alici**, in particolare, conservate sotto sale nelle tradizionali botti, hanno creato quel liquido che è diventato sinonimo del posto: la **colatura**.
In questa realtà troverete Il Convento, gestito dalla famiglia Torrente, con Pasquale e Luigi ad accogliere gli ospiti e Gaetano, il papà, ancora sulla breccia a dispensare consigli. Il locale è nel chiostro di un antico convento al centro del paese. La cucina è quella tipica della costiera, legata a quanto regala il mare. Molte opportunità alla carta e un menù degustazione cetarese della tradizione. Si può iniziare con l'antipasto *ro monaco* che, generalmente, prevede assaggi freddi (**carpaccio di polpo**, pesce spada e tonno affumicati in casa, **alici marinate**) o caldi (alici con provola, polpette di alici, **parmigiana di pesce azzurro**). Tra i primi piatti segnaliamo i **paccheri di Vicidomini con zucca, gamberetti e rucola**; i classici **spaghetti alla colatura di alici**; gli **ziti spezzati alla genovese di tonno**. Per i secondi tanto pesce preparato in vari modi: particolare la tagliata di tonno all'aceto balsamico con patate, ma ci sono anche classici come le seppie con patate, il **calamaro ripieno**, il pesce bandiera. Limitata ma buona la selezione dei formaggi. I dolci sono fatti in casa: la classica **delizia al limone**, la cassata, lo spumone alla cetarese.
Buona la carta dei vini, con le proposte della settimana e tante etichette campane, nazionali ed estere.

In piazza Grotta, la Cuopperia del Convento: qui si preparano fritture di paranza o di alici e fritto mediterraneo di verdure, serviti nel classico coppetiello di carta.

8 KM A OVEST DI SALERNO

SAN PIETRO

Trattoria
Piazza San Francesco, 2
Tel. 089 261091-333 8296251
Chiuso il martedì, mai d'estate
Orario: mezzogiorno e sera
Ferie: fine gennaio-febbraio
Coperti: 40 + 35 esterni
Prezzi: 35 euro vini esclusi
Carte di credito: tutte tranne AE, Bancomat

Il locale gestito da Franco Tammaro propone piatti poveri della cucina marinara, elaborati dallo chef Bruno Milano con ampio utilizzo di pesce azzurro e di varietà poco conosciute. Molto usata è anche la colatura di alici (Presidio Slow Food), ottenuta dal procedimento di salagione: condimento singolare e versatile, è l'orgoglio dei ristoratori del paese.
Ai tavoli della sala interna o, nei mesi caldi, nel piccolo terrazzo, potrete iniziare con **farro e pesce azzurro con colatura di alici**, sformato di pesce bandiera con provola dei monti Lattari, **soppressata di polpo con scarola riccia e finocchio**. Proseguendo, ecco le candele spezzate alle alici fresche, il **risotto con *sconcigli*** (murici) **e alghe di mare**, la *caccavella* con straccetti di pasta di alghe allo scoglio; piatto simbolo del locale sono i **vermicelli con colatura di alici**. Per quello che riguarda i secondi, le semplici cotture esaltano il gusto del pesce: la gustosa ***caccavella* di pesce** (con totani, calamari, coccio, vongole e cozze), la pezzogna o il **sampietro in guazzetto** al profumo di limone e menta, la frittura di paranza o di **alici** servite **nel *cuoppo***. Buoni i dolci casalinghi: **pastiera di grano**, ricotta di capra al rum o in salsa di limone, pasta sfoglia con composta di fichi.
Carta dei vini non banale, attenta alle aziende emergenti regionali e nazionali.

In corso Umberto I 64, presso Il Nettuno potete acquistare conserve e colatura di alici, tonno e altre specialità marinare. Sapori Cetaresi è il punto vendita dell'azienda Delfino, in corso Garibaldi 44: tonno e alici sott'olio, alici sotto sale, colatura di alici.

Cicerale
Monte Cicerale

63 km a SE di Salerno

Arco vecchio

Osteria tradizionale
Via Roma
Tel. 0974 834187
Chiuso il martedì
Orario: mezzogiorno e sera
Ferie: 15 giorni in febbraio
Coperti: 48 + 12 esterni
Prezzi: 25 euro vini esclusi
Carte di credito: tutte, Bancomat

Si arriva nel paesino di Cicerale, alla frazione Monte, dopo diversi chilometri di strada tortuosa, inerpicandosi dall'uscita della variante di Prignano, a mezza costa nella vallata del fiume Alento (la cui diga genera un velo di nebbia notturna anche d'estate). La bella e storica casa di pietra recentemente ristrutturata offre un notevole colpo d'occhio, con le arcate di pietra viva inframezzate dall'intonaco tinteggiato vivacemente. L'ambiente interno è gradevole e arioso, arredo e tovagliato sono garbati e il padrone di casa amabile, il servizio accurato.
A tavola, come è ovvio aspettarsi in un paese che ne ha derivato il nome e ne ha fatto la sua bandiera produttiva e gastronomica, i **ceci** regnano sovrani: **tostati** come stuzzichino, **lessati** all'antipasto, **con le lagane** per primo piatto; da farsene una scorpacciata, e ne vale la pena, perché sono piccoli e tondi e non appesantiscono. Gli antipasti vanno dagli **affettati** misti alle verdure, tutte saporite: **fagioli col tonno**, fagiolini *lardarielli*, **farro e peperoni**, quest'ultimo davvero ottimo. Tra i piatti della tradizione, figurano i più classici **fusilli col sugo stretto di braciola** o di castrato, ma a questi si affiancano i **ravioli ripieni di ricotta e asparagi** e gli **schiaffoni con pesto di zucchine e noci**, dal sapore intenso e originale. Per secondo un'ottima tagliata di carne, con poco grasso, oppure un **pollo alla diavola**, o ancora delle **salsicce**, tutto cotto **alla brace**.
Non c'è il menù, ma in compenso c'è la carta dei vini, che predilige una rosa di prodotti locali, da buoni a ottimi. Dolci e liquori sono casalinghi, come nella migliore tradizione cilentana.

Ercolano

9 km a sud di Napoli A 3 uscita Torre del Greco

Viva lo re 

Osteria di recente fondazione
Corso Resina, 261
Tel. 081 7390207
Chiuso domenica sera e lunedì
Orario: mezzogiorno e sera
Ferie: agosto
Coperti: 54
Prezzi: 30-35 euro vini esclusi
Carte di credito: tutte, Bancomat

«Viva lo re» era il brindisi dei soldati borbonici: non a caso il locale si trova su quella che era la strada regia delle Calabrie, il "Miglio d'oro", così definito per la ricchezza storica e paesaggistica e per la presenza delle splendide ville vesuviane del Settecento. Poco distante dagli scavi archeologici, è gestito con passione e professionalità da Maurizio Focone, assaggiatore di formaggi e sommelier. L'ambiente è accogliente, curato nei particolari, piatti e ricette raccontano il territorio e rievocano la tradizione gastronomica locale, talora rivisitata con intelligenza.
Il menù, scritto sulla lavagna nella saletta d'ingresso, è descritto dall'affabile Susi. Si comincia con i piccoli assaggi dell'antipasto: **calzoncino ripieno di ricotta**, mini-sauté di vongole, bocconcino di mozzarella di bufala con pomodori di Sorrento, carpaccio di baccalà con lenticchie, fiore di zucchina imbottito. Si continua con un **timballo di pasta alla genovese** in sfoglia, esemplare interpretazione della ricetta classica, **ravioli di ricotta e porcini** al profumo di tartufo, **lasagna di baccalà e scarole**. Nel periodo primaverile-estivo: mezzemaniche con piselli e lardo in cialda di pane, **passatina di spollichini** (fagioli freschi) con cozze e bottarga di tonno, **paccheri con ragù di coccio**, ravioli di pescatrice e patate. Tra i secondi, sempre in base alla stagione, **filetto di maiale alle erbe mediterranee**, baccalà cotto in tre modi (fritto, gratinato agli agrumi e a bassa temperatura), **carré di agnello irpino**, trancio di merluzzo di fondo gratinato al limone e tonno crudo e cotto in crosta di olive.
Tra i dolci segnaliamo il **tortino di mele annurche**, il gelato allo yogurt con ciliegie cotte nel vino e il budino al caffé con gelatina d'anice. Per il vino c'è solo l'imbarazzo della scelta tra 1500 etichette.

Gesualdo

40 km a NE di Avellino

La pergola 

Trattoria
Via Freda
Tel. 0825 401435
Chiuso il mercoledì
Orario: sera, pranzo su prenotazione
Ferie: non ne fa
Coperti: 60 + 20 esterni
Prezzi: 30 euro vini esclusi
Carte di credito: tutte, Bancomat

A Gesualdo (uscita Grottaminarda sulla Napoli-Bari), uno dei borghi più belli d'Irpinia, troverete, in corso di restauro, l'imponente castello medievale. Il locale è appena fuori dal paese, dove Franca e Antonio De Filippis e Antonio Ferrante, marito di Franca, hanno rilevato qualche anno fa quello che era un circolo Arci, trasformandolo in un luogo della buona accoglienza: una sala arredata con stile sobrio, il tepore del focolare in inverno, un pergolato per le sere d'estate, la piscina, alcune camere per pernottare.
In cucina, Franca mette in atto la sapienza tramandata dalle nonne. Le uova di papera e gli animali da cortile della piccola azienda locale, le verdure e lo speciale sedano degli orti di Gesualdo, le carni irpine selezionate dal consorzio dei produttori campani, il pane di Castel Baronia cotto a legna, sono i suoi ingredienti. In successione, antipasti e zuppe prevedono: uova di *chicchirinella* al vapore con mousse di ricotta, **sformato di verdure di stagione** con crema di caciocavallo podolico, **zuppa di sedano di Gesualdo e patate** o di aglio a *sciuscella*; nei mesi freddi, fagioli, ***menesta sciatizza*** e stinco di maiale. Le paste sono fresche oppure secche trafilate al bronzo, condite secondo stagione: **ravioli di ricotta con cicoria e caciocchiato**, ***cecatielli* con fave, guanciale e mentuccia**, **candele al ragù di agnello** e **linguine con baccalà e pane soffritto** in olio. Di secondo prevalgono le carni bianche – coniglio, faraona – e l'agnello. Consigliamo, prenotando, il **cosciotto d'agnello al fieno maggengo**.
Alcuni dolci della casa per concludere: **crostata di mele annurche** o lo zuccotto di ricotta di pecora e torrone. Carta degli oli con alcune etichette dell'autoctona varietà ravece e bella carta dei vini dai ricarichi sorprendenti, in cui svettano Aglianico e Taurasi irpini.

Giffoni Sei Casali
Sieti

21 km a NE di Salerno

Il brigante 

Osteria tradizionale
Via Andoli, 2
Tel. 089 881854-328 3592987
Chiuso il martedì
Orario: sera, festivi anche pranzo
Ferie: periodo natalizio
Coperti: 50 + 20 esterni
Prezzi: 20-24 euro vini esclusi
Carte di credito: tutte, Bancomat

Cordialità, schiettezza e buona cucina, questo vi attende a Sieti, il più alto dei "sei casali" di Giffoni. L'osteria nasce tra le viuzze del borgo antico, nella casa (racconta la leggenda) in cui trovò rifugio il Brigante Ferrigno. Il locale, essenziale ma accogliente, è composto da due salette, più una esterna nel vecchio forno con un solo tavolo, mentre d'estate si cena sotto il porticato, che si apre su una corte, godendo del fresco.
In sala vi accoglierà la sempre sorridente Carmela con il titolare Guido Brancaccio, attento e premuroso; la cucina è il regno di Rosaria Di Muro che sovente esce per dedicarsi ai clienti. Al centro della sala un cartello recita «la semplicità è il nostro forte»: ed è proprio così. La cucina schiettamente locale propone come antipasto un classico: **affettati** e formaggi con una buona **ricotta vaccina** e il piatto di verdure (secondo stagione e preparate in vario modo). Tra i primi gli spaghetti o la **pasta e fagioli** agli asparagi selvatici, **paste con funghi porcini**, oppure **con castagne e salciccia**, gli ottimi spaghetti alla nocciola (siamo nel territorio della nocciola tonda di Giffoni ipg). D'estate anche primi piatti con il pomodoro fresco. Tra i secondi troverete il classico **cinghiale con patate e *chiuchiarole*** (peperoni rossi sott'aceto), il **coniglio alla cacciatora**, la **gallina ripiena** (su prenotazione), oltre alle carni alla brace. Tra i contorni segnaliamo patate e **porcini fritti**.
Dolci casalinghi, vino sfuso e pure qualche buona etichetta regionale. Alla fine del pasto un liquore di limone o di mela annurca.

In località **Capitignano**, in via Sant'Anna 15, da Janis Café si può gustare la crespella, dolce tipico con miele, nocciole e scaglie di cioccolato. Su prenotazione, calzoncello con crema di castagne e struffoli.

Giugliano in Campania

14 km a NO di Napoli

Fenesta verde

Ristorante
Vico Sorbo, 1
Tel. 081 8941239
Chiuso domenica sera e lunedì
Orario: mezzogiorno e sera, festivi pranzo
Ferie: agosto, 23 dicembre-3 gennaio
Coperti: 80
Prezzi: 32-35 euro vini esclusi
Carte di credito: tutte, Bancomat

Giugliano, con i suoi 112 000 abitanti, è la città italiana più popolosa non capoluogo di provincia. Nonostante il suo grande sviluppo industriale e commerciale, rimane uno dei più importanti centri ortofrutticoli della Campania. La vicinanza all'area flegrea, segna la sua vocazione gastronomica tra terra e mare. Nel centro storico, adiacente al santuario dell'Annunziata, l'insegna Fenesta verde invita ad affacciarsi sul mondo della cucina napoletana della famiglia Iodice, attiva nel settore fin dal 1948.
In cucina Luisa e Laura, come i nonni fondatori del locale, preparano i prodotti tipici del territorio nel rispetto della stagione, con professionalità e passione: ne derivano piatti semplici che esaltano profumi e sapori delle materie prime. In sala i mariti Guido e Giacomo vi accoglieranno con affabilità per guidarvi nelle scelte. Via quindi agli antipasti di terra o di mare: a seconda delle preferenze e della stagione si avvicendano ***sciurilli* ripieni**, scampi agli agrumi, **baccalà marinato con bottarga e pinoli**, parmigiana di melanzane, gamberi e cozze in pastella, **timballo di salsiccia e *friarielli***. Quindi i primi piatti: i ***mezzanielli lardiati***, gli **ziti alla genovese**, pasta e fagioli di Villaricca, la **minestra maritata** o i paccheri con peperoni. Tra i secondi, **baccalà fritto**, **frittura di paranza**, la **braciola di cotica di maiale**, filetto e lombata di vitello e altro ancora.
Come dolce ci piace segnalare la **pastiera napoletana**. La carta dei vini privilegia i prodotti campani, ma non mancano importanti etichette nazionali fra le oltre 300 disponibili.

Giugliano in Campania

14 km a NO di Napoli

La marchesella

Ristorante
Via Marchesella, 184
Tel. 081 8945219
Chiuso il mercoledì
Orario: mezzogiorno e sera
Ferie: 15 giorni a metà agosto
Coperti: 80 + 30 esterni
Prezzi: 35 euro vini esclusi
Carte di credito: tutte, Bancomat

Percorrendo le strade di Giugliano alla ricerca del ristorante, situato fuori dal centro della città, in un contesto che spesso genera disagio, è sorprendente trovare poi nel locale un'atmosfera rasserenante e familiare. Gena e Giovanni Iodice hanno aperto da qualche anno questo locale di moderna impostazione. L'ambiente è ampio e luminoso, arredato con gusto; il personale di sala illustra con garbo le specialità del giorno.
Le pietanze, ripartite fra terra e mare, sono l'evidente frutto di un felice connubio tra cultura del territorio, conoscenza delle materie prime e maestria ai fornelli dei fratelli Iodice, brillantemente coadiuvati dal giovane tunisino Faouzi. Consigliamo tra gli antipasti il **gattò di patate con salsiccia e *friarielli*** o, in alternativa, con asparagi e gamberi, la parmigiana bianca di melanzane, i **fiori di zucca ripieni di ricotta e basilico** o il tortino di baccalà, porri e patate. Passando ai primi, troveremo il piatto forte, i ***mezzanelli lardiati***, gnocchi con fonduta di provolone del monaco e funghi porcini; a base di pesce, i **paccheri di Gragnano con pescatrice**, melanzane, capperi e pomodorini e **gnocchi di patate con vongole e fiori di zucca**. Per proseguire con il pesce: **baccalà in *cassuola*** o fritto, **rombo con patate, capperi e olive**, **pesce fresco** alla brace o **all'acquapazza**. Tra le carni è da provare il filetto ripieno con pancetta e ragusano alla brace. Tra i dolci, flan al cioccolato fondente e crema al rum, crostata di ricotta di bufala e cioccolata, tortino di mela annurca con crema inglese. Interessante selezione di oli campani, ampia carta dei vini e buona scelta di distillati.

Verso il mare, in riva al lago Patria, la famiglia D'Orta vende carni e salumi di bufalo, oltre ai classici latticini di bufala: ricotta, mozzarella, yogurt.

Isola d'Ischia
Barano d'Ischia
Fiaiano

90 minuti di traghetto da Napoli + 9 km da Ischia

Il focolare di Loretta e Riccardo d'Ambra

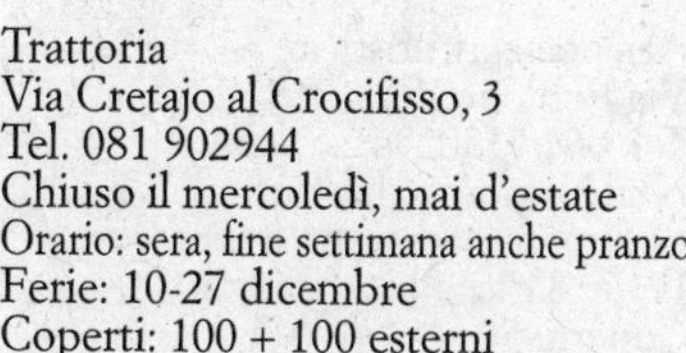

Trattoria
Via Cretajo al Crocifisso, 3
Tel. 081 902944
Chiuso il mercoledì, mai d'estate
Orario: sera, fine settimana anche pranzo
Ferie: 10-27 dicembre
Coperti: 100 + 100 esterni
Prezzi: 32-35 euro vini esclusi
Carte di credito: tutte tranne DC, Bancomat

Barano è un tipico comune di collina che conserva caratteristiche rurali, un susseguirsi di orti e vigne e di una rigogliosa vegetazione: d'altronde Ischia, come molte isole, non è solo mare ma ha una solida tradizione agricola. Qui, nel 1991, nasce Il Focolare dei D'Ambra. La nuova sede si trova a margine di un bel bosco di castagni ed è il regno di Riccardo e Loretta, i titolari, che insieme ad Agostino e Francesco propongono una cucina dagli schietti sapori di terra.
Si comincia con uno sformato di patate, con un'ottima **parmigiana di melanzane**, con la **caponata ischitana** e con le **lumache**, preparate in vari modi. Tra i primi ricordiamo i **mezzanelli con le erbe selvatiche**, la zuppa di fagioli zampognari, le tagliatelle al ragù di cinghiale e, in inverno, i **ravioli di scarola al vino cotto**, antica ricetta locale. Tra i secondi è imperdibile il **coniglio di fossa all'ischitana**, un Presidio Slow Food nato grazie all'impegno di Silvia, l'agronomo di famiglia. In alternativa ci sono **carni alla brace** di maiale, **di manzo di razza podolica**, di agnello, lo stinco di agnello alle erbe. Si prepara anche il pesce, ma solo su prenotazione. Non mancano ottimi formaggi, tra cui il raro conciato romano e il pecorino di laticauda.
Si chiude con la mousse al cioccolato, la crostata al limone o il pan di mele con lavanda e rosmarino. Buona scelta di vini, con attenzione per quelli da vitigni autoctoni dell'isola: Biancolella, Forastera e Per' e palummo.

Lioni

48 km a est di Avellino

La pentola d'oro

NOVITÀ

Ristorante-pizzeria
Via Torino, 14
Tel. 0827 46102-42928
Chiuso il martedì
Orario: mezzogiorno e sera
Ferie: luglio, 24-25/12
Coperti: 120
Prezzi: 27-30 euro vini esclusi
Carte di credito: tutte, Bancomat

Franco Di Sapio, patron del locale, fa parte di coloro i quali, all'indomani del sisma che colpì duramente l'Irpinia, decise di dare il proprio contributo alla rinascita sociale ed economica della propria terra, lasciando alle spalle attività certe e portando con sé solo l'esperienza acquisita nei locali del Nord Italia. Coadiuvato in cucina dalla moglie e in sala dal fratello Eliseo, sommelier ed esperto di salumi e formaggi come lui, Franco propone ai commensali un fittissimo menù scritto cui si aggiungono molte proposte estemporanee. La materie prime vedono l'impiego di olio ravece, di sale di Cervia, profumatissimi peperoncini e ottimo pane fatto in casa; le verdure sono tutte acquistate da agricoltori locali.
Per cominciare è possibile gustare sottoli, ricotta di altura, **treccia lionese**, salsiccia e soppressata, rape e patate. Tra i primi troviamo i **fusilli *lardiati*** o con tartufo, i maccheroni all'ortolana, la **polenta con le *tracchie* di maiale**, la maccheronata della nonna. Da provare anche i "cinque minuti di felicità": una pasta fatta in casa condita con le verdure e spolverizzata di ricotta stagionata di transumanza. Le carni di maiale e vitello sono cotte prevalentemente alla brace di legna; da provare anche l'immancabile **agnello** del Formicoso **al forno** con le erbette spontanee. Ottimi i **formaggi**, tra i quali si segnalano il pecorino carmasciano e il bagnolese. I dolci, come i distillati, sono tutti casalinghi: meritano particolarmente i tozzetti e gli amaretti.
Buona cantina esclusivamente campana, con attenzione ai vini irpini.

In largo Ferrovia, presso il Caseificio D'Amelio, treccia lionese, fiordilatte, scamorze e burro di giornata.

Massa Lubrense
Nerano

53 km a sud di Napoli, 9 km da Sorrento ss 145

Charlot

NOVITÀ

Ristorante-pizzeria
Via Capo d'Arco, 12
Tel. 081 8081100
Chiuso il lunedì, mai da maggio a settembre
Orario: mezzogiorno e sera
Ferie: novembre
Coperti: 80 + 45 esterni
Prezzi: 30 euro vini esclusi
Carte di credito: tutte tranne AE, Bancomat

Siamo a Massa Lubrense, tra Sant'Agata e Marina del Cantone. A metà strada, scendendo verso Marina, dopo una stretta curva troviamo Charlot. Panorama sul costone roccioso del monte San Costanzo, secolari olivi, aria di mare mista al profumo degli agrumi e delle essenze mediterranee. Un antico frantoio ospita gli avventori.
Dagli anni Sessanta Charlot, alias Antonio Palumbo, che del personaggio di Chaplin ha la statura piccola, i baffetti e l'andatura caracollante, è ai fornelli. Ristoranti e alberghi internazionali nel suo curriculum e oggi, con la moglie Teresa in cucina e il figlio Massimo in sala, ha rilevato la gestione di questo locale. La proposta gastronomica è legata al territorio e alla stagione. Come antipasti, da gustare il **carpaccio di polpo**, le marinate, le **cozze gratinate** con mollica di pane, acciuga, aglio, olio e limone massese. Per i primi, ecco i classici **gnocchi alla sorrentina**, i ravioli alla Charlot (patate, menta, mozzarella, salame e ragù napoletano), le crespelle con zucchine, spinaci, melanzane, uovo, formaggio, basilico. E ancora: **risotto al limone di Massa Lubrense**, pasta e zucchine; **tiratelli** (farina, acqua, basilico, parmigiano, uovo) **con provola e melanzane**, o **vongole e cozze**. I secondi si basano per lo più sul **pesce**: al forno, fritto, in umido, **all'acquapazza**. Particolare attenzione è dedicata al **pesce azzurro**, in particolare alle alici. Buona anche la carne, tra cui la tagliata di manzo. Come contorno stuzzicanti verdure di stagione. Appetitoso il fritto Italia con crocchette, panzarottini, verdurine. Dolci tipici della penisola sorrentina fatti in casa.
In cantina circa 50 etichette soprattutto campane, con qualche puntata in altre regioni, alcuni spumanti e Champagne. Il locale è anche una buona pizzeria.

Massa Lubrense
Sant'Agata sui Due Golfi

53 km a sud di Napoli, 9 km da Sorrento ss 145

Fattoria Terranova

Azienda agrituristica
Via Pontone, 10
Tel. 081 5330234
Non ha giorno di chiusura
Orario: mezzogiorno e sera
Ferie: 8 dicembre-8 marzo
Coperti: 50
Prezzi: 35 euro vini esclusi
Carte di credito: tutte tranne AE e DC, Bancomat

Siamo a Sant'Agata sui due Golfi, sulle colline di Sorrento, a un quarto d'ora dal mare, in mezzo alla natura: tanto verde, macchia mediterranea, aranci, limoni, olivi e anche allevamenti. Dall'agriturismo la vista è davvero splendida: si vedono i golfi di Napoli e di Sorrento, Positano e la Costiera Amalfitana.
Claudio Ruoppo, fioraio storico di Sorrento, ha realizzato questa attività sulle colline di Sorrento che quest'anno arriva al traguardo del decimo anno. Una terrazza-ristorante piena di trecce di cipolle e pomodorini e sommersa dai fiori vi accoglierà, in estate, in un ambiente confortevole; in inverno si mangia all'interno. A gestire l'azienda i figli di Claudio: Luigi, Rossella e Francesca. Gli ortaggi sono sempre al centro della proposta gastronomica, presenti in molte preparazioni. L'antipasto è abbondante e vario, e comprende anche proposte di mare. A seconda della stagione ci sono le zucchine e le **melanzane fritte**, gli ***sciurilli*** e i medaglioni di melanzane alla sorrentina. Tra i primi, una serie di piatti preparati con la pasta di Gragnano: i **tubettoni con cipolla bianca, pecorino romano e basilico** e i **paccheri con peperoncino verde**; poi **i ravioli** fatti in casa **ai fiori di zucchine**. I secondi, esclusivamente di carne, vanno dalle **grigliate** alle lombate allo **stinco al forno**, ma non mancano preparazioni tradizionali a base di coniglio e gallina.
Fra i dolci della tradizione, è ottima la **caprese**; poi ci sono crostate di frutta, tiramisù e soufflé di cioccolato. Il vino sfuso della casa è di buona qualità, ma sono disponibili anche una trentina di importanti etichette campane. Obbligatoria la prenotazione.

LA TORRE

Ristorante
Piazzetta Annunziata, 7
Tel. 081 8089566
Chiuso il martedì, mai d'estate
Orario: mezzogiorno e sera
Ferie: gennaio
Coperti: 80 + 80 esterni
Prezzi: 28-30 euro vini esclusi
Carte credito: tutte, Bancomat

Una volta parcheggiato vi consigliamo di raggiungere il belvedere: vi troverete in una posizione privilegiata e godrete di un panorama mozzafiato, con davanti olivi e distese di agrumi, al centro i golfi di Salerno e Napoli, di fronte l'isola di Capri. Il ristorante ha due ambienti interni e uno spazio esterno per godersi il fresco nella bella stagione. La conduzione è familiare, caratterizzata da una piacevole atmosfera informale; in sala, aiutato dalla figlia Amelia, Tonino Mazzola, grande anfitrione, elenca la disponibilità giornaliera; in cucina, a tenere saldi i legami con il territorio, la moglie Maria.
I piatti sono legati alla tradizione, con preparazioni classiche realizzate in modo semplice e con l'utilizzo di ottime materie prime del posto, dall'olio agli ortaggi, dai latticini al pesce. Si inizia con antipasti a base di verdura: **parmigiana di melanzane**, zucchine, una gustosa **purea di patate con la colatura di alici**, carpaccio di polpo con carciofi, scarole con uva sultanina e pinoli, per proseguire con il pesce: **sauté di frutti di mare**, totani con patate, **insalata di mare**. Tra i primi, che variano ogni giorno secondo la disponibilità del mercato, si potranno gustare **paccheri di Gragnano con la ricciola**, ***scialatielli* ai frutti di mare**, ravioli ripieni di ricotta, fagottini di pasta con carciofi e fiordilatte. Tra i secondi, ottima la **pezzogna del golfo con patate** cotta nel forno a legna, ma troverete anche **gamberi al cartoccio**, seppie con noci di Sorrento, alici fritte con sale e pepe, **polpetti affogati**, impepata di cozze, pezzogna all'acquapazza, **frittura** di calamari e gamberi o di paranza.
Buoni i dolci, tutti preparati in casa: pastiera, **caprese**, panna cotta, mousse al cioccolato. Carta dei vini con prevalenza di bottiglie locali e qualche etichetta nazionale.

MASSA LUBRENSE
Sant'Agata sui Due Golfi

53 KM A SUD DI NAPOLI, 9 KM DA SORRENTO SS 145

LO STUZZICHINO

Ristorante-pizzeria
Via Deserto, 1
Tel. 081 5330010-333 3323189
Chiuso il mercoledì, mai in agosto
Orario: mezzogiorno e sera
Ferie: febbraio
Coperti: 50 + 80 esterni
Prezzi: 28-30 euro vini esclusi
Carte di credito: le principali, Bancomat

Non fatevi ingannare dal nome della via, il locale è situato in posizione centrale nella frazione di Sant'Agata sui Due Golfi, vicino al primitivo luogo di fondazione da parte dei coloni greci. Un ampio spazio esterno permette, nelle serate primaverili ed estive, di cenare godendo della frescura garantita dalla vegetazione collinare. Mimmo De Gregorio ha creato un luogo in cui la freschezza e la semplicità dei piatti si sposano con la tradizione, il territorio, l'equilibrio dei sapori.
Tra gli antipasti segnaliamo: ricottine di latte vaccino al profumo di limone massese, **fiordilatte di Agerola**, ortaggi, salumi e formaggi locali; tra i primi: mezzo pacchero di Gragnano ai sapori mediterranei (tonno, olive, capperi), ***scialatielli* con vongole veraci** al profumo di limone massese o "allo Stuzzichino" con pomodoro fresco, fiordilatte, melanzane, basilico; **pasta con patate e provolone del Monaco**; d'inverno buone **zuppe** – di fagioli, **di verza e castagne**. Tra i secondi ci sono **gamberetti di Crapolla**, pesce azzurro secondo pescato, **pezzogna**, **baccalà alla napoletana** con olive, capperi e pomodorini. Per quanto riguarda la carne, interessante è il **vitellone** dell'Appennino Centrale **con erbette aromatiche** della collina santagatese. Accurata selezione di **formaggi** del territorio, dai più noti (provolone del monaco, caciocavallo podolico) ai meno conosciuti: il caciocchiato di Agerola o i diavoletti di Arola. Ottimi i dolci, i primis la **delizia al limone**, ma anche i profiteroles, torta di ricotta e pere, torta con crema di amarene.
Buona la carta dei vini, con un'attenzione anche alle mezze bottiglie; buoni i distillati fatti in casa: nocillo, mirtillo bianco e nero, finocchietto, limoncello.

Locale segnalato
dall'Associazione italiana celiachia.

Melito Irpino

41 km a NE di Avellino

Trattoria di Pietro

Ristorante
Corso Italia, 8
Tel. 0825 472010
Chiuso il mercoledì
Orario: mezzogiorno e sera
Ferie: in settembre
Coperti: 90 + 15 esterni
Prezzi: 30-35 euro vini esclusi
Carte di credito: tutte, Bancomat

Completamente ricostruita dopo il terremoto del 1962, Melito conserva, del vecchio abitato sul fiume Ufita, solo la chiesa di Sant'Egidio e il castello normanno. La memoria del passato rimane nelle foto affisse alle pareti della Trattoria Di Pietro, così come testimonianza viva della tradizione appare la proposta gastronomica del locale, compreso il recupero di ingredienti dimenticati come il puleo (menta spontanea della zona).
Enzo Di Pietro è la mente ispiratrice dell'attività, ma è validamente coadiuvato, in cucina, dalla moglie Teresa e dai genitori, in sala dai figli Pasquale e Anita. Gli antipasti, costituiti da molteplici assaggi, prevedono **salumi** con pizza focaccia, **bruschette con olio di Ravece**, sottaceti, melanzane arrostite, **scarola imbottita**. Tra le zuppe ci sono lo **spezzatino con le uova** e la minestra maritata. Tra i primi asciutti, preparati nel rispetto della stagione, ecco i paccheri ai sapori dell'orto (peperoni, basilico e aglio pestati nel mortaio), i ***cecatielli* ai talli e fiori di zucca**, con broccoli oppure al puleo, le **orecchiette con pomodorini e ricotta**, i fusilli a *ciambotta* (con sugo di pomodoro, erba peperina, peperoni e basilico) o al ragù, i sedanini con carboncelli. Seguono, come secondi, **agnello**, vitello e **maiale nero casertano alla brace** (aromatizzati con finocchio selvatico), coniglio e pollo alla cacciatora, ***mugliatielli* al forno**. Poi c'è il **baccalà**, cucinato secondo una ricetta che la famiglia custodisce da generazioni.
Buona la selezione di **formaggi**, con pecorini di laticauda, carmasciano, caciocavalli della zona. I dolci sono crostate, mousses e il croccante alla mandorla. In cantina ampio assortimento di vini locali e nazionali. Inoltre una ricca selezione di grappe e whisky e l'acquavite prodotta dall'Istituto Agrario De Santis di Avellino.

Mercogliano
Capocastello

7 km a NO di Avellino SS 374 d o uscita A 14

I Santi

Osteria di recente fondazione
Via San Francesco, 17
Tel. 0825 788776
Chiuso domenica sera e lunedì
Orario: mezzogiorno e sera
Ferie: 15 giorni tra luglio e agosto
Coperti: 54
Prezzi: 30 euro vini esclusi
Carte credito: le principali, Bancomat

Ai piedi del monte Partenio, nel borgo antico del paese, troverete questa osteria. I fratelli Emilio e Federico Greco portano avanti con passione un'attività tramandata da quattro generazioni: nonna Antonietta era autrice di un'imbattibile **zuppa di scarola** di cui si custodisce il segreto. Fra le materie prime impiegate, molte sono di produzione propria, come verdure e carni di maiale, altre fornite da eccellenti produttori locali. La cucina è di territorio, con equilibrate rielaborazioni delle ricette, e asseconda le stagioni.
Federico è in cucina, in sala Emilio, cordiale e premuroso. Molti e vari gli antipasti: il carpaccio di zucchine fresche; mela annurca al brandy con salumi, formaggio e mandorle; **involtino di lardo con purea di fagioli**, salumi, formaggi e mandorle; **bruschetta con ceci e finocchietto selvatico**; *papacelle* imbottite al vino cotto; timballo di melanzane; **patata al forno con porcini**; provola avvolta in lardo pancettato; verza ripiena. Tra i primi i cavatelli con porcini, carote e porro selvatico; **maccheroni alla chitarra**; pasta fatta in casa con peperoncini verdi; **zuppa di fagioli, verza e maiale**; soufflé di funghi; fusilli avellinesi con chiodini, guanciale e porri. Maiale con fichi e miele; **cinghiale al vino Aglianico**; melanzana con ricotta nostrana e miele; **faraona farcita con tartufo estivo**; bistecca di vitello locale all'Aglianico sono alcuni dei secondi. Interessante il carrello dei formaggi, con pecorini irpini in varie stagionature oltre al podolico.
Vari i dessert: flan al cioccolato con crema inglese, crème caramel al vino cotto, raviolone di ricotta con fragoline, croccantino con nocciola. La cantina è ricca di etichette regionali e di una buona selezione nazionale.

Locale segnalato dall'Associazione italiana celiachia.

Molinara

31 km a NE di Benevento

Al borgo

Trattoria-pizzeria
Corso Umberto I, 1
Tel. 0824 994004
Chiuso il lunedì
Orario: mezzogiorno e sera
Ferie: 1-10 luglio
Coperti: 70 + 50 esterni
Prezzi: 20-25 euro vini esclusi
Carte di credito: le principali, Bancomat

Siamo nel Fortore, territorio allo spartiacque del Tirreno con l'Adriatico, in un paesaggio collinare con oliveti, pascoli e ora, piaccia o meno, anche con il vicino parco eolico. Il locale, ricavato dalla ristrutturazione di una antica abitazione, si trova nel centro storico, nel borgo medievale, e ha un arredamento semplice e sobrio. Il titolare Rocco Matteo, coadiuvato in cucina da Antony, con il quale condivide dal 1989 la passione per il cibo e l'attaccamento alle comuni radici, propone una cucina semplice, con piatti saporiti e sostanziosi, improntati alla stagione e alle tradizioni del territorio.
Buoni **salumi** e formaggi provengono dalle colline del Fortore. I piatti tradizionali, confezionati con materie prime selezionate, privilegiano i prodotti della zona. Si parte con **ricottina al forno** e **scamorza arrostita**: latticini delle due aziende locali. Primi piatti: ***paccozzelle* con ceci**, d'inverno con le cime di rapa, ***quagliatelli* e fagioli**, **cavatelli al pomodoro e basilico**. Tra i secondi troviamo piatti di **carni** locali – **agnello**, costata di maiale, salsiccia – **alla brace**, cotte al punto giusto e saporite. Vari e freschi contorni di ortaggi e verdure stagionali. Punto di forza del locale è anche la **pizza**, che non fa rimpiangere quella partenopea. Per finire dolci, **cassatine** e **torroncini** dei migliori laboratori dolciari della vicina San Marco dei Cavoti. Il servizio è familiare, corretto ed efficiente.
La carta dei vini è contenuta, ma fornita di buone etichette campane, in particolare del Sannio.

A **San Marco dei Cavoti** (4 km), in via Roma 66, da visitare il Torronificio Borrillo dove, nella storica buvette del 1891, potrete acquistare i famosi torroni del luogo, prodotti artigianalmente con macchinari di fine Ottocento.

Montemarano
Ponteromito

32 km a est di Avellino

Il gastronomo

Ristorante
Via Nazionale, 77 A
Tel. 0827 67009-67059
Chiuso il mercoledì e domenica sera
Orario: mezzogiorno e sera
Ferie: in luglio
Coperti: 90
Prezzi: 28-32 euro vini esclusi
Carte di credito: tutte, Bancomat

Entrati nel locale, ammodernato da qualche anno, sarete accolti dal cordiale Francesco, giovane gestore che saprà raccontarvi le peculiarità del territorio irpino. Per arrivare a Ponteromito avrete percorso la panoramica statale 440 che offre interessati scorci naturalistici e paesaggistici e che taglia l'interno dell'Irpinia, con l'altopiano del Lacero e le sue risorse gastronomiche: tartufi, funghi, formaggi, carni.
La famiglia Pisaniello cucina per gli ospiti dal 1908. Ai fornelli la sapienza e l'esperienza di mamma Anna Maria, custode di una grande tradizione. I prodotti del territorio trovano espressione nel piatto unico di antipasti caldi e freddi, dove troviamo il **prosciutto di Venticano**, le **ricottine di Montella**, mozzarelle fresche, l'involtino di prosciutto al tartufo, l'insalatina di rucola, porcini e parmigiano, la **pizza di granone**, funghi porcini alla brace, **purea di patate con funghi e mozzarella**. L'antipasto è sempre accompagnato all'ottimo pane cotto in casa e dalle focacce di cipolla e rosmarino. Come primi avrete i **paccheri di Gragnano con zucca stufata e funghi porcini**, ravioli con salsa di noce tritata e tartufo nero di Bagnoli, **tagliatelle ai funghi porcini**, la **maccaronara con ragù all'antica** e ricotta salata caprina di Montella. Tra i secondi spiccano la **tagliata di podolica ai funghi porcini** o **al tartufo** e l'**agnello di Carmasciano** alle spezie e Fiano.
I dolci, tutti realizzati da Anna Maria, cambiano quotidianamente; segnaliamo il cestino di pasta frolla con crema pasticcera, nocciola e mandorla. Ricca la cantina, con un'ampia dotazione di etichette locali e presenza di vini nazionali di qualità.

HOSTERIA TOLEDO

Ristorante-pizzeria
Via Giardinetto, 78 A
Tel. 081 421257
Chiuso martedì sera
Orario: mezzogiorno e sera
Ferie: due settimane a Ferragosto
Coperti: 70
Prezzi: 25-30 euro vini esclusi
Carte di credito: tutte tranne AE, Bancomat

Se state cercando la cucina classica partenopea, questo è tra i locali che fa al caso vostro. Ubicato all'ingresso dei Quartieri Spagnoli, che conservano il vecchio impianto che ospitò i soldati che vi furono acquartierati nel XVI secolo, il locale si presenta con il suo logo, ossia la foto della mamma dei gestori, che di mestiere era *maccarunara* di strada.
Stefano in sala, con in cucina Anna De Martino e Titina continuano la tradizione familiare. La sapienza partenopea si ritrova tutta nel menù del locale, dove tra gli antipasti si segnalano l'**impepata di cozze** e il **sauté di vongole**, polpo all'insalata, **cozze al gratin**, insalata di mare e ottima mozzarella di bufala. I primi spaziano dai classici spaghetti o **vermicelli alle vongole** o ai frutti di mare sino ai grandi piatti della tradizione napoletana, come gli **ziti al ragù**, **maltagliati alla genovese**, pasta e fagioli con o senza cozze. Da provare anche gli **spaghetti alla *puveriello***, antico piatto ormai desueto. Tra i secondi consigliamo su tutto, oltre alle grigliate di pesce, la **frittura di paranza** o quella **di fragaglie** e, nel giusto periodo, le **calamarelle sale e pepe**. Ottime anche le carni, tra cui spiccano le **tracchie** e la carne al ragù, la **carne alla genovese**. Valida offerta anche di carni alla griglia. Tra i contorni zucchine alla *scapece*, parmigiana di melanzane, ***friarielli*** e melanzane a funghetto sono alcune delle proposte.
Buoni i dolci tutti fatti in casa. Discreta cantina con prevalenza di etichette campane.

LA CHITARRA

Osteria-trattoria
Rampe San Giovanni Maggiore, 1 bis
Tel. 081 5529103
Chiuso sabato pranzo, domenica e lunedì sera
Orario: pranzo, sera su prenotazione
Ferie: agosto
Coperti: 32 + 6 esterni
Prezzi: 25-30 euro vini esclusi
Carte di credito: tutte, Bancomat

L'osteria è situata ai piedi dello scalone che conduce alla chiesa di San Giovanni Maggiore. Siamo a Mezzocannone, da sempre sinonimo di università, data la immediata vicinanza all'Ateneo Federiciano. A pranzo il grazioso localino, con la cantina al piano sottostante, accoglie un pubblico di avventori fatto di professori, studenti e impiegati, che si avvicendano senza prenotazione, trovando adeguato ristoro sia pur nei ristretti tempi della pausa d'ufficio. La sera invece, su prenotazione è possibile, con più calma e con un menù più articolato, assaporare un po' della cultura gastronomica napoletana messa in pratica dai fratelli Maiorano, Peppino in sala, Luigi in cucina.
Il menù, semplice ma molto tradizionale, prevede in inverno salumi, frittatine e sottoli preparati d'estate dallo stesso chef, oltre alla classica **zuppa di soffritto**. Tra i primi **pasta e fagioli**, pasta, patate e provola e la **genovese**. Come secondo la **costoletta di maiale *ammollicata***, il baccalà e la **braciola di cotica**. D'estate tra gli antipasti troverete trippa e ***o per' e o musso*** (frattaglie bovine e suine bollite, condite con sale e limone), le **polpette di pane**; gli ottimi ***mezzanielli allardiati*** e gli spaghetti allo *scarpariello* tra i primi. Tra i secondi, il ***coroniello* di stocco** (filetto di stoccafisso) con pomodorini del *piennolo*, pesce azzurro preparato in vario modo.
Dolci casalinghi: **babà**, pastiera e tiramisù. Vino sfuso e qualche etichetta regionale. Amaro e caffè come fine pasto.

L'Antica Pasticceria Scaturchio in piazza San Domenico Maggiore 19 propone pastiera, babà, pasta reale, cassate, struffoli, roccocò, oltre alla specialità esclusiva, il ministeriale, medaglione di cioccolato fondente ripieno di liquore.

L'EUROPEO DI MATTOZZI

Ristorante-pizzeria
Via Marchese Campodisola, 4
Tel. 081 5521323
Chiuso la domenica
Orario: pranzo, giov ven sab e prefestivi anche sera
Ferie: 15 giorni dopo Ferragosto
Coperti: 65
Prezzi: 35 euro vini esclusi
Carte di credito: tutte, Bancomat

Locale storico fondato 150 anni fa, è gestito da sempre dalla famiglia Mattozzi. Con Alfonso in sala, che accoglie il pubblico con affabilità, Vincenzo Imperatore in cucina, anch'egli appartenente a una famiglia napoletana di consumata esperienza, e Vincenzo Cangiano, capace pizzaiolo.
Qui si può degustare una cucina legata alla grande tradizione napoletana, di livello qualitativo costante nel tempo. Tra le **pizze**, tutte di ottima fattura, oltre alle classiche napoletane troviamo il ripieno di verdure e la **pizza di pane**, sempre in tavola. La cucina è quella del repertorio napoletano classico, con attenzione per le stagioni. Tra gli antipasti segnaliamo gli arrivi giornalieri di **latticini** dalla costiera sorrentina, affiancati dall'ottima **mozzarella di bufala**, da gustare da sola o con pomodoro fresco e basilico. Guardando al mare, troviamo il **sauté di frutti di mare**, l'insalata di mare e il pesce azzurro preparato in vari modi. Tra i primi, oltre alle varie zuppe di verdura – una per tutte la **zuppa di lenticchie e *friarielli*** (broccoli) – ricordiamo la **genovese**, la pasta e patate con provola affumicata, i tubettoni alla marinara, i **rigatoni con cozze e *fiorilli***. Tra i secondi segnaliamo il pesce bandiera, le **alici** imbottite o **in tortiera**, il baccalà alla pizzaiola, la **frittura di paranza** e gustose preparazioni a base di pesce freschissimo: in tal caso il conto sale, e di molto. I contorni consistono in ortaggi cucinati alla maniera napoletana, come la **parmigiana di melanzane**, i peperoni imbottiti, la **cianfotta** di ortaggi e i filetti di peperoni all'insalata. Tra i dolci il babà, la pastiera e le zeppoline.
La lista dei vini è molto ricca e ci troviamo, accanto ai vini regionali, etichette nazionali e internazionali di pregio. Oltre che alla carta potrete scegliere un menù a prezzo fisso.

LA TAVERNA DELL'ARTE

Osteria-trattoria
Rampe San Giovanni Maggiore, 1 A
Tel. 081 5527558
Chiuso la domenica
Orario: solo sera
Ferie: tre settimane in agosto
Coperti: 42 + 16 esterni
Prezzi: 30-32 euro vini esclusi
Carte di Credito: MC, Visa, Bancomat

Alfonso Gallotti è il patron di questo esercizio, osteria non solo nell'insegna ma anche nella sostanza. Infatti Alfonso ama precisare che per vocazione si sente un oste-tavernaro, più che un semplice ristoratore. Ne discende la pratica della cucina del territorio a tutto campo, ispirata ai piatti classici e popolari, e la presentazione di menù che variano giorno per giorno, seguendo la stagionalità dei prodotti della campagna e del mare.
Si apre con un antipasto composto da **bruschette** con pesce azzurro marinato e da ortaggi preparati secondo le ricette classiche napoletane. Per citarne alcuni: zucchine o melanzane a *scapece*; funghetti, melanzane o zucchine impanate e fritte, **parmigiane** di varie ricette, peperoncini passati in padella con olio e pomodorini ma anche preparati in tanti altri modi. Tra i primi, oltre ai **fagioli alla *maruzzara***, in stagione troverete la minestra di piselli freschi o di zucchine cacio e uova, di zucchine e *fiorilli*; e ancora il ***pignatiello* alla luciana**, i **paccheri con alici** o al pesto siciliano e non manca, tradizionalmente, quello **alla genovese**. Tra i secondi di pesce la ***cassuola* di seppie e calamari**, il baccalà alla catalana, lo **stoccafisso con patate**, il **fritto di paranza**.
Si chiude con il dessert di pasticceria napoletana: la pastiera, il **babà**, lo zeppolone, il finto sanguinaccio, il biancomangiare, i **quaresimali** con Malvasia. Vini dei più rappresentativi vitigni e vinificatori regionali.

NAPOLI,
LA PIZZA E IL CIBO DI STRADA

Se in ogni angolo del mondo le pizzerie propongono una napoletanità di maniera che nulla ha a che spartire con la memoria storico-gustativa dei partenopei, l'allarme scatta quando ritroviamo la stessa proposta sciatta e omologata a Napoli. Anche qui spesso sembra essere stato dimenticato il modello originale della pizza: con pasta soffice, flessibile, fine, ripiegabile "a libretto", con il cornicione abbondantemente rilevato, alto, e presenza di "bolle". Imperversa, al contrario, la tendenza verso un'anonima pasta "biscottata", croccante, o, sul versante opposto, "panosa", con un cornicione che solo la fantasia può definire tale. Le cause: lievitazione frettolosa, magari con l'ausilio del microonde, progressiva internazionalizzazione e/o adesione al gusto turistico. Tutto questo malgrado il proliferare di iniziative tese alla celebrazione del piatto e alla valorizzazione dei suoi ingredienti (a volte con dispute stucchevoli su mozzarella di bufala o fiordilatte di Agerola, pomodorini del Vesuvio o passata di sanmarzano). E nonostante i recenti sviluppi legislativi e il riconoscimento della pizza come Stg (Specialità tradizionale garantita).
Dunque la qualità della pizza napoletana sta nella pasta, e nel suo presupposto tipicamente *slow*: la lievitazione lenta, garantita dal *criscito* e non dal lievito, che sa conferire alla preparazione la consistenza, la morbidezza, la fragranza, l'aroma che ne caratterizzano in modo inconfondibile il sapore. Poi ci sono gli ingredienti. E qui è il caso di sfatare il mito della mozzarella di bufala come ideale per la pizza perché la tradizione preferisce il fiordilatte, che si presta meglio per la consistenza. Quanto alle pizze "creative" che oggi imperversano, crediamo che vadano privilegiati gli ingredienti legati alla cultura del territorio, oltre che al buon gusto e al buon senso.
Senza pretese, dunque, di essere esaustivi, e con un occhio alla variabilità dovuta a contingenze occasionali indichiamo pizzerie da preferire. Aggiungiamo l'indirizzo di alcuni buoni locali che perpetuano l'antica tradizione del cibo di strada, friggitorie e tripperie.

Pino Mandarano

ANTICA CANTINA DEL GALLO

Via Telesino, 21
Zona Fontanelle-1° Crocifisso
Tel. 081 5441521
Chiuso la domenica
Orario: 10.30-15.30/19.00-23.00
Ferie: 20 giorni in agosto

Gli snob, turisti o napoletani, pensano che addentrarsi nel cuore del rione popolare della Sanità possa rappresentare un'avventura rischiosa; da parte nostra, riteniamo invece che gli eventuali pericoli siano gli stessi che si possono correre in tutte le grandi capitali europee e mondiali. Ci piace, dunque, segnalare questo locale che, da circa due secoli, mantiene viva un'autentica interpretazione della gastronomia popolare napoletana. L'attuale gestore, Rosario Silvestri, coadiuvato da tutta la famiglia, propone pizze di ottima fattura per tutti i gusti, ma anche pizzicotti (piccoli ripieni di pasta di pizza con melanzane e provola, o salsiccia e *friarielli*, ricotta e ciccioli, prosciutto e mozzarella), crocché di patate, arancini di riso e anche alcuni piatti come zuppa di fagioli, baccalà fritto o in *cassuola*, spaghetti al pomodoro fresco, pasta e ceci, pasta e patate con provola.

CAFASSO

Via Giulio Cesare,156-158
Tel. 081 2395281
Chiuso la domenica
Orario: 12.30-15.00/19.30-24.00
Ferie: agosto

La pizzeria Cafasso, cui è annesso un piccolo ristorante, si trova nel moderno e popoloso quartiere di Fuorigrotta, polo di importanti attività economiche, culturali e sportive, una città nella città: qui ci sono la facoltà di ingegneria, la Mostra di Oltremare, il centro di produzione Rai. Oltre una ventina sono le varietà di pizza in listino, dalle sempre presenti margherita e marinara al ripieno con mozzarella, ricotta e salame. Insomma ce n'è per tutti i gusti, sempre su un supporto di pasta lavorata in modo artigianale, morbida alla cottura e di giusta sapidità. La più consigliabile a nostro avviso è la margherita con filetto di pomodoro fresco, mozzarella di bufala e formaggio, da accompagnare a un bicchiere di birra o a un buon vino bianco come l'Asprinio.

Capasso
Porta San Gennaro, 2-3
Tel. 081 456421
Chiuso il martedì
Orario: 09.30-16.00/19.00-01.00
Ferie: non ne fa

La pizzeria si trova ai piedi di porta San Gennaro, oggi inglobata in un complesso di abitazioni che si affaccia sull'ampia via Foria, in prossimità di piazza Cavour. Nel 1656, alla fine di una cruenta epidemia di peste che decimò la popolazione napoletana, sulla Porta fu affrescata da Mattia Preti un'edicola come ex voto. Qui da più di un secolo la famiglia Capasso svolge la propria attività, oggi con i titolari Gaetano e Vincenzo. Le sale sono ampie, una al piano terra e tre al piano superiore, con la possibilità durante la stagione estiva di usufruire dello spazio all'aperto. Disporrete di un servizio efficiente e cortese e di una grande varietà di pizze tra cui, oltre al repertorio classico della tradizione napoletana con marinara e margherita, si distinguono la margherita con pomodorini freschi e mozzarella di bufala, quella con salsicce e *friarielli* e quella, davvero notevole, ripiena di scarole e provola. C'è anche la classica pizza fritta: noi consigliamo quella ripiena di ricotta, salame e provola, un piatto ipercalorico ma davvero buono.

Da esterina
Via dei Tribunali, 35
Non ha telefono
Chiuso la domenica
Orario: 12.00-15.00/19.30-23.00
Ferie: 20 giorni in agosto

Dal 1935, in una delle più antiche strade del centro storico, la notissima via dei Tribunali, è attiva questa pizzeria. La famiglia Sorbillo ebbe ventuno figli, mostrando una eccezionale prolificità premiata nel ventennio fascista. Esterina, la prima figlia, ha dato il nome all'attività che oggi la sua famiglia continua a gestire. Il locale mantiene le caratteristiche della classica pizzeria napoletana: arredi essenziali, solo quattro tavoli, piccoli e rigorosamente di marmo. Si sta uno di fianco all'altro, studenti, turisti e napoletani, in un contesto popolare, a volte cosmopolita, sempre informale. Il servizio è veloce e garbato, senza risentire eccessivamente degli angusti spazi e della calca che nelle ore di punta è pressante. Da provare le ottime pizza margherita o marinara, ma il menù offre anche altre scelte (ottimo il ripieno finto fritto), con qualche divagazione alla moda. Probabilmente non è il locale adatto per trascorrere una serata a tavola con gli amici, ma sicuramente si assaggerà una buona pizza. Un merito della famiglia Sorbillo è quello di aver lasciato praticamente invariati i prezzi rispetto ai tempi della lira. Non c'è telefono: qui non si prenota, si fa la fila... e ne vale la pena.

Da michele
Via Cesare Sersale, 1-3
Tel. 081 5539204
Chiuso la domenica
Orario: 10.00-23.00
Ferie: dalla seconda alla quarta settimana di agosto

Qui, nel cuore della Napoli popolare, nel 1870 la famiglia Condurro diede origine a un'attività che nel corso dei decenni è via via diventata simbolo della tradizione dell'arte della pizza napoletana. Michele Condurro aprì la prima pizzeria nel 1906; dal 1930 si stabilì negli attuali locali di via Cesare Sersale. Da Michele lo riconoscerete per la perenne coda che vi si snoda, anche perché «Il locale non ha succursali», come recita un vecchio cartello nella prima sala. Oggi siamo alla quinta generazione che continua l'attività nel rispetto della tradizione e tenendo fede alle indicazioni del fondatore, che volle la pizza napoletana solo nei gusti marinara e margherita. La fedeltà alla tradizione è rafforzata da alcuni versi in vernacolo in bella mostra che consigliano al cliente «*nun cercate sti pizze cumplicate ca fanno male a sacca e o stomaco pati*». Buona qualità dell'impasto, legato al metodo di lievitazione della pasta, e l'utilizzo di fior di latte di Agerola ci fanno apprezzare questo locale dagli arredi essenziali, con tavoli di marmo e forno a vista. Vi capiterà di sedervi dove capita, come si usava una volta per occupare rapidamente ogni posto libero. Servizio efficace, rapido e senza fronzoli. Armatevi di molta pazienza perché, come detto, a qualsiasi ora probabilmente dovrete aspettare. Prezzi molto popolari, pre-euro.

Di matteo
Via dei Tribunali, 94
Tel. 081 455262
Chiuso la domenica
Orario: 09.30-24.00
Ferie: due settimane in agosto

Oltre ai prodotti di friggitoria tradizionale, questa pizzeria offre alla clientela una trentina di varietà di pizze, dalla marinara alla margherita, nella ricetta classica o in una quindicina di varianti – con melanzane, con *friarielli*, capricciosa, quattro stagioni, prosciutto e mozzarella, con funghi, rucola e altro. Tra tutte la più gustosa è senza dubbio la pizza margherita con mozzarella di bufala, filetti di pomodorini, formaggio pecorino, basilico e un filo di olio d'oliva. Attenti a raccomandare la cottura, che deve limitarsi a imbiondire l'impasto.

FRIGGITORIA ROSTICCERIA FIORENZANO

Via Ninni, 1-3
Piazza Montesanto
Tel. 081 5528665
Chiuso la domenica e i festivi
Orario: 08.00-24.00
Ferie: agosto

A pochi passi dalle stazioni della metropolitana di Montesanto e della Circumflegrea, il prototipo della rosticceria dove far esperienza del fritto secondo la più genuina e semplice espressione napoletana: pasta cresciuta, crocché, arancini, *sciurilli*, melanzane in pastella, mozzarella in carrozza, montanara... il tutto preferibilmente da asportare nel sacchetto di carta oleata, in una estemporanea e consapevole trasgressione ai princìpî salutistici.

LA NOTIZIA

Via Caravaggio, 53-55
Tel. 081 7142155
Chiuso il lunedì
Orario: 19.30-24.00, sabato e domenica 07.30-01.30
Ferie: agosto

Da circa 15 anni Enzo Coccia, maestro pizzaiolo impegnato nella divulgazione dell'arte della pizza napoletana, ha aperto questo locale che per le dimensioni (sono poco più di 20 posti) si può definire un vero e proprio laboratorio di studio-degustazione. Il banco della preparazione guarda verso la sala e il pizzaiolo con un occhio si accerta che ai commensali vada tutto per il meglio, con l'altro procede nella preparazione delle pizze. Enzo è innamorato del suo mestiere e interpreta con le sue proposte tutta la storia della pizza napoletana. Oltre alle più tradizionali marinara e margherita, offre l'antesignana di tutte le pizze, la *mastunicola*, con strutto, formaggio e basilico; tra i ripieni, oltre al classico ricotta, salame e fiordilatte, si preparano un eccellente ripieno di scarola riccia appena riscaldata dalla cottura e il ripieno con provola e melanzane. Grazie a una attenta ricerca degli ingredienti (pomodoro San Marzano, olio extravergine, fiordilatte di Avellino, olive di Gaeta) e al processo lento di lievitazione della pasta, tutte le pizze hanno una leggerezza unica, sapori e profumi che ci riportano indietro nel tempo.

OLIVA

Piazzetta Marconiglio, 3
Tel. 081 444166
Chiuso la domenica e i festivi
Orario: mezzogiorno e sera
Ferie: 2 settimane a Ferragosto

Il locale si affaccia su di una caratteristica e graziosa piazzetta che dà sul centralissimo corso Garibaldi. A due passi c'è piazza Carlo Terzo con il monumentale Real Albergo dei Poveri, attualmente in ristrutturazione. La pizza può essere consumata sia in piedi piegata "a libretto", come vuole la tradizione partenopea, sia al tavolo. D'estate si può sostare negli appositi spazi in piazzetta, d'inverno all'interno dell'ampio locale, per la verità essenziale e un po' anonimo. La pizza è buona, la pasta ottima per consistenza e morbidezza, conseguenza di un impasto realizzato con lenta lievitazione naturale. L'offerta delle pizze è varia: oltre alle classiche margherita e marinara, quelle con verdure, la margherita con provola e il classico calzone fritto con ricotta, fiordilatte e ciccioli. Non sempre però il personale è attento nella descrizione delle specialità, quindi è bene dare un'occhiata all'elenco delle pizze sulla destra entrando nel locale. Le fritture (panzarotti, arancini di riso e frittelle di pasta cresciuta) non sempre sono all'altezza.

PELLONE

Via Nazionale, 93
Tel. 081 5538614
Chiuso la domenica
Orario: 09.00/16.00-18.00/24.00
Ferie: 15-31 agosto

Situata nei pressi della Stazione Centrale, in un quartiere che sempre più accentua il suo carattere multietnico, la pizzeria perpetua senza cedimenti la solida tradizione della vera pizza napoletana. Il locale è molto frequentato a tutte le ore da una clientela senza distinzioni di ceto, provenienza, età. Può capitare di trovare i tavoli tutti occupati, ma i tempi di servizio sono veloci e l'attesa sarà breve. Buone e appetitose le pizze – margherita, marinara, capricciosa, quattro stagioni, salsiccia e *friarielli* –, di taglia abbondante, di quelle che saziano davvero. L'ideale è andarci in compagnia, per assaggiare anche arancini, crocché, frittura mista e lo squisito ripieno fritto con ricotta, ciccioli e fiordilatte, o con scarola. Giusto l'abbinamento con una buona birra alla spina o con alcuni vini bianchi o rossi campani.

Starita
Via Materdei, 27-28
Tel. 081 5573682-5441485
Chiuso il lunedì
Orario: mezzogiorno e sera
Ferie: 3 settimane in agosto

NOVITÀ

Ritorna nella nostra guida questa pizzeria nata a inizio Novecento come classica cantina napoletana e poi diventata nel dopoguerra pizzeria-friggitoria, proprio a due passi dal basso dove fu girato il film *L'oro di Napoli*, con la bella pizzaiola Sofia Loren. Assiduamente frequentato dalla gente del quartiere il locale, arredato con semplicità, è composto da un ampio corridoio lungo il quale sono disposti i tavoli. Il titolare è Giuseppe Starita che continua l'arte tramandatagli dagli avi, ultimo il padre Antonio, il quale oggi è impegnato anche nella formazione professionale in qualità di docente di arte bianca. Nelle varie pizze proposte apprezziamo la leggerezza della pasta e la buona qualità degli ingredienti. La pizza della casa è il ripieno alla Starita (fuori pizza capricciosa, dentro salame, ricotta, fiordilatte e funghi), ma molto buona è anche la montanara, prima fritta, poi farcita con il pomodoro e la mozzarella e infine passata velocemente in forno. Ovviamente non manca il repertorio tradizionale: marinara, margherita e margherita dop con mozzarella di bufala. Si possono gustare anche bocconcini di pasta di pizza ripieni e cotti al forno con pesto, con funghi, con zucchine, con peperoni e un'eccellente pizza fritta ripiena di ricotta, ciccioli e fiordilatte. È inoltre disponibile la frittura classica: composta da crocché di patate, arancini di riso, timballi di maccheroni, fiori di zucca.

Timpani e tempura
Vico della Quercia, 17
Tel. 081 5512280-4240249
Chiuso domenica e lunedì pomeriggio
Orario: 09.30-20.30
Ferie: in agosto

Antonio e Lucio Tubelli, dopo l'esperienza del ristorante Il Pozzo, hanno aperto questo localino dove hanno ripreso l'antica tradizione del mangiare per strada. Nella doppia modalità dell'asporto o del consumo in loco sarà dunque possibile provare timballi, sartù, gattò, sformati, scamarro, braciole e la *tempura*, nella versione napoletana che utilizza le verdure (su prenotazione). Disponibile anche una selezione di prodotti dei Presìdi Slow Food e, in genere, di prodotti gastronomici di qualità.

Tripperia Fiorenzano
Via Pignasecca, 14
Non ha telefono
Chiuso la domenica
Orario: 08.30-20.30
Ferie: una settimana in agosto

Un tempo in ogni quartiere della città era attivo un esercizio dedito alla vendita della *carnacotta* (trippa, frattaglie, musi di vitellone, piedi di maiale, testina di agnello) ma oggi questo tipo di attività è in via di estinzione. In controtendenza la famiglia Fiorenzano continua la tradizione, addirittura aumentando l'offerta con l'apertura di una succursale nel rumoroso mercato del quartiere Vasto (al 21 di via Ferrara). Nel bancone vetrina guarnito di limoni di Sorrento fa bella mostra di sé, irrorato di acqua, *o per' e o muss*. I non pochi appassionati e intenditori possono sedersi a uno dei tavoli e gustare, preferibilmente nel periodo invernale, la zuppa di *carnacotta*, preparata con brodo di trippa, *preselle*, frattaglie, con pomodoro o in bianco.

Cercola (Na)
Del pino
Via Don Minzoni, 225
Tel. 081 7331145
Non ha giorno di chiusura
Orario: mezzogiorno e sera
Ferie: due settimane a Ferragosto

Al primo impatto le dimensioni di questo locale potrebbero apparire lontane dai canoni Slow Food, ma lo riproponiamo con piacere grazie alla costante attenzione qualitativa che il competente proprietario, Mario Leonessa, continua a profondere nel suo lavoro: le pizze, dalla lavorazione dell'impasto agli ingredienti, sono di ottima qualità, su tutte la margherita bufalina, la marinara e la lasagna con ottima ricotta di fuscella e fiordilatte, forse la nostra preferita. Praticamente esaustive le proposte dei contorni a buffet e del ristorante, in grado di soddisfare anche i gusti più estrosi. A meno che non siate amanti del genere, consigliamo la scelta di sale lontane dal piano bar, il cui livello sonoro appare francamente eccessivo.

Napoli
Chiaia

Vadinchenia

Ristorante
Via Pontano, 21
Tel. 081 660265-661958
Chiuso la domenica
Orario: solo la sera
Ferie: agosto, prima settimana di settembre
Coperti: 70
Prezzi: 35 euro vini esclusi
Carte di credito: tutte, Bancomat

Per un lucano qual è Saverio Petrocelli, mente e patron del Vadinchenia, non è stato difficile sposare e amare la cucina napoletana, soprattutto quella di mare, e proporla in una zona delle più eleganti di Napoli (ci troviamo tra Chiaia e corso Vittorio Emanuele), prediligendo i pesci più poveri, senza peraltro dimenticare la cucina di terra (le sue radici), con qualche piatto che ci ricorda anche la cucina siciliana. Altro elemento positivo che va sottolineato, per il quale consigliamo una sosta nel suo locale, è l'ottima accoglienza in sala della signora Silvana e l'attenta professionalità del servizio, il tutto in un ambiente sobrio e minimale.
Dopo l'entrée (**zuppetta di ceci e seppioline** oppure di cozze e fagioli spollichini), tra gli antipasti vi suggeriamo il "baccalando" (**baccalà** nelle varie preparazioni), il "misto vadinchenia", le bruschette al pomodorino del *piennolo* (Presidio Slow Food) e le zucchine marinate. Tra i primi, **paccheri di Gragnano alla genovese**, **vermicelli e cozze**, paccheri con alici e pecorino, pasta patate e provola. La scelta dei secondi può variare tra pesce e carne. Ecco allora le **alici farcite**, la **frittura di pesce fresco del golfo**, il filetto di tonno grigliato, i **calamari ripieni** oppure, per chi preferisce la carne, la salsiccia di Moliterno e il **filetto al vino Aglianico** e sale grosso. Consigliabili inoltre alcune verdure: la **scarola *mbuttunata*** e i *friarielli* saltati in padella.
Discreta offerta dei formaggi sia campani che nazionali e dei dessert, in particolare la mousse al cioccolato e il semifreddo all'amaretto. Ampia e articolata per regioni la carta dei vini e dei distillati, con onesto ricarico dei prezzi.

Napoli
Pignasecca

Vecchia cantina

Trattoria
Vico San Nicola alla Carità, 13-14
Tel. 081 5520226
Chiuso le sere di domenica e martedì
Orario: mezzogiorno e sera
Ferie: 15 giorni in agosto
Coperti: 44
Prezzi: 20-25 euro vini esclusi
Carte di credito: tutte tranne DC, Bancomat

Il locale è attivo da oltre quarant'anni nella zona della Pignasecca, popolare quartiere a ridosso di via Toledo, in una delle tante vie e vicoli che caratterizzano i quartieri della Napoli spagnola.
In sala c'è Giovanni Esposito che insieme alla madre porta avanti la tradizione di famiglia. La cucina è quella classica napoletana, senza fronzoli, semplice, e scandisce, come un tempo, i giorni della settimana. L'ambiente informale si compone di due sale e tavolini con tovagliette di carta. Su mensole e scaffali si stipano, a volte in equilibrio precario, buone etichette. Come antipasto troverete **alici marinate**, zeppoline di mare, ***sciurilli* ripieni**, ma sono disponibili anche affettati e **formaggi** (in buona selezione, con pecorini e podolici). Come primi segnaliamo il lunedì la **pasta e fagioli**, il mercoledì **ziti alla genovese** e pasta e piselli, il venerdì non manca mai la **pasta e ceci**; altre proposte sono **spaghetti ai polpi** veraci, mezzi paccheri alla pescatora, **orecchiette carne e provola**. Nei periodi meno caldi ***zupp' e suffritt'*** (zuppa di soffritto), minestra maritata e **pasta e patate *allardiata***. I secondi vanno dal pesce alla carne, con proposte sempre in linea con la tradizione delle trattorie di una volta: calamaro *'mbuttunat'* (ripieno), frittura di gamberi e calamari, baccalà fritto, **pesce spada alla griglia**, calamari alla griglia, **maiale con le *papacelle* sott'aceto**.
Per finire un'ottima **pastiera** casalinga, crostate e altre semplici proposte in linea con la filosofia del locale. Prezzi popolari. Buona carta dei vini, con etichette di valore e ricarichi onesti.

Gelati artigianali di alta qualità da Fantasia Gelati in via Toledo 81 e piazza Vanvitelli 22: da provare il gelato preparato con latte di bufala.

Novi Velia

90 km a SE di Salerno

La chioccia d'oro

Ristorante
Via Bivio di Novi Velia
Tel. 0974 70004
Chiuso il venerdì
Orario: mezzogiorno e sera
Ferie: prima settimana di marzo e di settembre
Coperti: 70 + 40 esterni
Prezzi: 25 euro vini esclusi
Carte di credito: tutte, Bancomat

Una antica leggenda narra che Teodolinda, regina longobarda, nascose un preziosissimo vassoio d'oro, sul quale era raffigurata una chioccia con i suoi pulcini, sotto un enorme masso. Ed è proprio di fronte a quel masso, sulla strada statale di Vallo della Lucania, al bivio per Novi Velia, che si trova il ristorante di cui parliamo. Cucina cilentana pura, ricercata e proposta con passione da Giovanni Positano. Il panorama gastronomico tradizionale è completo, non manca nessuna delle ricette più "intime" di questo territorio.
Vale la pena elencarle direttamente, facendo ingolosire chi non è ancora stato qui ed evocando ricordi piacevoli a chi ha già apprezzato: **verdure grigliate**, in pastella e sott'olio, salumi locali, Presìdi Slow Food come la **soppressata di Gioi** e la **mozzarella nella mortella** (fiordilatte a forma di lingua conservato in rametti di mirto), **conchiglioni imbottiti al forno**, fusilli al ragù di carne, **nidi di chioccia** (pasta all'uovo), e poi ancora varie preparazioni a base di **cinghiale**, il **coniglio disossato alle erbe**, l'**agnello al forno**. Si può concludere con un pezzo di buon formaggio locale, come il cacioricotta di capra, o con qualche dolce, solitamente di pasticceria.
Le scelte enologiche guardano al territorio, lo sfuso è gradevole. Per dieci giorni, ad agosto, viene proposto un menù fisso tipico a 15 euro, dall'antipasto al dolce, in onore di Teodolinda.

Ospedaletto d'Alpinolo

8 km a nord di Avellino ss 374 d

Osteria del gallo e della volpe

Osteria di recente fondazione
Piazza Umberto I, 11-13
Tel. 0825 691225
Chiuso domenica sera e lunedì
Orario: solo la sera
Ferie: 2 settimane in luglio, 10 giorni a Natale
Coperti: 50
Prezzi: 35 euro vini esclusi
Carte di credito: tutte, Bancomat

A Ospedaletto, centro noto per la produzione del torrone, sulla piazzetta del paese apre le porte questo locale che ha il merito di avere risvegliato la cultura gastronomica di questi luoghi. La sala è molto curata, secondo gusti minimali. Antonio Silvestro e la moglie Marisa Festa insieme ai figli, Davide ed Emilia Chiara, si occupano dell'osteria.
La proposta è legata al territorio senza incertezze o divagazioni, interpretato e declinato nei modi che può permettersi solo chi conosce il suo percorso mettendosi continuamente alla prova. Ecco quindi una fedele proposta di sapori della tradizione, mantenuti e riscoperti. Quali sapori? Soprattutto quelli legati a erbe spontanee quali i *cardilli*, la cicoria, la borragine, il cerfoglio, la scarola. Per cominciare il **tortino di baccalà** con patate croccanti, salumi locali e tortino con polenta pasticciata con cotechino e provola, la **ciambotta**. I primi: **lasagnetta con funghi porcini e castagne**, **pettole con alici e provola**, calamarata con baccalà affumicato e pomodorini gratinati, ravioloni di baccalà con pecorino, **zuppa di rape e patate**, **minestra maritata**. Ricca anche la proposta dei secondi. **Agnello con mentuccia e pecorino**, vitello al Taurasi con mele annurche, foglie di alloro e prugne, filetto di maiale e mele annurche, **baccalà *ammollicato*** con noci e pecorino, **coniglio *infasciato***, agnello disossato con mollica di pane e mentuccia, **baccalà alla perticara**, ci dicono che siamo in Irpinia.
Attenta selezione di formaggi irpini. Dolci curati da Emilia Chiara: pasticciotto con mele annurche, millefoglie con crema pasticciera e cioccolato fuso. Eccellente selezione di vini soprattutto irpini e campani, con etichette di interesse nazionale e ricarichi onesti. Da visitare la cantina.

105 KM A SE DI SALERNO A 3

FATTORIA ALVANETA

Azienda agrituristica
Contrada Pantagnoni
Tel. 0975 77139-328 7046591
Chiuso il martedì
Orario: mezzogiorno e sera
Ferie: non ne fa
Coperti: 40
Prezzi: 20-25 euro
Carte di credito: tutte, Bancomat

Dopo la Certosa di Padula proseguite verso il paese per poi svoltare a destra; seguite la statale, che abbandonerete dopo qualche curva in prossimità del cartello che indica l'agriturismo. Salire fin quassù rappresenterà una sorpresa: una piccola oasi sui monti della Maddalena, tra boschi di roverella e castagno, da cui si gode di un panorama davvero suggestivo. Francesco Barra con la sua famiglia sta perseguendo con serietà il suo percorso, che fa riferimento a tecniche di coltivazione tradizionali e naturali, recuperando i frutti e gli ortaggi tipici del Vallo di Diano: le sue coltivazioni sono certificate biologiche.
L'ambiente è suggestivo, la proposta gastronomica è semplice e segue le stagioni e le produzioni a esse legate. Per cominciare ricotta, **salumi** della casa, **fagioli con la *nnoglia*, *pupa-ruol' crusch'*** (peperoni cruschi). I primi. Pasta fatta a mano con fusilli, **cavatelli** e **ravioloni di ricotta con sugo di maiale** o **cinghiale** (Francesco alleva cinghiali e maiali allo stato brado o semibrado). Gli **strascinati**, di derivazione lucana, **con ragù di cinghiale e peperoni cruschi**, il **pane cotto con i fagioli**, lagane e ceci, minestra e fagioli. I secondi, tutti di carne, sono ancora legati al maiale e al cinghiale. **Fegato di maiale con la *rezza***, soffritto, capocollo con pane raffermo e peperoni sott'aceto, maiale con le *papacelle* sott'aceto, **gelatina di maiale**, **tortano con le frittole**, costolette di maiale e cinghiale alla brace, salsicce. I contorni sono le verdure coltivate in loco: patate di montagna, pomodori, melanzane, scarola, cicoria.
Dolci semplici: crostate, panzarotti dolci, **sanguinaccio**. Il vino è quello della casa. Da novembre ad aprile solo pranzo, fine settimana e festivi mezzogiorno e sera.

PADULA

105 KM A SE DI SALERNO A 3

TAVERNA IL LUPO

Osteria
Largo Municipio, 8
Tel. 0975 778376-347 8295374
Chiuso domenica sera e lunedì
Orario: mezzogiorno e sera
Ferie: in luglio e dicembre-febbraio
Coperti: 80
Prezzi: 25 euro vini esclusi
Carte di credito: nessuna

Diversi ambienti su più livelli, alle pareti foto d'epoca di grandi famiglie contadine, di personaggi illustri e di lettere che raccontano di emigrazione, un opuscolo di proverbi e ricette a disposizione degli ospiti, il menù scritto in dialetto locale: anche così Michele Cartusciello dimostra l'attaccamento alla sua terra.
Il locale, nel centro storico di Padula, si raggiunge dall'alto del paese, dopo aver attraversato l'intero centro abitato, non prima di avere visitato, a valle, la spettacolare Certosa. Le pietanze, elaborate in cucina da Michele con il supporto di Carmela, nascono dai suggerimenti di mamma Maria e dalla sua sapienza contadina. In sala, su e giù dalla cucina, si muove Vincenza, moglie di Michele. Buoni i **salumi** e i **formaggi** di antipasto: **soppressata**, salsiccia, capocollo, pancetta, **caciocavallo podolico** e silano stagionati in vinaccia, in fieno o in grotta. Le paste sono tutte fatte a mano – **cavatelli**, fusilli, **ravioli** ripieni di ricotta, uova e pecorino – e conditi **con il ragù di carne**; in alternativa le **lagane con i fagioli**. Secondi vigorosi e saporiti come le **polpette di pane raffermo** al sugo, la **carne di maiale con le *papacelle* sott'aceto** o, il ***f'losc'***, ipercalorica frittata al sugo ripiena di caciocavallo, salsiccia e toma. Ma il menù contiene ancora una pagina ricca di piatti di stagione o di ricorrenza, disponibili solo in alcuni periodi dell'anno.
Dolci semplici, per finire, come le **crostate** di fichi o **di uva fragola**, la **pizza di ricotta** con crema e cioccolato fondente e i biscotti di mamma Maria. Discreta la scelta di vini.

A **Padula scalo**, in via Caiazzano, la macelleria Sant'Arcangela di Giovanni Videtta offre buoni insaccati; in via Nazionale, l'Antico forno di Gaetana Rubino, sforna un pane eccellente cotto nel forno a legna.

Pisciotta
Marina

103 km a SE di Salerno SS 18 e SS 447

Angiolina

Ristorante
Via Passariello, 2
Tel. 0974 973188
Non ha giorno di chiusura
Orario: solo la sera
Ferie: 20 ottobre-Pasqua
Coperti: 20 + 50 esterni
Prezzi: 35 euro vini esclusi
Carte di credito: tutte, Bancomat

In un piccolo borgo di pescatori, lungo la spettacolare strada costiera che congiunge l'area archeologica di Velia e Palinuro, terra del mito, troviamo Pisciotta, luogo conosciuto per la pesca delle **alici di menaica** (Presidio Slow Food) e per la cultivar pisciottiana, 200 000 olivi secolari in un paesaggio mozzafiato. Giù alla marina, la trattoria Angiolina. Piatti di mare con un forte richiamo alla tradizione: in cucina compete a Rinaldo tradurre in gustose pietanze la sapienza culinaria di Angiolina, 80 anni, bella figura di donna che lavora nella trattoria da quando preparava il pasto agli operai che costruivano il raddoppio della linea ferroviaria. In sala opera Ivana, moglie di Rinaldo, in un'atmosfera cordiale e familiare.
Naturalmente le alici e il pesce appena pescato fanno la parte del leone a tavola. Tra gli antipasti c'è il tonno crudo marinato con l'aceto balsamico, frutta e rucola, l'**insalata di polpo con peperoni e patate** oppure con crema di cavolfiori e patè di olive e capperi. Il ***cauraro***, misto di terra e mare con cicoria di campo, patate, fave, finocchio selvatico e alici. Tra i primi gli spaghetti con zucchine, fiorilli, vongole e caciocavallo o un **risotto con *friarielli*, zafferano e scampi**. Come secondo il **pescato del giorno fritto**, al forno o **all'acquapazza**. Ultimamente Rinaldo, attento alla filosofia del "mangiamoli giusti", oltre a quelli poveri seleziona pesci di grande taglia: il **tonno**, la **pescatrice**, in una vera e propria celebrazione della dieta mediterranea, esaltata dall'impiego dell'olio della cultivar pisciottiana.
I dolci: sfogliatine con crema di melanzane e caciocavallo o il croccante di cereali con crema di ricotta di bufala. Buona carta dei vini, con discreta presenza di produttori cilentani emergenti. Carta degli oli con aziende del territorio.

Pisciotta

96 km a SE di Salerno SS 447

Perbacco

Osteria-enoteca
Contrada Marina Campagna, 5
Tel. 0974 973889
Aperto tutti i giorni da giugno a settembre, chiuso il resto dell'anno
Orario: mezzogiorno e sera
Coperti: 50
Prezzi: 30-35 euro vini esclusi
Carte di credito: tutte, Bancomat

Trecento anni è l'età dell'olivo piantato all'ingresso di Perbacco, da qualche anno di nuovo in gestione a Vito Puglia. Perbacco sembra non cambiare con il passare degli anni, da sempre in linea con la filosofia Slow Food. Ci troviamo nel cuore della Cilento marina, si viaggia fra filari di olivi pisciottani, sulla strada statale poco prima del centro di Pisciotta arrivando da Salerno. E ci si sente sempre a casa ritornando qui a mangiare sull'acciottolato e sui tavoli in legno sotto gli alberi secolari.
Se è vero che *nomen omen*, la collocazione del locale in contrada Marina Campagna promette bene per la scelta dei piatti, che passano con *nonchalance* dal mare alla terra. Il pesce qui è di casa, dai **gamberi** rosa e rossi **gratinati**, al **tortino di alici** alla cilentana, dalla frittura al **filetto di pesce bandiera su foglie di limone** e pesce spada, al pesce azzurro in varie preparazioni. Ma non rimarrà deluso chi opterà per la carne, straordinaria è infatti la scelta, dal **capretto** all'agnello, dal **maiale** alla **carne di bufalo**, tutte **cotte sulla brace** di olivo sempre accesa. I piatti che si preparano sono sempre legati ai ritmi stagionali, costante è l'utilizzo dei prodotti dei Presìdi Slow Food, a cominciare, naturalmente, dalle **alici di menaica**. Tra i primi citiamo i tradizionali **fusilli con il feretto** con il pomodoro sanmarzano o con sughi di mare e i vermicelli con le alici. I **formaggi**, poi, sono una passione e una specialità di Vito che ne propone una quindicina (tra gli altri, conciato romano, mozzarella nella mortella, cacioricotta di capra cilentana, casieddu, caciocavalli podolici).
Tra i dolci, oltre a un'ottima caprese e a ricotta e pere, da non perdere la crema di pesca. La cantina è notevole, dalle 300 alle 400 etichette disponibili, offerte con un giusto ricarico.

Pollica
Celso

80 km a SE di Salerno SS 18 e 267

Costantinopoli

Ristorante
Contrada Costantinopoli, 6
Tel. 0974 901134
Aperto nei fine settimana, sempre in estate
Orario: mezzogiorno e sera
Ferie: metà ottobre-Pasqua
Coperti: 80 + 100 esterni
Prezzi: 25 euro vini esclusi
Carte di credito: le principali, Bancomat

Pollica è uno dei comuni campani aderenti al movimento CittaSlow, con il mare incontaminato delle spiagge di Acciaroli e Pioppi e la rigogliosa vegetazione delle frazioni interne di Galdo e Celso.
È qui, appena fuori dal centro del paese, che la famiglia Marano da quarant'anni si occupa di ristorazione, con semplicità, sia nell'accoglienza che nella proposta dei piatti: ricette essenziali, dai sapori riconoscibili. La gestione del locale è tutta al femminile: la simpatica Nellina in cucina interpreta con sapienza la cucina del passato con l'uso di buoni prodotti locali, nel rispetto della stagione, mamma Rosa con la figlia Daniela, in sala, accolgono i clienti proponendo, per cominciare, un'ampia scelta di antipasti: **salumi** locali, **pizza di scarola**, cacioricotta di capra (Presidio Slow Food), verdure sott'olio e olive schiacciate, frittelle di fiori di zucca, polpette di melanzane, **crocchette di patate** e ricottina di bufala. I primi appartengono prevalentemente alla tradizione della pasta fresca tirata a mano: **cavatelli** e **fusilli** conditi, secondo stagione, **con** melanzane, fagioli o **frutti di mare**, ma non manca il **ragù**; e poi cannelloni, **ravioli con ricotta di bufala** e la classica lasagna. I secondi prevedono per lo più **carni alla brace**: c'è il pollo ruspante ma anche salsicce, **agnello** e vitello. Tra le proposte ittiche, la **bistecca di pesce spada** e la **frittura di paranza**. Da non perdere piatti come la parmigiana di melanzane, la **ciambotta** (stufato di verdure) e la ***pizza chiena*** (torta rustica ripiena di formaggio, uova e salame).
Semplici dolci di casa per finire: il **cannolo cilentano** con crema e cioccolato, crostate di frutta e la torta con glassa al limone. La proposta dei vini è limitata a poche etichette locali. Il terrazzo panoramico è molto ambito d'estate e vi consigliamo di prenotare.

Pomigliano d'Arco

13 km a est di Napoli uscita A 16

'O cupiello

Taverna-vineria
Vico Sodano Vinella, 11
Tel. 081 8844707
Chiuso il lunedì
Orario: mezzogiorno e sera
Ferie: due settimane in agosto
Coperti: 48
Prezzi: 27-30 euro vini esclusi
Carte di credito: MC, Visa, Bancomat

Ci troviamo nel centro storico di Pomigliano d'Arco, nelle immediate vicinanze del cinema Gloria. Qui, alcuni anni fa, Santino *'o Mericano*, un figlio di Pomigliano cresciuto a New York, aprì questa taverna-vineria per concretizzare il suo amore per la gastronomia partenopea. La signora Luisa è succeduta al fondatore, conservando con orgoglio le peculiarità del locale e continuandone il progetto: sarà lei, con il suo sorriso rassicurante, ad accogliervi in sala.
Il locale, piuttosto raccolto, è arredato con sobrietà ma con cura dei particolari. La prima proposta è una **frisella con pomodoro** accompagnata dall'olio extravergine del Cilento. Poi il dilemma sarà: terra o mare? La stagione vi aiuterà nella scelta. Gli antipasti: **baccalà** e **pesce spada marinati**, patate *'a parulana* (farcite con zucca e funghi), alici sale e pepe, ***'o tortano*** (rustico con salame e pepe), ***'o scagliuzzo*** (pizza di farina gialla). Tra i primi piatti segnaliamo **ziti** o **paccheri *a 'o raù*** o **alla genovese**, e ancora **strigoli con zucchine e frutti di mare**, minestra maritata con le *turzelle, scialatielli* con noci e frutti di mare; e il menù del giorno si arricchisce costantemente con i prodotti stagionali. Tra i secondi di terra: salsicce alla brace con provola della penisola sorrentina, carciofi alla brace con caciocavallo, **lombata di podolica campana alla brace**; per i secondi di mare, la **pezzogna all'acquapazza** e la frittura di paranza.
Per quanto riguarda il dolce la signora Luisa vi sorprenderà con un'ottima torta alla zucca con noci di Sorrento o con il più classico spumone a cassata. L'ottimo *nocillo* della casa per finire. In cantina potete trovare le etichette regionali più rappresentative.

PONTE

15 KM A NO DI BENEVENTO

ANTICA OSTERIA FRANGIOSA

Trattoria
Via Ocone, 12
Tel. 0824 874054
Chiuso il mercoledì
Orario: mezzogiorno e sera
Ferie: prima settimana di settembre
Coperti: 80 + 30 esterni
Prezzi: 20-22 euro vini esclusi
Carte di credito: tutte, Bancomat

La terra sannita è ricca di storia, tradizioni, borghi abbarbicati sulle montagne, distese di verde incontaminato. Fuori dagli abituali itinerari, offre la possibilità di godere di tutte le sue ricchezze. L'agroalimentare è la sua principale fonte di reddito: vino, salumi, formaggi, olio, ortaggi, carne, miele sono alcuni dei suoi prodotti più interessanti. A Ponte, piccolo centro nel cuore del Sannio beneventano, a pochi minuti dall'uscita della statale 372 Telesina, troverete l'Antica Osteria Frangiosa. Da più di trent'anni a gestione familiare, prima dei fondatori Oreste e Concetta, oggi del figlio Giovanni, si affida alla cucina classica del territorio, con non pochi influssi molisani: siamo a breve distanza dalla provincia di Campobasso.
L'offerta è stagionale. Ricco l'antipasto, con **salumi** e formaggi, tutti provenienti da produttori della zona, **pizze rustiche** e frittate, verdure di stagione grigliate condite con l'olio di San Lupo, delicati **fritti**. Da non perdere le **zuppe**, disponibili secondo il periodo, **di baccalà**, patate e cavolfiori, **cicoria e fave**. Tra i primi, i ***cicatielli*** al sugo di verdure, con ragù di vitello o **con spuntature di maiale** (d'inverno), i fusilli con mozzarella e sugo di carne. Ampia scelta tra i secondi di carne. Specialità della casa gli ***ammugliatielli*** e i **piccioncini alla brace**; si continua con il **brasato all'Aglianico**, la **pancetta d'agnello** (quando è disponibile) farcita con mollica di pane, aromi e pomodorini, la **trippa di agnello al sugo**.
Per finire, tra i dolci, provate la sbriciolata della casa oppure la torta di pere e cioccolata. La carta dei vini privilegia vitigni e aziende locali.

La Mozzarella d'oro, in via Ocone, propone caciocavallo silano dop, mozzarella di bufala, fiordilatte e ricotte.

POZZUOLI
Lucrino

18 KM A OVEST DI NAPOLI

ABRAXAS

Osteria di recente fondazione
Via Scalandrone, 15
Tel. 081 8549347
Chiuso il martedì
Orario: sera, domenica e festivi anche pranzo
Ferie: 2 settimane dopo Ferragosto, 1 a Natale
Coperti: 80 + 70 esterni
Prezzi: 30-35 euro vini esclusi
Carte di credito: tutte, Bancomat

Nel cuore dei Campi Flegrei, l'Abraxas è in alto sul margine del vulcano spento. Al piano terra la vineria, al piano superiore la sala ristorante, la veranda, il bel giardino estivo e una ricca cantina. Il merito di Nando Salemme, che in pochi anni ha trasformato un wine bar ed enoteca in uno dei ristoranti più frequentati della zona, è stato di andare controcorrente, puntando sull'orto e sulle carni in un luogo dove tutto richiama il mare.
In sala funziona tutto a perfezione, con Nando coadiuvato dalla moglie Giovanna e da uno staff di giovani cortesi e attenti. Giovane e preparata anche la brigata di cucina. Consigliamo gli antipasti, otto assaggi in base alla disponibilità di prodotti: **straccetti di melanzane**, **gattò di patate**, tortino di zucca, patate e provola, parmigiana di zucchine o, nel periodo invernale, **verza con salsiccia e castagne**, parmigiana di patate con scarola, salsiccia e provola, tortino con bieta e formaggio. Il menù stagionale prevede quattro primi, altrettanti secondi e le carni alla brace e un menù degustazione a 30 euro. Alcune paste: **paccheri di Gragnano al forno** con pomodoro sanmarzano, carne, melanzane e provola affumicata, **gnocchi di pane raffermo con pomodorini**, scarola e trito di capperi, olive e acciughe, **fettuccine di Gragnano con crema di peperoncini verdi e salsiccia**. Carni di diversa provenienza: spezzatino di marchigiana brasato all'Aglianico con purè di patate di Montoro, **maiale con le *papacelle* piccanti**, **medaglioni di coniglio all'aceto**.
In chiusura un interessante tagliere di formaggi o il dessert, su tutti lo zuccotto di ricotta e cioccolato e il croccante all'amarena. Carta dei vini pregevole.

A **Pozzuoli** (3 km) in via Carlo Rosini 45, presso l'azienda Dolci Qualità, troverete ottimo miele e prodotti locali.

Salerno

Hostaria il Brigante dal 1985

Osteria tradizionale-trattoria
Via Fratelli Linguiti, 4
Tel. 089 226592-328 3423428
Chiuso il lunedì
Orario: mezzogiorno e sera
Ferie: variabili
Coperti: 50
Prezzi: 15-20 euro vini esclusi
Carte di credito: nessuna

A due passi dal Duomo e dalla sede della storica scuola medica salernitana, questo locale è una presenza storica della nostra guida, con le due sale arredate in modo semplice ed essenziale, dove può capitare di condividere il tavolo con altri avventori e di trascorrere una serata conviviale. Titolare è Sandro Donnabella, con il quale è sempre piacevole chiacchierare, mentre ai fornelli c'è la moglie Antonia Intoccia.
Quella di Sandro e Antonia è una cucina schietta, ma assolutamente non banale, e offre piatti tradizionali che conservano la loro veracità, senza rivisitazioni di sorta; non infrequente qualche puntata oltre regione. Tra gli antipasti troviamo il cavolfiore dorato e fritto, i **lampascioni in agrodolce**, frittate con ortaggi e una versione nostrana di **cuscus con le cozze**. Come primi ci sono gli storici **spaghetti** (o linguine) **con le alici**, la **genovese di pesce**, le ***n'zegne*** (tipo di pasta) **con i lupini di mare**, la pasta alla siciliana; d'inverno si trovano la **zuppa di cicerchie** e i **maccheroni con fave e salsicce**. Tra i secondi la **braciola di lacerto** (pesce), il **baccalà con i peperoni cruschi**, il soffritto di agnello, gli ***ammugliatielli*** (interiora di agnello), il castrato con i carciofi e contorni a base di verdure preparate in vario modo.
Il tutto è accompagnato da vino sfuso. Sovente capita di trovare il violino di capra. Dolci casalinghi quali la caprese, la **pastiera** e qualche sorbetto di frutta. Come fine pasto il corombino, liquore a base di vino e cannella, e, per gli appassionati, il Calvados.

In via De' Mercanti 75, la storica pasticceria Pantaleone prepara i dolci della tradizione campana: pastiera, babà, millefoglie e la scazzetta, creazione esclusiva con pan di Spagna, crema e fragoline di bosco.

San Marco dei Cavoti

36 km a nord di Benevento ss 212 e 369

U magazzeo

NOVITÀ

Vineria-trattoria-pizzeria
Via Porta di Rose, 26
Tel. 0824 995217
Chiuso il mercoledì
Orario: mezzogiorno e sera
Ferie: variabili
Coperti: 45
Prezzi: 22-25 euro vini esclusi
Carte di credito: nessuna

San Marco dei Cavoti, paese medievale nel verde delle colline del Fortore, è famoso per il torrone e per i laboratori dolciari, celebrati ogni anno nei fine settimana che precedono il Natale.
La trattoria è ospitata nei locali originariamente adibiti a deposito di una abitazione situata sotto l'arco di una delle quattro porte di accesso al centro storico: i locali presentano tracce visibili delle mura in pietra locale, ben conservate e lasciate a vista. Ad accoglierci, il giovane titolare Alessio Cavoto che, dopo un'esperienza a Londra, iniziò questa attività nel 1994. È aiutato in cucina dall'esperta Lina, in sala da Federico. Le preparazioni risentono della presenza dell'orto di famiglia, dove lo chef si approvvigiona; buoni **salumi** e formaggi arrivano dalle colline del Fortore. Il menù raccontato da Alessio asseconda l'estro e la stagione. I primi sono tutti di pasta fresca fatta in casa: **cavatelli con fagioli zolfini**, con ceci, **con sugo di piccione**, ravioloni con ricotta, **spaghetti alla chitarra**. Da assaggiare i legumi serviti con pane fatto in casa tostato nel forno a legna (che arricchisce l'offerta con gustose pizze). Le carni, tutte locali, sono cotte al forno: **agnello sotto la cenere**, *mugliatielli* di agnello, **piccione al sugo**. **Fagioli con cotiche ripiene** di uova e pane raffermo completano il menù. Vari e freschi contorni di ortaggi e verdure stagionali: broccoli, **tortino di melanzane**, peperoni ripieni, conditi con olio extravergine di oliva di produzione locale. Dolci casalinghi: torta al cioccolato, **crostate** con frutta fresca e confetture di produzione propria. Pasticcini di mandorle e **torroncini** dei migliori laboratori dolciari del paese.
Carta dei vini con buone etichette della Campania, nazionali ed estere. Notevole anche la selezione dei distillati.

San Mauro Cilento
Casal Sottano

85 km a SE di Salerno

Al frantoio

Ristorante
Località Ortale
Tel. 0974 903243
Sempre aperto dal 15 giugno al 15 settembre; sabato, domenica e festivi gli altri periodi
Orario: mezzogiorno e sera
Coperti: 100 + 150 esterni
Prezzi: 20 euro vini esclusi
Carte di credito: tutte, Bancomat

Arrivi e capisci di avere fatto la giusta scelta: una vera osteria in stile Slow Food, con tutti gli elementi che denotano l'attenzione verso i temi della qualità e dell'attenzione verso l'ambiente. Peppino Cilento, Carmela Baglivi e Antonio Marrocco sono i tre amici che hanno dato vita a questo ristorante che studia e recupera la tradizione gastronomica del luogo.
Si comincia quindi con l'**acquasale** (biscotto di grano con pomodori, origano, sale e olio extravergine d'oliva), con **baccalà e cicerchie**, per passare alle **frittelle di pasta cresciuta** con alici, fiori di zucca o altro di stagione. Quindi le **zuppe**: **con i fagioli** della vicina Controne, dalla buccia sottile, e con ogni sorta **di legumi**. Gustosissimi gli asparagi con uova e cacioricotta di capra cilentana, la **scarola imbottita** e i *cicci maritati*. Le paste sono tutte fatte in casa, dai **fusilli**, parte del dna dell'abitante del Cilento, ai **ravioli**, che assurgono al trono di re dei primi se uniti **al ragù di castrato**. Le carni (vitello, coniglio, **agnello**, pollo) sono locali, cucinate secondo antiche ricette e aromatizzate con mille erbe, dalla maggiorana alla menta, secondo il gusto del cliente. Anche i contorni sono qualcosa di più di un accompagnamento, dalla **parmigiana** alle verdure fritte. Si preparano anche le pizze e, per finire, ci sono varie proposte dolci, una su tutte: il **cannolo cilentano**, con crema bianca e al cioccolato, quasi poetico nella sua semplicità; buono anche il fico bianco del Cilento al rum.
Vini del territorio. Consigliata a chi è in zona una telefonata per chiedere la proposta del momento: dalla didattica della terra alle visite della bio-fattoria.

San Michele di Serino

9 km a sud di Serino raccordo Avellino-Salerno

Tavernetta marinella

Ristorante
Via Cotone, 1
Tel. 0825 595128
Chiuso domenica sera e lunedì
Orario: mezzogiorno e sera
Ferie: 2 settimane in luglio
Coperti: 70 + 30 esterni
Prezzi: 27-30 euro vini esclusi
Carte di credito: tutte, Bancomat

Alle falde del monte Terminio, al centro di un paesino tranquillo e moderno, in una zona ricca di tradizioni gastronomiche, troviamo questa trattoria accogliente, dal servizio curato e il menù "parlante": niente di scritto, tutto raccontato dal gentile personale di sala, supervisionato dal patron Giovanni.
La cucina, curata da Silvana nel pieno rispetto delle tradizioni locali, propone un antipasto composto da **salumi** nostrani, mozzarella di bufala aversana, involtino di melanzane, tortino di patate e funghi porcini, **spezzatino di cinghiale**. Sempre presente, ma con le normali modifiche stagionali, lo sformatino di verdure. Il ventaglio dei primi piatti alterna ricette tradizionali a proposte creative: al primo gruppo appartengono certo i fusilli al ragù di cinghiale, la **zuppa di castagne**, i **ravioli ai funghi porcini e tartufo nero**; di matrice fantasiosa il raviolo al gorgonzola con miele di castagno, le tagliatelle al lardo e noci, il risotto con provola affumicata e noci. Per quello che riguarda i secondi, prevalgono gli ottimi tagli di carne bovina cotti alla griglia; in alternativa, **agnello** del Formicolo **a scottadito** con pinoli e prugne, **coniglio in casseruola con i peperoni**, rotolo di faraona e guanciale in guazzetto di ceci, **stracotto di cinghiale** con la polenta. Infine, il tortino caldo al cioccolato è affiancato da una selezione di torte di una vicina, rinomata pasticceria.
La realtà enologica irpina è ben rappresentata in una carta dei vini prettamente regionale.

San Salvatore Telesino

32 km a NO di Benevento

L'Abazia

Osteria di recente fondazione
Via Bagni, 28
Tel. 0824 948466-339 1735130
Chiuso il lunedì
Orario: mezzogiorno e sera
Ferie: fine novembre
Coperti: 60 + 60 esterni
Prezzi: 28-30 euro vini esclusi
Carte di credito: le principali, Bancomat

San Salvatore Telesino è tra i paesi più interessanti e ricchi dal punto di vista archeologico e storico della provincia di Benevento. Nata intorno all'abbazia benedettina, la cittadina, immersa in un incantevole paesaggio naturale, è ricca di attività agricole e artigianali. A fianco del complesso monastico si trova l'Abazia: stile rustico, quattro piccole sale interne, arredate in modo semplice e un grande giardino tranquillo per mangiare nella bella stagione all'ombra di alberi secolari.
Con grande entusiasmo i tre giovani soci, Carmine, Claudio, Antonio, propongono una cucina semplice e gustosa, di stretta matrice territoriale, fatta di materie prime selezionate, legata alla tradizione: una cucina di terra e non potrebbe essere altrimenti. Si inizia con un tagliere di **salumi** e una selezione di **formaggi**: il culatello del Matese con bocconcini di bufala, peperoni arrostiti, zucchine con pomodoro, melanzane alla griglia e un'insolita **insalata di baccalà**. Tra i primi prevale la pasta fatta in casa: **ravioli di ricotta con tartufi e porcini**, tortelli all'ortolana, ***scarpariello* alla beneventana**, **paccheri alla matesina** con salsicce e porcini e, nella stagione invernale, **laganelle e ceci**, **pettole con fagioli** e polenta variamente condita. Tra i secondi, **carni alla griglia** come il **maialino nero casertano**, l'agnello da latte al forno, ma anche il **caciocavallo del Matese**; ancora **baccalà fritto** e, per chi ha un grande appetito, la tagliata di manzo locale servita su pietra ollare.
Si chiude il pranzo con dolci casalinghi. La lista dei vini offre buone etichette sannite; ampia scelta di birre internazionali di qualità.

I Piaceri del Duca, in via Provinciale, a **Faicchio** (6 km): prosciutti, capicolli e salumi artigianali di maiale nero casertano.

Sant'Anastasia

14 km ad est di Napoli ss 268

'E curti

Osteria tradizionale
Via Padre Michele Abete, 6
Tel. 081 8972821
Chiuso domenica sera e lunedì
Orario: mezzogiorno e sera
Ferie: agosto
Coperti: 40
Prezzi: 33-35 euro vini esclusi
Carte di credito: tutte, Bancomat

Il nome dell'osteria deriva dal soprannome dei fondatori, Luigi e Antonio Ceriello. Oggi la tradizione continua grazie alla nipote Angela, al marito Carmine e alla solare Sofia. Siamo ai piedi del monte Somma, all'interno del Parco nazionale del Vesuvio.
Inizierete la scoperta dei tradizionali piatti partenopei con un antipasto che comprende **frittelle di zucca** e di alghe, crocchette di patate, involtini di melanzane con pomodorini del *piennolo*, **mozzarella di Agerola**, prosciutto di Pietraroja. Disponibili anche piatti di mare, con attenzione al mercato: **totani farciti** di mozzarella e pecorino, **seppioline con piselli**, polpo, calamari, vongole e cozze. Tra i primi non perdetevi ***'o sicchie r'a munnezza***, piatto singolare composto da spaghettoni di Gragnano, noci, nocciole, uva passa, pinoli, capperi, pomodori al *piennolo* e origano, il tutto cotto nella pentola di rame. In alternativa, la **casereccia con funghi di pioppo**, pomodorino al *piennolo* e scaglie di provolone del monaco. Per tre persone (altrimenti non si amalgama bene il tutto) la **carbonara**. Nel periodo invernale la **minestra maritata**, con cinque varietà di verdure e cotiche di vitello e maiale. Come secondo, agnello con i piselli, **involtini di budello al forno**, costolette alla brace, **soffritto**, trippa. Non mancano stoccafisso e baccalà cotti al forno e in umido.
Ottimo il tiramisù con ricotta e cacao, ma anche la **pastiera** e la pizza di crema. Non potete chiudere senza il nocillo, prodotto in casa secondo una ricetta segreta. Bene la carta dei vini, con molte etichette regionali e sconfinamenti in Piemonte, Toscana, Lucania e Puglia. Interessante selezione di formaggi campani: caciocavalli podolici stagionati in grotta, provolone del Monaco, ricottine anche secche, pecorini di laticauda.

SANT'ANGELO DEI LOMBARDI

45 KM A EST DI AVELLINO

LA LOCANDA

NOVITÀ

Trattoria-pizzeria
Borgo San Rocco
Tel. 0827 23888
Chiuso venerdì e sabato a pranzo
Orario: mezzogiorno e sera
Ferie: variabili
Coperti: 40
Prezzi: 28-32 euro vini esclusi
Carte di credito: tutte, Bancomat

Ci troviamo nel centro storico, a pochi passi dal castello medievale, la cattedrale e il convento di San Marco, le poche vestigia di un paese quasi spazzato via dal terribile terremoto del 1980.
La gestione della Locanda è familiare: fondata dal nonno, poi gestita dallo zio, è oggi nelle mani di Arcangelo, un giovane cuoco molto in gamba, che fa ampio uso del forno a legna. Il personale, in sala come in cucina, è tutto formato da ragazzi; unica eccezione, la nonna di Arcangelo che contribuisce al lavoro fornendo i prodotti del proprio orto.
Gli antipasti comprendono il medaglione di verdure con fiordilatte, e salumi e formaggi locali tra cui un ottimo **caciocavallo podolico** e la salsiccia secca. I primi variano in base alle stagioni: **zuppa di fagioli** con gnocchi di farina gialla, cicoria e carmasciano, raviolo di baccalà con extravergine d'oliva ravece e peperone crusco, vermicelli con ricotta, noci e tartufo, paccheri con passata di piselli, punte di asparagi e prosciutto croccante, **fettuccine con fave, cipollotto e pecorino**. Passando ai secondi troviamo lo **spiedino di carni all'aglianico ed erbe aromatiche**, il filetto di vitello con le olive, il maialino glassato al miele di castagna e mele annurca, l'**agnello al forno con le patate**, ma anche con asparagi e mirto o con menta selvatica e mandorle. Dessert casalinghi: ricotta e fichi con gelatina di uva fragola, tortino di cioccolato con cuore di caffè alla nocciola, semifreddo di torrone, cremoso di cioccolato con pere cotte all'aglianico.
La cantina è ben fornita: oltre a una buona rappresentanza di vini irpini ci sono oltre 300 etichette nazionali.

SANTO STEFANO DEL SOLE
San Pietro all'Olio

10 KM A SE DI AVELLINO

TAVERNA VULGI

Osteria
Via Casino, 6
Tel. 0825 673664
Chiuso domenica sera e lunedì
Orario: mezzogiorno e sera
Ferie: prime due settimane di settembre
Coperti: 50 + 50 esterni
Prezzi: 35 euro vini esclusi
Carte di credito: tutte tranne AE, Bancomat

Giovanni Mariconda, patron del locale con la brava Marina e il suo staff di cucina, nonché un personale di sala molto preparato, è riuscito a coniugare il territorio con il suo estro, senza stravolgere le tradizioni.
Nel menù raccontato spiccano tra gli antipasti, a seconda della stagione, **vitello affumicato**, sformati di verdure, **fiori di zucca ripieni** di ricotta con salsa di alici, polpette di melanzane e assaggi di soppressata e **salumi** locali. La variegata proposta di primi va dalle **zuppe** – con orzo e zucchine, zucca e patate, fiori di zucca e tartufo, lenticchie, **broccoli e cotechino**, chiodini, cipolle – a primi sontuosi come i **ravioli ripieni di carne alla genovese** con pesto e pomodorini, **lagane e fagioli di Controne** con bottarga di tonno, mezzi paccheri con zucchine e baccalà, **fettuccelle di grano arso con ragù di coniglio**, verza con fagioli di Materdomini e salsiccia, **ceci neri con scarole**, lagane con guanciale e asparagi, gnocchi con pecorino e tartufo, fino ai particolarissimi tagliolini con fave, ricotta e limone della costiera sorrentina. Ottimi anche i secondi, tra i quali si segnalano pancetta di maiale cotta sottovuoto a bassa temperatura, **baccalà in *cassuola***, provola e porcini, **coniglio con cipolle e funghi**, agnello con cacio e uova, maiale in rete con cipollotti e **agnello al forno** con pomodori secchi e finocchi.
Ottima selezione di formaggi locali e nazionali, tra i quali spiccano carmasciano, provolone del Monaco e caciocavallo podolico. Ottimi il pane e i dolci, entrambi fatti in casa. La cantina annovera un'ampia selezione irpina, campana e nazionale, accompagnata da un'altrettanto ricca selezione di rum, grappe, cognac e distillati.

Scafati

26 km a NO di Salerno

Taverna mascalzone

NOVITÀ

Trattoria
Corso Trieste, 54
Tel. 081 8508717
Non ha giorno di chiusura
Orario: sera, giovedì-domenica anche pranzo
Ferie: in agosto
Coperti: 30
Prezzi: 25 euro
Carte di credito: tutte, Bancomat

Questa simpatica trattoria nel centro storico di Scafati ha aperto i battenti da due anni. Nasce dalla passione e dall'entusiasmo del giovane chef Alberto Vaccaio e dalla volontà di sua madre di far conoscere le vecchie ricette del territorio, con uno sguardo alla filosofia Slow Food: alla taverna si trovano diversi Presìdi. I taglieri di **salumi** e **formaggi**, per esempio, vedono protagonisti il conciato romano, il provolone del monaco, la soppressata di Gioi, la mozzarella nella mortella. Tra gli antipasti ricordiamo il *nas'e cane* (peperoncino locale imbottito) e provolone e gli ottimi latticini di un caseificio del posto. Tra i primi, che cambiano ogni 15 giorni come i secondi, il cavallo di battaglia sono le **linguine con i gamberi di fiume**, ricetta di quando il fiume Sarno era pulito (oggi i gamberi arrivano dal basso Lazio). Molto apprezzati i **paccheri** al ragù o **con la genovese**. Secondo la disponibilità del mercato troviamo piatti di mare come le **linguine con pesce spada e olive nere**. Nella stagione fredda non mancano mai una zuppa di legumi e la **pasta e patate** (pasta del pastificio Vicidomini di Castel San Giorgio) con la provola o, versione meno conosciuta, con l'alice fritta. Tra i secondi la **grigliata di maiale nero casertano**, **anguille** e **baccalà**, uno **stocco *arrecanato*** che merita l'assaggio e l'ormai quasi introvabile **frittura di *ammarielli***, minuscoli e gustosissimi gamberetti di fiume. Ma anche verdure imbottite (siamo nell'agro nocerino) e la "cotoletta di mammà", piatto per appetiti robusti.
Nei dolci la mano felice della fidanzata dello chef prepara torte, **zeppole** e un tortino al cioccolato (anche al peperoncino). Piccola ma ragionata carta dei vini con alcune eccellenze campane, birre artigianali di un giovane birrificio della zona, il Chiostro di Nocera Inferiore, e qualche grappa campana.

Siano

20 km a NO di Salerno a 30 uscita Castel San Giorgio

Boletus

Ristorante-pizzeria
Via Zambrano, 189
Tel. 081 5183080
Chiuso il lunedì
Orario: mezzogiorno e sera
Ferie: variabili in estate
Coperti: 80 + 80 esterni
Prezzi: 18-20 euro vini esclusi
Carte di credito: le principali, Bancomat

Situato alla confluenza tra l'agro nocerino-sarnese e la valle dell'Irno, Siano è noto per l'eccellente qualità delle ciliegie e della pesca percoca, prodotti che esprimono la vocazione agricola del territorio, e per la braciola e il **ragù di capra**, piatto tradizionale della festa. I funghi porcini, invece, da cui il nome del locale, sono la grande passione di Italo Russo che sa dove cercarli e in quali ricette proporli.
La sala è ampia, abbastanza anonima nell'arredamento, ma pulita e accogliente. La brava Iole svolge con disinvoltura il servizio ai tavoli. I **porcini** li troviamo nel menù a partire dagli antipasti, sotto forma di carpaccio o **alla brace** (in questi casi il prodotto deve essere freschissimo, quindi lo troviamo solo nel periodo di raccolta). Per le altre preparazioni, invece, i funghi sono opportunamente conservati per utilizzarli tutto l'anno. Per esempio nella **pasta e patate con pancetta**, nel sugo dei fusilli o nel **risotto**. E nei secondi ad accompagnare e insaporire gli **straccetti di manzo**, la scaloppina o la **provola arrostita**. Il menù offre anche proposte di carattere più ordinario, ma raccomandiamo la **braciola di capra** con cui si prepara un ragù che sposa a meraviglia gli zitoni, gli gnocchi o i fusilli. Il pane è fatto in casa, le carni sono di allevatori locali. Il ristorante sforna anche delle buone pizze, tra quelle classiche e le più fantasiose.
Al momento del dessert, nel periodo giusto potrete trovare l'ottima **torta alle ciliegie** o un dolce con la **percoca**; diversamente, la delizia al limone o al caffè, la torta di ricotta e pere o alle fragoline di bosco. In abbinamento, oltre al vino della casa, alcuni rossi da vitigni autoctoni di una azienda del Vesuviano.

Sicignano degli Alburni

58 km a SE di Salerno, uscita A 3

La taverna dei Briganti

Osteria tradizionale
Via Convento, 25
Tel. 0828 973808
Chiuso il lunedì
Orario: sera, festivi anche pranzo
Ferie: variabili in inverno
Coperti: 35 + 20 esterni
Prezzi: 20-25 euro vini esclusi
Carte di credito: nessuna

Come spesso capita in luoghi tradizionali, anche in questa osteria a gestione familiare il menù è declinato a voce: in questo caso a illustrare le pietanze c'è Raffaele Polito. Inoltre, auguratevi che, quando visiterete Sicignano degli Alburni, le temperature non siano troppo miti: gusterete sicuramente meglio i sontuosi ragù e arrosti preparati dalla Taverna dei Briganti.
Il ventaglio degli antipasti può comprendere **scarola maritata**, ***spicatielli scoppiettati*** (punte di verdure di campo fritte), melanzane e altre verdure di stagione, **peperoni cruschi** fritti da gustare con un'ottima ricotta fresca. Meritano di sicuro un assaggio la particolare **salsiccia di polmone con polenta arrostita**, così come gli altri salumi e sottoli, tutti di produzione propria. È Marianna, moglie di Peppe, a occuparsi della preparazione delle paste fresche: **fusilli al ragù di castrato**, **ravioli di ricotta**, **pappardelle** ai funghi porcini o **al sugo di lepre**, **lagane e ceci**. Fra i secondi spicca la ***sfrionza***, uno spezzatino di maiale con patate e peperoni rossi sott'aceto. In alternativa, bistecca di vitello, salsiccia di maiale, agnello e la gustosa **scamorza alla brace con funghi porcini**; disponibili su prenotazione il pollo imbottito, il **fagiano** o il cinghiale cotti **nel vino**.
Casalinghi i dessert: torta della nonna, dolcetti con le castagne, crostate con le confetture prodotte in proprio. Piccola carta dei vini prettamente regionale.

Somma Vesuviana

16 km a est di Napoli SS 268, uscita A 16

La lanterna

Ristorante-pizzeria
Via Colonnello Aliperta, 8
Tel. 081 8991843
Chiuso il lunedì
Orario: mezzogiorno e sera
Ferie: variabili
Coperti: 60 + 30 esterni
Prezzi: 30-35 euro vini esclusi
Carte di credito: tutte, Bancomat

Ai piedi del monte Somma, a pochi passi dal quartiere storico Casamale, ecco il ristorante gestito da Luigi Russo, coadiuvato in cucina dallo chef Vincenzo Nocerino, che insieme vi proporranno piatti tipici della tradizione partenopeo-vesuviana.
Somma Vesuviana è il paese dello stoccafisso e del baccalà, e quindi, se amate il genere, non potrete perdervi il piatto degustazione composto da **stoccafisso** in insalata, **baccalà fritto**, alla griglia e in zuppetta. Ma il baccalà e lo stocco li troverete in mille modi, negli antipasti, nei primi e nei secondi. Altro vanto di Luigi è quello di utilizzare in cucina vari prodotti dei Presìdi Slow Food, come il pomodorino del *piennolo* e la *papaccella* napoletana. Come antipasto potrete comunque avere la **parmigiana di pesce bandiera**, i *pulpitielli* affogati e i fritti della tradizione. Come primi, la **pasta fatta in casa** è abbinata, a seconda della stagione, **con** le melanzane, con zucchine e baccalà, con **i funghi**, con lo stoccafisso, oltre che condita con i sughi della tradizione partenopea, a cominciare da ***o raù***, fatto di diversi tipi di carne cotti per ore. Al momento dei secondi la scelta sarà tra buoni tagli di carne e piatti poveri ma saporiti come le ***trippicelle* al sugo** e gli ***'ndruglietielli* con patate**, a base di interiora di agnello. Poi ancora baccalà: alla griglia, in cartoccio, in tegamino con lo stoccafisso.
I dolci cambiano ogni giorno e sono tutti preparati dallo chef. Se volete concedervi una buona **pizza napoletana**, provate quella con lo stoccafisso, magari abbinata a una buona birra artigianale italiana o a una trappista. Non manca comunque una valida selezione di vini.

Sorrento
Borgo dei Pescatori
Marina Grande

47 km a sud di Napoli A 3 e ss 145

Sant'anna da Emilia

Trattoria
Via Marina Grande, 62
Tel. 081 8072720
Chiuso il martedì, mai da marzo ad agosto
Orario: mezzogiorno e sera
Ferie: in novembre
Coperti: 30 + 40 esterni
Prezzi: 25-28 euro vini esclusi
Carte di credito: nessuna

Siamo sulla spiaggia di Marina Grande, a pochi passi dal mare, in una trattoria d'altri tempi dove potrete gustare piatti tradizionali a prezzi quasi impensabili in una città come Sorrento. La signora Emilia, coadiuvata da figlie e nipoti, continua a sovrintendere alla spesa giornaliera, è lei a contattare i pescatori alla ricerca del pescato più fresco, è lei la memoria storica di un locale che ha visto tra i suoi clienti Sofia Loren e Vittorio De Sica, che qui venivano a ristorarsi nelle pause di lavorazione di *Pane amore e...*, film capolavoro di Dino Risi del 1955.
In estate si mangia su un fresco terrazzo a palafitta con nelle orecchie il rumore delle onde che si infrangono sulla battigia. Si comincia con un'ottima **treccia sorrentina** servita con le olive, oppure con una **parmigiana di melanzane** in versione casalinga. Non mancano mai le **cozze al limone** o al pomodoro. Poi i primi piatti, che sono pochi ma ben eseguiti. Immancabili gli **gnocchi alla sorrentina**, ma si preparano anche gli **spaghetti alle vongole** o **con le alici salate**. Tra i secondi, naturalmente, il **pesce** fresco fa la parte del leone: l'offerta cambia in base al mercato ed è preparato **alla griglia**. Quando c'è, non perdete la delicata **frittura**, **di calamari** o **di paranza**. Come contorni ci sono verdure di stagione alla griglia o saltate in padella.
Si beve di solito il discreto vino bianco della casa, ma qualche bottiglia campana completa l'offerta. Si viene qui per mangiare bene a prezzi onesti, consapevoli di essere in una trattoria e non in un ristorante elegante. Ma la suggestione del posto è rara.

Telese Terme

28 km a NO di Benevento

La locanda della Pacchiana

Ristorante annesso all'albergo
Viale Minieri, 32
Tel. 0824 976093
Chiuso la domenica sera
Orario: mezzogiorno e sera
Ferie: non ne fa
Coperti: 70
Prezzi: 25-30 euro vini esclusi
Carte di credito: tutte tranne DC, Bancomat

Il ristorante si trova sul viale principale della cittadina. Piero e Franco in sala propongono la cucina della tradizione sannitica, fatta di materie prime della zona. Il menù varia a seconda della loro disponibilità e quello del giorno è indicato su una grande lavagna in sala. Giuseppina è ai fornelli, l'ambiente è accogliente e familiare come il servizio.
Si inizia con gli antipasti a buffet, tra i quali ci sono verdure grigliate, marinate, ortaggi sott'olio, **prosciutto di Pietraroja**, **salumi di maiale nero**, mozzarella dop e formaggi caprini e pecorini della zona. I primi si alternano a seconda della stagione: spaghetti o risotto con asparagi di montagna; **tagliatelle ai *virni*** (prugnoli); **pasta alla chitarra con pomodorini**, ricotta salata e patè di olive; ravioli di ricotta, provola e porcini; cappellacci con ricotta e broccoli; **paccheri alle erbe**; ***scialatielli*** o risotto alla zucca; strigoli ai fiori di zucca; **paccheri napoletani con baccalà**. In inverno sono da gustare i **tagliolini in brodo al tartufo bianco del Matese** e la minestra maritata. Interessanti le zuppe di verdure: di cicorie, *cardilli* (erbe di campo) con fagioli, di cardone, pancotto con broccoli e fagioli. Tra i secondi primeggia il **baccalà**: con i pinoli, fritto e ***arreganato***. Tra le proposte di carne il **coniglio in porchetta**, l'agnello laticauda in diversi modi, lo spezzatino di vitello con patate e il vitello alla brace.
Si conclude con sbriciolata allo Strega, panna cotta e un ottimo tiramisù. Vini della zona e della provincia.

All'enoteca Goglia, via Colombo 69, vini campani, nazionali e internazionali, grappe e distillati. A **Castelvenere** (4 km), piazza Mercato, da Bacco Tabacco e Venere si degustano i vini del territorio con affettati e formaggi.

Torre Orsaia

113 km a SE di Salerno

Da Addolorata

Osteria tradizionale
Via Pulsaria, 16
Tel. 0974 985669
Non ha giorno di chiusura
Orario: pranzo e sera, d'estate solo sera
Ferie: 15 giorni in ottobre
Coperti: 40
Prezzi: 20 euro
Carte di credito: nessuna

Esistono paesi oltre i quali, per citare Carlo Levi, Cristo non è andato: in effetti, qui siamo ben più a sud di Eboli e il messia si fermerebbe di nuovo, ma da Addolorata, per una tipica cena cilentana. L'osteria, dopo sei mesi di ristrutturazione che le hanno donato una struttura a norma ma certamente meno personale del look *degagé* anni Sessanta, ha riaperto i battenti con qualche ammodernamento: cambiato il mobilio, restano alle pareti le vecchie foto in bianco e nero presenti fin dall'inaugurazione del 1952. Inizialmente meta quasi solo di viandanti e camionisti, è ancora nota come "Da Mangione", affettuoso soprannome di Armando, marito di Addolorata. È lei che regna ai fornelli e i suoi piatti hanno il sapore della cucina di una volta.
Cominciate con i **cavatelli** o i **ravioli ripieni di ricotta** al denso sugo di pomodoro, con le **lagane e ceci** (vero cavallo di battaglia del locale) o ancora, quando è stagione, con le **tagliatelle ai funghi**: se la tavolata è composta da almeno sei persone, il primo vi sarà servito nella zuppiera, come si usava un tempo nei giorni di festa. Sebbene a ridosso della costa, ci troviamo in un paese dell'interno; ovvio quindi che i secondi siano tutti di terra: **coniglio alla cacciatora**, carne al ragù, **baccalà** (in inverno), ottima **parmigiana di melanzane**, pollo al forno con contorno di patate. Il dolce di casa è rappresentato dalle **scaldatelle**, ovvero le delicate zeppoline di patate: indorate e fritte, sono servite con un velo di miele.
Il prezzo di un pasto completo è davvero popolare; peccato che il solo vino disponibile, "fatto dal contadino", sia un po' troppo ruspante.

Tramonti
Gete

26 km a ovest di Salerno SS 163

Osteria Reale

Trattoria con alloggio
Via Cardamone, 75
Tel. 089 856144
Chiuso il mercoledì, mai in agosto
Orario: mezzogiorno e sera
Ferie: 10 gg in novembre, 10 in febbraio
Coperti: 45 + 30 esterni
Prezzi: 30 euro vini esclusi
Carte di credito: CartaSi, Visa, Bancomat

Provenendo dalla costiera amalfitana o dal valico di Chiunzi, ecco Tramonti con le sue molteplici frazioni; individuata quella di Gete si incontra questa osteria, ricavata dalla bella ristrutturazione di un antico casale, con piacevoli spazi esterni, una buona ricettività interna e una cantina di circa 150 anni, ideale per la conservazione dei vini di produzione propria. Luigi Reale, il gestore, illustrerà il menù che si presenta ben equilibrato fra tradizione e spunti di creatività, sempre rispettando una scelta degli ingredienti strettamente legata al territorio, con ampio utilizzo anche di Presìdi Slow Food.
Tra gli antipasti segnaliamo il **fiordilatte**, il fagottino di pasta sfoglia con alici di Cetara, il **carpaccio di carciofi bianchi di Pertosa**, la ricotta al limone sfusato di Amalfi. Tra i primi: **gnocchi di patate con asparagi di montagna e seppie**, cappellacci farciti di ricotta in salsa di pesce serra e limone sfusato, **fusilli con cozze, gamberi e fiori di zucca**. Nei secondi troverete sia carne che pesce, dai **bocconcini di cosciotto di agnello** al tintore di Tramonti (coniglio ripieno di broccoli e provola), dal **capretto al forno con patate e olive** nere alla **parmigiana di pesce serra** con mozzarella e pomodorini, al millefoglie di pesce bandiera.
I dolci sono equilibrati e di ispirazione tradizionale: fiore di ricotta di capra con scaglie di cioccolato, mandorle e limone, **prelibatezze al limone**, crostate di pere e cioccolato. Vale la pena di degustare i vini della casa, da vitigni autoctoni: Cardamone, Getis, Borgo di Gete, Aliseo, ma è disponibile una carta con una discreta scelta prevalentemente di campani con qualche extraregionale.

Trentinara

50 km a SE di Salerno

Lo vottaro

NOVITÀ

Osteria-enoteca
Via Paolillo
Tel. 328 8635664-329 7793347
Non ha giorno di chiusura
Orario: mezzogiorno e sera
Ferie: 10 giorni in ottobre
Coperti: 20 + 26 esterni
Prezzi: 25 euro vini esclusi
Carte di credito: nessuna

Il paese è su una collina a strapiombo sulla piana di Paestum, il locale si raggiunge a piedi dalla piazza salendo attraverso il borgo medievale (meglio prenotare). La struttura ha pavimento e archi in pietra, una cisterna, un camino, un forno a legna, un giardino con pergolato.
Alfonso Longo ha realizzato da due anni questa originale osteria, vineria e locanda. La proposta culinaria è riferita al territorio e alla tradizione locali, la materia prima percorre un itinerario breve: **salumi di maiale** allevati in loco allo stato brado; ricotta e formaggi di capra consegnati dal produttore; pasta, pane e pizze farcite preparate dalle donne del paese; asparagi, erbe spontanee e funghi raccolti da Alfonso. La trasformazione in cucina è affidata alla brava Cristina. Vari antipasti per iniziare: **frittate di verdure**, pizze fritte, **ricotta calda di capra** con i *vescuotti* (pane biscottato), **parmigiana di borragine**, formaggi di capra con confetture di acacia o di sorbo, o delle freschissime uova in padella. Paste lavorate a mano tra i primi – fusilli, **ravioli di ricotta di pecora**, strangolapreti al pomodoro fresco o **al ragù di castrato** – oppure la primaverile **zuppa di *tadducci*** (tenerumi), fiori di zucca e piselli, quella di erbe di campo o, in autunno, di **fagioli di Controne con castagne, guanciale e peperoni cruschi**. I secondi di **carne di maiale**, cinghiale, coniglio, **capretto, cotta alla brace** o in umido. E altri piatti robusti come la ***'nnoglia*** (cotechino) arrosto o il **cinghiale con le castagne**; qualche concessione al pesce, con baccalà e alici.
Per concludere, dolci della memoria con gli **gnocchi di grano** e le **zeppole di patate**, o uno yogurt di capra con confettura di mele annurche. Accanto a un dignitoso vino locale, alcune etichette cilentane nell'attigua enoteca.

Vairano Patenora

43 km a nord di Caserta a 1 uscita Caianello

Fortezza normanna

NOVITÀ

Osteria-ristorante
Via Madonna di Loreto, 12
Tel. 0823 985140
Chiuso il mercoledì e domenica sera
Orario: mezzogiorno e sera
Ferie: 1 settimana in luglio
Coperti: 68 + 35 esterni
Prezzi: 25-30 euro vini esclusi
Carte di credito: tutte tranne AE, Bancomat

Nella quattrocentesca Villa Cirelli, nell'osteria di Antonio Ruggiero, gli ospiti possono scegliere salette diverse, in un clima rilassante, per conoscere la tradizione gastronomica dell'alto Casertano: al centro del torrione su cui s'è sviluppata la villa, l'osteria vera e propria, attigua alla cucina, con soli quattro tavoli, e la taverna, alla base dell'antica torre. La sala d'ingresso è riservata alla degustazione dei prodotti tipici locali e ha una piccola biblioteca per approfondire la conoscenza del territorio.
Il patron è prodigo di suggerimenti che vale la pena di seguire. In ogni caso si raccomandano i ***tagliarielli*** e ***tagliuozzi***, pasta fatta in casa condita **con ragù di maiale nero casertano** aromatizzato con finocchietto selvatico e lamelle di cacioforte. Rimanendo in tema, una **bistecca di maiale nero casertano** confermerà la bontà delle carni di questa antica razza suina, cui si suggerisce l'abbinamento con le classiche ***papacelle*** (varietà campana di peperoni sott'aceto) o con le **peschiole**, frutticini di pesco raccolti dalle piante all'epoca del primo diradamento, conservati in acqua acidulata. Il menù è attento ai prodotti di stagione e d'estate offre piatti leggeri a base di verdure e legumi. Interessante la selezione dei **formaggi**, fra cui il **conciato romano** di Castel di Sasso e il **cacioforte** di Statigliano.
Discreta la carta dei vini, con proposte regionali e nazionali. Da segnalare, infine, la carta degli oli di Terra di Lavoro, con utili suggerimenti sugli abbinamenti.

In via Michelangelo Bove 2, vicino alla casa comunale, l'antica macelleria Bottega Buona: salumi della tradizione vairanese, anche di suino nero casertano. La Credenza, a **Vairano Scalo** in via Napoli 199, è un laboratorio artigianale di marmellate, sottoli e conserve fatte secondo tradizioni locali.

96 KM A SE DI SALERNO A 3 USCITA ATENA LUCANA E SS 166

OSTERIA LA PIAZZETTA

Osteria con alloggio
Piazza Canonico Iannuzzi, 2
Tel. 0974 942008
Non ha giorno di chiusura
Orario: mezzogiorno e sera
Ferie: una settimana in settembre
Coperti: 24 + 20 esterni
Prezzi: 28-33 euro vini esclusi
Carte di credito: nessuna

Sono Angelo, noto a tutti come Alì, e Carmela, la sua compagna, i titolari di questo locale. Hanno scelto di restare qui e di intraprendere un percorso di recupero e riproposta del loro territorio. Il locale prende il nome dalla saletta fatta come la piazzetta di un paese: il pavimento in pietra e la fontana in ferro ne restituiscono l'atmosfera. La cucina di Carmela segue le stagioni e i ritmi di questi luoghi, i piatti sono per lo più legati ai prodotti locali, facendo affidamento sulle ormai poche realtà rimaste. Antipasti a base di formaggi locali, tra cui pecorini e **caciocavalli podolici**, e salumi di propria produzione, mele *aitanedda*, vecchia varietà locale, grigliate con peperone e caciocavallo podolico, **verdure** di stagione **con castagne e funghi porcini**, ***pizza chiena*** (ripiena) con toma, riso e formaggio, oppure con bietole, cipolla e alici. Tra i primi l'ottima pasta fatta in casa, su tutte i ***parmarieddi*** (simili ai lucani strascinati) e i **fusilli**, condita **con ragù di cinghiale** o di altre carni e verdure. E poi, *parmarieddi* con funghi e castagne, **zuppe di legumi** e verdure, *a minestra* con verza, fagioli, carote, patate, gambo di prosciutto, formaggio e ortaggi di stagione. Tra i secondi, coniglio alla pizzaiola, **arrosto di maiale** con erbe selvatiche, arrosto all'uva, **braciole al ragù**, **spezzatino di cinghiale**, fegato di maiale con la *rezza* alle *papacelle*, spezzatino di vitello con zucca essiccata, peperoni cruschi e patate, **polpette di ricotta** (di mucca, di capra, di pecora) con pomodorini.
Anche i dolci sono nel solco della tradizione: ***pizza roce*** (dolce) **alla crema**, naspro e confettini, maltagliati con zucchero a velo, ravioli di ricotta e **ravioli di castagne**. Piccola selezione di vini campani e nazionali; rum e distillati. È necessaria la prenotazione.

60 KM A NE DI AVELLINO A 16 O SS 90 E 91

MINICUCCIO

Ristorante annesso all'albergo
Viale Santa Maria, 24-26
Tel. 0827 97020-97454-97030
Chiuso il lunedì
Orario: mezzogiorno e sera
Ferie: non ne fa
Coperti: 270
Prezzi: 25-28 euro vini esclusi
Carte di credito: tutte, Bancomat

Vallesaccarda è al crocevia di tre regioni, testimone la proposta gastronomica di questo locale che risente delle influenze delle vicine Puglia e Basilicata. Da Minicuccio tutto cominciò agli inizi del secolo scorso con una cantina, luogo di incontro per gli uomini del paese, per giocare, bere vino e mangiare qualcosa. Oggi alla cantina si è sostituito un ristorante albergo che non deve ingannarvi nell'aspetto: qui la tradizione rivive per davvero. La famiglia Pagliarulo, da quattro generazioni, rappresenta l'arte del buon mangiare di questi luoghi.
Seduti a tavola, avrete soltanto l'imbarazzo della scelta. D'inverno **minestra maritata**, pizza di granturco, peperoni ripieni e patate al sugo, patate e sedano, **zuppa di fagioli con cotiche**, cavatelli al ragù, lenticchie, patate e sedano, **cavatelli e broccoli**, lagane e cicerchie Poi **agnello al rosmarino**, fianchetto di agnello ripieno, **salsiccia con peperoni sott'aceto**. In primavera-estate ci sono minestre di varie verdure primaverili, pasta a mano con il finocchiastro o con verdura, frittata di cipolline, **scarole e fagioli**, zuppa di piselli o di lenticchie, zuppa di fagiolini, pasta a mano al ragù, **ravioli di ricotta**, pasta e fave fresche, **spezzatino di capretto**, **pollo ruspante al pomodoro**, capretto con peperoni, coniglio al vino bianco, **baccalà al forno**.
Una proposta gastronomica completa che ogni sabato, a "tappe" (55 primi e 36 secondi), seguendo le stagioni, viene proposta a mo' di viaggio gastronomico in Irpinia. Tutte le materie prime sono di produzione propria o locale. Una buona selezione di bottiglie irpine e non solo completa l'offerta.

Osteria accessibile ai disabili.

VALLO DELLA LUCANIA
Massa

85 KM A SE DI SALERNO

U' PARLATORIO

Osteria-trattoria
Via San Pietro Celestino, 66
Tel. 0974 76210
Chiuso il lunedì
Orario: mezzogiorno e sera
Ferie: ultima settimana di agosto
Coperti: 55 + 40 esterni
Prezzi: 22-27 euro vini esclusi
Carte di credito: tutte, Bancomat

Appena oltre Vallo della Lucania, alle falde del monte Gebilson, il locale di Salvatore Postano e del figlio Gaetano, ricavato in un vecchio frantoio, è semplice e accogliente ed è nato come luogo di intrattenimento accanto al cibo e al focolare, oltre che come custode delle tradizioni gastronomiche del luogo. Un angolo è dedicato alle esposizioni di caciocavalli, formaggi e salumi tipici.
Gli antipasti: non può mancare la **mozzarella nella mortella**, poi melanzane *m'buttunate* (ripiene), carciofi ripieni, parmigiana di verdure di stagione, capocollo, soppressate di Gioi (Presidio Slow Food). Tra i primi una novità: la pasta arrostita (grigliata e condita con salsa bianca a base di funghi e verdure). I classici sono i **fusilli con ragù cilentano** (fatto di pinoli, uva passa, aglio e pezzetti di carne), i ***cicci maritati***, minestra con cinque tipi di legumi cotta sul camino, i ravioli ripieni di ricotta di latte di pecora, i paccheri con salsa alla genovese. Tra i secondi, la **braciola ripiena di uova e formaggio**, il **capretto al forno** con patate al rosmarino, il **coniglio disossato**. Il calamaro ripieno di funghi è l'unico piatto di mare. Per finire merita attenzione il cacioricotta di Acquavella.
Tra i dessert ci sono la **pizza dolce**, pan di Spagna con crema ricoperta col naspro e i confettini colorati, e i **cannoli cilentani** con crema gialla e cioccolato. I vini sono dell'azienda Cobellis di Vallo della Lucania, l'olio dell'Oleificio Conti mentre i formaggi di capra dell'Arenaro di Acquavella.

VIBONATI
Villammare

149 KM A SE DI SALERNO

TAVERNA PORTOSALVO

Osteria di recente fondazione
Corso Italia, 77
Tel. 0973 365474-338 5617963
Chiuso il lunedì, mai d'estate
Orario: mezzogiorno e sera
Ferie: 15 giorni in gennaio
Coperti: 24
Prezzi: 35-38 euro vini esclusi
Carte di credito: tutte tranne AE, Bancomat

Nel territorio tra Campania, Lucania e Calabria questo locale continua con la sua buona proposta di cucina di mare, mutuata dalle rispettive culture gastronomiche regionali, con qualche piccola concessione a una interpretazione contemporanea, comunque sempre rispettosa dei criteri di territorialità, semplicità e freschezza. Gli ambienti dell'osteria, ricavati dalla ristrutturazione di vecchi magazzini, contribuiscono a creare una gradevole atmosfera anche d'estate, quando l'affluenza satura frequentemente la capienza (per questo è consigliabile la prenotazione con buon anticipo).
Il titolare, Gerardo Menza, che seleziona personalmente il pescato giornaliero, è anche artefice del menù, tra le cui proposte (spesso indicate a voce secondo le disponibilità quotidiane) segnaliamo, tra gli antipasti, totani con carciofi, **seppie e patate al finocchietto** selvatico, alici. Tra i primi: **pasta fresca con** vari **sughi di pesce**, **pancotti ripieni con gambero rosso e zucca**, spaghetti alla cernia, **tubetti alla pescatrice**. Tra i secondi: **cotoletta di pesce bandiera**, **guazzetto di molluschi e crostacei**, gronghi, sarde, aguglie e altro secondo pescato, cucinato in vari modi. Ottima la **zuppa di pesce**, ma sarà necessaria una piccola integrazione rispetto al prezzo indicato.
I dolci sono di produzione propria e ci riportano al territorio: **budino di fichi d'india**, dolce Cilento (di fichi e cioccolato fondente). La carta dei vini è a predominanza regionale, con qualche escursione su bianchi nazionali, ed è adeguata al tipo di menù proposto.

Vico Equense
Arola

38 km a SE di Napoli, 7 km dal capoluogo comunale

Torre Ferano

Ristorante
Via Bosco, 810
Tel. 081 8024786
Chiuso il martedì
Orario: mezzogiorno e sera
Ferie: 10 gennaio-10 febbraio
Coperti: 50 + 50 esterni
Prezzi: 30-35 euro vini esclusi
Carte di credito: tutte, Bancomat

È piacevole scovare questi angoli tranquilli nella costiera sorrentina, spesso invasa dai turisti; ma attenzione nell'utilizzo dei navigatori satellitari: ci hanno condotto attraverso un giro tortuoso e praticamente impercorribile da autovetture di medie dimensioni. Dopo aver percorso la statale sorrentina, a Seiano deviate per Arola, seguendo le indicazioni per il Faito, e arriverete al ristorante Torre Ferano.

Antonio Staiano e Camillo Sorrentino, responsabili rispettivamente della scelta delle materie prime e di sala e cucina, vi accolgono con cortesia, esponendovi un menù che dosa con equilibrio sapori di mare e di terra, con attenzione a territorio, stagione e tradizione. Tra gli antipasti segnaliamo: rollé di fiordilatte, **crocchette di tonno**, salumi, salvia in pastella. Tra i primi in primavera-estate: **straccetti di pasta fresca con favetta** e baccalà, tagliolini ripieni agli agrumi di Sorrento con guazzetto di patella; in inverno: **polenta alle castagne con ragù di cinghiale**, tocchetti di pasta fresca con ceci e porcini, **ravioloni di ricotta** con noci di Sorrento e tartufo nero o ripieni con braciola (involtino), sbriciolata, candele spezzate con bolognese di coniglio, fusillo di Gragnano con ragù di polpettine e ricotta. Tra i secondi estivi: **parmigiana di pesce serra**, braciole di tonno, **frittura di paranza** o **di fragaglia**, tartara di palamito su crema di piselli; d'inverno: carni del Taburno cotte sui carboni, **porchetta al forno a legna**, tagliata di manzo locale. Tra i formaggi, provolone del monaco di produzione propria.

I dolci sono quelli della tradizione napoletana con qualche specificità locale: babà, **pastiera**, crostatine di fragoline, torta della nonna, tartufi di castagne del Faito, tortino di limoni di Sorrento. Vini di produzione propria e qualche buona etichetta campana.

Volla

10 km a est di Napoli

Il Sebeto

Ristorante
Via Rossi, 65
Tel. 081 7743872
Chiuso domenica sera e lunedì
Orario: mezzogiorno e sera
Ferie: due settimane in agosto
Coperti: 60
Prezzo: 25-30 euro vini esclusi
Carte di credito: tutte, Bancomat

Il nome di questo comune a ridosso dell'abitato di Napoli deriva dal termine polla d'acqua, data la presenza, un tempo, della sorgente del Sebeto. I pochi rivoli rimasti continuano a irrigare le residue fertili campagne di natura vulcanica, ad antica vocazione orticola, che danno prodotti famosi come i *friarielli* e il peperoncino verde.

A questo fiume e a questi luoghi che hanno visto la rapida trasformazione da aree agricole a zone residenziali, Innocenzo Manfellotti, titolare del ristorante, ha dedicato il suo locale, che si presenta semplice ed essenziale ma accogliente. Ci piace sottolineare la schiettezza della proposta gastronomica, legata alla stagione e a quanto il mercato offre. Tra gli antipasti, ***sciurilli* ripieni con ricotta e pepe**, bruschette di pane-pizza, **scarola ripiena**, *friarielli* saltati, **mozzarella**, talvolta salame e pancetta prodotti in casa. I primi: **orecchiette al Sebeto** (con fagioli e pancetta), **penne con melanzane e provola**, o asparagi e ricotta, spaghetti al pomodoro fresco e basilico, gnocchi con purea di patate gratinati al forno, ***cianfotta* con patate, fagioli, sedano e pomodorini**, pasta e patate, **pasta e fagioli** e pasta e ceci, in cui i legumi sono cotti lentamente nel *pignatiello* accostato al calore del forno a legna. Tra i secondi, la **costata di maiale** aromatizzata al basilico, tipica del locale, e le varie preparazioni di pesce che Innocenzo propone freschissimo secondo disponibilità: quando c'è, consigliamo il **sampietro al forno**.

Dolci fatti in casa, con gli immancabili **babà** e caprese. Semplice selezione di vini, con proposta regionale.

A **Cercola** (2 km) il pastificio Leonessa, in via Don Minzoni 335, produce paste trafilate al bronzo e ottima pasta fresca.

Basilicata

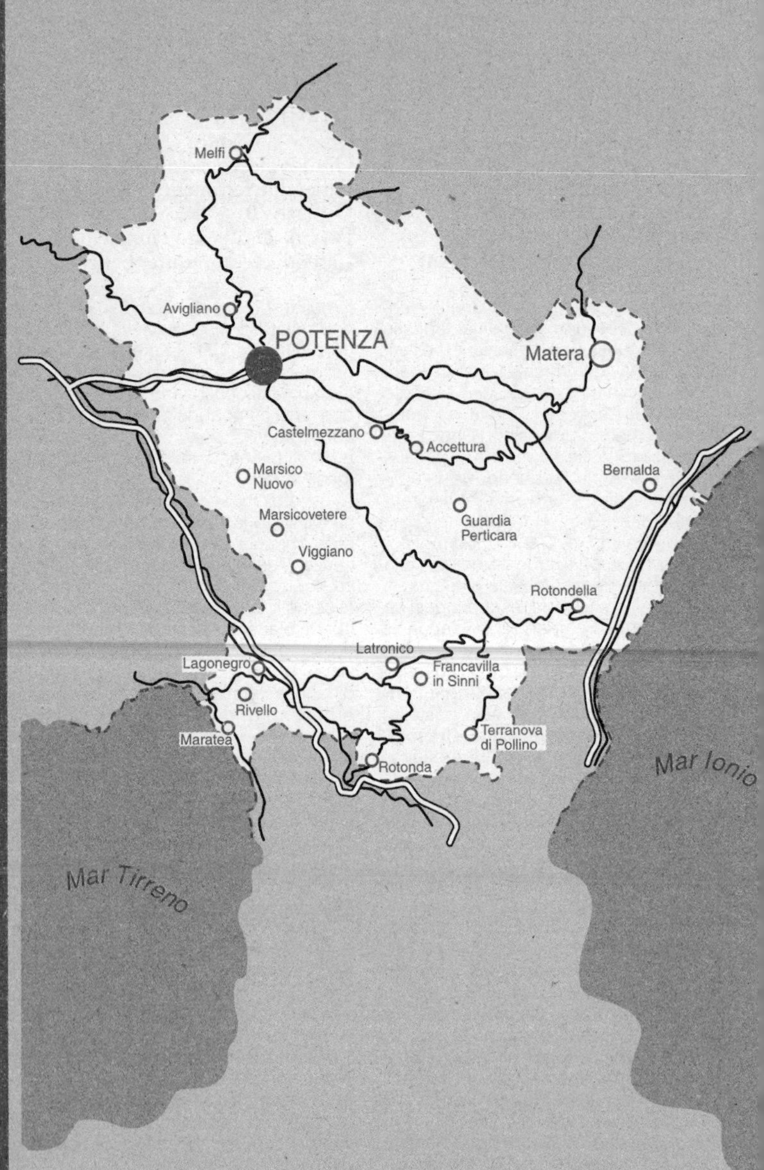

Melfi
Avigliano
POTENZA
Matera
Castelmezzano
Accettura
Marsico
Nuovo
Bernalda
Marsicovetere
Guardia
Perticara
Viggiano
Rotondella
Latronico
Lagonegro
Francavilla
in Sinni
Rivello
Maratea
Terranova
di Pollino
Rotonda
Mar Ionio
Mar Tirreno

Accettura

82 km a SO di Matera SS 277

Pezzolla

Ristorante con alloggio
Via Roma, 21
Tel. 0835 675008
Chiuso il venerdì, mai d'estate
Orario: mezzogiorno e sera
Ferie: non ne fa
Coperti: 40 + 20 esterni
Prezzi: 25-35 euro vini esclusi
Carte di credito: tutte, Bancomat

A 770 metri di quota, nel parco di Gallipoli Cognato, dopo aver percorso una tortuosa strada di montagna tra querce ombrose si giunge al paesino di Accettura. Qui si trova la trattoria condotta, fin dal 1950, dalla famiglia Pezzolla: un ambiente semplice e accogliente, caratterizzato da soffitto a volte incrociate, pareti in pietra viva, un bel camino, cucina a vista. L'accoglienza di Isa, la proprietaria, è gentile e amabile, non dissimile da quella di chi ha scelto di seguirne le orme, il figlio Mario: questi pone molta attenzione alla scelta degli ingredienti locali e le sue preparazioni sono spesso arricchite dall'uso sapiente ed equilibrato di spezie. Non c'è un menù scritto: è Mario a guidare l'avventore nella scelta dei piatti, ne racconta la storia e illustra la preparazione.
Gli antipasti sono costituiti dai peperoni cruschi e da salumi e formaggi locali: pezzente (Presidio Slow Food), capocollo, soppressata, ricotta, caciocavallo podolico, pecorino, scamorza. Una menzione particolare merita la rafanata, frittata soffice e piccante a base di rafano. Tra i primi, generalmente a base di pasta fresca, **orecchiette**, pappardelle e ***manate*** spesso condite con i **funghi** e i **tartufi** provenienti dalla circostante foresta di Gallipoli Cognato, e i cavatelli alla sangiovannara con peperoni, aglio, basilico, pomodorini freschi. Per secondo, **carni in tortiera** e alla brace, **costate di podolica** al timo, arrosto alla pastorale (con sedano, peperoncino, cipolla, alloro e pomodorini). Altre proposte variano secondo stagione: lepre, cinghiale, **cicorie con le fave** o con il cotechino.
Il dessert è costituto da crostate di frutta casalinghe, mousse di ricotta, **zeppole** al miele e biscotti alle mandorle. La cantina offre dignitosi vini locali.

Avigliano
Frusci-Monte Carmine

26 km a NO di Potenza SS 7 e SS 18

Pietra del sale

Ristorante
Contrada Pietra del Sale
Tel. 0971 87063
Chiuso il lunedì
Orario: mezzogiorno e sera
Ferie: non ne fa
Coperti: 80 + 30 esterni
Prezzi: 26-30 euro vini esclusi
Carte di credito: tutte tranne DC, Bancomat

Realizzato in un antico casone di guardia dei Doria, il ristorante si trova a oltre 1100 metri sul livello del mare, in prossimità del monte Carmine, tra il comune di Avigliano e Castel Lagopesole, l'antica dimora di caccia di Federico II. Il locale, arredato in maniera sobria, conserva intatto l'ambiente rustico tipico del casale lucano. Ne sono titolari i fratelli Samela, la cui esperienza nel settore gastronomico è ormai ventennale: della cucina si occupa Leonardo; responsabile di sala, con accortezza e discrezione, è Vincenzo. I piatti sono legati alle disponibilità stagionali, la prerogativa principale è salvaguardare il patrimonio culturale e tradizionale della gastronomia lucana.
Il ricco antipasto misto può comprendere ricotta con il miele, cacioricotta e caciocavallo prodotti dai proprietari, oltre a pecorino di Filiano, **salumi** locali, verdure grigliate. La pasta fresca tirata a mano è protagonista dei primi piatti: **trittico al ragù di cinghiale**, strascinati con i peperoni cruschi o con i funghi porcini, cavatelli con rucola e cacioricotta, ***calzoncelle*** (ravioli) **di ricotta**, polenta e salsiccia, **orecchiette con noci e mollica**. Gli eccellenti secondi piatti comprendono agnello alla brace, **maiale in agrodolce**, pollo ruspante alla cacciatora, cinghiale ai profumi di bosco, **baccalà fritto con i peperoni *crusch***. Da gustare, in stagione, i funghi cardoncelli del monte Carmine.
Si conclude con frutta fresca, gelati, crostate e i taralli glassati di Avigliano. Piccola carta dei vini locali e nazionali.

A **Pietragalla** (21 km), in località San Nicola, l'azienda Timpa del Cinghiale produce gustose salsicce di maiale e cinghiale allevati localmente.

Bernalda

44 km a sud di Matera ss 175

La locandiera

Ristorante
Corso Umberto I, 194
Tel. 0835 543241
Chiuso il martedì
Orario: mezzogiorno e sera
Ferie: non ne fa
Coperti: 80
Prezzi: 22-25 euro vini esclusi
Carte di credito: nessuna, Bancomat

A ideale completamento di una giornata trascorsa fra i resti archeologici della Magna Grecia e le spiagge sabbiose di Metaponto, è consigliabile una sosta presso l'intima e raccolta trattoria La Locandiera di Bernalda. Il locale è gestito da due coppie di sorelle imparentate fra loro e legate dall'interesse comune per la cucina: Clara è coadiuvata in cucina dalla nipote Franca; Maria e Mariangela, madre e figlia, si occupano del servizio in sala.

Gli antipasti sono preparati in gran parte con gli ortaggi della piana del Metapontino: conserva di pomodori verdi o di zucchine e lampascioni, **ciambotto di peperoni e melanzane**, frittelle di zucchine o baccalà, pettole, peperoni con uva passa, nonché la tipica ***crapiata*** a base di grano e legumi. Anche i primi fanno riferimento alla tradizione locale: **tripoline con mollica fritta**, purea di fave con cicorie campestri, **ferricelli con ragù di cavallino** o con zucchine, melanzane e ricotta, bucatini con fagiolini e ricotta. Tra i secondi spicca la corposa "**pastorale**", uno stufato di ovino adulto con verdure; in alternativa, **braciolette** (involtini) **di cavallo**, polpette di pane, trippa, parmigiana di melanzane, arrosto di agnello o capretto. I formaggi locali (caciocavallo o pecorino di Moliterno) sono serviti in abbinamento a una buona confettura di limone. Se durante le feste, in conclusione del pasto è obbligatoria la scelta delle **cartellate al vin cotto**, in estate è piacevole il semifreddo al torroncino con fico secco e sciroppo di cotto di fichi; buoni anche i panzerottini con l'acinata (confettura di uva) abbinati a un limoncello o nespolino.

La cantina non è ricca ma sono rappresentate le principali cantine lucane produttrici di Aglianico e alcune nazionali. Bella l'atmosfera e la cortesia.

Castelmezzano

42 km a SE di Potenza ss 407

Al becco della civetta

Ristorante annesso all'albergo
Vico I Maglietta, 7
Tel. 0971 986249
Chiuso il martedì, mai in agosto
Orario: mezzogiorno e sera
Ferie: variabili in autunno
Coperti: 80
Prezzi: 25-30 vini esclusi
Carte di credito: tutte tranne DC, Bancomat

Questo piccolo paese, circondato da quelle che vengono definite "dolomiti lucane", attrae un numero sempre maggiore di turisti. Negli ultimi anni, alla trattoria di Antonietta è stato annesso un grazioso albergo; inoltre, l'offerta gastronomica si è arricchita e l'interessante carta dei vini, selezionati dal marito sommelier, vede oggi una completa panoramica di vini lucani, parecchie etichette italiane e qualche proposta francese, sempre con ricarichi più che onesti. Molti i piatti impreziositi dalle erbe aromatiche di cui Antonietta è esperta, come il finocchietto, la salvastrella, la reseta, la vitalba.

Nei giorni festivi è disponibile un menù degustazione, altrimenti dalla carta si potrà scegliere, per cominciare, tra l'antipasto alla castelmezzanese (a base di salumi, formaggi e verdure di stagione), l'insalata di primule, la borragine con ricotta, il **lonzino di maiale marinato all'Aglianico** con funghi cardoncelli. Seguono la zuppa di fagiolini e patate, la pasta al peperoncino con bietole selvatiche, gli **strascinati con mollica di pane e noci**, i fusilli corti con porcini, zucchine, guanciale e pomodorini, i **cavatelli con cacioricotta e peperoni cruschi**. La proposta dei secondi comprende l'**involtino di maiale con peperonata**, il vitello podolico alla liquirizia, l'**agnello alle erbe con patate *arraganate***; il tutto può essere accompagnato da peperoni cruschi, barbabietole, verdure selvatiche saltate, funghi, pomodori o lampascioni sott'olio. Ricca l'offerta di formaggi tipici lucani selezionati da piccoli produttori: caciocavallo podolico, pecorino di Filiano, canestrato di Moliterno, burrata.

Si chiude con **crostole** al miele e origano, mousse di ricotta con salsa d'arancia, gelato di vaniglia al mosto cotto e castagne.

Francavilla in Sinni

135 km a sud di Potenza ss 92 e 653

Il crepuscolo

Azienda agrituristica
Contrada Piano Rivitale
Tel. 0973 648900-333 3146682
Chiuso il lunedì
Orario: mezzogiorno e sera
Ferie: gennaio e febbraio
Coperti: 60
Prezzi: 22 euro vini esclusi
Carte di credito: nessuna

Per il turista che torna da una delle tante possibili passeggiate nei boschi del Parco nazionale del Pollino, fermarsi al Crepuscolo è un vero sollievo. Questa cascina, che ha alle spalle un fittissimo bosco e un prato verdeggiante, è tenuta con cura dai proprietari che alcuni anni fa ebbero l'idea coraggiosa di trasformare dei locali quasi diroccati in un bel punto di ristoro. Le sorelle Lidia ed Elisabetta, sostenute da mariti e figli, si sono messe al lavoro offrendo ai clienti le ricette della cucina della montagna lucana.

Si comincia con patate e peperoni cruschi, frittelle di sambuco, frittate alle erbe, pecorino al tartufo, caciocavallo podolico, **salumi** di produzione propria: soppressata, salsiccia con i peperoni cruschi, capocollo, lardo. Le paste fresche fatte in casa sono alla base dei primi tra cui primeggiano i **ravioli di ricotta**, i ***rascatielli***, i fusilli fatti al ferro e il **mischiglio**, tipico formato ottenuto da farine di grano e di legumi secchi. Da non perdere, in inverno, le **lagane con legumi e cotica** e le preparazioni a base di funghi e tartufi. Per secondo, si segnalano l'ottimo **cosciotto d'agnello al forno** con patate e peperoni, il maiale e la salsiccia alla brace. Completano il pasto dolci alla frutta accompagnati da un distillato di fragoline di bosco, alloro, finocchietto o genziana del Pollino.

Il vino sfuso è un onesto Grottino di Roccanova; la cantina offre qualche etichetta di Aglianico. Il servizio è cortese ed efficiente: i figli delle titolari sono sempre presenti e discreti.

In tutta la zona, specialmente nei mercatini comunali, potrete acquistare il famoso peperone di Senise dop, dolce o piccante macinato, molto apprezzato per profumi e sapore ma anche per le doti salutari.

Francavilla in Sinni
Scaldaferri

135 km a sud di Potenza ss 92 e 653

La fontana del Tasso

Azienda agrituristica
Contrada Scaldaferri, 40
Tel. 0973 644566
Chiuso il martedì
Orario: mezzogiorno e sera
Ferie: variabili
Coperti: 50 + 10 esterni
Prezzi: 28-35 euro vini esclusi
Carte di credito: nessuna

Ai confini del Parco nazionale del Pollino, questo ristorante-locanda si fa apprezzare innanzitutto per la bella atmosfera che vi si respira. Forti di una bella intesa tra loro, i coniugi Maria e Prospero si alternano tra cucina e sala, perseguendo da tempo una filosofia di lavoro cui rimangono convintamente fedeli.

Numerosi e curati gli antipasti, frutto di discreta elaborazione di ricette tradizionali lucane: **pancotto al pomodoro e puleio** (un'erba aromatica spontanea), zuppa di cereali e legumi, **ciambotta di peperoni nella pagnotta**, fave fresche con finocchietto e pomodoro, formaggi aromatizzati all'arancia o al tartufo nero, frittelle di sambuco, cotica al pomodoro. Le stagioni impongono prodotti e piatti diversi anche per i primi che vedono nei mesi freddi protagoniste le **zuppe di legumi**, verdure e ortaggi, tra cui la patata rossa del Pollino.Tra le pastasciutte, si segnalano il ***mischiglio*** con pomodoro fresco e ricotta dura, e i ravioli di ricotta, verdure ed erbe spontanee condite con funghi e tartufo o con pomodoro fresco. Le carni di allevamenti locali, cotte per lo più al forno a legna, sono le protagoniste dei secondi: il delicato **capretto**, l'agnello, il pollo ruspante, la salsiccia locale, gli involtini di carne con melanzane e olive, il **baccalà con peperoni cruschi**. Maria ha l'incarico di preparare i gustosi dessert: torta e mousse di ricotta ai frutti di bosco, crostata, tortino morbido di cioccolato, da abbinare a uno dei 40 distillati di frutta ed erbe tra i quali citiamo l'elisir d'erbe, digestivo servito tiepido.

La cantina contempla alcune decine delle principali etichette regionali, ma il locale Grottino è di buona beva.

Guardia Perticara

73 km a SE di Potenza

Vecchio mulino

Trattoria
Via Roma, 36
Tel. 0971 964010
Chiuso il lunedì
Orario: mezzogiorno e sera
Ferie: in settembre
Coperti: 30 + 60 esterni
Prezzi: 18-25 euro vini esclusi
Carte di credito: nessuna

Guardia Perticara è un paesino arroccato su una collina in posizione dominante nella valle del Sauro: il suo bellissimo centro storico si caratterizza per le strade e le abitazioni in pietra che ne conservano l'aspetto di borgo medievale. Qui, da un antico mulino la cui cisterna è tuttora efficiente e viene alimentata da una sorgente, è stato ricavato il piccolo locale in cui Nicola e sua moglie Maria trasformano i prodotti delle aziende locali in squisite specialità.
Per cominciare, arriveranno in tavola sottoli, peperoni *crusch* (peperoni di Senise essiccati al sole e poi fritti in olio di oliva), formaggi e salumi locali, tra cui la pezzente della montagna materana (Presidio Slow Food). I primi piatti sono a base di pasta fresca preparata da Maria nei suoi formati tradizionali: **lagane e ceci**, orecchiette al ragù di cinghiale, **cavatellucci e fagioli di Sarconi** con finocchio selvatico, con cicoria di campo, con cotenna o purea di fave, **strascinati con pomodorini e peperoni *crusch***. Si continua con l'agnello o il capretto alla brace, la **salsiccia al peperone di Senise** con finocchio selvatico, gli ***gnumarieddi* piccanti** (involtini di budella ripieni di frattaglie di agnello o capretto); molto buone anche le frittate: con asparagi selvatici, con cannella e origano, con le cipolle. Solo su prenotazione, Maria prepara la famosa "**pastorale dell'Appennino lucano**", bollito di ovino adulto insaporito con un miscuglio di erbe aromatiche. Potrete chiudere il pasto con torte a base di ricotta, crostata di sanguinaccio, zeppole, panzerotti di ceci e cioccolato. I vini sono prettamente locali con qualche eccezione di respiro regionale.

Lagonegro
Monte Sirino

100 km a sud di Potenza SP 26 e uscita A 3

Valsirino

Azienda agrituristica
Contrada Aniella
Tel. 338 8158496-368 7557707
Chiuso il martedì
Orario: mezzogiorno e sera
Ferie: seconda settimana di novembre
Coperti: 80 + 40 esterni
Prezzi: 25 euro
Carte di credito: nessuna

Fra gli alti pini e le ginestre che colorano il paesaggio, l'agriturismo gestito da Mario Civale si trova a quota 1200 metri. Per raggiungerlo, uscite dalla Salerno-Reggio Calabria a Lagonegro sud e percorrete per pochi chilometri la provinciale per il monte Sirino. Nel dehors estivo o nell'ampia sala arredata con molti oggetti antichi contadini, potrete gustare piatti della tradizione.
Per cominciare sceglierete, secondo stagione, fra **zuppa di legumi e cereali** (fagioli, farro, mais), melanzane *ammollicate* con pomodori e formaggio pecorino, polpettine di carne, polenta con peperoni cruschi, **trippa con patate**, fegatini con peperoni cruschi, **ciambotta**, patate e cipolline, frittata con peperoni zucchine e asparagi, affettati di maiale e cinghiale, patate ripiene con ricotta, ricotta di pecora, *casieddu*. Volendo, è possibile fare un pasto completo (14 euro) con ben 18 antipasti. Ravioli, tagliatelle, cavatelli, sono conditi con ricotta e formaggio o con **funghi** e **tartufi** locali; in alternativa ci sono i **fusilli con mollica di pane e peperoni cruschi**; aggiungendo soli 2 euro al conto finale si potranno gustare tre assaggi diversi. Le carni servite per secondo sono tutte cotte alla brace: **vitello podolico**, agnello, capretto, **maiale nero**, cinghiale. Ottime le torte fatte in casa (alle fragoline di bosco, con confetture, ricotta e pere), buoni digestivi casalinghi al finocchietto e all'uva fragola.
Accompagna il pasto soltanto un Aglianico di produzione locale.

A **Rivello** (12 km), in viale Monastero, presso la macelleria La Podolica di Pietro Montesano, potrete acquistare ottime carni di produzione propria.

Latronico

124 km a SE di Potenza A 3 e SS 653

La taverna dei gesuiti

Ristorante
Via Lacava, 6
Tel. 0973 858312
Chiuso il lunedì, mai in agosto
Orario: mezzogiorno e sera
Ferie: 15 giorni in settembre
Coperti: 50 + 60 esterni
Prezzi: 25-30 euro vini esclusi
Carte di credito: tutte, Bancomat

Latronico è il paese che introduce alla valle del Sinni, sulla sinistra dell'omonimo fiume, situato sulla cresta di un colle a circa 900 metri di quota. I gesuiti, proprietari di Latronico fra il Seicento e il Settecento, vessarono la popolazione con tributi in denaro e, soprattutto, in derrate. Astuta pretesa, vista la ricchezza del territorio: l'ambiente è ideale per l'allevamento di animali allo stato brado e la coltura di cereali, frutta, uva da vino, castagne, noci. Benito Vecchio vi accoglierà in un ambiente gradevole, intimo, caldo; il menù elaborato da Vincenzo Tucci con l'impiego di ingredienti locali e stagionali è frutto di un'oculata ricerca sulla cucina tradizionale.
Si comincia con gustosi assaggi di prosciutto, capocollo, salame, salsicce fresche e sotto sugna, soppressata, pecorino, peperoni cruschi, funghi, bruschette con la *'nduia*. Proseguendo, **lagane con purè di ceci e baccalà** o con fave, *rascatielli* con funghi porcini, ***mischiglio*** (pasta di farina di cereali e legumi) con broccoli e pecorino, gnocchetti all'acqua calda agli aromi del Pollino. Sostanziosi i secondi: **baccalà alla trainiera con peperoni cruschi**, trippa all'arrabbiata, ***gliummarieddi*** (intestino d'agnello avvolto su se stesso con spezie e odori), tagliata di podalica del monte Alpi, **ciambotta**. Per dessert, la monacona a base di pecorino fresco, cedro candito e liquore, e la sbriciolata di grano con miele e aromi.
La piccola carta dei vini comprende soprattutto Aglianico del Vulture e Grottino di Roccanova, una igt poco nota qui giustamente valorizzata.

Nelle macellerie di Latronico eccellenti prosciutti e salsicce, fresche o stagionate, aromatizzate con la zafarana ricavata macinando i peperoni di Senise.

Maratea
Massa

135 km a sud di Potenza A 3 e SS 585

Il giardino di Epicuro

Ristorante
Località Massa
Tel. 0973 870130
Chiuso il mercoledì, mai d'estate
Orario: solo la sera
Ferie: novembre-marzo
Coperti: 50 + 50 esterni
Prezzi: 32-35 euro, vini esclusi
Carte di credito: tutte, Bancomat

Al ristorante si giunge seguendo la strada che dal mare si inerpica fino al Cristo di Maratea, da cui si ammira uno dei paesaggi più suggestivi dell'intero Mediterraneo. Nelle immediate vicinanze si trova la frazione Massa, immersa nel verde di una lussureggiante vegetazione di montagna. Ad accoglier vi ci sarà Michele, ospitale padrone di casa, il quale vi suggerirà le proposte gastronomiche del giorno.
Inizierete con sottoli, sottaceti, salumi, **formaggi** locali (ottimi quelli stagionati) e, su prenotazione, la celebre mozzarellina di Massa, preparata da Milena, moglie di Michele. I primi piatti sono a base di pasta fresca: ravioli di ricotta o di zucca con il rosmarino, **lagane e ceci**, gnocchi con asparagi o con crema di finocchietti selvatici, **strascinati al sugo di agnellone** o di gallo, tagliatelle agli ovoli. In alternativa, ottima la **zuppa di farro con fagioli neri**. La carne alla griglia (agnello, capretto, manzo) è protagonista dei secondi: caldamente consigliati la **podolica** e la costata di Epicuro (taglio corrispondente alla fiorentina). Su prenotazione si preparano piatti a base di pesce. Curati i contorni: cicoria selvatica saltata in padella, frittelle di borragine, **ciambotta**; quand'è stagione, sono tante le preparazioni a base di funghi.
I dolci (crostate di frutta, torte al limone, alle noci o con le fragole locali) sono abbinati ai rosoli, anch'essi di fattura casalinga. Tra i vini è ben rappresentato l'Aglianico del Vulture.

Nel centro storico di Maratea, le pasticcerie Iannini e Panza e i bar Avigliano e Caffè e Dolcezze propongono dolci a base di mandorle e noci, bocconotti, cassate al limone.

Marsico Nuovo

36 km a sud di Potenza ss 598

Vignola

Azienda agrituristica
Contrada Capo d'Acqua
Tel. 0975 342511
Chiuso il mercoledì, mai d'estate
Orario: mezzogiorno e sera
Ferie: due settimane in gennaio
Coperti: 80 + 40 esterni
Prezzi: 20 euro vini esclusi
Carte di credito: tutte tranne DC, Bancomat

Vignola è il cognome di Maria Antonietta che, dal 1994, gestisce questo agriturismo insieme al marito Giuseppe Bruno. L'azienda si trova a valle del comune di Marsico Nuovo e produce ortaggi, cereali, funghi, frutta, vino; comprende inoltre un piccolo allevamento di animali da cortile. Il ristorante, accogliente e ben ristrutturato, è il regno di Guseppe, chiamato da tutti Peppino, il quale vanta un passato di cuoco in diversi ristoranti della Basilicata. Il menù è fisso e varia di continuo, ma prenotando è possibile concordarlo.
Gli ottimi **funghi**, in prevalenza gallinacci, preparati secondo l'antica ricetta della nonna, introdurranno il pasto insieme a salumi e formaggi locali (tra cui il pecorino di Moliterno). La pasta casereccia, preparata in vari formati, è ricavata dal grano prodotto in azienda: **lagane e fagioli** di Sarconi, *cavatielli* al ragù o al pomodoro, ***cozoni* alla marsicana** (grandi ravioli ripieni di ricotta locale) con salsa ai funghi, fusilli *mollicati* (con mollica di pane, noci, aglio e prezzemolo), **strascinati con mollica di pane, noce e peperoni cruschi**. Molto buoni, poi, i classici **arrosti di maiale** e di vitello, l'**agnello** al tartufo oppure **stufato** al vino, ma anche il **coniglio** e la papera allevati in azienda. Si chiude con buone crostate di frutta, torta alle noci o con crema pasticcera.
Alcune etichette locali (siamo nella zona della doc Terre dell'Alta Val d'Agri) e regionali costituiscono l'alternativa al vino di propria produzione.

A **Paterno di Lucania** (5 km), in via Castagne 1, da oltre trent'anni Donato Masi e la moglie propongono il meglio dell'arte dolciaria della val d'Agri.

Marsicovetere
Villa d'Agri

54 km a sud di Potenza ss 598 e 276

Senso unico

Novità

Ristorante
Via Torino, 16
Tel. 0975 314164
Chiuso il lunedì
Orario: mezzogiorno e sera
Ferie: non ne fa
Coperti: 80
Prezzi: 12-24 euro vini esclusi
Carte di credito: tutte

Villa d'Agri, il centro più importante della val d'Agri, si trova alle pendici del monte Volturino: vulcano spento, con i suoi 1836 metri di altitudine costituisce il punto più elevato dell'intero Appennino lucano. Qui, dal 2002 i fratelli Carlomagno gestiscono questo accogliente ristorante, noto nella zona per il rapporto tra qualità e prezzo. La cucina è quella saporita della tradizione lucana. Il lavoro ai fornelli in questo caso è prerogativa maschile, mentre il servizio in sala è affidato alle mani sicure delle due donne di casa, le loro mogli.
Ampia la scelta degli antipasti, tra i quali ci piace ricordare il pecorino di Moliterno, il prosciutto di Marsicovetere, le bruschette ai funghi porcini, le saporite frittatine. Lungo anche l'elenco dei primi, che comprende tra l'altro piatti tipici valligiani come gli **strascinati con pancetta e peperoni *crusch***, i fusilli alla viggianese, i **cavatellucci con i fagioli di Sarconi**, ma anche i ravioli di ricotta al pomodoro e il risotto con zucca e funghi porcini. La proposta dei secondi comprende diverse carni cotte alla brace (ottimi l'**agnello** e il **vitello podolico**), il filetto ai porcini e tartufo della zona, l'**arrosto misto**, la tagliata di manzo, il tutto accompagnato da un eccellente pane casereccio. Si chiude con buone torte ai frutti di bosco.
In cantina, oltre al vino rosso locale (siamo nella zona della doc Terre dell'Alta Val d'Agri), Aglianico del Vulture e Grottino di Roccanova.

A **Villa d'Agri** (7 km), presso la macelleria Giocoli di via Pagano 3, carni locali, prosciutto di Marsicovetere e altri salumi tipici della tradizione, oltre a ottimi piatti pronti.

IL CANTUCCIO

Ristorante
Via delle Beccherie, 33
Tel. 0835 332090-347 8800483
Chiuso il lunedì
Orario: mezzogiorno e sera
Ferie: 1-10 settembre
Coperti: 37 + 20 esterni
Prezzi: 25 euro vini esclusi
Carte di credito: tutte, Bancomat

Michele Lella, Micha per gli amici, simpatico personaggio e cultore della cucina popolare, dopo 25 anni di esperienze all'estero è voluto ritornare a Matera per aprire questo piccolo e accogliente ristorante nel centro storico della città, dove con grande passione prepara tipici piatti lucani.
Tanti i possibili antipasti: soufflé di patate con baccalà e peperoni cruschi, **polpette di pane al sugo** (con le cime di rapa nella stagione fredda), caponata di melanzane, frittata di asparagi con formaggio caprino, zucchine al finocchietto selvatico, ricottine di pecora con cotto di fichi, funghi cardoncelli, **peperoni cruschi fritti**, salumi e formaggi caprini del Materano. I primi piatti: **cavatelli con salsiccia e funghi**, alla frantoiana oppure con rucola, pomodoro e cacioricotta, le orecchiette con cime di rapa, la **cicoria con purea di fave**, la **minestra di fagioli misti di Sarconi** con farro e funghi porcini, la minestra di lenticchie. I secondi piatti: ottimo l'**agnello alla materana** (al forno con patate, cipolla e pomodori pachino) con contorno di patate al forno, il **coniglio ripieno** di carne di tacchino e suino al rosmarino, il baccalà impanato con farina di mais e fritto con peperoni *cruschi*, il filetto di manzo al vino rosso con tartufo del Pollino e funghi porcini. Il tocco finale è dato dai dolcetti tipici materani: le **cartellate** con miele o cotto di fichi e le ***strazzate*** di pasta di mandorla, noci, zucchero e cannella.
Discreta la carta dei vini regionali che presenta una completa selezione di Aglianico del Vulture.

Dal Buongustaio, in piazza Vittorio Veneto 1-2, Samuele Olivieri propone specialità enogastronomiche lucane, formaggi e salumi nazionali ed esteri.

LE BOTTEGHE

Ristorante
Piazza San Pietro Barisano, 22
Tel. 0835 344072
Non ha giorno di chiusura
Orario: mezzogiorno e sera
Ferie: in gennaio
Coperti: 95 + 50 esterni
Prezzi: 30-35 euro vini esclusi
Carte di credito: tutte tranne AE, Bancomat

Percorrendo la scaletta che da piazza Vittorio Emanuele porta al Sasso Barisano, ci si trova nell'ambiente suggestivo che ospita questo caratteristico ristorante: il locale si articola in più ambienti di piccole e medie dimensioni, con pavimenti in quadroni di pietra e pareti intonacate fino al livello da cui partono le volte in tufo a vista e squarci di rocce affioranti. Alle pareti, poche, sobrie e raffinate stampe d'epoca. Ex macellaio, Angelo mette a disposizione la sua esperienza per arricchire il menù proposto con tagli di carne locale di elevata qualità; ai fornelli, Gianna si occupa di tutto il resto.
Si comincia con un misto di salumi e formaggi lucani (in particolare, caciocavallo podolico, pecorini e caprini del Parco della Murgia); in alternativa, **peperoni cruschi**, lampascioni fritti, olive infornate, polpette di melanzane, fiori di zucca fritti o ripieni. Proseguendo, **tagliatelle con i ceci e la mollica fritta**, fusilli al pomodoro di Pachino con mollica fritta e peperoni di Senise cruschi, **strascinati con funghi cardoncelli e salsiccia** e, quand'è stagione, le fave con la cicoria di campo. Ottimi gli arrosti di **podolica** e scottona (vacca di 18-24 mesi), di agnello e capretto murgiani e, su prenotazione, gli ***gnummarieddi*** (involtini di interiora) al forno con funghi cardoncelli e lampascioni. Il tutto è condito con oli delle colline materane o dalla cultivar maiatica di Ferrandina.
Gustosi i dolci casalinghi alle mandorle, alla ricotta, alle confetture. La carta dei vini è ricca e qualificata.

Il Caffè Tripoli, in piazza Vittorio Veneto 17, è l'ideale per un aperitivo o per gustare un buon gelato artigianale.

LUCANERIE

Ristorante
Via Santo Stefano, 61
Tel. 0835 332133
Chiuso il lunedì
Orario: mezzogiorno e sera
Ferie: agosto
Coperti: 40
Prezzo: 30-35 euro vini esclusi
Carte di credito: tutte, Bancomat

È davvero piacevole sostare in questo locale magari dopo un'interessante escursione culturale tra i vicoli degli antichi rioni Sassi. All'inossidabile legame professionale instauratosi sin dal nascere tra Franco ed Enza, si è sommata da qualche anno la saggia elaborazione di numerosi prodotti locali, sempre più presenti in tutte le portate in modo da rappresentare bene il territorio regionale.
Franco in sala vi accoglierà con il solito garbo, illustrando il menù a cominciare dai numerosi antipasti: pecorino in pastella, salsiccia lucana sbriciolata, **peperoni *cruschi* con patate e baccalà**, fagioli di Sarconi con castagne e pezzente (Presidio Slow Food), tortino di caciocavallo, cavolfiore e pistacchio lucano. Varia è la gamma di formati di **pasta** fresca, condita **con ragù di pezzente**, di pollo ruspante, di coniglio, di castrato o di cinghiale, oppure con funghi porcini o cardoncelli; da provare, nella giusta stagione, la **purea di fave con le cicorielle**. Le carni della montagna lucana sono le protagoniste dei secondi: **agnello al forno** con cardoncelli e patate, tagliata di vitello podolico, pollo ruspante alle erbe aromatiche, **capocollo di maiale al finocchietto selvatico**, coniglio all'alloro, nonché la **pastorale**, il tradizionale stufato di carni ovine con ortaggi. Valida la selezione di formaggi locali: casiello, caciocavallo podolico, pecorone di Forenza, caprini di Gorgoglione, pecorino di Moliterno.
Buoni anche i dessert: mousse di ricotta, torta al caprino, semifreddo agli agrumi del Metapontino. Bella selezione di vini regionali e nazionali.

Sulla stessa strada, a pochi metri, presso il forno a legna Perrone, pane fresco, taralli, focacce calde, dolci, friselle.

56 KM A NE DI POTENZA SS 93

NOVECENTO

Ristorante
Contrada Incoronata
Tel. 0972 237470
Chiuso domenica sera e lunedì
Orario: mezzogiorno e sera
Ferie: 15 giorni a fine luglio
Coperti: 40 + 40 esterni
Prezzi: 30 euro vini esclusi
Carte di credito: tutte, Bancomat

Il locale è situato all'ingresso di Melfi, cittadina che merita sicuramente una visita per il castello federiciano dal quale furono promulgate le *Costitutiones Augustales* del 1231. Ne è titolare Alessandro Lamorte, la cui carriera di ristoratore è iniziata ben quarant'anni fa. In cucina è aiutato dalla moglie Maria, mentre della sala si occupano i figli Alfredo e Arturo. Il locale è arredato con sobrio gusto; la proposta gastronomica è legata alla tradizione e rivisitata con moderazione.
Tra i primi piatti segnaliamo i **ravioli dolci di ricotta** (tipici della zona del Vulture) con zucchero e cannella, gli strascinati di castagne con funghi misti del Vulture, la **maccheronata alla *trainiera*** (con pomodorini e cacioricotta). Si prosegue con il **maiale alla contadina** (con peperoni sott'aceto), il brasato all'Aglianico con mosto cotto, l'**agnello a *cutturidd*** (piatto tradizionale dei pastori lucani). Ampia la selezione di **formaggi** locali: pecorino di Filiano, canestrato di Moliterno, caciocavallo podolico della zona, cacioricotta, caprini e, in primavera, la mozzarella custodita nell'asfodelo. Si chiude con torta della nonna, sformatino al cioccolato, sfogliatine ai frutti di bosco. La cantina dispone di oltre 400 bottiglie nazionali e internazionali ma dà il giusto rilievo alle etichette regionali: Alfredo e Arturo sapranno consigliarvi benissimo sul migliore abbinamento fra cibo e vino.
Nei dintorni di Melfi valgono senz'altro una visita i laghi di Monticchio, raggiungibili attraverso i meravigliosi castagneti del monte Vulture.

In via Grosseto, presso il biscottificio Dol.Bi. è possibile acquistare, oltre ai calzoncelli di Melfi, un ricco assortimento di ottimi dolci.

ISUCCIO

Trattoria
Via Appia, 198
Tel. 0971 471312
Chiuso la domenica
Orario: mezzogiorno e sera
Ferie: una settimana a Ferragosto
Coperti: 50
Prezzi: 18-23 euro vini esclusi
Carte di credito: tutte, Bancomat

Angelo Mastroberti e Rocchina La Bella gestiscono questa vecchia osteria che, ai tempi del fondatore, proponeva soltanto merende, colazioni e semplici piatti caldi. Oggi, i molti piatti della tradizione gastronomica lucana e potentina presenti sul menù si devono al talento ai fornelli di Rocchina.
Formaggi e salumi locali, frittelle con salsiccia, zucchine, fiori di zucca o ricotta potranno inaugurare un pasto che proseguirà con **lagane con fagioli** o ceci, **strascinati con cacioricotta e peperoni *crusch***, orecchiette al ragù lucano (preparato con diversi tipi di carne), ravioli di ricotta, ***manate* con mollica di pane e noci tostate in olio**, cavatelli con fagioli, gnocchi con tartufi e funghi: tutti i formati di pasta fresca sono preparati in casa. In alternativa valide zuppe come l'*acquasale* con le rape, la **cicoria con purè di fave**, con le cotiche o con la mollica di pane. Per quello che riguarda i secondi, si segnalano l'**agnello cacio e uova** (piatto tipico della tradizione potentina), il capretto al forno, la **tortiera di capretto e patate**, l'arrosto misto di carni alla brace, il **maiale con peperoni all'aceto**. Prenotando in tempo (l'esecuzione è piuttosto laboriosa) potrete gustare il ***cutturieddu***, uno stracotto piccante di pecora, agnellone o castrato. D'inverno valgono l'assaggio le diverse pietanze a base di **baccalà**: **a *ciauredda***, con peperoni *crusch*, al forno con patate.
I numerosi dolci casalinghi variano spesso: mousses, zuccotti, tiramisù, profiteroles, torte, crostate. L'offerta enologica è limitata ad alcune bottiglie lucane.

In via Scafarelli 20, presso l'enoteca Laboratorio diVino prodotti tipici, grandi vini (oltre 600 etichette) e Presìdi Slow Food in degustazione e in vendita.

125 KM A SO DI POTENZA A 3 E SS 585

COCCOVELLO

Azienda agrituristica
Contrada Carpuscino, 2
Tel. 0973 428025-329 2239318
Chiuso il lunedì, mai d'estate
Orario: mezzogiorno e sera
Ferie: 3 settimane tra gennaio e febbraio
Coperti: 40 + 100 esterni
Prezzi: 20 euro vini esclusi
Carte di credito: nessuna

Si arriva da Coccovello (nome che si deve al vicino monte omonimo) prendendo la statale 585 (meglio conosciuta come fondovalle del Noce) che collega l'autostrada alla costa di Maratea e a quella della Calabria tirrenica: all'altezza del bivio per Sapri, una breve salita conduce a una bella costruzione in pietra e mattoni la cui lunga balconata è adorna di fiori. Azienda agrituristica, è gestita da Giovanni Megale e dalla moglie Alice, brava non solo ai fornelli ma anche a creare oggetti di bigiotteria. Con la bella stagione è possibile pranzare in un'ampia terrazza, altrimenti vi accomoderete in una sala piccola ma molto graziosa, arredata con buon gusto in stile rustico. Alcune materie prime non prodotte in azienda provengono da Rotale, zona pianeggiante poco distante dal locale.
Per cominciare, troverete secondo stagione **pasticcio di patate con salsiccia**, frittelle di patate con miele di castagne, involtini di patate con la pancetta, zucchine a scapece, crostini di polenta. I formaggi e i **salumi** proposti sono di propria produzione: da provare la ricercata soppressata di Rivello, la salsiccia, la ricotta, i caprini. Passando ai primi, ecco i **fusilli ai funghi porcini** (raccolti nei boschi circostanti), i tipici **cavatelli con ricotta fresca**, i ravioli al pomodoro, le imperdibili **lagane con i fagioli**. Vari tagli di ottima carne alla brace costituiscono l'offerta principale per quello che riguarda i secondi: da non perdere il misto di agnello, capretto, maiale e podolica. Torta alla crema, crostata ai frutti di bosco, pan di Spagna casalingo, pasticceria secca a base di mandorle, noci e nocciole, per chiudere bene il pasto.
Accanto a un discreto vino sfuso della zona, è disponibile qualche etichetta regionale.

Rotonda

141 km a sud di Potenza A 3 e SS 19

Da Peppe

Ristorante
Corso Garibaldi, 13
Tel. 0973 661251
Chiuso domenica sera e lunedì, mai d'estate
Orario: mezzogiorno e sera
Ferie: non ne fa
Coperti: 70
Prezzi: 25-28 euro vini esclusi
Carte di credito: tutte, Bancomat

Rotonda si trova sul versante lucano del Parco nazionale del Pollino; deve probabilmente il suo nome alla disposizione originaria degli edifici intorno al castello. In un'antica casa ben ristrutturata, Peppe De Marco propone piatti della tradizione ricavati da ottime materie prime; ad accogliervi in sala, la moglie Angela e le figlie Antonella e Flavia.

Gli antipasti comprendono insalata di cicoria, olive, sottoli, salumi, lardo aromatizzato alle erbe del Pollino, pecorino di Filiano, ricotta di capra, *paddraccio* (formaggio primo sale), **patane e vaiane** (minestra di patate con verza e fagiolini), tortino di *'nduja*, polpette di lampascioni e varie preparazioni a base di funghi cardoncelli e melanzana rossa di Rotonda (Presidio Slow Food). Di questo prodotto Peppe è un vero cultore, al punto da dedicarle una giornata, il 25 agosto, per un percorso gastronomico a tema. La pasta fresca è preparata in casa con l'impiego di farina di carosella (maiorca) e semola di grano duro: **lagane e fagioli**, ravioli alla punta di ortiche, **cavatelli al sugo di cinghiale**, tagliolini col tartufo del Pollino e fonduta di formaggio, *rascatiedd* con zucchine, fiori di zucca e caciocavallo affumicato. Si prosegue con l'**agnello con patate e peperoni**, il capocollo ai funghi porcini del Pollino, la melanzana rossa ripiena di funghi porcini e di fagioli poverelli bianchi. Eccellente l'olio extravergine d'oliva locale impiegato. Si conclude con le crostate ai frutti di bosco, il semifreddo al torroncino e la particolare **torta di melanzane rosse**. Carta dei vini regionale ben assortita.

A pochi passi dal ristorante, Peppe ha un negozio in cui troverete una ricca selezione di specialità enogastronomiche e prodotti di artigianato locale.

Rotondella

102 km a sud di Matera SS 380 e 106

La mangiatoia

Ristorante
Via Giotto, 23
Tel. 0835 504440-504137
Chiuso il lunedì, mai d'estate
Orario: mezzogiorno e sera
Ferie: non ne fa
Coperti: 90 + 20 esterni
Prezzi: 18-25 euro vini esclusi
Carte di credito: tutte, Bancomat

Rotondella si raggiunge facilmente dalla costa jonica: è situata alla sommità di una collina da cui si gode una spettacolare veduta della piana del Metapontino. In un antico palazzo ristrutturato troviamo il ristorante gestito da Cosima Fabiano e dal figlio Giuseppe. Lui in sala vi illustrerà i piatti del giorno, mentre è a Cosima che si deve la preparazione dei piatti tipici della tradizione locale.

Si inizia con un ricco antipasto a base di ***pastizzi*** (calzoni ripieni di carne) e ***falagoni*** (calzoni con verdure, ortaggi e legumi), salumi (da provare la soppressata locale al peperoncino di Senise), ottimi formaggi del Materano e canestrato di Moliterno. I sottoli, preparati in casa, sono serviti con il pane arabo che assorbe l'olio in eccesso e ben accompagna le verdure. La pasta fresca di fattura casalinga è preparata quotidianamente: ottimi i cavatelli con sugo di pomodoro fresco e cacioricotta, squisiti i ***frizzuli*** conditi **con ragù e mollica di pane fritta** insaporita con polvere di peperone, buone le **pappardelle ai funghi**. Le carni di **capretto**, agnello e maiale sono tenere e gustose e cotte al forno o alla brace; ottimo l'**arrosto di podolica**. Per concludere, assaggiate la ricotta con lo zucchero e il vino cotto, e le tipiche e gustose albicocche di Rotondella alle quali, nel periodo estivo, è dedicata anche una sagra.

Pochi i vini disponibili, quasi tutti lucani; lo sfuso di produzione propria, però, non è male.

Terranova di Pollino

154 km a sud di Potenza ss 653 e 92

Luna rossa

Ristorante
Via Marconi, 18
Tel. 0973 93254
Chiuso il mercoledì, mai d'estate
Orario: mezzogiorno e sera
Ferie: in ottobre
Coperti: 60 + 30 esterni
Prezzi: 32-35 euro vini esclusi
Carte di credito: tutte, Bancomat

Nel suo ristorante ubicato nel cuore del Parco nazionale del Pollino, Federico Valicenti da anni valorizza materie prime del territorio e piatti della cucina tradizionale locale che elabora con un piccolo tocco innovativo.
In attesa del pasto, a Federico piace proporre il "piatto della memoria", la ***saìma*** (strutto rosso con sbriciolata di salsiccia). Potete decidere di affidarvi al menù degustazione o scegliere alla carta. Per cominciare vi suggeriamo la crema di fagioli e castagne ai profumi di finocchio selvatico e il cestino di formaggio con funghi porcini lardati all'uovo. Tra i primi piatti, valgono certamente l'assaggio il ***mischiglio*** (pasta di farina di ceci, orzo, avena, fave, semola) con ragù di cinghiale, alloro e ginepro, i cavatelli con ricotta e mosto cotto, i fusilli all'Aglianico con polvere di peperone di Senise, i ***zinni zinni*** (piccoli cavatelli) **con funghi porcini**, **mollica di pane e finocchietto selvatico**. Si può proseguire con il **capretto in salsa dorata** (piatto rinascimentale con uova, farina di castagne e limone), il filetto di maiale cotto su sale grosso con patate arrosto, i cestini di caciocavallo con agnello al tartufo e porcini. Interessante la selezione di formaggi locali, serviti con mieli e confetture. Meritano anche i dolci: crema di frutta di bosco, crema di castagna al ridotto di Aglianico, **torta di pane al vino cotto** con noci, mandorle, cioccolato.
Molto fornita la cantina, con buona scelta di vini regionali e nazionali. Da provare i rosoli della casa: finocchietto, alloro, liquirizia, fragole di bosco.

Viggiano

80 km a sud di Potenza a 3 ss 598

San michele

NOVITÀ

Azienda agrituristica
Contrada San Michele
Tel. 0975 61235
Chiuso il lunedì
Orario: mezzogiorno e sera
Ferie: variabili
Coperti: 30 + 30 esterni
Prezzi: 20-25 euro vini esclusi
Carte di credito: tutte, Bancomat

Immerso in un parco privato di circa 50 ettari (di boschi, prati e pascoli oltre a un frutteto, orto e vigneto per le esigenze del ristorante), l'agriturismo di Nicola Nigro, aperto nel 2003, è situato nel cuore dell'alta valle dell'Agri, sul versante sud della Montagna Grande di Viggiano, centro lucano noto per il santuario della Madonna Nera, patrona della Basilicata. Lo si raggiunge uscendo dalla A3 ad Atena Lucana e imboccando la statale 598 in direzione val d'Agri.
Angelo, il cuoco, pepara con cura pietanze dell'antica tradizione locale: **ferricelli al ragù di castrato** (ovino o caprino) alla viggianese, **lagane e ceci**, ravioli di ricotta con zucca e tartufo locale, **brodo di gallina vecchia con patatelle**, zuppa di cicoria con purè di fave, **fusilli con la mollica**. Le carni provengono dall'allevamento allo stato brado o semibrado di bovini, suini, ovini, caprini e animali da cortile: salsiccia viggianese con fagioli di Sarconi, **costine di cinghiale con peperoni di Senise**, agnello alla brace, **capretto al forno con patate**, grigliata mista del pastore (agnello, maiale e salsiccia). La pasta fresca, i formaggi, il pane e le focacce cotte nel forno a legna sono tutti di produzione propria.
La proposta enologica include ovviamente diverse etichette di Aglianico del Vulture e Grottino di Roccanova, ma non manca la doc locale, Terre dell'Alta Val d'Agri, che Nicola Nigro produce in quantità limitata. Data l'affluenza, si consiglia la prenotazione.

In corso Vittorio Emanuele, la macelleria Petti propone carni locali di qualità. Da maggio a ottobre l'eccellente vitello di razza podolica allevato allo stato brado.

Calabria

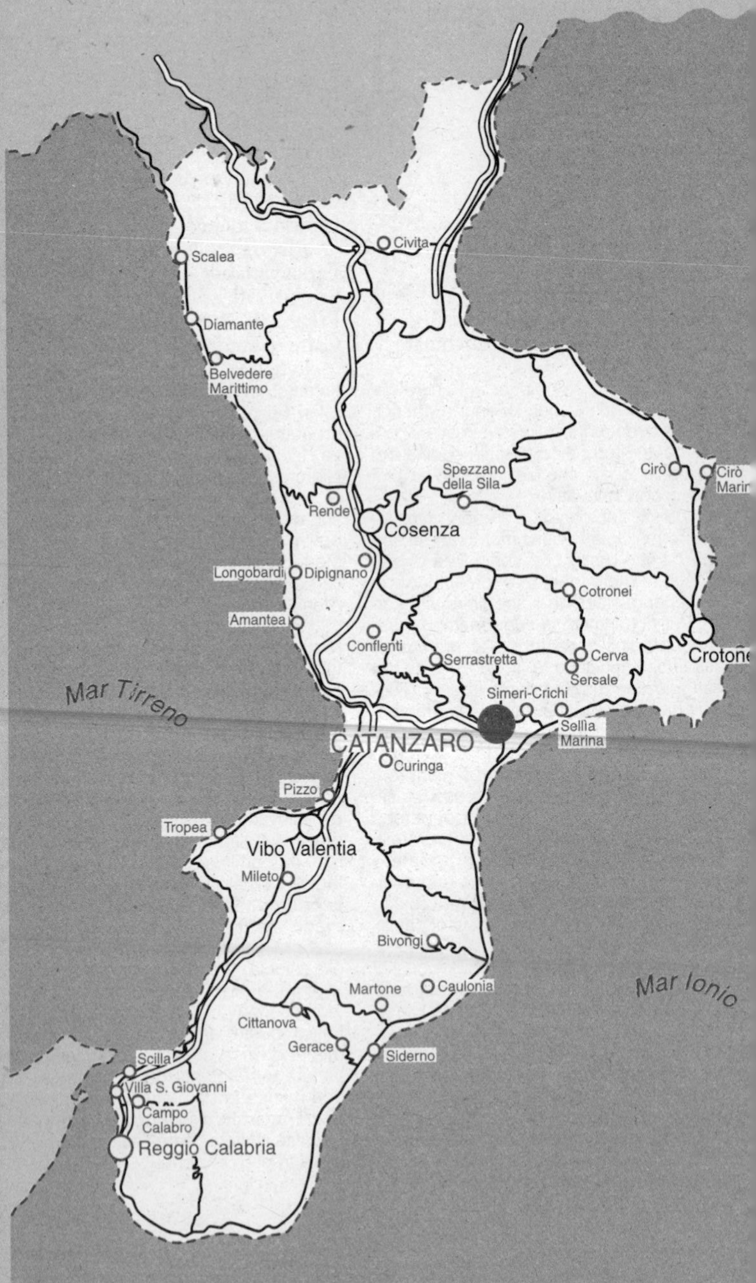

Civita
Scalea
Diamante
Belvedere Marittimo
Cirò
Cirò Marina
Spezzano della Sila
Rende
Cosenza
Longobardi
Dipignano
Cotronei
Amantea
Conflenti
Crotone
Serrastretta
Cerva
Sersale
Mar Tirreno
Simeri-Crichi
Sellìa Marina
CATANZARO
Curinga
Pizzo
Tropea
Vibo Valentia
Mileto
Bivongi
Martone
Caulonia
Mar Ionio
Cittanova
Gerace
Siderno
Scilla
Villa S. Giovanni
Campo Calabro
Reggio Calabria

43 KM A SO DI COSENZA SS 18

ENOTECA DUE BICCHIERI

Ristorante-vineria
Via Dogana, 92
Tel. 0982 424409-347 1257301
Chiuso lunedì e martedì, mai d'estate
Orario: sera, domenica solo pranzo
Ferie: fine settembre
Coperti: 40 + 40 esterni
Prezzi: 25-30 euro vini esclusi
Carte di credito: tutte, Bancomat

Un tempo il locale era un'enoteca: l'originaria impostazione si riflette ancora oggi nella carta dei vini, che conta 250 etichette di tutta Italia, ben selezionate e disponibili anche per l'asporto. L'evoluzione di Due Bicchieri è stata lenta e progressiva: stuzzichini, poi piatti freddi, infine le odierne specialità anche calde della cucina calabrese, sia di mare sia di terra. Gianluca Ganci si occupa della sala e, da bravo sommelier qual è, dei vini. Ai fornelli opera, con due aiutanti, la moglie Marta Russo.
Aprono il pasto bruschette con pesci marinati o, in stagione di funghi, con porcini, **tortino di alici**, **polpi al salmoriglio**, verdure di stagione marinate, crudo di gamberi e scampi o di ricciola, soufflé di pecorino del monte Poro. Ai primi di mare (agnolotti di cernia con bottarga di tonno, **pasta** di Gragnano **con ragù di paranza**) fanno da contrappunto i **paccheri al ragù di cinghiale** o i cappellacci di prosciutto silano e noci. Anche al momento del secondo si alternano carne e pesce: **filetto di ricciola al forno**, **pesce spada alla bagnarese** con capperi, peperoni e cipolla rossa di Tropea, ma anche arrosto di maiale nero calabrese ai ferri e, d'inverno, **agnello** e cinghiale. Nella selezione di formaggi, non solo regionali, spicca il pecorino del monte Poro.
Marta ha una predilezione per i dessert: provate la mousse di cioccolato bianco e fondente, il babà al cioccolato, la torta di ricotta e gelato al pistacchio, la crostata con purea di mele caramellate al vino rosso.

La famiglia Ganci è impegnata nella lavorazione e conservazione del pesce pescato in zona: tonno all'olio d'oliva, alici salate, sgombri. Il punto vendita si trova a qualche centinaio di metri dal ristorante.

AMANTEA

43 KM A SO DI COSENZA SS 18

LOCANDA DI MARE

Trattoria
Via Stromboli, 20
Tel. 0982 428262
Chiuso il lunedì, mai d'estate
Orario: mezzogiorno e sera
Ferie: variabili
Coperti: 60 + 70 esterni
Prezzi: 22-25 euro vini esclusi
Carte di credito: tutte, Bancomat

Amantea non è soltanto una delle località balneari più note della Calabria: ha anche mantenuto un saldo legame con l'economia tradizionale, basata sulla pesca e sul commercio con l'entroterra agropastorale. Il suo mare è una risorsa non solo per il turismo: il pescato (soprattutto di specie azzurre e di spada) alimenta un'ultrasecolare industria di trasformazione. Nella trattoria che Maurizio Scudiero, figlio e nipote di pescatori, gestisce con la moglie Maria Filippo nel centro di Amantea, potrete gustare le specialità della cucina locale. Sarà Maria a presentarvi, in sala o in veranda, i piatti del giorno, che variano secondo la disponibilità del mercato.
Il menù comprende sempre alcune conserve ittiche tipiche del Cosentino come la **rosamarina** (neonata piccante) con cui si preparano le **piticelle** (frittelle) e si condisce la pasta. Sempre presenti fra gli antipasti le **alici**, marinate, ***arreganate*** o usate come farcia delle monacelle (frittelle), ma che insaporiscono anche i primi e trionfano tra i secondi, **ripiene**, arrostite o fritte. Quando è disponibile, è irrinunciabile il **pesce spada**, che Maurizio cucina **al tappeto** (a tranci cotti in forno con patate e aromi); gli altri pesci sono proposti per lo più alla griglia, accompagnati in stagione dall'**insalata di pomodori di Belmonte**. Altre proposte fra i primi gli spaghetti con cozze o vongole, i **ravioli di cernia e spada**, la **pasta con le alici** al sugo rosso, i **tubettini con la rosamarina**, il risotto alla marinara. Per finire tiramisù casalingo o i fichi secchi ricoperti di cioccolato dell'artigianato dolciario locale.
Qualche etichetta regionale in alternativa al bianco sfuso.

Belvedere Marittimo

69 km a NO di Cosenza ss 107 e 18

Sabbia d'oro 

Ristorante
Vai Piano delle Donne
Tel. 0985 88456
Chiuso il martedì, mai d'estate
Orario: mezzogiorno e sera
Ferie: dicembre-gennaio
Coperti: 100 + 100 esterni
Prezzi: 35 euro vini esclusi
Carte di credito: tutte, Bancomat

Quasi sulla battigia, il ristorante Sabbia d'Oro dispone di una bellissima terrazza, sulla quale potrete pranzare nella bella stagione; anche la curata sala interna si affaccia sulla spiaggia. L'atmosfera è rilassata, l'accoglienza cortese; i piatti preparati da Anna Maria variano secondo la disponibilità del mercato, e sono quelli della classica cucina calabrese di pesce, insaporita dalla giusta dose di peperoncino.

Si può iniziare con le semplici e piccanti piticelle di rosamarina; sapori meno forti ma non meno gustosi scegliendo le sarde, le **raganelle di fragaglia di alici**, i polpetti locali insaporiti dalla cipolla di Tropea. Gli **gnocchetti Sabbia d'oro**, fatti a mano e conditi con pomodoro, gamberetti, radicchio, rucola e un pizzico di peperoncino, sono uno dei classici della casa; in alternativa, le **linguine con gli scampi**, le tagliatelle giallomare (dove il pesce è abbinato ai fiori di zucchine), le lunette orto e mare, con ripieno di carciofi e dentice, condite con gamberetti e scalogno. Il **pesce spada *arreganato*** e le **fritture di paranza** sono certo le due specialità più apprezzate tra i secondi, ma meritano anche la tagliata di tonno con cipolla di Tropea, il nido di mare (guscio di patate che racchiude filetti di cernia), i gamberi con le fave, le seppie arrostite o con i carciofi, le appetitose grigliate miste di pesce. Due i dolci particolari che meritano l'assaggio: il **babà alla crema di cedro** proveniente dalla Riviera dei Cedri, tratto della costa cosentina che va da Tortora a Paola, e la **crostata del diavolo**, che unisce nella farcitura marmellata di arance, confettura di peperoncino e mandorle.

La carta dei vini comprende bottiglie calabresi e nazionali.

Bivongi

150 km a NE di Reggio Calabria ss 110 o A 3 uscita Lamezia

La vecchia miniera

Ristorante
Contrada Perrocalli
Tel. 0964 731869-338 5761250
Chiuso il lunedì
Orario: pranzo e sera, d'inverno solo pranzo
Ferie: seconda domenica settembre-fine mese
Coperti: 150 + 60 esterni
Prezzi: 19-22 euro vini esclusi
Carte di credito: le principali, Bancomat

Per raggiungere Bivongi, piccolo borgo all'estremo lembo nord della provincia reggina, si percorre la statale jonica fino a Monasterace, quindi si imbocca la provinciale 110. Il ristorante gestito da Laura sorge sui resti del lavatoio di una miniera abbandonata; nonostante le diverse sale, arredate con sobrietà, siano destinate ai grandi numeri d'estate come d'inverno, non aspettatevi un ristorantone anonimo: la proposta gastronomica si basa su pochi e genuini ingredienti, le ricette sono di stampo prettamente tradizionale.

Per antipasto troverete olive, pomodori secchi, melanzane sott'olio e salumi locali quali il capocollo e la **soppressata**. Valido proseguimento con le **penne ai funghi** raccolti nei boschi circostanti e con le ***scilatedde*** lavorate al ferretto (com'è d'uopo in queste zone) e condite **con il sugo di capra**, sapido e cotto per molte ore. E ricorre spesso anche tra i secondi la carne di capra, cucinata secondo diverse preparazioni; in alternativa, **grigliate di agnello**, filetto di maiale ai funghi, salsiccia al forno con le patate. Potrà anche capitarvi di trovare la **trota**, proveniente da un vicino lago o dallo Stilaro: vi sarà servita ***arreganata*** (al cartoccio con origano e peperoncino) o alla griglia. In stagione di caccia, infine, potrete assaggiare le **costolette di cinghiale**.

Il buon vino Bivongi doc di propria produzione (rosso, bianco e rosato) si affianca ad alcune etichette calabresi e italiane.

Presso l'antico forno di Cosimina Zurzolo, in piazza del Popolo, potete trovare il pane cotto a legna e la pizzata di mais.

Campo Calabro

15 km a nord di Reggio Calabria, 5 km da Villa San Giovanni

Il giardino degli allori

Ristorante-pizzeria
Via Sant'Angelo, 1
Tel. 0965 757548
Chiuso il lunedì, mai d'estate
Orario: mezzogiorno e sera
Ferie: dopo l'Epifania-fine mese
Coperti: 80 + 120 esterni
Prezzi: 25 euro vini esclusi
Carte di credito: tutte

Il ristorante di Orlando e Gabriella Pavone ha cambiato sede: si è spostato di 400 metri in una bella villa tutta legno e vetri che si affaccia su un giardino di allori, ibiscus e piante di agrumi, dov'è possibile accomodarsi d'estate. Gabriella si occupa dell'accoglienza in sala, Orlando ai fornelli propone la più autentica cucina del territorio.

D'estate potrete cominciare con la **parmigiana di melanzane**, peperoni e pomodori ripieni, la **tortiera di peperoni arrostiti**, il pescestocco crudo in insalata; d'inverno le **ricottine di pecora**, le olive schiacciate, il **capocollo**, le soppressate, le frittelle con le verdure. La pasta è fatta in casa, come le conserve di pomodoro usate per condire: provate i **cappelli di prete** conditi d'inverno con i broccoli, in primavera con fave e piselli, d'estate con fiori di zucca; le **cortecce *'ncaciate*** (servite nel tegamino di coccio) con pomodoro, melanzane, pecorino e ricotta salata; le **linguine con il sugo del pescestocco *a ghiotta***. In alternativa, troverete varie zuppe. Lo **stinco di maiale** prima cotto al vapore e poi nel forno a legna, servito con cipolle di Tropea alla brace e patate cotte sotto la cenere, è una delle principali specialità fra i secondi; l'agnello locale è fatto in umido, il pescestocco arrostito. Pochi i piatti di pesce: **alici fritte**, sformato di pesce spada e melanzane, **tortino di spatola** (pesce sciabola). Per finire, gustate i "**pezzi duri**": gelati artigianali alle mandorle e pistacchi o al fior di latte con cuore di amarena; particolare anche il **sorbetto al bergamotto** affogato nel nettare di Primitivo.

Bottiglie calabresi e valide etichette del Sud nella buona lista dei vini.

Osteria accessibile ai disabili.

Catanzaro

Da Pepè la vecchia hostaria

NOVITÀ

Trattoria
Vico I Piazza Roma
Tel. 0961 726254
Chiuso la domenica
Orario: 10.00-15.00/17.30-23.00
Ferie: prima settimana di luglio
Coperti: 40
Prezzi: 15-20 euro vini esclusi
Carte di credito: nessuna

All'uscita dalla Funicolare, nel tratto fra piazza Roma e il municipio, si trova la stradina che conduce a questo locale specializzato nella preparazione del **morzello** (*u morzeddu*). Nato secoli fa, questo piatto della cucina povera catanzarese è ottenuto cuocendo lentamente nella salsa piccante di pomodoro pezzetti di trippa e di frattaglie; lo si gusta meglio tra due fette di *pitta*, il locale pane a forma di ciambella. Già alle 10 del mattino trovate all'ingresso il grande tegame il cui inconfondibile profumo invita all'assaggio. Pepè Mangone detto "Il rosso" gestisce insieme alla moglie Gioconda questa singolare *putiga* fin dagli anni Sessanta: al piano terra tre tavoli per gli avventori che amano gustare il morzello, al piano superiore la sala per il pranzo o la cena.

Pochi ma significativi gli altri piatti disponibili: la pasta al ferretto con il sugo, la classica **pasta *china*** (zitoni con polpettine di carne, soppressata e provola), le minestre con gli ortaggi di stagione, la **pasta e ceci** alla catanzarese, **cicorie e fagioli**, e, a seguire, parmigiana di zucchine o di melanzane, **melanzane *chine***, polpette di carne al sugo, **braciolette fritte**, vitello al forno, pollo alla cacciatora, bistecche e salsicce alla brace, **baccalà con le patate**. Per rispettare la tradizione religiosa che non vuole piatti di carne il venerdì, è solitamente presente in quel giorno il **morzello alla *diiunella***, preparato con il baccalà.

Per accompagnare il pasto si può scegliere tra un gradevole rosso locale e alcuni vini calabresi e nazionali in bella mostra sulla credenza.

Muleo, in via Marconi, sforna buoni pani, comprese le classiche pitte da accompagnare al morzello.

Catanzaro

Trattoria dei Mercanti

Trattoria
Vico Mercanti, 5
Tel. 339 4059151
Chiuso la domenica
Orario: mezzogiorno e sera
Ferie: agosto
Coperti: 24
Prezzi 20-22 euro vini esclusi
Carte di credito: nessuna

Il *morzeddu*, il soffritto di maiale, *'a tiana*: sono queste le specialità più rappresentative della cucina catanzarese. Il primo, chiamato così perché si mangia a morsi, è un insieme di frattaglie di vitello cotte in vino, pomodoro e peperoncino, ed è usato per farcire una focaccia morbida (*pitta*); il soffritto è il suo equivalente preparato con la carne di maiale. La *tiana*, infine, è carne di capretto sminuzzata, insaporita con cipolla e messa in forno con patate, piselli, formaggio, prezzemolo, pepe nero, mollica di pane; prende il nome dal tegame di terracotta in cui la si cucina.
Gianluca Squillace, nel suo piccolo locale del centro, ha ripristinato lo stile di cucina della *putica*, il posto di ristoro che a Catanzaro serviva il ***morzeddu***. Qui si possono gustare quasi tutti i giorni il **soffritto** e questo tipico cibo da strada nella versione classica; nei fine settimana, invece, è presente il *morzeddu* di baccalà. ***'A tiana*** invece è spesso disponibile nei mesi freddi. Antonia e Cinzia, però, preparano con cura anche altri piatti della tradizione. Inizierete con frittatine, melanzane, **polpettine di carne**, salumi calabresi e **bruschette spalmate di *'nduja***. Il **riso al forno** e la **pasta *china*** sono due primi particolarmente sostanziosi. Al momento del secondo si alternano carne e pesce: ecco quindi **braciola al ragù**, coniglio, **capretto**, cotoletta insaporita con provola e guanciale, ma anche **alici con pomodori pachino** sfumate con vino bianco, **spatola al forno**, gamberi.
I vini sono soprattutto calabresi. Il locale apre la domenica solo su prenotazione.

Accanto al locale, potrete gustare l'ottimo caffè e i gelati del bar Mignon o, nelle vicinanze, la spuma di caffè della storica torrefazione Lanzo.

Caulonia
Contrada Carrubara

119 km a NE di Reggio Calabria ss 106

Da Giglio

Osteria tradizionale
Contrada Carrubara, 20
Tel. 0964 861572-338 5435762
Chiuso il lunedì
Orario: sera, pranzo su prenotazione
Ferie: novembre
Coperti: 30 + 20 esterni
Prezzi: 25-30 euro vini esclusi
Carte di credito: nessuna

Sulla statale 106 che porta al mare, scendendo dalla splendida Caulonia antica, aggrappata alla collina con le sue viuzze strette e le chiese, verso l'anonima Caulonia nuova, troverete quella che è una delle ultime osterie tradizionali della zona. Giglio Zannino, e in tempi più recenti anche il figlio Ilario, hanno trasformato il locale da vecchia rivendita di vini in un'accogliente osteria. Ai fornelli c'è sempre mamma Natalina, che tira a mano le paste (tagliatelle e *maccarruni*) e prepara anche il pane cotto in forno a legna.
Olive, pecorino, salame, capocollo, le gustose **polpette di melanzana**, i pomodori ripieni, le **frittelle di zucca** o di asparagi, i carciofi sott'olio fatti in casa, il **pane schiacciato** (focaccia ripiena di ciccioli) costituiscono il ricchissimo antipasto calabrese. Riguardo ai primi, valgono senz'altro l'assaggio le **tagliatelle con il sugo dei *cacocciuli***, ossia i carciofini frutto del cardo selvatico, le tagliatelle con i ceci o con il sugo delle polpette di carne di maiale. A seguire, **coniglio alla cacciatora**, capretto al sugo di pomodoro, grigliate di carne di maiale, **baccalà in umido** con le patate o impanato e fritto; le melanzane e le zucchine ripiene servite per contorno costituiscono un secondo a tutti gli effetti.
Limitata la scelta del dessert: un ottimo tiramisù, i tartufi di un pasticciere locale e, soltanto la domenica, le crostate di frutta. Una buona rappresentanza di etichette calabresi affianca il vino sfuso di propria produzione.

Caulonia
Marina di Caulonia

119 km a NE di Reggio Calabria ss 106

Trattoria del pesce fresco

Trattoria
Contrada Canne-via Lepanto
Tel. 0964 82746
Chiuso la domenica, mai d'estate
Orario: mezzogiorno e sera
Ferie: non ne fa
Coperti: 40 + 20 esterni
Prezzi: 25-30 euro vini esclusi
Carte di credito: nessuna

I coniugi Felice e Rosina Marrapodi continuano a proporre con lo stesso amore di sempre la loro cucina di mare. La trattoria, non lontana dal porto di Roccella Jonica, si trova poco discosta dalla strada ma è ben segnalata da una grande insegna lungo la statale 106: data la posizione strategica, in passato era soprattutto meta di agenti di commercio e camionisti di passaggio, mentre oggi sono tanti i gourmet della zona che vi si recano per gustare il buon pesce fresco locale. L'osteria, inoltre, è diventata più accogliente grazie a Marco, il figlio di Felice e Rosina, che ha portato una ventata di novità facendo ristrutturare gli interni e la veranda che si affaccia su un bel giardino di agrumi.
Potrete iniziare con le **alici marinate**, le frittelle di neonata o l'insalata di polpo. Ottimi i **sottoli** fatti in casa che comprendono le olive schiacciate, le melanzane e i pomodori secchi; anche i **salumi**, come il capocollo e la soppressata, sono di propria produzione. A seguire, tra i primi più usuali troverete gli **spaghetti al pesce lupo**, allo scorfano, al merluzzo o al nero di seppia, le **linguine allo scoglio**. Per secondo il pescato quotidiano (seppie, gamberi, triglie, gallinella, lupo e quant'altro) cucinato semplicemente in umido o alla griglia. Si chiude con torte alla frutta, limoncello casalingo o specialità di una vicina gelateria.
Accanto al vino prodotto con discreto successo da Marco non manca qualche etichetta calabrese e siciliana.

Cerva

45 km a NE di Catanzaro sp 109

Mundial 82

Trattoria-pizzeria
Via Daniele, 221
Tel. 0961 939481-939510
Chiuso il martedì, mai d'estate
Orario: mezzogiorno e sera
Ferie: 1-20 luglio
Coperti: 55
Prezzi: 21-23 euro vini esclusi
Carte di credito: le principali, Bancomat

Il nome della trattoria-pizzeria gestita dalla famiglia Masciari è inequivocabile: si deve infatti all'entusiasmo per la vittoria azzurra ai campionati di calcio in Spagna nel 1982, anno dell'inaugurazione del locale. Luogo di ristoro semplice e curato, vede protagoniste ai fornelli la signora Anna Maria, moglie del patron Giuseppe, e le figlie Maria Rita e Monica. Per assicurarsi la disponibilità dei piatti più tipici, è bene prenotare.
I **funghi** (porcini e, più raramente, ovoli) di cui abbondano i boschi di faggi, querce e castagni della Sila Piccola, che siano cucinati o conservati (secchi e sott'olio), costituiscono la base per il menù più richiesto: compaiono in insalata tra gli antipasti, come condimento di paste e risotti (anche in tandem con il pesce: ottime le **penne con gamberi e porcini**), grigliati, arrosto, impanati e fritti, da soli o in accompagnamento alle carni. Altre proposte, per cominciare, salumi caserecci e ***'u salaturu*** (un misto di peperoni verdi, olive schiacciate, pomodori verdi e melanzane conservati in un particolare contenitore di terracotta). Seguono i **cavatelli al ragù crotonese**, la **pasta *china***, le tagliatelle al ragù di capra, le ***scilatelle* al ragù di cinghiale** o di altra selvaggina (su prenotazione), il **coniglio alla cacciatora** e la capra in umido. Per finire, caciocavallo silano, pecorino crotonese, crostate o, quand'è stagione, dolci alle castagne, le tradizionali ***pitte 'nchiuse*** natalizie e le ***cuzzupe*** pasquali.
Buona scelta di vini regionali, servizio puntuale e cortese.

A **Sersale** (2 km), il macellaio Francesco Lia, via Roma 21, produce capocollo e lonzino artigianali.

Cirò
Cappellieri

33 km a nord di Crotone SS 106

Il mediterraneo

Ristorante-pizzeria
Strada Statale 106-Casello 191
Tel. 0962 32118
Chiuso il mercoledì, mai d'estate
Orario: mezzogiorno e sera
Ferie: due settimane in novembre
Coperti: 45 + 60 esterni
Prezzi: 25-30 euro vini esclusi
Carte di credito: tutte tranne AE, Bancomat

Il locale si trova a circa 50 metri dalla spiaggia, su un terrapieno da cui si può osservare un bel pezzo di costa ionica del Crotonese. Il ristorante, rinomato per l'ottimo pesce fresco, si trova più a ridosso del comune di Crucoli Torretta che in prossimità dell'abitato di Cirò, per cui non fatevi ingannare e proseguite in direzione Taranto, deviando dalla statale 106 quando siete a circa due chilometri da Crucoli. L'ambiente è accogliente ed elegante, con la sala arredata facendo largo uso di vetrine, scaffalature e pareti in legno, dove trovano posto più di 200 etichette che costituiscono un esauriente panorama enologico della penisola. Sia il titolare, sia il personale di sala, vi accoglieranno con cordialità e gentilezza.
L'antipasto prevalente è il misto di mare, composto da **peperoni fritti con polpo**, cozze, vongole, gamberi e insalata di seppie. Tra i primi meritano sicuramente una menzione gli ***scilatelli* con cozze, patate e peperoncino** e i **paccheri con i gamberi** sgusciati. Tra i secondi il **rombo al forno**, la spigola al sale, il **pesce spada alla griglia**, accompagnati da varie insalate di verdura. In alternativa, sono proposte buone pizze. Per dessert, da non perdere il tartufo di Pizzo, ma anche la torta al cioccolato e il tiramisù fatti in casa.
Apprezzabile l'utilizzo di uno dei migliori oli extravergine d'oliva calabrese, prodotto da un'azienda agricola biologica locale.

Cirò
Sant'Elia

38 km a nord di Crotone SS 106

L'aquila d'oro

Trattoria-pizzeria
Via Sant'Elia, 7
Tel. 0962 38550
Chiuso il lunedì, mai d'estate
Orario: mezzogiorno e sera
Ferie: tra settembre e ottobre
Coperti: 40 + 25 esterni
Prezzi: 23-25 euro vini esclusi
Carte di credito: nessuna

Il localino si trova a circa sette chilometri da Cirò Marina, dove sono ampiamente diffuse le colture della vite da cui si ricava il vino Cirò, e dell'olivo, rappresentate da splendide piante secolari della cultivar dolce di Rossano. Il ristorante ha dimensioni quasi familiari: una sala grande e una più piccola, separate soltanto da una ridotta parete nel cui espositore in legno campeggiano i pochi vini disponibili e il valido e ricercato passito Greco di Bianco. Chi sceglie di andare all'Aquila d'Oro, lo fa per assaporare l'atmosfera del tempo passato, oltre che per gustare porzioni generose dei piatti dell'autentica cucina tradizionale.
Si può partire con uno stuzzichino di focaccia farcita con sardella e di pizza ai fiori di sambuco. A seguire, l'antipasto calabrese comprendente la **cipollata** (frittata di cipolla, uova e provola), la salsiccia, la **soppressata**, la pancetta, il capocollo e il guanciale di maiale fatti in casa, il pecorino crotonese, i **peperoni al forno ripieni** di melanzane e provola, i carciofi interi sott'olio. Potete continuare con le **tagliatelle** fatte in casa **ai funghi porcini** o con ragù e polpettine di vitello, in ogni caso spolverizzate con una generosa manciata di ricotta ovina affumicata del Crotonese e pepe. Al momento dei secondi, troverete carne di cinghiale e maiale, salsiccia, **capretto con le patate**. Accompagna il tutto pane casereccio. Volendo si può scegliere anche una buona pizza.
A volte è possibile trovare buoni dolci e liquori di fattura casalinga.

33 KM A NORD DI CROTONE SS 106

LA LOCANDA

Ristorante
Via Vittorio Emanuele
Tel. 339 3890171
Non ha giorno di chiusura
Orario: mezzogiorno e sera
Ferie: due settimane in autunno
Coperti: 35
Prezzi: 25-30 euro vini esclusi
Carte di credito: nessuna

Il ristorante si trova a circa 20 metri dal lungomare e fa angolo tra un vicolo stretto e una strada ampia e abbastanza trafficata. L'esercizio si sviluppa su tre livelli ognuno con una saletta: la prima subito dopo l'ingresso, un'altra attigua a cui si accede salendo qualche gradino, e l'ultima tra l'angolo bar e la cucina. La gestione è familiare, con Michela addetta alla sala e il marito Mario in cucina a preparare, in maniera tradizionale, solo il pesce pescato in proprio. Quasi tutto l'ambiente è in stile marinaro, a cominciare dalla rete sospesa sul soffitto su cui si trovano granchi, stelle marine e conchiglie di notevoli dimensioni; sparsi un po' ovunque, inoltre, un timone, nasse e remi da peschereccio. L'arredamento è completato da due vetrine-credenze in legno e soprattutto da composizioni di foto e articoli di giornale che testimoniano le battute di pesca di Mario. Ma parliamo di ciò che più ci interessa: tutto, sia gli ingredienti sia il modo con cui sono cucinati, è di qualità superiore.
L'immancabile antipasto di mare è composto da **alici impanate** o marinate al prezzemolo e al peperoncino, da frittelle di neonata e da una frittura di patate e peperoni. I primi da non perdere sono i **paccheri ripieni di cernia e gamberetti**, le farfalle in bianco al pesce spada, il **risotto ai frutti di mare**. Come secondo la fa da padrona la **grigliata di pesce**, la cui composizione varia in base al pescato giornaliero.
I vini proposti sono quasi esclusivamente Cirò, sfuso o di una delle migliori cantine del luogo. Si finisce con grappe, amari, limoncello e sorbetto.

33 KM A NORD DI CROTONE SS 106

MAX

Trattoria-pizzeria-enoteca
Via Togliatti
Tel. 0962 373009
Chiuso il lunedì, mai d'estate
Orario: mezzogiorno e sera
Ferie: seconda metà di settembre
Coperti: 120 + 200 esterni
Prezzi: 25-30 euro vini esclusi
Carte di credito: tutte, Bancomat

La trattoria si trova a ridosso del lungomare, una passeggiata lunga circa tre chilometri nella quale trovano posto impianti balneari, locali di ogni genere, bancarelle e giostre per rendere piacevole le giornate estive di Cirò Marina. L'esercizio è abbastanza ampio, composto da uno spazio esterno della capienza di circa 50-60 posti, da una prima sala, la più ampia, in cui oltre ai tavoli è ubicato al centro l'angolo bar, e un corridoio passato il quale si accede a un altro locale dove si trova una cantina davvero fornita. Nell'arredamento si fa largo uso di legno e mattoni a vista. L'offerta culinaria è molto vasta, spaziando indistintamente dai piatti di terra a quelli di mare. Cinque le possibili combinazioni di antipasti: cirotano (**sardella**, cipolla, pomodoro), Sila (capocollo, funghi, formaggi), della casa (vari affettati e funghi sott'olio), caprese (mozzarella di bufala, pomodori), di mare (sardella, molluschi, polpo, insalata verde e olive). Tra i primi, ***scilatelli* al ragù**, bucatini all'amatriciana, risotto ai porcini, spaghetti alla puttanesca, **orecchiette alla pecorara**. Per secondo ecco la costata di vitello, la **trippa al sugo**, la bistecca ai ferri, il filetto alla brace, la scamorza ai porcini, il filetto all'aceto balsamico con patate al forno, il pescato del giorno cucinato secondo le preparazioni più classiche. Bello e vario il carrello dei formaggi calabresi e nazionali. Da non sottovalutare la buona pizza. Per chiudere in bellezza, gelato di Pizzo alla liquirizia o, in inverno, tiramisù e torta al cioccolato.
Riguardo alle grappe, agli amari e ai liquori, c'è solo l'imbarazzo della scelta.

Locala segnalato
dall'Associazione italiana celiachia.

Cittanova

66 km a NE di Reggio Calabria

La mamma

Trattoria
Via San Giuseppe, 33-angolo via Roma
Tel. 0966 660147-655849
Chiuso il martedì
Orario: mezzogiorno e sera
Ferie: 15-31 luglio, 15-30 settembre
Coperti: 60 + 70 esterni
Prezzi: 20-25 euro vini esclusi
Carte di credito: tutte, Bancomat

Incontrerete Cittanova lungo la statale 111 che congiunge il Tirreno allo Jonio. Questa classica trattoria è gestita da Maria che, con l'aiuto dei figli, propone pietanze semplici e saporite, tipiche della cucina casalinga dell'entroterra reggino.
Sottoli, verdure fritte, frittelle e crocchette di vario tipo, capocollo, salame, **ricottina** fresca, pecorino locale, **stocco crudo in insalata**, sono alcune delle possibili portate incluse nel ricco antipasto della casa. Seguono l'ottima **pasta *'ncasciata* al forno**, le fettuccine ai funghi porcini, le **linguine con lo stocco**, le penne alle melanzane, ma anche, per gli amanti del genere, l'eccellente **zuppa di fagioli rossi**. Si può proseguire con l'agnello o il **capretto al forno** con patate, ma il vero protagonista del menù è lo **stocco**, cucinato **alla ghiotta**, ***a mulinara***, fritto o arrosto. Con le sue interiora, poi, si preparano i ***ventriceddi* ripieni** in umido. Soprattutto d'estate troverete qualche altra pietanze di pesce come le grigliate miste e il pesce spada impanato. Accompagna il tutto un pane al sesamo fatto in casa come i dolci: cannoli, babà, torta al limone, cassata di ricotta (più leggera di quella siciliana).
La vasta carta dei vini, curata con grande passione da Girolamo, comprende circa 240 etichette, molte delle quali di piccoli produttori calabresi e siciliani; a rotazione, alcune bottiglie sono proposte al calice. Anche la selezione dei distillati è ricca e varia.

A **Taurianova** (7 km), Le Chicche, in piazza Italia 8, propone torrone con mandorle di Avola e miele di zagara e fichi ricoperti di cioccolato.

Civita

72 km a nord di Cosenza, 13 km da Castrovillari

Agorà

Ristorante
Piazza Municipio, 30
Tel. 0981 73410
Chiuso il lunedì, mai luglio-agosto
Orario: mezzogiorno e sera
Ferie: non ne fa
Coperti: 160
Prezzi: 30-35 euro
Carte di credito: tutte, Bancomat

Il ristorante della famiglia Nicoletti si trova nel centro di Civita, località turistica nota anche per la sua cucina calabro-albanese. Michele Rizzo si occupa della sala, ai fornelli ci sono Francesco Bellusci e Antonio Carbone. Oltre che alla carta, si può scegliere tra due menù degustazione, uno dei quali comprende ben 15 antipasti, due assaggi di primo e un secondo.
Si può iniziare con buoni **salumi** (i Nicoletti sono macellai da generazioni), fresche ricottine di capra, frittelle di verdure, sottoli casalinghi, zucca in agrodolce. Oltre alle carni, la specialità della casa è la pasta tirata a mano: ***rrashkatjël***, versione albanese dei fusilli lavorati al ferretto, **con ragù di capretto**, ***strangulet*** (gnocchetti) con ricotta stagionata, cavatelli con pomodorini e ricotta di capra o pecora, lagane con ceci o altri legumi. In inverno completano il menù **zuppe** di ceci o fagioli, **trippa di vitello**, **cotiche di maiale con fagioli**, nella bella stagione zuppa di cicorie selvatiche, **capretto alla civitese** (con pomodorini, erbe aromatiche e un pizzico di peperoncino), spiedini agli aromi del Pollino, carni di vitello, maiale e capretto cotte alla brace. Al venerdì troverete piatti di **baccalà**. Accompagna il tutto il buon pane fatto in casa. In chiusura, **dolce della sposa**, crostata con ricotta di pecora, semifreddi con frutta di stagione.
Oltre allo sfuso della casa, compreso nel prezzo, disponibili buone etichette regionali e nazionali selezionate da Francesco. I tanti prodotti casalinghi serviti in tavola, compresi buoni liquori, sono in vendita nell'annessa bottega.

La macelleria di famiglia, il Ponte del Diavolo, si trova in via Skandenberg.

Civita

72 km a nord di Cosenza, 13 km da Castrovillari

La kamastra

Ristorante
Piazza Municipio, 3-6
Tel. 0981 73387-22182
Chiuso il mercoledì, mai in agosto
Orario: mezzogiorno e sera
Ferie: 22 dicembre-2 gennaio
Coperti: 80
Prezzi: 25-30 euro vini esclusi
Carte di credito: tutte, Bancomat

La caratteristica principale di questo locale, sorto all'interno di un'antica filanda e arredato semplicemente, è quella di proporre l'autentica cucina *arbëreshe* (albanese) della Calabria: Giuseppe Zuccaro, ai fornelli, prepara i piatti che troverete nel menù bilingue; Giuseppe Bloise, che si occupa della sala, sarà felice di suggerirvi i giusti abbinamenti tra cibo e vino.
Si potrà iniziare con pecorino e ricotta locali, sottoli casalinghi e un saporito **prosciutto** casereccio **del Pollino**. Se amate le zuppe ed è disponibile, proseguite con la *ndul kothra e nenes*, minestra di cotiche, salsiccia e verdura selvatica; chi preferisce la pastasciutta, realizzata con pasta fatta in casa, troverà ***tumacme qiqrat*** (lagane e ceci), *strangule me neneze* (cavatelli aromatizzati con la *nenesa*, un'erba orticacea del Pollino), un'ottima ***bakalla me tumac*** (pasta al sugo di baccalà) e la ***drömsat***, piatto tipico delle popolazioni di origine albanese, stanziate da secoli in Calabria, che si prepara bagnando la farina di frumento con un rametto di origano, setacciandola e cuocendola in un sugo di pomodoro, costine di maiale, aglio, cipolla, prezzemolo. Le porzioni sono abbondanti, ma non rinunciate al secondo: salsicce e costine di maiale alla griglia, **capretto al tegame** con patate, **cinghiale alla bracconiera** cotto molto lentamente e insaporito con erbe aromatiche. Si chiude con i gustosi *krustuli* imbevuti di mosto cotto.
In alternativa allo sfuso della casa, rosso o bianco, disponibile una selezione di vini calabresi curata da Bloise e acquistabili, insieme a prodotti dell'artigianato locale, nel punto vendita annesso al ristorante.

Conflenti
Muraglie

55 km a NO di Catanzaro SS 19 o A 3

Le muraglie

Azienda agrituristica
Contrada Muraglie
Tel. 0968 64367
Chiuso lunedì sera, mai in agosto
Orario: mezzogiorno e sera
Ferie: non ne fa
Coperti: 50 + 20 esterni
Prezzi: 18-22 euro vini esclusi
Carte di credito: nessuna

L'agriturismo di Matilde e Armando Roperti, è facilmente raggiungibile percorrendo l'autostrada A3 e imboccando l'uscita per Altilia Grimaldi, oppure, in alternativa, la statale 19 da Decollatura. Ci si accomoda all'interno in una saletta dotata di arredi rustici, o fuori, nella bella stagione, nel piccolo dehors. Il servizio è curato dai figli Massimiliano e Daniele, mentre Matilde e Armando si occupano della cucina. Armando cura anche l'orto, da cui si ricavano verdure e legumi, come i **fagioli**, molto graditi dai commensali se **cotti nella *pignata*** al fuoco di legna.
Si può iniziare con un abbondante antipasto casereccio: **salumi** di produzione propria e formaggi locali, ortaggi e olive, **sottoli** e sottaceti. Vari i formati di pasta fatta in casa: ***scilatelle***, strozzapreti o tagliatelle conditi **con *frittule*** (cotiche di maiale), fagioli, ceci, piselli, funghi porcini, fave o con soppressata e olive nere. I legumi sono protagonisti anche delle **zuppe** invernali. Le carni provengono per lo più da animali allevati in azienda: **pollo** ruspante **arrosto**, **coniglio alla cacciatora**, varie preparazioni a base di maiale, **salsiccia alla brace** (solo nel periodo invernale) oppure fritta o cotta al forno. Su prenotazione, **capretto al forno**. Di produzione propria anche i dolcetti che chiudono il pasto: biscottini con le mandorle, mostaccioli al miele e bocconotti alla marmellata d'uva, da accompagnare a un nocino o a un limoncello artigianali.
Oltre agli imbottigliati, ottimi vini (bianchi o rossi) di produzione propria, ricavati da uve del territorio.

A **Soveria Mannelli** (16 km) alcune piccole aziende trasformano e conservano funghi, pomodori e peperoncino: tra i buoni indirizzi, Cimino, Luna Funghi, Belmonte, Artigiana Funghi.

COTRONEI
Santa Venere

45 KM A NO DI CROTONE

SANTA VENERE

Ristorante-pizzeria
Via San Francesco
Tel. 0962 44241
Chiuso il lunedì, mai in agosto
Orario: mezzogiorno e sera
Ferie: non ne fa
Coperti: 150 + 60 esterni
Prezzi: 20-22 euro vini esclusi
Carte di credito: nessuna

Il ristorante della famiglia Caligiuri si trova poco fuori dal centro del paese. L'atmosfera è quella informale e piacevole di sempre e gli avventori possono godere nel bel dehors di un non invadente sottofondo musicale. Papà Serafino è il mattatore che abbiamo imparato a conoscere e non perde occasione per intrattenere gli ospiti con spunti letterari, storici e filosofici. Anche il menù è una certezza: le proposte, dall'antipasto al dolce, sono pressoché immutate rispetto alle nostre precedenti visite. Il rapporto tra qualità e prezzo, inoltre, è sempre eccellente.
I prodotti dell'orto e dell'oliveto dell'azienda agricola di famiglia sono protagonisti del ricchissimo antipasto: **patate *'mpacchiuse*** (fritte e poi stufate con pancetta o prosciutto e cipolla), zucchine e melanzane alla griglia, **bruschette con** paté di olive, prosciutto crudo, soppressata o **sardella**, **polpettine** di carne e di riso, frittelle, pecorino, insalata di orzo e mais insaporita con funghi, carote, capperi, menta e olive. **Tagliatelle** e **gnocchi** possono essere conditi con burro e salvia o, in stagione, con i funghi della Sila; in alternativa, da gustare la **pasta alla pecorara** con ragù di pancetta e un'abbondante spolverata di ricotta affumicata. I secondi più usuali sono il **pollo alla griglia** e la bella grigliata mista di carni, ma secondo stagione potrà capitarvi di trovare l'**agnello in umido**, l'**arrosto** o le salsicce **di maiale**. Buone le pizze cotte nel forno a legna. I dolci sono casalinghi: tiramisù o torta di pere e ricotta.
In cantina pochi ma validi vini calabresi e nazionali.

CURINGA

42 KM A SO DA CATANZARO, 25 KM DA VIBO VALENTIA

ANTICO FRANTOIO OLEARIO BARDARI

Azienda agrituristica
Contrada Trunchi, 1
Tel. 0968 789037
Chiuso il lunedì
Orario: mezzogiorno e sera, agosto solo sera
Ferie: in novembre
Coperti: 50 + 100 esterni
Prezzi: 35 euro vini esclusi
Carte di credito: tutte tranne AE, Bancomat

Il bell'agriturismo di Patrizia Bardari, che dispone anche di cinque camere piacevolmente arredate, si trova in un casolare di pietra ben ristrutturato, circondato da una tenuta coltivata a ortaggi, olivi e frutteti. Il menù varia spesso – quotidianamente in agosto – e comprende un ricco **antipasto misto**, due primi, due secondi e una selezione di dolci; la prenotazione è obbligatoria.
Potrebbe capitarvi di iniziare il pasto con ricotte affumicate, pizzette rustiche, **involtini di melanzane** farciti di prosciutto o di tonno, frittelle e sformati di verdure, **pomodorini ripieni**, fiori di zucca in pastella, parmigiana di melanzane. La produzione è limitata, ma sarebbe davvero un peccato se non poteste assaggiare gli ottimi **salumi** confezionati con le carni di maiali allevati in azienda. La **pasta al forno** con polpette, salame, ricotta e sugo rosso, gli strozzapreti con zucca gialla e funghi porcini serviti nella zucca, la zuppa di fagioli e funghi porcini (gli stessi che si usano per farcire i fagottini) sono alcuni dei primi più sostanziosi; in estate si fanno spazio piatti più leggeri come gli ***scilatelli* all'ortolana** e i tagliolini con crema di zucchine e peperoni. Al momento del secondo, è da provare il **pollo**, allevato in azienda, **con i peperoni**; molto buoni anche le grigliate miste, gli involtini di maiale, il **capretto al forno** con patate, il cosciotto di maiale al forno. Si chiude con pere e scaglie di cioccolato, bocconotti alla marmellata, crostate di amarene, di mele cotogne o con crema pasticciera.
Lo sfuso della casa è discreto, ma non manca una interessante selezione di vini regionali.

Diamante

76 km a NO di Cosenza SS 18

La guardiola

Ristorante-pizzeria
Lungomare Riviera Blu
Tel. 0985 876759-338 6466713-340 3053801
Chiuso il mercoledì, mai d'estate
Orario: mezzogiorno e sera
Ferie: novembre-fine gennaio
Coperti: 60 + 80 esterni
Prezzi: 26-32 euro vini esclusi
Carte di credito: tutte, Bancomat

Siamo nell'alto Tirreno cosentino, al centro della Riviera dei cedri. L'economia di Diamante ruota intorno a due prodotti: il cedro e i *diavolilli*. Questi ultimi sono i peperoncini rossi piccanti, ingredienti basilari della cucina calabrese: da tempo, l'Accademia che li tutela dedica loro ogni anno un festival e un concorso gastronomico. Altro elemento importante della cucina locale è il pesce: quello freschissimo proposto alla Guardiola è frutto delle uscite in mare giornaliere dei titolari Claudio e Pino Perrone. Il loro accogliente locale dispone anche di una bella veranda sul mare, nella quale è possibile mangiare nei mesi più caldi.
Troverete in apertura **polpetti affogati**, frittelle di alghe, peperoncini farciti di tonno e acciughe, ricche insalate di mare, **alici** marinate o **in polpette**. Proseguendo, buoni i ravioli con ripieno di pesce, gli **spaghetti ai ricci di mare** o con le patelle, le **linguine al sugo rosso di cernia**, allo scoglio o al nero di seppia, con dosi più o meno generose di peperoncino. Secondo la disponibilità del pescato, potreste assaggiare l'eccellente **stufato di alici** (piatto simbolo del locale), il **baccalà** con patate, pomodori e peperoncino, l'ottima **cernia** – in alternativa branzino o orata – **in guazzetto** o al sale o alla griglia, l'aragosta, la salsiccia di pesce spada. Cedri e peperoncini entrano spesso nella composizione delle crostate e dei gelati che vi saranno offerti a fine pasto, prima di un bicchierino digestivo di nocino o di liquore al cedro.
Piccola carta dei vini con etichette regionali in alternativa allo sfuso della casa.

L'Accademia del peperoncino è in via Amendola 3. In piazza XI Febbraio 17, Peccati di Gola seleziona e propone piatti tipici. Sul lungomare la gelateria Pierino: oltre al gelato al peperoncino, ottime granite.

Dipignano
Tessano

12 km a sud di Cosenza

Livio

Ristorante
Via Pulsano, 63
Tel. 0984 445506
Chiuso il lunedì
Orario: mezzogiorno e sera
Ferie: 1 settimana in luglio, 2 in agosto
Coperti: 140 + 60 esterni
Prezzi: 20-25 euro vini esclusi
Carte di credito: le principali, Bancomat

Siamo in collina, in un edificio moderno facilmente raggiungibile da Cosenza. Il ristorante, gestito da Livio e Sabrina (marito e moglie) dispone di tre accoglienti sale interne, di una bella veranda, in cui potrete pranzare nella bella stagione, e di una terrazza che è stata attrezzata per il barbecue. Le buone specialità tradizionali sono preparate con materie prime reperite in zona da fidati fornitori.
L'ampio ventaglio degli antipasti comprende **involtini di melanzane** cotti in forno, **frittelle di zucchine** o di riso e radicchio, polpettine di carne, ricotta insaporita con peperoncino e rughetta selvatica, melanzane con tonno, mollica di pane, mentuccia e finocchietto, tubero alla calabrese (patata svuotata, farcita di rosamarina e cotta al forno), timballo di riso al forno con zucca fritta. Tante anche le specialità fra i primi: ***stragugliapreviti*** (strozzapreti fatti in casa) **con sugo di maiale**, pasta arrostita con pancetta e cipolla, **minestra maritata**, **spaghetti con alici** e pomodorini, **orecchiette alla tessanese** (con radicchio, salsiccia, ricotta e pomodoro). La zona offre funghi in abbondanza: quand'è stagione, provate le tagliatelle o i **fagioli con i porcini**. A seguire, **fegato di maiale con la rete**, **baccalà alla cosentina** (fritto e ripassato in olio e peperoncino piccante), **agnello *ara tiella***, involtini di pollo, formaggi (caciocavallo, pecorino e scamorza affumicata) arrostiti; tra dicembre e gennaio troverete sempre il maiale cotto nella *quadrara* (classico pentolone locale). I dolci sono preparati da Sabrina: *turdilli*, **fichi infornati**, crostate.
Carta dei vini con etichette regionali; buono il vino della casa.

Gerace
Azzurria

91 km a NE di Reggio Calabria, 12 km da Locri ss 106

La Tavernetta

Trattoria
Strada Provinciale Locri-Antonimina, 112
Tel. 0964 356020-349 6162254
Chiuso il martedì
Orario: mezzogiorno e sera
Ferie: varabili
Coperti: 60 + 60 esterni
Prezzi: 18-20 euro vini esclusi
Carte di credito: nessuna

All'interno del Parco dell'Aspromonte, lungo la strada provinciale che unisce Locri alle terme di Antonimia, si arriva a Gerace, uno dei borghi più belli d'Italia, e alla Tavernetta. Nell'ampia sala, riscaldata in inverno dal caminetto, in una saletta più raccolta o, nella bella stagione, nella veranda sotto il bel pergolato, vi saranno proposti i buoni piatti della cucina locale, preparati con gli ingredienti genuini della zona.
Melanzane, pomodori secchi sott'olio, pecorino e caciocavallo locali, capocollo e svariati salumi, frittelle di patate e verdure grigliate compongono il ricchissimo **antipasto misto**, simile a quello che si prepara per gli ospiti in ogni casa calabrese. È Rossella a tirare la sfoglia per la pasta fatta in casa: **tagliolini con alici e finocchietto selvatico** o con legumi, **bucatini con sugo di stocco**, ***maccaruni*** con pomodori, melanzane, ricotta salata, capocollo e basilico, **linguine con la ventresca** oppure **con ragù di capra** o di cinghiale o, ancora, in stagione, con i funghi. Gustose e profumate anche le **zuppe**: in estate provate quella con verdure di campo, d'inverno quella di ceci e fagioli. Che siano di carne o di pesce, i secondi sono semplici e sostanziosi: **trippa con fagioli e patate**, costolette di maiale e di agnello alla griglia, **stocco** in umido con olive e patate oppure arrostito con cipollotti, pomodori e un pizzico di peperoncino, **melanzane alla parmigiana** o in involtino, peperoni e pomodori farciti con pangrattato, capperi, olive, aglio e prezzemolo. Per finire tiramisù della casa e crostate di frutta di stagione.
Piccola carta di vini regionali in alternativa allo sfuso della casa.

Longobardi

37 km a SO di Cosenza

Casa Maia

Azienda agrituristica
Località Pagliarone
Tel. 0982 75343-328 1393267
Non ha giorno di chiusura
Orario: mezzogiorno e sera
Ferie: non ne fa
Coperti: 70 + 70 esterni
Prezzi: 25 euro
Carte di credito: nessuna

L'azienda turistico-rurale animata da Paolo Rao e dalla moglie Maria Francesca si trova in quella che un tempo era una casa forestale: un antico edificio in pietra, rinato dopo un'attenta azione di recupero, che è oggi un luogo caldo e accogliente, meta di appassionati cultori della tradizione culinaria locale. Per raggiungerlo si attraversa il bosco di Longobardi, lasciando il litorale a metà strada tra Fiumefreddo e Amantea. La sala è rustica, familiare, con il caminetto acceso nelle sere invernali, ma, se il tempo lo permette, consigliamo di mangiare sotto la tettoia, seguendo con lo sguardo la collina che corre fino allo specchio azzurro del Tirreno.
Piatto simbolo di Casa Maia e dell'antica tradizione contadina calabrese è la **frittata di patate**, di cui un tempo ci si nutriva a metà mattina. Questa "frittata senza uovo" è un tortino alto circa cinque centimetri, cotto in padella per quasi un'ora, preparato con patate affettate sottilissime e amalgamate con farina, pecorino, spezie e peperoncino. Altri antipasti: soppressata, salsiccia, capocollo e *'nduja* (tutti **salumi** fatti in casa), **ricotta** fresca, formaggio di pecora. A seguire gusterete **spaghetti con baccalà e olive schiacciate**, **spezzatino d'interiora d'agnello**, **agnello** cotto **nel forno** a legna con patate, **grigliate di carne**. In stagione troverete diverse preparazioni a base di **funghi porcini** e di asparagi. Il tutto è accompagnato dal buon pane cotto nel forno a legna. Si chiude con biscotti secchi e torte fatte in casa.
Il vino sfuso è di provenienza locale. Per chi ama l'equitazione, c'è la possibilità di fare delle escursioni.

Martone

99 km a NE di Reggio Calabria SS 106

La collinetta

Trattoria-pizzeria
Contrada Colacà
Tel. 0964 51680-338 8550930
Chiuso il martedì
Orario: mezzogiorno e sera
Ferie: 10 giorni in gennaio, 10 in luglio
Coperti: 75
Prezzi: 20-22 euro vini esclusi
Carte di credito: nessuna

Frutta, verdura, confetture, marmellate, miele, liquori che arriveranno in tavola alla Collinetta provengono dall'azienda agricola di proprietà ubicata in bella posizione a pochi chilometri da Gioiosa Jonica. Tutti questi buoni prodotti (compresa la "bomba", salsa piccante preparata con funghi, melanzane, cipolla, peperoncino, sale e origano, da spalmare sul pane o per condire la pasta) sono anche in vendita presso lo spaccio annesso alla trattoria. La gestione del locale è nelle mani di Giuseppe; mamma Rosa e la moglie Lucia si occupano della cucina rispettando le ricette tradizionali e l'andamento delle stagioni.
L'abbondante antipasto misto comprende **fagioli cotti nel *tiano*** (tegame di terracotta), capocolli e **soppressate**, verdure *ammollicate*, parmigiana di melanzane, ricottine calde. Tra i primi, particolarmente riusciti le **zuppe** di legumi, i **panzerotti di carne e caciocavallo** silano, i cavatelli con broccoletti e acciughe, i **bucatini con lo stocco**. La pasta fresca è fatta a mano. Le carni utilizzate per la preparazione dei secondi provengono da fidati allevatori della zona: assaggiate il **cosciotto d'agnello cotto nella creta** o la faraona arrosto; buono anche il **baccalà gratinato**. Quando è stagione di caccia, il cervo e il cinghiale sono presenti in diverse preparazioni: ottimi i ***maccaruni al cinghiale***. Se amate i funghi, nel periodo giusto potrete apprezzare **porcini** fritti, in insalata, alla martonese (con pane e patate), nel sugo per la pasta o come contorno della salsiccia. Si conclude con il pecorino locale e con tiramisù, crostate di frutta di stagione, gelati.
Offerta enologica limitata a qualche bottiglia regionale e nazionale e allo sfuso della casa.

Mileto

12 km a SO di Vibo Valentia SS 18

Il normanno

Trattoria-pizzeria
Via Real Badia, 37
Tel. 0963 336398
Chiuso il lunedì
Orario: mezzogiorno e sera
Ferie: in settembre
Coperti: 50 + 30 esterni
Prezzi: 18-22 euro vini esclusi
Carte di credito: tutte, Bancomat

Il Normanno in questione è re Ruggero, che volle Mileto capitale del suo regno. La trattoria propone semplici piatti contadini, preparati con quanto offre la stagione seguendo gli antichi metodi di cottura, come le *pignate* di terracotta poste al calore del forno a legna. Gianni, il patron, si occupa dell'approvvigionamento presso i contadini delle campagne circostanti, e accoglie gli ospiti in sala illustrando il menù preparato dalla moglie Clementina.
Si può iniziare con la **ricotta** fresca servita nelle fuscelle, varie preparazioni a base di verdure, i **salumi** nostrani, la mozzarella affumicata, la piccante ***'nduja***, da spalmare sul pane cotto nel forno a legna, i sottoli fatti in casa, i legumi (**fagioli**, ceci, lenticchie) cotti nel *tiano* di terracotta, uno dei cavalli di battaglia del locale. La pasta fresca fatta in casa è protagonista dei primi: ***fileja***, tagliatelle, gnocchi sono conditi **con il ragù di maiale** o **di capra**, il sugo alla normanna (peperoni, funghi porcini, pomodoro), i **porcini** e la **salsiccia**; in alternativa **pasta e fagioli** o con i ceci. **Trippa**, spezzatino, **stoccafisso**, sono cotti in umido nella *pignata*; molto buoni anche gli involtini, la grigliata mista, le **costolette di agnello** arrosto o impanate e fritte, il **baccalà fritto**, arrosto o al forno con patate e peperoni. Valide anche le pizze cotte nel forno a legna. Chiudono il pasto le crostate di Clementina e il tartufo della gelateria Enrico di Pizzo.
In alternativa ad alcune etichette regionali c'è un buon vino rosso della casa.

PIZZO
Contrada Mangano

10 KM A NE DI VIBO VALENTIA, 54 KM DA CATANZARO

GO

Ristorante
Strada Provinciale Sant'Onofrio
Tel. 347 1137854-335 8173379
Chiuso il lunedì d'inverno
Orario: mezzogiorno e sera
Ferie: 7-22 gennaio
Coperti: 70 + 80 esterni
Prezzi: 35 euro vini esclusi
Carte di credito: tutte tranne AE, Bancomat

Il ristorante gestito dalla famiglia De Paola si trova in un casolare ben restaurato affacciato sul Tirreno, che dispone di una terrazza dove ci si può accomodare nella bella stagione. In cucina troviamo Amalia con la sorella Rosetta e la nipote Cettina; in sala, con le figlie Annamaria e Francesca e i nipoti Massimo e Domenico, c'è Vittorio, istrionico patron che si concede spesso qualche esibizione canora. La proposta gastronomica, sia di terra sia di mare, varia spesso.
Valide per cominciare le sarde o le alici variamente cucinate, la **bottarga di tonno** o di spatola, le frittelle di pesce; buoni anche i salumi e le **ricottine fresche**. Si prosegue con i tradizionali ***scilatelli*** conditi con tocchetti di tonno o **con ragù di castrato**, gli **spaghetti con frutti di mare** o verdure di stagione, la pasta con fagioli e patate oppure, quando è stagione, con sugo di porcini freschi. Se amate la carne sceglierete tra filetti, tagliate e bistecche alla griglia; in alternativa, una ricca **parmigiana di melanzane**. Se preferite il **pesce**, è quello **di paranza** (sarde, alici, spatole, musdee) a far la parte del leone. Concludono il pasto crostate della casa, torte e il tartufo gelato di Pizzo.
La carta dei vini comprende una discreta selezione di bottiglie regionali e nazionali proposte con ricarichi corretti. Il prezzo complessivo del pasto, certamente superiore agli standard calabresi, è giustificato dall'alta qualità delle materie prime.
In estate nei giorni di sabato, domenica e lunedì, il ristorante apre solo la sera.

REGGIO CALABRIA
Gallico

8 KM DAL CENTRO DELLA CITTÀ

AL FOCOLARE

Trattoria
Via Anita Garibaldi, 203
Tel. 0965 373661-346 5767074
Chiuso domenica sera e lunedì
Orario: mezzogiorno e sera
Ferie: fine agosto-inizio settembre
Coperti: 50 + 35 esterni
Prezzi: 25 euro vini esclusi
Carte di credito: tutte, Bancomat

La trattoria di Pietro Cartellà – che opera nella cucina a vista – e Valentino Scordino, che si occuperà di voi in sala e in veranda, si trova a pochi chilometri dal centro città, già alle pendici delle fertili colline aspromontane. Tutte le materie prime, utilizzate per la preparazione dei piatti della tradizione contadina, provengono da colture e allevamenti degli appezzamenti di famiglia ubicati nel territorio circostante.
Il pecorino è prodotto dal cugino di Pietro, il resto della famiglia si occupa della trasformazione delle carni di maiale (i suini sono allevati nella classica *zimba*) in ottimi **salumi**: capocollo, lardo, guanciale, salami e pancetta, serviti nel giusto periodo di maturazione. La proposta degli antipasti è completata da melanzane sott'olio, giardiniera, peperonata, cipolla in agrodolce, **parmigiana di melanzane**. La pasta fresca domina tra i primi: i ***maccaruni i casa*** sono conditi **con il ragù di maiale**, cinghiale o agnello. D'inverno fanno la loro comparsa le **zuppe**: di fagioli con i broccoli o di ceci con il finocchietto selvatico. Per secondo, ecco il capretto o l'**agnello al forno con le patate**, le grigliate di carne, lo **stufato di cinghiale**, la salsiccia al forno con patate e peperoni. Nel periodo autunnale troverete sempre i **funghi** cucinati secondo diverse ricette. Tra i dessert, la crostata di ricotta e la torta della nonna.
Ottima la cantina, con le più importanti aziende calabresi e siciliane.

BAYLIK

Ristorante
Vico Leone, 1-5
Tel. 0965 48624-338 7876375
Chiuso il lunedì
Orario: mezzogiorno e sera
Ferie: variabili in estate
Coperti: 80
Prezzi: 30-32 euro vini esclusi
Carte di credito: tutte, Bancomat

Il locale è ubicato in un vicoletto a ridosso della tangenziale del porto: aperto nel 1950 per iniziativa di Giovanni Zappia, è diventato in breve tempo un celebre ristorante marinaro. Il figlio del fondatore, Fortunato detto Nato, lo ha trasformato nel tempo in un ristorante dall'aspetto moderno, chiaro, luminoso; la linea gastronomica, inoltre, è andata sdoppiandosi sempre più fra tradizione e ricerca. In ogni caso, il menù varia sempre secondo stagione e mercato.
Vasta la scelta degli antipasti crudi, freddi e caldi: carpaccio di spada, alici o pesce stocco marinati, alalonga al vapore, **parmigiana** o polpettine **di pesce**, fritte o al sugo rosso, cozze al gratin, **tortiera di alici**. Tanti anche i possibili primi: gli **spaghetti** possono essere conditi ai frutti di mare, **al nero di seppia**, con la bottarga, con tonno e capperi, con pesce spada e fiori di zucca, alla carbonara di pesce (vanto del locale); altra specialità, le **linguine alla Baylik** (con acciughe, pangrattato, aglio e peperoncino), il risotto alla pescatora, la minestra di pesce. Per secondo, dentice o altro pesce di pregio alla brace, scaloppine di ricciola con salsa di *'nduja*, seppie arrosto, **pesce spada alla palermitana** (impanato e cotto sulla piastra rovente), **fritture** o grigliate **miste**. Si chiude con tortino di cioccolato, crema catalana, ma soprattutto con gli ottimi gelati casalinghi tra cui quello al pistacchio di Bronte.
Ricca e di alto livello la cantina: circa 150 le etichette regionali e nazionali.

In via Santa Caterina 87, Torrone Pasticceria Giuseppe Malavenda: torroncino al mandarino e alle mandorle, ricoperto di cioccolato bianco o fondente. Inoltre la tradizionale pignolata.

TRATTORIA BORGO ANTICO

NOVITÀ

Trattoria
Via Portanova Cardinale, 106
Tel. 0965 895091
Chiuso la domenica
Orario: mezzogiorno e sera
Ferie: 15-30 luglio
Coperti: 50 + 40 esterni
Prezzi: 30 euro vini esclusi
Carte di credito: tutte

Di fronte a Palazzo Campanella, sede del Consiglio regionale, si entra in un piccolo borgo al centro del quale si trova questa graziosa trattoria. L'interno del locale, composto da tre salette, è arredato con semplicità e gusto; alle pareti sono in bella mostra foto e riproduzioni della vecchia Reggio. D'estate si mangia all'aperto, nel fresco terrazzo. A occuparsi di voi la giovane titolare, Rosa Jacopino, che discende da una famiglia di vinai; in cucina, l'esperto Pietro Malaspina interpreta al meglio la cucina del territorio.
La proposta degli antipasti comprende salumi locali come la ***'nduja***, crocchette di patate, polpette di melanzane, pecorini di diversa stagionatura, **insalata di pesce stocco**. Tra i primi piatti gnocchi fatti in casa con il sugo di pomodoro, i ***maccarruni i casa* con il ragù di maiale** o di cinghiale, le linguine al sugo di pesce spada. Tra i secondi di pesce non mancano mai le **alici impanate al forno**, la freschissima spatola dello Stretto e, d'estate, il **pesce spada a bagnomaria** o arrosto con il salmoriglio. Per chi preferisce la carne, sono sempre presenti gli involtini di carne con ripieno di mollica e formaggio. D'inverno sono due gli imperdibili appuntamenti fissi: il giovedì è tempo di ***u suffrittu* di trippa**, il venerdì tocca al **pesce stocco arrosto con i peperoni**. Si chiude con l'ottimo tartufo di Pizzo, gelato artigianale servito anche affogato nel liquore.
La buona selezione dei vini comprende le più importanti etichette calabresi e siciliane.

Rende

10 km a NO di Cosenza

Hostaria de Mendoza

Ristorante
Piazza degli Eroi, 3
Tel. 0984 444022-348 9280060
Chiuso il mercoledì
Orario: mezzogiorno e sera
Ferie: in agosto
Coperti: 45
Prezzi: 25-30 euro vini esclusi
Carte di credito: le principali, Bancomat

Il locale gestito da Ettore ed Elisa è situato nel centro storico di Rende in un antico palazzo del Cinquecento, a pochi passi dal castello normanno. Lui si occupa della cucina, lei della gestione della sala, forte della pluriennale esperienza di direttrice di albergo e di altri ristoranti. L'accoglienza è cordiale, quasi familiare; l'ambiente è rustico con due intime salette dalle volte in mattoni, i tavoli sono ben apparecchiati con stoviglie di buona fattura. Le ricette, legate alla tradizione, sono a volte interpretate con piacevoli innovazioni.

Aprono il pasto la fonduta con tartufo nero e pane tostato e l'antipasto dolce salato (involtini di guanciale, **ricottina affumicata**, ricotta con noci, prosciutto, olive, frutta in sciroppo). La pasta fresca utilizzata per la preparazione dei primi è fatta in casa: **pappardelle al ragù di cinghiale**, gnocchi al pesto di broccoli e tartufo nero, **mezzelune ripiene di selvaggina**, **tagliatelle ai porcini silani** o al tartufo nero. Tutti di carne (non sempre nazionale, a dire il vero) i secondi piatti: **bocconcini di cinghiale**, straccetti e filetti al tartufo, ai porcini, al pepe verde, **costolette di agnello** al pane profumato, bistecca di cervo (a volte). I dolci (millefoglie e crostate) sono di fattura casalinga.

Ottima la carta dei vini: ben rappresentate tutte le etichette regionali; inoltre ci sono bottiglie selezionate di tutto il territorio nazionale.

Scalea

92 km a NO di Cosenza, 50 km a sud di Lagonegro ss18

La rondinella 

Ristorante
Piazza Principe Spinelli, 1
Tel. 0985 91360
Chiuso la domenica, mai d'estate
Orario: mezzogiorno e sera
Ferie: non ne fa
Coperti: 50 + 15 esterni
Prezzi: 28-30 euro vini esclusi
Carte di credito: tutte, Bancomat

Ristorante a conduzione familiare, si trova nel centro storico del paese, più precisamente nella piazza che ospita lo storico palazzo del principe Spinelli. Il locale è accogliente: due salette in stile rustico-elegante con alle pareti antiche fotografie del paese, più un portico d'ingresso con tre tavoli all'ombra di una rigogliosa buganvillea. È la proprietaria, la signora Anna, a raccogliere le ordinazioni: pur esistendo un menù scritto, Anna preferisce illustrare personalmente i piatti, suggerendo le novità del giorno. Le proposte variano spesso secondo stagione, le ricette sono quelle tradizionali, molte materie prime (carni e verdure) provengono dall'azienda agricola di famiglia.

L'antipasto è costituito da numerosissimi assaggi: salumi di produzione propria (prosciutto, capocollo, **soppressata**), formaggi locali, bruschette con paté di olive e verdure, peperoni con le alici, **melanzane al funghetto** o alla parmigiana, frittelle, verdure sott'olio. Tra i primi piatti, **fusilli con la *'nduja***, al pomodoro con cacioricotta, con ragù di maiale, **pasta con le fave**, con le zucchine, con il baccalà. A seguire salsiccia arrostita, bistecche o ***vraciole* di maiale**; quando è disponibile, da gustare il **baccalà fritto con i peperoni secchi**, in umido o con la verza. Al momento del dessert, castagne con miele di fico, fichi imbottiti, torte casalinghe, biscotti secchi.

Poche le etichette in alternativa al vino della casa; buoni i liquori digestivi di produzione propria.

L'azienda Passaro, via Fiume Lao 455, produce artigianalmente sciroppi e liquori di cedro e di peperoncino.

SCILLA

23 KM A NORD DI REGGIO CALABRIA A 3 O SS 18

ALLA PESCATORA

Ristorante
Lungomare Colombo, 32
Tel. 0965 754147
Chiuso il mercoledì, mai in agosto
Orario: mezzogiorno e sera
Ferie: metà dicembre-fine gennaio
Coperti: 75 + 30 esterni
Prezzi: 30-33 euro vini esclusi
Carte di credito: tutte, Bancomat

Potrete gustare il meglio del pescato locale a pochi metri dalla spiaggia di Marina Grande, nell'accogliente trattoria che il cuoco Michele Donato conduce con l'aiuto dei cognati. Si può mangiare nella sala interna o ai tavoli all'aperto. Il pesce è sempre freschissimo grazie agli ottimi rapporti del proprietario con alcuni pescatori del luogo.
Si può cominciare con i ***buccuni***, molluschi caratteristici di questo tratto di costa, conditi con una salsa di pomodoro e peperoncino. Validi anche l'insalata di polpo con olio, limone e prezzemolo, le **cozze gratinate**, il cocktail di gamberi e l'impepata di cozze. Proseguendo, ecco il **risotto alla pescatora** (con cozze, vongole, calamari e pesce spada), le **linguine alla ghiotta**, con il ragù di pesce spada o in bianco con le vongole veraci. Protagonista dei secondi è il **pesce spada**, che quì si pesca ancora con l'ausilio di speciali imbarcazioni chiamate passerelle: lo potrete gustare arrosto, a bagnomaria o in involtini. In alternativa potrete chiedere di farvi preparare arrosto qualche altro pesce: vi sarà presentato un vassoio da cui potrete scegliere occhiate, saraghi, ***mupi*** (pezzogne), ***cavignole*** (leccie), tutti appena pescati. Si chiude con la mousse al limone, il tiramisù e gli ottimi tartufi gelato prodotti da un artigiano di Bagnara.
Discreta la scelta dei vini, con etichette calabresi e siciliane.

Bagnara Calabra (9 km) è la capitale regionale del torrone, che si può acquistare, in tutte le sue varianti, da Cardone (via Don Minzoni) o da Careri (via Nazionale 264), pasticcerie fornite anche di altre specialità calabresi.

SELLIA MARINA
La Petrizia

24 KM A EST DI CATANZARO

ALLA VECCHIA OSTERIA U NOZZULARU

Trattoria
Località La Petrizia, SS 106
Tel. 0961 969854-328 2630784
Chiuso il lunedì, mai d'estate
Orario: sera, estate e festivi anche pranzo
Ferie: 20 giorni in ottobre
Coperti: 80 + 60 esterni
Prezzi: 18-25 euro vini esclusi
Carte di credito: tutte, Bancomat

Dove oggi sorge la trattoria, in origine c'era un frantoio con annesso deposito di sansa e di noccioli di olive (*nozzuli* in calabrese): ristrutturato ad arte, è stato trasformato in un locale caratteristico e accogliente, in cui la famiglia Camastra offre ai commensali ottime pietanze ricavate da materie prime stagionali. Peppino e il papà Gregorio si occupano della sala, la mamma Antonia sta ai fornelli con Adolfo. Nella bella stagione ci si può accomodare anche all'aperto.
La cucina è di terra: fanno eccezione, tra gli antipasti, le bruschette con il caviale calabrese (la **sardella**) e le **frittelle di pesce**, servite in alternativa ai salumi e alle pizzelle. Quasi tutti i primi sono realizzati con pasta fatta in casa lavorata con grano duro del luogo (il mulino dista pochi metri dalla trattoria): i più richiesti sono le ***scilatelle* con il ragù calabrese** e quelle con porcini, salsiccia, olive, carne tritata e pomodoro. Solo carne locale per la preparazione dei secondi: **capretto alla *tiana***, coniglio, salsiccia, **agnello al forno**, capra. Valide anche le pietanze a base di legumi: dai **ceci al finocchietto selvatico** ai fagioli, fave e cicerchia cotti a fuoco lento nella *pignata* di terracotta. Tutti i venerdì, da non perdere le **pizze pizzicate**. Al tutto si accompagna un buon olio extravergine prodotto in proprio. Dolci casalinghi per concludere: crostate, torta alla *nozzularu*, gelato con noci e miele.
Dagli scaffali e dalla vetrina refrigerata potrete scegliere buone bottiglie di vino di note aziende calabresi.

34 KM A NE DI CATANZARO, 30 KM DA LAMEZIA TERME

IL VECCHIO CASTAGNO 

Ristorante
Località Tavernisi, 1
Tel. 0968 81071
Chiuso il martedì
Orario: mezzogiorno e sera
Ferie: non ne fa
Coperti: 90
Prezzi: 25-30 euro vini esclusi
Carte di credito: nessuna

Delfino Maruca, la moglie Annarita e i due figli gestiscono con l'aiuto di giovani collaboratori questo ristorante che è un punto di riferimento sicuro e costante per chi ama i sapori semplici della montagna. Le carni suine e gli insaccati che ne derivano (***frisuli***, salsicce, capocollo, pancetta, **soppressata**) provengono dal piccolo allevamento curato dai proprietari: i maiali crescono allo stato brado nell'annesso castagneto. I salumi stagionano in un locale in pietra e legno, come vuole la tradizione.
Otre ai salumi, il ricco antipasto comprende olive, giardiniera, verdure grigliate o fritte, pecorini locali. Tra le paste asciutte, da assaggiare la ***fileja* con il ragù di maiale**, le zucchine ripiene con riso, funghi e castagne o con riso salsiccia e funghi, le **tagliatelle alle ortiche con porcini**, i **tagliolini di farina di castagne con ricotta e noci**, le linguine al pesto di finocchietto selvatico e noci; tra le zuppe, quella di legumi e zucca. I secondi: **stinco di maiale alle verdure**, bistecche panate con funghi porcini e provola affumicata, **caciocavallo silano alla piastra**, agnello alle noci, **salsicce con patate**; inoltre, grigliata mista di carne e trota al cartoccio. Come contorno non perdetevi le **patate *'mpacchiate***. In estate e nei fine settimana c'è anche la possibilità di gustare una buona pizza. A novembre, Delfino propone le ***pittajime*** accompagnate dal vino novello e il **baccalà *du zucculiare***, fritto con farina e olive nere infornate. Sono casalinghi sia i dolci (crostate, granulata di fichi d'India, di corbezzoli o di frutti di bosco, mousse e praline di castagne) sia gli infusi che li accompagnano (di liquirizia, basilico, menta, finocchietto, limone).
Discreta la presenza di vini regionali e nazionali.

40 KM A NE DI CATANZARO SS 106

SCACCO MATTO

NOVITÀ

Trattoria
Via Salita De Seta, 29
Tel. 333 7334160
Chiuso il lunedì
Orario: mezzogiorno e sera
Ferie: 10 giorni in ottobre
Coperti: 35
Prezzi: 15-20 euro vini esclusi
Carte di credito: tutte, Bancomat

Aperta 18 anni fa, la trattoria gestita dai coniugi Raffaella e Mario Rizzuti è ubicata nel centro storico di Sersale: si raggiunge percorrendo la statale 106; giunti al bivio per Cropani, troverete anche le indicazioni per il paese. La posizione è strategica: siamo a circa 800 metri di altitudine, ma a metà strada tra il mare e le le località turistiche della Sila Piccola, entrambi raggiungibili in 15 minuti d'automobile. Raffaella dimostra la sua bravura in cucina preparando pietanze tipiche del territorio; Mario si divide tra i fornelli e la sala, dove è anche aiutato dalla sorella Maria.
Seguendo il più possibile la filosofia dei "chilometri zero", molte materie prime sono reperite in loco o nelle vicinanze. Quand'è stagione, il menù abbonda di pietanze a base di **funghi** porcini e ovoli: raccolti nei castagneti e faggeti vicini, arricchiscono insalate, frittelle, la **zuppa di fagioli**, i tagliolini, le scaloppine. Fra gli antipasti, merita certo un assaggio anche la **pitta con i peperoni** cotta nel forno a legna. La pasta utilizzata per i primi è fatta in casa: oltre ai già citati tagliolini, troverete gli gnocchi al ragù di cinghiale e le ***scilatelle* con il sugo di maiale e salsiccia**. La carne con cui sono preparati i secondi proviene da animali allevati e macellati in zona: da provare la **grigliata mista** con salsiccia, braciole di maiale e bistecche di vitello.
I vini in abbinamento alle pietanze sono, in prevalenza, calabresi e siciliani.

SIDERNO
Siderno Superiore

101 KM A NE DI REGGIO CALABRIA, 14 KM DA LOCRI SS 106

ZIO SALVATORE

Trattoria
Via Annunziata, 1-3
Tel. 0964 385330-346 7885987
Chiuso il martedì, mai d'estate
Orario: mezzogiorno e sera
Ferie: variabili
Coperti: 100 + 50 esterni
Prezzi: 20-24 euro
Carte di credito: tutte tranne AE, Bancomat

Curioso locale quello della famiglia Fragomeni: le dimensioni potrebbero insospettire (un centinaio di coperti, più un'altra cinquantina nella veranda panoramica – impagabile la vista sullo Jonio e sul panorama che spazia da capo Bruzzano a punta Stilo), eppure la sensazione è comunque quella di mangiare in una casa privata: merito della qualità dell'accoglienza, nonché dei sapori schietti e genuini della cucina tradizionale. Salvatore, omonimo e pronipote del fondatore, continua a seguire la filosofia gastronomica di famiglia.
Si può iniziare con pecorini di varie stagionature, con i buoni **salumi** prodotti dal laboratorio norcino di famiglia, con le melanzane arrostite, sott'olio, sott'aceto oppure ripiene, le alici *arreganate*, le frittelle di melanzane o di fiori di zucca, i peperoni farciti. I ***maccaruni 'i casa*** sono conditi **col sugo di capra**, col ragù di polpette di maiale, **con soppressata e melanzane**, **con i pomodorini di resta** (quelli che si appendono a grappoli) appena arrostiti sulla brace e insaporiti dall'olio extravergine crudo. I secondi più frequenti sono la **capra in umido** e il **maiale** arrosto o **al sugo con le polpette**; buoni i contorni a base di verdure di campo, patate, ceci o fagioli. Lo **stocco**, **arrosto** o insaporito da olive e peperoncino, è disponibile solo su ordinazione. Buoni i dolci casalinghi: crostate, tiramisù, **zeppole** con lo zucchero o con il miele, sanmartine natalizie.
L'unico vino disponibile è lo sfuso della casa, prodotto con varietà di uve locali.

A 50 metri, il salumificio di famiglia produce e vende 'nduja, guanciale, pancetta tesa e arrotolata, capocollo, filetto, salsiccia, soppressata.

SIMERI CRICHI
Apostolello

6 KM A NE DI CATANZARO

LA BOTTEGACCIA

Trattoria
Contrada Apostolello, 43
Tel. 0961 799185-339 3321764
Chiuso domenica sera
Orario: mezzogiorno e sera
Ferie: in settembre
Coperti: 70 + 20 esterni
Prezzi: 20-25 euro vini esclusi
Carte di credito: tutte tranne DC, Bancomat

Una visita alla trattoria gestita da Anna Guarnieri con la sua famiglia rinfranca il cuore ancor prima dello stomaco: a dispetto di chi pensa che le nuove generazioni mangino male, qui troverete soprattutto giovani del luogo che preferiscono i piatti della ricca tradizione locale a un'anonima pizza; merito della qualità della proposta, certo, nonché dei prezzi davvero convenienti.
L'abbondante antipasto prevede pecorino, **capocollo**, soppressata, prosciutto silano, una ***'nduja*** particolarmente delicata, fiori di zucca, polpettine di patate, varie pietanze a base di verdure, sottoli come i **carciofini selvatici** e i peperoncini tondi farciti di tonno. Gli ***scilatelli***, che possono essere conditi **con sugo di polpette**, con ragù di maiale, agnello o capretto, sono preparati a mano con il classico ferretto da Anna. Fra gli altri primi, le tagliatelle con i funghi nonché le zuppe, tra le quali primeggia la **fagiolata alla pignata**, con legumi e salsicce di *coretto* (cuore e polmone). A seguire, il **morzello** (frattaglie cotte a lungo con la salsa piccante di pomodoro) da consumare nella *pitta*, piatto simbolo del Catanzarese che da solo può costituire un intero pasto. In alternativa, parmigiana di zucchine o melanzane, pollo e coniglio nostrani alla cacciatora, ***'a tiana*** (agnello o capretto cotto nel tegame con patate, carciofi e piselli). D'inverno, un intero menù è dedicato al maiale; quand'è stagione, troverete lepre e cinghiale. Al tutto si accompagna il **pane** di grano duro, preparato in casa e cotto nel forno a legna. Si chiude con crostate casalinghe o tartufo di Pizzo.
Pochi i vini disponibili, tutti regionali; disponibile in alternativa un rosso sfuso di produzione propria. Ricca la selezione di liquori di fattura casalinga.

Spezzano della Sila
Camigliatello Silano

31 km a est di Cosenza ss 107

La Tavernetta 

Ristorante
Contrada Campo San Lorenzo, 14
Tel. 0984 579026
Chiuso il mercoledì
Orario: mezzogiorno e sera
Ferie: fine novembre-metà dicembre
Coperti: 80
Prezzi: 35-40 euro vini esclusi
Carte di credito: tutte, Bancomat

Camigliatello è un bel paesino sul versante settentrionale della Sila Grande: qui si trova il locale gestito da Pietro Lecce e Denise Miglietti. L'aperitivo, accompagnato da buoni grissini caldi, viene servito nella raccolta sala degustazione annessa alla cantina (dov'è stipato un migliaio di bottiglie nazionali ed estere) o, quando il tempo lo permette, nel giardino retrostante.
Il pasto vero e proprio è spesso costituito da diverse preparazioni a base di **funghi** silani: insalate, **soufflé di porcini** con crema di moro (formaggio vaccino di media stagionatura), pancotto con pomodorini e porcini, **fratto di fave** con finferli e pesto, **sfogliatine di castagne con ragù di finferli**, tagliolini con fiori di zucca, zafferano e porcini, zuppa di fagioli e porcini, **boccone reale** (filetto di manzo con cappelle di porcini), **porcini impanati** o arrostiti, cappelle di porcini all'aglio. I tortelli ripieni di carne di manzo e guanciale di maiale, conditi con ricotta di pecora, mentuccia e pecorino silano grattugiato, costituiscono la specialità della casa più apprezzata. Per secondo troverete stufato di capriolo al ribes, **maialino da latte al forno**, cosciotto di agnello farcito di guanciale e pecorino. Le circa 70 varietà di spezie coltivate da Denise nell'orto di casa arricchiscono tutte le pietanze. Il carrello dei formaggi è ricco e curato e propone a rotazione piccole produzioni regionali e nazionali di caprini e pecorini. Il fico dottato cosentino, fresco, secco o caramellato secondo il periodo, è protagonista fra i dessert.
Per gli irriducibili del tabacco, una delle sale è riservata ai fumatori.

Tropea

30 km a ovest di Vibo Valentia ss 522

Osteria del Pescatore

Trattoria
Via del Monte, 7
Tel. 0963 603018-347 5318989
Non ha giorno di chiusura
Orario: sera, estate anche pranzo
Ferie: primi di novembre-fine marzo
Coperti: 36 + 12 esterni
Prezzi: 30 euro vini esclusi
Carte di credito: nessuna

Cittadina di pescatori, resa celebre da una cipolla che ha conquistato gli chef di mezzo mondo, Tropea merita una visita anche per altre ragioni: quattro chilometri di spiagge, il *Portus Herculis* citato da Strabone e Plinio, un borgo a picco sul mare, una cattedrale normanna. Questa trattoria a gestione familiare si trova nel centro storico. L'ambiente è semplice, il servizio efficiente e cordiale, il conto più che onesto. Le sorelle Anna, Rosalba e Francesca trasformano in pietanze prelibate e presentano in portate generose le materie prime procurate dagli uomini di casa: papà Gaetano e il genero Gerardo, marito di Anna, entrambi pescatori, sono i principali fornitori della dispensa.
Dopo un'entrée a base di **insalata di polpo** o di mare, sceglierete tra gli spaghetti con il polpo, i **fusilli** di pasta fresca **con il pesce spada** o le alici, le foglie con gamberetti e zucchine, le **linguine con spatola in bianco**. Servita come primo o secondo, la **zuppa di sarde** fritte e passate in una salsa di aglio, peperone e origano, è davvero un piatto sontuoso; in alternativa **fritture** e **grigliate** miste per le quali si impiegano prevalentemente pesci poveri quali le alici, i *sùrici* e le **spatole**. Pochi ma validi i piatti di terra: da provare gli **spaghetti** conditi **con la *'nduja***, salsiccia piccante buona anche spalmata sul pane, quelli **alla cipolla rossa di Tropea** e quelli **alla tropeana**, con peperoni, zucchine e melanzane; sempre presente la ricca **insalata tropeana**. Tra i dolci, il tartufo alla nocciola e i mostaccioli con lo Zibibbo.
Accanto allo sfuso della casa, disponibile qualche bottiglia in più del passato, tutte del Sud Italia. Con la sua barca, Gaetano pratica anche attività di pescaturismo: preavvertendo lo si può accompagnare nelle battute.

Villa San Giovanni

11 km a nord di Reggio Calabria

Antica osteria vecchia villa

Trattoria-pizzeria
Via Garibaldi, 104-piazza della Stazione
Tel. 0965 795077
Chiuso la domenica
Orario: mezzogiorno e sera
Ferie: primi 15 giorni di settembre
Coperti: 70 + 25 esterni
Prezzi: 33-35 euro vini esclusi
Carte di credito: tutte, Bancomat

Il locale di Angelo e Francesco resta sempre uguale a se stesso: identico l'arredamento (ma dai tavoli sono spariti i fiori finti), le pareti sono sempre abbellite con le foto della vecchia Villa, le vivande in lista sono descritte con il nome dialettale e la traduzione italiana.
Potete scegliere tra il menù normale e quello a base di pesce stocco. Quest'ultimo inizia con lo ***stoccu a calabresi*** (crudo con peperoni arrosto, olive e patate) o a insalata (crudo con prezzemolo, capperi e pomodorini). Seguono la ***stroncatura***, tipiche linguine di farina integrale, **con il sugo di ghiotta di pesce stocco**, e poi ancora lo stocco fritto in pastella o arrostito alla griglia con peperoni e patate. L'altro menù inizia con tutti gli antipasti tipici, disponibili a buffet: frittelle di fiori di zucca, ricotta, **parmigiana di melanzane**, zucchine ripiene, olive, salumi. Spiccano tra i primi la ***stroncatura* con i broccoli** calabresi e gli ***schiaffettuni***, pasta fresca farcita con salsiccia sbriciolata, finocchio selvatico, salsa di pomodoro e ricotta salata. Buono l'assortimento di pesce proveniente dallo Stretto e di carni alla brace. Due i dessert da non perdere: il dolciotto, bocconotto ripieno di crema, e la crema pasticciera profumata al bergamotto con mandorle tostate e amaretti, servita con i ***piparelli***, tipico biscotto locale.
La lista dei vini comprende un ampio ventaglio di etichette calabresi e molte bottiglie siciliane.

A **Reggio Calabria** (11 km), in frazione Catona la Sol.Mar. produce il Bergamino, ottimo liquore ottenuto dal bergamotto.

Villa San Giovanni
Cannitello

11 km a nord di Reggio Calabria

Boccaccio

Ristorante
Via Pescatori, 1
Tel. 0965 759173
Chiuso il lunedì
Orario: mezzogiorno e sera
Ferie: periodo natalizio
Coperti: 150
Prezzi: 25 euro vini esclusi
Carte di credito: tutte, Bancomat

Il fondatore, Ciccio Sottilaro, non aveva peli sulla lingua: è a questo vezzo, e al nomignolo che si era guadagnato (*Buccazza*, bocca grande), che si deve il nome del locale, non all'autore del *Decameron*. Oggi, la gestione di questo ristorante che propone esclusivamente piatti di mare con un buon rapporto tra prezzo e qualità, è nelle mani dei figli, pescatori come il padre. Siamo sul lungomare di Cannitello, all'imbocco dello stretto di Messina, nel punto più vicino tra le due sponde. Aldo si occupa della sala, Filippo sta ai fornelli.
Per cominciare arriveranno il buon **tonno sott'olio** di propria produzione, le **polpette di pesce in umido** con il sugo di pomodoro piccante, l'insalata di mare, le frittelle di neonata. Gli **spaghetti alla Boccaccio**, con ragù piccante di frutti di mare, sono la specialità della casa per quello che riguarda i primi, ma la **pasta** può anche essere condita **con il nero di seppia** o con cozze e vongole; molto richieste anche le trofie con pesce spada e melanzane. Il pescato giornaliero, frutto del lavoro degli altri fratelli Sottilaro, sarà protagonista dei secondi: il particolare pesce spada cotto in umido con un'alga locale, **frittura di paranza**, calamari ripieni, arrosti, **grigliate**. Ottime le **zuppe di pesce**. Un'altra specialità della casa è presente fra i dessert: sono le delizie al limone o al pistacchio, tortini ripieni di crema e pan di Spagna coperti da una morbida glassa. Buono anche lo sgroppino al limone.
L'ampia selezione dei vini privilegia le produzioni calabresi e siciliane.

Sicilia

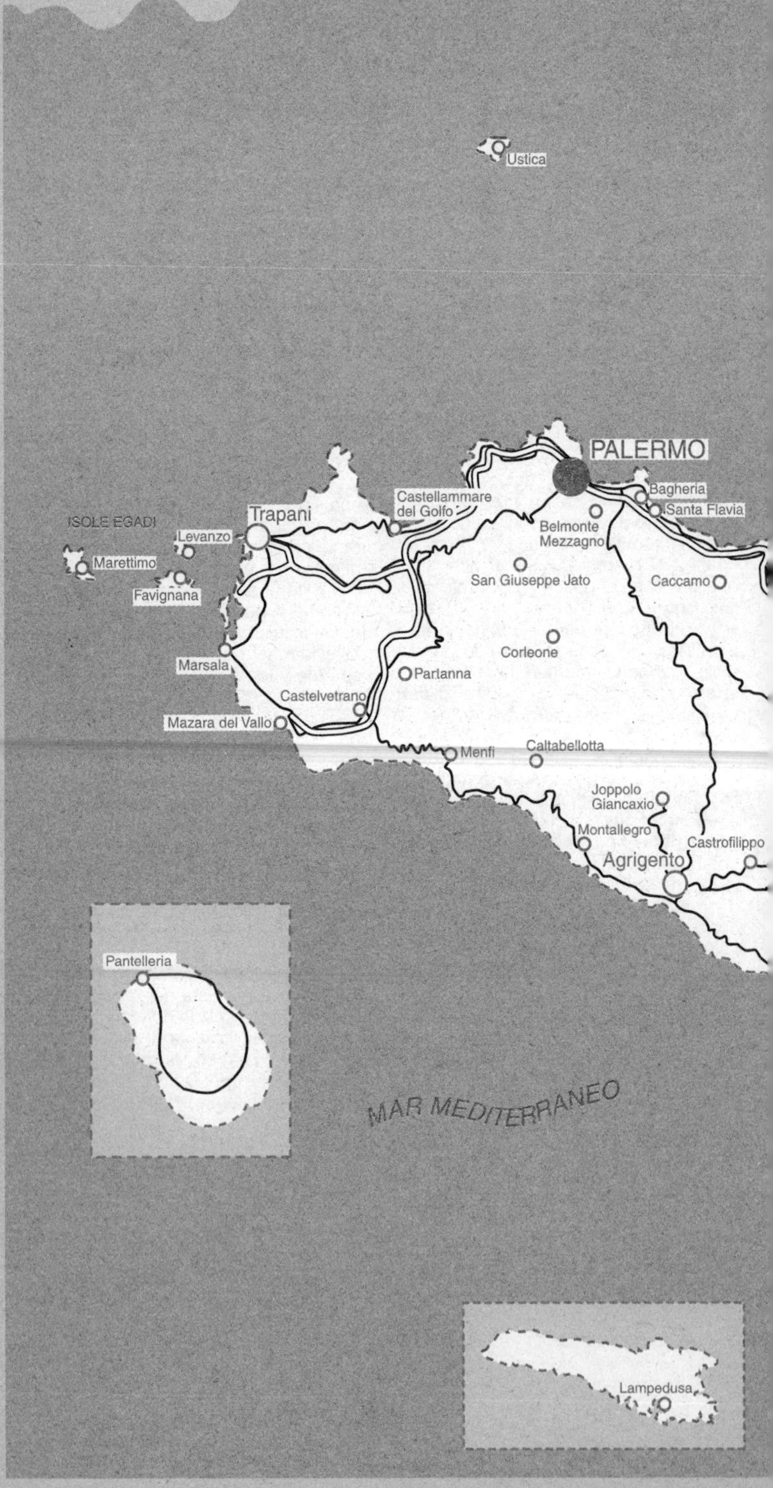

PALERMO
Bagheria
Santa Flavia
Castellammare del Golfo
Trapani
ISOLE EGADI
Levanzo
Marettimo
Favignana
Belmonte Mezzagno
San Giuseppe Jato
Caccamo
Corleone
Marsala
Partanna
Castelvetrano
Mazara del Vallo
Menfi
Caltabellotta
Joppolo Giancaxio
Montallegro
Castrofilippo
Agrigento
Pantelleria
MAR MEDITERRANEO

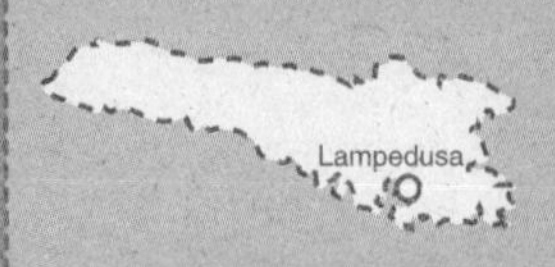

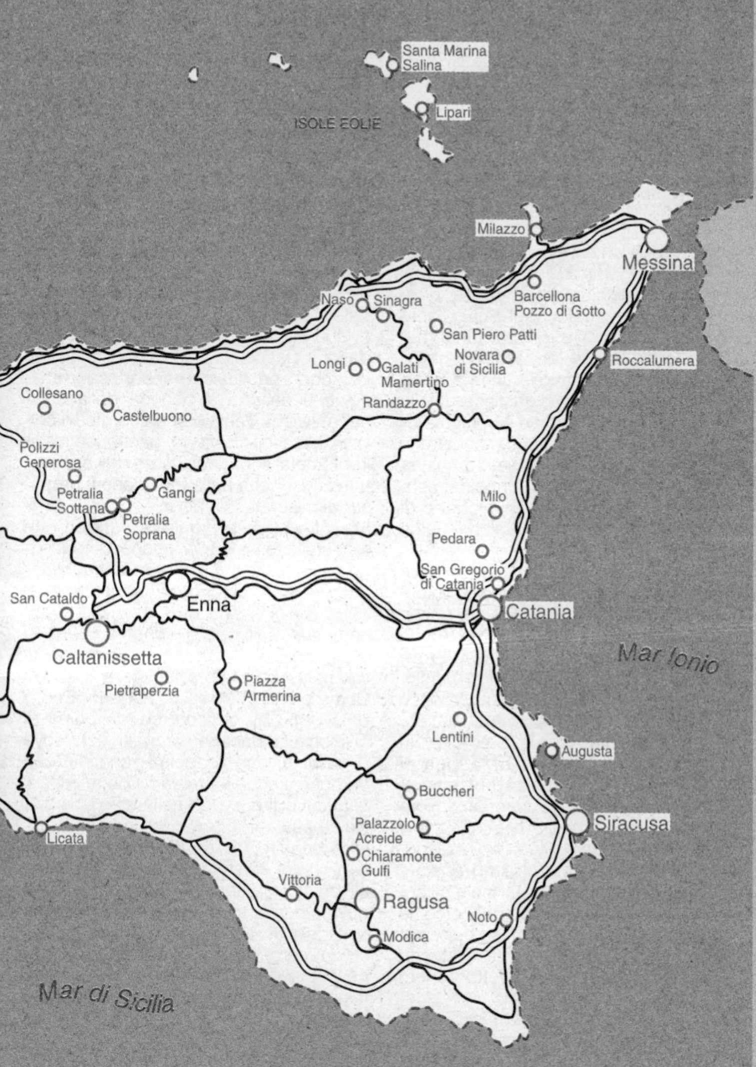

Mar Tirreno
Santa Marina Salina
Lipari
ISOLE EOLIE
Milazzo
Messina
Naso
Sinagra
Barcellona Pozzo di Gotto
San Piero Patti
Novara di Sicilia
Roccalumera
Longi
Galati Mamertino
Collesano
Castelbuono
Randazzo
Polizzi Generosa
Petralia Sottana
Gangi
Petralia Soprana
Milo
Pedara
San Gregorio di Catania
San Cataldo
Enna
Catania
Caltanissetta
Mar Ionio
Pietraperzia
Piazza Armerina
Lentini
Augusta
Buccheri
Palazzolo Acreide
Siracusa
Licata
Chiaramonte Gulfi
Vittoria
Ragusa
Noto
Modica
Mar di Sicilia

Agrigento
San Leone

7 km dal centro della città

Caico

Ristorante
Via Nettuno, 35
Tel. 0922 412788
Chiuso il martedì
Orario: mezzogiorno e sera
Ferie: 2 settimane in novembre
Coperti: 120 + 90 esterni
Prezzi: 30-35 euro vini esclusi
Carte di credito: tutte, Bancomat

Nella località balneare di San Leone, frazione di Agrigento da cui dista pochi chilometri, individuate facilmente questo ristorante situato vicino al corso principale e a due passi dal lungomare. Il patron Marco Maccarrone, terza generazione della famiglia che ha aperto il locale nel 1952, lo gestisce con la moglie Patrizia. L'ambiente è confortevole e nei mesi più caldi si può mangiare in veranda sotto un bel pergolato. La linea gastronomica è incentrata principalmente su classiche preparazioni siciliane di pesce, ma non manca qualche tipico piatto regionale di terra.
Fra gli antipasti, panelle, frittura di seppioline e merluzzetti, carpaccio di polpo, marinature di gamberi, di alici e di pesce spada, **caponata di melanzane**. Buone le **tagliatelle** di pasta fresca **con il tonno** (nel periodo giusto) o con le vongole. Fra gli altri primi: **ravioli ripieni di pesce** con gamberetti e pomodoro, pennette al pesce spada, **pasta con le sarde** (più frequente nel periodo estivo), **zuppa di cozze**, *cavateddi* con melanzane e ricotta salata, e qualche appropriata minestra di stagione come il **macco di fave** e la zuppa di lenticchie. Secondo la disponibilità del pescato si potranno gustare l'**orata al forno con patate**, l'aiola all'acqua di mare, la **spatola in agrodolce**, la spigola e il sarago arrosto; come secondi di carne sono abituali la bistecca panata alla palermitana, il filetto al nero d'Avola e, d'inverno, il **bollito**.
Scarso interesse (ci è parso) per i dessert, a differenza dell'attenzione rivolta alla carta dei vini che offre un'articolata selezione di etichette.

Ad Agrigento, le suore del monastero di Santo Spirito preparano e vendono, su prenotazione, specialità dolciarie della tradizione conventuale fra cui un eccezionale cuscus dolce.

Augusta
Brucoli

39 km a nord di Siracusa

I rizzari

Trattoria
Via Libertà, 63
Tel. 0931 982709
Chiuso il mercoledì
Orario: mezzogiorno e sera, lun e mar solo sera
Ferie: variabili in autunno
Coperti: 45 + 70 esterni
Prezzi: 33-35 euro vini esclusi
Carte di credito: tutte tranne DC

La piccola borgata di Brucoli si affaccia su un porto-canale formato dall'estuario del torrente Porcaria. Nella strada principale si trova questa trattoria che dispone di due salette e di una piacevole veranda affacciata sulla baia. A gestire il locale, aperto da qualche anno, sono Emanuele Fede che si occupa della cucina, e Viviana Valente che coordina il servizio ai tavoli. L'offerta gastronomica è improntata soprattutto su piatti marinari e alterna ricette della tradizione a proposte di misurata inventiva.
Fra gli antipasti, squisito **polpo bollito** servito assieme a fettine di pecorino pepato, **bruschette con la buzzonaglia** (interiora di tonno) e la menta, ***vuccuna*** (chiocciolini di mare), alici marinate, zuppa di cozze, vongole, gamberi e pomodorini, *enzimio* (una zuppetta di calamari, spinaci, ciliegino e carote). Come primi, buoni gli **spaghetti al nero di seppia**, gli gnocchi con la polpa di granchio, i paccheri conditi con uova di dentice, con vongole e carciofi, con gamberi, zucca e menta o con la *zoccola* (cicala di mare) e, nella stagione giusta, la **pasta col tonno** fresco. Se si vuole proseguire, c'è la **frittura di gamberi e calamari** e il pesce del giorno destinato all'arrosto (sarago, dentice, ricciola). Di gusto deciso (a noi è piaciuta) la **seppia** cotta **alla brace** intera (compresa la sacca col nero), consuetudine culinaria dei pescatori del luogo. Non mancano rinfrescanti insalate, come quella di arance con finocchi o con la cipolletta. Nei mesi invernali compare qualche piatto di legumi e di carne.
Per dessert, sformato caldo al cioccolato, crostate fatte in casa e formaggi siciliani abbinati a confetture di marmellate. Dignitosa selezione di vini siciliani.

Bagheria

16 km a SE di Palermo uscita A 19

Don ciccio

Trattoria
Via del Cavaliere, 87
Tel. 091 932442
Chiuso mercoledì e domenica
Orario: mezzogiorno e sera
Ferie: agosto
Coperti: 80
Prezzi: 25 euro vini esclusi
Carte di credito: le principali

Tante le ragioni di una visita nel popoloso centro di Bagheria: da quelle storiche e architettoniche, dal momento che la cittadina è sede di affascinanti edifici barocchi quali Villa Butera, Villa Cattolica, Villa Valguarnera, Villa Principe di Palagonia (meglio conosciuta come la "villa dei mostri"), a quelle più prosaicamente gastronomiche. La ristorazione locale, lineare e gustosa, ha in Don Ciccio, trattoria fondata nel 1942, la sua massima e più antica espressione. In sala, attento e gentile, troverete Santino, il figlio del fondatore del locale, coadiuvato da Francesco e Salvatore, terza generazione di una famiglia protagonista della storia della gastronomia della provincia di Palermo e dell'intera Sicilia.
Immutabili i piatti, a partire dall'unico antipasto disponibile, quello dei carrettieri: uovo sodo con sale e Zibibbo. Seguono i **bucatini con le sarde**, al ragù di carne, all'aglio, pomodoro e piselli, al pesce spada e menta. Sostanziosi e saporiti anche i secondi piatti, da scegliere fra gli **involtini di vitello** o di pesce spada alla brace, ***u bruciuluni*** (falsomagro), le **sarde a beccafico**, il **tonno *ammuttunatu*** con aglio e menta, il polpettone di carne e piselli. Nel segno della tipicità e della tradizione anche i dessert: cannoli, cassata al forno, oppure semplici arance e banane al Marsala.
In cantina un vigoroso vino della casa e alcune buone etichette isolane. Servizio sorridente e di rara efficienza.

Osteria accessibile ai disabili.

Da Gelato In, via Libertà 2° Edificio, eccellenti torte, pezzi duri, zuccotti. Da non perdere, l'originale "gelato imbottito" ai gusti nocciola, caffè, fragola, cassata al forno, cioccolato.

Barcellona Pozzo di Gotto

44 km a ovest di Messina A 20

Il girasole

NOVITÀ

Ristorante-pizzeria
Via Amendola, 49
Tel. 090 9794534
Chiuso il lunedì
Orario: mezzogiorno e sera
Ferie: variabili in estate
Coperti: 45
Prezzi: 30-35 euro vini esclusi
Carte di credito: tutte tranne AE

Situata fra capo Milazzo e capo Tindari, Barcellona Pozzo di Gotto è un centro commerciale a vocazione agricola. Nella parte moderna della città, dal 1998 lo chef Carmelo Duci gestisce questo piccolo locale, funzionante anche come pizzeria, con la collaborazione in sala della moglie Francesca. A caratterizzare l'offerta gastronomica sono soprattutto le pietanze di pesce, preparate ponendo attenzione alla stagionalità e alle tradizioni culinarie locali, pur con qualche contenuta innovazione.
Per cominciare, buoni i **bocconcini di alalunga** o di palamito con cipollotti in agrodolce, le acciughe o le sarde ripiene alla brace, le acciughe marinate, l'**insalata di polpo** con sedano, cipolla, uva passa e pinoli. Come primi si avvicendano la **pasta con le sarde**, i **taglioli-ni al nero di seppia**, la pasta col palamito, con l'alalunga o col tonno fresco nel giusto periodo di pesca. Fra i secondi, certamente da ricordare le rosette di spatola su passata di melanzane e zucchine e il **pesce stocco** variamente preparato: alla ghiotta, crudo su cuori di sedano oppure arrostito sulla brace con cipolle, peperoncino e i locali pomodorini a *nocca*. Soprattutto nei mesi invernali è possibile trovare zuppe e minestre di legumi, nonché piatti di carne come il **cosciotto di suino nero al forno** e il filetto di vitello al ginepro.
Per dessert, da provare il **riso nero** (dolce devozionale con cioccolato amaro, zucchero, cannella e mandorla) e i cannoli, sia aperti sia chiusi, con ricotta o crema all'arancia. Discreta presenza di vini, soprattutto siciliani.

Nella frazione Maloto, l'azienda agricola biologica Jalari produce e commercializza agrumi di buona qualità e gestisce un interessante parco museo.

BELMONTE MEZZAGNO

17 KM A SE DI PALERMO

ITALIANO CIBUS

Trattoria
Piazza Martiri d'Ungheria, 14
Tel. 091 8720397
Chiuso il martedì
Orario: mezzogiorno e sera
Ferie: agosto
Coperti: 50
Prezzi: 30 euro vini esclusi
Carte di credito: tutte

Vale davvero la pena spingersi fino a Belmonte Mezzagno, centro agricolo a pochi chilometri da Palermo, per gustare le specialità di questa trattoria che porta il cognome del fondatore e che vanta tanti anni di tradizione, impegno e passione. Da sempre la regìa della cucina e l'elaborazione dei piatti è affidata a mamma Maria, mentre della sala si occupa Fabio; nel periodo di maggiore afflusso, cugini e amici sono sempre disponibili a dare una mano. Il menù degustazione comprende due primi, tre secondi e un dolce, varia giornalmente e ben rappresenta la tradizione gastronomica siciliana.
Tra le preparazioni ricorrenti, sono da non perdere i **bucatini con i broccoli in tegame** (nel periodo giusto) e i **ravioli di ricotta** fatti in casa e conditi **con il ragù di maiale**. Di grande gusto e profumo le **tagliatelle con il finocchietto fresco di montagna**; gustose anche le minestre di legumi, in particolare la pasta con i fagioli freschi. Si continua con l'**agnello panato e fritto**, il **capretto in tegame** o in umido. La zona è particolarmente rinomata per la produzione di ricotta di pecora: d'obbligo quindi assaggiare i **cannoli**; in alternativa, dolcetti di pasta di mandorla e **buccellati** ripieni di mandorle, noci e fichi secchi.
La carta dei vini, sempre curata e interessante, ha giusti ricarichi. Ottimo il rapporto tra qualità e prezzo.

A **Piana degli Albanesi** (14 km), in contrada Ponte Rosso, Aura sforna pane di farina di grano duro, biscotti secchi, tra cui mostaccioli, tegolini e quaresimali, e lo sfinciuni condito con pomodoro, cipolla e caciocavallo stagionato.

BUCCHERI

56 KM A OVEST DI SIRACUSA

U LOCALE

Trattoria
Via Dusmet, 14
Tel. 0931 873923
Chiuso il martedì
Orario: mezzogiorno e sera
Ferie: in luglio
Coperti: 50 + 20 esterni
Prezzi: 19-22 euro vini esclusi
Carte di credito: nessuna, Bancomat

La trattoria di Pippo e Sebastiano Formica è ricavata in un vecchio *dammuso* ed è arredata con mobili e suppellettili antichi. Pippo cura il servizio, talvolta con l'aiuto di un paio di ragazzi e della cognata Monica; Sebastiano, invece, opera in cucina assieme a Gabriele. Le pietanze, preparate con sapiente uso di ingredienti stagionali, si rifanno alle tradizioni degli Iblei. Molti ortaggi provengono dall'orto di casa, le erbe spontanee sono raccolte nel circondario, la pasta è fatta a mano e Sebastiano prepara da sé anche i vari tagli di carne e salumi presso una macelleria di fiducia.
Fra gli antipasti: ***piscirovu*** (frittata) con asparagi selvatici, lumache a *stricasale*, salame, **gelatina di maiale**, bruschette con paté di peperoncini, di olive e di pomodori di propria produzione. Seguono taglierini col **macco di fave novelle** o coi funghi freschi, **ravioli di ricotta con sugo di maiale**, tagliolini con *sinàpa*, asparagi e finocchietto, pasta con pomodoro crudo e salsiccia sbriciolata e, in estate, maccheroncini con le lumache, tagliolini coi peperoni, **arricciata ca *lumìa*** a base di limone e menta. Come secondi, succulenti lo stinco di maiale al forno, l'**agnello arrosto**, la **trippa al sugo** o coi fagioli, il **cosciotto di maiale alle mandorle**. Due piatti recuperati dalla memoria agropastorale sono gli **spiedini di pecora** e la ***lattuchedda*** (muscolo addominale bovino).
Per finire, cannolo di squisita ricotta, *funciddi* (biscotti secchi di mandorle e nocciole) o sorbetto di limone. Piccola scelta di vini siciliani dal buon rapporto fra qualità e prezzo.

In piazza Roma 25, la macelleria Giangravè presenta buoni salumi e prodotti caseari locali.

Caccamo

44 km a SE di Palermo A 19 e SS 285

A castellana

NOVITÀ

Ristorante-pizzeria
Piazza Caduti, 2-3-4
Tel. 091 8148667-339 8699520
Chiuso il lunedì
Orario: mezzogiorno e sera
Ferie: non ne fa
Coperti: 180
Prezzi: 24-30 euro vini esclusi
Carte di credito: le principali

Caccamo è una cittadina molto bella, con un centro storico di impianto arabo, rilevabile nelle strette e tortuose stradine. Più facilmente riscontrabile è l'impronta lasciata nei monumenti dai Normanni, con ampi rifacimenti effettuati nel corso del XIV secolo visibili nei due edifici principali, il duomo dedicato a San Giorgio e il possente castello. Questo, ben restaurato, è tra i più belli di Sicilia: da visitare la sala delle armi e, soprattutto, la celebre sala della congiura, così denominata per avere ospitato nel 1160 il complotto di Matteo Bonello e dei baroni ribelli contro re Guglielmo I, detto il Malo.
Nell'antico granaio ai piedi di questo gioiello architettonico, i componenti della famiglia Porretta gestiscono dal 1976 questo rustico e accogliente locale (anche ottima pizzeria) arredato con suppellettili della civiltà contadina. La cucina, all'insegna della semplicità, utilizza esclusivamente materie prime del circondario. Scegliendo alla carta o tra i menù degustazione, potrete gustare **caponata di melanzane**, frittata di asparagi selvatici, **olive *cunzate***, salumi e primosale dei dintorni. Piatti tipici e robusti fra i primi, dalle tagliatelle di casa con porcini, salsiccia e zafferano alle spaccatelle con il **macco di fave**, dai **rigatoni al ragù di cinghiale** alle casarecce con broccoli, pinoli e acciughe. Tradizione e sostanza anche nei secondi piatti: **stinco di maiale al forno** con patate, "rotolo" di salsiccia e pancetta, **involtini di vitello** alla brace, fiorentina locale.
Si chiude con cannoli di ricotta, gelo di anguria e un delizioso **biancomangiare** con savoiardi al Marsala. Piccola cantina siciliana, servizio attento.

Caltabellotta

65 km a NO di Agrigento

M.a.t.e.s.

NOVITÀ

Trattoria
Vicolo Storto, 3
Tel. 0925 952327-338 4133763
Chiuso il lunedì
Orario: mezzogiorno e sera
Ferie: 15 giorni in ottobre
Coperti: 50
Prezzi: 25-30 euro vini esclusi
Carte di credito: tutte tranne AE

Caltabellotta si trova a più di 900 metri di altitudine sul margine meridionale dei monti Sicani. La trattoria della famiglia Augello si trova in un vicolo del quartiere ebraico della Giudecca. La sala, che ospita un torchio, una macina a pietra, *bummuli* e *quartare* (le vecchie anfore per l'acqua e il vino), altri arnesi antichi e alcuni libri a tema, è stata ricavata all'interno di un vecchio opificio: non sembri quindi troppo pretenzioso il nome scelto, acronimo di Museo delle antiche tradizioni enogastronomiche siciliane. In sala ad accoglervi troverete papà Felice insieme al figlio Giuseppe, della cucina si occupano mamma Laura e il figlio Leonardo.
Comincerete il pasto con ricotta, salsiccia secca, olive schiacciate in conserva, pomodori secchi, frittatine di erbe spontanee, **caponata** (che è anche possibile portare via), *pani e tumazzu* o *chi passuluna*, le immancabili **sarde a beccafico**. La **pasta** (spesso fatta in casa) è condita ***cu capuliatu***, con il ragù bianco, con salsiccia e finocchietto selvatico o con salsiccia e melanzane; molto buona, d'inverno, anche la **pasta con le fave secche** o con i ceci. Le carni provengono da allevamenti locali: ottimi l'**agnello al forno**, il capocollo di maiale avvolto nella sua cotenna, le costolette di castrato, la **salsiccia al sugo**. L'ottimo extravergine è prodotto dall'azienda di famiglia, così come molti ortaggi e verdure. Per finire, accanto ai cannoli di ricotta, *i sfinci*, la *cubbaita*, si aggiungono dolci più rari in occasione delle feste: sotto Natale i ***cuddureddi duci*** con ripieno di fichi e, a Pasqua, la *froscia* o *lu cannileri*.
Piccola ma dignitosa la carta dei vini locali, apprezzabile lo sfuso della casa. Nei mesi più caldi i tavoli sono all'aperto. La prenotazione è obbligatoria.

VICOLO DUOMO

Ristorante
Vicolo Neviera, 1
Tel. 0934 582331
Chiuso la domenica e lunedì a pranzo
Orario: mezzogiorno e sera
Ferie: agosto
Coperti: 40 + 30 esterni
Prezzi: 30 euro vini esclusi
Carte di credito: tutte, Bancomat

Vicolo Neviera, sede del ristorante, è una stradina che fiancheggia sulla destra la cattedrale di Santa Maria La Nova, affrescata nel Settecento dal pittore fiammingo Guglielmo Borremans. La chiesa si afffaccia sulla bella piazza Garibaldi, che spicca anche per la fontana del Tritone realizzata nel 1890 dallo scultore locale Michele Tripisciano. Il locale, raccolto e familiare, è gestito da oltre dieci anni da Aldo Sgarlata e Angela Mendola: lei programma il menù e organizza il lavoro in cucina, lui si occupa della sala. Le specialità sulla carta sono quelle tipiche siciliane, con particolare attenzione alle ricette del territorio nisseno.
Il pasto è solitamente aperto da formaggi locali o preparazioni a base di verdure che variano secondo stagione. Numerosi i possibili primi piatti: **spaghettini con *mazzareddi*** (tipici del periodo primaverile), gramigna con pesto di finocchietti e ricotta, **pappardelle con ragù e funghi porcini**, ruvidelli con crema di fave e zucchina: da provare, nel periodo estivo, i paccheri con crema di melanzane, peperoni, menta, basilico, cipolla rossa e peperoncino. Proseguendo, troverete **stinco di maiale al Nero d'Avola**, involtini panteschi, fagottini con formaggio piacentino, **coniglio alla *stimpirata***, lonza di maiale con ricotta e arancia, **trippa all'olivetana**, polpettine agli agrumi o all'eoliana.
D'estate si chiude con sorbetti e semifreddi, il resto dell'anno con *rollò* di ricotta e parfait di mandorle. Cantina limitata ad alcuni vini dell'isola.

In via Canonico Pulci 14, il Torronificio Geraci, attivo dal 1870, propone torrone classico, paste alla mandorla e al pistacchio, lavorati artigianalmente a vista con prodotti del territorio.

89 KM A EST DI PALERMO A 19 SS 113 E 286

NANGALARRUNI 

Ristorante
Via delle Confraternite, 5
Tel. 0921 671428
Chiuso il mercoledì
Orario: mezzogiorno e sera
Ferie: variabili
Coperti: 100 + 30 esterni
Prezzi: 33-35 euro vini esclusi
Carte di credito: tutte

A pochi passi dalla chiesa della Matrice, il ristorante dello chef Peppe Carollo è costituito da una saletta al piano terra e da uno spazio più ampio al primo piano, funzionante nei giorni di maggiore affluenza; in estate sono disposti alcuni tavoli nella stradina davanti al locale. Curata la selezione delle materie prime, con particolare assortimento di funghi delle Madonie di cui Peppe è esperto, e molte verdure di produzione biologica locale. A connotare la cucina sono le tante pietanze di terra, spesso elaborate con accettabile tocco innovativo.
Fra gli antipasti, tortino di pancotto e verdure di campo, porcini gratinati con ricotta e radicchio, melanzane con porcini e *tuma*, l'insalata di funghi basilischi, il plateau di formaggi tipici siciliani. Per primi (le paste sono tutte di produzione propria) gustosi i **tortiglioni al ragù di maialino** o con ricotta, basilisco e melanzane fritte, le tagliatelle con ricotta fresca e verdure campestri, la **pasta con tenerumi e ricotta salata**, quella con patate, fonduta di caciocavallo affumicato e funghi. Bene pure gli spaghetti al pomodoro e basilico con passata di melanzane, e la saporita **zuppa di funghi e legumi**. Seguono sostanziosi secondi quali il maialino selvatico al cartoccio in salsa di porcini, la tagliata di manzo con verdura cotta e provola delle Madonie (Presidio Slow Food), il filetto di maialino nero in crosta di manna, mandorle e pistacchi, il **capretto in tegame con patate e zafferano**.
Per dessert, tradizionale **testa di turco** e deliziosi gelati artigianali. Ampia e di ottimo livello la carta dei vini.

In via Sant'Anna 6, trovate il punto vendita dell'azienda di Giulio Gelardi, produttore della manna delle Madonie aderente al Presidio Slow Food.

Castellammare del Golfo

36 km a est di Trapani

Al ristorantino del monsù

NOVITÀ

Ristorante
Via Pisani, 2
Tel. 0924 531031
Chiuso il lunedì
Orario: mezzogiorno e sera
Ferie: 15 giorni in novembre, 15 in febbraio
Coperti: 40
Prezzo: 35 euro vini esclusi
Carte di credito: tutte, Bancomat

Vito e Rosario Ventimiglia, padre e figlio, dopo aver accumulato varie esperienze gastronomiche in giro per l'Europa, hanno deciso di tornare in questa bella cittadina affacciata sul mare per aprire un loro ristorante. La scelta del nome è caduta su una figura quasi mitica del Settecento siciliano, il *monsù* (deformazione dialettale di *monsieur*), ovvero il cuoco francese che non mancava mai nelle case aristocratiche. Il locale si trova al centro del paese e si affaccia su piazza Petrolo, vera e propria terrazza sul golfo di Castellammare. È arredato con molta semplicità e alle pareti spiccano tante nicchie colme di bottiglie vino; in estate si arricchisce di un dehors che permette una bella visuale sul mare. La cucina, prevalentemente di mare, varia secondo le stagioni e la disponibilità del mercato locale. In sala Rosario è affiancato dalla madre Anna, Vito invece si occupa della cucina.
Si può iniziare con il carpaccio di polpo, la **caponata di melanzane**, i pesci marinati, l'**insalata di polpo** con sedano, capperi e patate. Tra i primi segnaliamo i tagliolini con cernia e mandorle, il **cuscus al nero di seppia**, i tagliolini alle vongole, gli spaghetti con gamberi e zucchine, le ***busiate* con gamberi rossi e pistacchi** di Bronte. Il pescato del giorno è utilizzato per ottime zuppe e **grigliate**; molto validi anche i filetti di **spatola all'arancia** o di lampuga con capperi e limone. Il tutto è accompagnato da verdure grigliate e varie insalate. I dolci sono casalinghi: cannoli, torta di ricotta, semifreddi alla mandorla o al pistacchio.
La cantina conta una cinquantina di etichette siciliane; particolare attenzione è riservata alle aziende del territorio.

Castellammare del Golfo

36 km a est di Trapani

Ristorante del golfo

Ristorante
Via Segesta, 153
Tel. 0924 30257
Chiuso il martedì
Orario: mezzogiorno e sera
Ferie: variabili
Coperti: 40 + 10 esterni
Prezzi: 35 euro vini esclusi
Carte di credito: tutte, Bancomat

A Castellammare, paese in cui è fortemente radicata la tradizione della pesca, troviamo la piccola trattoria gestita da Liborio Giorlando. Il locale, che è stato recentemente ristrutturato e leggermente ampliato, è impreziosito alle pareti con belle fotografie di vita marinara. La piccola sala interna, climatizzata, si arricchisce in estate di un piccolo dehors. Il patron, che vi accoglierà in sala, è anche un esperto pescatore: sceglie sul mercato il meglio del pescato locale che elabora seguendo la tradizione ma con qualche tocco di modernità, in squadra con il bravo Namyg, chef di origini azerbaigiane.
Iniziamo con le **sarde in agrodolce**, il tortino di sarde, di melanzane o di carciofi, i carpacci di pesce, il **polpo bollito**. Fra i primi, le **fettuccine con i ricci**, con le alici, con uova di pesce sampietro, con la bottarga, alla Norma, con pesce spada e peperoni. Per chi non ama il pesce sono disponibili le **minestre di legumi** o zucchine della tradizione contadina. La lista dei secondi comprende le ottime **seppie panate alla griglia**, il pesce spada, il **tonno**, la spigola, nonché **gamberi** e scampi di provenienza locale, sempre più difficili da trovare: considerate che, in base alla vostra scelta, il prezzo potrebbe sforare il tetto dei 35 euro. Si chiude con parfait di mandorle, ***cassatedde* di ricotta**, gelati, sorbetti alla frutta, mousses.
Il servizio è essenziale ma adeguato, la lista dei vini si arricchisce di anno in anno con il meglio della produzione siciliana e non solo.

A 500 metri dal ristorante, in via Umberto I 2, la pasticceria gelateria Tropical propone cassate siciliane, cannoli, semifreddi e torte gelato.

Castelvetrano

73 km a SE di Trapani

Lu disiu

NOVITÀ

Ristorante
Via XXIV Maggio, 14
Tel. 0924 907321
Non ha giorno di chiusura
Orario: mezzogiorno e sera
Ferie: agosto
Coperti: 40
Prezzi: 25 euro vini esclusi
Carta di credito: tutte, Bancomat

A pochi passi dalla chiesa di San Giovanni, in questo comune famoso per il museo dell'Efebo e per il parco archeologico di Selinunte, troviamo il ristorante di proprietà della famiglia Spanò: della cucina si occupano Mirella e il marito Gaspare che, reduce da alcune esperienze in ristoranti della zona, ha aperto il locale tre anni fa; la sala è invece gestita dal giovane figlio Claudio.
Vi consigliamo di iniziare con l'antipasto della casa, prevalentemente a base di ortaggi e verdure: secondo stagione potrete trovare zucchine, pomodori e peperoni ripieni, melanzane arrostite, patate al vapore, frittatine di verdure. Al tutto si aggiungono buoni formaggi regionali come il pecorino e il caciovallo palermitano. Sia i primi sia i secondi spaziano tra mare e terra: si va così dalle ***busiate* al ragù di maiale** o cinghiale ai **bucatini con le sarde** di Selinunte, dalle tagliatelle con vellutata di broccoli agli **spaghetti con nero di seppia**, dalle **melanzane ripiene di spaghetti** al pesto verde alla pasta con ragù di aragosta (su ordinazione). Il pesce fresco della piccola marineria locale è cucinato all'acquapazza o al forno; molto buoni anche la **frittura di paranza** e i filetti di sgombro panato. Chi ama la carne troverà arrosti, involtini di vitello, scaloppe al Marsala e, specialità del locale, il **capocollo di maiale in doppia panatura**. Per dessert, cannoli, torta di ricotta o di cioccolato e amarene, semifreddi.
La piccola cantina comprende vini del territorio e qualche bottiglia piemontese e veneta.

Castrofilippo
Torre

24 km a NE di Agrigento ss 122

Osteria del cacciatore

Trattoria-pizzeria
Via Puglia
Tel. 0922 829824
Chiuso il mercoledì
Orari: sera, domenica anche pranzo
Ferie: variabili
Coperti: 150
Prezzi: 18-24 euro vini esclusi
Carte di credito: nessuna

Situato in un paesino dell'entroterra agrigentino, questo locale, aperto negli anni Settanta, è gestito da Antonia Cammalleri, cui nel tempo si sono affiancate le cinque figlie che si ripartiscono il lavoro in cucina, con qualche aiuto per il servizio ai tavoli. Funzionante anche come pizzeria, la trattoria dispone di due sale arredate con decorosa semplicità. La domenica e nei festivi è previsto soltanto un menù fisso a 24 euro, tutti gli altri giorni si può scegliere alla carta.
È possibile cominciare con ricotta fresca e al cartoccio, **caponata**, gustose **focacce** come la schiacciata con acciughe e olive nere, la rotolata di spinaci, la rosetta di pane farcito con cipolla, salsiccia e olive. In base alla stagione si susseguono specialità di verdure come cardi e cipollette fresche gratinati al forno, asparagi con pancetta di maiale arrotolata, funghi ripieni o arrosto, l'estiva ***zebinata*** (un misto di verdure cotte nel forno), l'invernale **zucca rossa in agrodolce**. Tra i primi potrete trovare **cavatelli con sugo, melanzane e ricotta salata**, pennette al ragù di cinghiale, tagliatelle con funghi e asparagi, **pasta con le fave fresche** o col finocchietto selvatico. Buone pure le **zuppe**: di ceci, di fave, di lenticchie con le verdure. Altrettanto verace la scelta dei secondi: **trippa a spezzatino**, coniglio alla cacciatora, lumache trifolate, baccalà al cartoccio, costata e salsiccia di maiale, **castrato**, spiedini di vitello, ***stigliola*** (budello di capretto arrotolato con fegato, uovo sodo, cipolla, pecorino).
Per dessert, cannoli di ricotta, parfait di mandorle, pizza dolce alle mele e frutta di stagione. Stringata l'offerta del vino in bottiglia oltre allo sfuso della casa.

LE TRE BOCCHE

NOVITÀ

Trattoria
Via Mario Sangiorgi, 7
Tel. 095 538738
Chiuso il lunedì
Orario: sera, domenica e festivi anche pranzo
Ferie: variabili
Coperti: 45
Prezzi: 35 euro vini esclusi
Carte di credito: tutte

In una traversa della centrale via Umberto, a poca distanza da piazza Iolanda, troviamo questo ristorantino di classica cucina siciliana di mare, che dispone di due raccolte salette. Il titolare è Alfio Napoli che, come principale materia prima, utilizza il pescato (esposto in bella vista all'ingresso del locale) proveniente dal banco di vendita che il padre Pippo gestisce nello storico mercato della Pescheria. Al servizio collabora pure Daniele, fratello del patron.
Nella scelta degli antipasti spicca il misto di crudità a base di gamberi, scampi, *masculini* (alici), pesce spada, tonno, baccalà. Si può proseguire con **spatola in agrodolce**, insalata di mare, gamberi e melone, cozze gratinate e altro ancora. Valida anche l'offerta dei primi, quali il **risotto con la rana pescatrice**, gli **spaghetti al nero di seppia** e quelli con le vongole, le trenette allo scoglio, i pansotti con gamberi e pistacchi. L'ampio assortimento di dentici, spigole, cernie, *mupe* (pagelli), triglie e quant'altro sia disponibile, secondo stagione e mercato, è cucinato secondo le più classiche preparazioni: all'acqua di mare, arrosto, al sale. Da non dimenticare, inoltre, la gustose **fritture di pesci del golfo**. Si finisce con la **cassata siciliana** o altri dolci forniti da una vicina pasticceria.
La carta dei vini, siciliani e nazionali, è adeguata alla qualità del cibo.

Buon assortimento di formaggi siciliani alla salumeria Crisalli, via Leucatia 89. Scelta di vini e prodotti caseari alla gastronomia Scollo, via Messina 225.

METRÒ

Ristorante-enoteca
Via dei Crociferi, 76
Tel. 095 322098
Chiuso sabato a pranzo e domenica
Orario: mezzogiorno e sera
Ferie: Pasqua, 1° Maggio, Natale
Coperti: 90 + 60 esterni
Prezzi: 27-32 euro vini esclusi
Carte di credito: tutte

Da oltre vent'anni Aldo Bacciulli e Maurizio Morabito gestiscono questo grazioso locale collocato nel cuore del centro storico. Tra le diverse proposte gastronomiche, suggeriamo le pietanze di cucina locale e regionale realizzate con criteri di stagionalità e con buona selezione di materie prime.
Come possibili antipasti troviamo tortino di melanzane coi pomodorini, parmigiana di spatola (pesce sciabola), insalata di aringhe e arance, fiori di zucca in pastella, **timballo di *masculini da magghia*** (le alici locali Presidio Slow Food), **lattume di tonno fritto**, verdure selvatiche e cacio alla griglia. Interessante anche il plateau di formaggi tipici siciliani. Passando ai primi, potrete gustare torcetti coi calamari, fusilli con tonno e melanzane, ravioli di branzino con pesto di pinoli e filetti di pomodoro, **linguine col brodo di razza**, tagliatelle con pesce spada e peperoni e, fra i piatti di terra, la catanese **pasta alla Norma**, orecchiette con broccoli e salsiccia, **zuppa con le fave di Leonforte** (altro Presidio Slow Food). Buone portate di pesce sono il pescespada agli agrumi, i calamari con capperi e melanzane, le seppie al vino rosso, i ***suri*** (sugarelli) ***all'agghiata*** e, in stagione, il **tonno *a cipuddata***. Se invece preferite la carne ricordiamo la salsiccia arrostita, la cotoletta alla palermitana, il filetto al Nero d'Avola e l'appetitoso stinco di maiale coi porcini. Per dessert ruotano alcuni squisiti dolci della casa quali la crema di pistacchi di Bronte, il **gelo di anguria** e il budino di mandorle con salsa di cioccolato.
Notevole la carta dei vini, alcuni disponibili da asporto a prezzi da enoteca; non mancano inoltre distillati di pregio e qualche buona birra artigianale.

Locale segnalato
dall'Associazione italiana celiachia.

OSTERIA ANTICA MARINA

Trattoria
Via Pardo, 29
Tel. 095 348197
Chiuso il mercoledì
Orario: mezzogiorno e sera
Ferie: 1 settimana a Ferragosto, 15 gg da fine dicembre
Coperti: 60 + 60 esterni
Prezzi: 35 euro vini esclusi
Carte di credito: tutte

Vicino a piazza del Duomo, si snoda il mercato della Pescheria con le sue tante proposte alimentari. Nella parte in cui si trovano le bancarelle del pesce, c'è anche questa trattoria disposta su due salette comunicanti, cucina a vista e, nelle serate estive, tavoli apparecchiati nell'antistante spazio all'aperto. A coordinare il servizio è il patron Salvo Campisi, in un'atmosfera a volte un po' frenetica nei momenti di maggiore affluenza.
Ampia la scelta di antipasti tipici al buffet: insalata di polpo, spatola e merluzzetti in agrodolce, **involtini di sarde**, calamari e patate al sugo, gamberi e acciughe marinati, cozze gratinate, telline al pomodoro, **caponata di melanzane**, giardiniera di olive. L'offerta dei primi vede avvicendarsi classici **spaghetti con alici e mollica abbrustolita** o con il pesce spada, nonché **pasta al nero di seppia**, con calamari e favette fresche, con cozze e fiori di zucca, con gamberetti e mandorle. Fra i secondi, buoni il trancio di cernia o di **ricciola alla matalotta** e le **fritture** di triglie, ghiozzi, pettini e altri pesci locali. Nell'apposito banchetto sono inoltre esposte le varie tipologie di pescato (saraghi, dentici, pagelli, gamberoni) da preparare arrosto o all'acqua di mare. Nella stagione giusta, il **tonno** è cucinato alla griglia, alla marinara o utilizzato per condire la pasta. In chiusura, sorbetto al limone e discrete torte di pasticceria.
Adeguata la selezione di vini regionali, con possibilità di asporto a prezzi da enoteca.

Alla pasticceria Spinella, via Etnea 300, frutta martorana, olivette di sant'Agata, minni di vergini, torroni e altre specialità dolci.

20 KM A NO DI RAGUSA

MAJORE

Ristorante
Via dei Martiri Ungheresi, 12
Tel. 0932 928019
Chiuso il lunedì
Orario: mezzogiorno e sera
Ferie: luglio
Coperti: 105
Prezzi: 18-21 euro vini esclusi
Carte di credito: tutte, Bancomat

Nel centro storico di questo paese di tradizioni agricole, trovate la trattoria che la famiglia La Terra Majore gestisce da generazioni. Il locale originario, aperto nel 1896, è quello al piano terra: una stanzetta con pochi tavoli e cucina attigua; nei giorni di maggiore affluenza viene utilizzata anche la sala al primo piano. «Qui si magnifica il porco» è il vecchio motto della casa: da sempre, infatti, il menù è basato principalmente su pietanze e prodotti ottenuti dalla lavorazione e dalla trasformazione delle carni suine.
L'antipasto misto comprende ***jlatina*** (gelatina di maiale) e salumi di propria produzione che si possono anche acquistare, caponata, giardiniera di olive. Altri punti fermi sono i **ravioli di ricotta** e i cavati fatti in casa **al sugo di maiale**, il risotto alla majorese con ragù di maiale e caciocavallo; nei mesi più caldi, da provare i cavati col sugo di pomodoro fresco e dadolata di melanzane fritte. A seguire, appetitosa **costata di maiale ripiena** (*cuosti chini*), salsiccia alla brace o al sugo, gustoso **falsomagro** di carne macinata insaporita con formaggio, salame, uovo sodo, cipolla. La scelta dei secondi include inoltre alcune pietanze che di solito bisogna prenotare con qualche giorno di anticipo, come l'agrodolce **coniglio *a portuisa***, il **maiale alla *ciaramuntana*** (cotto in tegame), il filetto dello stesso animale cotto in forno in crosta di mandorle oppure cucinato sulla carbonella e aromatizzato col timo.
Per dessert, parfait di mandorle e **cannoli di ricotta**. Adeguata la selezione di vini regionali.

Collesano

66 km a est di Palermo

Casale Drinzi

Ristorante-pizzeria con alloggio
Contrada Drinzi
Tel. 0921 664027
Non ha giorno di chiusura
Orario: mezzogiorno e sera
Ferie: 20 giorni in febbraio
Coperti: 100 + 60 esterni
Prezzi: 23-25 euro vini esclusi
Carte di credito: tutte

A circa un chilometro da Collesano (che nel nucleo antico conserva tracce dell'originario impianto mediévale), percorrendo la strada provinciale si arriva in questo locale ricavato dalla ristrutturazione di un caseggiato rurale. Il luogo è immerso nel verde e, accanto alla sala interna tutta in legno, dispone di un piacevole dehors. A gestire la struttura sono Antonio Di Gaudio, che governa l'attività di cucina, e Giovanni Gulino, che accoglie la clientela e coordina il servizio ai tavoli.
Molti i piatti saldamente ancorati ai sapori del territorio, a cominciare da ricottine panate e fritte, cipolletta arrostita, cardi e **fiori di zucca in pastella**, carpaccio di porcini, formaggi madoniti grigliati, ma spazio anche ad alcune divagazioni come il tortino di cuscus di verdure e i fagottini di robiola e bresaola. Fra i primi, tenendo conto di qualche variazione stagionale, si possono gustare gli gnocchi al ragù di maialino bianco, i **maccheroni con sugo di castrato e ricotta salata**, le tagliatelle ai funghi freschi, le pappardelle al sugo di selvaggina, la **pasta con il macco di fave e finocchietto**, i ravioli di ricotta con pesto di basilico e pistacchi, le **zuppe** di lenticchie, di farro, di fagioli. Appetitosi i secondi quali l'ossobuco di vitello, il **cosciotto di maialino al forno**, il coniglio alla cacciatora, il filetto di suino ai funghi, lo stinco di maiale al vino rosso, lo stracotto di manzo, la **salsiccia con *qualazzu*** (una verdura selvatica). Fra i dolci della casa, squisiti la **testa di turco**, le altrettanto tradizionali *sfingette* fritte ripiene di ricotta, nonché i semifreddi di mandorle, pistacchi e gelsi.
Dignitosa selezione di vini con prevalenza di etichette siciliane.

Corleone
Ficuzza

38 km a sud di Palermo

Antica stazione ferroviaria di Ficuzza

Trattoria con alloggio
Via Vecchia Stazione
Tel. 091 8460000
Non ha giorno di chiusura
Orario: mezzogiorno e sera
Ferie: non ne fa
Coperti: 80 + 40 esterni
Prezzi: 25-30 euro vini esclusi
Carte di credito: tutte

Siamo in uno dei meglio conservati polmoni verdi della Sicilia, una bellissima e fitta distesa di boschi di oltre 4000 ettari, in prevalenza querce, attraversati da incantevoli e ben tenuti sentieri. Maestosa, la ripida Rocca Busambra (1600 metri) domina il comprensorio e talvolta vi si vede volteggiare l'elegante aquila reale. Non è pertanto difficile comprendere, in un luogo così suggestivo, la presenza di un singolare gioiello, un casino di caccia fatto costruire dal re Ferdinando III, utilizzato dalla corte durante le faticose battute al cinghiale. Ad aggiungere bellezza hanno pensato gli operosi ragazzi della cooperativa Camelot, che hanno ristrutturato con buon gusto (uno di loro è architetto) l'antica stazione, facendola diventare un luogo di sosta accogliente, dotato di dodici stanze con tutti i comfort e di una trattoria diventata riferimento gastronomico dell'area.
Basandosi su materie prime fornite da piccole aziende del luogo, quasi tutte biologiche e stagionali, la cucina si esprime con risultati molto interessanti. Alcuni piatti ne potranno dare un'idea: per iniziare, caprini freschi, prosciutto locale, funghi di bosco, focaccine con ricotta e **sfincionelli**; arrivano poi il **macco di fave**, le tagliatelle di casa (come tutte le paste e i pani) con il ragù di cinghiale, i deliziosi **maccheroni con ricotta**. Varietà e sapori anche con i secondi piatti: **filetto di maiale nero** dei Nebrodi (Presidio Slow Food), **castrato alla brace**, **coniglio ripieno al forno**. Chiusura calorica fra semifreddo di nocciole, cannoli di ricotta e altre leccornie.
Carta dei vini con il meglio dell'enologia siciliana offerto a prezzi corretti, servizio gentile e attento.

Osteria accessibile ai disabili.

Galati Mamertino

110 km a SO di Messina SS 113 o A 20

Fattoria Fabio

Trattoria
Contrada Sciara
Tel. 0941 434042-389 1628966
Chiuso il mercoledì
Orario: mezzogiorno e sera
Ferie: variabili
Coperti: 40 + 30 esterni
Prezzi: 20-22 euro
Carte di credito: nessuna

Dallo svincolo autostradale di Caprileone si prosegue per Galati Mamertino e, un paio di chilometri prima del paese, si trova il bivio con le indicazioni per la trattoria di campagna gestita dalla famiglia Fabio: una graziosa casetta in pietra, contornata da oliveti, noccioleti e querceti. L'ambiente è genuinamente casalingo, con pochi tavoli disposti nella saletta interna e un terrazzino che guarda alla vallata, col profilo dell'isola di Panarea in lontananza. Il nucleo familiare vede la signora Salvatrice impegnata in cucina con la collaborazione del marito Giacomo, mentre il figlio Francesco si occupa del servizio in sala. Per la preparazione delle pietanze sono utilizzate molte materie prime provenienti dalle coltivazioni e dagli allevamenti dell'annessa azienda agricola, più qualche altro prodotto di aziende vicine.
La sequenza degli antipasti può includere crespelle alle verdure, peperoni sott'olio ripieni di acciughe, melanzane arrosto con aglio, mentuccia e aceto, frittelle di patate o di fiori di zucca, olive nostrane, frittura di zucchine col pane fritto, **primo sale arrosto**. Buoni anche il canestrato, la provola sfoglia stagionata, i **salumi di suino nero** di propria produzione. Fra i primi spiccano le **tagliatelle ai funghi porcini**, i ravioli di ricotta e pistacchi, i classici **maccheroni** di casa **al ragù di suino nero** dei Nebrodi. Come possibili secondi, appetitosi l'agnello o il **capretto in padella con patate**, nonché le carni arrostite sulla brace quali braciole di vitello nostrano, **castrato di agnello** e costate. Si finisce con la frutta di stagione e qualche dolcetto fatto in casa.
Si beve scegliendo tra un discreto sfuso e qualche bottiglia di aziende siciliane.

Galati Mamertino

124 km a SO di Messina SS 113 o A 20

La bettola

Trattoria
Via Cavour, 159
Tel. 0941 434952
Chiuso il lunedì
Orario: mezzogiorno e sera
Ferie: variabili
Coperti: 60
Prezzi: 20-22 euro vini esclusi
Carte di credito: tutte tranne AE

Galati Mamertino è un paesino di origine medievale, sviluppatosi attorno a un castello arabo-normanno di cui rimangono i ruderi. Alcune pregevoli opere d'arte sono conservate nelle chiese del centro storico. Lungo la strada che dalla piazza principale conduce in direzione di Tortorici, c'è la simpatica trattoria gestita dalla famiglia Baglio. A occuparsi della cucina è la signora Angelina assieme al marito, mentre la figlia Santina cura il servizio aiutata da alcuni parenti. L'impronta casalinga è confermata dalla qualità delle pietanze che si avvicendano secondo stagione.
Fra gli antipasti, gustose la **frittata del parroco** (con la salsiccia secca) e quella con le erbe spontanee, e poi **carciofi ca *muddica***, peperoni fritti, *alivi cunzati*, **fave a *frittedda***. Buoni anche il canestrato, la ricotta fresca e infornata, la provola e i **salumi** di suino nero dei Nebrodi di propria produzione. Tra i primi si segnalano i **maccheroni** di pasta fresca **col ragù** oppure sotto forma d'involtino con le melanzane, la **pasta con le sparacogne**, con il finocchietto o altre verdure selvatiche, le **zuppe** di legumi e di funghi. Passando ai secondi, le specialità del locale sono il pollo schiacciato cotto sulla brace e l'**agnello in padella con le patate**, oltre gli abituali arrosti di **castrato**, salsiccia e bistecche di suino nero. Solo su prenotazione vengono inoltre preparati alcuni piatti a base di **selvaggina**, quali beccacce, lepre e coniglio.
Per dessert, crostate di marmellate fatte in casa, biscotti di nocciola e frutta di stagione. Piccola ma dignitosa la carta dei vini.

Di fronte alla trattoria, la piccola azienda di Giacomo Emanuele propone un assortimento di mieli eccellenti, fra cui quelli di nespolo e di corbezzolo.

GANGI

117 KM A SE DI PALERMO SS 120

VILLA RAINÒ

Ristorante annesso all'albergo
Contrada Rainò
Tel. 0921 644680
Non ha giorno di chiusura
Orario: mezzogiorno e sera
Ferie: una settimana in luglio
Coperti: 70 + 70 esterni
Prezzi: 23-26 euro vini esclusi
Carte di credito: tutte

Siamo nel comune più orientale della provincia di Palermo, cui si arriva dopo avere attraversato la campagna circostante, molto conosciuta per le suggestive passeggiate. Il fascino di Gangi è concentrato nel suo lindo centro storico, intricato reticolo di eleganti stradine di stampo medievale, dove si possono ammirare antichi palazzi e ricche chiese, testimonianze di un passato aristocratico, la cui massima espressione è rappresentata dalla chiesa madre e dalla adiacente torre dei Ventimiglia, una delle più illustri famiglie locali assieme ai Graffeo e ai Valguarnera.
Non meno interessante è la tradizione gastronomica del comprensorio, che trova interpreti attenti e fedeli in Aldo e Nina Conte, affabili proprietari di questo rustico ristorante inserito nel confortevole albergo di famiglia a qualche chilometro dal paese. Dalla cucina, seguendo le stagioni e basandosi su materie prime del territorio, arrivano a tavola piatti saporiti e ben fatti; fra questi, per cominciare: fegato e interiora di agnello fritti, **caponata di melanzane**, frittata di asparagi selvatici. Notevoli anche i primi, dal **macco di fave** della tradizione ai maccheroni al ragù di coniglio, alle **tagliatelle agli straccetti di maiale nero**. Validi e pieni di gusto anche i secondi piatti, fra i quali spiccano le ***stigghiole*** (intestini) **di agnello** alla brace, le **braciole di castrato**, il maiale al forno con funghi. Si chiude con dolci buoni e calorici come i cannoli di ricotta e le ***sfinci*** fritte.
La cantina offre un corretto sfuso della casa e, per i più esigenti, alcune pregevoli etichette siciliane. Da segnalare la bella e rilassante atmosfera creata dai titolari e dal personale.

ISOLA DI PANTELLERIA
Pantelleria

6 ORE DI TRAGHETTO DA TRAPANI, 5 ORE DA MARSALA

LA FAVAROTTA

NOVITÀ

Trattoria
Contrada Kamma fuori Favarotta
Tel. 0923 915347
Non ha giorno di chiusura
Orario: solo la sera
Ferie: da ottobre a dicembre
Coperti: 80
Prezzo: 30 euro vini eclusi
Carte di credito: tutte, Bancomat

Il termine *favara*, da cui prendono il nome la contrada e la trattoria, indica nel dialetto locale che questa zona un tempo era ricca di soffioni d'aria calda oggi esauriti. Aperta alcuni anni fa da Fortunato Gabriele, questa trattoria a gestione familiare è oggi nelle mani del giovane Alessandro che sovrintende alla sala e alla cucina, avvalendosi della collaborazione di Michele Liuzza. Il locale, arredato molto semplicemente, si trova in aperta campagna, e dalla stessa, grazie alla cura di papà Fortunato, arrivano le verdure e la frutta che troverete in tavola.
Si può iniziare con la caponata di melanzane, l'insalata di mare, l'antipasto pantesco (melanzane al forno, pomodori secchi, capperi e *tuma*), la **ciakiciuka** (tipico piatto locale a base di melanzane, peperoni, patate e cipolle). Fra i primi i **ravioli di ricotta, *tuma* e menta** conditi con il pomodoro, il **cuscus di pesce e verdure**, le pennette con melanzane, zucchine, capperi e pomodoro, gli **spaghetti al pesto pantesco** (a base di pomodoro, aglio, mandorle e basilico) o con il cipollaccio, nome locale della gallinella di mare che è spinata e saltata con pomodorini, vino e mollica di pane. Riguardo ai secondi, le specialità della casa sono il **coniglio pantesco**, cotto con verdure e aromi isolani, e i **calamari ripieni** di mollica, mandorle e pomodorini e cotti in forno a legna; altre proposte ricorrenti, il pesce di giornata cotto alla brace, nonché il dentice con le patate e l'uva zibibbo. Il pasto si conclude con frutta fresca e dolci casalinghi: baci panteschi, semifreddo alle mandorle, ravioli fritti dolci, tagliancozzi con un buon bicchiere di Passito.
Piccola cantina con etichette locali e del Trapanese.

La vela

Trattoria
Contrada Scauri Scalo
Tel. 0923 916566
Non ha giorno di chiusura
Orario: mezzogiorno e sera
Ferie: metà novembre-Pasqua
Coperti: 46 + 46 esterni
Prezzi: 35 euro vini esclusi
Carte di credito: nessuna

In riva al mare, a pochi metri dal porto di Scauri, trovate questo ristorante specializzato nella cucina di pesce. Pia, la titolare, e il marito Elio, oltre a coadiuvare lo chef in cucina si occupano della sala con gentilezza e sobrietà. Il meglio del pescato di giornata viene proposto secondo le più classiche ricette della cucina pantesca.
Accomodati nella sala arredata con semplicità, o nella terrazza da cui si ammira un fantastico panorama, potrete cominciare con il polpo bollito o in insalata, le cozze scoppiate, le verdure arrosto, la caponata di melanzane, le zucchine ripiene, il ***ciakiciuka*** (verdure in umido con cipolla e pomodoro). Seguono il **cuscus alla pantesca** (gradevole variante del cuscus di pesce a cui sono aggiunte le verdure saltate), gli **spaghetti con i ricci**, con gamberi e zucchine, con scampi e pomodorini, con l'aragosta, i **ravioli ripieni di ricotta e mentuccia**. All'inizio del pranzo vi sarà mostrato un vassoio con i pesci appena pescati: una volta fatta la vostra scelta, vi sarà preparato arrosto, in umido, all'acquapazza. Da provare anche l'ottima **frittura di pesce**, le zuppe e l'**aragosta** bollita **con l'*ammogghiu* pantesco**. Si conclude con la frutta fresca di stagione (da provare in luglio e agosto l'uva zibibbo da cui si ricavano gli ottimi vini isolani) e i classici **baci panteschi**, sorta di fiorellini di pasta fritta ripieni di ricotta dolce, accompagnati dal passito locale.
Buona presenza di vini siciliani.

Presso la Cooperativa Agricola Produttori Capperi, in contrada Scauri Basso, troverete i pregiati capperi di Pantelleria, Presidio Slow Food. In piazzetta Messina 8, la pasticceria Cosi Duci propone baci panteschi, pasticciotti, mostaccioli.

Isola di Pantelleria
Pantelleria

6 ore di traghetto da Trapani, 5 ore da Marsala

Zinedi

Azienda agrituristica
Contrada Zinedi
Tel. 0923 914023
Non ha giorno di chiusura
Orario: solo la sera
Ferie: da novembre ad aprile
Coperti: 100
Prezzi: 20 euro
Carte di credito: nessuna

Il piacevole agriturismo gestito dalla famiglia Valenza, il primo ad aver aperto i battenti a Pantelleria, si trova sulla splendida collina vicino all'aeroporto dell'isola. Qui, la sera il ristorante viene aperto anche al pubblico non ospitato nella struttura. Tutta la famiglia è coinvolta nella gestione: della sala si occupano Aldo e il figlio Matteo, in cucina troviamo Roberto con la mamma Ornella.
La proposta gastronomica, sebbene ci troviamo in aperta campagna, è caratterizzata dalle pietanze di pesce, fatta eccezione per gli antipasti: caponata, ***ciakiciuka***, *tumma* (formaggio fresco locale preparato in azienda con latte ovino e vaccino), verdure arrosto o ripiene. Al momento dei primi la scelta cade tra uno squisito **cuscus pantesco** con verdure e pesce, i classici **ravioli di menta e ricotta**, la **pasta con il pesto pantesco**, con cernia e capperi, con nero di seppia, con le patelle. I secondi variano ovviamente in base alla disponibilità giornaliera del pescato, che è solitamente cotto alla brace; in alternativa, i **calamari ripieni** di mollica di pane, mandorle, pomodoro fresco, capperi, pinoli e aglio, la cernia o la **ricciola al forno**. Al dessert la scelta è limitata ai dolci casalinghi più classici: **baci panteschi** e *mustazzoli*, sempre accompagnati dal passito, anch'esso di produzione propria.
Il servizio è attento, cortese e puntuale. Il vino proposto è solo quello della casa, Catarratto o Nero d'Avola.

Nello spaccio annesso al ristorante potrete acquistare vini secchi e passiti, miele di zibibbo, olio extravergine di oliva, conserve di propria produzione.

Luna Mater.
Opera d'arte tra la terra e il cielo.
LUNA MATER
LUNA MATER
50
FONTANA CANDIDA
1958 2008
L'eccellenza del Frascati. Dal 1958.
L'etichetta richiama l'opera originale studiata per i 50 anni di Fontana Candida dall'artista romano Domenico Bianchi.

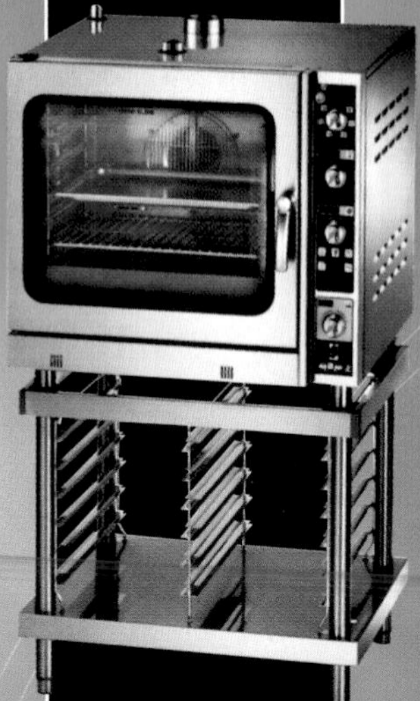

Isola di Ustica
Ustica

75 minuti di aliscafo da Palermo

Mario

Trattoria
Piazza Umberto I, 21
Tel. 091 8449905
Chiuso il lunedì, mai d'estate
Orario: mezzogiorno e sera
Ferie: in gennaio
Coperti: 20 + 50 esterni
Prezzi: 25 euro vini esclusi
Carte di credito: le principali

Gianfranco e Giuseppe, uno in cucina, l'altro in sala, gestiscono questo ormai storico locale dell'isola, proprio sulla piazza del paese. L'interno del locale è minuscolo, sufficiente per la lunga stagionale invernale, ma d'estate il locale diventa più grande perché i tavoli si apparecchiano nel dehors. Le pietanze proposte sono, e non poteva essere diversamente, soprattutto a base di pesce, ma tra gli ingredienti non mancano mai ortaggi e legumi coltivati dai contadini della piccola, fertile, isola di origine vulcanica.
Iniziate con i gustosissimi gamberetti di nassa marinati o con la *tuma* di pecora panata. Tra i primi, spiccano gli **spaghetti con il pesto all'usticese**, ottenuto con i pomodori locali, il profumato basilico fresco, i capperi dell'isola, aglio e olio extravergine d'oliva. Notevoli anche gli **spaghetti con il ragù di ricciola** o ai ricci di mare, nonché la buonissima **zuppa di lenticchie** preparata, secondo la tradizione contadina, con i pregiati legumi del Presidio Slow Food. Le più classiche preparazioni a base di pesce costituiscono la principale offerta per quello che riguarda i secondi: consigliamo il dentice o la **cernia in umido**, la frittura di totani (che nell'isola si pescano in abbondanza), la **zuppa di pesce**. Quando c'è non perdete l'aragosta, semplicemente lessata e condita con poche gocce di olio e limone. Si chiude con l'ottima frutta fresca locale e qualche dolcetto.
Vini prevalentemente siciliani, prezzi davvero contenuti, servizio curato, attento e premuroso.

Nella zona nord dell'isola, Nicola Longo, contrada Tramontana, coltiva uve albanella, ricavandone l'omonimo vino. Nella sua azienda troverete anche lenticchie di Ustica, fagioli, ceci, peperoncini, melanzane.

Isole Egadi
Favignana

20 minuti di aliscafo da Trapani

La bettola

Trattoria
Via Nicotera, 47
Tel. 0923 921988
Chiuso il giovedì, mai d'estate
Orario: mezzogiorno e sera
Ferie: 1-15 dicembre
Coperti: 30 + 70 esterni
Prezzi: 35 euro vini esclusi
Carte di credito: tutte tranne DC, Bancomat

Nella splendida Favignana, la più grande delle isole Egadi, troviamo questa trattoria a conduzione familiare gestita dalla famiglia Messina. Il locale è arredato in modo molto semplice e d'estate si arricchisce di un bel dehors. Maria Teresa sta ai fornelli, mentre della sala si occupa il marito Bastiano insieme ai figli Peppe e Maria. Nel menù trionfa il pesce appena pescato, cucinato secondo le tradizioni isolane con preparazioni che mirano a esaltarne il gusto.
Si inizia con le frittelle di gamberi, il **tonno in agrodolce** o in carpaccio, l'insalata di mare, le verdure grigliate, l'insalata corallina (a base di aragosta, granchi, astice e pomodoro ciliegino). Il piatto principe della casa è il **cuscus di pesce alla trapanese**, ma i primi comprendono anche **linguine con la bottarga di tonno**, con gli scampi, con vongole, gamberetti e pomodorini, al nero di seppia, con pesce spada e melanzane. Altra specialità della casa è la pasta fresca: i tipici maccheroncini trapanesi, le ***busiate***, sono condite **con sugo di polpette di tonno** o con tonno, acciughe, olive nere e pomodoro fresco. In base a quello che il mare ha offerto la notte precedente, gusterete varie tipologie di pesce cotto nella griglia con pietra lavica; un'alternativa da non sottovalutare è la **frittura mista**. Per finire, frutta fresca di stagione o **cassatelle fritte**, tipici ravioli dolci ripieni di ricotta ovina.
In cantina discreta presenza di vini siciliani e del Trapanese in particolare.

Conservittica Sammartano, strada comunale Madonna 4: lavorazione artigianale del tonno e vendita di ventresca, mosciame, e la bottarga tutelata dal Presidio Slow Food.

Isole Egadi
Levanzo

20 minuti di aliscafo da Trapani

Paradiso

NOVITÀ

Trattoria con alloggio
Via Lungomare, 8
Tel. 0923 924080
Non ha giorno di chiusura
Orario: mezzogiorno e sera
Ferie: 10 novembre-10 marzo
Coperti: 50 + 50 esterni
Prezzi: 35 euro vini esclusi
Carte di credito: tutte

Levanzo, la più piccola delle isole dell'arcipelago delle Egadi è un luogo di singolare bellezza e di notevoli attrattive, naturalistiche e storiche. Magnifico il mare, in molti punti di un colore turchese intenso, a cui si accede agevolmente da alcune calette a pochi minuti a piedi dal paesino dove attraccano gli aliscafi, un vero paradiso per coloro che amano la pesca sportiva e subacquea. Anche gli appassionati di archeologia hanno una ragione per venirci: la Grotta del Genovese, con i suoi graffiti raffiguranti uomini e animali, raggiunge emozionanti livelli artistici. E i gourmet, se i precedenti motivi non fossero sufficienti, scopriranno che a Punta Altarella è documentata (ci sono i resti delle vasche) una importante produzione del *garum*, l'intingolo romano di cui parla Apicio nei suoi scritti. In questo luogo delizioso e rilassante, da cinquant'anni, la famiglia Ania gestisce con immutato impegno una semplice trattoria, dal nome appropriato ed evocativo, dotata anche di 16 stanze essenziali e ben tenute.
Mamma Vincenzina e suo figlio Mimmo vi proporranno piatti di pesce tipici delle Egadi, preparati in base a ciò che arriva quel giorno dalle barchette di riferimento. Si potrà cominciare con frittelle di gamberi, **caponata di melanzane**, polpo lesso, insalata di mare, **polpette di tonno al sugo**, e quindi proseguire con **cuscus di pesce**, gustose lasagne di mare, **spaghetti al ragù di tonno** o ai ricci. Tanto sapore e varietà anche nei secondi piatti: calamari fritti, **zuppa di pesce**, aiole e saraghi alla brace, il **tonno all'olio e limone**.
Un pasto abbondante e di qualità che si chiude con cannoli di ricotta, cassatine o sorbetto al limone. Piccola cantina siciliana, ma non manca un interessante sfuso della casa.

Isole Egadi
Marettimo

2 ore di aliscafo da Trapani

Il veliero

Trattoria
Via Umberto, 22
Tel. 0923 923274
Non ha giorno di chiusura
Orario: mezzogiorno e sera
Ferie: non ne fa
Coperti: 50 + 80 esterni
Prezzi: 30 euro vini esclusi
Carte di credito: tutte, Bancomat

Marettimo, la più lontana delle Egadi, vi colpirà per le bellezze paesaggistiche, per i fondali, ma anche per i suoi profumi: l'isola è infatti rinomata fin dai tempi antichi per la presenza di svariate piante officinali, quasi a tradurre il suo nome in "mare di timo". In questa piccola montagna in mezzo al mare, un indirizzo sicuro dove gustare una valida cucina marinara è proprio il Veliero. Il locale è gestito dalla famiglia Bevilacqua, con *'u zu* Peppe e la moglie Paolina in cucina e i figli Alberto ed Enrico in sala.
Accomodati nella sala arredata in stile marinaro o nella bella terrazza affacciata sul mare, comincerete gustando la ***tunnina* salata**, la ***ficazza*** (salame di tonno), le acciughe, le melanzane arrosto, la caponata, il primosale (formaggio fresco di pecora). Tra i primi consigliamo il **cuscus di pesce alla trapanese**, gli spaghetti rotti in zuppa di aragosta (su prenotazione), gli **spaghetti al ragù di palamita e melanzane**, in stufato di polpette di tonno, alla carrettiera. Proseguendo, il pesce fresco di giornata vi sarà proposto cotto al forno, arrosto o all'acquapazza; da provare inoltre lo **spezzatino di seppie in umido** e la **zuppa di pesce**. Dulcis in fundo potrete assaggiare le crostate di frutta o con la ricotta di pecora, i cannoli e i **quaresimali**, sorta di cantucci siciliani, serviti con il Marsala.
In cantina buona disponibilità di vini trapanesi e regionali.

In piazza Umberto, presso il bar Baia del Sole di Maria Campo e Ivana Gerani ottimi gelati, bevande e dolci siciliani. A pochi passi, La Torre propone ottimo pesce fresco e buoni prodotti tipici. Mieli, erbe aromatiche e prodotti siciliani da Dolce e Salato in via Municipio 28.

Isole Eolie
Lipari
Pianoconte

Traghetto da Messina o da Milazzo + 5 km

Le macine

Ristorante-pizzeria
Via Stradale, 9
Tel. 090 9822387
Chiuso il martedì, mai d'estate
Orario: mezzogiorno e sera
Ferie: tra gennaio e febbraio
Coperti: 80 + 150 esterni
Prezzi: 33-35 euro vini esclusi
Carte di credito: tutte

In località Pianoconte, sulle dolci colline di Lipari, nei pressi delle terme di San Calogero, si trova questo accogliente ristorante che mette a disposizione della clientela un servizio di trasporto gratuito da e per la parte bassa dell'isola. Completamente rinnovato nell'ultimo anno, il locale è gestito da Giovanni che coordina il lavoro di sala insieme alla moglie Tina e al figlio Emanuele, particolarmente esperto di vini siciliani.
Per cominciare, il buffet offre una invitante scelta di antipasti di pesce quali la **spatola ripiena**, il tortino di alici con la caponata, tonno e **alalunga sott'olio** di fattura casalinga, carpacci di luvaro e di cernia, acciughe marinate. Fra le altre proposte: peperoni arrostiti, tortino di melanzane, involtini di zucchine e melanzane, fichi ripieni. Come primi, buoni gli **spaghetti con alalunga, pomodori secchi e capperi**, le bavette al sugo di cernia e gamberetti di nassa, le **caserecce con ragù di scorfano**, i sostanziosi maccheroni con melanzane, peperoni, pesto alle erbe aromatiche e ricotta salata, la pasta con scampi, fichi e mandorle tostate. Tra i secondi a base di pescato locale, degni di nota i **totani ripieni**, gli involtini di luvaro imperiale alla griglia, la **cernia in umido** e, su prenotazione, la **zuppa di pesce**. Maggiore concessione alla creatività per i gamberoni di Mazara in crosta di pistacchio, cotti nel forno a legna e decorati con agrumi delle Eolie. Per dessert, sempre gustosi i semifreddi alla pesca con Malvasia o all'arancia con crema di bergamotti coltivati nel giardino di casa.
La cantina presenta un ampio assortimento di etichette regionali, più un discreto vino di propria produzione da vitigni autoctoni.

Isole Eolie
Santa Marina Salina
Lingua

41 km da Messina + traghetto

'A cannata

Ristorante
Via Umberto I, 13
Tel. 090 9843161
Non ha giorno di chiusura
Orario: mezzogiorno e sera
Ferie: non ne fa
Coperti: 120 + 150 esterni
Prezzi: 30-33 euro vini esclusi
Carte di credito: tutte

Delle sette isole eoliane, Salina è la più ricca di vegetazione e di coltivazioni, fra cui spiccano l'uva malvasia e il cappero tutelato dal Presidio Slow Food. Alle tradizioni gastronomiche del luogo si ispira questo ristorante, situato nella frazione di Lingua. A gestirlo è la famiglia Ruggera, con mamma Concetta e le figlie in cucina e il figlio Santino a dirigere il servizio nelle sale e nell'ampia veranda.
Per cominciare, sono da ricordare le **acciughe** marinate o **a beccafico**, le polpette di totani, l'insalata di polpo, le perline di *saurieddi* (sugarelli), *u* ***prisintuni*** (tombarello) **sott'olio**. Da provare è anche il tipico antipasto all'eoliana, a base di verdure sott'olio di propria produzione, inclusi i *cucunci*, cioè i frutti del cappero. Come primi, buone le linguine con pomodori secchi, ricotta infornata e cipolla, le classiche **caserecce all'eoliana** condite con tonno, melanzane, capperi e olive, le penne alla "Caro Diario", omaggio all'omonimo film di Nanni Moretti, analogamente agli spaghetti "del postino" (pesce spada, zucchine, melanzane, pomodorini) ideati a ricordo di Massimo Troisi. Fra i possibili secondi: **timballo di spatola**, *opa* (boga) con cremolata di capperi, **lampuga a cipollata**, cernia in umido, **calamari ripieni alla Malvasia**. Non manca qualche appropriato contorno come la caponata di verdure e l'insalata di scarola.
Si finisce col semifreddo alle mandorle e, a volte, coi tradizionali biscotti *sfinci d'ova* e *spicchitedda*. Discreto assortimento di vini siciliani, fra cui diverse produzioni locali.

In piazza Marina Garibaldi, nel bar da Alfredo, ottime granite alla frutta ma anche un appetitoso pane cunzatu per un sostanzioso spuntino.

DA BERNARDO

Trattoria
Via Terranova, 5
Tel. 0922 1830436
Non ha giorno di chiusura
Orario: solo la sera
Ferie: variabili in inverno
Coperti: 40 + 12 esterni
Prezzi: 25 euro vini esclusi
Carte di credito: tutte, Bancomat

In una delle ultime terre d'Italia, più vicina a Tunisi che alla Sicilia, nella più grande isola dell'arcipelago delle Pelagie, splendida per le piccole spiagge e per il mare cristallino, troviamo la piccola locanda gestita da Bernardo (chef e patron) e dalla sua famiglia. Bernardo, dopo alcune esperienze di lavoro in giro per l'Italia, è tornato sulla sua isola nei primi anni Novanta aprendo questo locale, in cui elabora una cucina tipica quasi esclusivamente di mare.
Il pesce fresco, fornito quotidianamente dalla marineria dell'isola, è proposto sia crudo sia cotto: troverete infatti molti crudi marinati fra gli antipasti da scegliere al buffet; buffet che comprende anche insalata di polpo e verdure grigliate. Per quello che riguarda i primi, sono frequenti gli spaghetti con gamberetti e finocchietto e le **conchiglie alla *milanisa***, una salsa di sarde salate guarnita con *muddica atturrata* (pane raffermo saltato in padella). Data la ricca composizione possono considerarsi piatto unico il **cuscus di pesce** e la **ghiotta lampedusana**, **zuppa di pesce** di cui è protagonista la cernia. Si prosegue con il meglio del pescato di giornata alla griglia o al forno (noi consigliamo le ricciole, le triglie e i gamberoni), oppure con le **polpette di sarde**.
Dolci casalinghi per finire: cassata siciliana (trionfo di dolce ricotta ovina con pan di Spagna e frutti canditi), o i tipici dolci a base di mandorla. Piccola cantina di vini siciliani.

ISOLE PELAGIE
Lampedusa

8 KM DA AGRIGENTO + 4 ORE DI ALISCAFO DA PORTO EMPEDOCLE

DELFINO BLU

Ristorante
Lungomare Rizzo, 19
Tel. 0922 9736222
Non ha giorno di chiusura
Orario: solo la sera
Ferie: gennaio-aprile
Coperti: 100 + 40 esterni
Prezzi: 30 euro vini esclusi
Carte di credito: tutte, Bancomat

Il ristorante si affaccia sul porto vecchio di quest'isola nota per le sue spiagge di grande bellezza ma che è anche molto ricca di storia: denominata dai greci *Pelagos* (isola d'alto mare), fu un importante approdo strategico in epoca romana. Una parte della sala, arredata con particolare cura, è ricavata da un vecchio magazzino ben ristrutturato. Il patron, Mariano, che è anche commerciante di pesce, si occuperà di voi in sala; la gustosa cucina di mare lampedusana è elaborata con passione dalla moglie Antonella.
Si inizia con i crudi di pesce (gamberi, pesce spada, ricciola), la **caponata di melanzane**, l'insalata marinara con polpo, gamberi e calamari; da provare, su ordinazione, le **frittelle di gamberi**. Seguono i ravioli con bottarga di ricciola e merluzzo, gli **spaghetti con i ricci** o con uova di ricciola, la carbonara di pesce (un piatto in cui si sposano gli affumicati di pesce spada e tonno con l'uovo), gli **spaghetti alla lampedusana** con pomodorini, capperi e pesce di giornata (pesce spada, ricciola, cernia o dentice secondo disponibilità). Il meglio del pescato giornaliero, scelto con cura da Mariano, è preparato secondo le ricette più classiche: da provare il **pesce alla lampedusana**, cotto in forno con patate, finocchietto selvatico, aglio e prezzemolo.
Anche i dessert sono preparati da Antonella: da provare i ravioli dolci fritti ripieni di ricotta e le torte al formaggio con marmellata. Buona presenza di etichette siciliane in cantina.

Joppolo Giancaxio

12 km a nord di Agrigento ss 118

Da carmelo

Trattoria
Via Roma, 16
Tel. 0922 631376
Chiuso il mercoledì
Orario: sera, domenica anche pranzo
Ferie: variabili
Coperti: 48 + 25 esterni
Prezzi: 18-20 euro
Carte di credito: nessuna

«Un microscopico paese, di cui, ahimè, appena sanno la posizione topografica gli abitanti dei paesi finitimi, ma chi ne è lontano, nemmeno il nome ne conosce»: così, nel 1904, fu definito Joppolo Giancaxio da un suo illustre abitante. Eppure merita una visita questo piccolo pezzo di una Sicilia d'altri tempi, posto a metà strada fra Agrigento e Raffadali e facilmente raggiungibile percorrendo la statale 118. Tappa irrinunciabile per chi si spinge fin qui è certamente la trattoria che Carmelo Argento gestisce da circa vent'anni con l'aiuto in sala della figlia. Potrete accomodarvi nella semplice saletta interna o, d'estate, ai tavoli posti sulla strada adiacente la piazza.
Il pasto, ricco e proposto a prezzi onestissimi, inizia solitamente con alcuni assaggi di formaggio, salumi, olive e ortaggi grigliati. La pasta fresca è fatta in casa: ravioli, tagliatelle e **cavati** sono conditi **col ragù di carne**, con pomodoro e melanzane oppure all'arrabbiata. D'inverno non mancano mai le zuppe di ceci, di fave, di fagioli o di cardi, nonché la buona **minestra di *zarche*** (biete selvatiche) **coi legumi**. Tra i sostanziosi secondi, spiccano le rare preparazioni a base di frattaglie: involtini di cotica, **piedini di maiale lessi** o cotti nel sugo, trippa mista sia in bianco sia al sugo, *zireno* (altra parte del budello) arrosto oppure lesso, ***stigghiole*** (interiora di vitello) alla brace; brace utilizzata anche per la cottura di salsicce, **castrato**, costate di maiale e di vitello. Altre proposte, lo **spezzatino di capretto**, il coniglio in agrodolce, le **lumache** campagnole soffritte in padella, gli involtini di carne. Si chiude con buona frutta di stagione.
Accompagna il pasto lo sfuso del locale ma, con il permesso di Carmelo, ci si può portare da casa una bottiglia.

Lentini

44 km a nord di Siracusa

A maidda

Trattoria-pizzeria
Via Alfieri, 2
Tel. 095 941537
Chiuso il mercoledì
Orario: solo la sera
Ferie: in agosto
Coperti: 80
Prezzi: 22-25 euro vini esclusi
Carte di credito: tutte

Situato vicino a piazza Duomo, il locale del cuoco e patron Salvo Bordonaro si sviluppa in tre salette di tono rustico, precedute all'ingresso da un grande forno a legna.
L'offerta gastronomica è imperniata su piatti di cucina siciliana dai sapori schietti, a cominciare dagli antipasti quali parmigiana, involtini e **caponata di melanzane**, polpette di cavolfiore, broccoletti, gateau di patate, peperoni grigliati e le due focacce locali chiamate *facci i vecchia* e *pizzolu*. Se disponibili, meritano l'assaggio anche le polpette di borragine, i **cardi fritti** e altre erbe selvatiche come finocchietto e *ancìti* utilizzate per insaporire buone frittate. La scelta dei primi vede alternarsi **penne con le sarde e il finocchietto**, alla Norma o con la salsa di finocchio, caserecce con la zucca gialla, **pasta con le fave novelle**, linguine agli agrumi, minestra di lenticchie, fagioli con la pancetta, ceci in brodo vegetale. Seguono sostanziosi secondi come **coda e guanciale di bovino al sugo**, salsiccia di maiale infornata con la *sinàpa*, **trippa con patate e pomodoro**, lingua agli aromi, i diversi tipi di **lumache** (*vaccareddi*, *'ntuppateddi* e *crastuna*) in bianco o con sugo di pomodoro. Saltuariamente si può trovare della cacciagione (lepre o coniglio selvatico); solo su ordinazione Salvo cucina inoltre qualche piatto a base di tinche e anguille pescate nel vicino Biviere. Non mancano le insalate di limoni e di arance locali, agrumi coi quali si preparano pure torte e crostate per dessert.
Piccolo assortimento di vini regionali proposti a prezzi contenuti.

La pasticceria Navarria, via Conte Alaimo 12, propone specialità dolciarie e di rosticceria.

LICATA

44 KM A SE DI AGRIGENTO

L'OSTE E IL SACRESTANO

Trattoria-enoteca
Via Sant'Andrea, 19
Tel. 0922 774736
Chiuso domenica sera e lunedì
Orario: mezzogiorno e sera
Ferie: variabili
Coperti: 24 + 24 esterni
Prezzi: 28-33 euro vini esclusi
Carte di credito: tutte

Nel centro storico di Licata, in un vicoletto vicino al teatro comunale, è ubicato questo grazioso localino aperto nel 2004 e ricavato in quella che un tempo lontano era la sacrestia della chiesa di Sant'Andrea. I giovani titolari sono Giuseppe Bonsignore, che in cucina interpreta il territorio siciliano con moderato tocco personale, la sorella Caterina che lo aiuta ai fornelli, e la moglie Chiara che cura il servizio ai tavoli.
Come antipasti, singolarmente o scegliendo l'invitante misto della casa, meritano l'assaggio lo scampo fritto in pastella con salsa fresca di pomodoro, gli arancinetti al burro, le **melanzane abbottonate** ripiene di formaggio e mortadella, le polpette di carne, il tortino di melanzane con ricotta, l'estiva caponata con gamberi crudi. Il menù, periodicamente aggiornato in base alla stagione, vede fra i primi i tagliolini con crema di zucchine, gamberi rossi e gamberetti, le **fettuccine con funghi misti freschi**, le tagliatelle con funghi, salsiccia e finocchietto, la **pasta alla Norma**. Tipici del periodo invernale sono il **macco di fave e piselli** con polpettine di maiale e il **filetto di manzo ragusano al Nero d'Avola**. Tra le altre pietanze di carne, gustoso il coniglio farcito con patate e funghi trifolati, mentre fra i secondi di pesce sono da ricordare la saporita spigola cotta in padella su rami di rosmarino e il **pesce spada al forno con i peperoni**. Si finisce con dessert casalinghi quali il canestrino di pasta frolla con crema di ricotta e gelatina di fragola, la mousse di ricotta con torrone di pistacchio e, nei mesi più caldi, rinfrescanti sorbetti di agrumi.
La carta dei vini comprende oltre 200 etichette, acquistabili anche da asporto a prezzo di enoteca.
In luglio e agosto la trattoria non ha giorno di chiusura.

LONGI

117 KM A SE DI MESSINA

L'ESSENZA DEI NEBRODI

Ristorante
Via Sardini, 5
Tel. 0941 485570
Chiuso il mercoledì
Orario: mezzogiorno e sera
Ferie: in gennaio
Coperti: 75
Prezzi: 18-20 euro vini esclusi
Carte di credito: tutte

All'ingresso di Longi trovate l'accogliente ristorante aperto nel 2004 da Giacomo Longo, chef catanese di lungo corso che ha deciso di trasferirsi sui Nebrodi, traendo da questo territorio proficue ispirazioni culinarie.
Si comincia con la scodellina di porcini, patate e provola, i cardi in pastella alla birra, le patate infornate. Nel forno a legna è cotto anche il pane a lievitazione naturale, fatto con farina macinata a pietra. Buoni anche i **salumi** di suino nero dei Nebrodi (Presidio Slow Food) come la *fellata*, la salsiccia secca, il capocollo, nonché i formaggi, anch'essi di produzione locale: ricotta fresca e infornata, provola sfoglia, canestrato. Tra i primi spiccano i **maccheroni di *sutta e supra* al suino nero**, i ravioli di primo sale con suino e pistacchi di Bronte, le **tagliatelle con i funghi porcini**, a volte accompagnati con una salsetta a base di ortaggi precedentemente grigliati. La scelta dei secondi include qualche interessante ricetta recuperata dalla memoria, quali le **carni cotte nella tegola** e la **lattughina** (muscolo addominale bovino) **farcita di noci**. Inoltre, costolette di maiale panate, **agnello in padella con le patate**, braciole di maiale con pere e pistacchi. Senza dimenticare i contorni a base di **funghi** (prataioli, porcini, ovoli) presenti in questa zona in vari periodi dell'anno, e di ortaggi coltivati nelle campagne circostanti, fra cui una varietà di pomodoro rosa di montagna.
I dessert sono per lo più forniti da una vicina e rinomata gelateria, ogni tanto affiancati da qualche dolce casalingo. Piccola ma di qualità la carta dei vini.

Al Roxy Bar di Francesco Lazzara, una eccezionale granita di gelsi neri e gelati di nocciola, mandorla, pistacchio.

31 KM A SO DI TRAPANI

GARIBALDI

Trattoria
Piazza dell'Addolorata, 35
Tel. 0923 953006
Chiuso sabato a pranzo e domenica sera
Orario: mezzogiorno e sera
Ferie: non ne fa
Coperti: 110 + 140 esterni
Prezzi: 30 euro vini esclusi
Carte di credito: tutte, Bancomat

Dopo una visita a Mozia o alle cantine storiche delle grandi aziende produttrici di Marsala, è davvero consigliabile una sosta in questa trattoria che si trova in pieno centro storico, a pochi passi da Porta Garibaldi. Il locale è molto semplice: una sala arredata nello stile tipico delle osterie di mare, cui in estate si aggiunge un dehors allestito nella bella piazza antistante. Salvatore governa i fornelli preparando piatti della tradizione locale, Uccio si occupa della sala. Molte delle materie prime provengono dal vicinissimo mercato del pesce e dell'ortofrutta.

Tanti, per cominciare, gli antipasti: olive, caponata, insalata di mare, torta di melanzane, **sarde *allinguate***, fritto di paranza, verdure arrosto. Tra i primi si alternano il **cuscus di pesce**, gli spaghetti alla Norma, gli **gnoccoli con tonno e menta** o al ragù di tonno, i maccheroni saltati in padella con pomodoro, melanzane e zucchine, le **bavette con pesce spada**, pomodorini, capperi e cipolla. Per secondo, il pescato del giorno è cucinato seguendo le ricette più classiche: calamari, saraghi, pesci nobili e meno comuni cotti alla piastra, al forno o fritti, **tonno *ammuttunatu*** (steccato con aglio, menta e formaggio, e stufato in salsa di pomodoro) o in agrodolce. D'inverno si chiude con i cannoli o la **cassata siciliana**, in estate con buoni gelati artigianali; non mancano inoltre i **tagliancozzi**, tipici biscotti alle mandorle, accompagnati da un buon bicchiere di Marsala.

Piccola cantina di vini regionali, soprattutto trapanesi.

MARSALA

31 KM A SO DI TRAPANI

IL GALLO E L'INNAMORATA

Trattoria
Via Stefano Bilardello, 18
Tel. 329 2918503
Chiuso il martedì
Orario: mezzogiorno e sera
Ferie: non ne fa
Coperti: 32
Prezzi: 30-35 euro vini esclusi
Carte di credito: tutte, Bancomat

Nell'antica città di Marsala, conosciuta nel mondo per i suoi vini fortificati, troviamo l'osteria gestita da Gabriele Li Mandri, che vi accoglierà in sala, e dal papà Giuseppe, chef d'altri tempi, che ai fornelli elabora piatti della tradizione che variano seguendo la stagione e la disponibilità del mercato. Il locale, che deve il suo nome a un disegno di Salvatore Fiume, si trova in centro città, nei pressi del cosiddetto "Cassaro".

Si potrà iniziare con l'insalata di polpo con purè di patate e zucchine, le seppioline fritte, gli **involtini di pesce spada**, le arancinette di pesce, la **caponata**, le polpette di broccoli. Spiccano tra i primi i busiati con frutti di mare e pesto di pistacchi, gli **spaghetti con il pesto trapanese**, con la bottarga o al nero di seppia, il **cuscus di pesce** e, d'inverno, i busiati con ragù di suino e salsiccia e la **pasta con *qualeddu*** (nome siciliano della brassica) **e salsiccia**. In base alla disponibilità del pescato, potrete gustare saraghi, spigole, calamari arrosto o all'acqua di mare, spiedini di pesce, **tonno in agrodolce** o stufato. Chi preferisce la carne potrà scegliere tra stufato di vitello al Nero d'Avola e **involtini siciliani**. I dolci, anch'essi realizzati tutti da Giuseppe, sono davvero notevoli: semifreddi al cioccolato o alla frutta, cassata siciliana, ***cappidduzzi* fritti** (ravioli dolci ripieni di crema di ricotta ovina), cannoli.

La carta dei vini è ricca di etichette siciliane e trapanesi.

Di fronte all'osteria, Gianfranco Vivona propone i classici dolci della pasticceria siciliana sia fresca sia secca.

Mazara del Vallo

53 km a sud di Trapani

La bettola

NOVITÀ

Ristorante
Via Maccagnone, 22
Tel. 0923 946422-339 2858541
Chiuso il mercoledì
Orario: mezzogiorno e sera
Ferie: variabili
Coperti: 40
Prezzo: 35 euro vini esclusi
Carte di credito: tutte, Bancomat

Nella città capitale della marineria nazionale e famosa per il suo Satiro danzante, troviamo a pochi passi dalla stazione ferroviaria il locale di Pietro Sardo, valido punto di riferimento per i gourmet locali. Pietro, appartenente a una nota famiglia di cuochi e pasticceri, presiede la cucina; della sala si occupa invece la giovane figlia Maria. Il locale è ovviamente specializzato nella cucina di pesce, fonte di reddito per quasi tutta la popolazione di questa cittadina.
Potrete iniziare il vostro pasto con i carpacci marinati di pesce fresco (cernia, pesce spada, gamberetti) o con antipasti caldi quali **polpette di pesce**, seppioline, palombo arrosto, **insalata** di polpo o quella **di razza**, difficile da trovare altrove. Primi usuali le spaccatelle con filetti di cernia e bottarga di tonno o con patelle, gamberetti e pomodorini ciliegini, gli **spaghetti con uova di pesce sampietro e gamberetti**, e il piatto della casa, gli **spaghettoni freschi con carciofi, gamberi, calamari**, pomodorini e ricotta salata. Si prosegue con gli **involtini di pesce spada**, il trancio di cernia alla pantesca, i **calamari ripieni**, il filetto di pesce sampietro grigliato con patate e agrumi. I dolci sono casalinghi: cassata siciliana, sorbetti alla frutta, parfait di mandorla e cioccolato, tortino di ricotta con pan di Spagna, cioccolato e mandorle.
La carta delle bevande vanta circa 200 etichette, una trentina di distillati e una nutrita presenza dei migliori Marsala e Passiti di Pantelleria.

Menfi
Porto Palo

87 km a NO di Agrigento SS 115

Vittorio

Ristorante con alloggio
Via Friuli Venezia Giulia, 9
Tel. 0925 78381
Chiuso domenica e lunedì sera, mai d'estate
Orario: mezzogiorno e sera
Ferie: 20 dicembre-10 gennaio
Coperti: 100 + 100 esterni
Prezzi: 35 euro vini esclusi
Carte di credito: tutte, Bancomat

Porto Palo ospita da trent'anni questo ristorante con alloggio che si affaccia sul golfo. Ne sono artefici Vittorio Brignoli, bergamasco, e la moglie Franca, siciliana verace: lui regna in cucina e si occupa della spesa, lei sovrintendente alla logistica alberghiera e alla sala del ristorante. Nel corso degli anni, in cucina si sono aggiunti il genero Ignazio e il figlio Michelangelo; in sala sono arrivati la figlia Brigida, la nuora Mariangela e Costantino. La proposta gastronomica è data principalmente da ciò che la mattina o il pomeriggio ha offerto il mercato del pesce. Si può scegliere alla carta o affidarsi al menù degustazione.
Tanti gli antipasti: gamberi e pesce spada marinati, spatola fritta in agrodolce, **sarde a beccafico**, polpette di orata, frittata di alici, polpetti affogati, ***vuccuni*** (lumache di mare), cozze e vongole in bianco o con il pomodoro, caponata di melanzane. Tra i possibili primi, ravioloni di pesce, **spaghetti al nero di seppia**, ai ricci di mare, allo scoglio, alle vongole. Ottime inoltre la **minestra con i *tenerumi*** e quella di aragosta. La **zuppa di pesce**, servita come primo o secondo, costituisce in realtà un piatto unico. Per proseguire, pesce arrosto, fritto, alla griglia: ne vengono utilizzate due, una su brace di legna, una su pietra. Da provare anche il **rombo in umido con patate**, gli involtini di pesce spada, la **ricciola all'acquapazza**, l'aragosta alla catalana. Piccola ma curata la selezione di pecorini locali. Il pasto si conclude con frutta fresca e macedonia; qualche dolce locale nei fine settimana.
Il tutto è accompagnato da una valida carta di vini siciliani. Ottima la selezione degli oli.
Da gennaio a marzo il locale è aperto a cena solo su prenotazione.

AL PADRINO

Trattoria
Via Santa Cecilia, 54-56
Tel. 090 2921000
Chiuso sabato sera, domenica e festivi
Orario: mezzogiorno e sera
Ferie: in agosto
Coperti: 50
Prezzi: 20-22 euro
Carte di credito: Visa, Bancomat

Vicino al centrale viale San Martino, trovate questa trattoria in attività da decenni, di solito molto frequentata durante la pausa pranzo da impiegati e operai che lavorano in zona. Il locale presenta un'unica sala arredata in modo essenziale, con cucina a vista alle spalle di un grande bancone a vetri. L'atmosfera, decisamente informale, è connotata in particolare dall'esuberante patron Pietro Denaro, coadiuvato da personale in sala e in cucina dove opera anche la sorella Cettina.
Cominciando dagli antipasti, sono consueti gli **involtini di melanzane** con la ricotta infornata, i peperoni ripieni, le crocchette di patate, le frittelle di cavolfiori o di altri ortaggi, e qualche verdura lessa. La scelta dei primi include piatti consolidati come la **pasta** "riposata" **col macco di fave** o con i ceci, i **maccheroni con melanzane pomodoro e ricotta salata**, la pasta con le sarde o con gamberetti e zucchine, le melanzane ripiene di pasta. Gustosi i secondi di mare, quali il **pesce stocco *a ghiotta***, le braciole di spatola coi piselli, il calamaro ripieno, i ***cicireddi* fritti**, gli involtini di pesce spada e di sarde, l'**alalunga a *cipollata*** o sotto forma di polpette. Dello stesso pesce, se disponibile, è da provare anche la **surra arrostita**. Fra le pietanze di terra, buoni il **bollito *ammuddicatu*** (punta di petto panata e arrostita) e le classiche **braciole alla messinese**.
In chiusura, frutta di stagione e dolcetti di pasta frolla alla crema. L'offerta del vino è per lo più limitata allo sfuso della casa.

A **Itala** (22 km), sulla strada statale, la pasticceria Sala Ausilia propone specialità tipiche quali pignolata, piparelli e zuddi, nonché un dolce di limone interdonato.

TISCHI TOSCHI

Ristorante
Via Mario Aspa, 9-13
Tel. 090 51745
Chiuso sabato a pranzo e domenica
Orario: mezzogiorno e sera
Ferie: non ne fa
Coperti: 32
Prezzi: 32-35 euro vini esclusi
Carte di credito: tutte

Questo piccolo e grazioso ristorante è ubicato nei pressi dell'ottocentesco Teatro Vittorio Emanuele. Appassionato di storia della gastronomia siciliana, il patron Luca Casablanca propone piatti della tradizione messinese e regionale, valorizzati da ottime materie prime.
Cominciando dagli antipasti, vanno segnalati la tipica **insalata di pescestocco**, il **caciocavallo all'argentiera** preparato con formaggio ragusano, origano, aceto e aglio di Nubia, le polpettine di finocchietto selvatico. Buona anche la tartara di alalunga in guscio di limone interdonato. Tra i primi, soddisfacenti gli **spaghetti con acciughe e pane *atturratu***, le classiche doppiette di melanzane, la **pasta coi broccoli *arriminati***, la "stroncatura" (un tipo di pasta) con le castagne di Fiumedinisi e sfumata al Nero d'Avola. Quali secondi di pesce, in base a stagione e mercato, si possono tra l'altro gustare l'aguglia imperiale in salsa di menta, gli **involtini di spatola** (pesce sciabola), il **pesce cipolla alla matalotta**. Spesso si trova anche il cuscus, incocciato a mano, di pesce o di verdura. Fra le pietanze di carne, **involtini alla messinese** e **stinco di maiale al forno**. Squisiti i dessert della casa quali la ricotta *cunzata* con zucchero, cannella e cioccolato fondente, i geli di carruba, di anguria e di limone interdonato.
La carta dei vini presenta una settantina di etichette regionali e nazionali, cui si aggiungono alcune interessanti produzioni di birre artigianali italiane.

Al bar Aiello, via Boccetta 40, ottimi gelati e fresche granite di caffè, gelsi e mandorle.

Milazzo

41 km a ovest di Messina

Mediterranima

Ristorante
Via dei Gigli, 13
Tel. 090 9210861-335 5981790
Chiuso il lunedì
Orario: solo la sera
Ferie: in ottobre
Coperti: 60 + 90 esterni
Prezzi: 25-30 euro vini esclusi
Carte di credito: tutte

Questo locale si trova a qualche chilometro dal centro di Milazzo: dall'uscita cittadina di ponente si percorre il lungomare in direzione Barcellona Pozzo di Gotto per 1500 metri e, al primo semaforo, si svolta nella parallela via Feliciata. Un altro chilometro ancora e si raggiunge il ristorante, ricavato in una villa d'epoca con accoglienti ambienti interni e un verdeggiante giardino, attrezzato di tavoli nella bella stagione. A gestire l'attività sono Rossella Nastasi e Santino Vaccarino, fautori di una proposta gastronomica incentrata su piatti di mare che hanno radici nelle tradizioni della zona.
I buoni risultati in cucina si devono al cuoco Salvatore, a cominciare dai diversi gustosi antipasti come le polpettine di totano in salsa di peperoni, gli involtini di acciughe con verdure stufate, gli **anemoni di mare in pastella**, le melanzane ripiene con tonno, gli involtini di spatola con la caponata, gli anelli di totani arrostiti o fritti, lo ***scauratello*** (tonno con melanzane e mentuccia). Di un menù che varia frequentemente in base alla disponibilità del pescato, ricordiamo inoltre i raviolini al sughetto di triglia, le **caserecce con melanzane e pesce spada**, i **maccheroni al ragù di tonno**. Poi, come possibili secondi, l'**alalunga con cipollata**, la tagliata di tonno, i totani ripieni, la spatola arrosto, le ***anciove 'rrusti e mancia***. Per finire, gelatina di arance, crostata alla crema di limone e altri dessert casalinghi.
Si beve scegliendo fra un discreto assortimento di vini siciliani. La prenotazione è obbligatoria.
La domenica in inverno, il locale è aperto solo a mezzogiorno.

L'enoteca Il Bagatto, via Regis 12 A, propone una buona selezione di vini di varie regioni.

Milo

26 km a NE di Catania, 38 km da Taormina

Quattro Archi

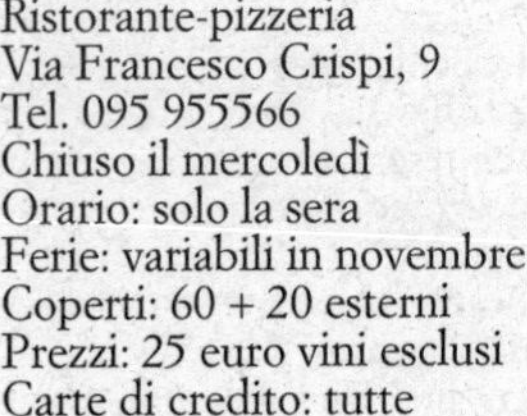

Ristorante-pizzeria
Via Francesco Crispi, 9
Tel. 095 955566
Chiuso il mercoledì
Orario: solo la sera
Ferie: variabili in novembre
Coperti: 60 + 20 esterni
Prezzi: 25 euro vini esclusi
Carte di credito: tutte

Situata sulle pendici del versante est dell'Etna, in un'area ricca di boschi e di vigneti, Milo è una delle possibili basi per la visita di questa affascinante montagna dalla straordinaria varietà di paesaggi. Dall'ingresso del paese, percorrendo via Bellini in direzione del Parco Scarbaglio si arriva ai Quattro Archi, locale ideale per assaporare buone pietanze dalla riconoscibilità territoriale. Ad accogliere la clientela è il patron Saro Grasso, mentre a occuparsi delle preparazioni provvede la cuoca Lina.
L'assortimento degli antipasti include fra l'altro **caponata di melanzane**, zucchine ripiene, verdure di campo in pastella, parmigiana, peperoni arrostiti o ripieni. Da provare anche il **pane cotto** (emblematico esempio della cucina povera di tradizione) a base di pane raffermo, pomodoro, cipolla e prezzemolo. E, sempre in tema di pane, almeno un paio di volte la settimana nel forno a legna del locale ne viene cotto un tipo a lievitazione naturale. Passando ai primi, particolarmente meritevoli di menzione sono le **tagliatelle ai funghi** (rinomati nella zona etnea), i **maccheroni al sugo di suino nero**, il **macco di fave** con il finocchietto selvatico. Fra i secondi spiccano il gustoso coniglio alle erbe aromatiche con purea di patate e porcini trifolati, lo **stinco di maiale al forno** e la classica **salsiccia con le patate**. Squisiti i dolci della casa: diverse crostate alla frutta, i semifreddi di mandorle, pistacchi e gelsi e l'invernale **cassata di ricotta**. Di propria produzione sono anche i digestivi rosoli con cui si chiude il pasto.
La carta dei vini annovera circa 150 etichette, comprendenti quasi tutti i produttori dell'Etna e i migliori siciliani.

14 KM A SE DI RAGUSA

LA LOCANDA DEL COLONNELLO

NOVITÀ

Trattoria
Vicolo Biscari, 6
Tel. 0932 752423
Chiuso il mercoledì
Orario: solo sera
Ferie: variabili
Coperti: 65 + 28 esterni
Prezzi: 22 euro vini esclusi
Carte di credito: tutte, Bancomat

Ci troviamo in una delle parti più antiche di Modica Alta. Ai visitatori del Duomo di San Giorgio, un capolavoro d'arte barocca, consigliamo di raggiungerla a piedi: sono meno di cinque minuti salendo attraverso le scale degli antichi vicoli. La locanda è l'ultimo di uno dei tanti progetti riusciti della famiglia Failla, già conosciuta per una delle residenze d'epoca più belle dove soggiornare in città. La trattoria s'inserisce nel contesto di un vecchio edificio sapientemente ristrutturato. Vi si accede attraverso un vicolo e poi da un cortile interno, nel quale è possibile mangiare all'aperto d'estate. Gli interni sono confortevoli e d'atmosfera: belle le mattonelle bianche e verdi, le arcate, la mobilia d'epoca, i lumi in ferro e le sedie in paglia intrecciata.
L'anima della cucina è Maria Fatima che, con il prezioso supporto del marito Luciano, prepara piatti tipici dell'entroterra ibleo: **scacce** (focacce arrotolate con un ripieno di pomodoro e cipolla, ricotta e salsiccia o broccoli), formaggio ragusano, olive, frittata con verdure, caponata, ortaggi grigliati, cavati e **ravioli di ricotta e maggiorana al sugo di maiale**, **macco di fave**, **coniglio alla *stimpirata*** o *a partuisa* (con olive, capperi, sedano e patate, in salsa agrodolce), **bollito di manzo**, sono alcuni dei piatti ricorrenti. Per dessert **gelo di limone**, pasticceria secca e i ***mucatoli*** ripieni di ricotta e cioccolato.
La cantina va dallo sfuso alle etichette di zona. Il servizio è curato dall'impeccabile Giorgio Rosa. Buona anche la selezione di oli dop.

MODICA

14 KM A SE DI RAGUSA

LA RUSTICANA

Trattoria
Viale Medaglie d'Oro, 34
Tel. 0932 942950
Chiuso domenica sera, d'estate anche pranzo
Orario: mezzogiorno e sera
Ferie: non ne fa
Coperti: 40
Prezzi: 16-20 euro vini esclusi
Carte di credito: CartaSi, Visa, Bancomat

Vicino alla stazione ferroviaria di Modica, questa trattoria è da oltre trent'anni un valido punto di riferimento per chi ama la cucina casalinga di territorio. La signora Giannone è impegnata in cucina, i figli e il marito Francesco vi accolgono in una sala con pochi tavoli e una lavagnetta su cui sono elencati i piatti della giornata.
La scelta degli antipasti si limita ad alcuni formaggi, la salsiccia secca e la **gelatina di maiale**, ma è possibile ampliarla con piatti che solitamente la cuoca prepara per secondo: frittata di ricotta fresca e asparagi, focaccine con ricotta e salsiccia o con prezzemolo, pomodoro e acciughe, e la saporita **insalata di fave cottoia** (varietà tipica della zona). Fra i primi (a base di pasta fresca fatta in casa) meritano una particolare menzione i **lolli con le fave** fresche e i **ravioli di ricotta al sugo di maiale**, ma sono all'altezza anche i cavatelli con melanzane, pomodoro e ricotta salata, e le zuppe di legumi. Si prosegue con **coniglio alla *stimpirata***, fegato arrosto, **spezzatino di agnello**, polpette su foglie di limone, **bollito di manzo** condito con olio e limone, bistecca panata alla palermitana, **trippa**. La presenza del pesce è occasionale e si limita alle sarde a cotoletta, alle acciughe marinate e, quando è stagione, al tonno. Al momento del dessert si sceglie tra l'ottimo **biancomangiare**, i cioccolatini aromatizzati, i geli (alla cannella, al limone e alle mandorle) e gli ***'mpanatigghi***, felice abbinamento tra il cioccolato e la carne di manzo.
Ricarichi corretti per il discreto assortimento di vini regionali.

In vico De Naro 9, il laboratorio dolciario Don Puglisi produce eccellenti dolci della tradizione modicana ('mpanatigghi, nucatoli, mustazzola) e cioccolato realizzato con pasta di cacao proveniente dall'Ecuador.

MODICA
Frigintini

14 KM A SE DI RAGUSA

LE MAGNOLIE

Ristorante-pizzeria
Via Gianforma, 179
Tel. 0932 908136
Chiuso lunedì a pranzo e il martedì
Orario: mezzogiorno e sera
Ferie: due settimane in gennaio
Coperti: 120 + 100 esterni
Prezzi: 25-32 euro vini esclusi
Carte di credito: CartaSi, Visa

Nella frazione di Frigintini, i coniugi Emanuela Macauda e Giuseppe Giunta gestiscono questo ampio locale ricavato in un edificio un tempo utilizzato per la produzione di olio di oliva. Le sale sono disposte su due piani e d'estate viene attrezzata anche una terrazza affacciata sulla campagna. In cucina Massimo e Giancarlo associano in modo equilibrato piatti tradizionali e di più recente concezione, sia di terra sia di mare.
Fra gli antipasti, il misto della casa prevede assaggi di ricotta fresca, provoletta, caponata, salsiccia secca, focaccia modicana, pomodoro secco; in alternativa c'è la selezione di formaggi e salumi siciliani abbinati a confetture di marmellate o, ancora, l'insalata di polpo, seppie, cozze, vongole e verdure. Di gusto estivo è il manzo affumicato con pistacchi e sorbetto di pomodoro. In settembre, ottimi i **funghi di carrubo**. Tenendo conto delle variazioni stagionali, potrete poi scegliere ***cavateddi* con melanzane, ricotta salata e ciliegino**, pasta con i broccoletti, *sanàpo* e salsiccia, **lolli con le fave**, gnocchi con la zucca gialla, **pappardelle al ragù di maialino nero**, ravioli di malanzane con spada affumicato e mandorle tostate. Di derivazione contadina sono le **lasagne di *cuturro*** (un tipo di grano) **con le sarde**. Come secondi, buoni il **coniglio alla *stimpirata***, l'agnello con patate, la **costata di maiale al forno**, la tagliata di manzo con fagiolini e patate, il pesce spada in crosta, il tonno scottato.
Per dessert, squisiti il gelo di limone e il **biancomangiare di mandorle**. Valida e assortita la carta dei vini.

A **Modica** (10 km), via Marchesi Tedeschi 5, la Casa del formaggio offre prodotti caseari della zona: caciocavallo fresco e stagionato, canestrato, provola, ricotta.

MODICA
Frigintini

14 KM A SE DI RAGUSA

MARIA FIDONE

Trattoria
Via Gianforma, 6
Tel. 0932 901135
Chiuso il lunedì
Orario: sera, festivi solo pranzo
Ferie: seconda metà di luglio
Coperti: 90 + 70 esterni
Prezzi: 18-19 euro vini esclusi
Carte di credito: nessuna

A Frigintini trovate facilmente questa trattoria situata lungo la strada principale della borgata. Accomodati nella sala interna, arredata in modo essenziale o, in estate, all'aperto accanto all'orto di casa, potrete assaporare la verace cucina della signora Maria Fidone. Assieme a lei, ai fornelli è impegnata la figlia Grazia, mentre il figlio Emanuele si occupa del servizio aiutato da qualche altro parente. Il menù ruota attorno a una serie di piatti abituali, con poche variazioni stagionali.
L'abbondante antipasto prevede pomodori secchi, olive, peperoncini piccanti, formaggio pecorino, ricotta fresca, a volte una buona gelatina di maiale e, soprattutto, i tipici prodotti della rosticceria locale: arancinette di carne, **tomasine** di ricotta e salsiccia, **scacce** (focacce arrotolate) con pomodoro e formaggio e col prezzemolo. Nel forno a legna sono cotti pure i *'nciminiteddi*, piccoli e fragranti panini rotondi, conditi con olio di oliva, origano e peperoncino rosso. Come primi di pasta tirata a mano, ci sono i **ravioli di ricotta e maggiorana** al sugo di maiale, i ***cavateddi*** al sugo o **con pomodoro fresco e melanzane**, i **lolli con le fave**. Frequenti anche i ceci in brodo vegetale e altre minestre di legumi. Altrettanto buoni i secondi quali **costata di maiale farcita**, pollo ripieno, **coniglio alla *stimpirata***, nonché salsicce e bistecche di suino arrostite. Non mancano saporiti contorni come i peperoni ripieni. Inoltre, solo su ordinazione, si preparano la pasta o il riso al forno e le palline di carne di vitello in brodo. Per finire, frutta di stagione e deliziosi dessert casalinghi come i geli di limone o di mandorla e i raviolini fritti di ricotta.
Vino limitato allo sfuso della casa e a qualche bottiglia di aziende siciliane.

Modica

14 km a SE di Ragusa

Taverna nicastro

Trattoria
Via Sant'Antonino, 28
Tel. 0932 945884
Chiuso domenica e lunedì
Orario: solo la sera
Ferie: una settimana a giugno, Ferragosto
Coperti: 100 + 40 esterni
Prezzi: 18-20 euro vini esclusi
Carte di credito: CartaSi, Visa, Bancomat

A Modica Alta Salvatore Nicastro conduce con passione la trattoria avviata alla fine degli anni Quaranta dai suoi genitori. A curare il lavoro in cucina è lo stesso patron, con l'aiuto di un paio di signore che al mattino provvedono alla preparazione della pasta fresca tirata a mano.
Se volete cominciare con il ricco antipasto misto, apprezzerete le tipiche focaccine modicane ovvero i ***pastieri* ripieni di carne** e le **tomasine di salsiccia e ricotta** che arriveranno assieme alle arancinette al ragù e agli assaggi di **gelatina di maiale** e salumi di propria produzione, verdure e ortaggi alla piastra, conserve sott'olio fatte in casa. A seguire, **ravioli di ricotta al sugo di maiale**, *cavateddi* con ricotta, pomodoro e finocchietto selvatico oppure conditi col sugo di maiale e la ricotta calda, servita a parte in una ciotolina. Periodicamente, sempre fra i primi, compaiono anche i **lolli con le fave** e, d'inverno, i tagliolini in brodo di gallina e qualche zuppa di legumi. Sostanziosi i secondi quali la costata e la salsiccia arrostite, la **carne di maiale al sugo**, l'appetitoso **coniglio alla Nicastro**, via di mezzo tra la preparazione alla cacciatore e quella alla *stimpirata*. Alcune specialità come la **trippa a spezzatino** e l'**impanata ripiena di agnello**, sono disponibili ordinandole qualche giorno prima.
Per dessert casalinghi geli di limone, di mandorla o di cannella accompagnati da un digestivo bicchierino di rosolio. Discreta la selezione di vini di aziende siciliane.

All'Antica Dolceria Bonajuto, corso Umberto 159, ottimi 'mpanatigghi, nucatoli, cedrata, cubbaita, cioccolato alla vaniglia, alla cannella e al peperoncino.

Montallegro
Caracciolo

29 km a NO di Agrigento

Monteletus

Trattoria
Via Roma, 13
Tel. 0922 845177-334 1650814
Chiuso il lunedì
Orario: mezzogiorno e sera
Ferie: variabili
Coperti: 80
Prezzi: 20-24 euro vini esclusi
Carte di credito: nessuna

Percorrendo la statale 115 tra Agrigento e Sciacca si esce a Montallegro e, dopo alcune centinaia di metri dal centro abitato, si arriva in questa trattoria a gestione familiare, ricavata in un villino di campagna affacciato sui vigneti. Superato l'angolo bar all'ingresso, ci si accomoda in una delle due comode salette arredate con semplicità. A coordinare l'attività è Damiano Ferraro, chef con diverse esperienze di lavoro anche all'estero, insieme alla moglie Adriana che si occupa del servizio, e alla madre Maria impegnata in cucina. L'offerta presenta un assortimento di piatti sia di mare sia di terra, elaborati coniugando sapori della tradizione culinaria siciliana e accostamenti di fantasia. Due gli abbondanti menù fissi, uno di pesce a 24 euro, l'altro di carne a 20, ma si può anche scegliere alla carta.
Nella linea pesce, tra i possibili antipasti, buoni lo **sgombro panato**, il polpo con patate, la spatola con insalata di arance e finocchio, e poi pecorino panato con salsa di acciughe, **frittella di merluzzo** con crema di patate, crostino con pesce spada e pomodoro. Fra i primi ricordiamo lasagnette di pesce spada e melanzane, **ravioli ripieni di cernia**, gnocchetti al nero di seppia e, tra i secondi, **polpette di tonno** e pesce spada in crosta con gamberoni. Chi volesse optare per il menù terragno potrà trovare, per fare qualche esempio, **pecorino primo sale panato e fritto**, crocchette di cavolfiore e salsiccia, involtino con le biete selvatiche, gnocchetti di melanzane, la saporita **costata di maiale farcita**.
Deliziosi, fra i dessert della casa, i ravioli di ricotta al miele e il fondente al cioccolato con parfait di pistacchio. Discreta la selezione di vini regionali.

Naso

107 km a ovest di Messina

La perla

Ristorante
Località Contrada Franci
Tel. 0941 954135-339 7014178
Chiuso il lunedì, mai d'estate
Orario: mezzogiorno e sera
Ferie: in autunno
Coperti: 80 + 80 esterni
Prezzi: 30-35 euro vini esclusi
Carte di credito: tutte

Naso si affaccia sui primi contrafforti boscosi dei Nebrodi, a pochi minuti d'auto dal mare di Capo d'Orlando. Il ristorante di Franco Mentesana si raggiunge seguendo la direttrice per Castell'Umberto e, dopo nove chilometri, percorrendo ancora 400 metri della strada per Piano San Cono Scafa. Franco, più volte ambasciatore della cucina siciliana all'estero, è coadiuvato in sala dalla moglie Isabella e arricchisce le pietanze a base di pesce con i prodotti del suo orto.

Si comincia con l'antipasto misto di mare che può includere, a scelta, **insalata di pesce stocco**, acciughe sotto sale fatte in casa, **sarde a beccafico**, cozze gratinate, **polpettine di pesce** con finocchietto selvatico e *cipollata*, maccheroncini di seppia con fave fresche, bruschette alle uova di pesce spada, palamito e carciofi, **arancinette al nero di seppia**, marinata di spatola alla curcuma. A seguire, agnolotti ripieni di pesce al sugo di gamberetti, tagliolini con uova di pesce spada e pomodoro, **lasagne al nero di seppia**, tagliatelle con fiori di zucca e gamberetti, **bavette con pesto di pistacchio e gamberi**. I secondi variano in base alla disponibilità del pescato: zuppa di pesce, aiole, saraghi o triglie arrosto, merluzzetti fritti, sgombro lesso, *faggianetto* o **capone** (lampuga) **in umido**, totani ripieni, talvolta salsiccia di tonno e, se la pesca è stata fortunata, pesce balestra o scorfano in umido con pomodoro e capperi. Il cuscus di pesce fa capolino nel menù durante il fine settimana.

I trascorsi da pasticciere dello chef si evidenziano al momento del dessert: **gelo di agrumi**, semifreddo al pistacchio o ai fichi, zuccotto al cioccolato, bignè di ricotta alla cannella su cialda croccante. Cantina discreta.

Noto

31 km a SO di Siracusa

Trattoria del Crocifisso da Baglieri

Trattoria
Via Principe Umberto, 46-48
Tel. 0931 571151
Chiuso il mercoledì
Orario: mezzogiorno e sera
Ferie: in gennaio
Coperti: 46
Prezzi: 30-33 euro vini esclusi
Carte di credito: tutte, Bancomat

Dopo l'immancabile visita del centro storico dalle celebrate architetture barocche, spostandovi nella parte più alta di Noto troverete facilmente questa trattoria a pochi metri dalla chiesa del Crocifisso. A gestirla, con un paio di collaboratori, è il patron e cuoco Marco Baglieri che ha fatto tesoro degli insegnamenti appresi da mamma Corradina.

Seduti in una delle due salette, il pasto può cominciare con la squisita **insalata calda di polpo**, col **macco di fave** con ricotta vaccina e mollica tostata oppure con l'antipasto rustico comprendente tra l'altro polpette di patate, melanzane panate, finocchio fritto, salsiccia secca. Da provare anche l'arancino di melanzane con caciocavallo ragusano gratinato su fonduta di canestrato. Il menù prevede tra i primi **ravioli** casalinghi **ripieni di ricotta e conditi col sugo di maiale** o con salsa fresca di pomodoro, rigatoni alla Norma o all'arrabbiata, spaghetti col sugo nero di seppia, con pesce spada e menta o con alici fresche, **zuppe di legumi**. Per continuare, gustosi il **coniglio alla *stimpirata***, la **trippa al sugo**, la tagliata di manzo con la caponata, l'agnello al forno con patate, il fegato con le cipolle, l'arista di maiale al nero d'Avola e miele d'arancia. Fra i secondi di mare: frittura di *masculini* (alici), cozze alla marinara e, nei periodi giusti, l'appetitosa ***tunnina a cipuddata*** e la **lampuga alla *matalotta***.

Per chiudere, biancomangiare di mandorle, tortino caldo al cioccolato su crema all'arancia e altre delizie. Carta dei vini adeguata e con prezzi corretti.

Allo storico Caffè Sicilia, corso Vittorio Emanuele 125, ottimi dolci, gelati, granite, torroni e mieli.

Novara di Sicilia

72 km a SO di Messina

La pineta

Trattoria-pizzeria
Via Nazionale, 159
Tel. 0941 650522
Chiuso il lunedì
Orario: mezzogiorno e sera
Ferie: non ne fa
Coperti: 60
Prezzi: 25-28 euro
Carte di credito: le principali

Novara di Sicilia sorge in una vallata dove tuttora si parla un idioma gallo-italico, eredità linguistica dei coloni lombardi che qui si insediarono in epoca normanna. Al centro del paese trovate la trattoria di Giuseppe Giamboi, suddivisa in tre salette arredate con semplicità, dove si propongono pietanze di tipicità territoriale realizzate dalla moglie del patron. Le carni utilizzate provengono dalla vicina macelleria di famiglia.
Si comincia con verdure fritte in pastella, melanzane e zucchine arrostite, ricotta fresca, sottoli e sottaceti casalinghi. Buone la cipolla in agrodolce e la zucca gratinata con capperi e olive. Se capitate nel periodo giusto, non mancate di assaggiare il raro formaggio maiorchino (Presidio Slow Food). Tra i primi, gustosi i **maccheroni al sugo di maiale**, le doppiette con le melanzane, i **rigatoni con broccoli e salsiccia**, le tagliatelle ai funghi freschi. Ottima, una sorta di piatto unico, la **pasta *'ncaciata* di mezzagosto** con sugo di carni di maiale, pecora, capra e vitello, maiorchino, salame e provola. Appetitosi i secondi (alcuni disponibili solo su ordinazione) che vedono avvicendarsi **trippa al pomodoro**, maialino ripieno, **stracotto di maiale al sugo**, salsicce e costate arrostite, **capretto infornato**. Da ricordare anche i piatti a base di **pesce stocco**: con la cipolla alla novarese, a ghiotta coi funghi porcini, nonché gli involtini di *vintruzzi* di pesce stocco. Finale dolce con cannolicchi e raviole di ricotta.
Vino limitato a qualche etichetta siciliana e a un discreto sfuso.

In via Nazionale 119, la pasticceria San Nicola propone le dita d'apostolo e i raviolini di ricotta al vermut. Sulla stessa strada, alla macellaria U Murgaellu trovate carni di buona qualità.

Palazzolo Acreide

41 km a ovest di Siracusa

Da andrea

Ristorante-pizzeria
Via Maddalena, 24
Tel. 0931 881488
Chiuso il martedì
Orario: mezzogiorno e sera
Ferie: due settimane in novembre
Coperti: 50 + 50 esterni
Prezzi: 25-30 euro vini esclusi
Carte di credito: tutte

Nei pressi della casa-museo fondata nel 1971 dall'etnoantropologo Antonino Uccello, si trova questo accogliente locale suddiviso in due salette più un cortile utilizzato nelle belle giornate. A gestire l'attività è lo chef Andrea Alì insieme alla moglie Lucia.
Per cominciare, abituali l'assaggio di salumi, ortaggi, legumi e ricottine, il tortino di ragusano, il piatto di formaggi tipici siciliani quali *vastedda* del Belice, piacentino, provola dei Nebrodi, *tuma* persa, caprini di girgentana. Erbe aromatiche e verdure, in parte coltivate nel proprio orto, contribuiscono a caratterizzare la cucina di Andrea che, secondo stagione, prepara anche gustose **frittate con i *mafalufi*** (asfodelo) o con gli asparagi selvatici e polpettine di finocchietto. Fra i primi, **macco di fave e cipolletta**, ravioli di ricotta al pistacchio di Bronte, **cavati al sugo di maiale** o con la crema di zucca e pomodoro secco, **pasta col ragù di lumache**, gnocchetti di farina di *tumminìa* conditi con salsiccia, zucchina, pomodorini e menta. Quando sono reperibili i funghi freschi, da provare le fettuccine con gli ovoli, i **funghi di ferula arrosto**, il filetto di manzo coi porcini dell'Etna. Come secondi, buoni la **salsiccia palazzolese** al Nero d'Avola, il filetto di vitello agli aromi e finocchio all'arancia, il **coniglio alla mentuccia**, l'agnello grigliato con i cavolfiori, il **maialino nero alla *stimpirata*** o in crosta.
Per dessert, consigliabili la mousse di cioccolato e la crema cotta di farina di polpa di carrubo. La cantina dispone di circa 300 etichette di varie regioni.

Il panificio Italia, corso Vittorio Emanuele 74, prepara biscotti tradizionali quali scaurati, 'ncilippati, lumeri e ciascuna.

Palazzolo Acreide

41 km a ovest di Siracusa

Trattoria del Gallo

Osteria-trattoria
Via Roma, 228
Tel. 0931 881334
Chiuso il mercoledì
Orario: sera, domenica anche pranzo
Ferie: 16 agosto-10 settembre
Coperti: 62
Prezzi: 18-20 euro vini esclusi
Carte di credito: tutte

A pochi metri dalla bella chiesa di San Paolo, questo locale inizia la sua attività nel pomeriggio sfornando pizze al taglio, **focacce ripiene** e **arancine al sugo**, disposte su un bancone insieme a uova sode, crocchette di patate e polpette di carne. Poi, all'ora di cena, e a pranzo nei festivi, entra in funzione la trattoria col suo repertorio di verace cucina locale. A governare il lavoro ai fornelli è Giovanni Savasta mentre l'altro socio, Heros Rizza, cura il servizio ai tavoli con Carlo Gallo.

In un'atmosfera piacevolmente casalinga, se volete cominciare con l'antipasto prevedete un'abbondante sequenza di assaggi di **gelatina di maiale**, salsiccia secca, olive, acciughe marinate, verdure sott'olio, ricotta, mozzarelline e pecorino pepato. Naturalmente si possono ordinare anche le preparazioni di rosticceria. Passando ai primi di pasta fresca, la scelta contempla **ravioli di ricotta al sugo di maiale** o con gli asparagi selvatici, cavati al ragù di carne o con pancetta, funghi e pomodoro, **tagliatelle ai funghi misti** oppure condite con pezzetti di salsiccia, pistacchi e pinoli. Frequenti le zuppe di legumi nel periodo invernale. Tra i secondi a base di carne di maiale ci sono la costata arrosto, la salsiccia e i ***pittinicchi* al sugo**, lo stinco al forno. In alternativa, la **trippa con le patate**, i *crastuna* (lumache) con cipolla e pomodoro, il **coniglio alla *stimpirata***, l'agnello in umido con patate, il **capretto infornato**. Per dessert, tortino di mandorle al cioccolato e frutta di stagione. Accompagna il pasto una piccola selezione di etichette siciliane.

Ottimi interpreti della tradizione dolciaria locale sono le pasticcerie Corsino, via Nazionale 2, e Caprice, corso Vittorio Emanuele 21.

Palermo

Ai cascinari

Trattoria
Via D'Ossuna, 43-45
Tel. 091 6519804
Chiuso il lunedì
Orario: pranzo; venerdì e sabato anche sera
Ferie: in agosto
Coperti: 75
Prezzi: 30 euro vini esclusi
Carte di credito: le principali, Bancomat

I fratelli Piero e Vito Riccobono, il primo in sala, l'altro in cucina, gestiscono questo locale ereditato dai genitori a due passi al quartiere degli antiquari e sulla strada che conduce verso la Cattedrale e Palazzo dei Normanni. I piatti classici della gastronomia popolare locale, un tempo usuali nelle cucine dei palermitani e oggi sempre più rari, qui sono da sempre protagonisti del menù.

Per cominciare, quindi, impossibile prescindere dagli immancabili panelle e *cazzilli*, proseguendo con le **sarde a beccafico**, l'insalata di bollito con pomodoro e acciughe, i cardi e i carciofi in pastella. Anche la proposta dei primi è fortemente radicata nella tradizione gastronomica palermitana, con classici quali i **bucatini con le sarde**, le semplici e gustose **tagliatelle fresche *c'anciova e a muddica atturata***, i rigatoni con salsiccia e ricotta fresca di pecora, gli **spaghetti spezzati con patate e caciocavallo**. Tra i secondi di pesce, sceglierete fra il classico **baccalà a *sfincione***, le buone fritture di calamari e gamberi, il **calamaro ripieno**, il pesce spada alla griglia. Chi ama la carne sarà appagato da ***u bruciuluni*** (falsomagro), gli involtini di vitello, la **trippa al sugo**. Per finire, dessert limitato alla cassata al forno e ai sorbetti alla frutta.

Servizio affabile e puntuale, buona lista di vini per lo più siciliani.

Tutte le saporite versioni del pane palermitano (torcigliato, mafalda, filoni, pizziati) e i biscotti della tradizione (reginelle, quaresimali, algerini) si trovano presso il panificio Tuttoilmondo, via Nebrodi 43.

ANTICA FOCACCERIA SAN FRANCESCO

Osteria tradizionale
Via A. Paternostro, 58
Tel. 091 320264
Non ha giorno di chiusura
Orario: mezzogiorno e sera
Ferie: in inverno
Coperti: 200 + 100 esterni
Prezzi: 3-25 euro vini esclusi
Carte di credito: tutte

Ubicato di fronte alla chiesa di San Francesco, vicino al mercato della Vucciria e a ridosso dell'antico quartiere arabo della Kalsa, il locale della famiglia Conticello vanta oltre un secolo di attività. Le due sale, all'interno di un antico palazzo nobiliare, sono arredate con tavolini di ferro battuto e sedie in ghisa realizzate a suo tempo dalle Fonderie Florio. Davanti allo splendido bancone liberty potrete decidere come gustare il ***pani ca meusa*** fatto con polmone e milza di vitello: *schietto*, cioè con la semplice aggiunta di poche gocce di limone, o *maritato* (arricchita da listarelle di caciocavallo). Ma le proposte relative al "cibo di strada" sono davvero numerose: non tralasciate le panelle fritte ottenute dalla farina di ceci, i ***cazzilli*** di patate, le **arancine** di riso al ragù, i cardi in pastella, lo **sfincione**. Nella bella sala dalle pareti rosse, al piano superiore, potrete invece gustare il **timballo di pasta al forno**, i **rigatoni con i *vroccuoli arriminati***, gli spiedini di carne di vitello imbottiti di pangrattato e aromi, le **sarde a beccafico**, il **tonno *ammuttunatu***. La cassata e i cannoli di ricotta spiccano tra i dessert. Ampia carta dei vini, siciliani e nazionali.

ALTRI INDIRIZZI PER IL PANI CA' MEUSA

PANI CA' MEUSA
Porta Carbone – Via Cala 48
(davanti al porto turistico)

FOCACCERIA BASILE
Piazza Nascé, 5

FOCACCERIA DI CARMELO BASILE
Via Ilardi, 22

FOCACCERIA TESTAGROSSA
Corso Calatafimi, 91

CUCINA PAPOFF

Ristorante
Via Isidoro La Lumia, 32
Tel. 091 586460
Chiuso la domenica e sabato a pranzo
Orario: mezzogiorno e sera
Ferie: agosto
Coperti: 65
Prezzi: 35 euro vini esclusi
Carte di credito: tutte

La bellezza della via Libertà, l'arteria principale della città, risiede nel singolare alternarsi di ville liberty, importanti teatri, giardini pubblici, edifici moderni. Suggestiva è poi la presenza, talvolta a poche centinaia di metri, di colorati mercati storici come il Capo, Borgo Vecchio, la Vucciria, Ballarò. Il "salotto buono", quella parte centrale denominata via Ruggiero Settimo, è invece il regno delle banche e di importanti negozi di abbigliamento. Cucina Papoff è presente da oltre trent'anni, con invariato consenso di clientela, proprio in questo tratto, a pochi passi dall'ottocentesco Teatro Politeama. Caldo e accogliente, il locale, composto da alcune salette con pietra a vista, è arricchito da un prezioso e antico soffitto in legno. Il titolare, Francesco Schillaci, propone agli ospiti piatti ben eseguiti, nel segno della stagionalità e della tradizione, basati su materia prima di impeccabile qualità.
Arrivano in tavola: **caponata di melanzane**, *tuma* di Godrano fritta, panelle e crocchette, il gustoso **macco** (purea di fave secche e finocchietto selvatico con olio extravergine). Ampia scelta di primi piatti, dai tipici **bucatini con le sarde** agli spaghetti con bottarga di Favignana, dalle caserecce al ragù di tonno ai **rigatoni con i broccoli *arriminati***. Fantasia e sapori anche nei secondi: **polpetti murati**, involtini di pesce spada, **spiedini alla palermitana**, **polpette di sarde**. Ricca scelta di dessert, dalla cassata ai cannoli, dai semifreddi alle granite. Cantina molto vasta, per ogni esigenza, a prezzi contenuti. Servizio garbato e attento.

Da oltre cinquant'anni Alba, a Piazza Don Bosco 7 C, propone cassate, cannoli, gelati e rosticceria ai massimi livelli.

DAL MAESTRO DEL BRODO

Trattoria
Via Pannieri, 7
Tel. 091 329523
Chiuso il lunedì, estate anche domenica
Orario: solo a mezzogiorno
Ferie: due settimane a Ferragosto
Coperti: 60
Prezzi: 20-33 euro, vini esclusi
Carte di credito: le principali

Sempre bellissima la Vucciria, il mercato storico immortalato da Renato Guttuso nel celebre omonimo quadro contemplabile nel non lontano Palazzo Steri. Merito del suo immutabile e genuino carattere popolaresco, che l'ha resa famosa sin dal XIV secolo, il periodo della sua fondazione, quando era chiamata Bocceria Vecchia o della Foglia, cioè mercato delle verdure, per distinguerlo dalla vicina Bocceria Nuova o della carne. Bellissima, pur ferita dal tempo e dall'incuria degli uomini, anche se un certo recupero è in corso. Fra gli esercenti che non hanno mollato neanche nei momenti più bui è da annoverare Bartolo Arusa che, anzi, ha sempre puntato a migliorare, con i figli Sandro e Giuseppe, la qualità del suo locale.
Dalla linda cucina a vista arrivano piatti della tradizione eseguiti in modo appropriato. Fra gli antipasti, preparati quotidianamente, da gustare le **sarde a beccafico**, la **zucca rossa in agrodolce**, l'**insalata di *mussu*** (nervetti), la caponata di melanzane. Ampia scelta di primi piatti, dalle casarecce con spada e menta ai **bucatini con i broccoli *arriminati*** o con le sarde. Qualità e sapori tradizionali anche con i secondi, dal **bollito "dolce"** con patate e zafferano che ha reso celebre il locale (quasi un pranzo da solo) al **tonno arrosto alla menta**; notevoli anche le triglie e i calamari alla brace, il fritto di seppioline, i gamberoni panati, il dentice all'acqua di mare. Si chiude con frutta fresca e alcuni dessert artigianali.
Piccola cantina siciliana di qualità, servizio attento e gentile. Il prezzo massimo indicato si riferisce a un pasto "tutto pesce".
Da ottobre a giugno la trattoria apre anche la sera di venerdì e sabato.

OSTERIA PARADISO 

Trattoria
Via Serradifalco, 23
Non ha telefono
Chiuso la domenica
Orario: solo a mezzogiorno
Ferie: seconda metà di agosto
Coperti: 35
Prezzi: 20-35 euro vini esclusi
Carte di credito: nessuna

In quarant'anni, nella trattoria genuinamente popolare della famiglia di Pippo Corona non sono mai cambiate le abitudini: il locale apre i battenti a mezzogiorno e, non essendoci il telefono, è impossibile prenotare. I tavoli sono sei, pertanto vi potrà capitare di dividere il desco con altri avventori. L'offerta gastronomica è caratterizzata da gustosi piatti della tradizione locale sia di terra sia di mare. Gli antipasti sono quasi tutti di pesce (**insalata di mare**, *cicirelli* fritti, acciughe marinate), ma non mancano bocconcini di manzo con le olive, carciofi alla contadina o a caponata, favette fresche saltate in padella. La **pasta con le sarde**, aromatizzata con finocchietto, uva passa e zafferano, è la regina dei primi, che contemplano anche l'altrettanto tradizionale **pasta *c'anciova*** (alici) **e la mollica *atturrata*** (abbrustolita), gli spaghetti al nero di seppia, i **rigatoni con i broccoli *arriminati***, la **pasta con la *glassa***, cioè condita col fondo di cottura dello spezzatino. Proprio lo **spezzatino** compare nella lista dei secondi a base di carne, che raggiungono l'apice con il **bollito con le patate**; non deludono gli **involtini alla palermitana** e la *pizzaiola*. Chi preferisce il pesce troverà calamari fritti o arrostiti, triglie alla marinara, gamberoni crudi, oppure saraghi, dentici e pagri alla griglia o all'acqua di mare. Si chiude con i cannoli di ricotta o la cassata realizzati dal genero di Pippo, frutta di stagione e ananas al maraschino.
Lista dei vini con poche etichette regionali, prezzi esemplari con il pesce a fare la differenza.

L'enoteca Picone, via Marconi 36, propone vini di qualità da tutto il mondo a prezzi convenienti.

PICCOLO NAPOLI 

Trattoria
Piazzetta Mulino a Vento, 4
Tel. 091 320431
Chiuso la domenica
Orario: solo a mezzogiorno
Ferie: 15-30 agosto
Coperti: 52
Prezzi: 35 euro vini esclusi
Carte di credito: tutte

Vicino al Teatro Politeama vive un mondo diverso e affascinante, quello del mercato storico del Borgo Vecchio. È un singolare microcosmo caldo e verace, costituito da venditori di *frittola*, *pani ca meusa*, panelle, *cazzilli* e *sfinciuna*, ma anche da commercianti di verdure, macellai, pescivendoli e ostricari: un crogiolo straordinario di umanità e biodiversità a poche centinaia di metri dal freddo e omologato cuore dello shopping e del business palermitano. Qui, dal 1951 opera l'affiatata famiglia Corona, il cui costante impegno ha reso questo locale una delle migliori trattorie di pesce dell'intera Sicilia. La dinamica mamma Rosetta, con i figli Gianni e Pippo, vi proporrà una cucina semplice e piena di sapori.
Si comincia con le fritture di gamberi e calamaretti, la **caponata di melanzane**, il polpo lesso e le uova di pesce spada all'olio e limone. La tradizione cittadina condiziona i primi piatti: **bucatini con sarde**, spaghetti ai ricci di mare, linguine con il nero della seppia. Tanti, e tutti stuzzicanti anche i secondi, dal **tonno alla menta** al dentice all'acqua di mare, dalla spigola al forno alle **triglie di scoglio alla brace**. Prenotando un giorno prima, avrete anche la succulenta **ruota di pesce spada al forno**, preparata secondo un'antica ricetta segreta che prevede il latte fra gli ingredienti. Non manca qualche ottimo piatto a base di carne.
Piccola e selezionata offerta di dessert della tradizione. Cantina molto valida, esclusivamente isolana, disponibile a prezzi corretti.
La trattoria apre anche il venerdì e il sabato sera da giugno a ottobre.

Da Scimone, via Miceli 18 b, angolo via Imera, il meglio della pasticceria tradizionale; buonissimi anche gelati e rosticceria.

TRATTORIA PRIMAVERA

Trattoria
Piazza Bologni, 4
Tel. 091 329408-329 2667775
Chiuso il lunedì
Orario: mezzogiorno e sera
Ferie: variabili
Coperti: 50 + 35 esterni
Prezzi: 22-25 euro vini esclusi
Carte di credito: le principali

Situata in uno dei tratti più belli del centro storico cittadino, in pieno Cassaro, luogo amatissimo dai palermitani sin dal Medioevo, Piazza Bologni è uno spiazzo ampio e affascinante contornato da palazzi barocchi. Ed è proprio qui, a pochi passi dalla statua dell'imperatore Carlo V, che si trova, sin dal 1970, la sobria e accogliente trattoria della sorridente Antonella Saviano. La cucina, che utilizza buona materia prima acquistata giornalmente nei vicini mercati di Ballarò, della Vucciria e del Capo, propone piatti della tradizione ben eseguiti e gustosi.
Si può iniziare da numerosi e stuzzicanti antipasti, fra i quali segnaliamo l'insalata di polpo, la caponata di melanzane, le **polpette di sarde al sugo**, la versione mignon del pane con la milza e dello sfincione, la **zucca in agrodolce**. Tanto sapore e tipicità anche fra i primi piatti, quali le **casarecce con ricotta e *frittella*** (fave, carciofi e piselli), gli immancabili **bucatini con le sarde**, le linguine con bottarga di Favignana, le **mezze penne al ragù di tonno**. Varia anche l'offerta dei secondi, dall'involtino di spatola al profumato **pesce spada alla ghiotta**, dal tonno *a cipuddata* ai classici piatti di carne cittadini come gli involtini di vitello, la **bistecca panata alla palermitana**, la costoletta di agnello locale alla brace. Dessert in linea con il resto delle proposte, dalla calorica cassata al forno alle cassatelle di ricotta.
Piccola carta dei vini isolana a prezzi corretti. Conveniente menù degustazione di 4 piatti a 22 euro, incluso lo sfuso della casa.

U SFINCIUNI

È una delle più diffuse specialità della città. Soffice e spesso, deve forse il suo nome al greco *sponghía* (spugna). Pare sia stato inventato a Palermo dalle suore di San Vito: più elaborato e sostanzioso, era condito anche con polpa di maiale e salsiccia. Un tempo tipico del Natale e delle feste di fidanzamento, oggi è disponibile tutto l'anno. È cibo di strada perché lo si trova dappertutto: nei mercati storici della Vucciria, di Ballarò, del Capo e del Borgo Vecchio, in quasi tutti i panifici, sulle bancarelle di tanti ambulanti, nelle friggitorie del centro storico e dei quartieri residenziali. Ma i palermitani amano prepararlo, con impegno e passione, anche fra le mura domestiche. Le ricette tramandate sono innumerevoli, anche con varianti significative, tutte saporite e accettabili. Quella che segue è la classica ricetta panormita: si prepara una base di farina di rimacinato con lievito di birra e olio d'oliva, lavorandola e lasciandola lievitare a lungo. Si aggiunge quindi il condimento, acciughe e pomodoro fresco precedentemente sbollentato in olio con abbondante cipolla. Si completa l'opera con scaglie di primo sale, pangrattato, formaggio grattugiato, olio e origano. Cuoce per mezz'ora in forno a 180 gradi.

FOCACCERIE DOVE GUSTARLO

ANTICA FOCACCERIA SAN FRANCESCO
Via Paternostro, 58

FOCACCERIA BASILE
Via Bara all'Olivella
Piazza Nascé, 5

PIZZERIA ASTORIA
Via Libertà, 145

CIBUS
Via Emerico Amari, 64

DOVE ACQUISTARLO

PANIFICIO PIEMONTE
Viale Piemonte, 46

PANIFICIO SALVATORE GRAZIANO
Via del Granatiere, 11

PANIFICIO ANTONINO GRAZIANO
Via Emilia, 80-82

PANIFICIO INGRASSIA
Via Dante, 42

PANIFICIO SOTTO LA CHIESA
Via Pannieri, 30

62 KM A SE DI TRAPANI A 29 SS 188

ANTICHI SAPORI

NOVITÀ

Ristorante
Via Vittorio Emanuele, 211
Tel. 0924 922618
Chiuso il lunedì
Orario: mezzogiorno e sera
Ferie: agosto
Coperti: 70
Prezzi: 30-35 euro vini esclusi
Carte di credito: tutte tranne AE, Bancomat

Partanna è un piccolo comune dell'entroterra trapanese, tra Castelvetrano e Menfi, interamente dedito alla coltivazione di oliveti e vigneti. Nella parte antica del paese, su via Vittorio Emanuele, in corrispondenza di un basso palazzetto nobiliare di metà Ottocento, noterete delle cupolette rosse. L'accesso al locale, che si trova al primo piano, avviene attraverso un portoncino verde sulla strada. Gli ambienti sono decorati con delicati affreschi, ma non mancano qua e là numerose tele d'arte contemporanea. Giuseppe Dottali, titolare e giovane chef poco più che trentenne, propone un'offerta gastronomica tradizionale e aderente al territorio. La materia prima è locale e segue la stagionalità.
Si può iniziare con **caponata di melanzane**, peperonata, **maiale marinato in vino e aceto**, per proseguire con il **macco di fave** arricchito da funghi di ferla e *sparaceddi* (broccoletti verdi), la zuppa di funghi e formaggio con pane abbrustolito, la **crema di zucca gialla**. I secondi possono comprendere lo **stufato di cinghiale**, il ragù di cacciagione, l'**agnello in casseruola**. Uno dei punti di forza della cucina di Giuseppe è il recupero, grazie alla sua personale passione e a quella della sua famiglia, di antiche ricette cadute nell'oblio: tra queste segnaliamo il tortino di cipolla rossa di Partanna con caponata e formaggio primo sale, la **pasta ripiena** (fagottone fritto di pasta di pane) agli ortaggi, il riso con fiori di zucca, zucchine e melanzane, lo **stracotto di lenticchie**. Per dessert, da provare le *sfincette* alla zucca gialla, il cestino con la ricotta, la pastiera di grano *tumminia*.
Buona la carta dei vini, ragionata e regionale. Bei bicchieri, bel tovagliato, servizio cortese e attento. I piatti li porta Beppe personalmente dalla cucina.

PEDARA

14 KM A NORD DI CATANIA

LA TANA DEL LUPO

Ristorante
Corso Ara di Giove, 138
Tel. 095 7800303-349 2333703
Chiuso il martedì
Orario: solo la sera
Ferie: in novembre
Coperti: 70
Prezzi: 30 euro vini esclusi
Carte di credito: tutte

Pedara è situata in un tratto collinare in prossimità della parte meridionale del Parco dell'Etna. Raggiunto il centro abitato trovate facilmente questo locale, ricavato dalla ristrutturazione di un vecchio palmento, arredato con qualche mobile d'epoca e un piccolo soppalco. La proposta gastronomica include pietanze sia di terra sia di mare, di matrice locale e regionale, a volte realizzate con qualche tocco di contenuta fantasia.
Fra i possibili antipasti: frittate, verdure di stagione, assaggi di salumi e formaggi artigianali come la **provola alla piastra** con il miele, il saporito **macco di fave fritto**, arancini, lupini, insalata di cuscus. L'offerta dei primi vede alternarsi le gustose **caserecce con ragù d'agnello e finocchietto selvatico**, un buon risotto al basilico, i pansotti alle noci, le spaccatelle con crema di peperoni e salsiccia, le penne con pistacchi, melanzane e pomodoro, la **fregola coi carciofi**, la pasta col ragù di cernia. Non mancano le ricette a base di ottimi **funghi** dell'Etna, quali la pasta con ragù di cinghiale e porcini, il risotto coi porcini e pistacchi, la classica zuppa. Passando ai secondi, buoni gli **involtini di maiale** al cacio dolce, i fagottini di vitello al pane verde e, tra i sapori marinari, la zuppa di calamari al basilico e il **pesce spada in crosta di mandorle**.
Per dessert, frutta e qualche dolcetto casalingo. Discreta carta dei vini dal corretto rapporto tra qualità e prezzo.

PETRALIA SOPRANA

103 KM A SE DI PALERMO

DA SALVATORE 

Trattoria-pizzeria
Piazza San Michele, 3
Tel. 0921 680169
Chiuso il martedì, mai d'estate
Orario: mezzogiorno e sera
Ferie: 2 settimane in luglio, 1 in settembre
Coperti: 40 + 30 esterni
Prezzi: 20-25 euro vini esclusi
Carte di credito: nessuna

Nei pressi della chiesa di Santa Maria di Loreto trovate il locale della famiglia Ruvutuso: una saletta interna di sincera fisionomia casalinga, più alcuni tavoli apparecchiati d'estate nella piazzetta antistante. A gestirlo è Salvatore, col fondamentale apporto in cucina della moglie Maria e l'aiuto dei tre figli quando sono liberi dagli impegni scolatici. L'offerta culinaria include preparazioni tipiche del territorio madonita e piatti legati alla tradizione gastronomica regionale, nonché alla disponibilità stagionale delle materie prime utilizzate.
Fra gli stuzzicanti antipasti: cavolo cappuccio affogato, melanzane e zucchine grigliate, peperoni all'agro, funghi con pecorino, caponata di melanzane, pomodori ripieni, **frittate** con ricotta e menta o col finocchietto selvatico, salumi e formaggi di produzione locale come la provola delle Madonie. Passando ai primi, buoni i maccheroni con ragù, funghi e finocchietto, la **pasta coi *tenerumi* di zucchine**, alla Norma o col sugo di castrato e salsiccia. Gustose anche la tradizionale ***frittedda*** (zuppa di fave, carciofi, piselli e finocchietto) e la **pasta con i *cavuliceddi*** o altre verdure spontanee raccolte da Salvatore. Sia d'inverno sia d'estate non mancano poi le **zuppe di legumi**. La scelta dei secondi prevede arrosti di **castrato**, salsiccia, braciole di vitello, ***stigghiole* di agnello**; inoltre si avvicendano l'appetitoso **castrato abbottonato** con le patate, la **trippa al sugo**, il capocollo infornato, la bistecca panata alla palermitana.
In chiusura, qualche dolcetto e frutta, comprese (quand'è stagione) squisite mele e pere coltivate nell'orto di casa. Piccola selezione di vini siciliani a prezzi corretti.

Petralia Sottana

99 km a SE di Palermo

Petrae Lejum

Ristorante
Corso Paolo Agliata, 113
Tel. 0921 641947
Chiuso venerdì sera, mai in agosto
Orario: mezzogiorno e sera
Ferie: non ne fa
Coperti: 46
Prezzi: 20-22 euro vini esclusi
Carte di credito: tutte

Distribuita su uno sperone roccioso, dove un tempo si ergeva un castello costruito per fini strategici dai Normanni, Petralia Sottana era in origine parte integrante del territorio di Petralia Soprana da cui dista un paio di chilometri. Per una sosta gastronomica, lungo il corso principale del paese c'è questo locale a gestione familiare che dispone di un baretto all'ingresso e di due salette ben arredate. A occuparsi del servizio provvedono Vincenzo Occorso e la madre Rosetta, mentre il padre Rosario cura la preparazione delle pietanze. Nell'insieme, una cucina semplice e corretta che predilige sapori di terra di impronta regionale.
Se capitate nei periodi in cui sono disponibili le verdure selvatiche, si può cominciare il pasto con le polpettine di finocchietto o coi ***napruddi*** (cardi selvatici) **in pastella** o al forno; altrimenti l'antipasto include abitualmente salumi, formaggi delle Madonie e sottoli di produzione artigianale. Tra i primi, gustosi i **maccheroni** fatti in casa conditi **con ragù di cinghiale e funghi porcini**, o con pomodori secchi, acciughe, mandorle, basilico e pecorino, la **pasta alla carrettiera**, le tagliatelle ai funghi di bosco, quelle con ricotta, pomodoro e finocchietto oppure con ricotta e borragine. Tutti di carne i secondi, quali la costata di maiale sia ai funghi che ai ferri, la salsiccia, le costolette e il **castrato** grigliati, l'ottimo **spezzatino di agnello**, di capretto o di cinghiale.
Per finire, cannolicchi di ricotta e crema catalana tra i possibili dessert. La carta dei vini presenta una discreta selezione di etichette siciliane.

Al numero 107, la pasticceria Bracco propone un buon assortimento di biscotti e dolci tradizionali come sfogghiu, pasticciotti, sfinci e torroncini.

Petralia Sottana
Contrada Pomeri

99 km a SE di Palermo a 19

Pomieri

Ristorante annesso all'albergo
Contrada Pomeri
Tel. 0921 649998
Non ha giorno di chiusura
Orario: mezzogiorno e sera
Ferie: tre settimane in novembre
Coperti: 200
Prezzi: 30 euro vini esclusi
Carte di credito: nessuna

Lasciata al bivio di Tremonzelli l'autostrada che da Palermo conduce a Catania, ci si addentra subito nelle Madonie, attraversando ampie vallate, infinite campagne, deliziosi paesini caratterizzati da strade tortuose e suggestive chiesette. Poi, dopo Petralia Sottana, il percorso diventa più ripido, e cominciano a intravedersi le cime di Piano Battaglia (1619 metri), l'unica stazione sciistica della Sicilia Occidentale. In questo luminoso contesto, dove l'aria è fine e frizzante anche per la presenza di ampi e fitti boschi, da oltre trent'anni la famiglia di Ignazio Ganci conduce con immutato impegno questo noto albergo-ristorante dove si pratica una autentica e stagionale cucina dell'entroterra montano, basata sulla qualità della materia prima locale.
Dalla cucina arrivano piatti semplici e genuini, fra i quali, per cominciare, **salame di capra** (una autentica rarità gastronomica), frittate di funghi ed erbe spontanee, **gelatina di maiale selvatico**. Si potrà poi proseguire con le **tagliatelle al ragù di cinghiale** (molto diffuso, allo stato brado, in zona), la **zuppa di fagioli**, l'appetitosa "pasta sbagliata" alle erbe del bosco. Pietanze sostanziose anche fra i secondi piatti, dalle costatine di cinghiale arrosto all'**agnello al forno**, dalle "costatone" di vitello ai funghi al celebre ***bruciuluni*** (falsomagro) della tradizione aristocratica. Si chiude degnamente con una ricca e calorica selezione di dolci: **cannoli di ricotta**, semifreddo alle mandorle, lo ***sfogghiu*** (torta al formaggio).
In cantina si trovano alcune selezionate etichette siciliane, ma anche un ottimo sfuso.

Nell'omonima contrada, Tùdia produce e vende conserve naturali e biologiche: confetture, marmellate di agrumi, salse, sughi, sottoli, caponata di melanzane.

Piazza Armerina

34 km a SE di Enna

La Ruota

Trattoria
Contrada Paratore
Tel. 0935 680542
Non ha giorno di chiusura
Orario: solo a mezzogiorno
Ferie: non ne fa
Coperti: 32 + 50 esterni
Prezzi: 20-25 euro vini esclusi
Carte di credito: tutte

Piazza Armerina deve il suo nome all'antica Piazza, di cui si conservano interessanti ambienti urbani e monumenti, e al colle Armerino, una delle alture su cui è adagiata la città. Vanto e grosso richiamo turistico per questa bella cittadina è il sito archeologico della Villa del Casale: celebre per i suoi splendidi mosaici, è la più importante testimonianza di epoca romana in Sicilia. La trattoria, ricavata in un antico mulino ad acqua, si trova ad appena 500 metri dalla villa: è gestita da Fiorella Pioni, artefice della cucina, insiema al figlio William Virdi, che si occupa invece della sala. Gusterete le classiche pietanze della cucina siciliana di terra seduti all'interno o nel gradevole dehors estivo.
La pasta utilizzata per la preparazione dei primi è tirata a mano: i **maccheroncini** possono essere conditi alla carrettiera, **alla Norma**, al ragù, con olive, capperi e pomodoro. Da provare anche le tagliatelle al pistacchio di Bronte, al pesto di basilico, alle noci, e, nella stagione di raccolta, la **pasta col finocchietto selvatico**. Arrosto di maiale all'arancia, **coniglio alla *stimpirata***, salsiccia, braciole di vitello e di maiale, **costine di agnello**, brasato di vitello ai funghi, sono tutti secondi realizzati con carne di produzione locale. I validi contorni che li accompagnano sono la caponata, i peperoni al forno, i **carciofi in tegame**. Prima del dolce (macedonia di frutta, cannoli, paste di mandorla), fatevi tentare, se disponibili, da un assaggio di ricotta fresca, pecorino primo sale, *piacentinu* ennese.
Piccola cantina regionale, con vini offerti a ricarichi corretti.

Pietraperzia

33 km a SO di Enna, 14 km a SE di Caltanissetta

L'Osteria di Agar

Trattoria
Via San Giuseppe, 4
Tel. 0934 462366
Chiuso il lunedì
Orario: mezzogiorno e sera
Ferie: gennaio
Coperti: 40
Prezzi: 20-30 euro vini esclusi
Carte di credito: tutte

Siamo nel cuore del centro storico di Pietraperzia: fra le mura e gli archi di pietra degli ex magazzini di Palazzo Nicoletti, antistante il sacrato della Chiesa Madre, si trova l'Osteria di Agar. La curiosa denominazione è in realtà un omaggio all'antico nome arabo (*Agar al Matqub*) di questa bella cittadina dell'entroterra siciliano in provincia di Enna, concentrato di storia e cultura. La gestione è familiare: Gabriele Nicoletti governa la cucina, assecondando la sua vecchia passione per la cucina tradizionale di territorio; la moglie e la sorella Stella si occupano della sala e degli ospiti. La proposta varia naturalmente secondo stagione.
Potrete cominciare con la tradizionale caponata, la **gelatina di maiale** e i **formaggelli** di latte di capra girgentana preparati dallo stesso Gabriele, proseguendo con i **ravioli di ricotta con ragù di suino nero** dei Nebrodi, **pasta con favette fresche**, con broccoletti, alla pietrina (con broccoletti, pomodoro secco, olive, capperi e salsiccia), o con robiola di capra. Tra i secondi più usuali ci sono la **carne all'*argintera*** (passata in padella con aglio, origano, aceto, caciocavallo), l'**agnello *aggrassato***, la costata di maiale nero dei Nebrodi, il **castrato alla griglia**. D'inverno, si può trovare un ricco carrello di formaggi e salumi, soprattutto siciliani, alcuni dei quali tutelati dai Presìdi Slow Food proprio come l'ottimo pane nero di Castelvetrano che accompagna tutto il pasto. Si chiude con parfait di mandorle, mousse o *rollò* di ricotta.
Etichette siciliane e italiane nella buona carta dei vini.

Polizzi Generosa

83 km a SE di Palermo

Itria

Trattoria
Via Beato Gnoffi, 8
Tel. 0921 688790
Chiuso il mercoledì
Orario: mezzogiorno e sera
Ferie: 2 settimane dopo il 25 settembre
Coperti: 50 + 30 esterni
Prezzi: 22-24 euro vini esclusi
Carte di credito: Visa, Bancomat

Salendo per la strada provinciale, Polizzi appare all'improvviso in tutta la sua bellezza, posta com'è a 1000 metri nel cuore di un'ampia campagna circostante. Sovente d'inverno è cinta da nuvole grigie e bianche, che le danno un aspetto ancora più affascinante. Chiamata "Generosa" dall'Imperatore Federico II per sottolinearne l'importanza e la fedeltà, è ricca di noccioleti e di boschi di querce e lecci. Numerose le risorse artistiche, che hanno la loro massima manifestazione nell'elegante cattedrale. La cittadina esprime anche una gustosa cucina di terra, che ha nel locale dei coniugi Giuseppina e Renato uno dei suoi più validi punti di riferimento.
Secondo stagione, arrivano a tavola, per iniziare, ***stigghiole* alla brace**, frittate di asparagi selvatici e funghi, zuppe di ceci e di lenticchie. I profumi e i sapori del territorio e della tradizione caratterizzano anche i primi, dalla **pasta con la frittella** (fave, piselli e finocchi di montagna) alle **casarecce al ragù di cinghiale**, dalle fettuccine con i porcini ai **ditali con i fagioli *badda*** (Presidio Slow Food). Di sostanza anche i secondi piatti: stinco di vitello al forno, **trippa al sugo**, agnello in casseruola, **maiale nero dei Nebrodi** con porcini, prugne e Marsala, **salsiccia** madonita **alla brace**. Imperdibile fra i dessert il calorico *sfogghiu* (torta al formaggio), gloria della cittadina, ma non mancano i cannoli di ricotta della tradizione e il semifreddo di nocciole.
Buona cantina siciliana offerta a prezzi corretti. Servizio affabile e attento, di stampo familiare.

Aderente all'antica tradizione, lo sfogghiu della Pasticceria Vinci, via Garibaldi 134, che si segnala anche per biscotti e altre prelibatezze.

Ragusa
Ibla

4 km dal centro della città

Cucina e vino

Osteria di recente fondazione
Via Orfanotrofio, 91
Tel. 0932 686447
Chiuso il mercoledì
Orario: mezzogiorno e sera
Ferie: in febbraio
Coperti: 50 + 45 esterni
Prezzi: 25-35 euro vini esclusi
Carte di credito: tutte

Il gioiello barocco di Ibla fa da cornice a questa trattoria che si distingue per l'ambiente caldo e accogliente, ricavato nelle tre salette al piano terra di un palazzo ottocentesco. L'osteria della famiglia Cilia accontenta coloro i quali sono alla ricerca di una cucina casalinga di buona qualità, sia di mare sia di terra, approntata con materie prime stagionali del territorio. Mimma gestisce la cucina con il figlio Giovanni, Salvatore e la figlia Rossana si occupano del servizio in sala.
Ottima la **caponata di melanzane** che apre la serie degli antipasti: frittate di verdure, focacce rustiche, **alici alla parmigiana**, moscardini in umido, fritture di pesce. Le **casarecce con fave, ricotta e pomodoro secco** rappresentano, insieme al **macco di fave**, il piatto più tradizionale di questa zona; in alternativa, **ravioli di ricotta al sugo di maiale**, ziti con melanzane e pomodoro, **paccheri col ragù di agnello**; tra le pietanze di mare, spaghetti al nero di seppia, ai ricci, con seppie, biete e pomodoro ciliegino, ma anche calamarata con la rana pescatrice. Non mancano le zuppe: di legumi in inverno, di *tenerumi* o di fagioli verdi nel periodo estivo. I secondi di terra comprendono **falsomagro al sugo**, agnello con i carciofi, **trippa al pomodoro** e stinco di maiale, mentre le specialità marinare contemplano **tonno con cipollata e menta** e pesci meno nobili ma altrettanto gustosi, quali lo sgombro e la razza.
Si chiude con geli di limone o cannella, crostate e altri dolci fatti in casa. Cantina siciliana in costante crescita.

Marmellate, mieli, biscotti e vini siciliani all'Antica Drogheria, corso XXV Aprile 59. Originali gelati alla carruba, al Moscato, al miele da Gelati DiVini, piazza Duomo, 20. Squisiti gelati anche da Mastro Ciliegia, via Valverde 2.

ORFEO

Ristorante
Via Sant'Anna, 117
Tel. 0932 621035
Chiuso la domenica
Orario: mezzogiorno e sera
Ferie: due settimane in agosto
Coperti: 45
Prezzi: 27-33 euro vini esclusi
Carte di credito: tutte

A pochi passi da piazza San Giovanni e dalla cattedrale omonima, trovate questo ristorantino che la famiglia di Giampaolo Criscione gestisce dal 1970. Il rosso squillante delle pareti e l'ambiente sommessamente elegante non traggano in inganno: il titolare, in sala, e la moglie Sara in cucina, si impegnano a garantire la verace matrice siciliana delle preparazioni. Preparazioni che variano in base alle stagioni e alla disponibilità del mercato.
La pietanza più rappresentativa tra gli antipasti è il ***tummale***, un tortino di melanzane avvolto in una crosta di mollica abbrustolita, ma l'alternativa garantita dal misto della casa non è da meno e contempla, tra l'altro, caponata, frittata, verdure in pastella, formaggio ragusano panato e grigliato. Ricca la scelta di primi, tra pietanze marinare e di terra: fusilli con pesce spada, mandorle, melanzane e pomodoro ciliegino, **pasta col ragù di sarde**, gnocchi con zucca rossa e ricotta, **macco di fave**, orecchiette coi broccoli saltati in padella, **pasta col *sanàpo*** (un tipo di verdura spontanea). Gustosi, tra i secondi di carne, la salsiccia e la **polpa di maiale al sugo**, le polpette di manzo coi piselli o con il purè di patate, mentre tra i piatti di pesce si fanno ricordare il **baccalà alla ghiotta**, le sarde a beccafico e il **tonno a cipollata**.
Da non perdere, per finire, la mousse di ricotta o il gelato con croccante di mandorla. Qualche buona bottiglia tra le etichette regionali presenti nella carta dei vini.

In via Veneto 104, la pasticceria Di Pasquale propone un bell'assortimento di specialità dolciarie. Alla Casa del formaggio Sant'Anna, corso Italia 330, interessante selezione di prodotti caseari del territorio quali provole, ricotta, ragusano fresco e stagionato.

69 KM A NO DI CATANIA A 18 O SS 114 E SS 120

SAN GIORGIO E IL DRAGO

Trattoria
Piazza San Giorgio, 28
Tel. 095 923972
Chiuso il martedì
Orario: mezzogiorno e sera
Ferie: in gennaio
Coperti: 80 + 50 esterni
Prezzi: 28 euro vini esclusi
Carta di credito: tutte

Disposto su un altopiano di lave secolari, Randazzo è il comune più vicino al cratere centrale dell'Etna, da cui dista circa 15 chilometri. Nel centro storico, che conserva interessanti testimonianze architettoniche, è ubicata questa trattoria ricavata in una cantina del secolo scorso. Il locale, gestito da Daniele Anzalone, presenta due curate salette, affiancate nella stagione estiva da un piacevole dehors. A connotare la cucina sono cibi e pietanze che si rifanno alle consuetudini culinarie di questa zona dell'entroterra siciliano.
Si comincia con l'antipasto della casa nel quale solitamente compaiono frittate di verdura, crocchette di patate, **ricotta infornata**, scamorza grigliata, salumi di produzione artigianale. Fra i primi ricordiamo i ravioli al ragù, i pansotti con le noci, i maccheroni in salsa piccante, le mezzelune ripiene di melanzane con pomodoro e ricotta salata, le orecchiette con salsa di zucchine. Quando sono disponibili le verdure spontanee, meritano l'assaggio le **caserecce con le *sparacogne*** (nome locale della sparaghella selvatica) e i ***tonnacchioli* alle erbe dell'Etna**. Diversi i piatti realizzati con i rinomati **funghi** del territorio etneo, quali zuppe, funghi di ferula arrostiti, bocconcini di carne con porcini e mandorle. Tra gli altri possibili secondi: involtini di vitello, coniglio in umido, l'appetitoso **agnello al forno**, la tipica **salsiccia di maiale con i *cavuliceddi*** (altra erba selvatica) **in padella**.
In chiusura, frutta di stagione e qualche dolcetto di pasticceria. Discreta la selezione di vini regionali.

In piazza Santa Maria 9, la pasticceria di Santo Musumeci prepara dolci di mandorle, di nocciole, di pistacchi, frutta martorana, mustaccioli.

Roccalumera
Allume

38 km a SO di Messina

Conte d'Antares

Trattoria
Via Petricchia, 1
Tel. 0942 746206
Chiuso il lunedì
Orario: sera, festivi anche pranzo
Ferie: 1 settimana in giugno, 1 in settembre
Coperti: 55 + 12 esterni
Prezzi: 30-35 euro vini esclusi
Carte di credito: tutte tranne AE, Bancomat

Distante poche centinaia di metri dalla statale Messina-Catania, il borgo in cui si trova questa trattoria di campagna a conduzione familiare ha preso il nome dalle cave di allume presenti nel territorio e sfruttate fino al secolo scorso. Attraversando un bel cortiletto impreziosito da piante aromatiche e ornamentali, si giunge all'interno del locale che dispone anche di un terrazzino utilizzato durante la bella stagione. Protagonista in cucina è Angelo, il patron, sempre attento alla scelta delle materie prime utilizzate per la preparazione delle pietanze; la moglie Graziella si occupa invece del servizio ai tavoli insieme ai due figli.
Si può iniziare con la valida selezione di **formaggi di capra** girgentana, oppure concedersi l'antipasto del Conte, che comprende **ricotta** appena sfornata, involtini di melanzane, pomodori secchi, olive locali, caponata, pecorino fresco col pepe. Ben eseguiti e consolidati i piatti che si avvicendano sulla carta: **gnocchi di patate al finocchietto selvatico**, ravioli all'arancia o alla zucca, **pappardelle di castagne** e, come secondi, **spiedini di agnello *ammollicati***, involtini di maiale con le verdure spontanee, **capretto al forno** con patate o in umido. Squisiti i dessert casalinghi tra i quali la crema pasticciera al pistacchio, la cassata, il gelo di limone; da provare anche la ***cuddrireddra*** di Delia (Presidio Slow Food).
La carta dei vini siciliani è piccola ma ben curata.

San Cataldo

8 km a ovest di Caltanissetta

Anzalone

Trattoria
Piazza Crispi, 5
Tel. 0934 586624
Chiuso la domenica
Orario: mezzogiorno e sera
Ferie: agosto
Coperti: 50 + 40 esterni
Prezzi: 18-20 euro vini esclusi
Carte di credito: nessuna

Ormai da 24 anni, questa trattoria, ubicata in una piazzetta affacciata sul corso principale, propone buoni piatti di territorio, preparati con ampio uso di ingredienti locali. Ninetta è da sempre responsabile della cucina, i generi Claudio e Salvatore si occupano del servizio ai tavoli. Si può mangiare all'interno, in un ambiente arredato con semplicità oppure, quando il tempo lo permette, nel bel dehors.
Secondo stagione, potrete cominciare con ricotta fresca e formaggi pecorini di produttori locali, caponata di melanzane, olive *cunsate*, pomodori secchi, verdure saltate in padella, funghi trifolati, acciughe marinate, frittate con patate e cipolla, con finocchietto selvatico, coi *mazzareddri* o altre verdure spontanee. Se d'inverno sono protagonisti il minestrone di verdure, il **macco di fave**, le zuppe di legumi, il resto dell'anno è la pastasciutta a farla da padrona: **pasta alla carrettiera**, col ragù, con i broccoli, con gli sparacelli, alla Norma, con pomodoro e melanzane. Per secondo non mancano il **manzo con patate**, la salsiccia e il **castrato arrosto**, la pancetta di maiale al sugo, il baccalà lesso o fritto, la coda di vitello al sugo, i ***babbaluci*** (lumache) cotti in tegame con olio, aglio e prezzemolo. Gli amanti delle frattaglie gradiranno la trippa in bianco o alla parmigiana, le ***stigghiole*** (interiora di vitello) alla brace e, solo su prenotazione, i ***carcagnola*** (piedini di maiale) bolliti.
Al momento del dessert, torta di ricotta e pistacchi o, in estate, sorbetti alla frutta. Proposta enologica limitata ad alcune bottiglie isolane.

Alla pasticceria Campisi, piazza Giovanni XXIII 7, ottimi i dolcetti di pasta reale e pistacchi e il gelato al torrone con le mandorle intere.

San Giuseppe Jato

30 km a SO di Palermo

Z'Alia

Trattoria
Via Piana degli Albanesi, 2
Tel. 091 8577065
Chiuso il martedì
Orario: mezzogiorno e sera
Ferie: 2 settimane fra giugno e luglio
Coperti: 50 + 20 esterni
Prezzi: 30 euro vini esclusi
Carte di credito: tutte

A San Giuseppe Jato si arriva da Palermo in pochi minuti per mezzo dello scorrimento veloce che conduce a Sciacca, attraversando una campagna verdeggiante che in prossimità della cittadina diventa vallata vasta e luminosa. Merita senz'altro una visita il vicino parco archeologico dell'antica *Ietas*, centro prospero e attivo per oltre mille anni, di cui si può ancora ammirare l'incantevole teatro (quasi intatto), che poteva contenere sino a 4500 spettatori. Terminato il giro turistico, il giusto ristoro potrà essere assicurato da questa autentica trattoria di paese, attiva da oltre sessant'anni, tradizionale luogo di sosta dei carrettieri di passaggio. Di quei tempi, il locale, un unico essenziale ambiente con le travi a vista, ha conservato la linearità gastronomica, basata su buone materie prime, e la coinvolgente atmosfera familiare.
Maria e Gigi, con l'apporto essenziale del figlio Mario, vi proporranno piatti legati alle stagioni, sostanziosi e ricchi di sapori. Si inizia con formaggi e ricotta di Godrano, **caponata di melanzane**, **pancetta** di maiale locale, frittate di asparagi selvatici e patate. Arriveranno poi robuste **caserecce al ragù di castrato**, tagliatelle ai porcini e salsiccia, delicati **fusilli con ricotta e finocchietto di montagna**. Tanta tipicità anche nei secondi piatti: ***bruciuluni* salsato**, costolette di agnello, **involtini di vitello**, braciole di maiale. Si chiude con i cannoli e le caloriche **cassatelle di ricotta**. Disponibili parecchie buone bottiglie del comprensorio e un energico e apprezzabile vino della casa.

Da Salvatore Cerniglia, via Palermo, gelati, dolci e pasticceria di alto livello, nel solco della tradizione albanese di Sicilia.

San Gregorio di Catania

6 km a nord di Catania uscita A 18

La Locandiera

Ristorante
Via Catania, 55
Tel. 095 7215868
Chiuso il lunedì, inverno anche domenica sera
Orario: mezzogiorno e sera
Ferie: non ne fa
Coperti: 100
Prezzi: 30-35 euro vini esclusi
Carte di credito: tutte

Dopo altre esperienze nel settore della ristorazione, Alfredo Battiato ed Enzo Bernardo hanno aperto questo locale nella cittadina di San Gregorio di Catania, situata in un tratto collinare a pochi chilometri dal capoluogo. Varcato l'ingresso, nella prima stanza si notano in particolare il buffet degli antipasti e il banchetto del pesce in bella vista.
Per mangiare ci si accomoda in una sala accogliente, dal tetto spiovente in legno, dove efficienti camerieri vi suggeriranno una carrellata di assaggi quali **polpo bollito**, gamberi marinati, sarde e merluzzetti fritti, baccalà lesso, cozze e frutti di mare gratinati, **caponata di melanzane**, peperonata e altro ancora (evitabile, secondo noi, qualche proposta come il salmone affumicato). L'indirizzo marinaro della cucina prosegue con l'offerta di classici primi siciliani come le saporite **linguine agli scampi** o col nero di seppia, la **pasta con i ricci** e quella al pesto di pistacchi con gamberetti e cozze, il risotto ai frutti di mare. La scelta del secondo può contare sull'ampio assortimento della materia prima, in parte proveniente dal mercato ittico della vicina Aci Trezza: saraghi, aiole, **dentici**, pagelli, triglie, seppie, calamari da cucinare arrosto, al forno, al sale o all'acqua di mare. Secondo la disponibilità del pescato si possono provare anche le ***pante*** (passere di mare) **fritte**, le gustose **alici arrostite**, gli involtini di pesce spada e, in stagione, il **tonno in agrodolce**.
In chiusura, sorbetto di limone, cassata siciliana o qualche altro discreto dolce di pasticceria. La ricca selezione dei vini è attenta alle produzioni regionali.

San Piero Patti
Sambuco

100 km a NO di Messina a 20 sp 122

Da Luciana 

Trattoria
Contrada Sambuco, 1
Tel. 0941 660309-661049
Chiuso domenica sera e lunedì
Orario: mezzogiorno e sera
Ferie: non ne fa
Coperti: 80 + 40 esterni
Prezzi: 23-25 euro vini esclusi
Carte di credito: tutte

Sambuco è un piccolo agglomerato rurale immerso nelle boscose contrade messinesi: una stretta e tortuosa strada comunale parte da San Piero Patti e raggiunge questa classica trattoria di campagna. Ad accogliervi in sala o nella nuova veranda penserà Giancarlo; Luciana interpreta ricette del territorio con tocco personale, utilizzando molti prodotti coltivati nell'orto di famiglia.
La lunga lista degli antipasti comprende melanzane a funghetto, zucchine marinate, **peperoni *ammollicati***, ricotta fresca con confetture casalinghe, sottoli, *crispelle* di *tuma*, frittelle di erbe spontanee, **polpettine in foglia di limone**, fiori di zucca in pastella ripieni di acciughe e formaggio, cipolletta fresca avvolta nella pancetta arrosto, tortino di zucca e pistacchi. Fra i molti primi meritano attenzione i **conchiglioni ripieni di finocchietto selvatico e suino nero**, i riccioli di pasta fresca ripieni di ricotta e spinaci in salsa di agrumi, i panzerotti ripieni di ricotta e funghi con sugo di zucca gialla e porcini, le fettuccine con pesto di basilico e nocciole, l'**involtino di melanzane con ricotta infornata**, i fagottini di tagliolini ai funghi porcini. Si prosegue con **stinco di maiale**, arrosto di vitella in salsa d'arancia, **costolette di agnello**, **braciole di vitello alla siciliana** (ripiene di mollica, carciofi e pecorino), tasca di maiale al forno ripiena di porcini. Ampia anche la scelta di dolci casalinghi: cassatine al pistacchio di Bronte, tortino al cioccolato, cannoli di ricotta, fruttini (frutti di stagione ripieni di sorbetto).
La cantina è in continua evoluzione, dignitoso lo sfuso locale. I liquori casalinghi di fine pasto, marmellate, conserve, infusi e frutta fresca di propria produzione possono essere acquistati nell'attiguo emporio.

Santa Flavia
Porticello

17 km a est di Palermo

Arrhais 

Trattoria-pizzeria
Largo Marino, 6
Tel. 091 947127
Chiuso il mercoledì
Orario: mezzogiorno e sera
Ferie: non ne fa
Coperti: 50 + 150 esterni
Prezzi: 35 euro vini esclusi
Carte di credito: tutte

Il locale aperto nel 1994 da Giuseppe e Calogero Tarantino si trova nel cuore della borgata di Porticello (pochi minuti d'auto da Palermo), davanti a una delle flotte pescherecce più importanti dell'intero Mediterraneo. Quella che era un'abitazione distribuita su più piani, come tante in questo paese marinaro è stata trasformata in locale adibito alla ristorazione. Le due salette, arredate con semplicità, si affacciano sul mare; d'estate, poi, si può mangiare in un ampio e ventilato dehors. Buono il servizio ai tavoli e l'attenzione riservata agli avventori da parte di Giuseppe, mentre Calogero, in cucina, prepara buone pietanze in cui il pesce fresco (il mercato ittico si trova proprio di fronte) è assoluto protagonista. A maggio e giugno, poi, è il **tonno** a essere quasi onnipresente, dall'antipasto al secondo.
È possibile aprire il pasto con cozze, vongole, lumache in guazzetto e fasolari in agrodolce. Si prosegue con la **pasta al tonno fresco e menta**, le penne con gamberi e fiori di zucca, gli **spaghetti con le sarde** o con l'aragosta. Ancora tanto pesce tra i secondi: le più tradizionali preparazioni a base di ricciola o pesce spada, e poi **calamari ripieni**, gamberoni, la **frittura di piccolo pesce azzurro**.
Al momento del dessert, troverete sempre la **cassata siciliana**, il cannolo di ricotta, e d'estate gli squisiti sorbetti di frutta. Scelta dei vini ampia ed equilibrata nei prezzi.

A **Bagheria** (4 km), in via De Gasperi 61, da Dolce Gelato di Francesco Campisi gelati artigianali d'eccellenza, tronchetti, zuccotti, semifreddi e torte gelato.

Santa Flavia
Porticello

17 km a est di Palermo

Il melangolo

Ristorante
Via Lo Bue, 5
Tel. 091 947194-349 6364769
Non ha giorno di chiusura
Orario: mezzogiorno e sera
Ferie: 1 settimana a Ferragosto, 1 in gennaio
Coperti: 50 + 50 esterni
Prezzi: 35 euro vini esclusi
Carte di credito: nessuna

A pochi passi dal mare di una delle più attive comunità di pescatori dell'isola, una villa di fine Ottocento con il suo profumato giardino di aranci, mandarini e limoni è il piccolo regno di Marilisa e Marta Messeri. Sono madre e figlia: Marta ha la responsabilità della cucina, basata su materie prime locali (prevalentemente pesce) elaborate con qualche tocco creativo, Marilisa è un valido ausilio nella messa a punto delle pietanze. Si cena in giardino da fine maggio a ottobre, e, per il resto dell'anno, in due stanze accoglienti. Imperdibile, a fine pasto, la visita dell'ampio e curato giardino di piante rare ed esotiche.
Ma veniamo ai piatti, tutti ben eseguiti. Si comincia con la gustosa **frittura di paranza** (sarde, seppie, calamari, triglie), la saporita insalata di polpo maiolino, gli involtini di spatola al limone, la tartara di cernia di fondale. Impeccabili anche i primi, dalle classiche **casarecce al tonno e menta** ai **bucatini con le sarde**, dagli spaghetti con bottarga di Favignana all'indimenticabile **cuscus di pesce**. Tradizione e creatività emergono anche nei secondi piatti, fra i quali sono da segnalare il sarago in crosta di sale, il **tonno con cipolle di Tropea, capperi e menta**, il calamaro ripieno di zucchine, carote, pesto di *tenerumi* e basilico. Ricca anche l'offerta dei dessert: cestino di cioccolato con gelo d'anguria, granita di gelsomini, sorbetti di frutta fresca, sfoglia con crema all'arancia.
Cantina piccola ma interessante. È possibile concordare il menù con Marta al momento della prenotazione, che è obbligatoria.

Sinagra

107 km a SO di Messina SS 139

Fratelli Borrello 

Trattoria
Contrada Forte
Tel. 0941 594436-594844
Chiuso il mercoledì
Orario: mezzogiorno e sera
Ferie: una settimana in luglio
Coperti: 150
Prezzi: 20-25 euro vini esclusi
Carte di credito: tutte

A un paio di chilometri da Sinagra, percorrendo la strada provinciale in direzione di Ucrìa, trovate il locale della famiglia Borrello, artefice di una verace cucina di territorio e significativo esempio di filiera corta: le materie prime utilizzate, infatti, sono prodotte nell'annessa azienda agricola che coltiva ortaggi, frutta, olive, funghi e alleva diverse specie animali fra cui il suino nero dei Nebrodi (Presidio Slow Food). Inoltre, accanto alla trattoria sono stati realizzati i laboratori per la lavorazione di carni, salumi e formaggi.
L'antipasto della casa prevede una abbondante sequenza di assaggi fra cui **salumi** di suino nero, cotica e gelatina di maiale, salsiccia fritta con l'uovo, ricotta fresca e infornata, pecorini, caprini e la tradizionale provola sfoglia. Buone anche le frittate alle erbe selvatiche e, in stagione, le varie preparazioni a base di **funghi**. Seguono saporiti primi come la **pasta *'ncaciata* coi broccoli**, i maccheroncini con melanzane e zucchine o con i carciofi, i **cardoncelli** fatti in casa **con il ragù di maiale e asparagi selvatici** oppure con salsiccia e finocchietto, le tagliatelle ai porcini. Per secondo non mancano salsicce e costate di maiale, **castrato**, bistecche di vitello, **braciole di suino nero**. Meno frequenti il **capretto in padella**, la porchetta infornata e (solo in estate, su prenotazione) la **pecora al forno** su tegole di terracotta.
Si finisce con casalinghi *mustazzola* al vino cotto, croccantini alla nocciola o cannolicchi di ricotta. Discreto assortimento di vini siciliani dai ricarichi sempre molto onesti.

Al bar pasticceria Calamunci, via Vittorio Veneto 29, ottimi gelati e dolci di nocciole, mandorle, pistacchi.

LA GAZZA LADRA

Osteria di recente fondazione
Via Cavour, 8
Tel. 340 0602428
Chiuso il lunedì
Orario: mezzogiorno e sera
Ferie: luglio e agosto
Coperti: 30
Prezzi: 10-25 euro vini esclusi
Carte di credito: nessuna

Nelle vicinanze della scenografica piazza Duomo, Marcello Foti e la moglie Maria Grazia Troncon dal 1996 conducono questa sorta di bistrò che presenta un'unica saletta con pochi tavoli stretti stretti, tovagliette di carta, panchette per sedersi e l'angolo cucina dietro il banco a vetri; un locale in cui è possibile consumare, indifferentemente, uno spuntino o un pasto più abbondante.
Per cominciare troverete insalate, **caponate di verdure**, peperonate, olive, pomodori secchi e formaggi siciliani. Saporite le frittate con ricotta e menta, con asparagi selvatici e ***u piscirovu*** con patate e cipolla. Nei mesi più freddi si avvicendano **zuppe** di cipolla, di finocchietto, di borragine, di ortica. Buoni pure il **macco di fave** e gli *amareddi* e altre erbe spontanee saltate in padella. Fra i primi, da provare la **pasta con le sarde**, alla Norma, con acciughe, mollica tostata e mandorle, gli **spaghetti con la matalotta di pesce** o con i filetti di triglie. Nel periodo di pesca del tonno sono abituali la pasta col ragù, le polpette col sugo e la ***tunnina* coi peperoni**. Tipici dei mesi autunnali sono invece la **lampuga al forno** e i ***'nfanfuli*** (pesci pilota) ***alla stimpirata***. Più spesso sono disponibili il polpo bollito, i calamari in guazzetto, i filetti di spatola, le alici infornate agli agrumi. D'inverno compare qualche piatto di carne come la salsiccia al forno con la *sinàpa* e lo **spezzatino con le patate**.
Per dessert, gelo di carrube, biancomangiare di mandorle e crostate fatte in casa. Piccola selezione di vini regionali, serviti anche a bicchiere.

Dolci tradizionali locali nelle pasticcerie Artale e Marciante, in via Landolina. Assortimento di vini regionali all'enoteca Solaria, via Roma 86. Selezione di prodotti tipici alle Antiche Siracuse, in piazza Archimede.

VITE E VITELLO

Trattoria
Piazza Corpaci, 1
Tel. 0931 464269
Chiuso la domenica
Orario: mezzogiorno e sera
Ferie: 2 settimane in febbraio, 2 in luglio
Coperti: 50 + 40 esterni
Prezzi: 25-33 euro vini esclusi
Carte di credito: tutte

Nel centro storico di Ortigia, a pochi metri dal suo elegante ristorante di cucina di pesce, da qualche anno lo chef Giovanni Guarneri ha aperto questa trattoria che invece propone pietanze di terra, in gran parte legate alla tradizione gastronomica regionale. Il locale presenta due accoglienti salette e un dehors estivo attrezzato nella piazzetta davanti alla bella facciata della chiesa di San Francesco all'Immacolata. Ad accogliere i clienti e a occuparsi del servizio provvedono Teresa e Franco, mentre al cuoco Carmelo spetta la realizzazione dei piatti concepiti dal patron.
Tra gli stuzzichini iniziali, panelle di farina di ceci, funghi farciti, caponata di melanzane, alette di pollo fritte, ***crastuna*** (un tipo di lumache) **con la cipolla**, bruschette, formaggi siciliani quali pecorino e ragusano. Buona la scelta dei primi che vede avvicendarsi i **ravioli di ricotta al sugo di maiale**, la pasta alla Norma e quella con salsiccia, funghi e pomodorini, i ***cavati* con le lumache** o con sfilacci di carne di cavallo oppure con guanciale e pistacchi, nonché la **zuppa di lenticchie nere** di Enna. Da provare anche il sostanzioso **arancino delle monache** in salsa di pomodoro. Nell'elenco dei gustosi secondi, sono da ricordare l'ossobuco di vitello, la **trippa alla parmigiana**, la **bistecca a sfincione** e quella panata alla palermitana, lo **spezzatino con patate**, la costata e la salsiccia di suino.
Si può finire con lo squisito tortino di cioccolato e pistacchi di Bronte o con gelati e sorbetti artigianali. La ben fornita carta dei vini propone etichette non solo siciliane.

Conserve, formaggi e salumi siciliani dai fratelli Burgio, in piazza Cesare Battisti nel mercato di Ortigia.

AL SOLITO POSTO

Trattoria
Via Orlandini, 30 A
Tel. 0923 24545
Chiuso la domenica
Orario: mezzogiorno e sera
Ferie: agosto
Coperti: 50
Prezzi: 35 euro vini esclusi
Carte di credito: tutte, Bancomat

A pochi passi della centrale via Fardella sorge questo ristorante punto di riferimento dei gourmet trapanesi. Il locale è di proprietà di Vito Basciano, che vi accoglierà in sala e vi saprà ben guidare nella scelta dei vini; in cucina, il fratello Rudy elabora con buona mano il pesce acquistato al mattino al mercato.
Si comincia con il tortino di sarde, il **fritto misto di paranza**, il fagottino di ricotta e bottarga, i carpacci di pesce, il polpo con le patate. Degni di particolare menzione, tra i primi, gli spaghetti con i ricci o con fiori di zucca, bottarga e cozze, gli **spaghetti spezzati in brodo di pesce**, la zuppa di aragosta, i **timballetti al forno con le sarde**, le triglie o le acciughe. Proseguendo, tra maggio e giugno, quasi d'obbligo scegliere una delle tante preparazioni a base di **tonno: con la cipollata in agrodolce**, alla griglia, *ammuttunato* (aromatizzato con pezzi d'aglio e cotto a lungo in densa salsa di pomodoro), ma anche in forma di ragù quale condimento per le *busiate*. In alternativa, lo **sgombro *lardiato***, nonché il meglio del pescato giornaliero alla griglia o all'acquapazza. Se in inverno prevalgono tra i dolci i cannoli, la cassata siciliana e le ***cassatele* fritte**, d'estate è il momento del sorbetto al limone e dei classici **pezzi duri** della tradizione trapanese: fetta moka, cassata e tartufo.
Il servizio è celere, cortese e informale. La carta dei vini spazia per tutta la Sicilia, con particolare attenzione alle principali cantine del territorio.

Provate i cannoli siciliani, la pasticceria tradizionale, la rosticceria e i piatti pronti da Angelino, in via Ammiraglio Staiti 87.

CANTINA SICILIANA 

Osteria tradizionale
Via Giudecca, 32
Tel. 0923 28673
Non ha giorno di chiusura
Orario: mezzogiorno e sera
Ferie: variabili
Coperti: 45
Prezzi: 30-33 euro vini esclusi
Carte di credito: tutte

All'interno della Giudecca, antico quartiere ebraico, troviamo l'osteria gestita da Pino Maggiore. Il locale, diviso in due salette, ricorda ancora le vecchie osterie: la sua nascita come semplice mescita di vino e pochi piatti caldi a disposizione, risale al 1912. Il simpatico Pino vi accoglierà in sala insieme a Ibitsem, mentre la sorella di quest'ultima, Hajer, prepara i tanti classici della cucina di mare trapanese.
Si inizia con una serie di antipasti tra i quali ricordiamo i gamberi rossi macerati, le alici marinate, il polpo bollito, le bruschette di bottarga di tonno, la caponata di melanzane, le **sarde *allinguate***. Per primo potrete scegliere tra le ***busiate* con pesto alla trapanese** o con gamberi rossi, mandorle e pomodoro ciliegino, le ***frascatole* in brodo di pesce** o in zuppa di aragosta (su ordinazione), gli spaghetti con pesce spada e melanzane, con i gamberetti, con bottarga di tonno e mandorle, con tonno e menta. È un sontuoso piatto unico il **cuscus alla trapanese** arricchito dalla presenza dei calamari fritti. Volendo proseguire, troverete il **pesce spada alla pantesca**, le seppie o i calamari panati e arrosto, gli **sgombri *lardiati***, la cernia al forno. Per completare il pasto, ecco le cassatelle di ricotta, la cassata siciliana, il parfait di mandorle, lo sgroppino (un sorbetto di limone frullato con il limoncello), il tutto magari accompagnato da un buon bicchiere di Marsala o di Passito di Pantelleria.
Ottima cantina: il locale si affianca a una nutritissima enoteca dov'è possibile acquistare circa 300 etichette sia siciliane che nazionali.

Da Gelatissimo, in via Pepoli 172, ottimi gelati artigianali, granite e i classici pezzi duri trapanesi.

5 KM DAL CENTRO DELLA CITTÀ

DUCA DI CASTELMONTE

Azienda agrituristica
Via Motisi, 3
Tel. 0923 526139
Sempre aperto da maggio a settembre, in inverno da giovedì a domenica
Orario: solo la sera
Coperti: 40 + 40 esterni
Prezzi: 27-30 euro vini esclusi
Carte di credito: tutte, Bancomat

Nell'agro trapanese, a pochi chilometri dal centro cittadino, si trova l'azienda della famiglia Curatolo, allocata in un antico baglio risalente ai primi dell'Ottocento. Magazzini e frantoio sono stati trasformati in sala ristorante e salotto, nelle strutture adiacenti sono state ricavate le stanze per gli ospiti, d'estate potrete godere di un bel panorama verdeggiante mangiando in terrazza. In azienda vengono coltivati frutta e ortaggi da cui si ricavano passate, conserve e confetture, spesso impiegate da Pina nella preparazione dei piatti. I figli, Laura e Totò, vi accoglieranno in sala con rara cordialità. Il menù è fisso e vi sarà illustrato già al momento della prenotazione.
Per cominciare vi saranno serviti **caponata**, involtini di melanzane, polpette di melanzane e mentuccia, crocchette di patate, panelle, *tuma* in carrozza. Si prosegue con un ottimo **cuscus di verdure**, le *busiate* con ragù di salsiccia e ricotta fresca, i **bucatini con il macco di fave**, con le sarde, con i broccoli *arriminati*. Da provare, su ordinazione, le **frittelle di riso in brodo di gallina**, antica ricetta della cucina baronale spagnola. Altrettanto invitanti i secondi piatti a base di carne: **coniglio *lardiato***, involtini alla siciliana, ***bruciuluni***, arrosti misti. Se preferite il pesce, gusterete **sarde a beccafico**, *allinguate* o in forma di polpette. Si chiude con cassatelle di ricotta, pignolata, crostate di frutta, dolce di fichi con crema di latte e cioccolato, frutta in pastella.
Piccola cantina di etichette locali in alternativa al vino in caraffa.

La gelateria Gino, in piazza Generale Dalla Chiesa 4, è un punto di riferimento per i buongustai: troverete il meglio della gelateria trapanese, dai pezzetti alle torte gelato, dal "caldo freddo" ai coni alle brioches con gelato.

LA BETTOLACCIA

Trattoria
Via Generale Fardella, 23
Tel. 0923 21695
Chiuso sabato e domenica a pranzo
Orario: mezzogiorno e sera
Ferie: un mese tra ottobre e novembre
Coperti: 30
Prezzi: 30-35 euro vini esclusi
Carte di credito: tutte tranne AE, Bancomat

La Bettolaccia sorge a pochi passi dalla Vicaria, l'antico carcere trapanese riaperto dopo un lungo restauro e oggi sede di concerti ed eventi culturali. Nata circa settant'anni fa come osteria con mescita, evolutasi nel tempo come luogo di ristoro per i familiari dei carcerati in attesa di visita, la piccola trattoria oggi gestita da Francesco Fileccia è un locale semplice e accogliente, le cui pareti sono abbellite da splendide foto di vita di mare e di salina. Francesco si occupa sia della sala sia della cucina con il valido aiuto di un giovane staff.
Il pasto può iniziare con **polpette di sarde**, pesci macerati in varia maniera, insalata di riso con frutti di mare, arancinette di riso con cozze e vongole. Riguardo ai primi, la scelta cade tra **bucatini con le sarde**, spaghetti con pesto trapanese e melanzane, **cuscus alla trapanese**, *busiate* con pescatrice, melanzane e menta, con polpa di pesce spada, con crema di basilico e bottarga di tonno. Fra i secondi, secondo stagione, ricordiamo il **tonno** e il **palamito** stufati, in agrodolce, cotti in salsa alla menta, con olive, capperi e pomodoro; in alternativa, gamberi con le zucchine, spigole e saraghi al sale, pescatrice in salsa di mandorle, **pesce spada con salsa di agrumi**. I dolci sono uno dei fiori all'occhiello del locale: gelato di gelsi e limone e parfait di mandorle d'estate, cassata di siciliana, cassatelle fritte e cannoli in inverno.
Un centinaio le etichette in cantina, tutte siciliane con prevalenza trapanese.

Dal 1939, la pasticceria-gelateria di Ignazio Benivegna, via Manzoni 99, propone ottimi cannoli, buccellati, cassate, paste di mandorla.

TRAPANI

13 KM DAL CENTRO DELLA CITTÀ

VULTAGGIO

Azienda agrituristica
Contrada Misiliscemi
Tel. 0923 864261-347 6696059
Non ha giorno di chiusura
Orario: mezzogiorno e sera
Ferie: variabili
Coperti: 55 + 130 esterni
Prezzi: 25 euro vini esclusi
Carte di credito: tutte, Bancomat

Sulla strada statale tra Marsala e Trapani, immerso nel verde degli olivi e dei limoni, trovate il baglio di campagna che la famiglia Vultaggio ha trasformato in un bell'agriturismo dotato di camere, centro benessere, piscina e ristorante. In sala sarete accolti con grande affabilità da Giuseppe e dalla moglie Giovanna, mentre della cucina si occupa da sempre Nino D'Ambrogio.
Tanti i possibili antipasti: panelle, ***taroncioli*** (tipiche palline fritte di *tuma* di pecora), formaggio primo sale, *alive cunsati*, pomodori secchi, zucchine in agrodolce, frittatine alla menta o al basilico, ***tunnina* salata**, caponata di melanzane, **peperoni *ammollicati***, sgombri e sarde sotto sale. Nel periodo invernale, inoltre, sono disponibili anche i salumi di suino nero e la provola dei Nebrodi e la *zabbina* di ricotta fresca. Tra i primi consigliamo sicuramente il **cuscus di campagna** con verdure e carne e, su ordinazione, anche con i ***crastuna*** (lumache invernali). Le ***busiate***, pasta fresca fatta in casa, sono proposte **con lo stufato di maiale**, alla trapanese o con un sugo a base di coniglio, mandorle e basilico. La cottura alla griglia di carni di vitello, maiale, coniglio, salsiccia, verdure e formaggio primo sale costituisce la principale proposta per quello che riguarda i secondi; in alternativa, coniglio alle mandorle, **agnello al forno**, porchetta arrosto e, quand'è il periodo, cacciagione. Infine frutta fresca, cassatelle fritte in inverno e granite di frutta d'estate.
Piccola cantina di vini siciliani con prevalenza di etichette del territorio.

Assaggiate i dolci de La Rinascente, la più antica pasticceria di Trapani, in via Gatti 3. Ottime le loro torte: in inverno provate la Savoia e la cassata, d'estate le torte gelato e i pezzi duri.

VITTORIA
Scoglitti

38 KM A OVEST DI RAGUSA SS 115

FICHERA

Trattoria-pizzeria
Via Napoli, 124
Tel. 0932 980000
Non ha giorno di chiusura
Orario: mezzogiorno e sera
Ferie: due settimane in ottobre
Coperti: 80 + 20 esterni
Prezzi: 30-35 euro vini esclusi
Carte di credito: tutte

Davanti al porto di Scoglitti, frazione del centro agricolo di Vittoria, c'è la trattoria dei fratelli Fichera: Enzo e Giovanni che curano il servizio ai tavoli, e Salvatore che governa il lavoro in cucina. Oltre alla sala interna, il locale dispone di una piccola veranda per mangiare all'aperto nelle serate primaverili ed estive. Il posto è particolarmente frequentato la domenica e nei festivi, in cui è disponibile esclusivamente un menù degustazione a 35 euro bevande escluse; tutti gli altri giorni si può invece ordinare alla carta.
Fra gli antipasti compaiono la zuppa di cozze, l'insalata di mare, il carpaccio di pesce spada affumicato. Ma la nostra preferenza va decisamente al piatto misto della casa comprendente **polpo bollito**, alici e gamberetti marinati, merluzzetti e **moscardini fritti**, gamberi rossi sia fritti che crudi, calamaro panato, arancino di pesce, **razza in agrodolce**, involtino di spatola. Se proseguite con i primi, buoni gli spaghetti o i **ravioli di ricotta al nero di seppia**, i maccheroni con scampi e zucchine, le pennette al gambero rosso, le linguine all'astice, gli spaghetti con le vongole al cartoccio, la **pasta con le sarde** (che in questo caso vede la variante delle mandorle al posto dei pinoli). Tra le possibilità date dal pescato del giorno, bene il pesce sampietro al forno con patate e pomodorino di Vittoria, il **rombo agli aromi**, le triglie al cartoccio o in umido, nonché il classico repertorio di saraghi, sogliole, spigole, dentici cucinati sulla griglia, al sale o all'acqua di mare. Solo su prenotazione si può gustare, come piatto unico, la **zuppa di pesce**. Di solito si finisce con qualche discreto dolce di pasticceria.
Curata la carta dei vini che presenta un buon assortimento di etichette siciliane.

SARDEGNA

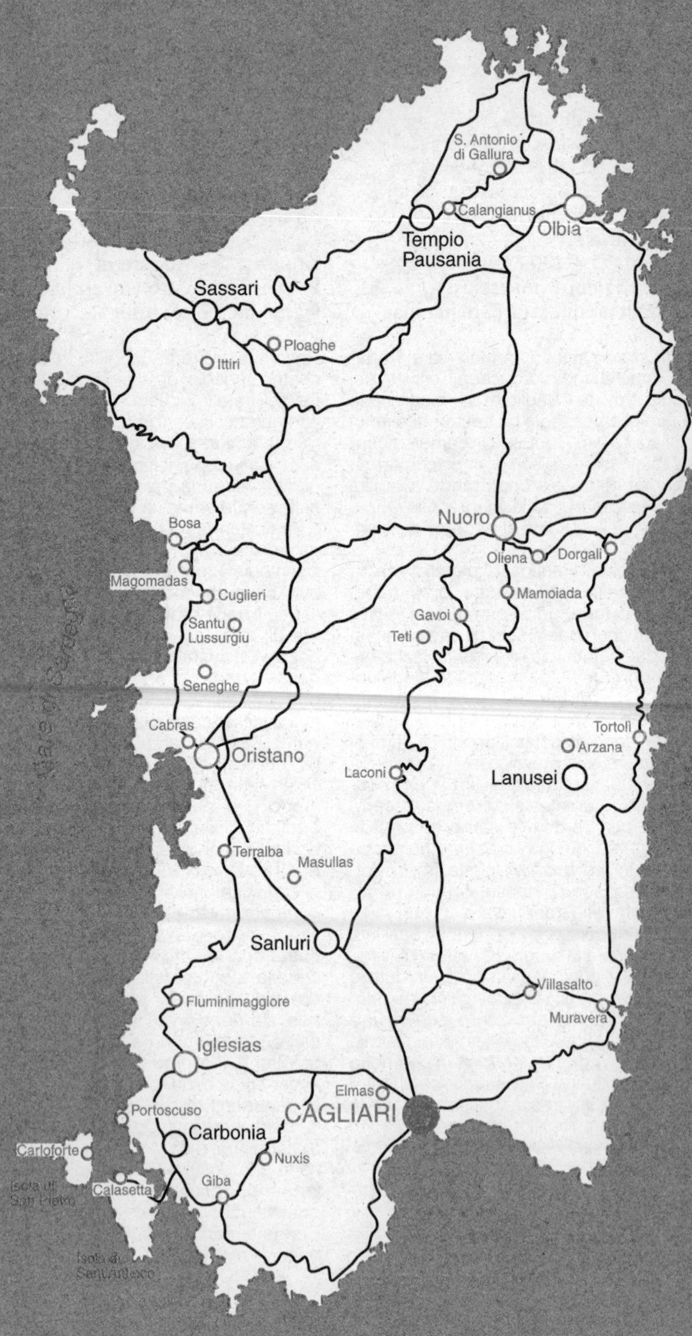

S. Antonio di Gallura
Calangianus
Olbia
Tempio Pausania
Sassari
Ploaghe
Ittiri
Nuoro
Bosa
Oliena
Dorgali
Magomadas
Cuglieri
Mamoiada
Gavoi
Santu Lussurgiu
Teti
Seneghe
Cabras
Oristano
Tortolì
Arzana
Laconi
Lanusei
Terralba
Masullas
Sanluri
Villasalto
Fluminimaggiore
Muravera
Iglesias
Elmas
Portoscuso
CAGLIARI
Carbonia
Carloforte
Nuxis
Calasetta
Giba
MAR MEDITERRANEO

Arzana

76 km a sud di Nuoro

La pineta

NOVITÀ

Ristorante-pizzeria
Vico Don Orione, 4
Tel. 0782 37435
Chiuso il sabato
Orario: mezzogiorno e sera
Ferie: prime due settimane di settembre
Coperti: 80 + 20 esterni
Prezzi: 25 euro
Carte di credito: tutte, Bancomat

Ubicato in una ex colonia montana salesiana completamente ristrutturata, il ristorante si trova all'interno della pineta di Arzana. Nella zona è ben conosciuto anche col nome del cuoco, Cesare Nieddu, che lavora qui fin dal 1976, anno di apertura del locale. La cucina proposta è tipica ogliastrina, arzanese in particolare, e utilizza prevalentemente i prodotti della zona.
L'antipasto della casa è composto da **salumi** (prosciutto, coppa e salsiccia) ricavati da maiali della zona allevati allo stato brado, da formaggi tipici locali (***casu agedu*** e crema di pecorino), fagottini di funghi, frittelline di funghi, ***orrubiolosu*** (fritto di patate e formaggio). Tra i primi consigliamo i ***culurgiones***, ravioli di formaggio e patate conditi con salsa al timo o con salsa ai funghi o agli asparagi. Da provare anche la zuppa di porcini con borlotti e salsiccia fresca. Ottimi gli arrosti, tra cui spicca un impeccabile **maialino da latte**; imperdibile il **cinghiale in umido** con i funghi. Per concludere i dolci tipici: **culurgionetti fritti** ripieni di ricotta e ***sebadas***, con miele dolce o amaro di corbezzolo (entrambi di produzione locale) oppure con zucchero e limone.
La carta dei vini è limitata ai prodotti della zona, specialmente Cannonau, proposti con ricarichi molto contenuti; in ogni caso è disponibile anche un valido vino della casa. Il servizio è un po' lento, ma la qualità del pasto vi ripagherà dell'attesa.

Bosa

63 km a nord di Oristano ss 292

La margherita

Ristorante-pizzeria
Via Parpaglia-angolo via Azuni
Tel. 0785 373723
Chiuso il mercoledì, mai d'estate
Orario: solo la sera
Ferie: 15 giorni in gennaio
Coperti: 80 + 60 esterni
Prezzi: 30-32 euro vini esclusi
Carte di credito: tutte, Bancomat

In posizione strategica (è vicinissima alle montagne e il mare è a soli due chilometri), Bosa merita una visita per le tracce del suo passato e per le sue specificità gastronomiche. Qui alcune massaie fanno ancora in casa pani e dolci delle feste, qui si pescano aragoste di straordinario pregio, qui si coltiva una malvasia che dà origine a un vino doc.
Il piatto più tipico, ***s'azzada*** (gattuccio di mare o razza in salsa agliata) potrà essere gustato insieme a tante altre specialità locali, nel ristorante di Antonio Fiorelli. Altro cavallo di battaglia de La Margherita è l'**aragosta alla bosana**, semplicemente bollita e condita con le sue stesse uova e un filo di olio extravergine. Ma il menù marinaro prevede anche tra gli antipasti i carpacci e gli affumicati di salmone o pesce spada, e la **zuppetta di cozze e arselle**. Seguono i risotti di pesce, le tagliatelle casalinghe al nero di seppia o con triglie e zucchine, **ravioli di pesce** con gamberi e verdure di stagione, la zuppa di crostacei con pecorino e pane casereccio, gli spaghetti alla bottarga. Il pescato giornaliero è quindi cucinato alla griglia, al forno o fritto. Meno vari ma altrettanto validi i prodotti e i piatti di terra: ottimi **salumi**, tagliate e scaloppine alla Vernaccia, al limone o con i funghi. In alternativa a tutto ciò, ben 36 tipi di pizze cotte nel forno a legna. Buoni i classici dessert: ***seadas*** e ***pabassinos***.
La cantina è prettamente regionale.
Su prenotazione, il locale apre anche a pranzo per piccoli banchetti.

L'Apicoltura Brisi, viale della Repubblica 16, produce mieli ottimi e rari: di cardo selvatico, asfodelo, rosmarino, corbezzolo, eucalipto.

Bosa

63 km a nord di Oristano ss 292

Sa pischedda

Ristorante-pizzeria annesso all'albergo
Via Roma, 8
Tel. 0785 372000
Chiuso il martedì, mai da aprile a settembre
Orario: mezzogiorno e sera
Ferie: gennaio
Coperti: 100 + 120 esterni
Prezzi: 28-30 euro vini esclusi
Carte di credito: tutte tranne AE, Bancomat

Albergo ultrasecolare, Sa Pischedda si trova a due passi dal Ponte Vecchio, nel centro di Bosa, affascinante capoluogo della Planargia. Le sale del suo ristorante hanno conservato le decorazioni e il fascino delle origini; con il bel tempo, inoltre, c'è la possibilità di accomodarsi nella veranda con vista sul fiume Temo e sulla città antica. La cucina, tipica e curata, è in gran parte incentrata su piatti di mare.
I crostini con **bottarga di muggine**, granchio e aragosta, potranno aprire il pasto così come la delicata **zuppa di cozze e arselle**, l'insalata di polpo, l'**agliata** (*s'azzada*, piatto tipico di Bosa) cucinata con il gattuccio o, in alternativa, con la razza. La pasta fresca è fatta in casa: ***alisanzas* al ragù di scorfano**, *culurgiones* di pesce, **fregola con le arselle**, ***anguleddas* con la bottarga**, linguine agli scampi, ***tallarinus* bianchi e neri allo scoglio**, e, curiosa commistione tra terra e mare, i maltagliati con ostriche e funghi. In alternativa, ottima la **zuppa di pesce alla bosana**. Il pescato del giorno (rane pescatrici, caponi e altro ancora) vi può essere proposto alla griglia, in guazzetto, in crosta di sale, in salsa di Malvasia; molto buona anche l'**aragosta alla catalana**. Poche ma buone le pietanze di carne: filetto insaporito dai funghi porcini, tagliate alla rucola, braciole o costate di manzo alla griglia. Si conclude con una piccola scelta di pecorini e dolci curati tra i quali spicca senz'altro il torroncino con caramello al Grand Marnier.
La bella selezione di etichette sarde comprende piccole produzioni di Malvasia, vino da dessert del quale i proprietari dell'albergo-ristorante sono da sempre entusiasti sostenitori.

Cabras

10 km a NO di Oristano ss 131

Il caminetto

Ristorante
Via Battisti, 8
Tel. 0783 391139
Chiuso il lunedì mai in agosto
Orario: mezzogiorno e sera
Ferie: 20/01-11/02, ultima settimana di ottobre
Coperti: 120
Prezzi: 25-30 euro vini esclusi
Carte di credito: tutte, Bancomat

Importante area naturalistica, zona di passo e di nidificazione di innumerevoli specie di uccelli tra i quali spiccano, per numero e colore, migliaia di fenicotteri rosa, lo stagno di Cabras, il più vasto della Sardegna, oggi è un po' in declino ma in passato era ricchissimo di pesce pregiato. Qui i fratelli Canu gestiscono da molti anni sia questo ristorante curato ed elegante sia, a poca distanza, un confortevole albergo ricavato in un'antica casa padronale. La cucina è principalmente rivierasca; i piatti variano in base alla disponibilità del pescato.
La ***burrida*** è uno dei piatti più legati alla tradizione cabraresè: è la variante locale di una ricetta sarda, in cui il gattuccio è sostituito dalla razza e il condimento è di pomodori. Altra specialità sono i **muggini *a sa merca***, cioè lessati in una salamoia quasi satura e conservati in un'erba palustre, *sa ziba* (stessa preparazione anche per le anguille). Tra gli antipasti classici consigliamo le ***orziadas*** (frittura di anemoni di mare). **Cozze e arselle** (quelle veraci che ormai si trovano quasi solo negli stagni sardi) condiscono zuppette, paste, risotti; in alternativa ***fregua e cocciuas pintada*** (una particolare specie di arselle, tipica dei soli stagni oristanesi), **spaghetti ai ricci** e al nero di seppia. Dominano tra i secondi gli arrosti e le fritture di pesce. Si chiude con buoni dolci di mandorle.
Una giovane Vernaccia da scegliere in una carta dei vini prettamente locale e regionale accompagnerà molto bene le pietanze di pesce.

CRACKERS

Ristorante
Corso Vittorio Emanuele, 195
Tel. 070 653912
Chiuso il mercoledì
Orario: mezzogiorno e sera
Ferie: fine agosto-primi settembre
Coperti: 60
Prezzi: 35 euro vini esclusi
Carte di credito: tutte, Bancomat

Crackers è stato da poco rinnovato, l'unica sala è diventata più spaziosa e gli arredi, pur conservando l'eleganza del ristorante di medio livello, resi più caldi. I fratelli Cinus, invece, sono gli stessi di sempre: lui cordiale e sorridente, lei un po' meno, ma con l'aria spiccia di una brava padrona di casa.
La peculiarità del ristorante resta il felice connubio sardo-piemontese. Si tratta infatti di uno dei pochi locali di Cagliari dove si può mangiare una cucina di terra di chiara impronta continentale; in particolare spiccano i **risotti**, piatto del tutto estraneo alla tradizione locale, che variano secondo stagione: **con funghi porcini**, carciofi, cardoncelli, Barolo, radicchio, asparagi selvatici, carciofi, Champagne, verdure di stagione e soprattutto **tartufo**, la specialità, ovviamente autunnale, di Crackers. Il tartufo, di Alba, può essere servito anche sui raviolini di carne o sulle uova al tegamino. Fra i secondi ricordiamo i **filetti al Barolo** e al pepe verde, le **tagliate con i porcini**, con la rucola o con i carciofi, e altri tagli nobili. D'inverno, al giovedì, troverete il **bollito misto** alla piemontese con le sue salse, servito nel tradizionale carrello. Fra i piatti legati alla tradizione locale citiamo le ***grive*** (spiedini di uccelli bolliti e ripassati nel mirto o nell'alloro), i **funghi fritti**, le ottime grigliate di verdure stagionali e il repertorio di mare (**zuppe di cozze e arselle**, fritturine, insalate di polpo, crostacei, **spaghetti ai frutti di mare** o **alla bottarga**, risotto alla pescatora, grigliate miste).
Per finire, torte fatte in casa oppure panna cotta e ***sebadas*** di produzione artigianale. In cantina continua il connubio sardo-piemontese, con bottiglie di Barbera, Dolcetto e Barolo, davvero insolite in Sardegna. Buona disponibilità anche di liquori e distillati.

DA BALENA

Trattoria
Via Santa Gilla, 125
Tel. 070 288415
Chiuso sabato a pranzo e la domenica
Orario: mezzogiorno e sera
Ferie: 1 sett a Pasqua, 1 a Ferragosto, 2 a Natale
Coperti: 60
Prezzi: 25 euro vini esclusi
Carte di credito: nessuna

Dagli anni Sessanta la trattoria Da Balena è un punto di riferimento per chi vuole gustare dell'ottimo pesce. Da quando, cioè, il signor Salvatore Sedda, soprannominato Balena, aprì il ristorante prima a Giorgino, villaggio di pescatori alla periferia di Cagliari, e poi a Santa Gilla, quartiere che prende il nome dal vicino stagno. Oggi l'attività è continuata dalla moglie del fondatore Gabriella Macis e dal socio Paolo Cadeddu.
In un ambiente informale, una clientela affezionata ed eterogenea trova pesce fresco e mani esperte in cucina. E anche passione e onestà, perché se qui, come dicono i cartelli appesi alle pareti, «non si fanno primi» è perché il pesce deve essere l'unico protagonista del pasto e perché l'esperienza insegna che, dopo antipasti e primi, il secondo non riceve la giusta attenzione. Gli antipasti comunque ci sono e troverete dunque un'ottima **insalata di polpo**, il **tonno con le cipolle** e piatti schiettamente cagliaritani come la ***burrida***, il **gattuccio** condito con una salsa fatta con i fegatini del gattuccio stesso, olio, aceto e noci tritate e il **pesce a *scabecciu***, pesce di piccola taglia fritto e lasciato riposare in un sughetto di aceto, cipolla e pomodoro. Tra i secondi potrete avere un buon **fritto misto** e una grande varietà di pesce arrosto. La specialità della casa, tra fine giugno e metà agosto, è l'**aragosta arrosto**, per la quale è necessario prenotare e preventivare una spesa più alta.
Per finire frutta o dolci sardi, tra cui ***pardule*** e **amaretti** preparati dalla padrona di casa. Da bere, come in ogni trattoria vecchio stile, vino sfuso della casa e qualche etichetta regionale.

FLORA

Ristorante
Via Sassari, 45
Tel. 070 664735
Chiuso la domenica
Orario: mezzogiorno e sera
Ferie: 3 settimane in agosto, 1 a Capodanno
Coperti: 80 + 40 esterni
Prezzi: 30-35 euro vini esclusi
Carte di credito: tutte, Bancomat

Beppe Deplano, con la figlia Laura, gestisce il ristorante Flora nelle vicinanze del porto di Cagliari. Il locale non sembra un'osteria: pezzi di antiquariato pregiato, mobili, argenti, vasi *art noveau*, sculture in marmo e bronzo, provenienti dalle collezioni di Beppe, arredano il locale. Nonostante questo, lo spirito, la cucina, la scelta dei prodotti sono del genere di locale che piace a noi. I piatti proposti incontrano le tradizioni dell'Ogliastra (zona di origine del proprietario) con quelle della Cagliari popolare.
Tra gli antipasti, polpettine fritte, **zuppe di cozze e arselle**, fiori di zucca fritti, **insalate di funghi** (porcini, a volte ovoli), cipolle in agrodolce con i pinoli, frittate e verdure varie. Per quello che riguarda i primi, oltre ai **ravioli di cipolle** o di carciofi e ai ***culurgiones* ogliastrini di patate e menta**, cucinati col sugo o fritti come vuole la tradizione più autentica, si trovano la pasta con arselle e zucchine, le zuppe di ceci o di fagioli e il minestrone di verdure. Per secondo ecco la ***cordula*** (intestini intrecciati di agnello) con i piselli, lo **spezzatino di pecora al vino rosso**, le animelle, la **trippa con la mentuccia**. Tra i piatti di mare, il leggerissimo **fritto misto** e il **capone con le patate**. I dolci sono fatti in casa: si segnalano quelli al cioccolato.
La cantina presenta una scelta tra le migliori etichette regionali con qualche rarità e incursioni nel resto d'Italia; buona la proposta dei distillati. Beppe, come gli osti di un tempo, il menù preferisce recitarlo a voce: fidatevi dei suoi consigli.

A pochi passi dal ristorante, Bonu propone numerosi prodotti sardi. Una scelta limitata ma più curata in via Angioi, da S'ingaungiu: qui si trovano anche alcuni prodotti dei Presìdi e delle comunità del cibo della Sardegna.

CHIOSCHI DEL POETTO

La Sardegna non è luogo di cibi di strada. Tradizionalmente, solo durante le feste patronali o nelle fiere erano allestite delle *barracas* in cui si vendevano carni, interiora e pesci arrosto. Ma nelle città di mare, fino a pochi decenni fa, nei mercati civici si sono venduti per il consumo cozze, ostriche, arselle e ricci crudi, per esempio a Cagliari al mercato liberty di largo Carlo Felice, abbattuto nell'immediato dopoguerra. Sul finire degli anni Settanta, lungo la strada che costeggia il Poetto, tra Cagliari e Quartu Sant'Elena, iniziarono a comparire banchi dove i pescatori, da novembre ad aprile, vendevano mitili crudi e polpa di ricci. Erano costruzioni improvvisate di legno e canne, molto frequentate all'ora dell'aperitivo soprattutto il sabato e la domenica mattina e, nei giorni di bel tempo, di ritorno dalle spiagge. Le strutture improvvisate sono diventate tendoni bianchi lungo la vecchia litoranea, in un contesto ambientale e paesaggistico straordinario, da cui lo sguardo può correre sullo stagno con i fenicotteri rosa e sul profilo di Cagliari.
I chioschi continuano a offrire ricci crudi da novembre ad aprile (negli altri mesi la loro pesca è vietata); inoltre, ostriche e i piatti della tradizione marinaresca locale. Ma si possono frequentare tutto l'anno per un pranzo fatto di antipasti di mare, spaghetti ai ricci, alla *granseola*, al granchio gigante, ai gamberi, talvolta all'aragosta, sempre con la bottarga. Come secondo, arrosti e fritti di pesce, polpo in insalata. Il tutto servito con stoviglie di plastica in un ambiente spartano. Il vino sfuso della casa di solito non è eccelso, ma se vi portate una bottiglia nessuno avrà da ridire. In qualche caso, poi, ci sono bottiglie di Vermentino o di Nuragus.
La spesa con il vino della casa si aggira sui 25-28 euro, tende a lievitare con l'aragosta e in estate.
Di seguito i chioschi che consigliamo:

AGRIPESCA
349 2930255-347 4919073

L'AFRODISIACO
339 1072627-338 7615928

SA DOMU SARDA

NOVITÀ

Ristorante
Via Sassari, 51
Tel. 070 653400
Chiuso la domenica
Orario: mezzogiorno e sera
Ferie: Natale, Capodanno e Pasqua
Coperti: 70
Prezzi: 25-35 euro vini esclusi
Carte di credito: le principali, Bancomat

Nel centro storico di Cagliari non mancano palazzi risalenti al Settecento e all'Ottocento che hanno conservato intatte le strutture originarie. È in uno di questi che si trova il piccolo locale di cui parliamo: sotto le volte a vela in mattoni, caratteristici delle architetture cagliaritane, il locale è arredato con pochi mobili della tradizione contadina sarda. Le due salette, una che dà sulla strada e una interna più tranquilla, sono apparecchiate con allegre tovaglie colorate e coprita-vola bianchi. La proposta gastronomica è quella delle campagne sarde nei giorni di festa: salumi, paste ripiene, piatti di carne difficili da trovare altrove. La scelta non è molto vasta e dipende da quanto offre quel giorno il mercato.
Come antipasti, oltre ai salumi, vi potranno proporre **coratella in umido**, verdure arrosto o fritte, **ricotta *mustia*** (pressata e leggermente affumicata). Tra i primi, oltre ai tradizionali ***malloreddus*** e alle paste con sughi di carne o di salsiccia, particolarmente interessanti i ***culurgiones*** alla menta con un condimento **allo zafferano** o con una insolita salsa di porri. Tanti e vari i secondi di carne: arrosti, spezzatini, stracotti. Da provare, in stagione, la **pecora in umido** e lo **stracotto di asino**. Chiudono il pasto dolcetti sardi tradizionali di produzione artigianale.
La cantina, prettamente regionale, è piccola ma di buona qualità. Provate gli insoliti distillati, tra i quali i profumati liquori al finocchietto selvatico e al timo.

ZAIRA

NOVITÀ

Trattoria
Via Sassari, 52
Tel. 070 668991
Chiuso mercoledì sera e domenica
Orario: mezzogiorno e sera
Ferie: in agosto
Coperti: 30
Prezzi: 20-25 euro vini esclusi
Carte di credito: nessuna

Ormai a Cagliari pochi conoscono questo locale del centro storico, esternamente piuttosto anonimo (lo individua un'insegna gialla con scritto "tavola calda-rosticceria"), ma che dentro parla subito il linguaggio di un tempo: tavoli ben apparecchiati con tovaglie di carta colorate, luci al neon, una certa aria dimessa ma che promette cose schiette e genuine. Fra i tavoli si aggira Zaira, inizialmente un po' ruvida ma che dopo un po' sa farsi apprezzare per la cortesia; ai fornelli (a vista) l'instancabile marito. Due fogli appesi alle pareti diverse indicano uno il menù di mezzogiorno (che è anche da asporto e, volendo, è disponibile anche a cena) e l'altro esclusivamente serale, con i primi di mare cucinati al momento e da ordinare obbligatoriamente per due. In ogni caso si tratta di una cucina decisamente casalinga e a buon mercato.
Tra le proposte a rotazione del primo elenco, fave bollite, melanzane gratinate, una squisita **insalata di polpo**, zucchine al latte, **minestre di pesce**, pasta corta al sugo di pomodoro, **trippa in umido**, pesce al forno, **pecora bollita**, patate arrosto. Più stabile l'offerta serale, con gli **spaghetti ai frutti di mare**, all'astice, agli scampi, all'aragosta (quest'ultima farà salire il prezzo, ma non troppo, e tutto sarà presente sempre secondo disponibilità di mercato), la **zuppa di cozze** col crostone, il pesce arrosto. Ad accompagnare il tutto, l'ottimo pane casereccio del forno accanto e il ruspantissimo vino della casa, in alternativa ad alcune bottiglie sarde, proposte a prezzi popolari.
Per finire, oltre a frutta e dolcetti tipici, si possono trovare le torte fatte dalla signora Zaira, fra cui quella di radicchio e pinoli, decisamente inconsueta. Il caffè arriva dal bar dell'angolo.

CAGLIARI
Giorgino

ZENIT

Ristorante
Viale Pula-Villaggio dei Pescatori
Tel. 070 250009
Chiuso il lunedì
Orario: mezzogiorno e sera
Ferie: gennaio
Coperti: 60 + 60 esterni
Prezzi: 25 euro vini esclusi
Carte di credito: tutte, Bancomat

Un ambiente semplice e accogliente fa da contorno a una cucina di pesce tipicamente cagliaritana: un pasto di qualità che gusterete ancora più piacevolmente nella bella terrazza che si affaccia sulla spiaggia di Giorgino.

Qui si ripropongono piatti tradizionali come la ***burrida* in bianco** (cagliaritana), a base di gattuccio di mare, con le noci e le interiora del pesce, splendidamente cucinata, e quella in rosso (della costa occidentale sarda), con la razza e il pomodoro; e ancora, tra gli abbondanti e vari antipasti, lo ***scabecciu*** (con cipolle e senza eccessi di aceto), le **zuppe di** cozze e/o **arselle**, i polpetti in umido. Come primo troverete la minestra di pesce (realizzata con gli avanzi della pesca filtrati e passati), gli **spaghetti con i ricci**, con la bottarga o con gli scampi, la **fregola con le arselle** o con le anguille, saporita e leggermente piccante. Seguono la **frittura mista**, saporita, abbondante ma delicata, le ottime grigliate e altre preparazioni di pesce locale, spesso poco utilizzato altrove (razza, murena, sgombro). Il pasto può concludersi con dolcetti sardi provenienti da un laboratorio artigianale dell'entroterra, ma lo chef, Giuseppe Belgiorno, propone anche sue creazioni. Buona scelta di vini, rappresentativi delle migliori cantine della regione, accettabile lo sfuso della casa.

Se avete tempo, visitate, dall'altra parte della strada, lo storico villaggio dei pescatori, anche se ormai turisticizzato, e la vicina chiesetta di Sant'Efisio, dove ha termine la celeberrima sagra il primo maggio di ogni anno.

CALANGIANUS

9 KM A EST DI TEMPIO PAUSANIA, 35 KM DA OLBIA SS 127

IL TIRABUSCIÒ

Ristorante
Via Nino Bixio, 5
Tel. 079 661849-347 0580548
Chiuso la domenica
Orario: mezzogiorno e sera
Ferie: variabili
Coperti: 30
Prezzi: 30-35 euro vini esclusi
Carte di credito: tutte, Bancomat

I boschi secolari che circondano Calangianus alimentano una fiorente attività di estrazione del sughero e di lavorazione del legno. Nel centro storico di questo paese ubicato su un altopiano granitico ai piedi del monte Limbara (Gallura interna), troverete il piccolo ristorante di Antonio Fele. Ricavato dalla casa dei nonni materni, è impreziosito da elementi decorativi in granito. Fantasia e tradizione si intrecciano in un menù a carattere stagionale: ai fornelli c'è Andrea Sassu.

La proposta degli antipasti (carpaccio di zucchine con ricotta salata, involtini di melanzane) è quella che meno si caratterizza per territorialità: nei giusti periodi è però impreziosita dai **funghi** della zona (da provare quelli gratinati). I primi piatti sono preparati con la pasta fresca: secondo stagione, potrete assaggiare i **ravioli di patate** con menta e formaggio, *li* ***pulingioni* di ricotta** (tipica pasta ripiena gallurese), *li* ***chjusoni*** (gnocchetti) con la salsiccia, *li* ***fiuritti*** (tagliolini) **al sugo di lepre** o di cinghiale, le linguine con cozze, bottarga e peperoni. La particolare ***suppa cuata***, zuppa di brodo di pecora, pane e formaggio, gratinata in forno, è disponibile su prenotazione. In base alla disponibilità dei produttori locali, potrete poi assaggiare la **carne di asino con aglio e prezzemolo**, *li* ***pulpeddi*** (spezzatino di maiale), il filetto in salsa di Cannonau, il **capretto** arrosto, le **costolette di agnello al rosmarino** o, su prenotazione, il **porcetto**. Chiudono il pasto pecorini di varia stagionatura e dolci tipici, casalinghi o di pasticceria.

Ampia la scelta di vini regionali, proposti a prezzi interessanti.

Cuglieri

40 km a nord di Oristano ss 292

Desogos

Trattoria con alloggio
Via Cugia, 6
Tel. 0785 39660
Non ha giorno di chiusura
Orario: mezzogiorno e sera
Ferie: non ne fa
Coperti: 60
Prezzi: 25-30 euro
Carte di credito: tutte tranne AE, Bancomat

Il Montiferru è una regione della Sardegna in cui abbondano i prodotti tipici e le attività agropastorali della tradizione sono ancora un'importante realtà: basti pensare all'allevamento ovino e bovino (la razza più caratteristica è la sardo modicana, Presidio Slow Food), ai formaggi (tra cui il *casizolu*, anch'esso presidiato), agli oli da olive di cultivar autoctone. La trattoria delle sorelle Desogos, che vanta 65 anni di attività, si trova a Cuglieri, capoluogo del comprensorio montano nonostante nel suo territorio ricadano anche località affacciate sul mare. I piatti proposti, raccolti anche in un menù degustazione, sono quelli tipici dell'entroterra sardo e variano secondo stagione e disponibilità di mercato.
Per cominciare, troverete spesso le ***panadinas*** di sfoglia ripiene di carne e ortaggi e il ***pane frissu cun petta imbinada*** (carne macerata nel vino), oltre ai sempre presenti salumi locali, pecorini freschi e insalate di legumi. Spiccano tra i primi i ***malloreddus cun su ghisadu*** (un sugo della tradizione, ottenuto dalle ossa spolpate di agnelli e pecore), le pappardelle con sugo di cinghiale, i ravioli di bietole e ricotta, la zuppa di fave, il minestrone di verdure. Seguono agnello alla cacciatora, **maialetto in umido** o **arrosto**, salsicce alla griglia; eccellente la ***pitta cun ulìa*** (bue rosso con olive), forse il più tipico dei secondi a base di carne sardo modicana; nel giusto periodo, la **selvaggina** (solitamente cinghiale o pernice) è cucinata in salmì. Su prenotazione è possibile avere alcune pietanze di pesce. Pecorini stagionati e dolci regionali chiudono il pasto.
Disponibili alcune etichette sarde accanto al vino della casa, servito in caraffa. Chi volesse pernottare, può usufruire di una decina di camere.

Dorgali
Ispinigoli

32 km a est di Nuoro ss 129 e 125

Ispinigoli

Ristorante annesso all'albergo
Strada Statale 125, km 210
Tel. 0784 95268-94293
Non ha giorno di chiusura
Orario: mezzogiorno e sera
Ferie: metà novembre-fine febbraio
Coperti: 300 + 150 esterni
Prezzi: 30-35 euro vini esclusi
Carte di credito: tutte tranne DC, Bancomat

Il ristorante si trova in una delle zone più frequentate dai turisti. Il contesto è molto bello: siamo in una delle migliori aree agricole della Sardegna, di cui si gode il panorama dall'ampia terrazza. Sebbene sia un locale dai grandi numeri, l'offerta gastronomica è di qualità e il servizio è sempre attento e curato. Le proposte sono molto varie, per soddisfare la numerosa clientela, ma non per questo ci si discosta dalla cucina di territorio.
Dopo il consueto antipasto a base di salumi e formaggi freschi, sceglierete tra numerosi primi tradizionali: ***anzelottos*** (sorta di ravioli) alla dorgalese, ***maccarrones de punzu*** (piccoli gnocchi di pasta all'uovo) e ***maccarrones furriaos*** (saltati in padella con formaggio e zafferano), **pane *cottu*** (zuppa di pane *carasau* in brodo), **minestra *chi frue*** (cagliata in salamoia). Spiccano fra i secondi gli arrosti alla brace, gli stufati alle erbe selvatiche, la ***purpuzza*** (la pasta della salsiccia). Curato il bel carrello dei **formaggi** sardi (oltre 20 tipologie). Tra i dessert, l'immancabile ***seada***, le casadine con la menta (sorta di *quiche* al formaggio fresco), l'***aranzada*** (scorzette di arancia cotte nel miele), il *gatò* (dolce di mandorle e zucchero caramellato). La scelta dei vini è molto vasta e comprende etichette locali, nazionali e straniere; peccato per i ricarichi un po' eccessivi.
A pochi chilometri dal ristorante, meritano una visita alcuni dei musei e dei siti inseriti nella Comunità della memoria: il villaggio nuragico di Serra Orrios e il nuraghe Mannu a Cala Gonone.

Osteria accessibile ai disabili.

Elmas

8 km a nord di Cagliari ss 130

Pani e casu

Trattoria
Via Moguru
Tel. 070 216691
Chiuso la domenica
Orario: mezzogiorno e sera
Ferie: due settimane in agosto
Coperti: 90
Prezzi: 25 euro
Carte di credito: tutte, Bancomat

Il nome del locale significa "pane e formaggio", ma ben più di questo offre la semplice ma accogliente trattoria di Pierpaolo Mameli. Il locale si trova a una decina di chilometri dall'aeroporto di Cagliari, sulla strada alberata per Assemini. Il locale, articolato in due salette caratterizzate l'una da ampie vetrate, l'altra da un bel caminetto, è da anni un punto di riferimento per chi vuole gustare a prezzi corretti i piatti della tradizione sarda, preparati con buona mano e materie prime di qualità.

Il *casu*, accompagnato dal pane *carasau*, compare peraltro già sotto forma di **formaggi misti** o della crema di pecorino casalinga; inoltre, per cominciare, **salumi** locali, una grande varietà di verdure in umido, grigliate o sott'olio; in stagione, **insalate di funghi** e le ***tappadasa*** (lumachine al forno). Tutti di tradizione i primi: ***culurgiones* ogliastrini**, ravioli di cipolla, ***malloreddus* alla campidanese**, *pani frattau*, **fregola con pomodoro e pecorino**. Si prosegue con carni di ogni genere, anche di asino o di cavallo (di allevamento familiare), cucinate alla brace o in umido, il ***porceddu***, la **pecora in cappotto** (bollita con verdure e aromi), il maiale ai peperoni, il cinghiale al Cannonau, la **gallina ripiena**.

Per finire le ***padule***, dolci di ricotta e formaggio, amaretti, *gueffus* e altri dolci sardi che ben si accompagnano a un Moscato, a un mirto o a un altro liquore casalingo. Il menù fisso comprende anche il vino della casa.

Fluminimaggiore
Portixeddu-Buggerru

34 km a NO di Iglesias, 82 km a NO di Cagliari

L'Ancora

NOVITÀ

Trattoria
Località Portixeddu
Tel. 0781 54903
Chiuso il mercoledì, mai luglio e agosto
Orario: mezzogiorno e sera
Ferie: fine settembre
Coperti: 50 + 50 esterni
Prezzi: 32 euro vini esclusi
Carte di credito: tutte, Bancomat

Ci troviamo in uno dei luoghi più belli della costa sud-occidentale dell'isola, caratterizzato da memorie del recente passato minerario (Buggerru) e dell'epoca romana (il tempio di Antas è a pochi chilometri). Ma qui sono il mare e l'incantevole spiaggia a reggere la scena: la trattoria, fondata dalla mamma dell'attuale patronne nel 1961, si affaccia proprio sul porticciolo, e dalla terrazza adiacente, dove si mangia nella bella stagione, si gode una vista splendida. Il locale è semplice e la sala interna dispone di una decina di tavoli abbastanza ravvicinati: la folla però si trova solo d'estate, giacché nel periodo invernale Portixeddu è difficilmente raggiunta per una passeggiata, ma proprio solo per venire a mangiare qui. E la fatica del viaggio viene ripagata dall'autentica cucina di mare proposta da Maria Carmen Pinna.

Si può iniziare con bottarga e carciofi, polpo e radicchio, frittelline di *gianchetti*, diversi sottoli conservati a crudo (zucchine, melanzane, funghi), **zuppette di** cozze e **arselle**, carpacci di pesce affumicato, anguille marinate. Non esagerate: vi aspettano gli **spaghetti con i ricci** (da novembre ad aprile), con le arselle o in rosso con gli scampi, la **fregola con i frutti di mare** o con i crostacei, le **farfalle con bottarga e carciofi**. Seguono abbondanti grigliate e **fritture di pesce**, ma anche preparazioni al forno più elaborate. Per chiudere, squisiti dolcetti casalinghi di Fluminimaggiore.

Buona scelta di vini sardi imbottigliati, ma non è male lo sfuso della casa. Gentilezza e cortesia caratterizzano l'accoglienza di Maria e dei suoi collaboratori, che invoglia a tornare anche quando non si può fare prima un tuffo: ricordate però che, le sere d'inverno, il locale è aperto solo su prenotazione.

Gavoi

41 km a SO di Nuoro SS 128

Santa rughe 

Ristorante
Via Carlo Felice, 2
Tel. 0784 53774
Chiuso il mercoledì, mai in agosto
Orario: mezzogiorno e sera
Ferie: variabili
Coperti: 80
Prezzi: 27-30 euro vini esclusi
Carte di credito: tutte, Bancomat

Gavoi è uno dei più bei paesi della Barbagia, un luogo molto interessante e vivace, sede durante l'anno di numerose manifestazioni tradizionali e culturali. Tra le altre, da segnalare uno dei grandi carnevali della Barbagia e un importante festival letterario il primo fine settimana di luglio. È inoltre sede di una associazione per la salvaguardia della biodiversità in agricoltura che permette a un produttore locale di confezionare ottime marmellate con frutti quasi dimenticati.
La cucina di questo ristorante è di stampo agro-pastorale e propone una vasta scelta di piatti, nei quali trionfa il **formaggio** in tutte le sue forme. Per cominciare, come antipasti troverete formaggi, principalmente ovini, poi i **salumi** della zona e una serie di preparazioni a volte un po' "difficili": **trippe**, **trecce** (intestini di agnello intrecciati e cotti in umido o arrosto), la ***prupuzza*** (la polpa del maiale tagliata a piccoli pezzi e condita come per la preparazione della salsiccia), **animelle**, coratella, frittelle di verdure. Classicissimi i primi, dai **ravioli ripieni di formaggio** fresco al quasi introvabile ***erbuzzu***, zuppa di erbe selvatiche dal forte sapore di terra. Tra i secondi, naturalmente, gli arrosti della tradizione sarda, ma anche, in stagione, **stufati di cinghiale** o **di pecora**. Notevoli, come detto, i formaggi, a cominciare dal fiore sardo, Presidio Slow Food, che ha in questa zona la sua area di elezione.
Come dolci avrete ***sebadas*** o frittelle di ricotta e miele. Ottima scelta di vini, alcuni proposti anche a bicchiere; onesto pure il vino della casa.

Locale segnalato
dall'Associazione italiana celiachia.

Sos Zillonarzos, via Roma 227: fiore sardo, marmellate e confetture di Francesco Ibba, tra cui quella di pere di Gavoi.

Giba

22 km a SE di Carbonia, 43 km da Iglesias

La rosella

Ristorante annesso all'albergo
Via Principe di Piemonte, 135
Tel. 0781 964029
Chiuso mercoledì sera, mai d'estate
Orario: mezzogiorno e sera
Ferie: da Natale a Capodanno
Coperti: 120
Prezzi: 35 euro vini esclusi
Carte di credito: tutte, Bancomat

Siamo nelle generose montagne del Sulcis, ma il mare da qui non è lontano: così Giba, anche dal punto di visita gastronomico, è un po' sintesi di un territorio non fortunato, ma che negli ultimi anni sta facendo moltissimo per rilanciarsi soprattutto nel settore turistico. La Rosella, locanda nel senso più esatto del termine (tredici camere per un'eventuale sosta piacevole), rappresenta una bella risposta di qualità e ospitalità. Il nome, di cui non è chiara l'origine, lo scelse il fondatore, nonno dell'attuale titolare Stefania Angioni e padre della cuoca, la signora Lucia.
Le specialità della casa sono in linea con la sintesi delineata già dagli antipasti: formaggi di qualità, **salumi** particolari (**di capra e pecora**, oltre ai più comuni insaccati suini), **verdure** fresche e sott'olio, ma anche frutti di mare, crostacei, pesce affumicato, **fritture di anemoni**. Rosella dà il meglio di sé con le paste fatte in casa: ravioli, ***malloreddus***, tagliolini, **fregola**, ***pilus*** (antica pasta di semola tipica del Sulcis) sono conditi con i funghi, gli asparagi, i carciofi, il **ragù di capra**. Chi preferisce proseguire con gli abbinamenti marinari, non perda la pasta allo scoglio in bianco e nero. Mare e terra si alternano anche fra i secondi: segnaliamo le squisite **grigliate miste**, la capra o la **pecora in umido con il finocchietto selvatico**.
Per dessert, buoni i raviolini fritti con ricotta o mele cotogna, il **pane di *sapa*** e diverse altre specialità in gran parte isolane. Interessante l'assortimento di bottiglie regionali.

Iglesias

Gazebo medioevale

Ristorante
Via Musio, 21
Tel. 0781 30871
Chiuso la domenica, mai in agosto
Orario: mezzogiorno e sera
Ferie: tra ottobre e novembre
Coperti: 90 + 40 esterni
Prezzi: 28-30 euro vini esclusi
Carte di credito: le principali, Bancomat

Il Gazebo Medioevale è situato nel cuore del centro storico di Iglesias, al pianterreno di uno dei più antichi palazzi della città. Le sue sale, quella principale con la cucina a vista e quella più intima e riservata, sono impreziosite da elementi architettonici di pregio come le mura pisane. Rossella e Francesco, i padroni di casa, accolgono gli ospiti con cortesia e si intrattengono con loro fornendo indicazioni e suggerimenti sul menù e sulle materie prime utilizzate. La proposta gastronomica è caratterizzata principalmente da pietanze di mare (il pesce arriva dalla vicina costa sud-occidentale), ma non mancano interessanti preparazioni a base di carni locali e verdure di stagione.
Particolare rilevanza è data agli antipasti e ai primi piatti. Tanti e buoni i **carpacci**, per cominciare: di cernia, spigola, orata, pesce spada, ma soprattutto **di luvaro** (dentice reale di fondale). A seguire, spiccano gli **spaghetti con bottarga e asparagi di mare**, con scampi e zafferano o con le seppie, il **cuscus alla marinara**. Per secondo sceglierete fra la **tagliata di tonno**, il trancio di palombo con cuscus o quello di pesce spada con gli asparagi; chi preferisce la carne , troverà una buona tagliata di pecora con pomodorini, cipolla, menta e spezie. Oltre ai piatti presenti nel menù, sono diverse le preparazioni giornaliere che variano secondo stagione.
Buoni i dolci, tutti di produzione propria, come il tortino al limone, la mousse alla fragola, la panna cotta, il tiramisù. La carta dei vini presenta una buona scelta di etichette regionali.

Isola di San Pietro
Carloforte

28 km da Carbonia, 32 km da Iglesias + traghetto

La cantina

Trattoria
Via Gramsci, 34
Tel. 0781 854588
Chiuso il lunedì, mai d'estate
Orario: pranzo e sera, ottobre-aprile solo pranzo
Ferie: Natale, Santo Stefano e Capodanno
Coperti: 20 + 8 esterni
Prezzi: 20-28 euro vini esclusi
Carte di credito: le principali, Bancomat

I discendenti della genti liguri che dal Settecento abitano Carloforte dopo l'abbandono dell'isola tunisina di Tabarka, non hanno perso l'accento e la cadenza della lingua madre, ma certo hanno acquisito padronanza nel manipolare le materie prime tipiche di qui, prima di tutto il pesce, con il tonno in posizione d'onore. Ne avrete la prova sedendovi in questa piacevolissima Cantina, familiare e accogliente (anche se non si prenotano i posti a tavola. Anzi, forse proprio per questo). A gestirla è la famiglia Napoli, che in collina ha anche un piccolo albergo-ristorante. Aperto nel 1983 da Agostino e Lucia, il locale (che serve anche piatti da asporto) è oggi condotto da figli e nuore, solleciti e disponibili, artefici del bel clima conviviale che si vive nel piccolo ambiente vicino al porto.
Il **tonno** è rimasto uno dei capisaldi dell'attività economica e della gastronomia dell'isola e nella Cantina di via Gramsci potrete gustarlo in tutti i modi: **alla carlofortina** (con pomodoro, aglio e alloro), **bollito** con patate e pomodoro, **salato e affumicato**, sotto forma di **mosciame** e di **bottarga**. Molto appetitoso e raro il piatto dei prodotti di pesce conservato: mosciame, cuore di tonno, bottarga. Secondo la disponibilità di mercato si cucinano poi, per lo più alla griglia, altri pesci, e sono ottime pure le **verdure**. Da non perdere due primi, entrambi molto tipici, che possono anche essere piatti unici: il **cascà**, versione locale del cuscus di verdure, e il **pasticcio**, preparato con due tipi di pasta (***cassulli*** e **maccheroni**) e condito con pomodoro, tonno e pesto.
I vini sono soprattutto del Sulcis, ma anche del resto della Sardegna e di altre regioni d'Italia.

Da Luxoro, via dei Battellieri 24, la pasta tradizionale carlofortina e ottimi dolci.

ISOLA DI SANT'ANTIOCO
Calasetta

28 KM A SO DI CARBONIA, 49 KM DA IGLESIAS

DA PASQUALINO

Trattoria
Via Regina Margherita, 85
Tel. 0781 88473
Chiuso il martedì, mai d'estate
Orario: mezzogiorno e sera
Ferie: in novembre
Coperti: 80 + 20 esterni
Prezzi: 25-35 euro vini esclusi
Carte di credito: tutte, Bancomat

Per gustare i piatti della tradizione, Da Pasqualino – erede dell'attività iniziata in altra sede dal padre di Annamaria negli anni Sessanta – è un indirizzo più che sicuro. Il locale è molto semplice, l'apparecchiatura spartana, l'atmosfera familiare come la gestione: Annamaria sta in cucina, il marito Salvatore e i figli Stefano e Alessandra si dividono tra i fornelli e la sala.
Il **tonno**, pesce simbolo delle isole di Sant'Antioco e San Pietro, è tra i protagonisti del menù: lo troverete già tra gli antipasti, con le sue conserve (**musciame**, **tranci** affumicati o lessati e messi sott'olio, **bottarga**), in alternativa alle cozze alla marinara, alle insalate di polpo o miste, alla **zuppetta di vongole e arselle**. A seguire, molto tipici il ***cascà*** (cuscus) con gamberi, calamari, seppie e pesci da spina e il ***pilau*** (fregola impastata con acqua e zafferano) accompagnato da vongole, cozze e gamberoni. Fresco o conservato, il tonno condisce gli **spaghetti** (quelli **alla calasettana** sono insaporiti con bottarga e musciame). Per secondo, **aragosta** alla catalana o **alla calasettana** (con le sue uova e il sugo di pomodoro), **fritture miste**, pescato del giorno alla griglia. Poche le proposte di carne: braciole di maiale, bistecche di cavallo, coniglio alla cacciatora e – su ordinazione – il **porcetto**. Al momento del dessert, ***seada*** calda con il miele, *pardula* di ricotta, tiramisù, crema catalana.
In cantina alcune bottiglie sarde oltre allo sfuso dell'attigua Cantina Sociale. Se non si prenota per tempo è difficile trovare posto, soprattutto d'estate.

A **Sant'Antioco** (10 km) presso il panificio Calabrò, di fronte al municipio, pani tradizionali a lievitazione naturale.

ISOLA DI SANT'ANTIOCO
Calasetta

28 KM A SO DI CARBONIA, 49 KM DA IGLESIAS

U' PALACCA

NOVITÀ

Ristorante
Via Marconi, 51-57
Tel. 0781 854912-334 3502843
Chiuso mercoledì a pranzo
Orario: mezzogiorno e sera
Ferie: terza settimana di ottobre-Pasqua
Coperti: 40 + 60 esterni
Prezzi: 32-35 euro vini esclusi
Carte di credito: tutte, Bancomat

Centro marinaro di origine genovese, Calasetta è un piccolo angolo di Liguria in terra sarda: se ne trovano esempi nell'architettura delle abitazioni e delle strade, ma anche nella sorprendente cucina. Proprio in uno dei carruggi a pochi metri dalla piazza del paese, Donatello, patron del locale, intrattiene i suoi ospiti in un giardino di città con piante autoctone e fiori che separano i tavoli dalla strada. La sua filosofia è racchiusa in una frase all'interno del menù: «Dare importanza ai contatti umani, senso dell'umorismo, sincerità e calore mi stanno particolarmente a cuore». In cucina, a trasformare i pesci freschissimi in gustose pietanze (il mare dista pochi metri dal ristorante), c'è la moglie Donatella.
Tra gli antipasti, da non perdere le crudità di mare: ostriche, tonno e crostacei conditi con l'olio degli oliveti di Villamassargia. Una particolare menzione meritano le ***orziadas*** (anemoni di mare) fritte, che sono servite fumanti e dorate. La cucina di mare e le influenze liguri si ritrovano anche nei primi piatti: da non perdere le **trofie** di pasta fresca **con il sugo di *granseola* e bottarga**, i risotti profumati dalle erbette locali, il famoso ***pilau*** (fregola condita con il pescato del giorno e i crostacei). Proseguendo, in base a quello che avrà offerto il mare, il pesce vi sarà proposto secondo diverse e classiche preparazioni. Ottimi i dolci, preparati e decorati con sapienza.
La carta dei vini offre una buona selezione di etichette regionali, con particolare attenzione alle piccole cantine locali che, oltre al Carignano, propongono bianchi che ben si sposano alla cucina del ristorante.

Ittiri

25 km a sud di Sassari

Su recreu

Azienda agrituristica
Strada Provinciale Ittiri-Romana, località Butios
Tel. 079 442456
Chiuso il lunedì
Orario: mezzogiorno e sera
Ferie: prima settimana di settembre
Coperti: 80
Prezzi: 27-30 euro
Carte di credito: tutte, Bancomat

NOVITÀ

In un paesaggio suggestivo, il ristorante si trova in un'antica casa contadina ristrutturata. È gestito dai proprietari, Gavino De Montis, agricoltore e allevatore di pecore, maiali e capre, e la moglie Piera, che sovrintende in cucina e si occupa della produzione di paste e dolci. Quasi tutto è prodotto in azienda e per poter assaggiare un menù completo è meglio prenotare.

Tra i tanti antipasti il **cacioricotta** di capra, le **verdure cotte al forno**, la crema di formaggio piccante, pomodori e carciofini sott'olio, **verdure in pastella** e tortino di verdure di stagione. Il cacioricotta è usato anche nella preparazione di primi come i ravioli e ***mariposas*** conditi con crema di latte e sugo di pomodoro. In alternativa **gnocchetti con *ghisadu* di pecora**, **pani zicchi** (specie di spianata) cotto nel brodo di pecora e servito con pecorino o *ghisadu* di pecora. Tra i secondi capretto e agnello in umido con finocchietto selvatico e olive, e, in stagione, **cinghiale**. Inoltre il classico **porcetto arrosto**, le ***cordule***, i ***trattalios*** (coratella dell'agnello o del capretto) arrostiti su fuoco di legna, il **bollito di pecora** con patate e cipolle. Dolci tradizionali (***papassini***, amaretti, ***tiricche***) ma anche di fantasia come il dolce "Recreu".

Si bevono solo le bottiglie prodotte in azienda: tra i rossi Cagnulari, Sangiovese e Montepulciano; il bianco è un discreto Vermentino. Fra i distillati, grappa e mirto di produzione propria. Chi desidera pernottare potrà scegliere fra tre bungalow e tre stanze doppie.

Dolci tradizionali da Casiddu, via Bernini 1. Ottimi olio e sottoli presso l'azienda agricola Pinna, via Umberto 133. Sulla circonvallazione di **Thiesi** (20 km), il caseificio Thiesilat produce un insolito erborinato di pecora. A pochi metri, presso il Caglificio Manca si trova il caglio edibile di capretto.

Laconi

69 km a ovest di Oristano

Paradiso

Trattoria
Via Crimenti, 5
Tel. 0782 869445
Chiuso il lunedì
Orario: mezzogiorno e sera
Ferie: variabili
Coperti: 60
Prezzi: 25-30 euro vini esclusi
Carte di credito: nessuna

Semplice trattoria a conduzione familiare, si trova alla periferia di Laconi, paese noto per un museo archeologico che raccoglie ben quaranta menhir (anche antropomorfi) rinvenuti in loco. Salvatore "Toto" Dessì, generoso d'aspetto e di fatto, con l'imponente stazza dell'oste d'altri tempi, l'accoglienza affabile, le competenze di norcino, presenzia in sala. La moglie Marinella è il motore della cucina, nella quale sono preparati i sostanziosi piatti della tradizione.

I **salumi** (prosciutto crudo, salami, guanciale, sanguinacci e la ***mustela*** servita con *martutzu* e olio fruttato) sono prodotti da Salvatore e vi saranno serviti come antipasto insieme alle conserve di verdure (cardi, cavolfiore, peperoni, carciofi, pomodori) e a rari **formaggi a latte crudo** ovino e caprino (provate le ricotte abbinate al miele). Tra i primi piatti citiamo le paste fatte in casa condite con carne di maialetto o di galletto ruspante e la **favata con *crasciousu*** (cotenna di maiale). Buoni tra i secondi la pecora, la capra e il **maialetto con i cardi**, le salsicce e la **pancetta macerata con aceto**, la gallina ripiena, la ***cordula*** e la ***tratalia***, specialità ottenute dalle interiora di agnello e capretto. Completano il pasto la frutta e i dolci del luogo (imperdibili nel periodo carnevalesco i **dolci fritti**, come *tzippulas* e *conche de moru*).

Accanto ai vini prodotti in proprio da vitigni autoctoni, è presente una discreta scelta regionale, oltre a liquori e distillati locali. Si organizzano cene tematiche legate alla stagionalità e alle festività contadine.

Magomadas

54 km a nord di Oristano ss 292

Da Riccardo

Trattoria
Via Vittorio Emanuele, 13-15
Tel. 0785 35631
Chiuso il martedì
Orario: mezzogiorno e sera
Ferie: ultima settimana di ottobre
Coperti: 40
Prezzi: 25-30 euro vini esclusi
Carte di credito: nessuna

Questa trattoria esemplifica bene la duplice vocazione del territorio di Magomadas, comunità montana ma a pochi chilometri dal mare: ecco dunque che la cucina, curata da Graziella, segue il doppio binario del pesce e delle carni. Il menù dipende da ciò che offre il mercato giornaliero e varia quotidianamente per numero e tipo di piatti: per assicurarsi la disponibilità dei più tipici, considerata anche la capienza limitata dell'unica sala, è bene prenotare.
Dopo avervi fatto accomodare, Riccardo e Paola potranno raccomandarvi l'antipasto misto terra oppure il carpaccio di pesce spada, l'insalata di polpo e, nei giusti periodi, l'***anguidda incasada*** (anguilla lessata con aromi e passata in forno con pecorino grattugiato). Si prosegue con fusilli con gamberi e zucchine, **spaghetti alla bottarga**, allo scoglio o alle arselle. Se la pesca è stata particolarmente ricca, troverete in menù grigliate miste, **gamberoni al mirto**, **spigole al finocchietto selvatico**, **aragosta alla catalana**. Per gli amanti della carne, oltre a diversi tagli alla griglia, ci sono (su prenotazione) le ***panadinas*** farcite di carne e verdure. I **funghi** (*boleti*, galletti e sanguinelli) sono presenti in diverse preparazioni autunnali: tortini, zuppe, paste. Frequenti, nei mesi freddi, gli abbinamenti tra legumi e frutti di mare: ricordiamo, tra gli altri, la crema di ceci con vongole, arselle e gamberi. Buoni, infine, i pecorini e le ricotte affumicate serviti col miele.
Tra i dolci ***seadas***, dolcetti di mandorle e, in novembre, i *papassinos*. Pochi ma buoni i vini regionali, in bottiglia o sfusi.

Mamoiada

18 km a sud di Nuoro ss 389

Sa rosada

Novità

Ristorante annesso alla locanda
Piazza Europa, 2
Tel. 0784 56713
Chiuso il mercoledì
Orario: mezzogiorno e sera
Ferie: in novembre
Coperti: 30
Prezzi: 20-30 euro vini eslusi
Carte di credito: MC, Visa, Bancomat

Mamoiada è famoso per le sue maschere (Mamuthones e Issohadores) e il Carnevale, che inizia il 17 gennaio, raccontato, con gli altri carnevali barbaricini, nel Museo delle maschere mediterranee, a pochi metri dalla locanda (il museo è inserito nella rete della Comunità della memoria di Terra Madre). Il locale è ricavato in un vecchio edificio magistralmente ristrutturato, con un cortile acciottolato pieno di fiori su cui si aprono la caffetteria e il ristorante. Il nome evoca la residenza presidenziale argentina, in omaggio all'ipotesi che Juan Perón fosse un emigrato mamoiadino. Augusto e Rino Sanna, con l'ausilio di moglie e sorella, vi accoglieranno con calore e familiarità. La cucina propone principalmente piatti semplici e saporiti.
Gli antipasti comprendono soprattutto salumi di provenienza locale ma anche piatti caldi come **trippa** e **coratella** (le interiora di agnello, capretto o maialetto cotte in umido). È nei primi che il locale dà il meglio di sé: ***maccarrones de busa con purpuzza*** (pasta di salsiccia) e melanzane o con *purpuzza* e zafferano, ravioli di formaggio al sugo leggero, gnocchi o ***mallorreddus* con sugo di lepre** o cinghiale. Per quanto riguarda i secondi, prevalgono gli arrosti di carne locale; se disponibili, sono da provare l'**asino** e l'**agnello con lo zafferano**.
Oltre al vino della casa (un Cannonau di Mamoiada) è disponibile una piccola selezione regionale che privilegia le etichette locali. Da tenere d'occhio gli eventi culturali organizzati periodicamente nel cortile della locanda.

Masullas

38 km a SE da Oristano SS 131

Su talleri

Ristorante-pizzeria
Via Salis, 14
Tel. 0783 990265
Chiuso il lunedì
Orario: mezzogiorno e sera
Ferie: una settimana in bassa stagione
Coperti: 30 + 50 esterni
Prezzi: 25-30 euro
Carte di credito: nessuna

Chiamato *Sa idda de is predis e de is puddas* (il paese dei preti e delle galline), Masullas è un piccolo centro della Marmilla, regione della Sardegna a vocazione cerealicola. Qui non si arriva per caso, bisogna venirci apposta, e un pasto da Su Talleri può essere un'ottima occasione per farlo. Il locale, molto semplice e arredato in stile rustico, dispone anche di una veranda per l'estate. Giorgio Grussu, depositario della cultura popolare della Marmilla, gestisce il locale con l'aiuto della moglie, che si occupa degli ospiti in sala. Le proposte gastronomiche seguono il calendario, sia quello stagionale sia quello delle feste; ampio è l'utilizzo di erbette, funghi e prodotti dei campi vicini.
Potreste quindi cominciare con *su* ***pani indorau*** (il pane fritto in pastella) e i salumi misti, tra cui l'eccellente ***mustela callentada*** (filetto di maiale alla brace). Molto particolari le paste fatte in casa: ***crogoristasa*** (a forma di cresta di gallo) **con il sugo di galletto** o con lo zafferano, ***caombasa*** in brodo con nido di spinaci e uovo in camicia (tradizionale piatto pasquale). ***Talluzzasa*** e ***fibausu***, ossia gli arrosti e gli umidi di pecora e capra, sono accompagnati dai carciofi e dai cardi selvatici; da provare anche *su cabonischu ammuttau* (**polletto ruspante con mirto**) e la **capra al finocchietto selvatico** con contorno di asparagi selvatici. Eccellenti i dolci di mandorla da produzione propria, i ***brugnollusu*** (frittelle di ricotta) e *sa casada*, dolce al cucchiaio a base di latte, amido e scorza di limone.
Pane casereccio, discreta carta degli oli e dei vini di carattere marcatamente locale.

Muravera
Villaputzu

68 km a NE di Cagliari

Su talleri

Ristorante
Bivio Porto Corallo
Tel. 070 997574
Chiuso domenica sera
Orario: mezzogiorno e sera
Ferie: 2 settimane in ottobre, 2 a Natale
Coperti: 120
Prezzi: 30-32 euro vini esclusi
Carte di credito: le principali, Bancomat

Ci troviamo nel Sarrabus, alla foce del Flumendosa, in una zona della Sardegna fortemente vocata alla pesca: a pochi chilometri da qui troviamo le peschiere di Villaputzu, San Giovanni, Colostrai, Feraxi, e siamo a 40 minuti da Tortolì. Così, per i fratelli Carta, titolari da 28 anni del ristorante, è facile avere sempre a disposizione pesce e mitili freschissimi e di qualità. Il locale è arredato in maniera sobria, l'ambiente è familiare e informale, con il titolare che non esita a venire al tavolo per aprire le cozze e gli altri frutti di mare del ricco misto di crudi. Su Talleri è apprezzato anche fra gli abitanti della zona, abituati a mangiare e cucinare nelle proprie case ottimi piatti di mare, perché negli anni è riuscito ad affiancare con successo pietanze tradizionali a piatti più creativi.
Nel periodo della Sagra degli agrumi di Muravera potrete gustare l'**insalata di muggine essiccato** con agrumi e olive o i **pesci di laguna** filettati agli agrumi. Il menù cambia nel corso dell'anno ma ci sono alcune costanti che vi consigliamo di provare, come l'antipasto misto di mare, il **gattuccio in umido** con cipolle e pomodoro, la **fregola con le *orziadas*** (anemoni di mare), il risotto di mare, gli **spaghetti allo scoglio**, alla bottarga o ai ricci di mare. Se, per secondo, ordinate una **grigliata mista**, vi serviranno un ricco vassoio di pesci locali con una cottura perfetta; in alternativa, il fritto misto o, preventivando una spesa un po' più alta, l'aragosta alla catalana o all'agro.
Per chiudere il pasto, ci sono buoni dolci tipici sardi, tra cui ***pardule*** e ***seadas***. Buona la selezione di vini locali.

20 eventi

Arte Contemporanea in Sabina

Provincia di Rieti
Ass. Cultura e Turismo

Regione Lazio

www.arteinsabina.it
atessore@tiscali.it
Tel. 0746 750133
335 8019825

Più che un felice esperimento è una bella realtà. Stiamo parlando della manifestazione "20Eventi-Arte Contemporanea in Sabina", giunta quest'anno alla quarta edizione. Nata da un progetto cresciuto sulle precedenti esperienze dei musei Archeologico, dell'Olio e del Silenzio, nel corso degli anni, grazie al lavoro della direzione artistica e dell'Assessorato Provinciale alla Cultura, si impone oggi come un appuntamento di rilievo, un percorso fra arte e territorio che offre l'opportunità di conoscere i più bei borghi della Sabina e di ammirare le più attuali e apprezzate espressioni dell'arte contemporanea. Nell'occasione, infatti, le suggestive strade si trasformano in veri e propri musei all'aperto. Negli anni si sono succeduti Giuseppe Penone e l'Ecole des Beaux-Arts di Parigi, Karin Sander e la KunsHochSchule Weissensee di Berlino, Richard Wentworth e la Ruskin School, ovvero il dipartimento d'arte della Oxford University. Nomi di assoluto rilievo internazionale ai quali si sono aggiunti workshop, performance culturali e spettacoli dal vivo. Per l'anno 2009 il progetto 20Eventi si estenderà a varie accademie internazionali, tra queste possiamo citare l'Accademia Brera di Milano e alcune importanti accademie del Belgio.

Alberto Tessore
Direttore Artistico

Giuseppe Rinaldi
Assessore alla Cultura e Turismo
Provincia di Rieti

GROSSETO

Azienda Agricola Le Rogaie

Loc. Barbaruta - Grosseto
Cell. 348 8741398 - Fax 0564 401200
info@lerogaie.it
www.saporidimaremma.com

Qui la specialità è la carne biologica "Nobile di Maremma", frutto di una particolare attenzione per il benessere degli animali alimentati con foraggi prodotti in azienda. La carne, venduta su prenotazione in confezioni da 10/12 kg composte in piccole buste sottovuoto, è lavorata alla fiorentina. Consegne a domicilio in tutta Italia.

CAMPAGNATICO

Locanda del Glicine

Piazza Garibaldi 6/7/8
Campagnatico (GR)
Tel. 0564 996490 - Fax 0564 996916
www.locandadelglicine.com

In un borgo medievale nel cuore della Maremma più bella, la Locanda del Glicine è un luogo dove tutto invita all'armonia: la cordiale accoglienza, le camere ricavate in ambienti medievali arredate con uno stile in perfetto equilibrio fra antico e moderno, gli incantevoli panorami aperti su verdi colline.

OCCHIN
LA STRISCIA

IL RIFUGIO

Trattoria-pizzeria
Via Antonio Mereu, 28-36
Tel. 0784 232355
Chiuso il mercoledì
Orario: mezzogiorno e sera
Ferie: variabili
Coperti: 70
Prezzi: 30-35 euro vini esclusi
Carte di credito: tutte tranne DC, Bancomat

«La cucina è l'arte di dar rilievo ai sapori, ma se la materia prima è scipita, nessun condimento può rialzare un sapore che non c'è». Con questa frase di Calvino stampata sul menù il Rifugio, suggerisce ciò che si può trovare qui.

Il titolare e cuoco, Silverio Nanu, oggi affiancato dal figlio Alessandro, propone i tradizionali piatti del Nuorese e alcune specialità di pesce. Vi proporranno dunque insalata di mare, fregola con ragù di pesce, spigole con favette o con zafferano o la **fregola in brodetto di anguille e crostacei**. Ma è senza dubbio con i piatti della tradizione che danno il meglio di sé. I menù del giorno propongono, tra gli antipasti, frattaglie di maiale con olive, ***cordedda*** (intestini di agnello intrecciati) con piselli e finocchietto, prosciutto di cinghiale, ***mustela*** (filetto di maiale), *gheladina* (gelatina ancora di maiale). Tra i primi potrete trovare gli ***andarinos* di Usini** o le paste tradizionali di Siddi (entrambe comunità del cibo di Terra Madre) condite con sughi robusti, *fregula* in brodo o asciutta, ***maccarrones de busa* con ragù di agnello** o *purpuzza*, oppure il classico **pane *frattau***. Tra i secondi, trippa con fagioli, **cassola di agnello** o di pecora con carciofi o olive, arrosti vari, diverse preparazioni di frattaglie.

Buona scelta di formaggi e poi i dessert: ***sebadas*** e dolci tradizionali di mandorle. Da provare l'insolito semifreddo al pecorino. Buona la scelta dei vini regionali e discreta quella di prodotti "del continente". Alcuni vini sono serviti al bicchiere. Per finire, liquori tipici come mirto e il *filu'e ferru*, oltre che grappe e distillati nazionali. La sera il locale funziona anche come pizzeria.

23 KM DAL CENTRO DELLA CITTÀ

TESTONE

Azienda agrituristica
Località Sa Serra
Tel. 0784 230539-329 4115168
Sempre aperto su prenotazione
Orario: mezzogiorno e sera
Ferie: variabili
Coperti: 80
Prezzi: 20-30 euro
Carte di credito: nessuna

Sebastiano Secchi gestisce questo agriturismo all'interno di una delle più antiche aziende agricole della zona, sull'altopiano che da Nuoro va verso Orune e Benetutti, nel mezzo di una vasta sughereta a circa 700 metri sul livello del mare.

I locali sono stati ricavati ristrutturando una vecchia stalla e le sue pertinenze, e sono arredati con sobrietà; antichi attrezzi agricoli e strumenti del lavoro domestico sono presenti ovunque. I piatti proposti sono quelli della tradizione.

Dopo un antipasto a base di salumi e formaggi freschi di produzione propria, si potrà scegliere tra **pane *frattau***, **ravioli di ricotta** o di formaggio, ***maccarrones de busa*** da abbinare a diversi condimenti, il ***filindeu*** (pasta sottilissima realizzata a mano e cotta nel brodo di pecora), la **minestra *'e merca*** (cagliata in salamoia) con le patate. Le carni dell'azienda (pecora, agnello, maiale, vitello), cui in stagione si aggiunge la selvaggina, sono preparate principalmente arrosto e in umido. Da non perdere i piatti a base di interiora: arrosto o con i piselli (***cordula***), allo spiedo (***trataliu***), in fricassea. Si chiude con **formaggi** pecorini e vaccini dell'azienda, freschi e stagionati, con le ***sebadas*** e altri dolci tradizionali. Il costo del pasto è comprensivo del vino, locale.

A pochi chilometri dall'agriturismo, da visitare alcuni dei luoghi inseriti nella Comunità della memoria: il museo dei Tenores di Bitti, il sito archeologico di Romanzesu, sempre a Bitti, e il sito archeologico di Su Tempiesu a Orune.

Nuxis

29 km a est di Carbonia, 39 km da Iglesias

Letizia

Ristorante-pizzeria
Via San Pietro, 12
Tel. 0781 957021
Chiuso il martedì
Orario: mezzogiorno e sera
Ferie: non ne fa
Coperti: 80 + 100 esterni
Prezzi: 30-35 euro vini esclusi
Carte di credito: tutte tranne AE, Bancomat

Siamo nel Sulcis, un tempo terra di miniere e oggi nuova frontiera di una viticoltura in crescita, con realtà che mostrano di sapere esprimere al meglio le potenzialità del territorio. Emanuele Fanuntza, titolare di Letizia, vi potrà raccontare e fare assaggiare le buone bottiglie che oggi nascono nei vigneti intorno. Esperto conoscitore di quanto la sua terra sa offrire – dai frutti spontanei dei boschi alle erbe del territorio, dalle piante aromatiche ai funghi –, lo sa utilizzare al meglio in molte delle preparazioni che assaggerete qui, in un repertorio originale, dai sapori spesso inconsueti.
Questa è la filosofia che la signora Gioconda, in cucina, sa abilmente assecondare, elaborando piatti strettamente connessi alla stagione e squisitamente locali. Memori di una cucina essenziale, quella dei contadini e dei pastori che abitavano questa zona interna. Dalle bacche nere del lentisco, ad esempio, si ricava un olio che conferisce una leggerezza particolare alle minestre, ai **funghi** e anche al **caprino fresco**. Tra gli antipasti ricordiamo le ***perdigianu a scabecciu*** (melanzane a scapece), i *gureu scettau* (cardi insabbiati al dragoncello), i funghi fritti. Poi le tagliatelle ancora ai funghi, i **ravioli di ortica e borragine** e il tipico ***mazzamurru* di melanzane**, una sorta di pasticcio preparato con il pane raffermo. Come secondo, la **pecora in *cassola*** (in umido), il **maialetto arrostito** e, quando è disponibile, il **cinghiale**, ma ci sono anche tagli di maiale e di vitello. A completare l'offerta, i dolci della casa, oli scelti, pane prodotto in proprio.
Come detto, si beve la migliore produzione vinicola locale e sarda, in un ambiente confortevole, vivacizzato da tante immagini. Meglio prenotare.

Osteria accessibile ai disabili.

Olbia

Barbagia

Ristorante-pizzeria
Via Galvani, 94
Tel. 0789 51640
Chiuso il mercoledì, mai d'estate
Orario: mezzogiorno e sera
Ferie: tra dicembre e gennaio
Coperti: 100 + 60 esterni
Prezzi: 35 euro vini esclusi
Carte di credito: tutte, Bancomat

Il ristorante di Gianfranca e Giuseppe Loddo propone, come si evince dal nome, ricette della tradizione barbaricina, anche se non mancano piatti a base di pesce (siamo pur sempre in una città di mare) e, purtroppo, qualche preparazione un po' banale, inserita in menù per soddisfare i presunti desideri del turismo balneare. L'accoglienza è cordiale, anche se sarebbe apprezzabile qualche consiglio in più su cibo e vini. Questi ultimi comprendono una discreta scelta di bottiglie locali e un bianco e un rosso sfusi di una cantina del Cagliaritano.
Tra gli antipasti risulta gradevole il pomodoro con ***sa frughe***, un formaggio molle essiccato dal gusto deciso; buoni anche il **prosciutto di cinghiale**, i **piedini e** la **gelatina di maiale**. Il risotto di mare è molto ben condito e delicato; sempre tra i primi, sono apprezzabili i ***maccarones de busa*** al sugo di cinghiale, i ***culungiones*** di patate, i ***malloreddus***, nonché il "piatto degli sposi", spaghetti conditi con sugo di pomodoro e polpettine di carne. Per quello che riguarda i secondi, predominano le carni arrosto (**porcetto**, **agnello**, salsiccia) che possono essere servite anche in un unico piatto misto; in alternativa, umido di cinghiale. Chi preferisce il pesce, troverà fra l'altro **bottarga di muggine**, arselle alla marinara, spaghetti ai granchi o alle aragoste, spigole e orate al sale, anguille alla griglia. La sera ci sono anche le pizze cotte nel forno a legna.
In chiusura, una piccola selezione di formaggi, non solo locali, e poi *seadas* e *gugligliones*.

Oliena

12 km a SE di Nuoro

Ck

Ristorante con alloggio-pizzeria
Corso Martin Luther King, 2-4
Tel. 0784 288024-288733
Non ha giorno di chiusura
Orario: mezzogiorno e sera
Ferie: non ne fa
Coperti: 120 + 70 esterni
Prezzi: 30 euro vini esclusi
Carte di credito: tutte, Bancomat

In un angolo della strada che conduce a Nuoro troverete questo simpatico locale "multifunzionale", il cui nome rivela le iniziali dei titolari (Cenceddu e Killeddu). Accanto alla porta d'ingresso, una poesia-murale ne racconta la storia e annuncia, fra l'altro, i nomi di chi, gentile e disponibile, vi accoglierà in sala. In cucina la moglie di Cenceddu.
Il menù, a parte le proposte di mare e le pizze, è vario ed esaustivo della cucina e dei prodotti di questo territorio. Si può cominciare con gli ottimi **salumi** della casa, i formaggi locali (particolare la ***frughe***, latte cagliato servito fresco, a volte anche con la minestra di patate), le interiora in umido. Da non perdere le paste, molte preparate in casa: ***maccarrones de busa*** (bucatini con pomodoro e ricotta affumicata) o ***hurriaus*** (gnocchetti al pomodoro o alle verdure), gnocchi di patate con il sugo oppure "alla CK", con zafferano e asparagi, **tagliatelle con ragù di cinghiale**, *culurgiones*, ***pani frattau*** (zuppa di pane, sugo, uova e formaggio fresco) e tanto altro. Fra le carni, protagonista è il ***prattu de cassa*** (caccia), ovvero la selvaggina cucinata in umido con patate, erbe aromatiche e a volte **funghi**. Ma la varietà in questo territorio è straordinaria: cinghiale o lepre in umido, arrosti di vitella, **parasangue**, pecora, costine di maiale, agnello al finocchietto selvatico, maialetto arrosto (su prenotazione), **lepre al tegame**, formaggio arrosto.
Fra i dessert, ***sebadas* al miele**, il dolce del giorno (tiramisù fresco e cremoso, ad esempio), sorbetti e assaggi della rara ***pompìa*** (frutto candito Presidio Slow Food, proposto anche come aroma dell'acquavite della casa). Ottima la scelta dei vini, con una carta che va dalla Sardegna al continente, ma incentrata sul locale, soprattutto il Nepente, disponibile anche sfuso e al bicchiere.

Oristano

Antica trattoria del teatro

Trattoria
Via Parpaglia, 11
Tel. 0783 71672
Chiuso la domenica, mai luglio e agosto
Orario: mezzogiorno e sera
Ferie: tre settimane in novembre
Coperti: 30
Prezzi: 30-40 euro vini esclusi
Carte di credito: tutte, Bancomat

In questo locale, nel cuore del centro storico di Oristano, colpisce il carrello con oltre 30 tipologie di formaggi sardi (erborinati, pecorini e caprini a latte crudo) e internazionali (spagnoli, portoghesi, francesi e inglesi). Al formaggio sono interamente dedicati due piccoli menù che si affiancano ai tre menù degustazione: un paio, davvero abbondanti, a 40 e 45 euro, il terzo, che comprende due antipasti, due primi, un secondo, un assaggio di formaggi e un dolce a scelta, a 35. In tutti troverete sia piatti di mare sia piatti di terra.
Andrea Melis, il patron, utilizza materie prime provenienti dalla zona: la pasta delle donne della comunità del cibo di Siddi (*marracois fibaus*, *talluzzas*, *marracois de xibiru*), *lorighitas* di Morgongiori, carne di razze rustiche locali, pesce fresco, seguendo la stagionalità di ogni prodotto. Tra i primi troverete dunque le paste tradizionali condite con ragù di carni bianche e pecorino, **fregola con arselle di Marceddì** e melanzane fritte, ***panada* di anguille** gratinata al *casizolu*, **raviolini di carciofi** conditi, in inverno, **con uova di ricci di mare**. Tra i secondi ci potranno essere gli estivi **spiedini di pecora** ai profumi di montagna, medaglioni di maialetto e, ancora, **scaloppa di muggine in crosta di pane *carasau***.
In chiusura, i dolci più tradizionali come le ***seadas***, ma anche tortino di cioccolato fondente e altre preparazioni dettate dall'estro del cuoco. Interessanti le piccole *seadas* con miele e gelato. La selezione di vini comprende le migliori etichette regionali.

CRAF

Ristorante
Via De Castro, 34
Tel. 0783 70669
Chiuso la domenica
Orario: mezzogiorno e sera
Ferie: non ne fa
Coperti: 40
Prezzi: 35 euro vini esclusi
Carte di credito: tutte, Bancomat

Salvatore Pippia, coadiuvato in sala dalla moglie, illustra la sua zona di origine nelle proposte gastronomiche del locale, in pieno centro storico. Accogliente e intimo (due salette con muri in pietra a vista e volte a botte), ha arredi e apparecchiatura molto curati: tovagliati bianchi e bicchieri giusti per ogni vino.
Nell'antipasto di terra si possono trovare favette fresche in tegame, **funghi *antunna***, salumi di maiale e cinghiale, pomodori secchi sott'olio, frittelle di fiori di zucca. Tra i primi, da provare la **zuppa bonarcadese** (a base di pane raffermo bagnato nel brodo di manzo, con formaggio vaccino fresco e finocchietto selvatico, cotta al forno). Tra i secondi, seguendo la stagione, **cinghiale in umido, asino alla brace** o in padella con *antunna*, **agnello** e capretto in umido e **arrosto**. Da sottolineare l'uso, nelle varie preparazioni, di ***casizolu***, bue rosso, zafferano di San Gavino, fiore sardo, tutti Presìdi Slow Food. Passando al menù di mare, potrete avere zuppetta di cozze e arselle in verde o in rosso, ***fregula* con arselle di Marceddì** o con crostacei, **spaghetti alla bottarga di muggine** di Cabras. Come secondo il pescato del giorno, cucinato al forno con verdure di stagione e patate oppure al sale, crostacei locali, calamari arrosto o fritti in panatura leggerissima. Sono sempre disponibili verdure di stagione, crude o cotte.
Tra i dolci, ***seadas* al miele**, torte fatte in casa e dolci tradizionali di mandorle. Selezione di formaggi regionali. Buona la carta dei vini, con un articolato panorama di etichette note e meno note. Per finire i classici liquori (mirto e finocchio) e distillati (*filu e' ferru*).

DA GINO

Trattoria
Via Tirso, 13
Tel. 0783 71428
Chiuso la domenica
Orario: mezzogiorno e sera
Ferie: seconda settimana di gennaio, 14/8-10/9
Coperti: 40
Prezzi: 30-32 euro vini esclusi
Carte di credito: tutte tranne AE, Bancomat

Trattoria dalla gestione (e dall'ambiente) familiare, Da Gino si trova nel centro storico di Oristano. Un tempo specializzato in selvaggina, col passare degli anni il locale si è trasformato in un'autentica trattoria di mare: trasformazione giustificata non solo dalla richiesta della clientela ma dalla vicinanza ai luoghi di approvvigionamento del pescato, golfo e lagune. Oggi i piatti di pesce rappresentano la quasi totalità del menù; l'offerta varia quotidianamente in base alla disponibilità del mercato.
Si comincerà con crudi di mare e qualche antipasto caldo come la **zuppetta di cozze e arselle** o le ***orziadas*** (anemoni di mare) fritte. Tra i primi non manca mai almeno una **minestra**, come quella tradizionale **di *fregula e cocciua***; in alternativa, spaghetti alle vongole veraci o alle *orziadas* e **pennette ai ricci di mare**. La specialità della casa è l'**aragosta** alla Gino ma, tra gli altri secondi, si fanno apprezzare anche le grigliate (orate, spigole, gamberoni) e le **fritture miste** (di trigliette, calamari, ghiozzi e altro). Le preparazioni a base di verdure o di **funghi** sono le uniche proposte terragne ancora presenti in menù. Al momento del dessert, raviolini di mandorla, ***seada*** al miele, coppa all'amaretto o macedonia di frutta fresca.
Il servizio è svelto e spigliato, la proposta dei vini è limitata allo sfuso e ad alcune etichette regionali.

Nel laboratorio artigiano S'Antiga Bontade, via Campania 61, Valentina Abis prepara eccellenti dolci tipici oristanesi (amaretti, gueffus, capigliette, tiliccas, pabassinos, mostaccioli), le classiche impanatine e altre specialità salate. Molto apprezzati le zìppulas e i dolci di Carnevale.

Oristano
Massama

5 km dal centro della città

Il giglio

Azienda agrituristica
Via Case Sparse-Strada Provinciale 9
Tel. 347 3483744-349 1447955
Non ha giorno di chiusura
Orario: pranzo e sera, inverno su prenotazione
Ferie: non ne fa
Coperti: 80 + 40 esterni
Prezzi: 27-35 euro vini esclusi
Carte di credito: nessuna

A pochi chilometri dalla città si incontra un luogo un po' speciale, che ci mostra la vera vocazione di questo territorio, attento e rispettoso della cultura contadina. L'azienda agrituristica Il Giglio, dedicata al nome del fondatore, Giglio Orrù, e ora affidata alle cure dei familiari, in particolare della signora Marisa, attivissima in cucina, rispetta in pieno i canoni di questa tipologia. Il metodo di lavoro biologico ne completa l'autenticità, testimoniata già dal pane sfornato quotidianamente in proprio.
Tutto quello che arriva in tavola è di produzione propria, a cominciare dagli insaccati (***mustela***, salsicce, pancetta, coppa) o locale. Altri antipasti, ***cordula*** **con i piselli**, coratella, crema di pecorino, frittatine, torte rustiche. I diversi formati di pasta sono tirati a mano: i ***malloreddus***, le ***lisangias*** (sorta di lasagnette), i ravioli di ricotta e bietole, la **fregola**, sono conditi con sughi di carne, con le verdure di stagione o con lo zafferano; da provare anche le **zuppe** e le minestre di favette, di ceci, di carciofi, di finocchietto. Ricca e varia la scelta dei secondi: **agnello** in umido, braciole, **porchettone** in tegame, **galletto farcito**. Su prenotazione troverete il **maialetto arrosto** e, nel caso il gruppo di commensali sia particolarmente consistente, un'intera vitella. Il venerdì è possibile trovare pietanze a base di pesce proveniente da Cabras, disponibili gli altri giorni solo su ordinazione. Casalinghi anche i dolci, quali la ***simbua*** **fritta**, il gattò, le *pardulas* e altri variabili in base alle ricorrenze religiose.
Oltre al dignitoso vino della casa, sono disponibili diverse bottiglie delle migliori cantine sarde. A disposizione di chi vuole fermarsi per la notte, ci sono dieci confortevoli camere climatizzate.

Ploaghe

23 km a SE di Sassari

I candelieri

NOVITÀ

Trattoria
Piazza San Pietro, 8
Tel. 079 449575
Chiuso il mercoledì, mai d'estate
Orario: mezzogiorno e sera
Ferie: variabili
Coperti: 35
Prezzi: 28-35 euro vini esclusi
Carte di credito: tutte, Bancomat

Mario Budroni gestisce questo locale sulla piazza principale di Ploaghe, centro agricolo-pastorale dal quale si gode il panorama della campagna del Logudoro. L'osteria è ospitata in una tipica casa sarda dei primi dell'Ottocento ed è articolata in tre salette arredate con mobili e suppellettili della tradizione. Il menù proposto da Rossella Biancu si rifà alle tradizioni logudoresi; in sala, gentile e professionale, c'è Sara Piras.
Numerosi gli antipasti: ***monzette*** (lumachine) **in verde**, polpette di manzo con uva passa al Cannonau, **favette** ***arribisali*** bollite e condite con olio e mentuccia, prosciutto di pecora, salamino di capra, ***mustela*** (lonza di maiale speziata e stagionata), vari pecorini tra cui il fiore sardo, **insalata di pecora bollita** con verdure. Fra i primi piatti potrete provare i ***ciccioneddos*** (piccola pasta fatta a mano simile ai *malloreddus*) **con** ***ghisau*** **di pecora**, pasta fresca con sugo di quaglia o di cinghiale, **ravioli di ricotta con menta e pecorino**, zuppe di legumi (in inverno). Per secondo, buoni il ***ghisau*** (spezzatino) di manzo con le olive, la **grigliata mista** (costata di manzo, asino, salsiccia), il manzo al Cannonau, l'**agnello in umido** con i carciofi o le patate. Al tutto si accompagna buon pane tradizionale come la ***covazza piaghesa*** (focaccia di semola condita con olio e timo). I dolci sono di produzione locale: gelati artigianali, torrone e, soprattutto, la ***timballa a sa piaghesa*** (flan di latte e amaretti sardi cotto in forno).
La carta dei vini, che conta 150 etichette regionali, dà giusto spazio alle piccole produzioni.

Salumi di maiale e insaccati ovini presso La Genuina, che da cinquant'anni cura tutta la filiera dall'allevamento alla vendita. Punto vendita in corso Spano 306.

Portoscuso

18 km a NO di Carbonia, 21 km da Iglesias

Sa musciara

Ristorante
Lungomare Cristoforo Colombo
Tel. 0781 507099
Chiuso la domenica
Orario: mezzogiorno e sera
Ferie: variabili in inverno
Coperti: 80 + 40 esterni
Prezzi: 30-35 euro vini esclusi
Carte di credito: tutte, Bancomat

Ristorante a conduzione familiare di Portoscuso, vanta una cucina semplice e genuina particolarmente legata al mare e alla sua storia. Lo stesso nome, Sa Musciara, ossia la barca del *raís* (il capo pesca), richiama le radici storiche della pesca del tonno e della mattanza, ancora oggi praticata nelle acque locali. Il locale, da sempre situato nel centro del paese, si è ora spostato sul lungomare, a fianco del palazzo comunale, per enfatizzare la sua già suggestiva atmosfera, ma anche per offrire un ambiente più elegante e raffinato e la possibilità di tavoli all'esterno. Ciò che non cambia è la consueta cordialità e simpatia del personale, sotto la guida di Alberto Gai, sempre disponibile a consigliare le migliori pietanze e a venire incontro a tutti i gusti. A Sa Musciara si possono infatti gustare numerosi piatti a base di pesce fresco, tonno in particolare.
Per antipasto, ottima la serie di assaggi comprendente il cuscus, le alici marinate, il carpaccio di tonno e pesce spada affumicati, **polpo e ceci**, il morbidissimo **tonno sott'olio**. Tra i primi, spiccano gli **spaghetti** a Sa Musciara (**con pomodoro, basilico, tonno e bottarga**); non meno invitanti la **pasta ai ricci di mare** o alle arselle, gli spaghetti allo scoglio, il risotto alla pescatora. Ottimi, a seguire, le grigliate miste, il **tonno alla portoscusese** oppure alla griglia.
Buona la selezione di vini e di liquori sardi, meno ricca la proposta dei dessert. In inverno il locale apre la domenica a pranzo su prenotazione, in estate resta aperto la domenica sera.

Sant'Antonio di Gallura

25 km a NE di Tempio Pausania, 26 km da Olbia

Da agnese

Ristorante-pizzeria
Via Brunelleschi, 12
Tel. 079 669185-339 2649798
Chiuso il martedì
Orario: mezzogiorno e sera
Ferie: non ne fa
Coperti: 70 + 20 esterni
Prezzi: 30-35 euro vini esclusi
Carte di credito: tutte tranne AE, Bancomat

Ubicato nel centro di Sant'Antonio, questo ristorante esiste da tempo ma da sette anni si è indirizzato verso una cucina basata su ricette tradizionali e prodotti del territorio di alta qualità: merito degli attuali giovani gestori, Rita Malu e Antonio Spano. Paste dei primi e dolci sono fatti in casa, i piatti sono preparati con cura e valorizzano carni, verdure e formaggi locali; non manca inoltre l'alternativa di una buona pizza.
Nella sala interna o, se il tempo lo permette, sul terrazzino, inaugurate il pasto con salumi misti, **cipolle, melanzane e pomodori ripieni**, grigliati o sott'olio, sfogliatina di zucchine con pomodori e mozzarella, vari tipi di omelettes (alle melanzane o ai funghi, ad esempio). Da provare, se disponibile, la ***mazzafrissa***: si tratta di una preparazione a base di formaggio fresco e panna, disponibile anche in un'ottima versione dolce. A seguire ecco la ***suppa cuata*** – con brodi misti di carne, pecorino grattugiato e pane raffermo –, gli ottimi ***pulilgioni*** (ravioli dolci di ricotta) o i ***chjusoni*** (gli gnocchi galluresi) conditi con pomodoro (anche insaporito da carni di cinghiale o di manzo) o, in stagione, con funghi porcini, come le tagliatelle. Il **porcetto**, il capretto o l'agnello arrosto sono preparati su prenotazione. Non mancano mai l'arrosto di vitella ai porcini o alle zucchine, gli spiedini, le costate; quasi sempre presente il **coniglio**, cucinato **in agrodolce**, alla cacciatora o con crema di panna.
Oltre che con la già citata *mazzafrissa*, si può concludere il pasto con *seadas*, crostate, torte al cioccolato, al limone, alle mele. Valida carta dei vini regionali, proposti con ricarichi corretti.

Santu Lussurgiu

33 km a nord di Oristano

Sas benas

Ristorante con alloggio
Via Cambosu, 4
Tel. 0783 550870-347 8979611
Chiuso il lunedì
Orario: mezzogiorno e sera
Ferie: Natale
Coperti: 50
Prezzi: 28-35 euro vini esclusi
Carte di credito: tutte, Bancomat

Da circa un anno Sas Benas si è trasferito nella nuova sede – a un centinaio di metri dal vecchio edificio –, ricavata in una bella casa ristrutturata nel cuore di uno dei paesi più belli della Sardegna. L'alloggio è proposto con la formula dell'albergo diffuso, che qui presenta uno dei più importanti esempi italiani di questa tipologia, di cui il proprietario, Diego Are, è stato uno dei pionieri. Per quanto riguarda le proposte gastronomiche, sono incentrate sui prodotti più significativi del territorio: bue rosso e *casizolu* (entrambi Presìdi Slow Food), proposti in varie preparazioni tradizionali, particolarmente adatte a valorizzarli.
Tra gli antipasti, insieme a una buona scelta di **salumi** e di verdure anche selvatiche, sono proposti il ***casizolu* arrosto sul pane *carasau***, in una sorta di crostino locale molto saporito, e la particolare **insalata di bollito di bue rosso**, tipica della zona. Tra i primi ricordiamo le **zuppe** tradizionali, spesso a base **di verdure selvatiche**. In stagione è disponibile un'ampia scelta di **funghi**, utilizzati anche come condimenti per i primi, paste e zuppe. Per quanto riguarda il secondo, la scelta è tutta tra le carni: **bue rosso** – ***ghisadu***, bollito, arrosto, stracotto, ***pezza imbinata*** (cucinata dopo lunga macerazione nel vino rosso) – ma anche **cacciagione**, maialetti e ottima carne bovina di altre razze locali.
Per finire, alcuni buoni formaggi, dolci tradizionali e, molto interessanti, i semifreddi di un'ottima gelateria di Ghilarza, che propone tra l'altro i gusti al mirto, all'acquavite, alla *sapa* di fico d'india. Buona la scelta di vini sardi e di distillati lussurgesi.

Alle Distillerie Lussurgesi, con metodi tradizionali, sono prodotti interessanti acqueviti. A pochi metri la coltelleria Vittorio Mura propone bei coltelli tradizionali.

Seneghe

21 km a nord di Oristano ss 131 o 292

Al bue rosso

Osteria tradizionale
Piazzale Montiferru, 3
Tel. 0783 54384
Non ha giorno di chiusura
Orario: mezzogiorno e sera
Ferie: in ottobre e in febbraio
Coperti: 55
Prezzi: 25-30 euro vini esclusi
Carte di credito: tutte, Bancomat

Lontano dalle rotte turistiche, sulle colline del Montiferru, in un paese che conserva intatto un bel centro storico, nella cucina di questa osteria trionfa il **bue rosso** (Presidio Slow Food), la razza bovina sardo-modicana diffusa nella zona fin dal 1870, su cui è incentrato tutto il menù.
In un semplice e accogliente locale a fare gli onori di casa e in cucina c'è Mattea Usai, la simpatica e competente proprietaria. Tra gli antipasti troverete i paté di fegato, di olive col finocchietto selvatico, di formaggio piccante, ***mustela*** (filetto di maiale), pancetta tesa, crostini caldi con il lardo, **muscoletti in salsa piccante**, nervetti. Tra i primi, tutti di pasta fatta in casa, **raviolini** e **tagliatelle** conditi **con** sughi di stagione, tra cui spiccano funghi e ***ghisadu*** di bue rosso (una sorta di spezzatino stracotto con il pomodoro), sughi di agnello e di pecora o anche di cinghiale. Come secondo c'è un'ampia scelta di carni: dalle semplici e saporite **bistecche di bue rosso**, al filetto e alla tagliata, ma anche, se prenotato in tempo, il **bollito misto** con gallina, lingua, pecora, coda e il classico **maialetto arrosto**; ottime le salsicce e le grandi polpette schiacciate, sempre di bue rosso. Classici anche i dessert: ***seadas* col miele**, dolcetti secchi, crostate e torte di frutta. Splendido il **flan di latte**, tradizionalissimo dolce a base di latte e uova, preparato in casa.
Buona la scelta finale di distillati, tra cui, da assaggiare, il liquore di cardo della padrona di casa. Piacevole il vino della casa, della cantina Contini di Cabras, e buona la scelta tra le migliori etichette sarde.

Osteria accessibile ai disabili.

Locale segnalato dall'Associazione italiana celiachia.

Terralba
Marceddì

27 km a SO di Oristano

Da lucio

Ristorante
Via Sardus Pater, 34
Tel. 0783 867130-328 4047209
Chiuso il giovedì
Orario: mezzogiorno e sera
Ferie: due settimane in novembre
Coperti: 60 + 25 esterni
Prezzi: 32-35 euro vini esclusi
Carte di credito: tutte, Bancomat

Marceddì è una frazione di Terralba, ad alcuni chilometri dal centro cittadino, abitata prevalentemente da pescatori. La sua laguna, una delle più importanti in Sardegna, è ancora popolata dalle pregiate arselle veraci (*cocciua niedda*), coltivate con cura e raccolte ancora a mano, una per una, con una modalità rispettosa del fondale – è bandito l'uso di rastrelli e di badili, così come dei sifoni che, soffiando aria compressa e sollevando la sabbia, rovinano i luoghi di riproduzione – ed ecocompatibile.
La cucina di questo locale, gestito dalla terza generazione della famiglia Putzolu, è molto semplice, e si fa forte delle materie prime freschissime: ovviamente si trova soltanto ciò che il mare e la laguna offrono giorno per giorno. Polpi, arselle, cozze, variamente presentati, costituiscono gli antipasti. Tra le specialità, segnaliamo le cozze e le arselle crude, la **bottarga di muggine**, nonché la versione locale della ***burrida***, in rosso. Sontuosa la **zuppa di pesce**, per la quale però è necessaria la prenotazione (occorrono almeno 10 varietà diverse di pesci per realizzarla). Altrimenti la scelta è tra piatti semplici e saporiti: **minestre di fregola e *cocciua niedda*, spaghetti** in bianco **con arselle e bottarga** o in rosso con frutti di mare. Come secondi, grigliate miste o fritture, o pesci da porzione cotti con la Vernaccia. Dolci tradizionali: *seadas* col miele, ***gueffus***, altri piccoli dolci secchi di mandorle.
Nella carta dei vini qualche buona etichetta regionale e alcune nazionali.
Da ottobre a maggio il locale è aperto solo la sera.

Teti

58 km a SO di Nuoro

L'oasi

Trattoria-pizzeria
Via Trento, 10
Tel. 0784 68211
Chiuso il lunedì
Orario: mezzogiorno e sera
Ferie: non ne fa
Coperti: 80
Prezzi: 20-33 euro vini esclusi
Carte di credito: le principali, Bancomat

L'Oasi è uno di quei posti che vale un viaggio, magari coniugato alla visita del piccolo, interessante Museo Archeologico e dei siti nuragici. Luigi De Arca, il titolare, è un appassionato micologo ed esperto di erbe e piante spontanee, che ama proporre in tavola.
Nella scelta dei piatti lasciatevi guidare da lui e non ve ne pentirete, ma valutate con attenzione le quantità: gli innumerevoli, interessanti antipasti rischiano di farvi perdere la voglia di provare il resto. Alcuni sono tipici del ristorante, come le **polpettine di capra** e i **funghi** di stagione in diverse preparazioni. Sono sempre presenti, poi, i **salumi** locali, i sottoli casalinghi, verdure selvatiche e coltivate, cucinate semplicemente al vapore o saltate in padella. Spesso è disponibile un'ottima **ricotta di pecora**; in stagione, ***sa frue***, la cagliata acida. Tra i primi, i ravioli di formaggio e patate e i ***macarrones de busa***, conditi con sughi leggeri di pomodoro o corposi di carne; da non perdere, in stagione, le **zuppe di funghi**. Come secondi naturalmente ci sono le carni, compresa la **selvaggina**. Facile trovare il **cinghiale**, che potrà essere proposto **in umido**, se grande, o arrosto se di piccola taglia; poi coniglio o lepre e i più classici maialetto arrosto e **pecora arrosto** o in umido. Sempre presenti diverse preparazioni di verdure: ottimi in stagione gli asparagi selvatici saltati in padella.
I dolci sono quelli tradizionali. Onesto il vino della casa, ma c'è anche una buona scelta di etichette regionali, locali in particolare.

Tortolì
Peschiera San Giovanni

90 km a SE di Nuoro SS 189

La peschiera

NOVITÀ

Ristorante
Località Peschiera San Giovanni-spiaggia Cartiera
Tel. 0782 664415
Non ha giorno di chiusura
Orario: mezzogiorno e sera
Ferie: durante il fermo pesca
Coperti: 100 + 50 esterni
Prezzi: 28 euro vini esclusi
Carte di credito: tutte, Bancomat

Questo ittiturismo è un'iniziativa della locale Cooperativa dei Pescatori. La peschiera è ubicata alla fine della spiaggia della Capannina, nello stagno di Tortolì: lasciata la macchina nel parcheggio del punto vendita, si raggiunge il punto di ristorazione camminando per cinque minuti attraverso la vegetazione dello stagno e i tabulari di cozze e ostriche. Il locale è all'aperto con copertura e chiusure laterali per poter essere utilizzato anche nei mesi freddi. I tavoli sono apparecchiati con tovaglie di carta, ma il servizio veloce e cortese, la posizione tra lo stagno e la pinetina, gli arrostitori ben visibili dai tavoli, rendono l'atmosfera piacevole.
Il menù è fisso, con piccoli cambiamenti in relazione alla stagione. Gli antipasti sono una decina, tutti elaborati con pesci diversi. Da evidenziare la splendida **bottarga** locale, le polpette, i **ravioli fritti ripieni di pesce**, il polpo, lo **scabecciu**. Raramente sono previsti i primi, ma si passa subito ai secondi. La grigliata di orate e spigole e i **gamberoni arrosto** sono preparati nell'area vicino ai tavoli. Completa i secondi la **frittura mista**. Per finire frutta, sorbetto, caffè e l'immancabile mirto. Il vino proposto è quello della cantina di Tortolì.
La Peschiera è una chiara dimostrazione che a ottima qualità e porzioni abbondanti possono corrispondere prezzi accessibili (sono tra l'altro disponibili anche menù ridotti per bambini). Data la notevole costante affluenza, consigliamo di prenotare con diversi giorni in anticipo.

Al punto vendita è possibile acquistare i mitili allevati dalla Cooperativa, il pesce fresco e la bottarga di muggine qui prodotta.

Villasalto

64 km a NE di Cagliari SS 387

Paolo Perella 

Ristorante
Corso Repubblica, 8
Tel. 070 956298
Non ha giorno di chiusura
Orario: mezzogiorno e sera
Ferie: variabili
Coperti: 20
Prezzi: 35 euro
Carte di credito: nessuna

Arrivati qui sentiamo di aver compiuto una specie di pellegrinaggio: non si può definire altrimenti il lungo viaggio su una strada ricca di paesaggio ma anche di tornanti (circa 50 minuti da Cagliari), verso un paese sperduto fra i monti del Gerrei, una terra non proprio generosa che tuttavia gli abitanti stanno sempre più valorizzando nelle sue potenzialità turistiche e gastronomiche.
Ci troviamo questo locale senza insegna, un po' anonimo all'interno, ma subito riscaldato da Paolo Perella che ci accoglie con calore, senza sorprendersi di nulla (è disponibile, se preavvisato, ad accogliere i clienti anche alle 15). Volentieri ci mettiamo nelle sue mani, certi di trovare sapori che si possono gustare solo qui, come gli antipasti incentrati sulla **capra**, dalla **mozzarella** al **prosciutto**, e sulle buonissime verdure sott'olio (di lentischio) o come i famosi **ravioli di ricotta di capra al ragù di more di rovo**; ma anche perché ci aspettiamo di assaggiare qualcosa di insolito, ma sempre rispettoso di materie prime e tradizioni locali. La carne, dunque, specialmente la capra, la vera regina di questo "laboratorio" (la definizione è sua, guai a chiamarlo ristorante), ma anche il **maialetto cotto sotto la cenere**, la **coratella** delicata e profumata e le preparazioni con erbe, oli, ginepro, lentischio, carrube, che Perella inventa ogni volta. Da non trascurare il finale, con un gustoso **gelato al pistacchio** di latte e ricotta di capra, o alle carrube o, d'inverno, il **dolce della sposa** (bombolotti alla pasta di mandorle) e altri della regione.
Si beve un rosso della casa che migliora di anno in anno, ma anche cantine della Sardegna orientale; ma se lo portate da casa Paolo non avrà nulla da dire. Da non trascurare i suoi distillati (lentischio, liquirizia, ginepro). È d'obbligo la prenotazione.

INDICE DEI LOCALI

B

F

H

I

J

K

M

N

T

U

V

Indice delle località

D

E

H

I

J

L

M

N

O

P

Q

R

S

X

Z

Osterie d'Italia 2009

Se vuoi collaborare alla prossima edizione compila il modulo e spediscilo a:

Slow Food Editore
Redazione di Osterie d'Italia
via della Mendicità Istruita, 45 – 12042 Bra (Cn)

oppure invia una e-mail a: **ost.info@slowfood.it**

Tra i locali segnalati in **Osterie d'Italia 2009** ho visitato

nome del locale: ______________________________

indirizzo: ______________________________

Il mio giudizio è complessivamente:

❑ positivo ❑ negativo

motivazione ______________________________

____

____

____

____

Desidero segnalare un locale meritevole di far parte di **Osterie d'Italia 2010**

nome del locale ______________________________

indirizzo ______________________________

tel. ______________________________

motivazione ______________________________

____

____

____

____

Il segnalatore ______________________________

Indirizzo ______________________________

Città ______________________________

FERNET-BRANCA
MILANO
FONDATA NEL 1845
BRANCA
CASA FONDATA NEL 1845
FERNET-BRANCA
FRATELLI BRANCA DISTILLERIE
MILANO - VIA BROLETTO - VICINO ALLA CHIESA DI S. TOMASO
del famoso
FERNET BRANCA
PRODOTTO IN ITALIA